I Mammut

23

Grandi Tascabili Economici

In copertina: Antonio Donghi, *La canzonettista*, 1925, olio su tela

Prima edizione: settembre 1994
Grandi Tascabili Economici Newton
Divisione della Newton Compton editori s.r.l.
© 1993 Newton Compton editori s.r.l.
Roma, Casella postale 6214

ISBN 88-7983-563-7

Stampato su carta Libra Cream della Cartiera di Kajaani
distribuita dalla Fennocarta s.r.l., Milano
Copertina stampata su cartoncino Perigord Mat della Papyro S.p.A.

Luigi Pirandello

Tutti i romanzi

L'esclusa, Il turno, Il fu Mattia Pascal,
Suo marito, I vecchi e i giovani,
Quaderni di Serafino Gubbio operatore
Uno, nessuno e centomila

A cura di Italo Borzi e Maria Argenziano

Edizione integrale

Grandi Tascabili Economici
Newton

AVVERTENZA

Con i romanzi, la Newton Compton inizia la pubblicazione delle opere di Pirandello narratore (romanzi e novelle) e commediografo (tutto il teatro), proponendone una rilettura sulla base degli indirizzi critici più recenti e fornendo indicazioni introduttive che servano d'orientamento e di guida alla comprensione dei testi.

Nell'introduzione ai romanzi si delinea un Pirandello in dimensione europea, in linea, non solo con le convinzioni degli studiosi più attenti, ma con le tendenze e i gusti del lettore d'oggi, la cui cultura, per lo sviluppo dell'editoria e le sollecitazioni degli audiovisivi, è ormai aperta anche alle letterature di altri paesi. Gli accenni e i riferimenti ad autori stranieri che precedono e accompagnano l'esperienza pirandelliana, non sempre vogliono indicare una diretta dipendenza dall'uno o dall'altro autore, ma sempre segnalano il comune clima culturale che ne ha reso possibili le convergenze.

La bibliografia suggerisce le integrazioni a chi intenda approfondire la conoscenza di Pirandello e fornisce, dove è opportuno, anche il numero delle pagine del testo citato a orientamento di chi volesse consultarlo.

Per quanto riguarda le opere di Pirandello, sono stati adottati i testi dell'edizione critica Arnoldo Mondadori Editore, «I Meridiani», alla quale si rimanda per note e varianti.

I.B./M.A.

Un ringraziamento alla dottoressa Anna Maria Curci per la traduzione di brani da Vorschule der Aesthetik e da Die unsichtbare Loge di Jean Paul.

Luigi Pirandello, la vita e l'opera

Luigi Pirandello nasce in un casolare della campagna intorno a Girgenti (Agrigento), denominata Caos, il 28 giugno del 1867. Il padre Stefano appartiene a una ricca famiglia di commercianti di zolfo e si occupa dei cospicui interessi dei Pirandello nella zona; anche la madre Caterina Ricci Gramitto è di famiglia benestante, ma della borghesia professionistica di Agrigento. Sia la famiglia Pirandello sia la famiglia Ricci Gramitto, fieramente antiborboniche, hanno partecipato attivamente alle lotte risorgimentali. Stefano, il padre di Luigi, ha preso parte all'impresa dei Mille, seguendo poi Garibaldi all'Aspromonte e la madre Caterina, appena tredicenne, ha dovuto seguire il padre esiliato dai Borboni a Malta; ma l'accesa partecipazione ai moti risorgimentali e lo slancio ideale di quegli anni si tramutano, soprattutto nell'animo della madre, in una cocente delusione di fronte alla nuova realtà unitaria. Attraverso la figura di lei, Pirandello assimila quell'amarezza per il Risorgimento tradito, che è alla base di alcune sue poesie e del romanzo I vecchi e i giovani, *ed è probabile che proprio questo clima di disillusione abbia inculcato nel giovane Luigi il senso della sproporzione tra ideali e realtà riconoscibile nel saggio* L'umorismo.*

Luigi Pirandello ha l'istruzione elementare in casa, ma, più che dalle nozioni scolastiche è affascinato dalle favole e dalle leggende, tra popolari e magiche, che gli racconta la vecchia serva Maria Stella. A soli dodici anni, dimostrando assai precocemente il suo interesse per il teatro, scrive una tragedia andata perduta. Per volere del padre si iscrive alle scuole tecniche ma, attratto dagli studi umanistici, ottiene di frequentare il ginnasio.

Nel 1880 la famiglia si trasferisce a Palermo; nella capitale dell'isola Luigi compie gli studi di liceo, legge molto, soprattutto i poeti dell'800 italiano come Carducci e Graf, comincia a comporre le prime poesie e s'innamora della cugina Lina. Matura in questo periodo il contrasto con il padre, di cui Luigi ha scoperto una relazione; alla disarmonia con il padre, un uomo dalla corporatura robusta e dai modi sbrigativi e concreti, corrisponderà nel suo animo una profonda venerazione per la madre, che gli detterà, dopo la morte di lei, le commosse pagine della novella Colloqui con i personaggi *(1915). L'amore per la cugina, dapprima non ben visto, è improvvisamente preso sul serio dalla famiglia di lei che pretende, però, che Luigi lasci gli studi e si dedichi al commercio dello zolfo per poter sposare subito Lina. Nel 1886, durante le vacanze, Luigi si reca nelle zolfare di Porto Empedocle e lavora con il padre alla pesa dello zolfo; questa esperienza sarà per lui importantissima e gli fornirà spunti per novelle come* Il fumo, Ciàula scopre la Luna *e per alcune pagine del romanzo* I vecchi e i giovani. *Il matrimonio che sembrava imminente viene rimandato e Pirandello si iscrive all'università di Palermo alle facoltà di legge e di lettere (iscriversi a due facoltà era allora possibile). L'ateneo palermitano, soprattutto la facoltà di legge, è il centro in questi anni del vasto movimento che più tardi sfocerà nei Fasci siciliani; Pirandello, pur se non partecipa attivamente a questo fervido clima, è in rapporti di amicizia con i maggiori ideologi del movimento, Enrico La Loggia, Giuseppe De Felice Giuffrida e Francesco De Luca.*

Nel 1887, scelta definitivamente la facoltà di lettere, per continuare gli studi si trasferisce a Roma. Ma l'incontro con la città, centro delle lotte risorgimentali alle quali, come s'è detto, le famiglie dei suoi genitori avevano partecipato con entusiasmo generoso, delude le sue attese: «Arrivai a Roma che pioveva dirottamente, era notte e sentii stringermi il cuore ma poi ho riso come un disperato». *D'altronde il giovane Luigi, risentitamente moralista, può verificare da vicino la decadenza irriducibile dell'eroe risorgimentale attraverso lo zio Rocco, ora grigio e spento funzionario di prefettura, presso cui in un primo momento prende alloggio a Roma. Il «riso disperato», unico guizzo di vendetta della delusione subita, gli detta i versi amari della prima raccolta di poesie,* Mal giocondo *(1889). Ma non tutto è negativo; questo primo periodo romano gli fornisce l'opportunità di frequentare assiduamente i molti teatri della capitale: il Nazionale, il Valle, il Manzoni:* «oh il teatro drammatico! Io lo conquisterò. Io non posso penetrarvi senza provare una sensazione strana, un eccitamento del sangue per tutte le vene...».*

Per un contrasto con un professore di latino, è costretto a lasciare l'università di Roma e si reca a Bonn con una lettera di presentazione del prof. Ernesto Monaci per il prof. Foerster. Il soggiorno di Bonn, che dura due anni (1889-1891), è fervido di vita culturale. Legge i romantici tedeschi, Jean Paul, Tieck, Chamisso, Heine, e Goethe. Inizia la traduzione delle Elegie romane *di Goethe (le pubblicherà nel 1896); compone su imitazione delle Romane le* Elegie boreali *(le pubblicherà nel 1895 con il titolo di* Elegie renane*) e comincia a meditare sull'umorismo attraverso l'opera di Cecco Angiolieri.*

Nel marzo del 1891 si laurea, sotto la guida del prof. Foerster, in glottologia con una tesi sul dialetto di Girgenti intitolata: Suoni e sviluppi di suono nella parlata di Girgenti. *Il soggiorno di Bonn è di grande importanza per lo scrittore: vi stringe quei legami con la cultura tedesca che permarranno in lui consistenti e profondi.*

Nella primavera del 1891 torna in Italia e a Milano pubblica il poemetto Pasqua di Gea, *dedicato a Jenny Schulz-Lander, la ragazza tedesca con la quale a Bonn ha intrecciato una relazione.*

Dopo un breve soggiorno in Sicilia, durante il quale il matrimonio con la cugina già seriamente compromesso va a monte, ritorna a Roma, dove stringe amicizia con un gruppo di scrittori-giornalisti come Ugo Fleres, Tomaso Gnoli, Ettore Romagnoli, Ugo Ojetti, Giustino Ferri, Luigi Capuana, l'incontro con il quale sarà per lui importantissimo. È proprio Capuana, infatti, a spingerlo a dedicarsi alla narrativa. Scrive nel 1893 Marta Ajala, *che pubblicherà nel 1901 con il titolo* L'esclusa. *È datato 1893 anche il* Frammento d'autobiografia *che lo scrittore detta all'amico Pio Spezi (pubblicato nel 1933). Nel 1894 pubblica la prima raccolta di novelle,* Amori senza amore. *Il 1894 è anche l'anno del matrimonio dello scrittore; aderendo a una proposta del padre, sposa una ragazza timida e chiusa di buona famiglia agrigentina, educata dalle suore di San Vincenzo, vigilata da un padre geloso e possessivo: Antonietta Portulano. I primi anni di matrimonio suscitano in lui un nuovo fervore di studi e di lavoro: gli incontri con gli amici e le discussioni sull'arte, infatti, continuano vivaci e stimolanti, mentre la vita familiare, pur in una sostanziale incomprensione di Antonietta per la vocazione artistica del marito, procede abbastanza tranquilla con la nascita di tre figli; nel 1895 nasce Stefano, nel 1897 Lietta, nel 1899 Fausto. Pirandello intensifica intanto la collaborazione a giornali e a riviste, come* La Critica *e la* Tavola rotonda *su cui pubblica nel 1895 la prima parte dei* Dialoghi tra il Gran Me e il piccolo me. *Nel 1897 accetta l'incarico di sostituire Giuseppe Mantica nell'insegnamento di lingua italiana all'Istituto Superiore di Magistero di Roma, e sul* Marzocco *con cui ha iniziato a collaborare nel 1896, pubblica qualche altra pagina dei* Dialoghi. *Nel 1898 con Italo Carlo Falbo e Ugo Fleres fonda il settimanale*

Ariel su cui *pubblica l'atto unico* L'epilogo *(poi intitolato* La morsa*) e alcune novelle* (La scelta, Se...). *Lo scorcio del secolo e l'inizio del '900 lo vedono impegnato in un serrato lavoro di narratore e di saggista. Nel 1900 pubblica sul* Marzocco *alcune delle novelle più celebri* (Lumie di Sicilia, La paura del sonno), *nel 1901 la raccolta di poesie* Zampogna *e, a puntate, sulla* Tribuna, *il romanzo* L'esclusa. *Nel 1902 raccoglie in volume alcune novelle già apparse in riviste e giornali: esce la prima serie di* Beffe della morte e della vita *(la seconda serie uscirà nel 1903) e* Quando ero matto... *Sempre nel 1902 è pubblicato il secondo romanzo,* Il turno.

Il 1903 è un anno fondamentale nella vita di Pirandello. L'allagamento della miniera d'Aragona, nella quale il padre Stefano ha impiegato non solo i propri ingenti capitali ma anche la dote di Antonietta, provoca il crac della famiglia. Antonietta che legge la lettera giunta ad annunciare tale catastrofe rimane semiparalizzata e subisce un colpo psicologico tale che il suo equilibrio ne sarà profondamente e irrimediabilmente scosso. Pirandello, che in un primo momento ha pensato al suicidio, più concretamente si preoccupa di porre riparo alla difficile situazione: impartisce lezioni d'italiano e di tedesco e chiede alle riviste alle quali ha ceduto gratuitamente i suoi scritti il compenso per la propria collaborazione. Sulla Nuova Antologia *diretta da G. Cena appare nel 1904 a puntate il romanzo che Pirandello va scrivendo in una situazione tristissima, vegliando la moglie malata, di notte, dopo una giornata di lavoro. Il romanzo è* Il fu Mattia Pascal, *in cui sono presenti molti elementi della situazione autobiografica dello scrittore, sia pure fantasticamente rielaborati. Il romanzo ha un grande successo; è tradotto nel 1905 in tedesco, e apre a Pirandello la strada della notorietà che gli permette di pubblicare con una casa editrice come Treves, presso la quale nel 1906 escono le novelle della raccolta* Erma bifronte. *Nel 1908 pubblica un volume di saggi intitolato* Arte e scienza *e l'importante saggio* L'umorismo, *in cui intesse quella polemica con Croce che sarà lunga e velenosa da ambedue le parti. Nel 1909 viene pubblicata a puntate la prima parte del romanzo* I vecchi e i giovani *che riportando avvenimenti del 1893-'94 ripercorre la storia del fallimento e della repressione dei Fasci siciliani; Pirandello vi assume politicamente la posizione riformista espressa alla fine del romanzo da Lando Laurentano che pure in un primo momento era stato uno dei capi del movimento dei Fasci. Quando nel '13 esce in volume Pirandello invia ai genitori, per il cinquantesimo anniversario delle loro nozze, una copia del romanzo «... in cui i loro nomi Stefano e Caterina vivono eroicamente». Mentre, però, la madre è trasfigurata nell'altera figura di Caterina Laurentano, il padre, rappresentato dal marito di Caterina, Stefano Auriti, compare solo nel ricordo, dal momento che, come annota acutamente L. Sciascia, è morto censurato freudianamente dal figlio che gli è in fondo all'animo nemico. Sempre nel 1909, inizia la collaborazione con un giornale prestigioso come il* Corriere della Sera *(vi scriverà fino all'8 dicembre del 1936), su cui pubblica le novelle* Mondo di carta, La giara *e, nel 1910,* Non è una cosa seria *e* Pensaci, Giacomino! *Lo scrittore diventa sempre più noto, ma la sua vita privata è avvelenata dai sospetti di Antonietta, che guarita dalla paresi, vive dei fantasmi di una ossessiva gelosia.*

Nel 1910, Pirandello, che irritato dalle dilazioni e dalle promesse non mantenute di attori e capocomici circa la rappresentazione dell'atto unico L'epilogo *(scritto nel 1892 e pubblicato nel 1898), ha allentato i suoi rapporti con il mondo del teatro, si lascia convincere da Nino Martoglio, attore e regista suo conterraneo, a trarre un atto unico dalla novella* Lumie di Sicilia *che lo stesso Martoglio recita per il Teatro Minimo insieme con il «disgraziato»* L'epilogo, *diventato ora* La morsa.

Nel 1911, mentre continua la pubblicazione di novelle (La patente, La tragedia di un personaggio), *esce il quarto romanzo,* Suo marito, *ripubblicato postumo (1941), completamente rivisto nei primi quattro capitoli, con il titolo* Giustino Roncella nato Boggiòlo. *L'autore durante la sua vita non ripubblicherà questo romanzo per motivi di delicatezza: nel romanzo, infatti, c'è un implicito riferimento alla scrittrice Grazia Deledda. Nel 1912 stampa il suo ultimo volume di versi* Fuori di chiave. *Il lavoro che in questi anni lo assorbe maggiormente è quello di prosatore: tra il '13 e il '14 sono pubblicate, tra le altre, le novelle* La vendetta del cane, Quando s'è capito il giuoco, Il treno ha fischiato, Filo d'aria, Berecche e la guerra.

Nel 1915 escono le raccolte di novelle La trappola *e* Erba del nostro orto. *Sempre nel '15 sulla* Nuova Antologia *è pubblicato a puntate il romanzo* Si gira..., *poi ripubblicato nel 1925 con il titolo* Quaderni di Serafino Gubbio operatore, *in cui attraverso la figura del protagonista, operatore di cinema, Pirandello traccia la parabola della possibile riduzione dell'uomo «a cosa» nel contatto con la tecnica.*

Entrata l'Italia in guerra, il figlio dello scrittore Stefano parte volontario e cade prigioniero degli Austriaci. Nel 1916 l'attore Angelo Musco recita con successo la commedia in tre atti che lo scrittore ha ricavato dalla novella Pensaci, Giacomino! *(nel testo siciliano) e la commedia «campestre»* Liolà *(«l'opera mia più fresca e viva») pure in siciliano. Nel 1917 esce la raccolta di novelle* E domani lunedì, *ma l'anno è contrassegnato soprattutto da importanti rappresentazioni teatrali:* Così è (se vi pare), 'A birritta cu' i ciancianeddi *e* Il piacere dell'onestà. *Il lavoro teatrale, pur non soffocando del tutto la produzione di novelle (nel 1918 è pubblicata la raccolta,* Un cavallo nella luna*) assorbe sempre di più lo scrittore: sono messe in scena nel '18 le commedie* Ma non è una cosa seria *e* Il giuoco delle parti. *Intanto, finita la guerra, il figlio Stefano può finalmente tornare a casa.*

Nel '19 viene presa la decisione di far internare Antonietta in una clinica sulla via Nomentana. La separazione dalla moglie verso la quale, pur nel tossico di una gelosia morbosa e allucinata, continua a sentire una forte attrazione (Antonietta è una bella donna bruna dai lineamenti fini e dal sorriso triste), fa molto soffrire lo scrittore che, ancora nel '24, sì illuderà di farla tornare a casa: ma Antonietta non uscirà più da quella clinica che è sì il suo carcere ma è anche la sua protezione contro il risorgere dei fantasmi della sua stravolta mente che la pongono come appassionata nemica di un marito il cui mondo le è stato sempre profondamente estraneo e dal quale si è sentita sempre irrimediabilmente esclusa. Pirandello continua a lavorare febbrilmente, affidando la sua pena ai doloranti e arrovellati personaggi che si dibattono nel chiuso del palcoscenico sotto impietose luci.

Il 1920 è l'anno di commedie come: Tutto per bene, Come prima meglio di prima, La signora Morli, una e due; *sempre in questo anno l'autore abbandona la casa Treves e affida all'editore Bemporad la pubblicazione delle sue opere. Nel 1921 la Compagnia di Dario Niccodemi mette in scena al Valle di Roma* Sei personaggi in cerca d'autore. *È un insuccesso clamoroso: il pubblico si divide in sostenitori (pochi) e avversari che gridano: manicomio, manicomio! L'autore che è presente alla rappresentazione con la figlia Lietta, deve quasi letteralmente fuggire da un'uscita laterale per evitare la folla nemica. Lo stesso dramma, però, a Milano ottiene un grandissimo successo. Nel '22 sempre a Milano viene rappresentato l'*Enrico IV *interpretato da Ruggero Ruggeri: è un trionfale successo. Ormai la fama dello scrittore varca i confini dell'Italia: i* Sei personaggi *sono rappresentati in lingua inglese a Londra e a New York. Ma le rappresentazioni continuano anche in Italia: a Roma si mette in scena* Vestire gli ignudi. *Sempre nel '22 Pirandello, per dedicarsi completamente all'attività di creazione, lascia l'insegnamento. Nel '23 trae dalla novella* La morte addosso *l'atto unico* L'uomo dal fiore in bocca, *che è* *messo in scena da Anton Giulio Bragaglia. A Parigi, assiste alla prima parigina dei* Sei personaggi *per la regia di G. Pitoëff: è un successo strepitoso che gioverà alla sua fama nel mondo. Ormai il «dramma da fare» è rappresentato nelle maggiori città d'Europa.*

Nel 1924 viene rappresentato il secondo dei «drammi da fare», Ciascuno a suo modo *che ripropone la storia della donna fatale, presente nel romanzo* Si gira... *Nel '25 Pirandello assume la direzione artistica del Teatro d'Arte di Roma, fondato dal Gruppo degli Undici, tra cui figurano O. Vergani, M. Bontempelli e il figlio dello scrittore Stefano. Nell'esperienza diretta delle tavole del palcoscenico si modifica la concezione dell'attore come inevitabile traditore del testo, presente nei* Sei personaggi, *e si fa strada l'identificazione dell'attore con il personaggio d'arte. Pirandello è solito dire ai suoi attori: «l'importante è calarsi nel personaggio». La prima attrice della compagnia, la giovane Marta Abba, che sarà amata da Pirandello, divenendo la sua ispiratrice, per compiacerlo, affigge sul suo camerino non il suo nome ma il nome dei personaggi che viene man mano interpretando. La compagnia effettua delle* tournées *nelle più importanti città d'Europa rendendo sempre più noto il repertorio pirandelliano. Tra il '25 e il '26 esce a puntate sulla* Fiera letteraria *l'ultimo romanzo* Uno, nessuno e centomila, *che è stato a lungo sulla scrivania dello scrittore. Per la musa vivente Marta Abba, lo scrittore compone:* Diana e la Tuda *(1926),* L'amica delle mogli *(1927),* Come tu mi vuoi *(1929) e infine* Trovarsi *(1932), dove è in primo piano una più problematica figura femminile.*

La Compagnia del Teatro d'Arte ritornata in Italia dopo una tournée *in Argentina e in Brasile (1927), mette in scena il «mito» in tre atti* La nuova colonia *(1928), che appariva come dramma scritto da Silvia Roncella nel romanzo* Suo marito. *Nell'agosto la compagnia si scioglie e Pirandello si reca in «esilio» a Berlino; qui è interessato fortemente agli spettacoli dei registi espressionisti come Max Reinhardt, Erwin Piscator e Jessner. Lo affascina per la novità e l'originalità delle soluzioni tecniche adottate soprattutto Reinhardt, regista che tra l'altro ha messo in scena i* Sei personaggi *nel '24. Non condivide, però, l'autonomia spregiudicata di questi registi dal testo scritto; nasce così, basato proprio sui rapporti tra opera scritta e operazione teatrale, il terzo «dramma da fare»* Questa sera si recita a soggetto. *Quando la commedia viene rappresentata a Berlino (1930), al terzo atto gli spettatori insorgono trasformando il teatro in una vera e propria bolgia.*

Intanto nel '29 è nominato Accademico d'Italia (aveva chiesto l'iscrizione al partito fascista nel '24); sempre nel '29 è rappresentato il secondo «mito» Lazzaro *ed è pubblicato l'atto unico* Sogno (ma forse no). *In questo anno lo scrittore lascia l'editore Bemporad e affida la pubblicazione delle sue opere a Mondadori, suo definitivo editore. Nel '31 pubblica la novella* Soffio e, *con il titolo* I fantasmi, *il primo atto del terzo e ultimo «mito»* I giganti della montagna, *che rimarrà incompiuto (lo scrittore si fermerà al secondo atto, 1934). Nel 1934 scrive il dramma* Non si sa come; *sotto la sua regia, viene messa in scena al teatro Argentina di Roma* La figlia di Jorio *del D'Annunzio. Sempre nel '34 gli viene conferito il massimo riconoscimento mondiale: il premio Nobel. In questi ultimi anni della sua vita, Pirandello ritorna al silenzioso spazio della narrativa, scrivendo alcune delle sue novelle più suggestive:* Di sera un geranio *(1934),* Il chiodo e Una giornata *(1936). Ancora tutto preso dalla composizione del mito-testamento* I giganti della montagna, *Pirandello muore nella sua casa di via Bosio, a Roma il 10 dicembre del 1936.*

ITALO BORZI/MARIA ARGENZIANO

Pirandello narratore

Tra il '10 e il '20, Pirandello, che ha già scritto molte e significative commedie, considera ancora il suo impegno principale quello di narratore; mostra addirittura una punta di disagio di fronte all'invadenza dello spettacolo teatrale che impudicamente getta sul palcoscenico e impietosamente illumina personaggi che l'autore preferirebbe riservare al più appartato spazio della narrativa. In seguito è, però, sempre più coinvolto nel teatro: suoi drammi come Sei personaggi in cerca d'autore, Enrico IV, Vestire gli ignudi sono messi in scena da famosi registi in importanti città d'Europa, e in lui stesso nel '25 diventa regista d'una compagnia teatrale, la Compagnia degli Undici. Preso da tanta attività, Pirandello allenta i legami con la narrativa: tra il '25 e il '26 pubblica il suo ultimo romanzo, Uno, nessuno e centomila, mentre dedica uno spazio sempre più ristretto alla composizione di novelle, verso le quali, comunque, mantiene una più radicata fedeltà, continuando a scriverne di bellissime fino alla morte. Per uno scrittore come Pirandello, meridionale e per di più siciliano, scrivere novelle e romanzi tra la fine dell'800 e l'inizio del '900 significa fare i conti con la grande stagione della narrativa verista meridionale, con Verga, con De Roberto, con Capuana. D'altronde è proprio l'amico Capuana a spingere Pirandello, fino ad allora dedito prevalentemente alla poesia, a misurarsi con l'impegnativa prova del romanzo. Ne nasce L'esclusa, pubblicata a puntate nel 1901, che quando fu composta nel 1893 s'intitolava Marta Ajala. Nella lettera al Capuana che premette all'edizione in volume del 1908, Pirandello sottolinea come la scrittura «affatto oggettiva» sia in realtà attraversata da una prospettiva umoristica che ne rappresenta, a suo avviso, il fondo più nuovo e convincente. Come dire che Pirandello ha costruito un edificio solo per privarlo delle sue strutture portanti, per minarlo dalle fondamenta, per farlo sbriciolare con un preciso disegno di corrosione. Nell'organismo che va tratteggiando immette, insomma, il germe della malattia che inesorabilmente lo distruggerà. Visione naturalistica e visione umoristica, infatti, cono perfettamente contrapposte: l'una si basa su una consistente realtà esterna da ritrarre, l'altra adotta invece un punto di vista, per così dire, doppio, presentando contemporaneamente una cosa e la sua ombra, i pieni e i vuoti. D'altronde fin dal 1893, Pirandello di ritorno dalla Germania, nell'articolo Arte e coscienza d'oggi ha messo l'accento sulla problematicità del reale, sulla disgregazione di ogni certezza; la coscienza moderna gli appare come «... l'immagine di un sogno angoscioso, attraversato da rapide larve or tristi or minacciose d'una battaglia notturna, d'una mischia disperata (...) un continuo cozzo di voci discordi, un'agitazione continua...». La scrittura «affatto oggettiva» dei naturalisti e dei veristi non è certamente valida a ritrarre tale complessità. Potrebbe sembrare allora che, fin dalle prime novelle e dal primo romanzo, Pirandello abbia liquidato il verismo e la visione che lo sorregge. Nella sua narrativa, però, avvertiamo che qualcosa del verismo è rimasto. Molti personaggi delle sue novelle e dei suoi romanzi, è vero, non sono veristicamente descritti; si deformano, invece, prepotentemente sotto la spinta di una forzatura espressionistica; è anche vero, però, che le figure sbilenche, i tratti deformati rimangono ancorati a una ben consistente fi-

sicità che non svapora nell'indistinto e non sfuma in astrattezze simboliche. Non si sarebbe, certo, potuta attagliare a Pirandello la critica che l'allora giovanissimo Proust lanciava alla fine dell'800 dalle pagine della Revue Blanche *(la stessa che ospitava peraltro le meditazioni simboliste di A. Strindberg) verso un'arte priva di riferimenti concreti, che si muovesse per fredde allegorie. Scrittore «filosofico», come lui stesso si definisce, Pirandello dichiara però di odiare l'arte simbolica; ed effettivamente nella sua opera la tortura della ragione si incarna in personaggi vivi e concreti che si muovono in ambienti a volte rappresentati con cura meticolosa. Ed è proprio questa smania di concretezza, che non è certo illusione di oggettività, a fornire un argine compiuto al vorticoso frantumarsi delle coscienze, al «gorgo» indistinto dell'inconscio e a rappresentare il nucleo irriducibile dell'eredità verista, inattaccabile perfino dal vetriolo della visione umoristica. D'altronde Pirandello ha dichiarato esplicitamente di voler essere uno scrittore non «di parole» ma «di cose», e ha instaurato una differenza sostanziale tra lo «scrivere bene» e lo «scrivere bello». Le preziose atmosfere estetizzanti e preraffaellite che D'Annunzio tratteggia nel romanzo* Il piacere *gli rimangono del tutto estranee; mentre all'impennata superomistica di personaggi come Giorgio Aurispa, Claudio Cantelmo, Stelio Effrena, fa riscontro la «trista buffoneria» del suo mondo narrativo inconsapevolmente recitata o lucidamente interpretata da piccoli uomini «senza qualità» come Mattia Pascal, o Belluca o Andrea Chiàrchiaro o Tararà.*

Tracciare, comunque, in maniera netta i confini di un Pirandello narratore è un'operazione che può diventare forzata e innaturale. Nella miniera sorprendentemente varia di situazioni e di personaggi si disegna, infatti, una «commedia umana» sostanzialmente unitaria. Pirandello è un autore la cui opera è collegata al suo interno da una serie di raccordi, da quella «sorta di intercomunicabilità a lungo raggio tra un genere e l'altro», sottolineata da G. Macchia. Molte novelle diventano drammi, altre offrono lo spunto ai romanzi; al contrario personaggi immaginati per un romanzo si presentano sul palcoscenico. Insomma l'arte di Pirandello appare come un mobilissimo mosaico le cui tessere sono continuamente sottoposte a un instancabile gioco di innesti e di incastri. Questo continuo prendere, spostare, ricollocare non risparmia neanche le opere di riflessione critica. Così la tesi fondamentale del già ricordato articolo Arte e coscienza d'oggi *trova ospitalità nelle pagine della prima edizione dell'*Esclusa; *importanti brani dell'articolo* Rinunzia (1896), *in cui senza mezzi termini Pirandello accusa la presunzione scientista, ritornano nel romanzo* Quaderni di Serafino Gubbio operatore; *le considerazioni sulla nascita dell'opera d'arte presenti nell'articolo* Scienza e critica estetica (1900) *sono riproposte nel romanzo che Pirandello dedicò ai problemi della creazione artistica,* Suo marito. *Queste incursioni nel territorio della riflessione non devono certo sorprendere; dalle pagine dell'opera pirandelliana, infatti, ci vengono incontro personaggi impastati di riflessione, che ragionano o sragionano senza posa. Ragionano e soffrono. L'arte* sentimentale *dei Romantici tocca sempre di più nell'epoca contemporanea gli spazi interiori della riflessione. E certamente per Pirandello, come per M. Heidegger, l'arte «concerne anche il pensare».*

I.B./M.A.

La lingua e lo stile

Fin dall'inizio, il frequente uso del dialogo come soluzione narrativa, più che alla coralità verghiana, fa pensare alla sua vocazione drammatica. L'impressione trova conferma nel progressivo insistere sul monologo che col pas-

saggio dalla terza persona all'io narrante nei romanzi Il fu Mattia Pascal, Serafino Gubbio operatore, Uno, nessuno e centomila, *acquista sempre maggiore efficacia. E a badar bene si tratta di un monologo parlato più che scritto, per il tono che lo caratterizza, sottolineato da vivaci formule recitative. Talvolta Mattia Pascal sembra addirittura dialogare con il lettore:* «Santa donna mia madre!», «Figurarsi se mia madre avrebbe mai acconsentito. Le sarebbe parso un vero e proprio sacrilegio»; «Come le so io queste cose? Oh bella come le so!», *così Vitangelo Moscarda attribuisce ai lettori immaginarie domande, cui fornisce risposte:* «Ma perché non vi chiudevate in camera, magari con due turaccioli negli orecchi?», «Signori, vuol dire che non capite come volevo essere solo».

Anche in molte novelle, specie in quelle che saranno destinate alla scena, come La morte addosso, La giara, L'altro figlio, *per citarne alcune di ispirazione diversa, prevale la forma dialogica. Certamente l'uso del dialogo e del monologo risponde all'esigenza di* «trovare una forma che sia mobile come mobile è la vita». *E a questo scopo Pirandello ricorre anche a vocaboli e a costruzioni sintattiche proprie del dialetto siciliano. In materia era piuttosto esperto, visto che la sua tesi di laurea aveva per oggetto* «Suoni e sviluppi di suono nella parlata di Girgenti». *Ma quel dialetto non lo lega a sé in maniera esclusiva; la sua irrequietezza sperimentale lo spinge a usare espressioni di altri dialetti e parole rare o addirittura neologismi pur di rendere efficace ciò che descrive. Nel* Turno, *la madre di Pepè* «labbreggiava avemarie», *nel* Fu Mattia Pascal *il falso e infido cognato di Adriana, Terenzio Papiano, si presenta* «strisciando una riverenza»; *il suo ebete fratello se ne sta* «quasi asserpolato su un baule»; *così Batà, affetto dal male di luna, nella novella dallo stesso titolo, siede* «tutto aggruppato» *su un fascio di paglia; il protagonista dell'*Eresia catara, *Bernardino Lamis, ha gli occhi* «addogliati» *e il capo* «inteschiato»; *espressioni che usa più volte anche in altri romanzi e novelle. Esempi del genere potrebbero essere citati in gran numero; in ognuno la parola rara o addirittura deformata, s'inserisce nel discorso con eccezionale efficacia rappresentativa. La* «lingua in movimento» *doveva essere inventata di volta in volta, per adeguarsi alle esigenze della visione umoristica dell'arte che, ponendosi fuori della tradizione letteraria, è profondamente innovatrice e ha bisogno, secondo quanto lo stesso Pirandello sostiene nel saggio* L'umorismo, «del più vivace, libero spontaneo e immediato movimento della lingua, movimento che si può avere solo quando la forma a volte a volte si crea».

E non si può dire che non sia riuscito nell'intento con quella sua lingua rapida e vivace a volte tanto vicina alla lingua parlata da provocare giudizi riduttivi circa un suo preteso «non stile».

Certo Pirandello ha il merito d'aver preso energicamente le distanze dalla tradizione aulica del linguaggio letterario, che per secoli, prima e persino dopo Manzoni, ha ritardato lo sviluppo della narrativa nel nostro paese. La sua appare a C. Salinari una vera e propria «rivoluzione espressiva» *che* «si realizza nel campo della narrativa puntando essenzialmente sulla situazione e nel campo del teatro abolendo il diaframma tra la scena e la vita». *Strumento fondamentale appare l'umorismo, che è per Pirandello l'estrema scoperta di chi si ribella alla tradizione, l'unica lente capace di vedere la disarmonia del mondo, di cogliere il contrasto che nasce* «da quel che pare sorriso ed è dolore».

ITALO BORZI

I romanzi

L'analisi e l'arte pirandelliane si inscrivono in un clima di profonda delusione storica e culturale; la ferita del Risorgimento tradito non si rimarginò mai definitivamente nell'animo dello scrittore, che al senso di disillusione diffuso verso la fine dell'800, aggiunse lo sdegno meridionale per la politica dell'Italia unitaria nei confronti del Sud. Alla delusione storica fanno da contrappunto il fallimento della prospettiva positivistica e la conseguente accusa che gli spiriti più avvertiti, e Pirandello è sicuramente tra questi, lanciano contro il trionfalismo scientista. È dell'inizio del '900 il discorso che fece epoca di F. Brunetière La banqueroute de la science, il cui titolo adattandolo alla delusione postrisorgimentale, Pirandello parafrasò in bancarotta del patriottismo ne I vecchi e i giovani (1909-1913), il romanzo «popoloso e amarissimo» che sembra segnare un brusco arresto nella ricerca dello scrittore già con Il fu Mattia Pascal (1904) orientata risolutamente all'interno della coscienza individuale. Ne I vecchi e i giovani, Pirandello traccia un vasto affresco storico, che si inserisce in tutta una tradizione meridionale, iniziata dai Viceré di De Roberto. Il romanzo, ambientato in Sicilia nel periodo dei Fasci siciliani, delinea, come annota C. Salinari, il «fallimento... di tre miti» (del Risorgimento, dell'unità, del socialismo), con «un vuoto senza speranza... senza possibilità di riscossa». Nonostante i documentabilissimi e ben evidenti legami con un preciso panorama di crisi, si ha l'impressione, però, che la disarmonia di Pirandello con la realtà preesista. Il profondo malessere, le ragioni d'infelicità erano in lui, come avviene sempre «in ogni natura a sfondo introspettivo, cioè in tutte le nature poetiche», secondo quanto afferma E. Montale, riferendosi a se stesso. D'altra parte è proprio la disarmonia a rappresentare la vera ricchezza dell'artista che, per la sua incapacità di adattamento s'allontana dalle vie battute per percorrere vie diverse o dimenticate. Animato da una smania furiosa di far piazza pulita di tutte le false certezze, Pirandello smantella senza pietà ogni fittizio punto di riferimento. Questa iniziale, risoluta epochè apre orizzonti di sconcertante inquietudine: la realtà si presenta senza nessun ordine; è contraddittoria e inafferrabile. Sfugge a qualsiasi tentativo di catalogazione e infrange l'obbligante nesso causa-effetto, che, pur sembrando soffocare in una serrata concatenazione qualsiasi guizzo di libertà, permette di sapere, di prevedere e quindi di dominare. Fin dal primo romanzo pirandelliano, L'esclusa (1901), appare chiaro, invece, che nulla può essere previsto; al contrario tutto può succedere. Non ci sono ancore sicure, fatti oggettivi cui correlare giudizi e comportamenti. Che cos'è un fatto? È solo un guscio vuoto che può essere riempito di un significato mutevole a seconda del momento e del sentimento. Un irrilevante granello di sabbia può assumere la consistenza schiacciante di una valanga che travolge, come succede a Marta Ajala, la protagonista dell'Esclusa, che, sorpresa dal marito a leggere la lettera di un uomo, è cacciata innocente dalla casa coniugale; vi sarà riaccettata, e qui agisce lo slittamento umoristico, solo dopo aver effettivamente commesso quella colpa di cui era stata ingiustamente accusata.

La volontà oscura che domina pesantemente nel primo romanzo esce all'aria *aperta nel* Turno *(1902), il secondo romanzo di Pirandello; diventa qui l'irrazionale caso; lieve e dispettoso che si diverte a scompaginare qualsiasi programma. Le previsioni di Marcantonio Ravì non sono certo chimeriche illusioni; rappresentano, invece, la proiezione nel futuro di ciò che è tante volte accaduto e che presumibilmente dovrà accadere. La sua bella figlia Stellina, pensa il saggio Marcantonio, si sacrificherà per pocó tempo sposando il vecchio ma ricco Don Diego che, è prevedibile, morirà presto; Stellina allora sarà ricchissima e potrà sposare il suo giovane innamorato Pepè Alletto. Non è perfetta la trama di Marcantonio? Ma, si sa, alle volte il diavolo ci mette la coda e Don Diego, nonostante una polmonite, trova la forza di sopravvivere; muore invece, inopinatamente, l'avvocato Ciro Coppa che, dopo l'annullamento delle prime odiose nozze, ha sposato Stellina. Ora forse sarà finalmente il turno di Pepè. Ma chi può esserne certo? La realtà nel suo profondo è inconoscibile: una legge segreta dirige il grande spettacolo e disegna alle volte capricciose volute di sconcertanti coincidenze non certo spiegabili alla luce di una visione deterministica. In questo oscuro labirinto, l'uomo si interroga su se stesso; ma scopre, e la scoperta è rabbrividente, la sua incerta identità. L'oscurità della realtà esterna trova così, in una sorta di ironico e capovolto misticismo, una correlazione nel buio interiore che mette in discussione la stessa stabilità dell'io. Rivolgere lo sguardo alla propria coscienza significa intravederne con orrore la minaccia dello sdoppiamento, il baratro della disgregazione. Già dal 1900 Pirandello conosceva con certezza il piccolo saggio di A. Binet sulle alterazioni della personalità* (Les altérations de la personnalité, *Paris, Alcan, 1892), perché ne cita alcuni brani nell'articolo* Scienza e critica estetica, *appunto del 1900. La verifica sperimentale di Binet aveva scientificamente dimostrato la labilità estrema della personalità: un insieme di elementi psichici in coordinazione temporanea che si può sfaldare dando origine nello stesso individuo ad altre personalità ugualmente fornite di volontà e di intelligenza. Nelle «prove» di Binet Pirandello trova un appoggio scientifico alle sorprendenti intuizioni di tanto Romanticismo tedesco, sul quale aveva certamente meditato negli anni trascorsi in Germania. Steffens, Schubert, Carus, occupandosi del sogno (e della poesia per loro così affine al sogno), avevano per primi scoperto l'inconscio. Steffens poteva già parlare di «coscienza che si inabissa nella propria notte», G. H. von Schubert nella* Simbolica del sogno *asseriva che «ogni creatura individuale ha sopra e accanto a sé il proprio contrario», come Giano ha due volti, uno esteriore e uno interiore e «uno sembra ridere quando l'altro piange» (Pirandello userà la stessa immagine nel saggio* Un critico fantastico, *1908); in Jean Paul sono già presenti il terrore dello sdoppiamento e l'agghiacciante sensazione del vedersi vivere; in Tieck l'irrealtà del mondo corrisponde all'incertezza su se stesso: l'individuo non è vero se non fino a un certo punto, al di là del quale egli non conosce altro di sé che il frantumarsi dell'interiorità in proteiformi parvenze. Anche per Pirandello l'io non è unitario. Quello che sembrava un nucleo irriducibile e monolitico si moltiplica come in un prisma; l'io esteriore non ha lo stesso volto dell'io segreto: è solo una maschera, che l'uomo inconsciamente assume per un adeguamento a comportamenti collettivi, ognuno a suo modo, in un gioco di mobili prospettive. È la prima vistosa dissociazione che Pirandello trascrive con lucidità anche per la suggestione di un libro di G. Marchesini* (Le finzioni dell'anima, *1905). Sospinto solo dalla sua interiore necessità, fornito di strumenti diversi e rivolto ad altre prospettive, Pirandello si avventura per proprio conto sulla via che all'inizio del secolo porterà alla psicanalisi di Freud e alla psicologia analitica di Jung. È pubblicato nel 1928 il volume* L'io e l'inconscio, *in cui Jung indaga scientificamente i rapporti tra la psiche individuale e quella collettiva, tra l'essere che appare e l'essere profondo. Jung chiama l'io che appare* persona, *«... il termine è ve-*

ramente appropriato, perché originariamente Persona *era la* maschera *che
portava l'attore e indicava la parte da lui rappresentata»; la* persona *è «una
maschera che simula l'individualità, che fa credere agli altri che chi la porta
sia individuale (ed egli stesso ci crede), mentre non si tratta che di una parte
rappresentata in teatro nella quale parla la psiche collettiva». La* persona, *insomma, «è ciò che uno appare» dietro la quale è nascosto il vero essere individuale. Non si può non rimanere sorpresi dall'acume di Pirandello che del
contrasto tra apparire ed essere aveva fatto il grande tema della sua arte fin
dall'*Esclusa. *Nell'ambito dei romanzi è, però, con Mattia Pascal* (Il fu Mattia
Pascal, *1904) che Pirandello inaugura la serie dei personaggi cui affida il difficile compito della ricerca della propria autenticità. Ma sul vuoto lasciato
dalla sua presunta morte, Mattia ricostruisce subito un'altra* persona *che,
solo apparentemente diversa dalla prima, ne rappresenta in realtà il grottesco
raddoppio. I viaggi di Mattia, senza una precisa meta o utilità pratica, potrebbero sembrare la trascrizione moderna del grande tema romantico del
vagabondaggio. Mattia però, non ha nulla del gioioso perdigiorno di Eichendorff, che con la sola compagnia del violino abbandona la casa paterna e
apre gli occhi ingenui sul mutevole spettacolo del mondo. E non ha nulla
neanche di Knulp, il vagabondo più moderno di H. Hesse* (Knulp, *1915),
anche lui candido e innocente, anche lui ingenuo poeta di lievi momenti della
vita. Il loro vagabondaggio è già libertà, è già rifiuto gioioso d'ogni costri-
zione. I viaggi di Mattia, invece, con il loro acre odore di binari e di stazioni
che si sostituisce al profumo aperto dei campi, sono solo uno smanioso e inconcludente movimento che alla fine lo ricondurrà fatalmente al punto di partenza. La dissociazione di Mattia dall'universo borghese basato sul denaro e
sul profitto si mostra solo nel vendicativo esercizio della sua virilità con la
bella Oliva, la moglie dell'avido amministratore Batta Malagna che gli ha
sottratto tutti gli averi. Oliva rimane incinta e attraverso un sottile gioco di
sottrazioni e di grottesche addizioni i conti tornano. Ben altrimenti significativo il richiamo dell'eros per Klein, il protagonista del breve romanzo di H.
Hesse* Klein e Wagner, *pubblicato nel '20, che offre sorprendenti analogie
con il* Fu Mattia, *peraltro tradotto in tedesco nel 1905. Klein, piccolo e squallido impiegato, proprio come Mattia, fugge inorridito dalla propria* persona,
*in cerca del suo essere profondo. Nell'itinerario incontra la ballerina Tere-
sina e subisce il fascino francamente sensuale della bionda capigliatura, del-
l'andatura sicura e tagliente, delle calze ben tirate sulle gambe lisce. Uno
schivo pudore, invece, tiene lontano Mattia (e il suo autore) dalla forza scon-
volgente dell'eros che si tramuta nell'attrazione dolciastra, al profumo di bo-
rotalco, per la esangue Adriana, sorpresa in veste da camera in casa Paleari.
D'altronde Pirandello è un autore che non si lascia sorprendere nei territori
dell'inconscio; la sua arte non è una fuga nelle tenebre né rappresenta il
luogo di scontro diretto con i fantasmi interiori. Pur perfettamente in linea
con tanta arte di fine '800 e di inizio '900, la sua scrittura non annega mai
nella disgregazione ma la trascrive lucidamente. L'atmosfera allucinata e
onirica delle tele di O. Redon e dei disegni di A. Kubin (autore anche di un
romanzo,* L'altra parte, *che tanta influenza ebbe su Kafka), è del tutto estranea alla sensibilità di Pirandello. Manca in lui la doppia valenza dell'inconscio che può perdere ma anche salvare: l'elisir del diavolo non diventerà mai
il nettare degli dèi. Ecco perché il sorvegliatissimo monologo interiore di
tanti personaggi (Mattia Pascal, Vitangelo Mostarda, i protagonisti delle novelle* La trappola *e* La carriola, *l'*Enrico IV *dell'omonimo dramma) non diventa
mai puro flusso di coscienza come nell'*Ulisse *di Joyce, ma si muove nel recinto di una coscienza, umoristicamente ricomposta solo, si direbbe, per regi-
strare, sconcertata ma lucidissima, attraverso il racconto, il proprio scacco.*

L'acuminata e dolente scrittura assume così la responsabilità di rappresentare l'unico filo conduttore di un io precario e compromesso.

L'impegno di Pirandello narratore e drammaturgo vortica intorno all'impossibilità di liberazione. E alle volte la stessa struttura narrativa e teatrale scandisce la cocente sconfitta, riannodando i punti iniziali e quelli finali in una sorta di tragico girotondo (L'esclusa, Il fu Mattia Pascal, Enrico IV, Come tu mi vuoi). *E il personaggio quasi sempre esemplifica o lucidamente denuncia lo scacco. Una serie di sconfitti si aggira così nello spazio della narrativa o nel chiuso soffocante del palcoscenico. In una Sicilia che conserva crudeli pregiudizi, come nella Roma umbertina, da «acquasantiera» diventata «portacenere», antieroici personaggi, «poveri cristi», tracciano il grafico della solitudine e dell'alienazione. E l'autore li segue negli ingarbugliati casi con quella «pietà spietata» che rappresenta l'ingrata ricchezza della sua visione umoristica in cui sono mescolati dolore e riso, partecipazione e distacco.*

Il romanzo Suo marito *(1911, ripubblicato nel '41, completamente rivisto nei primi quattro capitoli con il titolo* Giustino Roncella nato Boggiòlo) *segna un momento molto particolare nella produzione narrativa pirandelliana. La protagonista Silvia Roncella è una scrittrice. Con lei Pirandello ha voluto indagare nella creazione artistica e nei rapporti tra arte e vita. L'artista per Pirandello, che in questo è molto vicino a Schopenhauer, si estrania completamente dalle consuete relazioni tra le cose, dagli impulsi della sua personale individualità per cogliere l'essenza oltre l'esistenza. Silvia è un'artista vera, in lei l'attività creativa è dettata solo da una «necessità» naturale. Le si contrappone il marito Giustino, che si dà da fare in mille modi perché l'arte della moglie abbia un riconoscimento concreto (economico, sicuro, anche economico!). È lui che ronza intorno agli attori mentre mettono in scena il dramma della moglie, è lui che suggerisce, che stimola, che intrattiene rapporti con critici e giornalisti. Senza di lui nessuno forse conoscerebbe Silvia e le sue qualità artistiche. Il piccolo uomo è descritto da Pirandello con grande vivacità in un misto di compatimento e di disprezzo. Giustino è fatto così, per piegare qualsiasi cosa, anche la più alta, alla dimensione dell'utile. Del tutto opposta Silvia, invece, è la voce della creazione artistica supremamente «disinteressata» e può avere attimi di pura contemplazione, può diventare, dimenticando se stessa, «occhio limpido del mondo»: «Guardò in cielo la luna che pendeva su una di quelle grandi montagne e nel placido purissimo lume che allargava il cielo, mirò, bevve, le poche stelle che vi sgorgavano come polle di più vivida luce; (...) Fuori di tutte le cose che davan senso alla vita degli uomini c'era nella vita delle cose un altro senso che l'uomo non poteva intendere (...) Bisognava andar oltre a tutte le cose che davano senso alla vita degli uomini, per penetrare in questo arcano senso della vita delle cose». Questi sprazzi di essenza si aprono, comunque, in molte pagine dei romanzi e delle novelle, come risarcimento improvviso e consolante. Lo splendido dono si offre, così senza un perché, all'umile caruso Ciàula* (Ciàula scopre la Luna) *e Dianella Salvo ne* I vecchi e i giovani *sospende il tormento del suo animo alla vista della campagna fasciata dalla luce lunare. E gli esempi potrebbero continuare numerosissimi.*

L'incanto dell'astro lunare non è certo sconosciuto nella letteratura italiana, ma il significato che Pirandello attribuisce alla notte di luna lo avvicina ancora una volta al Romanticismo tedesco. In Pirandello, come in Jean-Paul, in Novalis, in Tieck, in Eichendorff, nelle straordinarie tele di Friedrich, la notte di luna è il dominio dell'Essere, la grande rivelatrice del Tutto. Proprio Pirandello, lo scrittore dei cerebrali labirinti e dell'ispida tortura della ragione, apre nella notte spazi d'assoluto in cui lo spettacolo del mondo diventa trasparente. D'altronde la commissione volutamente non amalgamata di antico e di nuovo, di lucidi tormenti della ragione e di disperati desideri di smemorati approdi rappresenta la cifra caratteristica di questo sorprendente autore che non attenua certo stridori e contrasti. Il romanzo Quaderni di Serafino Gubbio operatore *(1925, prima edizione con il titolo* Si gira..., *1915) ci porta nel mondo del cinema, con il quale Pirandello ebbe un rapporto contraddittorio e problematico: pur subendone in qualche modo il fascino, lo condanna come degenerazione meccanica della creativa attività artistica. Con il protagonista Serafino Gubbio, operatore cinematografico, Pirandello riflette sul ruolo sempre più invadente della scienza e della tecnica. L'insicurezza dell'uomo moderno, il moltiplicarsi delle prospettive, la mancanza di un unico punto di riferimento sono dovuti a suo avviso (fin dall'articolo* Arte e coscienza d'oggi *del '93) al fallimento della cultura positivistica di fronte alle domande ultime dell'uomo. La scienza ha corroso i margini ingenui della religione e ha frantumato quella prospettiva antropocentrica, fonte di sicurezza per l'uomo dei tempi passati. L'uomo misura dell'universo, libero forgiatore del proprio destino, che poteva far esclamare orgogliosamente a Pico della Mirandola:* «Divina cosa è l'uomo», *è ora solo un «vermiciattolo» con la coscienza di essere tale. Ed è senza dubbio il più infelice degli esseri. Il bruto, infatti, sa solo ciò che gli è necessario per vivere; l'uomo invece ha in sé qualcosa di «superfluo», perché si pone «il tormento di certi problemi destinati sulla terra a rimanere insoluti», come annota con chiarezza Serafino. Così la superiorità dell'uomo sul bruto per Pirandello, sulle orme del Leopardi delle* Operette morali *e del «sublime»* Canto notturno, *si stravolge nella stigmata umana, troppo umana, di artiglianti perché senza risposta. In questi tempi dominati dalla tecnica, però, il «superfluo» dell'uomo può essere offerto, in una sorta di capovolta e ironica estasi, a un inanimato ma crudelissimo dio Moloch, come succede a Serafino che raggiunge la perfetta impassibilità, adeguandosi completamente ai meccanismi imperiosi della macchina da presa e diventando, alla fine del romanzo, completamente muto, avvolto da un asettico «silenzio di cosa».*

In questa accidentata geografia di naufragi, solo un personaggio, il lucidissimo Vitangelo Moscarda, protagonista dell'ultimo romanzo Uno, nessuno e centomila, *approda a una sofferta autenticità. Dopo l'iniziale umoristica dislocazione dalla persona (ognuno s'è formato un Vitangelo a suo modo ma egli dispettosamente frantumerà quella inconsistente maschera), con la complicità di uno specchio, cerca di sorprendere il volto del suo io interiore. Ma lo specchio non fornisce nessuna garanzia di conoscenza: vi si consuma solo un tragicomico sdoppiamento. In pagine dominate da un'affilata tensione (la stessa della novella* La carriola) *si disegna il dramma buffo dell'improbabile conoscenza dell'io che, come Proteo, cambia continuamente e sfugge a qualsiasi tentativo di venire afferrato. L'estraneità a se stessi verificata da Svevo attraverso le «occasioni» dell'esistenza nell'ironica* Coscienza di Zeno *(1923), diventa qui vertiginosa immersione alla ricerca dell'io profondo. Al di là delle esteriori deformanti stratificazioni che, come le maschere espressioniste di un Grosz o di un Dix, irrigidiscono ma non esprimono, l'io, privo di nucleo, è alla deriva e non esiste se non come trasformazione e mutabilità. Il parlare pensato di Vitangelo accompagna le fasi della ricerca e della scoperta con un commento interiore, certo modernissimo, sorprendentemente duttile nei toni e nei registri espressivi. L'ultimo romanzo di Pirandello, la cui composizione accompagnò gli anni più fecondi dell'attività dello scrittore (fu iniziato nel 1909 e pubblicato solo tra il '25 e il '26) può a buon diritto essere inserito tra gli esiti più nuovi della narrativa del '900 (si pensi, ad esempio, alla* Signorina Else *di A. Schnitzler). Vitangelo, dopo aver portato senza esitazioni la crisi dell'io fino alle estreme conseguenze, nelle pagine finali approda alla liberazione. Omologo ad altri personaggi della narrativa europea di quel periodo (Siddharta di Hesse e soprattutto il figliol prodigo delle ultime pagine dei* Quaderni di Malte Laurids Brigge *di R. M. Rilke), abbandona ogni legame con la realtà. La via dell'autenticità passa attraverso gli itinerari della rinuncia e della solitudine. Vitangelo, finalmente libero, si sente in ogni cosa fuori di lui. L'inconcludente vagabondaggio di Mattia Pascal è molto lontano; vagabondo dell'anima, Vitangelo consegna l'io alla mutevole esperienza, non possiede né averi né sentimenti che lo possano tenere legato; ed è in possesso dell'universo. È un'esperienza che i mistici conoscono bene. Meister Eckhart così scrive: «Finché io sono questo o quello io non sono tutto e non ho tutto. Stáccati, sì da non essere né avere più né questo né quello e sarai dovunque. Così, dunque, quando non sei né questo né quello tu sei tutto». Privata di ogni trascendenza l'estasi di Vitangelo, però, è un'estasi «attiva», coscientemente scelta e perseguìta attraverso una lucida volontà. Non c'è un abbandonarsi casuale a una sensazione come succede a Jean Jacques Rousseau nell'estasi dell'isola di Saint-Pierre o come avviene a Sénancour, che in momenti di particolare grazia intreccia il suo lieve dialogo con l'universo: «Esposti a tutto ciò che si agita intorno a noi, turbati dall'uccello che passa, dalla pietra che cade, dal vento che mugge, dalla nube che avanza; modificati accidentalmente in questa sfera sempre mobile, noi siamo tali quali ci rendono la calma, l'ombra, il ronzìo degli insetti, l'odore di un'erba...». Vitangelo, non «accidentalmente», ma con un risorgente atto di volontà, riduce l'io al solo sentire la sua esistenza nelle cose; l'io che gli rimane è l'io più profondo in perenne trasformazione dove non c'è più barriera tra regioni interiori ed esteriori: «Quest'albero, respiro tremulo di foglie nuove. Sono quest'albero. Albero, nuvola; domani libro o vento: il libro che leggo, il vento che bevo. Tutto fuori, vagabondo». La perfetta coscienza, come sembrava a Novalis, è coscienza di nulla e di tutto.*

MARIA ARGENZIANO

Bibliografia

Su Luigi Pirandello e la sua opera

Per una bibliografia più completa si rinvia ad A. BARBINA, «Bibliografia della critica pirandelliana (1889-1961)» in *Pubblicazioni dell'Istituto di studi pirandelliani*, Firenze, Le Monnier, 1967. Per il successivo decennio (1962-1971), vedi la rassegna di G. MARCHI, «Dieci anni di critica pirandelliana», in *Quaderni dell'Istituto di studi pirandelliani*, n. 1, Roma, Carucci, 1973. E ancora quella di CORRADO DONATI, *Bibliografia della critica pirandelliana (1962-1981)*, Firenze, Editrice La Ginestra, 1986.

B. CROCE, «L'umorismo di L. Pirandello», in *Critica*, maggio 1909, pp. 219-223. Successiv. in *Conversazioni critiche, I*, Bari, Laterza, 1929.

G.A. BORGESE, «Saggi di letteratura e di cultura contemporanea», in *La vita e il libro*, Bocca, Torino, 1910. Successiv. *La vita e il libro*, Bologna, Zanichelli, 1923-1928.

P.M. ROSSO DI SAN SECONDO, «Luigi Pirandello», in *Nuova Antologia*, Roma, 1 febbraio 1916, pp. 390-443.

A. TILGHER, «Il teatro dello specchio», in *Stampa*, Torino, 18 agosto 1920.

A. TILGHER, in *Voci del tempo, Profili di letterati e filosofi contemporanei*, Roma, Libreria di scienze e lettere, 1921, pp. 78-88.

S.A. CHIMENZ, «Il teatro di L. Pirandello», in *Nuova Antologia*, Roma, 1 febbraio 1921, pp. 258-263.

S. D'AMICO, «Pirandello e la critica», in *Idea nazionale*, Roma, 29 ottobre 1921.

A. TILGHER, *Studi sul teatro contemporaneo*, Roma, Libreria di scienze e lettere, 1922, pp. 91-108 e 157-218.

P. GOBETTI, *Opera Critica*, Parte seconda: *Teatro, letteratura, storia*, Torino, Edizioni del Baretti, 1927.

I. SICILIANO, Il *teatro di Pirandello, ovvero dei fasti dell'artificio*, Torino, Bocca, 1929.

F. VITTORE NARDELLI, *L'uomo segreto, vita e croci di L. Pirandello*, Milano, Mondadori, 1932.

S. D'AMICO, Il *teatro italiano*, Milano, Treves, 1932, pp. 100-138.

B. CROCE, «Luigi Pirandello», in *La Critica*, Bari, 20 gennaio 1935, pp. 20-33. Riportato in *Letteratura della nuova Italia*, VI, Bari, Laterza, 1940.

S. D'AMICO, «Venti personaggi in cerca di Pirandello», in *La lettura*, Milano, 1 marzo 1935, pp. 209-213.

G. VIGORELLI, «Interpretazione di L. Pirandello» in *Vita e pensiero*, Milano, ottobre 1935.

M. BONTEMPELLI, «Luigi Pirandello», in *Bibliografia di Pirandello* di M. Lo Vecchio Musti, Milano, Mondadori, 1937.

B. TECCHI, «Passaggio dalle forme narrative al teatro», in *Rivista italiana del dramma*, Roma, 15 luglio 1937, pp. 1-12.

L. TONELLI, «Il teatro di L. Pirandello», in *Rivista italiana del dramma*, Roma, 15 gennaio 1937, pp. 5-22.

F. PASINI, *Pirandello nell'arte e nella vita*, Padova, 1937.

M. LO VECCHIO MUSTI, L'opera di L. *Pirandello*, Torino, Paravia, 1939.

P. PANCRAZI, «L'altro Pirandello», in *Scrittori Italiani del Novecento*, Bari, Laterza, 1939.

M. SANSONE, «Critica e poetica di L. Pirandello», in *Antico e nuovo*, Bari, a. I, 1945.

A. MORAVIA, «Pirandello», in *Fiera Letteraria*, Roma, 12 dicembre 1946.

A. JANNER, *Luigi Pirandello*, Firenze, La Nuova Italia, 1948, p. 346.

L. BACCOLO, *Pirandello*, Milano, Bocca, 1949 (seconda ediz.).

A. DI PIETRO, *L. Pirandello*, Milano, Vita e pensiero, 1950, p. 184 (seconda ediz.).

A. GRAMSCI, *Letteratura e vita nazionale*, Torino, Einaudi, 1950.

G. DE BENEDETTI, *Saggi critici* (nuova serie), Milano, Mondadori, 1955, pp. 272-294.

F. MONTANARI, «I versi di L. Pirandello», in *Studium*, Roma, 1955, n. 2, pp. 89-95.

U. APOLLONIO, *Letteratura dei contemporanei*, Brescia, La Scuola Editrice, 1957, pp. 517-523 e 541-547.

V. FAZIO ALLMAYER, «Il problema Pirandello», in *Belfagor*, Firenze, 31 gennaio 1957, pp. 18-34.

C. SALINARI, «Lineamenti del mondo ideale di L. Pirandello», in *Società*, Roma, giugno 1957, pp. 425-462.

B. TECCHI, *Officina segreta*, Caltanissetta-Roma, S. Sciascia, 1957.

G.B. ANGIOLETTI, *Luigi Pirandello narratore e drammaturgo*, Torino, Ediz. RAI, p. 85.

R. FERRANTE, *Luigi Pirandello*, Firenze, Parenti, 1958, p. 254.

L. RUSSO, «Pirandello e la provincia metafisica», in *Belfagor*, Firenze, XV, 1960, pp. 389-401.

C. SALINARI, *Miti e coscienza del decadentismo italiano*, Milano, Feltrinelli, 1960, pp. 249-284.

Atti del Congresso Internazionale di studi pirandelliani, Venezia, Fond. Cini, 2-5 ottobre 1961, per il XXV anniversario della morte, Firenze, Le Monnier, 1967.

B. TECCHI, «Incontri con i romantici tedeschi», in *Radiocorriere*, Roma, 19-25 novembre 1961.

A. LEONE DE CASTRIS, *Storia di Pirandello*, Bari, Laterza, 1962 (seconda ediz. 1971).

C. GIUDICE, *Luigi Pirandello*, UTET, Torino, 1963.

GÖSTA ANDERSSON, *Arte e teoria, studi sulla poetica del giovane Pirandello*, Stockholm, Almqvist e Wiksell, 1966, p. 250.

M. POMILIO, *La formazione critico-estetica di Pirandello*, Napoli, Liguori, 1966.

A. BORLENGHI, *Pirandello o dell'ambiguità*, Padova, R.A.D.A.R., 1968.

A. PAGLIARO, «Il realismo dialettico di L. Pirandello», in Il *Veltro*, febb.-apr. 1968.

G. MACCHIA, «Luigi Pirandello», in *Storia della letteratura italiana*, IX, Il *Novecento*, Milano, Garzanti, 1969.

C. VICENTINI, *L'estetica di L. Pirandello*, Milano, Mursia, 1970, p. 254.

U. BOSCO, «Pirandello fra ottocento e novecento» e «Il secondo Pirandello», in *Il cannocchiale*, Roma, nn. 3-6, 1971.

G. DE BENEDETTI, Il *romanzo del novecento*, Milano, Garzanti, 1971.

R. ALONGE, *Pirandello tra realismo e mistificazione*, Napoli, Guida, 1972.

R. BARRILLI, *La linea Svevo-Pirandello*, Milano, Mursia, 1972.

A. LEONE DE CASTRIS, Il *decadentismo italiano, Svevo, Pirandello, D'Annunzio*, Bari, De Donato, 1974.

S. MONTI, *Pirandello*, Palermo, Palumbo, 1974.

F. VIRDIA, *Pirandello*, Milano, Mursia, 1975.

M. GARDAIR, *Pirandello e il suo doppio*, Roma, Abete, 1977, p. 170.

S. COSTA, *Luigi Pirandello*, Firenze, La Nuova Italia, 1978.

AA.VV., «Luigi Pirandello e la crisi della ragione», in *Letteratura Italiana «900»*, pp. 2159-2301, Milano, Marzorati, 1979.

Pirandello-Martoglio, carteggio inedito a cura di S. Zappulla Muscarà, Milano, Pan editrice, 1980, p. 192.

G. MACCHIA, *Pirandello o la stanza della tortura*, Milano, Mondadori, 1981, p. 206.

A. BARBINA, *Ariel, Storia di una rivista pirandelliana*, Roma, Bulzoni, 1984.

G. MAZZACURATI, *Pirandello nel romanzo europeo*, Bologna, Il Mulino, 1987, p. 320.

M. ARGENZIANO MAGGI, Il *relativo e l'assoluto*, Napoli, Federico e Ardia, 1988

F. ANGELINI, *Teatro e spettacolo nel primo Novecento*, Bari, Laterza, 1988 (seconda ediz. 1991).

C. VICENTINI, *Pirandello. Il disagio del teatro*, Venezia, Marsilio, 1993.

Su Pirandello narratore

M. ALICATA «I romanzi di Pirandello», in *Primato*, Roma, I-V, 1941.

A. JANNER, «Pirandello novelliere», in *Rassegna nazionale*, Roma, giugno 1932, pp. 405-419.

L. CREMONTE, *Pirandello novelliere*, Firenze, La Nuova Italia, 20 ottobre 1935, pp. 278-282 e 315-317.

U. APOLLONIO, «Luigi Pirandello», in *Romanzieri e novellieri d'Italia nel secolo XX*, vol. I, Roma, Stanze del libro, 1936.

A. D'ANDREA, «Pirandello novelliere», in *Leonardo*, Firenze, settembre 1937, pp. 279-289.

A. JANNER, *Luigi Pirandello*, Firenze, La Nuova Italia, 1948, p. 346.

G. PETRONIO, *Pirandello novelliere e la crisi del realismo*, Lucca, Edizioni Lucentia, 1950.

I. PANCRAZI, «Luigi Pirandello narratore», in *Scrittori d'oggi*, III, Bari, Laterza, 1950.

E. LAURETTA, *Come leggere «Il fu Mattia Pascal»*, Milano, Mursia, 1952.

L. RUSSO, *I narratori (1850-1957)*, Firenze, Principato, 1958, pp. 244-254.

S. BATTAGLIA, «Pirandello narratore» in *Atti del Congresso Naz. di studi pirandelliani*, Firenze, Le Monnier, 1967, pp. 25-36.

AA.VV., Il *romanzo di L. Pirandello*, Palermo, Palumbo, 1976.

E. SICILIANO, «Pirandello scrittore», in *Letteratura Italiana «900»*, Milano, Marzorati, 1979, pp. 2287-2297.

G. MACCHIA, «Introduzione a Pirandello narratore», in *Tutti i romanzi*, vol. I, Milano, Mondadori, 1973.

La Newton Compton ha pubblicato a cura di Italo Borzi e Maria Argenziano i seguenti volumi:

Tutti i romanzi, 4 voll., in Grandi Tascabili Economici, 1992.

Novelle per un anno, 5 voll., in Grandi Tascabili Economici, 1992.

Maschere nude, 4 voll., in Grandi Tascabili Economici, 1992.

Sei personaggi in cerca d'autore, nella collana *100 pagine 1000 lire*, 1993.

Il turno, nella collana *100 pagine 1000 lire*, 1993.

L'umorismo, a cura di M. Argenziano, nella collana *100 pagine 1000 lire*, 1993.

Il fu Mattia Pascal, nella collana *I classici Superten*, 1993.

Uno, nessuno e centomila, nella collana *I classici Superten*, 1994.

L'esclusa, nella collana *Biblioteca Economica Newton*, 1994.

L'ESCLUSA

Invito alla lettura

È il primo romanzo di Pirandello: composto nel 1893 col titolo Marta Ajala, *uscì a puntate sul quotidiano romano* La Tribuna *dal 29 giugno al 16 agosto del 1901 col titolo definitivo* L'esclusa *e fu pubblicato in volume nel 1908 a Milano dai Fratelli Treves nella* Biblioteca amena. *In questa edizione (e non più nelle altre) appare una lettera dedicata a Luigi Capuana, nella quale l'autore esprime il dubbio che possa essere sfuggito il fondo «essenzialmente umoristico» del romanzo a chi lo ha letto a puntate. Vi sottolinea inoltre come «ogni volontà è esclusa, pur essendo lasciata ai personaggi la piena illusione ch'essi agiscano volontariamente»; e sostiene un principio fondamentale per la sua poetica: «La natura, senz'ordine almeno apparente, irta di contraddizioni è lontanissima spesso dall'opera d'arte...» che quasi sempre armonizza e razionalizza arbitrariamente la realtà.*

Sono affermazioni che sembrano prendere decisamente le distanze dal verismo, che, in realtà, Pirandello sperimenta in questo romanzo, rilevandone palesemente le insufficienze.

La storia è ambientata in un paese della Sicilia. La protagonista Marta Ajala si sente «esclusa» dalla società in cui vive per aver clamorosamente perso il posto che le era assegnato. Un posto di moglie sottomessa e annoiata, nel quale viveva a disagio, ma che la rendeva rispettabile di fronte alla gente. Un posto che non rimpiange, ma la cui perdita improvvisa e violenta l'ha gettata in una situazione drammatica: è stata scacciata di casa dal marito che l'ha sorpresa a leggere la lettera di un corteggiatore, le cui profferte amorose aveva sempre respinto.

La precipitosa decisione del marito travolto dall'ira; l'atteggiamento del padre che, pur conoscendo la sua innocenza, giustifica in pieno la decisione del marito, per un malinteso spirito di solidarietà maschile, e si lascia morire per la vergogna; la pena sommessa della madre e della sorella, sempre pronte, per uniformità alle convinzioni tradizionali, a consigliarle di arrendersi e sottomettersi; la corale malevolenza dei paesani, pronti addirittura ad approfittare di una processione che passa sotto le sue finestre per inveire pubblicamente contro di lei, sono gli elementi di un quadro minuziosamente descritto, alla maniera dei veristi, che pone in grande evidenza la chiusa mentalità del paese.

Ma la reazione di Marta solo in parte è simile a quella di personaggi che rientrano negli schemi del naturalismo; rivela una condizione interiore che li travalica, una assai più complessa psicologia che parte dal compiacimento piccolo-borghese per le lettere di Gregorio Alvignani «...un avvocato di grido, lodato, ammirato, corteggiato da tutta la città...», e gradualmente si sviluppa in una lotta ostinata contro tutti per un riscatto economico e morale, che alla fine riuscirà a ottenere, ma senza gioia. La qualcosa equivale a dire che non basta vincere le battaglie intraprese nell'ambito della società per non essere più dei vinti.

Il giuoco beffardo del caso prevale sull'oggettività del racconto, secondo una logica inattesa, espressa in una serie di coincidenze che rivelano un loro oscuro significato: il padre muore contemporaneamente alla nascita del figlio,

*che Marta portava nel grembo con tanta repulsione, quasi a significare un ri-
pudio e un distacco netto dal passato, mentre in strada la gente festeggia la
vittoria dell'Alvignani nelle elezioni, segno precorritore del riscatto di Marta.
La singolarità delle circostanze sfocerà nel finale colpo di scena: il marito ri-
prenderà Marta quando ormai è colpevole e ha in grembo il figlio dell'a-
mante, dopo averla scacciata innocente, averla fatta soffrire, compromettendo
la nascita del figlio suo.*

*Nel cedere all'Alvignani, ormai deputato, che l'ha aiutata a far fronte alle
ingiustizie delle autorità scolastiche (ostacolano la sua nomina a maestra, pur
avendo ella vinto un concorso) sembra adattarsi al ruolo di amante di lui che
la stessa società le ha imposto. Ma il suo stato d'animo non è mai quello di
chi passivamente s'arrende, anche se la sua lotta irrequieta contro circostanze dominate da una forza insondabile risulterà vana. Alla fine a sconfig-
gerla non sarà la società da cui è riabilitata, ma la vita che reca con sé una
pena che nessun successo può cancellare.*

*È significativo che l'autore usi la parola chiave «esclusa» proprio in aper-
tura della seconda parte del romanzo, dove, in un'atmosfera di ridente primavera, sembra celebrarsi la resurrezione di Marta. La sua tenace lotta contro
tutti e contro la rassegnazione le ha fatto conquistare quel tanto desiderato
posto di maestra che le ha consentito di togliere dalla miseria la madre e la
sorella. Ma proprio la felicità delle due donne, di cui è intimamente fiera, le
fa avvertire il suo isolamento spirituale, la sua incapacità di reinserirsi nella
società: «...lei sola era l'esclusa, lei sola non avrebbe più ritrovato il suo
posto».*

*Ma, in realtà; ha mai avuto un posto? Marta non ha mai aderito in pieno
alla condizione di moglie e di madre. La stessa esperienza amorosa con l'Alvignani non corona un lungo sogno; le precedenti schermaglie più che amorose erano state soltanto pseudoletterarie, le avevano dato un superficiale
compiacimento. Inoltre, quella con l'Alvignani è una relazione «...aduggiata,
intristita dall'ombra della colpa che la coscienza di lei continuamente vi pro-
iettava». La amareggiano scrupoli, rimorsi, pregiudizi mai cancellati dalla
sua emancipazione soltanto apparente. Del resto l'Alvignani le sembrerà poco
sincero, incapace d'esaudire il suo desiderio d'autenticità. Egli finirà per dimostrarsi stanco di questo rapporto, pur fingendo il contrario, e la spingerà
ad accettare il perdono del marito. Quando tornerà da lui incinta del figlio di
un altro, in luogo di quello perduto, compirà involontariamente una specie di
amara vendetta. Ma ormai non ha più nemmeno la volontà di compiacersene,
vinta com'è dall'angoscia per la somma di tante sofferenze. Personaggio
complesso Marta Ajala, apparentemente decisa e combattiva, capace anche di
conseguire qualche risultato parziale, mai però di risolvere i suoi problemi interiori e sempre dominata dalle circostanze; alla fine si rassegna a essere di
nuovo succube del marito, come, tutto sommato, lo era stata dell'Alvignani,
per quella «legge odiosa... occulta e inesorabile»[1] che decide i destini degli
esseri umani senza tener conto della loro volontà.*

I.B.

---

[1] Lettera al Capuana, nell'ed. del 1908 *(N.d.C.)*.

Parte prima

I.

Antonio Pentàgora s'era già seduto a tavola tranquillamente per cenare, come se non fosse accaduto nulla.

Illuminato dalla lampada che pendeva dal soffitto basso, il suo volto tarmato pareva quasi una maschera sotto il bianco roseo della cotenna rasa, ridondante sulla nuca. Senza giacca, con la camicia floscia celeste, un po' stinta, aperta sul petto irsuto, e le maniche rimboccate sulle braccia pelose, aspettava che lo servissero.

Gli sedeva a destra la sorella Sidora, pallida e aggrottata, con gli occhi acuti adirati e sfuggenti sotto il fazzoletto di seta nera che teneva sempre in capo. A sinistra, il figlio Niccolino, spiritato, con la testa orecchiuta da pipistrello sul collo stralungo, gli occhi tondi tondi e il naso ritto. Dirimpetto era apparecchiato il posto per l'altro figlio, Rocco, che rientrava in casa, quella sera, dopo la disgrazia.

Lo avevano aspettato finora, per la cena. Poiché tardava, s'erano messi a tavola. Stavano in silenzio tutt'e tre, nel tetro stanzone, dalle pareti basse, ingiallite, lungo le quali correvano due interminabili file di seggiole quasi tutte scompagne. Dal pavimento un po' avvallato, di mattoni rosi, spirava un tanfo indefinibile, d'appassito.

Finalmente, Rocco apparve sulla soglia, cupo, disfatto. Era uno stangone biondo, di pochi capelli, scuro in viso e con gli occhi biavi, quasi vani e smarriti, che però gli diventavano cattivi quando aggrottava le sopracciglia e stringeva la bocca larga, dalle labbra molli, violacee. Camminando sulle gambe aperte, si dimenava sul busto e seguiva con la testa e con le braccia l'andatura. Ogni tanto aveva un tic alle corde del collo che gli faceva protendere il mento e tirare in giù gli angoli della bocca.

– Oh, bravo Roccuccio, eccolo qua! – esclamò il padre fregandosi le grosse mani ruvide, piene d'anelli massicci.

Rocco stette un po' a guardare i tre seduti a tavola, poi si buttò su la prima seggiola presso l'uscio, coi gomiti su le ginocchia, le pugna sotto il mento, il cappello su gli occhi.

– Oh, e àlzati! – riprese il Pentàgora. – T'abbiamo aspettato, sai? Non mi credi? Parola d'onore, fino alle dieci... no, più, più... che ora è? Vieni qua: ecco il tuo posto: apparecchiato, qua, come prima.

E chiamò, forte:

– Signora Popònica!

– Epponìna, – corresse Niccolino a bassa voce.

– Zitto, bestia, lo so. Voglio chiamarla Popònica, come tua zia. Non è permesso?

Rocco, incuriosito, alzò la testa e brontolò:

– Chi è Popònica?

– Ah! una signora caduta in bassa fortuna, – rispose allegramente il padre. – Vera signora, sai? Da ieri ci fa da serva. Tua zia la protegge.

– Romagnola, – aggiunse Niccolino, sommessamente.

Rocco ripiegò la testa su le mani; e il padre, soddisfatto, si recò pian piano alle labbra il bicchiere ricolmo; lo scoronò con un sorsellino càuto; poi strizzò un occhio a Niccolino e, facendo schioccare la lingua:
– Buono! – disse. – Roccuccio, vino nuovo; fa stringer l'occhio... Assaggia, assaggia, ti rimetterà lo stomaco. Sciocchezze, figlio mio!
E tracannò il resto in un fiato.
– Non vuoi cenare? – domandò poi.
– Non può cenare, – osservò piano Niccolino.
Tacquero tutti, badando che le forchette non frugassero nei piatti, come per non offendere il silenzio ch'empiva penosamente lo stanzone. Ed ecco la signora Popònica, coi capelli color tabacco di Spagna, unti non si sa di qual manteca, gli occhi ammaccati e la bocca grinzosa appuntita, entrare tentennante su le gambette, forbendosi le mani piccole, sconciate dal lavoro, in una giacca smessa del padrone, legata per le maniche intorno alla vita a mo' di grembiule. La tintura dei capelli, l'aria mesta del volto davano a vedere chiaramente che quella povera signora caduta in bassa fortuna avrebbe forse desiderato qualcosa di più che il disperato amplesso di quelle maniche vuote
Subito Antonio Pentàgora con la mano le fe' cenno d'andar via: non c'era più bisogno di lei, poiché Rocco non voleva cenare. Quella inarcò le ciglia, sbalzandole fin sotto i capelli, distese su gli occhi dolenti le pàlpebre cartilaginose, e andò via, dignitosa, sospirando.
– Ricòrdati, oh! che te l'avevo predetto, – uscì a dire finalmente il Pentàgora.
Sonò il suo vocione così urtante nel silenzio, che la sorella Sidora, quantunque sempre astratta, balzò da sedere, tolse dalla tavola il piatto dell'insalata, ghermì un tozzo di pane, e scappò via, a finir di cenare in un'altra stanza.
Antonio Pentàgora la seguì con gli occhi fino all'uscio, poi guardò Niccolino e si stropicciò il capo con ambo le mani, aprendo le labbra a un ghigno frigido, muto.
Ricordava.
Tant'anni addietro, anche a lui, di ritorno alla casa paterna dopo il tradimento della moglie, la sorella Sidora, bisbetica fin da ragazza, aveva voluto che non si movesse alcun rimprovero. Zitta zitta, lo aveva condotto nell'antica sua camera da scapolo, come se con ciò avesse voluto dimostrargli che si aspettava di vederselo un giorno o l'altro ricomparire davanti, tradito e pentito.
– Te lo avevo predetto! – ripeté, riscotendosi da quel ricordo lontano, con un sospiro.
Rocco si alzò, smanioso, esclamando:
– Non trovi altro da dirmi?
Niccolino allora tirò, sotto sotto, la giacca al padre, come per dirgli: «Stia zitto!».
– No! – gridò forte il Pentàgora su la faccia di Niccolino. – Vieni qua, Roccuccio! Lèvati codesto cappello dagli occhi... Ah, già: la ferita! Lasciami vedere...
– Che m'importa della ferita? – gridò Rocco, quasi piangente dalla rabbia, sbertucciando e sbatacchiando il cappello sul pavimento.
– Sì, guarda come ti sei conciato... Acqua e aceto, subito: un bagnolo.
Rocco minacciò:
– Ancora? Me ne vado!
– E vàttene! Che vuoi da me? Parla, sfógati! Ti prendo con le buone, e spari calci... Mettiti il cuore in pace, figliuolo mio! La lettera, io dico, avresti potuto raccoglierla con più garbo, senza romperti così la fronte nello sportello dell'armadio... Ma basta: sciocchezze! Denari ne hai quanti ne vuoi; femmine, potrai averne quante ne vorrai. Sciocchezze!
Sciocchezze! era il suo modo d'intercalare e accompagnava ogni volta l'e-

sclamazione con un gesto espressivo della mano e una contrazione della guancia.

Si levò di tavola e, recatosi presso il cassettone, su cui stava accoccolato un grosso gatto bigio, trasse una candela; staccò, per dare a vedere ciò che intendeva fare, i gocciolotti dal fusto; poi l'accese e sospirò:

– E ora, con l'ajuto di Dio, andiamo a dormire!

– Mi lasci così? – esclamò Rocco, esasperato.

– E che vuoi che ti faccia? Se parlo ti secchi... Debbo stare qua? Ebbene, stiamo qua...

Soffiò su la candela e sedé su una seggiola presso il canterano. Il gatto gli saltò sulle spalle.

Rocco passeggiava per lo stanzone, mordendosi a quando a quando le mani o facendo con le pugna serrate gesti di rabbia impotente. Piangeva.

Niccolino, seduto ancora a tavola, sotto la lampada, arrotondava con l'indice pallottoline di mollica.

– Non hai voluto darmi ascolto, – riprese, dopo un lungo silenzio, il padre. – Hai... ehm...! sì, hai voluto fare come me... Mi viene quasi da ridere, che vuoi farci? Ti compatisco, bada! Ma è stata, Rocco mio, una riprova inutile. Noi Pentàgora... – quieto, *Fufù*, con la coda! – noi Pentàgora con le mogli non abbiamo fortuna.

Tacque un altro pezzo, poi ripigliò lentamente, sospirando:

– Già lo sapevi... Ma tu credesti d'aver trovato l'araba fenice. E io? Tal quale! E mio padre, sant'anima? Tal quale!

Fece con una mano le corna e le agitò in aria.

– Caro mio, vedi queste? Per noi, stemma di famiglia! Non bisogna farsene.

A questo punto, Niccolino, che seguitava ad arrotondare tranquillamente pallottoline, sghignò.

– Sciocco, che c'è da ridere? – gli disse il padre, levando sù dal petto il testone raso, sanguigno. – È destino! Ognuno ha la sua croce. La nostra, è qua! Calvario.

E si picchiò sul capo.

– Ma, alla fin fine, sciocchezze! – seguitò. – Croce che non pesa, è vero, *Fufù*? quando abbiamo cacciato via la moglie. Anzi, porta fortuna, dicono. La gente piglia moglie, come si piglia in mano la fisarmonica, che pare chiunque debba saperla sonare. Sì, a stendere e a stringere il màntice, non ci vuol molto; ma a muover le dita di quella maniera per pigiare su i tasti, lì ti voglio! Dicono che sono cattivo. Ma perché sono cattivo? Come sto in pace io, così vorrei che stésse in pace tutto il mondo. Ci sono però di questi tali, che quando possono dir male di uno, pare che ingrassino. Del resto a me mi fa più utile chi mi biasima. Sai che faccio? Prendo il biasimo e me l'applico qua.

Si picchiò sulla natica. E poco dopo ripigliò:

– Chi vuol morire, muoja. Io m'ingegno di campare. Salute, ne abbiamo da vendere e, per tutto il resto, la grazia di Dio non ci manca. Si sa, per altro, che le mogli è il loro mestiere d'ingannare i mariti. Quand'io sposai, figlio mio, tuo nonno mi disse precisamente quel che poi io ripetei a te, parola per parola. Non volli ascoltarlo, come tu non hai voluto ascoltarmi. E si capisce! Ognuno vuol farne esperienza da sé. Che cosa credevo io che fosse Fana, mia moglie? Precisamente ciò che tu, Roccuccio mio, credevi che fosse la tua: una santa! Non ne dico male, né gliene voglio: ne siete testimonii. Do a vostra madre tanto che possa vivere, e permetto che voi andiate a visitarla una volta l'anno, a Palermo. M'ha reso in fin dei conti un gran servizio: m'ha insegnato che si deve obbedire ai genitori. Dico perciò a Niccolino: «Tu almeno, figliuolo mio, sàlvati!».

Quest'uscita non piacque a Niccolino, che già faceva all'amore:

– Ma pensate a vojaltri, voi, che a me ci penso io!

– A lui, oibò! a lui... ah, figlio mio! – esclamò sogghignando il Pentàgora. – Ma San Silvestro... Ma San Martino...

– Va bene, va bene, – rispose Niccolino irritatissimo. – Ma a noi la mamma, poveretta, che male ha fatto, se pur è vero che...?

– Niccoli', ora mi secchi! – lo interruppe il padre, levandosi in piedi. – È destino, sciocconaccio! E io parlo per il tuo bene. Prendi, prendi moglie, se tre esperienze non ti bastano, e – se sei davvero dei Pentàgora – vedrai!

Si liberò del gatto con una scrollata, tolse dal canterano la candela e, senza neanche accenderla, scappò via.

Rocco aprì la finestra e si mise a guardar fuori a lungo.

La notte era umida. In basso, dopo il ripido degradare delle ultime case giù per la collina, la pianura immensa, solitaria, si stendeva sotto un velo triste di nebbia, fino al mare laggiù, rischiarato pallidamente dalla luna. Quant'aria, quanto spazio fuori di quell'alta finestra angusta! Guardò la facciata della casa, esposta lassù ai venti, alle piogge, malinconica nell'umidore lunare; guardò in basso la viuzza nera, deserta, vegliata da un solo fanale piagnucoloso; i tetti delle povere case raccolte nel sonno; e si sentì crescere l'angoscia. Rimase attonito, quasi con l'anima sospesa, a mirare; e come, dopo un violento uragano, lievi nuvole vagano indecise, pensieri alieni, memorie smarrite, impressioni lontane gli s'affacciarono allo spirito, senza precisarsi tuttavia. Pensò che lì, in quella straducola angusta, quand'egli era bambino, proprio sotto a quel fanale dal fioco lume vacillante, una notte, era stato ucciso un uomo a tradimento; che poi una serva gli aveva detto che lo spirito di quell'ucciso era stato veduto da tanti; e lui ne aveva avuto una gran paura e per parecchio tempo non aveva più potuto affacciarsi di sera a guardare in quella via... Ora la casa paterna, lasciata da circa due anni, lo riprendeva, con tutte le reminiscenze, con l'oppressione antica. Egli era libero di nuovo, come ritornato scapolo. Avrebbe dormito solo, quella notte, nella cameretta nuda, nel lettuccio di prima: solo! La sua casa maritale, coi ricchi mobili nuovi, era rimasta vuota, buja... le finestre erano rimaste aperte... e quella luna, calante tra le brume sul mare lontano, doveva vedersi certo anche dalla sua camera da letto... Il suo letto a due... tra i cortinaggi di seta rosea... ah! Strizzò gli occhi e serrò le pugna. E domani? che sarebbe stato domani, quando tutto il paese avrebbe saputo ch'egli aveva scacciato di casa la moglie infedele?

Là, col capo immerso nel vasto silenzio malinconico della notte punto qua e là e vibrante da stridi rapidi di pipistrelli invisibili, con le pugna ancora serrate, Rocco gemette, esasperato:

– Che debbo fare? che debbo fare?

– Scendi giù dall'Inglese – insinuò piano e quieto Niccolino, che se ne stava ancor presso la tavola, con gli occhi fissi su la tovaglia.

Rocco stolzò alla voce, e si voltò, stordito da quel consiglio e dal vedere il fratello ancora lì, impassibile, sotto la lampada.

– Da Bill? – gli domandò, accigliato. – E perché?

– Io, nel tuo caso, farei un duello, – disse con aria semplice e convinta Niccolino, raccogliendo nel cavo della mano tutte le pallottoline arrotondate e andando a buttarle dalla finestra.

– Un duello? – ripeté Rocco, e stette un poco a pensare, impuntato; poi proruppe: – Ma sì, ma sì, ma sì, dici bene! Come non ci avevo pensato? Sicuro, il duello!

Dalla chiesa vicina giunsero i rintocchi lenti della mezzanotte.

– Mezzanotte.

– L'Inglese sarà sveglio.

Rocco raccolse il cappello ammaccato dal pavimento.

– Ci vado!

II.

Per la scala, al bujo, Rocco Pentàgora rimase un tratto perplesso, se picchiare all'uscio dell'Inglese o a quello più giù d'un altro pigionante, il professor Blandino.

Antonio Pentàgora aveva edificato quella sua casa, che pareva un torrione, a piano a piano. Al quarto, per il momento, s'era arrestato. Ma, o che la casa rimanesse veramente fuori mano, o che nessuno volesse aver da fare col proprietario, il fatto era che al Pentàgora non riusciva mai d'appigionarne un quartierino. Il primo piano era vuoto da tant'anni; del secondo una sola camera era occupata da quel professor Blandino, affidato alle cure della signora Popònica; del terzo, parimenti una sola, dall'inglese Mr H. W. Madden, detto Bill. Tutte le altre, qua e là, dai topi. Il portinajo aveva la dignitosa gravità d'un notajo; ma, cinque lire al mese; per cui non salutava mai nessuno.

Luca Blandino, professore di filosofia al Liceo, su i cinquant'anni, alto, magro, calvissimo, ma in compenso enormemente barbuto, era un uomo singolare, ben noto in paese per le incredibili distrazioni di mente a cui andava soggetto. Aggiogato per necessità e con triste rassegnazione all'insegnamento, assorto di continuo nelle sue meditazioni, non si curava più di nulla né di nessuno. Tuttavia, chi avesse saputo all'improvviso impressionarlo, così da farlo per poco discendere dalla sfera di quei suoi nuvolosi pensieri, avrebbe potuto tirarlo dalla sua e farsene ajuto prezioso e disinteressato. Rocco lo sapeva.

Uomo non meno singolare era il Madden, professore anche lui, ma privato, di lingue straniere. Dava a pochissimo prezzo lezioni d'inglese, di tedesco, di francese, bistrattando l'italiano. Piazza internazionale, dunque, quella sua fronte smisurata. I capelli aurei, finissimi, pareva gli si fossero allontanati dai confini della fronte e dalle tempie per paura del naso adunco, robusto; ma in cerca di loro, dalla punta delle sopracciglia serpeggiavano sù sù, come per andarsi a nascondere, due vene sempre gonfie. Sotto le sopracciglia s'appuntavano gli occhietti grigioazzurri, a volta astuti, a volta dolenti, come gravati dalla fronte. Sotto il naso, i baffetti color di fieno, tagliati rigorosamente intorno al labbro. Nonostante la fronte monumentale, la natura aveva voluto dotare il corpo del signor Madden d'una certa agilità scimmiesca; e il signor Madden subito aveva tratto partito anche di questa dote: nelle ore d'ozio, dava lezioni di scherma; ma così, senz'alcuna pretesa, badiamo!

Probabilmente neppur lui, povero Bill, avrebbe saputo ridire come mai dalla nativa Irlanda si fosse ridotto in un paese di Sicilia. Nessuna lettera mai dalla patria! Era proprio solo, con la miseria dietro, nel passato, e la miseria davanti, nell'avvenire. Così abbandonato alla discrezione della sorte, pure non s'avviliva. In verità, il signor Madden aveva in mente, per sua ventura, più vocaboli che pensieri; e se li ripassava di continuo.

Rocco – come Niccolino aveva supposto – lo trovò sveglio.

Bill stava seduto su un vecchio, sgangherato canapè davanti a un tavolino, con la gran fronte illuminata da una lampada dal paralume rotto; senza scarpe, teneva una gamba accavalciata su l'altra e dava morsi da arrabbiato a un panino imbottito, guardando religiosamente una bottiglia sturata di pessima birra, che gli stava davanti.

Ogni mattone, in quella camera, reclamava la scopa e una cassetta da sputare per il signor Madden; reclamavano le pareti e i pochi decrepiti mobili uno spolveraccio; reclamava il letticciuolo dai trespoli esposti le solide braccia d'una servotta, che lo rifacessero almeno una volta la settimana; reclamavano gli abiti del signor Madden non una spazzola, ma una brusca, piuttosto, da cavallo.

Le vetrate dell'unica finestra erano aperte; le persiane, accostate. Le scarpe del signor Madden, una qua, una là, in mezzo alla camera.

– Oh Rocco! – esclamò con la barbara pronunzia, nella quale gargarizzava, schiacciava, sputava vocali e consonanti, con sillabazione spezzata, come se parlasse con una patata calda in bocca.

– Scusa, Bill, se vengo così tardi, – disse Rocco, con faccia cadaverica. – Ho bisogno di te.

Bill ripeteva quasi sempre le ultime parole del suo interlocutore, come per agganciarvi la risposta:

– Di me? Un momento. È mio dovere di rimettere prima le scarpe.

E guardò, sconcertato, la ferita su la fronte dell'amico.

– Ho avuto una lite.

– Non capisco.

– Una lite! – urlò Rocco, additando la fronte.

– Ah, una lite, benissimo: *a strife, der Streit, une mêlée, yes,* capito benissimo. Si dice *lite* in italiano? *Li–te,* benissimo. Che cosa posso io fare?

– Ho bisogno di te.

– *(Li–te.)* Non capisco.

– Voglio fare un duello!

– Ah, un duello, tu? Benissimo capito.

– Ma non so, – riprese Rocco, – non so proprio nulla di... di scherma. Come si fa? Non vorrei farmi ammazzare come un cane, capisci?

– Come un cane, benissimo capito. E allora qualche.. *coup?* Ah, un colpo – si dice? Sì, *infallible,* io te lo insegnare. Molto semplice, sì. Subito?

E Bill, con una mossa da scimmia ben educata, staccò dalla parete due vecchi fioretti arrugginiti.

– Aspetta, aspetta... – gli disse Rocco, turbandosi alla vista di quei ferracci. – Spiegami, prima... Io sfido, è vero? oppure, schiaffeggio e sono sfidato. I padrini discutono, si mettono d'accordo. Duello alla sciabola, poniamo. Si va sul luogo stabilito. Ebbene, che si fa? Ecco, voglio saper tutto, con ordine.

– Sì, ecco, – rispose il Madden, a cui l'ordine, parlando, piaceva, per non imbrogliarsi; e si mise a spiegargli alla meglio, a suo modo, i preliminari d'un duello.

– Nudo? – domandò a un certo punto Rocco, costernatissimo. – Come nudo? perché?

– Nudo... di camicia, – rispose il Madden. – Nudo il... come si dice? *le tronc du corps... die Brust...* ah, *yes,* torso, il torso. O puramente, senza nudo, sì... come si vuole.

– E poi?

– Poi? Eh, si duellare... La *sciabla;* in guardia; *à vous!*

– Ecco, – disse Rocco, – io, per esempio, prendo la sciabola; avanti, insegnami... Come si fa?

Bill gli dispose bene, prima di tutto, le dita di tra le basette. Rocco si lasciò piegare, stirare, atteggiare come un automa. Si avvilì presto però in quelle insolite positure stentate. – Cado! cado!, – e il braccio teso gli si stancava, gli s'irrigidiva; il fioretto, possibile? pesava troppo. – *Eh! eh! olà! oilà!* – incitava intanto il Madden. – Aspetta, Bill! – nel dare quel colpo, il piede sinistro come poteva star fermo? e il destro, Dio! Dio! non poteva più ritrarsi in guardia! A ogni movimento il sangue gli affluiva con impeto alla ferita della fronte. Intanto, alle pareti, i decrepiti mobili pareva che sussultassero, sbalorditi, agli sbalzi ridicoli delle ombre mostruosamente ingrandite di quei duellanti notturni.

Bum! bum! bum! – alcuni colpi bussati con rabbia sotto il pavimento.

Il Madden ristette, scosciato, con la gran fronte imperlata di sudore. Tese l'orecchio.

– Abbiamo svegliato il professore Luca!

Rocco si era abbandonato, rifinito, su una seggiola, con le braccia ciondoloni, la testa cascante, appoggiata alla parete; quasi in deliquio. Pareva, in quell'atteggiamento, che avesse già terminato il duello con l'avversario e ricevuto una ferita mortale.

– Abbiamo svegliato il professor Luca, – ripeté Bill, guardando Rocco, a cui tale notizia pareva non arrecasse alcuna spiacevole sorpresa.

– Andrò io dal Blandino, – diss'egli alla fine, levandosi in piedi. – Bisogna sbrigar tutto prima di domani. Il Blandino mi farà da testimonio. Addio; grazie, Bill. Conto anche su te, bada.

Il Madden accompagnò col lume in mano l'amico fino alla porta; aspettò sul pianerottolo che il professor Blandino venisse ad aprire e, allorché la porta del secondo piano fu richiusa, si ritirò facendo un suo gesto particolare con la mano, come se si cacciasse una mosca ostinata dalla punta del naso.

Luca Blandino accolse di malumore quella visita notturna. Borbottando, barcollando, introdusse Rocco per le altre stanze deserte, nella sua camera; poi, col barbone grigio abbatuffolato e gli occhi gonfii e rossi dal sonno interrotto, sedé sul letto con le gambe nude, pelose, penzoloni.

– Professore, abbia pietà di me, e mi perdoni, – disse Rocco. – Mi metto nelle sue mani.

– Che t'è accaduto? Tu sei ferito! – esclamò il Blandino con voce rauca, guardandolo con la candela in mano.

– Sì... ah se sapesse! Da dieci ore, io... Sa, mia moglie?

– Una disgrazia?

– Peggio. Mia moglie m'ha... L'ho scacciata di casa...

– Tu? Perché?

– Mi tradiva... mi tradiva... mi tradiva...

– Sei matto?

– No! che matto!

E Rocco si mise a singhiozzare, nascondendo la faccia tra le mani e nicchiando:

– Che matto! che matto!

Il professore lo guardava dal letto, non credendo quasi agli occhi suoi, ai suoi orecchi, così soprappreso nel sonno.

– Ti tradiva?

– L'ho sorpresa che... che leggeva una lettera... Sa di chi? dell'Alvignani!

– Ah birbante! Gregorio? Gregorio Alvignani?

– Sissignore – (e Rocco inghiottì). – Ora, capisce, professore... così... così non può, non deve finire! Egli è partito.

– Gregorio Alvignani?

– Scappato, sissignore. Questa sera stessa. Non so dove, ma lo saprò. Ha avuto paura... Professore, mi metto nelle sue mani.

– Io? Che c'entro io?

– Una soddisfazione, professore, io una soddisfazione certamente me la devo prendere, di fronte al paese. Non le pare? Posso restar così?

– Piano, piano... Càlmati, figlio mio! Che c'entra il paese?

– L'onore mio, professore! Le pare che non c'entri? Debbo difendere il mio onore... di fronte al paese...

Luca Blandino scrollò le spalle, seccato.

– Lascia stare il paese! Bisogna riflettere, ragionare. Prima di tutto: ne sei ben sicuro?

– Ho le lettere, le dico, le lettere che lui le buttava dalla finestra!

– Lui, Gregorio? come un ragazzino? Ma mi dici davvero? Ohi, ohi, ohi... Le buttava le lettere dalla finestra?

– Sissignore, le ho qua!

– Ma guarda, guarda, guarda... E tua moglie, santo Dio! Non è figlia di
Francesco Ajala, tua moglie? Bada, caro mio, che quello è una bestia feroce...
Adesso nasce un macello... Che m'hai detto? Che m'hai detto? Vah... vah...
vah... Dalla finestra? Le buttava le lettere dalla finestra, come un ragazzino?
– Posso contare su lei, professore?
– Su me? Perché? Ah tu vorresti fare... Aspetta, figliuolo mio, bisogna ra-
gionare... Mi hai tutto scombussolato... Non è possibile, adesso...
Scese dal letto; s'accostò a Rocco e, battendogli una mano su la spalla, aggiunse:
– Torna sù, figliuolo mio... Tu soffri troppo, lo vedo... Domani, eh? con la
luce del sole. Ne riparleremo domani; ora è tardi... Va' a dormire, se ti sarà
possibile... va' a dormire, figlio mio...
– Ma mi prometta fin d'ora... – insisté Rocco.
– Domani, domani, – lo interruppe di nuovo il Blandino, spingendolo verso
l'uscio. – Ti prometto... Ma che birbante, oh! Le lettere gliele buttava dalla finestra? Bisogna aspettarsi di tutto a questo mondaccio, caro mio! Povero Roccuccio, ma guarda! ti tradiva... Sù, sù, andiamo...
– Professore... non m'abbandoni, per carità! Conto su lei!
– Domani, domani, – ripeté il Blandino. – Povero Roccuccio... la vita, eh?
che miseria... Buona notte, figliuolo mio, buona notte, buona notte...
E Rocco sentì chiudersi dietro le spalle la porta, piano piano, e restò al bujo,
sul pianerottolo, in mezzo alla scala silenziosa, smarrito. Nessuno voleva più
saperne, di lui?
Sedette, come un bambino abbandonato, su i primi scalini della branca,
presso la ringhiera, coi gomiti su le ginocchia e la testa tra le mani. Il bujo, il
silenzio, la positura stessa gli strinsero il cuore, gli fecero cader l'animo in un
avvilimento profondo. Contrasse il volto e si mise a piangere e a lamentarsi
sommessamente:
– Ah, mamma mia! mamma mia!
Pianse e pianse. Poi si cercò in tasca e ne trasse una lettera tutta brancicata.
Accese un fiammifero e si provò a leggere; ma avvertì su la mano il contatto
di qualcosa umida, lievissima, un po' vischiosa; e alzò il fiammifero per veder
che fosse. Un filo di ragno, lunghissimo, che pendeva dall'alto della scala. Si
distrasse a guardarlo, e non avvertì al fiammifero che gli si consumava intanto
tra le dita; si scottò e, al bujo, gridò più volte:
– Maledetto! maledetto! maledetto!
Accese un altro fiammifero e si mise a leggere la lettera, ch'era scritta di minutissimo carattere, su una carta cinerea, ruvida in vista. Lèsse macchinalmente le prime parole: «*Ti scrivo da tre mesi (son già tre mesi) e ancora...*».
Saltò alcuni righi; fissò lo sguardo su un «*Quando?*» sottolineato, poi buttò il
fiammifero e restò con la lettera in mano e gli occhi sbarrati nel bujo.
Rivedeva la scena.
Aveva sforzato l'uscio con un violento spintone, gridando: «La lettera!
dammi la lettera!». Al fracasso, Marta s'era fatta riparo dello sportello aperto
del grande armadio a muro presso al quale leggeva. Egli aveva tratto in avanti
con forza lo sportello e le aveva attanagliato i polsi. «Che lettera? Che lettera?»
aveva ella balbettato, guardandolo atterrita negli occhi. Ma la carta, spiegaz-
zata nell'improvviso terrore e impigliata tra le vesti e un palchetto dell'armadio, era caduta come una foglia secca sul pavimento. Ed egli, nel lanciarsi a
raccoglierla, s'era ferito alla fronte, urtando contro lo sportello aperto dell'armadio. Accecato dall'ira, dal dolore, aveva allora inveito contro di lei, senza
riguardo alla maternità incipiente, e la aveva senz'altro cacciata di casa a urtoni, a percosse.
Poi, l'altra scena, col suocero. Era andato a mostrargli quella e le altre lettere
dell'Alvignani rinvenute nell'armadio. Non c'era colpa? «E in che consiste al-

lora la colpa per lei?» gli aveva domandato. «Scusi, forse perché è sua figlia?»
Francesco Ajala gli era saltato addosso come una tigre. «Mia figlia? che dici?
mia figlia una sgualdrina?» Poi s'era ammansato. «Bada, Rocco, bada a quello
che fai... Vedi di che si tratta? Lettere... E tu rovini due case: la tua e la mia.
Forse puoi ancora perdonare...» «Ah sì? e la perdonerebbe lei, al mio posto, se
invece d'esser padre fosse marito?» E Francesco Ajala non aveva saputo rispondergli.

«Lui no, e io sì? Oh bella!» pensò Rocco, nel silenzio della scala.

«È finita! ora è finita!»

Si levò in piedi e, accendendo un altro fiammifero, si mise a risalire la scala,
con gli occhi alla lettera che aveva ancora in mano.

«Che vorrà dire?...», domandava a se stesso, cercando di decifrare il motto
dell'Alvignani inciso in rosso in capo al foglio:

NIHIL – MIHI – CONSCIO

III.

L'ombra, poi man mano il bujo avevano invaso la stanza, ove la madre
aveva accolto Marta scacciata dal marito. Nel bujo, la suppellettile di vetro su
la tavola, già apparecchiata per la cena prima dell'arrivo di Marta, ritraeva
dalla strada qualche filo di luce.

La signora Agata Ajala, altissima di statura e corpulenta, ma con una dolcezza nello sguardo e nella voce che pareva volesse subito attenuare, in chi la
guardava o le parlava, l'impressione sgradevole che il suo corpo doveva per
forza destare; rientrando dalla saletta dove poc'anzi la avevano chiamata, intravide all'improvviso lume, nell'aprir l'uscio, le due figliuole sul canapè di
fronte: Marta, con un fazzoletto sul volto abbandonata su la spalliera, e Maria
che le teneva una mano, china su lei.

– Vuol partire... – annunziò, quasi istupidita dall'inattesa sciagura.

– Mamma, ha saputo... ha saputo, – disse allora Marta, scrollando il capo e
torcendosi le mani. – Ha saputo e non vuol più tornare a casa. Non perdona,
lo so. Va' tu a trovarlo; digli che torni, mamma; io me ne vado. Lo so, non mi
crede più degna di stare in casa sua. Digli che vi sono venuta... così, perché
non sapevo dove andare. Me ne vado. Non sapevo dove andare.

Due care braccia, tese in un impeto di commozione, la attirarono a sé.

La madre disse:

– Dove volevi andare? Dove puoi andare? Rimani, rimani qua, con Maria.
Andrò a parlargli...

Si tirò sul capo e si avvolse attorno al collo uno scialletto nero di lana, e
uscì.

La larga strada del sobborgo, molto animata durante il giorno, restava poi, la
sera, silenziosa e sola come una contrada di sogno, con le alte case in fila, su
le cui finestre la luna rifletteva un verde lume qua e là. Un greve, interrotto
sfilar di nubi fumolente velava a quando a quando la pallida e fresca serenità
lunare e gettava ombre cupe su la strada umida.

– Oh San Francesco! – invocò la madre, alzando una mano verso la chiesa in
fondo alla strada.

Lì, a pochi passi dalla casa, su la stessa strada suburbana, sorgeva la vasta
conceria, di cui Francesco Ajala era proprietario. Appressandosi, ella scorse il
marito a un balcone del primo piano; tremò al pensiero d'affrontarne l'ira e il
dolore, sapendo purtroppo a quali terribili eccessi potevano trascinarlo. Era
alto più di lei, e il corpo gigantesco si disegnava in ombra nel vano luminoso
del balcone.

Due erano le sciagure, non una sola. E questa del padre assai più grave di
quella di Marta. Perché, a ragionare con un po' di calma e aspettando qualche

giorno, la sciagura della figlia forse si sarebbe potuta riparare. Ma col padre
non si ragionava.

La signora Ajala già da un pezzo aveva imparato a misurare ogni dispiacere,
ogni dolore, non per se stesso, che le sarebbe parso poco o niente, ma in considerazione delle furie che avrebbe suscitato nel marito. Se talvolta, buon Dio,
per il guasto o la rottura di qualche oggetto anche di poco valore, ma di cui
difficilmente si sarebbe potuto trovare il compagno in paese, tutta la casa
piombava nel lutto, nella costernazione più grave... E i vicini, gli estranei, ri-
sapendolo, ne ridevano; e avevano ragione. Per una boccettina? per un qua-
drettino? per un ninnolo qualunque? Ma bisognava vedere che cosa impor-
tasse per lui, per il marito, quel guasto o quella rottura. Una mancanza di riguardo, non all'oggetto che valeva poco o nulla, ma a lui, a lui che l'aveva
comperato. Avaro? Nemmen per sogno! Era capace, per quel ninnolo di pochi
bajocchi, di mandare in frantumi mezza casa.

In tanti anni di matrimonio, ella era riuscita con le dolci maniere ad amman-
sarlo un po', perdonandogli anche, spesso, torti non lievi, senza mai venir
meno tuttavia alla propria dignità e pur senza fargli pesare il perdono. Ma un
nonnulla bastava di tanto in tanto a farlo scattare selvaggiamente. Forse, subito dopo, se ne pentiva; non voleva, però, o non sapeva confessarlo: gli sarebbe parso d'avvilirsi o di darla vinta: desiderava che gli altri lo indovinas-
sero; ma poiché nessuno, nello sbigottimento, ardiva nemmeno di fiatare, egli
si chiudeva, s'ostinava in una collera nera e muta per intere settimane. Certo,
con segreto dispetto, avvertiva il troppo studio nei suoi di non far mai cosa
che gli désse pretesto di lamentarsi minimamente; e sospettava che molte cose
gli fossero nascoste; se qualcuna poi veramente ne scopriva anche dopo molto
tempo, lasciava prorompere furibondo il dispetto accumulato, senza riflettere
che ormai quelle escandescenze erano fuor di luogo, e che infine s'era fatto
per non dargli dispiacere.

Si sentiva estraneo nella sua stessa casa; gli pareva che i suoi lo tenessero
per estraneo; e diffidava. Specialmente di lei, della moglie, diffidava.

E la signora Agata, infatti, soffriva sopra tutto di questo: che nell'animo di
lui fossero impressi due falsi concetti di lei: l'uno di malizia, l'altro d'ipocrisia. Tanto più ne soffriva, in quanto che lei stessa si vedeva spesso costretta a
riconoscere che non senza ragione egli doveva credere così; perché davvero
ella, mancando ogni intesa fra loro due, talvolta era forzata dai bisogni stessi
della vita a far di nascosto qualcosa ch'egli non avrebbe certamente approvata;
e poi a fingere con lui.

Era sicura adesso la signora Agata, che il marito, nel furore, le avrebbe rinfacciato tutte quelle lievi concessioni che in tanti anni era riuscita con la dolcezza a ottenere.

– Francesco! – chiamò con voce umile, nel silenzio della strada.

– Chi è là? – domandò forte l'Ajala, scotendosi, curvandosi su la ringhiera
del balcone. – Tu? Chi ti ha detto di venire? Vàttene! vàttene via subito! Non
mi far gridare di qua!

– Apri, te ne supplico...

– Vàttene, t'ho detto! Non voglio veder nessuno! A casa! subito, a casa! No?
Scendo, sai?

E Francesco Ajala, diede uno scrollo poderoso alla ringhiera di ferro, e si ritrasse.

Ella attese a capo chino, come una mendicante, appoggiata al portone, asciugandosi di tanto in tanto gli occhi con un fazzoletto che teneva in mano da
quattr'ore.

Un rumore di passi per il lungo androne interno, cupo, rintronante: lo sportello a destra del portone s'aprì, e l'Ajala, curvandosi, sporgendo il capo, afferrò per un braccio la moglie.

– Che sei venuta a far qui? Che vuoi? Chi sei? Non conosco più nessuno io; non ho più nessuno; né famiglia né casa! Fuori tutti! Fuori! Schifo mi fate, schifo! Vàttene via! via!

E le diede un violento spintone.

Ella rimase, col braccio indolenzito dalla stretta, davanti al vano dello sportello; poi entrò come un'ombra, rassegnata ad aspettare ch'egli si votasse il cuore di tutta la collera, rovesciandogliela addosso; decisa anche a farsi percuotere.

In mezzo al bujo androne, l'Ajala, con le mani intrecciate dietro la nuca, le braccia strette intorno alla testa, s'era messo a guardare la grande porta a vetri, in fondo, cieca nel blando chiaror lunare. Si voltò, sentendo nel bujo piangere la moglie; le venne incontro con le pugna serrate, ruggendo con scherno:

– L'hai ricevuta in casa? Te la sei baciata, carezzata, lisciata, la tua bella figlia? Che vuoi ora da me? Che aspetti qua? me lo dici?

– Vuoi partire... – singhiozzò ella, piano.

– Subito, sì! La valigia...

– Dove vuoi andare?

– Debbo dirlo a te?

– Ma anche... per sapere ciò che debbo prepararti... quanto starai fuori...

– Quanto? – gridò lui. – E t'immagini ch'io possa ritornare? rimetter piede nella vostra casa svergognata? Via per sempre! In galera o sottoterra. Lo raggiungerò! lo raggiungerò! Oh, a costo di...

– E ti par giusto? – arrischiò ella, desolatamente.

– No, ma che! no! – tuonò egli con un ghigno orribile. – Giusto è che una figlia insudici il nome del padre! che si faccia scacciare come una sgualdrina dal marito, e che poi venga a insegnarne l'arte alla sorella minore! Questo è giusto, questo è giusto per te, lo so!

– Come vuoi tu, – diss'ella. – Ma io ti domandàvo se, prima di lasciarti andare a un tale eccesso, non ti pareva che convenisse piuttosto...

– Che cosa?

– Vedere se fosse possibile evitare lo scandalo.

– Lo scandalo? – gridò egli. – Ma se Rocco è venuto qua!

– Qua?

– A mostrarmi le lettere!

– Ah, tu le hai vedute? – domandò ella con ansia. – L'ultima? C'è la prova che Marta...

– È innocente, è vero? – scattò egli, afferrandola per un braccio, respingendola, andandole addosso di nuovo. – Innocente? Innocente? hai il coraggio di dire innocente davanti a me? E qua, qua, qua, rossore, qua, ne hai? rossore, qua?

E, in così dire, si percosse più volte furiosamente le guance. Poi ripigliò:

– Innocente... Con quelle lettere? Avresti fatto lo stesso, dunque, tu? Sta' zitta! Non arrischiarti a scusarla!

– Non la scuso, – gemette ella, piano, con strazio. – Ma se ho la prova, io, la prova che mia figlia non merita il castigo che le si vuole infliggere...

– Ah, questo, – tonò cupamente l'Ajala, – questo l'ho detto anch'io a quell'imbecille...

– Vedi? – gridò la moglie, quasi ilarata da un lampo di speranza.

– Ma poi egli mi chiese se io, al posto suo, avrei perdonato... Ebbene, no! Perché io, – aggiunse, riafferrando per le braccia la moglie e scrollandola forte, – io non t'avrei perdonato: ti avrei uccisa!

– Senza colpa.

– Per quella lettera! Non ti basta?

– Marta, sì, sarà colpevole, – si piegò allora ad ammettere la madre, – ma d'una leggerezza, non d'altro. Ma ora tu che vuoi fare? Partire, affrontare

colui, tu! E non intendi che la sciagura, così... Lasciami dire, per carità! Ho
fede, io, ho fede che un giorno, presto, la luce si farà...
– Non scusare! Non scusare!
– Non scuso Marta, no; accuso me, va bene. Me, me, perché io non dovevo
lasciarlo fare questo matrimonio...
– Accusi anche me, dunque?
– Ma se tu stesso l'hai detto! Non te n'eri pentito? Abbiamo avuto troppa
fretta di maritarla, e confessa che abbiamo scelto male! E quel che le toccò
soffrire sotto la tirannia di quella strega della zia e del padre infame, prima
che Rocco si risolvesse a far casa da sé? Questo non la scusa, sì, è vero, lo so;
ma può rendere, mi sembra, meno severi nella pena. È pure una disgraziata...
sì, una...
   Non poté seguitare. Nascose il volto nel fazzoletto scossa dai singhiozzi irrefrenabili.
   Egli, con un gomito appoggiato al muro e la fronte nella mano, scompigliava
ritmicamente col piede un mucchietto di ferruche raccolte lì nell'androne, e,
con le ciglia giunte, irsute, aggrondate, pareva solo intento a quell'esercizio
del piede. Poi disse con voce cupa:
– Giacché la colpa è mia e tua, questa è la nostra condanna, e dobbiamo
scontarla. Bada! Rientro con te in casa; sarà, d'ora in poi, la mia e la tua prigione. Non ne uscirò che morto!
   Andò sù per chiudere il balcone rimasto aperto. La moglie attese un pezzo,
nel bujo dell'androne; poi, vedendolo tardare, salì anche lei. Lo trovò con la
faccia contro il muro, che piangeva, solo.
– Francesco...
– Via! via! via!
   La spinse avanti, di furia. Chiusa la conceria, fecero in silenzio il breve tratto
fino a casa. Davanti alla porta, ordinò alla moglie di salire avanti, aggiungendo, minaccioso:
– Non debbo vederla!
   Poco dopo, salì anche lui e andò a chiudersi a chiave in una camera, al bujo;
si buttò sul letto, vestito, con la faccia affondata nei guanciali, stringendo con
una mano la testata della lettiera.
   Giacque così tutta la notte. Di tratto in tratto, balzava a sedere sul letto. Tendeva l'orecchio. Nessun rumore per casa. Pure nessuno certo dormiva.
   Quel profondo silenzio gl'irritava sordamente l'interno tumulto dell'anima
violenta. Così seduto, si torturava le gambe, le braccia, con le dita artigliate,
stretto alla gola da una voglia rabbiosa, impotente, di piangere, d'urlare. Poi
ricadeva sul letto, riaffondava la faccia nel guanciale bagnato di lagrime.
   Come! Aveva dunque pianto?
   A poco a poco, sotto l'incubo dei pensieri che gli si presentavano sempre
con la medesima forma, col medesimo giro, si stordì e rimase a lungo immobile, quasi inconsapevole, sospirando di tratto in tratto, stanco; ridestandosi ta-
lora con la coscienza ottusa e la sensazione soltanto degli occhi aridi, sbarrati
nel bujo della camera.
   Poi le fessure delle imposte cominciarono a schiarirsi. Grado grado, quei fili
esili d'umido albore s'accesero vieppiù nel bujo, rifulsero biondi: il sole!
   Egli dal letto, con le mani intrecciate dietro la nuca, guardava le imposte.
Giù per la strada cominciava il trànsito continuo dei carri, ed era come se gli
passassero per la mente: li vedeva, così giacente e compreso ancora dal tepore
del letto e della camera, con l'anima appena risentita. Di fuori, il giorno... il
lavoro... Gli operaj, seduti l'uno accanto all'altro sul marciapiedi, aspettano
che s'apra il portone della conceria. Ecco, suona la campana, entrano, a due a
due, a tre, allegri o taciturni, con un fagottino sotto il braccio. Il vecchio
Scoma, ah, quelli non parla mai... sua figlia...

– Anche mia figlia! anche mia figlia! Peggio di quella! Quella non tradì, fu tradita; e ora la miseria...

Balzò dal letto, quasi per correre da Marta e afferrarla per i capelli, trascinarla per casa, percuoterla a sangue.

Due picchi all'uscio, timidi.

– Chi è? – gridò sobbalzando.

– Io... – sospirò una voce, dietro l'uscio.

– Via! Non voglio veder nessuno!

– Se hai bisogno...

– Via! via!

E sentì i passi della moglie allontanarsi pian piano, e li seguì col pensiero nelle altre stanze. Dov'era «ella»? che faceva? poteva aver l'ardire di parlare, di guardare in faccia la madre, la sorella? e che diceva? Svergognata! svergognata!

Il pensiero di lei, la curiosità di vederla, il bisogno quasi di sentirla piangere tutta tremante sotto gli occhi suoi, senza concederle il perdono supplicato in ginocchio, lo tennero tra le smanie tutto il giorno. Aveva lasciato la camera al bujo, ed era giunto a sentir finanche orrore delle fessure luminose delle imposte che gli ferivano gli occhi ogni qualvolta si voltava, passeggiando.

Sul tardi, condiscese ad aprire alla figlia minore. Aprì l'uscio e si stese di nuovo sul letto.

– Richiudi subito!

Maria richiuse subito l'uscio e posò a tasto una tazza di brodo sul tavolino da notte.

– Ti senti male?

– Non mi sento nulla, – rispose con durezza.

Maria sedette, sospirando piano, a piè del letto, col tovagliolo tra le mani.

Egli si levò su un gomito, forzandosi a discernere la figlia nel bujo.

Maria non era mai stata la preferita. Era cresciuta quasi all'ombra di Marta, e da se stessa pareva si fosse acconciata al cómpito di stare accanto alla sorella adorata per farne meglio risaltare l'ingegno, lo spirito, la bellezza. Nessuno aveva mai badato a lei, né ella se n'era mai neppure lagnata fra sé, vinta anch'essa dal fascino di Marta. Pensieri e sentimenti erano rimasti chiusi in lei, quasi non richiesti da nessuno. E né il padre né la madre pareva si fossero peranche accorti ch'ella era cresciuta, ch'era ormai donna. Non bella, né vaga; ma dagli occhi e dalla voce spirava tanta bontà e dagli atteggiamenti così timida grazia, che riusciva a tutti irresistibilmente simpatica.

– Maria, – chiamò con voce rauca il padre, ancora nella stessa positura.

Maria accorse al letto e si sentì all'improvviso cingere e serrare forte dal braccio di lui, si sentì sul seno la testa del padre. Così piansero entrambi, senza dir nulla, vieppiù stretti, a lungo.

– Vàttene, vàttene... – diss'egli alla fine, angosciato. – Non voglio nulla... Voglio restar solo...

E la figlia obbedì, tremante ancora dalla tenerezza inattesa.

IV.

Maria aveva ceduto a Marta la cameretta, in cui questa soleva dormire da ragazza. Nulla era mutato in essa, nulla di suo vi aveva messo Maria.

Era ancora lì quel caro armadietto dalle antiche pitture villerecce su gli sportelli, alle quali la pàtina veramente aveva più aggiunto che tolto. Era ancora lì il tavolinetto da lavoro della nonna dall'impiallacciatura arsa e scoppiata da tanto tempo, da quella sera, in cui ella vi aveva lasciato cader sù il lume e per poco la fiamma non le si era appresa alle gonnelle. Ecco lì ancora, accanto al

lettuccio d'ottone, l'acquasantiera di vetro e, sotto, la rametta di palma col nastro roseo, ora sbiadito.

C'era acqua santa in quella piletta? Oh, certo sì: Maria era tanto divota!

E al capezzale l'*Ecce Homo* d'avorio, riparato da una lastra concava dentro
la cornice ovale, nera; l'*Ecce Homo* che una volta aveva chinato in segno
d'assentimento il capo incoronato di spine a lei e a Maria accorse una dopo
l'altra a supplicarlo per la madre colta da improvviso malore.   -

Marta non era mai stata superstiziosa; pure quel segno non le era uscito mai
più dalla memoria, con lo strano sgomento nel sapere dalla sorella, alquanto
tempo dopo, che anche a lei era parso di vedere l'*Ecce Homo* chinare il capo
in segno di assentimento.

Allucinazioni, certo! Ma, tuttavia, perché non osava adesso alzar gli occhi a
guardare quell'immagine sacra al capezzale?

Non era davvero innocente? Aveva forse amato l'Alvignani? Ma via! Non le
pareva neanche ammissibile che qualcuno potesse crederci sul serio. Tutto il
suo torto consisteva nel non aver saputo respingere, come doveva, quelle lettere dell'Alvignani. Le aveva respinte, ma da inesperta, rispondendo... A ogni
modo, non si sentiva in nulla, per nulla colpevole verso il marito.

Della furtiva corrispondenza epistolare aveva letto con interesse solo quella
parte che si riferiva al caso di coscienza tanto grave, quanto ingenuamente da
lei esposto all'Alvignani in risposta alle prime lettere di lui troppo filosofiche,
per disgrazia, nella loro composta sentimentalità.

Delle frasi d'amore non s'era curata, o ne aveva riso, come di superfluità ga-
lanti e innocue. S'era insomma impegnata tra loro due una polemica puramente sentimentale e quasi letteraria, la quale era durata così circa tre mesi, e
di cui forse, sì, si era un po' compiaciuta, nell'ozio, nella solitudine in cui la
lasciava il marito. Curando la forma, scegliendo le frasi come per un compo-
nimento scolastico, era orgogliosa di fronte a se stessa di quel segreto duello
intellettuale con un uomo quale l'Alvignani, avvocato di grido, lodato, ammirato, corteggiato da tutta la città, che si preparava a eleggerlo deputato.

L'irrompere del marito nella carnera, mentr'ella leggeva la lettera, nella
quale per la prima volta l'Alvignani s'era arrischiato a darle del tu, la scena
violenta che n'era seguita, l'aveva stupita e spaventata tanto più, in quanto che
si sentiva, leggendola, affatto calma e indifferente. Innocente, diceva lei.

A ogni donna onesta, che non fosse brutta, poteva capitar facilmente di vedersi guardata con strana insistenza da qualcuno; e se colta all'improvviso,
turbarsene; se prevenuta della propria bellezza, compiacersene. Ora a nessuna
donna onesta, nel segreto della propria coscienza, sarebbe sembrato di commettere peccato in quell'istante di turbamento o di compiacenza, carezzando
col pensiero quel desiderio suscitato, immaginando in uno sprazzo fuggevole
un'altra vita, un altro amore... Poi la vista delle cose attorno richiamava, ricomponeva la coscienza del proprio stato, dei proprii doveri; e tutto finiva lì...
Momenti! Non si sentiva forse ciascuno guizzar dentro, spesso, pensieri strani,
quasi lampi di follia, pensieri inconseguenti, inconfessabili, come sorti da
un'anima diversa da quella che normalmente ci riconosciamo? Poi quei guizzi
si spengono, e ritorna l'ombra uggiosa o la calma luce consueta.

Senza volerlo, senza sapere precisamente in qual modo, si era trovata presa,
avviluppata in un intrico.

Dalla paurosa sorpresa nel vedersi buttare dall'Alvignani la prima lettera e
dalla incertezza tormentosa sul partito da prendere per impedire che colui seguitasse, non sapeva più come, ella – onesta, onesta, figlia di gente onesta –
ecco qua, era potuta man mano arrivare fino a quel punto, senza alcun sospetto. Ah, quante imprudenze aveva commesso quell'uomo avanti che le buttasse la prima lettera e dopo! Ora le notava; ora se ne sentiva offesa. Quelle
tendine delle finestre dirimpetto non avevano requie: sollevate da una parte o

dall'altra, poi d'un tratto abbassate; e certe subitanee scomparse dalla finestra, e certi segni del capo e delle mani... E aveva potuto ridere, allora, ridere di quell'uomo già maturo, rispettabile, che si rendeva davanti a lei così ridicolo, imbambolito... Ma a qual mezzo avrebbe dovuto appigliarsi per fare che colui smettesse dal tormentarla? Compromettere il padre? il marito? N'era esasperata, avvilita; e pur non di meno gli occhi le andavano sempre lì, alle finestre dirimpetto, involontariamente, quasi per forza di legamento, lì... Usciva sovente, per sottrarsi a quella tentazione puerile; si recava per intere giornate alla casa paterna; e qua costringeva Maria a sonare, a sonar sempre la stessa cosa, una vecchia e mesta barcarola.

– Marta, ebbene?

E lei, sprofondata sul divano, rispondeva con voce flebile e gli occhi invagati:

– Sono lontano... lontano...

Maria rideva, e a Marta risonavano ora negli orecchi le risate schiette della sorella. E seguitava a ricordare, a rivedere col pensiero. Nel salotto entrava la madre, che le domandava del marito.

– Al solito... – le rispondeva lei.

– Sei contenta?

– Sì.

E mentiva. Non che avesse da ridire su la condotta di lui; ma ecco, le rimaneva in fondo all'anima un sentimento ostile, non ben definito; e non da ora: fin dal primo giorno della promessa di matrimonio, allor che a lei, ragazza di sedici anni appena, tolta dal collegio, agli studii seguiti con tanto fervore, Rocco Pentàgora era stato presentato come promesso sposo. Era un sentimento di vaga oppressione ricacciato dentro e soffocato dalle savie riflessioni dei genitori, che nel Pentàgora avevano veduto un partito conveniente, un buon giovine, ricco... Sì, sì; e lei aveva ripetuto come sue queste savie considerazioni della madre e del padre alle compagne di collegio dalle quali aveva voluto prendere commiato; come se da bambina tutt'a un tratto fosse diventata vecchia, provata e sperimentata nel mondo.

Qua e là le pareti della cameretta serbavano tuttavia alcune date scritte da lei: ricordi, certo, di antichi trionfi di scuola o d'ingenue feste tra amiche o di famiglia. E su quelle pareti e su tutti quegli oggetti umili semplici e cari pareva che il tempo si fosse addormentato e che ogni cosa là dentro serbasse l'odore del suo respiro. E Marta col pensiero rifrugava nella sua vita di fanciulla.

Quante volte non aveva udito, standosene con gli occhi intenti e lo spirito vagante, quel crepitìo delle prime piogge su i vetri delle finestre; quante volte non aveva veduto quella luce scialba, malinconica, nella cameretta raccolta, con la sensazione dolce nell'anima dei prossimi freddi, al declinare dell'autunno nuvoloso, dei brividori che fan le notti invernali, innanzi al mattutino?

Maria guardava la sorella, stupita di quella calma, e quasi non credeva agli occhi suoi, offesa nel cuore dall'indifferenza con cui Marta pareva si fosse ora acchetata alla sciagura, come se la tempesta non le fosse passata or ora sul capo. «Eppure non ignora», pensava Maria, «in quale stato s'è ridotto il babbo per causa sua!» E quasi piangeva dalla pena di non veder la sorella come avrebbe voluto, umile cioè, desolata, vinta nel suo cordoglio e inconsolabile, come nei primi giorni dopo il ritorno in casa.

Marta infatti non piangeva più. Dopo aver confessato tutto alla madre, tutto, fin nei minimi particolari, nei più intimi e segreti sentimenti, aveva sperato che il padre almeno, se non più il marito, le rendesse giustizia, e si rimovesse da quel proposito di non uscire più di casa, ch'era per lei, di fronte a tutto il paese, una condanna anche più grave di quella che il marito con sì poca ragione aveva voluto infliggerle, scacciandola dal tetto coniugale.

Così egli, suo padre, confermava l'accusa del marito e la infamava irrimediabilmente. Come non lo intendeva?

Aveva domandato con ansia alla madre se avesse riferito al padre la confessione, e la madre le aveva detto di sì.

Ebbene? Irremovibile?

Da quel momento, non aveva più versato una lagrima. Si era sentita tutta rimescolare, e la rabbia raffrenata s'era irrigidita in lei in un disprezzo freddo, in quella maschera d'indifferenza dispettosa di fronte all'afflizione della madre e della sorella, le quali, anziché condannare il padre per la sua cieca, testarda ingiustizia, si mostravano costernate per lui, per il male che certo gliene sarebbe venuto alla salute, come se n'avesse colpa lei.

E ora Marta domandava apposta a Maria notizie di qualche amica che prima veniva a visitare la madre; e, poiché Maria rispondeva impacciata, ella, sorridendo stranamente, esclamava:

– Adesso, si sa, nessuno vorrà più venire in casa nostra...

Tutto, dunque, doveva finire così? Si doveva rimanere come in prigione, in quell'afa, in quel bujo, in quel lutto, quasi che il mondo fosse crollato?

La famiglia s'era ritirata nelle stanze più remote da quella ove Francesco Ajala se ne stava rinchiuso. Nessuna voce, nessun rumore giungevano agli orecchi di lui, che, seduto su la poltrona a piè del letto, guardava la soglia illuminata sotto l'uscio nero, spiava il lieve, cauto scalpiccìo su l'assito della stanza attigua e si sforzava d'indovinare chi vi passasse in punta di piedi. Non *lei*, certo: era Agata... era Maria... era la serva...

– La concerìa, – volle un giorno rammentargli la moglie. – Vuoi che proprio tutto si perda così?

– Tutto! tutto! – le rispose egli. – Morremo di fame.

– E Maria? Non è figlia tua anche lei? Che colpa ha la povera Maria?

– E io? – gridò l'Ajala, levandosi torbido davanti alla moglie. – Che colpa avevo io? Tu l'hai voluto!

Si frenò, sedette di nuovo; poi riprese con voce cupa:

– Fa' che venga da me tuo nipote, Paolo Sistri. Affiderò a lui la direzione della concerìa. Non c'è più da aver superbia, ora. Voleva Marta in moglie? Se la pigli! Ormai può essere di tutti.

– Oh Francesco!

– Basta così! Manda a chiamare Paolo. Andate via!

Da questo Paolo Sistri, figliuolo d'una sorella defunta della signora Agata, ebbero le tre donne notizia delle prodezze di Rocco Pentàgora, ch'era partito veramente, il giorno dopo lo scandalo, in cerca dell'Alvignani, col professor Blandino e col Madden. A Palermo, Gregorio Alvignani non aveva voluto dapprima accettare la sfida; era anzi riuscito a persuadere al Blandino d'indurre il Pentàgora a ritirarla; ma allora questi lo aveva pubblicamente investito per costringerlo a battersi con lui. E s'era fatto il duello e Rocco aveva riportato una lunga ferita alla guancia sinistra. Ora, da tre giorni, era ritornato in paese in compagnia d'una donnaccia venduta; se l'era portata nella casa maritale, l'aveva costretta a indossare le vesti di Marta e, sollevando l'indignazione di tutto il paese, si offriva spettacolo alla gente, conducendosela a passeggio, in carrozza, così parata.

Ebbene, dopo tali notizie, non riconosceva ancora il padre l'indegnità di quel vile? non si vergognava di sottostare alla condanna infame di colui?

Marta fremeva di sdegno e di rabbia, faceva un continuo violento sforzo su se stessa per contenersi di fronte alla madre e alla sorella, che si mostravano sempre più afflitte e abbattute.

– Piangi, Maria, ma perché? – domandò una mattina, con fare derisorio alla sorella che entrava nella sua cameretta con gli occhi rossi.

– Il babbo... lo sai! – rispose Maria, a stento.

– Eh, – sospirò Marta. – Che vuoi farci? Forse si riposa. Non fa male a nessuno...

Era senza corpetto, davanti allo specchio, in piedi: trasse dal capo le forcinelle di tartaruga, e il nero volume dei capelli le cascò fragrante su le spalle, su le braccia nude. Rovesciò indietro il capo e scosse così più volte la bella chioma pesante; poi sedette, e l'omero tondo, candidissimo, levigato, le emerse tra i capelli che s'erano partiti tra il seno e le terga. Su l'omero, il neo di viola, venuto sù con gli anni lentamente, come una stella, dalla scapola, dove prima Maria lo aveva scoperto, quando ancora entrambe dormivano insieme.

– Su, pèttinami, Maria.

V.

Lungo lungo, sparuto, dalle gambe sperticate, dal volto sbiancato, pinticchiato di lentiggini, con ciuffetti di peli rossi su le gote e sul mento, Paolo Sistri veniva ora ogni sera a sottomettere all'approvazione dello zio Ajala il rapporto giornaliero dei lavori della concerìa.

Dopo circa mezz'ora usciva abbattuto e sbalordito dalla stanza del rinchiuso, e alla zia Agata e a Maria che lo aspettavano ansiose rispondeva ogni volta, piegando da un lato la testa:

– Ha detto che va bene.

Ma dell'approvazione pareva non fosse né convinto né soddisfatto, come in sospetto che lo zio lo lodasse per beffa. Si abbandonava su una seggiola, tirava dentro quanto più aria poteva e la soffiava pian piano per le nari, tentennando il capo.

Ormai, sotto l'imbrigliatura d'uomo d'affari, aveva rinunziato a ogni velleità amorosa. Nei primi giorni si mostrò impacciatissimo della presenza di Marta; poi, man mano, si rinfrancò un poco; parlando, però, si rivolgeva piuttosto a Maria o alla zia Agata. Narrava con garbuglio opprimente di parole tutte le peripezie della giornata, e si ripiegava in tutti i versi su la seggiola e girava gli occhi di qua e di là e sudava e inghiottiva. Ogni periodo di quel suo discorso avviluppato restava in aria o sfumava a un tratto in una esclamazione; se però qualcuno, per disgrazia, gli riusciva alla fine senza impuntature, lo ripeteva tre e quattro volte, prima di rimettersi alla fatica di figliarne un altro.

La zia mostrava d'ascoltarlo con attenzione, assentiva col capo quasi a ogni parola e spesso, alla fine, sapendo ch'egli ormai non aveva più nessuno in casa, lo invitava a rimanere a cena.

Paolo accettava quasi sempre. Ma erano ben tristi quelle cene in silenzio, interrotte dall'invio del cibo alla stanza del rinchiuso, gelate dall'aspetto di Maria, che ne ritornava ogni volta più oppressa.

Marta osservava ogni cosa con una strana espressione negli occhi, ora quasi derisoria, ora sdegnosa. Quel dolore impresso negli altri non era un raffaccio a lei della presunta sua colpa? Spesso si alzava, abbandonava la tavola, senza dir nulla.

– Marta!

Non rispondeva: andava a chiudersi nella sua cameretta. Maria allora, dietro l'uscio, la pregava d'aprire, di ritornare a cena. Ascoltava con un misto di dolore e di godimento quelle preghiere insistenti della sorella, e non apriva, né rispondeva; poi, appena Maria, stanca di pregare inutilmente, andava via, si stizziva contro se stessa di non aver ceduto e si metteva a piangere. Ma subito il rimorso si cangiava in odio contro il marito. Ah, in quella rabbia di cuore, in quel momento, se avesse potuto averlo fra le mani! E se le torceva, le mani, piangendo, smaniando. E il frutto di quell'uomo, intanto, maturava in grembo a lei... Sarebbe stata madre, tra poco! Il suo stato le faceva orrore; si dibatteva, cadeva in convulsione; e quelle crisi violente la lasciavano disfatta.

Talvolta Paolo Sistri rimaneva un po', dopo cena, a tener compagnia. Sparecchiata la mensa, si rinfocolava timidamente, intorno a quella tavola, sotto la lampada, un po' di vita familiare. Ma la voce usciva dolente da quelle labbra, quasi paurosa del silenzio imposto alla casa dalla sciagura. Di tratto in tratto Maria si recava in punta di piedi a origliare dietro l'uscio del padre.

– Dorme, – rispondeva, rientrando, alla madre che la guardava in attesa.

E la madre chiudeva gli occhi sul suo cordoglio e sospirava, rimettendosi al lavoro: al corredino per il nascituro.

Bisognava far presto; poiché nessuno, finora, ci aveva pensato, a quel lavoro per il povero innocente che sarebbe venuto al mondo in quelle condizioni. Ci aveva pensato, da lontano, un'amica d'altri tempi, con la quale la signora Agata, per ordine del marito, aveva rotto ogni relazione.

Si chiamava Anna Veronica, quest'amica. Quando la signora Agata l'aveva conosciuta la prima volta, ella viveva insieme con la madre, al cui mantenimento era orgogliosa di provvedere, insegnando nelle scuole elementari. Molti giovani in quel tempo s'erano messi a corteggiarla, sperando di trarre in inganno l'appassionata natura di lei; ma Anna, che veramente si consumava dentro nell'attesa d'un uomo a cui avrebbe consacrato il più ardente e devoto amore, s'era saputa sempre difendere. Qualche mazzolino di fiori, lo scambio di qualche letterina, discorsi e sogni, fors'anche qualche bacio carpito: e basta poi.

Pure nell'insidia era caduta una volta, poco dopo la morte della madre, e vi era stata vilmente trascinata dal fratello d'una tra le sue più ricche amiche, in casa delle quali soleva spesso recarsi dopo le interminabili ore di scuola, sempre ben accetta, poiché ella le ajutava nei loro lavori di cucito, le rallegrava con le sue barzellette argute e pronte, e spesso rimaneva da loro a desinare e talvolta anche a dormire.

Quella prima caduta era stata tenuta nascosta con interessata prudenza dai parenti del giovine, così che nulla di preciso n'era trapelato in paese. Anna aveva pianto segretamente la propria giovinezza sfiorita, l'avvenire spezzato, e aveva per qualche tempo sperato nel ravvedimento del giovine. Molte delle amiche, ignare o generose, le avevano conservato la loro amicizia, e fra queste Agata Ajala, allora da poco maritata.

Dopo alcuni anni, però, Anna Veronica s'era imbattuta per disgrazia in un altro giovine, malato, malinconico, il quale era venuto ad abitare vicino a lei, in tre stanzette umili e ariose, con un terrazzino pieno di fiori. Costui l'aveva chiesta in moglie; ma Anna, onestamente, aveva voluto confessargli tutto; poi non aveva saputo, né forse potuto negargli quella stessa prova d'amore già concessa a un altro. Ma questa volta, dopo la disdetta e l'abbandono, era sopravvenuto lo scandalo, perché Anna s'era incinta del seduttore sentimentale, partito all'improvviso dal paese. Il bimbo, per fortuna, era morto appena nato; Anna, destituita da maestra, aveva per carità ottenuto una misera pensioncina, mercé la quale aveva potuto vivacchiare nella solitudine e nell'ignominia, in cui quel malinconico miserabile l'aveva gettata, e s'era rivolta a Dio per perdono.

La signora Agata vedeva spesso in chiesa Anna Veronica, ma fingeva di non accorgersene; Anna intendeva e non se n'aveva per male: levava gli occhi in alto, e in essi e sulle labbra le ferveva più viva la preghiera, preghiera nutrita ormai d'amore per tutti, per gli amici e per i nemici, come se toccasse a lei dare prima esempio di perdono.

Avvenuto lo scandalo di Marta, Anna Veronica aveva guardato con altri occhi la signora Agata, le domeniche, a messa. Sapeva che Marta era incinta; e un giorno, uscendo dalla chiesa, s'era accostata umilmente all'amica che pregava ancora e, deponendole in fretta un involtino in grembo, le aveva detto:

– Questo per Marta.

La signora Agata aveva voluto richiamarla; ma Anna s'era voltata appena a salutarla con la mano ed era scappata via. Nell'involtino la signora Agata aveva trovato alcune trine intrecciate all'uncinetto, tre bavaglini ricamati, due cuffiette. N'era rimasta intenerita fino alle lagrime.

Delle molte amiche ch'ella contava, nessuna dopo lo scandalo era rimasta fedele; ma, ecco, in cambio, quest'antica amicizia ora si riannodava quasi furtivamente. Difatti, la domenica appresso, aveva riveduto Anna Veronica in chiesa, le si era seduta accanto e, dopo messa, avevano parlato a lungo, commovendosi ai ricordi della loro antica amicizia e alle vicende e ai tristissimi casi occorsi ad ambedue.

E ora che Francesco Ajala se ne stava sempre rinchiuso, non poteva Anna Veronica venire di nascosto a tener compagnia, ad ajutare come un tempo l'amica nei suoi lavori di cucito?

Poteva, sì. Ed ecco, Anna Veronica attraversava in punta di piedi la stanza attigua a quella del rinchiuso; si liberava del lungo scialle nero da penitente; e sorridendo a Marta e a Maria con due diversi sorrisi:

– Eccomi qua, figliuole mie, – diceva sottovoce. – Che c'è da fare?

Marta assisteva la sera a quel lavoro amoroso della madre e dell'amica; e spesso, fissando quelle fasce, quelle camicine, quei corpettini, quelle cuffiette nel canestro, gli occhi le s'infoscavano o le si riempivano di lagrime silenziose.

Intanto Paolo a bassa voce si sforzava di fare intendere a Maria il congegno della conceria: la macina ritta per schiacciare le bucce di mortella o di sommacco, le trosce per l'addobbo dei cuoj, il mortajo... – o le rifaceva la cronaca del paese. Si era sossopra per le imminenti elezioni politiche. Gregorio Alvignani aveva posato la candidatura. I Pentàgora spendevano un banco di denari per combatterlo. Manifesti, galoppini, comizii, giornaletti d'occasione... Lui, Paolo, non sapeva da qual parte tenere, come regolarsi; per non essere coi Pentàgora, non voleva parteggiare per l'avversario dell'Alvignani; a questo intanto non avrebbe mai dato il suo voto; per l'autorità che gli veniva dalla direzione della conceria, in cui lavoravano più di sessanta operai, non gli pareva ben fatto appartarsi dalla lotta.

La povera Maria fingeva di prestar ascolto, per non dargli dispiacere; e quel supplizio durava per lei una e due ore, spesso.

– Vuoi scommettere, – le disse Marta sorridendo, una sera, prima d'andare a letto, – che Paolo è innamorato di te?

– Marta! – esclamò Maria, arrossendo fin nel bianco degli occhi. – Come puoi pensare a codeste cose?

Marta scoppiò in una stridula risata:

– Che vuoi? Non lo sai? Sono una donna perduta, io!

– Marta! oh Marta mia, per carità! – gemette Maria, nascondendosi il volto con le mani.

Marta allora le afferrò le braccia, e, scotendola con violenza, le gridò, accesa d'ira:

– Volete farmi impazzire con codesta tragedia che mi rappresentate attorno? L'avete giurato? Volete farmi andar via? Ditelo una buona volta! Me n'andrò, me ne vado subito via, ora stesso... Lasciami, lasciami...

Si lanciò verso l'uscio, trattenuta da Maria. Accorse la madre.

– Zitta, Marta, per carità! Piano... Sei pazza? Dove vuoi andare?

– Giù! Per istrada, a gridar giustizia... Pazza, sì, pazza!

– Non gridar così... Tuo padre ti sentirà!

– Tanto meglio! Mi senta! Perché se ne sta lì rinchiuso? Non per nulla s'è chiuso al bujo: così, come un cieco, mi condanna... Non voglio, non voglio più stare con voi... Così sarete contenti e felici...

Il pianto a un tratto la vinse; si dibatté fino a tarda notte in una tremenda convulsione di nervi, vegliata dalla madre e dalla sorella.

VI.

Col capo abbandonato su la spalliera dell'ampia poltrona, le belle mani diafane su i bracciuoli, in un'atonìa invincibile, Marta ora si affisava a lungo su qualche mobile della camera; e le pareva che soltanto adesso le si chiarisse, ma stranamente, il significato dei singoli oggetti, e li esaminava, ne concepiva quasi l'esistenza astraendoli dalle relazioni tra essi e lei. Poi gli occhi le si fermavano di nuovo su la madre, su Maria, su Anna Veronica, che lavoravano in silenzio davanti a lei; abbassava le pàlpebre; traeva un lungo sospiro di stanchezza.

Così passavano lentissimamente i giorni della triste attesa.

Finalmente una mattina, poco prima di mezzogiorno, le sopravvennero le doglie.

Gelata, con la fronte molle di sudore, si agitava per la camera, non trovava più luogo da schermire lo spasimo; e intanto guardava con terrore la vecchia levatrice e un'altra donna assistente che preparavano il letto. Un fremito di stizza la scoteva tutta a ogni sennato, placido consiglio ch'esse le rivolgevano.

Nella stanzetta accanto, un giovane medico, alto, pallido, biondiccio, chiamato per consiglio della levatrice molto impensierita per lo stato della partoriente, di nascosto disponeva e apparecchiava con minuziosa cura, su un tavolino, fasce, compresse, fiaschi, tubi elastici, strumenti di strana foggia. E ogni volta, posando con studiata disposizione l'oggetto preparato, pareva dicesse: «E questo è fatto!». A quando a quando tendeva l'orecchio e sorrideva tra sé per qualche lamento della partoriente.

– Mamma, muojo! – nicchiava Marta, agitando continuamente, regolarmente la testa da un lato all'altro. – Mamma, muojo! Ah, mamma! ah, mamma!

E stringeva forte un braccio della madre che la sorreggeva guardandola con infinita pietà tra le lagrime che le rigavano il volto, dilaniata dai gemiti sordi o acuti, dal mugolìo continuo della figlia: lì, addossate tutt'e due a un angolo della camera, come se lì soltanto ella potesse soffrir meno.

Maria s'era ritirata con Anna Veronica in una stanza lontana, prossima a quella del padre, e Anna a bassa voce procurava di calmar l'ansia e l'impazienza di lei.

– Quando il bambinello verrà con la sua manina a battere a quell'uscio, chiamando *Nonno! nonno!* con l'odore del latte nella vocina, ah, voglio vedere se non aprirà! Aprirà... E allora, figliuola mia, io non potrò più venire da voi, è vero; ma non importa! Io prego ogni sera il mio Gesù che vi faccia questa grazia.

Improvvisamente, barcollando, urlando, con le braccia levate, furibonda dagli spasimi e dalla paura, irruppe in quella stanza Marta, discinta, scarmigliata, inseguita dalla madre e dalle donne assistenti. Maria, Anna Veronica si levarono spaventate e le corsero dietro anch'esse. Marta andò a urtare contro l'uscio del padre e, battendovi con la testa e con le mani, chiamava, supplicava:

– Babbo! Apri, babbo! Non mi far morire così! Apri, babbo! Muojo, perdonami!

Le donne, piangendo, gridando, cercavano di strapparla di là. Il medico la prese per le braccia.

– Codeste sono pazzie, signora! Via, via: il babbo verrà; si lasci condurre...

Le donne la circondarono, la tolsero quasi di peso, la trascinarono nella camera del travaglio.

Quivi la adagiarono sfinita su i guanciali.

Poco dopo, Maria, ch'era ritornata a origliare all'uscio del padre, entrò nella camera della sorella, con faccia stravolta, tutta tremante, a chiamare la madre; la condusse all'uscio del rinchiuso e, tendendo di nuovo l'orecchio, le disse:

– Senti? senti? Mamma, senti?

Veniva dalla stanza, attraverso l'uscio, un romor sordo, continuo, come un ruglio di cane aizzato.

– Francesco! – chiamò forte la signora Ajala.

– Babbo! – chiamò Maria, lì lì per piangere.

Nessuna risposta. La madre afferrò con mano convulsa la gruccia dell'uscio e spinse e scosse: invano. Attese: il rantolo continuava, crescente come in un ringhio.

– Francesco! – chiamò di nuovo.

– Mamma! oh mamma! – fece Maria, presaga, torcendosi le mani.

La signora Ajala diede allora una spallata all'uscio resistente; una seconda; alla terza l'uscio cedette.

Nella camera al bujo giaceva Francesco Ajala, bocconi sul pavimento, con un braccio proteso, l'altro storto sotto il petto.

Al grido acutissimo della madre e di Maria rispose dalla camera della partoriente come un ùlulo lungo, ferino. Accorse Anna Veronica, accorse il medico; si spalancarono le imposte; e il corpo inerte, fulminato di Francesco Ajala fu deposto con inutile cautela sul letto e messo quasi a sedere, sorretto da guanciali.

– Non gridino, per carità, non gridino! – scongiurò il medico. – O ne perderanno due!

– Dunque è perduto? – gridò la signora Ajala.

Il medico fece un gesto disperato, e prima di accorrere alla camera della partoriente ordinò alla serva di recarsi per un altro medico, subito, alla prossima farmacia.

Maria, piangendo, asciugava con un fazzoletto su la faccia congestionata del padre il sangue che gli usciva da una lieve ferita alla fronte. Ah se questo solo fosse stato il male! Pure ella metteva tutta l'attenzione, tutto il suo amore, nell'arrestare quelle poche gocce di sangue, come se da questo soltanto dipendesse la salvezza del padre. La madre pareva impazzita: voleva a ogni costo che il marito parlasse, e l'abbracciava e gli stringeva le mani diacce, già morte. Francesco Ajala, terreo in volto, continuava a rantolare sordamente, con la bocca spalancata e gli occhi chiusi.

Accorse l'altro medico, ch'era un omacciotto calvo, bircio d'un occhio.

– Largo! che c'è? Mi lascino vedere... Eh! – fece, con voce oppressa da intasamento nasale, percotendosi le anche. – Povero signor Francesco! Ghiaccio, ghiaccio... Qui, alla farmacia dirimpetto, carte senapate, una vescica... Chi va? chi corre? Si levino d'attorno al letto... aria! aria! Povero signor Francesco...

Giunse attraverso gli usci chiusi, un grido prolungato, quasi di rabbia furibonda. Il medico si volse di scatto; tutti per un attimo si distrassero e attesero.

– Povera figlia mia! – poté finalmente gemere la signora Agata, rompendo in singhiozzi.

Allora le altre donne piansero e gridarono insieme. Il medico si guardò intorno smarrito, sbalordito, si grattò con un dito il cranio, poi sedette e si mise a far rincorrere i due pollici delle mani intrecciate sul ventre.

Una lagrima solcò lentamente il volto del moribondo e si arrestò ai folti baffi grigi.

Ogni rimedio fu vano.

L'agonia durò fino a sera. Solo quel rantolo continuo, monotono, attestava un ultimo resto di vita in quel corpo gigantesco, ripiegato quasi a sedere sul letto.

Sul tardi, la signora Agata pensò a Marta, e si recò alla camera di lei. Fu colpita, nell'aprir l'uscio, dall'odore dell'ammoniaca e dell'aceto. Il parto era dunque avvenuto?

Marta giaceva immobile, cerea su i guanciali, e pareva esanime. La donna assistente reggeva, china su la puerpera, una compressa, e il medico, pallidissimo, sbracciato, buttava fiocchi di ovatta insanguinata in un catino per terra.

– Di là, – diss'egli alla madre, accennando l'uscio della stanza attigua.

La signora Agata, in silenzio, prima d'entrare nell'altra stanza come un automa, guardò la figlia.

– Morto... – bisbigliò questa, come a se stessa, con voce vuota d'espressione, quasi non le fosse venuta da più lontano che dalle labbra.

La levatrice mostrò di là alla madre, un mostricciattolo quasi informe, tra la bambagia, livido, odorante di musco.

– Morto...

Dalla via sottostante giunse il suono stridulo d'un campanello e un coro nasale, quasi infantile, di donne in frettolosa processione:

> Oggi e sempre sia lodato
> Nostro Dio sagramentato...

– Il Viatico! – disse la vecchia levatrice, inginocchiandosi, col morticino tra le braccia, in mezzo alla stanza.

La signora Agata uscì in fretta, accorse alla sala d'ingresso, mentre già entrava il prete parato, con la pisside in mano, e un uomo che gli veniva dietro, con gli occhi quasi spiritati di paura, chiudeva il baldacchino. Il sagrestano con un tabernacoletto tra le braccia seguì il prete nella camera del moribondo. Le donne e i fanciulli che accompagnavano il Viatico s'inginocchiarono nella saletta, parlottando tra loro.

Francesco Ajala non intese, non comprese nulla; ricevette soltanto l'estrema unzione e, presente ancora il prete, spirò.

Appena giù per la strada, il suono stridulo del campanello e il rosario delle donne si confusero con le grida clamorose e gli applausi d'una folla di schiamazzatori, i quali, con una bandiera in testa, esaltavano la proclamazione di Gregorio Alvignani a deputato.

VII.

Dopo il parto, Marta stette circa tre mesi tra la vita e la morte.

Provvidenza divina, questa malattia, diceva Anna Veronica. Sì, perché, altrimenti, le due povere superstiti, la vedova e l'orfana, sarebbero certo impazzite. Invece, nella lotta disperata contro quel male che sembrava invincibile, le loro labbra, che pareva non avessero dovuto mai più sorridere, sorrisero due mesi appena dopo la morte quasi violenta del capo di casa, ai primi accenni della convalescenza di Marta.

Instancabile, Anna Veronica, dopo tante veglie, recava adesso ogni mattina alla convalescente piccole immagini odorose di santi, contornate di carta trapunta, punteggiate d'oro, con nimbi d'oro.

– Qua, – diceva, – dentro la busta, sotto il guanciale: ti guariranno: sono benedette.

E mostrandole i due santi patroni del paese, San Cosimo e San Damiano, con le tuniche fino ai piedi, la corona in capo e le palme del martirio in mano; i due santi miracolosi, di cui presto sarebbe ricorsa la festa popolare, e ai quali ella aveva promesso un'offerta per la guarigione di Marta:

– Questi, – soggiungeva, – valgono più del tuo medico spelato, con un occhio a Cristo e l'altro a San Giovanni.

E contraffaceva il medico e la voce di lui oppressa dal perenne intasamento nasale: – «*Soffro di litiasi, signora mia!*» – Che sarebbe? – «*Mal di pietra, signora mia, mal di pietra!*».

Marta sorrideva dal letto pallidamente, seguendo con gli occhi i versi di Anna Veronica, e anche Maria e la madre sorridevano.

La sera, prima di tornarsene a casa, Anna recitava il rosario con la signora Agata e con Maria, nella camera di Marta.

La malata ascoltava il borbottìo della preghiera nella camera debolmente rischiarata da un lume guarnito d'una ventola di mantino verde; guardava le tre donne inginocchiate, curve sulle seggiole, e spesso, alla litanìa, rispondeva anche lei alle invocazioni di Anna Veronica:

– *Ora pro nobis.*

Quel senso di serenità, fresca, dolce e lieve, che suol dare la convalescenza, le si turbava al sopravvenire della sera. Le pareva che quel lume riparato dal mantino verde fosse poco, troppo poco contro l'ombra che invadeva la casa; e un'ambascia cupa, un'oscura costernazione, un'impressione di vuoto, di sgomento sentiva venirsi dalle altre stanze, in cui spingeva trepidante, dal letto, il pensiero: subito ne lo ritraeva, affisando di nuovo gli occhi al lume, per sentirne il conforto familiare. In quell'ombra, in quel bujo delle altre stanze, il padre era scomparso. Di là egli, ormai, non c'era più. Nessuno più, di là... L'ombra. Il bujo. Che incubo, è vero, era egli stato per lei! Ma a qual prezzo, ora, se n'era liberata... La cupa ambascia, l'oscura costernazione, il senso di vuoto, di sgomento, non le venivano piuttosto dal pensiero di lui?

– *Ora pro nobis.*

Spesso si addormentava con la preghiera su le labbra. La madre le giaceva a fianco, su lo stesso letto; ma stentava tanto, ogni sera, a prender sonno, non solo per il ricordo vivo e straziante del marito, ma anche per la preoccupazione assidua in cui la teneva il nipote, Paolo Sistri, a cui era affidata ormai l'esistenza della famiglia.

Paolo, dopo la disgrazia, non veniva più, puntualmente, ogni sera. Bisognava che la zia mandasse a chiamarlo due e tre volte per aver notizie della concerìa; e, quando finalmente si risolveva a venire, appariva più abbattuto e sbalordito di prima.

Una sera le si presentò con la testa fasciata.

– Oh Dio, Paolo, che t'è accaduto?

Niente. In una stanza della concerìa, al bujo, qualcuno (e forse a bella posta!) s'era dimenticato di richiudere la... come si chiama? sì... la... la caditoja, ecco, su l'assito, ed egli, passando, patapùmfete! giù: aveva ruzzolato la... la come si chiama di legno... la scala della cateratta, già! Per miracolo non era morto. Ma tutto bene, benone, alla concerìa. Forse però, ecco... sarebbe stato meglio tentare adesso una certa concia alla francese... quella tal maniera di concia per la quale... ecco, già! si adopera in polvere la... come si chiama... la scorza di leccio, di sughero e di cerro; mentre, alla maniera nostrana, con la vallonèa spenta nell'acqua di mortella...

– Per carità, Paolo! – lo interrompeva la zia, a mani giunte. – Non facciamo novità! Andava tanto bene la concia all'uso nostro finché ci badò la buon'anima.

– Gesù! che c'entra? – le rispondeva Paolo, saccente, ora che lo zio non c'era più. – È un'altra cosa! Perché... vede com'è? Si piglia... prima che si pigliava? l'acqua cotta. Oh, e ora si piglia l'acqua pura..., aspetti! con la polvere di leccio, oppure...

E seguitava per un pezzo, imbrogliandosi, rifacendosi daccapo, a spiegare alla zia quella benedetta concia in rammorto, alla francese.

– Mi sono spiegato?

– No, caro. Ma forse non comprendo io. Mi raccomando: attenzione!

– Lasci fare a me.

E veramente per lui non mancava. Notte e giorno, in continua briga: di giorno, ora qua, ai calcinaj, per sorvegliare la bolleratura; ora là, alle trosce, pei bagni; poi, ai cavalletti, per la pelatura e la scarnatura delle pelli, e così via: di notte, lì, su i libri di cassa, a far conti. Sentiva su le quattro cantare i galli... Che ne sapeva sua zia? I galli, parola d'onore, alle quattro... E lui ancora in piedi! L'inchiostro del calamajo non rispettava nessuna delle sue dieci dita, e n'aveva pur cenciate sul naso e sulla fronte.

– La vorrei qua, a vedere! – sbuffava, in maniche di camicia, col capo rovesciato sulla spalliera del seggiolone come se volesse trovar le cifre del conto tra i ragnateli del soffitto, a cui, distraendosi, voleva far giungere il fumo, che tirava a gran boccate dalla pipa: – *fffff*.

Per la strada, intanto, nel vasto edificio, silenzio di tomba. Su la parete nuda, ingiallita, la candela verberava il lume tremolante a ogni sbuffo di Paolo, la cui ombra si protendeva enorme e mostruosa sul pavimento.

– Puah! Alla faccia di... – e nominava un creditore, scaraventando uno sputo contro la parete.

Un ragno gli passava sotto gli occhi, zitto zitto, come impaurito dal lume, traballando leggermente su le otto lunghe esilissime gambe. Paolo aveva ribrezzo di questi animaletti, come le donne dei topi. Subito scattava in piedi, si levava una pantofola, e pàffete! – schiacciava con la suola il ragno; poi, col volto atteggiato di schifo, stava un po' a mirar la vittima così appiccicata alla parete.

Dopo la morte dello zio, aveva piantato tenda definitivamente alla concerìa. Vi mangiava e vi dormiva; e in quella stanzaccia intanfata non permetteva che entrasse mai nessuno. Lui si apparecchiava da mangiare, lui il letto: tutto lui; ma glien'andasse mai una bene! Cercava le posate? – la carne gli s'abbruciava sul fuoco. Voleva bere? – trovava scandelle a galla sul vino. Chi aveva versato olio nel suo bicchiere?

– Puah! Mannaggia...

E restava con la lingua fuori e il volto atteggiato di schifo.

Ma era niente, questo. Quel che gli toccava combattere con un nugolo di corvi piombati sulla concerìa dopo la morte dello zio! Difendeva con feroce zelo gl'interessi della povera vedova, il cortile della concerìa rimbombava delle sue liti rumorose, violente; ma alla fine doveva cedere e pagare e pagare. Intanto la vendita scemava di giorno in giorno; crescevano i debiti e i reclami; i mercanti di cuojame disdicevano gl'impegni o rimandavano la merce e si rivolgevano altrove. La zia, ignara, gli domandava ogni mese per l'andamento di casa quella somma che era solita di prendere per l'addietro, come se gli affari andassero bene allo stesso modo; e lui, che non si sentiva il coraggio di esporle il miserando stato delle cose, s'adoperava in tutti i modi perché, ogni mese, non mancasse almeno il denaro per lei.

Marta finalmente s'era levata di letto, e già moveva i primi passi, sorretta dalla madre e da Maria: dalla poltrona a piè del letto fino allo specchio dell'armadio.

– Come sono, mio Dio!

Levava un braccio dal collo di Maria e si ravviava con la bianca mano tremolante i capelli dalla fronte, lievemente, e sorrideva guardandosi negli occhi, quasi con smarrita pietà per le sue povere labbra arse dal cociore di tante febbri. Poi andava a sedere nel seggiolone di cuojo presso la finestra. Veniva Anna Veronica e le parlava con la sua naturale dolcezza dei vespri di maggio consacrati alla Madonna: – La chiesa fresca, tutta fragrante di rose; poi la benedizione, e infine le canzonette sacre cantate al suono dell'organo: gli ultimi raggi d'oro del sole entravano in chiesa per i larghi finestroni aperti in alto, e anche qualche rondine entrava e svolava di qua, di là, smarrita, mentre fuori garrivano le altre com'ebbe, inseguendosi.

Marta ascoltava con l'anima quasi alienata dai sensi.

– Ti ci condurremo noi, andremo tutt'e quattro insieme, prima che finisca il mese. Oh starai bene, non dubitare.

Ma ella diceva di no, che non le sarebbe stato possibile.

– Sì, la chiesa, a due passi; ma se ancora non mi reggo...

La terza domenica di maggio, dopo la funzione sacra, Anna accorse, esultante, dalla chiesa.

– A te, a te, Marta! Uscita in sorte a te!

– Che cosa? – domandò Marta, guardando quasi sgomenta dal seggiolone.

– La Madonna! La Madonna: a te! Senti? Te la portano cantando le Figlie di Maria. Senti il tamburo? La Madonna ti viene in casa!

Nelle domeniche di maggio, in chiesa, dopo la predica e la benedizione, si faceva tra i divoti il sorteggio d'una Madonnina di cera custodita in una campana di cristallo.

– E come? come mai? – diceva Marta, tutta confusa, sentendo appressare vieppiù alla casa il coro delle divote e il rullo del tamburo.

– Io, tutte le domeniche, ho preso un numero per te. Oggi il cuore me lo diceva: Uscirà in sorte a Marta! E così è stato. Ho gettato un grido di contentezza così forte nella chiesa, che tutti si sono voltati. Ecco la Madonna che viene a visitarvi... Eccola, eccola, Vergine santa!

Entrò nella stanza una commissione di fanciulle che avevano tutte sul seno una medaglina pendente da un nastro azzurro; entrò il sagrestano della chiesa con la Madonna di cera entro la campana di cristallo che tra le grosse mani scabre e nere pareva anche più fragile. Per la scala rullava fragorosamente il tamburo.

Quelle fanciulle erano abituate a sorridere tutte a un modo, guardando e udendo le espressioni di giubilo con cui i divoti accoglievano la Madonnina: vedendo ora Marta rimanere seduta, pallida, stordita dalla commozione troppo forte per le sue deboli forze, rimasero dapprima un po' sconcertate, poi le si appressarono e presero a parlarle, ripetendo ognuna le parole dell'altra: – Adesso sarebbe guarita, certo... La Madonna... La visita della Madonna... Via medici, medicamenti...

Il rullo del tamburo era intanto cessato: la signora Ajala aveva regalato qualche soldo al tamburino, altri ne regalò al sagrestano, e poco dopo la casa fu sgombra.

Marta non si saziava d'ammirare la Madonnina su le sue ginocchia, reggendola con le mani ceree su la campana.

– Com'è bella! com'è bella! Oh Maria!

E veramente, prima che finisse il mese, poté recarsi in chiesa a ringraziare la Madonna, in compagnia d'Anna Veronica, della madre e della sorella.

VIII.

«Mio buon Gesù, voglio riconciliarmi con Voi, confessando al Vostro ministro tutti i peccati coi quali V'ho offeso. Grande miseria è la mia, se tanto facile m'è dimenticarmi di Voi. Ingrata, non so vivere senz'offender Voi, Padre mio e mio amabile Salvatore. E ora che mi sento colpevole, mi accuso, mi pento, imploro misericordia da Voi. Piangi, mio cuore, che hai offeso Dio, il quale tanto ha sofferto pe' tuoi peccati. Ricevete, o Signore, questa mia confessione; gradite, avvalorate con la grazia Vostra il mio atto di contrizione e il proponimento del cuor mio, che mi fa ripetere con Santa Caterina da Genova: – Amor mio, non più mondo, non più peccati; ma amore, fedeltà, obbedienza

ai Tuoi santi comandamenti –. In nome del Padre, del Figliuolo, e dello Spirito Santo. Così sia.»

Segnatasi e chiuso il libro delle preghiere, Marta rivolse uno sguardo angoscioso al confessionale, davanti al quale, dall'altra parte, stava inginocchiata
una vecchia penitente venuta prima di lei. Da quest'altra parte, il legno del
confessionale, tutto a forellini, levigato e giallognolo, serbava l'impronta
opaca di tante fronti di peccatori. Marta lo notò con un certo ribrezzo, e si tirò
ancora di più sul capo il lungo scialle nero, fin quasi a nascondersi il volto.
Era pallidissima, e tremava.

La chiesa, deserta, aveva un silenzio misterioso, assorbente, nella cruda immobile frescura insaporata d'incenso. La solenne vacuità dell'interno sacro,
quasi sospeso agl'immani pilastri, alle ampie arcate, dava all'anima, in quella
penombra, un senso d'oppressione. Tutta la navata di centro era occupata da
due ali di seggiole impagliate, disposte in lunghe file sul pavimento polveroso,
ineguale per le antiche pietre tombali, logore.

Marta stava inginocchiata su una di queste pietre, e aspettava che quella vecchia penitente le cedesse il posto nel confessionale.

Quanti peccati, quella vecchia! Ma suoi o della miseria? e quali mai? Il vecchio confessore li ascoltava attraverso i forellini del legno, con volto impassibile.

Ma chinò gli occhi e, per distrarsi, cercò di decifrare l'iscrizione funeraria in
parte svanita sulla pietra dalla logora effigie. Lì sotto, uno scheletro... Che
importava più il nome? Ma come e quanto più raccolto, più sicuro, più protetto, nella pace solenne d'una chiesa, appariva il riposo della morte!

Le due ali di seggiole s'allungavano fino alle colonne che reggevano sul nàr-
tice la cantorìa. Dietro queste colonne erano due lunghe panche, su una delle
quali Marta, entrando, aveva veduto un vecchio contadino con le braccia incrociate sul petto, rapito nella preghiera, con gli occhi risecchi dagli anni, in-
fossati. Oh quelle mani scabre, terrose, quel collo dalla floscia giogaja divisa
da un solco nero, dal mento giù giù fin sotto la gola, e quelle tempie schiacciate, quella fronte increspata sotto l'ispida canizie! Di tratto in tratto il vecchietto tossiva, e quei colpi di tosse rimbombavano cupamente nel silenzio
della chiesa deserta.

Dai finestroni in alto entrava a colpire a fasci i grandi affreschi della vôlta
l'ardente pallore in cui il giorno moriva tra uno sbaldore assordante di rondini.

Marta era venuta in chiesa per consiglio di Anna Veronica. Ma cominciava
già, in quella lunga attesa, ad avere di se stessa, inginocchiata lì come una
mendicante, una penosissima impressione. Intendeva in Anna tutta quell'u-
miltà, fonte per lei di tanta serena dolcezza; Anna era veramente caduta;
aveva perciò cercato e trovato nella fede un conforto, nella chiesa un rifugio.
Ma lei? Aveva la coscienza sicura, lei, che non sarebbe mai venuta meno ai
suoi doveri di moglie, non perché stimasse degno di tale rispetto il marito, ma
perché non degno di lei stimava il tradirlo, e che mai nessuna lusinga sarebbe
valsa a strapparle una anche minima concessione. La gente, ora, vedendola lì
in chiesa, umile e prostrata, non avrebbe supposto ch'ella avesse accettato
come giusta la punizione e che s'inginocchiasse davanti a Dio a mendicare
conforto e rifugio, perché non si riconosceva più il diritto di levarsi in piedi e
a fronte alta davanti agli uomini? Non per questi, è vero, non per la punizione
immeritata, non per la sciagura del padre, di cui lei non voleva riconoscersi
cagione, si era lasciata indurre da Anna a venire in chiesa per confessarsi; ma
per sé, per aver lume e pace da Dio. Che avrebbe detto però, tra poco, a quel
vecchio confessore? Di che doveva pentirsi? Che aveva fatto, qual peccato
commesso da meritare tutti quei castighi, quelle pene, e l'infamia, la sciagura
del padre e del figliuolo, il perpetuo lutto in casa, e forse la miseria, domani?
Accusarsi? pentirsi? Se male aveva fatto, senza volerlo, per inesperienza, non

lo aveva scontato a dismisura? Certo quel sacerdote le avrebbe consigliato d'accettare con amore e con rassegnazione il castigo mandato da Dio. Ma da Dio? proprio? Se Dio era giusto, se Dio vedeva nei cuori... Gli uomini, piuttosto... Strumenti di Dio? Ma ricevono da Dio forse la misura del castigo? Eccedono, o per bassezza di spirito o per aberrazione d'onestà... Accettare umilmente la condanna, senza ragionarla, e perdonare? Avrebbe potuto perdonare? No! No!

E Marta levò il capo e guardò la chiesa, come se a un tratto vi si trovasse smarrita. Quel silenzio, quella pace solenne, l'altezza di quella vôlta, e là quel confessionale piccolo, e quella vecchia prostrata e quel confessore immobile, impassibile, tutto le si allontanò improvvisamente dallo spirito rivoltato, come un sogno vano in cui ella, nel torpore della coscienza, fosse penetrata e che ora, risentendo la cruda e dolorosa sua realtà, vedesse dileguare.

Si alzò, ancora perplessa; sentì mancarsi le gambe, ebbe come una vertigine, si portò una mano agli occhi, e con l'altra si sorresse a una seggiola; poi attraversò quasi vacillante la chiesa. Su la panca, sotto la cantorìa, vide ancora il vecchietto, nella stessa positura, con le braccia incrociate sul petto, assorto nella preghiera, estatico.

Fino a casa si portò nell'anima l'immagine di lui.

Quella fede ci voleva! Ma non poteva averla lei. Lei non poteva perdonare. Dentro il cranio, il cervello le si era ormai ridotto come una spugna arida, da cui non poteva più spremere un pensiero che la confortasse, che le désse un momento di requie.

Era fantastica, forse, questa sensazione; ma le cagionava intanto un'angoscia vera, che invano cercava sfogo nelle lagrime. Quante, Dio, quante ne aveva versate! Ora, ecco, neanche di piangere le riusciva più. Sempre quel nodo, sempre, irritante, opprimente, alla gola. Vedeva addensarsi, concretarsi intorno a lei una sorte iniqua, ch'era ombra prima, vana ombra, nebbia che con un soffio si sarebbe potuta disperdere: diventava macigno e la schiacciava, schiacciava la casa, tutto; e lei non poteva più far nulla contro di essa. Il fatto. C'era un *fatto*. Qualcosa ch'ella non poteva più rimuovere; enorme per tutti, per lei stessa enorme, che pur lo sentiva nella propria coscienza inconsistente, ombra, nebbia, divenuta macigno: e il padre che avrebbe potuto scrollarlo con fiero disprezzo, se n'era lasciato invece schiacciare per il primo. Era forse un'altra, lei, dopo quel *fatto*? Era la stessa, si sentiva la stessa; tanto che non le pareva vero, spesso, che la sciagura fosse avvenuta. Ma s'impietriva anche lei, ora, cominciava a non poter sentire più nulla: non cordoglio per la morte del padre, non pietà per la madre né per la sorella, né amicizia per Anna Veronica: nulla, nulla!

Tornare in chiesa? E perché? Pregava, e la preghiera era solamente un vano agitarsi delle labbra; il senso delle parole le sfuggiva. Spesso, durante la messa, si sorprendeva intenta a guardare i piedi del sacerdote su la predella dell'altare, le brusche d'oro della pianeta, i merletti del messale; poi, all'elevazione, destata dal rumorìo delle seggiole smosse, dallo scampanellìo argentino, si alzava anche lei e s'inginocchiava, guardando stupita certe vicine che si davano pugni rintronanti sul petto, piangendo lagrime vere. Perché?

Per sottrarsi al vaneggiamento in cui ogni suo pensiero, ogni sentimento naufragava, provò se le riusciva di rimettersi allo studio, o almeno a leggere. Riaprì i vecchi libri abbandonati, e n'ebbe un'indicibile tenerezza. Le memorie più dolci rivissero e quasi le palpitarono sotto gli occhi: rivide la scuola, le varie classi, le panche, la cattedra: ecco, a uno a uno, tutti i professori che si susseguivano nel giro delle lezioni, e poi il giardino della ricreazione, il chiasso, le risa, le passeggiate a braccetto per i vialetti tra le compagne più care: poi il suono della campana, e la classe di nuovo; il direttore, la direttrice... le gare... i castighi... Sul tavolino le stava aperto sotto gli occhi un libro, un trattato di geografia; sfogliò alcune pagine: sul margine di una, un segno, e queste parole scritte di sua mano:

«*Mita, domani partiremo per Pekino!*». Mita Lumìa... Che abisso ora tra lei e quella compagna di collegio!

Come mai in certe anime non sorgeva alcuna aspirazione a levarsi un po' sopra gli altri, foss'anche in una minima cosa?

Questo, sù per giù, Marta aveva notato in tutte le sue compagne di scuola, questo notava in sua sorella, nella buona Maria. Suo marito era poi proprio dell'armento, e lieto e pago di appartenervi. Oh se ella avesse seguitato gli studii! A quest'ora!

Si ricordò di tutte le lodi che i professori le avevano fatto, e anche... sì, anche delle lodi che *un altro* le aveva fatte: l'Alvignani, per le risposte alle sue lettere. Che gli aveva risposto? Aveva discusso con lui delle condizioni della donna nella società... «Ella sa accomodare i sensi acutissimi», le aveva scritto in una delle sue lettere l'Alvignani, «i sensi acutissimi all'osservazione della realtà.» L'aveva fatta ridere tanto questa lode. E *quell'accomodare* i sensi! Forse era detto bene... perché, cultissimo, l'Alvignani... ma scriveva, secondo lei, troppo dipinto; mentre, quando parlava... Oh, a Roma, lei, se non l'avessero così incatenata... A Roma, moglie di Gregorio Alvignani, in altro ambiente, largo, pieno di luce intellettuale... lontano, lontano da tutto quel fango...

Chinava il capo su i libri, animata improvvisamente dall'antico fervore, quasi per un bisogno irresistibile di rinutrire comunque un'aspirazione che pur non resisteva al minimo urto della realtà; al cigolare dell'uscio, quand'ella doveva recarsi nelle altre stanze, ove erano la madre e la sorella vestite di nero.

Di ciò che avvenisse in famiglia, non sapeva nulla. Aveva notato soltanto che la madre e Maria la guardavano, come se volessero nasconderle qualcosa: una impressione, un sentimento. Non erano forse contente che ella se ne stésse quasi tutto il giorno appartata? La scusavano? la compativano? La madre aveva spesso gli occhi rossi di pianto; Maria s'assottigliava sempre più, spighiva, aveva preso un'aria sbalordita, una gramezza che affliggeva. Per farle piacere, le domandava:

– Andiamo in chiesa, Maria?

Questa domanda per la sorella significava:

«Andiamo a pregare per il babbo?». E rispondeva sempre di sì; e andavano.

Un pomeriggio, uscendo dalla chiesa, furono prese d'assalto da un ragazzetto quasi tutto ignudo, con la camicina soltanto, sudicia, che gli cadeva a sbrendoli su le gambette magre, terrose; il visetto, giallo e sporco. Con una manina egli afferrò lo scialle di Marta e non volle più lasciarlo, pregando che gli facessero la carità: era figlio di un muratore caduto dalla fabbrica.

– È vero, – confermò Maria. – Jeri, da un'impalcatura. S'è rotto un braccio e una gamba.

– Vieni, vieni con me, povero piccino! – disse allora Marta, avviandosi.

– No, Marta... – fece Maria, guardando pietosamente la sorella; ma subito abbassò gli occhi, come pentita, contrariata.

– Perché? – le domandò Marta.

– Nulla, nulla... andiamo... – rispose frettolosamente Maria.

Giunte a casa, Marta domandò alla madre qualche soldo per quel ragazzo.

– Oh figlia mia! Non ne abbiamo più neanche per noi...

– Come!

– Sì, sì... – seguitò tra le lagrime la madre. – Paolo è scomparso da due giorni; non si sa dove sia... La concerìa chiusa; vi hanno apposto i suggelli... È la nostra rovina! State qua, figliuole mie. Diglielo tu, Maria. Io debbo recarmi subito dall'avvocato.

IX.

Prima dell'alba del giorno appresso furono destate di soprassalto da uno strepito indiavolato giù per la strada: urli, grida scomposte che andavano al cielo, fischi spaventevoli di bùccine marine.

– *I pescatori...* – disse Maria, quasi tra sé, in un sospiro, nel bujo della camera.

Eh sì: quello era il giorno della festa dei santi Patroni del paese. Chi ci aveva pensato?

Come ogni anno, sù dalla borgata marina venivano in tumulto, su lo spuntar del giorno, i così detti *pescatori*: quasi tutta la gente che abitava in riva al mare, non dedita alla pesca soltanto. A loro, a gli abitanti della borgata, era serbato per antica abitudine l'onore di portare in trionfo per le vie della città il fèrcolo de' due santi Patroni, che appunto nel mare avevano sofferto il loro primo martirio, e su i marinaj perciò facevano valere più specialmente la loro protezione.

Così ogni anno la città era destata da quell'invasione fragorosa, come dal mare stesso in tempesta. Lungo le vie si schiudevano le finestre frettolosamente, da cui si sporgevano braccia nude, subito ritirate, e facce pallide di sonno, avvolte in vecchi scialli, in cuffie, in fazzoletti.

Nessuna delle tre sconsolate pensò di scendere dal letto. Rimasero con gli occhi aperti nel bujo, e a ciascuna passò innanzi alla mente la visione di quegli energumeni giù per la via, tra il fumo e le fiamme sanguigne delle torce a vento squassate, vestiti di bianco, in camicia e mutande, coi piedi scalzi, una fascia rossa alla vita, un fazzoletto giallo legato intorno al capo. Tant'altre volte, negli anni lieti, li avevano veduti.

Passata quella furia infernale, la strada ricadde nel silenzio notturno; ma si ravvivò poco dopo festivamente. Maria affondò la faccia nel guanciale e si mise a piangere in silenzio, angosciata dai ricordi.

S'intese il primo grido degli scalzi miracolati:

– *Il Santo delle grazie, divoti!*

Erano ragazzi, giovinotti, uomini maturi, che per miracolo dei santi Cosimo e Damiano (di cui il popolo faceva un santo solo in due persone) si ritenevano scampati da qualche pericolo o guariti da qualche infermità, e che, ogni anno, per voto, andavano in giro per il paese, in peduli, vestiti di bianco come i *pescatori*, e con un vassojo davanti sostenuto da una fascia di seta a tracolla. Sul vassojo erano immagini dei due Martiri, da uno, da due, da tre soldi e più.

– *Il Santo delle grazie, divoti!*

Salivano nelle case per vendere quelle immagini; ricevevano dalle famiglie, in adempimento dei voti, offerte d'uno o più ceri dorati, d'uno o più galletti infettucciati; offerte e quattrini recavano d'ora in ora alla Commissione dei festajoli nella chiesetta dei Santi.

Oltre ai ceri e ai galletti, offerte maggiori andavano a quella chiesa pompaticamente, a suon di tamburi: agnelli, pecore, montoni, anch'essi infettucciati, dal vello candido, pettinato, e frumentazioni su muli parati con ricche gualdrappe e variopinti festelli.

Nelle prime ore del mattino giunse Anna Veronica, vestita di nero, al solito, col lungo scialle da penitente. Bisognava adempiere al voto fatto durante la malattia di Marta: recare alla chiesa le due torce promesse e la tovaglietta ricamata.

E Marta doveva andare con lei. Nello scompiglio di quegli ultimi giorni, dopo la fuga di Paolo, ella non aveva pensato ad avvertirne Marta, la vigilia.

– Sù, sù, figliuola, fatti coraggio. A un voto non si può mancare.

Marta, tutta chiusa in sé, come avvolta in un silenzio tetro, le rispose subito, urtata:

– Non vengo... lasciami! Non vengo.

– Come! – esclamò Anna. – Che dici?

E guardò, ferita, Maria e l'amica.

– Avete ragione, sì, – rispose, scrollando il capo. – Ma chi può ajutarci?

Marta sorse in piedi.

– Debbo dimostrarmi grata per giunta, è vero? della grazia che ho ricevuto, guarendo...

– Ma è facile morire, figliuola mia, – sospirò Anna Veronica, socchiudendo gli occhi. – Se sei rimasta in vita, non ti par segno che Dio ti vuol viva per qualche cosa?

Marta non rispose; come se queste parole dell'amica, pronunciate con la consueta dolcezza, avessero risposto a un suo segreto sentimento, a un segreto proposito, corrugò le ciglia e s'avviò per la sua camera.

– Ti servirà anche di svago, – aggiunse Anna.

Giù per le vie era un gran fermento di popolo. Dalla marina, dai paeselli montani, da tutto il circondario, era affluita gente in numerose comitive, che ora procedevano a disagio, prese per mano per non smarrirsi, a schiere di cinque o sei: le donne, gajamente parate, con lunghi scialli ricamati o con brevi mantelline di panno bianco, azzurro o nero, grandi fazzoletti a fiorami, di cotone o di seta, in capo e sul seno, grossi cerchi d'oro a gli orecchi e collane e spille a pendagli e a lagrimoni; gli uomini: contadini, solfaraj, marinaj, impacciati dai ruvidi abiti nuovi, dagli scarponi imbullettati.

Marta e Anna Veronica, che sotto lo scialle nascondeva le torce e la tovaglietta, tra la folla fluttuante, stordita, senza direzione, andavano quanto più sollecitamente potevano.

Giunsero alla fine nella piazza davanti alla chiesuola, rigurgitante di popolo. Il baccano era enorme, incessante; la confusione, indescrivibile. S'erano improvvisate tutt'intorno baracche con grandi lenzuola palpitanti: vi si vendevano giocattoli e frutta secche e dolciumi, gridati a squarciagola; andavano in giro i figurinaj con le imagini di gesso dipinte, rifacendo il verso degli scalzi miracolati; i frullonaj, tirando e allargando la cordicella del frullo; i gelataj coi loro carretti a mano parati di lampioncini variopinti e di bicchieri:

– *Lo scialacuore! lo scialacuore!*

E al gajo bando seguiva una distribuzione di scappellotti ai monelli più molesti, che attorniavano i carretti come un nugolo ostinato di mosche.

Contrastava con quel vario allegro berciare dei venditori la cantilena lamentosa opprimente d'una turba di mendicanti su gli scalini davanti al portone della chiesa, dove la gente accalcata faceva a gomitate per entrare. Marta e Anna Veronica si trovarono prese, quasi schiacciate tra quel pigia pigia e sospinte alla fine senza muover piede entro la chiesa buja, zeppa di curiosi e di divoti.

Deposto in mezzo alla navata centrale s'ergeva il fèrcolo enorme, massiccio, ferrato, per poter resistere alle scosse della disordinata bestiale processione. Sul fèrcolo, le statue dei due santi dalle teste di ferro, quasi identiche nell'atteggiamento, con le tuniche fino ai piedi e una palma in mano. In fondo, sotto un arco della navata, a sinistra, tra due colonne, attorno a un'ampia tavola, stava in gran faccende la Commissione dei festajoli, che riceveva dai divoti l'adempimento delle promesse: tabelle votive, in cui era rappresentato rozzamente il miracolo ottenuto nei più disparati e strani accidenti, torce, paramenti d'altare, gambe, braccia, mammelle, piedi e mani di cera.

Tra i festajoli, quell'anno, era Antonio Pentàgora.

Per fortuna, Anna Veronica se n'accorse prima d'accostarsi alla tavola; ristette perplessa, confusa.

– Rimani qua un momentino, Marta. M'accosto io sola.

– Perché? – domandò Marta, che s'era fatta d'improvviso pallidissima; e aggiunse, con gli occhi bassi: – C'è Nicola in chiesa.

– È lì al banco, il padre, – disse Anna, sottovoce. – Meglio che tu stia qua. Mi sbrigo subito.

Niccolino non s'aspettava quell'incontro con Marta. Non la aveva più riveduta dalla vigilia della rottura col fratello. Restò come stralunato a mirarla; poi s'allontanò mogio mogio, si confuse tra la folla, vergognoso. Ne aveva avuto sempre una gran soggezione; aveva tanto desiderato d'esser voluto bene da lei come un fratello minore, cresciuto com'era senza madre, senza sorelle. Di tra quel rimescolìo di teste cercò di scorgerla da lontano, senza più farsi vedere: la scorse; rimase a contemplarla, a spiarla; poi, intrufolandosi tra la ressa, la seguì con gli occhi fino all'uscita della chiesa. Per un pezzo non poté più avere né occhi né orecchi per lo spettacolo della festa. Si ritrovò, senza saper come, in mezzo alla piazza stipata, soffocato tra la folla enormemente cresciuta, che aspettava ora l'uscita del fèrcolo dalla chiesa. Dalla calca dei corpi ammaccati si levavano tutt'intorno, su i colli tesi, le facce accaldate, congestionate, smanianti nell'oppressura il respiro; alcune con una espressione supplice, d'avvilimento, negli occhi, altre con una espressione feroce. Le campane in alto sonavano a distesa su quel fermento, e le campane delle altre chiese rispondevano in distanza.

A un tratto, tutta la folla si commosse, si sospinse premuta da mille forze contrarie, non badando agli urti, alle ammaccature, alla soffocazione, pur di vedere.

– Eccolo! Eccolo! Spunta!

Le donne singhiozzavano, molti imprecavano inferociti, divincolandosi rabbiosamente tra la calca che impediva loro di vedere; tutti vociavano in preda al delirio. E le campane rintoccavano, come impazzite dagli urli della folla.

Il fèrcolo irruppe a un tratto, violentemente, dal portone e s'arrestò di botto là, davanti alla chiesa. Allora il grido uscì frenetico da migliaja di gole:

– Viva San Cosimo e Damiano!

E migliaja, migliaja di braccia s'agitarono per aria, come se tutto il popolo si fosse levato in furore, a una mischia disperata.

– Largo! Largo! – si gridò da ogni parte, poco dopo. – La via al Santo! La via al Santo!

E davanti al fèrcolo, lungo la piazza, la gente cominciò a ritrarsi di qua e di là a stento, respinta con violenza dalle guardie, per aprire un solco. Si sapeva che i due Santi procedevano per via quasi di corsa, a tempesta: erano i Santi della salute, i salvatori del paese nelle epidemie del colera, e dovevano correre perciò di qua e di là, continuamente. Quella corsa era tradizionale: senz'essa la festa avrebbe perduto tutto il brio e il carattere. Ciascuno però temeva di restarne schiacciato.

Squillò davanti alla chiesa stridulamente un campanello. Allora, tra le poderose stanghe della bara s'impegnò una zuffa tra i *pescatori* che dovevano caricarsela sulle spalle. A ogni tappa, lungo la via, si ripeteva quella zuffa, sedata a stento ogni volta dai festajoli che dirigevano la processione.

Cento teste sanguigne, scarmigliate, da energumeni, si cacciarono tra le stanghe della macchina, avanti e dietro. Era un groviglio di nerborute braccia nude, paonazze, tra camìce strappate, facce grondanti sudore a rivi, tra mugolìi e aneliti angosciosi, spalle schiacciate sotto la stanga ferrata, mani nodose, ferocemente aggrappate al legno. E ciascuno di quei furibondi, sotto l'immane carico, invaso dalla pazzia di soffrire quanto più gli fosse possibile per amore dei Santi, tirava a sé la bara, e così le forze si escludevano, e i Santi andavano com'ebbri tra la folla che spingeva urlando selvaggiamente.

A ogni breve tappa, dopo una corsa, dai balconi, dalle finestre gremite, alcune femmine buttavano per divozione sul fèrcolo e su la folla, da canestri, da ceste, fette di pan nero, spugnoso. E, sotto, la folla s'azzuffava per ghermirle. Nel frattempo, i portatori imbottavano fiaschi di vino e s'ubriacavano, sebbene quasi tutto il vino tracannato, di lì a poco, se n'andasse in sudore.

A quando a quando il fèrcolo diventava d'una leggerezza portentosa: procedeva allora con slancio irresistibile, salterellando tra l'allegro schiamazzo della folla. Tal'altra, al contrario, diventava d'una pesantezza insopportabile: i Santi non volevano andare avanti, rinculavano improvvisamente: accadevano allora disgrazie; qualcuno tra la folla rimaneva pesto. Un momento di pànico; poi tutti, per rifarsi animo, gridavano: – Viva San Cosimo e Damiano! – dimenticavano e procedevano oltre. Ma più volte, giunti allo stesso punto di prima, ecco di nuovo il fèrcolo arrestarsi improvvisamente; tutti gli occhi allora si volgevano alle finestre, e la folla, minacciando, imprecando, costringeva coloro che vi erano affacciati a ritirarsi, poiché era segno che fra essi doveva esserci qualcuno che o non aveva adempiuto alla promessa o aveva fatto parlar male di sé e non era degno perciò di guardare i Santi.

Così il popolo in quel giorno si rendeva censore.

Stavano a un balcone, affacciate, Marta e Anna Veronica, tra la signora Agata e Maria. Antonio Pentàgora già da un pezzo aveva dato il segno ai portatori. Dapprima, le quattro povere donne non compresero la mossa dei Santi: li videro rinculare, ma non credettero che quella manovra si facesse per loro. Quando il fèrcolo pervenne di nuovo sotto il balcone e s'arrestò, tutta la folla levò gli occhi e le braccia contro di loro gridando, imprecando, esasperata per la sciagura d'un povero ragazzo tratto allora da terra, fracassato e sanguinante. Subito Marta e Anna Veronica si ritrassero dal balcone, seguite da Maria che piangeva; la signora Agata pallidissima, tutta vibrante di sdegno, chiuse così di furia le imposte, che un vetro andò in frantumi. Parve quest'atto un insulto alla folla fanatica: gli urli, gl'improperii salirono al cielo. E a quella tempesta imperversante sotto la loro casa tremavano le quattro povere donne a verga a verga, tenendosi strette l'una all'altra, rincantucciate; e nell'attesa angosciosa udirono contro la ringhiera di ferro del balcone battere una, due, tre volte, poderosamente, la testa d'uno dei Santi.

A ogni testata tremava la casa.

Poi la furia a poco a poco si quietò; successe nella strada un gran silenzio.

– Vili! vili! – diceva Marta a denti stretti, pallida, fremente.

Anna Veronica piangeva con la faccia nascosta tra le mani. Maria s'appressò paurosamente al balcone e, attraverso il vetro, vide una bacchetta della ringhiera torta dalle ferree testate.

X.

– Troppo, eh? – fece Antonio Pentàgora, col suo solito ghigno frigido rassegato su le labbra e negli occhi uno sguardo di commiserazione per Niccolino.

– Vigliaccheria! – proruppe questi, furibondo. – Si vergogni! Tutto il paese è pieno dello scandalo di ieri. Bella prodezza!

– E bravo Niccolino! – esclamò tranquillamente il padre. – Me ne congratulo davvero! Sentimenti nobili, generosi... Bravo! Tienteli ben radicati, figliuolo mio, e vedrai col tempo come ramificheranno...

Niccolino scappò via fremendo, per non lasciarsi andare a qualche eccesso. Così pure era scappato via Rocco la sera avanti, dopo una lite violenta, durante la quale padre e figlio per poco non erano venuti alle mani.

Rimasto solo, Antonio Pentàgora scosse più volte il capo lentamente e sospirò:

– Poveri di spirito!

E rimase a lungo a pensare, col faccione sanguigno, chino sul petto, gli occhi chiusi, le ciglia aggrottate.

Sapeva, sapeva d'essere inviso a tutti, cominciando dagli stessi suoi figli. Mah!... E poi? Non era in suo potere portarci rimedio: doveva essere così, per forza. Per i Pentàgora, cui la sorte s'era divertita a bollare col marchio dei cervi, non c'era remissione. «Là! o esposti all'odio o al dileggio. Meglio all'odio. Era destino!»

Tutti gli uomini, per lui, venivano al mondo con la parte assegnata. Sciocchezza il credere di poterla cambiare. Anch'egli, in gioventù, come adesso i figliuoli, lo aveva creduto per un momento possibile: aveva sperato, s'era lusingato: gli era parso d'aver nel cuore, come il povero Niccolino, sentimenti nobili, generosi: s'era affidato ad essi, dov'era giunto? Gira gira, alle corna. La parte era quella, doveva esser quella.

S'era così fissato in questo suo modo di pensare, che se per caso qualcuno, spinto dal bisogno, veniva a chiedergli ajuto, egli, pur sentendosi talvolta inchinevole a cedere, già commosso, si frenava, sbuffava, poi apriva le labbra al solito ghigno e consigliava a quel povero diavolo di rivolgersi altrove: al tal dei tali, per esempio, buon filantropo del paese:

– Va' da lui, caro mio: è nato apposta per soccorrere la gente. Io no, vedi. A me, quest'ufficio non m'appartiene. Farei un'offesa a quel degno galantuomo che lo esercita da tant'anni e non può farne a meno. Io, di corna negozio.

Era divenuto così cinico nel linguaggio, involontariamente. Diceva queste cose con la massima naturalezza. E derideva lui per primo la sua disgrazia coniugale, per prevenire gli altri e disarmarli. Si sentiva in società come sperduto in mezzo a un campo nemico. E quel suo ghigno era come il digrignare d'un cane inseguito, quando si volta. Per fortuna, era ricco: dunque, forte. Non aveva da temere. Tutta la gente, infatti, gli faceva largo: largo al vitello, anzi al bue d'oro!

– Sciocchezze!

Dopo il tradimento, per lui inevitabile, della nuora, si era rallegrato della sfacciata relazione di Rocco con quella donnetta galante:

– Bravo Roccuccio! Mi piace. Ora sei a posto. Vedrai che a poco a poco... Fammi tastar la fronte...

Ma no: quello scioccone non ci s'era sentito a suo agio, nel posto assegnatogli dalla sorte. Imbronciato sempre, sgarbato, di pessimo umore. Poi, all'improvviso, era accaduta la morte di Francesco Ajala, del *Bau!* Ebbene, e quell'animella squinternata s'era d'un subito sentita schiacciare dall'unanime compianto che quel pazzo furioso aveva raccolto in paese. Zitto zitto, per non dar più luogo a ciarle, s'era liberato dell'amante, e gli era ritornato in casa come un funerale.

– E perché? L'hai forse ucciso tu Francesco Ajala?

Non c'era stato verso, per lungo tempo, d'indurlo a uscir di casa, a divagarsi. Cavalli, cavalli da tiro e da sella: sei cavalli gli aveva comperati! Dopo quindici giorni non aveva più voluto saperne. – E allora, che altro? Un viaggetto di distrazione, in Italia o all'estero? – No: neppur questo! – Il giuoco, al circolo? – Novemila lire perdute in una sola sera. E gliele aveva pagate, senza neppur fiatare.

Ebbene, che gli restava da fare? S'era presentata l'occasione della festa dei santi Patroni: a mali estremi, estremi rimedii: e aveva provocato lo scandalo della processione sotto i balconi di casa Ajala.

Non se ne pentiva. Rocco era scappato via come una mala bestia, sparando calci, alla bollatura di fuoco. Sì: gliel'aveva data un po' troppo forte, poverino. Ma ci voleva! Col tempo si sarebbe calmato e lo avrebbe ringraziato.

«Senti, senti la pazza!» , fece tra sé Antonio Pentàgora, riscotendosi al fitto bofonchìo precipitoso della sorella Sidora, che s'aggirava smaniosamente per casa.

Anche a lei, forse, era arrivata la notizia dello scandalo. Che ne pensava? Nessuno poteva saperlo, tranne il fuoco del camino, acceso d'estate e d'inverno, nel quale ella – diceva il Pentàgora – voleva incenerire tutte le corna della famiglia, e non ci riusciva.

Per parecchi giorni Rocco non volle vedere, neppur da lontano, il padre. Niccolino gli teneva compagnia, gli offriva uno sfogo, da buon fratello.

– Non bastava, non bastava averla scacciata? M'ero vendicato... Bastava! Ma no: le muore il padre, per giunta. Non dico che ci abbia avuto colpa io; ma certo in qualche modo vi ho pure contribuito; muore il bambino; anche lei è stata per morire; si rialza a stento dalla malattia; e lui, vigliacco, va a farle sotto gli occhi quella scenata infame! Perché insultarla ancora? Chi glien'aveva dato l'incarico? Vigliacco! Vigliacco!

E si torceva le mani dalla rabbia.

Intanto le notizie di giorno in giorno peggioravano. La concerìa, chiusa; Paolo Sistri, scappato (e la gente lo incolpava d'aver rubato dalla cassa quel che poi non c'era). La miseria, dunque, batteva alla porta delle tre povere donne abbandonate. Come avrebbero fatto? Sole, senza ajuto, mal viste da tutto il paese?

E la notte a Rocco pareva di vedersi comparire davanti la figura gigantesca di Francesco Ajala in atto di scuotere le mani, pallido, gonfio in volto: «Rovini due case: la tua e la mia!». Vedeva tal'altra la suocera (fin dal primo giorno del fidanzamento tanto buona con lui) scarmigliata, disperata, e Marta piangente, con la faccia nascosta, e Maria quasi istupidita, che mormorava: «Chi ci ajuta? Chi ci ajuta?».

Così Rocco, il giorno in cui seppe che la concerìa era messa all'incanto, facendosi violenza, si recò lui per primo dal padre a proporgli – cupo, senza guardarlo in faccia – di acquistarla per suo conto.

– Tu sei pazzo! – gli rispose il Pentàgora. – Neanche se me l'aggiudicassero per tre bajocchi. Poi, guarda: fin qui t'ho lasciato fare: denari, adesso, me ne hai buttati via abbastanza. Non son rena! Anche la carità? Non è affar mio, lo sai. Nojaltri, di corna negoziamo.

E lo lasciò in asso.

XI.

Marta, Maria e la madre s'erano da poco levate di letto, quando udirono il campanello della porta tintinnire discretamente. Maria si recò ad aprire e, guardando prima dalla spia, vide un vecchietto poveramente vestito, insieme con due giovinotti, in attesa dietro la porta.

– Che volete? – domandò, incerta, dalla spia.

– Ziro, l'usciere, don Protògene, – rispose il vecchietto stirandosi i peli bianchi ricciuti della barba a collana. – Favorisca d'aprire.

– L'usciere? Ma chi cercate?

– Non è questa la casa di don Francesco Ajala? – domandò l'usciere Ziro ai due giovinotti che l'accompagnavano.

Maria aprì timidamente la porta.

– Perdoni, signorina, – disse uno dei giovinotti. – (Don Protògene, datele la carta.) Ecco, signorina, faccia vedere codesta carta alla mamma. Noi aspetteremo qua.

La signora Agata si faceva in quel momento anche lei alla porta.

– Mamma, – chiamò Maria, – vieni a vedere... io non so...

– Ziro, l'usciere, don Protògene, – si presentò di nuovo il vecchietto, levandosi questa volta dal capo risecco il tubino spelato che gli si sprofondava fin su la nuca. – Non faccio... diciamo piacere, ma... la Giustizia comanda, noi portiamo il gamellino.

La signora Agata lo squadrò un poco, stordita; poi spiegò la carta e lesse. Maria, intimorita, guardava la madre; il vecchio usciere approvava col capo a ogni parola e, quando la signora levò gli occhi dalla carta, non comprendendo bene, disse con voce umile:

– Codesta è l'ordinanza del pretore. E questi due sono i testimonii.

I due giovinotti si scappellarono, inchinandosi.

– Ma come! – esclamò la signora Agata. – Se mi avevano detto...

Anche Marta, adesso, s'era fatta alla porta, a sentire; e i due giovinotti se l'ammiccavano dal pianerottolo, dandosi furtivamente gomitate.

– Ma come... – ripeté la signora Agata, smarrita, rivolta a Marta. – L'avvocato mi aveva detto...

– Tante cose dicono gli avvocati... – interloquì, con un certo sorrisetto che lo fece arrossire, uno dei giovinotti, tozzo e biondo. – Lasci fare a noi, signora, e vedrà che...

– Ma se ci tolgono...

– Mamma, – la interruppe Marta, alteramente, – è inutile star qui a discutere. Lasciali entrare. Sono comandati: debbono fare il loro dovere.

– Con dolore; sì... – aggiunse don Protògene. – Eh, purtroppo...

Chiuse gli occhi, aprì le mani e applicò la punta della lingua al labbro superiore.

– Abbiano pazienza, – riprese poco dopo, – donde dobbiamo cominciare? Se la signora volesse avere la bontà...

– Seguitemi, – ordinò Marta. – Ecco il salotto. Aprì l'uscio ed entrò avanti a gli altri per dar luce alla stanza, che da tanti mesi dormiva con gli scuri chiusi, abbandonata. Poi, rivolta alla madre e alla sorella, soggiunse:

– Andate via. Attenderò io a costoro.

I due giovinotti si guardarono mortificati; e il biondo, ch'era un forense, già galoppino di Gregorio Alvignani e che aveva pregato insistentemente il vecchio usciere di portarselo con sé come testimonio, per curiosità di veder Marta da vicino, disse, guardandosi le unghie lunghe, scarnate:

– Noi siamo dispiacenti, creda, signora...

Marta lo interruppe, con lo stesso piglio sprezzante:

– Sbrigatevi. Son discorsi inutili.

Don Protògene, tratto dalla tasca in petto un foglio di carta, un calamajo d'osso con lo stoppino e una penna d'oca, si disponeva a comporre l'inventario del salotto, quando, guardando in giro e vedendo soltanto poltrone e seggiole imbottite, su cui non stimò buona creanza mettersi a sedere, chiese con umile sorriso a Marta:

– Se la signora volesse avere la bontà di farmi portare una seggiola...

– Sedete pur lì, – disse Marta, indicando una poltrona.

E il vecchietto sedette in punta in punta, per obbedire; con la mano tremolante armò di lenti l'estremità del naso e, stendendo la carta sul tavolinetto tondo che stava davanti al canapè, scrisse con solennità in capo al foglio: «Sallotto» con due elle. Ciò fatto, s'inserì la penna su un orecchio e, stropicciandosi le mani, disse a Marta:

– Naturalmente questi mobili rimarranno qua, esimia signora; io adesso fo soltanto, così, sopra sopra, un piccolo inventario, con la stima.

– Ma potete anche portarli via, – disse Marta. – Fra giorni lasceremo questa casa, e tanta mobilia non entrerebbe nella nuova.

– Vuol dire che si provvederà, – concluse don Protògene. E cominciò a notare: – Un pianoforte...

Marta guardò il pianoforte che Maria aveva tante volte sonato, e anche lei, da ragazza, fino a tanto che la passione per lo studio non le aveva tolto il tempo d'attendere alla musica. E man mano che il vecchio e i due giovinotti nominavano, notando, i varii oggetti, gli occhi di Marta vi si affisavano un tratto, rievocando un ricordo.

Era venuta, nel frattempo, Anna Veronica, a cui la signora Agata, avvilita, piangendo, comunicò la nuova sciagura.

– Anche questo! in mezzo alla strada... Ah, Signore, non avete pietà? neanche di quell'orfana innocente, Signore?

E con la mano indicò Maria che se ne stava con la fronte contro i vetri della finestra, per nascondere alla madre il pianto silenzioso.

– Marta? – domandò Anna Veronica.

– Di là, con *loro*... – rispose la signora Agata, asciugandosi gli occhi. – Se la vedessi: impassibile; come se non si trattasse della casa nostra...

– Agata mia, coraggio! – disse Anna. – Dio ci vuol provare...

– No! Dio, no, Anna! – la interruppe la signora Agata, stringendole un braccio. – Non dire Dio! Dio non può voler questo!

E con la mano accennò di nuovo a Maria, soggiungendo sottovoce:

– Che spina! che spina!

Anna Veronica, allora, per divagarla, le parlò della nuova casetta.

– Vengo di là. Se la vedessi! Tre stanzette piene d'aria e di luce. Non tanto piccole, no: oh, vi starete benissimo... E poi, un terrazzino! Buono da stendervi il bucato; sì, vi sono anche i cordini di ferro; quattro pali agli angoli; e affacciandovi di là, guarda, possiamo proprio stringerci la mano, così... La finestra della mia cameretta è proprio dirimpetto... Le notti di luna...

Anna s'interruppe: in un baleno rivide una notte del tempo passato: il seduttore sentimentale aveva abitato in quella casetta, ove tra pochi giorni sarebbero andate ad abitare le sue amiche. Turbata, cangiò discorso:

– Mente mia! guarda... me ne dimenticavo ed ero venuta apposta! Ho da darvi una buona notizia. Sì... – e chiamò: – Maria! Vieni qua, figliuola mia... Sù, asciughiamo codeste lagrime; qua a me il fazzoletto. Oh, così... brava! Dunque, vi do parte e consolazione che la figlia del barone Troisi si marita... Scommetto che non ve ne importa nulla; ma a me sì, care; perché la signora baronessa, pare impossibile! ha la degnazione di dare ad allestire qua in paese il corredo della figlia, capite? e per buona parte me ne sono tolto il carico io. Così lavoreremo tutti, e Dio ci ajuterà. A casa nuova!

– Permesso? – fece a questo punto Ziro, l'usciere, su la soglia, inchinandosi goffamente, con la penna d'oca su l'orecchio, il calamajo e la carta in una mano, la tuba nell'altra.

I due giovinotti lo seguivano. Sopravvenne Marta.

– Avanti, entrate pure. Mamma, tu va' di là. Oh, sei qui, Anna? Conduci, ti prego, Maria e la mamma di là.

– Hai visto? – disse la madre all'amica, alludendo a Marta. – Come s'è potuta ridurre così?

– Come, Agata? – osservò Arma Veronica. – Perché vuoi credere che non soffra nulla? Non vorrà darlo a vedere in questo momento, per farvi animo...

– Sarà, – sospirò la madre. – Ma tu lo sai; sei stata qua con noi: mentre l'inferno si scatenava, come si scatena tuttora su la mia povera casa; che ha fatto lei? Se n'è stata chiusa di là, come se non avesse voluto accorgersi di nulla. Mi par miracolo che oggi si veda per casa, che s'interessi un tantino di noi... Che scrive? che legge? Mi vergogno, Anna mia, ridotta come sono a badare a certe cose. Io e Maria andiamo presto a letto per risparmiare il lume, e lei lo tiene acceso fino a mezzanotte, fino alle due del mattino... Studia... studia... Ed io mi domando se la malattia, per caso, non le abbia dato al cervello... Come! – dico, – sa in quale stato ci siamo ridotte... il padre morto, la rovina.. la miseria... e lei può attendere così alla lettura... appartata, tranquilla, come se nulla fosse?

Anna Veronica ascoltava, addolorata: neppur lei arrivava a comprendere quel modo d'agire di Marta, tanta noncuranza, anzi peggio, insensibilità: non egoismo veramente, giacché anche lei era coinvolta nella rovina.

– Permesso? – venne a ripetere, poco dopo, anche su quella soglia l'usciere, seguito dai testimonii.

E anche da quella stanza le tre donne uscirono; e così, di stanza in stanza, furono quasi respinte da quella casa, che di lì a tre giorni abbandonarono per sempre.

Nella nuova, dopo il malinconico sgombero e il riassetto, Anna Veronica portò la tela odorosa, il bisso molle e delicato, e le trine e i nastri e i merletti della baronessina Troìsi.

La signora Agata, guardando Maria intenta al lavoro, tratteneva a stento le lagrime: ah, ella non avrebbe mai atteso a cucire il suo corredo da sposa: sarebbe rimasta così, povera figliuola, orfana e sola, sempre...

Marta, nella nuova casa, seguitava a tenere lo stesso modo di vita. Anna Veronica, però, non se ne stupiva più: Marta le aveva confidato un suo proposito, imponendole di non parteciparlo né alla madre né alla sorella.

Lo partecipò lei finalmente, una sera, uscendo rannuvolata dalla sua camera. S'era preparata agli esami di patente, che sarebbero cominciati la mattina appresso alla Scuola Normale. Anna Veronica aveva presentato la domanda per lei, pagando, coi suoi risparmii, la tassa.

La madre e la sorella restarono.

– Lasciatemi fare, – disse Marta, urtata dal loro stupore. – Non mi contrariate, per carità

E tornò a chiudersi in camera.

Giungeva in tempo a dar gli esami con le antiche compagne di collegio. Le avrebbe dunque rivedute! Non si faceva illusione su l'accoglienza che le avrebbero fatta. Sarebbe andata incontro a loro col contegno di chi si tenga pronto a lanciare una sfida: sì, e non ad esse soltanto, se mai, ma a tutto il paese, di cui ora rivedeva le vie, per cui la mattina seguente sarebbe passata. Avrebbe guardato in faccia la vigliacca gente che nel giorno della festa selvaggia l'aveva pubblicamente oltraggiata.

Pensando all'enorme folla imbestiata nel vino e nel sole, tumultuante con le braccia levate sotto i balconi dell'altra casa, Marta sentiva più forte l'impulso alla lotta; sentiva veramente, in quella vigilia, che sarebbe risorta dall'onta vile e ingiusta; armata di sprezzo e con l'orgoglio di poter dire: «Ho sollevato dalla miseria mia madre, mia sorella: esse vivono ora per me, di me!».

A poco a poco, confortata da questi pensieri, e la cura dell'avvenire sovrapponendosi nell'anima di lei alla costernazione per l'imminente prova, giunse a vincere la trepidazione; ma non cessò la smania, e quella si ridestò e crebbe, fino a divenire smarrimento, la mattina, al levarsi da letto.

Non sapeva più ciò che dovesse fare: si guardava attorno, quasi aspettando che la povera e scarsa suppellettile della camera glielo suggerisse, richiamandola: là il catino, in cui doveva lavarsi; qua la seggiola, su cui erano le vesti che doveva indossare. Poco dopo si diede a far tutto frettolosamente.

Mentre si pettinava, così alla meglio, senza specchio, entrò la madre già pronta per accompagnarla.

– Oh brava, mamma! Finisci di pettinarmi tu, ti prego... È tardi!

E la madre si mise a pettinarla, come soleva ogni mattina quando ella si recava a scuola. Finito, guardò la figlia: Dio! non le era sembrata mai tanto bella... E provò un vivo ritegno pensando che doveva uscir con lei per la città, condurla tra gli sguardi maligni della gente, a un'impresa che, nella schiva umiltà della propria indole, non sapeva né comprendere, né apprezzare. Pensava che quella bellezza, quell'aria di sfida che Marta aveva nello sguardo, avrebbero forse dato cagione alla gente d'esclamare: Guarda com'è sfrontata!

– Sei così accesa in volto... – le disse, schivando di guardarla; e avrebbe voluto aggiungere: «Tieni gli occhi bassi per via».

Scesero finalmente la scala e s'avviarono strette fra loro, mentre Maria, dietro i vetri della finestra, le seguiva cogli occhi, trepidante.

La signora Agata avrebbe voluto essere almeno della metà men alta di statura, per non attirare tanto gli sguardi della gente e passare inosservata; correre in un baleno quella via che le pareva interminabile. Marta invece pensava all'incontro con le antiche compagne, e non si dava col pensiero tanta fretta di sottrarsi alla via.

Arrivarono per le prime al Collegio.

– Oh signorina bella! Come mai? Qua di nuovo? Guarda come s'è fatta grande! Oh faccia rara... – esclamò la vecchia portinaja, gestendo, dall'ammirazione espansiva, con la testa e con le mani.

– Nessuno, ancora? – domandò Marta, un po' imbarazzata, sorridendo benevolmente alla vecchia.

– Nessuno! – rispose questa. – Lei, sempre la prima... Si rammenta quand'era piccina così e, ogni santa mattina, bum! bum! bum! calci al portone... Gesù mio, era quasi bujo... Si rammenta?

Ah, sì! Marta sorrideva... Ah, i bei ricordi!

– Vogliono entrare in sala? – riprese la vecchia. – La signora sarà stanca...

E, guardando la signora Agata in volto, sospirò, tentennando il capo:

– Povero signor Francesco! Che pena... Non ne vengono più al mondo galantuomini come quello, signora mia! Basta. Il Signore benedetto l'abbia in gloria! Credo che l'uscio della sala d'aspetto sia ancora chiuso. Abbiano pazienza un tantino, vado a prender la chiave.

– Buona donna! – fece a Marta la signora Agata, grata dell'accoglienza rispettosa.

Dopo un minuto la vecchia portinaja tornò di corsa dicendo:

– Anche mia figlia Eufemia dà oggi gli esami con lei, signorina Marta!

– Eufemia? Sì? Come sta?

– Poveretta, non dorme più da tante notti... Ah, per questo, buona volontà non gliene manca... Lei che ha tanto talento, signorina, oggi, se mai, me l'ajuti un po'! Dicono ch'è la prova più difficile! Or ora la faccio venire giù: così le terrà compagnia... Ecco, loro intanto s'accomodino qua.

E pulì con un lembo del grembiule il divano di cuojo.

– Se Eufemia studia, non la chiamate, – disse Marta alla vecchia che già usciva.

– Ma che! ma che! – rispose la vecchia senza voltarsi.

Eufemia Sabetti era stata, fin dalle prime classi, compagna di scuola di Marta, quantunque maggiore almeno di sei anni. Cresciuta nella scuola, in mezzo a compagne molto superiori a lei di condizione, aveva assunto una cert'aria signorile che formava l'orgoglio della madre, la quale poi lo scontava a costo d'innumerevoli sacrificii. Eufemia, è vero, dava del tu a tutte le compagne, portava il cappellino, aveva tratti e lezii da vera «signorina»; ma era pur rimasta nella considerazione delle compagne la figlia della portinaja. Le compagne veramente non glielo spiattellavano in faccia: no, poverina! ma glielo lasciavano intendere o dal modo con cui le guardavano la veste e il cappellino, o col piantarla lì qualche volta per prestare ascolto a un'altra *delle loro*. Ed Eufemia faceva le viste di non accorgersene, per mantenersi in buoni rapporti con esse.

– Oh Marta! Che fortuna! – esclamò entrando e accorrendo a baciar l'amica, senza impaccio. Salutò, ridendo, la signora Agata, e sedette sul divano, lasciando in mezzo Marta. – Che fortuna! – ripeté.

– Come va? Qua di nuovo con noi? E farai gli esami?

Era bruna, magrissima, miserina nella veste latt'e caffè, guarnita di nero.

Parlando fremeva tutta, agitava continuamente le pàlpebre su gli occhietti vivi da furetto; ridendo scopriva la gengiva superiore e i denti bianchissimi.

Cominciavano di già le domande imbarazzanti. E bisognava pur rispondere alla meglio alle più discrete; le altre però che restavano negli occhi d'Eufemia costringevano le parole di Marta a non esser sincere.

La signora Agata si alzò.

– Io torno a casa, Marta. Ti lascio con l'amica. Coraggio, figliuole mie!

Uscendo dalla sala d'aspetto, vide nell'atrio un crocchio di signorine in abiti gaj d'estate, tra le quali riconobbe alcune antiche compagne di Marta. Queste tacquero a un tratto e abbassarono gli occhi mentr'ella passava. Nessuna la salutò: una sola, Mita Lumìa, le rivolse un lieve cenno del capo.

La vecchia portinaja aveva loro annunziato la venuta di Marta

– Badate, ci vuol faccia tosta! – diceva una.

– Io, per me, non entro, – dichiarava un'altra.

E una terza:

– Che viene a fare con noi?

– Oh bella, gli esami: potete impedirglielo? – rispondeva Mita Lumìa, urtata anche lei, ma non così accanita come le altre.

– Va bene; ma accanto a lei, – protestava una quarta, – non seggo, neanche se il direttore stesso viene a impormelo!

E una quinta diceva a Mita Lumìa:

– Se non sappiamo neppure come dobbiamo chiamarla! Pentàgora? Ajala?

– Oh Dio! Chiamatela Marta, come la chiamavamo! – rispose la Lumìa infastidita.

Nello stesso tempo Marta, con amaro sorriso, diceva alla Sabetti:

– Chi sa che dicono di me...

– Lasciale cantare! – le rispose Eufemia.

Irruppero e attraversarono la sala quattro del crocchio, di corsa, senza volgere gli occhi al divano.

Marta, quantunque grata in fondo alla Sabetti della compagnia che le teneva, non poteva tuttavia sottrarsi a un senso d'avvilimento nel vedersela accanto; non per sé, ma per quelle pettegole che la vedevano insieme con quella lì, accolta cioè dalla figlia della portinaja.

Si alzarono. Entrò in quella Mita Lumìa senza fretta.

– Oh, Marta... Come stai?

E tentò un sorriso e porse la mano, molle molle.

– Cara Mita... – rispose Marta.

E rimasero lì un breve tratto senza saper dire una parola di più.

XII.

L'invidia da un canto, dall'altro gl'intrighi spezzati, le aspirazioni deluse trassero agevolmente dalla calunnia una scusa alla loro sconfitta.

Era chiaro!

Marta Ajala avrebbe occupato il posto di maestra supplente nelle prime classi preparatorie del Collegio, solo perché «protetta» del deputato Alvignani.

E vi fu, nei primi giorni, una processione di padri di famiglia al Collegio: volevano parlare col Direttore. Ah, era uno scandalo! Le loro ragazze si sarebbero rifiutate d'andare a scuola. E nessun padre, in coscienza, avrebbe saputo costringerle. Bisognava trovare, a ogni costo e subito, un rimedio.

Il vecchio Direttore rimandava i padri di famiglia all'Ispettore scolastico, dopo aver difeso la futura supplente con la prova degli ottimi esami. Se qualche altra avesse fatto meglio, sarebbe stata presa a supplire in quella classe aggiunta. Nessuna ingiustizia, nessuna particolarità...

– Ma sì!

Il cavalier Claudio Torchiara, ispettore scolastico, era del paese e amico intimo di Gregorio Alvignani. A lui i reclami si ritorcevano sotto altra forma e sotto altro aspetto. Voleva l'Alvignani rendersi impopolare con quella protezione scandalosa?

E invano il Torchiara s'affannava a protestare che l'Alvignani non c'entrava né punto né poco, che quella della maestra Ajala non era nomina governativa. Eh via, adesso! Che sostenesse ciò il Direttore del Collegio, *transeat!*, ma lui, il Torchiara, ch'era del paese; eh via! Bisognava aver perduto la memoria degli scandali più recenti...

Era venuta dunque così, dall'aria, quella nomina dell'Ajala? E, in coscienza, se il Torchiara avesse avuto una figliuola, sarebbe stato contento di mandarla a scuola da una donna che aveva fatto parlare così male di sé? Che fior di maestra per le ragazze!

Se a Marta, ogni dì più oppressa dalla crescente miseria, mentre furtivamente, non compresa dai suoi, chiusa nella sua cameretta, si preparava a quegli esami, si fosse per un momentino affacciato il pensiero che avrebbe incontrato, sott'altro aspetto, quasi la stessa vigliacca e oltraggiosa rivolta popolare; forse le sarebbe a un tratto caduto l'animo. Ma spronavano allora la sua baldanza giovanile da un canto troppa ansia di risorgere, dall'altro la miseria in cui senza riparo ella e la sua famiglia precipitavano e la coscienza del proprio valore e la santità del suo sacrifizio per la madre e la sorella. Pensava allora soltanto a vincere la prova; sarebbe poi riuscita nel suo intento, avvalendosi della prova superata.

Ora, ora intendeva lo stupore doloroso della madre e della sorella all'annunzio della sua animosa determinazione. E ancora non le era arrivata agli orecchi la calunnia di cui la gente onesta si armava per osteggiarla, per ricacciarla bene addentro nel fango da cui smaniava d'uscire!

La vecchia Sabetti era intanto venuta ad annunziarle, addolorata, che al posto già promesso a lei avrebbe insegnato la Breganze, nipote d'un consigliere comunale.

Nel frattempo, alla notizia inattesa che Marta intendeva darsi all'insegnamento, la pietà di Rocco Pentàgora, prossima a cangiarsi in rimorso, improvvisamente adombrata, s'era cangiata, invece, in dispetto.

Egli non vide in quella determinazione di Marta le strette della necessità, l'urgenza di provvedere ai bisogni primi della famiglia, ai quali lui stesso di nascosto avrebbe voluto provvedere; vide soltanto l'ardita e sprezzante volontà di lei di levar la fronte contro tutto il paese, quasi dicendo: «Basto a me stessa e ai miei: non mi curo della vostra condanna». E si sentì messo da parte; non solo non curato, ma anche disprezzato e deriso dalla moglie. E una smania rabbiosa cominciò ad agitarlo, la quale si manifestava specialmente in uno sdegno incomprensibile per la professione ch'ella voleva darsi a esercitare:

– La maestra! La maestra! Colei che fu mia moglie, ora deve fare la maestra!

E non se ne poteva dar pace, come se fare la maestra significasse un disonore per il nome che aveva portato.

Intanto, come impedirglielo? come farsi vivo? come farle sentire che non poteva non curarsi di lui, spezzare la catena, sottrarsi al peso morto d'un legame, a cui non s'era mantenuta fedele?

E le smanie crescevano... Un nuovo scandalo? una nuova vendetta? Si sarebbe prestato a fomentare la calunnia della pretesa relazione tra Marta e l'Alvignani, pubblicando le lettere che questi le aveva scritte? No, no! Il ridicolo sarebbe caduto più apertamente sopra di lui. Tanto, il paese credeva a quella relazione scandalosa, e il partecipare alla calunnia gli avrebbe fatto soltanto sentire vieppiù l'impotenza sua contro colei che mostrava di non curarsi né di lui né di nessuno. Meglio anzi fare in modo che quella calunnia si sventasse.

Sì... ma come? E qui un sorgere e un immediato abortire di propositi contrarii, ora dettati dall'odio per l'Alvignani, e furibondi, ora dalla stizza, ora dall'amor proprio ferito, ora dalla generosità.

Usciva di casa, senza direzione. A un tratto, si ritrovava per la strada del sobborgo, presso alla concerìa di Francesco Ajala. Che era venuto a fare fin qua? Oh, se avesse potuto vederla... Ecco la vecchia casa... Adesso ella abitava più giù... dopo la chiesa... E si avanzava càuto, guardando furtivamente ai rari balconi illuminati. Al primo rumore di passi in distanza, per la strada solitaria, tornava indietro per non farsi scorgere in quei dintorni; e rincasava.

Ma il giorno appresso, daccapo.

Perché quella smania di rivedere Marta, o meglio, di farsi rivedere da lei? Non lo sapeva neppur lui. Se la immaginava vestita di nero, come Niccolino l'aveva veduta quel giorno, in chiesa.

– Sai? Più bella di prima!

Ma ella, certo, non lo avrebbe guardato; avrebbe abbassato subito gli occhi scoprendolo da lontano. Fermarla per istrada? parlarle? Follie! E che avrebbe pensato la gente? E lui, che le avrebbe detto?

In tali condizioni di spirito, una mattina, si recò in casa di Anna Veronica.

Nel vederselo davanti, pallido, sconvolto, Anna restò.

– Che vuole da me?

– Scusi dell'incomodo... Stia, stia seduta, prego. Prendo la seggiola da me.

Ma tutte le seggiole erano ingombre di biancheria ammonticchiata, e Anna dovette alzarsi per liberarne una.

– Quanta bella roba... – fece Rocco, imbarazzato.

– Della baronessa Troìsi.

– Per la figlia?

Anna accennò di sì col capo, e Rocco trasse un sospiro, contraendo la fronte e infoscandosi. Si ricordò dei preparativi delle sue nozze, del corredo di Marta.

– Ecco la seggiola, – gli disse Anna, con impacciata premura.

Rocco sedette, cupo. Non sapeva da qual parte incominciare il discorso. Restò un momento con le ciglia aggrottate, gli occhi bassi, insaccato nelle spalle, come in attesa di qualche cosa che dovesse cadergli addosso. Anna Veronica, ancora presa dallo stupore, lo spiava in volto acutamente.

– Lei... già saprà... m'immagino, – cominciò egli finalmente, impuntando a ogni parola, senza alzar gli occhi. – So che è amica di casa di... e anzi...

S'interruppe; non poteva seguitare in quel tono, in quella positura. Si scosse, alzò la testa e guardò Anna in faccia.

– Senta, signora maestra, io credo che... sì, io non credo a ciò che la gente va dicendo contro di... Marta, adesso, per questa sua nuova pazzia...

– Ah, – fece Anna, crollando il capo con un mesto sorriso. – La chiama pazzia, lei?

– Più che pazzia! – rispose Rocco, pronto, con ira. – Scusi...

– Non so che vada dicendo la gente, – riprese Anna. – Me l'immagino... E lei fa bene, signor Pentàgora, a non crederci; tanto più che nessuno meglio di lei può sapere...

– Non parliamo di questo! non parliamo di questo, la prego! – saltò a dir Rocco, ponendo le mani avanti. – Non sono venuto per parlare del passato.

– E allora? Scusi, se lei stesso dice che non crede... – tentò d'aggiungere Anna.

– Che cosa? Sa che dice la gente? – domandò egli con voce alterata. – Che la corrispondenza con l'Alvignani séguita... Ecco!

– Séguita?

– Sissignora. E questo perché? Per l'eterna sua smania di comparire! Ma come... tu sai ciò che ti pesa addosso, sai quello che hai fatto, e hai il coraggio

d'uscire in piazza a sfidare la maldicenza del paese? La gente parla... Sfido! Come ha ottenuto quel posto?
– Ma si sa! – fece Anna con amarissimo sdegno. – Così soltanto oggi si ottengono i posti! E sono loro, i tanti guardiani dell'onestà che ha il nostro paese, che insegnano il modo e la via... Fate così, perché tanto... lo facciate o no, è tutt'uno; per noi sarà sempre come se l'aveste fatto. Sciocca Marta, dunque, che non l'ha fatto, è vero? Che le ha giovato? Chi ci crede?
– Io non ci credo, le ho detto, – rispose Rocco, infoscandosi maggiormente.
– E pur nondimeno ritengo che, se la gente sparla, non ha tutti i torti... Che vuole che si capisca d'esami fatti più o meno bene? Si pensa all'intrigo, si pensa! Eh, non vuol guardarci, lei, da quest'altro lato... Ecco perché può scusarla!
– Non solo, sa? – gridò Anna, levandosi, – ma anche lodarla, signor Pentàgora! Io lodo Marta e l'ammiro! Perché entro nella coscienza di quella povera figliuola e, se ci vedo un rimorso per gli altri che penano per lei ingiustamente, non ci trovo però né macchia né peccato, davanti a Dio! Ci trovo il bruciore per le offese, per gli oltraggi patiti, ci sento un grido: «Ora basta!». Ma sa lei come sono ridotte? Sa che non hanno più neanche da mangiare? A chi spettava di sostenere la madre e la sorella? di rialzarle un po' dalla miseria? So io, so io il sacrifizio che le è costato, povera Marta! O dovevano morire di fame per far piacere a lei e al paese?
Rocco Pentàgora si alzò anche lui, stravolto, con la faccia pezzata qua e là di rosso; s'aggirò smaniosamente per la stanza, tastando i mobili, agitando continuamente le dita; poi s'accostò ad Anna, con gli occhi torvi, le afferrò le mani:
– Senta, signora maestra... Per carità, le dica... le dica che rinunzii all'idea di... di far la maestra; che... che non dia più cagione alla gente di sparlare e... e provvederò io, dica così, ai bisogni della sua famiglia, senza... senza farlo sapere a nessuno... neanche a mio padre, s'intende! Glielo prometto su la santa memoria di Francesco Ajala! Non lo faccio per amore, creda! lo faccio per decoro, di lei e mio... Glielo dica...
Anna Veronica promise di far l'ambasciata: e poco dopo egli, ripetendo raccomandazioni e promesse, andò via più turbato e smanioso di com'era venuto.
– Per decoro, non per amore... Glielo dica. Per decoro! siamo intesi...

XIII.

Anna Veronica scappò in fretta dalle Ajala, appena andato via Rocco Pentàgora.
– Dov'è Marta? – domandò piano a Maria, ponendosi un dito su le labbra.
– Nella sua camera... Perché?
– Zitta! Piano!
Fece segno alla signora Agata d'accostarsi; si guardò d'attorno:
– Lasciatemi sedere... Tremo tutta... Ah, care mie, se sapeste! Indovinate chi è venuto da me, poco fa? Il marito di Marta!
– Rocco! Lui! – esclamarono insieme, sottovoce, Maria e la madre, stupite.
Anna si ripose il dito su le labbra.
– Come un pazzo, – aggiunse, agitando le mani per aria. – Ah che paura! La ama ancora, ve lo dico io! Se non fosse... Ma sentite: dunque, è venuto da me. Io, dice, non credo alle calunnie della gente...
– E allora? – scappò dal cuore alla madre.
– Giusto così: e allora? gli ho detto io, come te. Ma egli, Marta, dice, – aspetta! – non doveva, dice, esporsi alla malignità della gente, far la maestra, insomma... N'è sdegnato, avvilito... Basta: sapete, care mie, che m'ha propo-

sto? Che io induca Marta a rinunziare alle sue idee... Provvederà lui, dice, ai bisogni vostri; tanto perché la gente non sparli più.

– E nient'altro? – sospirò a questo punto la signora Agata. – Ah, con un po' di danaro soltanto, somministrato di furto, come in elemosina, intende di chiudere la bocca alla gente? E domani non si dirà che il denaro ci venga da altra mano? Oh sciocco e vile!

– No! no! – riprese Anna. – Non dire così... È innamorato, credi a me... Ma c'è quel cane giudeo del padre, capisci? e finché c'è lui... Se Marta intanto volesse scrivergli un biglietto...

– A chi?

– A lui, al marito! da intenerirlo; una lettera come lei sola sa scriverne... Questo sarebbe proprio il momento! «Tu sai bene», dovrebbe dirgli, «quanto ci sia stato di vero... e ora vedi come sono trattata? ciò che si dice di me?» Ah, se volesse scrivergli queste due parole... Tanto più che me l'ha chiesta lui una risposta... Che ne dite?

– Marta non lo farà! – disse Maria, scotendo il capo.

– Proviamo! – replicò Anna. – Volete che le parli io? Dov'è?

– Di là, – accennò la signora Agata. – Ma temo che non sia il momento...

– Vado io sola, – aggiunse Anna, levandosi.

Marta era stesa sul lettuccio, con le braccia conserte sul guanciale e la faccia nascosta; appena sentì schiudere l'uscio restrinse le braccia e vi cacciò più addentro il volto.

– Sono io, Marta, – disse Anna, richiudendo l'uscio pian piano.

– Lasciami, per carità, Anna! – rispose Marta, senz'alzare la testa, agitandosi sul letto. – Non tentare di confortarmi!

– No, no, – s'affrettò a soggiungere Anna Veronica, accostandosi al lettuccio e posandole lieve una mano su le spalle. – Volevo soltanto vederti...

– Non voglio veder nessuno, non posso sentire nessuno, in questo momento! – riprese Marta smaniosamente. – Lasciami, per carità!

Anna ritrasse subito la mano, e disse:

– Hai ragione...

Attese un pezzo, poi riprese sospirando:

– Troppo bello... troppo facile sarebbe stato! T'immaginavi che la gente non dovesse impedirti d'andare per la strada che ti sei aperta col lavoro, con l'ingegno, col coraggio... Ma a che servono, cara mia, queste cose? Protezioni ci vogliono! Ne hai? No... Si va avanti con queste soltanto; e ognuno giudica come pensa...

Marta levò improvvisamente la testa dal guanciale e disse con ira:

– Ma se l'avevano promesso a me, quel posto!

– Sì, – replicò subito Anna, – ed è infatti bastato questo soltanto, questa semplice promessa non mantenuta, perché la gente cominciasse a gridare che tu eri protetta da qualcuno...

– Io? – fece Marta, non comprendendo dapprima e guardando negli occhi Anna Veronica. Poi diede un grido: – Ah!... Io... io... – E non poté dir altro; si premette il volto con le mani; poi proruppe: – Eh già! sì... sì... così deve credere la gente! Ci sarà chi va spargendo questa nuova calunnia!

– Lui, no, sai? tuo marito, no, – disse subito Anna. – È venuto da me apposta, per dirmelo.

– Rocco? – esclamò Marta, sbalordita, tentando invano d'aggrottare le ciglia. – Rocco è venuto da te?

– Sì, sì, poco fa... per dirmi che non ci crede!

– Da te? lui?

Lo sbalordimento impediva ancora all'odio di trovare la ragione di quella visita.

– E che vuole?

– Vuole... – rispose Anna, – vorrebbe che tu...

– Sai che vuole? – scattò Marta, con gli occhi lampeggianti. – Gli è mancato il coraggio; ha rimorso, da un canto; e, dall'altro io ho tentato di alzare la testa, è vero? ebbene, e lui, giù! vorrebbe farmela riabbassare, giù! giù! nel fango in cui m'ha gettata! Questo vuole! Io non debbo più respirare; non debbo cancellarmi dalla fronte, qua, il marchio, il marchio con cui ha creduto di bollarmi! Questo vuole! Oh, se gli do questa soddisfazione, di rimanere appiattata nel fango, come una ranocchia ch'egli possa schiacciare col piede, se gliene venga la voglia; se gli do questa soddisfazione, sai? ma sarebbe anche capace di mantenermi, di darmi da vestire e da mangiare, a me e ai miei...

Anna la guardò sorpresa e dolente.

– Non vuole questo, di'? – incalzò Marta. – Ho indovinato? Vuoi darlo davvero a conoscere a me? Gli leggo in fronte, come in un libro, ciò che gli passa per il capo!

– Se tutto questo volessi scriverglielo... – arrischiò timidamente Anna.

– Io? a lui?

– Perché vorrebbe una risposta...

– Da me? – fece Marta, con sdegno. – Io, scrivere a lui? Ma io... guarda, piuttosto... giacché nulla è valso per costoro e la mamma e Maria per vivere debbono avvilirsi con me al servizio altrui... io, guarda, a un altro piuttosto scriverei... a Roma...

– No, Marta! – esclamò Anna, afflitta.

– No... no... – si disdisse subito Marta, rovesciandosi di nuovo sul letto, con la faccia affondata nei guanciali. – No... lo so! Morire di fame, piuttosto...

Anna Veronica non seppe dirle più nulla. Carezzò con gli occhi pietosi, sul letto, quel corpo fiorente, scosso dal pianto; con una mano le rassettò sui piedi un lembo della veste che le si era rimboccato su la gamba.

Sospirò e uscì dalla camera.

Né la signora Agata né Maria, rivedendola, le domandarono nulla. Tutt'e tre stettero in silenzio un lungo tratto, con gli occhi fissi nel vuoto.

– Se tu andassi dal Torchiara? – suggerì Anna, alla fine.

La signora Agata la guardò, come per dire: «A far che?».

– È un'ingiustizia, – aggiunse Anna. – Qualche cosa il Torchiara ti dirà... Anche per sentire... Potete durare così?

Da due giorni, infatti, Marta non prendeva quasi cibo, buttata lì sul letto, irremovibile.

– Che vuoi che mi dica? – sospirò la signora Agata. – Ormai il posto è dato...

– Ma era stato promesso a Marta, prima! – disse Anna. – Ti spiegherà... No, senza farti illusioni, lo so; ma ti dirà almeno qualche buona parola. Per scuotere questa povera figliuola... Sù, Agata mia, va'... Ora stesso! Lo so, è un sacrificio...

– Per me? – fece desolatamente la signora Agata, levandosi e aprendo le braccia.

Tutto per lei, ormai, era come niente. Non aveva più volontà. Si appuntò la cuffia vedovile su i capelli divenuti grigi in pochi mesi, e disse:

– Per me, vado subito...

Come se avesse veramente da vergognarsi di qualche cosa, schivava però per via gli sguardi della gente. Erano tanti, tutto il paese era per l'ingiustizia, per la condanna; e s'era nascosto il marito, l'uomo che non aveva chiesto mai nulla, che non s'era mai inchinato ad alcuno. Che era lei? Una povera donna era, sbigottita da quella ingiustizia, sbigottita dalla sciagura; e si vergognava, sì, della miseria, si vergognava della veste che aveva indosso. Marta, Marta avrebbe dovuto starsene rassegnata e dimessa, ad aspettare giustizia dal tempo: avrebbero lavorato tutte e tre insieme, nell'ombra, e tirato innanzi alla meglio; senza andare a suscitare di nuovo tutta questa guerra.

Ecco la casa del Torchiara. Salì a stento, ansimando, la scala; davanti all'uscio prima di sonare, si nascose il volto con le mani.

– È solo? – domandò per prima cosa alla serva, che venne ad aprirle.

– No, c'è il professor Blandino, – le rispose questa.

– Allora... aspetto qua?

– Come vuole... Intanto, l'annunzio.

Poco dopo, il cavalier Claudio Torchiara, scostando con una mano la tenda dell'uscio e rialzandosi con l'altra sul naso le lenti fortissime da miope che gli rimpiccolivano gli occhi, chiamò:

– Venga avanti, favorisca, signora!

La prese per mano e la condusse davanti al canapè dello studio.

La signora Agata, inchinando il capo con un sorriso mesto, sedette in un angolo del canapè.

– Il professor Luca Blandino, – aggiunse il Torchiara, presentandolo.

– Conosco... conosco... – interruppe l'uomo calvo e barbuto, porgendo distrattamente la mano alla signora che guardava imbarazzata. – La vedova di Francesco Ajala? Gran galantuomo, suo marito!

Il Torchiara sospirò, rialzandosi una seconda volta sul naso le lenti legate in grossi cerchietti d'oro. Vi fu un momento di silenzio, durante il quale la signora Agata frenò a stento le lagrime.

– Com'è vero, – riprese il Blandino, con gli occhi chiusi, le braccia conserte, – com'è vero che la nostra condotta è per gli altri giusta o ingiusta, non in virtù della sua natura intrinseca, ma in virtù d'ordini estrinseci... Come abbiamo giudicato noi Francesco Ajala? Lo abbiamo giudicato col vocabolario di cui comunemente ci serviamo parlando d'obblighi e di doveri, cioè senza penetrare affatto nel codice particolare prescritto a lui dalla sua stessa natura e redatto, per così dire, dalla sua educazione. Purtroppo così giudichiamo noi!

E si alzò.

– Te ne vai? – gli domandò il Torchiara.

Il Blandino non rispose: si mise a passeggiare per la stanza con le ciglia corrugate e gli occhi semichiusi, non intendendo affatto, nella sua distrazione, di quanto impaccio fosse alla signora la sua presenza e quanto sconveniente.

– Ella mi fa l'onore di questa visita per la sua figliuola, è vero, signora? – domandò piano il Torchiara, guardandola con aria di rassegnazione e di scusa per la presenza del Blandino, come se volesse dirle: «Pazienza! bisogna compatirlo: è fatto così...».

Al Torchiara però non rincresceva affatto la presenza del Blandino. Lo aveva anzi trattenuto apposta all'annunzio della visita, per far che questa non durasse troppo e non riuscisse soverchiamente penosa all'ottimo suo cuore, sensibilissimo. Gli toccava infatti di togliere le ultime speranze a quella povera madre... Ma era troppo presto, ecco, per una nomina, fosse pur temporanea, di semplice supplenza... Carriera difficile, difficilissima, quella dell'insegnamento! Bisognava attendere ancora un po', ecco... Oh, l'avvenire sarebbe stato piano, ridente di belle promesse per la giovine maestra, senza dubbio! Come, come? La Breganze? Ah sì... E a questa interrogazione molto imbarazzante per l'ottimo suo cuore, il cavalier Torchiara si grattò il capo con un dito e si rialzò una terza volta sul naso le lenti. Sì, la Breganze, la nipote del consigliere Breganze, amico suo... Nessuna inframmettenza, badiamo! Precedenza soltanto, questione di precedenza, ecco... Non di valore! Per quanto la Breganze, brava insegnante anch'essa, via... Ma egli sapeva bene che il valore della giovine maestra Ajala era incomparabilmente superiore... oh sì! oh sì!

A Luca Blandino, mentre passeggiava assorto nei suoi pensieri, con le mani congiunte dietro la schiena, giungevano alcune frasi a mezzo, che gli facevano corrugare vieppiù le ciglia, di tratto in tratto. Non intese nulla del penosissimo dialogo; notò solo l'espressione d'angoscioso smarrimento, di profonda disperazione sul volto della signora Ajala, quando si alzò e chinò il capo in segno di saluto.

– Auff! – sbuffò il Torchiara, dopo avere accompagnato la signora fino alla porta, rientrando in salotto. – Non ne posso più di questa maledetta faccenda! La compatisco, povera signora. Ma che posso farci io, se la figliuola... Tu m'intendi! Abbiamo la disgrazia di vivere in una piccola città, dove certe cose non si sanno perdonare, né dimenticare... Non posso mica mettermi, signor mio, contro tutto il paese, Orazio sol contro *Beozia* tutta!

– Di che si tratta? – domandò il Blandino.

– Miserie, caro, miserie! Della più tremenda: quella in abito nero! Di pane si tratta... Ma che posso farci, signore Iddio benedetto? Me n'affliggo, e basta.

E spiegò al Blandino le ragioni della visita della signora Ajala.

– Come? E tu l'hai mandata via così? – esclamò il Blandino, in risposta. – Ohi ohi ohi... m'hai tutto scombussolato... Come? Perdio! Ma qui bisogna agire, riparare... e subito!

Il Torchiara scoppiò a ridere.

– Dove vuoi andare adesso?

Il Blandino, tutto agitato, s'era messo a correre per la stanza.

– Il cappello... Dove ho lasciato il cappello?

– La testa! la testa! – esclamò il Torchiara, ridendo ancora. – Cerca la testa piuttosto!

Lo afferrò per un braccio.

– Vedi? Poi ti dicono pazzo! Prima hai preso le parti del marito, nel duello; adesso vuoi difendere la moglie?

– Ma io non giudico come voi! – gli gridò Luca Blandino. – Io giudico secondo i casi: non mi traccio, come voi, una linea: fin qui è male, fin qui è bene... Lasciami agire da pazzo! Vado a scrivere un letterone d'improperii a Gregorio Alvignani... Ah, lui, il grand'uomo, se ne deve uscire così, dopo aver gettato nell'ignominia e nella miseria un'intera famiglia? Ma sai che le lettere gliele buttava dalla finestra come un ragazzino? Ti saluto... ti saluto...

E il Blandino scappò via, tra le risa sforzate del cavalier Claudio Torchiara.

XIV.

Circa tre mesi dopo, inaspettatamente, venne a Marta un invito del Direttore del Collegio.

La vecchia portinaja Sabetti, che aveva recato dolente la cattiva notizia della supplenza accordata alla Breganze, entrò questa volta gridando, tutta esultante:

– Signorina! Signorina! La avremo con noi! Con noi, signorina bella! Tenga, legga questo biglietto...

Fu, nella squallida desolazione, come un raggio di sole improvviso. Marta diventò in volto di bragia.

– Che felicità! – seguitava la vecchia Sabetti, gestendo con fuoco. – La maestra Flori della seconda preparatoria, se ne torna lassù, fuorivia! Ha ottenuto il trasloco, Dio sia lodato! Le ragazze rifiateranno...

– Debbo recarmi in giornata al Collegio... – annunziò Marta con voce tremante dalla commozione, dopo aver letto l'invito.

– Sissignora! – riprese la vecchia portinaja. – E vedrà che è per questo! Ne sono sicura!

– Ma come! – osservò Marta. – La Flori, trasferita?

– Traslocata, sissignora! Fortuna, le dico, per le povere ragazze... Che pittima!

– Con l'anno scolastico già cominciato? – osservò Marta, non sapendo che pensare.

– Il Torchiara, forse... – sfuggì alla signora Agata.

E riferì alla figlia la visita fatta di nascosto all'Ispettore scolastico.

Poco dopo, mentre si vestiva per recarsi al Collegio, passata la prima commozione, Marta intuì a chi doveva quella nomina tardiva: n'ebbe una scossa, e sentì mancarsi a un tratto la forza d'agganciare il busto alla vita.

Ricominciò la guerra fin dal primo giorno di scuola.

Già le altre maestre del Collegio, oneste e brutte zitellone, se la recarono subito a dispetto. Gesù, Gesù! un breve saluto, la mattina, con le labbra strette, e via; un freddo, lieve cenno del capo, ed era anche troppo! Un'onta per la classe delle insegnanti! un'onta per l'Istituto! Il mondo, sì, intrigo: per riuscire, mani e piedi! ma onestamente, oh! Anzi, *onoratamente*...

E, sotto sotto, comentavano con acre malignità il modo con cui il Direttore e gli altri professori del Collegio fin dal primo giorno si erano messi a trattare l'Ajala; e rimpiangevano quella cara maestra Flori che non avrebbero più riveduta. La Flori: che pena!

Riusciti vani i nuovi e più aspri reclami delle famiglie, le ragazze (assentatesi per alcuni giorni dalla scuola all'annunzio della nomina di Marta) cominciarono man mano a ripigliare le lezioni; ma cattive, astiose, messe sù evidentemente dai genitori contro la nuova maestra.

A nulla giovò l'affabilità con cui Marta le accolse per disarmarle fin da principio; a nulla la prudenza e la longanimità. Si sottraevano sgarbatamente alle carezze, si mostravano sorde ai benevoli ammonimenti, scrollavano le spalle a qualche rara minaccia; e le più cattive, nell'ora della ricreazione in giardino, sparlavano di lei in modo da farsi sentire o, per farle dispetto, accorrevano ad attorniare le antiche maestre e a carezzarle, piene di moine e di premure, lasciando lei sola a passeggiare in disparte.

Ritornando a casa, dopo sei ore di pena, Marta doveva fare uno sforzo violento su se stessa per nascondere alla madre e alla sorella il suo animo esasperato.

Ma un giorno, ritornando più presto dal Collegio, accesa in volto, vibrante d'ira contenuta a stento, appena la madre e Anna Veronica le domandarono che le fosse avvenuto, ella, ancora col cappellino in capo, scoppiò in un pianto convulso.

Esaurita finalmente la pazienza, vedendo che con le buone maniere non riusciva a nulla, per consiglio del Direttore s'era messa a malincuore a trattare con un po' di severità le alunne. Da una settimana usava prudenza con una di esse, ch'era appunto la figlia del consigliere Breganze, una magrolina bionda, stizzosa, tutta nervi, la quale, messa sù dalle compagne, era giunta finanche a dirle forte qualche impertinenza.

– E io ho finto di non udire... Ma quest'oggi alla fine, poco prima che terminasse la lezione, non ho saputo più tollerarla. La sgrido. Lei mi risponde, ridendo e guardandomi con insolenza. Bisognava sentirla! «Esca fuori!» «Non voglio uscire!» «Ah! no!» Scendo dalla cattedra per scacciarla dalla classe: ma lei s'aggrappa alla panca e mi grida: «Non mi tocchi! *Non voglio le sue mani addosso!*». «Non le vuoi? Via, allora, via! esci fuori!» e fo per strapparla dalla panca. Lei allora si mette a strillare, a pestare i piedi, a contorcersi. Tutte le ragazze si levano dalle panche e le vengono intorno; lei, minacciandomi, esce dalla classe, seguìta dalle compagne. È andata dal Direttore. Questi non mi dà torto in loro presenza; rimasti soli, mi dice che io avevo un po' ecceduto; che non si debbono, dice, alzar le mani su le allieve... Io, le mani? Se non l'ho toccata! Alla fine però accetta le mie ragioni... Ma Dio, Dio; come andare avanti così? Io non ne posso più!

Il giorno appresso, intanto, il padre della ragazza, il consigliere cavaliere ufficiale Ippolito Onorio Breganze, andò a fare una scenata nel gabinetto del Direttore.

Era furibondo.

L'obesità del corpo veramente non gli permetteva di gestire come avrebbe voluto. Corto di braccia, corto di gambe, portava la pancetta globulenta in qua e in là per la stanza, faticosamente, facendo strillare le suole delle scarpe a ogni passo. Alzare le mani in faccia alla sua figliuola? Neanco Dio, neanco Dio doveva permetterselo! Lui, ch'era il padre, non aveva mai osato far tanto! Si era forse tornati ai beati tempi dei gesuiti, quando s'insegnava a colpi di ferula su la palma della mano o sul di dietro? Voleva pronta e ampia soddisfazione! Ah sì, perrrdio! Se la signora Ajala aveva valide protezioni e preziose amicizie, lui, il consiglierrr Breganze, avrebbe rrreclamato rrriparazione e giustizia più in alto, più in alto (e si sforzava invano di sollevare il braccino) – sissignore, più in alto! a nome della Morale offesa non solo dell'Istituto, ma dell'intero paese.

E *dri dri dri* – strillavano le scarpe.

Il Direttore non riusciva a calmarlo. Gli veniva quasi da ridere: in paese si diceva che colui non era veramente il padre della sua figliuola. Ma il consigliere Ippolito Onorio Breganze, paonazzo in volto, non poteva accontentarsi della semplice riprensione fatta a quattr'occhi alla maestra: pretendeva, esigeva una grave, una seria punizione! A lui, adesso, non istava più a cuore soltanto la sua cara piccina, ma anche «la salute morale, signor Direttore, di tutto il paese scandalizzato!». Non era forse a conoscenza il signor Direttore di quanto era avvenuto? non sapeva a qual donna si era affidata l'educazione delle tènere menti, delle gracili anime?

– È un'im-mo-ra-li-tà! – tuonò alla fine con tutta la voce, sillabando. – O ci rrrimedia lei, o ci rrrimedio io. Vado a far reclamo formale all'Ispettore scolastico! La rrriverisco.

E cacciandosi di furia in capo, puhm! il cappello a stajo, se ne andò. Entrava il bidello. Si diedero un inciampone così forte, che per poco non si gettarono a terra tutti e due.

– Scusi...

– Scusi...

E *dri dri dri*...

Due giorni dopo, il Direttore del Collegio fu chiamato dall'Ispettore scolastico.

Da due mesi il Torchiara notava, costernato, il grave danno che quella nomina della maestra Ajala produceva in paese alla posizione politica non ancora assodata dell'Alvignani. «Signor mio, il cuore è stato sempre il gran nemico della testa!», aveva ripetuto più volte a se stesso. Perché si dilettava, il cavalier Claudio Torchiara, di formulare aforismi, intercalandovi di solito quel *Signor mio* anche quando gli enunziava a una donna o, per solitario spasso, a se medesimo.

La visita furibonda del consiglier Breganze lo aveva lanciato addirittura in un mare di confusione. Adesso, dunque, pure il Municipio si sarebbe voltato contro l'Alvignani? Aveva promesso al Breganze riparo e soddisfazione, ora invitava il Direttore del Collegio; vagliando e traendo giudizio dalle opposte versioni del fatto, avrebbe scritto all'Alvignani per provvedere alla meglio e salvare all'uopo, come suol dirsi, capra e cavoli. In ultima analisi, pazienza per la capra. I cavoli, in questo caso, erano i voti con cui Gregorio Alvignani era stato eletto deputato.

Il Direttore del Collegio, sebbene stanco ormai delle noje che gli aveva cagionate involontariamente quella maestra, difese pure Marta davanti all'Ispettore, per debito di coscienza.

– Capisco, capisco, – gli rispose il cavalier Torchiara. – Ma l'ingegno, signor mio, e la volontà di far bene non bastano; bisogna pure guardare, guardare nella vita privata, la quale, signor mio, influisce, ha il suo peso e non poco su la considerazione, in cui le allieve debbono tenere la propria maestra, mi spiego?... la quale...

Ma il Direttore era venuto da poco in paese; non sapeva i precedenti della maestra; ammirato invece del grande valore di lei, credeva meritasse ogni considerazione!

– E ne terremo conto! – esclamò il cavalier Torchiara. – Come no? ne terremo conto, tanto più che io so in che tristi condizioni versi la famiglia di lei, la quale... Non dubiti, si provvederà, con un trasferimento, per esempio, vantaggioso per la maestra... Intanto, signor mio, il naso bisogna pur cacciarlo fuori della scuola... e... e tener conto dei reclami del pubblico, il quale... Ecco, pare tuttavia che la signora maestra, per quanto, non dico di no, provocata e anche in certo qual modo scusabile... pare abbia... sì, dico, ecceduto un tantino... Eh già! Il Breganze, signor mio, personaggio di conto... eh!... e anche nell'interesse della maestra, sarà meglio dargli qualche soddisfazioncella, perché la cosa non esca dalle sfere scolastiche, mi spiego?... Senta, facciamo così. Lei persuada la maestra Ajala a darsi per ammalata per una quindicina di giorni, e intanto chiami una supplente perché le alunne non abbiano a soffrirne nello svolgimento del programma, il quale... Nel frattempo si provvederà. Va bene così?

E lo stesso giorno scrisse una lunga lettera confidenziale al *suo caro Gregorio*, scongiurandolo di far tutto il possibile per ottenere il trasferimento della sua «raccomandata» – causa per lui di gravissimi danni. Non s'illudeva su le difficoltà; ma a lui, all'Alvignani, dopo lo splendido discorso alla Camera dei Deputati nella discussione del bilancio della pubblica istruzione (discorso che, d'un colpo – non per adularlo! – gli aveva creato una vera posizione parlamentare, come tutti i giornali assicuravano), nessuna difficoltà doveva riuscire insormontabile. Per quell'anno, del resto, la maestra Ajala poteva andare come supplente nel Collegio Nuovo in Palermo (posto vacante).

In attesa di così grave decisione, Marta fu costretta a prolungare di altri quindici giorni «la sua malattia». Dopo circa un mese arrivarono due lettere dell'on. Alvignani, una per Marta, l'altra per l'ispettore Torchiara.

Nel ricever quella lettera, Marta provò un vivissimo turbamento. Avvilita dall'impotenza di lottare contro l'ingiustizia patente di tutti; rivoltata della punizione inflittale immeritamente, si sentiva ormai avvelenata d'odio e di bile. Quella lettera le parve un'arma per la vendetta.

Era sapientemente composta; non una anche vaga allusione al passato che potesse in quel momento urtarla; ma, sotto le amare riflessioni su la vita e su gli uomini, tanta intuizione dello stato d'animo in cui ella si trovava! Meglio, meglio chiudersi in un sogno continuo, sopra le volgarità e le comuni miserie dell'esistenza quotidiana, sopra il giogo livellatore delle leggi a un palmo dal fango, rete protettrice dei nani, ostacolo e pastoja a ogni ascensione verso un'idealità!

Le diceva d'aver saputo quanto a lei era toccato di soffrire in quegli ultimi tempi e le annunziava il trasferimento e la nomina, per liberarla dal fango che l'attorniava. Si era presa lui, spontaneamente, questa libertà, sicuro d'interpretare un desiderio che ella non gli avrebbe mai manifestato; e la pregava di lasciarlo fare, di concedere almeno che, da lontano, egli si prendesse cura e si ricordasse sempre di lei. Purtroppo, i mezzi che gli si offrivano per manifestare rispettosamente tutto l'animo suo erano meschini e ristretti!

In capo al foglio, ancora qui, latinamente inciso, il motto:

NIHIL – MIHI – CONSCIO

Un solo rammarico per Marta, per Maria e per la madre, partendo: quello di lasciare Anna Veronica.

Povera Anna! Faceva loro coraggio, ma in fondo al cuore era la più disajutata: esse erano in tre: lei sarebbe rimasta sola, sola, sola, come abbandonata tra nemici. E di nuovo per lei il silenzio, di nuovo la solitudine, i giorni tristi, lunghi, uguali...

– Mi scriverete, però!

Diceva di non voler piangere, e piangeva. Le labbra costrette per forza a sorridere, invece di un sorriso, facevano il greppo.

Volle accompagnarle fino alla stazione ferroviaria a piè del colle su cui sorgeva la città. Durante il tragitto in vettura, non scambiarono una parola. Era una giornata umida, grigia, e la vecchia vettura rimbalzava su i fradici sassi dello stradone scosceso, scotendo continuamente i vetri mal connessi degli sportelli, i quali davano un frastuono irritante.

Quando poi il convoglio stava per partire, Anna Veronica e la signora Agata, rimaste aggrappate l'una all'altra, soffocando i singhiozzi ciascuna su l'omero dell'altra, furono quasi strappate con violenza dal conduttore. Già la vaporiera fischiava, lì lì per mettersi in moto.

Anna rimase col volto bagnato di lagrime e le braccia tese che si andavano lentamente abbassando, man mano che il nero convoglio si allontanava; gli occhi fissi a gli sportelli del vagone in cui le tre amiche erano salite, e da cui ancora fin laggiù, fin laggiù, si agitavano in saluto i fazzoletti...

– Addio... Addio... – mormorava quasi a se stessa, agitando il suo, l'abbandonata.

Parte seconda

I.

Una gaja casetta in via del Papireto, all'ultimo piano, ariosa: quattro lucide stanzette, col pavimento di mattoni di Valenza, con carta da parato un po' sbiadita, sì, ma senza strappi e di tinta gentile. La meno angusta sarebbe servita per la signora Agata e per Maria, che dormivano insieme; quella attigua, per Marta; da letto e da studio: vi si sarebbe adattata volentieri in grazia del balcone che dava su la via del Papireto; le altre due, sala da pranzo e salotto, da metter sù, per bene, col tempo. Delizia della casa, un terrazzo, la cui balaustrata a pilastrini pareva, a guardarla dalla via, una corona che cingesse l'edificio. Quanti fiori vi avrebbe coltivati Maria!

Marta aveva trovato questa casa, guidata da un lontano ricordo. Il padre, nel condurla a Palermo tanti anni addietro, aveva voluto mostrarle il luogo ove da giovane aveva combattuto, il giorno stesso dell'entrata di Garibaldi.

Lì, all'imboccatura di quella via, egli, in compagnia d'altri due volontarii, sparava contro una nuvola di fumo che partiva da lontane case di fronte, ove s'erano appiattate le soldatesche borboniche. Uno dopo l'altro, i due compagni eran caduti: egli seguitava a far fuoco, quasi aspettando che un'altra palla venisse per lui. A un tratto, s'era sentito battere leggermente a una spalla, e dir così:

– Giovanotto, levatevi di qua: siete troppo esposto.

Si era voltato, e aveva veduto Lui, Garibaldi, tutto impolverato, calmo, con le ciglia aggrottate, il quale, scostandolo, si era esposto, senza nemmeno pensarci, al posto che aveva stimato pericoloso per un semplice volontario.

Marta aveva voluto, a sua volta, condurre la madre e la sorella a quella via, per indicar loro il posto. Per caso, alzando gli occhi, aveva scorto un cartello con l'*appigionasi* giusto lì, al portoncino su l'imboccatura del vicolo. E avevano preso a pigione quella casa per memoria del padre, quasi perché il padre stesso ve le aveva condotte.

Maria, con quel ricordo nell'anima, vi si sentiva meno sola e come protetta.

Rassettatesi alquanto, dopo il trambusto, cominciarono tutte e tre a provvedere ai primi bisogni della nuova dimora. Le poche masserizie scampate alla rovina non bastavano più: poveri, malinconici avanzi di naufragio, a cui pur tanti ricordi s'aggrappavano.

Uscivano di casa insieme per qualche compera, senza saper dapprima dove dirigersi. Si fermavano a guardare nelle vetrine di questo o di quel negozio, fuggendo la tentazione di entrare nei più ricchi. Smarrite per le vie della città, tra tanta gente ignota e il moto e il frastuono continui, provavano, nello smarrimento, un certo sollievo: nessuno lì le conosceva; potevano andare di qua, di là, indugiarsi a guardare a loro agio, liberamente, senza attirare gli sguardi maligni della gente. A Marta dava segreto fastidio l'ammirazione che suscitava nei passanti. Talvolta, per essere meno notata, usciva di casa senza rifarsi a modo i capelli.

– Così, così... – diceva a Maria, appuntandosi il cappellino e ravviandosi poi appena appena, in fretta, le ciocche su la fronte.

Ma s'accorgeva, pur senza volerlo, che quel po' di disordine cresceva grazia

alla sua figura: fuggevolmente glielo diceva lo specchio, glielo ripetevano poi
gli sguardi dei passanti e le vetrine delle botteghe.

Al Collegio Nuovo, intanto, era stata accolta con benevolenza dalla vecchia
Direttrice, vera signora piena di garbo e di gusto, degna di presiedere a quel
regio Educandato, ov'era accolto il fiore dell'aristocrazia e del censo.

I modi e la figura di Marta attirarono subito l'attenzione della vecchia Direttrice,
la quale non volle nascondere alla signora Agata il gradimento di avere per maestra «una bella figliola» come quella. Tutto nella vita, su la terra, per la vecchia
signora linda, curata, abbigliata con squisita eleganza, era fatto per la gioventù e
per far sospirare i poveri vecchi. E dicendo ciò sorrideva: ma chi sa da qual
fondo d'amarezza affiorava quel sorriso. Da vecchia, ella ormai non era brutta,
anche perché si dimostrava così affabile e buona; ma da giovane non aveva dovuto esser bella. Tanto maggior merito, dunque, per la sua bontà.

Diede a Marta, con quell'amorevolezza semplice che rassicura, notizia del
Collegio, delle altre insegnanti interne, di tre professori, delle convittrici, di-
pingendo tutti con parole festevoli; parlò dell'orario della scuola, parlò un po'
di tutto; e finalmente accordò a Marta quattro giorni di vacanza.

Marta uscì dal Collegio come abbagliata di quell'accoglienza cordiale, che
riferì poi a Maria, lodando tutto: l'edificio del Collegio, il lusso interno, l'ordine che doveva regnarvi. E dopo il primo giorno di scuola tornò a casa raggiante anche dell'accoglienza che le avevano fatto le convittrici dopo la presentazione lusinghiera della Direttrice.

Al lieto umore di Marta rispondevano in quei giorni i primi accenni in terra
e in cielo della rinascente primavera. L'aria era fredda ancora, frizzante nel
mattino, quand'ella si recava al Collegio; ma era così limpido il cielo e così
puro e saldo quel rigore del tempo che gli occhi erano felici di guardare e il
seno d'allargarsi in larghi respiri. Pareva che l'anima delle cose, serenata finalmente dalla lieta promessa della stagione, si componesse, obliando, in una
concordia arcana, deliziosa.

E quanta serenità, quale freschezza nello spirito, in quei giorni, e che pace
interiore! Si ridestava in Marta il lucido e gajo senso che, da bambina, possedeva della vita. Era paga: aveva vinto; sentiva di far bene, e le piaceva di vivere. Oh che brulichìo sommesso avevano le foglie nuove, al levarsi del sole,
quand'ella passava sotto gli alberi di Piazza Vittorio davanti alla Reggia normanna, e poi sotto quelli del Corso Calatafimi oltre Porta Nuova. La chiostra
dei monti pareva respirasse nel tenero azzurro del cielo, come se quei monti
non fossero di dura pietra.

E andando così, senza fretta, Marta pensava alle lezioni da impartire, e dal
benessere che sentiva, non solamente le idee sgorgavano spontanee, ma quasi
le zampillavano le parole che avrebbe dette, i sorrisi con cui le avrebbe ac-
compagnate. Provava uno stringente bisogno d'essere amata dalle allieve, eppure indugiava in quell'aria fresca della via per godere poi maggiormente del
calore di quell'amore riverente delle alunne, nella tiepida stanza della scuola.

Davvero, davvero erano passati i lugubri giorni; la primavera davvero ritornava anche per lei. Non la terra soltanto scoteva le ombre invernali; anch'ella
poteva sottrarsi all'incubo delle tristi memorie.

In casa, anche la madre e Maria parevano a Marta contente, e ne gioiva in
fondo al cuore, con la coscienza ch'esse erano così per lei. Vivevano tutte e
tre l'una per l'altra, schivando ogni ricordo del passato che le riconducesse
col pensiero al paese natale, donde una sola immagine cara veniva: quella di
Anna Veronica, della quale parlavano spesso, rileggendo le lunghe lettere
ch'ella inviava. Così Anna rimaneva ancora la loro unica amica, l'unica compagna in quella separazione, quasi istintiva ormai, dal mondo.

Degli altri inquilini della casa ricevettero soltanto una visita, che offrì loro
in seguito e per parecchio tempo cagione di molte risa. Si era anche nova-

mente stabilita in Marta la disposizione a scoprire e a rappresentare il ridicolo
nascosto un po' in fondo a tutte le cose e a tutte le persone, ch'ella rifaceva
negli atteggiamenti e nella voce con straordinaria facoltà imitativa. Le gambe
di don Fifo Juè, l'inquilino del secondo piano, e il suo modo di sedere, la par-
lantina e i gesti romantici di sua moglie furono da lei resi con tanta comicità,
che la madre e Maria si tenevano i fianchi dal troppo ridere:

– Basta, Marta, per carità!

Questo don Fifo Juè e la moglie, che si chiamava Maria Rosa, si presentarono parati di strettissimo lutto, con gli occhi bassi, l'espressione compunta,
come se tornassero allora allora da un accompagnamento funebre.

– Visita di convenienza... siamo gl'inquilini del secondo piano, – dissero con
voce flebile a Maria che, aperta la porta, era rimasta perplessa davanti a quei
due sconosciuti. Ed emisero, con un lamento della gola, un breve sospiro.

Introdotti nel «futuro» salotto, don Fifo, lungo e magro, sedette con le gambe
unite, i piedi congiunti, toccando appena il pavimento con la punta delle
scarpe; le braccia conserte, come un ragazzo in castigo. I suoi pantaloni erano
così stretti, che parevano cuciti su le gambe. Donna Maria Rosa, grassa e ru-
biconda, si rialzò su una spalla il lunghissimo e fitto velo di crespo che le pendeva dal cappello sul volto e, sedendo, trasse un altro sospiro lamentoso.

Erano marito e moglie da tre mesi. Da un anno soltanto era morto il primo
marito di donna Maria Rosa, don Isidoro Juè, detto don Dorò, fratello maggiore di don Fifo. E donna Maria Rosa, durante la lunga visita, non parlò che
del marito defunto e del suo primo matrimonio, con le lagrime agli occhi e
nella voce, come se don Dorò fosse morto jeri. Don Fifo, immobile, ascoltava
con gli occhi bassi e le braccia conserte quell'eterno elogio funebre del fratello, di cui egli pareva il sarcofago e la moglie il cenotafio.

Ah, nessuno, nessuno avrebbe saputo ridire tutte le virtù di don Dorò (le
veltù – diceva donna Maria Rosa per parlare in lingua). Ella e don Fifo, mentre Dorò viveva, si erano data la mano per circondarlo di cure e di rispetto.
Egli, Dorò, era stato la loro guida nella vita, il loro maestro. Marito, moglie e
cognato erano vissuti sempre insieme, un'anima in tre corpi.

– Nella pace degli angeli, signora mia!

E Dorò stesso, con le sue labbra, sant'anima! morendo, aveva balbettato ai
due infelici superstiti:

– Fifo, – dice, – ti raccomando Maria Rosa! Consolatevi! Consolatevi! Seguitate a vivere l'uno per l'altra...

– Ah, signora mia! – proruppe a questo punto donna Maria Rosa già al
colmo della commozione, ricordando quelle parole e asciugandosi gli occhi
che erano divenuti due fontane di lagrime, con un fazzoletto listato di nero. –
Noi del resto, – riprese poco dopo, rassettatasi alquanto e soffiatosi strepito-
samente il naso, – noi, del resto, abbiamo domandato consiglio, signora mia, a
tutti i conoscenti, uno per uno, raccomandando che ci ajutassero con la loro
esperienza, che ci dicessero coscienziosamente ciò che avremmo dovuto fare
noi due poveretti rimasti soli, senza la sant'anima! La nostra condizione era
questa: cognati... e dovevamo vivere insieme, sotto lo stesso tetto... la gente
avrebbe potuto sparlare... E tutti, tanto buoni, bisogna dire la verità, ci hanno
consigliato di far questo passo, tutti! Siamo entrambi d'una certa età, è vero;
ma sa, signora mia, la maldicenza com'è? dove non può mettere i piedi, mette
le scale... E in questa città poi...

– Oh, da per tutto! – sospirò la signora Agata.

– Da per tutto, da per tutto, dice bene, signora mia... Così, ci siamo sposati
ch'è poco... Abbiamo dovuto aspettare i nove mesi prescritti dalla legge, benché per me, sa, non ci fosse pericolo, come volevo far notare ai signori del
Municipio: figli, niente; Dio non m'ha voluto consolare; Dorò malaticcio
sempre e deboluccio, signora mi... a. Basta, ci siamo sposati.

Don Fifo pareva tutto appiccicato, e che, movendosi a parlare, si spiccicasse tutto: le labbra, la lingua, le pàlpebre, le pinne del naso. Soltanto le gambe gli restavano appiccicate l'una all'altra. Ma, in fin dei conti, non parlò molto. A un certo punto, ruppe in questa esclamazione:

– Ah, dolori, signora, dolori! Cristo solo lo sa!

E per poco Marta e Maria non scoppiarono a ridergli in faccia.

II.

Marta avrebbe voluto rifare tanto alla madre quanto a Maria la vita comoda e lieta d'una volta, allor che il padre viveva, e prosperava la conceria. E non risparmiava sacrifizii e lavoro. Aveva ottenuto dalla Direttrice del Collegio di dare lezioni particolari alle piccole convittrici delle classi inferiori; e quel che traeva da queste lezioni e lo stipendio mensile dava intatto alla madre, a cui proibiva di lamentarsi della troppa fatica alla quale si sottoponeva giornalmente, senza godere più nulla dei frutti. Ma la madre s'ingannava. Marta non godeva? O non erano frutti del suo lavoro la rinata fiducia nella vita tanto della madre quanto della sorella, e la presente pace? non era premio al suo lavoro il sorriso che ora ritornava spontaneo alle loro labbra? Avrebbe dato il sangue delle vene per vederle ancora più contente, per godere della vista d'altri sorrisi su le loro labbra. E in fondo al cuore si sentiva inebriata della propria generosità, giacché ella nell'intimo suo non s'era mai acchetata all'offesa che il padre le aveva fatto, condannandola cecamente e precipitando la famiglia nella miseria.

L'unica passione di Maria pareva la musica? Ebbene, un pianoforte a Maria, quasi nuovo, da pagare a un tanto al mese. Tenere nella piccola dispensa le derrate per tutto un mese contribuiva a rendere più quieta e paga la madre? Ebbene, contenta anche la madre; e la piccola dispensa era sempre ben provvista.

Don Fifo Juè e la moglie salivano qualche sera a tenere compagnia alle tre donne, e il defunto Dorò continuava a fare le spese della conversazione.

Per loro mezzo Marta venne a sapere che la signora Fana, moglie del Pentàgora, viveva ancora nella più squallida miseria.

– Noi abbiamo una casa in via Benfratelli, signora mia, – disse una sera donna Maria Rosa, – e nell'ultimo piano, in due stanzette, abita una povera donna divisa dal marito. Il marito è un regnicolo delle loro parti... Forse loro lo conosceranno... si chiama... di', Fifo, ti rammenti?

– Fana: Stefana, – rispose Fifo spiccicandosi.

– No, dico lui, il marito...

– Ah, sì... aspetta, Pentàgono!

Maria rise involontariamente.

– Pentàgora, – corresse la signora Agata, per scusare il riso della figlia.

– Lo conoscono?

Donna Maria Rosa volle sapere che uomo fosse, e parlò a lungo della moglie infelice... Né Marta né la signora Agata riuscirono a farle cangiar discorso per quella sera.

Maria s'era ridata con fervore allo studio del pianoforte; e la sera, dopo cena, sonava, mentre la madre cuciva, e Marta nella stanza attigua correggeva i cómpiti di scuola.

Così chiusa, non vista dalla madre e dalla sorella, spesso Marta sospendeva l'ingrato lavoro e, coi gomiti appoggiati sul tavolino e la testa tra le mani, rimaneva attonita, quasi in un'ansia d'ignota attesa, o s'inteneriva fino alle lagrime alla patetica musica di Maria. Una profonda malinconia le stringeva la gola. Non pensava a nulla, e piangeva. Perché? Vago, ignoto dolore, pena d'indefiniti desiderii... Si sentiva un po' stanca, non di spirito, ma nel corpo: stanca... Mentre la madre e la sorella lodavano il suo coraggio, la paragonavano al padre per l'energia, per la volontà; a lei, quelle sere, quasi non riusciva ingrata la sua amarezza, quell'intenerimento indefinito che la faceva piangere e quel languore greve a cui abbandonava con triste voluttà le membra rilassate; la coscienza infine che in quel momento ella si faceva d'esser debole e donna... No, no: non era forte... E infatti, perché piangeva così? Oh, via, via: sciocchezze da bambina... E cercava il fazzoletto, scotendosi; e si rimetteva al lavoro, con nuova lena.

Di questa condizione di spirito di Marta né la madre né Maria s'accorgevano. Ella si guardava bene dal lasciarla trapelare; cercava anzi con ogni arte di non venire mai meno al concetto ch'esse si erano formato di lei. Il suo compito era questo, doveva esser questo. E aveva finanche nascosto alla madre una lettera di Anna Veronica, in cui si parlava a lungo di Rocco, delle furie di costui dopo la loro partenza, di minacce di nuovi scandali, di pazzie...

Perché affliggere la madre con tali notizie? E Marta aveva risposto ad Anna Veronica, che ella non si curava né voleva più sentir parlare di colui, prima sciocco, adesso pazzo; tristo prima e adesso.

Vedeva intanto la madre e la sorella ritornate alle abitudini, alla calma d'una volta, alla vita semplice e tranquilla di prima; e maggiormente, per forza di contrasto, sentiva penetrarsi dal convincimento che lei sola era l'esclusa, lei sola non avrebbe più ritrovato il suo posto, checché facesse; per lei sola non sarebbe più ritornata la vita d'un tempo. Altra vita: altro cammino... La pace, la felicità dei suoi, lo studio, la scuola, le alunne: ecco quello che le restava, ecco la meta del nuovo cammino... – null'altro!

Se ne doleva? No: erano momenti di passeggera tristezza. Dopo la fosca invernata, durante la quale il colore del tempo s'era accordato coi suoi pensieri, si ridestava adesso per quella nuova via al gajo sole di primavera, di cui un raggio era penetrato a frugare, a sommuoverle la torbida posatura di tanti dolori in fondo al cuore: ed era triste per questo; o era effetto della lettera di Anna Veronica o della musica di Maria?

Non voleva più curarsi di sé. La madre si era rimessa a pettinarla ogni mattina; ma lei non voleva che perdesse tanto tempo ad acconciarla.

– Basta, mamma, lascia, così va bene...

E allontanava lo specchietto a bilico che teneva sul tavolino, quasi infastidita della propria immagine, dello splendore intenso degli occhi, delle labbra accese. Se poi la madre la costringeva a stare ancora seduta, sotto il pettine, sbuffava dall'impazienza, diventava irrequieta, smaniosa, come se sottostesse a una tortura. Perché, a che pro, adesso, tanto studio e tanto amore per la sua acconciatura? Non intendeva la madre che a lei, adesso, non doveva importare proprio nulla di comparire più o meno bella?

E un giorno che la madre volle provarle i ricci sulla fronte, non ostante le vivaci ripulse, terminata l'acconciatura, Marta piangeva.

– Come? Piangi? Perché? – le domandò, sorpresa, la madre.

Marta si sforzò di sorridere, asciugandosi gli occhi.

– Per nulla... Non ci badare...

– Santa figliuola, ma perché? Ti stanno tanto bene...

– No, non voglio... Disfa', disfa'... Sta meglio senza.

Non era una crudeltà incosciente della madre? E intanto, ella, che bambina! Piangere così, per nulla, in presenza di lei...

Durante il giorno si mostrò più vivace del solito, per cancellare l'impressione di quelle lagrime nell'animo della madre.

Provava un turbamento nuovo, un incomprensibile timore, un'apprensione strana, adesso, nel vedersi sola, senza nessuno accanto, per le vie aperte, tra la gente che la guardava.

Nessuno, è vero, l'aveva molestata; ma si sentiva ferita da tanti sguardi; le pareva che tutti la guardassero in modo da farla arrossire; e andava impacciata, a capo chino, mentre gli orecchi le ronzavano e il cuore le batteva forte. Perché? E come mai, tutt'a un tratto, la sua presenza di spirito s'era rintanata così in quello sciocco timore? di che temeva? non aveva tante volte riso di certe zitellone che avevano ritegno a uscire sole per la città paventando a ogni passo un attentato al loro pudore?

Pure, appena entrata nel Collegio, si rinfrancava. E la presenza di spirito le ritornava di fronte ai tre professori, che spesso trovava in sala, e coi quali scambiava qualche parola, prima che ciascuno si recasse a impartire la propria lezione nelle varie classi.

S'era accorta che due di essi intendevano farle velatamente, e ciascuno a suo modo, la corte. E non che temerne, ne rideva tra sé; fingeva di non accorgersi proprio di nulla, e pigliava a goderseli segretamente, notando il vario effetto che il suo contegno produceva in quei due.

Il professor Mormoni, Pompeo Emanuele Mormoni, autore di ben quattordici volumi in ottavo di Storia Siciliana, *con appendice dei nomi e dei fatti più memorabili, con date e luoghi*, alto, grasso, bruno, dai grand'occhi neri e dal gran pizzo qua e là appena brizzolato come i capelli, dignitoso sempre nella sua napoleona e col cappello a stajo, si gonfiava dal dispetto come un tacchino e, così gonfio, pareva volesse dire a Marta: «Oh, sai, carina? se tu non ti curi di me, neanch'io di te: non t'illudere!». Ma se ne curava, invece, e come! e quanto! Certi momenti pareva fosse lì lì per scoppiare. Aveva finanche perduto, sedendo, i suoi atteggiamenti monumentali, per cui tutte le seggiole diventavano quasi tanti piedistalli per lui: *«Scolpitemi così!»*.

Marta di tanto in tanto sentiva scricchiolare la seggiola, su cui il Mormoni stava seduto, e tratteneva a stento un sorriso. Tutte le seggiole della sala d'aspetto, da un mese a quella parte erano sfilate; a una era saltata la cartella, a un'altra qualche stecca.

Attilio Nusco, l'altro insegnante, chiamato comunemente nel Collegio il *professoricchio*, era al contrario fino fino, piccolo, gracile, timido, tutto vibrante, tutto impacciato. Povero Nusco, come se diffidasse di trovare il suo posticino nella vita, pareva che con lo sguardo, coi sorrisi, con gl'inchini frettolosi della miserrima personcina, volesse accaparrarsi il favore degli altri, per non essere cacciato via. E occupava, sedendo, il minor posto possibile (*scusi! scusi!*); parlando, la voce gli tremava; non contraddiceva mai nessuno; era come imbarazzato sempre dall'eccessiva sua compitezza. Avrebbe voluto pesare su gli altri meno che un fuscellino di paglia. E intanto, il cuore... Ah, quella Marta: non s'accorgeva proprio di nulla?

Il poveretto si provava man mano a uscire un tantino dalla propria timidezza, come dalla tana una lucertolina insidiata: prima la punta del musetto; poi un altro tantino, fino agli occhi; poi tutta la testina, quasi aspettando d'esser colta dal cappio alla posta.

Si era spinto a temerità inaudite: fino a domandare a Marta, sudando: – *Sente freddo stamani?* –. Portava a scuola qualche primo fiore della stagione; ne rigirava il gambo tra le gracili dita irrequiete; ma non ardiva offrirlo.

Marta notava tutto ciò, e ne rideva.

Un giorno egli volle dimenticarsi il fiore sul tavolino della sala d'aspetto: dopo un'ora, vi ridiscese: il fiore non c'era più. Ah, finalmente! Marta aveva capito e se l'era preso... Ma, ridisceso in sala dopo l'altra ora, disinganno crudele: il fiore era all'occhiello della napoleona di Pompeo Emanuele.

– Ciao, cardellino! Ciao, violetto mammolo!

Eppure il Nusco non era uno sciocco: laureato in lettere, giovanissimo ancora, occupava per concorso il posto di professore d'italiano al liceo e insegnava anche per incarico nel Collegio Nuovo; scriveva poi in versi con gusto e gentilezza non comuni.

Marta lo sapeva; ma che volevano da lei tanto il Nusco quanto il Mormoni?

Il terzo professore pareva non si fosse ancora accorto della presenza di lei. Si chiamava Matteo Falcone; insegnava disegno. Pompeo Emanuele Mormoni lo chiamava *l'istrice* e, da imperatore romano, lo avrebbe condannato *ad purgationem cloacarum*.

Era veramente d'una bruttezza mostruosa, e aveva di essa coscienza, peggio anzi: un tragico invasamento. Sempre cupo, raffagottato, non levava mai gli occhi in faccia a nessuno, forse per non scorgervi il ribrezzo che la sua figura destava; rispondeva con brevi grugniti, a testa bassa e insaccato nelle spalle. I lineamenti del suo volto parevano scontorti dalla rabbiosa contrazione che gli dava la fissazione della propria mostruosità. Per colmo di sciagura aveva anche i piedi sbiechi, deformi entro le scarpe adattate alla meglio per farlo andare.

Il Mormoni e il Nusco erano già avvezzi ai modi di lui, più d'orso che d'uomo, e non ne facevano più caso; Marta, nei primi giorni, ne fu urtata, non ostanti le prevenzioni della Direttrice. In fondo in fondo, mentr'ella non badava alle smorfie e ai lezii degli altri due, se non per riderne, provava una certa stizza per la noncuranza quasi sprezzante di quel terzo per lei affatto innocuo.

In quel po' di tempo che si tratteneva in sala, aspettando l'ora precisa della lezione, egli s'immergeva nella lettura d'un giornale, senza badare a nessuno. Spesso Marta volgeva uno sguardo fuggevole alla fronte di quell'uomo sempre contratta, e poi si dava a immaginare che sorta di pensieri sotto tal fronte dovesse albergare quel testone ispido: – sciocchi, no, certamente; ma forse brutali.

Una sola volta aveva udito la voce di lui, e fu una mattina, in cui, avendole il Mormoni accennato con gli occhi *l'istrice* sprofondato al solito nella lettura del giornale, ella, per non condividere l'ironia ch'era in quell'accenno e per fare stizza al «grand'uomo», si lasciò sfuggire dalle labbra inconsultamente:

– Buon giorno, professor Falcone.

– Riverisco, – grugnì in risposta colui, senza levare gli occhi dal giornale.

Un'altra mattina, Marta, entrando in sala, fu molto sorpresa di trovarvi accesa una disputa tra il Falcone e il Nusco. Questi, col volto infiammato, un sorriso nervoso su le labbra e le mani tremolanti, cercava di far valere la propria opinione con molti *sarà, ma...* investiti dalla dura voce del Falcone, il quale senza dar retta all'avversario seguitava a parlare con gli occhi al giornale spiegato davanti. Il Mormoni ascoltava in uno dei suoi atteggiamenti monumentali, non degnando di una parola quelle «scempiataggini».

Il Falcone s'era scagliato contro quei letterati che inacidivano i loro versi e le loro prose d'una certa ironia, mentre poi in fondo rimanevano ossequentissimi alle opinioni imperanti nella società.

– Le opinioni sono false? Le credete ingiuste e dannose? Ribellatevi, perdio, invece di scherzarci sù, di farvi sù sgambetti e smorfie, camuffando l'anima da pagliaccio! No: voi da un canto piegate il collo al giogo, e deridete dall'altro la vostra supinità. È arte da tristi buffoni!

– Sarà, ma... – ripeteva il Nusco. E avrebbe voluto osservare come anche il ridicolo fosse un'arma, e che il Dickens, Heine... Ma il Falcone non lo lasciava dire:

– Tristi buffoni! Tristi buffoni!

– Sentiamo la signora Ajala, – propose il Mormoni con un gesto consentaneo alla magnificenza dell'atteggiamento.

– La donna per sua natura è conservatrice, – sentenziò bruscamente il Falcone.

– Conservatrice? Per me, ferro e fuoco! – esclamò Marta con tale espressione, che il Falcone alzò gli occhi a guardarla per la prima volta in faccia.

Marta rimase profondamente turbata da quegli occhi che illuminarono un volto affatto nuovo, occhi d'una belva sconosciuta, intelligentissimi.

Un'altra mattina, poco tempo dopo, il Falcone entrò in sala d'aspetto col cappello ammaccato e impolverato, la falda rotta sul davanti, il naso sgraffiato, pallidissimo in volto e pur con un tristo sorriso che gli si storceva sulle labbra in orribile smorfia; strappata la giacca sul petto e anch'essa impolverata.

– Che le è accaduto, professore? – esclamò il Mormoni, vedendolo in quello stato.

Marta e il Nusco si voltarono a guardarlo con paurosa maraviglia

– Una lite?

– No, niente... – rispose il Falcone, con voce tremante, ma con la smorfia del riso ancora su le labbra. – Mi trovavo a passare sotto la chiesa di Santa Caterina da tre anni puntellata... Questa mattina santa madre chiesa aspettava proprio me per rovesciarmi addosso un pezzo del suo cornicione.

Marta, il Nusco, il Mormoni allibirono.

– Sì... – continuò il Falcone. – Mi è caduto addosso proprio così: a radermi il corpo... E intanto – (aggiunse con un ghigno atroce, accennando i piedi sbiechi deformi) – ammirate la provvida natura! Lei, Nusco, a quest'ora non ce li avrebbe avuti più codesti piedini da ballerino. Invece io, i miei, ce l'ho ancora, e m'arrabatto!

Così dicendo, s'avviò per la lezione.

Parve quella veramente al Falcone una tremenda risposta della «provvida natura» a tutte le imprecazioni ch'egli le aveva scagliate a causa della propria deformità? Sentì veramente come una voce che gli avesse detto: «Lodami dei piedi che t'ho dati?».

Certo, da quel giorno, cominciò a poco a poco a uscire dalla cupezza abituale. O non piuttosto operava il miracolo la presenza di Marta?

Questo era il sospetto del Mormoni.

– Perché, vedi, – diceva al Nusco, – noi due, è vero, adesso ci saluta pure; ma grugnisce come prima; non ci dice: «Ossequio, signor Nusco!» con la stessa voce per dir così domenicale, con cui dice: «Ossequio, signora Ajala!». Morbidezza setolosa, capisco, ma... E poi, hai notato? Colletti nuovi, oh!, come usano adesso, abito nuovo! cappello nuovo! Evviva il cornicione di Santa Caterina.

Né l'uno né l'altro potevano seriamente ingelosirsi del Falcone, il quale faceva loro finanche pietà, via! Ma né il Mormoni s'ingelosiva del Nusco, né questi del Mormoni. Per il Nusco il gran Pompeo Emanuele era troppo grosso, troppo sciocco, ed egli aveva troppa stima dell'ingegno di Marta da temerlo; il Mormoni invece aveva troppa stima del gusto di Marta da temere il piccolo Attilio con quell'animella sempre spaventata. Così, tutti e due s'appaiavano per commiserare «il povero Falcone» e segretamente poi si commiseravano l'un l'altro.

Intanto, la scoperta di quell'animo nuovo del Falcone verso di lei produsse a Marta ribrezzo e timore insieme. Sapeva e sentiva di non poter ridersi di lui, come degli altri due. La bruttezza di quell'infelice pur così sdegnoso le destava pietà e le incuteva orrore a un tempo. Probabilmente colui non aveva mai amato alcuna donna.

Se Marta pensava che il Falcone, non ostante la coscienza della propria deformità, poteva pretendere amore da lei, si sentiva offesa e sdegnata; ma d'altro canto intendeva che quella passione, forse la prima germogliata in quel cuore, poteva essere così forte da vincere e ottenebrare quella coscienza stessa, per quanto tragicamente invasata.

Ma un pensiero la rassicurava, che cioè non aveva fatto nulla, proprio nulla, perché quest'affetto mostruoso nascesse.

Ora, quasi ogni giorno sul tramonto, vedeva il Falcone passare per la via del Papireto e alzare gli occhi al balcone della sua stanza. Il primo giorno, volle mostrarlo a Maria; non s'aspettava ch'egli dovesse alzare il capo a guardare.

– Guarda qua? Come mai?

Così ebbe la prima prova di quell'amore, a cui già per tanti segni men chiari non aveva saputo né voluto prestar fede. D'allora in poi, non si lasciò più scorgere dietro la vetrata; ma di nascosto vedeva il Falcone ripassare ogni giorno e guardare in alto, due, tre volte.

Adesso, dopo i sogni della notte gravi d'incubi e di visioni strane, agitati da continue smanie; dopo il duro urto nel riaprire gli occhi stanchi alla realtà nuda e monotona della sua esistenza, in mezzo a quel rifiorire fascinoso della stagione; ogni mattina l'apprensione di sentirsi sola le cresceva; i nervi le vibravano, andando, quasi fosse sotto l'imminenza d'ignoti pericoli; né sapeva più rinfrancarsi appena entrata nel Collegio.

Come contenersi di fronte al Falcone? Mostrargli che si fosse accorta, non voleva; ma come dissimulare, se ogni mattina era ancora invasa dall'orrore dei sogni, nei quali la figura del Falcone le appariva quasi sempre e talvolta meno mostruosa della realtà? A trattarlo come prima, temeva quella passione non si nutrisse di qualche lusinga, di qualche inganno pietoso.

Né il Mormoni la divertiva più come nei primi giorni. La sola vista di lui ora le produceva anzi tal rabbia, che lo avrebbe schiaffeggiato. E stizza e fastidio le cagionava la timidezza angosciosa del Nusco.

«Lei non mi secchi!», avrebbe voluto gridargli in faccia, sicura di sprofondarlo con quelle quattro parole un palmo sotterra, dalla vergogna.

III.

Anche lui forse, Attilio Nusco, nell'intimo suo sentiva la povertà delle proprie maniere, e come dovesse parere compassionevolmente ridicola la sua invincibile ritrosia; forse se n'adontava e, non visto, si ribellava contro se stesso, perché tra sé non doveva stimarsi affatto uno sciocco. Chi sa quant'altri, invece, pensando, stimava egli sciocchi!

Proprio in quei giorni aveva mandato a stampa su un giornale letterario della città un sonetto per Marta.

Pompeo Emanuele Mormoni lo aveva scoperto. Il sonetto, veramente, portava un titolo misterioso: A lei.

«A lei?... A chi? Ci sono tante donne a questo mondo: più delle mosche! Io fo le viste di non aver capito a chi si riferisca.»

E il giorno dopo, approfittandosi del pudore del Nusco, diede egli stesso il giornale a Marta, sicuro di farle stizza.

– C'è un sonetto del Nusco: A lei.

– A me? – disse Marta, sorpresa, invermigliandosi.

– No, no: A lei, intitolato così... Ma come s'è fatta rossa! Sono cose che fanno piacere. Lo legga, glielo lascio... Scappo, perché a momenti piove e sono senza ombrello.

Un saluto, e via, a naso ritto.

Marta ebbe il primo impeto di buttar via il giornale; ma poi lo ritenne, lo spiegò e lesse:

> A lei
> Contro il tuo sen, che appena ai dolci intenti
> d'amor s'era con vaga ansia levato,
> rabbioso groppo di crudeli eventi
> la man villana scatenò del fato.
> Quei che a Te si prostrâr nei dì ridenti,
> invan pregando un cenno innamorato,
> or contra Te pur levansi, irridenti
> l'orgoglio antico e il tuo novello stato.
> Ma bene io so che ad un amor fedele,
> per cui spregiasti ogni men puro amore,

oltre te'n vai, né t'acerba quel fiele.
Pur nei sorrisi tuoi trema un sospiro
sovente! E sol per questo, entro del cuore,
Te, provata e non vinta, amo ed ammiro.

Un furioso rovescio d'acqua venne a percuotere i vetri della sala. Marta levò gli occhi dal giornale e guardò macchinalmente la finestra.

Erano per lei quei versi? Chi aveva raccontato al Nusco le vicende della sua vita? E che significava quel verso: *Ma bene io so che ad un amor fedele?* A quale amore? Le venne subito in mente l'Alvignani. No, non poteva alludere a lui... *Te, provata e non vinta, amo ed ammiro...*

Così riflettendo sul sonetto, non pensava più alla villanìa del Mormoni, che gliel'aveva dato a leggere.

Sopravvenne il Falcone. Marta si scosse. L'ombrello? Dove lo aveva lasciato? Rammentava benissimo di averlo portato con sé da casa, la mattina.

– Che cerca, signora? – le dornandò il Falcone.

– L'avrò forse lasciato sù... – disse Marta quasi tra sé. E chiamò la bidella.

– Prenda il mio, – le propose il Falcone. – Non è nuovo, ma può servirle lo stesso.

Nel dir così, pareva che ingiuriasse. Era più fosco e più nervoso del solito.

Poco dopo la bidella ridiscese: non lo aveva trovato né in classe, né per il corridojo. Marta si stizzì, diventò inquieta, perché il Falcone insisteva duramente nell'offrirle il suo. Pioveva forte, ed ella non poteva permettere che il Falcone, per lei, si prendesse tutta quell'acqua.

– Allora, se me lo concede, potrei accompagnarla, – disse, cangiandosi in volto, il Falcone. – Abito adesso su la stessa sua via, un po' più giù. – E aggiunse, a capo chino, guardandosi i piedi: – Se non si vergogna...

Marta si sentì salire le fiamme al volto; finse di non intendere l'allusione, e rispose:

– Non mi sono mai curata della gente. Venga, andiamo.

– Dimentica sul tavolino un giornale, – le disse il Falcone, raccogliendolo e porgendolo.

– Oh grazie; ma, tanto... C'è una poesia del Nusco.

– Imbecillotto! – fischiò tra i denti Matteo Falcone.

«Come farò», pensava Marta, smarrita, «a camminargli accanto?»

Sentiva la gioja e l'impaccio ch'egli doveva provare in quel momento; e questo la turbava e la faceva soffrire così violentemente che, se egli la avesse toccata appena appena anche senza volerlo, certo da tutto il corpo fremente le sarebbe scattato un grido acutissimo di ribrezzo.

Prima d'uscire su la via, la portinaja le porse una lettera.

– Per me? – fece Marta, contenta che le si offrisse quel mezzo per nascondere lì per lì il proprio turbamento. – Permette? – aggiunse, rivolta al Falcone; e lacerò la busta.

La lettera era d'Anna Veronica. Marta si mise a leggere, avviandosi piano verso l'uscita. Il Falcone la spiava di sbieco, aombrato. Scorse a un certo punto un repentino cambiamento sul volto di Marta, un fosco pallore, un corrugarsi sdegnoso delle ciglia. Erano già sul portone. Marta non leggeva più; guardava la pioggia che rimbalzava sul fango della via.

– Vogliamo andare? – le disse cupamente, aprendo l'ombrello.

Marta si scosse; ripiegò la lettera e si cacciò sotto l'ombrello.

– Ah, sì, eccomi!... scusi!

Non badava più al contatto, peraltro inevitabile, del braccio col braccio del Falcone, né notava lo studio penoso di questo per andare più spedito accanto a lei. Avrebbe voluto fuggire, non più per lui (e il Falcone lo intuiva) ma per qualche notizia contenuta in quella lettera. Roso dalla gelosia, ormai non si ¬va più dei piedi che, nell'andar così di fretta, s'arrabattavano sovrapponendosi man mano molto più goffamente del solito. Avrebbe voluto gridare a Marta di chi fosse, che contenesse quella lettera; e intanto la lasciava sguazzare e inzuppare, temendo che il suo richiamo ad andare più cauta potesse da lei essere interpretato come un pietoso richiamo ai suoi piedi che, veramente, non potevano più seguirla in quella corsa e sfangavano orribilmente. Ansimava, e Marta non lo udiva. Perché, perché fuggiva così?

A un tratto Marta ebbe come un brivido e si contenne, si fermò per un attimo, quasi per soffocare un grido.

– Che ha? ch'è stato? – le domandò il Falcone, fermandosi.

– Nulla! venga, venga... – gli disse Marta, piano, a capo chino, proseguendo.

Il Falcone si voltò e vide un po' avanti a loro, sul marciapiede a destra, due signori sotto un ombrello, che guardavano Marta e lui: l'uno terreo in volto e con piglio fosco, l'altro più alto, magro, straniero all'aspetto e con un'espressione scioccamente derisoria negli occhi chiari.

Erano Rocco Pentàgora e il signor Madden.

Il Falcone, non ostante il divieto di Marta, appuntò contro quei due gli occhi da belva.

– Non guardi! non si volti! – gl'impose, con rabbia soffocata, Marta.

– Mi dica chi sono quei due! – domandò egli, quasi a voce alta, accennando a fermarsi di nuovo.

– Stia zitto, le ripeto, e venga con me! – riprese Marta, con lo stesso accento.

– Che diritto ha lei di saperlo?

– Nessun diritto, ma io... lei non sa... – continuò il Falcone con voce che non pareva più la sua, come se piangesse, ansando, interrompendosi strozzato dalla commozione, e pur seguitando ad andare quasi di corsa angosciosamente, dietro a Marta, sotto la pioggia ringagliardita. Le confessava il suo amore, implorando pietà.

Marta, con l'anima in tumulto, e anche stordita dalla violenza della pioggia, vedeva fuggire sotto i piedi vorticosamente la strada già mezzo allagata; correva senza ascoltare, udendo solo confusamente, con insopportabile angoscia, le affannose parole del Falcone. Alla fine giunse alla porta di casa.

Lì il Falcone si provò a trattenerla per un braccio, scongiurandola di dargli una risposta.

– Mi lasci! – gli gridò Marta, svincolandosi con uno strappo; e via di corsa sù per la scala.

Venne ad aprirle Maria.

– Tutta bagnata?

– Sì, vado a cambiarmi!

Si chiuse a chiave. S'abbandonò su una seggiola, premendosi forte, forte, forte le tempie con le mani, lamentandosi piano, con gli occhi chiusi:

– Oh Dio! oh Dio!

Era in preda alla vertigine: non la camera, ma tuttora la via le girava, le turbinava davanti agli occhi; sentiva negli orecchi lo scroscio della pioggia; le parole di quel mostro arrangolato, che le piangeva dietro.

E quei due lì fermi sul marciapiede, alla posta! Ma che volevano da lei tutti costoro? Per chi la prendevano? E quegli altri due, anche quegli altri due, quel grosso imbecille, e quel piccolo che le indirizzava pubblicamente i suoi versi?

Ah, e la lettera di Anna? La cercò, la rilesse, saltando ciò che in quel momento non la interessava.

«Tu sai, cara Marta, come io... Ma da me non è più venuto, dopo quella visita *furiosa*, della quale... Dalla famiglia Miracoli, però, da cui si reca spesso il fratello Niccolino (sposerà Tina Miracoli, dicono in paese), ho saputo ch'egli stamani è partito per costà. Vuole scoprire, ha detto Niccolino alla fidanzata, che cosa tu faccia a Palermo, convinto che debba esserci *una forte ragione, un serio impedimento* al tuo ritorno in paese. Tina, benché come ogni

88 L'ESCLUSAL'ESCLUSA

altra timorata ragazza debba far le viste di non capire, pure, dal tono misterioso con cui mi ha confidato questa notizia, ha lasciato capire a me, invece, che cosa avrei dovuto intendere per *forte ragione e serio impedimento*. Figùrati come l'ho trattata e quello che le ho risposto! Ma lei dice che non sa nulla, che non crede affatto a queste cose, e che parla solo, dice, per bocca dei Pentàgora. Prima, tu lo sai, quando la buon'anima di tuo padre viveva, e voi eravate ricche, la signora Miracoli era la migliore amica di tua madre; adesso, con questa proposta di matrimonio tra Tina e Niccolino, ella è tutt'una con don Antonio Pentàgora, il quale, tra parentesi, del matrimonio pare non voglia sapere. Per tornare a tuo marito, se egli (dice sempre Nicola) scoprirà qualche cosa, ricorrerà ai tribunali per ottenere la separazione. Ma sono parole d'un ragazzo dette per boria in presenza dell'innamorata.»

Un altro pugno di fango. La persecuzione ancora, da lontano. Calunnie ancora e villanie.

Marta si levò da sedere tutta vibrante d'ira e di sdegno, con gli occhi lampeggianti d'odio.

Innocente, per essersi difesa con inesperienza da una tentazione, non ostante la prova della sua fedeltà: in compenso, l'infamia; in compenso, la condanna cieca del padre! e tutte le conseguenze di essa aggiudicate poi come colpe a lei: il dissesto, la rovina, la miseria, l'avvenire spezzato della sorella; e poi l'infamia ancora, il pubblico oltraggio d'una folla intera senza pietà, ad una donna sola, malata, vestita di nero. Aveva voluto vendicarsi nobilmente, risorgere dall'onta ingiusta col proprio ingegno, con lo studio, col lavoro? Ebbene, no! Da umile, oltraggiata; da altera, lapidata di calunnie. E questo, in premio della vittoria! E amarezze, ingiustizie, e quell'esistenza vuota per sé, esposta alle brame orrende d'un mostro, ai gracili, timidi desiderii d'un povero di spirito, alle pettorute vigliaccherie di quell'altro: sassi, spine ovunque, per quella via lontana dalla vita.

Fu scossa da due picchi all'uscio. E la voce di Maria:

– A tavola, Marta.

La cena, di già? Non s'era ancora svestita. Come cenare, adesso, come nascondersi alla madre, alla sorella? Si svestì in fretta in furia. Non s'era neanche tolto il cappellino entrando. Si lavò per rinfrescar gli occhi e la faccia infiammati.

– Un miele! – diceva Maria, già a tavola, tra il fumo che la avvolgeva dalla scodella.

E la madre prese a narrarle tutto quello che avevano fatto lei e Maria, durante quella pioggia improvvisa, sù in terrazzo, per salvare i fiori.

IV.

«Crederà adesso che quel mostro sia il mio amante! N'è capace», pensava Marta, dopo cena, rinchiusa in camera.

E diceva a se stessa proprio così: *il mio amante*, poiché come tale il marito le aveva già affibbiato un altro, quell'altro! Ma quanto più obbrobriosa adesso le sembrava questa parola, riferita al Falcone!

Voleva dunque prendersi una nuova vendetta, esasperato dal disprezzo di lei? La minaccia era esplicita, nella lettera di Anna Veronica.

Un nuovo scandalo... Ma le prove? Oh Dio, quel mostro... sì, era probabile che gliele avrebbe offerte quel mostro, le prove, se si fossero incontrati un'altra volta per via... Qualche scenata... e il nome di lei sù pe' giornali accanto a quello del Falcone.

Marta si torceva le mani dalla paura, dallo schifo, smaniando senza requie; e Maria che, intanto, nella stanza attigua, leggeva sul pianoforte alcuni brani di vecchia e piana musica, delizia della madre, avrebbe voluto gridare rabbiosamente che smettesse.

Ah la tranquillità della madre e della sorella, la quiete della casa, la musica, i discorsi alieni, come la facevano soffrire, in quel momento!

Sì, opera sua; ma nessuno dunque intendeva, nessuno indovinava a prezzo di quale martirio? Fatta una croce sul passato, non doveva parlarsene più? La madre e la sorella ne erano uscite; ed ecco una nuova vita, calma e modesta, era ricominciata per loro. Ma lei? la sua vita, la sua giovinezza dovevano rimanere sepolte lì, nel passato? Non se ne doveva più parlare? Quel ch'era stato era stato? Morta? Tutto morto, per lei? Viva solamente per far vivere gli altri? Sì, sì, se ne sarebbe magari contentata se, esclusa così dalla vita, le avessero almeno concesso di godere in pace dello spettacolo dolce e quieto di quella casetta, ch'era come edificata sul sepolcro di lei... Ma che si parlasse almeno un poco, che si avesse qualche compianto almeno della sua giovinezza morta, della sua vita spezzata! Era stato pure un delitto spezzarle la vita così, senza ragione, stroncarle così la giovinezza! Non se ne doveva più parlare?

Un'ombra, e ancora combattuta! perseguitata ancora! Il giorno appresso, certo, avrebbe riveduto il marito, lì alla posta; avrebbe riveduto il Falcone al Collegio.

«Se continua a molestarmi, ne parlerò alla Direttrice», pensò improvvisamente Marta, in un risveglio impetuoso d'energia, e cominciò a svestirsi con le dita nervose, per mettersi a letto. – E quegli altri due, se non la finiscono, li metto a posto io! E tu, aspetta, – disse poi, più col fiato che con la voce, alludendo al marito. Rimboccò la coperta e spense il lume.

Nel bujo, raggomitolata sotto le coperte, volle raccogliere le idee, ma non poté precisarne alcuna contro il marito. Diceva a se stessa: «Sì, questo per il Falcone, se séguita... La Direttrice non può soffrirlo, cerca un appiglio qualunque, per levarselo di torno; gliel'offrirò io...». E ripetendo meccanicamente queste frasi, cercava quel che avrebbe potuto fare contro il marito. Nulla, dunque? Non un solo mezzo di vendetta? E, nell'impotenza, sentiva l'odio quasi fermentare in una rabbia crescente. Poi (benché non avvertisse la sofferenza fisica della troppa e vana tensione) il cervello, come in un cerchio di tortura, non sapendo suggerirle il pensiero ch'ella cercava, altri pensieri in cambio cominciò a presentarle confusamente, che la distraessero. Marta però, ostinata a trovare quel che cercava, appena sorti, li scacciava. Uno finalmente riuscì a distrarla: il suo ombrello – sì – adesso rammentava con precisione – lo aveva appoggiato all'uscio della classe sul corridojo, per appuntarsi meglio il cappello; sì, e poi se l'era dimenticato lassù... Ah, senza dubbio il Falcone, passando per il corridojo, lo aveva riconosciuto e nascosto, sì, per poterle offrire il suo, per aver modo d'accompagnarla.... lui, sì, senza dubbio! Perciò era così inquieto, giù, in sala d'aspetto... Dove aveva potuto nasconderlo?

Poco dopo Marta dormiva.

Si svegliò per tempo, con un forte mal di capo, ma con l'animo tuttavia sostenuto da un'energia nervosa, che non era più la forza che prima le derivava dalla sicurezza di sé. Non vedeva l'uscita della sua via; ma sarebbe andata fino in fondo, a qualunque costo; già in attesa e preparata a scagliarsi contro ogni nuovo ostacolo che volesse sopraffarla.

Non provò quel giorno nessuna apprensione nell'uscir sola di casa. Dopo la pioggia del giorno innanzi, il verde degli alberi si era ravvivato quasi festivamente, e un aspetto festivo pareva avessero anche le case e le vie nella limpida freschezza dell'aria mattutina.

Con gli occhi, intanto, cercava innanzi a sé, se il marito fosse alle poste; sentiva che avrebbe avuto il coraggio di passare a testa alta sotto gli occhi di lui.

«Ma a quest'ora dorme», pensò a un tratto, e un sorriso di scherno le venne alle labbra, andando. «Non ha mai visto nascere il sole, in vita sua...»

Lo rivide col pensiero, a letto, accanto a lei, pallido, coi radi baffi biondi, scomposti sulle labbra aride, schiuse.

Distrasse subito la mente da quell'immagine e, poiché si recava al Collegio, oggetto immediato del suo dispetto diventò il Falcone. Non pensava più, non badava più alla propria sofferenza.

Che avrebbe fatto, che avrebbe detto, se egli si fosse arrischiato a fare il minimo accenno alla giornata di jeri?

Non lo sapeva ancora. Vedeva soltanto con straordinaria lucidità la sala d'aspetto del Collegio, in cui tra poco sarebbe entrata; e già vi entrava col pensiero; vedeva il Nusco e il Mormoni come spettatori della scena ch'ella andava a rappresentare là dentro; e il Falcone che l'attendeva, più cupo del solito.

Era già davanti al portone del Collegio: scese i pochi scalini; entrò.

In sala, nessuno.

V.

Matteo Falcone, quella mattina, non s'era recato al Collegio.

Se Marta, il giorno avanti, si fosse voltata nel salire, avrebbe avuto forse un po' di pietà per lui rimasto sul portoncino come impietrito. Certo egli aveva sperato ch'ella, salendo, gli rivolgesse almeno uno sguardo: poi s'era mosso sotto la pioggia, quasi barcollando, attirando gli sguardi della gente.

Non aveva provato mai tanto e così feroce odio contro se stesso. Ne ghignava forte e squassava l'ombrello fin quasi a spezzarne il fusto e borbottava: – Io, l'amore! Io, l'amore! – e altre parole inintelligibili. E poi, forte, lì in mezzo alla via, col volto contratto e gli occhi fissi biecamente in faccia a qualche passante:

– Meno male che non ha riso di me!

Ne rideva lui invece, orribilmente; e la gente si voltava a mirarlo, stupita, come si guarda un pazzo.

Alla fine, fradicio di pioggia, s'era ridotto a casa.

Abitava, con la madre e una zia, decrepite e stolide entrambe, una vecchia e vasta casa tutta ingombra di masserizie senza valore, allineate lungo le pareti e alcune anche rammontate le une su le altre, come in un magazzino di mobilia: armadii enormi di legno dipinto, tavolini d'ogni forma e d'ogni dimensione, cassettoni, cassapanche, stipetti, mensole, attaccapanni, seggiole impagliate e imbottite, dalla stoffa stinta, e poi certi canapè d'antica foggia con due rulli alla base delle testate.

Le due sorelle, facendo casa comune, dopo la morte dei loro mariti, non avevano voluto privarsi di nessuna masserizia appartenente alla propria casa maritale: donde quell'inutile abbondanza: ingombro più che ricchezza.

Nella loro stolidaggine le due vecchie non ricordavano più d'aver avuto marito, e ciascuna aspettava la morte dell'altra per andare a nozze con un loro sposo immaginario.

– Perché non muori? – si domandavano contemporaneamente sul muso, ogni qual volta s'incontravano appoggiate alla spalliera delle seggiole con le quali si strascinavano a stento per le camere.

Vivevano separate l'una dall'altra, ai lati opposti della casa. E di tanto in tanto, lungo la giornata e spesso anche durante la notte, l'una domandava all'altra, facendo un verso lungo e lamentoso:

– *Che ora è?*

E l'altra invariabilmente rispondeva con voce lunga e cupa:

– *Sett'ooòre!*

Sempre sett'ore!

A qualche vicina che saliva in casa per ridere alle loro spalle, le due vecchie bigliavano, levando le braccia e scotendo in aria le mani aggrinzite:

– Maritatevi! Maritatevi!

Pareva non ci fosse per loro altro scampo, altra salvezza nella vita. E sapeva loro mill'anni che il giorno sospirato delle nozze giungesse alla fine. Ma l'altra, ahimè, l'altra non voleva morire! E frattanto si facevano acconciare, parare dalle vicine con gli abiti del loro bel tempo; e le vicine sceglievano apposta quelli di stoffa più chiara, i più goffi, i più antichi e stridenti con la vecchiezza delle due povere dissennate; e siccome i corpetti andavano loro adesso troppo larghi, legavano alla vita a questa un boa spelato, a quella un gran nastro; e fiori di carta mettevano loro in capo e foglie di cavolo o di lattuga e capelli finti, e poi cipria in faccia, o imporporavano loro le gote squallide, cascanti, con uva turca:

– Così! così sembra proprio una ragazzina di quattordici anni!

– Sì, sì... – rispondeva la vecchia, gongolando, ridendo con la bocca sdentata davanti allo specchio e forzandosi a tener ferma la testa, perché l'edificio di quella acconciatura non crollasse. – Sì, sì, ma chiudi subito l'uscio! Adesso *egli* verrà, e non vorrei che quella lì lo vedesse entrare... Chiudi! chiudi!

Matteo Falcone, rincasando, le trovava spesso così goffamente mascherate, immobili sotto l'incubo dell'enorme acconciatura.

– Oh mamma!

– Va' di là, va' di là! tua madre è di là! – gli rispondeva stizzita la madre mascherata. – Io non ho figli! Ventott'anni ho... Non sono maritata...

E così pure gli rispondeva la zia, per cui egli aveva anche rispetto e compatimento filiale.

– Ventott'anni... Non sono maritata!

Alla zia però sorgeva e pesava tante volte il sospetto, non fosse Matteo veramente suo figlio; poiché a quando a quando nella memoria ottenebrata le si ridestava un vago senso del dolore provato tanti e tant'anni addietro per la perdita dell'unico suo figliuolo.

– Ma come! – le dicevano le vicine. – Se lei non ha mai avuto marito?

– Sì, eppure... eppure Matteo, *forse*, è figlio mio, – rispondeva la vecchia sorridendo maliziosamente, con aria di mistero. – *Forse!*

– Ma come?

La vecchia allora attirava per un braccio la vicina e le diceva all'orecchio:

– Per virtù dello Spirito Santo!

E una gran risata.

Quanto aveva contribuito, oltre alla coscienza della propria bruttezza, quel continuo spettacolo in casa, alla formazione dell'orrendo concetto che il Falcone aveva della vita e della natura?

Non arrivava a intendere la infelicità che l'anima suol crearsi o coi dubbii o con la febbre di sapere; la povertà era per lui male comportabile e riparabile; due sole vere infelicità aveva la vita, per coloro sui quali la natura esercita la sua feroce ingiustizia: la bruttezza e la vecchiaja, soggette al disprezzo e allo scherno della bellezza e della gioventù.

Non continuavano forse a vivere per servire di trastullo alle vicine la madre e la zia? E lui, perché era nato? Perché togliere la ragione e lasciare la vita a chi per la morte è già maturo?

Era invasato e rivoltato così profondamente da quest'idea, che tante volte si sentiva spinto da tutto l'essere suo a vendicare le vittime di tanta ingiustizia: sfregiare la bellezza, sottrarre la vecchiaja all'agonia della vita. E doveva in certi momenti far violenza a se stesso per resistere all'impulso del delitto, mentre che lo spirito lucidissimo glielo rappresentava già visibilmente, come se egli allora lo commettesse. Delitto? No. Riparazione!

E quante volte, distogliendosi con subitaneo sforzo da quest'invasamento delittuoso e recandosi dalla madre, come per compensarla con esagerate cure del truce proposito nutrito per un istante contro di lei, non gli avveniva di vedersi accolto dalle risa della incosciente, che gli diceva:

– Mettiti i piedi giusti!

Credeva la vecchietta ch'egli li tenesse così per capriccio o per farla ridere. E insisteva, ridendo:

– Mettiti i piedi giusti!

Allora anche lui rideva. Oh diventar pazzo di fronte alla stolidaggine della madre!

– Sì, ecco, mamma: ora me li aggiusto.

E la vecchia, guardando, rideva degli sforzi di lui, che si raddrizzava i piedi reggendosi alla parete

Il giorno della sprezzante ripulsa di Marta, non si recò nemmeno a visitare nelle loro camere la madre e la zia, come soleva, rincasando; non desinò, non andò a letto la notte, non si tolse neanche gli abiti inzuppati di pioggia. Appena ruppe il giorno, uscì per una delle sue lunghe passeggiate, nelle quali, dopo le crisi più violente, metteva alla tortura i piedi e se stesso. Montecuccio, il più alto monte della Conca d'oro, era la mèta. Raggiunto il culmine, lanciava con tutta l'anima uno sputo in direzione della città:

– Io verme, a te vermicajo!

Vi ridiscese, quel giorno, spossato, sfinito, già quasi calmo. Era tardi: a quell'ora le lezioni al Collegio dovevano essere già terminate. Stimò tuttavia prudente recarvisi, per scusare l'assenza. In fondo, vi si recava con la speranza d'incontrare Marta per via.

E infatti la incontrò a pochi passi dal portone del Collegio. Andava lentamente, leggendo una lettera: un'altra lettera... Chi le scriveva ogni giorno? E com'era accesa in volto! Quella, senza dubbio, era una lettera d'amore!

Il Falcone n'era così certo, come se gliel'avesse strappata di mano e letta.

Era stato ben questo il primo impeto nel vederla; ma s'era trattenuto: l'aveva lasciata passare davanti a sé lentamente, per la sua strada, assorta nella dolce lettura.

«Non m'ha veduto...», fece tra sé. E andò per un'altra via, senza pensare più di scusare al Collegio la sua assenza.

VI.

Entrata nel porticino di casa, Marta, prima di mettersi a salire la scala, lacerò e disperse in minutissimi pezzi la lettera veduta dal Falcone. Insieme con la lettera lacerò un biglietto d'invito a stampa; poi si passò le mani su gli occhi e su le guance infiammate, e stette un po' perplessa, come se si forzasse a rammentare qualcosa.

Si sentiva pulsare tutte le vene e, in quella momentanea indecisione, l'interno turbamento cresceva e le offuscava il cervello, quasi inebriandola. Era com'ebra, difatti, e sorrise inconsciamente col volto acceso e gli occhi sfavillanti, a piè della scala.

Che aspettava per salire?

La calma esteriore, almeno, perché la madre e la sorella non s'accorgessero di nulla!

Salì in fretta, come se sperasse di sfuggire con quella corsa al pensiero che la turbava. Avrebbe mentito in presenza della madre e della sorella, in qualunque modo, senza preparazione: non mentiva forse ogni giorno per nascondere le proprie amarezze?

Aveva distrutto la lettera; ma le parole in essa contenute, come se si fossero ricomposte dai pezzettini di carta sparpagliati, la inseguirono sù per la salita quasi turbinandole intorno al capo e ronzandole negli orecchi. Le udiva entro di sé confusamente, non con la voce di chi le aveva scritte, ma con quella che dava a loro lei, in quel momento: non dolce né carezzevole: voce di rivolta a tutto quanto le era toccato fin lì di soffrire.

Appena sola in camera, sentì maggiormente quanto fosse per lei angosciosa la continua menzogna a cui era costretta nella propria casa; e più profondo che mai sentì il distacco tra lei e la madre e la sorella. Tanto l'una che l'altra, con la schiva umiltà contegnosa, coi riguardi timorosi e l'apprensione costante di non dar mai nell'occhio alla gente, erano già rientrate in quel mondo da cui ella era stata espulsa e condannata senza remissione.

Una ruga nuova le si disegnò su la fronte a quel nuovo moto deciso dell'animo contro i sùoi. Cercò d'arrestarlo, cercò d'impedire che lo scompiglio del proprio spirito s'aggruppasse in quel sentimento d'odio, che le sorgeva spontaneo e prepotente per dominare, per soffocare l'inquietudine della sua coscienza antica.

Ma perché doveva essere una vittima, lei? lei che aveva vinto? Una morta, lei che faceva vivere? Che aveva fatto, lei, per perdere il diritto alla vita? Nulla, nulla... E perché soffrire, dunque, l'ingiustizia palese di tutti? Né l'ingiustizia soltanto: anche gli oltraggi e le calunnie. Né la condanna ingiusta era riparabile. Chi avrebbe più creduto infatti all'innocenza di lei dopo quello che il marito e il padre avevano fatto? Nessun compenso dunque alla guerra patita: era perduta per sempre. L'innocenza, l'innocenza sua stessa le scottava, le gridava vendetta. E il vendicatore era venuto.

Gregorio Alvignani era venuto. Era a Palermo: le aveva scritto, unendo alla lettera un biglietto d'invito per la conferenza che il giorno appresso avrebbe tenuto all'Università nelle ore antimeridiane. «Venga, Marta!», diceva a quel punto la lettera, ch'ella riteneva a memoria quasi parola per parola: «Venga, s'accompagni con la Direttrice del Collegio. Vedrà di che luce s'accenderanno le mie parole, sapendo che lei sarà lì ad ascoltarle».

No, no. Come andare? Già aveva lacerato il biglietto d'invito. E poi...

Ma lo avrebbe riveduto lo stesso, il giorno dopo. Egli le scriveva che si sarebbe recato al Collegio per sentire dalle labbra di lei se vi stésse contenta. Sapeva che ella non gli avrebbe mai scritto, mai manifestato alcun desiderio; e se ne affliggeva assai nella lettera: e per questo appunto sarebbe venuto a trovarla.

Perché tremava, ora, così? Si levò in piedi e si rialzò con una mano alteramente i capelli su la fronte. Aveva il volto infocato, era irrequieta, come se un impeto di sangue nuovo le fervesse per le vene. Aprì il balcone e guardò il cielo acceso fulgidamente dal tramonto.

Rimaner fuori per sempre dalla vita? riempire d'ombra e di nebbia quel fulgore? soffocare gli affetti che già da un pezzo cominciavano a ridestarsi in lei confusamente, febbrilmente, come ansiosa aspirazione a quell'azzurro, a quel sole di primavera, a quella letizia di rondini e di fiori; le rondini che avevano nidificato in capo al balcone; i fiori che la madre aveva sparso un po' da per tutto nella casa? Non era venuto anche per lei il tempo di rivivere?

«Vivere! vivere!», diceva la lettera dell'Alvignani. «Ecco il grido che mi è scoppiato dal cuore tra le tante cure inutili e vane e gli intrighi e le noje e i fastidii, le tristi arti della finzione e la falsità in quel pandemonio della Capitale. Vivere! vivere! E son fuggito...»

Marta era stata come investita da quella lettera inattesa, ch'era tutta quasi un inno alla vita. Stretta all'improvviso da una voglia angosciosa di piangere, si ritrasse subito dal balcone con gli occhi pieni di lagrime e sedette, nascondendosi il volto con le mani.

VII.

La lettera di Gregorio Alvignani era, come ogni altra manifestazione de'
suoi sentimenti, sincera in parte.

Veramente a Roma aveva sentito ciò che nella lettera chiamava «la voce sincera della nostra natura...».

Il troppo lavoro sedentario, l'attività mentale incessante, la persistenza pro-
lungata, ininterrotta di sforzi a cui era costretto non solo per sostenere quella
vita signorile ch'era abituato a condurre, ma anche per nutrire, giustificare e
imporre altrui la pronta sua ambizione ai poteri politici; non compensati dal
sonno necessario, dai necessarii riposi intermittenti, lo avevano alla fine stremato, gli avevano cagionato un gran perturbamento nervoso.

E una mattina, davanti allo specchio, gli era avvenuto di notare il pallore del
volto quasi disfatto, le rughe alla coda degli occhi, la piega triste delle labbra,
i capelli di molto diradati, e se n'era rammaricato profondamente. Entrato poi
nello studio e sedutosi davanti alla scrivania tutt'ingombra di pesanti incartamenti disposti con ordine, non aveva saputo metter mano al proseguimento
d'alcun lavoro cominciato. Gli s'era imposta così, d'un tratto, la coscienza
della propria incapacità d'agire, e aveva pensato che un lungo riposo gli era
addirittura indispensabile.

In quei giorni, per giunta, era disgustato della guerra bassa e sleale che alcuni suoi colleghi movevano trivialmente, sia nell'aula del Parlamento, sia nei
giornali, al Ministero, di cui anch'egli era oppositore. L'aggressione di quei
pochi in mala fede minacciava di coinvolgere tutta l'opposizione nel disgusto,
nella nausea della pubblica opinione. Aveva preveduto che la Camera si sarebbe chiusa tra breve con la proroga della sessione parlamentare. E difatti la
chiusura era avvenuta pochi giorni dopo.

Divisò allora d'allontanarsi da Roma per ricostituire col riposo le forze e prepararsi così alla prossima lotta. Parlò anche lo specchio ai penosi sentimenti che lo
agitavano. Era già su l'altro declivio della vita: s'era messo a discendere: temeva
di precipitare; sentiva il bisogno d'aggrapparsi a qualche cosa.

Nella breve carriera parlamentare era stato molto fortunato. S'era messo subito in vista; aveva suscitato invidie e simpatie, destato serie speranze; s'era
guadagnate preziose amicizie. Ottenuta così, troppo agevolmente, la vittoria,
le immancabili amarezze della politica, molte disillusioni lo avevano afflitto
tanto più in quanto che nessuno intorno a lui aveva intimamente gioito dei
suoi trionfi, come nessuno adesso lo confortava delle amarezze. Era solo.

Fatti in fretta i preparativi della partenza, appena in viaggio, aveva provato
un subitaneo sollievo quasi insperato, come se le nebbie gli si fossero a un
tratto diradate attorno. Ecco il sole! ecco il verde nuovo delle campagne! E il
treno volava. Bevendo a larghi sorsi l'aria mossa, sibilante, dal finestrino
della vettura, aveva già gridato a se stesso, prima che a Marta: «Vivere! vivere!». E l'esaltazione era cresciuta durante tutto il viaggio. Gli era parso di
vedere il mondo, la vita, quasi sotto un aspetto nuovo: senza nesso, sotto il
sole, nella beatitudine immensa, azzurra e verde del cielo, del mare, della
campagna.

Trovò, pochi giorni dopo l'arrivo a Palermo, la casa che in quel momento
gli conveniva meglio, in una via deserta, fuori Porta Nuova: in via Cuba, lontana dal centro della città, quasi in campagna.

Era una palazzina d'un sol piano, di signorile aspetto, con un balcone in
mezzo e due finestre per ciascun lato.

Un paradiso! Non ci si può morire... – gli disse il portinajo nell'aprire il
⎯ncino sotto il balcone.

⎯na attraversato l'androne, Gregorio Alvignani, nel porre il piede sul primo dei tre scalini d'invito che mettevano in una specie di corte, larga, ammattonata, cinta di muri e scoperta, sussultò improvvisamente a una strepitosa volata di colombi, che andarono ad allinearsi in capo ai due muri di cinta, grugando.

– Quanti colombi!

– Sissignore. Sono del padrone del casino. L'ho in custodia io... Se vossignoria non li vuole, si portano via.

– No, per me, lasciateli; non mi disturbano.

– Come vuole. Vengo io a dar loro da mangiare, due volte al giorno, e a far pulizia.

E il vecchio portinajo li chiamò con un suo verso particolare e col frullo delle dita. Prima uno, poi due insieme, poi tre, poi tutti quanti scesero nella corte al noto richiamo, tubando, allungando il collo, scotendo le testine per guardare di traverso.

A sinistra, accostata al muro, esteriormente sorgeva la scala in due brevi branche molto agevoli. Questa scala a collo, in quella corte, con quei colombi, dava all'abitazione un'aria villereccia molto modesta e allegra.

– Non c'è soggezione di sorta. Vossignoria può guardare tutt'in giro. Nessun occhio ci vede qua dentro: solo Dio e le creature dell'aria, – spiegò il vecchio portinajo.

Salirono a visitare la casa internamente. Erano otto stanze ammobiliate con una certa pretensione d'eleganza. L'Alvignani ne rimase contento.

– Il signorino ha famiglia?

– No, solo.

– Ah, bene. E allora, se volesse cambiato questo letto a due, con uno piccolo... I padroni abitano qui a due passi, sul Corso Calatafimi. Se volesse mangiare in casa, fanno anche pensione. Potrà avere insomma ciò che vorrà.

– Sì, sì, c'intenderemo... – disse l'Alvignani.

– Aspetti: il terrazzo! Deve vederlo: una delizia. Le montagne, signorino mio, si possono toccare così, con le mani.

Ah sì, sì: quello era il rifugio che ci voleva per lui: lì, al cospetto dei monti, alla vista della campagna.

Due giorni dopo vi prese alloggio.

– Qua mi riposerò.

Scendendo ogni mattina in città per il Corso Calatafimi, passava davanti al Collegio Nuovo; guardava il portone, le finestre del vasto edificio; pensava che Marta era là, e si prometteva che l'avrebbe riveduta, non foss'altro, per curiosità. Ma bisognava trovar l'occasione. Pensava: «Potrei entrare, anche adesso; farmi annunziare, vederla e parlarle. No. Così all'improvviso, no. Sarà meglio prevenirla. Ella non sa neppure ch'io sia qui, tanto vicino a lei. Chi sa come la ritroverò? Forse non sarà più come prima...».

Passava oltre, lieto d'avere ancora un buon tratto di via deserta davanti a sé, prima d'entrare in città, dove avrebbe senza dubbio incontrato tanti seccatori.

Era profondamente persuaso del proprio valore, della sua importanza; ma intanto, per ora, l'aria di spigliatezza un po' petulante a cui s'abbandonava lontano da Roma e dagli affari, modificava a gli occhi altrui piacevolmente quanto d'assoluto era in quella persuasione.

Non aveva ancora ben definito come avrebbe occupato il tempo del suo soggiorno a Palermo. In ozio, no: ozio e noja erano per lui sinonimi. E l'ozio inoltre gli sarebbe riuscito molto pericoloso. Gia, da quand'era arrivato, non aveva che un solo pensiero, o (come diceva) una sola curiosità: rivedere Marta.

«Comprerò qualche libro nuovo di letteratura. Leggerò. Continuerò poi, se me ne verrà voglia, i miei appunti su l'*Etica relativa*. Basta, vedrò.»

Non voleva fermarsi a lungo sopra alcun pensiero. Il suo spirito sonnecchiava nel benessere e si ristorava.

«Non si vuol morire; sfido! Anche quando il cervello è annebbiato di pensieri, il corpo trova tanta ragione di godere: nella mitezza della stagione; in un bel bagno, d'estate; accanto a un buon foco, d'inverno; dormendo, desinando, passeggiando. Gode, e non ce lo dice. Quando parliamo noi? quando riflettiamo? Solamente quando vi siamo costretti da cause avverse; mentre poi in quelle che ci dànno diletto il nostro spirito riposa e tace. Pare così che il mondo sia soltanto pieno di mali. Un'ora breve di dolore c'impressiona lungamente; un giorno sereno passa e non lascia traccia...»

Questa riflessione gli parve giustissima e originale, e sorrise di compiacimento a se stesso. Ma come trovare l'occasione, il mezzo di rivedere Marta? Per quanto cercasse di distrarsi, ritornava col pensiero sempre lì; e sempre si ritrovava intento a escogitare il modo d'ottenere quell'incontro, senza compromissione né per sé né per lei.

Usciva di casa. E camminando, pensava: «Se potessi vederla almeno per istrada, prima, senza farmi scorgere. Ma, e se poi s'accorge di me? Dal primo incontro dipenderà tutto...».

Tutto – che cosa? Gregorio Alvignani rifuggiva dal pensarlo.

«Dal primo incontro dipenderà tutto...»

L'occasione a un tratto gli s'offerse, e gli parve molto propizia. Fu invitato a tenere una conferenza sopra un soggetto di sua scelta nell'aula magna dell'Università. Quantunque non avesse con sé che pochi libri e si trovasse affatto impreparato, pure accettò, dopo essersi lasciato molto pregare. Un largo, eloquente esame della coscienza moderna lo aveva sempre tentato: aveva con sé gli appunti per uno studio iniziato e interrotto su le *Trasformazioni future dell'idea morale*: se ne sarebbe giovato. Dall'esame della coscienza intendeva passare all'esame delle varie manifestazioni della vita, e principalmente di quella artistica. – *Arte e coscienza d'oggi* – ecco il titolo della conferenza.

«Le scriverò. La inviterò ad assistere alla conferenza. Così la vedrò, l'avrò davanti a me, parlando.»

Era sicuro del buon successo che non gli era mai mancato, e lo solleticava molto il pensiero che Marta lo avrebbe riveduto lì, tra gli applausi d'un numeroso uditorio.

Tracciò lo schema della conferenza, lo meditò punto per punto, poiché avrebbe parlato e non letto; e quand'ebbe chiara la linea e intero il concetto, soddisfatto di sé, scrisse a Marta la lettera d'invito.

Il trionfo oratorio rispose quel giorno alla conferenza, come e forse più che l'Alvignani stesso non si fosse aspettato; ma non rispose Marta. Egli la cercò con gli occhi nell'ampia sala zeppa di gente; scorse la Direttrice del Collegio, sola: Marta non era venuta. E, come se non avesse inteso, dimenticò di rispondere a gli applausi con cui l'immenso uditorio lo accolse su l'entrare.

VIII.

– Venga, due passi... Il mal di capo le svanirà. Vede che giornata? Due passi...

– Ha fatto male a venire...

– Perché?

– Avrei voluto avvisarla... Ma dove?

– Perché? – insistette l'Alvignani.

Era turbatissimo anche lui. Non s'aspettava di ritrovare Marta in tanto rigoglio di bellezza e così confusa e tremante davanti a lui. Non sapeva come spiegarsi la facilità con cui ella pareva si lasciasse condurre; e n'era quasi ~~sgomento~~; temeva d'ingannarsi, si sforzava di dubitare e temeva di credere; ~~pareva~~ che un gesto, una parola, un sorriso imprudente non dovessero in un ~~attimo r~~ompere l'incanto.

Marta andava a capo chino, col volto in fiamme. Non avendo saputo, né quasi creduto possibile separarsi da lui su la soglia del Collegio, ed essendosi piegata all'invito di fare due passi insieme, si era messa ad andare in sù, dove il Corso diveniva man mano più solitario. Non si sarebbe certamente avviata con lui verso la città, incontro alla gente.

Usciva dal Collegio due ore prima del solito; né il marito dunque poteva essere di già alle poste, né Matteo Falcone l'avrebbe veduta. Pure tremava; le pareva che tutti dovessero accorgersi dell'imprudenza, anzi della temerità di lui e dell'estrema agitazione con cui lei lo seguiva, come trascinata veramente, come cieca. E non penetrava il senso delle parole ch'egli le diceva con voce tremante, ma le udiva. Erano parole ardenti e affollate, che le cagionavano a un tempo vergogna e sgomento, misti a un piacere indefinibile. Le diceva che da lontano aveva sempre pensato a lei...

E lei ripeté involontariamente, con aria incredula:

– Sempre...

– Sì, sempre!

Che diceva adesso? Che non gli aveva risposto? Quando? A qual lettera? Fece per alzare gli occhi a guardarlo, ma subito riabbassò il capo. Sì, era vero: non gli aveva risposto. Ma come avrebbe potuto rispondergli, allora?

Pensieri sconnessi le guizzavano intanto nel cervello; le due bambine a cui soleva dare in quel giorno la lezione particolare; l'ultima minaccia del marito nella lettera d'Anna Veronica; il mostruoso amore e la gelosia di Matteo Falcone... Ma nessuno di quei pensieri riusciva a riflettersi su la sua coscienza sconvolta, tra l'angoscia incalzante dei palpiti.

Sentiva ch'era di quell'uomo elegante, ardito, che le camminava a fianco, ch'era venuto a prendersela improvvisamente; e lo seguiva, come se avesse davvero un diritto naturale su lei, e lei il dovere di seguirlo.

Émpiti di sangue le balzavano alla testa; poi un subito spossamento le aggravava le membra. Aveva perduto affatto la coscienza di sé, d'ogni cosa; e andava innanzi senza volontà, né speranza di potere più sciogliersi da quell'uomo che la avviluppava con la parola commossa.

Anche lui era preso e vinto dall'irresistibile fascino amoroso, e parlava, parlava senza saper bene ciò che dicesse, ma sentendo che ogni parola, il suono, l'espressione di essa erano in perfetta armonia, e avevano virtù spontanea d'infallibile persuasione. Né anche egli pensava più; non sapeva che una cosa sola: che era vicino a lei, che non l'avrebbe lasciata più.

L'aria s'era come infiammata intorno ai loro corpi, s'era fatta avvolgente, e vietava ogni percezione della vita circostante; gli occhi non iscorgevano più alcun oggetto, gli orecchi non accoglievano più alcun suono.

Egli era arrivato a darle del tu, come già nell'ultima lettera, in quella scoperta dal marito; ed ella questa volta lo aveva accolto quasi senza notarlo.

Da un pezzo lo stradone era divenuto solitario; la luce del sole metteva sul giallo della polvere come un fervore d'innumerevoli scintille che accecavano, e per cui pareva fervesse sotto i loro piedi anche la terra. Il cielo era d'un azzurro intenso, immacolato.

A un tratto si fermarono. Si fermò lui per primo. Marta si guardò attorno, smarrita. Dove erano? Da quanto tempo camminavano?

– Non eri mai arrivata fin quassù?

– No... mai... – rispose timidamente, continuando a guardare come se uscisse da un sogno.

– Di qua... – le disse l'Alvignani, prendendole senza alcuna pressione il polso e accennando una via traversa, alla sua sinistra.

– Dove? – chiese lei, forzandosi a guardarlo e ritirando un po' il braccio ch'egli non lasciava.

– Di qua, vieni... – insistette lui, attirandola dolcemente, con un lieve, tremulo sorriso su le labbra aride, pallido in volto
– Ma no.. io adesso... – tentò lei di schermirsi, più che mal impacciata e
sgomenta, notando il fremito della mano, il sorriso nervoso, il pallore del
volto e l'espressione aggressiva degli occhi di lui, intorbidati e rimpiccoliti.
– Un momento solo... di qua... Vedi, non c'è nessuno...
– Ma dove? No...
– Perché no? Vedrai la chiostra dei monti... Morreale lassù... poi le campagne tutte fiorite... e da questa parte il mare, Monte Pellegrino... e la città intera
sotto i tuoi occhi. Ecco, la porta è qui. Vieni!
– No, no! – negò più recisamente Marta, guardando la porta, quasi non comprendendo ancora ch'egli abitasse lì e non trovando tuttavia la forza di liberare il polso dalla mano di lui.
Ma egli la attirò. Varcata la soglia, Marta trasse un lungo sospiro; sentì tra le
mura del breve, angusto androne un momentaneo sollievo, come un fresco re-
frigerante.
– Guarda, guarda... – le disse Gregorio accennando i colombi che tubavano
tutti insieme, ora avanzandosi impettiti come in difesa del loro campo, ora allontanandosi impauriti dalla voce di Marta che s'era chinata a chiamarli:
– Come son belli... Uh, quanti...
Gregorio la guardava così china, col desiderio irresistibile d'abbracciarla, di
stringerla forte a sé e non lasciarla, non lasciarla mai più. Gli pareva d'averla
sempre, sempre desiderata così, fin dal primo giorno che l'aveva veduta.
– Ora guarda: due scalini... Andremo sù al terrazzo...
– No, no, ora me ne vado... – rispose subitamente Marta, rizzandosi
– Come! Ora che sei entrata? Sono due scalini... Devi vedere il terrazzo...
Sei già qui...
Marta si lasciò novamente attirare; ma, appena posto il piede nell'interno
della casa, si sentì sciolta dall'incanto che l'aveva trascinata fin lì; le s'infoscò
la vista; un vertiginoso smarrimento la colse. Era perduta! E, come in un in-
cubo, sentì l'impotenza di sottrarsi al pericolo imminente.
– Il terrazzo? Dov'è il terrazzo?
– Ecco... vi andremo... – le rispose Gregorio, prendendole una mano e pre-
mendosela sul petto. – Ma prima...
Ella gli levò in volto gli occhi pieni d'angoscia, supplicanti.
– Dov'è? – ripeté, ritraendo la mano.
Non vedeva altro scampo, ora.
Gregorio la condusse attraverso le stanze; poi salirono un'angusta scaletta di
legno.
Marta lassù sentì aprirsi il cuore.
Lo spettacolo era veramente magnifico. La grande chiostra dei monti incom-
beva maestosa e fosca sotto il cielo fulgidissimo. Le schiene poderose si dise-
gnavano con tagli d'ombra netti. E Morreale pareva là un candido armento
pascolante a mezza costa; e, sotto, la campagna sparsa di bianche casette si
stendeva oscurata dall'ombra dei monti.
– Ora di qua! – diss'egli.
Quanto imminente e fosco era dalla parte dei monti lo spettacolo, tanto vasto
e lucente si spalancava dalla parte opposta. Tutta la città, distesa immensa di
tetti, di cupole, di campanili, tra cui, gigantesca, la mole del Teatro Massimo,
si offerse a gli occhi di Marta, e il mare sterminato in fondo, riscintillante al
so˙ sotto i cui raggi Monte Pellegrino rossigno pareva sdrajato beatamente.
ᵔ per un momento si obliò nella contemplazione del vasto spettacolo.
ᵔ con gli occhi il campanile del Duomo, dietro a cui sorgeva la sua
ᵔ᷈ito, al pensiero della madre e della sorella che colà la aspettavano,

sentì più vivo il turbamento, più acuto il rimorso, e una sfiducia profonda e disperata di sé. Trasse il fazzoletto e si nascose la faccia.

– Piangi? Perché, Marta? Perché? – le domandò egli con affettuosa premura, accostandosele. – Vieni, scendiamo... Adesso te ne andrai...

– Sì, sì... subito... – fece lei, sforzandosi di dominarsi. – Non dovevo... non dovevo venire...

– Ma perché? – ripeté Gregorio, afflitto, come ferito dalle parole di lei, ajutandola a discendere. – Perché dici così, Marta? Marta mia... Aspetta, aspetta... Così! non piangere... rassèttati...

E asciugandole gli occhi, la carezzava, tutto tremante.

– No... no... – cercava di schermirsi Marta, abbandonata di forze.

Quand'egli la abbracciò, ella ebbe un fremito per tutte le membra, un singulto, come uno schianto, di chi cede senza concedere.

IX.

– Quando, quando ritornerai? – le domandò con fuoco l'Alvignani stringendola forte tra le braccia, su la scala.

Si lasciò stringere, senza rispondere: inerte, come insensata.

A volere parlare, non avrebbe trovato la voce. Ritornare? Ma ora lei non avrebbe più voluto andar via; non già per non sciogliersi da quelle braccia, ma perché lì ormai si sentiva come giunta al suo fine, piombata nel suo fondo, dove tutti, tutti, la avevano spinta, quasi a furia d'urtoni alle terga, e precipitata. Come ritrarsene? come ritornare più indietro? come riprendere più la lotta oramai? Era finita! Dove tutti avevano voluto ch'ella arrivasse, era arrivata. Ed egli che l'aspettava, se l'era presa; era venuto a prendersela, così, semplicemente, come se tutte le ingiustizie da lei patite gli avessero creato questo diritto su lei. Ecco perché subito, fin dal primo vederlo, non aveva potuto resistergli e si era trovata senza volontà davanti a lui così sicuro. Senza volontà! Questa era la sua più forte impressione.

– Mia... mia... mia... – insisteva l'Alvignani, stringendola vie più forte.

Sì; sua! Cosa sua. Cosa data a lui.

Non intendendo quell'abbandono, o piuttosto, interpretandolo altrimenti, egli, com'ebbro, si chinò a sussurrarle all'orecchio di trattenersi, di trattenersi ancora un poco...

– No, vado, – diss'ella, riscotendosi improvvisamente e quasi sguizzandogli dalle braccia.

Egli le prese una mano:

– Quando ritornerai?

– Ti scriverò...

E andò via. Appena sola per quella stessa strada, percorsa un'ora avanti accanto a lui, si sentì come riassalita dai proprii sentimenti, smarriti lungo l'andare, come se si fossero posti in agguato, aspettando il ritorno di lei su i proprii passi.

Si voltò a guardare, quasi sgomenta, la via da cui era uscita; poi prese ad andare in giù, frettolosa, con la mente scombuiata. E, andando, chiamava in soccorso, a raccolta, ragioni, scuse che sostenessero di fronte a lei stessa il concetto della propria onestà, quasi per farsene forte contro colui che così improvvisamente gliel'aveva tolta, e per sottrarsi nello stesso tempo all'idea che l'avviliva e la schiacciava, di essere stata tratta, cioè, quasi passivamente, a quella stessa colpa, di cui – innocente – era stata accusata. Volle costringersi a vedere, proprio, a sentire, ad assaporare in quella sua subitanea caduta, che la sconvolgeva, una vendetta voluta da lei, la vendetta della sua antica innocenza, contro tutti.

Alla vista del Collegio alla sua destra, riuscì con uno sforzo a risollevare lo spirito. Rientrava ora in quel tratto del Corso per cui era solita di passare ogni giorno. Rallentò il passo, proseguì più calma e più sicura, come se veramente si fosse lasciata dietro le spalle la colpa, solo perché la gente, ora, vedendola, poteva pensare: «Ella torna dal Collegio». Tuttavia si sentiva ancora addosso qualcosa d'indefinibile, che avrebbe potuto tradirla, se qualcuno avesse respirato molto vicino a lei, guardandola e parlandole. Procurò di sottrarsi alla molestia di questa sensazione, guardando le note insegne delle botteghe, i noti volti di quelli ch'era solita d'incontrare ogni giorno. La colse a un tratto il timore che, parlando, le avrebbe tremato la voce; e subito le venne alle labbra questo sospiro: – Ah, che stanchezza! –. Pronunziò le parole tenendo attentissimo l'udito, ma come se esse esprimessero veramente quel che sentiva, e non fossero una prova immediata, suggerita dal timore improvvisamente concepito. Era la sua voce consueta, sì; ma le parve come non uscita dalla propria bocca, o come se lei stessa avesse voluto imitarla.

Notò con sollievo che nulla di nuovo era avvenuto nella vita di tutti i giorni per quella strada, che tutto insomma era come prima, e volle costringersi ad accordarsi anche lei alla uniformità consueta dei comuni casi giornalieri. Ecco, passava adesso sotto Porta Nuova, come jeri, come l'altro jeri. E man mano che s'appressava a casa, sentiva, per forza di riflessione e di volontà, crescere la calma.

Maria era al terrazzo e, guardando di tra i vasi dei fiori imbasati in fila su la balaustrata, scorse giù nella via la sorella. Marta le fe' cenno con la mano, e Maria sorrise. Nulla di nuovo, neppure in casa.

– Come... più presto oggi? – le domandò la madre.

– Più presto? Sì... ho tralasciato una lezione particolare... Mi faceva un po' male il capo.

Diceva la verità. La voce, ferma. Si rammentava del mal di capo a proposito. Sorrise alla madre e aggiunse:

– Vado a svestirmi. Maria è sul terrazzo... L'ho vista dalla strada...

Sola, in camera, si stupì della propria calma, come se non se la fosse imposta lei stessa, a forza; si stupì di saper fingere così bene; e lo stupore era quasi soddisfazione. Si mostrò allegra quel giorno, come la madre e la sorella non la vedevano più da molto tempo.

Venuta la sera però s'accorse che non tanto per gli altri aveva bisogno di fingere, quanto per sé. Subito, per non badare alla propria inquietudine, per non restar sola con sé, trasse dal cassetto i cómpiti scolastici da correggere, come soleva ogni sera, tolse in mano la matita per segnare gli errori, e si mise a leggere, concentrando sul primo scritto tutta l'attenzione. Lo sforzo fu vano: una gran confusione le si fece nel cervello. Non poté rimanere seduta, e andò ad appoggiare la fronte che le scottava su i vetri gelidi del balcone.

Lì, con gli occhi chiusi, volle rifarsi lucidamente i minimi particolari della giornata. Ma la lucidezza dello spirito le s'intorbidava anche adesso, ricordando la passeggiata con l'Alvignani fino alla casa di lui. Egli abitava lassù, e la aveva trascinata, ignara, fino a casa sua! Avrebbe dovuto sciogliersi da lui, pervenuta lassù all'angolo della via. Ma come? se non aveva saputo proferire neanche una parola? Rivide la corte piena di colombi; la scala scoperta. Ecco: se la scala non fosse stata così scoperta, forse non sarebbe salita... Ah, sì: certo! Le si riaffacciò alla mente lo spettacolo dell'ampia chiostra dei monti. Poi provò una strana impressione, suscitata dal ricordo d'aver cercato con gli occhi, dal terrazzo dell'Alvignani, il tetto della propria casa presso il Duomo: le parve di trovarsi ancora a guardare da quel terrazzo e di vedersi com'era adesso, lì, nella sua camera, con la fronte su i vetri del balcone.

– Tutti l'hanno voluto... – mormorò tra sé, duramente, per ricacciar la commozione che già le stringeva la gola. – Gli scriverò, – aggiunse, aggrottando

le ciglia; poi, con repentino mutamento d'animo, scrollando le spalle, terminò:
– Ormai! Così doveva finire...

E scrisse una lunga lettera che s'aggirava tutta, smaniosamente, su queste
due frasi: «Che ho fatto?» e «Che farò?». Il rimorso della subitanea caduta vi
si mostrava in uno slancio aggressivo di passione, nella frase appositamente
ripetuta e sottolineata: *ora sono tua!*» quasi per fargli paura.

«Andando in sù, accanto a te, io non sospettavo... Avresti dovuto dirmelo:
non sarei venuta. Quanto, quanto sarebbe stato meglio per me e per te! Se tu
sapessi quel che ho sofferto al ritorno, sola; come soffro adesso, qui, tra mia
madre e mia sorella! E domani? Io mi trovo sbalzata fuori d'ogni traccia di
vita, e non so come farò, quel che avverrà di me. Sono il sostegno unico di
due povere donne; e io stessa sono senza guida, perduta... Senti com'è amaro
il frutto del nostro amore? Tanti e tanti pensieri v'infiltrano questo veleno. Ma
com'è possibile non pensare, nella mia condizione? Tu sei libero: io no! La
libertà delle anime, che tu dici, si riduce a un supplizio per il corpo incate-
nato...»

La lettera terminava improvvisamente, quasi strozzata dalla mancanza di
spazio, a piè del foglietto. «Bisogna che ci rivediamo. Ti avviserò quando...
Addio.»

X.

– Oh, mia cara, quando io dico: «La coscienza non me lo permette», io dico:
«Gli altri non me lo permettono, il mondo non me lo permette». La mia coscienza! Che cosa credi che sia questa coscienza? È la gente in me, mia cara!
Essa mi ripete ciò che gli altri le dicono. Orbene, senti: onestissimamente la
mia coscienza mi permette d'amarti. Tu interroga la tua, e vedrai che gli altri
t'hanno ben permesso di amarmi, sì, come tu stessa hai detto, per tutto quello
che t'hanno fatto soffrire ingiustamente.

Così sofisticava l'Alvignani per ammansare gli scrupoli, i rimorsi e la paura
di Marta, e spesso ripeteva sott'altra forma il ragionamento, perché apparisse
più chiaro e più convincente anche a lui, e la crescente foga delle parole stor-
disse anche i suoi scrupoli, i suoi rimorsi e la paura non manifestati né apertamente né segretamente ancora a se stesso.

Marta ascoltava in silenzio, pendeva dalle labbra di lui, si lasciava avvolgere
da quel linguaggio caldo e colorito, persuasa a credere, non convinta. Purtroppo sapeva quanto le costasse quel venire di furto in casa di lui, e che tortura al Collegio, e che smanie, che angoscia, le notti! Certo quello smarrimento, in cui si agitavano dissociati tutti i suoi pensieri, tutti i suoi sentimenti,
la avrebbe tradita, un giorno o l'altro. Avrebbe voluto essere sicura del domani. Sicura di che? Non avrebbe saputo dirlo a se stessa; ma sentiva che non
era possibile durare a lungo in quello stato, protrarre quell'esistenza. Non trovava più luogo ove stare in pace un momento: nella propria casa, la menzogna;
nel Collegio, la tortura; nella casa di lui, il rimorso e la paura. Dove fuggire?
che fare?

Andava dall'Alvignani unicamente per sentirlo parlare, per sentirsi dire ciò
che, pensando tra sé, avrebbe voluto credere: che ella non era stata vinta; che
quell'uomo non s'era impadronito di lei per violenza altrui; ma che ella lo
aveva voluto, e ormai doveva starci, poiché gli s'era data. L'anima ne soffriva,
smaniosamente, e soltanto nelle parole di lui riposava un poco.

– Se tu amassi più, penseresti meno, – le diceva lui. – Bisogna dimenticare
tutto nell'amore.

– Ma io non vorrei pensare! – diceva Marta, con stizza.

– Vedi, io penso questo soltanto; che tu sei mia e che noi dobbiamo amarci.
Guardami negli occhi: mi ami tu?

Marta lo guardava un po', poi abbassava gli occhi, le guance le s'invermi-
gliavano e rispondeva:
– Non sarei qui...
– E allora? – le domandava egli e le prendeva una mano e la attirava a sé.
Non reluttava: si abbandonava vergognosa e tremante alla carezza; poi fuggiva,
credendo, al destarsi dal momentaneo oblio, che si fosse trattenuta troppo da lui.
Egli intanto non rimaneva più su l'ultimo gradino della scala, fin dove soleva accompagnarla, insoddisfatto e affascinato, come il primo giorno. Ora,
appena ella svoltava per l'androne, mandandogli con la mano un ultimo triste
saluto, traeva spontaneamente un sospiro, come se provasse sollievo, o forse
per pietà di lei, e risaliva lentamente la scala, pensieroso.
Svaniva così a poco a poco il primo stupore quasi di sogno, il primo turbamento cagionatogli dalla vista di Marta e dalla insperata facilità con cui il suo
improvviso ardentissimo desiderio s'era effettuato. Ora si rendeva conto del
perché e del come fosse riuscito così d'un tratto ad averla; si rendeva conto
dei sentimenti di Marta per lui. No; ella non lo amava: non gli si era abbandonata per virtù d'amore. Forse in altre condizioni, sì, lo avrebbe amato; non
ora che, nello scompiglio dell'improvvisa caduta, s'aggrappava a lui come un
naufrago s'aggrappa ad un altro, senza probabilità di scampo, disperatamente.
Come uscirne?
«Vorrà venire con me a Roma?», pensava l'Alvignani.
Lui, certo, ne sarebbe stato contento. Ma, e la madre? la sorella? Insieme
con lei? Nessuna difficoltà, da parte sua. Ma come proporglielo? Ella si mostrava così altera... e certo non avrebbe voluto piegarsi alla condizione ch'egli
poteva offrirle. Questa, e non altra. Che cosa infatti avrebbe potuto fare per
lei? Era pronto a tutto: aspettava un cenno.
Così pensando, l'Alvignani credeva proprio di non aver nulla a rimprove-
rarsi.
– Ti stanco, è vero? – gli domandava lei amaramente. – Tu pensi a partire...
– Ma no, Marta! Da che lo argomenti? Mi giudichi male... Tranne che tu
non voglia venire con me...
– Con te? Se fossi sola! Vedi intanto che è vero che tu pensi a partire?
Gregorio si stringeva nelle spalle. Sospirava.
– Se non vuoi capire ciò che ti dico! Sono qui, con te, fino a che tu non
avrai preso una decisione per il nostro avvenire. Vorrei soltanto farti contenta.
Non penso ad altro...
– E come? come? Se sapessi!
– Lo so; t'intendo. Ma vedi che per me non manca?
Sì; e Marta doveva convenirne. Ma che poteva volere, lei? Aveva ognuno
davanti a sé una via, o triste o lieta; lei sola, no; lei sola non sapeva ciò che le
restasse da fare.
Ormai da circa due mesi si trascinava così la loro relazione, aduggiata, intristita dall'ombra della colpa che la coscienza di lei continuamente vi projettava. Invano egli aveva tentato di rimuovere, di scuotere quest'ombra con le
sue parole appassionate. Ora ne soffriva in silenzio l'oppressione, accre-
scendo il peso della comune tristezza con la propria inerzia, per renderla a entrambi alla fine insopportabile.
– Tocca a te decidere. Io te l'ho detto: sono pronto a tutto.
Partirsene, tornarsene a Roma, adducendo per lettera una scusa qualsiasi:
l'improvviso richiamo per qualche urgente affare professionale? Così ella
avrebbe forse trovato un po' di calma; e, nella calma, qualche decisione. No:
dopo matura riflessione, aveva scartato questo partito come troppo violento.
Sarebbe stato forse meglio proporle apertamente di finirla: non per lui; per lei
che già ne soffriva tanto. Ma anche questo partito fu respinto da Gregorio Al-

vignani in previsione di qualche scena disgustosa. Meglio aspettare che a tal passo fosse venuta lei, da sé.

Sopraggiunse intanto una notizia inattesa che sconvolse in diverso modo Marta e l'Alvignani. Anna Veronica annunziò in una lunga lettera che Rocco Pentàgora, gravemente ammalato di tifo, si trovava, per giudizio dei medici, a un caso di morte.

Marta allibì nel leggere questa lettera che le giungeva come immediata, odiosa risposta ai voti disperati delle sue notti insonni, voti che la coscienza intimamente disapprovava, poiché ella ormai non si riconosceva più alcun diritto di sperare su la morte del marito. Eppure, quante volte, dibattendosi sul letto, non aveva pregato:

– Dio, morisse!

Moriva – ecco. Era per morire davvero.

In preda a una vivissima agitazione, si recò a comunicare la notizia all'Alvignani.

Questi restò perplesso a guardare Marta che lo spiava acutamente. Si guardarono un tratto, ed egli ebbe quasi l'impressione che il silenzio della stanza attendesse una sua parola, come se la morte fosse entrata e sfidasse il loro amore a parlare.

XI.

– A Palermo? Come mai!

E Gregorio Alvignani si fermò davanti al professor Luca Blandino, il quale andava al solito con gli occhi semichiusi, assorto nei suoi pensieri, col bastone sotto il braccio, le mani dietro la schiena e il lungo sigaro addormentato su la barba.

– Oh, bello mio! – fece il Blandino, guardando l'Alvignani senza alcuna sorpresa, come se già fosse stato in compagnia di lui un'ora avanti. – Alza, alza un po' il mento: così... Quanto?

– Che cosa? – domandò ridendo Gregorio.

– Codesti colletti, a quanto l'uno? Troppo alti per me... Perché ridi, birbante? Mi minchioni? Voglio comperarmene tre. Vieni, ajutami. Debbo fare una visita, e così come sono non potrei presentarmi. Arrivo adesso...

Prese il braccio dell'Alvignani che rideva ancora, e s'avviò con lui.

– Oh, a proposito! E tu che fai qui?

– A proposito di che? – gli domandò Gregorio Alvignani rimettendosi a ridere.

– Nulla, nulla... per saperlo, – rispose il Blandino, diventando a un tratto serio e corrugando le ciglia.

– La Camera è chiusa... – disse l'Alvignani.

– Lo so... E tu perché sei qui? Non vorrei fare un altro pasticcio... Dimmi la verità.

– Che pasticcio? – domandò Gregorio, divenuto serio anche lui e sforzandosi di comprendere.

– Ora ti dirò... Entriamo qui, – rispose il Blandino, cacciandosi in un negozio di biancheria. – Compro i colletti.

– Ho tenuto una conferenza all'Università... Fra qualche giorno riparto...

– Per Roma?

– Per Roma.

– Colletti! – ordinò il Blandino al giovine di negozio. – Così, guardi... come questi dell'amico mio, un po' più bassi.

Fatta la compera, Gregorio Alvignani propose al Blandino di andare a casa sua (Marta quel giorno non sarebbe venuta) – e si misero in vettura.

– Spiegami adesso il pasticcio.

– Ah, già! Dunque, una conferenza? E riparti subito?

– Spero...

– Avrei preferito non trovarti qua.

– E perché?

L'Alvignani credette di comprendere; tuttavia simulò un'aria tra smarrita e sorpresa. Un lieve sorriso gli si delineò su le labbra.

Da questo sorriso il Blandino, se fosse stato un osservatore più acuto, si sarebbe accorto che l'Alvignani s'era gia messo in guardia.

– Perché? Perché mi dà sospetto la tua presenza qua.

– Oh sta' a vedere ch'io non debbo più venire a Palermo! E tu perché ci sei venuto? E, di grazia, che sospetto?

– Non m'hai capito? – domandò il Blandino, guardandolo fiso.

– Non t'ho capito... cioè, suppongo che tu non voglia alludere... Sì? Ah sì? Ancora? Caro mio: acqua passata...

– Parola d'onore?

Gregorio Alvignani scoppiò di nuovo a ridere, poi disse:

– Sai la nuova? Tu diventi più stolido di giorno in giorno.

– Hai ragione! – confermò con molta serietà Luca Blandino, scrollando il capo e chiudendo gli occhi. – Oggi più smemorato e più balordo di jeri. Non posso più insegnare: non ricordo più nulla... Ottanta, ottanta e ottanta: due lire e quaranta, è vero? Aspetta, credo che ci sia errore. Tre colletti, è vero? Due lire e quaranta... ladri! Quanto mi hanno restituito? No, no – è giusto: quaranta e sessanta, cento – tre lire giuste. Benissimo. Dunque, dicevamo?

– Quanti anni di servizio hai da fare ancora per avere la pensione? – gli domandò Gregorio Alvignani.

– Molti. Non ne parliamo, ti prego, – rispose il Blandino. – Si tratta adesso di riconciliare Rocco Pentàgora e la moglie.

Gregorio Alvignani credette dapprima di non aver bene inteso e impallidì. Il sorrisetto motteggiatore gli rimase tuttavia su le labbra.

– Ah sì? Come mai? Dopo...

S'interruppe: notò che la voce non era ben ferma.

– Sono venuto per questo, – aggiunse il Blandino, studiandolo. – Perciò ti dicevo che avrei preferito non trovarti qua.

– E che c'entro io? – fece l'Alvignani con aria stupita.

– Sta' zitto, sta' zitto che c'entri, – esclamò sospirando il Blandino. – Ma non se ne parli più... bisogna pensare alla riconciliazione, adesso.

– Sei sicuro che si farà? – domandò l'Alvignani, simulando una perfetta ingenuità.

– Speriamo... Perché no? Il marito la rivuole.

– S'è persuaso finalmente? – aggiunse Gregorio Alvignani con indifferenza. Proseguirono in silenzio.

– Vetturino, di qua: via Cuba, al primo portone, – ordinò finalmente l'Alvignani.

Poco dopo, entrati nell'ampia stanza in cui si apriva il balcone dalla balaustrata a pilastrini, ripresero la conversazione.

– Sei davvero incorreggibile! – esclamo, ridendo, Gregorio. – Vuoi proprio pigliarti tutte le gatte a pelare?

– Eh, lo so! Ma che vuoi farci? È il mio destino. Tutti ricorrono a me. Non so dire di no, e... Questa volta però... Sai che quel povero ragazzo si è ammalato? È stato proprio per morire.

– Il Pentàgora? Davvero?

– Lui, Rocco; eh sì, di tifo... Io abito, non so se lo sai, nella stessa sua casa. M'ha fatto chiamare... Poverino, s'è ridotto pelle e ossa: che non si riconosce più. «Professore», dice, «lei deve ajutarmi... Le lettere non servono a nulla... Lei deve andare dalla madre di Marta; le dica come m'ha veduto. Io rivoglio

Marta, la rivoglio!...» E così, siamo qua, caro Gregorio! Speriamo di metter fine a questa storia disgraziata per tutti.

– Sì, sì... – affermò l'Alvignani, passeggiando per la stanza. – È il meglio che si possa fare, senza dubbio.

– Non è vero?

– Sì. Sarebbe stato meglio che nulla purtroppo fosse accaduto, come nulla doveva accadere. Te lo dissi già una volta, rammenti? quando avesti il coraggio di comparirmi davanti come testimonio del Pentàgora. Egli agì allora proprio da ragazzo; volle provocarmi; io non potei più evitare il secondo scandalo del duello. Prevedevo fin d'allora questa soluzione. Ci è voluto forse troppo tempo. Basta: a ogni modo, ora egli ripara; fa bene.

– Ma sai che lui, il marito, – disse il Blandino, – ha tentato altre volte, dopo la morte di Francesco Ajala, di riconciliarsi? Non ha voluto saperne lei...

– Troppo tardi o troppo presto, forse, – osservò l'Alvignani. – Perché bisogna compatire anche la moglie, mi pare! Non dovrei dirlo io; ma resti tra noi; tanto, ormai tutto è finito, o sarà tra breve. L'hanno infamata! Se qualche colpa... cioè, colpa... non diciamo colpa! errore, lievissimo errore c'è stato, l'ho commesso io, e me ne sono pentito amaramente; me ne pento tuttora. Un momento d'aberrazione, lo confesso: la vicinanza, la simpatia vivissima... la mia vita chiusa, sepolta nel lavoro... un momento, insomma, di cordiale, irresistibile espansione, ecco! Sarei presto rientrato in me, mercé l'onestà di lei, se tutt'a un tratto, con una leggerezza incredibile da parte del marito, non fosse avvenuto quel che è avvenuto. Ah! Non bisogna trattenersi mai tanto nel sogno, caro mio, che l'urto della realtà sopravvenga! Quante volte non me lo sono ripetuto... Questo per dimostrarti che se lui, il marito, per disgrazia, fosse morto, avrei subito riparato io al male che da ogni parte è piombato su la povera signora. Tu mi conosci: non son uomo d'avventure, io! Tu stesso m'hai scritto una volta per lei una lettera un po' troppo vivace, ti rammenti? Non me ne sono avuto a male. Ho fatto subito per la signora quanto m'è stato possibile: poco, purtroppo, in considerazione della jattura; ma tutto il possibile. Ora mi dài una consolante notizia. Le si renderà giustizia interamente davanti alla società. Ecco quello che bisognerà farle intendere... Sì, perché ella, m'immagino, non sarà molto ben disposta a rispondere adesso al pentimento del marito. Siamo giusti! Ha troppo sofferto, poverina. La proposta, vedi, io credo che tu debba presentarla da questo lato, per riuscire! E ci vuole efficacia, calore... non mancherà a te! È proprio la via d'uscita, la riparazione vera per lei, la prova, il riconoscimento dell'innocenza da parte di chi l'aveva accusata e condannata a occhi chiusi! Non ti pare? Questo, questo devi sostenere davanti a lei!

– Sì, sì... – approvò distratto il Blandino. – Lascia fare a me...

– Non ti pare? – ripeté l'Alvignani, assorto ancora nel suo ragionamento, come se specialmente lo volesse persuadere a se stesso. – È proprio la fine desiderata, la vera, la giusta, la più naturale, del resto, di questa tristissima storia. Non puoi credere, caro amico, quanto ne sia contento... Tu m'intendi: mi pesava su la coscienza enormemente questa condizione di cose fatta per mio incentivo a una donna, senz'alcuna ragione. Saperla, povera signora, così sbalestrata, ancora giovane, bella, esposta alla malignità della gente... era, credi, per me, un rimorso continuo... Te ne vai?

– Sì, me ne vado, – rispose il Blandino, che già s'era alzato.

– Vediamoci stasera... vorrei sapere... Ceneremo insieme?

Si diedero convegno, e Luca Blandino andò via. Poco dopo, Gregorio Alvignani, aprendo l'uscio della camera da letto quasi al bujo, si sentì sul volto queste due parole, come due schiaffi:

– Vile! vile!

Diede un balzo indietro:

– Tu qua, Marta!

E richiuse subito l'uscio.

XII.

– Qua. Ho inteso tutto, – riprese Marta, vibrante di sdegno.

– E che ho detto io? – balbettò Gregorio Alvignani quasi tra sé.

– Mi sono tenuta le mani per non aprire, per non entrare a smascherarti davanti a quell'imbecille! Di qui stesso avrei voluto gridargli: «Non gli creda! Io sono qua, in casa sua!».

– Marta! Sei impazzita? – gridò Gregorio. – Che volevi che dicessi? Son io forse cagione, se egli è venuto a parlarmi di tuo marito?

– E t'ha chiesto forse che gl'insegnassi il miglior modo di prendermi al laccio, di presentarmi la proposta? Ah, ne sei contento? Davvero?

– Io? Ebbene, sì; per te!

– Per me? E quale altra viltà vorresti farmi commettere adesso? Per me, dici? E che sono diventata io? Ora che ti sei stancato, di' un po', vorresti respingermi nelle braccia di mio marito?

– No, no! Se tu non vuoi! – negò forte Gregorio.

– Voglia o non voglia: è forse più possibile, ora, dopo quello che è avvenuto fra te e me? Hai potuto sperarlo, rallegrartene? Dio! Che hanno fatto di me... Che sono divenuta io? Mi hai aspettata; ci sono venuta, qua, in casa tua, coi miei piedi; e, ora che mi hai avuta, me ne posso pure andare da quell'altro?

– Come sospetti bassamente di me! – esclamò l'Alvignani, avvilito.

– Ah, io di te? E tu di me che pensi, se hai potuto sperare che... Ma non sai il peggio ancora! Ah, la mia testa... la mia povera testa...

E Marta si premette forte le tempie con le mani che le tremavano.

– Il peggio? – fece Gregorio Alvignani.

– Sì, sì: per me non c'è più scampo, ormai. Sappilo! La morte sola.

– Che dici?

– Sono perduta! M'hai perduta... Sono venuta apposta per dirtelo.

– Perduta? Che dici? Spiègati!

– Perduta: non capisci? – gridò Marta. – Perduta... perduta...

Gregorio Alvignani restò come basito, guardando fiso, con terrore, Marta, e balbettò:

– Ne sei certa?

– Certa, certa... Come ingannarmi? – rispose Marta, lasciandosi cadere su una seggiola. – Sono venuta per dirti questo. Come nasconderò a mia madre, a mia sorella il mio stato? Se ne accorgeranno... No, no: prima morire! Per forza io ora debbo morire. Non mi resta più altro.

– Che sbaraglio! – mormorò l'Alvignani annichilito, coprendosi la faccia con le mani.

– Che riparo? che rimedio? – fece Marta disperatamente, tra le lagrime.

– Non piangere così! Cerchiamo insieme...

– Ah, tu, per te, lo so: per te, l'avevi trovata la via d'uscita!

– Per me? Come? No... no... Non rimproverarmi ancora... Come potevo supporre? Perdonami! Senti: corro a raggiungere il Blandino. Gli dirò che... la verità!... Che non si occupi più...

– Come! E poi?

– Tu verrai con me...

– Daccapo? Vuoi straziarmi l'anima inutilmente? O me lo dici perché sai che non posso volerlo?

– E dàlli con la diffidenza! Marta, perdio, non vedi che il mio dolore è sincero? Non puoi volerlo: ma tu devi, adesso! Che vuoi fare?

– Non lo so... non lo so... Venire con te, sì, io sì, potrei ormai: sono per-

duta... Ma la mamma? mia sorella? Sai che vivono di me. Posso trascinarle
nell'obbrobrio? Non intendi questo? Non sai chi è mia madre?

– E allora? – domandò Gregorio con voce irritata, cercando di rialzarsi dal-
l'avvilimento con la forza della ragione. – Non intendi che non c'è più altro
scampo? O con me, o con lui, con tuo marito!

Marta si levò in piedi, alteramente.

– No! – disse. – Quest'ultima viltà, no! non la commetterò mai!

– E allora? – ripeté Gregorio.

Dopo un momento di silenzio, riprese:

– Con me, no; con lui, neppure; mentre egli te ne offre l'occasione, provvi-
denzialmente... Lasciami dire! Pensa: non hai il coraggio di venire con me...
per tua madre e per tua sorella, è vero? Sta bene. Come ripari allora? O ti sa-
crifichi tu per loro, riunendoti con tuo marito, o si sacrifichino loro per te, e tu
vieni con me. Ma dimmi: hai forse cercato tu, adesso, il riparo che ti si offre?
No. Egli, tuo marito, viene a offrirtelo, spontaneamente.

– Sì, – oppose Marta. – Ma perché? perché mi sa senza colpa, com'ero
prima, e perché è pentito d'avermi punita ingiustamente.

– E non t'ha punita davvero ingiustamente?

– Sì.

– E dunque? Perché hai quasi l'aria di difenderlo adesso?

– Io? Chi lo difende? – gridò Marta. – Ma non posso più accusarlo ora, capisci?

– Ora accusi me, invece...

– Ma te, me stessa, tutti, la mia sorte infame... – seguitò Marta.

Gregorio Alvignani si strinse nelle spalle.

– Ti stendo la mano... la respingi... Hai pure ascoltato ciò che ho detto di là
al Blandino. Se tuo marito fosse morto, t'avrei fatta mia... Qual altra prova potrei darti dell'onestà delle mie intenzioni? Ma tu vuoi per forza vedere in me
uno... uno che si sia approfittato della tua sciagura! Ebbene, no! io non sono
quello che tu mi stimi. Sono pronto, ora come sempre, a fare per te tutto
quello che vorrai... Che altro posso dirti? Perché m'accusi?

– Me sola accuso, – disse Marta, cupamente. – Me sola, che sono diventata
la tua amante...

L'Alvignani, a questa parola, ebbe uno scatto improvviso; s'accostò a Marta,
la prese per le braccia.

– La mia amante? No, cara! Ah, se io vedessi in te, nei tuoi occhi, un po'
d'amore! Andrei da tuo marito; gli direi: «Tu l'hai scacciata senza colpa, infamata senza ragione, rovinata, perché io l'amavo? e ora che lei mi ama, tu la
rivorresti? Ebbene, no! ora ella è mia, mia per sempre, tutta mia: uno di noi
due è di troppo!». Ma tu mi ami? No... La mia amante, no! E ben per questo
ho potuto accogliere con piacere la proposta inaspettata di una riconciliazione
con tuo marito. Ho pensato che tu non potevi durare più oltre nella condizione
che io t'avevo fatta, insopportabile per te che non mi amavi, non per me che ti
amo, intendilo! Tu non mi hai mai amato: non hai amato nessuno, mai! o per
difetto tuo, o per colpa d'altri; non so. Tu stessa l'hai detto: ti sei sentita
spinta da tutti nelle mie braccia... E ora, vedi, vedi, sarebbe questa la vera
vendetta, questa; e se io fossi in te, non esiterei un solo minuto! Pensaci! Innocente, ti hanno punita, scacciata, infamata; e ora che tu, spinta da tutti, perseguitata, non per tua passione, non per tua volontà, hai commesso il fallo –
per te è tale! – il fallo di cui t'accusarono innocente, ora ti riprendono, ora ti
rivogliono! Vacci! Li avrai puniti tutti quanti, come si meritavano!

Lo sdegno eloquente, impetuoso dell'oratore stordì Marta lì per lì. Rimase un
tratto a guardarlo, poi gli occhi le andarono alla finestra della camera e avvertirono subito l'ombra sopravvenuta. Balzò in piedi.

– Già sera? E come faccio? È bujo... Oh Dio, e che dirò a casa? Che scusa troverò?

– Quel che bisogna trovare è il rimedio, – disse l'Alvignani, cupo, non badando alla costernazione di Marta per l'ora tarda. – Pensa, pensa a ciò che t'ho detto!

– Tu ragioni, – sospirò Marta, – tu puoi ragionare... io... Lasciami, lasciami andare, ora... debbo andare... è già sera...

– T'aspetto qui, domani – le disse l'Alvignani. – Qualunque cosa tu decida, sappilo: pronto a tutto. Addio! Aspetta... i capelli... rassèttati un po' i capelli almeno...

– No, no... ecco, così... Addio!

Marta scappò via stropicciandosi gli occhi, ravviandosi i capelli, pensando alla scusa da addurre per il grande ritardo con cui rincasava.

Allo svolto della via, nella semioscurità, si trovò improvvisamente di fronte Matteo Falcone.

– Di dove viene?

– Lei! Che vuole da me?

– Di dove viene? – ripeté il Falcone, quasi sul volto di Marta.

– Mi lasci passare! Chi le dà il diritto d'insolentire la gente per istrada? Fa la spia?

– Io la svergogno! – ruggì tra i denti il Falcone.

– Villano! Si approfitta d'una donna sola?

– Di dove viene? – fece ancora una volta il Falcone, fuori di sé dalla gelosia, tentando di ghermire un braccio di Marta.

– Mi lasci, villano! o grido!

– Gridi, lo faccia venir giù! Sono così, ma ho polsi, perdio, da storcergli il collo come a un galletto! È quel biondo mingherlino dell'altra volta?

– Sì, mio marito! – fece Marta. – Vada a trovarlo!

– Suo marito? Come! Quello è suo marito? – esclamò il Falcone, interdetto, stordito.

– Mi si tolga dai piedi... Non ho da rispondere a lei...

Marta prese la via precipitosamente, seguita dal Falcone.

– È suo marito? Senta... senta... Mi perdoni...

– Vuol mettermi alla disperazione? – gli gridò Marta voltandosi e fermandosi un istante.

– Non si disperi... Sono io il disperato! Mi perdoni, abbia pietà di me... merito compassione, non disprezzo... Non sono io il mostro, il mondo è un mostro, mostro pazzo che ha fatto lei tanto bella e me così... Mi lasci gridar vendetta! Ripari lei, in odio a questo mondo pazzo! Faccia lei la mia vendetta! È una vendetta... è una vendetta...

Marta tremava tutta, di sdegno, di paura, correndo: s'era lasciato dietro il Falcone, che gridava gestendo in mezzo alla via deserta:

– Vendetta! Vendetta!

Le finestre si schiudevano, la gente usciva dalle case terrene: in breve il Falcone fu circondato.

– Un pazzo! – si gridò dalle finestre.

Marta si voltò un momento, e vide nell'ombra come una mischia: il Falcone inveiva contro la gente che tentava d'afferrarlo, vociando; urlava, divincolandosi. La strada s'animò d'accorrenti. Marta si diede a correre in giù, in giù, verso casa, mentre nella suprema agitazione, un pensiero sciocco, puerile le suggeriva: «Dirò che mi sono sentita male, al Collegio...».

Quando si fu di molto allontanata, già presso Porta Nuova, si fermò un tratto, come se la paura avesse dato a tutto il suo corpo un freno violento. Non avrebbe fatto il Falcone, nella pazzia sopravvenuta, il nome di lei?

Marta sentì aprirsi come un abisso dentro il petto, e, nella turbinosa dissociazione d'idee e di sentimenti, restò perplessa un attimo, se tornare indietro o proseguire verso casa. Un'incosciente energia la sorresse: non pensava, non sentiva più nulla; riprese ad andare in giù, come seguendo il pensiero che dentro il cervello le ripeteva: «Dirò che mi sono sentita male, al Collegio...».

XIII.

Entrando, il giorno dopo, trepidante, nella sala d'aspetto del Collegio, Marta vi trovò la vecchia, linda Direttrice che conversava col Mormoni e col Nusco.

– Ha saputo, signora?

– Che cosa? – balbettò Marta.

– Il povero professor Falcone!

– Falcone... La signora lo sa: era da aspettarselo! – esclamò Pompeo Mormoni, trinciando in aria uno dei soliti gesti.

– Impazzito! – riprese la Direttrice. – O almeno ha dato segni d'alienazione mentale, su la pubblica via, jeri sera.

Marta guardava negli occhi ora la Direttrice, ora il Mormoni, ora il Nusco.

– S'è messo a urlare, – aggiunse questi, sorridendo nervosamente. – Poi s'è accapigliato, dicono, con la gente che gli s'è fatta intorno...

– Dove si trova adesso? – domandò al Mormoni la Direttrice.

– Forse al manicomio, o almeno... Jeri sera, dapprima, lo condussero in questura. Ubriaco non era: non beve vino; ma ritornava forse da Montecuccio, perché lui... già! con quei piedi... è solito di fare queste amenissime ascensioni: il sole gli avrà dato alla testa, o chi sa che grillo gli sarà saltato; gridava vendetta.

– Speriamo che a quest'ora, – augurò il piccolo Nusco, – sia rientrato in sé, poverino!

– Sì, – fece la Direttrice, – e intanto? siamo giusti: io vi confesso che ora avrei paura, se dovesse ritornare qui tra le mie alunne. Voglio sperare che lo manderanno altrove, dato che ritorni in sensi, come gli auguro.

«Perderà il posto!», pensava Marta, ascoltando. «Anch'io perderò il posto...»

E impartì quel giorno le lezioni quasi automaticamente, con l'anima di tratto in tratto percossa, investita, trascinata via dai violenti pensieri tra cui s'era dibattuta angosciosamente l'intera notte.

L'idea della morte, sprizzata tra le strette dei due partiti odiosi proposti dall'Alvignani, l'aveva dominata durante tutta la notte, e continuava a dominarla. Ma l'immagine dell'attuazione la riempiva ancora d'orrore, le dava quasi la vertigine. Contro la tenebra invadente, tremava ancora in lei un barlume di speranza: che ella cioè non fosse davvero nello stato, in cui, purtroppo, per tanti segni, aveva argomento di temere che fosse. Questo barlume di speranza apriva nel bujo orrendo una pallida via d'uscita, l'unica. Ah, con quale impeto avrebbe voluto slanciarvisi! Trattenuta, come sotto un incubo, forzava gli occhi a scrutare questa via solitaria, lontana dall'Alvignani, lontana dal marito; e anelava, e spiava nello stesso tempo in sé, nel suo corpo, qualche accenno che le désse cagione di sperare.

Rientrando in casa, dopo le lezioni, vi trovo a visita i Juè, gl'inquilini del secondo piano.

Subito, dagli occhi della madre e della sorella, s'accorse che il Blandino era già stato da loro. Gli occhi della madre brillavano; il volto acceso, alla vista di lei, le si ilarò a un tratto, contenendo a stento l'esultanza di fronte ai due importuni.

Avendo Marta detto alla Juè d'essersi sentita e di sentirsi ancora poco bene, questa esclamò, rivolgendosi alla signora Agata:

– Sturbi di stagione, sturbi di stagione, signora mia; non ne faccia caso. Mezza città ne soffre... Noi abbiamo nella casa in via Benfratelli quella signora di cui le ho parlato una volta, si rammenta? quella poveretta divisa dal marito. Ebbene, a letto anche quella! L'altro jeri Fifo è andato a riscuotere quel po' di pigione che ci paga (una miseria) e, si sa... è dovuto tornar via a mani vuote... Ah, se sapesse, signora mia, quel che ci tocca soffrire col cuore che abbiamo, per questa benedetta casa... Diglielo tu, Fifo...

Il Juè, seduto con le gambe e i piedi uniti, le braccia conserte al petto, si spiccicò per ripetere la sua frase favorita:

– Cristo solo lo sa!

Poco dopo, marito e moglie «sospesero l'incomodo». Appena andati via, la signora Agata buttò le braccia al collo di Marta e se la strinse forte, forte al seno, baciandola più e più volte in fronte:

– Figlia mia, figlia mia; tieni! tieni! Ecco il premio. Ti si rende giustizia, finalmente!

Gli occhi le si riempirono di lagrime e proseguì:

– A tuo padre, sant'anima, quella sera, non glielo dissi io? La luce si farà; l'innocenza di tua figlia sarà riconosciuta! Aspetta, aspetta... Ah, se egli vivesse ancora! Non piangere, non piangere, figlia mia... Che hai? Oh Dio, Marta, che hai?

Marta s'era lasciata cadere su una seggiola, pallida, fosca, tutta tremante.

– Sai che mi sento male... – mormorò.

– Sì, ma ora non bisogna piangere più! – riprese la madre. – Sai chi è stato da noi questa mattina? Tu forse non lo conosci: il Blandino... il professor Blandino. E sai perché è venuto? chi l'ha mandato? Tuo marito! Sai ch'egli è stato per morire?

– Lo so – disse Marta con le ciglia aggrottate.

– Lo sai? come lo sai?

– Me l'ha scritto Anna Veronica.

– Ah, di nascosto?

– Sì, gliel'ho raccomandato io, che non parlasse mai di lui nelle sue lettere a voi.

– Sì, sì, ma ora... Di', sai forse pure...?

Marta, levandosi con pena, abbattuta:

– Vuole riconciliarsi, è vero? – disse.

– Sì, sì, – affermò con gioja la madre. Ma le cadde subito, quella gioja, di fronte al cupo aspetto di Marta.

– Ti pare possibile ormai? – domandò questa, lasciando cadere le parole e guardandola negli occhi.

– Come! Perché? – esclamò la madre, stupita.

– Perché? Egli mi rivuole; non lo voglio più io.

– Come! e non pensi... ma come? – balbettò la madre. – Se questa è per te la riparazione! Non vedi che ti si rende giustizia in faccia al mondo? E vuoi ricusarti? Come?

– Giustizia... riparazione... – la interruppe Marta. – Tu ci credi, mamma?

– Come no? Se il Blandino è venuto qua...

– Ah, che il Blandino sia venuto, lo so... Mamma, è inutile! Io dico: credi tu che quello che mi hanno fatto, prima lui, Rocco, poi il babbo, sia riparabile? No, mamma, no: non si ripara... Io rimarrò, stanne pur certa, quella che sono, né più né meno, nel concetto della gente... Sai che si dirà? Si dirà ch'egli ha perdonato; nient'altro! e rideranno di lui, come d'un imbecille... Io sarò sempre la colpevole... E come no? «Se fosse stata davvero innocente», diranno, «e perché dunque il padre si sarebbe rinchiuso dalla vergogna per mesi e mesi al bujo, in una camera, fino a morirne? E perché il marito la scacciò?» Ma, e poi! riparazione, sì, e il babbo a te, a Maria, chi ve lo ridà? E tutto quello che abbiamo patito, chi ce lo leva dal cuore? Ma sul serio? Sono strappi, questi, che si rattoppano, forse? No, mamma. Io non debbo, né posso accettare il pentimento di lui.

– Ma se egli ora riconosce pubblicamente il suo torto?

– Nessuno gli crederà.

– Nessuno? Ma tutti, figlia mia! Chi avrà più diritto di parlare, se lui ti rende giustizia? Oh, figlia mia, e credi che la gente non sappia che tu sei innocente?

Marta si sentì mancare sotto lo sguardo della madre e della sorella rimasta muta ad ascoltare.

– Sì... sì... – disse. – Ci penserò; lasciami pensare... Ora non posso dirti nulla.

– Pensaci, pensaci, Marta, per carità! Vedrai che è giusto e addiverrai... ne sono certa! Intanto, di', al Blandino che risposta debbo dare?

– Nessuna, per ora. Digli.. digli che ho bisogno di tempo per riflettere, ecco... Mi si dia tempo, rifletterò.

Ma che riflettere? Aspettare che quel barlume di speranza smorisse di giorno in giorno e il bujo e il vuoto s'estendessero vieppiù, dentro e intorno a lei.

Presto riconobbe che nessuna illusione era più possibile. E così, di fronte all'orrore che l'idea della morte le incuteva, si vide costretta a decidere.

Nessuna distrazione, neppure momentanea. Da tutte le parti si vedeva stretta, spinta. La sua esistenza non poteva, non doveva contare più che pochi giorni: uno, due, tre giorni ancora... e poi? Il sangue le s'agghiacciava nelle vene. Si ritraeva dal balcone per paura che un'improvvisa tentazione non la spingesse a troncare subito quell'agonia. Oh no, no: quella morte, no! Ma armi, in casa non ce n'erano. Un veleno! Meglio morire di veleno. Come procacciarselo?

Farneticava, e le ultime energie vitali si appigliavano a queste difficoltà materiali; le ingrandivano. Sentiva nelle altre stanze parlare la madre, e si domandava: «Come farà? Avranno pietà di lei e di Maria, quando io non sarò più?». Ma perché la madre considerava come premio e compenso alle sciagure il pentimento del marito, la proposta di riconciliazione? Avrebbe voluto gridarle: «La chiami giustizia, tu? Mi credi innocente, e chiami giustizia il pentimento di chi m'ha infamata senza ragione? E se io fossi ancora veramente come tu mi credi, di che mi compenserebbe questo pentimento? Ah, ti pare che possa sorridermi l'idea di ritornare a vivere in compagnia d'un uomo che mi ha fatto tanto male e che non m'intende, che io non stimo e non amo? Sarebbe questo il premio della mia innocenza?».

Volle recarsi un'ultima volta dall'Alvignani. Non s'illudeva; ma... chi sa! forse egli, pensando, parlando col Blandino, aveva trovato qualche altro scampo.

– Stavo a scriverti! – le disse Gregorio, vedendola entrare. – Ecco la lettera...

Marta stese la mano per prenderla.

– No, è inutile, ora... La lacero: pazzie! Non sei più venuta...

La guardò; le lesse in fronte la disperazione, e aggiunse:

– Povera Marta!

Poi le domandò, ma quasi senza speranza di risposta:

– Hai deciso?

Marta sospirò aprendo le mani a un lieve gesto desolato, e sedette.

Egli tornò a guardarla, e sentì tutta la gravezza enorme, insopportabile della loro situazione. Quel silenzio, quell'inerte irragionevolezza opprimere lo urtarono. Per scuoterla, disse:

– Verrai con me?

Ma ella si voltò solamente a guardarlo. Poi chiuse gli occhi e reclinò indietro il capo, con disperata stanchezza.

– Nulla, dunque, nulla, – disse, – non hai trovato nulla?

– Ma che vuoi trovare? – s'affrettò a risponderle, appassionatamente. – Giorno e notte ho pensato a te; ho aspettato che tu venissi... È inutile cercare,

Marta! Guarda, ti scrivevo proprio questo: «Decidi, decidi presto: non c'è tempo da perdere; ne hai perduto già troppo... Da' una risposta al Blandino, digli subito o sì o no, e se no...». Guarda, e qui ti proponevo... Vuoi leggerlo tu?... Leggi, leggi...

Marta prese la lettera ch'egli le porgeva, indicandole il punto da cui doveva cominciare la lettura; ma dopo alcuni righi abbassò la mano su le ginocchia.

– Leggi fino in fondo! – la esortò egli.

Marta si rimise sotto gli occhi la lettera. Per quanto mal prevenuta, leggendo, espresse sul volto l'ansia con cui cercava su quel foglio una parola che le facesse nascere un pensiero non ancora sorto in lei; l'ansia con cui un viandante, moribondo per sete, può cercare nel letto petroso d'un torrente un filo, una goccia d'acqua. Ed erano come aridi, pesanti sassi per lei quelle parole dell'Alvignani: le rimoveva senza trovarvi nulla sotto; e accennava desolatamente di no, di no, col capo.

Terminata la lettera, si levò in piedi sospirando, senza dir nulla.

– Che ne pensi? – le domandò lui.

Marta si strinse nelle spalle, e restituì la lettera, esclamando:

– Non ripigliamo la discussione inutile dell'ultima volta, per carità, o il mio cervello...

– Ma che vuoi fare?

– Non vedi? Che altro mi resta da fare?

– Tu sei pazza!

– Pazza? Avrei dovuto farlo molto tempo prima, quando viveva ancora mio padre... E allora... allora non sarebbe stato brutto come adesso! Ora sono con le spalle al muro.

– Ti ci metti tu! – rimbeccò duramente l'Alvignani.

Le prese ambo le mani, e seguitò:

– Ma ragiona con me. Chi dev'essere punito? Devi essere punita tu, forse? Lui, lui, lui!

– E come? – disse Marta. – Col mio inganno? Non sarebbe più per lui la punizione; sarebbe mia! Non vedi, non senti che mi fa orrore? Per me, per me mi fa orrore! Non lo intendi? Se io fossi una cosa... Ma io penso, io so che sono stata con te, so come sono... e non posso, non posso: mi fa orrore!

– Non è possibile, senti, – le disse allora l'Alvignani, levandosi, risoluto, – non è possibile che io ti lasci compiere così, sapendolo, un doppio delitto. Dunque tu non pensi più neanche a tua madre, a tua sorella? Io scriverò!

– A chi? – domandò Marta, scotendosi.

– A lui, a tuo marito, – rispose l'Alvignani. – Non posso lasciarti sola, abbandonarti a te stessa, alla tua disperazione...

– Sei pazzo? – lo interruppe Marta. – Che vorresti scrivergli?

– Non lo so. Mi detterà la coscienza. So questo soltanto, che tu non sei la colpevole. O su me o su lui deve cadere la punizione, e chi di noi due resta, ripari!

– Follìe! – esclamò Marta. – No... senti... senti...

S'interruppe: un'idea le balenò in mente, e subito il volto le si rischiarò, quasi sorrise.

– Non scrivere tu, – riprese. – Gli scriverò io... Lascia che gli scriva io... Ho trovato! Ho trovato!

– Che cosa? – domandò ansiosamente Gregorio. – Che gli scriverai?

– Ho trovato! – ripeté Marta, con gioia. – Sì, così si aggiusterà tutto... Vedrai! Poi ti dirò... Ora lasciami andare...

– No, dimmi prima...

– Poi, poi... – fece Marta. – Tutto si aggiusterà, ti dico... Lasciami andare... Te lo dirò poi... promettimi che tu non scriverai!

– Ma io vorrei sapere... – oppose, perplesso, l'Alvignani.

– Non hai nulla da sapere. Lascia fare a me... Promettimi...
– Ebbene: prometto... Quando ritornerai?
– Presto. Non dubitare: ritornerò. Ora addio!
– Addio! A presto!

Marta andò via; e, strada facendo verso casa, l'idea che le era balenata in mente, man mano assunse forma concreta, precisa. Nello stato d'esaltazione, quasi di delirio, in cui si trovava, non vedeva l'assurdo del rimedio improvvisamente concepito. E diceva tra sé, andando: «Io non accetto il suo perdono, il perdono di chi avrebbe invece da pentirsi... Non l'accetto... Una punizione me la merito. Sta bene! Me la darò. Ma una riparazione a tutto il male ch'egli mi fece prima, ingiustamente... una riparazione egli me la deve... Bene: io mi tolgo di mezzo, e quand'io mi sarò tolta di mezzo, non potrebbe sposare mia sorella? Maria è saggia... Maria è buona... lo farà per la mamma... faranno una sola famiglia con la mamma... E così tutto sarebbe riparato...».

Andava in fretta, parlando tra sé; si sentiva come alleggerita da un peso enorme; si guardava intorno con gli occhi lucidissimi, ilari, e quasi rideva davvero a ogni cosa in cui lo sguardo s'imbattesse. Le pareva che una perfetta calma le si fosse fatta nello spirito.

E in tale stato d'animo rincasò.

– Hai deciso, Marta? – s'arrischiò a domandare la madre.

– Adesso, mamma, – le rispose. – Ci ho pensato a lungo. Debbo scrivergli. Non dubitare: stasera o domani gli scriverò. Penso a voi!

– A noi? Ma devi pensare a te, figliuola mia... Vedi come ti sei ridotta?

– A me e a voi... – disse Marta. – Non dubitare.

XIV.

Aveva preso sonno sul far del giorno. Durante la notte, aveva formulato la lettera per il marito, vagliando ogni parola, escludendo ogni frase di tenerezza per sé, di recriminazione per lui. S'era poi messa a immaginare la vita degli altri senza di lei, minutamente; il pianto, la disperazione della madre e della sorella; il conforto ch'egli, il marito, sarebbe accorso a recare; il rammarico, la maraviglia dei conoscenti; il compianto... poi, con l'andar dei giorni, la calma desolata in cui il cordoglio s'assopisce; e man mano le strane piccole sorprese nel vedere, nel sentire che la vita ha seguito e segue tuttavia il suo corso, e noi... noi con essa. I morti? I morti sono lontani...

Dopo due ore appena di sonno, si svegliò tranquillissima, come se l'animo avesse, durante il breve riposo, espulso la determinazione violenta. Né di questa calma si stupì: a lungo aveva pensato, a lungo discusso, e aveva pensato specialmente ai suoi: nessun rimorso, dunque; era preparata, già pronta. Dopo colazione avrebbe scritto la lettera; ecco, e poi, verso sera, sarebbe uscita per impostarla con le proprie mani; e poi... poi non sarebbe ritornata più a casa. Ormai ogni difficoltà circa al modo di darsi la morte le appariva puerile: si sarebbe recata in prossimità della stazione ferroviaria, e giù, col capo tra le ruote d'un treno; o alla spiaggia, per annegarsi in qualche punto deserto.

– Che bel tempo! – disse a Maria, uscendo dalla camera. – Avevo lasciato gli scuri accostati per svegliarmi appena fosse giorno... aspetta, aspetta: il giorno non spuntava mai...

Il cielo infatti era coperto e minaccioso, la prima volta, dopo tanta stagione serena.

Marta quel giorno fu dolcissima con la madre e con la sorella, in ogni parola, in ogni sguardo. Fu quasi allegra a tavola. Terminata la colazione, annunziò alla madre che avrebbe scritto al marito.

– Sì, figlia mia... Dio t'assista!

La madre era sicura che Marta accondiscendeva alla riconciliazione; e con Maria attese tranquilla alle consuete faccende domestiche.

Nel pomeriggio il cielo s'incavernò: nubi gravide di temporale s'addensarono su la città, e si levò un gran vento. A ogni sbuffo, i vetri delle finestre, urtati con violenza, pareva dovessero fragorosamente cedere alla furia; e sù, la porticina del terrazzo sbatteva a quando a quando. Guizzò a un tratto, nella tetraggine, un lampo vivissimo e quasi contemporaneamente il tuono scoppiò squarciando l'aria con formidabile rimbombo. Marta cacciò un grido fuggendo dalla camera, e andò ad aggrapparsi alla madre tremando a verga a verga pallida, convulsa.

– Hai avuto paura? – le disse la madre, carezzandole i capelli. – Vedi come sei nervosa? Che bambina!

– Sì, sì... – fece Marta, scossa da brividi che diventarono singhiozzi. – Non è possibile che scriva oggi... Scriverò domani... Tremo tutta...

– Sta' qui con noi, – le consigliò Maria.

Star lì con loro, lì, in quella cucinetta raccolta, assaporando la vita familiare, chiusa, ristretta e santa, la vita che non era più per lei!

Aveva lacerato tanti e tanti fogli di carta: la lettera facilmente formulata nella delirante esaltazione della notte, le era parsa, sul punto di scriverla, quasi inconsistente. S'era messa a pensare per riformularla; invano! lo spirito le rimaneva attonito; arido il cervello; e intanto il corpo smaniava sotto l'imposizione della volontà. Sentiva il corpo l'incombente minaccia del tempo, l'elettricità vibrante nell'aria, la violenza del vento, e gli occhi si erano volti a guardar fuori. Si era veduta allora in preda a quel vento, lungo la spiaggia deserta, col mare mosso, rabbioso, urlante sotto gli occhi; si era veduta in cerca d'un luogo acconcio per buttarsi a quelle onde torbide, orrende, giù; e mentre con l'animo sospeso seguiva quasi i suoi passi fino all'ultimo, fino al punto di spiccare il salto, era guizzato un lampo, era scoppiato il tuono.

Un momento dopo, rideva istintivamente alle parole della madre e di Maria, che la calmavano, scherzando su la paura da lei avuta.

La sera precipitò orrenda su la città. Marta, la madre e Maria stavano raccolte a cena, quando una forte scampanellata alla porta fece loro a un tempo esclamare:

– Chi sarà a quest'ora?

Era donna Maria Rosa Juè, la quale entrò con le mani per aria, scotendo la testa e gridando:

– Signora mia! signora mia! Che ho da dirle! Càpitano tutte a me! E che v'ho fatto, Signore Iddio, che v'ho fatto? Quella poveraccia, l'inquilina mia ai Benfratelli... signora mia, sta per morire... Gesù! Gesù! Gesù! Muore lì, come una cagna, salvo il santo battesimo... Le ho mandato il medico a mie spese; le ho comprato le medicine: imposture, signora mia, che non servono a nulla, ma tanto perché non si dica che sia mancato per noi... Non ci ha pagato la pigione... Basta... Ora io dico: qualche parente questa poveraccia ce l'avrà, deve avercelo laggiù, nel loro paese... Non parlo per la miseria della pigione, del medico, delle medicine... ma per il funerale, signora mia! chi deve mandarla al camposanto? Io e Fifo abbiamo fatto già troppo, per carità, per amor di prossimo... Con questo tempaccio, poi! Vento, signora mia, che si porta via le case... Siamo tornati un momento per prendere un boccone in fretta e furia... andiamo di nuovo, adesso, per stare a vegliarla magari tutta la notte... Come si fa? Siamo cristiani! Ah, i mariti, i mariti! Non parlo del mio: io, per grazia di Dio, indegnamente, due, signora mia, uno meglio dell'altro: la sant'anima e questo che è il ritratto di suo fratello, tal quale, lo stesso cuore. Ci roviniamo, signora mia, per il buon cuore... Possono scrivere loro a qualcuno, se conoscono qualche parente laggiù?

– Sì, al figlio... – rispose la signora Agata, stordita dalla furia con cui la Juè aveva parlato e dall'annunzio inatteso.

– Come! – esclamò donna Maria Rosa. – Quella poveraccia ha un figlio? E il figlio la lascia morire così, come se fosse una cagna? Ah, i figli, i figli, peggio dei mariti! Gli scrìvano, per carità; gli scrìvano che è proprio agli estremi! Questa sera stessa le faccio dare i sacramenti... Siamo cristiani, sì o no? È carne battezzata!

– Vengo con lei, – disse Marta, levandosi da sedere.

La madre e Maria si voltarono a guardarla.

– Vuoi andar tu? – domandò la madre. – Ti senti così male, Marta, e con questo tempo...

– Lasciami andare... – insisté Marta, avviandosi per la camera.

La signora Agata non s'oppose più; ammirò la figlia che rispondeva così, con un atto di generosità, al male che il marito le aveva fatto. E le parve che con quella visita alla suocera moribonda Marta volesse rispondere al pentimento del marito, e suggerire la pace.

Marta, invece, cercando il cappellino e lo scialle nella camera al bujo, pensava tra sé: «Sarà una vittima anche lei. Voglio vederla, conoscerla...».

– Eccomi pronta.

– Si appunti bene il cappellino, anzi lo lasci, dia ascolto a me, – le suggerì donna Maria Rosa. – Lo scialletto in capo, come ho fatto io.

Don Fifo attendeva sul pianerottolo del secondo piano, morto di freddo, con le mani in tasca, il bavero alzato.

Appena fuori su la via, Marta sentì la straordinaria furia del vento che ruggiva per la strada, come se volesse portarsi via tutte le case. Guardò in alto, il cielo sconvolto, corso da enormi nuvole squarciate, tra cui la luna, scoprendosi di tratto in tratto, pareva fuggisse impaurita, precipitosamente. La via era quasi al bujo: alcuni fanali erano stati spenti dal vento, che sul poggetto del Papireto aveva anche spezzato un albero e gli altri agitava, storceva. Le vesti impedivano alle due donne, curve contro la furia, d'andare speditamente. Don Fifo teneva con ambo le mani le tese del cappelluccio sprofondato fin su la nuca.

Alla svolta del Duomo, sul Corso, un non mai visto spettacolo: un fragoroso torrente, crescevole sempre, di foglie secche rovinava vorticosamente, come se il vento avesse strappato tutte le foglie delle campagne e via con impeto di rabbia, in un veemente eccesso di distruzione se le trascinasse da Porta Nuova giù, giù, fino al mare, in fondo.

Le due donne e don Fifo furono presi dal turbine a le spalle e spinti di corsa in giù, quasi sollevati con le foglie. A un tratto don Fifo cacciò un grido, e Marta lo vide saltare come un grillo e precipitarsi dietro il cappello sparito in un attimo tra le foglie, nel turbine.

– Lascialo, Fifo! – gli gridò dietro la moglie.

Ma anche don Fifo sparve nel turbine delle foglie, nel bujo.

– Di qua, di qua! – disse la Juè a Marta, scantonando per via Protonotaro, che non imboccava il vento e in cui una moltitudine di foglie s'era come rifugiata. – Andrà a ripigliarsi il cappello a Porta Felice, se pure lo arriva! Ci voleva anche questa, ci voleva! Il cappello nuovo!

Traversarono la piazzetta dell'Origlione, e presto furono in via Benfratelli.

– Ecco, entri, è qua, – riprese la Juè, cacciandosi in un portoncino.

Salirono la scala erta e stretta al bujo, fino all'ultimo piano. La Juè trasse dalla tasca una grossa chiave, vi soffiò nel buco, cercò a tasto la serratura e aprì la porticina. Subito, aprendo, gridò:

– Gesummaria! Le finestre!

Le tre stanze, che componevano la miserrima dimora della moribonda, erano invase dal vento che aveva sforzato le imposte e rotto i vetri. La candela nella camera da letto s'era spenta, e nel bujo rantolava spaventata Fana Pentàgora.

– I vetri! anche i vetri... tutti rotti! A voi l'offro, Signore, in penitenza dei
miei peccati! – esclamava la Juè mettendo nelle braccia tutta la forza per richiudere le imposte contro il vento.

Marta era rimasta su la soglia raccapricciata, con gli orecchi intenti al rantolo mortale della moribonda.

Richiuse le imposte, quel rantolo divenne, nel silenzio, insopportabile.

– E i fiammiferi? – esclamò donna Maria Rosa. – Ce l'ha Fifo che corre dietro al cappello e lascia noi qua, al bujo, nell'imbarazzo. Ah che uomo! Tutto
l'opposto, certe volte, di suo fratello, sant'anima! Vado a cercare in cucina...

Marta si accostò al letto, a tentoni, quasi attirata dal rantolo. Fece per appoggiare le mani sul letto e subito le ritrasse, con vivissimo ribrezzo: aveva
toccato il corpo della giacente; si chinò su lei e la chiamò sottovoce:

– Mamma... mamma...

Solo il rantolo angoscioso le rispose.

– Sono la moglie di Rocco... – riprese Marta.

– Rocco... – parve a Marta d'udir balbettare dalla moribonda, nel rantolo.

– La moglie di Rocco... – ripeté. – Non abbia più paura: ci sono qua io, ora.

– Rocco, – fece questa volta veramente la moribonda, sospendendo il rantolo.

Il silenzio diventò pauroso.

– Zitta, zitta! – riprese Marta in tono d'amorevole ammonimento. – C'è la
padrona di casa...

Uno zolfanello acceso, riparato da una mano, si moveva nel bujo, come un
fuoco fatuo.

– Dov'è il lume? Eccolo!

Donna Maria Rosa, acceso il lume, rimase con le dieci dita delle mani
aperte per aria.

– Dio, che schifezza! Mi sono tutta insozzata in cucina... Guardate, guardate
che babilonia qui!

I frantumi dei vetri della finestra erano schizzati fino in mezzo alla camera.

Intanto Marta osservava con raccapriccio la moribonda che moveva lentamente la testa affondata nei guanciali, cercando con gli occhi smorti, attoniti,
nella camera, come stupita dal lume e dal silenzio, dopo la tenebra e l'urlo
del vento. Aveva una grossa maglia nella luce dell'occhio destro, e la pelle
tutta della faccia e specialmente il naso punteggiato di nerellini, che spiccavano nell'estremo pallore, madido, opaco del volto. I capelli grigi, ruvidi, ricciuti, abbondantissimi erano arruffati sul guanciale ingiallito. Gli occhi di
Marta si fermarono su le mani enormi, da maschio, che la moribonda teneva
abbandonate sul lenzuolo, più sporco della camicia aperta sul seno secco, ossuto, orribile a vedere.

– Rocco... – mormorò ancora una volta la moribonda, fissando lungamente
gli occhi in volto a Marta, come assetata.

– Che dice? – domandò la Juè curva, con la veste alzata fin sopra il ginocchio, mentre si tirava sopra la gamba tozza, tosta, la calza ricaduta su la
fiocca del piede.

– Chiama il figlio... – rispose Marta, riaccostandosi alla giacente, per dirle: –
Verrà, non dubiti... Ora gli scrivo che venga subito...

Ma la moribonda non comprese e ripeté con fievolissima voce, cercando con
gli occhi intorno per la stanza:

– Rocco...

– Un telegramma, è vero? – disse la Juè. – Andrà Fifo al telegrafo... Non c'è
tempo da perdere. Ecco, qui nel cassetto ci dev'essere carta e l'occorrente per
scrivere... Mio Dio, che puzzo... sente? Che è che puzza così in questa camera?

Era sul tavolino, presso la finestra, un bicchiere a metà pieno d'una mistura verdastra, esalante un pestifero odore.

– Ah, tu? – fece la Juè, additando con l'indice tozzo il bicchiere, – adesso ti butto via!

Marta accorse:

– No, che è?

– Sarà veleno, – fece donna Maria Rosa, notando l'ansia di Marta.

– Può servire...

– Che vuole che serva più, cara lei... Ci appesterebbe tutta la notte inutilmente...

E andò a buttarlo in cucina.

Marta s'appressò al tavolino per scrivere il telegramma. Scrisse semplicemente così, quasi senza pensare: «Tua madre sta male. Vieni subito. MARTA».

– Ah, lo conoscete intimamente? – osservò la Juè, leggendo il telegramma. – Sono forse parenti?

Marta arrossì, confusa, e chinò più volte il capo in segno affermativo. Donna Maria Rosa notò quella confusione improvvisa e quel rossore e sospettò che ci dovesse esser sotto qualche cosa.

– E già... paesani... – disse. E, quasi per cancellare la domanda indiscreta, aggiunse: – Venisse subito, almeno...

Udirono picchiare alla porta.

– Ecco Fifo!

Don Fifo entrò col capo scoperto, i capelli per aria, esclamando esasperato, con larghi gesti delle braccia:

– Non era cappello, era diavolo!

– Sì, va bene... – gli disse la moglie. – E adesso scappa al telegrafo! Ci sono anche i vetri della finestra rotti!

Don Fifo diede un balzo indietro.

– Io? al telegrafo? adesso? Neanche se mi fanno papa!

– Sciocco! Ti dico che ci sono anche i vetri della finestra rotti! – ribatté arrabbiandosi donna Maria Rosa. – Scappa al telegrafo!

– Oh Cristo mio! – sclamò don Fifo. – Fuori ci sono tutti i diavoli dell'inferno scatenati... Dove vuoi che vada? Debbo andare senza cappello?

– Ti metterai in capo il mio scialle...

Don Fifo guardò Marta e aprì la bocca a un sorriso da scemo:

– Sì, lo scialle... per far ridere la gente...

– Chi vuoi che ti veda, a quest'ora, con questo tempo? Sù, sù.

E gli buttò lo scialle in capo, aggiungendo:

– Poi te n'andrai a casa, a dormire.

– Solo? – domandò don Fifo, rassettandosi in capo lo scialle.

– Hai paura?

– Paura, io? Non so che voglia dire... Ma tu qua, io là... niente, guarda, piuttosto, me ne starò lì in quel cantuccio... Abbi pazienza: vado e torno.

Scappò. Tornò dopo circa mezz'ora. Marta spiava acutamente la moribonda, che s'era ancora inabissata nel letargo. La Juè, all'altro lato del letto, erta sul busto protuberante, già pisolava. Don Fifo la guardò un poco, poi si rivolse a Marta e disse piano:

– Se Dio liberi, si mette a ronfare...

Scosse forte le braccia con le pugna chiuse, e soggiunse:

– Trema la casa!

Non aveva finito di dirlo, che donna Maria Rosa tirò il primo ronfo, spalancando la bocca. Don Fifo accorse e la chiamò, scotendola lievemente:

– Mararrò... Mararrò...

– Ah... che è?... che vuoi?... Hai spedito il... Va bene...

– No... ti dico... – osservò timidamente don Fifo. – Fa' piano... ecco, la malata...

– Non mi seccare, Fifo!'– lo interruppe donna Maria Rosa, ricomponendosi a
dormire.

Don Fifo si strinse nelle spalle e alzò gli occhi al soffitto, sospirando.

Poco dopo, dormiva anche lui, presso la moglie che ronfava formidabilmente;
e anche lui a poco a poco si mise a ronfare, ma d'un debole timido ronfolino
accompagnato da un tenero sibilo del naso. Moglie e marito parevano, quella
un bombardone, questi un violino con la sordina.

Marta rimase assorta nella contemplazione della moribonda; orribile immagine dell'imminente suo destino.

«Domani egli verrà», pensava. «Mi vedrà qui; crederà che io voglia e possa
accettare la sua proposta. Non ho pensato a lui, venendo; ma egli forse,
quando saprà tutto, sospetterà ch'io sia venuta apposta per intenerirlo. No, no,
domattina, prima ch'egli giunga, andrò via... per non farmi vedere... Andrò
via...»

Si levava da sedere; si accostava in punta di piedi alla giacente che pareva
già morta; si chinava con l'orecchio su lei per accertarsi se respirava ancora, e
tornava a sedere, a pensare:

«Com'è placida! E muore... La morte è già dentro di lei, dentro il suo corpo
dormente... Andar via? No, io non posso andar via... debbo prima parlargli... a
ogni costo... Col mio sacrifizio debbo ottenere ch'egli faccia il suo dovere:
ajuti mia madre. Dunque, mi trovi qui, presso la sua! Gli dirò tutto... tutto...».

Il lume moriva sul tavolino lì accanto. Le ombre dei due dormenti s'ingrandivano e balzavano di tratto in tratto al singultare della fiammella, su la parete.
Marta ebbe paura del bujo imminente e si alzò per svegliare la Juè.

– Il lume si spegne...

– Che fa? Ah, si spegne?... Facciamo così...

Si alzò, andò barcollando al tavolino e soffiò sul lume, soggiungendo:

– Puzza... Non c'è petrolio... Dov'è la mia seggiola?

– Ahi! – strillò don Fifo. – M'hai assassinato un piede!

– La mia seggiola... Eccola! Pazienza, Fifo mio: domani sera speriamo di
dormire nel nostro letto... Tanto, sarà giorno tra poco...

Un gallo, infatti, cantò poco dopo nel silenzio. Marta, involta nel bujo, tese
l'orecchio. Un altro gallo rispose da più lontano, all'appello; poi un terzo, ancora da più lontano. Ma non appariva indizio di luce attraverso le fessure delle
imposte.

Finalmente spuntò il giorno. La Juè si svegliò, stiracchiandosi e quasi ni-
trendo; poi domandò a Marta notizie della moribonda. Don Fifo, in un cantuccio, con la testa china sul petto, le braccia conserte, le gambe unite, miserino,
restò a trar solo, scompagnato, il timido ronfo col sibiletto in fine.

– È fredda! è fredda! – fece la Juè ancor mezzo insonnolita, con una mano su
la fronte della moribonda. – Bisogna mandar subito per un prete... Fifo! Fifo,
svégliati!

Don Fifo si svegliò.

– Corri subito qua a santa Chiara... o questa infelice morirà senza sacramenti... Mi senti, Fifo?

Don Fifo s'era levato in piedi e messo a svariare per la camera con gli occhi
ammammolati.

– Che cerchi?

– Cerco il... Ah, già! senza cappello, santo Dio! Avessi almeno un berrettino... Vado così?

– Va'! va'! corri... Non c'è tempo da perdere, – gli gridò donna Maria Rosa,
e aggiunse rivolta a Marta: – Noi intanto rassettiamo un tantino la camera: ci
verrà il Signore!

Marta guardò la Juè come stordita. Il Signore? Le si affacciò subito alla mente Anna Veronica, e quasi la cercò in quella camera, e la vide quasi in se stessa, in quel momento supremo. Inginocchiare la sua colpa e il suo pudore per ottenere il perdono di Dio, come Anna aveva fatto? Ah, no! no! Poiché il Signore tra poco sarebbe venuto lì, ella, inginocchiata, lo avrebbe soltanto pregato per la salute dell'anima.

La moribonda, mentre la Juè aggiustava un po' il letto, schiuse gli occhi velati, senza sguardo. Marta osservò quegli occhi e quel volto già come soffuso di sovrumana serenità: solo il corpo esausto pareva su quel letto, senza più percezione ormai della circostante miseria; senza dolore, senza memorie.

Venne finalmente, inavvertito dalla morente, il Viatico. Fana Pentàgora guardò il prete con gli occhi stessi con cui aveva guardato il soffitto della camera, e nulla rispose alle domande di lui. Gli astanti si erano inginocchiati intorno al letto e mormoravano preghiere; Marta piangeva con la faccia nascosta.

Poco dopo, la funzione era finita. Marta levò la faccia lacrimosa, e si guardò intorno disillusa, quasi nauseata, come se avesse assistito ad una inconcludente, volgarissima scena. Quella, la visita del Signore? Un biondo, freddo, insulso prete goffamente parato... E lei per un momento aveva potuto pensare di buttarsi in ginocchio e invocare pietà...

– Ho paura che non arrivi a tempo... – sospirò la Juè, alludendo al figlio della morente.

Don Fifo, dopo il Viatico, s'era allontanato dalla camera e passeggiava nella saletta, costernato con le braccia conserte, sbuffando di tratto in tratto e aspettando che la moglie venisse ad annunziargli la morte della pigionante. Impaziente, allungava dalla soglia la faccia sparuta verso il letto, e con un cenno del capo domandava: – Vive ancora?

Donna Maria Rosa spiegò a Marta:

– Dopo la morte di Dorò, buon'anima, quell'uomo lì non può più veder morire nessuno...

XV.

Man mano che le ore si trascinavano lentissime, cresceva l'ansia di Marta. L'aspettazione diveniva di punto in punto più angosciosa.

Finalmente, nelle prime ore del pomeriggio, arrivò Rocco Pentàgora. Si presentò ansante, quasi smarrito, su la soglia.

Parve a Marta più alto nella magrezza lasciatagli dalla malattia, durante la quale gli erano caduti i capelli, che già rispuntavano lievi, quasi aerei, finissimi e un po' ricciuti; e la fronte gli si era allargata, e schiarita la pelle, sebbene fosse tuttavia pallidissimo. Negli occhi aveva un'espressione nuova, ridente, quasi infantile.

– Marta! – esclamò, scorgendola, accorrendo a lei.

Turbata dalla vista del marito così trasfigurato e ingentilito dalla convalescenza, turbata dallo slancio appassionato, Marta, senza volerlo, lo rattenne con un cenno confidenziale di tacere, e gli additò il letto e la madre in agonia.

Subito il figlio si rivolse al letto, si curvò sulla madre, chiamando:

– Mamma! mamma! Non mi senti, mamma? Guardami... sono venuto!

La moribonda aprì gli occhi e lo guardò attonita, come se non lo riconoscesse.

Egli soggiunse:

– Non mi vedi? Sono io... sono venuto... Adesso guarirai...

La baciò piano in fronte, e si portò via con un rapido atto della mano le lagrime dagli occhi.

La madre moribonda continuò a guardarlo, fisso, richiudendo di tanto in tanto, con lenta pena, le pàlpebre, come se il corpo ormai non avesse più forza da dare alcun altro segno di vita. O era un cenno ultimo, quasi lontano, dello spirito già inoltrato nella morte, quel lento moto delle pàlpebre?

Marta frenava a stento le lagrime per pudore davanti alla Juè, che ostentava smorfiosamente il suo pianto.

Man mano però gli occhi della moribonda s'animarono, s'animarono alquanto, come se dal fondo della morte un estremo residuo di vita le tornasse a galla. Schiuse e mosse le labbra.

– Che dici? – domandò con viva ansia il figlio, curvandosi vie più su lei.

– Muojo... – alitò la madre, quasi impercettibilmente.

– No, no... – la confortò egli. – Se stai meglio, ora... Ci sono qua io... E c'è anche Marta... Non l'hai veduta? Marta, qua... vieni qua...

Marta andò all'altro lato del letto, e la moribonda si volse a guardarla, come prima aveva guardato il figlio.

– Eccola... La vedi? – soggiunse egli. – Eccola Marta... È questa... Ti ricordi quanto ti parlai di lei, l'ultima volta?

La moribonda trasse un sospiro, a stento. Pareva non intendesse, e guardava con gli occhi invagati. Poi le ceree guance le si colorirono un po' d'una tenuissima tinta rosea, e mosse una mano sotto le coperte. Subito Marta le sollevò e pose la mano in quella di lei, che agitò l'altra, guardando il figlio. Questi seguì l'esempio di Marta e la madre allora congiunse con uno sforzo le loro due mani, traendo un altro sospiro.

– Sì, sì... – fece, commosso, Rocco alla madre, stringendo forte la mano di Marta, che non poté più frenare le lagrime.

I due Juè guardavano sbalorditi dalla sponda del letto ora Marta ora Rocco.

Poco dopo, la moribonda richiuse gli occhi, rientrando quasi nella profondità misteriosa, ove la morte l'aspettava.

Marta ritrasse timidamente la mano dalla mano del marito.

– Riposa di nuovo, – fece sottovoce la Juè. – Lasciamola riposare... Senta, signora Marta, io e Fifo approfittiamo di questo momento di calma per scappare un po' a casa. Bisogna pensare a tutto. Non fo per vantarmi, ma nelle occasioni so trovarmi... Fifo, dillo tu... La pena c'è, si capisce; ma come si dice? sacco vuoto non si regge... Il povero signor Rocco, dopo tante ore di ferrovia, avrà certo bisogno di qualche ristoro...

– No... no... io no...

– Lascino fare a me... – lo interruppe la Juè.

– Marta piuttosto, – disse Rocco.

– Lascino fare a me! – ripeté donna Maria Rosa. – Penso io a tutto... E penserò un pochino anche a me e quest'anima di Purgatorio... Non abbiamo assaggiato neppur l'acqua, da stanotte. Ma, come si fa? Bisogna aver pazienza... Arrivederli, arrivederli... E stiano di buon animo, eh?

I due Juè andarono via. Da un canto Marta avrebbe voluto trattenerli ancora, a viva forza, per non restare sola col marito; dall'altro, per quanta agitazione le cagionasse il pensiero dell'estrema confessione, considerandola ormai inevitabile, anelava che avvenisse al più presto.

– Oh Marta! Marta mia! – esclamò Rocco, aprendo le braccia e chiamandola a sé.

Marta si levò da sedere in preda a un tremito convulso, e gli disse:

– Di là... di là... No... aspetta... Voglio dirti subito tutto... Vieni. ..

– Come? Non mi perdoni? – le chiese egli, seguendola nell'altra stanza quasi al bujo.

– Aspetta... – ripeté Marta, senza guardarlo. – Io... io non ho nulla da perdonarti, se tu...

S'interruppe; contrasse tutto il volto, chiudendo gli occhi, come per un in-

terno spasimo insopportabile. Poi volse uno sguardo di cordoglio al marito, e riprese, risolutamente:
– Senti, Rocco: tu lo sapevi...
S'interruppe di nuovo, a un tratto, notando su la guancia di Rocco la lunga cicatrice rimastagli della ferita riportata nel duello con l'Alvignani. Sentì cadersi l'animo, e si strinse il volto, forte, forte, con ambo le mani.
– Perdonami! Perdonami! – insistette, supplicò egli, posandole amorosamente le mani su le braccia.
– No, Rocco! Senti: io non ti chiedo nulla per me... – riprese Marta, scoprendo il volto. – Voglio dirti soltanto questo: pensa che il babbo ci lasciò nella miseria: la mamma, Maria... senza colpa... per causa tua. Sole... tre povere donne, in mezzo alla strada, tra la guerra infame di tutto il paese...
– Dunque non mi perdoni? Non vuoi? Vedrai, Marta, vedrai come ti compenserò... Tua madre, Maria, verranno con noi... in casa nostra... Non è già inteso? C'è bisogno di dirlo? Con noi, per sempre! Volevi dirmi questo? Via, per carità, Marta, non ritorniamo più sul passato... Piangi? Perché?
Marta, con la faccia di nuovo nascosta tra le mani, scoteva il capo, piangendo; e invano Rocco la stringeva a dir la ragione del pianto e del muto negare.
– Ah, per la mamma... per Maria... – scoppiò a dire finalmente, scoprendo di nuovo il volto in fiamme, inondato di lagrime. – Sentimi, Rocco.
– Ancora? – domandò egli, perplesso, confuso, afflitto.
– Sì: io ti lascio libero, libero, da questa sera stessa... Non puoi pretendere di più, da me...
– Come!
– Ti lascio, sì... ti lascio la via libera, perché tu possa fare quello che devi verso mia madre, verso mia sorella, da uomo onesto... Non chiedo nulla per me! Intendimi... intendimi...
– Non t'intendo! Che vuoi da me? Mi lasci libero? Io non ti capisco... Ma comanda, farò tutto quello che vorrai... Non piangere! Dovrei piangere io... Perdonami a qualsiasi patto; accetto tutto, purché mi perdoni...
– Oh Dio! Ora no, Rocco! ora no... Prima, prima dovevi chiedermi perdono, con codesta voce, e non te l'avrei negato... Ora no, non posso accordare più nulla, io!
– Perché?
– Debbo morire. Sì... E morrò. Ma... Dio... Dio! Se non ho potuto difendermi... e la rabbia mi è rimasta nel cuore... Che sono io ora? Mi vedi? Che sono?... Sono ciò che la gente, per causa tua, m'ha creduta e mi crede ancora e sempre mi crederebbe, anche se io accettassi ora il tuo pentimento. È troppo tardi: lo intendi? Sono perduta! Vedi che n'hai fatto di me? Ero sola... mi avete perseguitata... ero sola e senza ajuto... Ora sono perduta!
Egli restò a guardarla attonito, quasi temendo di comprendere, d'aver compreso:
– Marta! E come... tu... Ah, Dio!... Tu...
Marta piegò il volto tra le mani, e chinò ripetutamente il capo, tra i singhiozzi.
Rocco le afferrò allora le braccia per staccarle le mani dal volto, e la scosse, ancora stupito, ancor quasi incredulo:
– Tu dunque... dunque, dopo... con lui? Parla! Spiègati! Ah, dunque è vero? è vero? Parla! Guardami in faccia! Quel miserabile... Non dici nulla? Ah miserabile, – proruppe allora. – È vero! E io ho potuto credere... e io sono venuto qua, a chiedere perdono... E ora... di', fors'anche prima... di', con lui?
– No! – gridò Marta, infiammata di sdegno. – Non lo intendi che tu, tu stesso, con le tue mani, e tutti, tutti con te, m'avete ridotta fino al punto d'accettare ajuto da lui; avete fatto in modo che da lui soltanto venisse alla vita mia, tra le amarezze e le ingiustizie, una parola di conforto, un atto di giustizia? Ah tu no,

tu solo non puoi rinfacciarmi nulla! So bene quel che mi resta da fare: sono caduta sotto la guerra vostra, non m'importa! non si parli più di me! Ma tu, tu fa'
pure quello che devi: ripara! Tu sai che per causa tua, mia madre e mia sorella
sono ridotte a vivere di me soltanto. Chi resterà per loro? Come vivranno? Voglio
prima saper questo... Per questo t'ho confessato tutto.. Potevo tacere, ingannarti.
Siimi almeno grato di questo... e in compenso, ajuta... ajuta la mia famiglia, perché non io, ma tu, tu l'hai ridotta nello stato in cui ora si trova!

Rocco si era seduto, e coi gomiti su i ginocchi e la faccia tra le mani ripeteva
piano, tra sé, senza espressione, come se il cervello non gli reggesse più:

– Miserabile... miserabile...

Nel silenzio momentaneamente sopravvenuto, Marta colse dalla camera attigua come un rantolo cupo, profondo, e uscì dalla stanza per accorrere al letto
della moribonda.

Egli la seguì e là, affatto dimentico della madre morente, domandò, sotto gli
occhi di lei, furibondo:

– Dimmi, dimmi tutto! Voglio saperlo... voglio saper tutto! Dimmelo...

– No! – rispose Marta con ferma fierezza. – Se debbo morire.

E si chinò a rassettare i guanciali sotto il capo della giacente, che seguitava a
mandare, dalla profondità del coma in cui era caduta, il sordo rantolo mortale.

– Morire? – domandò egli con scherno. – E perché? perché non vai da lui?
T'ha ajutata? continui ad ajutarti...

Marta non rispose all'amaro oltraggio; chiuse soltanto gli occhi lentamente,
poi terse con un fazzoletto il sudor ghiaccio dalla fronte della moribonda.

Rocco seguitò:

– Ecco una via per te! Vattene a Roma! Perché morire?

– Oh Rocco! – fece Marta. – Tua madre è ancora qui... Fallo per lei...

Egli tacque, impallidì, contemplando la madre. L'idea della morte, manifestata da Marta, assunse allora, subito, dentro di lui una terribile immagine.
Premendosi le tempie con le mani, uscì dalla camera.

Era già quasi sera. Marta guardò macchinalmente nell'ombra sopravvenuta il
lume vuoto sul tavolino: chi poteva pensare che l'agonia si sarebbe protratta
fino a tanto? Sedette presso la sponda del letto con gli occhi intenti nell'ombra
sul volto dell'agonizzante, quasi aspettando dal proposito a lungo meditato e
maturatosi in lei sordamente la spinta per alzarsi e andarsene. Più del rantolo
della moribonda sentiva il suono cadenzato dei passi del marito nell'altra
stanza, e aspettava, come se il suono di quei passi le indicasse la traccia dei
pensieri di lui. Intuiva, sentiva, che in quel momento egli risaliva angosciosamente col pensiero agli anni passati, assalito in quel bujo dalle memorie e dai
rimorsi... Ah, i rimorsi erano per tutti: per due soltanto, no: Maria e la madre.
E Marta aspettava dal marito giustizia per esse: non aspettava altro, seguendo
con gli orecchi i passi di lui.

A un tratto, silenzio, nell'altra stanza. Aveva egli deciso? Marta sorse in piedi
e cercò a tentoni lo scialle; trovatolo, stava per farsi su la soglia a chiamarlo,
quando udì picchiare alla porta. Erano i due Juè di ritorno, seguiti da un guattero con una cesta di vivande.

– Oh, al bujo? – esclamò donna Maria Rosa, entrando.

– Ho portato la candela... Scusino.... oh, dov'è il signor Rocco?... Fifo, ac-
cendi!

Don Fifo accese la candela e apparve nella camera tutto smarrito, col lungo
involto di quattro torce mortuarie tra le braccia.

Marta s'era curvata sul letto a spiare il volto della morente.

– Come va? come va? – domandò forte la Juè.

Marta, impaurita da un gorgoglìo lungo, strano, raschioso nella gola della
moribonda, levò la faccia sconvolta, guardò perplessa la Juè, poi risolutamente
si recò fino alla soglia dell'altra stanza, e chiamò nel bujo:

– Vieni... vieni... muore...

Rocco accorse e tutti e due si chinarono sul letto. Don Fifo uscì dalla camera in punta di piedi, con l'involto delle torce, chiamandosi dietro con un cenno della mano il guattero.

Rocco levò gli occhi dal volto della madre a quello di Marta, vicino al suo, e stette un po' a guatarla, prima con le ciglia aggrottate, poi attonito, quasi istupidito. Marta teneva tra le sue una mano della morente, su cui stava protesa, come se volesse infonderle il suo alito.

A un tratto la Juè disse piano, impallidendo:

– Venga, signor Pentàgora...

– È morta? – domandò Rocco, vedendo Marta lasciar la mano della madre e rialzarsi sul busto. E chiamò forte, con voce convulsa: – Mamma! Oh mamma! Mamma mia! – gridò poi, rompendo in singhiozzi e chinando il volto sul guanciale, accanto al volto della morta.

– Fifo, Fifo, – chiamò la Juè. – Sù, Fifo: portalo con te... con te, di là... Coraggio, figliuolo mio... Ha ragione... ha ragione... Venga... Vada con Fifo...

E con l'ajuto del marito riuscì a strappare Rocco dal corpo esanime della madre. Don Fifo lo condusse con sé nell'altra stanza.

– Ho pensato a tutto... – disse sotto voce la Juè a Marta, appena rimaste sole.

– Non poteva durare, me l'aspettavo... Ho comperato quattro belle torce... Prima la lasciamo rassettare; poi la vestiremo...

Marta non staccava gli occhi sbarrati dal volto del cadavere, senza cogliere alcuna parola delle tante e tante che la Juè le diceva, e che forse don Fifo, nell'altra stanza, ripeteva a Rocco.

– Si scosti un po'... Adesso la vestiamo.

Marta si scostò dal letto, macchinalmente. E la Juè, mentre vestiva la morta, sotto gli occhi di Marta tremante di ribrezzo, non cessò di parlare velatamente delle spese fatte, senza dimenticare nulla, né le medicine, né il medico, né i vetri rotti della finestra, né la cena, né le torce, né la pigione non pagata dalla defunta, affinché Marta poi riferisse tutto al figlio. Terminata la vestizione, coprì con un lenzuolo il cadavere e accese ai quattro angoli del letto le torce.

– Ecco fatto, – poi disse. – Tutto pulito! Non fo per vantarmi, ma...

E sedette accanto a Marta, ad ammirar la sua opera.

Passarono così parecchie ore. In quella camera le quattro torce soltanto pareva vivessero, struggendosi a lento. Di tratto in tratto, donna Maria Rosa s'alzava, staccava i gocciolotti dal fusto e ne nutriva le fiammelle.

Finalmente don Fifo si presentò su la soglia e fece alla moglie un cenno, che Marta non vide. La Juè rispose al cenno del marito, e poco dopo disse piano a Marta:

– Noi ora ce n'andiamo. Le lascio qui sul tavolino questo pajo di forbici per smoccolare le torce di tanto in tanto... Se non le smoccola, badi, le torce scoppiano e il lenzuolo può prendere fuoco... Mi raccomando. E, a rivederla. Ritorneremo domattina...

– Dica, la prego, alla mamma di non venire... – le disse Marta, come trasognata. – Le dica che restiamo qua noi, io e il figlio... dica così, a vegliare la morta... e che stieno tranquille... e... che io le saluto...

– Sarà servita, non dubiti. Oh, senta... se per caso, più tardi, il signor Rocco... e anche lei... la cesta è qui, nella saletta... dico, se per caso... Io non ho affatto appetito. Mi creda, signora mia: ho come una pietra qua, su la bocca dello stomaco. Sono molto sensibile... Basta, la saluto. Chiamo adagino adagino Fifo e ce ne andiamo. Coraggio, e la saluto.

Rimasta sola, Marta tese l'orecchio per ascoltare che cosa il marito facesse nell'altra stanza. Piangeva in silenzio? pensava?

«Non gl'importa più nulla di me...», disse tra sé Marta. «Non gli nasce neppure la curiosità di sapere se io sia o no andata via... Eppure sa dove debbo andare... Ora andrò... Gli ho detto tutto... Solo del figlio, no. Ma il figlio è mio... mio soltanto... com'era mio soltanto quell'altro che mi morì per lui... Ah, se io l'avessi avuto...»

Volse gli occhi al letto, su cui le quattro torce aduggiavano la giallezza del caldo lume. Alcune rigide pieghe del lenzuolo accusavano il cadavere nella pesante immobilità.

Paurosamente, con una mano, Marta scoprì il volto della defunta già trasfigurato; cadde in ginocchio accanto al letto e sciolse l'enorme cordoglio in uno sgorgo infinito di lagrime, costringendosi con una mano su la bocca a non gridare, a non urlare.

Stette così a piangere, finché Rocco non venne dall'attigua stanza; allora sorse in piedi con lo scialle sotto il braccio, la faccia tra le mani, e si mosse per uscire.

Rocco la trattenne per un braccio, e le domandò con voce cupa:

– Dove vai?

Marta non rispose.

– Dimmi dove vai, – ripeté lui e, indeciso, stese l'altra mano e l'afferrò per le due braccia.

Allora Marta scoprì appena il volto:

– Vado... Non lo so... Ti raccomando...

Non la lasciò proseguire: in un impeto, quasi di paura, accostò il volto al volto di lei, e proruppe in lagrime, abbracciandola:

– No, Marta! No! No! Non mi lasciar solo! Marta! Marta! Marta mia!

Ella tentò di scostarsi con le braccia; trasse indietro il capo; ma non riuscì a sciogliersi dall'abbraccio e tremò, così stretta da lui.

– Rocco, no, è impossibile... Lasciami... È impossibile...

– Perché?... Perché?... – chiese egli, tenendola sempre a sé, più stretta, e baciandola perdutamente. – Perché, Marta? Perché me l'hai detto?

– Lasciami... No... lasciami... Non mi hai voluta... – seguitò Marta, soffocata dalla commozione, nell'ardente amplesso. – Non mi hai voluta più.

– Ti voglio! ti voglio! – gridò lui, esasperato, accecato dalla passione.

– No... lasciami – scongiurò Marta, schermendosi, già quasi abbandonata di forze. – Fammi andar via... te ne supplico...

– Marta, dimentico tutto! e tu pure, dimentica! Sei mia! Sei mia! Non mi vuoi più bene?

– Non è questo, no! – disse Marta in un gemito, affogata dall'angoscia. – Ma non è più possibile, credimi, non è più possibile!

– Perché? Lo ami ancora? – gridò Rocco fieramente, sciogliendola dall'abbraccio.

– No, Rocco. no! Non l'ho mai amato, ti giuro! mai! mai!

E ruppe in singhiozzi irrefrenabili; sentì mancarsi; s'abbandonò tra le braccia di lui, che istintivamente si tesero di nuovo a sorreggerla. Fiaccato dal cordoglio, a quel peso, egli fu quasi per cadere con lei: la sostenne con uno sforzo quasi rabbioso, nella tremenda esasperazione: strinse i denti, contrasse tutto il volto e scosse il capo disperatamente. In quest'atto, gli occhi gli andarono sul volto scoperto della madre sul letto funebre, tra i quattro ceri. Come se la morta si fosse affacciata a guardare.

Vincendo il ribrezzo che il corpo della moglie pur tanto desiderato gl'incuteva, egli se la strinse forte al petto di nuovo e, con gli occhi fissi sul cadavere, balbettò, preso di paura:

– Guarda... guarda mia madre... Perdono, perdono... Rimani qui. Vegliamola insieme...

Monte Cavo, 1893

IL TURNO

Invito alla lettura

*Il dominio del caso sulle vicende umane, che rende imprevedibile ogni avvenimento, già prevalente nell'*Esclusa *e nelle novelle del primo periodo, trionfa con toni di divertita ironia nel romanzo* Il turno, *pubblicato a Catania nel 1902 dall'editore Niccolò Giannotta. Nell'edizione dei Fratelli Treves di Milano del 1915 è ripubblicato, insieme con la novella* Lontano, *col sottotitolo* Novelle *di Luigi Pirandello. È evidente che l'autore lo considerava un racconto lungo più che un romanzo; nella premessa, presente soltanto in questa edizione, precisa che i due racconti sono stati scritti nella prima giovinezza (la data di composizione del* Turno *«Roma, 1895» è citata nell'edizione fiorentina di Bemporad del 1929, dove torna ad essere pubblicato a sé) e li giudica: «... l'uno gajo se non lieto, e triste l'altro»; ritiene inoltre «il loro pregio più vivo: la schietta vivacità della rappresentazione».*

Il racconto è frazionato in trenta brevi capitoli che consentono all'autore di mutare rapidamente situazioni e ambienti, portando alternativamente in primo piano i diversi soggetti coinvolti nel singolare piano concepito da Marcantonio Ravì, causa di curiose, impreviste vicende. Il grasso, tenace padre di Stellina ha un'idea fissa per fare la felicità della figlia: stabilire un turno, e cioè, darla prima in sposa al vecchio benestante Don Diego Alcozèr, e poi, alla morte di lui, consegnarla ricca e felice al suo spasimante Pepè Alletto, giovane dabbene, ma senza un soldo. È talmente convinto della bontà di questa idea che va in giro per la città a parlarne con tutti per avere consensi, insistendo caparbiamente col buffo intercalare: «ragioniamo!». Ma i più, al sentire il nome del decrepito Alcozèr «sbruffavano una risata». È la proposizione del tema che domina il primo capitolo con la figura agitata di Marcantonio Ravì. Il suo genero in pectore Diego Alcozèr, vecchietto arzillo, vedovo di ben quattro mogli, e gaudente con i suoi «occhietti calvi scialbi acquosi» già «conquistatore di dame in crinolino del tempo di Ferdinando II re delle Due Sicilie», emerge dal secondo capitolo, dove concitatamente discute col suocero per preparare la resa di Stellina. Alle due «macchiette» s'aggiunge la terza; nel capitolo seguente viene in primo piano Pepè Alletto, il beneficiario del «turno». Singolare il fatto che la scelta di Marcantonio Ravì lo colga di sorpresa; in realtà egli non è un vero spasimante. Stellina gli piace, ma per la sua mancanza di coraggio e per le sue precarie condizioni economiche, non avrebbe mai osato di pensare a lei. Non è capace di fare una scelta; saranno sempre gli altri a scegliere per lui.

Pepè Alletto è il tipico rappresentante di una certa malinconica nobiltà di provincia, sfaccendata e moralmente fiacca. Vive all'ombra della madre invecchiata nei pregiudizi che non gli permetterebbe mai di lavorare (e lui si adagia in questa situazione) per un malinteso concetto di dignità del proprio stato. Passa la giornata a curare la sua persona, sognando la grande città. L'idea del «turno» gli offre uno scopo inatteso, una bella moglie e un'eredità in vista, e cioè la soluzione di tutti i suoi problemi, senza troppa fatica.

Le nozze hanno scenette di esilarante comicità: il decrepito Don Diego indossa per l'occasione «la lunga napoleona memore di quattro sponsali». Tanta vecchiaia miseramente stride con la freschezza di Stellina, il cui aspetto «*raggelava la festa*». *A rompere l'atmosfera impacciata, in cui s'intrecciano i falsi complimenti con la maldissimulata commiserazione degli invitati, provvede Pepè che, rispondendo alle corali sollecitazioni, si sente investito nella parte di futuro marito e suona il pianoforte, canta, conduce le danze. La crisi isterica di Stellina con tanto di svenimento per aver il vecchio marito versato con mano tremante il rosolio sul suo candido vestito, è l'evento scatenante che manda in frantumi l'ipocrita apparato faticosamente tenuto insieme da Marcantonio Ravì. Il quale goffamente continuerà a cercare vane scuse mentre gli invitati lasciano frettolosamente la festa. Da questo momento in poi i fatti precipitano preda dell'imprevisto: Pepè, maldestro cavaliere, per difendere Stellina incappa in un duello che avrebbe potuto evitare se non avesse chiesto aiuto al protervo cognato, Avv. Ciro Coppa, che gli impone di sfidare l'avversario. Ne uscirà perdente e ferito, come perdente risulterà dopo tutti gli interventi del cognato in suo favore, da lui pavidamente sollecitati. Ciro Coppa, a furia di combattere contro i nemici di Pepè, alla morte della moglie, porterà addirittura via al cognato Stellina, che non ha avuto la pazienza di aspettare la morte di Don Diego. Ciro si inserirà con prepotenza... nel turno, sposerà Stellina rendendola schiava con la sua gelosia. Ma, ancora contro ogni aspettativa, il robusto e sanguigno avvocato morirà anzitempo; i due figli di lui e di sua sorella rimarranno a Pepè che, nella scena finale, accanto alla salma del cognato, se li stringe al petto aspettando uno sguardo di consenso da Stellina che piange.*

Le ultime parole di Marcantonio Ravì sottolineano le contraddizioni del caso, deus ex machina *dell'intero romanzo: «Questo, che pareva un leone, eccolo qua: morto! E quel vecchiaccio, sano e pieno di vita! Doman l'altro sposa Tina Mèndola, la tua cara amica...». Parole amarissime per lui, se si pensa che Tina è figlia di quella Carmela Mèndola, risentitissima «portavoce del vicinato», che[1] s'affannava con insistenza a stigmatizzare l'unione di Stellina col vecchio Don Diego, definendola: «un peccato mortale che grida vendetta!».*

Si può capire perché Pirandello abbia definito questo racconto «gajo se non lieto». La voglia di scherzare s'esaurisce in un fuoco d'artificio di trovate persino esilaranti; ma sul fondo di esse si percepisce l'ombra della scontentezza di ciascun personaggio, i cui desideri non trovano mai appagamento. Sono resi vani da eventi imprevisti e incontrollabili.

I.B.

---

[1] Cfr. il capitolo I del romanzo (*N.d.C.*).

I.

Giovane d'oro, sì sì, giovane d'oro, Pepè Alletto! – il Ravì si sarebbe guardato bene dal negarlo; ma, quanto a concedergli la mano di Stellina, no via: non voleva se ne parlasse neanche per ischerzo.

– Ragioniamo!

Gli sarebbe piaciuto maritare la figlia col consenso popolare, come diceva; e andava in giro per la città, fermando amici e conoscenti per averne un parere. Tutti però, sentendo il nome del marito che intendeva dare alla figliuola, strabiliavano, strasecolavano:

– Don Diego Alcozèr?

Il Ravì frenava a stento un moto di stizza, si provava a sorridere e ripeteva, protendendo le mani:

– Aspettate... Ragioniamo!

Ma che ragionare! Alcuni finanche gli domandavano se lo dicesse proprio sul serio:

– Don Diego Alcozèr?

E sbruffavano una risata.

Da costoro il Ravì si allontanava indignato, dicendo:

– Scusate tanto, credevo che foste persone ragionevoli.

Perché lui, veramente, ci ragionava su quel partito, ci ragionava con la più profonda convinzione che fosse una fortuna per la figliuola. E s'era intestato di persuaderne anche gli altri, quelli almeno che gli permettevano di sfogare l'esasperazione crescente di giorno in giorno.

– Avete voluto la libertà, santo Dio! il re che regna e non governa, la leva per tutti, un esercito formidabile, ponti e strade, ferrovie, telegrafo, illuminazione: cose belle, bellissime, che piacciono anche a me: ma si pagano, signori miei! E le conseguenze quali sono? Due, nel caso mio. Numero uno: ho lavorato come un *arcibue*, tutta la vita, onestamente per mia disgrazia e non son riuscito a mettere da parte tanto da poter per ora maritare la figlia secondo il suo piacere, che sarebbe anche il mio. Numero due: giovanotti, non ce n'è: intendo dire di quelli che a un padre previdente possano assicurare, sposando, il benessere della figliuola: prima che si facciano una posizione, Dio sa quel che ci vuole; quando se la son fatta, pretendono la dote e fanno bene; senza posizione, in coscienza, quale padre affiderebbe loro la figlia? Dunque? Dunque bisogna sposare un vecchio, vi dico, se il vecchio è ricco. Di giovani poi, volendo, alla morte del vecchio, ce n'è quanti se ne vuole.

Che c'era da ridere? Parlava da senno, lui! Perché:

– Ragioniamo...

Se don Diego Alcozèr avesse avuto cinquanta o sessant'anni, no: dieci, quindici anni di sacrifizio sarebbero stati troppi per la figliuola; ed egli non avrebbe mai accettato quel partito. Ma ne aveva, a buon conto, settantadue, don Diego! E non c'era dunque da temer pericoli di nessuna sorta. Più che matrimonio, in fondo, sarebbe quasi una pura e semplice adozione. Stellina entrerebbe come una figliuola in casa di don Diego: né più né meno. Invece di

stare in casa del padre, starebbe in quell'altra casa, con più comodi, da padrona assoluta: casa d'un galantuomo alla fin fine: nessuno osava metterlo in
dubbio, questo. Dunque, che sacrifizio? Aspettare qua o là. Con questa differenza, che aspettare qua, in casa dei padre, sarebbe tempo perduto, non potendo egli far nulla per la figliola; mentre, aspettando là, tre, quattr'anni...

— Mi spiego? — domandava a questo punto il Ravì, abbagliato lui stesso dalle
sue ragioni e sempre più convinto.

Don Diego Alcozèr aveva già preso quattro mogli? E che per questo? Tanto
meglio, anzi! Stellina non sarebbe così sciocca da farsi (e squadrava le corna)
sotterrare dal vecchio, come le altre quattro: col tempo e con la mano di Dio
avrebbe lei, invece, composto in pace il corpo del marito benefattore, e allora,
ecco, allora sì il giovanotto! Bella, ricca, allevata come una principessina, sarebbe stata un vero panin di zucchero; e i giovanotti, così, a sciame, come le
mosche, attorno a lei.

Gli pareva impossibile che la gente non si capacitasse di questo suo ragionamento: era caparbietà, cocciutaggine, arrestarsi a considerar soltanto il sacrificio momentaneo di quelle nozze col vecchio. Come se oltre quello scoglio,
oltre quella secca, non ci fosse il mare libero e la buona ventura! Lì, lì, bisognava guardare!

Se egli fosse stato ricco, se avesse potuto far da sé la felicità della figliuola –
bella forza! si sa, non l'avrebbe data in moglie a quel vecchiaccio. Stellina
certo, per il momento, non poteva apprezzare la fortuna che egli le procacciava: questo era naturale e in certo qual modo scusabile! Di lì a pochi anni
però – ne era sicuro – ella lo avrebbe lodato, ringraziato e benedetto. Non sperava, né desiderava nulla per sé, da quel matrimonio; lo voleva unicamente
per lei, e stimava dover suo di padre, dover suo di vecchio provato e sperimentato nel mondo, tener duro e costringere la figliuola inesperta a ubbidire.
Lo amareggiava invece profondamente la disapprovazione di uomini d'esperienza come lui.

— In nome del Padre, del Figliuolo e dello Spirito Santo, — si lamentava intanto, in casa, la moglie del Ravì, la si-donna Rosa, accennando il segno della
croce con un gesto che le era abituale e che ripeteva ogni qual volta si sentiva
infastidita e urtata nella gravezza della sua gialla carne inerte: — Lasciatelo
fare. Ciò che fa Marcantonio, per me, è ben fatto, — diceva ai parenti che sottovoce le facevan notare la mostruosità di quel progetto di nozze.

— Peccato mortale, si-donna Rosa — s'affannava a ripeterle Carmela Mèndola,
portavoce del vicinato, parlando quasi con la strozza, per non gridare, e dandosi pugni rintronanti sul petto ossuto: — Se lo lasci dire, in coscienza: peccato
mortale, che grida vendetta davanti a Dio!

E, tutta scalmanata, si scioglieva e si rannodava sotto il mento le cocche del
gran fazzoletto rosso di lana che teneva in capo.

La si-donna Rosa stringeva le labbra, sporgeva il mento, chiudeva gli occhi e
soffiava per il naso un lungo sospiro.

II.

Don Diego Alcozèr già si faceva vedere per la città in compagnia del futuro
suocero.

Marcantonio Ravì, bonaccione, grasso e grosso, col volto sanguigno tutto
raso e un palmo di giogaja sotto il mento, con le gambe che parevan tozze
sotto il pancione e che nel camminare andavano in qua e in là faticosamente,
sembrava fatto apposta per compensar don Diego fino fino, piccoletto, che gli
arrancava accanto con lesti brevi passetti da pernice, tenendo il cappello in
mano o sul pomo del bastoncino, come se si compiacesse di mostrar quell'u-
nica e sola ciocca di capelli, ben cresciuta e bagnata in un'acqua d'incerta

tinta (quasi color di rosa), la quale, rigirata, distribuita chi sa con quanto studio, gli nascondeva il cranio alla meglio.

Niente baffi, don Diego, e neppur ciglia: nessun pelo; gli occhietti calvi scialbi acquosi. Gli abiti suoi più recenti contavano per lo meno vent'anni; non per avarizia del padrone, ma perché, ben guardati sempre dalle grinze e dalla polvere, non si sciupavano mai, parevano anzi incignati allora allora.

Così, ahimè, s'era ridotto uno dei più irresistibili conquistatori di dame in crinolino del tempo di Ferdinando II re delle Due Sicilie: cavaliere compitissimo, spadaccino, ballerino. Né i suoi meriti si restringevano solo qui, nel campo, com'egli diceva, di Venere e di Marte: don Diego parlava il latino speditamente, sapeva a memoria Catullo e la maggior parte delle odi di Orazio:

> *Tu ne quaesieris, scire nefas, quem mihi, quem tibi*
> *finem dî dederint...*

Ah, Orazio; da lui, suo prediletto poeta, don Diego aveva desunto le norme epicuree. Aveva goduto tutta la vita e voleva fino all'ultimo godere; odiava perciò la solitudine, nella quale si sentiva spesso turbato da paurosi fantasmi, e amava la gioventù, di cui cercava la compagnia, sopportandone filosoficamente gli scherzi e le beffe.

Ecco: batteva il pomo d'argento del bastoncino d'ebano sul tavolinetto innanzi al Caffè del *Falcone*, mentre il Ravì si lasciava cader su la seggiola che scricchiolava, e sbuffando e buttandosi su la nuca il cappellaccio a larghe tese, si asciugava il sudore dalla faccia paonazza.

– A me, al solito, – diceva l'Alcozèr al cameriere, – un'orzata.

E accompagnava la ordinazione con una risatina fredda, superflua, accennando di stropicciarsi le manine gracili e tremule: – Eh eh...

Seduti al Caffè, ripigliavano il discorso del matrimonio, interrotto di tanto in tanto dai saluti che don Marcantonio distribuiva a voce alta e con larghi gesti a gl'innumerevoli suoi conoscenti:

– Baciamo le mani! La grazia vostra! Servo umilissimo!

Don Diego non era ancora potuto entrare in casa della promessa sposa. Stellina minacciava di graffiargli la faccia, di cavargli tutti e due gli occhi, se egli si fosse arrischiato di presentarsi a lei. Il Ravì, s'intende, non parlava a don Diego di queste minacce della figliuola; diceva soltanto che bisognava avere un po' di pazienza, perché le ragazze, oh Dio, si sa...

– Bene bene; quando dici tu, o meglio, quando Stellina permetterà... *intra paucos dies*, spero, *cupio quidem*, – rispondeva don Diego, tranquillo e sorridente. – Intanto, guarda, per oggi le porterai questo qui.

E traeva dalla tasca un astuccetto di velluto.

Oggi un braccialetto, jeri un orologino con la catenina d'oro e di perle, e prima un anellino con perle e brillanti e una spilla di smeraldi o un pajo di orecchini... L'Alcozèr non spendeva nulla; non per avarizia: aveva tante gioje delle defunte mogli: che doveva farsene? Le mandava alla nuova fidanzata, ripulite dall'orefice, chiuse in astuccetti nuovi.

Marcantonio Ravì profondeva lodi, esclamazioni ammirative, ringraziamenti.

– Ma voi così, don Diego mio, ci confondete...

– Non ti confondere, asino! Ho esperienza del mondo e so che i regali ci vogliono.

Don Marcantonio si cacciava in tasca il dono e sbuffava dalla stizza per la caparbia ostinazione della figliuola, che, pur di non cedere, si contentava di star chiusa in una camera, assediata, rifiutando anche il cibo.

La madre stava di guardia presso l'uscio di quella camera, come una sentinella. Venivano i parenti, la Mèndola o qualche altra vicina a tentare ancora di metterla su contro il marito, ma ella tornava col solito gesto ad accennare il segno della croce.

– In nome del Padre, del Figliuolo e dello Spirito Santo! Non mi mettete altra legna sul fuoco: me ne manca forse, donna Carmela mia? Vedete in quale inferno mi trovo?

– Zia Carmela! – chiamava Stellina, dietro l'uscio.

– Figlia mia bella, che vuoi?

– Dica a sua figlia Tina che si affacci alla finestra: voglio farle vedere una cosa.

– Sì, cuore mio bello! Or ora glielo dico. Coraggio, cuore mio! Pìgliati quest'involtino: te lo faccio passare di sotto l'uscio. Mangia, che ti piacerà.

– Tante grazie, zia Carmela!

– Niente, figliuola cara. E tieni duro, tieni duro! non ci vuol altro...

La si-donna Rosa lasciava dire e lasciava fare. E ogni giorno, appena il marito rincasava, gli rivolgeva la solita domanda:

– Debbo? – E con la mano faceva il gesto di mandar la chiave per aprire l'uscio.

– No! – le gridava egli. – Stia lì, lì, brutta ingrata! cuor di macigno! Come se non lo facessi per lei, per il suo bene! Tieni: un altro regalo, un braccialetto... faglielo vedere!

La si-donna Rosa si alzava, chiudeva gli occhi, sospirava e, con l'astuccetto in mano, entrava nella camera della figliuola.

Stellina se ne stava presso il letto, accoccolata per terra, sul tappetino, come una cagnetta ringhiosa. Strappava di mano alla madre il regalo e lo scaraventava a terra.

– Grazie tante, non lo voglio!

La madre allora perdeva la pazienza anche lei.

– Sedici onze di braccialetto, asinaccia! Non sei neanche degna di guardarla tanta grazia di Dio!

Stellina, appena uscita la madre, stropicciava il gomito del braccio sinistro sulla palma della mano destra e diceva a denti stretti:

– Rodetevi! Rodetevi!

Poi si ricomponeva la veste su le gambe, si alzava da sedere, gironzava un po' per la camera e, finalmente, eccola lì, presso il cassettone a guardar sottecchi il regalo raccattato dalla madre. La curiosità era più forte della repulsione per il vecchio donatore.

Si guardava nello specchietto a bilico, si rialzava i capelli dietro la nuca e sorrideva alla propria immagine: il visetto fresco e leggiadro apriva in quello specchio due occhi azzurri limpidi e gaj. Con quel sorriso, pareva susurrasse a se stessa: «Birichina!». E le veniva la tentazione di aprire quegli astucci, di provarsi... via, almeno gli orecchini... per un minuto, gli orecchini.

– No, questo è l'anello... M'andrà certo troppo largo... No preciso! oh guarda... par fatto apposta per il mio dito...

E si ammirava la manina bianca inanellata, avvicinandola, allontanandola, piegandola or di qua or di là. E poi gli orecchi con gli orecchini, e poi i polsi coi braccialetti, e poi sul seno la lunga catena d'oro dell'orologino; e, così parata, andava a farsi un profondo inchino allo specchio dell'armadio:

– A rivederla, signora Alcozèr!

E una gran risata.

III.

– Ecco... va bene: io non ho fretta, Marcantonio mio, – diceva, il giorno dopo, don Diego al Ravi, nel Caffè del *Falcone*: – Però, ecco... non per me, ma per il vicinato: sotto le finestre di casa tua (tu forse hai il sonno greve e non senti), quasi ogni notte si fanno serenate: chitarre e mandolini, eh eh... Lo so: giovanotti allegri... Che bellezza, la gioventù! Sai chi sono? I fratelli Salvo coi cugini Garofalo e Pepè Alletto: chitarre e mandolini.

– Vi giuro, don Diego mio, che non ne so nulla, parola di galantuomo! Dite davvero? Serenate? Lasciate fare a me. Or ora vi fo vedere io, se...

– Dove vai?

– In cerca di codesti signorini che mi avete nominati.

– Sei matto? Siedi qua! Vuoi compromettermi?

– Voi non c'entrate!

– Come non c'entro, asino? Ci guastiamo, bada. Senza tante furie. Soglio far le cose con calma, io. Son giovanotti, e cantano: gioventù vuol dire allegria... Sa cantare anche Stellina, m'hai detto? Bene; il canto mi piace. Dicevo soltanto per il vicinato che sta a sentire ogni notte, e... capirai, le male lingue... Tu dovresti consigliare a codesti giovanotti un po' di pazienza, mi spiego? perché hai la *puella* già sposa. Ma con buona maniera, con calma.

– Lasciate fare a me.

– Senza compromettermi, oh!

La sera di quello stesso giorno, Marcantonio Ravì, imbattendosi per via in Pepè Alletto, se lo chiamò in disparte e gli disse:

– Caro don Pepè, vi prego con buona maniera di lasciare in pace mia figlia; se no, faccio come quel tale; lo vedete questo bastone? Ve lo rompo in testa la prima volta che vi vedo ripassare col naso in aria sotto le finestre di casa mia.

Pepè Alletto lo guardò prima stordito, come se non avesse compreso; poi si tirò un passo indietro:

– Ah sì? E se io vi dicessi...

– Che siete cognato di Ciro Coppa, bau bau? – compì la frase il Ravì.

– No! – negò, acceso di sdegno, il giovanotto. – Se vi dicessi che a me *personalmente* bastoni su la testa non ne ha mai rotti nessuno?

Il Ravì si mise a ridere.

– O non lo vedete che scherzo? Ditemi voi stesso, don Pepè mio, in quali termini vi debbo pregare. Che volete da mia figlia? Se non siamo bestie, proviamoci a ragionare. Voi siete nobile, ma siete scarso, caro don Pepè. Anch'io sono un pover'uomo abbruciato di danari. Povertà non è vergogna. Sapete che vi voglio bene: venite qua, ragioniamo.

Gli passò una mano sotto il braccio e si avviò con lui, seguitando:

– Quanto a ballare, lo so, ballate come se non aveste fatto mai altro in vita vostra. Anche con gli speroni ai piedi, m'hanno detto. E sonare, sonate il pianoforte come un angelo... Ma, caro mio don Pepè, qui non si tratta di ballare, mi spiego? Ballare è un conto; mangiare, un altro. Senza mangiare, non si balla e non si suona. Debbo aprirvi gli occhi proprio io? Lasciatemi combinare in pace questo benedetto matrimonio, e ajutatemi anzi, diàscane! Il vecchio è ricco, ha settantadue anni e ha preso quattro mogli... Gli diamo ancora tre anni di vita? L'avvenire poi è nelle mani di Dio. Dite un po': quale può essere l'ambizione d'un onesto padre di famiglia? La felicità della propria figliuola, ne convenite? Oh: chi è scarso è schiavo: schiavitù e felicità possono andar d'accordo? No. *Ergo*, prima base: denari. La libertà sta di casa con la ricchezza; e quando Stellina sarà ricca, non sarà poi libera di fare ciò che le parrà e piacerà? Dunque... che dicevamo? Ah, don Diego... Ricco, don Pepè mio! Ricchezze ne ha tante, che potrebbe lastricare di pezzi di dodici tarì tutta Girgenti, beato lui! Don Pepè, accettatemi qualcosina qua al Caffè...

L'Alletto pareva caduto dalle nuvole: non sapendo che pensare di quel discorso, guardava negli occhi il Ravì sorridendo.

Per dir la verità non aveva mai aspirato seriamente alla mano di Stellina; né questa, per altro, aveva mai dato motivo a lui di farsi qualche illusione, più che non ne avesse dato a tant'altri giovanotti che le gironzavano attorno. La ragazza, sì, gli piaceva; ma sapeva pur troppo di non essere in condizione di prender moglie, e neanche ci pensava. Viveva con la madre settantenne, che, nella sua ingenua amorevolezza, si ostinava a trattarlo ancora come quand'a-veva dieci anni. Povera santa vecchina! Bisognava aver pazienza con lei; anche per compensarla di tutto quello che le era toccato di soffrire col padre, il quale in pochi anni aveva dato fondo a tutto il patrimonio; e n'era poi morto di crepacuore. Dalla rovina si era soltanto salvata, per miracolo, la vecchia casa, in cui abitava con la madre.

Donna Bettina, nobile di nascita, non voleva assolutamente permettere che egli, Pepè, entrasse in qualche impiego, che forse il cognato, Ciro Coppa, con le sue aderenze avrebbe potuto procurargli. Ma di questo, Pepè, in fondo, non s'affliggeva molto. Lavorare non era il suo forte. Ogni mattina tre ore, per lo meno, davanti allo specchio: abitudine! Che poteva farci? Il bagno, le unghie lunghe da coltivare, poi pettinarsi, raffilarsi la barba, spazzolarsi. E quando alla fine, sul far della sera, usciva di casa, pareva un milordino. La vecchia casa, al Ràbato, custodiva intanto gelosamente il segreto miserevole dei sacri-fizii ostinati e delle più dure privazioni.

Ah, se invece di nascere in quella triste cittaduzza moribonda, fosse nato o cresciuto in una città viva, più grande, chi sa! chi sa! la passione che aveva per la musica gli avrebbe forse aperto un avvenire. Una forza ignota nell'a-nima se la sentiva: la forza che lo tirava in certi momenti alla vecchia spinetta scordata della madre e gli moveva le dita su la tastiera a improvvisare a orec-chio minuetti e rondò. Certe sere, mentre contemplava dal viale solitario, all'uscita del paese, il grandioso spettacolo della campagna sottostante e del mare là in fondo rischiarato dalla luna, si sentiva preso da certi sogni, ango-sciato da certe malinconie. In quella campagna, una città scomparsa, Agri-gento, città fastosa, ricca di marmi, splendida, e molle d'ozii sapienti. Ora vi crescevano gli alberi, intorno ai due tempii antichi, soli superstiti; e il loro fru-scìo misterioso si fondeva col borbogliare continuo del mare in distanza e con un tremolìo sonoro incessante, che pareva derivasse dal lume blando della luna nella quiete abbandonata, ed era il canto dei grilli, in mezzo al quale so-nava di tanto in tanto il *chiù* lamentoso, remoto, d'un assiolo.

Ma di questi suoi strani momenti Pepè si vergognava, quasi, con se stesso, temendo che i suoi amici se n'accorgessero. Che baja, allora! No, via; nean-che a pensarci: lì, nella vita gretta, meschina, monotona, di tutti i giorni, lì era la realtà, a cui bisognava adattarsi.

Che gli diceva intanto il Ravì? che voleva da lui? Evidentemente quel buon uomo sospettava che tra lui e la figlia ci fosse qualche intesa, per la quale ella non volesse acconsentire al matrimonio con l'Alcozèr. Ebbene, perché non la-sciarlo in quell'inganno? Promise d'usar prudenza e di farne usare agli amici Salvo e Garofalo, e n'ebbe in ricambio l'invito alle prossime nozze, a nome anche dell'Alcozèr, che:

– Non è cattivo, in fondo, poveraccio! – concluse don Marcantonio. – Che volete farci? ha la manìa delle mogli: non può farne a meno. Ma questa, se Dio vuole, sarà l'ultima! Gli diamo, sì e no, tre anni di vita? Gliel'ho detto avanti: «Caro don Diego, siamo della vita e della morte; carte in regola!». E lui, bisogna dir la verità: subito! non m'ha nemmeno lasciato finire. Cosicché, mi spiego? su questo punto, siamo a cavallo. Non dico per me, dico per mia figlia, beninteso! Poi Stellina... ci penserà lei... Debolezze, don Pepè: dicono che don Diego riprende moglie perché, stando solo, ha paura degli spiriti... Gia! Credo che di notte gli appaja la Morte con l'ali. E se lo porti via presto, don Pepè! Le darei una mano io per caricarselo meglio su le spalle... Ma già, non pesa venti chili... Ai vostri comandi, e baciamo le mani. Mosca però, don Pepè: mi raccomando.

IV.

Circa due mesi dopo si celebrarono in casa Ravì le nozze tanto combattute.

Don Diego indossò per la quinta volta la lunga napoleona memore di quattro sponsali; non per avarizia, ma perché veramente era ancor nuova, sebbene di taglio antico, custodita per tanti anni con la canfora e col pepe nella cassapanca di noce stretta e lunga come una bara. Giù per il cortile le grosse papere non lo riconobbero in quell'insolito arnese, e coi lunghi colli protesi lo inseguirono fino al portone strillando come indemoniate.

«Eh eh, le anime delle defunte mogli!», pensò don Diego, arricciando il naso; e, correndo, se le cacciava dietro con le mani. – Sciò! sciò!

Marcantonio Ravì aveva largheggiato molto negli inviti, volendo, almeno in apparenza, il consenso popolare. Nessuno gli levava dal capo che la disapprovazione di tutti gli amici e conoscenti non fosse per invidia della fortuna che toccava alla figlia. E aveva preparato un lauto trattamento a maggior dispetto degli invidiosi.

Don Diego fu molto complimentato. Ma non era vecchio per nulla, e accolse con la sua solita risatina fredda tutti quei complimenti.

Per Stellina, parata di bianco e di zagare, nella pompa della festa, la commiserazione sorgeva spontanea, di nascosto, dopo le congratulazioni che ciascuno degli invitati le porgeva per convenienza, ma senza troppa effusione, per timore non dovessero sfrenar in lei qualche scoppio di pianto.

Presto il Ravì cominciò a notare un certo impaccio nella sala. L'aspetto di Stellina raggelava la festa. Invano cercò di promuovere comunque un po' di brio, incitando ora questo ora quello. Di tutti i convitati solo a Pepè Alletto, venuto coi tre fratelli Salvo (Mauro, Totò e Gasparino), riuscì alla fine a comunicare un po' di fuoco.

– Don Pepè, spetta a voi. Mi raccomando.

Pepè sentì in questa raccomandazione la conferma di quel curioso discorso tenutogli tempo addietro. Sorrise, guardò la mesta sposina che gli parve più bella nello splendido candore dell'abito nuziale, e «Perché no?» disse tra sé. Si mise al pianoforte, sonò, cantò, poi spinse gli altri a ballare e finalmente riuscì a ravvivare il festino. Tutti gliene furono grati, e più di tutti don Marcantonio. Stordito nell'allegria da lui stesso promossa, egli ora guardava don Diego, il vecchio sposo, come per compassione; e gli altri, come per dire: «Compatitelo, poveretto; il vero sposo poi, qua, sarò io».

E nel chiudersi della festa, di cui fu l'anima, anzi l'eroe, tutti i convitati lo ammirarono tanto e tanto lo lodarono sia per il ballare, sia per come comandava le danze e come sonava il pianoforte, che a un certo punto, irresistibilmente, gli scappò detto:

– So anche il francese...

Se non che la tempesta, fin lì stornata, scoppiò a un tratto, inaspettatamente. Don Diego, per mostrarsi galante, volle porgere un bicchierino di rosolio alla sposa. Poverino: fu una cattiva ispirazione: le mani gli tremavano, anche per l'emozione: e così gliene versò qualche gocciolina su la veste, poco poco... Se le donne che le sedevano accanto avessero fatto le viste di non accorgersene, Stellina avrebbe forse saputo contenersi ancora; ma quelle invece, no: tutte premurose le si chinarono attorno coi fazzoletti a pulire, e allora, Stellina, si sa, ruppe in singhiozzi, cadde in una violenta convulsione di nervi.

Tutti accorsero a lei. Si gridava:

– Largo! Largo! Slacciatela!

Due giovanotti la sollevarono su la seggiola e la portarono in un'altra stanza. Don Diego rimase avvilito, col bicchierino in mano, più tremante che mai: buttava il resto sul tappeto, adesso! Invano don Marcantonio si sbracciava a

rimetter l'ordine, a tranquillar gl'invitati, ripetendo: – L'emozione, si sa! l'e-
mozione! – Nessuno gli dava retta, tutti erano addolorati della sorte della povera Stellina, i cui pianti e, più penose dei pianti, le risa convulse, giungevano
attraverso gli usci chiusi.

Pepè Alletto, pallido, mortificato, s'era lasciato cadere su una seggiola e, con
gli occhi socchiusi, si faceva vento col fazzoletto. Due lagrime, che non erano
di vino, gli rigarono il volto fino ai baffi immelanconiti.

– Che hai, Pepè? – gli domandò Mauro Salvo, vedendolo in quell'atteggiamento.

Pepè levò il capo e, aprendo forzatamente le labbra a un sorriso vano, rispose
con voce malferma:

– Niente... mi sento... non so...

– Hai bevuto?

– Mi ha fatto tanta pena, – disse Pepè, non degnando di rispondere a quella
domanda volgare.

– Hai ragione, sì, – riprese l'amico. – Anche a me, ma andiamo intanto: t'accompagnerò a casa. Vedi? Già se ne vanno tutti...

Volle prenderlo sotto braccio; Pepè si ritrasse, risentito:

– Ma no, lasciami, grazie! mi reggo benissimo.

– L'emozione! Scusate tanto... Grazie dell'onore... L'emozione!... Buona
sera, e grazie... Scusate... – diceva a questo e a quello il Ravì, distribuendo saluti, strette di mano e inchini nella saletta.

Gl'invitati andarono via in silenzio, giù per la scala, come tanti cani bastonati. Era già sonata la mezzanotte; i lampionaj avevano spento i fanali, e la via
lunga, deserta, era a mala pena rischiarata dalla luna che pareva corresse dietro un leggero velario di nuvole.

– Chi sa che tragedia stanotte! – sospiro a voce un po' alta, appena fuori
della porta, Luca Borrani, uno degli invitati.

Pepè Alletto, nel passargli accanto col Salvo, colse a volo la sconveniente allusione, e gli gridò sul muso:

– Porco!

Il Borrani, botta e risposta:

– Va' là, pulcinella! – E uno spintone.

L'Alletto alzò allora il bastone e giù, su la testa del Borrani; quindi, all'improvviso, uno schiaffo. Ne nacque un parapiglia, un trambusto indiavolato:
braccia e bastoni per aria, schiamazzo, strilli di donne, lumi e gente a tutte le
finestre delle case vicine, abbajar di cani, e tutte quelle nuvolette che correvano nel cielo.

– Che è stato? che è stato?

Giù per la via la folla agitata si allontanava confusamente, vociando. E la
gente accorsa coi lumi alle finestre rimase a lungo incuriosita a spiare e a far
supposizioni e commenti, finché la folla non si perdette nel bujo, in lontananza.

V.

– Nossignore, bestia! T'insegno io come si fa in questi casi. Làsciati servire
da me.

Ciro Coppa, tozzo, il petto e le spalle poderosi, enormi, per cui pareva anche
più basso di statura, il collo taurino, il volto bruno e fiero, contornato da una
corta barba riccia, folta e nerissima, la fronte resa ampia dalla calvizie incipiente, gli occhi grandi, neri, pieni di fuoco, passeggiava per il suo studio
d'avvocato con una mano in tasca, nell'altra un frustino che batteva nervosamente su gli stivali da caccia. Le bocche di due grosse pistole apparivano luccicanti su le ànche, oltre la giacca.

Pepè Alletto era venuto da lui per consiglio. Aveva ricevuto la mattina stessa una lettera del Borrani. Questi non intendeva sfidarlo per l'insulto e lo schiaffo a tradimento della sera avanti, perché – diceva – alla cavalleria suol ricorrere chi ha paura, e lui non voleva nascondersi dietro le finte e le parate, tenendo per burla una sciabola in mano: lo metteva pertanto in guardia: lo avrebbe preso a calci, ovunque lo avesse incontrato, foss'anche in chiesa.

Pepè Alletto avrebbe voluto che il Coppa si recasse dal Borrani per fargli ritirare, con le buone o con le cattive, questa lettera. Non che avesse paura; non aveva paura di nessuno, lui: ma, ecco, a farla a pugni, come i ragazzacci di strada, si sa! per la sua complessione... così mingherlino... avrebbe avuto la peggio: di fronte a lui, il Borrani era un colosso. E poi, quando mai s'era inteso? calci, pugni, tra gentiluomini...

– Làsciati servire da me! – ribatté il Coppa, fermandosi in mezzo allo scrittojo e indicando col frustino al cognato la scrivania. – Lì c'è carta, penna e calamajo. Siedi e scrivi. Con una botta di penna te lo riduco io a ragione.

– Debbo dunque rispondere? – arrischiò timidamente Pepè.

Ciro batté forte il frustino su la scrivania.

– Ti dico siedi e scrivi, babbeo! Ti detto io la risposta.

Pepè si alzò perplesso, come tenuto tra due, e andò a sedere sul seggiolone di cuojo davanti alla scrivania, su cui appoggiò i gomiti, prendendosi la testa tra le mani e sospirando. Poi disse:

– Scusa... permetti? Vorrei, ecco... vorrei farti notare che la...

– Che cosa?

– La mia posizione è alquanto... non saprei... delicata. Perché io, jersera, per dir la verità... per tante ragioni... forse, ecco... non ero bene in me. Non vorrei ora compromettere...

– Che compromettere! – esclamò il Coppa, spazientito. – L'insulto, l'hai raccolto? Sì: tanto è vero, che gli hai appoggiato uno schiaffo.

– E basta! – osservò Pepè. – Lui doveva sfidarmi: non l'ha fatto; dunque...

– Dunque lo farai tu! – concluse Ciro, aprendo le braccia.

– Io? E perché? – replicò, stupito, Pepè.

– Perché sei un cretino! perché non capisci nulla! – gli urlò il cognato. – Siedi e scrivi! Adesso vedrai.

Pepè alzò le spalle, imbalordito; poi domandò con aria desolata:

– Che debbo mettere in capo alla lettera?

– Niente, né sciò né passa là! – rispose Ciro rimettendosi a passeggiare, concentrato in sé, e stirandosi con due dita i peli della moschetta. – Comincia così: *La vostra lettera*... – *la vostra lettera*... – *è degna d'una persona* virgola... – *la vostra lettera è degna d'una persona... che star dovrebbe*... scrivi!... *coatta*... *co-at-ta*, tutt'una parola.

– Lo so !

– ...*che star dovrebbe coatta nei bagni e nelle galere* virgola... *anziché*... *an... ziché*, con una sola c, *libera e sciolta... tra il consorzio della gente civile* punto ammirativo. Hai scritto?

– *Gente civile!* scritto.

– A capo. *Ma se voi siete... ma se voi siete un mascalzone* virgola... *io sono un gentiluomo* punto e virgola *e non mi lascerò... trascinare da voi ad altro scandalo* punto e seguitando. *E poiché ho avuto la disgrazia...* così! *la disgrazia di sporcarmi la mano sul vostro viso* virgola *spetta a me... spetta a me per riguardo alla mia persona e al mio nome...* hai scritto?... *di rialzarvi dal fango* virgola *in cui vorreste appiattarvi* punto e seguitando. *Vi uso perciò la generosità... ge-ne-ro-si-tà... d'inviarvi due miei rappresentanti... col più ampio mandato* virgola... *i quali vi restituiranno la sozza lettera* virgola... *che con vigliacco ardire m'avete spedita stamani*. Punto. Hai scritto? Adesso firmala: *G. Nob. Alletto*, nient'altro. Hai firmato? Rileggimela.

Pepè rilesse la lettera, ingegnandosi di dare alle parole la sonora sprezzante espressione del cognato.

– Benissimo! – approvò questi. – Scritta come Dio comanda. Una busta, e scrivi l'indirizzo. Penserò io a fargliela recapitare insieme con la sua lettera. Non darti pensiero dei padrini: te li trovo subito io. Via i Salvo, via i Garofalo! buffoncelli, che non fanno al caso nostro. Tu va' su da tua sorella Filomena che, poverina, da due giorni sta peggio del solito. Se il medico non me la guarisce subito, finirà che lo bastono. Basta. Io debbo recarmi al Tribunale; poi giù di corsa in campagna, a tirar gli orecchi a quel boja del gabellotto. Terre morte, perdio, che non ci si ripiglia il giogàtico... Che hai? che corno hai? Paura?... Mi guardi come uno stupido...

Pepè si scosse, sorpreso da quell'uscita improvvisa, e sbuffò, seccato:

– Nient'affatto! Paura?... La testa, Ciro! mi sento la testa... non so come, da jersera...

– Di' ch'eri ubriaco, figlio mio; ci farai miglior figura! – osservò Ciro con aria di sdegnosa commiserazione. – Va', va' su da Filomena. Io torno stasera, diglielo. Tu intanto sta' su ad aspettare i due amici. Occhio vivo, e senza paura!

Tolse da un cassetto della scrivania alcune carte e se n'andò, col cappello a cencio buttato su un orecchio e il frustino in mano, al Tribunale.

VI.

Pepè trovò la sorella che si aggirava come un'ombra per le stanze quasi al bujo. Pareva già vecchia a trentaquattro anni: un male, che ancora i medici non riuscivano a precisare, la consumava da parecchi mesi; ma di questo ella non si lagnava, considerandolo come una lieve giunta ai tanti danni della sua vita. Non si lagnava veramente di nulla, neanche di non poter vedere la madre, già da anni in rottura mortale col genero. Avrebbe avuto tanta consolazione anche dalla sola vista di lei! Ma donna Bettina aveva giurato di non rimetter piede mai più in casa del Coppa; ed ella, per la gelosia feroce del marito, non che uscire di casa, non poteva neppure sporgere un po' il naso fuor della finestra. Non glien'importava più; non si crucciava più nemmeno in cuore della sorte tristissima che le era toccata, nascendo. L'amarezza d'una totale remissione le si leggeva ormai negli occhi silenziosi, costantemente assorti in una pena ignota, indefinita.

– Filomè, come ti senti?

Ella alzò le spalle e aprì un po' le braccia, in risposta. Pepè sbuffò per il naso; poi riprese:

– Non si potrebbe aprire un tantino la finestra?

– No! – gridò subito Filomena. – Se, Dio liberi, venisse a saperlo!

– Non c'è, è andato al Tribunale; poi andrà in campagna; tornerà stasera...

– Pepè, per piacere, lascia star chiuso. Lo sa Dio quanto desidererei prendere una boccata d'aria. Ma ormai sono arrivata, Pepè; lo sento, ne ho poco di questa prigionia. Ringraziamo Dio in cielo e in terra!

– Non dire bestialità! – esclamò Pepè, commosso.

– Mi dispiace solo – riprese con la stessa voce stanca la sorella – per i figli miei, povere anime innocenti... Ma per me sarà la liberazione... e anche per lui, per Ciro. Non lo dico per male, bada! Voi Ciro non lo conoscete: ne vedete solo i difetti... questa sua gelosia feroce, per esempio... Ma mi vuol bene, sai, a suo modo: lo dimostra così! Non doveva prender moglie, ecco tutto: era nato per un'altra vita... che so! per far l'esploratore...

– Già – approvò Pepè, – tra le bestie feroci...

– No no, – corresse amorevolmente Filomena. – Voglio dire, per una vita di rischi, e libera... Tu lo vedi, è eccessivo in tutto, e in un piccolo paese, tra la meschinità della vita di tutti i giorni, con le sue esuberanze pare anche ridicolo talvolta... Tutti i torti vuole aggiustarli lui... E una povera donna come me, qui rinchiusa, deve vivere per forza in continua apprensione...

Pepè approvava col capo, e quella sua approvazione era insieme segno di compianto per la sorella; guardava nella penombra la ricca mobilia della stanza, e tra sé diceva: «T'ha fatto ricca; ma che n'hai goduto?».

A questo punto entrò la servetta ad annunziargli che qualcuno lo attendeva giù nello studio. Pensò che fossero i padrini (così presto?), e s'affrettò a discendere; trovò invece nello studio don Marcantonio Ravì tutt'ansante e scalmanato.

– Don Pepè mio, che avete fatto? Non me ne so dar pace!

– Il mio dovere, – rispose Pepè, breve, serio e compunto.

– Ma com'è nata codesta lite maledetta? E ora che avverrà?

– Nulla... non so... Ma state pur sicuro che la signorina... cioè, la signo...

– Dite signorina, dite signorina, don Pepè! Ah, se sapeste... Ho l'inferno in casa. Urli, strilli, convulsioni... Si ricusa assolutamente di seguire il marito! E jersera m'è rimasta in casa, capite? signorinissima! Oggi la stessa storia. Non vuol neanche vederlo! Don Diego se ne sta dietro l'uscio a sentire, e n'ha sentite... pensateci voi! Io... io per me non so più dove battere la testa... Ci voleva per giunta quest'altro guajo qui... il vostro duello! Dovete per forza fare il duello?

– È necessario, – rispose Pepè, accigliato – siamo uomini... Le cose, del resto, sono arrivate a tal punto, che...

– Ma nient'affatto! – lo interruppe don Marcantonio. – Che uomini e uomini... chi ve l'ha messo in capo? Siete stato tanto buono voi, jersera, don Pepè mio... E ora, in compenso, vi tocca fare il duello?

– È necessario, – ripeté l'Alletto con aria grave e pur malinconica. – Credete, peraltro, che me n'importi? Non m'importa più di nulla, ormai. Possono anche ammazzarmi: ci avrei anzi piacere.

– Un corno! – gli gridò, quasi con le lagrime a gli occhi, il Ravì. – Importa a chi vi vuol bene... Scusate se ve lo dico, siete un minchione! Credete che tutto sia finito per voi? Date tempo al tempo, non vi precipitate... lasciate fare il duello a chi ci prova gusto, a chi ve l'ha messo in capo... Dite la verità, è stato vostro cognato? Lui, è vero? L'ho immaginato subito!

Non poté continuare. Entravano nello studio Gerlando D'Ambrosio e Nocio Tucciarello, i due padrini scelti da Ciro: il D'Ambrosio alto, biondo, con le spalle in capo, miope, il mento e la guancia sinistra deturpati da una lunga cicatrice; l'altro, tozzo, barbuto, panciuto, dall'andatura stentatamente bravesca.

– Pepè, a gli ordini tuoi! Benedicite, grosso Marcantonio! – salutò il D'Ambrosio.

Nocio Tucciarello non disse nulla; contrasse soltanto una guancia come per fare un mezzo sorriso e chinò appena il capo.

– Accomodatevi, accomodatevi, – propose Pepè, premuroso, con gli occhi ora all'uno ora all'altro.

– Tante grazie, – parlò il Tucciarello, rifacendo con la guancia la smorfia di prima e alzando lentamente una mano in segno negativo. – Noi, caro don Pepè, col permesso del nostro caro si-don Marcantonio, avremmo da dirvi una parolina.

– Debbo andarmene? – chiese angustiato il Ravì a l'Alletto. E, volgendosi ai due sopravvenuti: – So tutto, signori miei; anzi, ero venuto...

Il Tucciarello lo interruppe, posandogli leggermente una mano sul petto.

– Non c'è bisogno che aggiungiate altro. Caro don Pepè, l'affare è combinato secondo il nostro desiderio. L'amico, appena ci ha veduti, ha cambiato avviso. Gnorsì. Ci ha detto che intendeva di far le cose per benino. «E anche noi!», gli abbiamo risposto, naturalmente. Insomma, poche parole; un solo, brevissimo abboccamento coi due padrini avversarii, e tutto combinato: arma, la sciabola; finché i medici non dicono basta. Siamo intesi? Domattina, alle sette in punto, io e Gerlando saremo alla porta di casa vostra: la carrozza, per non dar sospetto, ci attenderà col medico alla punta della Passeggiata, fuori del paese, donde scenderemmo a Bonamorone. Mi spiego?

– Sta bene, sta bene, – s'affrettò a rispondere Pepè, con la vista intorbidata dall'interna agitazione, affermando ripetutamente col capo. – Alle sette, sta bene.

– Ma che diavolo dite, don Pepè! – scattò su don Marcantonio. – Vi portano al macello, e sta bene? Signori miei, scherzate o dove avete il cervello? Metter di fronte così due giovanotti a cui il sangue bolle nelle vene? Io son padre di famiglia, santo e santissimo diavolone!

– Piano col diavolo, don Marcanto'! – disse allora Nocio Tucciarello pacatamente, un po' accigliato, con un lento gesto della mano. – Quando in un affar d'onore c'è di mezzo il signor me, nessuno, neanche il figlio di Domineddio, deve più metterci becco. Se voi avete da darmi comandi, sono a vostra disposizione.

– E che c'entra questo, Signore Iddio? – esclamò il Ravì – Io parlo a fin di bene; che c'entrano i comandi? sono il vostro servo umilissimo, don Nociarello mio! Dico per il come si chiama... il duello! Se ne potrebbe fare a meno... Pensate alle conseguenze, signori miei! In fin dei conti, don Pepè ha dato di porco e ha ricevuto di pulcinella, è vero? ha dato una bastonata e ha ricevuto uno spintone; dunque, pari e patta, e affar finito. Ora il duello perché?

– Domandatelo all'illustrissimo avvocato Coppa! – rispose il Tucciarello con la stessa aria spocchiosa. – Noi abbiamo servito lui e don Pepè qui presente, che si merita questo e altro. Domattina alle sette, dunque, e baciamo le mani.

I due padrini andarono via, seguiti da don Marcantonio, cui premeva di far intendere al Tucciarello, umilmente, il suo pensiero.

VII.

Pepè rimase a riflettere nello studio, passeggiando.

«Vediamo, vediamo...», diceva a se stesso, per chiamare a raccolta le proprie forze e persuadere i nervi agitati a calmarsi. Ma nel cervello, chi sa perché, gli s'accendevano guizzi di pensieri alieni; contraeva tutto il volto. – Per una sciocchezza! – esclamò alla fine, esasperato, alzando un braccio.

Subito, sorpreso dalla sua stessa voce, si guardò attorno, per timore che qualcuno avesse potuto sentirlo, e fece un rapido mulinello col bastone.

Non aveva paura, lui.

Era vero però che si trovava in quel frangente – col rischio anche di lasciarci la pelle... (eh sì, tutto era possibile!) – per una sciocchezza. Poteva bene far le viste di non avere inteso quelle parole del Borrani. Che glien'importava, in fondo? che c'entrava lui? Ci s'era messo quasi per ridere, in quell'avventura, non perché avesse preso sul serio il discorso del Ravì, quella mezza promessa sottintesa, senz'alcun valore. Sì, ma intanto, ecco: ridendone, scherzando, egli era adesso sul punto di battersi per quella donna. E qualche diritto, ora, sul serio cominciava ad acquistarlo su lei... Perbacco, rischiava la vita! Non aveva mai tenuto in mano una sciabola; non sapeva nulla, proprio nulla, di scherma. Si vide addosso il Borrani, alto robusto e impetuoso, con l'arma in pugno, terribile; sentì mancarsi il fiato, e scappò via dallo studio, all'aria aperta, smanioso di veder gente.

Per istrada però, quasi avesse gli occhi abbagliati, non riuscì a distinguer nulla: una gran confusione, come se la gente e le case tremolassero tutte nel sole. Le orecchie gli ronzavano. S'avviò in fretta, istintivamente, verso casa.

Entrando per Porta Mazzara nel sobborgo Ràbato, subitamente gli venne al pensiero la madre, e s'intenerì fino alle lagrime.

– Povera mamma!

La trovò, al solito, in giro per le ampie camere con un piumino spennato in una mano, un rosario nell'altra: labbreggiava avemarie e spolverava, accostandosi ora a questo ora a quel vecchio mobile d'antica foggia, come per andargli a confidare quelle sue preghiere

Della pulizia di casa donna Bettina s'era fatta quasi una fissazione; tanto che, sentendo sonare il campanello della porta, non mancava mai di gridare, anche dalla stanza più intima e remota:

– Nettatevi le scarpe!

Ma, ripulendo di continuo l'antica mobilia, come attendendo alle più umili faccende domestiche, serbava sempre un contegno dignitoso, come se non sapesse quel che faceva. Teneva annodata sul capo un'enorme treccia finta, ma di capelli suoi, già da molto tempo caduti, color nocciuola, in stridente contrasto con quei pochi argentei che le erano rimasti intorno alla fronte. Reggeva questa treccia un pizzo nero, annodato sotto il mento. La palma e il dorso delle mani piccole e bianche, inanellate, erano protetti da un pajo di guanti senza dita; le spalle da uno scialletto di seta nera, ormai inverdito. Celare agli altri e sopportare con la massima dignità la miseria, come ogni altra sventura della vita, era studio costante di donna Bettina, la quale, per esempio, a non pochi sacrifizii s'era costretta perché un pajo d'occhiali legati in oro, le accavalciasse il bel naso aristocratico.

Nel volto, se non più nel corpo, serbava ancora la traccia dell'antica bellezza, che tante e tante fiamme aveva destate nella gioventù mascolina dei suoi tempi. Di lei s'era invaghito anche, perdutamente, ma con poca fortuna, don Diego Alcozèr. Era allora anche ricca, oltre che di nobile casato e così bella! Maritata giovanissima a don Gerlando Alletto, in trent'anni di matrimonio, ne vide però d'ogni colore. Ma tutto ormai ella aveva perdonato al marito defunto, tranne una cosa sola, di cui pareva non si potesse dar pace; che egli cioè la avesse sempre chiamata, per mero capriccio, Sabettona.

– Scempiaggine! – soleva dire. – Perché io sono sempre stata così: bassina e fina fina.

Vedendo entrare il figlio, non interruppe la preghiera né si distolse d'accostarsi alla grande mensola, verso la quale era avviata. Solo quando ebbe passato il piumino sul piano di marmo di quel mobile, si volse a Pepè e fe' cenno di domandargli, con una mossettina del capo, e socchiudendo un po' gli occhi, che cosa avesse.

– Nulla, – le rispose Pepè.

Ed ella gli sorrise, senza smettere di pregare e di compire il giro della casa col piumino spennacchiato in mano.

Pepè la seguì con gli occhi, frenando a stento la commozione che lo spingeva ad accorrere verso la madre e a stringersela forte forte al petto.

«Se io venissi a mancarle!», pensò.

Ah, egli sapeva bene che colpo sarebbe stato per la sua santa vecchietta! Sentì rimorso del fastidio che aveva fin allora provato di certe esigenze amorose della madre, la quale voleva perfino che si coricasse ancora, come da ragazzo, nella stessa camera con lei.

«Sì, sì, sempre con te, mammuccia mia!», diss'egli a se stesso. E sentendo di non poter più dominarsi, andò a chiudersi in una camera.

Parecchie volte la madre, a tavola, vedendo che Pepè non mangiava e stava invece a guardarla insistentemente, gli domando:

– Che hai?

– Nulla... nulla... – le rispose sempre, con tenerezza, Pepè.

Allora donna Bettina alzò un dito della mano a metà inguantata, e lo minacciò sorridendo:

– Io lo so! – gli disse. – S'è maritata, è vero?... con quel vecchiaccio stolido...

Pepè arrossì, poi scosse malinconicamente il capo:

– No, – le rispose, – non ci pensavo affatto...

– Bene, bene... – approvò la madre. – Non ci pensare... Non era per te... Poi la troverai, quella che sarà per te. Per ora non vorrai lasciar sola questa tua vecchia mamma, non è vero?

Pepè non seppe trattenersi più: angosciato, prese una mano della madre e se la strinse forte su le labbra:

– No, no, – le mormorò sopra, carezzandola con l'alito e baciandola, – mai, mai, mamma mia!

Si alzò di tavola. Disse che voleva tornar da Filomena per vedere se stesse meglio, e uscì di casa. Donna Bettina, sentendo nominar la figlia, si turbò. Non voleva saper più nulla di lei. Quando s'era guastata col genero, appunto per causa di lei, per il supplizio ch'egli le infliggeva, le aveva ingiunto di lasciare i figli e di venirsene a casa sua. Naturalmente Filomena s'era rifiutata, e allora ella le aveva detto che, finché stava col marito, sarebbe stata come morta per lei. Scurita in viso, seguì con gli occhi il figlio, senza domandargli nulla.

Ciro tornò tardi dalla campagna.

– Son venuti i padrini? – domandò per prima cosa a Pepè, e volle sapere le condizioni del duello. – La sciabola? Avrei preferito la pistola o la spada. Basta. Rimani a cena con noi.

Dopo cena, sapendo che Pepè non era buono neanche a maneggiare un temperino, lo fece ridiscendere con lui nello studio per insegnargli un colpo sicuro.

– Sono un po' fuori d'esercizio; ma, all'occorrenza... Tieni! – raffibbiò, togliendo da un angolo due frustini e porgendone uno a Pepè. – Fa' conto che siano sciabole.

Su la scrivania ardeva il lume, che rischiarava a mala pena lo stanzone. Nella casa, tutt'intorno, silenzio di tomba.

Pepè era al colmo dell'avvilimento: quel frustino in mano e la saccenteria spavalda del cognato che l'atteggiava in guardia dandogli colpetti sulle gambe, gli parevano uno scherzo fuori di luogo. Ciro intanto gridava, spazientito, senz'intendere che col suo gridare lo imbalordiva peggio. Si dispose anche lui in guardia di fronte a Pepè e cominciò a insegnargli il colpo infallibile. Dàlli e dàlli, alla fine si riscaldò sul serio, s'imbestialì e, gridando: – Mi rammento dei tempi antichi! – si slanciò in un assalto furibondo contro il povero cognato che, riparandosi la testa con le braccia, si chinò sotto la furia delle fischianti frustate, gridando ajuto e misericordia.

Accorse col lume in mano la sorella:

– Ajuto! Ajuto! S'ammazzano! Ciro! Pepè!

– Zitta, bestia! Zitta! – le urlò ansante e raggiante il marito, lasciando Pepè che guaiva. – Non vedi che stiamo scherzando?

VIII.

Il Ravì attendeva impaziente da circa due ore, appoggiato alla ringhiera di ferro del viale all'uscita del paese, con gli occhi a un punto noto dell'ampia, verde, vallosa campagna che s'apre a pie' del colle, su cui pare che Girgenti sia sdrajata. Di tanto in tanto sbuffava e moveva qualche passo o dava uno scrollo poderoso alla ringhiera, tenendo sempre gli occhi fissi laggiù, alla macchia fosca dei cipressi del camposanto, a Bonamorone. E borbottava:

– Giusto là, sicarii! Uccellacci di malaugurio!

A quell'ora la Passeggiata era deserta. Un soldato a una finestra del grigio casermone dirimpetto lustrava uno stivale, fischiando a distesa. Per lo stradone polveroso sotto la Passeggiata passavan carri carichi di brocche d'acqua, tirati da stanchi asinelli, a cui gli acquajoli non risparmiavano il peso del loro corpo, dopo la penosa salita dalla sorgente d'acqua potabile laggiù, presso il camposanto. Don Marcantonio si curvava su la ringhiera, e li chiamava dall'alto:

– Di', di': hai visto due carrozze stamane, per tempo, laggiù?

Nessuno aveva visto nulla.

«Che siano andati altrove?», si domandava tra le smanie il Ravì. «O che sieno tornati su da un'altra parte? Non è possibile! Questa è la via più corta. Devono tornar di qua! di qua!»

E batteva le manacce su la ringhiera arrugginita.

– Ti possa seccar la lingua! – gridò alla fine al soldato che non smetteva più di fischiare dalla finestra del casermone.

Don Marcantonio aveva rimorso di quel duello, come se davvero fosse avvenuto per causa sua, per quel discorso cioè, che egli aveva tenuto a l'Alletto poco prima delle nozze della figlia. Non aveva difatti quel povero giovanotto preso le parti di Stellina, come se questa fosse stata veramente sua promessa sposa?

Egli non voleva ammettere, neppur dopo l'esito sciagurato della festa nuziale e le scene violente della figlia, che il suo primo ragionamento zoppicasse più d'un poco. Credeva piuttosto che il diavolo si fosse divertito a cacciar la coda nella festa, suggerendo prima a don Diego di offrire quel maledetto bicchierino alla sposa, aizzando poi l'Alletto e il Borrani l'uno contro l'altro.

«Per farmi disperare!», pensava il Ravì. «Ma io non debbo dargliela vinta!»

In paese si faceva un gran ciarlare di quello sposalizio terminato in una baruffa: il suo nome e quello di don Diego correvan su la bocca di tutti; si ripeteva tra le risa la frase ridicola scappata al povero Pepè: *So anche il francese*; quelle poche gocce versate da don Diego su la veste della sposa eran già diventate una mezza bottiglia, e le cose più strambe e più buffe si narravano di quella serata ormai famosa.

Il giorno avanti a quella stessa mattina don Marcantonio s'era visto guardare con derisione dalla gente. Gli avevan tolto il saluto. Ebbene, tanto onore e piacere!

– Riderà meglio, chi riderà l'ultimo! Datemi due, tre anni di tempo, e vedremo chi aveva ragione.

Intanto lui era là: sissignori, ad aspettare con ansia e con legittima impazienza l'esito di quel duello. Giocava a carte scoperte. Sissignori, Pepè Alletto, caro giovanotto, buono, rispettoso, gli premeva, e sarebbe stato a suo tempo il marito di Stellina, divenuta ricca, la più ricca del paese, e tutti e due allora sarebbero stati felici a dispetto degli invidiosi, e questa felicità l'avrebbero dovuta a lui. – Ma perché ancora non tornavano le carrozze?

Don Marcantonio non seppe frenar più oltre la smania e s'avviò per discendere lungo lo stradone sotto la Passeggiata. Appena arrivato presso il casermone scorse una vettura in fondo, che si avanzava a passo, polverosa.

– Eccola lì! – esclamò; e il cuore gli balzò in gola.

Si mise a correre faticosamente, ajutando col moto delle braccia, le gambe tozze sotto il pancione.

– C'è dentro il ferito; certo: va così piano... Chi sarà? chi sarà?

La raggiunse:

– Chi c'è? – gridò, trafelato, col cappellaccio in mano, al vetturino.

Gerlando D'Ambrosio sporse il capo dalla vettura ad ammiccare dietro le lenti fortissime da miope, con faccia scura.

– Ah povero don Pepè! – esclamò il Ravì, percotendosi la fronte con la palma della mano e guardando dentro la vettura.

Pepè Alletto, pallidissimo, con la giacca su le spalle, la camicia aperta sul petto fasciato, gli volse uno sguardo smarrito.

– Non c'è posto! Via, avanti! – impose al vetturino Nocio Tucciarello con voce stizzosa.

– Dottore, mi dica... – scongiurò don Marcantonio.

– Avanti! – gridò il Tucciarello al vetturino.

– Ecce homo! Gesù tra i giudei! Birbanti! Birbanti! – si mise allora a gridare don Marcantonio con le braccia levate, restando in mezzo allo stradone, ansimante, con le lagrime agli occhi, e le gambe che gli tremavano dalla corsa e dalla commozione.

IX.

Pepè Alletto s'era preso un gran colpo a bandoliera, da la spalla sinistra giù giù fino al fianco destro: sessantaquattro punti di cucitura, uno dopo l'altro, sul vivo della ferita. E durante l'operazione era svenuto due volte.

Ma il Tucciarello e il D'Ambrosio non erano imbronciti per l'esito doloroso del duello; bensì per il contegno del loro primo di fronte all'avversario. Non che Pepè avesse fatto propriamente una cattiva figura; ma, appena impugnata la sciabola, Cristo santo! – pensava il Tucciarello, morsicchiandosi con le labbra la punta della barba, – appena impugnata la sciabola, era diventato più pallido di una carogna; per poco le braccia non gli eran cascate su la persona, come se la sciabola fosse stata di bronzo massiccio. Parare? sfalsare? Niente! Lì come un pupazzo da teatrino... E allora, si sa, zic-zac, al primo scontro, pàffete! Meno male, che non se l'era presa in testa. Il Borrani lo avrebbe spaccato in due, come un mellone.

Ciro Coppa aveva già saputo dai padrini dell'avversario, tornati su prima in paese, l'esito del duello, e aveva fatto preparare un letto per accogliere il ferito. Non poteva certo mandarlo, in quello stato, in casa della madre, sua suocera, vecchia di settant'anni.

Ora, aspettando, andava a gran passi per lo studio, e intanto borbottava ingiurie e imprecazioni contro le donne, impiccio degli uomini. Auff! Già, una prima scena con la moglie malata: grida, pianti, escandescenze, deliquio – e perché? Perché un coniglio aveva voluto far la parte del leone. Imbecille!

– La carrozza! la carrozza! – venne ad annunziargli la serva, di corsa.

– Non entra nessuno! – gridò il Coppa, immaginando subito che, dietro il ferito, una folla di curiosi stésse per irrompere in casa sua. – Soltanto il medico e il malato!

E via, dietro la serva.

Pepè fu portato, su una seggiola, dalla vettura al letto. Ciro scappò sù avanti, a chiuder sotto chiave la moglie.

– Voglio vederlo! Per carità, Ciro, lasciamelo vedere! – scongiurava piangendo Filomena, e spingeva l'uscio con le mani e coi ginocchi.

Ma già Ciro era corso alla camera del ferito per dargli a suo modo il ben tornato:

– Sei il più gran minchione che esista su la faccia della terra!

– Zitto, avvocato, zitto! Ha la febbre... – lo ammonì il medico.

– Non entra nessuno! – gridò il Coppa sotto il naso al medico, per tutta risposta, nell'esaltazione del momento. E ripeté: – Non entra nessuno! Vo a mettermi io stesso di guardia davanti alla porta... Guaj a chi entra!

E via di nuovo, di corsa.

– Pepè! Pepè! Lasciatemelo vedere! Voglio vederlo! Per carità! – seguitava a pregare la moglie.

Ciro si fermò di botto, aprì l'uscio e, con gli occhi fuori dell'orbita:

– Cristo, Madonna, Padreterno, che vuoi? Te li faccio scendere tutti dal Paradiso! Non puoi vederlo, t'ho detto! Lo spogliano, è nudo! Non entra nessuno!

E davvero per quel giorno non fece entrare né anche i più intimi amici del cognato. Solo qualcuno, appena, nei giorni successivi. Ma già, tanto non c'era più pericolo che i visitatori potessero veder Filomena. La poveretta, al colpo inatteso, s'era dovuta mettere a letto per un subito aggravamento del male.

Furon così ammessi alla vista del ferito anche Marcantonio Ravì e l'Alcozèr, venuti insieme, questi tutto sorridente e cerimonioso, quegli intozzato, su di sé, per la bile che gli fermentava in corpo come in una fornace.

– Don Pepè! don Pepè mio!

E gli volle per forza baciare una mano, rompendo in lagrime, come se Pepè fosse lì, moribondo.

La ferita invece non era di rischio, per quanto lunga e dolorosa. Pepè si lagnò coi due visitatori solo dell'immobilità a cui era costretto, e intanto con gli occhi in quelli di don Marcantonio cercava di legger notizie di Stellina.

Il Ravì gli parlò dell'interessamento di tutta la sua famiglia per lui; e don Diego confermò col capo le espressioni del suocero. Ah sì? dunque pure Stellina aveva saputo del duello? Pepè ne provò una vivissima gioja, turbata solo dal curioso sorriso con cui don Diego accompagnava quel suo tentennar del capo quasi a ogni parola del Ravì.

– Tornate, tornate a vedermi, – disse alla fine Pepè. – Ne avrò per molto tempo, ha detto il medico. Non potete neanche immaginare il piacere che mi farete...

– Piacere? voi? e io? – proruppe don Marcantonio. – La vita mia vi darei, don Pepè! Lo sa Dio ciò che ho sofferto nel sapervi... Basta! qui non posso parlare. Vi saluto. Ritorno domani... se però mi lasciano entrare. Sapete che, il giorno del duello, vostro cognato mi lasciò fuori la porta? Lasciar fuori me, che avrei voluto portarvi in braccio a casa mia per curarvi come un figliuolo! Basta. A rivederci, don Pepè.

Il Ravì tornò infatti, solo, non il domani, ma alcuni giorni dopo, e si trattenne a lungo a conversare con Pepè; gli disse che ogni giorno mandava la moglie da donna Bettina a darle notizia di lui, a confortarla, a tenerle compagnia, perché la poverina si struggeva dalla rabbia e dal dolore di non poter venire a vedere il figliuolo; gli parlò poi della bella casa dell'Alcozèr, del modo con cui questi trattava la moglie che finalmente si era arresa, delle visite che egli faceva a Stellina giornalmente per raccomandarle prudenza e pazienza:

– Perché, capite, don Pepè mio? Il vecchio, da un canto, ha coscienza di sé, dall'altro però, voi lo sapete, ama la compagnia, cosicché... mi spiego? gente in casa, giovanotti... Ora questo, se da una parte mi fa piacere, perché così Stellina ha un certo svago e non sta sola sola, dall'altra ho paura che dia cagione alle male lingue di sparlare. Sapete com'è il nostro paese... Ci vanno i vostri amici: i fratelli Salvo coi cugini Garofalo, buoni ragazzi allegri, lo so... e quanto a Stellina, non perché figlia mia, ma voi la conoscete: un angioletto! Tuttavia, vi par giusto metter la paglia accanto al fuoco? Basta, io, per me, non c'entro più: ora deve pensarci il marito, il quale esperienza dovrebbe averne, non vi pare? Ma, del resto, sapete come si dice? Ne sa più un pazzo in casa propria, che cento savii in quella degli altri .

«E Stellina? Stellina?», avrebbe voluto domandar Pepè. «Ride, canta, scherza coi Salvo, coi Garofalo, mentr'io sono qua inchiodato a letto per lei?»

X.

Quante spine da quel giorno ebbe il letto per il povero Pepè!

– Mi dica, dottore, quando potrò alzarmi? Non ne posso più!

Ma il medico non gli dava retta: si tratteneva da lui pochi minuti, costernato di ben altro: del grave rischio che correva in quel momento la signora Filomena. E il Coppa che non se ne voleva dar per inteso, pretendendo dal medico la guarigione della moglie, come se, avendo sofferto e speso tanto per lei, si credesse in diritto di non perderla! Da una settimana non chiudeva occhio, non prendeva se non qualche raro cibo, lì accanto al letto, forzato dalla stessa moglie, da cui non distraeva lo sguardo un solo minuto. Credeva veramente di lottare così contro la morte, e non gli pareva possibile che questa gli portasse via la moglie da sotto gli occhi mentre egli teneva lì ferma, vigile, agguerrita in difesa di lei la propria volontà. Non ascoltava nessuno, per non allentare d'un attimo quella tensione violenta di tutte le forze del suo essere, a guardia dell'inferma. E se il medico gli diceva qualche cosa:

– Non so nulla, – gli rispondeva invariabilmente. – Fate voi: il responsabile siete voi. Io sto qua. Non mi lamento di nulla.

Ma alla fine il medico chiese un consulto e, avuta dai colleghi l'assicurazione d'aver fatto quant'era possibile per l'inferma, volle declinare ogni responsabilità. La signora Filomena era spacciata.

Ciro Coppa scacciò via il medico svillaneggiandolo; poi, sembrandogli che lì, in quella casa, dove la scienza di fronte alla morte si era data per vinta, la difesa della moglie fosse già compromessa, tratto dall'armadio un abito della moglie:

– Tieni, subito, vèstiti, – le disse. – Ti guarisco io! Andiamo in campagna: aria aperta, passeggiate... Lo insegnerò io a questi ciarlatani impostori come si salvano i malati! Vuoi che t'ajuti a vestirti? Per carità, Filomena, non avvilirti! non farmi questo tradimento! Tu mi vuoi bene... Io...

Un nodo di pianto gli strozzò improvvisamente in gola la voce. La moglie aveva chiuso gli occhi con lenta pena alla disperata esortazione di lui: due lagrime le sgorgarono dalle pàlpebre e le rigarono il volto. Gli fe' cenno d'accostarsi al letto. Ciro accorse angosciato, vibrante dallo sforzo con cui soffocava la violenta commozione. E allora la moribonda gli passò un braccio intorno al collo e con la mano malferma gli carezzò i capelli.

– Fammi una grazia, – gli mormorò. – Un confessore...

Ciro, chino sul seno di lei, ruppe in un pianto furibondo, come se il cordoglio, mordendolo, l'avesse arrabbiato.

– Non hai più fiducia in me, Filomena – ruggì tra i singhiozzi irrompenti. Poi, levandosi scontraffatto, terribile: – E che peccati puoi aver tu su la coscienza, da confidare sotto il suggello della confessione?

– Peccati, e chi non ne ha, Ciro? – sospirò la moribonda.

Egli uscì dalla camera con le mani afferrate ai capelli. Ordinò alla serva di chiamare un prete.

– Vecchio! Vecchio! – le gridò; e scappò via di casa per non assistere a quella confessione.

Per circa due ore, alla Passeggiata, andò in su e in giù sotto gli alberi, scervellandosi a immaginare i peccati, che la moglie in quel momento confessava al prete.

Che peccati?... che peccati? Peccati di pensiero, certo... peccati d'intenzione... Chi aveva mai veduto sua moglie?... Cose antiche? peccati antichi!...

E passeggiava con le mani avvinghiate alle reni, il volto contratto dalla gelosia e gli occhi che schizzavano fiamme.

Nella notte, Filomena morì. Pepè volle a ogni costo alzarsi per vedere un'ul-

tima volta e baciare in fronte la sorella. Ciro si era chiuso nella camera dei figliuoli mandati dalla nonna, e buttato su un lettuccio, mordeva e stracciava i
guanciali per non urlare.

Il giorno dopo ordinò che si apparecchiasse la tavola, e mandò a riprendere i
figliuoli dalla nonna. La vecchia serva lo guardò negli occhi, temendo che
fosse impazzito.

– La tavola! – le gridò Ciro di nuovo. – E apparecchia anche il posto per la
tua signora.

Volle che tutti, Pepè e i due figliuoli, sedessero con lui a desinare.

– Qua comando io! – gridava, battendo i pugni su la tavola, e *brum!* bicchieri,
posate, ballavano. – Qua comando io! Pensate che dispiacere avrebbe Filomena, se sapesse che per causa sua oggi i suoi figliuoli restano digiuni! Man-
giamo!

Fece prima la porzione alla moglie, come al solito. Poi volle dare il buon
esempio, mangiando lui per primo; ma, appena portatosi alle labbra il cuc-
chiajo, sbruffava, si cacciava in bocca il tovagliolo e, addentandolo, gridava
con voce soffocata:

– Filomena! Filomena!

Però, appena i figliuoli sbalorditi si mettevano a strillar con lui: *brum!* altri
pugni su la tavola.

– Zitti, perdio! Qua comando io! Mangiate! Non fate dispiacere, ragazzi, a
vostra madre! Ella è qua, qua che ci assiste... qua che ci vede tutti... qua che
soffre, se non vi vede mangiare per una giornata, ragazzi miei... Mangiate!
mangiate!

XI.

Del bruno per la sorella e del pallore lasciatogli dalla lunga convalescenza
Pepè trasse partito per apparire più «interessante» agli occhi di Stellina, come
se avesse vestito il bruno per lei andata a nozze con un altro.

Si recò in casa dell'Alcozèr in via di Porta Mazzara la prima sera che gli fu
concesso andar fuori. Salendo la scala, si sentiva battere così forte il cuore
che, a ogni cinque o sei scalini, doveva fermarsi a riprender fiato. Pervenuto
al penultimo pianerottolo, fu crudelmente ferito dalla voce di Stellina che cantava una romanza, accompagnata a pianoforte da Mauro Salvo: senza dubbio.

– Canta, canta, ingrata!

S'appoggiò al muro e si strinse forte gli occhi con una mano.

Scoppiarono applausi, e tra questi una lunga risata argentina. Pepè si scosse,
salì gli ultimi scalini, tirò il cordoncino del campanello.

– Pepè! – gridò sorpreso Gasparino Salvo, venuto ad aprir la porta, e subito
si recò giubilante a dar l'annunzio nel salottino. – Pepè! Pepè Alletto! È venuto Pepè!

Fifo e Mommino Garofalo e Totò Salvo accorsero nella saletta. Don Diego
che pisolava sul divano, svegliato dal battìo di mani e dalle voci, si alzò in
piedi, intontito, guardando Mauro Salvo, che era rimasto a sedere su la poltrona e Stellina che, con un ginocchio appoggiato a lo sgabello del pianoforte
e una mano su la tastiera, mirava assorta la fiamma della candela presso il
leggìo.

Pepè entrò fra l'accoglienza rumorosa degli amici, pallido, impacciato, e tese
con gli occhi bassi la mano a Stellina, che gli porse la sua, inerte e fredda,
mentre don Diego, inchinandosi e gestendo largamente con le braccia, gli diceva:

– Evviva! evviva! Eccovi qua, tra noi, finalmente! Guarito del tutto? Rallegramenti. Sedete qua, accanto a me.

Solo Mauro Salvo non disse nulla a Pepè. Dalla poltrona, in cui rimase se-

duto, lo guardò con freddezza attraverso le pàlpebre che gli ricadevano per infermità su gli occhi globulenti, e a cui il naso rincagnato in su pareva coman-
dasse con ostinata fierezza di rialzarsi.

Pepè fermò un istante gli occhi su lui, poi li volse a Stellina, e domandò:
– Son venuto a disturbare?

Don Diego gli diede su la voce:
– Ma che dite, caro don Pepè! Tanto onore e tanto piacere. Vi abbiamo
aspettato sera per sera, parlando di voi. È vero, signori miei?

Tutti, tranne Mauro Salvo e Stellina, confermarono.
– Anzi, – riprese don Diego, – ci siamo tanto afflitti della disgrazia che vi è
toccata.

– Povera signora Filomena! – esclamò Fifo Garofalo, rialzandosi la lente sul
naso.

Seguì al ricordo della morta un istante di silenzio, durante il quale Pepè tentennò leggermente il capo.

– Contribuì pure, – poi disse, – ad affrettarne la fine, lo spavento che si prese
per me, poverina.

– Lo spavento, scusa, se lo prese, – interloquì ruvidamente Mauro Salvo con
gli occhi bassi e il naso ritto, – perché, se è vero quel che si dice, tuo cognato
la chiuse a chiave in una camera e non permise che entrasse a vederti, cosicché s'immaginò che fossi a dir poco in fin di vita; se ti avesse invece veduto
con quella feritina...

– Feritina? – interruppe, stupito, Mommino Garofalo. – Quanti punti, Pepè?
– Sessantaquattro, – rispose Pepè, modestamente.
– Sì, – riprese Mauro, guardando in giro, attraverso le pàlpebre cadenti, i ra-
dunati, – ma certo né ferita mortale né da spaventare.

– Certo, certo... – approvò Pepè per troncare il discorso. – Intanto, vedete!
Salendo, ho sentito che la signora Stellina cantava una romanza... Son dunque,
veramente, venuto a disturbare.

– Ancora? V'abbiamo detto di no, caro don Pepè!
E don Diego spiegò a l'Alletto in qual modo si passavan le serate in casa
sua, intercalando qua e là riflessioni su la vitaccia sciocca e la vecchiaja maledetta. *Sic vivitur, sic vivitur...* La compagnia per lui era più necessaria del
pane; ma, compagnia di giovanotti, beninteso! Dei vecchiacci come lui non
sapeva che farsene. Però, guardare e sentire, sentire e guardare... non gli restava altro, ahimè. Ma si contentava.

Parlando, don Diego aveva su le labbra quel sorrisetto ambiguo che già Pepè
aveva notato durante la visita che egli, insieme con don Marcantonio, gli
aveva fatta. Ma questa volta il sorrisetto pareva che fosse piuttosto per Mauro
Salvo, a cui gli occhi di don Diego si rivolgevano di frequente. A torto, però,
Pepè se ne turbava. Quel sorrisetto aveva un significato assai più recondito di
quel che la sua gelosia gli attribuiva. Don Diego, sì, fin dal primo momento
s'era accorto che il Salvo si era innamorato di Stellina; ma di questo amore,
per il suo segreto disegno, non che temere, s'era rallegrato. Mauro era brutto
di faccia e ruvido di modi: Stellina non gli avrebbe mai dato retta. Invece il
vecchio temeva di lui, di Pepè, protetto dal suocero e forte adesso del prestigio di quel duello fatto per la moglie. E tuttavia con vera impazienza egli
aveva aspettato l'intervento di lui, perché Stellina da quella sera in poi si sarebbe trovata tra due fuochi: i due rivali si sarebbero fatta la guardia a vicenda,
e lui avrebbe ora potuto riposar tranquillo e sicuro; l'espediente per godersi
senza pericolo la compagnia di quegli altri giovanotti allegri e spensierati si
riduceva ad effetto. Ed ecco perché il vecchio sorrideva a quel modo.

La conversazione a poco a poco s'animò, e vi prese parte anche Stellina, la
quale, però, di tratto in tratto, volgeva un rapido sguardo inquieto al balcone,
dove Mauro Salvo, mentre gli altri parlavano, si era recato, riaccostando pian

piano dietro di sé le imposte. Ora egli se ne stava lì, con le spalle al salotto, i gomiti appoggiati su la ringhiera di ferro, la testa tra le mani, a guardar la campagna nera nella notte.

Don Diego, prima ancora di Stellina, s'era accorto della scomparsa di lui dal salotto; e a un certo punto volle richiamarlo:

– E venite qua, santo Dio! Vi pigliate un malanno, così al fresco.

– Mi fa tanto male il capo, – si scusò Mauro, cupamente, rientrando e richiudendo le imposte.

Don Diego, mostrando negli occhietti calvi il sogghigno delle labbra non mosse, lo osservò un tratto; poi gli disse con amorevolezza:

– Eh sì, vi si vede in faccia, poverino. Coraggio! Non vi avvilite!

XII.

In una di quelle serate si concertò per la prossima domenica una gita ai Tempii: convegno, alle sette del mattino.

Con l'ajuto dei Garofalo e degli altri due Salvo, don Diego aveva indotto Pepè a far parte della comitiva, non ostante il lutto recente; e allora Mauro s'era scusato di non poter venire.

Mancò infatti egli solo all'appuntamento. Don Diego sentì mancarsi un braccio e, con la scusa che il tempo non gli pareva abbastanza bello, avrebbe voluto mandare a monte o rimandar la gita. Il cielo veramente non era sereno; s'aspettavano ancora le prime piogge autunnali. Ma i giovani amici e Stellina dichiararono che la mattinata, per una gita, non poteva esser migliore; cosicché don Diego alla fine dovette arrendersi.

Stellina si mostrava contenta; scherzava con Fifo Garofalo che s'era portato il mantello e dichiarava di sentir freddo. Pepè la vedeva ridere e sorrideva, come se fosse uno specchio innanzi a lei.

Ma pervenuti alla punta della Passeggiata, eccovi Mauro Salvo appoggiato coi gomiti su un pilastro della ringhiera e le mani sotto il mento. Prima a scoprirlo fu Stellina, che, stringendo fra i denti il labbro e mettendosi un dito su la bocca, tolse di mano a Pepè il bastone, e accorse lieve, in punta di piedi, finché, allungando il braccio armato, poté pian piano spinger la tesa del cappello di Mauro. Questi si voltò di scatto, irosamente; ma si trovò davanti Stellina che lo minacciava seria seria con lo stesso bastone, tra le risa degli altri.

Così anche lui si unì alla comitiva. Ridevano tutti e Stellina pareva la più gaja. Don Diego guardava i sei giovanotti e la moglie e si beava della loro allegria, arrancando dietro, per lo stradone in declivio.

– Piano, ragazzi, piano... – ammoniva di tanto in tanto, pensando alla via lunga e agli anni che portava addosso; alzava poi gli occhi al cielo e storceva la bocca.

Il cielo, dalla parte di levante, si faceva sempre più cupo: laggiù, in fondo in fondo, su le ripide alture della Crocca, la foschìa s'addensava minacciosa; forse già vi pioveva. Da presso s'era levato un venticello fresco, che pareva esortasse gli alberi esausti a far buon animo, ché tra poco avrebbero avuto la pioggia tanto attesa. E dalle campagne arsicce, irte di stoppie, a destra e a sinistra dello stradone scosceso, venivan gli strilli giojosi delle calandre, che forse si annunziavano anch'esse la prossima acqua, e le risate di qualche gazza.

Quando la comitiva fu presso l'antica chiesetta normanna di San Nicola, cinta di pini marittimi e di cipressi, a cavaliere su una svolta dello stradone, don Diego, avendo avvertito qualche goccia sul dorso della mano, consigliò:

– Signori miei, rimaniamo qua. Non mi par prudente avventurarci con questo cielo fino ai Tempii. Date ascolto a me, che non son vecchio per nulla.

– Ma che! ma che! – gridarono tutti a coro. – Nuvola che passa! Non pioverà!

– Signori miei, questa la piango! – ribatté don Diego. – Ma del resto, sia fatto il volere della gioventù: coraggio e avanti, figliuoli!

Dopo San Nicola lo stradone, più ripido, li agevolò nella corsa allegra, sotto la minaccia della pioggia. E in breve furono al cospetto del magnifico tempio della Concordia, integro ancora, aereo sul ciglione e aperto col maestoso peristilio di qua alla vista del bosco di mandorli e d'ulivi, detto in memoria dell'antica città che sorgeva pur lì, bosco della Civita; di là alla vista del piano di San Gregorio, solcato dall'Acragas, e poi del mare sconfinato, in fondo, d'un aspro azzurro. Il bosco stormiva agitato sotto le gravi nubi lente, pregne d'acqua, e vibravano in alto le punte dei colossali cipressi sorgenti in mezzo ai mandorli e agli olivi come un vigile drappello a guardia del Tempio antico.

Le grida festose della comitiva risonarono stranamente, nell'austero silenzio tra le colonne immani. Stellina, rimasta sospesa alla gradinata per cui si ascende all'alto zoccolo, quasi interamente distrutta dalla parte del prònao, chiamò ajuto. Subito Mauro Salvo accorse e se la tirò per le mani.

Fifo Garofalo, intinto d'archeologia, con la tovaglia da tavola su le spalle e il cappello a cencio assettato sossopra sul capo:

– Venite, o profani! – tuonò, saltando su un pietrone nel mezzo del tempio.
– Turba irriverente, vieni! No, aspettate... – (scese dal pietrone). – La signora Stellina faccia da nume; alzi le braccia... così. Adorate, o profani, la Dea Concordia! Io, sacerdote celebrante, dico ad alta voce: – Facciamo libazioni e preghiamo... Ma no, aspettate! aspettate!

Tutti, tranne Stellina, atteggiata da nume, s'eran precipitati su la cesta delle vivande portata dalla serva.

– Tu, Pepè, – aggiunse Fifo, gridando, – tu, ministro subalterno, chiedi prima a gli astanti: Chi son coloro che compongono questa assemblea?

– Affamati! – risposero tutti a coro, compreso il nume, Stellina.

– No, no! Bisogna rispondere ad altissima voce: *Uomini dabbene*! E se non lo dite forte, nessuno ci crede. Su, su, offrite un biscottino senza macchia alla si-donna Concordia...

– E accendete un fiammifero! – aggiunse Pepè guardando il cielo che d'improvviso s'era incavernato, come se fosse piombata la sera.

– Questa, santissimo Dio, la piango! – gemette addosso a una colonna don Diego Alcozèr.

– Assalto alla cesta, e si salvi chi può, senz'ombra di educazione! – esclamò Gasparino Salvo, dando l'esempio.

Si lanciaron tutti, tranne don Diego, su la cesta, e ciascuno ghermì quel che gli venne prima sotto mano; mentre già grosse gocce di pioggia crepitavano come se grandinasse.

– Ripariamoci in qualche casina! – scongiurò don Diego. – Via, via, presto, corriamo!

Scapparono a precipizio dal Tempio: la pioggia d'un tratto infittì, si rovesciò scrosciando con straordinaria violenza, come se si fossero spalancate le cateratte del cielo.

– Misericordia di Dio! – gridò don Diego restringendosi tutto nella persona, sotto la furia dell'acqua.

Stellina e i sei giovani ridevano. Andarono alla casina più prossima, ma il cancello di ferro davanti al cortile era chiuso. Pedate al cancello e grida d'ajuto. Non era pioggia: era diluvio.

Fifo Garofalo si tolse il mantello e col concorso degli altri lo resse a mo' di baldacchino su Stellina e don Diego. Giù acqua, giù acqua, giù acqua. Presto il mantello fu zuppo.

– A San Nicola! – gridò Mauro Salvo, trascinando per una mano Stellina e pigliando la corsa.

– A San Nicola: c'è il tettuccio! – approvarono gli altri, seguendoli.

E via su per la salita, ch'era divenuta un torrente.

Sotto il tettuccio don Diego, fradicio come gli altri, cominciò a tremare, disajutato.

– Qua si piglia un malanno! Maledetto il momento che mi son persuaso a uscire di casa... Certo, la piango!... Tutto zuppo... Non sentite che aria?

La furia dell'acqua scemò d'un tratto: per un momento parve che raggiornasse.

– Ma che! piove... guardate...

I fili di pioggia cadevano sì più esili e radi, ma continui. Tuttavia, per sottrarsi, così zuppi com'erano, alla corrente d'aria sotto il tettuccio, decisero di rimettersi in via per cercare miglior riparo più su.

– È inutile, don Diego! – osservò Fifo Garofalo, dopo aver bussato al cancello di un'altra cascina. – Oggi è domenica; a quest'ora i contadini sono a messa in città. Piuttosto, facciamoci coraggio, e in cammino! Già piove meno; speriamo che spiova presto del tutto.

– In cammino; in cammino! – approvò il povero don Diego. – Ma vedrete che arrivo morto.

La paura spronava l'ansimante vecchiaja, e don Diego andava in testa alla comitiva. La pioggia poco dopo infittì di nuovo.

– Qua la mano! Lasciatevi portar da noi, – gli dissero Totò Salvo e Fifo Garofalo.

– Muojo! muojo! – gemeva a tratti don Diego trascinato in su dai due giovani che nitrivano come cavalli, springando, dimenando la testa allegramente sotto la pioggia furiosa e tra le risa di quelli che venivan dietro.

Giunsero in città senza fiato, con gli abiti appiccicati al corpo. Don Diego volle cacciarsi subito a letto, coi denti che già gli battevano; tutto tremante, in istato da far veramente paura e pietà.

– Un medico... un medico... son morto! Voglio qua subito Marcantonio...

Fifo Garofalo corse per il medico; Pepè Alletto, pregato da Stellina, per don Marcantonio. Gli altri andarono via afflitti e mortificati.

XIII.

– Oh santo figliuolo! donde venite con questo tempo da lupi? – gridò il Ravì nel vedersi davanti Pepè fradicio di pioggia da capo a piedi e tutto inzaccherato.

Pepè gli narrò in breve l'avventura e manifestò infine il suo rimorso per il malanno sopravvenuto a don Diego.

– Lasciate fare a Dio! – gli rispose don Marcantonio, infilandosi in fretta il soprabito. – Muore? Se non fosse carne battezzata, direi che ci ho piacere. Ah ci ha provato gusto lui a farsela coi giovanotti? Ben gli stia! Don Pepè, non dico per voi: voi non c'entrate. Questa è la mano di Dio. Rosa, il paracqua... Andiamo, don Pepè.

Trovarono don Diego in preda al delirio, con un febbrone da cavallo, e Stellina che piangeva, spaventata dalle parole sconnesse del marito, che la scambiava or per una or per l'altra delle precedenti mogli, domandandole conto e ragione dei torti che queste gli avevano fatto.

– Sei l'anima di Luzza, tu? Ti scongiuro in nome di Dio, dimmi che cosa vuoi!

Il delirio durò a lungo; poi gli spiriti abbandonarono don Diego, che giacque sotto la febbre incalzante.

Stellina, Pepè e don Marcantonio vegliarono l'infermo tutta la notte. Nel silenzio profondo il petto di don Diego cominciò a crosciare.

– Questa è polmonite, com'è vero Dio! – osservò don Marcantonio.

E tutti e tre si guardarono negli occhi al fioco lume della lampa.

La polmonite infatti si dichiarò la mattina del giorno appresso, e il medico disse don Diego in pericolo di vita.

Di fronte alla morte quasi in attesa lì, presso il letto su cui l'esile corpicciuolo di don Diego giaceva seppellito sotto le coperte, con la lunga ciocca dei capelli come una serpe sul guanciale, accanto al cranio lucido infiammato, i tre veglianti provarono quasi un segreto rimorso, che veniva loro dai pensieri e dalle promesse, che nascevano da quella morte. Più acuto lo sentì Pepè; meno di tutti, Stellina. E quando a don Marcantonio, nel silenzio, sfuggì dalle labbra, guardando la figlia e l'amico: – Ci siamo già, figliuoli miei... – tutti e tre sospirarono e chinarono il capo, come in attesa, non della liberazione, ma d'una vera sciagura.

E per tutto il corso della malattia, non risparmiarono cure a don Diego aggrappato a un filo di vita, come a uno sterpo all'orlo d'un precipizio; lo assistettero a gara, premurosi e intenti. E come se la loro coscienza provasse veramente sollievo e letizia nel prodigar quelle cure, ciascuno voleva prenderne tutto il carico per sé, esonerandone gli altri; e così tra loro, cerimonie e preghiere insistenti di prender qualche cibo e un po' di sonno.

Meno di tutti si risparmiava Pepè: ma la forza per cui resisteva così gagliardamente al sonno, al digiuno, non gli veniva dalla volontà; egli non poteva realmente né dormire né prender cibo, tanto il pensiero e il sentimento della propria felicità imminente lo sostentavano; era già arrivato, era alla vigilia della sua fortuna, quasi sostenuto dagli sguardi, dalle parole di Stellina nella piena certezza che ella lo amava, dopo quei giorni di stretta intimità, e che anche lei si sentiva arrivata alla soglia d'una vita nuova, felice.

Don Marcantonio però li teneva d'occhio.

«Pigliano fuoco!», diceva tra sé, storcendo la bocca.

Finché una sera, passando per il corridojo, gli parve di sorprendere come il suono d'un bacio nel salottino al bujo, e si mise a tossire. Più tardi, si chiamò Pepè in disparte e gli disse sotto voce:

– Don Pepè mio, per carità, prudenza! Siate uomo... come Dio vuole, pare che ci siamo arrivati...

Pepè finse di non capire, e gli domandò con aria ingenua:

– Perché?

– Per nulla, – riprese don Marcantonio. – Ma, vi ripeto, prudenza. Abbiate riguardo, santissimo Dio, che il marito è ancora lì. Quest'animale è capace di risuscitare: par che abbia sette anime come i gatti. E allora che figura ci faccio io? Niente, don Pepè... Quattro e quattr'otto: o usate prudenza o vi caccio fuori senz'altro. Non ammetto bestialità.

XIV.

Quantunque don Diego fosse già entrato in convalescenza, Pepè Alletto usciva, una sera, raggiante di felicità dalla casa di lui, allorché, pervenuto all'imboccatura del Ràbato oltre via Mazzara, si trovò davanti Mauro Salvo che gli faceva la posta in compagnia dei fratelli e dei cugini Garofalo.

Senza bisogno di molta perspicacia, Pepè si era accorto anche lui dell'innamoramento di Mauro Salvo, fin dalla prima volta che aveva riveduto Stellina in casa del marito. Stellina stessa gliel'aveva poi confermato, ridendone. Nessun pericolo dunque da questa parte. Ma Pepè conosceva bene il Salvo e lo sapeva capace d'ogni violenza. Cosicché, non per paura, ma per non dar luogo a qualche altra scenata compromettente, s'era finora comportato in modo da non offrirgli il minimo pretesto. Si sentiva inoltre protetto dalla benevolenza dei fratelli di lui, Totò e Gasparino, e dei cugini Garofalo, che disapprovavano l'agire di Mauro, non foss'altro perché faceva loro correre il rischio d'aver chiusa la porta di casa Alcozèr, dove, in compagnia di Stellina e pigliando a godersi il vecchio marito, si passavano serate deliziose.

Ma la porta, ultimamente, per la malattia di don Diego, era rimasta chiusa per loro; e ora essi perciò si erano accordati con Mauro, se non nella gelosia che questi sentiva, almeno nell'invidia per Pepè, a cui la porta seguitava ad aprirsi. Pepè aveva già notato questo cambiamento nell'animo degli amici, e più d'una volta aveva cercato di schivarli. Ma ora, ecco, essi, con Mauro alla testa, gli venivano incontro.

Mauro gli disse bruscamente, fermandolo:

– Vieni con me. Ho da parlarti.

– Perché? – gli domandò l'Alletto, provandosi a sorridergli. – Non puoi parlarmi qua?

– C'è troppa gente, – gli rispose asciutto il Salvo. – Cammina.

Pepè sporse il labbro e si strinse nelle spalle, per significare che non intendeva che cosa si potesse voler da lui con quell'aria rissosa, di mistero, e disse:

– Io credo... non so... di farmi gli affari miei, senza disturbar nessuno.

Ma il Salvo lo interruppe a voce alta, con violenza:

– Gli affari tuoi? Quali, morto di fame?

– Oh! – esclamò Pepè. – Bada come parli...

– Morto di fame, sì, – raffibbiò Mauro, parandoglisi di fronte minaccioso. – E non rispondere, o ti do tanti cazzotti da farti impazzire.

Pepè alzò gli occhi al cielo, con la bocca aperta, come per dire: «Mi scappa la pazienza!» – poi sbuffò:

– Senti, caro mio: non ho piacere né voglia di attaccar lite con nessuno, io.

– Sta bene! – s'affrettò a concluder Mauro. – E allora, giacché vuoi far la pecora, bada a questo soltanto: di non metter più piede, d'ora in poi, in casa di don Diego Alcozèr.

– Come! Perché? Chi può proibirmelo?

– Te lo proibisco io!

– Tu? E perché?

– Perché così mi piace! Non ci vado io, e non devi andarci neanche tu. Né tu, né nessuno, hai capito?

– Questa è bella! E se il Ravì mi conduce con sé?

– Arrivi al portone, e dietro front! Se no, alle corte: domani sera io sarò lì: se ti vedo entrare, guaj a te! Non ti dico altro. E ora vattene a casa.

– Buona sera, – scappò detto a Pepè nell'intontimento prodottogli dalla perentoria intimazione.

XV.

Sentendo il campanello della porta, donna Bettina non mancò neppur quella sera di gridare:

– Nettatevi le scarpe!

– Me le son nettate, – rispose Pepè, rientrando, – sui calzoni di certa gente che non vuol farsi gli affari suoi.

La madre si spaventò:

– Un'altra lite?

– No... ma quasi! – s'affrettò a rassicurarla Pepè. – Ci è mancato poco, non ne facessi un'altra delle mie.

– Pepè, figlio mio, ancora bestialità? – gemette donna Bettina, pronunziando con tono amorevole questa domanda, che soleva spesso rivolgere al figliuolo. Pareva invecchiata di dieci anni, dopo la morte di Filomena. Non aveva voluto mostrar con lagrime il suo cordoglio, ma era evidente ch'esso ancora, in silenzio, le divorava il cuore.

Pepè, scotendo le pugna in aria, gridò:

– Li concio per le feste! Un duello già l'ho fatto! Ah, ma la vedremo... la vedremo...

E si mise ad andare in su e in giù per la stanza, come un leoncello in gabbia. Donna Bettina lo guardava a bocca aperta come istupidita; poi gli domandò, congiungendo le mani:

– Per carità, dimmi che t'è accaduto, Pepè! Mi fai morire.

– Nulla, – le rispose il figlio. – Certi amici miei... Si cena o non si cena stasera?

– Pepè, – lo ammonì la madre, – t'avverto che una certa età io ce l'ho e non posso più prendermi tanti dispiaceri... non posso più... non posso più... Tu sarai la causa della mia morte... tu solo, sai? tu solo...

– Va bene... basta, mammà, non ne parliamo più! – sbuffò Pepè, e si mise a cenare di buon appetito come se il suo corpo volesse compensarsi della vergogna per l'affronto patito.

«Lasciatelo morire, e la vedremo!», pensava, intanto, alludendo tra sé e sé a don Diego.

Rimandava così mentalmente l'incontro col Salvo alla morte dell'Alcozèr, per non fermare il pensiero al giorno seguente, in cui, secondo la minaccia, avrebbe trovato il rivale davanti alla porta di don Diego. Guardando all'avvenire, sentiva quanto più forte fosse la sua posizione di fronte a quella del Salvo; ma tuttavia questo sentimento non riusciva a confortarlo del tutto per la prova del domani.

Durante la notte non chiuse occhio, pensando a ciò che avrebbe potuto rispondere, lì per lì, al rivale.

Contemporaneamente, nel lettuccio accanto, donna Bettina, che non aveva più, proprio, la testa a segno, faceva un sogno assai strano. Le pareva di vedersi comparir don Diego sorridente e cerimonioso; le s'inchinava con una mano sul cuore, le s'inginocchiava ai piedi, poi le prendeva una mano e gliela baciava, sospirando: «Oh, Bettina, in grazia dell'antico amore!». Allora ella scoppiava a ridere, e don Diego, ferito da quel riso, le proponeva questa tarda ammenda: avrebbe ceduto la moglie, troppo giovine per lui, a Pepè, a patto che donna Bettina lo accettasse per marito: «Unione di due vecchi che pensano alla pace, unione di due giovani che ardono d'amore...».

A questo punto ella si svegliò, e sorprese Pepè che, messo quasi a sedere sul letto, con le spalle appoggiate al guanciale rialzato su la testata della lettiera, diceva a denti stretti, con un braccio levato:

– E io t'ammazzo!

– Pepè, – chiamò ella. – Che dici? che hai?

– Nulla... penso!

– Di notte tempo? Dimmi che hai...

– Non ho sonno, e penso, – rispose Pepè infastidito. – Dormi... dormi...

Donna Bettina tacque per un momento e rimise la testa sul guanciale; poi domandò piano, insinuante, con un certo imbarazzo, sperando di provocare una confidenza da parte del figliuolo:

– A che pensi?

Pepè non rispose. Soltanto, dopo un pezzo, scotendo il capo, emise nel silenzio della camera questo sospiro:

– Morto di fame...

– Perdona a tuo padre, Pepè, che si perdette per le sue follie, – concluse donna Bettina, sospirando a sua volta.

E pian piano, di lì a poco, la vecchietta addolorata si rimise a dormire.

XVI.

Di non andar quel giorno in casa Alcozèr, Pepè non volle metterlo neanche in deliberazione: sarebbe stato lo stesso che cedere al Salvo ogni diritto su Stellina, non solo, ma anche la prova più lampante d'una paura che egli non voleva riconoscere in sé. Approssimandosi l'ora della visita consueta, si recò pertanto dal Ravì per accompagnarsi con lui: certo il Salvo non avrebbe avuto la tracotanza di aggredirlo vedendolo in compagnia del padre di Stellina.

Ma né don Marcantonio né la moglie erano in casa.

– Sono dalla figlia, fin da mezzogiorno, – gli annunziò la serva. – Chi sa che sarà avvenuto, signorino mio! Con lei posso parlare... Quella povera creatura è sacrificata!

D nuovo su la strada, Pepè cominciò a riflettere: «Andarci? Conviene? Che dirà la gente se ci azzuffiamo proprio sotto le finestre della casa di lei? Io non sarei sicuro di me; ho usato prudenza jeri; ma, questa sera, se lo vedo, finisce male, parola d'onore! Del resto, loro sono in cinque; che meraviglia dunque se io mi accompagno con un altro?».

E, così pensando, s'avviava a malincuore alla casa del Coppa. Temeva purtroppo che questi non lo costringesse a fare un secondo duello; perciò, la notte scorsa, aveva scartato subito il partito di recarsi da lui, che pur gli pareva scorta più sicura, che non il Ravì.

Ciro, dopo la morte della moglie, non era più uscito di casa. Ai numerosi clienti che venivano a sollecitarlo, rispondeva misteriosamente:

– Mi corre prima l'obbligo, signori, di riparare ben altri torti. Mi duole di non potervi servire.

E i pretesi torti eran quelli della moglie defunta verso l'educazione dei due figliuoli. Invasato dall'idea di farne due uomini forti, li addestrava alla scuola degli antichi romani: li costringeva a correr nudi per circa mezz'ora ogni mattina attorno alla profonda vasca del giardino, e quindi a buttarsi nell'acqua diaccia.

– O morti, o nuotatori!

Poi comandava loro:

– Asciugatevi al sole!

E, se era nuvolo:

– Il sole non c'è. Mi dispiace. Asciugatevi all'ombra.

Niente più scuola: meglio bestie forti, che dotti tisici.

– Lasciatevi coltivare da me.

Pepè lo trovò che addestrava alla lotta i due ragazzi, lì nello studio.

– Gioverebbe anche a te un po' di questo esercizio! – gli disse Ciro. – Hai una faccia da morto, che fa schifo a guardarla. Qua! Fammi tastare il braccio... piegalo.

Gli tastò il bicipite, poi lo guardò in faccia, come nauseato, e gli domandò:

– Perché non t'ammazzi?

– Ti ringrazio dell'accoglienza, – gli rispose con un risolino Pepè. – Fai anche ridere i ragazzi. Del resto, hai ragione. Vorrei essere anch'io come te, capace di tenere a posto una mezza dozzina d'accattabrighe. Il coraggio, sì... va bene; ma da solo, senza la forza, non basta.

– Difetto dell'educazione! – gli gridò Ciro, dominato dall'idea fissa del momento.

– Ah, certo... l'educazione influisce molto...

– Molto? È tutto!

– Hai ragione, sì... Ma di' pure che c'è molta gente nel nostro paese, che non vuol farsi gli affari suoi.

– Te n'hanno fatta qualche altra? – saltò a domandargli Ciro con piglio deri-
sorio. – Ma se puzzi di carogna, lontano un miglio!
– Nient'affatto! – negò Pepè, risentito. – Che non ho paura, dovrebbero sa-
perlo; uno schiaffo, a chi se lo meritava, ho saputo appiopparlo...
– Per combinazione!
– Un duello, a buon conto, l'ho fatto...
– Per forza!
– Ma se ora vengono in cinque contro uno?
– E chi sono? – domandò Ciro, con le ciglia aggrottate.
– Mauro Salvo...
– Ah, quel buffone con gli occhi a sportello?
– Lui, coi fratelli e coi cugini Garofalo... in cinque, capisci? Mauro è inna-
morato pazzo – non corrisposto, bada, e perciò posso dirlo – di... della signora
Alcozèr, tu la conosci: la figlia del Ravì. Ora, che te ne pare? pretende ch'io
non vada più, dice, in casa di don Diego; né io, né lui, né nessuno, dice...
Anzi, dice, se ci vado stasera, guaj a me... Mi aspetta coi suoi davanti al por-
toncino dell'Alcozèr.
– Non capisco, – disse Ciro, infoscandosi. – Per prepotenza?
– Per prepotenza... eh già! Capisci? sono in cinque...
– E tu, babbeo? Hai detto che non saresti andato?
– Nient'affatto!
– Ma intanto sei qua... E hai paura! Te lo leggo negli occhi: hai paura! Ah,
ma tu ci andrai, stasera stessa, or ora... Prepotenze, neanco Dio! Vieni con
me.
– Dove?
– In casa Alcozèr!
– Ora?
– Ora stesso. Il tempo di vestirmi. A che ora suoli andarci tu?
– Alle sei e mezzo.
Ciro guardò l'orologio, poi esclamò, stupefatto:
– Quanto sei vile!
– Perché? – balbettò Pepè.
– Sono le sette meno un quarto... Ma non importa: li troveremo... In cinque
minuti son bell'e vestito.
Scappò sù di corsa. Ridiscese, prima dei cinque minuti, che s'infilava ancora
la giacca.
– Aspetta, Ciro... la cravatta – gli disse Pepè, aggiustandogli il giro che gli
usciva fuori del colletto.
– Inezie! Pensi alla cravatta? – gridò il Coppa, fermandosi a fulminar con
uno sguardo il cognato; poi gli diede uno spintone. – Cammina! Te li metto
subito a posto io, senza bastone.
E s'avviò con Pepè. Camminando, fremeva, e di tanto in tanto esclamava:
– Ah sì?... Aspetta, aspetta. Ditelo a me, adesso, che in casa Alcozèr non
deve andarci nessuno. Ci vado io. Ah, fai prepotenze tu? Aspetta, aspetta.
Pepè gli arrancava accanto, come un cagnolino. Presso la casa dell'Alcozèr,
alzò gli occhi a guardare, e disse piano al cognato, impallidendo:
– C'è: eccolo lì, con gli altri.
– Tira via! Non guardare! – gl'impose Ciro.
– Tutt'e cinque, – aggiunse pianissimo Pepè.
Mauro Salvo infatti era alla posta. Il satellizio dei fratelli e dei cugini si te-
neva a breve distanza, più in là. Appena Mauro scorse Pepè in compagnia del
Coppa si staccò dal muro a cui stava appoggiato con le spalle, si tolse una
mano di tasca, e venne loro incontro, a passo lento, guardando Ciro, a cui si
rivolse, fermandosi in mezzo alla strada.
– Col vostro permesso, avvocato: una parolina a Pepè.

Ciro gli si parò di fronte, vicinissimo, lo guardò negli occhi, con le ciglia aggrottate, le mascelle convulse; si tirò con due dita il labbro inferiore, poi gli disse:

– Con Pepè per il momento parlo io, e non permetto che gli parli nessuno. Lo dico a voi e lo dico pure ai vostri parenti che stanno là ad aspettarvi. Se volete dirla a me, la parolina, sono ai vostri comandi.

– Preghiere sempre, don Ciro! – gli rispose Mauro, cacciandosi l'altra mano in tasca e alzandosi su la punta dei piedi, come se per ingozzar quel rifiuto avesse bisogno di stirarsi a quel modo.

– A un'altra volta, col comodo vostro: non mancherà tempo.

E s'allontanò.

XVII.

Burrasca, anzi tempesta, quel giorno, in casa di don Diego.

Stellina aveva avuto, la mattina, un violento scoppio d'ira contro il marito, il quale, da che era entrato in convalescenza, era diventato, poverino, insopportabile. Aveva scritto al padre ingiungendogli di venire subito subito a prendersela, altrimenti si sarebbe buttata giù dal balcone. Don Marcantonio era accorso in gran furia insieme con la moglie, e col deliberato proposito d'imporre alla figlia il rispetto più devoto al marito, e a Pepè Alletto il divieto assoluto di frequentar la casa del genero.

Ciro Coppa e Pepè, entrando nel salotto, trovarono Stellina in lagrime, abbandonata su la spalliera del divano. La si-donna Rosa le sedeva accanto con gli occhi bassi, le labbra strette e le mani intrecciate sul pacifico ventre. Don Marcantonio passeggiava, con le mani dietro la schiena, gridando rimproveri alla figlia, per modo che li udisse don Diego tappato in camera da letto. Nel vedere il Coppa, smise subito di gridare, e gli andò innanzi, premuroso:

– Pregiatissimo signor avvocato! Quant'onore, quest'oggi... Baciamo le mani, don Pepè... Rosa, c'è il signor avvocato Coppa... Mi duole che... Stellina, su, figlia mia, guarda: c'è il signor avvocato, che ci degna d'una sua visita... Mi duole, avvocato, che lei càpiti giusto in un momento... Dispiaceri, sa! soliti dispiaceri di famiglia... Nuvola passeggera... Si accomodi, si accomodi.

Colpito da quell'accoglienza lagrimosa, il Coppa disse, sedendo:

– Ma... se io c'entro... anche indirettamente... prego la signora di scusarmi.

– Lei? E come può entrarci lei? – riprese, sorridendo, il Ravì.

Ciro lo interruppe, guardandolo con fredda severità:

– Lasciatelo dire, vi prego, alla signora, che ne sa forse più di voi.

Stellina si tolse il fazzoletto dal volto e guardò smarrita, con gli occhi rossi dal pianto, il Coppa. Poi disse, esitante:

– Io non so...

– Ma nossignore... – si provò a intromettersi di nuovo don Marcantonio.

– Lasciatemi spiegare! – riprese forte il Coppa, seccato. – Io mi son fidato di Pepè, e ho avuto forse torto. Certo però ho impedito che si facesse qualche schiamazzo sotto le finestre... Non supponevo che, interponendomi, avrei cagionato un dispiacere alla signora.

Pepè, comprendendo finalmente l'equivoco in cui era caduto il cognato, si agitò su la seggiola, rosso come un papavero, e disse:

– No, Ciro... Noi non c'entriamo... Quello è affar mio soltanto...

– Si lasci servire da me, signor avvocato! – entrò a dire risolutamente don Marcantonio. – Lei non c'entra... È una piccolissima sciocchezza avvenuta questa mattina tra marito e moglie. Sa, cose che succedono: «io voglio questo... io non lo voglio...» e allora... mi spiego? E il torto è tutto di mia figlia, torto sfacciato... Sì, sì, cento volte sì! è inutile che tu pianga, figlia mia! Puoi pur piangere fino a domattina: io son tuo padre, e debbo dirti il bene e il male. Parlo giusto, signor avvocato? Mi pare che, fin qui, parlo giusto. E dico: Prudenza e obbedienza: ecco la buona moglie! E poi, un po' di considerazione, santo Dio! Pregiatissimo signor avvocato, mio genero esce adesso da una malattia mortale: non è morto, proprio perché non ha voluto morire! Ora se ne sta di là, convalescente, ed è un po' fastidiosetto, si sa! Bisogna compatirlo!

– Io non parlo... – disse Stellina singhiozzando, senza scoprir la faccia. – Parli tu e chi sa che fai credere di me... Ma se la gente sapesse... Dio, Dio! Non ne posso più...

Ciro Coppa, a queste parole, si levò da sedere gonfio e quasi sbuffante dalla stizza e dalla commozione.

– Ma parla, parla... Perché non parli? – gridò alla figlia, irritato, il Ravì.

– Perché non sono come te! – rispose, pronta, Stellina con voce rotta dal pianto.

– E come sono io, ingrata, come sono? – scattò don Marcantonio. – Ho pensato forse a me? Che n'è venuto, di', a me? Non ho pensato al tuo bene? Rispondi!

– Sì, sì... – singhiozzò Stellina. – E la gente se ne accorgerà, che hai pensato al mio bene, quando verrà qualche giorno a raccogliermi giù in istrada, sfracellata!

– La sente, signor avvocato? La sente? Son cose, codeste, da dire a un padre, che per lei...

– Per me? che cosa? – lo interruppe Stellina, puntando i due pugni sul divano e mostrando finalmente il volto inondato di lagrime. – Tu mi hai incarcerata, a pane e acqua.

– Io?

– Tu: per costringermi a sposare uno più vecchio di te. E qui c'è la mamma che può attestarlo. Di', di' tu, mamma, se non è vero! E ci son le vicine, tutto il vicinato: tante bocche, che tu non puoi chiudere... E io t'ho pregato, scongiurato ogni giorno di portarmi via di qua. Non voglio più starci! E se non mi porti via, vedrai quello che farò!

– Don Pepè, la sentite? – esclamò don Marcantonio, mezzo stordito. – Questa è la ricompensa! Parlate voi...

Pepè si agitò di nuovo sulla seggiola, imbarazzatissimo. Venne intanto dalla camera di don Diego lo scoppio di due strepitosi starnuti.

– Salute e prosperità! – gli gridò don Marcantonio, con un gesto di comicissima ira, aggiungendo a bassa voce: – Vi possa schiattare la vescichetta del fiele!

Sorrisero tutti, tranne il Coppa, allo scatto strano, improvviso.

– Signori miei, – prese a dire Ciro con aria grave, – senza propositi violenti, c'è rimedio a tutto: la legge.

– Ma che legge e legge, pregiatissimo signor avvocato! – esclamò don Marcantonio.

– Vi dico che c'è la legge, e basta! – gridò Ciro, che non ammetteva repliche, nemmeno in casa altrui.

– C'è la legge, lo so, – riprese, umile, don Marcantonio. – Ma queste son cosucce che si aggiustano in famiglia, signor avvocato mio; se non oggi, domani...

– Questo, – ribatté Ciro, – non spetta a voi di dirlo.

– Come non spetta a me? Io sono il padre!

– La legge non ammette padri che fan sevizie alle figlie, per costringerle a sposare contro la loro volontà e la loro inclinazione. Questo, se non lo sapete, ve lo insegno io. Signora, se ella vuol servirsi di me, io mi metto in tutto e per tutto a sua disposizione. Ella, volendo, può sciogliersi dal nodo che le riesce odioso e ricuperar la libertà.

– Dove? – domandò, perdendo la bussola, il Ravì. – In casa mia? È pazza! Una causa in Tribunale? Uno scandalo pubblico? Il discredito sul mio nome onorato? È pazza! Io le chiudo la porta in faccia. E avrà la libertà di morire di fame!

– In questo caso, – tuonò Coppa, – ci penserei io! Di fame non muore nessuno; e prepotenze, neanche Dio!

– Ma come sarebbe a dire?... – si provò a soggiungere don Marcantonio.

Il campanello della porta squillò a lungo, come tirato da una mano nervosa. Il Ravì s'interruppe. Stellina scappò via dal salotto, seguìta dalla madre. E Pepè, recatosi ad aprire, si trovò di fronte Mauro Salvo con la combriccola.

Il Ravì si fece loro incontro.

– Domando scusa, signori miei... Se volete entrare, favorite pure... ma, ecco...

– No, caro don Marcantonio, grazie! – disse Mauro. – Siamo venuti per domandar notizie della salute di don Diego...

– Sano, sano e pieno di vita! – s'affrettò a rispondere don Marcantonio.

– Volevamo anche ossequiar la signora, – riprese il Salvo. – Ma se non si può...

– Non si può! – disse il Coppa, con un tono che tagliava netto, guardando fisso negli occhi Mauro. – Andiamo via tutti e togliamo l'incomodo.

Poi, rivolgendosi a Pepè, aggiunse:

– Va' dalla signora: dille che avrò l'onore di venire a trovarla qui, domani, in tua compagnia.

Pepè ubbidì, e poco dopo andarono via tutti, senza neppur salutare il Ravì, che rimase sul pianerottolo, come un ceppo.

Appena fuori del portoncino, Mauro Salvo, avviandosi coi fratelli e i cugini, disse, pigiando su le parole:

– Pepè, a rivederci!

– Non rispondere! – impose forte a Pepè Ciro Coppa, in modo che i Salvo e i Garofalo udissero.

XVIII.

– È in casa don Pepè? – domandò, ansante, don Marcantonio Ravì, non riconoscendo a prima giunta donna Bettina accorsa ad aprir la porta.

– E voi chi siete? – domandò a sua volta donna Bettina irritata dalla furiosa scampanellata del Ravì, squadrandolo da capo a piedi.

– Oh, scusi, gentilissima signora! Son Marcantonio Ravì, ai suoi comandi. Scusi, se vengo così presto... Accidenti a questo cane! Lo sente come abbaja?... Debbo parlare con Pepè di un affare urgentissimo e di grande importanza per lui e per me.

– Favorisca, – disse donna Bettina un po' rabbonita, ma pur tra le spine vedendo entrare in casa quell'omaccione dall'abito non bene spazzolato e dalle scarpe poco pulite. – Credo che sia ancora a letto... Vado a chiamarlo.

Don Marcantonio si mise a passeggiare per la stanza, agitatissimo. Pepè si presentò poco dopo, stropicciandosi le mani gronchie dal freddo, con la faccia lavata di fresco e asciugata in fretta.

– Eccomi qua.

– Caro don Pepè, ditemi subito che intenzioni ha vostro cognato. Sto per schiattare dalla bile. Stanotte non ho chiuso occhio. E l'ho pure a morte con voi.

– Con me?

– Gnorsì. Lasciatemi dire, o schiatto, vi ripeto. Come vi è venuto in mente di condurre quell'energumeno, quel pezzo d'ira di Dio, in casa di mia figlia?

– Io? – disse Pepè. – C'è voluto venir lui.

– Per mettermi la guerra e il fuoco in casa? Ditemi subito quali sono le sue intenzioni.

Pepè protestò di non saper nulla; si dichiarò dolente anche lui di ciò che Ciro il giorno avanti aveva detto in casa Alcozèr, e aggiunse che avrebbe voluto trovare una scusa per impedire che suo cognato tornasse quel giorno a visitare Stellina.

– Trovatela, don Pepè! – esclamò il Ravì. – Trovatela per amor di Dio! Vi ho preso per un ingrato: me ne pento! Credevo che vi foste messo d'accordo con vostro cognato per rovinarmi la figlia. Ho avuto torto. Sarebbe infatti anche la vostra rovina. Parliamoci chiaro; anzi, fatelo intendere a quel pazzo furioso, ditegli pure di che si tratta... per voi... Mia figlia ha bisogno solamente di un'altra spinta come quella di jeri, e butta all'aria tutto, ve l'assicuro io! A sentir che la legge può venirle in ajuto e ridarle la libertà, ha preso fuoco. Ah, se l'aveste intesa jersera, appena siete andati via voi due... La libertà, asina, sai che vuol dire? – le ho detto io. – Che speri? dove te n'andrai? Ho cercato di prenderla con le buone; sono arrivato finanche a dirle che sapevo quale sarebbe stata la sua inclinazione, e l'ho scongiurata, per la sua felicità, ad aver prudenza, pazienza... Uno, due anni... che cosa sono? Se mi dicessero: tu devi far la vita del più scannato miserabile, schiavo tra le catene, due anni, cinque anni, e poi, in compenso, avrai la ricchezza, la libertà; non la farei io forse? E chi non la farebbe? Questo non è sacrifizio! Io sacrifizio intendo, quando non si avrà mai nessun compenso. Ho fatto il sacrifizio io, per esempio, dando la figlia a un vecchio, per il bene unicamente di lei; quando piuttosto, se il mio sangue fosse stato oro, mi sarei svenato per farla ricca e felice. E lei, ingrata... Basta: «Figlia mia», le ho detto, «il sogno come ti può diventar realtà, se non fai così?...». Capite, don Pepè, quel che m'è toccato di dire? E voi venite a rompermi le uova nel paniere, conducendomi in casa quel ficcanaso accattabrighe... Però... però... però, santissimo Dio, ho forse fatto peggio. Gnorsì. Mia figlia adesso, almeno a quanto m'è parso d'intendere, l'ha pure a morte con voi, nel sospetto che vi foste messo d'accordo con me per farle sposare il vecchio...

– Io? – esclamò Pepè, arrossendo fin nel bianco degli occhi. – E come avrei potuto?

– V'ho difeso! – lo interruppe subito don Marcantonio, per rassicurarlo. – V'ho difeso, parlando in generale... Perché, il vostro nome, capirete benissimo, non è venuto fuori... Peccati grossi, don Pepè, debbo aver io su la coscienza, senza saperlo, se Domineddio non m'ha voluto far la grazia di ritirarsi dal commercio di questo mondaccio quella merce avariata di settantadue anni! A proposito: giusto jeri m'imbatto nel medico che l'ha curato e salvato: ci teneva! E io non mi son potuto trattenere dal dirgli: «M'avete fatto questo bel regalo!». Basta; don Pepè, intendiamoci: son venuto per aprirvi gli occhi: badate che vostro cognato tira a rovinarvi. Vi ripeto, fateglì intendere, magari in quattro e quattr'otto, di che si tratta. In fin dei conti, di che possono accusarmi? di voler fare la fortuna, prima, e poi la felicità di mia figlia? Non è delitto: sono anzi il dio dei padri. Vi saluto, don Pepè, e mi raccomando.

L'Alletto rimase in preda a una vivissima agitazione e con una segreta stizza contro Stellina. Come! Dunque non lo amava più? o non intendeva che, ribellandosi adesso, mandava tutto all'aria? L'odio per il vecchio marito era veramente più forte dell'amore per lui? E se era sorto in lei, ora, il sospetto d'un accordo tra lui e il padre, non si sarebbe cangiato in odio l'amore? non si sarebbe rivolta anche contro di lui quella rabbia? Che fare?

Gli pareva d'impazzire, tra l'avvilimento e la confusione. Pensava: «Vuol liberarsi dal marito! E come, se il padre non la vuole più in casa e io non posso far nulla per lei? Dunque pensa a un altro, che potrebbe ridarle la libertà? E io? posso io consigliarle pazienza? Dovrebbe consigliarsela da sé, se veramente mi amasse... Dunque non m'ama più».

Eppure, fino all'altro jeri...

Un altro pensiero gli balenò: che Mauro Salvo avesse scritto a Stellina qualche lettera, insinuandole il sospetto dell'accordo, per vendicarsi. Ne era ben capace quel vile! Sì, sì... Ma quale accordo? «Io», pensava, smaniando, «io debbo assolutamente dimostrarle che è una calunnia, codesta. Mi metterò contro il Ravì, apertamente. Pregherò tanto Ciro, finché non mi otterrà un impiego, e allora...»

Decise di recarsi subito dal cognato; ma un altro pensiero lo trattenne. Quel giorno Mauro Salvo col suo satellizio doveva essere in cerca di lui, per la città, come un cacciatore arrabbiato, in mezzo ai suoi bracchi. Si mise allora a studiare per qual via sarebbe stato prudente recarsi in casa del Coppa, eludendo la vigilanza del rivale.

XIX.

Studiava ancora, quando, insolitamente, si vide davanti Ciro in persona: Ciro in casa sua!

Donna Bettina era rimasta come fulminata, nel vederselo davanti, e non gli aveva saputo dir nulla. Ciro s'era introdotto senza neppur salutarla.

– Tu qua! – esclamò Pepè, stupito, vedendolo. – Chi t'ha aperto la porta?

– Tua madre, ed è restata là, come se avesse visto un brigante, – gli rispose Ciro, cupo.

– No... ma siccome... – cercò di scusar la madre Pepè.

Ciro lo interruppe.

– Lei è una vecchia, e perciò la compatisco; tu sei uno sciocco, e perciò ti meravigli della mia venuta. Basta. Non sei ancora vestito? Che aspetti? Vèstiti, e andiamo.

– Dalla signora Alcozèr? Non ti par presto?

– No. Andiamo per affari, non per visita. Vèstiti sotto gli occhi miei; se no, sei capace di metterci due ore.

– Cinque minuti, – disse Pepè. – Andiamo di là.

Entrarono nella camera da letto, e Ciro, alla vista dei due lettini gemelli, sogghignò, tentennando il capo.

– Eh, lo so... – sospirò Pepè. – Ma se la mamma... Hai detto, per affari? Non ho capito...

– Affari, affari! – replicò brusco Ciro. – Ci ho pensato tutta stanotte e quest'oggi...

– Alla signora Alcozèr? – domandò Pepè, timido, di tra lo sparato della camicia, nell'infilarsela.

– A lei precisamente, no. Ho pensato al suo caso. È un'infamia che bisogna riparare a ogni costo.

– Certissimo. Ma... e come? scusa...

– Vèstiti! Non perder tempo.

– Sì sì... ma non hai sentito il padre, jersera?

– Me n'infischio, del padre, – rispose il Coppa. – Lo schiaccio come un rospo. Con la legge.

– Sarà, – concesse Pepè. – Ma... scusa, permetti? Vorresti forse che il matrimonio si annullasse?

– Quest'è affar mio! E, a ogni modo, dipenderà da lei, dalla signora.

– Va bene, – consentì di nuovo Pepè. – Ma... e dopo?

– È affar mio, ti ripeto! Vèstiti!

Pepè fu abbagliato a un tratto da un'idea luminosa, e guardò, gongolante, il cognato; poi riprese a vestirsi in fretta, disordinatamente, come non gli era

mai avvenuto. «Perché no?», pensava. «È capace anche di questo; è capace di
tutto, pur di prendersi una soddisfazione, pur di schiacciare, come lui dice, il
Ravì e Mauro Salvo. Ha preso a difendermi? mi difenderà fino all'ultimo.
Non è uomo da far le cose a mezzo; anzi, non gli basta vincere, vuole stravin-
cere. Oh Dio, Stellina così sarebbe mia! E poi... poi per me ci penserà lui...»

Come in risposta al tacito pensiero di Pepè, Ciro disse:

– Il padre non la vorrà più in casa? Poco male! Per il momento, c'è quella
testa fasciata di mia sorella Rosaria, che è superiora a Sant'Anna, e potrà
prendersela con sé nel Collegio, fino a cose fatte. Poi si provvederà. Se vuole,
c'è casa mia.

– A casa tua? – domandò Pepè, tutto ridente.

– Caro mio, se ti dispiace, non so che farti.

– Ma no! Ma no! – s'affrettò a negar Pepè. – Per me, figùrati!

– Dici allora per tua madre?

– Ma neppure! Vedrai che la mamma, poverina, s'acquieterà alla necessità
delle cose.

– Tanto meglio! – esclamò il Coppa. – Comprendi anche tu che io ho bisogno assoluto di una donna in casa? Non ti facevo capace di tanto. Ti ripeto, ci
ho pensato tutta questa notte... Mi è assolutamente necessaria una donna in
casa, che badi, se non altro, ai ragazzi. Io non posso condannarmi a rimanere
il loro ajo per tutta la vita; già la mia salute ne soffre; ho poi da attendere alla
professione. Così piglio, se lei vorrà, due piccioni a una fava; farò una buona
azione e provvederò un poco anche a me.

– Ma sì, ma sì – approvò Pepè, raggiante di gioja. – Vedrai, Ciro mio, che
donna! che bontà!

– Tu approvi dunque?

– E come no? scusa! Ma un'altra preghiera, Ciro mio, – s'arrischiò ad aggiungere. – Vorrei che tu, dopo, pensassi un poco anche a me: un posticino...
per non restare su le tue spalle del tutto. Vedi, io sarei allora addirittura felice!

– Ci penserò, ci penserò, non dubitare, – rispose Ciro, astratto. – Ora, andiamo.

Trovarono, questa volta, in casa Alcozèr Mauro Salvo e Fifo Garofalo, loro
due soli, in rappresentanza di tutti gli altri, venuti apposta prima dell'ora solita,
con la scusa di fare una visita al convalescente. Così Stellina, all'arrivo del
Coppa e di Pepè, poté sbarazzarsi di loro, conducendoli in camera di don
Diego.

– Eccoci soli! – disse poi, ritornando, con un sorriso. – Si accomodi, avvocato, e voi pure, don Pepè...

Pareva che Ciro avesse perduto la lingua: guardava Stellina che gli si presentava così diversa dal giorno avanti; e, come se le proprie mani in quel momento gli cagionassero un grande impaccio, non trovava dove cacciarsele
prima: dalle tasche dei calzoni se le passò in quelle del panciotto, poi in quelle
della giacca; quindi, inchinatosi, balbettando un grazie, e sedutosi, se le posò
su i ginocchi e cominciò a parlare con gli occhi bassi:

– Senta, signora: non ho il bene di conoscere qual concetto ella abbia di me,
del mio carattere. La fama che mi son fatta, creda, non corrisponde per nulla
alla mia vera natura: sembro a tutti un prepotente, perché non ammetto prepotenze né dai miei simili, né dai pregiudizii del paese, né dalle abitudini che
ciascun uomo tende a contrarre; nessuna prepotenza, neanche da Dio; sembro,
per conseguenza, anche strano, solo perché voglio esser libero, in mezzo a
tanta gente che è schiava o di se stessa o degli altri, come per esempio, mio
cognato Pepè.

– Io? – esclamò questi, quasi destandosi di soprassalto, mentre seguiva intentamente la elaborata spiegazione, di cui non iscorgeva né l'opportunità né lo
scopo, pur ammirando il modo di parlare del cognato.

– Schiavo di te stesso e degli altri, – raffermò Ciro con pacata, tranquilla fermezza, mentre Stellina rideva. – Si può esser poveri e liberi nello stesso tempo. Non la pensa così, o sembra, il padre della signora. Ma ognuno intende a suo modo la vita. Io, per me, non sono prepotente, ripeto: faccio anzi sempre ciò che devo, e so sempre quello che faccio. Questo per dirle che, impressionato fortemente dalla scena di jeri e dalle sue parole, ho riflettuto a lungo, signora, e considerato da ogni parte il suo caso.

– Io la ringrazio, – disse Stellina, chinando il capo.

– Mi ringrazierà dopo – riprese Ciro. – Intanto le raffermo ciò che ebbi l'onore di dirle jeri: che ella può, quando voglia, sciogliersi dal matrimonio, a cui fu costretta con sevizie. Possiamo produrre le prove: abbiamo, se non ho frainteso, molti testimonii; ma, quand'anche non ne avessimo alcuno, basterà, io credo, mostrare ai giudici il suo signor marito, scusi sa! testimonianza lampantissima della violenza usatale. Quel che jeri lei stessa ne ha detto e quel che me n'ha detto Pepè, mi abilita a parlare così. Insomma, io le do per fatto, senza alcun dubbio, lo scioglimento, e mi metto di nuovo, dopo matura riflessione, in tutto e per tutto, ai suoi ordini. Non la scoraggino le minacce del padre: ho, lei lo sa, una sorella monaca, la superiora del Collegio di Sant'Anna: bene, ella potrebbe andare da questa mia sorella e star temporaneamente nel Collegio; quindi, a fatti compiuti, decidere sul da fare.

Pepè approvava col capo, guardando Stellina che ascoltava con gli occhi fissi sul pavimento, pensierosa.

– Naturalmente, – concluse Ciro, – io non posso attendermi da lei una pronta risposta: non sarebbe prudente da parte sua. Ci pensi su, e poi, da qui a un mese o che so io, quando insomma avrà ben considerato il pro e il contro, mi dica o sì o no. Io, se lei permette, avrò l'onore di frequentar la sua casa in compagnia del nostro Pepè; o se no, un bigliettino, due parole: «Signor Coppa, sì», e io mi metterò subito all'opera. Siamo intesi?

XX.

Così Ciro cominciò a frequentar la casa dell'Alcozèr, in cui venivano adesso, di nuovo, i Salvo e i Garofalo. Ma don Diego, dopo la malattia, non era più quello di prima. I tristi umori della vecchiaja, stemperati per tant'anni negli ambigui sorrisi, davano ora quasi un sapor velenoso a ogni sua parola e quasi avevano avvelenato l'anima di Stellina di giorno in giorno più triste.

L'intervento del Coppa aveva sconcertato il piano di difesa del vecchio. Pepè Alletto e Mauro Salvo eran passati ora in seconda linea di fronte a quell'uomo che s'era introdotto in casa ad assalire apertamente ogni suo diritto su la moglie, e che lo teneva in tanta soggezione e in uno stato insopportabile d'avvilimento e quasi di vergogna di se stesso, non mai finora provata. Veniva poi a mancar del tutto, lo scopo che s'era prefisso in quei tardi anni, e per cui aveva ripreso moglie ancora una volta: godere dell'altrui allegria attorno a sé.

«L'inferno anticipato?», pensava. «No no, che!»

Non riusciva però a veder la fine di questa nuova condizione di cose, come liberarsi di questa siepe di spine ch'era venuta a pararsi sul finire del suo lungo cammino fiorito.

Ciro intanto vigilava, senza mostrarlo, su Stellina; la guardava di tanto in tanto; ed ella in quello sguardo severo e pieno di volontà leggeva l'attesa paziente, non ostante l'uggia e il dispetto che gli dovevano cagionare la presenza e le chiacchiere futili di quei giovani. E insieme con l'attesa vi leggeva la protezione.

Protetto si sentiva anche Pepè, quantunque in cuor suo perplesso ancora, se dovesse abbandonare del tutto l'appoggio segreto del Ravì, puntello non più

valido abbastanza per raffermar l'edificio un po' scosso delle sue speranze.
Ma doveva poi rimettersi interamente alla discrezione del cognato?

«Ciro, ecco... hm!... basta, stiamo a vedere...»

Ciro, con quel suo carattere e quei suoi scatti inconsulti, non gl'ispirava veramente molta fiducia. «Se non che», pensava egli, «da che ci s'è messo, ha
tenuto fermo. E pare un altro: prudenza, contegno... un po' rigido, è vero, ma
chi se lo sarebbe aspettato? sempre a modo, anche affabile talvolta, specialmente con Fifo Garofalo... E noto che anche ha più cura della persona: colletti
alti, abito nuovo... bravo Ciro!»

Non la pensavan come lui, però, i Salvo e i Garofalo, che pur si ostinavano a
frequentare ancora la casa di don Diego. La presenza del Coppa infine disagiava
tutti, imponendo una circospezione e una ritenutezza a lungo insostenibile.

Stellina lo comprendeva, e di giorno in giorno diveniva più smaniosa, così
sospesa in una posizione che anche lei sentiva precaria, pur non sapendo ancora come dovesse risolverla. E dalla perplessità sua stessa era tenuta in un
continuo orgasmo. Fustigavano poi senza tregua questo orgasmo le prediche e
i consigli del padre, gli umori sempre più acerbi del marito, il quale, non
avendo il coraggio di liberarsi di tutti quei seccatori, pretendeva che glieli
sbarazzasse lei d'attorno, e la opprimeva; la paura infine che un giorno o l'altro non scoppiasse un diverbio o peggio tra il Coppa e Mauro Salvo, che covava, cupo e taciturno, il suo rancore.

In queste condizioni di spirito, dopo un'altra scena, più disgustosa della
prima, col padre e col marito, annunziò una sera al Coppa, ch'ella era pronta
a rifugiarsi nel Collegio di Sant'Anna, presso la sorella di lui, anche per sempre, pur di finirla con quella vita d'inferno; e che intanto egli pensasse a liberarla dal marito, se fosse possibile.

XXI.

Tre giorni dopo, don Diego Alcozèr si presentò in casa del Ravì, esclamando
con le braccia per aria:

– Scappata! scappata!

– Chi? mia figlia? Vostra moglie?

– *Quondam, quondam...* eh eh! – corresse don Diego, accompagnando il sorrisetto con un cenno di protesta della mano. – *Quondam*, se permetti... Scappata. Contentone!

Marcantonio Ravì si lasciò cadere sulla seggiola, come fulminato.

– Scappata... con chi?

– Se lo sa lei, – rispose allegramente don Diego, scrollando le spalle. – O
sola o in compagnia, è tutt'uno. Ho qui la... come si chiama? la... la cosa del
Tribunale...

– Siamo già a questo? – esclamò il Ravì, rimettendosi in piedi. – Il Coppa, è
lui... quell'assassino! M'ha rovinato la figlia... E voi, vecchio imbecille, ve la
siete lasciata scappare?

– Caro mio, le avrei aperto io stesso la porta, purché mi lasciasse in pace!

– Rosa, Rosa! – chiamò don Marcantonio.

La si-donna Rosa si mostrò all'uscio, placida, al solito.

– Che c'è?

– C'è che... guarda... qui, tuo genero...

– *Ex, ex...*

– Scappata, Rosa! scappata!

– Stellina?

– Copriti la faccia, vecchia mia! Dovevamo aspettare che i nostri capelli diventassero bianchi, perché nostra figlia venisse a imbrattarceli di fango!

– Non capisco nulla... – disse, imbalordita, la si-donna Rosa.

– Glielo spiego io, – interloquì allora don Diego – Stamattina... Oh, ma piano, Marcanto'!

– Oh Dio, oh Dio! – strillò la si-donna Rosa accorrendo a trattenere il marito che, pestando i piedi e piangendo come un ragazzo, si dava manacciate furiose in testa.

– Lasciatemi! Lasciatemi! Il disonore è troppo! Questa è la ricompensa! Ah figlia ingrata! In Tribunale... in Tribunale...

– Càlmati, Marcantonio, càlmati! Non è poi il finimondo – lo esortò don Diego. – Scioglimento di matrimonio... Lei con una mano, io con cento. Son disposto a tutto...

– Anche voi? – urlò don Marcantonio, afferrando per le braccia don Diego e scotendolo violentemente. – Avreste il coraggio anche voi di trascinarmi in Tribunale? Voi!

– Scusa, ma... – balbettò don Diego, quasi nascondendo la testa tra le spalle, tremando di paura sotto gli occhi inferociti del Ravì. – Scusa... se lei lo vuole...

– Che vuole? – ruggì don Marcantonio, senza lasciarlo. – Non può voler nulla, lei! Ditemi dov'è andata! subito!

– Non lo so...

– Volete allora che vada a scannare il Coppa?

– Scanna chi ti pare, ma lasciami! Io non c'entro... Oh quest'è bella! Te la pigli con me?

– Con tutti, me la piglio! Aspettate, don Diego... Così non può finire... Vediamo con le buone... uno scioglimento alla buona... senza trascinar nel fango, per carità, il mio nome onorato...

– Scioglimento alla buona? – disse timido, esitante, don Diego. – Ma io... tu lo sai... come potrei restar solo, io?

– Vorreste riammogliarvi? – tuonò don Marcantonio, riafferrandolo. – Rispondete!

– Non lo so... – balbettò ancora don Diego, messo alle strette. – Ma... se tua figlia...

– Ve la riconduco io subito a casa! Aspettate. Vo a trovar quell'assassino!

– Marcantonio, per carità! – supplicò la moglie.

– Zitta tu! – le gridò il Ravì. – Vado armato del mio diritto di galantuomo e di padre: difendo l'onore e la figlia!

– Marcantonio! Marcantonio! – strillò, grattandosi la fronte, la si-donna Rosa, dall'alto della scala.

XXII.

Esortandosi per via con frasi vibranti di sdegno, Marcantonio Ravì corse in gran furia alla casa del Coppa. Quando pervenne davanti alla porta, non tirava più fiato.

Venne ad aprirgli Pepè Alletto.

– Voi qua? – gli gridò don Marcantonio. – Ingrataccio! anche voi?

Fu interrotto da un terribile colpo di frustino su la scrivania dello studio attiguo, e poco dopo il Coppa irruppe nella saletta urlando:

– Chi è là? Chi si permette?

– Perdoni, pregiatissimo signor avvocato! – prese a dire il Ravì, togliendosi il cappello.

– Via! via! – incalzò il Coppa, indicandogli la porta col frustino. – Uscite, subito, via!

– Ma, nossignore: io son venuto... perdoni... Don Pepè, parlate voi per me...

– Caccialo subito via! – ordinò Ciro al cognato.

– Mi faccio meraviglia... voi, don Pepè? – pregò, ferito, il Ravì. – Perdoni, signor avvocato... Purché mi lasci parlare, le parlerò anche in ginocchio.

E in così dire, don Marcantonio accennò di piegarsi su i ginocchi; ma, in quella, su la soglia dello studio, si presentò donna Carmela Mèndola, l'accanita vicina, la quale, con l'indice teso contro il Ravì, si mise a strillare:

– Lui, lui, sissignore! ha bastonato la figlia, sissignore: lo grido davanti agli uomini e davanti a Dio! Non ho paura, io! Lui! Lui!

– Zitta, voi! – le impose, furibondo, il Coppa. – E voi, – aggiunse, afferrando per un braccio il Ravì, – fuori! Non voglio scene in casa mia!

Don Marcantonio diventò pallidissimo, e minacciò con gli occhi torbidi e la voce tremante.

– Ma infine...

Il Coppa gli diede uno spintone:

– Fuori!

– Io sono un vecchio! – esclamò il Ravì, passandosi su i capelli la mano levata minacciosamente.

– Ciro... – pregò a bassa voce Pepè, impietosito.

Ma il Coppa replicò con violenza:

– Fuori! Ricordàtelo a voi stesso che siete un vecchio, prima che gli altri, per l'imprudenza vostra, se lo dimentichino!

– Imprudenza?... – disse il Ravì. – Ma io vengo...

– Le vostre ragioni le direte ai giudici; intanto, via!

La Mèndola, appena uscito il Ravì, volle lodar l'avvocato del degno modo con cui aveva accolto colui.

– Nient'affatto! – negò Ciro. – Ho agito malissimo. Ma per causa sua: non doveva venire.

– Padre snaturato! – insistette la Mèndola.

– Nient'affatto! – negò di nuovo, più vivamente, Ciro, adirandosi. – Lui ha creduto e crede d'agire per il bene della figlia. Ma ciò non toglie che non abbia commesso un delitto... Pepè, non mi guardare in bocca con codesta faccia da scimunito: mi dài ai nervi, te l'ho già detto. Ritorniamo al lavoro. Siedi e scrivi!

Pepè era diventato lo scrivano e il galoppino di Ciro. La felicità sua, in quei giorni, era soltanto turbata dalla costernazione costante, anzi dalla paura di non contentare in tutto e per tutto il cognato che lo comandava a bacchetta, e per cui ora sentiva una riconoscenza illimitata, pur sapendo che egli non si era messo così accanitamente in quella briga per lui, bensì per ispirito d'autorità e di giustizia. E lo ammirava e, sorridendo tra sé e stropicciandosi le mani dalla gioja, ripeteva la frase preferita dal Coppa:

– Prepotenze, neanco Dio!

Ma ecco, intanto, si distraeva. – Al lavoro! al lavoro! – Non doveva pensare a nulla, fino a tanto che la lite non fosse vinta, fino al giorno in cui Stellina non fosse sua... lì, lì, in quella stessa casa, proprio lì... E Pepè, in un impeto d'amore, si stringeva e baciava le mani, come fossero quelle di Stellina.

Aveva fatto il giro di tutto il vicinato del Ravì, per raccogliere testimonianze a sostegno del processo che Ciro imbastiva. Quando alla fine la maggior parte del lavoro fu abbozzata, il Coppa volle ch'egli si recasse anche da don Diego Alcozèr per invitarlo a un abboccamento.

– Onoratissimo dell'invito, – disse don Diego a Pepè. – Eccomi pronto. Sono con voi.

Ciro lo accolse con molto garbo; e don Diego, grato di quell'accoglienza, volle toglier subito all'ospite l'imbarazzo di certe domande difficili, entrando lui per primo nell'argomento.

– Lor signori sono giovani, rispetto a me, – disse, rivolgendosi pure a l'Alletto, – e perciò potrebbero anche aspettare. Ma io son vecchio, e mi preme di uscire di questa briga quanto più presto sia possibile. *Quonam pacto?* Sono dispostissimo a tutto, signor avvocato. Mi suggerisca lei.

Ciro rimase a guardarlo, intento, un tratto, tra la sorpresa e la diffidenza. Poi, per provarlo subito, gli disse:

– Ma... ecco... ci sarebbe da fare semplicemente... se lei volesse aver la bontà... una... una...

– Dichiarazioncina?... – suggerì l'Alcozèr, accompagnando la parola col sorrisetto frigido che Pepè gli conosceva. E aggiunse: – Una domanda. Sarà discussa a porte chiuse la causa?

– Certo, – rispose Ciro. – Se lei lo vuole... Sarebbe, in fondo, considerando gli anni, a cui ella ha avuto la fortuna di pervenire, sarebbe un lieve sacrificio di vanità.

– Non ne ho, di questo genere... – lo interruppe argutamente il vecchietto. – Sarei ridicolo, all'età mia. Però, siccome codesto sacrificio che lei dice potrebbe forse, in certo qual modo, danneggiarmi per l'avvenire... per quei pochi giorni che mi restano di questa sciocca fantocciata che chiamiamo vita... ecco, se ci fosse qualche altro rimedio...

– Questo, – osservò il Coppa, ammirando la filosofica schiettezza con cui l'Alcozèr trattava la questione, e vedendolo inchinevole a cedere, – questo sarebbe il mezzo più sicuro, più sbrigativo.

– Ebbene, – si rimise don Diego, scrollando le spalle e sorridendo, – pur d'uscirne...

Così, non ponendo egli, ch'era la parte più interessata, nessun impegno in contrario, la lite, per le brighe, le raccomandazioni e le sollecitudini di Ciro, venne presto in Tribunale, e fu discussa a porte chiuse.

Una moltitudine di curiosi sfaccendati attendeva impaziente il giudizio. Pepè Alletto aveva la febbre addosso e smaniava, senza un minuto di requie, dietro la porta chiusa, non ostante che l'usciere di guardia di tanto in tanto lo esortasse a far buon animo:

– Dia ascolto a me che me n'intendo: causa vinta!

La porta finalmente s'aprì. Ciro, raggiante, annunziò la vittoria. Scoppiarono applausi e grida. Batteva le mani, ridendo, anche don Diego Alcozèr. Ma don Marcantonio uscì dalla sala del Tribunale scotendo il testone raso, coi denti serrati, mentre abbondanti lagrime gli rigavano la faccia congestionata:

– Figlia mia! figlia mia! Mi hanno assassinato una figlia!

Pepè volle abbracciare il cognato; ma questi, nell'ebbrezza del trionfo, eccitato dagli applausi, lo respinse con un gesto furioso.

Il Presidente del Tribunale, scampanellando, fece sgombrare il corridojo; ma, per via, la folla cresciuta continuò a batter le mani, e Ciro parlò:

– Eroi i padri, o signori, che per render propizia la divinità alle nobili imprese della patria sacrificavan le figlie! Ma che dire d'un padre che, per loschi fini, la propria figlia sacrifica al dio Mammone?

– Mammone! Mammone! Abbasso Mammone! – gridò la folla, tra le risa e gli applausi.

E, da quel giorno, il Ravì fu chiamato da tutto il paese Marcantonio Mammone.

XXIII.

Pepè Alletto si era spiegato l'impegno posto da Ciro nel condurre a buon fine l'impresa, come effetto dell'eccessiva indole di lui. Quando però lo vide tutto inteso a sgomberar la casa della mobilia vecchia per comperarne altra nuova, cominciò a entrar davvero in sospetto non gli avesse dato di volta il cervello.

«Possibile che faccia tutto questo per me?» Intanto non ardiva domandargli nulla. Dopo la vittoria, Ciro, anziché mostrarsi lieto, diventava di giorno in giorno più cupo.

– Pepè, – gli disse una mattina, tirandolo per la giacca, in disparte, con gli occhi foschi. – Devi dirmi la verità: prometti prima però, che me la dirai. Se menti, guaj a te: non ti dico altro.

Pepè, contento in fondo che si venisse a una spiegazione, benché il modo un po' lo apprensionisse, promise.

– Non so più da quanti giorni – riprese Ciro, – ho perduto la pace. Ricordo che tu una volta mi dicesti che Mauro Salvo, quel buffone, corteggiava Stellina. È vero?

– È vero; ma, non corrisposto! – rispose Pepè, cercando con un sorrisetto d'appianar la ruga minacciosa su la fronte di Ciro.

– Giuralo! – esclamò questi.

– Che vuoi che giuri? – disse Pepè. – Lo so io, e basta.

– Sai che Stellina non rispose mai, mai, minimamente, alla corte del Salvo?

– Ma sì! ma sì!

– Giuralo!

– Ebbene, lo giuro!

Ciro si mise a passeggiare per lo studio, col mento sul petto e le mani in tasca; insoddisfatto, fosco.

– Che vai pensando?... – riprese Pepè. – Ti angustii proprio senza ragione... d'una cosa che, se vuoi, torno a giurarlo, non ha ombra di fondamento... E mi pare che io possa saperlo.

– Tu non sai nulla! – gli gridò Ciro, fermandosi a fulminarlo con gli occhi.

Pepè si strinse nelle spalle.

– Come vuoi tu... Io ero là...

– Ah, eri là, – irruppe Ciro, col volto contratto dalla rabbia. – Eri là, lo sai dire... e con te tant'altri buffoni! Quella era dunque la casa di tutti... E Stellina là, in mezzo a voi, mentre il vecchio dormiva...

– Eravamo là tutti, è vero, – ammise Pepè, – ma non si faceva nulla di male... Tu sei geloso, e non puoi intenderlo... Si scherzava innocentemente, e...

– L'innocenza, imbecille, partorisce i figliuoli! – lo interruppe Ciro, furibondo. – Qualcosa, certo, dev'esserci sotto: come ti spieghi altrimenti che io ho dovuto combattere fin oggi per farla addivenire al matrimonio? Come te lo spieghi?...

– Me lo spiego, – disse Pepè, cercando le parole, – me lo spiego... considerando che la poverina... ha tanto patito... Ma io, per dirti la verità, non me lo sarei aspettato... Ah, non voleva più saperne?

– Voleva farsi monaca, – rispose, cupo, Ciro.

– Ma ora, l'hai persuasa?

– S'è persuasa, con l'ajuto di mia sorella. Ma anche tu, di', anche tu, con codesta faccia da scimunito, – riprese Ciro, fermandosi in mezzo allo scrittojo e appuntando come un'arma l'indice d'una mano contro Pepè, – anche tu, di' la verità, hai tentato di farle la corte...

Pepè lo guardò, allocchito.

– Come... io? Non capisco...

– Oh, con me, sai, non serve far lo scemo! – gli disse Ciro, sprezzante. – Anche tu, anche tu, come tutti gli altri imbecilli... Basta. Adesso, bisogna allestir subito la casa. La mobilia di su bisogna trasportarla tutta in campagna, prima che arrivi la nuova da Palermo. Poi verrai con me al Municipio. Mi farai da testimonio.

– Io... a te?... Ma come?... – poté a mala pena balbettare Pepè. – Io, il testimonio a te?

– Ti dispiace?

– Ma come... dunque... Chi... chi sposa?

Sentì mancarsi la terra sotto i piedi; si portò le mani su le tempie, quasi temendo non gli scoppiassero, e chiuse gli occhi per trattener due lagrime che gli colarono però giù per le guance smorte.

– Nulla... nulla... – riprese poi, quasi tra sé, con voce rotta e le labbra trementi. – Hai ragione... Che stupido!... Che imbecille!... E come ho potuto crederlo? Come ho potuto supporre che tu...

– Sei impazzito? Che ti scappa di bocca? – gli gridò Ciro. – Parla! Che t'eri messo in testa?

– Lasciami stare, Ciro! – disse Pepè, esasperato, senza porre più freno alle lagrime.

– Ah, tu credevi, – inveì Ciro allora, – credevi forse di doverla sposar tu? Eravate d'accordo? Parla, perdio! o ti strozzo...

– Ti ripeto, lasciami stare! – gli gridò Pepè, col coraggio della disperazione, svincolandosi. – Non ti basta che ti dica che sono stato un pazzo, o un imbecille? Sì, sì, ho potuto credere stupidamente che quanto hai fatto, lo facessi per me... Ora basta, basta... Sposala! Che vuoi da me? Non t'ha detto di sì?

– Ma io voglio sapere... – tonò il Coppa, slanciandosi addosso al cognato.

Pepè si schermì; poi gli si parò davanti, con audacia insolita.

– E non lo sapevi forse? O perché mancò poco, che non mi facessi ammazzare per lei? Non lo sapevi che io l'amo da tanti anni?

– E lei? – fremette Ciro, con occhi feroci.

– Non t'ha detto di sì? – ripeté l'Alletto. – Che vai dunque cercando?

– Ma tra te e lei, – replicò Ciro, – dimmi la verità, o non rispondo più di me! tra te e lei... parla!

– Che vuoi che ti dica? – gemette Pepè tra le braccia del Coppa. – Lasciami stare... mi fai male...

– Dimmi la verità... tra te e lei, che c'è stato? Voglio saperlo...

– C'era una promessa... – rispose Pepè. – Aspettavo che Dio si raccogliesse quel vecchiaccio...

– E poi?

– Poi sei venuto tu... Ella ti ha detto di sì... Ora tutto è finito... Io non so nulla, non posso farci nulla... dunque lasciami andare... Tutto è finito...

Prese dall'attaccapanni il cappello, lo pulì più volte con la manica, e se ne andò, come intronato.

Ciro rimase con le pugna serrate su le guance, gli occhi da belva, a passeggiare in su e in giù per lo studio.

XXIV.

Don Diego Alcozèr, il giorno dopo le nozze del Coppa con Stellina, vide per istrada Pepè Alletto, e lo chiamò a sé. Mentre il giovanotto, torbido in volto e come svanito, gli s'avvicinava, egli spalmò una mano, appoggiò il pollice su la punta del naso e si provò ad agitar per aria le altre quattro dita tremule:

– Tanto di naso, don Pepè! Mannaggia la prescia!

– Non mi seccate, vecchiaccio stolido! – proruppe Pepè, scrollandosi tutto con rabbioso dispetto.

Ma don Diego lo trattenne per un braccio

– Eh via, non siate furioso: venite qua... Io, voi e il nostro ex-suocero dobbiamo anzi consolarci a vicenda, oramai. Venite a casa mia: Marcantonio verrà più tardi; e questa sera stessa, se non vi dispiace, intavoleremo una partitina di calabresella... Ci terremo compagnia...

Pepè, chiuso nel funebre cordoglio, si lascio andar taciturno dietro l'Alcozèr che, tentennando su le deboli gambette a ogni passo, sogghignava sotto il naso e si volgeva di tanto in tanto a sbirciare l'aspirante suo erede sconfitto.

– Scusate se rido, don Pepè! Nella vita c'è da piangere e c'è da ridere. Ma io son vecchio e non ho più tempo di fare tutt'e due le cose. Preferisco ridere. Del resto, piangete voi per me... Povero don Pepè, non crediate però, vi compatisco! Per togliervi subito d'impaccio, lasciate che vi dichiari che sapevo tutto: so che aspiravate alla mano di Stellina, dopo la mia morte, e che Marcantonio era d'accordo. Ho detto perciò il *nostro ex-suocero*. Ebbene, che male c'è? Io, anzi, vi assicuro che n'ero contentone, e sapete perché? A parte i meriti vostri, so che quando si desidera ardentemente la morte di uno, quest'uno non muore mai. E vi tenevo caro, come un amuleto. Ora, invece, che v'importa più ch'io campi o ch'io muoja? Mentre quella volta... vi ricordate? dite la verità, mi ci conduceste apposta fin laggiù, ai Tempii, sotto quel diluvio? Perdio: pensare, don Pepè, che ci eravate quasi arrivato... Che rabbia deve farvi questo pensiero! Una polmonite coi fiocchi... Il Signore vi ha fatto assaporare la mia morte, e poi ve l'ha tolta quasi di bocca, come un tozzo di pane, povero don Pepè! E ora...

L'Alletto si fermò davanti al portoncino di don Diego.

– Se dovete seguitare a dir codeste sciocchezze, vi lascio.

– No no, salite, caro don Pepè, – gli rispose l'Alcozèr, trattenendolo di nuovo per un braccio. – Salite! Mi dispiace che non ci troverete più la vostra futura moglie... Faccio per ridere... Non ci sente nessuno...

Entrati in casa, don Diego condusse Pepè in giro per le stanze, indovinando e quasi gustando l'amaro piacere che doveva cagionargli la vista di quel luogo, ove Stellina aveva abitato. Nella saletta da pranzo si fermò e, additando un lato della tavola sparecchiata, disse come a se stesso:

– Sedeva lì a desinare... Poi lì, vicino alla finestra, si metteva a leggere i romanzi, che le prestava Fifo Garofalo...

Nella camera da letto non gl'indicò nulla; ma, nello svestirsi per indossar l'abito di casa, vedendo che Pepè guardava il letto matrimoniale attraverso le tende dell'alcova, sogghignò forte, poi finse di trarre un profondo sospiro e andò a battergli una mano su la spalla.

– Eh, caro don Pepè, doman l'altro compisco settantatré anni, eh eh... Se aveste avuto un po' più di pazienza... Basta, non voglio affliggervi... Ecco, suonano alla porta: sarà Marcantonio.

Il Ravì non s'aspettava di trovar l'Alletto in casa di don Diego. Appena lo vide, si cangiò in volto e gridò:

– Lasciatemene andare!

Don Diego lo trattenne per la giacca.

– Lasciatemene andare! – ripeté più forte don Marcantonio. – Non posso vedermelo davanti!

– Eh via, perché? perché? – gli disse l'Alcozèr senza lasciarlo. – Vieni qua... Rimettiamo la pace.

– Lui, lui m'ha rovinato la figlia! – insistette don Marcantonio.

E don Diego, rabbonendolo:

– Ma no, perché? *Factum infectum*... con quel che segue. È più sconsolato di te, povero giovanotto... Su, su, stringetevi la mano.

– Neanco se viene Dio! – protestò l'altro.

– Eh via, Marcanto'! Da' qua la mano; don Pepè, datemi la vostra... Così! La pace è fatta. La colpa di don Pepè è stata una sola, come gli facevo notare poco fa! la prescia! Colpa scusabile in un giovanotto...

– Nossignore! – negò il Ravì. – La colpa sua è stata d'aver condotto qua quel birbante matricolato, che non riconoscerò mai per genero finché campo, e che non voglio neanche nominare. Mia figlia, ora, per me, è come se fosse morta! Non la vedrò più... E me l'avete uccisa voi, don Pepè! Lasciatemi... lasciatemi piangere... Voi me l'avete uccisa! Non ve lo avevo detto io che colui sarebbe stato la vostra rovina e la rovina di mia figlia?

– Scusate, – disse Pepè, turbato dal pianto del Ravì e commosso. – E io non sono stato ingannato e tradito peggio di voi? Ammesso che sia stato io a spingerlo a venire, che non è, lo avrei forse fatto, se avessi potuto sospettare o supporre...

– Signori miei, – li interruppe don Diego, – volete dare ascolto a un vecchio? Non ci pensiamo più! È il meglio che ci resti da fare: le recriminazioni adesso sono inutili... Accendiamo il lume, piuttosto, e facciamoci la calabresella.

XXV.

Ogni sera i tre sconfitti si riunivano là, in casa di don Diego, per la partitina. Spesso il discorso cadeva sul Coppa, che il Ravì, rivolgendosi a Pepè, chiamava *vostro cognato*.

– Mio cognato, un corno! – rispondeva Pepè. – La povera sorella mia è morta, e l'ha fatta morir lui... Dunque, chiamatelo ora vostro genero.

– Genero, se l'avessi riconosciuto, – rimbeccava don Marcantonio. – Mentre voi, per cognato, sì; e dovreste averne ancora rimorso, come se aveste commesso un fratricidio.

Don Diego allora tornava ad interporsi per riconciliarli, ma dentro di sé scialava, a quelle scenette.

– Non esageriamo, signori miei, non vi riscaldate... Perché ricadere ogni volta su codesto discorso, se sapete che vi scotta? Via, via... ripigliamo la partita! Non facciamo come i galletti in gabbia che si beccano l'un l'altro, in luogo di consolarsi a vicenda. Siamo stati traditi tutti e tre. Il fatto è fatto, e non se ne parli più. Non giudichiamo soltanto dal caso nostro un degno galantuomo.

– Un assassino! – scattava a questo punto il Ravì, battendo le pugna sulla tavola.

– Eh eh, ti ha ucciso la figlia?

– Mi ha ucciso la figlia, gnorsì!

– Quanti te l'hanno uccisa, insomma, codesta figlia? Prima dicevi don Pepè...

– Sì, lui! – si ripigliava don Marcantonio. – Lui, senza volerlo, con le mani di suo cognato...

– Vostro genero, – correggeva Pepè.

– Daccapo?

E don Diego si affrettava a buttare una carta in tavola:

– Striscio e busso forte.

Giocavano per pochi soldi a partita, e la vincita la mettevan da parte, per farne poi un pranzetto in comune, non volendo il Ravì accettare a nessun patto i reiterati inviti di don Diego, che avrebbe voluto averlo ogni giorno a tavola, per non restar solo.

– Non accetto. Scusatemi, don Diego; non per voi, ma per la gente. Mi chiamano Mammone: non so che voglia dire, ma perdio, voi potete gridarlo forte in faccia ai calunniatori: vi ho mai chiesto un centesimo, un miserabilissimo centesimo in prestito?

– Lasciali cantare! – gli rispondeva don Diego.

– Nossignore. Giochiamo, e poi faremo il pranzetto. Lo pagherò io, perché, finora almeno, perdo più di voi due. A questo patto, sì.

Pepè non aveva le ragioni di don Marcantonio per non accettare l'invito dell'Alcozèr, e rimaneva spesso a desinare con lui, non solo, ma anche a dormir la notte, lì, nello stesso letto, ove Stellina aveva dormito. Per quest'idea soltanto vi era addivenuto, per la voluttà cioè dell'amarezza angosciosa che gli procuravano il ricordo e l'immagine di lei, in quella casa.

Ogni sera, appena andato via il Ravì, egli e don Diego, prima di mettersi a letto, si trattenevano un pezzo al balconcino prospiciente la campagna e là in fondo il mare. Si scorgeva di lì, lontana, la cascina del Coppa; e Pepè, col capo appoggiato alla ringhiera di ferro, appuntava gli occhi al lume che si vedeva acceso laggiù, in mezzo al bujo della campagna. Lì, dove ardeva quel lume, era Stellina! Egli quasi la vedeva, quasi la seguiva per le stanze di quella cascina ben nota, dove sua sorella aveva tant'anni dolorato, e si domandava: «Che farà in questo momento? che pensa? che dice?». E si struggeva dentro, ringojando le lagrime silenziose che gli appannavano gli occhi fissi là, a quel lume lontano.

Si abbandonava talmente a quella visione, che talvolta il capo pian piano, senza ch'egli lo avvertisse, gli scivolava dalla ringhiera e dava un crollo.

– Don Pepè, dormite? – gli domandava allora l'Alcozèr.

E Pepè gli rispondeva di no, col capo, per non rivelare il pianto con la voce.

– Se volete andare a letto, io son pronto, – riprendeva don Diego.

Pepè gli faceva cenno con la mano d'aspettare ancora un po'. Ah, egli era certo, era certo che Stellina, come lui, era stata ingannata, tradita. Non sapeva egli forse, per bocca dello stesso Ciro, ch'ella avrebbe voluto rimanere nel monastero, piuttosto che acconsentire al tradimento insospettato di quelle nozze? Poi aveva detto di sì, o meglio, aveva dovuto piegare il capo, comprendendo purtroppo che colui che tanto la amava non avrebbe potuto recarle ajuto, e che il padre non se la sarebbe ripresa mai più in casa, e che lì nel monastero, infine, sotto la sorella del Coppa, non poteva neanche rimanere.

Ed ecco, adesso, ella era lì, lì in potere di quell'uomo prepotente che glie l'aveva strappata dalle braccia... strappata, sì, a viva forza, come a viva forza ora, certo, la costringeva ad accondiscendere col corpo (ah, non con l'anima, no!) alle brame del suo amore... Povera Stellina! Egli doveva compiangerla e commiserarla...

Si struggeva dentro così, ogni dì più, pascendosi dell'amarezza che gli davano il proprio avvilimento, la profonda malinconia, la coscienza di non poter far nulla. Era immagrito e pallido, come se fosse or ora scampato da una mortale malattia. Ah, se non avesse avuto quella vecchina di sua madre... se non avesse temuto di spezzare anche la vita di lei...

Certe sere don Diego lo infastidiva parlandogli dei suoi angosciosi terrori, degli *spiriti* che popolavano le tremende insonnie delle sue aride notti.

– Chi non li ha veduti, lo so, non ci crede... Chi poi li ha veduti, caro don Pepè, non ne parla, per paura che la notte non sia bastonato da loro. Perché, sapete? bastonano. Io, per dir la verità, finora non ho mai assaggiato le loro mani: ma quanti dispetti! tirarmi le coperte dal letto, rovesciarmi le seggiole nella camera, spegnermi il lampadino da notte... E li ho veduti con quest'occhi, vi giuro; tra le tende dell'alcova, per esempio, certe notti, affacciarsi una testa coi capelli rossi ricci e tanto di lingua fuori... Quando mi è morta... aspettate... la seconda o la terza?... – sì, Luzza, la seconda moglie... dopo alcuni giorni, il suo spirito mi girava per casa. La sentivo ogni notte sfaccendar per le stanze, da quella buona massaja ch'era stata in vita, buon'anima, debbo dirlo... E una notte le vidi sporgere il capo dall'uscio e guardarmi nel letto; sorrise, e mi fe' cenno con la mano, come se volesse dirmi: «Goditi pure il calduccio del letto; alla casa ci bado io». Un'altra notte, sentii nella stanza da pranzo un baccano d'inferno. Che era accaduto? Niente! L'altra moglie, la prima, Angelina, c'era venuta anche lei, e si bisticciavano tra loro. Le ho sentite io, vi dico, con questi orecchi: l'una diceva all'altra, che la padrona lì era lei... A un tratto, *brum!* Non so quanti piatti per terra... Al fracasso, balzo dal letto, mi reco – figuratevi con che spavento! – nella sala da pranzo: i cocci erano lì, sul pavimento... c'è poco da dire!

– Qualche gatto...

– Ma che gatto, don Pepè! Se gatti in casa non ne ho mai avuti...

– Qualche topo, allora...

– Eh già, o il terremoto! Si tratta di chiamarli con un nome o con un altro. Voi li chiamate topi, perché non ci credete. E son pure topi, dite, quando, per esempio, udite il rumore dei loro passi nell'altra stanza, ora affrettati e leggeri, *tic-tic-tic*, ora come di persona che passeggi, sopra pensiero? Son pure gatti o topi, quando vi sentite chiamare coi più brutti nomi da quattro voci diverse, come avviene a me, che non posso star solo la notte, perché altrimenti mi tornano in casa tutt'e quattro le mogli morte a maltrattarmi, a svillaneggiarmi? Eh, via, don Pepè! Dio ve ne liberi e scampi!

Ma non si contentava solo di parlarne don Diego. Spesso, durante la notte, angosciato dall'insonnia, parendogli di udir qualche rumore nel silenzio della casa, svegliava Pepè.

– Non mi pizzicate, santo Dio! – gridava questi. – State tranquillo: non dormo! Per la centesima volta vi ripeto che pizzichi non ne voglio: se no, domani notte preparatevi a dormir solo.

XXVI.

No no, don Diego così, sotto la minaccia di restar solo la notte, non poteva più oltre durarla. Già per procacciarsi il sonno e risparmiare a l'Alletto il fastidio dei pizzicotti, beveva un pochettino oltre la misura che s'era imposta da tanti anni, e questo rimedio dannoso non gli garbava: quel bicchierotto di giunta gli sapeva amaro e lo ingollava per forza.

– La medicina per il sonno, don Pepè! – diceva a cena. – Speriamo che questa notte faccia effetto.

Faceva effetto a principio; ma poi, nel cuor della notte, destandosi, le ambasce ricominciavano. E allora, pian piano, pazienza: ancora un pizzicotto a don Pepè.

– Daccapo! Vi riesce star fermo?

– Scusatemi, don Pepè. Volevo domandarvi una cosa.

– Che cosa? Dormite!

– Non posso, se non mi levo un dubbio che m'è nato or ora, pensando. Ma dovete dirmi la verità! Durante la mia malattia, voi foste o almeno vi mostraste tanto buono verso di me, ricordo... Sempre qua, in casa mia, notte e giorno... Bene: franco, eh? in qualche momento di distrazione... voi, con Stellina...

– Siete pazzo? – gli gridava Pepè.

– No, abbiate pazienza: non me n'importerebbe nulla, ormai. Trapianterei quietamente il corno su la testa di don Ciro. Io me ne sono sgabellato. Ditemi la verità!

Pepè, per tutta risposta, gli voltava le spalle.

– Non me n'importa, vi ripeto... Uno più, uno meno, del resto... Son filosofo, don Pepè! Cinque mogli, capite! E figuratevi perciò che selva sulla mia testa. Certe sere, mentre voi ve ne state a pensare e a sospirare, di là, sul balconcino, ci ripenso, e me le sento crescere, crescere su, su fino al cielo... crescere, crescere... Mi pare che, a muover la testa, debba con le cime disturbare il sistema planetario... Mi serviranno di scala, di qui a cent'anni, quando creperò. Come uno scojattolo, l'anima mia s'arrampicherà su per i palchi di queste smisurate corna, fino al Paradiso, mentre tutte le campane della Terra soneranno a gloria... Dormite, don Pepè?

Dormiva o fingeva di dormire, quell'ingrato. Don Diego dava di nuovo in ismanie, si stizziva, sbuffava: – Che bella compagnia! – e, per distrarsi, si poneva allora a meditare l'impresa d'un sesto matrimonio.

«Chi troppo vuole, dice il proverbio, nulla ottiene. Se io lasciassi, don Pepè, i miei denari per qualche opera pia, divisi in tante piccole porzioni, procurerebbero o un bene temporaneo o uno continuato, ma assai meschino, a molti. Val dunque meglio, secondo me, lasciarli a una persona sola, che volesse guadagnarseli a costo d'un breve sacrifizio, il quale potrebbe anche parere opera di carità: assistere un povero vecchio come me... E questa persona, perché poi avesse nell'avvenire un compenso al sacrifizio, bisogna che sia giovane, in grado di godere della ricchezza e della vita a suo talento. Che se ne farebbe una vecchia de' miei quattrini? Io, poi, lo sapete, odio la vecchiaja. Con questo mio disegno favorisco la gioventù... Voi pensate forse che farei ridere il paese, se sposassi per la sesta volta? Ebbene, si ride tanto poco oggi nella vita, che mi guadagnerei presso la gente quest'altro titolo di benemerenza. M'accompagni pure il paese con una enorme risata al Municipio: sarà di buon augurio... Ci ho pensato, e vedrete che lo farò. A Marcantonio, per ora, non gliene dico nulla, perché son sicuro che ne proverebbe dispetto...»

E don Diego non s'ingannava. Difatti, la sera stessa che il Ravì ebbe notizia dell'incombenza data dal suo *quondam* genero per una sesta moglie, se lo vide arrivare in casa tutto acceso di stizza:

– Come! Pensate di riammogliarvi? Alla vostra età?

– Eh eh, – sghignò don Diego. – Ti faccio notare, Marcantonio, che ho soltanto un annetto di più di quando sposai tua figlia.

– Sta bene, – riprese don Marcantonio, ingozzando bile. – Ma già, è un anno di più, e poi, lo scandalo, lo contate per nulla? Allora non eravate così su la bocca di tutti... Vi parlo nel vostro interesse... Non vi esponete al ridicolo, caro don Diego, e certamente a un rifiuto...

– Quanto al rifiuto, eh eh... non temere... si tratta di scegliere ormai, – lo rassicurò don Diego. – Ho già quattro o cinque proposte...

– Paese di farabutti! – proruppe don Marcantonio. – Cinque proposte! Lo vedete? L'invidiaccia, dunque, li faceva parlare, quand'io vi diedi mia figlia, e mi dissero padre snaturato, e mi dissero Mammone... e che io vendevo la mia propria carne... Farabutti! Avevo ragione!

Il Ravì ignorava che fra le quattro o cinque proposte c'era anche quella della Mèndola, l'accanita vicina, per sua figlia. Ma quello sfogo contro il paese gli fece in parte sbollir la stizza, e poté mettersi a giocare coi due compagni.

– I giovani, che siano in condizione di prender moglie, oggidì son pochi, – disse don Diego, tra una partita e l'altra. – E il vecchietto, nelle condizioni mie, caro Marcantonio, come era piaciuto a te, piace ora anche ad altri...

– Ma si sa! Lo dite a me? – approvò il Ravì più convinto che mai. – Purché voi però, don Diego mio, scusate, vi decidiate a crepar presto, dopo le nozze...

– Eh eh, – sghignò di nuovo don Diego, facendo con tutte e due le mani le corna.

– Ah, ora fo le corna anch'io! – esclamò don Marcantonio. – Anzi vi auguro di campar mill'anni per castigo di tutti quelli che mi vollero calunniare. Vi consiglio però di cangiar registro: niente più giovanotti per casa; altrimenti, potrebbe capitarvi lo stesso caso di questa volta...

Don Diego ne convenne, e aggiunse:

– Mi dispiace per voi, don Pepè; ma, questa volta, al largo! Soltanto, poiché siete un buon giovine e ve lo meritate, potrei far questo per voi; consigliare nel testamento a mia moglie di sceglier voi, anziché un altro...

Pepè non prendeva parte alla conversazione. Sorrise mestamente a don Diego e propose di lasciar le carte per quella sera.

XXVII.

– Se ti accorgi veramente e sei certa che ti voglio bene, perché debbo farti paura?

– Ma chi t'ha detto che mi fai paura?

– I tuoi occhi.

Stellina abbassava subito gli occhi.

– No! Guardami... Ecco! Codesti non son gli occhi d'una donna che sia sicura di sé!

– Può darsi... – si scusava Stellina timidamente. – Ma perché ancora non ho compreso bene il tuo carattere e ho timore non debba farti dispiacere, senza volerlo...

– O non piuttosto, – replicava Ciro, – o non piuttosto perché, dentro, la coscienza ti fa qualche rimprovero?

Era un chiodo che gli stava confitto notte e giorno nel cervello.

Aveva stabilito di non rimetter piede mai più in città, almeno fino a che l'Alcozèr era in vita. Sentiva che non avrebbe potuto sostener la vista di quella mummia, la quale aveva pur veduto nell'intimità notturna la donna che ora gli apparteneva; quella mummia, che poteva richiamare alla memoria le notti, in cui ella gli era stata accanto, e rinsudiciarle col pensiero.

La pace della campagna non riusciva a ispirargli la calma. Non vedeva, non udiva nulla, tutto assorto nel suo interno rodìo. Intanto non avrebbe voluto che su Stellina pesassero l'avvilimento che quella nuova specie di gelosia per un vecchio gli cagionava e il pentimento d'averla sposata; pentimento esasperato dall'amore vivissimo che sentiva per lei.

Per distrarsi, si era dato ad esercizii violenti. In una fiera equina aveva comperati venti cavalli tunisini, e ora se li ammaestrava nell'aja, come un domatore di circo, frustandoli con la rabbia dei cento diavoli che gli ruggivano in corpo. Poi, tutti e venti, via! se li cacciava davanti a branco, via di galoppo, tartassando i seminati, come un'ira di Dio, via, via tra una nuvola di polvere, fino alla fonte.

– *Alt!*

E lì li abbeverava.

Al ritorno, gli avveniva talvolta come a quel tale che cercava la bestia, e c'era sopra. E allora imprecazioni e bestemmie, tra i reiterati comandi alle bestie di fermarsi:

– *Alt! alt!*

E le ricontava; e infine scudisciate alla povera bestia che lo reggeva, come se fosse colpa di lei se il conto non era prima tornato.

Stellina intanto, se aveva qualche argomento di credere che il marito, a suo modo, la amasse, non sapeva poi come dovesse, anche potendo, rispondere all'amore di lui; non trovava la via per entrargli nel cuore e ammansarglielo. Avrebbe voluto riconoscersi contenta, se non del presente stato, d'essere almeno sfuggita a quello odioso di prima; ma glielo impediva da un canto l'angosciosa perplessità, l'incertezza continua di far bene o di far male, in cui l'indole di Ciro la teneva; dall'altro, la paura che egli venisse a scoprire quel che c'era stato con l'Alletto, di cui ogni giorno si sforzava di espungere finanche la memoria. Temeva che se il pensiero di lui, anche momentaneo, le si affacciasse, Ciro potesse leggerglielo davvero negli occhi.

In tale essere, dopo cinque mesi di cruccio senza parola, la povera Stellina abortì, con grave rischio della vita. E allora il Coppa si vide costretto a far ritorno in città.

XXVIII.

– Sono matto? Geloso d'un vecchio, io, Ciro Coppa?

Appena giunto in città, si sentì liberato da quell'incubo che lo aveva oppresso tanti mesi in campagna. E nella nuova disposizione d'animo, volle fare a fidanza con se stesso. Non temeva più rivali. Lui, Ciro Coppa, doveva temere di Pepè Alletto, per esempio? Eh via!

Lo cercò anzi per la città, e, trovatolo, lo chiamò a sé, mentre l'Alletto, facendo le viste di non essersi accorto di lui, tirava via diritto.

– Pepè! Ti avevo promesso una volta un posticino... Ebbene, te l'ho trovato. Vuoi venire da me?

– Da te?

– Nel mio studio. Lo riapro domani. Avrai da copiare: meglio tu, che un altro. Purché non mi faccia errori d'ortografia...

Pepè rimase a guardarlo a bocca aperta.

– Vieni, vieni, – insistette Ciro. – Hai inteso?

– Ho inteso, sì, – rispose Pepè, non sapendo ancora capacitarsi come e perché il Coppa potesse fargli quella proposta.

– Accetti?

– Io?... E perché no?

– Dunque t'aspetto domattina, alle otto. Ci intenderemo. Addio.

«È ammattito?», si domandò Pepè, appena il Coppa si fu allontanato. «Che vuole da me? Vuole accertarsi se tra me e Stellina non ci fu nulla? Spera di cogliermi in fallo?»

Pensò di non andare; si pentì di non aver saputo dirgli di no. Ma ora, avendo accettato la proposta, non poteva più ritirarsi. No, no: doveva andare assolutamente per non fargli supporre ch'egli potesse aver qualche ragione di temere di lui.

E il giorno dopo, alle otto in punto, pallido, con l'animo in subbuglio, fu nello studio di Ciro.

– Vedi? Tutto cambiato! – gli disse questi mostrandogli la nuova scrivania, gli scaffali nuovi e le nuove seggiole lungo le pareti dello scrittojo. – E si cambia vita, caro mio! Arriva un giorno, in cui l'uomo forte sente il dovere d'impegnarsi in una lotta superiore, non più contro gli altri, ma contro se stesso: vincere, dominar la propria natura, l'essenza bestiale, e acquistare sovr'essa una padronanza assoluta.

Così dicendo, agitava in aria nervosamente il frustino, mentre Pepè confuso, stordito, approvava col capo.

– Approvi, ma non comprendi! – riprese Ciro, dopo averlo osservato un momento, con calma. – Non son cose che tu possa comprendere così di leggieri.

– Veramente non... – balbettò Pepè, tentando un sorrisetto nell'imbarazzo.

– Lo so! lo so! Te lo spiego con un esempio. Fino al giorno d'oggi, io sono arrivato al punto che tu, Pepè Alletto, debolissimo uomo, puoi dire a me, Ciro Coppa, così: *«Ciro, io sostengo che tu sei un vigliacco!»*. – Non ridere, imbecille! – Se mi dicessi così, io, guarda, forse in prima impallidirei un po', stringerei le pugna per contenermi, chiuderei gli occhi, inghiottirei; poi, dominato l'impeto, ti risponderei con la massima calma e con garbo anche: *«Caro Pepè, ti sembro un vigliacco? Ragioniamo, se non ti dispiace, codesto tuo asserto»*. Che te ne pare? Né mi fermerò qui, sai! Ogni giorno una nuova conquista su la mia natura, su la bestia. La vincerò io, non dubitare! Intanto, siedi là: quello è il tuo tavolino. Ci son carte da copiare: calligrafia chiara: attento alla punteggiatura, e bada all'ortografia... Non ti dico altro.

XXIX.

Da quel giorno cominciò per Pepè una nuova vita di indicibili angustie. Andava ogni mattina allo studio con l'animo sospeso, nella più angosciosa incertezza, dopo aver meditato tutta la notte per comprendere, o intravedere almeno, che cosa in fondo Ciro volesse da lui.

Ciro passeggiava per lo scrittojo, davanti al tavolino.

– L'ortografia... Mi raccomando. Jeri mi hai scritto prestigio con due *g*.

Di tanto in tanto si fermava, e Pepè, curvo e intento a ricopiare, sentendo fissi su lui gli occhi del Coppa, domandava a se stesso: «Perché mi guarda così?».

Certi altri giorni Ciro non passeggiava: se ne stava col volto nascosto, affondato tra le braccia conserte su la scrivania. Pepè allora levava gli occhi a osservarlo.

«Che ha? Uhm!»

Talvolta, non riuscendo a comprendere qualche parola della bozza da ricopiare, si vedeva costretto a chiamarlo, e lo faceva piano. Ciro non rispondeva.

«Dorme?», si domandava Pepè, e lo chiamava di nuovo, soggiungendo: – Ti senti male?

– No. Mi lavoro dentro, – mormorava cupamente Ciro, senza levar la testa.

Pepè allungava la faccia a quella risposta enigmatica, ci ripensava un tratto, poi si stringeva nelle spalle, lasciava in bianco la parola indecifrabile e si rimetteva a copiare.

– Maledizione! – urlava a un certo punto Ciro, balzando in piedi. – Maledizione! Maledizione!

– Che hai? – gli domandava Pepè, spaventato dallo scatto improvviso.

– Dimmi che ti faccio tremare! – ruggiva Ciro, appuntando le braccia sul tavolino di Pepè. – Dimmi subito, confessa che quando mi vedi ti tremano i ginocchi!

– E perché?... – balbettava Pepè.

– Ah, non lo sai, buffone, che se ti afferro con queste mani, se ti do un pugno, ti attondo, ti estinguo?

– Lo so, – diceva Pepè, con un sorriso tremante e gli occhi supplici. – Ma non c'è ragione... Tranne che non sia impazzito...

Ciro si staccava dal tavolino.

– Va bene. Scrivi. Devo ridurmi a questo: di metterti in mano uno scudiscio e di comandarti di scudisciarmi a sangue! Con la ragione questa mia porca natura non è governabile: ci vuole il bastone e, se fai piano, non sente neanche questo... La rendo, la rendo infelice, quella povera figliuola... Bastonate! Bastonate! Bastonate, mi merito!

Ah, che stesse davvero per impazzire, lo temeva ormai lui stesso. Da che s'era fatta questa nuova fissazione, di vincer la propria natura, quasi non mangiava più, non dormiva più, non aveva più un momento di requie. Voleva dare a se stesso la prova maggiore della sua vittoria. E questa prova doveva consistere nel far venire lì, nello studio, Stellina, presente Pepè. Passeggiando, era tentato d'accostar la bocca al portavoce in un angolo dello scrittojo, per dire a Stellina che venisse giù. Si fermava a osservar Pepè, quasi per mostrare ai suoi sentimenti in lotta quanto fosse ridicola, indegna di lui, la gelosia per quell'essere nullo, per quel mingherlino pallido come un filo di paglia. Eppure, no, no, ecco: non poteva accostar la bocca al portavoce lì, in quell'angolo, che lo tentava. E allora andava a sprofondare il volto tra le braccia, su la scrivania, «a lavorarsi dentro», e scattava infine urlando: – Maledizione!

Né la lotta interna finiva lì, nello studio. Anche in Tribunale, in Corte d'Assise, gli veniva a un tratto la tentazione di vincere quel sentimento ribelle a ogni prova. Si volgeva a Pepè, che gli sedeva accanto, davanti al banco degli avvocati, e gli ordinava di recarsi allo studio a prendere qualche carta che gli bisognava.

– Se non la trovi, va' sù da mia moglie, e falla cercar da lei...

Ma, appena Pepè usciva dalla sala, eccolo corrergli dietro, chiamandolo a voce alta giù per la scala del palazzo di giustizia.

– Pepè! Pepè! Torna indietro... Non ho più bisogno di quella carta...

Un giorno però non fece in tempo a richiamarlo. Gli sguinzagliò dietro tutti gli uscieri della Corte. Il Pubblico Ministero stava per chiudere la sua arringa, ed egli non poteva abbandonar l'aula: doveva parlare.

– Zitto! zitto, perdio! – gridò allora il Coppa trasfigurato, tutto vibrante, sorgendo in piedi e battendo le pugna sul banco, rivolto al Procuratore del Re. – Io ottengo in questo momento una vittoria sublime su me stesso, e non posso tollerare più oltre che voi rovesciate addosso a me, addosso ai signori giurati, i calcinacci dell'edificio del buon senso, che da un'ora vi provate ad abbattere col vostro piccone ottuso e irrugginito!

Successe un pandemonio: i colleghi avvocati si slanciarono sul Coppa per farlo tacere e sedere; il Presidente si levò in piedi scampanellando, coi giudici, i giurati, storditi; il pubblico diviso proruppe in imprecazioni e in applausi. Tra le grida e la confusione generale, Ciro colse a volo una frase ingiuriosa del Procuratore del Re e, afferrato il calamajo dal banco, glielo scagliò contro come un sasso. Intervennero allora i carabinieri di sentinella al gabbione: il Presidente urlava:

– Traetelo in arresto!

Tra i carabinieri e il Coppa s'impegnò una viva colluttazione; questi, come un toro impastojato, cercava in tutti i modi di divincolarsi; ma, a un tratto, quelli se lo videro mancar tra le braccia, inerte, pesante.

Un improvviso moto d'orrore e di costernazione. L'aula che s'era votata si ripopolò in breve di volti pallidi, ansiosi, atterriti: dai banchi dei giurati, dal banco della presidenza, dalle seggiole, guardavano tutti, in piedi, il Coppa adagiato su una sedia col capo ripiegato sul petto, rantolante, colpito d'apoplessia.

XXX.

Verso la mezzanotte, attorno al letto su cui Ciro aveva or ora cessato di rantolare, si ritrovarono Stellina, Pepè e Marcantonio Ravì, come in un'altra veglia, attorno a un altro letto.

Stellina, però, questa volta, piangeva con la faccia nascosta nel fazzoletto; e il suo pianto irritava don Marcantonio, scuro e taciturno, e avviliva Pepè.

Seduto su la greppina, con le braccia attorno al collo dei due figliuoli del Coppa, che gli sedevano accanto silenziosi, con gli occhi velati di lagrime, fissi sul volto esanime del padre, Pepè pensava alla sorella Filomena, morta in quella stessa camera, ora come allora rischiarata da quattro torce funebri a gli angoli del letto; e gli pareva di vederla lì stesa, accanto al marito. Ed ecco i due piccoli orfani, i due piccoli esseri rimasti in quella casa. Pepè se li teneva stretti sul petto e sentiva, nell'esaltazione del dolore, che la povera Filomena, dal mondo di là, glieli affidava. Con lo sguardo dolorosamente fisso su Stellina, aspettava, aspettava, che ella levasse gli occhi dal fazzoletto e lo vedesse così e comprendesse.

A un certo punto don Marcantonio sbuffò:

– Questo, che pareva un leone, eccolo qua: morto! E quel vecchiaccio, sano e pieno di vita! Doman l'altro, sposa Tina Mèndola, la tua cara amica... Don Pepè, dopo tutto...

Non finì la frase.

– Un pajo di forbici, figlia mia. Senti come scoppiettano queste torce? Bisogna aver occhio a tutto, nella vita, ed anche a questo...

Roma, 1895

IL FU MATTIA PASCAL

Invito alla lettura

La rivista quindicinale Nuova Antologia *di Roma pubblicò «Il fu Mattia Pa-scal» prima a puntate, dal 16 aprile al 16 giugno 1904, e quindi in volume nello stesso anno. Fu successivamente ristampato nel febbraio 1910 con lievi modifiche, dai Fratelli Treves di Milano, nella* Biblioteca amena.

*Due «premesse» sono il segnale dell'importanza che Pirandello attribuiva a questo romanzo, nel quale i motivi contraddittori dell'esistenza umana, domi-nati dal caso, che forniscono argomento all'*Esclusa *e al* Turno, *si approfon-discono, si interiorizzano nell'estrema consapevolezza d'un personaggio che racconta in prima persona la sua singolarissima avventura e cerca di inse-guirne i significati.*

Nella prima «Premessa» Mattia ci tiene a presentare il suo caso come «assai più strano e diverso» di qualsiasi altro. Ma non è solo questo il carat-tere distintivo sul quale insiste: suo scopo – precisa – non è di suscitare com-pianto (costa così poco) e indignazione (costa anche meno) per la corruzione dei costumi ecc. ecc.; né di descrivere le azioni «non tutte veramente lodevoli» dei propri parenti o antenati. È come dire che il suo racconto ha motivi assai diversi da quelli correnti e abituali che possono apparire in superficie. Ma prima di giungere alla conclusione a sorpresa, con l'annuncio della sua du-plice morte, Mattia si sofferma, sempre sul filo dell'ironia, a descrivere la bi-blioteca che Monsignor Boccamazza (!) ha lasciato ai suoi concittadini, illu-dendosi di «accendere nel loro animo l'amore per lo studio». Egli può testi-moniare in coscienza che «non si è acceso».

La vanità del lascito, per nulla apprezzato dal Comune, e le condizioni di degrado di questo vero e proprio cimitero di libri gettano una divertita luce sull'ignoranza dei suoi concittadini di Miragno e, nello stesso tempo, hanno l'aria di uno sberleffo alla vecchia cultura. Ma quella biblioteca gli serve anche a dare evidenza al suo disadattamento, al senso d'inutilità della sua vita: egli vi fu, non sa «se più cacciatore di topi o guardiano di libri»; si badi bene: mai bibliotecario, se non solo di nome, a differenza del suo interlocu-tore e amico, Don Eligio Pellegrinotto, che si sforza di esserlo realmente, mettendo qualche ordine in tanta «babilonia» di libri.

Questa premessa si conclude con la «misera stima dei libri» derivatagli da tale esperienza, che di per sé rappresenterebbe un ostacolo insormontabile a scrivere, se non giudicasse il suo – insiste – un «caso davvero strano».

Nella seconda «Premessa» afferma, con un inatteso salto di qualità, che ormai a sconsigliare di scrivere (non si dovrebbe fare «nemmeno per ischerzo») è la scoperta eliocentrica di Copernico.

La diversità della materia era già preannunciata nel titolo: «Premessa se-conda (filosofica) a mo' di scusa».

Se una delle caratteristiche del racconto sarà la trovata originale, frutto di fervida fantasia, o meglio, la constatazione dei casi incredibili che possono verificarsi, l'altra, più profonda, si atterrà alla condizione reale dell'uomo moderno, nella solitudine delle sue incertezze e delle sue contraddizioni. L'uomo diseredato, non più re di un universo che, per onorarlo, si muoveva intorno a lui, ma ridotto «su un granellino di sabbia che gira e gira senza sa-

pere perché», è la conseguenza della scoperta di Copernico; ci siamo adattati «alla nuova concezione della nostra infinita piccolezza, a considerarci, anzi, men che niente nell'universo».

È come dire che non è più tempo di raccontare le solite storie, data la drammatica situazione che il mondo moderno sta vivendo, per la nuova, acquisita consapevolezza della caduta di ogni valore su cui fondare la propria esistenza.

È l'annuncio di una storia nuova e non solo perché più strana delle altre, ma perché nata dal crollo di antiche certezze, in armonia con le disperate convinzioni leopardiane, e narrata con lo stesso spirito e con la stessa ironia del Dialogo di Copernico.

Sull'infelicità tutta leopardiana dell'uomo moderno, frodato dal progresso delle scienze e, in particolare, sconvolto per le conseguenze della teoria eliocentrica, Pirandello s'era già soffermato per accenni in Arte e coscienza d'oggi *(1893) e anche nella raccolta di poesie* Mal Giocondo *(1889). Vi torna nel saggio* L'umorismo, *tratto dalle lezioni tenute al magistero e pubblicato nel 1908, nel quale Copernico risulta addirittura figura emblematica: «Uno dei più grandi umoristi, senza saperlo, fu Copernico, che smontò non propriamente la macchina dell'universo ma l'orgogliosa immagine che ce n'eravamo fatta».*

Copernico diventa, dunque, simbolo della svolta narrativa compiuta col romanzo Il fu Mattia Pascal, *nonché figura centrale dell'umorismo pirandelliano: la sua scoperta fa da discordante controcanto alla ingannevole verità delle apparenze accettata dal senso comune, denunciandone, rispetto alla realtà, l'implicita contraddizione, in cui, appunto, l'umorismo consiste.*

Pirandello dedica, con una punta d'impertinenza, il fondamentale saggio su L'umorismo, *proprio «Alla buon'anima di Mattia Pascal bibliotecario». È uno scherzoso espediente per ribadire la chiave di lettura del romanzo che vive tutto sull'amara contraddizione dell'umorismo.*

Dall'edizione Bemporad 1921 in poi, Pirandello ha aggiunto al romanzo un'«Avvertenza sugli scrupoli della fantasia». Vi cita due strani fatti di cronaca ripresi dai giornali, di cui il secondo è clamorosamente simile al caso del fu Mattia Pascal da lui inventato: in un cadavere ripescato da un canale la moglie riconosce il proprio marito, che invece è vivo e si trova in prigione, e si risposa. È una rivalsa contro chi lo aveva accusato di assurdità e di inverosimiglianza. L'«Avvertenza» contiene anche princìpi tipici della poetica pirandelliana che servono da lezione ai critici sprovveduti: «Le assurdità della vita non hanno bisogno di parer verosimili, perché sono vere. All'opposto di quelle dell'arte che per parer vere, han bisogno d'essere verosimili... tacciare d'assurdità e d'inverosimiglianza, in nome della vita, un'opera d'arte è balordaggine...».

Figlio della rivoluzione copernicana, Mattia è un uomo senza certezze e senza vocazioni. Unica qualità la consapevolezza, così cara a scrittori e poeti del primo Novecento. Vive la sua complessa avventura con la piena coscienza dei suoi limiti: si giudica leggero, inetto, ingenuo e a un tempo sventato. Ma il suo caso non si risolve tutto nell'inettitudine e nel disadattamento, che pure lo accompagnano per tutta la vita. Con quel suo «occhio che tendeva a guardare per conto suo», con la fiacchezza morale di giovane viziato, incapace di reagire alla mala sorte, incapace di seguire pazientemente le strade percorse dagli altri, è il grottesco antieroe di Pirandello, coinvolto in bizzarre soluzioni, ma anche capace di uno slancio che sembra andar oltre le miserie contingenti della sua vita quotidiana e farsi esemplare. Come di significato universale diventa il suo irrimediabile fallimento.

La prima parte, che descrive la vita di Mattia a Miragno, si svolge col ritmo rapido della farsa provinciale pirandelliana, popolata di personaggi e di av-

venimenti singolari, la cui molteplicità si compone gradualmente in mosaico unitario lungo la linea centrale del racconto che fila diritto verso la sua conclusione.

Il motivo di fondo è la declinante ricchezza della famiglia Pascal; né la vecchia madre, né il fratello Berto (che finirà per salvarsi con un matrimonio vantaggioso), e tanto meno Mattia, sono in grado di contrapporsi al loro astuto amministratore Batta Malagna che li sta mandando in rovina, arricchendosi alle loro spalle. Mattia sa e vede tutto, ma non è in grado di muovere un dito, può solo odiare cordialmente quel grassone ipocrita e ladro che trascina l'enorme pancia sulle corte gambe, tesse intrighi e, pur vecchio e laido, riesce a sposare la giovane e bella Oliva, figlia del fattore dei Pascal.

Mattia è assolutamente privo di senso pratico; ma è capace di esercitare intensamente la sua intelligenza per porre in atto progetti stravaganti con un certo piglio goliardico. Purtroppo la sua azione quasi mai è dominata dall'equilibrio e finisce per combinare guai: va in casa della terribile vedova Pescatore per avvicinare la figlia di lei Romilda e convincerla a corrispondere all'amore di Pomino, il suo più caro amico. Cosa ottiene? Si fa travolgere dalle circostanze, s'innamora di Romilda e la mette incinta. Quando apprende che Batta Malagna è pronto a riconoscere come suo il figlio che nascerà da Romilda per cancellare il diffuso dubbio sulla sua capacità di procreare, si precipita da Oliva che, per non aver dato figli al vecchio marito sta per essere ripudiata, e mette incinta anche lei. Il piano riesce: Malagna preferisce tenersi il figlio che avrà dalla moglie legittima e lascia in pace Romilda.

È la volontà del destino bizzarro che ha deciso siano restituiti a un figlio di Mattia i beni a lui sottratti? È una duplice rivalsa di Mattia contro Malagna? È assurdo cercare una logica in un racconto teso a dimostrare che nella vita non esiste alcuna logica e che la stranezza del caso non ha limiti. Se Malagna subisce una vendetta del destino, Mattia ne esce addirittura sconfitto. È il doloroso esito del suo agire sconsiderato: dovrà riparare – è Malagna a imporglielo – sposando Romilda, avere l'umiliazione di convivere, lui e la vecchia madre, con l'aborrita vedova Pescatore e subire le sue insopportabili scenate. Ridotto alla miseria dovrà trovarsi un impiego. Sarà Pomino, nonostante il suo tradimento, a farlo assumere dal Comune come addetto alla Biblioteca Boccamazza.

L'età spensierata della giovinezza è finita. A poco a poco Mattia perde il gusto di ridere delle sue sciagure, si sente «solo, mangiato dalla noja», «Solo, tremendamente solo, e pur senza voglia di compagnia», in quella biblioteca abbandonata che non può rappresentare un rifugio dalle angherie della vedova Pescatore.

Il racconto ha ormai perso il ritmo gioioso della commedia paesana e assume i colori cupi del dramma psicologico.

La solitudine lo seguiva ovunque: «La vista del mare mi faceva cadere in uno sgomento attonito, che diveniva man mano oppressione intollerabile».

È la dolorosa «maturazione» (così si intitola il capitolo) di Mattia. E in questo stato di depressione dovrà affrontare la morte delle due gemelle che Romilda aveva dato alla luce; una appena nata, l'altra quando aveva quasi un anno: «... mi chiamava papà e io le rispondevo subito: – Figlia – ; e lei di nuovo: – Papà...; così senza ragione, come si chiamano gli uccelli tra loro». La morte della vecchia, cara madre avviene lo stesso giorno quasi alla stessa ora. Questa conclusione tragica è narrata rapidamente con delicatezza e pudore. La perdita dei pochi autentici affetti getta Mattia nella disperazione, ma in lui balena l'idea di evadere dall'ambiente che lo opprime. L'ancora di salvezza gli viene dal fratello che gli manda cinquecento lire per provvedere a una degna sepoltura della madre. Ci aveva già pensato la zia Scolastica. Le

cinquecento lire rimasero un pezzo dentro un libraccio. Poi, dice Mattia: «...
furono la causa della mia prima morte».

Con un improvviso colpo d'ala la scena si trasferisce a Montecarlo dove
Mattia tenta la sorte giuocando le sue cinquecento lire.

Pirandello dà rilievo ai più tipici ingredienti di cronaca per descrivere il
singolare mondo del giuoco: il giovane che perde e si uccide, il personaggio
fissato sullo stesso numero, quello che va dietro a Mattia perché è fortunato.

Come il padre, capitano di mare, s'era arricchito con una vincita al giuoco,
così Mattia, non si sa per quale calcolo della sorte, anche lui si ritrova fortu-
natissimo e vince. Pensa dapprima di tornare a Miragno e di stupire la ve-
dova Pescatore con i soldi in suo possesso per celebrare una specie di rivalsa
nei confronti di chi non lo stima affatto. Ma durante il viaggio in treno, il
caso gli pone sotto gli·occhi un giornale con la notizia di un suicidio e il sui-
cida risulta essere lui!

La moglie, «la sconsolata vedova», si era affrettata a riconoscerlo nel cada-
vere di un uomo ripescato nel suo podere della Stìa. È la grande occasione
per liberarsi non solo delle angustie di Miragno, della suocera, della moglie,
della biblioteca, ma di quel Mattia Pascal, che «con tutte le sciocchezze
commesse», «non meritava forse sorte migliore». È tutto posseduto dall'ansia
di costruirsi una nuova identità. La cosa gli risulta facile per quanto riguar-
dava l'aspetto esteriore: si fa tagliare la barba, crescere i capelli, inforca un
paio d'occhiali; in seguito si fa anche operare quel suo occhio «sbalestrato»,
che può essere un segno di riconoscimento.

Prende il nome di Adriano Meis; esteriormente è un altro.

Dentro di sé l'impegno di costruire il suo «nuovo io»; ha l'anima in tumulto
«nella gioja di quella nuova libertà».

Questo slancio vitale verso la libertà è il momento eroico di Mattia. Ma si
può dire che la sua libertà – come tutte le grandi mete terrene – s'esaurisce
nelle intenzioni. Tra l'altro non sa nemmeno come costruire un se stesso di-
verso; non intraprende nessuna vera lotta per superarsi e vincere le tendenze
e i condizionamenti dell'uomo vecchio, che sa soltanto detestare. E anche se
vi fosse riuscito avrebbe raggiunto un risultato parziale, sarebbe comunque
stata sempre la vita a impedirgli d'essere altro da sé, a limitare e costringere
la sua libertà nelle rigide strutture sociali.

Ben presto «gli svaghi dei viaggi» e «l'ebrezza della nuova libertà», che gli
avevano fatto superare senza avvedersene un inverno «rigido, piovoso, neb-
bioso», vengono meno. In un secondo inverno, della cui inclemenza s'avvede
perché lo sorprende «già un po' stanco», si decide a scegliere una vita tran-
quilla. È il segno dell'irrequietudine umana: non si può vivere a lungo in
stato di grazia. «Un po' di nebbia» (è il titolo del capitolo) scende anche nel
suo animo. Si trasferisce dal Nord a Roma, nella strana famiglia Paleari,
dove si pratica persino lo spiritismo. Subito lo colpisce Adriana che «manco a
farlo apposta» si chiama come lui: «Apparve tutta confusa una signorinetta
piccola, piccola, bionda, pallida, dagli occhi ceruli, dolci e mesti come tutto il
volto». Prova un misto di simpatia e di pietà per questa creatura indifesa, in-
sidiata dal prepotente cognato Terenzio Papiano, che il vecchio padre imbelle
non può difendere.

L'uomo nuovo, oltre a un gran bisogno di comprensione e d'amore, sembra
aver propensione per gli affetti semplici e buoni, sulla cui base ricostruire la
nuova esistenza. E sa anche ergersi energicamente a paladino di Adriana,
purtroppo, nei limiti della sua condizione, che Terenzio Papiano ha subodo-
rato e ne approfitta, mettendolo con le spalle al muro. Così, innamorato di
Adriana, non può sposarla: come confessarle che è già sposato? Come le-
garla alla sua sorte così irregolare e precaria? Derubato dal Papiano non

può far ricorso alla legge: «Chi ero io? Nessuno! Non esistevo io per la legge. E chiunque, ormai, poteva rubarmi; e io zitto!».

Il grande dramma di Adriano Meis consiste nel fatto che, proprio nel tentativo d'essere libero si sente sempre più legato e condizionato dalla nuova situazione che gli impedisce di farsi valere, di difendersi, di reagire agli insulti, di sposare la donna che ama, per costruire con lei la nuova vita sulla base di sentimenti sinceri e autentici.

È una seconda tremenda crisi d'identità che può risolversi soltanto con la morte di Adriano Meis, personaggio artificiale e ingannevole, che non ha in sé niente di nuovo e che, più di Mattia, è schiavo di insormontabili circostanze. Non meno di lui Mattia aveva propensione per la giustizia e per i buoni sentimenti; soltanto la debolezza di carattere gli impediva d'essere un vero uomo, capace di prendersi le sue responsabilità. Ora gli è ancora più difficile per la nuova situazione da cui si sente oppresso.

La messa in scena del suicidio di Adriano è degna in tutto di Mattia, sempre pronto a cercare soluzioni non comuni ai suoi problemi.

La crisi cessa nel momento in cui Adriano decide di morire e Mattia di risorgere. Ora egli potrà esercitare le sue vendette contro chi l'ha fatto tanto soffrire. Ma nessuna vendetta da lui sognata ha mai avuto esito positivo.

A Miragno lo aspetta un inatteso colpo di scena: Romilda s'è sposata con Pomino. Basta allontanarsi per un po' e la vita continua e segue nuovi sviluppi senza di te (è il dramma di Enrico IV*), perché ognuno di noi è nessuno. A Mattia Pascal non resta che chiudersi nella sua solitudine e riprendere a guardare le cose della vita con la sua implacabile ironia.*

La qualità della sconfitta di Mattia Pascal va oltre le sconfitte sociali dei vinti del Verga e assume un senso universale: il desiderio di spezzare le catene delle convenzioni con le quali la società ti imprigiona, lo slancio verso la riconquista d'un'originaria purezza e autenticità falliscono perché la vita deve comunque darsi una forma e se te ne imponi una nuova, fai tanta fatica a sostenerne i condizionamenti e i compromessi, di cui non puoi liberarti, che sei costretto a rientrare precipitosamente nella vecchia. La quale, pur con i suoi originari limiti e la sua falsità, ti rende possibile la vita, impedendoti d'essere altro da te, inchiodandoti a una identità fittizia, ma inalienabile.

I.B.

I. Premessa

Una delle poche cose, anzi forse la sola ch'io sapessi di certo era questa: che mi chiamavo Mattia Pascal. E me ne approfittavo. Ogni qual volta qualcuno de' miei amici o conoscenti dimostrava d'aver perduto il senno fino al punto di venire da me per qualche consiglio o suggerimento, mi stringevo nelle spalle, socchiudevo gli occhi e gli rispondevo:

– Io mi chiamo Mattia Pascal.

– Grazie, caro. Questo lo so.

– E ti par poco?

Non pareva molto, per dir la verità, neanche a me. Ma ignoravo allora che cosa volesse dire il non sapere neppur questo, il non poter più rispondere, cioè, come prima, all'occorrenza:

– Io mi chiamo Mattia Pascal.

Qualcuno vorrà bene compiangermi (costa così poco), immaginando l'atroce cordoglio d'un disgraziato, al quale avvenga di scoprire tutt'a un tratto che... sì, niente, insomma: né padre, né madre, né come fu o come non fu; e vorrà pur bene indignarsi (costa anche meno) della corruzione dei costumi, e de' vizii, e della tristezza dei tempi, che di tanto male possono esser cagione a un povero innocente.

Ebbene, si accomodi. Ma è mio dovere avvertirlo che non si tratta propriamente di questo. Potrei qui esporre, di fatti, in un albero genealogico, l'origine e la discendenza della mia famiglia e dimostrare come qualmente non solo ho conosciuto mio padre e mia madre, ma e gli antenati miei e le loro azioni, in un lungo decorso di tempo, non tutte veramente lodevoli.

E allora?

Ecco: il mio caso è assai più strano e diverso; tanto diverso e strano che mi faccio a narrarlo.

Fui, per circa due anni, non so se più cacciatore di topi che guardiano di libri nella biblioteca che un monsignor Boccamazza, nel 1803, volle lasciar morendo al nostro Comune. È ben chiaro che questo Monsignore dovette conoscer poco l'indole e le abitudini de' suoi concittadini; o forse sperò che il suo lascito dovesse col tempo e con la comodità accendere nel loro animo l'amore per lo studio. Finora, ne posso rendere testimonianza, non si è acceso: e questo dico in lode de' miei concittadini. Del dono anzi il Comune si dimostrò così poco grato al Boccamazza, che non volle neppure erigergli un mezzo busto pur che fosse, e i libri lasciò per molti e molti anni accatastati in un vasto e umido magazzino, donde poi li trasse, pensate voi in quale stato, per allogarli nella chiesetta fuori mano di Santa Maria Liberale, non so per qual ragione sconsacrata. Qua li affidò, senz'alcun discernimento, a titolo di beneficio, e come sinecura, a qualche sfaccendato ben protetto il quale, per due lire al giorno, stando a guardarli, o anche senza guardarli affatto, ne avesse sopportato per alcune ore il tanfo della muffa e del vecchiume.

Tal sorte toccò anche a me; e fin dal primo giorno io concepii così misera stima dei libri, sieno essi a stampa o manoscritti (come alcuni antichissimi della nostra biblioteca), che ora non mi sarei mai e poi mai messo a scrivere, se, come ho detto, non stimassi davvero strano il mio caso e tale da poter servire d'ammaestramento a qualche curioso lettore, che per avventura, riducendosi finalmente a effetto l'antica speranza della buon'anima di monsignor Boccamazza, capitasse in questa biblioteca, a cui io lascio questo mio manoscritto, con l'obbligo però che nessuno possa aprirlo se non cinquant'anni dopo la mia *terza, ultima* e *definitiva* morte.

Giacché, per il momento (e Dio sa quanto me ne duole), io sono morto, sì, già due volte, ma la prima per errore, e la seconda... sentirete.

II. *Premessa seconda (filosofica) a mo' di scusa*

L'idea, o piuttosto, il consiglio di scrivere mi è venuto dal mio reverendo amico don Eligio Pellegrinotto, che al presente ha in custodia i libri della Boccamazza, e al quale io affido il manoscritto appena sarà terminato, se mai sarà.

Lo scrivo qua, nella chiesetta sconsacrata, al lume che mi viene dalla lanterna lassù, della cupola; qua, nell'abside riservata al bibliotecario e chiusa da una bassa cancellata di legno a pilastrini, mentre don Eligio sbuffa sotto l'incarico che si è eroicamente assunto di mettere un po' d'ordine in questa vera babilonia di libri. Temo che non ne verrà mai a capo. Nessuno prima di lui s'era curato di sapere, almeno all'ingrosso, dando di sfuggita un'occhiata ai dorsi, che razza di libri quel Monsignore avesse donato al Comune: si riteneva che tutti o quasi dovessero trattare di materie religiose. Ora il Pellegrinotto ha scoperto, per maggior sua consolazione, una varietà grandissima di materie nella biblioteca di Monsignore; e siccome i libri furon presi di qua e di là nel magazzino e accozzati così come venivano sotto mano, la confusione è indescrivibile. Si sono strette per la vicinanza fra questi libri amicizie oltre ogni dire speciose: don Eligio Pellegrinotto mi ha detto, ad esempio, che ha stentato non poco a staccare da un trattato molto licenzioso *Dell'arte di amar le donne*, libri tre di Anton Muzio Porro, dell'anno 1571, una *Vita e morte di Faustino Materucci, Benedettino di Polirone, che taluni chiamano beato*, biografia edita a Mantova nel 1625. Per l'umidità, le legature de' due volumi si erano fraternamente appiccicate. Notare che nel libro secondo di quel trattato licenzioso si discorre a lungo della vita e delle avventure monacali.

Molti libri curiosi e piacevolissimi don Eligio Pellegrinotto, arrampicato tutto il giorno su una scala da lampionajo, ha pescato negli scaffali della biblioteca. Ogni qual volta ne trova uno, lo lancia dall'alto, con garbo, sul tavolone che sta in mezzo; la chiesetta ne rintrona; un nugolo di polvere si leva, da cui due o tre ragni scappano via spaventati: io accorro dall'abside, scavalcando la cancellata; do prima col libro stesso la caccia ai ragni su pe'l tavolone polveroso; poi apro il libro e mi metto a leggiucchiarlo.

Così, a poco a poco, ho fatto il gusto a siffatte letture. Ora don Eligio mi dice che il mio libro dovrebbe esser condotto sul modello di questi ch'egli va scovando nella biblioteca, aver cioè il loro particolar sapore. Io scrollo le spalle e gli rispondo che non è fatica per me. E poi altro mi trattiene.

Tutto sudato e impolverato, don Eligio scende dalla scala e viene a prendere una boccata d'aria nell'orticello che ha trovato modo di far sorgere qui dietro l'abside, riparato giro giro da stecchi e spuntoni.

– Eh, mio reverendo amico, – gli dico io, seduto sul murello, col mento appoggiato al pomo del bastone, mentr'egli attende alle sue lattughe. – Non mi par più tempo, questo, di scriver libri, neppure per ischerzo. In considerazione anche della letteratura, come per tutto il resto, io debbo ripetere il mio solito ritornello: *Maledetto sia Copernico!*

– Oh oh oh, che c'entra Copernico! – esclama don Eligio, levandosi su la vita, col volto infocato sotto il cappellaccio di paglia.

– C'entra, don Eligio. Perché, quando la Terra non girava...

– E dàlli! Ma se ha sempre girato!

– Non è vero. L'uomo non lo sapeva, e dunque era come se non girasse. Per tanti, anche adesso, non gira. L'ho detto l'altro giorno a un vecchio contadino, e sapete come m'ha risposto? ch'era una buona scusa per gli ubriachi. Del resto, anche voi, scusate, non potete mettere in dubbio che Giosuè fermò il Sole. Ma lasciamo star questo. Io dico che quando la Terra non girava, e l'uomo, vestito da greco o da romano, vi faceva così bella figura e così altamente sentiva di sé e tanto si compiaceva della propria dignità, credo bene che potesse riuscire accetta una narrazione minuta e piena d'oziosi particolari. Si legge o non si legge in Quintiliano, come voi m'avete insegnato, che la storia doveva esser fatta per raccontare e non per provare?

– Non nego, – risponde don Eligio, – ma è vero altresì che non si sono mai scritti libri così minuti, anzi minuziosi in tutti i più riposti particolari, come dacché, a vostro dire, la Terra s'è messa a girare.

– E va bene! *Il signor conte si levò per tempo, alle ore otto e mezzo precise... La signora contessa indossò un abito lilla con una ricca fioritura di merletti alla gola... Teresina si moriva di fame... Lucrezia spasimava d'amore...* Oh, santo Dio! e che volete che me n'importi? Siamo o non siamo su un'invisibile trottolina, cui fa da ferza un fil di sole, su un granellino di sabbia impazzito che gira e gira e gira, senza saper perché, senza pervenir mai a destino, come se ci provasse gusto a girar così, per farci sentire ora un po' più di caldo, ora un po' più di freddo, e per farci morire – spesso con la coscienza d'aver commesso una sequela di piccole sciocchezze dopo cinquanta o sessanta giri? Copernico, Copernico, don Eligio mio, ha rovinato l'umanità, irrimediabilmente. Ormai noi tutti ci siamo a poco a poco adattati alla nuova concezione dell'infinita nostra piccolezza, a considerarci anzi men che niente nell'Universo, con tutte le nostre belle scoperte e invenzioni; e che valore dunque volete che abbiano le notizie, non dico delle nostre miserie particolari, ma anche delle generali calamità? Storie di vermucci ormai, le nostre. Avete letto di quel piccolo disastro delle Antille? Niente. La Terra, poverina, stanca di girare, come vuole quel canonico polacco, senza scopo, ha avuto un piccolo moto d'impazienza, e ha sbuffato un po' di fuoco per una delle tante sue bocche. Chi sa che cosa le aveva mosso quella specie di bile. Forse la stupidità degli uomini che non sono stati mai così nojosi come adesso. Basta. Parecchie migliaia di vermucci abbrustoliti. E tiriamo innanzi. Chi ne parla più?

Don Eligio Pellegrinotto mi fa però osservare che, per quanti sforzi facciamo nel crudele intento di strappare, di distruggere le illusioni che la provvida natura ci aveva create a fin di bene, non ci riusciamo. Per fortuna, l'uomo si distrae facilmente.

Questo è vero. Il nostro Comune, in certe notti segnate nel calendario, non fa accendere i lampioni, e spesso – se è nuvolo – ci lascia al bujo.

Il che vuol dire, in fondo, che noi anche oggi crediamo che la luna non stia per altro nel cielo, che per farci lume di notte, come il sole di giorno, e le stelle per offrirci un magnifico spettacolo. Sicuro. E dimentichiamo spesso e volentieri di essere atomi infinitesimali per rispettarci e ammirarci a vicenda, e siamo capaci di azzuffarci per un pezzettino di terra o di dolerci di certe cose, che, ove fossimo veramente compenetrati di quello che siamo, dovrebbero parerci miserie incalcolabili.

Ebbene, in grazia di questa distrazione provvidenziale, oltre che per la stranezza del mio caso, io parlerò di me, ma quanto più brevemente mi sarà possibile, dando cioè soltanto quelle notizie che stimerò necessarie.

Alcune di esse, certo, non mi faranno molto onore; ma io mi trovo ora in una condizione così eccezionale, che posso considerarmi come già fuori della vita; e dunque senza obblighi e senza scrupoli di sorta.

Cominciamo.

III. *La casa e la talpa*

Ho detto troppo presto, in principio, che ho conosciuto mio padre. Non l'ho conosciuto. Avevo quattr'anni e mezzo quand'egli morì. Andato con un suo trabaccolo in Corsica, per certi negozii che vi faceva, non tornò più, ucciso da una perniciosa, in tre giorni, a trentotto anni. Lasciò tuttavia nell'agiatezza la moglie e i due figli: Mattia (che sarei io, e fui) e Roberto, maggiore di me di due anni.

Qualche vecchio del paese si compiace ancora di dare a credere che la ricchezza di mio padre (la quale pure non gli dovrebbe più dar ombra, passata com'è da un pezzo in altre mani) avesse origini – diciamo così – misteriose.

Vogliono che se la fosse procacciata giocando a carte, a Marsiglia, col capitano d'un vapore mercantile inglese, il quale, dopo aver perduto tutto il denaro che aveva seco, e non doveva esser poco, si era anche giocato un grosso carico di zolfo imbarcato nella lontana Sicilia per conto d'un negoziante di Liverpool (sanno anche questo! e il nome?), d'un negoziante di Liverpool, che aveva noleggiato il vapore; quindi, per disperazione, salpando, s'era annegato in alto mare. Così il vapore era approdato a Liverpool, alleggerito anche del peso del capitano. Fortuna che aveva per zavorra la malignità de' miei compaesani.

Possedevamo terre e case. Sagace e avventuroso, mio padre non ebbe mai pe' suoi commerci stabile sede: sempre in giro con quel suo trabaccolo, dove trovava meglio e più opportunamente comprava e subito rivendeva mercanzie d'ogni genere; e perché non fosse tentato a imprese troppo grandi e rischiose, investiva a mano a mano i guadagni in terre e case, qui, nel proprio paesello, dove presto forse contava di riposarsi negli agi faticosamente acquistati, contento e in pace tra la moglie e i figliuoli.

Così acquistò prima la terra delle *Due Riviere*, ricca di olivi e di gelsi, poi il podere della *Stìa*, anch'esso riccamente beneficato e con una bella sorgiva d'acqua, che fu presa quindi per il molino; poi tutta la poggiata dello *Sperone*, ch'era il miglior vigneto della nostra contrada, e infine *San Rocchino*, ove edificò una villa deliziosa. In paese, oltre alla casa in cui abitavamo, acquistò due altre case e tutto quell'isolato, ora ridotto e acconciato ad arsenale.

La sua morte quasi improvvisa fu la nostra rovina. Mia madre, inetta al governo dell'eredità, dovette affidarlo a uno che, per aver ricevuto tanti beneficii da mio padre fino a cangiar di stato, stimò dovesse sentir l'obbligo di almeno un po' di gratitudine, la quale, oltre lo zelo e l'onestà, non gli sarebbe costata sacrifizii d'alcuna sorta, poiché era lautamente remunerato.

Santa donna, mia madre! D'indole schiva e placidissima, aveva così scarsa esperienza della vita e degli uomini! A sentirla parlare, pareva una bambina. Parlava con accento nasale e rideva anche col naso, giacché ogni volta, come si vergognasse di ridere, stringeva le labbra. Gracilissima di complessione, fu, dopo la morte di mio padre, sempre malferma in salute; ma non si lagnò mai de' suoi mali, né credo se ne infastidisse neppure con se stessa, accettandoli, rassegnata, come una conseguenza naturale della sua sciagura. Forse si aspettava di morire anch'essa, dal cordoglio, e doveva dunque ringraziare Iddio che la teneva in vita, pur così tapina e tribolata, per il bene dei figliuoli.

Aveva per noi una tenerezza addirittura morbosa, piena di palpiti e di sgomento: ci voleva sempre vicini, quasi temesse di perderci, e spesso mandava in giro le serve per la vasta casa, appena qualcuno di noi si fosse un po' allontanato.

Come una cieca, s'era abbandonata alla guida del marito; rimastane senza, si sentì sperduta nel mondo. E non uscì più di casa, tranne le domeniche, di mattina per tempo, per andare a messa nella prossima chiesa, accompagnata dalle due vecchie serve, ch'ella trattava come parenti. Nella stessa casa, anzi, si restrinse a vivere in tre camere soltanto, abbandonando le molte altre alle scarse cure delle serve e alle nostre diavolerie.

Spirava, in quelle stanze, da tutti i mobili d'antica foggia, dalle tende scolorite, quel tanfo speciale delle cose antiche, quasi il respiro d'un altro tempo; e ricordo che più d'una volta io mi guardai attorno con una strana costernazione che mi veniva dalla immobilità silenziosa di quei vecchi oggetti da tanti anni lì senz'uso, senza vita.

Fra coloro che più spesso venivano a visitar la mamma era una sorella di mio padre, zitellona bisbetica, con un pajo d'occhi da furetto, bruna e fiera. Si chiamava Scolastica. Ma si tratteneva, ogni volta, pochissimo, perché tutt'a un tratto, discorrendo, s'infuriava, e scappava via senza salutare nessuno. Io, da ragazzo, ne avevo una gran paura. La guardavo con tanto d'occhi, specialmente quando la vedevo scattare in piedi su le furie e le sentivo gridare, rivolta a mia madre e pestando rabbiosamente un piede sul pavimento:

– Senti il vuoto? La talpa! la talpa!

Alludeva al Malagna, all'amministratore che ci scavava soppiatto la fossa sotto i piedi.

Zia Scolastica (l'ho saputo dipoi) voleva a tutti i costi che mia madre riprendesse marito. Di solito, le cognate non hanno di queste idee né dànno di questi consigli. Ma ella aveva un sentimento aspro e dispettoso della giustizia; e più per questo, certo, che per nostro amore, non sapeva tollerare che quell'uomo ci rubasse così, a man salva. Ora, data l'assoluta inettitudine e la cecità di mia madre, non ci vedeva altro rimedio, che un secondo marito. E lo designava anche in persona d'un pover'uomo, che si chiamava Gerolamo Pomino.

Costui era vedovo, con un figliuolo, che vive tuttora e si chiama Gerolamo come il padre: amicissimo mio, anzi più che amico, come dirò appresso. Fin da ragazzo veniva col padre in casa nostra, ed era la disperazione mia e di mio fratello Berto.

Il padre, da giovane, aveva aspirato lungamente alla mano di zia Scolastica, che non aveva voluto saperne, come non aveva voluto saperne, del resto, di alcun altro; e non già perché non si fosse sentita disposta ad amare, ma perché il più lontano sospetto che l'uomo da lei amato avesse potuto anche col solo pensiero tradirla, le avrebbe fatto commettere – diceva – un delitto. Tutti finti, per lei, gli uomini, birbanti e traditori. Anche Pomino? No, ecco: Pomino, no. Ma se n'era accorta troppo tardi. Di tutti gli uomini che avevano chiesto la sua mano, e che poi si erano ammogliati, ella era riuscita a scoprire qualche tradimento, e ne aveva ferocemente goduto. Solo di Pomino, niente; anzi il pover'uomo era stato un martire della moglie.

E perché dunque, ora, non lo sposava lei? Oh bella, perché era vedovo! era appartenuto a un'altra donna, alla quale forse, qualche volta, avrebbe potuto pensare. E poi perché... via! si vedeva da cento miglia lontano, non ostante la timidezza: era innamorato, era innamorato... s'intende di chi, quel povero signor Pomino!

Figurarsi se mia madre avrebbe mai acconsentito. Le sarebbe parso un vero e proprio sacrilegio. Ma non credeva forse neppure, poverina, che zia Scolastica dicesse sul serio; e rideva in quel suo modo particolare alle sfuriate della cognata, alle esclamazioni del povero signor Pomino, che si trovava lì presente a quelle discussioni, e al quale la zitellona scaraventava le lodi più sperticate.

M'immagino quante volte egli avrà esclamato, dimenandosi su la seggiola, come su un arnese di tortura:

– Oh santo nome di Dio benedetto!

Omino lindo, aggiustato, dagli occhietti ceruli mansueti, credo che s'incipriasse e avesse anche la debolezza di passarsi un po' di rossetto, appena appena, un velo, su le guance: certo si compiaceva d'aver conservato fino alla sua età i capelli, che si pettinava con grandissima cura, a farfalla, e si rassettava continuamente con le mani.

Io non so come sarebbero andati gli affari nostri, se mia madre, non certo per sé ma in considerazione dell'avvenire dei suoi figliuoli, avesse seguìto il consiglio di zia Scolastica e sposato il signor Pomino. È fuor di dubbio però che peggio di come andarono, affidati al Malagna (la talpa!), non sarebbero potuti andare.

Quando Berto e io fummo cresciuti, gran parte degli averi nostri, è vero, era andata in fumo; ma avremmo potuto almeno salvare dalle grinfie di quel ladro il resto che, se non più agiatamente, ci avrebbe certo permesso di vivere senza bisogni. Fummo due scioperati; non ci volemmo dar pensiero di nulla, seguitando, da grandi, a vivere come nostra madre, da piccoli, ci aveva abituati.

Non aveva voluto nemmeno mandarci a scuola. Un tal Pinzone fu il nostro ajo e precettore. Il suo vero nome era Francesco, o Giovanni, Del Cinque; ma tutti lo chiamavano Pinzone, ed egli ci s'era già tanto abituato che si chiamava Pinzone da sé.

Era d'una magrezza che incuteva ribrezzo; altissimo di statura; e più alto, Dio mio, sarebbe stato, se il busto, tutt'a un tratto, quasi stanco di tallir gracile in sù, non gli si fosse curvato sotto la nuca, in una discreta gobbetta, da cui il collo pareva uscisse penosamente, come quel d'un pollo spennato, con un grosso nottolino protuberante, che gli andava sù e giù. Pinzone si sforzava spesso di tener tra i denti le labbra, come per mordere, castigare e nascondere un risolino tagliente, che gli era proprio; ma lo sforzo in parte era vano, perché questo risolino, non potendo per le labbra così imprigionate, gli scappava per gli occhi, più acuto e beffardo che mai.

Molte cose con quegli occhietti egli doveva vedere nella nostra casa, che né la mamma né noi vedevamo. Non parlava, forse perché non stimava dover suo parlare, o perché – com'io ritengo più probabile – ne godeva in segreto, velenosamente.

Noi facevamo di lui tutto quello che volevamo; egli ci lasciava fare; ma poi, come se volesse stare in pace con la propria coscienza, quando meno ce lo saremmo aspettato, ci tradiva.

Un giorno, per esempio, la mamma gli ordinò di condurci in chiesa; era prossima la Pasqua, e dovevamo confessarci. Dopo la confessione, una breve visitina alla moglie inferma del Malagna, e subito a casa. Figurarsi che divertimento! Ma, appena in istrada, noi due proponemmo a Pinzone una scappatella: gli avremmo pagato un buon litro di vino, purché lui, invece che in chiesa e dal Malagna, ci avesse lasciato andare alla *Stìa* in cerca di nidi. Pinzone accettò, felicissimo, stropicciandosi le mani, con gli occhi sfavillanti. Bevve; andammo nel podere; fece il matto con noi per circa tre ore, ajutandoci ad arrampicarci su gli alberi, arrampicandocisi egli stesso. Ma alla sera, di ritorno a casa, appena la mamma gli domandò se avevamo fatto la nostra confessione e la visita al Malagna:

– Ecco, le dirò... – rispose, con la faccia più tosta del mondo; e le narrò per filo e per segno quanto avevamo fatto.

Non giovavano a nulla le vendette che di questi suoi tradimenti noi ci prendevamo. Eppure ricordo che non eran da burla. Una sera, per esempio, io e Berto, sapendo che egli soleva dormire, seduto su la cassapanca, nella saletta d'ingresso, in attesa della cena, saltammo furtivamente dal letto, in cui ci avevano messo per castigo prima dell'ora solita, riuscimmo a scovare una canna di stagno, da serviziale, lunga due palmi, la riempimmo d'acqua saponata nella vaschetta del bucato; e, così armati, andammo cautamente a lui, gli accostammo la canna alle nari – e *zifff!* –. Lo vedemmo balzare fin sotto al soffitto.

Quanto con un siffatto precettore dovessimo profittar nello studio, non sarà difficile immaginare. La colpa però non era tutta di Pinzone; ché egli anzi, pur di farci imparare qualche cosa, non badava a metodo né a disciplina, e ricorreva a mille espedienti per fermare in qualche modo la nostra attenzione. Spesso con me, ch'ero di natura molto impressionabile, ci riusciva. Ma egli aveva una erudizione tutta sua particolare, curiosa e bislacca. Era, per esempio, dottissimo in bisticci: conosceva la poesia fidenziana e la maccaronica, la burchiellesca e la leporeambica, e citava allitterazioni e annominazioni e versi correlativi e incatenati e retrogradi di tutti i poeti perdigiorni, e non poche rime balzane componeva egli stesso.

Ricordo a *San Rocchino*, un giorno, ci fece ripetere alla collina dirimpetto non so più quante volte questa sua *Eco*:

> *In cuor di donna quanto dura amore?*
> – (Ore).
> *Ed ella non mi amò quant'io l'amai?*
> – (Mai).
> *Or chi sei tu che sì ti lagni meco?*
> – (Eco).

E ci dava a sciogliere tutti gli *Enimmi* in ottava rima di Giulio Cesare Croce, e quelli in sonetti del Moneti e gli altri, pure in sonetti, d'un altro scioperatissimo che aveva avuto il coraggio di nascondersi sotto il nome di Caton l'Uticense. Li aveva trascritti con inchiostro tabaccoso in un vecchio cartolare dalle pagine ingiallite.

– Udite, udite quest'altro dello Stigliani. Bello! Che sarà? Udite:

> *A un tempo stesso io mi son una, e due,*
> *E fo due ciò ch'era una primamente.*
> *Una mi adopra con le cinque sue*
> *Contra infiniti che in capo ha la gente.*
> *Tutta son bocca dalla cinta in sue,*
> *E più mordo sdentata che con dente.*
> *Ho due bellichi a contrapposti siti,*
> *Gli occhi ho ne' piedi, e spesso a gli occhi i diti.*

Mi pare di vederlo ancora, nell'atto di recitare, spirante delizia da tutto il volto, con gli occhi semichiusi, facendo con le dita il chiocciolino.

Mia madre era convinta che al bisogno nostro potesse bastare ciò che Pinzone c'insegnava; e credeva fors'anche, nel sentirci recitare gli enimmi del Croce o dello Stigliani, che ne avessimo già di avanzo. Non così zia Scolastica, la quale – non riuscendo ad appioppare a mia madre il suo prediletto Pomino – s'era messa a perseguitar Berto e me. Ma noi, forti della protezione della mamma, non le davamo retta, e lei si stizziva così fieramente che, se avesse potuto senza farsi vedere o sentire, ci avrebbe certo picchiato fino a levarci la pelle. Ricordo che una volta, scappando via al solito su le furie, s'imbatté in me per una delle stanze abbandonate; m'afferrò per il mento, me lo strinse forte forte con le dita, dicendomi: – *Bellino! bellino! bellino!* – e accostandomi, man mano che diceva, sempre più il volto al volto, con gli occhi negli occhi, finché poi emise una specie di grugnito e mi lasciò, ruggendo tra i denti:

– Muso di cane!

Ce l'aveva specialmente con me, che pure attendevo agli strampalati insegnamenti di Pinzone senza confronto più di Berto. Ma doveva esser la mia

faccia placida e stizzosa e quei grossi occhiali rotondi che mi avevano imposto per raddrizzarmi un occhio, il quale, non so perché, tendeva a guardare per
conto suo, altrove.

Erano per me, quegli occhiali, un vero martirio. A un certo punto, li buttai
via e lasciai libero l'occhio di guardare dove gli piacesse meglio. Tanto, se
dritto, quest'occhio non m'avrebbe fatto bello. Ero pieno di salute, e mi bastava.

A diciott'anni m'invase la faccia un barbone rossastro e ricciuto, a scàpito
del naso piuttosto piccolo, che si trovò come sperduto tra esso e la fronte spaziosa e grave.

Forse, se fosse in facoltà dell'uomo la scelta d'un naso adatto alla propria
faccia, o se noi, vedendo un pover'uomo oppresso da un naso troppo grosso
per il suo viso smunto, potessimo dirgli: «*Questo naso sta bene a me, e me lo
piglio*»; forse, dico, io avrei cambiato il mio volentieri, e così anche gli occhi
e tante altre parti della mia persona. Ma sapendo bene che non si può, rassegnato alle mie fattezze, non me ne curavo più che tanto.

Berto, al contrario, bello di volto e di corpo (almeno paragonato con me),
non sapeva staccarsi dallo specchio e si lisciava e si accarezzava e sprecava
denari senza fine per le cravatte più nuove, per i profumi più squisiti e per la
biancheria e il vestiario. Per fargli dispetto, un giorno, io presi dal suo guardaroba una marsina nuova fiammante, un panciotto elegantissimo di velluto
nero, il gibus, e me ne andai a caccia così parato.

Batta Malagna, intanto, se ne veniva a piangere presso mia madre le mal'annate che lo costringevano a contrar debiti onerosissimi per provvedere alle nostre spese eccessive e ai molti lavori di riparazione di cui avevano continuamente bisogno le campagne.

– Abbiamo avuto un'altra bella bussata! – diceva ogni volta, entrando.

La nebbia aveva distrutto sul nascere le olive, a *Due Riviere*; oppure la fil-
lossera i vigneti dello *Sperone*. Bisognava piantare vitigni americani, resistenti
al male. E dunque, altri debiti. Poi il consiglio di vendere lo *Sperone*, per liberarsi dagli strozzini, che lo assediavano. E così prima fu venduto lo *Sperone*,
poi *Due Riviere*, poi *San Rocchino*. Restavano le case e il podere della *Stìa*,
col molino. Mia madre s'aspettava ch'egli un giorno venisse a dire ch'era seccata la sorgiva.

Noi fummo, è vero, scioperati, e spendevamo senza misura; ma è anche vero
che un ladro più ladro di Batta Malagna non nascerà mai più su la faccia della
terra. È il meno che io possa dirgli, in considerazione della parentela che fui
costretto a contrarre con lui.

Egli ebbe l'arte di non farci mancare mai nulla, finché visse mia madre. Ma
quell'agiatezza, quella libertà fino al capriccio, di cui ci lasciava godere, serviva a nascondere l'abisso che poi, morta mia madre, ingojò me solo; giacché
mio fratello ebbe la ventura di contrarre a tempo un matrimonio vantaggioso.

Il mio matrimonio, invece...

– Bisognerà pure che ne parli, eh, don Eligio, del mio matrimonio:

Arrampicato là, su la sua scala da lampionajo, don Eligio Pellegrinotto mi risponde:

– E come no? Sicuro. Pulitamente...

– Ma che pulitamente! Voi sapete bene che...

Don Eligio ride, e tutta la chiesetta sconsacrata con lui. Poi mi consiglia:

– S'io fossi in voi, signor Pascal, vorrei prima leggermi qualche novella del
Boccaccio o del Bandello. Per il tono, per il tono...

Ce l'ha col tono, don Eligio. Auff! Io butto giù come vien viene.

Coraggio, dunque; avanti!

IV. *Fu così*

Un giorno, a caccia, mi fermai, stranamente impressionato, innanzi a un pagliajo nano e panciuto, che aveva un pentolino in cima allo stollo.

– Ti conosco, – gli dicevo, – ti conosco...

Poi, a un tratto, esclamai:

– To'! Batta Malagna.

Presi un tridente, ch'era lì per terra, e glielo infissi nel pancione con tanta voluttà, che il pentolino in cima allo stollo per poco non cadde. Ed ecco Batta Malagna, quando, sudato e sbuffante, portava il cappello su le ventitré.

Scivolava tutto: gli scivolavano nel lungo faccione, di qua e di là, le sopracciglia e gli occhi; gli scivolava il naso su i baffi melensi e sul pizzo; gli scivolavano dall'attaccatura del collo le spalle; gli scivolava il pancione languido, enorme, quasi fino a terra, perché, data l'imminenza di esso su le gambette tozze, il sarto, per vestirgli quelle gambette, era costretto a tagliargli quanto mai agiati i calzoni; cosicché, da lontano, pareva che indossasse invece, bassa bassa, una veste, e che la pancia gli arrivasse fino a terra.

Ora come, con una faccia e con un corpo così fatti, Malagna potesse esser tanto ladro, io non so. Anche i ladri, m'immagino, debbono avere una certa impostatura, ch'egli mi pareva non avesse. Andava piano, con quella sua pancia pendente, sempre con le mani dietro la schiena, e tirava fuori con tanta fatica quella sua voce molle, miagolante! Mi piacerebbe sapere com'egli li ragionasse con la sua propria coscienza i furti che di continuo perpetrava a nostro danno. Non avendone, come ho detto, alcun bisogno, una ragione a se stesso, una scusa, doveva pur darla. Forse, io dico, rubava per distrarsi in qualche modo, pover'uomo.

Doveva essere infatti, entro di sé, tremendamente afflitto da una di quelle mogli che si fanno rispettare.

Aveva commesso l'errore di scegliersi la moglie d'un paraggio superiore al suo, ch'era molto basso. Or questa donna, sposata a un uomo di condizione pari alla sua, non sarebbe stata forse così fastidiosa com'era con lui, a cui naturalmente doveva dimostrare, a ogni minima occasione, ch'ella nasceva bene e che a casa sua si faceva così e così. Ed ecco il Malagna, obbediente, far così e così, come diceva lei – per parere un signore anche lui. – Ma gli costava tanto! Sudava sempre, sudava.

Per giunta, la signora Guendalina, poco dopo il matrimonio, si ammalò d'un male di cui non poté più guarire, giacché, per guarirne, avrebbe dovuto fare un sacrifizio superiore alle sue forze: privarsi nientemeno di certi pasticcini coi tartufi, che le piacevano tanto, e di simili altre golerìe, e anche, anzi soprattutto, del vino. Non che ne bevesse molto; sfido! nasceva bene: ma non avrebbe dovuto berne neppure un dito, ecco.

Io e Berto, giovinetti, eravamo qualche volta invitati a pranzo dal Malagna. Era uno spasso sentirgli fare, coi dovuti riguardi, una predica alla moglie su la continenza, mentre lui mangiava, divorava con tanta voluttà i cibi più succulenti:

– Non ammetto, – diceva, – che per il momentaneo piacere che prova la gola al passaggio d'un boccone, per esempio, come questo – (*e giù il boccone*) – si debba poi star male un'intera giornata. Che sugo c'è? Io son certo che me ne sentirei, dopo, profondamente avvilito. Rosina! – (*chiamava la serva*) – Dammene ancora un po'. Buona, questa salsa majonese!

– *Majalese!* – scattava allora la moglie inviperita. – Basta così! Guarda, il Signore dovrebbe farti provare che cosa vuol dire star male di stomaco. Impareresti ad aver considerazione per tua moglie.

– Come, Guendalina! Non ne ho? – esclamava Malagna, mentre si versava un po' di vino.

La moglie, per tutta risposta, si levava da sedere, gli toglieva dalle mani il bicchiere e andava a buttare il vino dalla finestra.

– E perché? – gemeva quello, restando.

E la moglie:

– Perché per me è veleno! Me ne vedi versare un dito nel bicchiere? Toglimelo, e va' a buttarlo dalla finestra, come ho fatto io, capisci?

Malagna guardava, mortificato, sorridente, un po' Berto, un po' me, un po' la finestra, un po' il bicchiere; poi diceva:

– Oh Dio, e che sei forse una bambina? Io, con la violenza? Ma no, cara: tu, da te, con la ragione dovresti importelo il freno...

– E come? – gridava la moglie. – Con la tentazione sotto gli occhi? vedendo te che ne bevi tanto e te l'assapori e te lo guardi controlume, per farmi dispetto? Va' là, ti dico! Se fossi un altro marito, per non farmi soffrire...

Ebbene, Malagna arrivò fino a questo: non bevve più vino, per dare esempio di continenza alla moglie, e per non farla soffrire.

Poi – rubava... Eh sfido! Qualche cosa bisognava pur che facesse.

Se non che, poco dopo, venne a sapere che la signora Guendalina se lo beveva di nascosto, lei, il vino. Come se, per non farle male, potesse bastare che il marito non se ne accorgesse. E allora anche lui, Malagna, riprese a bere, ma fuor di casa, per non mortificare la moglie.

Seguitò tuttavia a rubare, è vero. Ma io so ch'egli desiderava con tutto il cuore dalla moglie un certo compenso alle afflizioni senza fine che gli procurava; desiderava cioè che ella un bel giorno si fosse risoluta a mettergli al mondo un figliuolo. Ecco! Il furto allora avrebbe avuto uno scopo, una scusa. Che non si fa per il bene dei figliuoli!

La moglie però deperiva di giorno in giorno, e Malagna non osava neppure di esprimerle questo suo ardentissimo desiderio. Forse ella era anche sterile, di natura. Bisognava aver tanti riguardi per quel suo male. Che se poi fosse morta di parto, Dio liberi?... E poi c'era anche il rischio che non portasse a compimento il figliuolo.

Così si rassegnava.

Era sincero? Non lo dimostrò abbastanza alla morte della signora Guendalina. La pianse, oh la pianse molto, e sempre la ricordò con una devozione così rispettosa che, al posto di lei, non volle più mettere un'altra signora – che! che! – e lo avrebbe potuto bene, ricco come già s'era fatto; ma prese la figlia d'un fattore di campagna, sana, florida, robusta e allegra; e così unicamente perché non potesse esser dubbio che ne avrebbe avuto la prole desiderata. Se si affrettò un po' troppo, via... bisogna pur considerare che non era più un giovanotto e tempo da perdere non ne aveva.

Oliva, figlia di Pietro Salvoni, nostro fattore a *Due Riviere*, io la conoscevo bene, da ragazza.

Per cagion sua, quante speranze non feci concepire alla mamma: ch'io stessi cioè per metter senno e prender gusto alla campagna. Non capiva più nei panni, dalla consolazione, poveretta! Ma un giorno la terribile zia Scolastica le aprì gli occhi:

– E non vedi, sciocca, che va sempre a *Due Riviere*?

– Sì, per il raccolto delle olive.

– D'un'oliva, d'un'oliva, d'un'oliva sola, bietolona!

La mamma allora mi fece una ramanzina coi fiocchi: che mi guardassi bene dal commettere il peccato mortale d'indurre in tentazione e di perdere per sempre una povera ragazza, ecc., ecc.

Ma non c'era pericolo. Oliva era onesta, di una onestà incrollabile, perché radicata nella coscienza del male che si sarebbe fatto, cedendo. Questa coscienza appunto le toglieva tutte quelle insulse timidezze de' finti pudori, e la rendeva ardita e sciolta.

Come rideva! Due ciliege, le labbra. E che denti!

Ma, da quelle labbra, neppure un bacio; dai denti, sì, qualche morso, per castigo, quand'io la afferravo per le braccia e non volevo lasciarla se prima non le allungavo un bacio almeno su i capelli.

Nient'altro.

Ora, così bella, così giovane e fresca, moglie di Batta Malagna... Mah! Chi ha il coraggio di voltar le spalle a certe fortune? Eppure Oliva sapeva bene come il Malagna fosse diventato ricco! Me ne diceva tanto male, un giorno; poi, per questa ricchezza appunto, lo sposò.

Passa intanto un anno dalle nozze; ne passano due; e niente figliuoli.

Malagna, entrato da tanto tempo nella convinzione che non ne aveva avuti dalla prima moglie solo per la sterilità o per la infermità continua di questa, non concepiva ora neppur lontanamente il sospetto che potesse dipender da lui. E cominciò a mostrare il broncio a Oliva.

– Niente?
– Niente.

Aspettò ancora un anno, il terzo: invano. Allora prese a rimbrottarla apertamente; e in fine, dopo un altro anno, ormai disperando per sempre, al colmo dell'esasperazione, si mise a malmenarla senza alcun ritegno; gridandole in faccia che con quella apparente floridezza ella lo aveva ingannato, ingannato, ingannato; che soltanto per aver da lei un figliuolo egli l'aveva innalzata fino a quel posto, già tenuto da una signora, da una vera signora, alla cui memoria, se non fosse stato per questo, non avrebbe fatto mai un tale affronto.

La povera Oliva non rispondeva, non sapeva che dire; veniva spesso a casa nostra per sfogarsi con mia madre, che la confortava con buone parole a sperare ancora, poiché infine era giovane, tanto giovane:

– Vent'anni?
– Ventidue...

E dunque, via! S'era dato più d'un caso d'aver figliuoli anche dopo dieci, anche dopo quindici anni dal giorno delle nozze.

– Quindici? Ma, e lui? Lui era già vecchio; e se...

A Oliva era nato fin dal primo anno il sospetto, che, via, tra lui e lei – come dire? – la mancanza potesse più esser di lui che sua, non ostante che egli si ostinasse a dir di no. Ma se ne poteva far la prova? Oliva, sposando, aveva giurato a se stessa di mantenersi onesta, e non voleva, neanche per riacquistar la pace, venir meno al giuramento.

Come le so io queste cose? Oh bella, come le so!... Ho pur detto che ella veniva a sfogarsi a casa nostra; ho detto che la conoscevo da ragazza; ora la vedevo piangere per l'indegno modo d'agire e la stupida e provocante presunzione di quel laido vecchiaccio, e... debbo proprio dir tutto? Del resto, fu no; e dunque basta.

Me ne consolai presto. Avevo allora, o credevo d'avere (ch'è lo stesso) tante cose per il capo. Avevo anche quattrini, che – oltre al resto – forniscono pure certe idee, le quali senza di essi non si avrebbero. Mi ajutava però maledettamente a spenderli Gerolamo II Pomino, che non ne era mai provvisto abbastanza, per la saggia parsimonia paterna.

Mino era come l'ombra nostra; a turno, mia e di Berto; e cangiava con meravigliosa facoltà scimmiesca, secondo che praticava con Berto o con me. Quando s'appiccicava a Berto, diventava subito un damerino; e il padre allora, che aveva anche lui velleità d'eleganza, apriva un po' la bocca al sacchetto. Ma con Berto ci durava poco. Nel vedersi imitato finanche nel modo di camminare, mio fratello perdeva subito la pazienza, forse per paura del ridicolo, e lo bistrattava fino a cavarselo di torno. Mino allora tornava ad appiccicarsi a me; e il padre a stringer la bocca al sacchetto.

Io avevo con lui più pazienza, perché volentieri pigliavo a godermelo. Poi me ne pentivo. Riconoscevo d'aver ecceduto per causa sua in qualche impresa, o sforzato la mia natura o esagerato la dimostrazione de' miei sentimenti per il gusto di stordirlo o di cacciarlo in qualche impiccio, di cui naturalmente soffrivo anch'io le conseguenze.

Ora Mino, un giorno, a caccia, a proposito del Malagna, di cui gli avevo raccontato le prodezze con la moglie, mi disse che aveva adocchiato una ragazza, figlia d'una cugina del Malagna appunto, per la quale avrebbe commesso volentieri qualche grossa bestialità. Ne era capace; tanto più che la ragazza non pareva restìa; ma egli non aveva avuto modo finora neppur di parlarle.

– Non ne avrai avuto il coraggio, va' là! – dissi io ridendo.

Mino negò; ma arrossì troppo, negando.

– Ho parlato però con la serva, – s'affrettò a soggiungermi – E n'ho saputo di belle, sai? M'ha detto che il tuo *Malanno* lo han lì sempre per casa, e che, così all'aria, le sembra che mediti qualche brutto tiro, d'accordo con la cugina, che è una vecchia strega.

– Che tiro?

– Mah, dice che va lì a piangere la sua sciagura, di non aver figliuoli. La vecchia, dura, arcigna, gli risponde che gli sta bene. Pare che essa, alla morte della prima moglie del Malagna, si fosse messo in capo di fargli sposare la propria figliuola e si fosse adoperata in tutti i modi per riuscirvi; che poi, disillusa, n'abbia detto di tutti i colori all'indirizzo di quel bestione, nemico dei parenti, traditore del proprio sangue, ecc., ecc., e che se la sia presa anche con la figliuola che non aveva saputo attirare a sé lo zio. Ora, infine, che il vecchio si dimostra tanto pentito di non aver fatto lieta la nipote, chi sa qual'altra perfida idea quella strega può aver concepito.

Mi turai gli orecchi con le mani, gridando a Mino:

– Sta' zitto!

Apparentemente, no; ma in fondo ero pur tanto ingenuo, in quel tempo. Tuttavia – avendo notizia delle scene ch'erano avvenute e avvenivano in casa Malagna – pensai che il sospetto di quella serva potesse in qualche modo esser fondato; e volli tentare, per il bene d'Oliva, se mi fosse riuscito d'appurare qualche cosa. Mi feci dare da Mino il recapito di quella strega. Mino mi si raccomandò per la ragazza.

– Non dubitare, – gli risposi. – La lascio a te, che diamine!

E il giorno dopo, con la scusa d'una cambiale, di cui per combinazione quella mattina stessa avevo saputo dalla mamma la scadenza in giornata, andai a scovar Malagna in casa della vedova Pescatore.

Avevo corso apposta, e mi precipitai dentro tutto accaldato e in sudore.

– Malagna, la cambiale!

Se già non avessi saputo ch'egli non aveva la coscienza pulita, me ne sarei accorto senza dubbio quel giorno vedendolo balzare in piedi pallido, scontraffatto, balbettando:

– Che... che cam..., che cambiale?

– La cambiale così e così, che scade oggi... Mi manda la mamma, che n'è tanto impensierita!

Batta Malagna cadde a sedere, esalando in un *ah* interminabile tutto lo spavento che per un istante lo aveva oppresso.

– Ma fatto!... tutto fatto!... Perbacco, che soprassalto... L'ho rinnovata, eh? a tre mesi, pagando i frutti, s'intende. Ti sei davvero fatta codesta corsa per così poco?

E rise, rise, facendo sobbalzare il pancione; m'invitò a sedere; mi presentò alle donne.

– Mattia Pascal. Marianna Dondi, vedova Pescatore, mia cugina. Romilda, mia nipote.

Volle che, per rassettarmi dalla corsa, bevessi qualcosa.

– Romilda, se non ti dispiace...

Come se fosse a casa sua.

Romilda si alzò, guardando la madre, per consigliarsi con gli occhi di lei, e poco dopo, non ostanti le.mie proteste, tornò con un piccolo vassojo su cui era un bicchiere e una bottiglia di vermouth. Subito, a quella vista, la madre si alzò indispettita, dicendo alla figlia:

– Ma no! ma no! Da' qua!

Le tolse il vassojo dalle mani e uscì per rientrare poco dopo con un altro vassojo di lacca, nuovo fiammante, che reggeva una magnifica rosoliera: un elefante inargentato, con una botte di vetro sul groppone, e tanti bicchierini appesi tutt'intorno, che tintinnivano.

Avrei preferito il vermouth. Bevvi il rosolio. Ne bevvero anche il Malagna e la madre. Romilda, no.

Mi trattenni poco, quella prima volta, per avere una scusa a tornare: dissi che mi premeva di rassicurar la mamma intorno a quella cambiale, e che sarei venuto di lì a qualche giorno a goder con più agio della compagnia delle signore.

Non mi parve, dall'aria con cui mi salutò, che Marianna Dondi, vedova Pescatore, accogliesse con molto piacere l'annunzio d'una mia seconda visita: mi porse appena la mano: gelida mano, secca, nodosa, gialliccia; e abbassò gli occhi e strinse le labbra. Mi compensò la figlia con un simpatico sorriso che prometteva cordiale accoglienza, e con uno sguardo, dolce e mesto a un tempo, di quegli occhi che mi fecero fin dal primo vederla una così forte impressione: occhi d'uno strano color verde, cupi, intensi, ombreggiati da lunghissime ciglia; occhi notturni, tra due bande di capelli neri come l'ebano, ondulati, che le scendevano su la fronte e su le tempie, quasi a far meglio risaltare la viva bianchezza de la pelle.

La casa era modesta; ma già tra i vecchi mobili si notavano parecchi nuovi venuti, pretensiosi e goffi nell'ostentazione della loro novità troppo appariscente: due grandi lumi di majolica, per esempio, ancora intatti, dai globi di vetro smerigliato, di strana foggia, su un'umilissima mensola dal piano di marmo ingiallito, che reggeva uno specchio tetro in una cornice tonda, qua e là scrostata, la quale pareva si aprisse nella stanza come uno sbadiglio d'affamato. C'era poi, davanti al divanuccio sgangherato, un tavolinetto con le quattro zampe dorate e il piano di porcellana dipinto di vivacissimi colori; poi uno stipetto a muro, di lacca giapponese, ecc., ecc., e su questi oggetti nuovi gli occhi di Malagna si fermavano con evidente compiacenza, come già su la rosoliera recata in trionfo dalla cugina vedova Pescatore.

Le pareti della stanza eran quasi tutte tappezzate di vecchie e non brutte stampe, di cui il Malagna volle farmi ammirare qualcuna, dicendomi ch'erano opera di Francesco Antonio Pescatore, suo cugino, valentissimo incisore (morto pazzo, a Torino, – aggiunse piano), del quale volle anche mostrarmi il ritratto.

– Eseguito con le proprie mani, da sé, davanti allo specchio.

Ora io, guardando Romilda e poi la madre, avevo poc'anzi pensato: «Somiglierà al padre!». Adesso, di fronte al ritratto di questo, non sapevo più che pensare.

Non voglio arrischiare supposizioni oltraggiose. Stimo, è vero, Marianna Dondi, vedova Pescatore, capace di tutto; ma come immaginare un uomo, e per giunta bello, capace d'essersi innamorato di lei? Tranne che non fosse stato un pazzo più pazzo del marito.

Riferii a Mino le impressioni di quella prima visita. Gli parlai di Romilda

con tal calore d'ammirazione, ch'egli subito se ne accese, felicissimo che
anche a me fosse tanto piaciuta e d'aver la mia approvazione.

Io allora gli domandai che intenzioni avesse: la madre, sì, aveva tutta l'aria
d'essere una strega; ma la figliuola, ci avrei giurato, era onesta. Nessun dubbio su le mire infami del Malagna; bisognava dunque, a ogni costo, al più presto, salvare la ragazza.

– E come? – mi domandò Pomino, che pendeva affascinato dalle mie labbra.

– Come? Vedremo. Bisognerà prima di tutto accertarsi di tante cose; andare
in fondo; studiar bene. Capirai, non si può mica prendere una risoluzione così
su due piedi. Lascia fare a me: t'ajuterò. Codesta avventura mi piace.

– Eh... ma... – obbiettò allora Pomino, timidamente, cominciando a sentirsi
sulle spine nel vedermi così infatuato. – Tu diresti forse... sposarla?

– Non dico nulla, io, per adesso. Hai paura, forse?

– No, perché?

– Perché ti vedo correre troppo. Piano piano, e rifletti. Se veniamo a conoscere ch'ella è davvero come dovrebbe essere: buona, saggia, virtuosa (bella
è, non c'è dubbio, e ti piace, non è vero?) – oh! poniamo ora che veramente
ella sia esposta, per la nequizia della madre e di quell'altra canaglia, a un pericolo gravissimo, a uno scempio, a un mercato infame: proveresti ritegno innanzi a un atto meritorio, a un'opera santa, di salvazione?

– Io no... no! – fece Pomino. – Ma... mio padre?

– S'opporrebbe? Per qual ragione? Per la dote, è vero? Non per altro! Perché
ella, sai? è figlia d'un artista, d'un valentissimo incisore, morto... sì, morto
bene, insomma, a Torino... Ma tuo padre è ricco, e non ha che te solo: ti può
dunque contentare, senza badare alla dote! Che se poi, con le buone, non rie-
sci a vincerlo, niente paura: un bel volo dal nido, e s'aggiusta ogni cosa. Pomino, hai il cuore di stoppa?

Pomino rise, e io allora gli dimostrai quattro e quattr'otto che egli era nato
marito, come si nasce poeta. Gli descrissi a vivi colori, seducentissimi, la felicità della vita coniugale con la sua Romilda; l'affetto, le cure, la gratitudine
ch'ella avrebbe avuto per lui, suo salvatore. E, per concludere:

– Tu ora, – gli dissi, – devi trovare il modo e la maniera di farti notare da lei
e di parlarle o di scriverle. Vedi, in questo momento, forse, una tua lettera potrebbe essere per lei, assediata da quel ragno, un'àncora di salvezza. Io intanto
frequenterò la casa; starò a vedere; cercherò di cogliere l'occasione di presen-
tarti. Siamo intesi?

– Intesi.

Perché mostravo tanta smania di maritar Romilda? – Per niente. Ripeto: per
il gusto di stordire Pomino. Parlavo e parlavo, e tutte le difficoltà sparivano.
Ero impetuoso, e prendevo tutto alla leggera. Forse per questo, allora, le
donne mi amavano, non ostante quel mio occhio un po' sbalestrato e il mio
corpo da pezzo da catasta. Questa volta, però, – debbo dirlo – la mia foga
proveniva anche dal desiderio di sfondare la trista ragna ordita da quel laido
vecchio, e farlo restare con un palmo di naso; dal pensiero della povera Oliva;
e anche – perché no? – dalla speranza di fare un bene a quella ragazza che veramente mi aveva fatto una grande impressione.

Che colpa ho io se Pomino eseguì con troppa timidezza le mie prescrizioni?
che colpa ho io se Romilda, invece d'innamorarsi di Pomino, s'innamorò di
me, che pur le parlavo sempre di lui? che colpa, infine, se la perfidia di Marianna Dondi, vedova Pescatore, giunse fino a farmi credere ch'io con la mia
arte, in poco tempo, fossi riuscito a vincere la diffidenza di lei e a fare anche
un miracolo: quello di farla ridere più d'una volta, con le mie uscite balzane?
Le vidi a poco a poco ceder le armi; mi vidi accolto bene; pensai che, con un
giovanotto lì per casa, ricco (io mi credevo ancora ricco) e che dava non dubbii segni di essere innamorato della figlia, ella avesse finalmente smesso la

sua iniqua idea, se pure le fosse mai passata per il capo. Ecco: ero giunto finalmente a dubitarne!

Avrei dovuto, è vero, badare al fatto che non m'era più avvenuto d'incontrarmi col Malagna in casa di lei, e che poteva non esser senza ragione ch'ella mi ricevesse soltanto di mattina. Ma chi ci badava? Era, del resto, naturale, poiché io ogni volta, per aver maggior libertà, proponevo gite in campagna, che si fanno più volentieri di mattina. Mi ero poi innamorato anch'io di Romilda, pur seguitando sempre a parlarle dell'amore di Pomino; innamorato come un matto di quegli occhi belli, di quel nasino, di quella bocca, di tutto, finanche d'un piccolo porro ch'ella aveva sulla nuca, ma finanche d'una cicatrice quasi invisibile in una mano, che le baciavo e le baciavo e le baciavo... per conto di Pomino, perdutamente.

Eppure, forse, non sarebbe accaduto nulla di grave, se una mattina Romilda (eravamo alla *Stìa* e avevamo lasciato la madre ad ammirare il molino), tutt'a un tratto, smettendo lo scherzo troppo ormai prolungato sul suo timido amante lontano, non avesse avuto un'improvvisa convulsione di pianto e non m'avesse buttato le braccia al collo, scongiurandomi tutta tremante che avessi pietà di lei; me la togliessi comunque, purché via lontano, lontano dalla sua casa, lontano da quella sua madraccia, da tutti, subito, subito, subito...

Lontano? Come potevo così subito condurla via, lontano?

Dopo, sì, per parecchi giorni, ancora ebbro di lei, cercai il modo, risoluto a tutto, onestamente. E già cominciavo a predisporre mia madre alla notizia del mio prossimo matrimonio, ormai inevitabile, per debito di coscienza, quando, senza saper perché, mi vidi arrivare una lettera secca secca di Romilda, che mi diceva di non occuparmi più di lei in alcun modo e di non recarmi mai più in casa sua, considerando come finita per sempre la nostra relazione.

Ah sì? E come? Che era avvenuto?

Lo stesso giorno Oliva corse piangendo in casa nostra ad annunziare alla mamma ch'ella era la donna più infelice di questo mondo, che la pace della sua casa era per sempre distrutta. Il suo uomo era riuscito a far la prova che non mancava per lui aver figliuoli; era venuto ad annunziarglielo, trionfante.

Ero presente a questa scena. Come abbia fatto a frenarmi lì per lì, non so. Mi trattenne il rispetto per la mamma. Soffocato dall'ira, dalla nausea, scappai a chiudermi in camera, e solo, con le mani tra i capelli, cominciai a domandarmi come mai Romilda, dopo quanto era avvenuto fra noi, si fosse potuta prestare a tanta ignominia! Ah, degna figlia della madre! Non il vecchio soltanto avevano entrambe vilissimamente ingannato, ma anche me, anche me! E, come la madre, anche lei dunque si era servita di me, vituperosamente, per il suo fine infame, per la sua ladra voglia! E quella povera Oliva, intanto! Rovinata, rovinata...

Prima di sera uscii, ancor tutto fremente, diretto alla casa d'Oliva. Avevo con me, in tasca, la lettera di Romilda.

Oliva, in lagrime, raccoglieva le sue robe: voleva tornare dal suo babbo, a cui finora, per prudenza, non aveva fatto neppure un cenno di quanto le era toccato a soffrire.

– Ma, ormai, che sto più a farci? – mi disse. – È finita! Se si fosse almeno messo con qualche altra, forse...

– Ah tu sai dunque, – le domandai, – con chi s'è messo?

Chinò più volte il capo, tra i singhiozzi, e si nascose la faccia tra le mani.

– Una ragazza! – esclamò poi, levando le braccia. – E la madre! la madre! la madre! D'accordo, capisci? La propria madre!

– Lo dici a me? – feci io. – Tieni: leggi.

E le porsi la lettera.

Oliva la guardò, come stordita; la prese e mi domandò:

– Che vuol dire?

Sapeva leggere appena. Con lo sguardo mi chiese se fosse proprio necessario ch'ella facesse quello sforzo, in quel momento.

– Leggi, – insistetti io.

E allora ella si asciugò gli occhi, spiegò il foglio e si mise a interpretar la scrittura, pian piano, sillabando. Dopo le prime parole, corse con gli occhi alla firma, e mi guardò, sgranando gli occhi:

– Tu?

– Da' qua, – le dissi, – te la leggo io, per intero.

Ma ella si strinse la carta contro il seno:

– No! – gridò. – Non te la do più! Questa ora mi serve!

– E a che potrebbe servirti? – le domandai, sorridendo amaramente. – Vorresti mostrargliela? Ma in tutta codesta lettera non c'è una parola per cui tuo marito potrebbe non creder più a ciò che egli invece è felicissimo di credere. Te l'hanno accalappiato bene, va' là!

– Ah, è vero! è vero! – gemette Oliva. – Mi è venuto con le mani in faccia, gridandomi che mi fossi guardata bene dal metter in dubbio l'onorabilità di sua nipote!

– E dunque? – dissi io, ridendo acre. – Vedi? Tu non puoi più ottener nulla negando. Te ne devi guardar bene! Devi anzi dirgli di sì, che è vero, verissimo ch'egli può aver figliuoli... comprendi?

Ora perché mai, circa un mese dopo, Malagna picchiò, furibondo, la moglie, e, con la schiuma ancora alla bocca, si precipitò in casa mia, gridando che esigeva subito una riparazione perché io gli avevo disonorata, rovinata una nipote, una povera orfana? Soggiunse che, per non fare uno scandalo, egli avrebbe voluto tacere. Per pietà di quella poveretta, non avendo egli figliuoli, aveva anzi risoluto di tenersi quella creatura, quando sarebbe nata, come sua. Ma ora che Dio finalmente gli aveva voluto dare la consolazione *d'aver un figliuolo legittimo, lui, dalla propria moglie,* non poteva, non poteva più, in coscienza, fare anche da padre a quell'altro che sarebbe nato da sua nipote.

– Mattia provveda! Mattia ripari! – concluse, congestionato dal furore. – E subito! Mi si obbedisca subito! E non mi si costringa a dire di più, o a fare qualche sproposito!

Ragioniamo un po', arrivati a questo punto. Io n'ho viste di tutti i colori. Passare anche per imbecille o per... peggio, non sarebbe, in fondo, per me, un gran guajo. Già – ripeto – son come fuori della vita, e non m'importa più di nulla. Se dunque, arrivato a questo punto, voglio ragionare, è soltanto per la logica.

Mi sembra evidente che Romilda non ha dovuto far nulla di male, almeno per indurre in inganno lo zio. Altrimenti, perché Malagna avrebbe subito a suon di busse rinfacciato alla moglie il tradimento e incolpato me presso mia madre d'aver recato oltraggio alla nipote?

Romilda infatti sostiene che, poco dopo quella nostra gita allo *Stìa*, sua madre, avendo ricevuto da lei la confessione dell'amore che ormai la legava a me indissolubilmente, montata su tutte le furie, le aveva gridato in faccia che mai e poi mai avrebbe acconsentito a farle sposare uno scioperato, già quasi all'orlo del precipizio. Ora, poiché da sé, ella, aveva recato a se stessa il peggior male che a una fanciulla possa capitare, non restava più a lei, madre previdente, che di trarre da questo male il miglior partito. Quale fosse, era facile intendere. Venuto, all'ora solita, il Malagna, ella andò via, con una scusa, e la lasciò sola con lo zio. E allora, lei, Romilda, piangendo – dice – a calde lagrime, si gittò ai piedi di lui, gli fece intendere la sua sciagura e ciò che la madre avrebbe preteso da lei; lo pregò d'interporsi, d'indurre la madre a più onesti consigli, poiché ella era già d'un altro, a cui voleva serbarsi fedele.

Malagna s'intenerì – ma fino a un certo segno. Le disse che ella era ancor

minorenne, e perciò sotto la potestà della madre, la quale, volendo, avrebbe
potuto anche agire contro di me, giudiziariamente; che anche lui, in coscienza,
non avrebbe saputo approvare un matrimonio con un discolo della mia forza,
sciupone e senza cervello, e che non avrebbe potuto perciò consigliarlo alla
madre; le disse che al giusto e naturale sdegno materno bisognava che lei sa-
crificasse pure qualche cosa, che sarebbe poi stata, del resto, la sua fortuna; e
concluse che egli non avrebbe potuto infine far altro che provvedere – a patto
però che si fosse serbato con tutti il massimo segreto – provvedere al nascituro, fargli da padre, ecco, giacché egli non aveva figliuoli e ne desiderava
tanto e da tanto tempo uno.

Si può essere – domando io – più onesti di così?

Ecco qua: tutto quello che aveva rubato al padre egli lo avrebbe rimesso al
figliuolo nascituro.

Che colpa ha lui, se io, – poi, – ingrato e sconoscente, andai a guastargli le
uova nel paniere?

Due, no! eh, due, no, perbacco!

Gli parvero troppi, forse perché avendo già Roberto, com'ho detto, contratto
un matrimonio vantaggioso, stimò che non lo avesse danneggiato tanto, da
dover rendere anche per lui.

In conclusione, si vede che – capitato in mezzo a così brava gente – tutto il
male lo avevo fatto io. E dovevo dunque scontarlo.

Mi ricusai dapprima, sdegnosamente. Poi, per le preghiere di mia madre, che
già vedeva la rovina della nostra casa e sperava ch'io potessi in qualche modo
salvarmi, sposando la nipote di quel suo nemico, cedetti e sposai.

Mi pendeva, tremenda, sul capo l'ira di Marianna Dondi, vedova Pescatore.

V. *Maturazione*

La strega non si sapeva dar pace:

– Che hai concluso? – mi domandava. – Non t'era bastato, di', esserti introdotto in casa mia come un ladro per insidiarmi la figliuola e rovinarmela? Non
t'era bastato?

– Eh no, cara suocera! – le rispondevo. – Perché, se mi fossi arrestato lì vi
avrei fatto un piacere, reso un servizio...

– Lo senti? – strillava allora alla figlia. – Si vanta, osa vantarsi per giunta
della bella prodezza che è andato a commettere con quella... – e qui una filza
di laide parole all'indirizzo di Oliva; poi, arrovesciando le mani su i fianchi,
appuntando le gomita davanti: – Ma che hai concluso? Non hai rovinato anche
tuo figlio, così? Ma già, a lui, che glien'importa? È suo anche quello, è suo...

Non mancava mai di schizzare in fine questo veleno, sapendo la virtù
ch'esso aveva sull'animo di Romilda, gelosa di quel figlio che sarebbe nato a
Oliva, tra gli agi e in letizia; mentre il suo, nell'angustia, nell'incertezza del
domani, e fra tutta quella guerra. Le facevano crescere questa gelosia anche le
notizie che qualche buona donna, fingendo di non saper nulla, veniva a recarle
della zia Malagna, ch'era così contenta, così felice della grazia che Dio finalmente aveva voluto concederle: ah, si era fatta un fiore; non era stata mai così
bella e prosperosa!

E lei, intanto, ecco: buttata lì su una poltrona, rivoltata da continue nausee;
pallida, disfatta, imbruttita, senza più un momento di bene, senza più voglia
neanche di parlare o d'aprir gli occhi.

Colpa mia anche questa? Pareva di sì. Non mi poteva più né vedere né sentire. E fu peggio, quando per salvare il podere della *Stìa*, col molino, si dovettero vendere le case, e la povera mamma fu costretta a entrar nell'inferno di
casa mia.

Già, quella vendita non giovò a nulla. Il Malagna, con quel figlio nascituro, che lo abilitava ormai a non aver più né ritegno né scrupolo, fece l'ultima: si mise d'accordo con gli strozzini, e comprò lui, senza figurare, le case, per pochi bajocchi. I debiti che gravavano su la *Stìa* restarono così per la maggior parte scoperti; e il podere insieme col molino fu messo dai creditori sotto amministrazione giudiziaria. E fummo liquidati.

Che fare ormai? Mi misi, ma quasi senza speranza, in cerca di un'occupazione qual si fosse, per provvedere ai bisogni più urgenti della famiglia. Ero inetto a tutto; e la fama che m'ero fatta con le mie imprese giovanili e con la mia scioperataggine non invogliava certo nessuno a darmi da lavorare. Le scene poi, a cui giornalmente mi toccava d'assistere e di prender parte in casa mia, mi toglievano quella calma che mi abbisognava per raccogliermi un po' a considerare ciò che avrei potuto e saputo fare.

Mi cagionava un vero e proprio ribrezzo il veder mia madre, lì, in contatto con la vedova Pescatore. La santa vecchietta mia, non più ignara, ma agli occhi miei irresponsabile de' suoi torti, dipesi dal non aver saputo credere fino a tanto alla nequizia degli uomini, se ne stava tutta ristretta in sé, con le mani in grembo, gli occhi bassi, seduta in un cantuccio, ma come se non fosse ben sicura di poterci stare, lì a quel posto; come se fosse sempre in attesa di partire, di partire fra poco – se Dio voleva! E non dava fastidio neanche all'aria. Sorrideva ogni tanto a Romilda, pietosamente; non osava più di accostarsele; perché, una volta, pochi giorni dopo la sua entrata in casa nostra, essendo accorsa a prestarle ajuto, era stata sgarbatamente allontanata da quella strega.

– Faccio io, faccio io; so quel che debbo fare.

Per prudenza, avendo Romilda veramente bisogno d'ajuto in quel momento, m'ero stato zitto; ma spiavo perché nessuno le mancasse di rispetto.

M'accorgevo intanto che questa guardia ch'io facevo a mia madre irritava sordamente la strega e anche mia moglie, e temevo che, quand'io non fossi in casa, esse, per sfogar la stizza e votarsi il cuore della bile, la maltrattassero. Sapevo di certo che la mamma non mi avrebbe detto mai nulla. E questo pensiero mi torturava. Quante, quante volte non le guardai gli occhi per vedere se avesse pianto! Ella mi sorrideva, mi carezzava con lo sguardo, poi mi domandava:

– Perché mi guardi così?

– Stai bene, mamma?

Mi faceva un atto appena appena con la mano e mi rispondeva:

– Bene; non vedi? Va' da tua moglie, va'; soffre, poverina.

Pensai di scrivere a Roberto, a Oneglia, per dirgli che si prendesse lui in casa la mamma, non per togliermi un peso che avrei tanto volentieri sopportato anche nelle ristrettezze in cui mi trovavo, ma per il bene di lei unicamente.

Berto mi rispose che non poteva; non poteva perché la sua condizione di fronte alla famiglia della moglie e alla moglie stessa era penosissima, dopo il nostro rovescio: egli viveva ormai su la dote della moglie, e non avrebbe dunque potuto imporre a questa anche il peso della suocera. Del resto, la mamma – diceva – si sarebbe forse trovata male allo stesso modo in casa sua, perché anche egli conviveva con la madre della moglie, buona donna, sì, ma che poteva diventar cattiva per le inevitabili gelosie e gli attriti che nascono tra suocere. Era dunque meglio che la mamma rimanesse a casa mia; se non altro, non si sarebbe così allontanata negli ultimi anni dal suo paese e non sarebbe stata costretta a cangiar vita e abitudini. Si dichiarava infine dolentissimo di non potere, per tutte le considerazioni esposte più sù, prestarmi un anche menomo soccorso pecuniario, come con tutto il cuore avrebbe voluto.

Io nascosi questa lettera alla mamma. Forse se l'animo esasperato in quel momento non mi avesse offuscato il giudizio, non me ne sarei tanto indignato; avrei considerato, per esempio, secondo la natural disposizione del mio spirito, che se un rosignolo dà via le penne della coda, può dire: mi resta il dono del canto; ma se le fate dar via a un pavone, le penne della coda, che gli resta? Rompere anche per poco l'equilibrio che forse gli costava tanto studio, l'equilibrio per cui poteva vivere pulitamente e fors'anche con una cert'aria di dignità alle spalle della moglie, sarebbe stato per Berto sacrifizio enorme, una perdita irreparabile. Oltre alla bella presenza, alle garbate maniere, a quella sua impostatura d'elegante signore, non aveva più nulla, lui, da dare alla moglie; neppure un briciolo di cuore, che forse l'avrebbe compensata del fastidio che avrebbe potuto recarle la povera mamma mia. Mah! Dio l'aveva fatto così; gliene aveva dato pochino pochino, di cuore. Che poteva farci, povero Berto?

Intanto le angustie crescevano; e io non trovavo da porvi riparo. Furon venduti gli ori della mamma, cari ricordi. La vedova Pescatore, temendo che io e mia madre fra poco dovessimo anche vivere sulla sua rendituccia dotale di quarantadue lire mensili, diventava di giorno in giorno più cupa e di più fosche maniere. Prevedevo da un momento all'altro un prorompimento del suo furore, contenuto ormai da troppo tempo, forse per la presenza e per il contegno della mamma. Nel vedermi aggirar per casa come una mosca senza capo, quella bufera di femmina mi lanciava certe occhiatacce, lampi forieri di tempesta. Uscivo per levar la corrente e impedire la scarica. Ma poi temevo per la mamma, e rincasavo.

Un giorno, però, non feci a tempo. La tempesta, finalmente, era scoppiata, e per un futilissimo pretesto: per una visita delle due vecchie serve alla mamma.

Una di esse, non avendo potuto metter nulla da parte, perché aveva dovuto mantenere una figlia rimasta vedova con tre bambini, s'era subito allogata altrove a servire; ma l'altra, Margherita, sola al mondo, più fortunata, poteva ora riposar la sua vecchiaja, col gruzzoletto raccolto in tanti anni di servizio in casa nostra. Ora pare che con queste due buone donne, già fidate compagne di tanti anni, la mamma si fosse pian piano rammaricata di quel suo misero e amarissimo stato. Subito allora Margherita, la buona vecchierella che già l'aveva sospettato e non osava dirglielo, le aveva profferto d'andar via con lei, a casa sua: aveva due camerette pulite, con un terrazzino che guardava il mare, pieno di fiori: sarebbero state insieme, in pace: oh, ella sarebbe stata felice di poterla ancora servire, di poterle dimostrare ancora l'affetto e la devozione che sentiva per lei.

Ma poteva accettar mia madre la profferta di quella povera vecchia? Donde l'ira della vedova Pescatore.

Io la trovai, rincasando, con le pugna protese contro Margherita, la quale pur le teneva testa coraggiosamente, mentre la mamma, spaventata, con le lagrime agli occhi, tutta tremante, si teneva aggrappata con ambo le mani all'altra vecchietta, come per ripararsi.

Veder mia madre in quell'atteggiamento e perdere il lume degli occhi fu tutt'uno. Afferrai per un braccio la vedova Pescatore e la mandai a ruzzolar lontano. Ella si rizzò in un lampo e mi venne incontro, per saltarmi addosso; ma s'arrestò di fronte a me.

– Fuori! – mi gridò. – Tu e tua madre, via! Fuori di casa mia!

– Senti; – le dissi io allora, con la voce che mi tremava dal violento sforzo che facevo su me stesso per contenermi. – Senti: vattene via tu, or ora, con le tue gambe, e non cimentarmi più. Vattene, per il tuo bene! Vattene!

Romilda, piangendo e gridando, si levò dalla poltrona e venne a buttarsi tra le braccia della madre:

– No! Tu con me, mamma! Non mi lasciare, non mi lasciare qua sola!

Ma quella degna madre la respinse, furibonda:

– L'hai voluto? tientelo ora, codesto mal ladrone! Io vado sola!

Ma non se ne andò, s'intende.

Due giorni dopo, mandata – suppongo – da Margherita, venne in gran furia, al solito, zia Scolastica, per portarsi via con sé la mamma.

Questa scena merita di essere rappresentata.

La vedova Pescatore stava, quella mattina, a fare il pane, sbracciata, con la gonnella tirata sù e arrotolata intorno alla vita, per non sporcarsela. Si voltò appena, vedendo entrare la zia, e seguitò ad abburattare, come se nulla fosse. La zia non ci fece caso; del resto, ella era entrata senza salutar nessuno; diviata a mia madre, come se in quella casa non ci fosse altri che lei.

– Subito, via, vèstiti! Verrai con me. Mi fu sonata non so che campana. Eccomi qua. Via, presto! il fagottino!

Parlava a scatti. Il naso adunco, fiero, nella faccia bruna, itterica, le fremeva, le si arricciava di tratto in tratto, e gli occhi le sfavillavano.

La vedova Pescatore, zitta.

Finito di abburattare, intrisa la farina e coagulatala in pasta, ora essa la brandiva alta e la sbatteva forte apposta, su la madia: rispondeva così a quel che diceva la zia. Questa, allora, rincarò la dose. E quella, sbattendo man mano più forte: «Ma sì! – ma certo! – ma come no? – ma sicuramente!»; poi, come se non bastasse, andò a prendere il matterello e se lo pose lì accanto, su la madia, come per dire: ci ho anche questo.

Non l'avesse mai fatto! Zia Scolastica scattò in piedi, si tolse furiosamente lo scialletto che teneva su le spalle e lo lanciò a mia madre:

– Eccoti! lascia tutto. Via subito!

E andò a piantarsi di faccia alla vedova Pescatore. Questa, per non averla così dinanzi a petto, si tirò un passo indietro, minacciosa, come volesse brandire il matterello; e allora zia Scolastica, preso a due mani dalla madia il grosso batuffolo della pasta, gliel'appiastrò sul capo, glielo tirò giù su la faccia e, a pugni chiusi, là, là, là, sul naso, sugli occhi, in bocca, dove coglieva coglieva. Quindi afferrò per un braccio mia madre e se la trascinò via.

Quel che seguì fu per me solo. La vedova Pescatore, ruggendo dalla rabbia, si strappò la pasta dalla faccia, dai capelli tutti appiastricciati, e venne a buttarla in faccia a me, che ridevo, ridevo in una specie di convulsione; m'afferrò la barba, mi sgraffiò tutto; poi, come impazzita, si buttò per terra e cominciò a strapparsi le vesti addosso, a rotolarsi, a rotolarsi, frenetica, sul pavimento; mia moglie intanto (sit venia verbo) receva di là, tra acutissime strida, mentr'io:

– Le gambe! le gambe! – gridavo alla vedova Pescatore per terra. – Non mi mostrate le gambe, per carità!

Posso dire che da allora ho fatto il gusto a ridere di tutte le mie sciagure e d'ogni mio tormento. Mi vidi, in quell'istante, attore d'una tragedia che più buffa non si sarebbe potuta immaginare: mia madre, scappata via, così, con quella matta; mia moglie, di là, che... lasciamola stare!; Marianna Pescatore lì per terra; e io, io che non avevo più pane, quel che si dice pane, per il giorno appresso, io con la barba tutta impastocchiata, il viso sgraffiato, grondante non sapevo ancora se di sangue o di lagrime, per il troppo ridere. Andai ad accertarmene allo specchio.

Erano lagrime; ma ero anche sgraffiato bene. Ah quel mio occhio, in quel momento, quanto mi piacque! Per disperato, mi s'era messo a guardare più che mai altrove, altrove per conto suo. E scappai via, risoluto a non rientrare in casa, se prima non avessi trovato comunque da mantenere, anche miseramente, mia moglie e me.

Dal dispetto rabbioso che sentivo in quel momento per la sventatezza mia di tanti anni, argomentavo però facilmente che la mia sciagura non poteva ispirare a nessuno, non che compatimento, ma neppur considerazione. Me l'ero ben meritata. Uno solo avrebbe potuto averne pietà: colui che aveva fatto man bassa d'ogni nostro avere; ma figurarsi se Malagna poteva più sentir l'obbligo di venirmi in soccorso dopo quanto era avvenuto tra me e lui.

Il soccorso, invece, mi venne da chi meno avrei potuto aspettarmelo.

Rimasto tutto quel giorno fuori di casa, verso sera, m'imbattei per combinazione in Pomino, che, fingendo di non accorgersi di me, voleva tirar via di lungo.

– Pomino!

Si volse, torbido in faccia, e si fermò con gli occhi bassi:

– Che vuoi?

– Pomino! – ripetei io più forte, scotendolo per una spalla e ridendo di quella sua mutria. – Dici sul serio?

Oh, ingratitudine umana! Me ne voleva, per giunta, me ne voleva, Pomino, del tradimento che, a suo credere, gli avevo fatto. Né mi riuscì di convincerlo che il tradimento invece lo aveva fatto lui a me, e che avrebbe dovuto non solo ringraziarmi, ma buttarsi anche a faccia per terra, a baciare dove io ponevo i piedi.

Ero ancora com'ebbro di quella gajezza mala che si era impadronita di me da quando m'ero guardato allo specchio.

– Vedi questi sgraffii? – gli dissi, a un certo punto. – Lei me li ha fatti!

– Ro... cioè, tua moglie?

– Sua madre!

E gli narrai come e perché. Sorrise, ma parcamente. Forse pensò che a lui non li avrebbe fatti, quegli sgraffii, la vedova Pescatore: era in ben altra condizione dalla mia, e aveva altra indole e altro cuore, lui.

Mi venne allora la tentazione di domandargli perché dunque, se veramente n'era così addogliato, non l'aveva sposata lui, Romilda, a tempo, magari prendendo il volo con lei, com'io gli avevo consigliato, prima che, per la sua ridicola timidezza o per la sua indecisione, fosse capitata a me la disgrazia d'innamorarmene; e altro, ben altro avrei voluto dirgli, nell'orgasmo in cui mi trovavo; ma mi trattenni. Gli domandai, invece, porgendogli la mano, con chi se la facesse, di quei giorni.

– Con nessuno! – sospirò egli allora. – Con nessuno! Mi annojo, mi annojo mortalmente!

Dall'esasperazione con cui proferì queste parole mi parve d'intendere a un tratto la vera ragione per cui Pomino era così addogliato. Ecco qua: non tanto Romilda egli forse rimpiangeva, quanto la compagnia che gli era venuta a mancare; Berto non c'era più; con me non poteva più praticare, perché c'era Romilda di mezzo, e che restava più dunque da fare al povero Pomino?

– Ammógliati, caro! – gli dissi. – Vedrai come si sta allegri!

Ma egli scosse il capo, seriamente, con gli occhi chiusi; alzò una mano:

– Mai! mai più!

– Bravo, Pomino: persèvera! Se desideri compagnia, sono a tua disposizione, anche per tutta la notte, se vuoi.

E gli manifestai il proponimento che avevo fatto, uscendo di casa, e gli esposi anche le disperate condizioni in cui mi trovavo. Pomino si commosse, da vero amico, e mi profferse quel po' di denaro che aveva con sé. Lo ringraziai di cuore, e gli dissi che quell'aiuto non m'avrebbe giovato a nulla: il giorno appresso sarei stato da capo. Un collocamento fisso m'abbisognava.

– Aspetta! – esclamò allora Pomino. – Sai che mio padre è ora al Municipio?

– No. Ma me l'immagino.

– Assessore comunale per la pubblica istruzione.

– Questo non me lo sarei immaginato.

– Jersera, a cena... Aspetta! Conosci Romitelli?

– No.

– Come no! Quello che sta laggiù, alla biblioteca Boccamazza. È sordo,

quasi cieco, rimbecillito, e non si regge più sulle gambe. Jersera, a cena, mio padre mi diceva che la biblioteca è ridotta in uno stato miserevole e che bisogna provvedere con la massima sollecitudine. Ecco il posto per te!
– Bibliotecario? – esclamai. – Ma io...
– Perché no? – disse Pomino. – Se l'ha fatto Romitelli...
Questa ragione mi convinse.
Pomino mi consigliò di farne parlare a suo padre da zia Scolastica. Sarebbe stato meglio.
Il giorno appresso, io mi recai a visitar la mamma e ne parlai a lei, poiché zia Scolastica, da me, non volle farsi vedere. E così, quattro giorni dopo, diventai bibliotecario. Sessanta lire al mese. Più ricco della vedova Pescatore! Potevo cantar vittoria.
Nei primi mesi fu quasi un divertimento, con quel Romitelli, a cui non ci fu verso di fare intendere che era stato giubilato dal Comune e che per ciò non doveva più venire alla biblioteca. Ogni mattina, alla stess'ora, né un minuto prima né un minuto dopo, me lo vedevo spuntare a quattro piedi (compresi i due bastoni, uno per mano, che gli servivano meglio dei piedi). Appena arrivato, si toglieva dal taschino del panciotto un vecchio cipollone di rame, e lo appendeva a muro con tutta la formidabile catena; sedeva, coi due bastoni fra le gambe, traeva di tasca la papalina, la tabacchiera e un pezzolone a dadi rossi e neri; s'infrociava una grossa presa di tabacco, si puliva, poi apriva il cassetto del tavolino e ne traeva un libraccio che apparteneva alla biblioteca: *Dizionario storico dei musicisti, artisti e amatori morti e viventi*, stampato a Venezia nel 1758.
– Signor Romitelli! – gli gridavo, vedendogli fare tutte queste operazioni tranquillissimamente, senza dare il minimo segno d'accorgersi di me.
Ma a chi dicevo? Non sentiva neanche le cannonate. Lo scotevo per un braccio, ed egli allora si voltava, strizzava gli occhi, contraeva tutta la faccia per sbirciarmi, poi mi mostrava i denti gialli, forse intendendo di sorridermi, così; quindi abbassava il capo sul libro, come se volesse farsene guanciale; ma che! leggeva a quel modo, a due centimetri di distanza, con un occhio solo; leggeva forte:
– *Birnbaum, Giovanni Abramo... Birnbaum, Giovanni Abramo, fece stampare... Birnbaum Giovanni Abramo, fece stampare a Lipsia, nel 1738... a Lipsia nel 1738... un opuscolo in-8°... in-8°: Osservazioni imparziali su un passo delicato del Musicista critico. Mitzler... Mitzler inserì... Mitzler inserì questo scritto nel primo volume della sua Biblioteca musicale. Nel 1739...*
E seguitava così, ripetendo due o tre volte nomi e date, come per cacciarsele a memoria. Perché leggesse così forte, non saprei. Ripeto, non sentiva neanche le cannonate.
Io stavo a guardarlo, stupito. O che poteva importare a quell'uomo, ridotto in quello stato, a due passi ormai dalla tomba (morì difatti quattro mesi dopo la mia nomina a bibliotecario), che poteva importargli che Birnbaum Giovanni Abramo avesse fatto stampare a Lipsia nel 1738 un opuscolo in-8°? E non gli fosse almeno costata tutto quello stento la lettura! Bisognava proprio riconoscere che non potesse farne a meno di quelle date lì e di quelle notizie di musicisti (lui, così sordo!) e artisti e amatori, morti e viventi fino al 1758. O credeva forse che un bibliotecario, essendo la biblioteca fatta per leggervi, fosse obbligato a legger lui, posto che non aveva veduto mai apparirvi anima viva; e aveva preso quel libro, come avrebbe potuto prenderne un altro? Era tanto imbecillito, che anche questa supposizione è possibile, e anzi molto più probabile della prima.
Intanto, sul tavolone lì in mezzo, c'era uno strato di polvere alto per lo meno un dito; tanto che io – per riparare in certo qual modo alla nera ingratitudine de' miei concittadini – potei tracciarvi a grosse lettere questa iscrizione:

A
MONSIGNOR BOCCAMAZZA
MUNIFICENTISSIMO DONATORE
IN PERENNE ATTESTATO DI GRATITUDINE
I CONCITTADINI
QUESTA LAPIDE POSERO

Precipitavano poi, a quando a quando, dagli scaffali due o tre libri, seguiti da certi topi grossi quanto un coniglio.

Furono per me come la mela di Newton.

– Ho trovato! – esclamai, tutto contento. – Ecco l'occupazione per me, mentre Romitelli legge il suo *Birnbaum.*

E, per cominciare, scrissi una elaboratissima istanza, d'ufficio, all'esimio cavalier Gerolamo Pomino, assessore comunale per la pubblica istruzione, affinché la biblioteca Boccamazza o di Santa Maria Liberale fosse con la maggior sollecitudine provveduta di un pajo di gatti per lo meno, il cui mantenimento non avrebbe importato quasi alcuna spesa al Comune, atteso che i suddetti animali avrebbero avuto da nutrirsi in abbondanza col provento della loro caccia. Soggiungevo che non sarebbe stato male provvedere altresì la biblioteca d'una mezza dozzina di trappole e dell'esca necessaria, per non dire *cacio,* parola volgare, che – da subalterno – non stimai conveniente sottoporre agli occhi d'un assessore comunale per la pubblica istruzione.

Mi mandarono dapprima due gattini così miseri che si spaventarono subito di quegli enormi topi, e – per non morir di fame – si ficcavano loro nelle trappole, a mangiarsi il cacio. Li trovavo ogni mattina là, imprigionati, magri, brutti, e così afflitti che pareva non avessero più né forza né volontà di miagolare.

Reclamai, e vennero allora due bei gattoni lesti e serii, che senza perder tempo si misero a fare il loro dovere. Anche le trappole servivano: e queste me li davan vivi, i topi. Ora, una sera, indispettito che di quelle mie fatiche e di quelle mie vittorie il Romitelli non si volesse minimamente dar per inteso, come se lui avesse soltanto l'obbligo di leggere e i topi quello di mangiarsi i libri della biblioteca, volli, prima d'andarmene, cacciarne due, vivi, entro il cassetto del suo tavolino. Speravo di sconcertargli, almeno per la mattina seguente, la consueta nojosissima lettura. Ma che! Come aprì il cassetto e si sentì sgusciare sotto il naso quelle due bestie, si voltò verso me, che già non mi potevo più reggere e davo in uno scoppio di risa, e mi domandò:

– Che è stato?

– Due topi, signor Romitelli!

– Ah, topi... – fece lui tranquillamente.

Erano di casa; c'era avvezzo; e riprese, come se nulla fosse stato, la lettura del suo libraccio.

In un *Trattato degli Arbori* di Giovan Vittorio Soderini si legge che i frutti maturano «parte per caldezza e parte per freddezza; perciocché il calore, come in tutti è manifesto, ottiene la forza del concuocere, ed è la semplice cagione della maturezza». Ignorava dunque Giovan Vittorio Soderini che oltre al calore, i fruttivendoli hanno sperimentato un'altra *cagione della maturezza.* Per portare la primizia al mercato e venderla più cara, essi colgono i frutti, mele e pesche e pere, prima che sian venuti a quella condizione che li rende sani e piacevoli, e li maturano loro a furia d'ammaccature.

Ora così venne a maturazione l'anima mia, ancora acerba.

In poco tempo, divenni un altro da quel che ero prima. Morto il Romitelli, mi trovai qui solo, mangiato dalla noja, in questa chiesetta fuori mano, fra tutti questi libri; tremendamente solo, e pur senza voglia di compagnia. Avrei potuto trattenermici soltanto poche ore al giorno; ma per le strade del paese mi vergognavo di farmi vedere, così ridotto in miseria; da casa mia rifuggivo come da una prigione; e dunque, meglio qua, mi ripetevo. Ma che fare? La caccia ai topi, sì; ma poteva bastarmi?

La prima volta che mi avvenne di trovarmi con un libro tra le mani, tolto così a caso, senza saperlo, da uno degli scaffali, provai un brivido d'orrore. Mi sarei io dunque ridotto come il Romitelli, a sentir l'obbligo di leggere, io bibliotecario, per tutti quelli che non venivano alla biblioteca? E scaraventai il libro a terra. Ma poi lo ripresi, e – sissignori – mi misi a leggere anch'io, e anch'io con un occhio solo, perché quell'altro non voleva saperne.

Lessi così di tutto un po', disordinatamente; ma libri, in ispecie, di filosofia. Pesano tanto: eppure, chi se ne ciba e se li mette in corpo, vive tra le nuvole. Mi sconcertarono peggio il cervello, già di per sé balzano. Quando la testa mi fumava, chiudevo la biblioteca e mi recavo per un sentieruolo scosceso, a un lembo di spiaggia solitaria.

La vista del mare mi faceva cadere in uno sgomento attonito, che diveniva man mano oppressione intollerabile. Sedevo su la spiaggia e m'impedivo di guardarlo, abbassando il capo: ma ne sentivo per tutta la riviera il fragorìo, mentre lentamente, lentamente, mi lasciavo scivolar di tra le dita la sabbia densa e greve, mormorando:

– Così, sempre, fino alla morte, senz'alcun mutamento, mai...

L'immobilità della condizione di quella mia esistenza mi suggeriva allora pensieri sùbiti, strani, quasi lampi di follia. Balzavo in piedi, come per scuotermela d'addosso, e mi mettevo a passeggiare lungo la riva; ma vedevo allora il mare mandar senza requie, là, alla sponda, le sue stracche ondate sonnolente; vedevo quelle sabbie lì abbandonate; gridavo con rabbia, scotendo le pugna:

– Ma perché? ma perché?

E mi bagnavo i piedi.

Il mare allungava forse un po' più qualche ondata, per ammonirmi:

«Vedi, caro, che si guadagna a chieder certi perché? Ti bagni i piedi. Torna alla tua biblioteca! L'acqua salata infradicia le scarpe; e quattrini da buttar via non ne hai. Torna alla biblioteca, e lascia i libri di filosofia: va', va' piuttosto a leggere anche tu che Birnbaum Giovanni Abramo fece stampare a Lipsia nel 1738 un opuscolo in-8°: ne trarrai senza dubbio maggior profitto».

Ma un giorno finalmente vennero a dirmi che mia moglie era stata assalita dalle doglie, e che corressi subito a casa. Scappai come un dàino: ma più per sfuggire a me stesso, per non rimanere neanche un minuto a tu per tu con me, a pensare che io stavo per avere un figliuolo, io, in quelle condizioni, un figliuolo!

Appena arrivato alla porta di casa, mia suocera m'afferrò per le spalle e mi fece girar su me stesso:

– Un medico! Scappa! Romilda muore!

Viene da restare, no? a una siffatta notizia a bruciapelo. E invece, «Correte!». Non mi sentivo più le gambe; non sapevo più da qual parte pigliare; e mentre correvo, non so come, – Un medico! un medico! – andavo dicendo; e la gente si fermava per via, e pretendeva che mi fermassi anch'io a spiegare che cosa mi fosse accaduto; mi sentivo tirar per le maniche, mi vedevo di fronte facce pallide, costernate; scansavo, scansavo tutti: – Un medico! un medico!

E il medico intanto era là, già a casa mia. Quando trafelato, in uno stato miserando, dopo aver girato tutte le farmacie, rincasai, disperato e furibondo, la prima bambina era già nata; si stentava a far venir l'altra alla luce.

– Due!

Mi pare di vederle ancora, lì, nella cuna, l'una accanto all'altra: si sgraffiavano fra loro con quelle manine così gracili eppur quasi artigliate da un selvaggio istinto, che incuteva ribrezzo e pietà: misere, misere, misere, più di quei due gattini che ritrovavo ogni mattina dentro le trappole; e anch'esse non

avevano forza di vagire, come quelli di miagolare; e intanto, ecco, si sgraffiavano!

Le scostai, e al primo contatto di quelle carnucce tènere e fredde, ebbi un
brivido nuovo, un tremor di tenerezza, ineffabile: – erano mie!

Una mi morì pochi giorni dopo; l'altra volle darmi il tempo, invece, di affe-
zionarmi a lei, con tutto l'ardore di un padre che, non avendo più altro, faccia
della propria creaturina lo scopo unico della sua vita; volle aver la crudeltà di
morirmi, quando aveva già quasi un anno, e s'era fatta tanto bellina, tanto,
con quei riccioli d'oro ch'io m'avvolgevo attorno le dita e le baciavo senza
saziarmene mai; mi chiamava papà, e io le rispondevo subito: – Figlia – ; e lei
di nuovo: – Papà... – ; così, senza ragione, come si chiamano gli uccelli tra
loro.

Mi morì contemporaneamente alla mamma mia, nello stesso giorno e quasi
alla stess'ora. Non sapevo più come spartire le mie cure e la mia pena. Lasciavo la piccina mia che riposava, e scappavo dalla mamma, che non si curava di sé, della sua morte, e mi domandava di lei, della nipotina, struggendosi di non poterla più rivedere, baciare per l'ultima volta. E durò nove giorni,
questo strazio! Ebbene, dopo nove giorni e nove notti di veglia assidua, senza
chiuder occhio neanche per un minuto... debbo dirlo? – molti forse avrebbero
ritegno a confessarlo; ma è pure umano, umano, umano – io non sentii pena,
no, sul momento: rimasi un pezzo in una tetraggine attonita, spaventevole, e
mi addormentai. Sicuro. Dovetti prima dormire. Poi, sì, quando mi destai, il
dolore m'assalì rabbioso, feroce, per la figlietta mia, per la mamma mia, che
non erano più... E fui quasi per impazzire. Un'intera notte vagai per il paese e
per le campagne; non so con che idee per la mente; so che, alla fine, mi ritrovai nel podere della *Stìa*, presso alla gora del molino, e che un tal Filippo,
vecchio mugnajo, lì di guardia, mi prese con sé, mi fece sedere più là, sotto
gli alberi, e mi parlò a lungo, a lungo della mamma e anche di mio padre e de'
bei tempi lontani; e mi disse che non dovevo piangere e disperarmi così, perché per attendere alla figlioletta mia, nel mondo di là, era accorsa la nonna, la
nonnina buona, che la avrebbe tenuta sulle ginocchia e le avrebbe parlato di
me sempre e non me la avrebbe lasciata mai sola, mai.

Tre giorni dopo Roberto, come se avesse voluto pagarmi le lagrime, mi
mandò cinquecento lire. Voleva che provvedessi a una degna sepoltura della
mamma, diceva. Ma ci aveva già pensato zia Scolastica.

Quelle cinquecento lire rimasero un pezzo tra le pagine di un libraccio nella
biblioteca.

Poi servirono per me; e furono – come dirò – la cagione della mia *prima*
morte.

VI. *Tac tac tac...*

Lei sola, là dentro, quella pallottola d'avorio, correndo graziosa nella *roulette*, in senso inverso al quadrante, pareva giocasse:

«Tac tac tac...».

Lei sola: non certo quelli che la guardavano, sospesi nel supplizio che cagionava loro il capriccio di essa, a cui – ecco – sotto, su i quadrati gialli del tavoliere, tante mani avevano recato, come in offerta votiva, oro, oro e oro, tante
mani che tremavano adesso nell'attesa angosciosa, palpando inconsciamente
altro oro, quello della prossima posta, mentre gli occhi supplici pareva dicessero: «Dove a te piaccia, dove a te piaccia di cadere, graziosa pallottola d'avorio, nostra dea crudele!».

Ero capitato là, a Montecarlo, per caso.

Dopo una delle solite scene con mia suocera e mia moglie, che ora, oppresso e fiaccato com'ero dalla doppia recente sciagura, mi cagionavano un disgusto intollerabile; non sapendo più resistere alla noja, anzi allo schifo di vivere a quel modo; miserabile, senza né probabilità né speranza di miglioramento, senza più il conforto che mi veniva dalla mia dolce bambina, senza alcun compenso, anche minimo, all'amarezza, allo squallore, all'orribile desolazione in cui ero piombato; per una risoluzione quasi improvvisa, ero fuggito dal paese, a piedi, con le cinquecento lire di Berto in tasca.

Avevo pensato, via facendo, di recarmi a Marsiglia, dalla stazione ferroviaria del paese vicino, a cui m'ero diretto: giunto a Marsiglia, mi sarei imbarcato, magari con un biglietto di terza classe, per l'America, così alla ventura.

Che avrebbe potuto capitarmi di peggio, alla fin fine, di ciò che avevo sofferto e soffrivo a casa mia? Sarei andato incontro, sì, ad altre catene, ma più gravi di quella che già stavo per strapparmi dal piede non mi sarebbero certo sembrate. E poi avrei veduto altri paesi, altre genti, altra vita, e mi sarei sottratto almeno all'oppressione che mi soffocava e mi schiacciava.

Se non che, giunto a Nizza, m'ero sentito cader l'animo. Gl'impeti miei giovanili erano abbattuti da un pezzo: troppo ormai la noja mi aveva tarlato dentro, e svigorito il cordoglio. L'avvilimento maggiore m'era venuto dalla scarsezza del denaro con cui avrei dovuto avventurarmi nel bujo della sorte, così lontano, incontro a una vita affatto ignota, e senz'alcuna preparazione.

Ora, sceso a Nizza, non ben risoluto ancora di ritornare a casa, girando per la città, m'era avvenuto di fermarmi innanzi a una grande bottega su *l'Avenue de la Gare*, che recava questa insegna a grosse lettere dorate:

DÉPÔT DE ROULETTES DE PRÉCISION

Ve n'erano esposte d'ogni dimensione, con altri attrezzi del giuoco e varii opuscoli che avevano sulla copertina il disegno della *roulette.*

Si sa che gl'infelici facilmente diventano superstiziosi, per quanto poi deridano l'altrui credulità e le speranze che a loro stessi la superstizione certe volte fa d'improvviso concepire e che non vengono mai a effetto, s'intende.

Ricordo che io, dopo aver letto il titolo d'uno di quegli opuscoli: *Méthode pour gagner à la roulette*, mi allontanai dalla bottega con un sorriso sdegnoso e di commiserazione. Ma, fatti pochi passi, tornai indietro, e (per curiosità, via, non per altro!) con quello stesso sorriso sdegnoso e di commiserazione su le labbra, entrai nella bottega e comprai quell'opuscolo.

Non sapevo affatto di che si trattasse, in che consistesse il giuoco e come fosse congegnato. Mi misi a leggere; ma ne compresi ben poco.

«Forse dipende», pensai, «perché non ne so molto, io, di francese.»

Nessuno me l'aveva insegnato; avevo imparato da me qualche cosa, così, leggiucchiando nella biblioteca; non ero poi per nulla sicuro della pronunzia e temevo di far ridere, parlando.

Questo timore appunto mi rese dapprima perplesso se andare o no; ma poi pensai che m'ero partito per avventurarmi fino in America, sprovvisto di tutto e senza conoscere neppur di vista l'inglese e lo spagnuolo; dunque via, con quel po' di francese di cui potevo disporre e con la guida di quell'opuscolo, fino a Montecarlo, lì a due passi, avrei potuto bene avventurarmi.

«Né mia suocera né mia moglie», dicevo fra me, in treno, «sanno di questo po' di denaro, che mi resta in portafogli. Andrò a buttarlo lì, per togliermi ogni tentazione. Spero che potrò conservare tanto da pagarmi il ritorno a casa. E se no...»

Avevo sentito dire che non difettavano alberi – solidi – nel giardino attorno alla bisca. In fin de' conti, magari mi sarei appeso economicamente a qualcuno di essi, con la cintola dei calzoni, e ci avrei fatto anche una bella figura. Avrebbero detto:

«Chi sa quanto avrà perduto questo povero uomo!».

Mi aspettavo di meglio, dico la verità. L'ingresso, sì, non c'è male; si vede che hanno avuto quasi l'intenzione d'innalzare un tempio alla Fortuna, con quelle otto colonne di marmo. Un portone e due porte laterali. Su queste era scritto *Tirez*: e fin qui ci arrivavo; arrivai anche al *Poussez* del portone, che evidentemente voleva dire il contrario; spinsi ed entrai.

Pessimo gusto! E fa dispetto. Potrebbero almeno offrire a tutti coloro che vanno a lasciar lì tanto denaro la soddisfazione di vedersi scorticati in un luogo men sontuoso e più bello. Tutte le grandi città si compiacciono adesso di avere un bel mattatojo per le povere bestie, le quali pure, prive come sono d'ogni educazione, non possono goderne. È vero tuttavia che la maggior parte della gente che va lì ha ben altra voglia che quella di badare al gusto della decorazione di quelle cinque sale, come coloro che seggono su quei divani, giro giro, non sono spesso in condizione di accorgersi della dubbia eleganza dell'imbottitura.

Vi seggono, di solito, certi disgraziati, cui la passione del giuoco ha sconvolto il cervello nel modo più singolare: stanno lì a studiare il così detto equilibrio delle probabilità, e meditano seriamente i colpi da tentare, tutta un'architettura di giuoco, consultando appunti su le vicende de' numeri: vogliono insomma estrarre la logica dal caso, come dire il sangue dalle pietre; e son sicurissimi che, oggi o domani, vi riusciranno.

Ma non bisogna meravigliarsi di nulla.

– Ah, il 12! il 12! – mi diceva un signore di Lugano, pezzo d'omone, la cui vista avrebbe suggerito le più consolanti riflessioni su le resistenti energie della razza umana. – Il 12 è il re dei numeri; ed è il mio numero! Non mi tradisce mai! Si diverte, sì, a farmi dispetti, magari spesso; ma poi, alla fine, mi compensa, mi compensa sempre della mia fedeltà.

Era innamorato del numero 12, quell'omone lì, e non sapeva più parlare d'altro. Mi raccontò che il giorno precedente quel suo numero non aveva voluto sortire neppure una volta; ma lui non s'era dato per vinto: volta per volta, ostinato, la sua posta sul 12; era rimasto su la breccia fino all'ultimo, fino all'ora in cui i *croupiers* annunziano:

– *Messieurs, aux trois derniers!*

Ebbene, al primo di quei tre ultimi colpi, niente; niente, neanche al secondo; al terzo e ultimo, pàffete: il 12.

– M'ha parlato! – concluse, con gli occhi brillanti di gioja. – M'ha parlato!

È vero che, avendo perduto tutta la giornata, non gli eran restati per quell'ultima posta che pochi scudi; dimodoché, alla fine, non aveva potuto rifarsi di nulla. Ma che gl'importava? Il numero 12 gli aveva parlato!

Sentendo questo discorso, mi vennero a mente quattro versi del povero Pinzone, il cui cartolare de' bisticci col seguito delle sue rime balzane, rinvenuto durante lo sgombero di casa, sta ora in biblioteca; e volli recitarli a quel signore:

> *Ero già stanco di stare alla bada*
> *della Fortuna. La dea capricciosa*
> *dovea pure passar per la mia strada.*
>
> *E passò finalmente. Ma tignosa.*

E quel signore allora si prese la testa con tutt'e due le mani e contrasse dolorosamente, a lungo, tutta la faccia. Lo guardai, prima sorpreso, poi costernato.

– Che ha?

– Niente. Rido, – mi rispose.

Rideva così! Gli faceva tanto male, tanto male la testa, che non poteva soffrire lo scotimento del riso.

Andate a innamorarvi del numero 12!

Prima di tentare la sorte – benché senz'alcuna illusione – volli stare un pezzo a osservare, per rendermi conto del modo con cui procedeva il giuoco.

Non mi parve affatto complicato, come il mio opuscolo m'aveva lasciato immaginare.

In mezzo al tavoliere, sul tappeto verde numerato, era incassata la *roulette*. Tutt'intorno, i giocatori, uomini e donne, vecchi e giovani, d'ogni paese e d'ogni condizione, parte seduti, parte in piedi, s'affrettavano nervosamente a disporre mucchi e mucchietti di luigi e di scudi e biglietti di banca, su i numeri gialli dei quadrati; quelli che non riuscivano ad accostarsi, o non volevano, dicevano al *croupier* i numeri e i colori su cui intendevano di giocare, e il *croupier*, subito, col rastrello disponeva le loro poste secondo l'indicazione, con meravigliosa destrezza; si faceva silenzio, un silenzio strano, angoscioso, quasi vibrante di frenate violenze, rotto di tratto in tratto dalla voce monotona sonnolenta dei *croupiers*:

– *Messieurs, faites vos jeux!*

Mentre di là, presso altri tavolieri, altre voci ugualmente monotone dicevano:

– *Le jeu est fait! Rien ne va plus!*

Alla fine, il *croupier* lanciava la pallottola sulla *roulette*:

«Tac tac tac...».

E tutti gli occhi si volgevano a lei con varia espressione: d'ansia, di sfida, d'angoscia, di terrore. Qualcuno fra quelli rimasti in piedi, dietro coloro che avevano avuto la fortuna di trovare una seggiola, si sospingeva per intravedere ancora la propria posta, prima che i rastrelli dei *croupiers* si allungassero ad arraffarla.

La *boule*, alla fine, cadeva sul quadrante, e il *croupier* ripeteva con la solita voce la formula d'uso e annunziava il numero sortito e il colore.

Arrischiai la prima posta di pochi scudi sul tavoliere di sinistra nella prima sala, così, a casaccio, sul venticinque; e stetti anch'io a guardare la perfida pallottola, ma sorridendo, per una specie di vellicazione interna, curiosa, al ventre.

Cade la *boule* sul quadrante, e:

– *Vingtcinq!* – annunzia il *croupier*. – *Rouge, impair et passe!*

Avevo vinto! Allungavo la mano sul mio mucchietto multiplicato, quando un signore, altissimo di statura, da le spalle poderose troppo in sù, che reggevano una piccola testa con gli occhiali d'oro sul naso rincagnato, la fronte sfuggente, i capelli lunghi e lisci su la nuca, tra biondi e grigi, come il pizzo e i baffi, me la scostò senza tante cerimonie e si prese lui il mio denaro.

Nel mio povero e timidissimo francese, volli fargli notare che aveva sbagliato – oh, certo involontariamente!

Era un tedesco, e parlava il francese peggio di me, ma con un coraggio da leone: mi si scagliò addosso, sostenendo che lo sbaglio invece era mio, e che il denaro era suo.

Mi guardai attorno, stupito: nessuno fiatava, neppure il mio vicino che pur mi aveva veduto posare quei pochi scudi sul venticinque. Guardai i *croupiers*: immobili, impassibili, come statue. «Ah sì?» dissi tra me e, quietamente, mi tirai su la mano gli altri scudi che avevo posato sul tavolino innanzi a me, e me la filai.

«Ecco un metodo, *pour gagner à la roulette*», pensai, «che non è contemplato nel mio opuscolo. E chi sa che non sia l'unico, in fondo!»

Ma la fortuna, non so per quali suoi fini segreti, volle darmi una solenne e memorabile smentita.

Appressatomi a un altro tavoliere, dove si giocava forte, stetti prima un buon pezzo a squadrar la gente che vi stava attorno: erano per la maggior parte signori in marsina; c'eran parecchie signore; più d'una mi parve equivoca; la vista d'un certo ometto biondo biondo, dagli occhi grossi, cerulei, venati di sangue e contornati da lunghe ciglia quasi bianche, non m'affidò molto, in prima; era in marsina anche lui, ma si vedeva che non era solito di portarla: volli vederlo alla prova: puntò forte: perdette; non si scompose: ripuntò anche forte, al colpo seguente: via! non sarebbe andato appresso ai miei quattrinucci. Benché, di prima colta, avessi avuto quella scottatura, mi vergognai del mio sospetto. C'era tanta gente là che buttava a manate oro e argento, come fossero rena, senza alcun timore, e dovevo temere io per la mia miseriola?

Notai, fra gli altri, un giovinetto, pallido come di cera, con un grosso monocolo all'occhio sinistro il quale affettava un'aria di sonnolenta indifferenza; sedeva scompostamente; tirava fuori dalla tasca dei calzoni i suoi luigi; li posava a casaccio su un numero qualunque e, senza guardare, pinzandosi i peli dei baffetti nascenti aspettava che la *boule* cadesse; domandava allora al suo vicino se aveva perduto.

Lo vidi perdere sempre.

Quel suo vicino era un signore magro, elegantissimo, su i quarant'anni; ma aveva il collo troppo lungo e gracile, ed era quasi senza mento, con un pajo d'occhietti neri, vivaci, e bei capelli corvini, abbondanti, rialzati sul capo. Godeva, evidentemente, nel risponder di sì al giovinetto. Egli, qualche volta, vinceva.

Mi posi accanto a un grosso signore, dalla carnagione così bruna, che le occhiaje e le palpebre gli apparivano come affumicate; aveva i capelli grigi, ferruginei, e il pizzo ancor quasi tutto nero e ricciuto; spirava forza e salute; eppure, come se la corsa della pallottola d'avorio gli promovesse l'asma, egli si metteva ogni volta ad arrangolare, forte, irresistibilmente. La gente si voltava a guardarlo; ma raramente egli se n'accorgeva: smetteva allora per un istante, si guardava attorno, con un sorriso nervoso, e tornava ad arrangolare, non potendo farne a meno, finché la *boule* non cadeva sul quadrante.

A poco a poco, guardando, la febbre del giuoco prese anche me. I primi colpi mi andarono male. Poi cominciai a sentirmi come in uno stato d'ebbrezza estrosa, curiosissima: agivo quasi automaticamente, per improvvise, incoscienti ispirazioni; puntavo, ogni volta, dopo gli altri, all'ultimo, là! e subito acquistavo la coscienza, la certezza che avrei vinto; e vincevo. Puntavo dapprima poco; poi, man mano, di più, di più, senza contare. Quella specie di lucida ebbrezza cresceva intanto in me, né s'intorbidava per qualche colpo fallito, perché mi pareva d'averlo quasi preveduto; anzi, qualche volta, dicevo tra me: «Ecco, questo lo perderò; *debbo perderlo*». Ero come elettrizzato. A un certo punto, ebbi l'ispirazione di arrischiar tutto, là e addio; e vinsi. Gli orecchi mi ronzavano; ero tutto in sudore, e gelato. Mi parve che uno dei *croupiers*, come sorpreso di quella mia tenace fortuna, mi osservasse. Nell'esagitazione in cui mi trovavo, sentii nello sguardo di quell'uomo come una sfida, e arrischiai tutto di nuovo, quel che avevo di mio e quel che avevo vinto, senza pensarci due volte: la mano mi andò su lo stesso numero di prima, il 35; fui per ritrarla; ma no, lì, lì di nuovo, come se qualcuno me l'avesse comandato.

Chiusi gli occhi, dovevo essere pallidissimo. Si fece un gran silenzio, e mi parve che si facesse per me solo, come se tutti fossero sospesi nell'ansia mia terribile. La *boule* girò, girò un'eternità, con una lentezza che esasperava di punto in punto l'insostenibile tortura. Alfine cadde.

M'aspettavo che il *croupier*, con la solita voce (mi parve lontanissima), dovesse annunziare:

«*Trentecinq, noir, impair et passe!*».

Presi il denaro e dovetti allontanarmi, come un ubriaco. Caddi a sedere sul divano, sfinito; appoggiai il capo alla spalliera, per un bisogno improvviso, irresistibile, di dormire, di ristorarmi con un po' di sonno. E già quasi vi cedevo, quando mi sentii addosso un peso, un peso materiale, che subito mi fece ri-

scuotere. Quanto avevo vinto? Aprii gli occhi, ma dovetti richiuderli immediatamente: mi girava la testa. Il caldo, là dentro, era soffocante. Come! Era già
sera? Avevo intraveduto i lumi accesi. E quanto tempo avevo dunque giocato?
Mi alzai pian piano; uscii.

Fuori, nell'atrio, era ancora giorno. La freschezza dell'aria mi rinfrancò.

Parecchia gente passeggiava lì: alcuni meditabondi, solitarii; altri, a due, a
tre, chiacchierando e fumando.

Io osservavo tutti. Nuovo del luogo, ancora impacciato, avrei voluto parere
anch'io almeno un poco come di casa: e studiavo quelli che mi parevano più
disinvolti; se non che, quando meno me l'aspettavo, qualcuno di questi, ecco,
impallidiva, fissava gli occhi, ammutoliva, poi buttava via la sigaretta, e, tra le
risa dei compagni, scappava via; rientrava nella sala da giuoco. Perché ridevano i compagni? Sorridevo anch'io, istintivamente, guardando come uno
scemo.

– A toi, mon chéri! – sentii dirmi, piano, da una voce femminile, un po'
rauca.

Mi voltai, e vidi una di quelle donne che già sedevano con me attorno al tavoliere, porgermi, sorridendo, una rosa. Un'altra ne teneva per sé: le aveva
comperate or ora al banco di fiori, là, nel vestibolo.

Avevo dunque l'aria così goffa e da allocco?

M'assalì una stizza violenta; rifiutai, senza ringraziare, e feci per scostarmi
da lei; ma ella mi prese, ridendo, per un braccio, e – affettando con me, innanzi a gli altri, un tratto confidenziale – mi parlò piano, affrettatamente. Mi
parve di comprendere che mi proponesse di giocare con lei, avendo assistito
poc'anzi ai miei colpi fortunati: ella, secondo le mie indicazioni, avrebbe puntato per me e per lei.

Mi scrollai tutto: sdegnosamente, e la piantai lì in asso.

Poco dopo, rientrando nella sala da giuoco, la vidi che conversava con un signore bassotto, bruno, barbuto, con gli occhi un po' loschi, spagnuolo all'a-
spetto. Gli aveva dato la rosa poc'anzi offerta a me. A una certa mossa d'entrambi, m'accorsi che parlavano di me; e mi misi in guardia.

Entrai in un'altra sala; m'accostai al primo tavoliere, ma senza intenzione di
giocare; ed ecco, ivi a poco, quel signore, senza più la donna, accostarsi anche
lui al tavoliere, ma facendo le viste di non accorgersi di me.

Mi posi allora a guardarlo risolutamente, per fargli intendere che m'ero bene
accorto di tutto, e che con me, dunque, l'avrebbe sbagliata.

Ma non aveva affatto l'apparenza d'un mariuolo, costui. Lo vidi giocare, e
forte: perdette tre colpi consecutivi: batteva ripetutamente le pàlpebre, forse
per lo sforzo che gli costava la volontà di nascondere il turbamento. Al terzo
colpo fallito, mi guardò e sorrise.

Lo lasciai lì, e ritornai nell'altra sala, al tavoliere dove dianzi avevo vinto.

I croupiers s'erano dati il cambio. La donna era lì al posto di prima. Mi tenni
addietro, per non farmi scorgere, e vidi ch'ella giocava modestamente, e non
tutte le partite. Mi feci innanzi; ella mi scorse: stava per giocare e si trattenne,
aspettando evidentemente che giocassi io, per puntare dov'io puntavo. Ma
aspettò invano. Quando il croupier disse: – Le jeu est fait! Rien ne va plus! –
la guardai, ed ella alzò un dito per minacciarmi scherzosamente. Per parecchi
giri non giocai; poi, eccitatomi di nuovo alla vista degli altri giocatori, e sentendo che si raccendeva in me l'estro di prima, non badai più a lei e mi rimisi
a giocare.

Per qual misterioso suggerimento seguivo così infallibilmente la variabilità
imprevedibile nei numeri e nei colori? Era solo prodigiosa divinazione nel-
l'incoscienza, la mia? E come si spiegano allora certe ostinazioni pazze, addirittura pazze, il cui ricordo mi desta i brividi ancora, considerando ch'io ci-

mentavo tutto, tutto, la vita fors'anche, in quei colpi ch'eran vere e proprie
sfide alla sorte? No, no: io ebbi proprio il sentimento di una forza quasi diabolica in me, in quei momenti, per cui domavo, affascinavo la fortuna, legavo al
mio il suo capriccio. E non era soltanto in me questa convinzione; s'era anche
propagata negli altri, rapidamente; e ormai quasi tutti seguivano il mio giuoco
rischiosissimo. Non so per quante volte passò il rosso, su cui mi ostinavo a
puntare: puntavo su lo zero, e sortiva lo zero. Finanche quel giovinetto, che tirava i luigi dalla tasca dei calzoni, s'era scosso e infervorato; quel grosso signore bruno arrangolava più che mai. L'agitazione cresceva di momento in
momento attorno al tavoliere; eran fremiti d'impazienza, scatti di brevi gesti
nervosi, un furor contenuto a stento, angoscioso e terribile. Gli stessi *croupiers* avevano perduto la loro rigida impassibilità.

A un tratto, di fronte a una puntata formidabile, ebbi come una vertigine.
Sentii gravarmi addosso una responsabilità tremenda. Ero poco men che digiuno dalla mattina, e vibravo tutto, tremavo dalla lunga violenta emozione.
Non potei più resistervi e, dopo quel colpo, mi ritrassi, vacillante. Sentii affer-
rarmi per un braccio. Concitatissimo, con gli occhi che gli schizzavano
fiamme, quello spagnoletto barbuto e atticciato voleva a ogni costo trattenermi:
– Ecco: erano le undici e un quarto; i *croupiers* invitavano ai tre ultimi colpi:
avremmo fatto saltare la banca!

Mi parlava in un italiano bastardo, comicissimo; poiché io, che non connet-
tevo già più, mi ostinavo a rispondergli nella mia lingua:
– No, no, basta! non ne posso più. Mi lasci andare, caro signore.

Mi lasciò andare; ma mi venne appresso. Salì con me nel treno di ritorno a
Nizza, e volle assolutamente che cenassi con lui e prendessi poi alloggio nel
suo stesso albergo.

Non mi dispiacque molto dapprima l'ammirazione quasi timorosa che quel-
l'uomo pareva felicissimo di tributarmi, come a un taumaturgo. La vanità
umana non ricusa talvolta di farsi piedistallo anche di certa stima che offende
e l'incenso acre e pestifero di certi indegni e meschini turiboli. Ero come un
generale che avesse vinto un'asprissima e disperata battaglia, ma per caso,
senza saper come. Già cominciavo a sentirlo, a rientrare in me, e man mano
cresceva il fastidio che mi recava la compagnia di quell'uomo.

Tuttavia, per quanto facessi, appena sceso a Nizza, non mi riuscì di liberar-
mene: dovetti andar con lui a cena. E allora egli mi confessò che me l'aveva
mandata lui, là, nell'atrio del casino, quella donnetta allegra, alla quale da tre
giorni egli appicccicava le ali per farla volare, almeno terra terra; ali di biglietti
di banca; dava cioè qualche centinajo di lire per farle tentar la sorte. La donnetta aveva dovuto vincer bene, quella sera, seguendo il mio giuoco, giacché,
all'uscita, non s'era più fatta vedere.
– Che podo far? La póvara avrà trovato de meglio. Sono viechio, ió. E agradecio Dio, ántes, che me la son levada de sobre!

Mi disse che era a Nizza da una settimana e che ogni mattina s'era recato a
Montecarlo, dove aveva avuto sempre, fino a quella sera, una disdetta incredibile. Voleva sapere com'io facessi a vincere. Dovevo certo aver capito il
giuoco o possedere qualche regola infallibile.

Mi misi a ridere e gli risposi che fino alla mattina di quello stesso giorno non
avevo visto neppure dipinta una *roulette*, e che non solo non sapevo affatto
come ci si giocasse, ma non sospettavo nemmen lontanamente che avrei giocato e vinto a quel modo. Ne ero stordito e abbagliato più di lui.

Non si convinse. Tanto vero che, girando abilmente il discorso (credeva
senza dubbio d'aver da fare con una birba matricolata) e parlando con meravigliosa disinvoltura in quella sua lingua mezzo spagnuola e mezzo Dio sa che
cosa, venne a farmi la stessa proposta a cui aveva tentato di tirarmi, nella mattinata, col gancio di quella donnetta allegra.

– Ma no, scusi! – esclamai io, cercando tuttavia d'attenuare con un sorriso il risentimento. – Può ella sul serio ostinarsi a credere che per quel giuoco là ci possano esser regole o si possa aver qualche segreto? Ci vuol fortuna! ne ho avuta oggi; potrò non averne domani, o potrò anche averla di nuovo; spero di sì!

– Ma porqué lei, – mi domandò, – non ha voluto occi aproveciarse de la sua fortuna?

– Io, aprove...

– Sì, come puedo decir? avantaciarse, voilà!

– Ma secondo i miei mezzi, caro signore!

– Bien! – disse lui. – Podo ió por lei. Lei, la fortuna, io metaró el dinero.

– E allora forse perderemo! – conclusi io, sorridendo. – No, no... Guardi! Se lei mi crede davvero così fortunato, – sarò tale al giuoco; in tutto il resto, no di certo – facciamo così: senza patti fra noi e senza alcuna responsabilità da parte mia, che non voglio averne, lei punti il suo molto dov'io il mio poco, come ha fatto oggi; e, se andrà bene...

Non mi lasciò finire: scoppiò in una risata strana, che voleva parer maliziosa, e disse: – Eh no, segnore mio! no! Occi, sì, l'ho fatto: no lo fado domani seguramente! Si lei punta forte con migo, bien! si no, no lo fado seguramente! Gracie tante!

Lo guardai, sforzandomi di comprendere che cosa volesse dire: c'era senza dubbio in quel suo riso e in quelle sue parole un sospetto ingiurioso per me. Mi turbai, e gli domandai una spiegazione.

Smise di ridere; ma gli rimase sul volto come l'impronta svanente di quel riso.

– Digo che no, che no lo fado, – ripeté. – No digo altro!

Battei forte una mano su la tavola e, con voce alterata, incalzai:

– Nient'affatto! Bisogna invece che dica, spieghi che cosa ha inteso di significare con le sue parole e col suo riso imbecille! Io non comprendo!

Lo vidi, man mano che parlavo, impallidire e quasi rimpiccolirsi; evidentemente stava per chiedermi scusa. Mi alzai, sdegnato, dando una spallata.

– Bah! Io disprezzo lei e il suo sospetto, che non arrivo neanche a immaginare!

Pagai il mio conto e uscii.

Ho conosciuto un uomo venerando e degno anche, per le singolarissime doti dell'intelligenza, d'essere grandemente ammirato: non lo era, né poco né molto, per un pajo di calzoncini, io credo, chiari, a quadretti, troppo aderenti alle gambe misere, ch'egli si ostinava a portare. Gli abiti che indossiamo, il loro taglio, il loro colore, possono far pensare di noi le più strane cose.

Ma io sentivo ora un dispetto tanto maggiore, in quanto mi pareva di non esser vestito male. Non ero in marsina, è vero, ma avevo un abito nero, da lutto, decentissimo. E poi, se – vestito di questi stessi panni – quel tedescaccio in prima aveva potuto prendermi per un babbeo, tanto che s'era arraffato come niente il mio denaro; come mai adesso costui mi prendeva per un mariuolo?

«Sarà forse per questo barbone», pensavo, andando, «o per questi capelli troppo corti...»

Cercavo intanto un albergo qualunque, per chiudermi a vedere quanto avevo vinto. Mi pareva d'esser pieno di denari: ne avevo un po' da per tutto, nelle tasche della giacca e dei calzoni e in quelle del panciotto; oro, argento, biglietti di banca; dovevano esser molti, molti!

Sentii sonare le due. Le vie erano deserte. Passò una vettura vuota; vi montai.

Con niente avevo fatto circa undicimila lire! Non ne vedevo da un pezzo, e mi parvero in prima una gran somma. Ma poi, pensando alla mia vita d'un tempo, provai un grande avvilimento per me stesso. Eh che! Due anni di biblioteca, col contorno di tutte le altre sciagure, m'avevan dunque immiserito a tal segno il cuore?

Presi a mordermi col mio nuovo veleno, guardando il denaro lì sul letto: «Va', uomo virtuoso, mansueto bibliotecario, va', ritorna a casa a placare con questo tesoro la vedova Pescatore. Ella crederà che tu l'abbia rubato e acquisterà subito per te una grandissima stima. O va' piuttosto in America, come avevi prima deliberato, se questo non ti par premio degno alla tua grossa fatica. Ora potresti, così munito. Undicimila lire! Che ricchezza!».

Raccolsi il denaro; lo buttai nel cassetto del comodino, e mi coricai. Ma non potei prender sonno. Che dovevo fare, insomma? Ritornare a Montecarlo, a restituir quella vincita straordinaria? o contentarmi di essa e godermela modestamente? ma come? avevo forse più animo e modo di godere, con quella famiglia che mi ero formata? Avrei vestito un po' meno poveramente mia moglie, che non solo non si curava più di piacermi, ma – pareva facesse anzi di tutto per riuscirmi incresciosa, rimanendo spettinata tutto il giorno, senza busto, in ciabatte, e con le vesti che le cascavano da tutte le parti. Riteneva forse che, per un marito come me, non valesse più la pena di farsi bella? Del resto, dopo il grave rischio corso nel parto, non s'era più ben rimessa in salute. Quanto all'animo, di giorno in giorno s'era fatta più aspra, non solo contro me, ma contro tutti. E questo rancore e la mancanza d'un affetto vivo e vero s'eran messi come a nutrire in lei un'accidiosa pigrizia. Non s'era neppure affezionata alla bambina, la cui nascita insieme con quell'altra, morta di pochi giorni, era stata per lei una sconfitta di fronte al bel figlio maschio d'Oliva, nato circa un mese dopo, florido e senza stento, dopo una gravidanza felice. Tutti quei disgusti poi e quegli attriti che sorgono, quando il bisogno, come un gattaccio ispido e nero s'accovaccia su la cenere d'un focolare spento, avevano reso ormai odiosa a entrambi la convivenza. Con undicimila lire avrei potuto rimetter la pace in casa e far rinascere l'amore già iniquamente ucciso in sul nascere dalla vedova Pescatore? Follie! E dunque? Partire per l'America? Ma perché sarei andato a cercar tanto lontano la Fortuna, quand'essa pareva proprio che avesse voluto fermarmi qua, a Nizza, senza ch'io ci pensassi, davanti a quella bottega d'attrezzi di giuoco? Ora bisognava ch'io mi mostrassi degno di lei, dei suoi favori, se veramente, come sembrava, essa voleva accordarmeli. Via, via! O tutto o niente. In fin de' conti, sarei ritornato come ero prima. Che cosa erano mai undicimila lire?

Così il giorno dopo tornai a Montecarlo. Ci tornai per dodici giorni di fila. Non ebbi più né modo né tempo di stupirmi allora del favore, più favoloso che straordinario, della fortuna: ero fuori di me, matto addirittura; non ne provo stupore neanche adesso, sapendo pur troppo che tiro essa m'apparecchiava, favorendomi in quella maniera e in quella misura. In nove giorni arrivai a metter sù una somma veramente enorme giocando alla disperata: dopo il nono giorno cominciai a perdere, e fu un precipizio. L'estro prodigioso, come se non avesse più trovato alimento nella mia già esausta energia nervosa, venne a mancarmi. Non seppi, o meglio, non potei arrestarmi a tempo. Mi arrestai, mi riscossi, non per mia virtù, ma per la violenza d'uno spettacolo orrendo, non infrequente, pare, in quel luogo.

Entravo nelle sale da giuoco, la mattina del dodicesimo giorno, quando quel signore di Lugano, innamorato del numero 12, mi raggiunse, sconvolto e ansante, per annunziarmi, più col cenno che con le parole, che uno s'era poc'anzi ucciso là, nel giardino. Pensai subito che fosse quel mio spagnuolo, e ne provai rimorso. Ero sicuro ch'egli m'aveva ajutato a vincere. Nel primo giorno, dopo quella nostra lite, non aveva voluto puntare dov'io puntavo, e aveva perduto sempre; nei giorni seguenti, vedendomi vincere con tanta persistenza, aveva tentato di fare il mio giuoco; ma non avevo voluto più io, allora: come guidato per mano dalla stessa Fortuna, presente e invisibile, mi ero messo a girare da un tavoliere all'altro. Da due giorni non lo avevo più veduto, proprio dacché m'ero messo a perdere, e forse perché lui non mi aveva più dato la caccia.

Ero certissimo, accorrendo al luogo indicatomi, di trovarlo lì, steso per terra, morto. Ma vi trovai invece quel giovinetto pallido che affettava un'aria di sonnolenta indifferenza, tirando fuori i luigi dalla tasca dei calzoni per puntarli senza nemmeno guardare.

Pareva più piccolo, lì in mezzo al viale: stava composto, coi piedi uniti, come se si fosse messo a giacere prima, per non farsi male, cadendo; un braccio era aderente al corpo; l'altro, un po' sospeso, con la mano raggrinchiata e un dito, l'indice, ancora nell'atto di tirare. Era presso a questa mano la rivoltella; più là, il cappello. Mi parve dapprima che la palla gli fosse uscita dall'occhio sinistro, donde tanto sangue, ora rappreso, gli era colato su la faccia. Ma no: quel sangue era schizzato di lì, come un po' dalle narici e dagli orecchi; altro, in gran copia, n'era poi sgorgato dal forellino alla tempia destra, su la rena gialla del viale, tutto raggrumato. Una dozzina di vespe vi ronzavano attorno; qualcuna andava a posarsi anche lì, vorace, su l'occhio. Fra tanti che guardavano, nessuno aveva pensato a cacciarle via. Trassi dalla tasca un fazzoletto e lo stesi su quel misero volto orribilmente sfigurato. Nessuno me ne seppe grado: avevo tolto il meglio dello spettacolo.

Scappai via; ritornai a Nizza per partirne quel giorno stesso.

Avevo con me circa ottantaduemila lire.

Tutto potevo immaginare, tranne che, nella sera di quello stesso giorno, dovesse accadere anche a me qualcosa di simile.

VII. *Cambio treno*

Pensavo:

«Riscatterò la *Stìa*, e mi ritirerò là, in campagna, a fare il mugnajo. Si sta meglio vicini alla terra; e – sotto – fors'anche meglio.

Ogni mestiere, in fondo, ha qualche sua consolazione. Ne ha finanche quello del becchino. Il mugnajo può consolarsi col frastuono delle macine e con lo spolvero che vola per aria e lo veste di farina.

Son sicuro che, per ora, non si rompe nemmeno un sacco, là, nel molino. Ma appena lo riavrò io:

– Signor Mattia, la nottola del palo! Signor Mattia, s'è rotta la bronzina! Signor Mattia, i denti del lubecchio!

Come quando c'era la buon'anima della mamma, e Malagna amministrava.

E mentr'io attenderò al molino, il fattore mi ruberà i frutti della campagna; e se mi porrò invece a badare a questa, il mugnajo mi ruberà la molenda. E di qua il mugnajo e di là il fattore faranno l'altalena, e io nel mezzo a godere.

Sarebbe forse meglio che cavassi dalla veneranda cassapanca di mia suocera uno dei vecchi abiti di Francesco Antonio Pescatore, che la vedova custodisce con la canfora e col pepe come sante reliquie, e ne vestissi Marianna Dondi e mandassi lei a fare il mugnajo e a star sopra al fattore.

L'aria di campagna farebbe certamente bene a mia moglie. Forse a qualche albero cadranno le foglie, vedendola; gli uccelletti ammutoliranno; speriamo che non secchi la sorgiva. E io rimarrò bibliotecario, solo soletto, a Santa Maria Liberale».

Così pensavo, e il treno intanto correva. Non potevo chiudere gli occhi, ché subito m'appariva con terribile precisione il cadavere di quel giovinetto, là, nel viale, piccolo e composto sotto i grandi alberi immobili nella fresca mat-

tina. Dovevo perciò consolarmi così, con un altro incubo, non tanto sanguinoso, almeno materialmente: quello di mia suocera e di mia moglie. E godevo
nel rappresentarmi la scena dell'arrivo, dopo quei tredici giorni di scomparsa
misteriosa.

Ero certo (mi pareva di vederle!), che avrebbero affettato entrambe, al mio
entrare, la più sdegnosa indifferenza. Appena un'occhiata, come per dire:
«To', qua di nuovo? Non t'eri rotto l'osso del collo?».

Zitte loro, zitto io.

Ma poco dopo, senza dubbio, la vedova Pescatore avrebbe cominciato a spu-
tar bile, rifacendosi dall'impiego che forse avevo perduto.

M'ero infatti portata via la chiave della biblioteca: alla notizia della mia spa-
rizione, avevano dovuto certo scassinare la porta, per ordine della questura: e,
non trovandomi là entro, morto, né avendosi d'altra parte tracce o notizie di
me, quelli del Municipio avevano forse aspettato, tre, quattro, cinque giorni,
una settimana, il mio ritorno; poi avevano dato a qualche altro sfaccendato il
mio posto.

Dunque, che stavo a far lì, seduto? M'ero buttato di nuovo, da me, in mezzo
a una strada? Ci stéssi! Due povere donne non potevano aver l'obbligo di
mantenere un fannullone, un pezzaccio da galera, che scappava via così, chi
sa per quali altre prodezze, ecc., ecc.

Io, zitto.

Man mano, la bile di Marianna Dondi cresceva, per quel mio silenzio dispettoso, cresceva, ribolliva, scoppiava: – e io, ancora lì, zitto!

A un certo punto, avrei cavato dalla tasca in petto il portafogli e mi sarei
messo a contare sul tavolino i miei biglietti da mille: là, là, là e là...

Spalancamento d'occhi e di bocca di Marianna Dondi e anche di mia moglie.
Poi:

« – Dove li hai rubati?».

« –... settantasette, settantotto, settantanove, ottanta, ottantuno; cinquecento,
seicento, settecento; dieci, venti, venticinque; ottantunmila settecento venticinque lire, e quaranta centesimi in tasca.»

Quietamente avrei raccolti i biglietti, li avrei rimessi nel portafogli, e mi
sarei alzato.

« – Non mi volete più in casa? Ebbene, tante grazie! Me ne vado, e salute a
voi.»

Ridevo, così pensando.

I miei compagni di viaggio mi osservavano e sorridevano anch'essi, sotto
sotto.

Allora, per assumere un contegno più serio, mi mettevo a pensare a' miei
creditori, fra cui avrei dovuto dividere quei biglietti di banca. Nasconderli,
non potevo. E poi, a che m'avrebbero servito, nascosti?

Godermeli, certo quei cani non me li avrebbero lasciati godere. Per rifarsi lì,
col molino della Stìa e coi frutti del podere, dovendo pagare anche l'amministrazione, che si mangiava poi tutto a due palmenti (a due palmenti era anche
il molino), chi sa quant'anni ancora avrebbero dovuto aspettare. Ora, forse,
con un'offerta in contanti, me li sarei levati d'addosso a buon patto. E facevo
il conto:

«Tanto a quella mosca canina del Recchioni, tanto, a Filippo Brìsigo, e mi
piacerebbe che gli servissero per pagarsi il funerale: non caverebbe più sangue
ai poverelli!; tanto a Cichin Lunaro, il torinese; tanto, alla vedova Lippani...
Chi altro c'è? Ih! hai voglia! Il Della Piana, Bossi e Margottini... Ecco tutta la
mia vincita!».

Avevo vinto per loro a Montecarlo, in fin dei conti! Che rabbia per que' due
giorni di perdita! Sarei stato ricco di nuovo... ricco!

Mettevo ora certi sospironi, che facevano voltare più dei sorrisi di prima i miei compagni di viaggio. Ma io non trovavo requie. Era imminente la sera: l'aria pareva di cenere; e l'uggia del viaggio era insopportabile.

Alla prima stazione italiana comprai un giornale con la speranza che mi facesse addormentare. Lo spiegai, e al lume del lampadino elettrico, mi misi a leggere. Ebbi così la consolazione di sapere che il castello di Valençay, messo all'incanto per la seconda volta, era stato aggiudicato al signor conte De Castellane per la somma di due milioni e trecentomila franchi. La tenuta attorno al castello era di duemila ottocento ettari: la più vasta di Francia.

«Press'a poco, come la *Stìa...*»

Lessi che l'imperatore di Germania aveva ricevuto a Potsdam, a mezzodì, l'ambasciata marocchina, e che al ricevimento aveva assistito il segretario di Stato, barone de Richtofen. La missione, presentata poi all'imperatrice, era stata trattenuta a colazione, e chi sa come aveva divorato!

Anche lo Zar e la Zarina di Russia avevano ricevuto a Peterhof una speciale missione tibetana, che aveva presentato alle LL. MM. i doni del Lama.

«I doni del Lama?», domandai a me stesso, chiudendo gli occhi, cogitabondo. «Che saranno?»

Papaveri: perché mi addormentai. Ma papaveri di scarsa virtù: mi ridestai, infatti, presto, a un urto del treno che si fermava a un'altra stazione.

Guardai l'orologio: eran le otto e un quarto. Fra un'oretta, dunque, sarei arrivato.

Avevo il giornale ancora in mano e lo voltai per cercare in seconda pagina qualche dono migliore di quelli del Lama. Gli occhi mi andarono su un

SUICIDIO

così, in grassetto.

Pensai subito che potesse esser quello di Montecarlo, e m'affrettai a leggere. Ma mi arrestai sorpreso al primo rigo, stampato di minutissimo carattere: «*Ci telegrafano da Miragno*».

«Miragno? Chi si sarà suicidato nel mio paese?»

Lessi: «*Jeri, sabato 28, è stato rinvenuto nella gora d'un mulino un cadavere in istato d'avanzata putrefazione...*».

A un tratto, la vista mi s'annebbiò, sembrandomi di scorgere nel rigo seguente il nome del mio podere; e, siccome stentavo a leggere, con un occhio solo, quella stampa minuscola, m'alzai in piedi, per essere più vicino al lume.

«*...putrefazione. Il molino è sito in un podere detto della Stìa, a circa due chilometri dalla nostra città. Accorsa sopra luogo l'autorità giudiziaria con altra gente, il cadavere fu estratto dalla gora per le constatazioni di legge e piantonato. Più tardi esso fu riconosciuto per quello del nostro...*»

Il cuore mi balzò in gola e guardai, spiritato, i miei compagni di viaggio che dormivano tutti.

«*Accorsa sopra luogo... estratto dalla gora... e piantonato... fu riconosciuto per quello del nostro bibliotecario...*»

«Io?»

«*Accorsa sopra luogo... più tardi... per quello del nostro bibliotecario Mattia Pascal, scomparso da parecchi giorni. Causa del suicidio: dissesti finanziarii.*»

«Io?... Scomparso... riconosciuto... Mattia Pascal...»

Rilessi con piglio feroce e col cuore in tumulto non so più quante volte quelle poche righe. Nel primo impeto, tutte le mie energie vitali insorsero violentemente per protestare: come se quella notizia, così irritante nella sua impassibile laconicità, potesse anche per me esser vera. Ma, se non per me, era pur vera per gli altri; e la certezza che questi altri avevano fin da jeri della mia morte era su me come una insopportabile sopraffazione, permanente, schiacciante... Guardai di nuovo i miei compagni di viaggio e, quasi anch'essi, lì, sotto gli occhi miei, riposassero in quella certezza, ebbi la tentazione di scuoterli da quei loro scomodi e penosi atteggiamenti, scuoterli, svegliarli, per gridar loro che non era vero.

«Possibile?»

E rilessi ancora una volta la notizia sbalorditoja.

Non potevo più stare alle mosse. Avrei voluto che il treno s'arrestasse, avrei voluto che corresse a precipizio: quel suo andar monotono, da automa duro, sordo e greve, mi faceva crescere di punto in punto l'orgasmo. Aprivo e chiudevo le mani continuamente, affondandomi le unghie nelle palme; spiegazzavo il giornale; lo rimettevo in sesto per rilegger la notizia che già sapevo a memoria, parola per parola.

«*Riconosciuto!* Ma è possibile che m'abbiano riconosciuto?... *In istato d'avanzata putrefazione...* puàh!»

Mi vidi per un momento, lì nell'acqua verdastra della gora, fradicio, gonfio, orribile, galleggiante... Nel raccapriccio istintivo, incrociai le braccia sul petto e con le mani mi palpai, mi strinsi:

«Io, no; io, no... Chi sarà stato?... mi somigliava, certo... Avrà forse avuto la barba anche lui, come la mia... la mia stessa corporatura... E m'han riconosciuto!... *Scomparso da parecchi giorni...* Eh già! Ma io vorrei sapere, vorrei sapere chi si è affrettato così a riconoscermi. Possibile che quel disgraziato là fosse tanto simile a me? vestito come me? tal quale? Ma sarà stata lei, forse, lei, Marianna Dondi, la vedova Pescatore: oh! m'ha pescato subito, m'ha riconosciuto subito! Non le sarà parso vero, figuriamoci! – *È lui, è lui! mio genero! ah, povero Mattia! ah, povero figliuolo mio!* – E si sarà messa a piangere fors'anche; si sarà pure inginocchiata accanto al cadavere di quel poveretto, che non ha potuto tirarle un calcio e gridarle: – Ma lèvati di qua: non ti conosco – ».

Fremevo. Finalmente il treno s'arrestò a un'altra stazione. Aprii lo sportello e mi precipitai giù, con l'idea confusa di fare qualche cosa, subito: un telegramma d'urgenza per smentire quella notizia.

Il salto che spiccai dal vagone mi salvò: come se mi avesse scosso dal cervello quella stupida fissazione, intravidi in un baleno... ma sì! la mia liberazione la libertà una vita nuova!

Avevo con me ottantaduemila lire, e non avrei più dovuto darle a nessuno! Ero morto, ero morto: non avevo più debiti, non avevo più moglie, non avevo più suocera: nessuno! libero! libero! libero! Che cercavo di più?

Pensando così, dovevo esser rimasto in un atteggiamento stranissimo, là su la banchina di quella stazione. Avevo lasciato aperto lo sportello del vagone. Mi vidi attorno parecchia gente, che mi gridava non so che cosa; uno, infine, mi scosse e mi spinse, gridandomi più forte:

– Il treno riparte!

– Ma lo lasci, lo lasci ripartire, caro signore! – gli gridai io, a mia volta. – Cambio treno!

Mi aveva ora assalito un dubbio: il dubbio se quella notizia fosse già stata smentita; se già si fosse riconosciuto l'errore, a Miragno; se fossero saltati fuori i parenti del vero morto a correggere la falsa identificazione.

Prima di rallegrarmi così, dovevo bene accertarmi, aver notizie precise e particolareggiate. Ma come procurarmele?

Mi cercai nelle tasche il giornale. Lo avevo lasciato in treno. Mi voltai a guardare il binario deserto, che si snodava lucido per un tratto nella notte silenziosa, e mi sentii come smarrito, nel vuoto, in quella misera stazionuccia di passaggio. Un dubbio più forte mi assalì, allora: che io avessi sognato?

Ma no:

«*Ci telegrafano da Miragno. Jeri, sabato 28...*».

Ecco: potevo ripetere a memoria, parola per parola, il telegramma. Non c'era dubbio! Tuttavia, sì, era troppo poco; non poteva bastarmi.

Guardai la stazione; lessi il nome: ALENGA.

Avrei trovato in quel paese altri giornali? Mi sovvenne che era domenica. A Miragno, dunque, quella mattina, era uscito *Il Foglietto*, l'unico giornale che vi si stampasse. A tutti i costi dovevo procurarmene una copia. Lì avrei trovato tutte le notizie particolareggiate che m'abbisognavano. Ma come sperare di trovare ad Alenga *Il Foglietto*? Ebbene: avrei telegrafato sotto un falso nome alla redazione del giornale. Conoscevo il direttore, Miro Colzi, *Lodoletta* come tutti lo chiamavano a Miragno, da quando, giovinetto, aveva pubblicato con questo titolo gentile il suo primo e ultimo volume di versi.

Per Lodoletta però non sarebbe stato un avvenimento quella richiesta di copie del suo giornale da Alenga? Certo la notizia più «interessante» di quella settimana, e perciò il *pezzo* più forte di quel numero, doveva essere il mio suicidio. E non mi sarei dunque esposto al rischio che la richiesta insolita facesse nascere in lui qualche sospetto?

«Ma che!», pensai poi. «A Lodoletta non può venire in mente ch'io non mi sia affogato davvero. Cercherà la ragione della richiesta in qualche altro *pezzo forte* del suo numero d'oggi. Da tempo combatte strenuamente contro il Municipio per la conduttura dell'acqua e per l'impianto del gas. Crederà piuttosto che sia per questa sua "campagna".»

Entrai nella stazione.

Per fortuna, il vetturino dell'unico legnetto, quello de la posta, stava ancora lì a chiacchierare con gl'impiegati ferroviarii: il paesello era a circa tre quarti d'ora di carrozza dalla stazione, e la via era tutta in salita.

Montai su quel decrepito calessino sgangherato, senza fanali; e via nel buio.

Avevo da pensare a tante cose; pure, di tratto in tratto, la violenta impressione ricevuta alla lettura di quella notizia che mi riguardava così da vicino mi si ridestava in quella nera, ignota solitudine, e mi sentivo, allora, per un attimo, nel vuoto, come poc'anzi alla vista del binario deserto; mi sentivo paurosamente sciolto dalla vita, superstite di me stesso, sperduto, in attesa di vivere oltre la morte, senza intravedere ancora in qual modo.

Domandai, per distrarmi, al vetturino, se ci fosse ad Alenga un'agenzia giornalistica:

– Come dice? Nossignore!

– Non si vendono giornali ad Alenga?

– Ah! sissignore. Li vende il farmacista, Grottanelli.

– C'è un albergo?

– C'è la locanda del Palmentino.

Era smontato da cassetta per alleggerire un po' la vecchia rozza che soffiava con le froge a terra. Lo discernevo appena. A un certo punto accese la pipa e lo vidi, allora, come a sbalzi, e pensai: «Se egli sapesse chi porta...».

Ma ritorsi subito a me stesso la domanda:

«Chi porta? Non lo so più nemmeno io. Chi sono io ora? Bisogna che ci pensi. Un nome, almeno, un nome, bisogna che me lo dia subito, per firmare il telegramma e per non trovarmi poi imbarazzato se, alla locanda, me lo domandano. Basterà che pensi soltanto al nome, per adesso. Vediamo un po'! Come mi chiamo?».

Non avrei mai supposto che dovesse costarmi tanto stento e destarmi tanta smania la scelta di un nome e di un cognome. Il cognome specialmente! Accozzavo sillabe, così, senza pensare: venivano fuori certi cognomi, come: *Strozzani, Parbetta, Martoni, Bartusi,* che m'irritavano peggio i nervi. Non vi trovavo alcuna proprietà, alcun senso. Come se, in fondo, i cognomi dovessero averne... Eh, via! uno qualunque... Martoni, per esempio, perché no?

Carlo Martoni... Uh, ecco fatto! Ma, poco dopo, davo una spallata: «Sì! Carlo Martello...». E la smania ricominciava.

Giunsi al paese, senza averne fissato alcuno. Fortunatamente, là, dal farmacista, ch'era anche ufficiale telegrafico e postale, droghiere, cartolajo, giornalajo, bestia e non so che altro, non ce ne fu bisogno. Comprai una copia dei pochi giornali che gli arrivavano: giornali di Genova: *Il Caffaro* e *Il Secolo XIX;* gli domandai poi se potevo avere *Il Foglietto* di Miragno.

Aveva una faccia da civetta, questo Grottanelli, con un pajo d'occhi tondi tondi, come di vetro, su cui abbassava, di tratto in tratto, quasi con pena, certe pàlpebre cartilaginose.

– *Il Foglietto?* Non lo conosco.

– È un giornaluccio di provincia, settimanale, – gli spiegai. – Vorrei averlo. Il numero d'oggi, s'intende.

– *Il Foglietto?* Non lo conosco – badava a ripetere.

– E va bene! Non importa che lei non lo conosca: io le pago le spese per un vaglia telegrafico alla redazione. Ne vorrei avere dieci, venti copie, domani o al più presto. Si può?

Non rispondeva: con gli occhi fissi, senza sguardo, ripeteva ancora: – *Il Foglietto?*... Non lo conosco –. Finalmente si risolse a fare il vaglia telegrafico sotto la mia dettatura, indicando per il recapito la sua farmacia.

E il giorno appresso, dopo una notte insonne, sconvolta da un tempestoso mareggiamento di pensieri, là nella Locanda del Palmentino, ricevetti quindici copie del *Foglietto.*

Nei due giornali di Genova che, appena rimasto solo, m'ero affrettato a leggere, non avevo trovato alcun cenno. Mi tremavano le mani nello spiegare *Il Foglietto.* In prima pagina, nulla. Cercai nelle due interne, e subito mi saltò a gli occhi un segno di lutto in capo alla terza pagina e, sotto, a grosse lettere, il mio nome. Così:

_____

MATTIA PASCAL

Non si avevano notizie di lui da alquanti giorni: giorni di tremenda costernazione e d'inenarrabile angoscia per la desolata famiglia; costernazione e angoscia condivise dalla miglior parte della nostra cittadinanza, che lo amava e lo stimava per la bontà dell'animo, per la giovialità del carattere e per quella natural modestia, che gli aveva permesso, insieme con le altre doti, di sopportare senza avvilimento e con rassegnazione gli avversi fati, onde dalla spensierata agiatezza si era in questi ultimi tempi ridotto in umile stato.

Quando, dopo il primo giorno dell'inesplicabile assenza, la famiglia impressionata si recò alla Biblioteca Boccamazza, dove egli, zelantissimo del suo ufficio, si tratteneva quasi tutto il giorno ad arricchire con dotte letture la sua vivace intelligenza, trovò chiusa la porta, subito, innanti a questa porta chiusa, sorse nero e trepidante il sospetto, sospetto tosto fugato dalla lusinga che durò parecchi dì, man mano però raffievolendosi, ch'egli si fosse allontanato dal paese per qualche sua segreta ragione.

Ma ahimè! La verità doveva purtroppo esser quella!

La perdita recente della madre adoratissima e, a un tempo, dell'unica figlioletta, dopo la perdita degli aviti beni, aveva profondamente sconvolto l'animo del povero amico nostro. Tanto che, circa tre mesi addietro, già una prima volta, di notte tempo, egli aveva tentato di pôr fine a' suoi miseri giorni, là, nella gora appunto di quel molino, che gli ricordava i passati splendori della sua casa ed il suo tempo felice.

... Nessun maggior dolore

Che ricordarsi del tempo felice
Nella miseria...

Con le lacrime agli occhi e singhiozzando cel narrava, innanzi al grondante e disfatto cadavere, un vecchio mugnaio, fedele e devoto alla famiglia degli antichi padroni. Era calata la notte, lugubre; una lucerna rossa era stata deposta lì per terra, presso al cadavere vigilato da due Reali Carabinieri e il vecchio Filippo Brina (lo segnaliamo all'ammirazione dei buoni) parlava e lagrimava con noi. Egli era riuscito in quella triste notte a impedire che l'infelice riducesse ad effetto il violento proposito; ma non si trovò più là Filippo Brina pronto ad impedirlo, questa seconda volta. E Mattia Pascal giacque, forse tutta una notte e metà del giorno appresso, nella gora di quel molino.

Non tentiamo nemmeno di descrivere la straziante scena che seguì sul luogo, quando l'altro ieri, in sul far della sera, la vedova sconsolata si trovò innanzi alla miseranda spoglia irriconoscibile del diletto compagno, che era andato a raggiungere la figlioletta sua.

Tutto il paese ha preso parte al cordoglio di lei e ha voluto dimostrarlo accompagnando all'estrema dimora il cadavere, a cui rivolse brevi e commosse parole d'addio il nostro assessore comunale cav. Pomino.

Noi inviamo alla povera famiglia immersa in tanto lutto, al fratello Roberto lontano da Miragno, le nostre più sentite condoglianze, e col cuore lacerato diciamo per l'ultima volta al nostro buon Mattia: – Vale, diletto amico, vale!
                                                                                  M.C.

Anche senza queste due iniziali avrei riconosciuto Lodoletta come autore della necrologia.

Ma debbo innanzi tutto confessare che la vista del mio nome stampato lì, sotto quella striscia nera, per quanto me l'aspettassi, non solo non mi rallegrò affatto, ma mi accelerò talmente i battiti del cuore, che, dopo alcune righe, dovetti interrompere la lettura. La «tremenda costernazione e l'inenarrabile angoscia» della mia famiglia non mi fecero ridere, né l'amore e la stima dei miei concittadini per le mie belle virtù, né il mio zelo per l'ufficio. Il ricordo di quella mia tristissima notte alla *Stìa*, dopo la morte della mamma e della mia piccina, ch'era stato come una prova, e forse la più forte, del mio suicidio, mi sorprese dapprima, quale una impreveduta e sinistra partecipazione del caso; poi mi cagionò rimorso e avvilimento.

Eh, no! non mi ero ucciso, io, per la morte della mamma e della figlietta mia, per quanto forse, quella notte, ne avessi avuto l'idea! Me n'ero fuggito, è vero, disperatamente; ma, ecco, ritornavo ora da una casa di giuoco, dove la Fortuna nel modo più strano mi aveva arriso e continuava ad arridermi; e un altro, invece, s'era ucciso per me, un altro, un forestiere certo, cui io rubavo il compianto dei parenti lontani e degli amici, e condannavo – oh suprema irrisione! – a subir quello che non gli apparteneva, falso compianto, e finanche l'elogio funebre dell'incipriato cavalier Pomino!

Questa fu la prima impressione alla lettura di quella mia necrologia sul *Foglietto*.

Ma poi pensai che quel pover'uomo era morto non certo per causa mia, e che io, facendomi vivo, non avrei potuto far rivivere anche lui; pensai che, approfittandomi della sua morte, io non solo non frodavo affatto i suoi parenti, ma anzi venivo a render loro un bene: per essi, infatti, il morto ero io, non lui, ed essi potevano crederlo scomparso e sperare ancora, sperare di vederlo un giorno o l'altro ricomparire.

Restavano mia moglie e mia suocera. Dovevo proprio credere alla loro pena per la mia morte, a tutta quella «inenarrabile angoscia», a quel «cordoglio straziante» del funebre *pezzo forte* di Lodoletta? Bastava, perbacco, aprir pian piano un occhio a quel povero morto, per accorgersi che non ero io; e anche ammesso che gli occhi fossero rimasti in fondo alla gora, via! una moglie, che veramente non voglia, non può scambiare così facilmente un altro uomo per il proprio marito.

Si erano affrettate a riconoscermi in quel morto? La vedova Pescatore sperava ora che Malagna, commosso e forse non esente di rimorso per quel mio barbaro suicidio, venisse in ajuto della povera vedova? Ebbene: contente loro, contentissimo io!

«Morto? affogato? Una croce, e non se ne parli più!»

Mi levai, stirai le braccia e trassi un lunghissimo respiro di sollievo.

VIII. *Adriano Meis*

Subito, non tanto per ingannare gli altri, che avevano voluto ingannarsi da sé, con una leggerezza non deplorabile forse nel caso mio, ma certamente non degna d'encomio, quanto per obbedire alla Fortuna e soddisfare a un mio proprio bisogno, mi posi a far di me un altr'uomo.

Poco o nulla avevo da lodarmi di quel disgraziato che per forza avevano voluto far finire miseramente nella gora d'un molino. Dopo tante sciocchezze commesse, egli non meritava forse sorte migliore.

Ora mi sarebbe piaciuto che, non solo esteriormente, ma anche nell'intimo, non rimanesse più in me alcuna traccia di lui.

Ero solo ormai, e più solo di com'ero non avrei potuto essere su la terra, sciolto nel presente d'ogni legame e d'ogni obbligo, libero, nuovo e assolutamente padrone di me, senza più il fardello del mio passato, e con l'avvenire dinanzi, che avrei potuto foggiarmi a piacer mio.

Ah, un pajo d'ali! Come mi sentivo leggero!

Il sentimento che le passate vicende mi avevano dato della vita non doveva aver più per me, ormai, ragion d'essere. Io dovevo acquistare un nuovo sentimento della vita, senza avvalermi neppur minimamente della sciagurata esperienza del fu Mattia Pascal.

Stava a me: potevo e dovevo esser l'artefice del mio nuovo destino, nella misura che la Fortuna aveva voluto concedermi.

«E innanzi tutto», dicevo a me stesso, «avrò cura di questa mia libertà: me la condurrò a spasso per vie piane e sempre nuove, né le farò mai portare alcuna veste gravosa. Chiuderò gli occhi e passerò oltre appena lo spettacolo della vita in qualche punto mi si presenterà sgradevole. Procurerò di farmela più tosto con le cose che si sogliono chiamare inanimate, e andrò in cerca di belle vedute, di ameni luoghi tranquilli. Mi darò a poco a poco una nuova educazione; mi trasformerò con amoroso e paziente studio, sicché, alla fine, io possa dire non solo di aver vissuto due vite, ma d'essere stato due uomini.»

Già ad Alenga, per cominciare, ero entrato, poche ore prima di partire, da un barbiere, per farmi accorciar la barba: avrei voluto levarmela tutta, lì stesso, insieme coi baffi; ma il timore di far nascere qualche sospetto in quel paesello mi aveva trattenuto.

Il barbiere era anche sartore, vecchio, con le reni quasi ingommate dalla lunga abitudine di star curvo, sempre in una stessa positura, e portava gli occhiali su la punta del naso. Più che barbiere doveva esser sartore. Calò come un flagello di Dio su quella barbaccia che non m'apparteneva più, armato di certi forbicioni da maestro di lana, che avevan bisogno d'esser sorretti in punta con l'altra mano. Non m'arrischiai neppure a fiatare: chiusi gli occhi, e non li riaprii, se non quando mi sentii scuotere pian piano.

Il brav'uomo, tutto sudato, mi porgeva uno specchietto perché gli sapessi dire se era stato bravo.

Mi parve troppo!

– No, grazie, – mi schermii. – Lo riponga. Non vorrei fargli paura.
Sbarrò tanto d'occhi, e:
– A chi? – domandò.
– Ma a codesto specchietto. Bellino! Dev'essere antico...
Era tondo, col manico d'osso intarsiato: chi sa che storia aveva e donde e come era capitato lì, in quella sarto-barbieria. Ma infine, per non dar dispiacere al padrone, che seguitava a guardarmi stupito, me lo posi sotto gli occhi. Se era stato bravo!
Intravidi da quel primo scempio qual mostro fra breve sarebbe scappato fuori dalla necessaria e radicale alterazione dei connotati di Mattia Pascal! Ed ecco una nuova ragione d'odio per lui! Il mento piccolissimo, puntato e rientrato, ch'egli aveva nascosto per tanti e tanti anni sotto quel barbone, mi parve un tradimento. Ora avrei dovuto portarlo scoperto, quel cosino ridicolo! E che naso mi aveva lasciato in eredità! E quell'occhio!
«Ah, quest'occhio», pensai, «così in estasi da un lato, rimarrà sempre suo nella mia nuova faccia! Io non potrò far altro che nasconderlo alla meglio dietro un pajo d'occhiali colorati, che coopereranno, figuriamoci, a rendermi più amabile l'aspetto. Mi farò crescere i capelli e, con questa bella fronte spaziosa, con gli occhiali e tutto raso, sembrerò un filosofo tedesco. Finanziera e cappellaccio a larghe tese.»
Non c'era via di mezzo: filosofo dovevo essere per forza con quella razza d'aspetto. Ebbene, pazienza: mi sarei armato d'una discreta filosofia sorridente per passare in mezzo a questa povera umanità, la quale, per quanto avessi in animo di sforzarmi, mi pareva difficile che non dovesse più parermi un po' ridicola e meschina.
Il nome mi fu quasi offerto in treno, partito da poche ore da Alenga per Torino.
Viaggiavo con due signori che discutevano animatamente d'iconografia cristiana, in cui si dimostravano entrambi molto eruditi, per un ignorante come me.
Uno, il più giovane, dalla faccia pallida, oppressa da una folta e ruvida barba nera, pareva provasse una grande e particolar soddisfazione nell'enunciar la notizia ch'egli diceva antichissima, sostenuta da Giustino Martire, da Tertulliano e da non so chi altri, secondo la quale Cristo sarebbe stato bruttissimo.
Parlava con un vocione cavernoso, che contrastava stranamente con la sua aria da ispirato.
– Ma sì, ma sì, bruttissimo! bruttissimo! Ma anche Cirillo d'Alessandria! Sicuro, Cirillo d'Alessandria arriva finanche ad affermare che Cristo fu il più brutto degli uomini.
L'altro, ch'era un vecchietto magro magro, tranquillo nel suo ascetico squallore, ma pur con una piega a gli angoli della bocca che tradiva la sottile ironia, seduto quasi su la schiena, col collo lungo proteso come sotto un giogo, sosteneva invece che non c'era da fidarsi delle più antiche testimonianze.
– Perché la Chiesa, nei primi secoli, tutta volta a consustanziarsi la dottrina e lo spirito del suo ispiratore, si dava poco pensiero, ecco, poco pensiero delle sembianze corporee di lui.
A un certo punto vennero a parlare della Veronica e di due statue della città di Paneade, credute immagini di Cristo e della emorroissa.
– Ma sì! – scattò il giovane barbuto. – Ma se non c'è più dubbio ormai! Quelle due statue rappresentano l'imperatore Adriano con la città inginocchiata ai piedi.
Il vecchietto seguitava a sostener pacificamente la sua opinione, che doveva esser contraria, perché quell'altro, incrollabile, guardando me, s'ostinava a ripetere:
– Adriano!

– ...*Beronìke*, in greco. Da *Beronìke* poi: *Veronica*...
– Adriano! (*a me*).
– Oppure, *Veronica, vera icon*: storpiatura probabilissima...
– Adriano! (*a me*).
– Perché la *Beronìke* degli Atti di Pilato...
– Adriano!

Ripeté così *Adriano!* non so più quante volte, sempre con gli occhi rivolti a
me.

Quando scesero entrambi a una stazione e mi lasciarono solo nello scompartimento, m'affacciai al finestrino, per seguirli con gli occhi: discutevano ancora, allontanandosi.

A un certo punto però il vecchietto perdette la pazienza e prese la corsa.
– Chi lo dice? – gli domandò forte il giovane, fermo, con aria di sfida.

Quegli allora si voltò per gridargli:
– Camillo De Meis!

Mi parve che anche lui gridasse a me quel nome, a me che stavo intanto a ripetere meccanicamente: – *Adriano*... –. Buttai subito via quel *de* e ritenni il
Meis.

«Adriano Meis! Sì... Adriano Meis: suona bene...»

Mi parve anche che questo nome quadrasse bene alla faccia sbarbata e con
gli occhiali, ai capelli lunghi, al cappellaccio alla finanziera che avrei dovuto
portare.

«Adriano Meis. Benone! M'hanno battezzato.»

Recisa di netto ogni memoria in me della vita precedente, fermato l'animo
alla deliberazione di ricominciare da quel punto una nuova vita, io era invaso
e sollevato come da una fresca letizia infantile; mi sentivo come rifatta vergine e trasparente la coscienza, e lo spirito vigile e pronto a trar profitto di
tutto per la costruzione del mio nuovo io. Intanto l'anima mi tumultuava nella
gioja di quella nuova libertà. Non avevo mai veduto così uomini e cose; l'aria
tra essi e me s'era d'un tratto quasi snebbiata; e mi si presentavan facili e lievi
le nuove relazioni che dovevano stabilirsi tra noi, poiché ben poco ormai io
avrei avuto bisogno di chieder loro per il mio intimo compiacimento. Oh levità deliziosa dell'anima; serena, ineffabile ebbrezza! La Fortuna mi aveva
sciolto di ogni intrico, all'improvviso, mi aveva sceverato dalla vita comune,
reso spettatore estraneo della briga in cui gli altri si dibattevano ancora, e mi
ammoniva dentro:

«Vedrai, vedrai com'essa t'apparirà curiosa, ora, a guardarla così da fuori!
Ecco là uno che si guasta il fegato e fa arrabbiare un povero vecchietto per sostener che Cristo fu il più brutto degli uomini...».

Sorridevo. Mi veniva di sorridere così di tutto e a ogni cosa: a gli alberi della
campagna, per esempio, che mi correvano incontro con stranissimi atteggiamenti nella loro fuga illusoria; a le ville sparse qua e là, dove mi piaceva
d'immaginar coloni con le gote gonfie per sbuffare contro la nebbia nemica
degli olivi o con le braccia levate a pugni chiusi contro il cielo che non voleva
mandar acqua: e sorridevo agli uccelletti che si sbandavano, spaventati da
quel coso nero che correva per la campagna, fragoroso; all'ondeggiar dei fili
telegrafici, per cui passavano certe notizie ai giornali, come quella da Miragno
del mio suicidio nel molino della *Stìa*; alle povere mogli dei cantonieri che
presentavan la bandieruola arrotolata, gravide e col cappello del marito in
capo.

Se non che, a un certo punto, mi cadde lo sguardo su l'anellino di fede che
mi stringeva ancora l'anulare della mano sinistra. Ne ricevetti una scossa violentissima: strizzai gli occhi e mi strinsi la mano con l'altra mano, tentando di
strapparmi quel cerchietto d'oro, così, di nascosto, per non vederlo più. Pensai

ch'esso si apriva e che, internamente, vi erano incisi due nomi: *Mattia-Romilda*, e la data del matrimonio. Che dovevo farne?

Aprii gli occhi e rimasi un pezzo accigliato, a contemplarlo nella palma della mano.

Tutto, attorno, mi s'era rifatto nero.

Ecco ancora un resto della catena che mi legava al passato! Piccolo anello, lieve per sé, eppur così pesante! Ma la catena era già spezzata, e dunque via anche quell'ultimo anello!

Feci per buttarlo dal finestrino, ma mi trattenni. Favorito così eccezionalmente dal caso, io non potevo più fidarmi di esso; tutto ormai dovevo creder possibile, finanche questo: che un anellino buttato nell'aperta campagna, trovato per combinazione da un contadino, passando di mano in mano, con quei due nomi incisi internamente e la data, facesse scoprir la verità, che l'annegato della *Stìa* cioè non era il bibliotecario Mattia Pascal.

«No, no», pensai, «in luogo più sicuro... Ma dove?»

Il treno, in quella, si fermò a un'altra stazione. Guardai, e subito mi sorse un pensiero, per la cui attuazione provai dapprima un certo ritegno. Lo dico, perché mi serva di scusa presso coloro che amano il bel gesto, gente poco riflessiva, alla quale piace di non ricordarsi che l'umanità è pure oppressa da certi bisogni, a cui purtroppo deve obbedire anche chi sia compreso da un profondo cordoglio. Cesare, Napoleone e, per quanto possa parere indegno, anche la donna più bella... Basta. Da una parte c'era scritto *Uomini* e dall'altra *Donne*; e lì intombai il mio anellino di fede.

Quindi, non tanto per distrarmi, quanto per cercar di dare una certa consistenza a quella mia nuova vita campata nel vuoto, mi misi a pensare ad Adriano Meis, a immaginargli un passato, a domandarmi chi fu mio padre, dov'ero nato, ecc. – posatamente, sforzandomi di vedere e di fissar bene tutto, nelle più minute particolarità.

Ero figlio unico: su questo mi pareva che non ci fosse da discutere.

«Più unico di così... Eppure no! Chi sa quanti sono come me, nella mia stessa condizione, fratelli miei. Si lascia il cappello e la giacca, con una lettera in tasca, sul parapetto d'un ponte, su un fiume; e poi, invece di buttarsi giù, si va via tranquillamente, in America o altrove. Si pesca dopo alcuni giorni un cadavere irriconoscibile: sarà quello de la lettera lasciata sul parapetto del ponte. E non se ne parla più! È vero che io non ci ho messo la mia volontà: né lettera, né giacca, né cappello... Ma son pure come loro, con questo di più: che posso godermi senza alcun rimorso la mia libertà. Han voluto regalarmela, e dunque...»

Dunque diciamo figlio unico. Nato... – sarebbe prudente non precisare alcun luogo di nascita. Come si fa? Non si può nascer mica su le nuvole, levatrice la luna, quantunque in biblioteca abbia letto che gli antichi, fra tanti altri mestieri, le facessero esercitare anche questo, e le donne incinte la chiamassero in soccorso col nome di Lucina.

Su le nuvole, no; ma su un piroscafo, sì, per esempio, si può nascere. Ecco, benone! nato in viaggio. I miei genitori viaggiavano... per farmi nascere su un piroscafo. Via, via, sul serio! Una ragione plausibile per mettere in viaggio una donna incinta, prossima a partorire... O che fossero andati in America i miei genitori? Perché no? Ci vanno tanti... Anche Mattia Pascal, poveretto, voleva andarci. E allora queste ottantadue mila lire diciamo che le guadagnò mio padre, là in America? Ma che! Con ottantadue mila lire in tasca, avrebbe aspettato prima, che la moglie mettesse al mondo il figliuolo, comodamente, in terraferma. E poi, baje! Ottantadue mila lire un emigrato non le guadagna più così facilmente in America. Mio padre... – a proposito, come si chiamava? Paolo. Sì: Paolo Meis. Mio padre, Paolo Meis, s'era illuso, come tanti altri.

Aveva stentato tre, quattr'anni; poi, avvilito, aveva scritto da Buenos-Aires una lettera al nonno...

Ah, un nonno, un nonno io volevo proprio averlo conosciuto, un caro vecchietto, per esempio, come quello ch'era sceso testé dal treno, studioso d'iconografia cristiana.

Misteriosi capricci della fantasia! Per quale inesplicabile bisogno e donde mi veniva d'immaginare in quel momento mio padre, quel Paolo Meis, come uno scavezzacollo? Ecco, sì, egli aveva dato tanti dispiaceri al nonno: aveva sposato contro la volontà di lui e se n'era scappato in America. Doveva forse sostenere anche lui che Cristo era bruttissimo. E brutto davvero e sdegnato l'aveva veduto là, in America, se con la moglie lì lì per partorire, appena ricevuto il soccorso dal nonno, se n'era venuto via.

Ma perché proprio in viaggio dovevo esser nato io? Non sarebbe stato meglio nascere addirittura in America, nell'Argentina, pochi mesi prima del ritorno in patria de' miei genitori? Ma sì! Anzi il nonno s'era intenerito per il nipotino innocente; per me, unicamente per me aveva perdonato il figliuolo. Così io, piccino piccino, avevo traversato l'Oceano, e forse in terza classe, e durante il viaggio avevo preso una bronchite e per miracolo non ero morto. Benone! Me lo diceva sempre il nonno. Io però non dovevo rimpiangere come comunemente si suol fare, di non esser morto, allora di pochi mesi. No: perché, in fondo, che dolori avevo sofferto io, in vita mia? Uno solo, per dire la verità: quello de la morte del povero nonno, col quale ero cresciuto.

Mio padre, Paolo Meis, scapato e insofferente di giogo, era fuggito via di nuovo in America, dopo alcuni mesi, lasciando la moglie e me col nonno; e là era morto di febbre gialla. A tre anni, io ero rimasto orfano anche di madre, e senza memoria perciò de' miei genitori; solo con queste scarse notizie di loro. Ma c'era di più! Non sapevo neppure con precisione il mio luogo di nascita. Nell'Argentina, va bene! Ma dove? Il nonno lo ignorava, perché mio padre non gliel'aveva mai detto o perché se n'era dimenticato, e io non potevo certamente ricordarmelo.

Riassumendo:

a) figlio unico di Paolo Meis; – *b*) nato in America nell'Argentina, senz'altra designazione; – *c*) venuto in Italia di pochi mesi (bronchite); – *d*) senza memoria né quasi notizia dei genitori; – *e*) cresciuto col nonno.

Dove? Un po' da per tutto. Prima a Nizza. Memorie confuse: *Piazza Massena,* la *Promenade, Avenue de la Gare...* Poi, a Torino.

Ecco, ci andavo adesso, e mi proponevo tante cose: mi proponevo di scegliere una via e una casa, dove il nonno mi aveva lasciato fino all'età di dieci anni, affidato alle cure di una famiglia che avrei immaginato lì sul posto, perché avesse tutti i caratteri del luogo; mi proponevo di vivere, o meglio d'inseguire con la fantasia, lì, su la realtà, la vita d'Adriano Meis piccino.

Questo inseguimento, questa costruzione fantastica d'una vita non realmente vissuta, ma colta man mano negli altri e nei luoghi e fatta e sentita mia, mi procurò una gioja strana e nuova, non priva d'una certa mestizia, nei primi tempi del mio vagabondaggio. Me ne feci un'occupazione. Vivevo non nel presente soltanto, ma anche per il mio passato, cioè per gli anni che Adriano Meis non aveva vissuti.

Nulla o ben poco ritenni di quel che avevo prima fantasticato. Nulla s'inventa, è vero, che non abbia una qualche radice, più o men profonda, nella realtà; e anche le cose più strane possono esser vere, anzi nessuna fantasia arriva a concepire certe follie, certe inverosimili avventure che si scatenano e scoppiano dal seno tumultuoso della vita; ma pure, come e quanto appare diversa dalle invenzioni che noi possiamo trarne la realtà viva e spirante! Di quante cose sostanziali, minutissime, inimmaginabili ha bisogno la nostra invenzione per ridiventare quella stessa realtà da cui fu tratta, di quante fila che la riallaccino nel complicatissimo intrico della vita, fila che noi abbiamo recise per farla diventare una cosa a sé!

Or che cos'ero io, se non un uomo inventato? Una invenzione ambulante che voleva e, del resto, doveva forzatamente stare per sé, pur calata nella realtà.

Assistendo alla vita degli altri e osservandola minuziosamente, ne vedevo gl'infiniti legami e, al tempo stesso, vedevo le tante mie fila spezzate. Potevo io rannodarle, ora, queste fila con la realtà? Chi sa dove mi avrebbero trascinato; sarebbero forse diventate subito redini di cavalli scappati, che avrebbero condotto a precipizio la povera biga della mia necessaria invenzione. No. Io dovevo rannodar queste fila soltanto con la fantasia.

E seguivo per le vie e nei giardini i ragazzetti dai cinque ai dieci anni, e studiavo le loro mosse, i loro giuochi, e raccoglievo le loro espressioni, per comporne a poco a poco l'infanzia di Adriano Meis. Vi riuscii così bene, che essa alla fine assunse nella mia mente una consistenza quasi reale.

Non volli immaginarmi una nuova mamma. Mi sarebbe parso di profanar la memoria viva e dolorosa della mia mamma vera. Ma un nonno, sì, il nonno del mio primo fantasticare, volli crearmelo.

Oh, di quanti nonnini veri, di quanti vecchietti inseguiti e studiati un po' a Torino, un po' a Milano, un po' a Venezia, un po' a Firenze, si compose quel nonnino mio! Toglievo a uno qua la tabacchiera d'osso e il pezzolone a dadi rossi e neri, a un altro là il bastoncino, a un terzo gli occhiali e la barba a collana, a un quarto il modo di camminare e di soffiarsi il naso, a un quinto il modo di parlare e di ridere; e ne venne fuori un vecchietto fino, un po' bizzoso, amante delle arti, un nonnino spregiudicato, che non mi volle far seguire un corso regolare di studii, preferendo d'istruirmi lui, con la viva conversazione e conducendomi con sé, di città in città, per musei e gallerie.

Visitando Milano, Padova, Venezia, Ravenna, Firenze, Perugia, lo ebbi sempre con me, come un'ombra, quel mio nonnino fantasticato, che più d'una volta mi parlò anche per bocca d'un vecchio cicerone.

Ma io volevo vivere anche per me, nel presente. M'assaliva di tratto in tratto l'idea di quella mia libertà sconfinata, unica, e provavo una felicita improvvisa, così forte, che quasi mi ci smarrivo in un beato stupore; me la sentivo entrar nel petto con un respiro lunghissimo e largo, che mi sollevava tutto lo spirito. Solo! solo! solo! padrone di me! senza dover dar conto di nulla a nessuno! Ecco, potevo andare dove mi piaceva: a Venezia? a Venezia! a Firenze? a Firenze!; e quella mia felicità mi seguiva dovunque. Ah, ricordo un tramonto, a Torino, nei primi mesi di quella mia nuova vita, sul Lungo Po, presso al ponte che ritiene per una pescaja l'impeto delle acque che vi fremono irose: l'aria era d'una trasparenza meravigliosa; tutte le cose in ombra parevano smaltate in quella limpidezza; e io, guardando, mi sentii così ebro della mia libertà, che temetti quasi d'impazzire, di non potervi resistere a lungo.

Avevo già effettuato da capo a piedi la mia trasformazione esteriore: tutto sbarbato, con un pajo di occhiali azzurri chiari e coi capelli lunghi, scomposti artisticamente: parevo proprio un altro! Mi fermavo qualche volta a conversar con me stesso innanzi a uno specchio e mi mettevo a ridere.

«Adriano Meis! Uomo felice! Peccato che debba esser conciato così... Ma, via, che te n'importa? Va benone! Se non fosse per quest'occhio di *lui*, di quell'imbecille, non saresti poi, alla fin fine, tanto brutto, nella stranezza un po' spavalda della tua figura. Fai un po' ridere le donne, ecco. Ma la colpa, in fondo, non è tua. Se quell'altro non avesse portato i capelli così corti, tu non saresti ora obbligato a portarli così lunghi: e non certo per tuo gusto, lo so, vai ora sbarbato come un prete. Pazienza! Quando le donne ridono... ridi anche tu: è il meglio che possa fare.»

Vivevo, per altro, con me e di me, quasi esclusivamente. Scambiavo appena qualche parola con gli albergatori, coi camerieri, coi vicini di tavola, ma non mai per voglia d'attaccar discorso. Dal ritegno anzi che ne provavo, mi accorsi ch'io non avevo affatto il gusto della menzogna. Del resto, anche gli altri mostravan poca voglia di parlare con me: forse a causa del mio aspetto, mi prendevano per uno straniero. Ricordo che, visitando Venezia, non ci fu verso di levar dal capo a un vecchio gondoliere ch'io fossi tedesco, austriaco. Ero nato, sì, nell'Argentina, ma da genitori italiani. La mia vera, diciamo così, «estraneità» era ben altra e la conoscevo io solo: non ero più niente io; nessuno stato civile mi registrava, tranne quello di Miragno, ma come morto, con l'altro nome.

Non me n'affliggevo; tuttavia per austriaco, no, per austriaco non mi piaceva di passare. Non avevo avuto mai occasione di fissar la mente su la parola «patria». Avevo da pensare a ben altro, un tempo! Ora, nell'ozio, cominciavo a prender l'abitudine di riflettere su tante cose che non avrei mai creduto potessero anche per poco interessarmi. Veramente, ci cascavo senza volerlo, e spesso mi avveniva di scrollar le spalle, seccato. Ma di qualche cosa bisognava pure che mi occupassi, quando mi sentivo stanco di girare, di vedere. Per sottrarmi alle riflessioni fastidiose e inutili, mi mettevo talvolta a riempire interi fogli di carta della mia nuova firma, provandomi a scrivere con altra grafia, tenendo la penna diversamente di come la tenevo prima. A un certo punto però stracciavo la carta e buttavo via la penna. Io potevo benissimo essere anche analfabeta! A chi dovevo scrivere? Non ricevevo né potevo più ricever lettere da nessuno.

Questo pensiero, come tanti altri del resto, mi faceva dare un tuffo nel passato. Rivedevo allora la casa, la biblioteca, le vie di Miragno, la spiaggia; e mi domandavo: «Sarà ancora vestita di nero Romilda? Forse sì, per gli occhi del mondo. Che farà?». E me la immaginavo, come tante volte e tante l'avevo veduta là per casa; e m'immaginavo anche la vedova Pescatore, che imprecava certo alla mia memoria.

«Nessuna delle due», pensavo, «si sarà recata neppure una volta a visitar nel cimitero quel pover'uomo, che pure è morto così barbaramente. Chi sa dove mi hanno seppellito! Forse la zia Scolastica non avrà voluto fare per me la spesa che fece per la mamma; Roberto, tanto meno; avrà detto: – Chi gliel'ha fatto fare? poteva vivere infine con due lire al giorno, bibliotecario –. Giacerò come un cane, nel campo dei poveri... Via, via, non ci pensiamo! Me ne dispiace per quel pover'uomo, il quale forse avrà avuto parenti più umani de' miei che lo avrebbero trattato meglio. – Ma, del resto, anche a lui, ormai, che glien'importa? S'è levato il pensiero!»

Seguitai ancora per qualche tempo a viaggiare. Volli spingermi oltre l'Italia; visitai le belle contrade del Reno, fino a Colonia, seguendo il fiume, a bordo d'un piroscafo; mi trattenni nelle città principali: a Mannheim, a Worms, a Magonza, a Bingen, a Coblenza... Avrei voluto andar più sù di Colonia, più sù della Germania, almeno in Norvegia; ma poi pensai che io dovevo imporre un certo freno alla mia libertà. Il denaro che avevo meco doveva servirmi per tutta la vita, e non era molto. Avrei potuto vivere ancora una trentina d'anni; e così fuori d'ogni legge, senza alcun documento tra le mani che comprovasse, non dico altro, la mia esistenza reale, ero nell'impossibilità di procacciarmi un qualche impiego; se non volevo dunque ridurmi a mal partito, bisognava che mi restringessi a vivere con poco. Fatti i conti, non avrei dovuto spendere più di duecento lire al mese: pochine; ma già per ben due anni avevo anche vissuto con meno, e non io solo. Mi sarei dunque adattato.

In fondo, ero già un po' stanco di quell'andar girovagando sempre solo e muto. Istintivamente cominciavo a sentir il bisogno di un po' di compagnia.

Me ne accorsi in una triste giornata di novembre, a Milano, tornato da poco dal mio giretto in Germania.

Faceva freddo, ed era imminente la pioggia, con la sera. Sotto un fanale scorsi un vecchio cerinajo, a cui la cassetta, che teneva dinanzi con una cinta a tracolla, impediva di ravvolgersi bene in un logoro mantelletto che aveva su le spalle. Gli pendeva dalle pugna strette sul mento un cordoncino, fino ai piedi. Mi chinai a guardare e gli scoprii tra le scarpacce rotte un cucciolotto minuscolo, di pochi giorni, che tremava tutto di freddo e gemeva continuamente, lì rincantucciato. Povera bestiolina! Domandai al vecchio se la vendesse. Mi rispose di sì e che me l'avrebbe venduta anche per poco, benché valesse molto: ah, si sarebbe fatto un bel cane, un gran cane, quella bestiola:

– Venticinque lire...

Seguitò a tremare il povero cucciolo, senza inorgoglirsi punto di quella stima: sapeva di certo che il padrone con quel prezzo non aveva affatto stimato i suoi futuri meriti, ma la imbecillità che aveva creduto di leggermi in faccia.

Io intanto, avevo avuto il tempo di riflettere che, comprando quel cane, mi sarei fatto, sì, un amico fedele e discreto, il quale per amarmi e tenermi in pregio non mi avrebbe mai domandato chi fossi veramente e donde venissi e se le mie carte fossero in regola; ma avrei dovuto anche mettermi a pagare una tassa: io che non ne pagavo più! Mi parve come una prima compromissione della mia libertà, un lieve intacco ch'io stessi per farle.

– Venticinque lire? Ti saluto! – dissi al vecchio cerinajo.

Mi calcai il cappellaccio su gli occhi e, sotto la pioggerella fina fina che già il cielo cominciava a mandare, m'allontanai, considerando però, per la prima volta, che era bella, sì, senza dubbio, quella mia libertà così sconfinata, ma anche un tantino tiranna, ecco, se non mi consentiva neppure di comperarmi un cagnolino.

IX. *Un po' di nebbia*

Del primo inverno, se rigido, piovoso, nebbioso, quasi non m'ero accorto tra gli svaghi de' viaggi e nell'ebbrezza della nuova libertà. Ora questo secondo mi sorprendeva già un po' stanco, come ho detto, del vagabondaggio e deliberato a impormi un freno. E mi accorgevo che... sì, c'era un po' di nebbia, c'era; e faceva freddo; m'accorgevo che per quanto il mio animo si opponesse a prender qualità dal colore del tempo, pur ne soffriva.

«Ma sta' a vedere», mi rampognavo, «che non debba più far nuvolo perché tu possa ora godere serenamente della tua libertà!»

M'ero spassato abbastanza, correndo di qua e di là: Adriano Meis aveva avuto in quell'anno la sua giovinezza spensierata; ora bisognava che diventasse uomo, si raccogliesse in sé, si formasse un àbito di vita quieto e modesto. Oh, gli sarebbe stato facile, libero com'era e senz'obblighi di sorta!

Così mi pareva; e mi misi a pensare in quale città mi sarebbe convenuto di fissar dimora, giacché come un uccello senza nido non potevo più oltre rimanere, se proprio dovevo compormi una regolare esistenza. Ma dove? in una grande città o in una piccola? Non sapevo risolvermi.

Chiudevo gli occhi e col pensiero volavo a quelle città che avevo già visitate; dall'una all'altra, indugiandomi in ciascuna fino a rivedere con precisione quella tal via, quella tal piazza, quel tal luogo, insomma, di cui serbavo più viva memoria; e dicevo:

«Ecco, io vi sono stato! Ora, quanta vita mi sfugge, che séguita ad agitarsi qua e là variamente. Eppure, in quanti luoghi ho detto: – Qua vorrei aver casa! Come ci vivrei volentieri! –. E ho invidiato gli abitanti che, quietamente, con le loro abitudini e le loro consuete occupazioni, potevano dimorarvi, senza conoscere quel senso penoso di precarietà che tien sospeso l'animo di chi viaggia».

Questo senso penoso di precarietà mi teneva ancora e non mi faceva amare il letto su cui mi ponevo a dormire, i varii oggetti che mi stavano intorno.

Ogni oggetto in noi suol trasformarsi secondo le immagini ch'esso evoca e aggruppa, per così dire, attorno a sé. Certo un oggetto può piacere anche per se stesso, per la diversità delle sensazioni gradevoli che ci suscita in una percezione armoniosa; ma ben più spesso il piacere che un oggetto ci procura non si trova nell'oggetto per se medesimo. La fantasia lo abbellisce cingendolo e quasi irraggiandolo d'immagini care. Né noi lo percepiamo più qual esso è, ma così, quasi animato dalle immagini che suscita in noi o che le nostre abitudini vi associano. Nell'oggetto, insomma, noi amiamo quel che vi mettiamo di noi, l'accordo, l'armonia che stabiliamo tra esso e noi, l'anima che esso acquista per noi soltanto e che è formata dai nostri ricordi.

Or come poteva avvenire per me tutto questo in una camera d'albergo?

Ma una casa, una casa mia, tutta mia, avrei potuto più averla? I miei denari erano pochini... Ma una casettina modesta, di poche stanze? Piano: bisognava vedere, considerar bene prima, tante cose. Certo, libero, liberissimo, io potevo essere soltanto così, con la valigia in mano: oggi qua, domani là. Fermo in un luogo, proprietario d'una casa, eh, allora: registri e tasse subito! E non mi avrebbero iscritto all'anagrafe? Ma sicuramente! E come? con un nome falso? E allora, chi sa?, forse indagini segrete intorno a me da parte della polizia... Insomma, impicci, imbrogli!... No, via: prevedevo di non poter più avere una casa mia, oggetti miei. Ma mi sarei allogato a pensione in qualche famiglia, in una camera mobiliata. Dovevo affliggermi per così poco?

L'inverno, l'inverno m'ispirava queste riflessioni malinconiche, la prossima festa di Natale che fa desiderare il tepore d'un cantuccio caro, il raccoglimento, l'intimità della casa.

Non avevo certo da rimpiangere quella di casa mia. L'altra, più antica, della casa paterna, l'unica ch'io potessi ricordare con rimpianto, era già distrutta da un pezzo, e non da quel mio nuovo stato. Sicché dunque dovevo contentarmi, pensando che davvero non sarei stato più lieto, se avessi passato a Miragno, tra mia moglie e mia suocera – (rabbrividivo!) – quella festa di Natale.

Per ridere, per distrarmi, m'immaginavo intanto, con un buon panettone sotto il braccio, innanzi alla porta di casa mia.

« – Permesso? Stanno ancora qua le signore Romilda Pescatore, vedova Pascal, e Marianna Dondi, vedova Pescatore?»

« – Sissignore. Ma chi è lei?»

« – Io sarei il defunto marito della signora Pascal, quel povero galantuomo morto l'altr'anno, annegato. Ecco, vengo lesto lesto dall'altro mondo per passare le feste in famiglia, con licenza dei superiori. Me ne riparto subito!»

Rivedendomi così all'improvviso, sarebbe morta dallo spavento la vedova Pescatore? Che! Lei? Figuriamoci! Avrebbe fatto rimorire me, dopo due giorni.

La mia fortuna – dovevo convincermene – la mia fortuna consisteva appunto in questo: nell'essermi liberato della moglie, della suocera, dei debiti, delle afflizioni umilianti della mia prima vita. Ora, ero libero del tutto. Non mi bastava? Eh via, avevo ancora tutta una vita innanzi a me. Per il momento... chi sa quanti erano soli com'ero io!

«Sì, ma questi tali», m'induceva a riflettere il cattivo tempo, quella nebbia maledetta, «o son forestieri e hanno altrove una casa, a cui un giorno o l'altro potranno far ritorno, o se non hanno casa come te, potranno averla domani, e intanto avran quella ospitale di qualche amico. Tu invece, a volerla dire, sarai sempre e dovunque un forestiere: ecco la differenza. Forestiere della vita, Adriano Meis.»

Mi scrollavo, seccato, esclamando:

– E va bene! Meno impicci. Non ho amici? Potrò averne...

Già nella trattoria che frequentavo in quei giorni, un signore, mio vicino di tavola, s'era mostrato inchinevole a far amicizia con me. Poteva avere da quarant'anni: calvo sì e no, bruno, con occhiali d'oro, che non gli si reggevano bene sul naso, forse per il peso de la catenella pur d'oro. Ah, per questo un ometto tanto carino! Figurarsi che, quando si levava da sedere e si poneva il cappello in capo, pareva subito un altro: un ragazzino pareva. Il difetto era nelle gambe, così piccole, che non gli arrivavano neanche a terra, se stava seduto: egli non si alzava propriamente da sedere, ma scendeva piuttosto dalla sedia. Cercava di rimediare a questo difetto, portando i tacchi alti. Che c'è di male? Sì, facevan troppo rumore quei tacchi; ma gli rendevano intanto così graziosamente imperiosi i passettini da pernice.

Era molto bravo poi, ingegnoso – forse un pochino bisbetico e volubile – ma con vedute sue, originali; ed era anche cavaliere.

Mi aveva dato il suo biglietto da visita: – *cavalier Tito Lenzi*.

A proposito di questo biglietto da visita, per poco non mi feci anche un motivo d'infelicità della cattiva figura che mi pareva d'aver fatta, non potendo ricambiarglielo. Non avevo ancora biglietti da visita: provavo un certo ritegno a farmeli stampare col mio nuovo nome. Miserie! Non si può forse fare a meno de' biglietti da visita? Si dà a voce il proprio nome, e via.

Così feci; ma, per dir la verità, il mio vero nome... basta!

Che bei discorsi sapeva fare il cavalier Tito Lenzi! Anche il latino sapeva; citava come niente Cicerone.

– La coscienza? Ma la coscienza non serve, caro signore! La coscienza, come guida, non può bastare. Basterebbe forse, ma se essa fosse castello e non piazza, per così dire; se noi cioè potessimo riuscire a concepirci isolatamente, ed essa non fosse per sua natura aperta agli altri. Nella coscienza, secondo me, insomma, esiste una relazione essenziale... sicuro, essenziale, tra me che penso e gli altri esseri che io penso. E dunque non è un assoluto che basti a se stesso, mi spiego? Quando i sentimenti, le inclinazioni, i gusti di questi altri che io penso o che lei pensa non si riflettono in me o in lei, noi non possiamo essere né paghi, né tranquilli, né lieti; tanto vero che tutti lottiamo perché i nostri sentimenti, i nostri pensieri, le nostre inclinazioni, i nostri gusti si riflettano nella coscienza degli altri. E se questo non avviene, perché... diciamo così, l'aria del momento non si presta a trasportare e a far fiorire, caro signore, i germi... i germi della sua idea nella mente altrui, lei non può dire che la sua coscienza le basta. A che le basta? Le basta per viver solo? per isterilire nell'ombra? Eh via! Eh via! Senta; io odio la retorica, vecchia bugiarda fanfarona, civetta con gli occhiali. La retorica, sicuro, ha foggiato questa bella frase con tanto di petto in fuori: «*Ho la mia coscienza e mi basta*». Già! Cicerone prima aveva detto: *Mea mihi conscientia pluris est quam hominum sermo*. Cicerone però, diciamo la verità, eloquenza, eloquenza, ma... Dio ne scampi e liberi, caro signore! Nojoso più d'un principiante di violino!

Me lo sarei baciato. Se non che, questo mio caro ometto non volle perseverare negli arguti e concettosi discorsi, di cui ho voluto dare un saggio; cominciò a entrare in confidenza; e allora io, che già credevo facile e bene avviata la nostra amicizia, provai subito un certo impaccio, sentii dentro me quasi una forza che mi obbligava a scostarmi, a ritrarmi. Finché parlò lui e la conversazione s'aggirò su argomenti vaghi, tutto andò bene; ma ora il cavalier Tito Lenzi voleva che parlassi io.

– Lei non è di Milano, è vero?

– No...
– Di passaggio?
– Sì...
– Bella città Milano, eh?
– Bella, già...

Parevo un pappagallo ammaestrato. E più le sue domande mi stringevano, e io con le mie risposte m'allontanavo. E ben presto fui in America. Ma come l'ometto mio seppe ch'ero nato in Argentina, balzò dalla sedia e venne a stringermi calorosamente la mano:

– Ah, mi felicito con lei, caro signore! La invidio! Ah, l'America... Ci sono stato.

C'era stato? Scappa!

– In questo caso, – m'affrettai a dirgli, – debbo io piuttosto felicitarmi con lei che c'è stato, perché io posso quasi quasi dire di non esserci stato, tuttoché nativo di là; ma ne venni via di pochi mesi; sicché dunque i miei piedi non han proprio toccato il suolo americano, ecco!

– Che peccato! – esclamò dolente il cavalier Tito Lenzi. – Ma lei ci avrà parenti, laggiù, m'immagino!

– No, nessuno...

– Ah, dunque, è venuto in Italia con tutta la famiglia, e vi si è stabilito? Dove ha preso stanza?

Mi strinsi ne le spalle:

– Mah! – sospirai, tra le spine, – un po' qua, un po' là... Non ho famiglia e... e giro.

– Che piacere! Beato lei! Gira... Non ha proprio nessuno?

– Nessuno...

– Che piacere! beato lei! la invidio!

– Lei dunque ha famiglia? – volli domandargli, a mia volta, per deviare da me il discorso.

– E no, purtroppo! – sospirò egli allora, accigliandosi. – Son solo e sono stato sempre solo!

– E dunque, come me!...

– Ma io mi annojo, caro signore! m'annojo! – scattò l'ometto. – Per me, la solitudine... eh sì, infine, mi sono stancato. Ho tanti amici; ma, creda pure, non è una bella cosa, a una certa età, andare a casa e non trovar nessuno. Mah! C'è chi comprende e chi non comprende, caro signore. Sta molto peggio chi comprende, perché alla fine si ritrova senza energia e senza volontà. Chi comprende, infatti, dice: «Io non devo far questo, non devo far quest'altro, per non commettere questa o quella bestialità». Benissimo! Ma a un certo punto s'accorge che la vita è tutta una bestialità, e allora dica un po' lei che cosa significa il non averne commessa nessuna: significa per lo meno non aver vissuto, caro signore.

– Ma lei, – mi provai a confortarlo, – lei è ancora in tempo, fortunatamente...

– Di commettere bestialità? Ma ne ho già commesse tante, creda pure! – rispose con un gesto e un sorriso fatuo. – Ho viaggiato, ho girato come lei e... avventure, avventure... anche molto curiose e piccanti... sì, via, me ne son capitate. Guardi, per esempio, a Vienna, una sera...

Cascai dalle nuvole. Come! Avventure amorose, lui? Tre, quattro, cinque, in Austria, in Francia, in Italia... anche in Russia? E che avventure! Una più ardita dell'altra... Ecco qua, per dare un altro saggio, un brano di dialogo tra lui e una donna maritata:

LUI: – Eh, a pensarci, lo so, cara signora... Tradire il marito, Dio mio! La fedeltà, l'onestà, la dignità... tre grosse, sante parole, con tanto d'accento su l'*a*. E poi: l'onore! altra parola enorme... Ma, in pratica, credete, è un'altra cosa, cara signora: cosa di pochissimo momento! Domandate alle vostre amiche che ci si sono avventurate.

LA DONNA MARITATA: – Sì; e tutte quante han provato poi un grande disinganno!

LUI: – Ma sfido! ma si capisce! Perché impedite, trattenute da quelle parolacce, hanno messo un anno, sei mesi, troppo tempo a risolversi. E il disinganno diviene appunto dalla sproporzione tra l'entità del fatto e il troppo pensiero che se ne son date. Bisogna risolversi subito, cara signora! Lo penso, lo faccio. È così semplice!

Bastava guardarlo, bastava considerare un poco quella sua minuscola ridicola personcina, per accorgersi ch'egli mentiva, senza bisogno d'altre prove.

Allo stupore seguì in me un profondo avvilimento di vergogna per lui, che non si rendeva conto del miserabile effetto che dovevano naturalmente produrre quelle sue panzane, e anche per me che vedevo mentire con tanta disinvoltura e tanto gusto lui, lui che non ne avrebbe avuto alcun bisogno; mentre io, che non potevo farne a meno, io ci stentavo e ci soffrivo fino a sentirmi, ogni volta, torcer l'anima dentro.

Avvilimento e stizza. Mi veniva d'afferrargli un braccio e di gridargli: «Ma scusi, cavaliere, perché? perché?».

Se però erano ragionevoli e naturali in me l'avvilimento e la stizza, mi accorsi, riflettendoci bene, che sarebbe stata per lo meno sciocca quella domanda. Infatti, se il caro ometto imbizzarriva così a farmi credere a quelle sue avventure, la ragione era appunto nel non aver egli alcun bisogno di mentire; mentre io... io vi ero obbligato dalla necessità. Ciò che per lui, insomma, poteva essere uno spasso e quasi l'esercizio d'un diritto, era per me, all'incontro, obbligo increscioso, condanna.

E che seguiva da questa riflessione? Ahimè, che io, condannato inevitabilmente a mentire dalla mia condizione, non avrei potuto avere mai più un amico, un vero amico. E dunque, né casa, né amici... Amicizia vuol dire confidenza; e come avrei potuto io confidare a qualcuno il segreto di quella mia vita senza nome e senza passato, sorta come un fungo dal suicidio di Mattia Pascal? Io potevo aver solamente relazioni superficiali, permettermi solo co' miei simili un breve scambio di parole aliene.

Ebbene, erano gl'inconvenienti della mia fortuna. Pazienza! Mi sarei scoraggiato per questo?

«Vivrò con me e di me, come ho vissuto finora!»

Sì; ma ecco: per dir la verità, temevo che della mia compagnia non mi sarei tenuto né contento né pago. E poi, toccandomi la faccia e scoprendomela sbarbata, passandomi una mano su quei capelli lunghi o rassettandomi gli occhiali sul naso, provavo una strana impressione: mi pareva quasi di non esser più io, di non toccare me stesso.

Siamo giusti, io mi ero conciato a quel modo per gli altri, non per me. Dovevo ora star con me, così mascherato? E se tutto ciò che avevo finto e immaginato di Adriano Meis non doveva servire per gli altri, per chi doveva servire? per me? Ma io, se mai, potevo crederci solo a patto che ci credessero gli altri.

Ora, se questo Adriano Meis non aveva il coraggio di dir bugie, di cacciarsi in mezzo alla vita, e si appartava e rientrava in albergo, stanco di vedersi solo, in quelle tristi giornate d'inverno, per le vie di Milano, e si chiudeva nella compagnia del morto Mattia Pascal, prevedevo che i fatti miei, eh, avrebbero cominciato a camminar male; che insomma non mi s'apparecchiava un divertimento, e che la mia bella fortuna, allora...

Ma la verità forse era questa: che nella mia libertà sconfinata, mi riusciva difficile cominciare a vivere in qualche modo. Sul punto di prendere una riso-

238 · IL FU MATTIA PASCAL

luzione, mi sentivo come trattenuto, mi pareva di vedere tanti impedimenti e ombre e ostacoli.

Ed ecco, mi cacciavo, di nuovo, fuori, per le strade, osservavo tutto, mi fermavo a ogni nonnulla, riflettevo a lungo su le minime cose; stanco, entravo in un caffè, leggevo qualche giornale, guardavo la gente che entrava e usciva; alla fine, uscivo anch'io. Ma la vita, a considerarla così, da spettatore estraneo, mi pareva ora senza costrutto e senza scopo; mi sentivo sperduto tra quel rimescolìo di gente. E intanto il frastuono, il fermento continuo della città m'intronavano.

«Oh perché gli uomini», domandavo a me stesso, smaniosamente, «si affannano così a rendere man mano più complicato il congegno della loro vita? perché tutto questo stordimento di macchine? E che farà l'uomo quando le macchine faranno tutto? Si accorgerà allora che il così detto progresso non ha nulla a che fare con la felicità? Di tutte le invenzioni, con cui la scienza crede onestamente d'arricchire l'umanità (e la impoverisce, perché costano tanto care), che gioja in fondo proviamo noi, anche ammirandole?»

In un tram elettrico, il giorno avanti, m'ero imbattuto in un pover'uomo, di quelli che non possono fare a meno di comunicare a gli altri tutto ciò che passa loro per la mente.

– Che bella invenzione! – mi aveva detto. – Con due soldini, in pochi minuti, mi giro mezza Milano.

Vedeva soltanto i due soldini della corsa, quel pover'uomo, e non pensava che il suo stipendiuccio se n'andava tutto quanto e non gli bastava per vivere intronato di quella vita fragorosa, col tram elettrico, con la luce elettrica, ecc., ecc.

Eppure la scienza, pensavo, ha l'illusione di render più facile e più comoda l'esistenza! Ma, anche ammettendo che la renda veramente più facile, con tutte le sue macchine così difficili e complicate, domando io: «E qual peggior servizio a chi sia condannato a una briga vana, che rendergliela facile e quasi meccanica?».

Rientravo in albergo.

Là, in un corridojo, sospesa nel vano d'una finestra, c'era una gabbia con un canarino. Non potendo con gli altri e non sapendo che fare, mi mettevo a conversar con lui, col canarino: gli rifacevo il verso con le labbra, ed esso veramente credeva che qualcuno gli parlasse e ascoltava e forse coglieva in quel mio pispissìo care notizie di nidi, di foglie, di libertà... Si agitava nella gabbia, si voltava, saltava, guardava di traverso, scotendo la testina, poi mi rispondeva, chiedeva, ascoltava ancora. Povero uccellino! lui sì m'inteneriva, mentre io non sapevo che cosa gli avessi detto...

Ebbene, a pensarci, non avviene anche a noi uomini qualcosa di simile? Non crediamo anche noi che la natura ci parli? e non ci sembra di cogliere un senso nelle sue voci misteriose, una risposta, secondo i nostri desiderii, alle affannose domande che le rivolgiamo? E intanto la natura, nella sua infinita grandezza, non ha forse il più lontano sentore di noi e della nostra vana illusione.

Ma vedete un po' a quali conclusioni uno scherzo suggerito dall'ozio può condurre un uomo condannato a star solo con se stesso! Mi veniva quasi di prendermi a schiaffi. Ero io dunque sul punto di diventare sul serio un filosofo?

No, no, via, non era logica la mia condotta. Così, non avrei potuto più oltre durarla. Bisognava ch'io vincessi ogni ritegno, prendessi a ogni costo una risoluzione.

Io, insomma, dovevo vivere, vivere, vivere.

X. *Acquasantiera e portacenere*

Pochi giorni dopo ero a Roma, per prendervi dimora.

Perché a Roma e non altrove? La ragione vera la vedo adesso, dopo tutto quello che m'è occorso, ma non la dirò per non guastare il mio racconto con riflessioni che, a questo punto, sarebbero inopportune. Scelsi allora Roma, prima di tutto perché mi piacque sopra ogni altra città, e poi perché mi parve più adatta a ospitar con indifferenza, tra tanti forestieri, un forestiere come me.

La scelta della casa, cioè d'una cameretta decente, in qualche via tranquilla, presso una famiglia discreta, mi costò molta fatica. Finalmente la trovai in via Ripetta, alla vista del fiume. A dir vero, la prima impressione che ricevetti della famiglia che doveva ospitarmi fu poco favorevole; tanto che, tornato all'albergo, rimasi a lungo perplesso se non mi convenisse di cercare ancora.

Su la porta, al quarto piano, c'erano due targhette: PALEARI di qua, PAPIANO di là; sotto a questa, un biglietto da visita, fissato con due bullette di rame, nel quale si leggeva: *Silvia Caporale*.

Venne ad aprirmi un vecchio su i sessant'anni (Paleari? Papiano?), in mutande di tela, coi piedi scalzi entro un pajo di ciabatte rocciose, nudo il torso roseo, ciccioso, senza un pelo, le mani insaponate e con un fervido turbante di spuma in capo.

– Oh scusi! – esclamò. – Credevo che fosse la serva... Abbia pazienza: mi trova così... Adriana! Terenzio! E subito, via! Vedi che c'è qua un signore... Abbia pazienza un momentino; favorisca... Che cosa desidera?

– S'affitta qua una camera mobiliata?

– Sissignore. Ecco mia figlia: parlerà con lei. Sù, Adriana, la camera!

Apparve, tutta confusa, una signorinetta piccola piccola, bionda, pallida, dagli occhi ceruli, dolci e mesti, come tutto il volto. Adriana, come me! «Oh, guarda un po'!», pensai. «Neanche a farlo apposta!»

– Ma Terenzio dov'è? – domandò l'uomo dal turbante di spuma.

– Oh Dio, papà, sai bene che è a Napoli, da jeri. Ritìrati! Se ti vedessi... – gli rispose la signorinetta mortificata, con una vocina tenera che, pur nella lieve irritazione, esprimeva la mitezza dell'indole.

Quegli si ritirò, ripetendo: – *Ah già! ah già!* –, strascicando le ciabatte e seguitando a insaponarsi il capo calvo e anche il grigio barbone.

Non potei fare a meno di sorridere, ma benevolmente, per non mortificare di più la figliuola. Ella socchiuse gli occhi, come per non vedere il mio sorriso.

Mi parve dapprima una ragazzetta; poi, osservando bene l'espressione del volto, m'accorsi ch'era già donna e che doveva perciò portare, se vogliamo, quella veste da camera che la rendeva un po' goffa, non adattandosi al corpo e alle fattezze di lei così piccolina. Vestiva di mezzo lutto.

Parlando pianissimo e sfuggendo di guardarmi (chi sa che impressione le feci in prima!), m'introdusse, attraverso un corridojo bujo, nella camera che dovevo prendere in affitto. Aperto l'uscio, mi sentii allargare il petto, all'aria, alla luce che entravano per due ampie finestre prospicienti il fiume. Si vedeva in fondo in fondo Monte Mario, Ponte Margherita e tutto il nuovo quartiere dei Prati fino a Castel Sant'Angelo; si dominava il vecchio Ponte di Ripetta e il nuovo che vi si costruiva accanto; più là, il Ponte Umberto e tutte le vecchie case di Tordinona che seguivan la voluta ampia del fiume; in fondo, da quest'altra parte, si scorgevano le verdi alture del Gianicolo, col fontanone di San Pietro in Montorio e la statua equestre di Garibaldi.

In grazia di quella spaziosa veduta presi in affitto la camera, che era per altro addobbata con graziosa semplicità, di tappezzeria chiara, bianca e celeste.

– Questo terrazzino qui accanto, – volle dirmi la ragazzetta in veste da camera, – appartiene pure a noi, almeno per ora. Lo butteranno giù, dicono, perché fa aggetto.

– Fa... che cosa?

– Aggetto: non si dice così? Ma ci vorrà tempo, prima che sia finito il Lungotevere.

Sentendola parlare piano, con tanta serietà, vestita a quel modo, sorrisi e dissi:

– Ah sì?

Se ne offese. Chinò gli occhi e si strinse un po' il labbro tra i denti. Per farle piacere, allora, le parlai anch'io con gravità:

– E... scusi, signorina: non ci sono bambini, è vero, in casa?

Scosse il capo senza aprir bocca. Forse nella mia domanda sentì ancora un sapor d'ironia, ch'io però non avevo voluto metterci. Avevo detto *bambini* e non *bambine*. Mi affrettai a riparare un'altra volta:

– E... dica, signorina: loro non affittano altre camere, è vero?

– Questa è la migliore, – mi rispose, senza guardarmi. – Se non le accomoda...

– No no... Domandavo per sapere se...

– Ne affittiamo un'altra, – disse allora ella, alzando gli occhi con aria d'indifferenza forzata. – Di là, posta sul davanti... su la via. È occupata da una signorina che sta con noi ormai da due anni: dà lezioni di pianoforte... non in casa.

Accennò, così dicendo, un sorriso lieve lieve, e mesto. Aggiunse:

– Siamo io, il babbo e mio cognato...

– Paleari?

– No: Paleari è il babbo; mio cognato si chiama Terenzio Papiano. Deve però andar via, col fratello che per ora sta anche lui qua con noi. Mia sorella è morta... da sei mesi.

Per cangiar discorso, le domandai che pigione avrei dovuto pagare; ci accordammo subito; le domandai anche se bisognava lasciare una caparra.

– Faccia lei, – mi rispose. – Se vuole piuttosto lasciare il nome...

Mi tastai in petto, sorridendo nervosamente, e dissi:

– Non ho... non ho neppure un biglietto da visita... Mi chiamo Adriano, sì, appunto: ho sentito che si chiama Adriana anche lei, signorina. Forse le farà dispiacere...

– Ma no! Perché? – fece lei, notando evidentemente il mio curioso imbarazzo e ridendo questa volta come una vera bambina.

Risi anch'io e soggiunsi:

– E allora, se non le dispiace, mi chiamo Adriano Meis: ecco fatto! Potrei alloggiare qua stasera stessa? O tornerò meglio domattina...

Ella mi rispose: – Come vuole, – ma io me ne andai con l'impressione che le avrei fatto un gran piacere se non fossi più tornato. Avevo osato nientemeno di non tenere nella debita considerazione quella sua veste da camera.

Potei vedere però e toccar con mano, pochi giorni dopo, che la povera fanciulla doveva proprio portarla, quella veste da camera, di cui ben volentieri, forse, avrebbe fatto a meno. Tutto il peso della casa era su le sue spalle, e guaj se non ci fosse stata lei!

Il padre, Anselmo Paleari, quel vecchio che mi era venuto innanzi con un turbante di spuma in capo, aveva pure così, come di spuma, il cervello. Lo stesso giorno che entrai in casa sua, mi si presentò, non tanto – disse – per rifarmi le scuse del modo poco decente in cui mi era apparso la prima volta, quanto per il piacere di far la mia conoscenza, avendo io l'aspetto d'uno studioso o d'un artista, forse:

– Sbaglio?

– Sbaglia. Artista... per niente! studioso... così così... Mi piace leggere qualche libro.

– Oh, ne ha di buoni! – fece lui, guardando i dorsi di quei pochi che avevo
già disposti sul palchetto della scrivania. – Poi, qualche altro giorno, le mo-
strerò i miei, eh? Ne ho di buoni anch'io. Mah!

E scrollò le spalle e rimase lì, astratto, con gli occhi invagati, evidentemente
senza ricordarsi più di nulla, né dov'era né con chi era; ripeté altre due volte:
– *Mah!... Mah!*, – con gli angoli della bocca contratti in giù, e mi voltò le
spalle per andarsene, senza salutarmi.

Ne provai, lì per lì, una certa meraviglia; ma poi, quando egli nella sua camera mi mostrò i libri, come aveva promesso, non solo quella piccola distrazione di mente mi spiegai, ma anche tant'altre cose. Quei libri recavano titoli
di questo genere: *La Mort et l'au-delà – L'homme et ses corps – Les sept
principes de l'homme – Karma – La clef de la Théosophie – A B C de la
Théosophie – La doctrine secrète – Le Plan Astral* – ecc., ecc.

Era ascritto alla scuola teosofica il signor Anselmo Paleari.

Lo avevano messo a riposo, da caposezione in non so qual Ministero, prima
del tempo, e lo avevano rovinato, non solo finanziariamente, ma anche perché,
libero e padrone del suo tempo, egli si era adesso sprofondato tutto ne' suoi
fantastici studii e nelle sue nuvolose meditazioni, astraendosi più che mai
dalla vita materiale. Per lo meno mezza la sua pensione doveva andarsene nel-
l'acquisto di quei libri. Già se n'era fatta una piccola biblioteca. La dottrina
teosofica però non doveva soddisfarlo interamente. Certo il tarlo della critica
lo rodeva, perché, accanto a quei libri di teosofia, aveva anche una ricca col-
lezione di saggi e di studii filosofici antichi e moderni e libri d'indagine scientifica. In questi ultimi tempi si era dato anche a gli esperimenti spiritici.

Aveva scoperto nella signorina Silvia Caporale, maestra di pianoforte, sua
inquilina, straordinarie facoltà medianiche, non ancora bene sviluppate, per
dire la verità, ma che si sarebbero senza dubbio sviluppate, col tempo e con
l'esercizio, fino a rivelarsi superiori a quelle di tutti i *medium* più celebrati.

Io, per conto mio, posso attestare di non aver mai veduto in una faccia vol-
garmente brutta, da maschera carnevalesca, un pajo d'occhi più dolenti di
quelli della signorina Silvia Caporale. Eran nerissimi, intensi, ovati, e davan
l'impressione che dovessero aver dietro un contrappeso di piombo, come
quelli delle bambole automatiche. La signorina Silvia Caporale aveva più di
quarant'anni e anche un bel pajo di baffi, sotto il naso a pallottola sempre acceso.

Seppi di poi che questa povera donna era arrabbiata d'amore, e beveva; si
sapeva brutta, ormai vecchia e, per disperazione, beveva. Certe sere si riduceva in casa in uno stato veramente deplorevole: col cappellino a sghimbescio,
la pallottola del naso rossa come una carota e gli occhi semichiusi, più dolenti
che mai.

Si buttava sul letto, e subito tutto il vino bevuto le riveniva fuori trasformato
in un infinito torrente di lagrime. Toccava allora alla povera piccola mammina
in veste da camera vegliarla, confortarla fino a tarda notte: ne aveva pietà,
pietà che vinceva la nausea: la sapeva sola al mondo e infelicissima, con
quella rabbia in corpo che le faceva odiar la vita, a cui già due volte aveva attentato; la induceva pian piano a promettere che sarebbe stata buona, che non
l'avrebbe fatto più; e sissignori, il giorno appresso se la vedeva comparire
tutta infronzolata e con certe mossette da scimmia, trasformata di punto in
bianco in bambina ingenua e capricciosa.

Le poche lire che le avveniva di guadagnare di tanto in tanto facendo provar
le canzonette a qualche attrice esordiente di caffè-concerto, se n'andavano
così o per bere o per infronzolarsi, ed ella non pagava né l'affitto della camera
né quel po' che le davano da mangiare là in famiglia. Ma non si poteva man-

dar via. Come avrebbe fatto il signor Anselmo Paleari per i suoi esperimenti spiritici?

C'era in fondo, però, un'altra ragione. La signorina Caporale, due anni avanti, alla morte della madre, aveva smesso casa e, venendo a viver lì dai Paleari, aveva affidato circa sei mila lire, ricavate dalla vendita dei mobili, a Terenzio Papiano, per un negozio che questi le aveva proposto, sicurissimo e lucroso: le sei mila lire erano sparite.

Quando ella stessa, la signorina Caporale, lagrimando, mi fece questa confessione, io potei scusare in qualche modo il signor Anselmo Paleari, il quale per quella sua follia soltanto m'era parso dapprima che tenesse una donna di tal risma a contatto della propria figliuola.

È vero che per la piccola Adriana, che si dimostrava così istintivamente buona e anzi troppo savia, non v'era forse da temere: ella infatti più che d'altro si sentiva offesa nell'anima da quelle pratiche misteriose del padre, da quell'evocazione di spiriti per mezzo della signorina Caporale.

Era religiosa la piccola Adriana. Me ne accorsi fin dai primi giorni per via di un'acquasantiera di vetro azzurro appesa a muro sopra il tavolino da notte, accanto al mio letto. M'ero coricato con la sigaretta in bocca, ancora accesa, e m'ero messo a leggere uno di quei libri del Paleari; distratto, avevo poi posato il mozzicone spento in quell'acquasantiera. Il giorno dopo, essa non c'era più. Sul tavolino da notte, invece, c'era un portacenere. Volli domandarle se la avesse tolta lei dal muro; ed ella, arrossendo leggermente, mi rispose:

– Scusi tanto, m'è parso che le bisognasse piuttosto un portacenere.

– Ma c'era acqua benedetta nell'acquasantiera?

– C'era. Abbiamo qui dirimpetto la chiesa di San Rocco...

E se n'andò. Mi voleva dunque santo quella minuscola mammina, se al fonte di San Rocco aveva attinto l'acqua benedetta anche per la mia acquasantiera? Per la mia e per la sua, certamente. Il padre non doveva usarne. E nell'acquasantiera della signorina Caporale, seppure ne aveva, vin santo, piuttosto.

Ogni minimo che – sospeso come già da un pezzo mi sentivo in un vuoto strano – mi faceva ora cadere in lunghe riflessioni. Questo dell'acquasantiera m'indusse a pensare che, fin da ragazzo, io non avevo più atteso a pratiche religiose, né ero più entrato in alcuna chiesa per pregare, andato via Pinzone che mi vi conduceva insieme con Berto, per ordine della mamma. Non avevo mai sentito alcun bisogno di domandare a me stesso se avessi veramente una fede. E Mattia Pascal era morto di mala morte senza conforti religiosi.

Improvvisamente, mi vidi in una condizione assai speciosa. Per tutti quelli che mi conoscevano, io mi ero tolto – bene o male – il pensiero più fastidioso e più affliggente che si possa avere, vivendo: quello della morte. Chi sa quanti, a Miragno, dicevano:

– Beato lui, alla fine! Comunque sia, ha risolto il problema.

E non avevo risolto nulla, io, intanto. Mi trovavo ora coi libri d'Anselmo Paleari tra le mani, e questi libri m'insegnavano che i morti, quelli veri, si trovavano nella mia identica condizione, nei «gusci» del *Kâmaloka*, specialmente i suicidi, che il signor Leadbeater, autore del *Plan Astral* (premier degré du monde invisible, d'après la théosophie), raffigura come eccitati da ogni sorta d'appetiti umani, a cui non possono soddisfare, sprovvisti come sono del corpo carnale, ch'essi però ignorano d'aver perduto.

«Oh, guarda un po'», pensavo, «ch'io quasi quasi potrei credere che mi sia davvero affogato nel molino della *Stìa*, e che intanto mi illuda di vivere ancora.»

Si sa che certe specie di pazzia sono contagiose. Quella del Paleari, per quanto in prima mi ribellassi, alla fine mi s'attaccò. Non che credessi veramente di esser morto: non sarebbe stato un gran male, giacché il forte è mo-

rire, e, appena morti, non credo che si possa avere il tristo desiderio di ritornare in vita. Mi accorsi tutt'a un tratto che dovevo proprio morire ancora:
ecco il male! Chi se ne ricordava più? Dopo il mio suicidio alla *Stìa*, io naturalmente non avevo veduto più altro, innanzi a me, che la vita. Ed ecco qua,
ora: il signor Anselmo Paleari mi metteva innanzi di continuo l'ombra della
morte.

Non sapeva più parlar d'altro, questo benedett'uomo! Ne parlava però con
tanto fervore e gli scappavan fuori di tratto in tratto, nella foga del discorso,
certe immagini e certe espressioni così singolari, che, ascoltandolo, mi passava subito la voglia di cavarmelo d'attorno e d'andarmene ad abitare altrove.
Del resto, la dottrina e la fede del signor Paleari, tuttoché mi sembrassero talvolta puerili, erano in fondo confortanti; e, poiché purtroppo mi s'era affacciata l'idea che, un giorno o l'altro, io dovevo pur morire sul serio, non mi dispiaceva di sentirne parlare a quel modo.

– C'è logica? – mi domandò egli un giorno, dopo avermi letto un passo di un
libro del Finot, pieno d'una filosofia così sentimentalmente macabra, che pareva il sogno d'un becchino morfinomane, su la vita nientemeno dei vermi
nati dalla decomposizione del corpo umano. – C'è logica? Materia, sì, materia:
ammettiamo che tutto sia materia. Ma c'è forma e forma, modo e modo, qualità e qualità: c'è il sasso e l'etere imponderabile, perdio! Nel mio stesso
corpo, c'è l'unghia, il dente, il pelo, e c'è perbacco il finissimo tessuto oculare.
Ora, sissignore, chi vi dice di no? quella che chiamiamo anima sarà materia
anch'essa; ma vorrete ammettermi che non sarà materia come l'unghia, come
il dente, come il pelo: sarà materia come l'etere, o che so io. L'etere, sì,
l'ammettete come ipotesi, e l'anima no? C'è logica? Materia, sissignore.
Segua il mio ragionamento, e veda un po' dove arrivo, concedendo tutto. Veniamo alla Natura. Noi consideriamo adesso l'uomo come l'erede di una serie
innumerevole di generazioni, è vero? come il prodotto di una elaborazione
ben lenta della Natura. Lei, caro signor Meis, ritiene che sia una bestia anch'esso, crudelissima bestia e, nel suo insieme, ben poco pregevole? Concedo
anche questo, e dico: sta bene, l'uomo rappresenta nella scala degli esseri un
gradino non molto elevato; dal verme all'uomo poniamo otto, poniamo sette,
poniamo cinque gradini. Ma, perdiana!, la Natura ha faticato migliaja, migliaja e migliaja di secoli per salire questi cinque gradini, dal verme all'uomo;
s'è dovuta evolvere, è vero? questa materia per raggiungere come forma e
come sostanza questo quinto gradino, per diventare questa bestia che ruba,
questa bestia che uccide, questa bestia bugiarda, ma che pure è capace di scrivere la *Divina Commedia*, signor Meis, e di sacrificarsi come ha fatto sua
madre e mia madre; e tutt'a un tratto, pàffete, torna zero? C'è logica? Ma diventerà verme il mio naso, il mio piede, non l'anima mia, per bacco! materia
anch'essa, sissignore, chi vi dice di no? ma non come il mio naso o come il
mio piede. C'è logica?

– Scusi, signor Paleari, – gli obbiettai io, – un grand'uomo passeggia, cade,
batte la testa, diventa scemo. Dov'è l'anima?

Il signor Anselmo restò un tratto a guardare, come se improvvisamente gli
fosse caduto un macigno innanzi ai piedi.

– Dov'è l'anima?

– Sì, lei o io, io che non sono un grand'uomo, ma che pure... via, ragiono:
passeggio, cado, batto la testa, divento scemo. Dov'è l'anima?

Il Paleari giunse le mani e, con espressione di benigno compatimento, mi rispose:

– Ma, santo Dio, perché vuol cadere e batter la testa, caro signor Meis?

– Per un'ipotesi...

– Ma nossignore: passeggi pure tranquillamente. Prendiamo i vecchi che,
senza bisogno di cadere e batter la testa, possono naturalmente diventare

scemi. Ebbene, che vuol dire? Lei vorrebbe provare con questo che, fiaccandosi il corpo, si raffievolisce anche l'anima, per dimostrar così che l'estinzione dell'uno importi l'estinzione dell'altra? Ma scusi! Immagini un po' il caso contrario: di corpi estremamente estenuati in cui pur brilla potentissima la luce dell'anima: Giacomo Leopardi! e tanti vecchi, come per esempio Sua Santità Leone XIII! E dunque? Ma immagini un pianoforte e un sonatore: a un certo punto, sonando, il pianoforte si scorda; un tasto non batte più; due, tre corde si spezzano; ebbene, sfido! con uno strumento così ridotto, il sonatore, per forza, pur essendo bravissimo, dovrà sonar male. E se il pianoforte poi tace, non esiste più neanche il sonatore?

– Il cervello sarebbe il pianoforte; il sonatore l'anima?

– Vecchio paragone, signor Meis! Ora se il cervello si guasta, per forza l'anima s'appalesa scema, o matta, o che so io. Vuol dire che, se il sonatore avrà rotto, non per disgrazia, ma per inavvertenza o per volontà lo strumento, pagherà: chi rompe paga: si paga tutto, si paga. Ma questa è un'altra questione. Scusi, non vorrà dir nulla per lei che tutta l'umanità, tutta, dacché se ne ha notizia, ha sempre avuto l'aspirazione a un'altra vita, di là? È un fatto, questo, un fatto, una prova reale.

– Dicono: l'istinto della conservazione...

– Ma nossignore, perché me n'infischio io, sa? di questa vile pellaccia che mi ricopre! Mi pesa, la sopporto perché so che devo sopportarla; ma se mi provano, perdiana, che – dopo averla sopportata per altri cinque o sei o dieci anni – io non avrò pagato lo scotto in qualche modo, e che tutto finirà lì, ma io la butto via oggi stesso, in questo stesso momento: e dov'è allora l'istinto della conservazione? Mi conservo unicamente perché sento che non può finire così! Ma altro è l'uomo singolo, dicono, altro è l'umanità. L'individuo finisce, la specie continua la sua evoluzione. Bel modo di ragionare, codesto! Ma guardi un po'! Come se l'umanità non fossi io, non fosse lei e, a uno a uno, tutti. E non abbiamo ciascuno lo stesso sentimento, che sarebbe cioè la cosa più assurda e più atroce, se tutto dovesse consister qui, in questo miserabile soffio che è la nostra vita terrena: cinquanta, sessant'anni di noja, di miserie, di fatiche: perché? per niente! per l'umanità? Ma se l'umanità anch'essa un giorno dovrà finire? Pensi un po': e tutta questa vita, tutto questo progresso, tutta questa evoluzione perché sarebbero stati? Per niente? E il niente, il puro niente, dicono intanto che non esiste... Guarigione dell'astro, è vero? come ha detto lei l'altro giorno. Va bene: guarigione; ma bisogna vedere in che senso. Il male della scienza, guardi, signor Meis, è tutto qui: che vuole occuparsi della vita soltanto.

– Eh, – sospirai io, sorridendo, – poiché dobbiamo vivere...

– Ma dobbiamo anche morire! – ribatté il Paleari.

– Capisco; perché però pensarci tanto?

– Perché? ma perché non possiamo comprendere la vita, se in qualche modo non ci spieghiamo la morte! Il criterio direttivo delle nostre azioni, il filo per uscir da questo labirinto, il lume insomma, signor Meis, il lume deve venirci di là, dalla morte.

– Col bujo che ci fa?

– Bujo? Bujo per lei! Provi ad accendervi una lampadina di fede, con l'olio puro dell'anima. Se questa lampadina manca, noi ci aggiriamo qua, nella vita, come tanti ciechi, con tutta la luce elettrica che abbiamo inventato! Sta bene, benissimo, per la vita, la lampadina elettrica; ma noi, caro signor Meis, abbiamo anche bisogno di quell'altra che ci faccia un po' di luce per la morte. Guardi, io provo anche, certe sere, ad accendere un certo lanternino col vetro rosso; bisogna ingegnarsi in tutti i modi, tentar comunque di vedere. Per ora, mio genero Terenzio è a Napoli. Tornerà fra qualche mese, e allora la inviterò ad assistere a qualche nostra modesta sedutina, se vuole. E chi sa che quel lanternino... Basta, non voglio dirle altro.

Come si vede, non era molto piacevole la compagnia di Anselmo Paleari. Ma, pensandoci bene, potevo io senza rischio, o meglio, senza vedermi costretto a mentire, aspirare a qualche altra compagnia men lontana dalla vita? Mi ricordavo ancora del cavalier Tito Lenzi. Il signor Paleari invece non si curava di saper nulla di me, pago dell'attenzione ch'io prestavo a' suoi discorsi. Quasi ogni mattina, dopo la consueta abluzione di tutto il corpo, mi accompagnava nelle mie passeggiate; andavamo o sul Gianicolo o su l'Aventino o su Monte Mario, talvolta sino a Ponte Nomentano, sempre parlando della morte.

«Ed ecco che bel guadagno ho fatto io», pensavo, «a non esser morto davvero!»

Tentavo qualche volta di trarlo a parlar d'altro; ma pareva che il signor Paleari non avesse occhi per lo spettacolo della vita intorno; camminava quasi sempre col cappello in mano; a un certo punto, lo alzava come per salutar qualche ombra ed esclamava:

– Sciocchezze!

Una sola volta mi rivolse, all'improvviso, una domanda particolare:

– Perché sta a Roma lei, signor Meis?

Mi strinsi ne le spalle e gli risposi:

– Perché mi piace di starci...

– Eppure è una città triste, – osservò egli, scotendo il capo. – Molti si meravigliano che nessuna impresa vi riesca, che nessuna idea viva vi attecchisca. Ma questi tali si meravigliano perché non vogliono riconoscere che Roma è morta.

– Morta anche Roma? – esclamai, costernato.

– Da gran tempo, signor Meis! Ed è vano, creda, ogni sforzo per farla rivivere. Chiusa nel sogno del suo maestoso passato, non ne vuol più sapere di questa vita meschina che si ostina a formicolarle intorno. Quando una città ha avuto una vita come quella di Roma, con caratteri così spiccati e particolari, non può diventare una città moderna, cioè una città come un'altra. Roma giace là, col suo gran cuore frantumato, a le spalle del Campidoglio. Son forse di Roma queste nuove case? Guardi, signor Meis. Mia figlia Adriana mi ha detto dell'acquasantiera, che stava in camera sua, si ricorda? Adriana gliela tolse dalla camera, quell'acquasantiera; ma, l'altro giorno, le cadde di mano e si ruppe: ne rimase soltanto la conchetta, e questa, ora, è in camera mia, su la mia scrivania, adibita all'uso che lei per primo, distrattamente, ne aveva fatto. Ebbene, signor Meis, il destino di Roma è l'identico. I papi ne avevano fatto – a modo loro, s'intende – un'acquasantiera; noi italiani ne abbiamo fatto, a modo nostro, un portacenere. D'ogni paese siamo venuti qua a scuotervi la cenere del nostro sigaro, che è poi il simbolo della frivolezza di questa miserrima vita nostra e dell'amaro e velenoso piacere che essa ci dà.

XI. *Di sera, guardando il fiume*

Man mano che la familiarità cresceva per la considerazione e la benevolenza che mi dimostrava il padron di casa, cresceva anche per me la difficoltà del trattare, il segreto impaccio che già avevo provato e che spesso ora diventava acuto come un rimorso, nel vedermi lì, intruso in quella famiglia, con un nome falso, coi lineamenti alterati, con una esistenza fittizia e quasi inconsistente. E mi proponevo di trarmi in disparte quanto più mi fosse possibile, ricordando di continuo a me stesso che non dovevo accostarmi troppo alla vita

altrui, che dovevo sfuggire ogni intimità e contentarmi di vivere così fuor
fuori.

– Libero! – dicevo ancora; ma già cominciavo a penetrare il senso e a misurare i confini di questa mia libertà.

Ecco: essa, per esempio, voleva dire starmene lì, di sera, affacciato a una finestra, a guardare il fiume che fluiva nero e silente tra gli argini nuovi e sotto
i ponti che vi riflettevano i lumi dei loro fanali, tremolanti come serpentelli di
fuoco; seguire con la fantasia il corso di quelle acque, dalla remota fonte
appennina, via per tante campagne, ora attraverso la città, poi per la campagna
di nuovo, fino alla foce; fingermi col pensiero il mare tenebroso e palpitante
in cui quelle acque, dopo tanta corsa, andavano a perdersi, e aprire di tratto in
tratto la bocca a uno sbadiglio.

– Libertà... libertà... – mormoravo. – Ma pure, non sarebbe lo stesso anche
altrove?

Vedevo qualche sera nel terrazzino lì accanto la mammina di casa in veste da
camera, intenta a innaffiare i vasi di fiori. «Ecco la vita!» pensavo. E seguivo
con gli occhi la dolce fanciulla in quella sua cura gentile, aspettando di punto
in punto che ella levasse lo sguardo verso la mia finestra. Ma invano. Sapeva
che stavo lì; ma, quand'era sola, fingeva di non accorgersene. Perché? effetto
di timidezza soltanto, quel ritegno, o forse me ne voleva ancora, in segreto, la
cara mammina, della poca considerazione ch'io crudelmente mi ostinavo a
dimostrarle?

Ecco, ella ora, posato l'annaffiatojo, si appoggiava al parapetto del terrazzino
e si metteva a guardare il fiume anche lei, forse per darmi a vedere che non si
curava né punto né poco di me, poiché aveva per proprio conto pensieri ben
gravi da meditare, in quell'atteggiamento, e bisogno di solitudine.

Sorridevo tra me, così pensando; ma poi, vedendola andar via dal terrazzino,
riflettevo che quel mio giudizio poteva anche essere errato, frutto del dispetto
istintivo che ciascuno prova nel vedersi non curato; e: «Perché, del resto», mi
domandavo, «dovrebbe ella curarsi di me, rivolgermi, senza bisogno, la parola?
Io qui rappresento la disgrazia della sua vita, la follia di suo padre; rappresento forse un'umiliazione per lei. Forse ella rimpiange ancora il tempo che
suo padre era in servizio e non aveva bisogno d'affittar camere e d'avere
estranei per casa. E poi un estraneo come me! Io le faccio forse paura, povera
bambina, con quest'occhio e con questi occhiali...».

Il rumore di qualche vettura sul prossimo ponte di legno mi scoteva da quelle
riflessioni; sbuffavo, mi ritraevo dalla finestra; guardavo il letto, guardavo i
libri, restavo un po' perplesso tra questi e quello, scrollavo infine le spalle,
davo di piglio al cappellaccio e uscivo, sperando di liberarmi, fuori, da quella
noja smaniosa.

Andavo, secondo l'ispirazione del momento, o nelle vie più popolate o in
luoghi solitarii. Ricordo, una notte, in piazza San Pietro, l'impressione di
sogno, d'un sogno quasi lontano, ch'io m'ebbi da quel mondo secolare, racchiuso lì, tra le braccia del portico maestoso, nel silenzio che pareva accresciuto dal continuo fragore delle due fontane. M'accostai a una di esse, e allora quell'acqua soltanto mi sembrò viva, lì, e tutto il resto quasi spettrale e
profondamente malinconico nella silenziosa, immota solennità.

Ritornando per Via Borgo Nuovo, m'imbattei a un certo punto in un ubriaco,
il quale, passandomi accanto e vedendomi cogitabondo, si chinò, sporse un
po' il capo, a guardarmi in volto da sotto in sù, e mi disse, scotendomi leggermente il braccio:

– Allegro!

Mi fermai di botto, sorpreso, a squadrarlo da capo a piedi.

– Allegro! – ripeté, accompagnando l'esortazione con un gesto della mano
che significava: «Che fai? che pensi? non ti curar di nulla!».

E s'allontanò, cempennante, reggendosi con una mano al muro.

A quell'ora, per quella via deserta, lì vicino al gran tempio e coi pensieri ancora in mente, ch'esso mi aveva suscitati, l'apparizione di questo ubriaco e il suo strano consiglio amorevole e filosoficamente pietoso, m'intronarono: restai non so per quanto tempo a seguir con gli occhi quell'uomo, poi sentii quel mio sbalordimento rompersi, quasi, in una folle risata.

«Allegro! Sì, caro. Ma io non posso andare in una taverna come te, a cercar l'allegria, che tu mi consigli, in fondo a un bicchiere. Non ce la saprei trovare io lì, purtroppo! Né so trovarla altrove! Io vado al caffè, mio caro, tra gente per bene, che fuma e ciarla di politica. Allegri tutti, anzi felici, noi potremmo essere a un sol patto, secondo un avvocatino imperialista che frequenta il mio caffè: a patto d'esser governati da un buon re assoluto. Tu non le sai, povero ubriaco filosofo, queste cose; non ti passano neppure per la mente. Ma la causa vera di tutti i nostri mali, di questa tristezza nostra, sai qual è? La democrazia, mio caro, la democrazia, cioè il governo della maggioranza. Perché, quando il potere è in mano d'uno solo, quest'uno sa d'esser uno e di dover contentare molti; ma quando i molti governano, pensano soltanto a contentar se stessi, e si ha allora la tirannia più balorda e più odiosa: la tirannia mascherata da libertà. Ma sicuramente! Oh perché credi che soffra io? Io soffro appunto per questa tirannia mascherata da libertà... Torniamo a casa!»

Ma quella era la notte degl'incontri.

Passando, poco dopo, per Tordinona quasi al bujo, intesi un forte grido, tra altri soffocati, in uno dei vicoli che sbucano in questa via. Improvvisamente mi vidi precipitare innanzi un groviglio di rissanti. Eran quattro miserabili, armati di nodosi bastoni, addosso a una donna da trivio.

Accenno a quest'avventura, non per farmi bello d'un atto di coraggio, ma per dire anzi della paura che provai per le conseguenze di esso. Erano quattro quei mascalzoni, ma avevo anch'io un buon bastone ferrato. È vero che due di essi mi s'avventarono contro anche coi coltelli. Mi difesi alla meglio, facendo il mulinello e saltando a tempo in qua e in là per non farmi prendere in mezzo; riuscii alla fine ad appoggiar sul capo al più accanito un colpo bene assestato, col pomo di ferro: lo vidi vacillare, poi prender la corsa; gli altri tre allora, forse temendo che qualcuno stesse ormai per accorrere agli strilli della donna, lo seguirono. Non so come, mi trovai ferito alla fronte. Gridai alla donna, che non smetteva ancora di chiamare ajuto, che si stesse zitta; ma ella, vedendomi con la faccia rigata di sangue, non seppe frenarsi e, piangendo, tutta scarmigliata, voleva soccorrermi, fasciarmi col fazzoletto di seta che portava sul seno, stracciato nella rissa.

– No, no, grazie, – le dissi, schermendomi con ribrezzo. – Basta... Non è nulla! Va', va' subito... Non ti far vedere.

E mi recai alla fontanella, che è sotto la rampa del ponte lì vicino, per bagnarmi la fronte. Ma, mentr'ero lì, ecco due guardie affannate, che vollero sapere che cosa fosse accaduto. Subito, la donna, che era di Napoli, prese a narrare il «guajo che aveva passato» con me, profondendo le frasi più affettuose e ammirative del suo repertorio dialettale al mio indirizzo. Ci volle del bello e del buono, per liberarmi di quei due zelanti questurini, che volevano assolutamente condurmi con loro, perché denunziassi il fatto. Bravo! Non ci sarebbe mancato altro! Aver da fare con la questura, adesso! comparire il giorno dopo nella cronaca dei giornali come un quasi eroe, io che me ne dovevo star zitto, in ombra, ignorato da tutti...

Eroe, ecco, eroe non potevo più essere davvero. Se non a patto di morirci... Ma se ero già morto!

– È vedovo lei, scusi, signor Meis?

Questa domanda mi fu rivolta a bruciapelo, una sera, dalla signorina Caporale nel terrazzino, dove ella si trovava con Adriana e dove mi avevano invitato a passare un po' di tempo in loro compagnia.

Restai male, lì per lì; risposi:

– Io no; perché?

– Perché lei col pollice si stropiccia sempre l'anulare, come chi voglia far girare un anello attorno al dito. Così... È vero, Adriana?

Ma guarda un po' fin dove vanno a cacciarsi gli occhi delle donne, o meglio, di certe donne, poiché Adriana dichiarò di non essersene mai accorta.

– Non ci avrai fatto attenzione! – esclamò la Caporale.

Dovetti riconoscere che, per quanto neanche io vi avessi fatto mai attenzione, poteva darsi che avessi quel vezzo.

– Ho tenuto difatti, – mi vidi costretto ad aggiungere, – per molto tempo, qui, un anellino, che poi ho dovuto far tagliare da un orefice, perché mi serrava troppo il dito e mi faceva male.

– Povero anellino! – gemette allora, storcignandosi, la quarantenne, in vena quella sera di lezii infantili. – Tanto stretto le stava? Non voleva uscirle più dal dito? Sarà stato forse il ricordo d'un...

– Silvia! – la interruppe la piccola Adriana, in tono di rimprovero.

– Che male c'è? – riprese quella. – Volevo dire d'un primo amore... Sù, ci dica qualche cosa, signor Meis. Possibile, che lei non debba parlar mai?

– Ecco, – dissi io, – pensavo alla conseguenza che lei ha tratto dal mio vezzo di stropicciarmi il dito. Conseguenza arbitraria, cara signorina. Perché i vedovi, ch'io mi sappia, non sogliono levarsi l'anellino di fede. Pesa, se mai, la moglie, non l'anellino, quando la moglie non c'è più. Anzi, come ai veterani piace fregiarsi delle loro medaglie, così al vedovo, credo, portar l'anellino.

– Eh sì! – esclamò la Caporale. – Lei storna abilmente il discorso.

– Come! Se voglio anzi approfondirlo!

– Che approfondire! Non approfondisco mai nulla, io. Ho avuto questa impressione, e basta.

– Che fossi vedovo?

– Sissignore. Non pare anche a te, Adriana, che ne abbia l'aria, il signor Meis?

Adriana si provò ad alzar gli occhi su me, ma li riabbassò subito, non sapendo – timida com'era – sostenere lo sguardo altrui; sorrise lievemente del suo solito sorriso dolce e mesto, e disse:

– Che vuoi che sappia io dell'aria dei vedovi? Sei curiosa!

Un pensiero, un'immagine dovette balenarle in quel punto alla mente; si turbò, e si volse a guardare il fiume sottostante. Certo quell'altra comprese, perché sospirò e si volse anche lei a guardare il fiume.

Un quarto, invisibile, era venuto evidentemente a cacciarsi tra noi. Compresi alla fine anch'io, guardando la veste da camera di mezzo lutto di Adriana, e argomentai che Terenzio Papiano, il cognato che si trovava ancora a Napoli, non doveva aver l'aria del vedovo compunto, e che, per conseguenza, quest'aria, secondo la signorina Caporale, la avevo io.

Confesso che provai gusto che quella conversazione finisse così male. Il dolore cagionato ad Adriana col ricordo della sorella morta e di Papiano vedovo, era infatti per la Caporale il castigo della sua indiscrezione.

Se non che, volendo esser giusti, questa che pareva a me indiscrezione, non era in fondo naturale curiosità scusabilissima, in quanto che per forza doveva nascere da quella specie di silenzio strano che era attorno alla mia persona? E giacché la solitudine mi riusciva ormai insopportabile e non sapevo resistere alla tentazione d'accostarmi a gli altri, bisognava pure che alle domande di questi altri, i quali avevano bene il diritto di sapere con chi avessero da fare, io soddisfacessi, rassegnato, nel miglior modo possibile, cioè mentendo, inventando: non c'era via di mezzo! La colpa non era degli altri, era mia; adesso l'avrei aggravata, è vero, con la menzogna; ma se non volevo, se ci soffrivo, dovevo andar via, riprendere il mio vagabondaggio chiuso e solitario.

Notavo che Adriana stessa, la quale non mi rivolgeva mai alcuna domanda men che discreta, stava pure tutta orecchi ad ascoltare ciò che rispondevo a quelle della Caporale, che, per dir la verità, andavano spesso un po' troppo oltre i limiti della curiosità naturale e scusabile.

Una sera, per esempio, lì nel terrazzino, ove ora solitamente ci riunivamo quand'io tornavo da cena, mi domandò, ridendo e schermendosi da Adriana che le gridava eccitatissima: – No, Silvia, te lo proibisco! Non t'arrischiare! – mi domandò:

– Scusi, signor Meis, Adriana vuol sapere perché lei non si fa crescere almeno i baffi...

– Non è vero! – gridò Adriana. – Non ci creda, signor Meis! È stata lei, invece... Io...

Scoppiò in lagrime, improvvisamente, la cara mammina. Subito la Caporale cercò di confortarla, dicendole:

– Ma no, via! che c'entra! che c'è di male?

Adriana la respinse con un gomito:

– C'è di male che tu hai mentito, e mi fai rabbia! Parlavamo degli attori di teatro che sono tutti... così, e allora tu hai detto: «*Come il signor Meis! Chi sa perché non si fa crescere almeno i baffi?...*», e io ho ripetuto: «*Già, chi sa perché...*».

– Ebbene, – riprese la Caporale, – chi dice «*Chi sa perché...*», vuol dire che vuol saperlo!

– Ma l'hai detto prima tu! – protestò Adriana, al colmo della stizza.

– Posso rispondere? – domandai io per rimetter la calma.

– No. scusi. signor Meis: buona sera! – disse Adriana, e si alzò per andar via.

Ma la Caporale la trattenne per un braccio:

– Eh via, come sei sciocchina! Si fa per ridere... Il signor Adriano è tanto buono, che ci compatisce. Non è vero, signor Adriano? Glielo dica lei... perché non si fa crescere almeno i baffi.

Questa volta Adriana rise, con gli occhi ancora lagrimosi.

– Perché c'è sotto un mistero, – risposi io allora, alterando burlescamente la voce. – Sono congiurato!

– Non ci crediamo! – esclamò la Caporale con lo stesso tono; ma poi soggiunse: – Però, senta: che è un sornione non si può mettere in dubbio. Che cosa è andato a fare, per esempio, oggi dopopranzo alla Posta?

– Io alla Posta?

– Sissignore. Lo nega? L'ho visto con gli occhi miei. Verso le quattro... Passavo per piazza San Silvestro...

– Si sarà ingannata, signorina: non ero io.

– Già, già, – fece la Caporale, incredula. – Corrispondenza segreta... Perché, è vero, Adriana?, non riceve mai lettere in casa questo signore. Me l'ha detto la donna di servizio, badiamo!

Adriana s'agitò, seccata, su la seggiola.

– Non le dia retta, – mi disse, rivolgendomi un rapido sguardo dolente e quasi carezzevole.

– Né in casa, né ferme in posta! – risposi io. – È vero purtroppo! Nessuno mi scrive, signorina, per la semplice ragione che non ho più nessuno che mi possa scrivere.

– Nemmeno un amico? Possibile? Nessuno?

– Nessuno. Siamo io e l'ombra mia, su la terra. Me la son portata a spasso, quest'ombra, di qua e di là continuamente, e non mi son mai fermato tanto, finora, in un luogo, da potervi contrarre un'amicizia duratura.

– Beato lei, – esclamò la Caporale, sospirando, – che ha potuto viaggiare tutta la vita! Ci parli almeno de' suoi viaggi, via, se non vuol parlarci d'altro.

A poco a poco, superati gli scogli delle prime domande imbarazzanti, scansandone alcuni coi remi della menzogna, che mi servivan da leva e da puntello, aggrappandomi, quasi con tutte e due le mani, a quelli che mi stringevano più da presso, per girarli pian piano, prudentemente, la barchetta della mia finzione poté alla fine filare al largo e issar la vela della fantasia.

E ora io, dopo un anno e più di forzato silenzio, provavo un gran piacere a parlare, a parlare, ogni sera, lì nel terrazzino, di quel che avevo veduto, delle osservazioni fatte, degli incidenti che mi erano occorsi qua e là. Meravigliavo io stesso d'avere accolto, viaggiando, tante impressioni, che il silenzio aveva quasi sepolte in me, e che ora, parlando, risuscitavano, mi balzavan vive dalle labbra. Quest'intima meraviglia coloriva straordinariamente la mia narrazione; dal piacere poi che le due donne, ascoltando, dimostravano di provarne, mi nasceva a mano a mano il rimpianto d'un bene che non avevo allora realmente goduto; e anche di questo rimpianto s'insaporava ora la mia narrazione.

Dopo alcune sere, l'atteggiamento, il tratto della signorina Caporale erano radicalmente mutati a mio riguardo. Gli occhi dolenti le si appesantirono d'un languore così intenso, che richiamavan più che mai l'immagine del contrappeso di piombo interno, e più che mai buffo apparve il contrasto fra essi e la faccia da maschera carnevalesca. Non c'era dubbio: s'era innamorata di me la signorina Caporale!

Dalla sorpresa ridicolissima che ne provai, m'accorsi intanto che io, in tutte quelle sere, non avevo parlato affatto per lei, ma per quell'altra che se n'era stata sempre taciturna ad ascoltare. Evidentemente però quest'altra aveva anche sentito ch'io parlavo per lei sola, giacché subito tra noi si stabilì come una tacita intesa di pigliarci a godere insieme il comico e imprevedutο effetto de' miei discorsi sulle sensibilissime corde sentimentali della quarantenne maestra di pianoforte.

Ma, con questa scoperta, nessun pensiero men che puro entrò in me per Adriana: quella sua candida bontà soffusa di mestizia non poteva ispirarne; provavo però tanta letizia di quella prima confidenza quale e quanta la delicata timidezza poteva consentirgliene. Era un fuggevole sguardo, come il lampo d'una grazia dolcissima; era un sorriso di commiserazione per la ridicola lusinga di quella povera donna; era qualche benevolo richiamo ch'ella mi accennava con gli occhi e con un lieve movimento del capo, se io eccedevo un po', per il nostro spasso segreto, nel dar filo di speranza all'aquilone di colei che or si librava nei cieli della beatitudine, ora svariava per qualche mia stratta improvvisa e violenta.

– Lei non deve aver molto cuore, – mi disse una volta la Caporale, – se è vero ciò che dice e che io non credo, d'esser passato finora incolume per la vita.

– Incolume? come?

– Sì, intendo senza contrarre passioni...

– Ah, mai, signorina, mai!

– Non ci ha voluto dire, intanto, donde le fosse venuto quell'anellino che si fece tagliare da un orefice perché le serrava troppo il dito...

– E mi faceva male! Non gliel'ho detto? Ma sì! Era un ricordo del nonno, signorina.

– Bugia!

– Come vuol lei; ma guardi, io posso finanche dirle che il nonno m'aveva regalato quell'anellino a Firenze, uscendo dalla Galleria degli Uffizi, e sa perché? perché io, che avevo allora dodici anni, avevo scambiato un *Perugino* per un *Raffaello*. Proprio così. In premio di questo sbaglio m'ebbi l'anellino, comprato in una delle bacheche a Ponte Vecchio. Il nonno infatti riteneva fermamente, non so per quali sue ragioni, che quel quadro del Perugino dovesse invece essere attribuito a Raffaello. Ecco spiegato il mistero! Capirà che tra la mano d'un giovinetto di dodici anni e questa manaccia mia, ci corre. Vede? Ora son tutto così, come questa manaccia che non comporta anellini graziosi. Il cuore forse ce l'avrei; ma io sono anche giusto, signorina; mi guardo allo specchio, con questo bel pajo d'occhiali, che pure sono in parte pietosi, e mi sento cader le braccia: «Come puoi tu pretendere, mio caro Adriano», dico a me stesso, «che qualche donna s'innamori di te?».

– Oh che idee! – esclamò la Caporale. – Ma lei crede d'esser giusto, dicendo così? È ingiustissimo, invece, verso noi donne. Perché la donna, caro signor Meis, lo sappia, è più generosa dell'uomo, e non bada come questo alla bellezza esteriore soltanto.

– Diciamo allora che la donna è anche più coraggiosa dell'uomo, signorina. Perché riconosco che, oltre alla generosità, ci vorrebbe una buona dose di coraggio per amar veramente un uomo come me.

– Ma vada via! Già lei prova gusto a dirsi e anche a farsi più brutto che non sia.

– Questo è vero. E sa perché? Per non ispirare compassione a nessuno. Se cercassi, veda, d'acconciarmi in qualche modo, farei dire: «Guarda un po' quel pover'uomo: si lusinga d'apparir meno brutto con quel pajo di baffi!». Invece, così, no. Sono brutto? E là: brutto bene, di cuore, senza misericordia. Che ne dice?

La signorina Caporale trasse un profondo sospiro.

– Dico che ha torto, – poi rispose. – Se provasse invece a farsi crescere un po' la barba, per esempio, s'accorgerebbe subito di non essere quel mostro che lei dice.

– E quest'occhio qui? – le domandai.

– Oh Dio, poiché lei ne parla con tanta disinvoltura, – fece la Caporale, – avrei voluto dirglielo da parecchi giorni: perché non s'assoggetta, scusi, a una operazione ormai facilissima? Potrebbe, volendo, liberarsi in poco tempo anche di questo lieve difetto.

– Vede, signorina? – conclusi io. – Sarà che la donna è più generosa dell'uomo; ma le faccio notare che a poco a poco lei mi ha consigliato di combinarmi un'altra faccia.

Perché avevo tanto insistito su questo discorso? Volevo proprio che la maestra Caporale mi spiattellasse lì, in presenza d'Adriana, ch'ella mi avrebbe amato, anzi mi amava, anche così, tutto raso, e con quell'occhio sbalestrato? No. Avevo tanto parlato e avevo rivolto tutte quelle domande particolareggiate alla Caporale, perché m'ero accorto del piacere forse incosciente che provava Adriana alle risposte vittoriose che quella mi dava.

Compresi così, che, non ostante quel mio strambo aspetto, ella *avrebbe potuto* amarmi. Non lo dissi neanche a me stesso; ma, da quella sera in poi, mi sembrò più soffice il letto ch'io occupavo in quella casa, più gentili tutti gli oggetti che mi circondavano, più lieve l'aria che respiravo, più azzurro il cielo, più splendido il sole. Volli credere che questo mutamento dipendesse ancora perché Mattia Pascal era finito lì, nel molino della *Stìa*, e perché io, Adriano Meis, dopo avere errato un pezzo sperduto in quella nuova libertà illimitata, avevo finalmente acquistato l'equilibrio, raggiunto l'ideale che m'ero prefisso, di far di me un altr'uomo, per vivere un'altra vita, che ora, ecco, sentivo, sentivo piena in me.

E il mio spirito ridiventò ilare, come nella prima giovinezza; perdette il veleno dell'esperienza. Finanche il signor Anselmo Paleari non mi sembrò più tanto nojoso: l'ombra, la nebbia, il fumo della sua filosofia erano svaniti al sole di quella mia nuova gioja. Povero signor Anselmo! delle due cose, a cui si doveva, secondo lui, pensare su la terra, egli non s'accorgeva che pensava ormai a una sola: ma forse, via! aveva anche pensato a vivere a' suoi bei dì! Era più degna di compassione la maestra Caporale, a cui neanche il vino riusciva a dar *l'allegria* di quell'indimenticabile ubriaco di Via Borgo Nuovo: voleva vivere, lei, poveretta, e stimava ingenerosi gli uomini che badano soltanto alla bellezza esteriore. Dunque, intimamente, nell'anima, si sentiva bella, lei? Oh chi sa di quali e quanti sacrifizii sarebbe stata capace veramente, se avesse trovato un uomo «generoso»! Forse non avrebbe più bevuto neppure un dito di vino.

«Se noi riconosciamo», pensavo, «che errare è dell'uomo, non è crudeltà sovrumana la giustizia?»

E mi proposi di non esser più crudele verso la povera signorina Caporale. Me lo proposi; ma, ahimè, fui crudele senza volerlo; e anzi tanto più, quanto meno volli essere. La mia affabilità fu nuova esca al suo facile fuoco. E intanto avveniva questo: che, alle mie parole, la povera donna impallidiva, mentre Adriana arrossiva. Non sapevo bene ciò che dicessi, ma sentivo che ogni parola, il suono, l'espressione di essa non spingeva mai tanto oltre il turbamento di colei a cui veramente era diretta, da rompere la segreta armonia, che già – non so come – s'era tra noi stabilita.

Le anime hanno un loro particolar modo d'intendersi, d'entrare in intimità, fino a darsi del tu, mentre le nostre persone sono tuttavia impacciate nel commercio delle parole comuni, nella schiavitù delle esigenze sociali. Han bisogni lor proprii e lor proprie aspirazioni le anime, di cui il corpo non si dà per inteso, quando veda l'impossibilità di soddisfarli e di tradurle in atto. E ogni qualvolta due che comunichino fra loro così, con le anime soltanto, si trovano soli in qualche luogo, provano un turbamento angoscioso e quasi una repulsione violenta d'ogni minimo contatto materiale, una sofferenza che li allontana, e che cessa subito, non appena un terzo intervenga. Allora, passata l'angoscia, le due anime sollevate si ricercano e tornano a sorridersi da lontano.

Quante volte non ne feci l'esperienza con Adriana! Ma l'impaccio ch'ella provava era allora per me effetto del natural ritegno e della timidezza della sua indole, e il mio credevo derivasse dal rimorso che la finzione mi cagionava, la finzione del mio essere, continua, a cui ero obbligato, di fronte al candore e alla ingenuità di quella dolce e mite creatura.

La vedevo ormai con altri occhi. Ma non s'era ella veramente trasformata da un mese in qua? Non s'accendevano ora d'una più viva luce interiore i suoi sguardi fuggitivi? e i suoi sorrisi non accusavano ora men penoso lo sforzo che le costava quel suo fare da savia mammina, il quale a me da prima era apparso come un'ostentazione?

Sì, forse anch'ella istintivamente obbediva al bisogno mio stesso, al bisogno di farsi l'illusione d'una nuova vita, senza voler sapere né quale né come. Un desiderio vago, come un'aura dell'anima, aveva schiuso pian piano per lei, come per me, una finestra nell'avvenire, donde un raggio dal tepore inebriante veniva a noi, che non sapevamo intanto appressarci a quella finestra né per richiuderla né per vedere che cosa ci fosse di là.

Risentiva gli effetti di questa nostra pura soavissima ebrezza la povera signorina Caporale.

– Oh sa, signorina, – diss'io a questa una sera, – che quasi quasi ho deciso di seguire il suo consiglio?

– Quale? – mi domandò ella.

– Di farmi operare da un oculista.

La Caporale batté le mani, tutta contenta.

– Ah! Benissimo! Il dottor Ambrosini! Chiami l'Ambrosini: è il più bravo: fece l'operazione della cateratta alla povera mamma mia. Vedi? vedi, Adriana, che lo specchio ha parlato? Che ti dicevo io?

Adriana sorrise, e sorrisi anch'io.

– Non lo specchio, signorina – dissi però. – S'è fatto sentire il bisogno. Da un po' di tempo a questa parte, l'occhio mi fa male: non mi ha servito mai bene; tuttavia non vorrei perderlo.

Non era vero: aveva ragione lei, la signorina Caporale: lo specchio, lo specchio aveva parlato e mi aveva detto che se un'operazione relativamente lieve poteva farmi sparire dal volto quello sconcio connotato così particolare di Mattia Pascal, Adriano Meis avrebbe potuto anche fare a meno degli occhiali azzurri, concedersi un pajo di baffi e accordarsi insomma, alla meglio, corporalmente, con le proprie mutate condizioni di spirito.

Pochi giorni dopo, una scena notturna, a cui assistetti, nascosto dietro la persiana d'una delle mie finestre, venne a frastornarmi all'improvviso.

La scena si svolse nel terrazzino lì accanto, dove mi ero trattenuto fin verso le dieci, in compagnia delle due donne. Ritiratomi in camera, m'ero messo a leggere, distratto, uno dei libri prediletti del signor Anselmo, su la *Rincarnazione*. Mi parve, a un certo punto, di sentir parlare nel terrazzino: tesi l'orecchio per accertarmi se vi fosse Adriana. No. Due vi parlavan basso, concitatamente: sentivo una voce maschile, che non era quella del Paleari. Ma di uomini in casa non c'eravamo altri che lui e io. Incuriosito, m'appressai alla finestra per guardar dalle spie della persiana. Nel bujo mi parve discernere la signorina Caporale. Ma chi era quell'uomo con cui essa parlava? Che fosse arrivato da Napoli, improvvisamente, Terenzio Papiano?

Da una parola proferita un po' più forte dalla Caporale compresi che parlavano di me. M'accostai di più alla persiana e tesi maggiormente l'orecchio. Quell'uomo si mostrava irritato delle notizie che certo la maestra di pianoforte gli aveva dato di me; ed ecco, ora essa cercava d'attenuar l'impressione che quelle notizie avevan prodotto nell'animo di colui.

– Ricco? – domandò egli, a un certo punto.

E la Caporale:

– Non so. Pare! Certo campa sul suo, senza far nulla...

– Sempre per casa?

– Ma no! E poi domani lo vedrai...

Disse proprio così: *vedrai*. Dunque gli dava del tu; dunque il Papiano (non c'era più dubbio) era l'amante della signorina Caporale... E come mai, allora, in tutti quei giorni, s'era ella dimostrata così condiscendente con me?

La mia curiosità diventò più che mai viva; ma, quasi a farmelo apposta, quei due si misero a parlare pianissimo. Non potendo più con gli orecchi, cercai d'ajutarmi con gli occhi. Ed ecco, vidi che la Caporale posava una mano su la spalla di Papiano. Questi, poco dopo, la respinse sgarbatamente.

– Ma come potevo io impedirlo? – disse quella, alzando un po' la voce con intensa esasperazione. – Chi sono io? che rappresento io in questa casa?

– Chiamami Adriana! – le ordinò quegli allora, imperioso.

Sentendo proferire il nome di Adriana con quel tono, strinsi le pugna e sentii frizzarmi il sangue per le vene.

– Dorme, – disse la Caporale.

E colui, fosco, minaccioso:

– Va' a svegliarla! subito!

Non so come mi trattenni dallo spalancar di furia la persiana.

Lo sforzo che feci per impormi quel freno, mi richiamò intanto in me stesso per un momento. Le medesime parole, che aveva or ora proferite con tanta esasperazione quella povera donna, mi vennero alle labbra: «Chi sono io? che rappresento io in questa casa?».

Mi ritrassi dalla finestra. Subito però mi sovvenne la scusa che io ero pure in ballo lì: parlavano di me, quei due, e quell'uomo voleva ancora parlarne con Adriana: dovevo sapere, conoscere i sentimenti di colui a mio riguardo.

La facilità però con cui accolsi questa scusa per la indelicatezza che commettevo spiando e origliando così nascosto, mi fece sentire, intravedere ch'io ponevo innanzi il mio proprio interesse per impedirmi di assumer coscienza di quello ben più vivo che un'altra mi destava in quel momento.

Tornai a guardare attraverso le stecche della persiana.

La Caporale non era più nel terrazzino. L'altro, rimasto solo, s'era messo a guardare il fiume, appoggiato con tutti e due i gomiti sul parapetto e la testa tra le mani.

In preda a un'ansia smaniosa, attesi, curvo, stringendomi forte con le mani i ginocchi, che Adriana si facesse al terrazzino. La lunga attesa non mi stancò affatto, anzi mi sollevò man mano, mi procurò una viva e crescente soddisfazione: supposi che Adriana, di là, non volesse arrendersi alla prepotenza di quel villano. Forse la Caporale la pregava a mani giunte. Ed ecco, intanto, colui, là nel terrazzino, si rodeva dal dispetto. Sperai, a un certo punto, che la maestra venisse a dire che Adriana non aveva voluto levarsi. Ma no: eccola!

Papiano le andò subito incontro.

– Lei vada a letto! – intimò alla signorina Caporale. – Mi lasci parlare con mia cognata.

Quella ubbidì, e allora Papiano fece per chiudere le imposte tra la sala da pranzo e il terrazzino.

– Nient'affatto! – disse Adriana, tendendo un braccio contro l'imposta.

– Ma io ho da parlarti! – inveì il cognato, con fosca maniera, sforzandosi di parlar basso.

– Parla così! Che vuoi dirmi? – riprese Adriana. – Avresti potuto aspettare fino a domani.

– No! ora! – ribatté quegli, afferrandole un braccio e attirandola a sé.

– Insomma! – gridò Adriana, svincolandosi fieramente.

Non mi potei più reggere: aprii la persiana.

– Oh! signor Meis! – chiamò ella subito. – Vuol venire un po' qua, se non le dispiace?

– Eccomi, signorina! – m'affrettai a rispondere.

Il cuore mi balzò in petto dalla gioja, dalla riconoscenza: d'un salto, fui nel corridojo: ma lì, presso l'uscio della mia camera, trovai quasi asserpolato su un baule un giovane smilzo, biondissimo, dal volto lungo lungo, diafano, che apriva a malapena un pajo d'occhi azzurri, languidi, attoniti: m'arrestai un momento, sorpreso, a guardarlo; pensai che fosse il fratello di Papiano; corsi al terrazzino.

– Le presento, signor Meis, – disse Adriana, – mio cognato Terenzio Papiano, arrivato or ora da Napoli.

– Felicissimo! Fortunatissimo! – esclamò quegli, scoprendosi, strisciando una riverenza, e stringendomi calorosamente la mano. – Mi dispiace ch'io sia stato tutto questo tempo assente da Roma; ma son sicuro che la mia cognatina avrà saputo provvedere a tutto, è vero? Se le mancasse qualche cosa, dica, dica tutto, sa! Se le bisognasse, per esempio, una scrivania più ampia... o qualche altro oggetto, dica senza cerimonie... A noi piace accontentare gli ospiti che ci onorano.

– Grazie, grazie, – dissi io. – Non mi manca proprio nulla. Grazie.

– Ma dovere, che c'entra! E si avvalga pure di me, sa, in tutte le sue opportunità, per quel poco che posso valere... Adriana, figliuola mia, tu dormivi: ritorna pure a letto, se vuoi...

– Eh, tanto, – fece Adriana, sorridendo mestamente, – ora che mi son levata...

E s'appressò al parapetto, a guardare il fiume.

Sentii ch'ella non voleva lasciarmi solo con colui. Di che temeva? Rimase lì,
assorta, mentre l'altro, col cappello ancora in mano, mi parlava di Napoli,
dove aveva dovuto trattenersi più tempo che non avesse preveduto, per copiare un gran numero di documenti dell'archivio privato dell'eccellentissima
duchessa donna Teresa Ravaschieri Fieschi: *Mamma Duchessa*, come tutti la
chiamavano, *Mamma Carità*, com'egli avrebbe voluto chiamarla: documenti
di straordinario valore, che avrebbero recato nuova luce su la fine del Regno
delle Due Sicilie e segnatamente su la figura di Gaetano Filangieri, principe di
Satriano, che il marchese Giglio, don Ignazio Giglio d'Auletta, di cui egli,
Papiano, era segretario, intendeva illustrare in una biografia minuta e sincera.
Sincera almeno quanto la devozione e la fedeltà ai Borboni avrebbero al signor marchese consentito.

Non la finì più. Godeva certo della propria loquela, dava alla voce, parlando,
inflessioni da provetto filodrammatico, e qua appoggiava una risatina e là un
gesto espressivo. Ero rimasto intronato, come un ceppo d'incudine, e appro-
vavo di tanto in tanto col capo e di tanto in tanto volgevo uno sguardo ad
Adriana, che se ne stava ancora a guardare il fiume.

– Eh, purtroppo! – baritoneggiò, a mo' di conclusione, Papiano. – Borbonico
e clericale, il marchese Giglio d'Auletta! E io, io che... (devo guardarmi dal
dirlo sottovoce, anche qui, in casa mia) io che ogni mattina, prima d'andar
via, saluto con la mano la statua di Garibaldi sul Gianicolo (ha veduto? di qua
si scorge benissimo), io che griderei ogni momento: «Viva il xx settembre!»,
io debbo fargli da segretario! Degnissimo uomo, badiamo! ma borbonico e
clericale. Sissignore... Pane! Le giuro che tante volte mi viene da sputarci
sopra, perdoni! Mi resta qua in gola, m'affoga... Ma che posso farci? Pane!
pane!

Scrollò due volte le spalle, alzò le braccia e si percosse le anche.

– Sù, sù, Adrianuccia! – poi disse, accorrendo a lei e prendendole, lievemente, con ambo le mani la vita: – A letto! È tardi. Il signore avrà sonno.

Innanzi all'uscio della mia camera Adriana mi strinse forte la mano, come
finora non aveva mai fatto. Rimasto solo, io tenni a lungo il pugno stretto,
come per serbar la pressione della mano di lei. Tutta quella notte rimasi a
pensare, dibattendomi tra continue smanie. La cerimoniosa ipocrisia, la servilità insinuante e loquace, il malanimo di quell'uomo mi avrebbero certamente
reso intollerabile la permanenza in quella casa, su cui egli – non c'era dubbio
– voleva tiranneggiare, approfittando della dabbenaggine del suocero. Chi sa a
quali arti sarebbe ricorso! Già me n'aveva dato un saggio, cangiando di punto
in bianco, al mio apparire. Ma perché vedeva così di malocchio ch'io allog-
giassi in quella casa? perché non ero io per lui un inquilino come un altro?
Che gli aveva detto di me la Caporale? poteva egli sul serio esser geloso di
costei? o era geloso di un'altra? Quel suo fare arrogante e sospettoso; l'aver
cacciato via la Caporale per restar solo con Adriana, alla quale aveva preso a
parlare con tanta violenza; la ribellione di Adriana; il non aver ella permesso
ch'egli chiudesse le imposte; il turbamento ond'era presa ogni qualvolta s'accennava al cognato assente, tutto, tutto ribadiva in me il sospetto odioso ch'e-
gli avesse qualche mira su lei.

Ebbene e perché me n'arrovellavo tanto? Non potevo alla fin fine andar via
da quella casa, se colui anche per poco m'infastidiva? Che mi tratteneva?
Niente. Ma con tenerissimo compiacimento ricordavo che ella dal terrazzino
m'aveva chiamato, come per esser protetta da me, e che infine m'aveva stretto
forte forte la mano...

Avevo lasciato aperta la gelosia, aperti gli scuri. A un certo punto, la luna, declinando, si mostrò nel vano della mia finestra, proprio come se volesse spiarmi, sorprendermi ancora sveglio a letto, per dirmi:

«Ho capito, caro, ho capito! E tu, no? davvero?».

XII. L'occhio e Papiano

– La tragedia d'Oreste in un teatrino di marionette! – venne ad annunziarmi il signor Anselmo Paleari. – Marionette automatiche, di nuova invenzione. Stasera, alle ore otto e mezzo, in via dei Prefetti, numero cinquantaquattro. Sarebbe da andarci, signor Meis.

– La tragedia d'Oreste?

– Già! *D'après Sophocle*, dice il manifestino. Sarà l'*Elettra*. Ora senta un po' che bizzarria mi viene in mente! Se, nel momento culminante, proprio quando la marionetta che rappresenta Oreste è per vendicare la morte del padre sopra Egisto e la madre, si facesse uno strappo nel cielo di carta del teatrino, che avverrebbe? Dica lei.

– Non saprei, – risposi, stringendomi ne le spalle.

– Ma è facilissimo, signor Meis! Oreste rimarrebbe terribilmente sconcertato da quel buco nel cielo.

– E perché?

– Mi lasci dire. Oreste sentirebbe ancora gl'impulsi della vendetta, vorrebbe seguirli con smaniosa passione, ma gli occhi, sul punto, gli andrebbero lì, a quello strappo, donde ora ogni sorta di mali influssi penetrerebbero nella scena, e si sentirebbe cader le braccia. Oreste, insomma, diventerebbe Amleto. Tutta la differenza, signor Meis, fra la tragedia antica e la moderna consiste in ciò, creda pure: in un buco nel cielo di carta.

E se ne andò, ciabattando.

Dalle vette nuvolose delle sue astrazioni il signor Anselmo lasciava spesso precipitar così, come valanghe, i suoi pensieri. La ragione, il nesso, l'opportunità di essi rimanevano lassù, tra le nuvole, dimodoché difficilmente a chi lo ascoltava riusciva di capirci qualche cosa.

L'immagine della marionetta d'Oreste sconcertata dal buco nel cielo mi rimase tuttavia un pezzo nella mente. A un certo punto: «Beate le marionette» sospirai, «su le cui teste di legno il finto cielo si conserva senza strappi! Non perplessità angosciose, né ritegni, né intoppi, né ombre, né pietà: nulla! E possono attendere bravamente e prender gusto alla loro commedia e amare e tener se stesse in considerazione e in pregio, senza soffrir mai vertigini o capogiri, poiché per la loro statura e per le loro azioni quel cielo è un tetto proporzionato.

E il prototipo di queste marionette, caro signor Anselmo», seguitai a pensare, «voi l'avete in casa, ed è il vostro indegno genero, Papiano. Chi più di lui pago del cielo di cartapesta, basso basso, che gli sta sopra, comoda e tranquilla dimora di quel Dio proverbiale, di maniche larghe, pronto a chiuder gli occhi e ad alzare in remissione la mano; di quel Dio che ripete sonnacchioso a ogni marachella: – *Ajutati, ch'io t'ajuto* – ? E s'ajuta in tutti i modi il vostro Papiano. La vita per lui è quasi un gioco d'abilità. E come gode a cacciarsi in ogni intrigo: alacre, intraprendente, chiacchierone!».

Aveva circa quarant'anni, Papiano, ed era alto di statura e robusto di membra: un po' calvo, con un grosso pajo di baffi brizzolati appena appena sotto il naso, un bel nasone dalle narici frementi; occhi grigi, acuti e irrequieti come le mani. Vedeva tutto e toccava tutto. Mentre, per esempio, stava a parlar con me, s'accorgeva – non so come – che Adriana, dietro a lui, stentava a pulire e a rimettere a posto qualche oggetto nella camera, e subito, assettandosi:

– *Pardon!*

Correva a lei, le toglieva l'oggetto dalle mani:

– No, figliuola mia, guarda: si fa così!

E lo ripuliva lui, lo rimetteva a posto lui, e tornava a me. Oppure s'accorgeva che il fratello, il quale soffriva di convulsioni epilettiche, «s'incantava», e correva a dargli schiaffetti su le guance, biscottini sul naso:

– Scipione! Scipione!

O gli soffiava in faccia, fino a farlo rinvenire.

Chi sa quanto mi ci sarei divertito, se non avessi avuto quella maledetta coda di paglia!

Certo egli se ne accorse fin dai primi giorni, o – per lo meno – me la intravide. Cominciò un assedio fitto fitto di cerimonie, ch'eran tutte uncini per tirarmi a parlare. Mi pareva che ogni sua parola, ogni sua domanda, fosse pur la più ovvia, nascondesse un'insidia. Non avrei voluto intanto mostrar diffidenza per non accrescere i suoi sospetti; ma l'irritazione ch'egli mi cagionava con quel suo tratto da vessatore servizievole m'impediva di dissimularla bene.

L'irritazione mi proveniva anche da altre due cause interne e segrete. Una era questa: ch'io, senza aver commesso cattive azioni, senz'aver fatto male a nessuno, dovevo guardarmi così, davanti e dietro, timoroso e sospettoso, come se avessi perduto il diritto d'esser lasciato in pace. L'altra, non avrei voluto confessarla a me stesso, e appunto perciò m'irritava più fortemente, sotto sotto. Avevo un bel dirmi:

«Stupido! vattene via, levati dai piedi codesto seccatore!».

Non me ne andavo: non potevo più andarmene.

La lotta che facevo contro me stesso, per non assumer coscienza di ciò che sentivo per Adriana, m'impediva intanto di riflettere alle conseguenze della mia anormalissima condizione d'esistenza rispetto a questo sentimento. E restavo lì, perplesso, smanioso nella mal contentezza di me, anzi in orgasmo continuo, eppur sorridente di fuori.

Di ciò che m'era occorso di scoprire quella sera, nascosto dietro la persiana, non ero ancor venuto in chiaro. Pareva che la cattiva impressione che Papiano aveva ricevuto di me alle notizie della signorina Caporale, si fosse cancellata subito alla presentazione. Egli mi tormentava, è vero, ma come se non potesse farne a meno; non certo col disegno segreto di farmi andar via; anzi, al contrario! Che macchinava? Adriana, dopo il ritorno di lui, era diventata triste e schiva, come nei primi giorni. La signorina Silvia Caporale dava del lei a Papiano, almeno in presenza degli altri, ma quell'arcifanfano dava del tu a lei, apertamente; arrivava finanche a chiamarla *Rea Silvia*; e io non sapevo come interpretare queste sue maniere confidenziali e burlesche. Certo quella disgraziata non meritava molto rispetto per il disordine della sua vita, ma neanche d'esser trattata a quel modo da un uomo che non aveva con lei né parentela né affinità.

Una sera (c'era la luna piena, e pareva giorno), dalla mia finestra la vidi, sola e triste, là, nel terrazzino, dove ora ci riunivamo raramente, e non più col piacere di prima, poiché v'interveniva anche Papiano che parlava per tutti. Spinto dalla curiosità, pensai d'andarla a sorprendere in quel momento d'abbandono.

Trovai, al solito, nel corridojo, presso all'uscio della mia camera, asserpolato sul baule, il fratello di Papiano, nello stesso atteggiamento in cui lo avevo veduto la prima volta. Aveva eletto domicilio lassù, o faceva la sentinella a me per ordine del fratello?

La signorina Caporale, nel terrazzino, piangeva. Non volle dirmi nulla, dapprima; si lamentò soltanto d'un fierissimo mal di capo. Poi, come prendendo una risoluzione improvvisa, si voltò a guardarmi in faccia, mi porse una mano e mi domandò:

– È mio amico lei?

– Se vuol concedermi quest'onore... – le risposi, inchinandomi.

– Grazie. Non mi faccia complimenti, per carità! Se sapesse che bisogno ho io d'un amico, d'un vero amico, in questo momento! Lei dovrebbe comprenderlo, lei che è solo al mondo, come me... Ma lei è uomo! Se sapesse... se sapesse...

Addentò il fazzolettino che teneva in mano, per impedirsi di piangere; non riuscendovi, lo strappò a più riprese, rabbiosamente.

– Donna, brutta e vecchia, – esclamò: – tre disgrazie, a cui non c'è rimedio! Perché vivo io?

– Si calmi, via, – la pregai, addolorato. – Perché dice così, signorina?

Non mi riuscì dir altro.

– Perché... – proruppe lei, ma s'arrestò d'un tratto.

– Dica, – la incitai. – Se ha bisogno d'un amico...

Ella si portò agli occhi il fazzolettino lacerato, e...

– Io avrei piuttosto bisogno di morire! – gemette con accoramento così profondo e intenso, che mi sentii subito un nodo d'angoscia alla gola.

Non dimenticherò mai più la piega dolorosa di quella bocca appassita e sgraziata nel proferire quelle parole, né il fremito del mento su cui si torcevano alcuni peluzzi neri.

– Ma neanche la morte mi vuole, – riprese. – Niente... scusi, signor Meis! Che ajuto potrebbe darmi lei? Nessuno. Tutt'al più, di parole... sì, un po' di compassione. Sono orfana, e debbo star qua, trattata come... forse lei se ne sarà accorto. E non ne avrebbero il diritto, sa! Perché non mi fanno mica l'elemosina...

E qui la signorina Caporale mi parlò delle sei mila lire scroccatele da Papiano, a cui io ho già accennato altrove.

Per quanto il cordoglio di quell'infelice m'interessasse, non era certo quello che volevo saper da lei. Approfittandomi (lo confesso) dell'eccitazione in cui ella si trovava, fors'anche per aver bevuto qualche bicchierino di più, m'arrischiai a domandarle:

– Ma, scusi, signorina, perché lei glielo ha dato, quel danaro?

– Perché? – e strinse le pugna. – Due perfidie, una più nera dell'altra! Gliel'ho dato per dimostrargli che avevo ben compreso che cosa egli volesse da me. Ha capito? Con la moglie ancora in vita, costui....

– Ho capito.

– Si figuri, – riprese con foga. – La povera Rita...

– La moglie?

– Sì, Rita, la sorella d'Adriana... Due anni malata, tra la vita e la morte... Si figuri, se io... Ma già, qua lo sanno, com'io mi comportai; lo sa Adriana, e perciò mi vuol bene; lei sì, poverina. Ma come son rimasta io ora? Guardi: per lui, ho dovuto anche dar via il pianoforte, ch'era per me... tutto, capirà! non per la mia professione soltanto: io parlavo col mio pianoforte! Da ragazza, all'Accademia, componevo; ho composto anche dopo, diplomata; poi ho lasciato andare. Ma quando avevo il pianoforte, io componevo ancora, per me sola, all'improvviso; mi sfogavo... m'inebriavo fino a cader per terra, creda, svenuta, in certi momenti. Non so io stessa che cosa m'uscisse dall'anima: diventavo una cosa sola col mio strumento, e le mie dita non vibravano più su una tastiera: io facevo piangere e gridare l'anima mia. Posso dirle questo soltanto, che una sera (stavamo, io e la mamma, in un mezzanino) si raccolse gente, giù in istrada, che m'applaudì alla fine, a lungo. E io ne ebbi quasi paura.

– Scusi, signorina, – le proposi allora, per confortarla in qualche modo. – E non si potrebbe prendere a nolo un pianoforte? Mi piacerebbe tanto, tanto, sentirla sonare; e se lei...

– No, – m'interruppe, – che vuole che suoni io più! È finita per me. Strimpello canzoncine sguajate. Basta. È finita...

– Ma il signor Terenzio Papiano, – m'arrischiai di nuovo a domandare, – le ha promesso forse la restituzione di quel denaro?

– Lui? – fece subito, con un fremito d'ira, la signorina Caporale. – E chi gliel'ha mai chiesto! Ma sì, me lo promette adesso, se io lo ajuto... Già! Vuol essere ajutato da me, proprio da me; ha avuto la sfrontatezza di propormelo, così, tranquillamente...

– Ajutarlo? In che cosa?

– In una nuova perfidia! Comprende? Io vedo che lei ha compreso.

– Adri... la... la signorina Adriana? – balbettai.

– Appunto. Dovrei persuaderla io! Io, capisce?

– A sposar lui?

– S'intende. Sa perché? Ha o piuttosto, dovrebbe avere quattordici o quindici mila lire di dote quella povera disgraziata: la dote della sorella, che egli doveva subito restituire al signor Anselmo, poiché Rita è morta senza lasciar figliuoli. Non so che imbrogli abbia fatto. Ha chiesto un anno di tempo per questa restituzione. Ora spera che... Zitto... ecco Adriana!

Chiusa in sé e più schiva del solito, Adriana s'appressò a noi: cinse con un braccio la vita della signorina Caporale e accennò a me un lieve saluto col capo. Provai, dopo quelle confidenze, una stizza violenta nel vederla così sottomessa e quasi schiava dell'odiosa tirannia di quel cagliostro. Poco dopo però, comparve nel terrazzino, come un'ombra, il fratello di Papiano.

– Eccolo, – disse piano la Caporale ad Adriana. Questa socchiuse gli occhi, sorrise amaramente, scosse il capo e si ritrasse dal terrazzino, dicendomi:

– Scusi, signor Meis. Buona sera.

– La spia, – mi susurrò la signorina Caporale, ammiccando.

– Ma di che teme la signorina Adriana? – mi scappò detto, nella cresciuta irritazione. – Non capisce che, facendo così, dà più ansa a colui da insuperbire e da far peggio il tiranno? Senta, signorina, io le confesso che provo una grande invidia per tutti coloro che sanno prender gusto e interessarsi alla vita, e li ammiro. Tra chi si rassegna a far la parte della schiava e chi si assume, sia pure con la prepotenza, quella del padrone, la mia simpatia è per quest'ultimo.

La Caporale notò l'animazione con cui avevo parlato e, con aria di sfida, mi disse:

– E perché allora non prova a ribellarsi lei per primo?

– Io?

– Lei, lei, – affermò ella, guardandomi negli occhi, aizzosa.

– Ma che c'entro io? – risposi. – Io potrei ribellarmi in una sola maniera: andandomene.

– Ebbene, – concluse maliziosamente la signorina Caporale, – forse questo appunto non vuole Adriana.

– Ch'io me ne vada?

Quella fece girar per aria il fazzolettino sbrendolato e poi se lo raccolse intorno a un dito sospirando:

– Chi sa!

Scrollai le spalle.

– A cena! a cena! – esclamai; e la lasciai lì in asso, nel terrazzino.

Per cominciare da quella sera stessa, passando per il corridojo, mi fermai innanzi al baule, su cui Scipione Papiano era tornato ad accoccolarsi, e:

– Scusi, – gli dissi, – non avrebbe altro posto dove star seduto più comodamente? Qua lei m'impiccia.

Quegli mi guardò balordo, con gli occhi languenti, senza scomporsi.

– Ha capito? – incalzai, scotendolo per un braccio. Ma come se parlassi al muro! Si schiuse allora l'uscio in fondo al corridojo, ed apparve Adriana.

– La prego, signorina, – le dissi, – veda un po' di fare intender lei a questo poveretto che potrebbe andare a sedere altrove.

– È malato, – cercò di scusarlo Adriana.

– E però che è malato! – ribattei io. – Qua non sta bene: gli manca l'aria... e poi, seduto su un baule... Vuole che lo dica io al fratello?

– No no, – s'affrettò a rispondermi lei. – Glielo dirò io, non dubiti.

– Capirà, – soggiunsi. – Non sono ancora re, da avere una sentinella alla porta.

Perdetti, da quella sera in poi, il dominio di me stesso; cominciai a sforzare apertamente la timidezza di Adriana; chiusi gli occhi e m'abbandonai, senza più riflettere, al mio sentimento.

Povera cara mammina! Ella si mostrò dapprincipio come tenuta tra due, tra la paura e la speranza. Non sapeva affidarsi a questa, indovinando che il dispetto mi spingeva; ma sentivo d'altra parte che la paura in lei era pur cagionata dalla speranza fino a quel momento segreta e quasi incosciente di non perdermi; e perciò, dando io ora a questa sua speranza alimento co' miei nuovi modi risoluti, non sapeva neanche cedere del tutto alla paura.

Questa sua delicata perplessità, questo riserbo onesto m'impedirono intanto di trovarmi subito a tu per tu con me stesso e mi fecero impegnare sempre più nella sfida quasi sottintesa con Papiano.

M'aspettavo che questi mi si piantasse di fronte fin dal primo giorno, smettendo i soliti complimenti e le solite cerimonie. Invece, no. Tolse il fratello dal posto di guardia, lì sul baule, come io volevo, e arrivò finanche a celiar su l'aria impacciata e smarrita d'Adriana in mia presenza.

– La compatisca, signor Meis: è vergognosa come una monacella la mia cognatina!

Questa inattesa remissione, tanta disinvoltura m'impensierirono. Dove voleva andar a parare?

Una sera me lo vidi arrivare in casa insieme con un tale che entrò battendo forte il bastone sul pavimento, come se, tenendo i piedi entro un pajo di scarpe di panno che non facevan rumore, volesse sentire così, battendo il bastone, ch'egli camminava.

– *Dôva ca l'è stô me car parent?* – si mise a gridare con stretto accento torinese, senza togliersi dal capo il cappelluccio dalle tese rialzate, calcato fin su gli occhi a sportello, appannati dal vino, né la pipetta dalla bocca, con cui pareva stesse a cuocersi il naso più rosso di quello della signorina Caporale. – *Dôva ca l'è stô me car parent?*

– Eccolo, – disse Papiano, indicandomi; poi rivolto a me: – Signor Adriano, una grata sorpresa! Il signor Francesco Meis, di Torino, suo parente.

– Mio parente? – esclamai, trasecolando.

Quegli chiuse gli occhi, alzò come un orso una zampa e la tenne un tratto sospesa, aspettando che io gliela stringessi.

Lo lasciai lì, in quell'atteggiamento, per contemplarlo un pezzo; poi:

– Che farsa è codesta? – domandai.

– No, scusi, perché? – fece Terenzio Papiano. – Il signor Francesco Meis mi ha proprio assicurato che è suo...

– *Cusin,* – appoggiò quegli, senza aprir gli occhi.

– *Tut i Meis i sôma parent.*

– Ma io non ho il bene di conoscerla! – protestai.

– *Oh ma côsta ca l'è bela!* – esclamò colui. – *L'è propi për lon che mi't sôn vnù a trôvè.*

– Meis? di Torino? – domandai io, fingendo di cercar nella memoria. – Ma io non son di Torino!

– Come! Scusi, – interloquì Papiano. – Non mi ha detto che fino a dieci anni lei stette a Torino?

– Ma sì! – riprese quegli allora, seccato che si mettesse in dubbio una cosa per lui certissima. – *Cusin, cusin!* Questo signore qua... come si chiama?

– Terenzio Papiano, a servirla.

– Terenziano: *a l'à dime che to pare a l'è andàit an America: cosa ch'a veul di' lon? a veul di' che ti t' ses fieul 'd barba Antôni ca l'è andàit 'ntla America. E nui sôma cusin.*

– Ma se mio padre si chiamava Paolo...

– *Antôni!*

– Paolo, Paolo, Paolo. Vuol saperlo meglio di me?

Colui si strinse nelle spalle e stirò in sù la bocca:

– *A m' smiava Antôni,* – disse stropicciandosi il mento ispido d'una barba di quattro giorni almeno, quasi tutta grigia.

– *'I veui nen côtradite: sarà prô Paôlo. I ricordo nen ben, perché mi' i l'hai nen conôssulo.*

Pover'uomo! Era in grado di saperlo meglio di me come si chiamasse quel suo zio andato in America; eppure si rimise, perché a ogni costo volle esser mio parente. Mi disse che suo padre, il quale si chiamava Francesco come lui, ed era fratello di Antonio... cioè di Paolo, mio padre, era andato via da Torino, quand'egli era *ancor masnà*, di sette anni, e che – povero impiegato – aveva vissuto sempre lontano dalla famiglia, un po' qua, un po' là. Sapeva poco, dunque, dei parenti, sia paterni, sia materni: tuttavia, era certo, certissimo d'esser mio cugino.

Ma il nonno, almeno, il nonno, lo aveva conosciuto? Volli domandarglielo. Ebbene, sì: lo aveva conosciuto, non ricordava con precisione se a Pavia o a Piacenza.

– Ah sì? proprio conosciuto? e com'era?

Era... non se ne ricordava lui, *franc nen.*

– *A sôn passà trant'ani...*

Non pareva affatto in mala fede; pareva piuttosto uno sciagurato che avesse affogato la propria anima nel vino, per non sentir troppo il peso della noja e della miseria. Chinava il capo, con gli occhi chiusi, approvando tutto ciò ch'io dicevo per pigliarmelo a godere; son sicuro che se gli avessi detto che da bambini noi eravamo cresciuti insieme e che parecchie volte io gli avevo strappato i capelli, egli avrebbe approvato allo stesso modo. Non dovevo mettere in dubbio soltanto una cosa, che noi cioè fossimo cugini: su questo non poteva transigere: era ormai stabilito, ci s'era fissato, e dunque basta.

A un certo punto, però, guardando Papiano e vedendolo gongolante, mi passò la voglia di scherzare. Licenziai quel pover'uomo mezzo ubriaco, salutandolo: – *Caro parente!* – e domandai a Papiano, con gli occhi fissi negli occhi, per fargli intender bene che non ero pane pe' suoi denti:

– Mi dica adesso dov'è andato a scovare quel bel tomo.

– Scusi tanto, signor Adriano! – premise quell'imbroglione, a cui non posso fare a meno di riconoscere una grande genialità. – Mi accorgo di non essere stato felice...

– Ma lei è felicissimo, sempre! – esclamai io.

– No, intendo: di non averle fatto piacere. Ma creda pure che è stata una combinazione. Ecco qua: son dovuto andare questa mattina all'Agenzia delle imposte, per conto del marchese, mio principale. Mentr'ero là, ho sentito chiamar forte: «*Signor Meis! signor Meis!*». Mi volto subito, credendo che vi sia anche lei, per qualche affare, chi sa avesse, dico, bisogno di me, sempre pronto a servirla. Ma che! chiamavano questo bel tomo, come lei ha detto giustamente; e allora, così... per curiosità, mi avvicinai e gli domandai se si chiamasse proprio Meis e di che paese fosse, poiché io avevo l'onore e il piacere d'ospitare in casa un signor Meis... Ecco com'è andata! Lui mi ha assicurato che lei doveva essere suo parente, ed è voluto venire a conoscerla...

– All'Agenzia dell'imposte?

– Sissignore, è impiegato là: ajuto-agente.

Dovevo crederci? Volli accertarmene. Ed era vero, sì; ma era vero del pari che Papiano, insospettito, mentre io volevo prenderlo di fronte, là, per contrastare nel presente a' suoi segreti armeggii, mi sfuggiva, mi sfuggiva per ricercare invece nel mio passato e assaltarmi così quasi a le spalle. Conoscendolo bene, avevo pur troppo ragione di temere che egli, con quel fiuto nel naso, fosse bracco da non andare a lungo a vento: guaj se fosse riuscito ad aver sentore della minima traccia: l'avrebbe certo seguitata fino al molino della *Stìa*.

Figurarsi dunque il mio spavento, quando, ivi a pochi giorni, mentre me ne stavo in camera a leggere, mi giunse dal corridojo, come dall'altro mondo, una voce, una voce ancor viva nella mia memoria.

– *Agradecio Dio, ántes, che me la son levada de sobre!*

Lo Spagnuolo? quel mio spagnoletto barbuto e atticciato di Montecarlo? colui che voleva giocar con me e col quale m'ero bisticciato a Nizza?... Ah, perdio! Ecco la traccia! Era riuscito a scoprirla Papiano!

Balzai in piedi, reggendomi al tavolino per non cadere, nell'improvviso smarrimento angoscioso: stupefatto, quasi atterrito, tesi l'orecchio, con l'idea di fuggire non appena quei due – Papiano e lo Spagnuolo (era lui, non c'era dubbio: lo avevo veduto nella sua voce) – avessero attraversato il corridojo. Fuggire? E se Papiano, entrando, aveva domandato alla serva s'io fossi in casa? Che avrebbe pensato della mia fuga? Ma d'altra parte, se già sapeva ch'io non ero Adriano Meis? Piano! Che notizia poteva aver di me quello Spagnuolo? Mi aveva veduto a Montecarlo. Gli avevo io detto, allora, che mi chiamavo Mattia Pascal? Forse! Non ricordavo...

Mi trovai, senza saperlo, davanti allo specchio, come se qualcuno mi ci avesse condotto per mano. Mi guardai. Ah quell'occhio maledetto! Forse per esso colui mi avrebbe riconosciuto. Ma come mai, come mai Papiano era potuto arrivare fin là, fino alla mia avventura di Montecarlo? Questo più d'ogni altro mi stupiva. Che fare intanto? Niente. Aspettar lì che ciò che doveva avvenire avvenisse.

Non avvenne nulla. E pur non di meno la paura non mi passò, neppure la sera di quello stesso giorno, allorché Papiano, spiegandomi il mistero per me insolubile e terribile di quella visita, mi dimostrò ch'egli non era affatto su la traccia del mio passato, e che solo il caso, di cui da un pezzo godevo i favori, aveva voluto farmene un altro, rimettendomi tra i piedi quello Spagnuolo, che forse non si ricordava più di me né punto né poco.

Secondo le notizie che Papiano mi diede di lui, io, andando a Montecarlo, non potevo non incontrarvelo, poich'egli era un giocatore di professione. Strano era che lo incontrassi ora a Roma, o piuttosto, che io, venendo a Roma, mi fossi intoppato in una casa, ove anch'egli poteva entrare. Certo, s'io non avessi avuto da temere, questo caso non mi sarebbe parso tanto strano: quante volte infatti non ci avviene d'imbatterci inaspettatamente in qualcuno che abbiamo conosciuto altrove per combinazione? Del resto, egli aveva o credeva d'avere le sue buone ragioni per venire a Roma e in casa di Papiano. Il torto era mio, o del caso che mi aveva fatto radere la barba e cangiare il nome.

Circa vent'anni addietro, il marchese Giglio d'Auletta, di cui Papiano era il segretario, aveva sposato l'unica sua figliuola a don Antonio Pantogada, addetto all'Ambasciata di Spagna presso la Santa Sede. Poco dopo il matrimonio, il Pantogada, scoperto una notte dalla polizia in una bisca insieme con altri dell'aristocrazia romana, era stato richiamato a Madrid. Là aveva fatto il resto, e forse qualcos'altro di peggio, per cui era stato costretto a lasciar la diplomazia. D'allora in poi, il marchese d'Auletta non aveva avuto più pace, forzato continuamente a mandar danaro per pagare i debiti di giuoco del genere incorreggibile. Quattr'anni fa, la moglie del Pantogada era morta, lasciando una giovinetta di circa sedici anni, che il marchese aveva voluto prendere con sé, conoscendo pur troppo in quali mani altrimenti sarebbe rimasta. Il Pantogada non avrebbe voluto lasciarsela scappare; ma poi, costretto da una impellente necessità di denaro, aveva ceduto. Ora egli minacciava senza requie il suocero di riprendersi la figlia, e quel giorno appunto era venuto a Roma con questo intento, per scroccare cioè altro danaro al povero marchese, sapendo bene che questi non avrebbe mai e poi mai abbandonato nelle mani di lui la sua cara nipote Pepita.

Aveva parole di fuoco, lui, Papiano, per bollare questo indegno ricatto del Pantogada. Ed era veramente sincera quella sua collera generosa. E mentre egli parlava, io non potevo fare a meno di ammirare il privilegiato congegno della sua coscienza che, pur potendo indignarsi così, realmente, delle altrui nequizie, gli permetteva poi di farne delle simili o quasi, tranquillissimamente, a danno di quel buon uomo del Paleari, suo suocero.

Intanto il marchese Giglio quella volta voleva tener duro. Ne seguiva che il Pantogada sarebbe rimasto a Roma parecchio tempo e sarebbe certo venuto a trovare in casa Terenzio Papiano, col quale doveva intendersi a meraviglia. Un incontro dunque fra me e quello Spagnuolo sarebbe stato forse inevitabile, da un giorno all'altro. Che fare?

Non potendo con altri, mi consigliai di nuovo con lo specchio. In quella lastra l'immagine del fu Mattia Pascal, venendo a galla come dal fondo della gora, con quell'occhio che solamente m'era rimasto di lui, mi parlò così:

«In che brutto impiccio ti sei cacciato, Adriano Meis! Tu hai paura di Papiano, confessalo! e vorresti dar la colpa a me, ancora a me, solo perché io a Nizza mi bisticciai con lo Spagnuolo. Eppure ne avevo ragione, tu lo sai. Ti pare che possa bastare per il momento il cancellarti dalla faccia l'ultima traccia di me? Ebbene, segui il consiglio della signorina Caporale e chiama il dottor Ambrosini, che ti rimetta l'occhio a posto. Poi... vedrai!».

XIII. *Il lanternino*

Quaranta giorni al bujo.

Riuscita, oh, riuscita benissimo l'operazione. Solo che l'occhio mi sarebbe forse rimasto un pochino pochino più grosso dell'altro. Pazienza! E intanto, sì, al bujo quaranta giorni, in camera mia.

Potei sperimentare che l'uomo, quando soffre, si fa una particolare idea del bene e del male, e cioè del bene che gli altri dovrebbero fargli e a cui egli pretende, come se dalle proprie sofferenze gli derivasse un diritto al compenso; e del male che egli può fare a gli altri, come se parimenti dalle proprie sofferenze vi fosse abilitato. E se gli altri non gli fanno il bene quasi per dovere, egli li accusa e di tutto il male ch'egli fa quasi per diritto, facilmente si scusa.

Dopo alcuni giorni di quella prigionia cieca, il desiderio, il bisogno d'esser confortato in qualche modo crebbe fino all'esasperazione. Sapevo, sì, di trovarmi in una casa estranea; e che perciò dovevo anzi ringraziare i miei ospiti delle cure delicatissime che avevano per me. Ma non mi bastavano più, quelle cure; m'irritavano anzi, come se mi fossero usate per dispetto. Sicuro! Perché indovinavo da chi mi venivano. Adriana mi dimostrava per mezzo di esse, ch'ella era col pensiero quasi tutto il giorno lì con me, in camera mia; e grazie della consolazione! Che mi valeva, se io intanto, col mio, la inseguivo di qua e di là per casa, tutto il giorno, smaniando? Lei sola poteva confortarmi: doveva; lei che più degli altri era in grado d'intendere come e quanto dovesse pesarmi la noja, rodermi il desiderio di vederla o di sentirmela almeno vicina.

E la smania e la noja erano accresciute anche dalla rabbia che mi aveva suscitato la notizia della subitanea partenza da Roma del Pantogada. Mi sarei forse rintanato lì per quaranta giorni al bujo, se avessi saputo ch'egli doveva andar via così presto?

Per consolarmi, il signor Anselmo Paleari mi volle dimostrare con un lungo ragionamento che il bujo era immaginario.

– Immaginario? Questo? – gli gridai.

– Abbia pazienza; mi spiego.

E mi svolse (fors'anche perché fossi preparato a gli esperimenti spiritici, che si sarebbero fatti questa volta in camera mia, per procurarmi un divertimento) mi svolse, dico, una sua concezione filosofica, speciosissima, che si potrebbe forse chiamare *lanterninosofia.*

Di tratto in tratto, il brav'uomo s'interrompeva per domandarmi:

– Dorme, signor Meis?

E io ero tentato di rispondergli:

– Sì, grazie, dormo, signor Anselmo.

Ma poiché l'intenzione in fondo era buona, di tenermi cioè compagnia, gli rispondevo che mi divertivo invece moltissimo e lo pregavo anzi di seguitare.

E il signor Anselmo, seguitando, mi dimostrava che, per nostra disgrazia, noi non siamo come l'albero che vive e non si sente, a cui la terra, il sole, l'aria, la pioggia, il vento, non sembra che sieno cose ch'esso non sia: cose amiche o nocive. A noi uomini, invece, nascendo, è toccato un tristo privilegio: quello di *sentirci* vivere, con la bella illusione che ne risulta: di prendere cioè come una realtà fuori di noi questo nostro interno sentimento della vita, mutabile e vario, secondo i tempi, i casi e la fortuna.

E questo sentimento della vita per il signor Anselmo era appunto come un lanternino che ciascuno di noi porta in sé acceso; un lanternino che ci fa vedere sperduti su la terra, e ci fa vedere il male e il bene; un lanternino che projetta tutt'intorno a noi un cerchio più o meno ampio di luce, di là dal quale è l'ombra nera, l'ombra paurosa che non esisterebbe, se il lanternino non fosse acceso in noi, ma che noi dobbiamo pur troppo creder vera, fintanto ch'esso si mantiene vivo in noi. Spento alla fine a un soffio, ci accoglierà la notte perpetua dopo il giorno fumoso della nostra illusione, o non rimarremo noi piuttosto alla mercé dell'Essere, che avrà soltanto rotto le vane forme della nostra ragione?

– Dorme, signor Meis?

– Segua, segua pure, signor Anselmo: non dormo. Mi par quasi di vederlo, codesto suo lanternino.

– Ah, bene... Ma poiché lei ha l'occhio offeso, non ci addentriamo troppo nella filosofia, eh? e cerchiamo piuttosto d'inseguire per ispasso le lucciole sperdute, che sarebbero i nostri lanternini, nel bujo della sorte umana. Io direi innanzi tutto che son di tanti colori; che ne dice lei? secondo il vetro che ci fornisce l'illusione, gran mercantessa, gran mercantessa di vetri colorati. A me sembra però, signor Meis, che in certe età della storia, come in certe stagioni della vita individuale, si potrebbe determinare il predominio d'un dato colore, eh? In ogni età, infatti, si suole stabilire tra gli uomini un certo accordo di sentimenti che dà lume e colore a quei lanternoni che sono i termini astratti: *Verità, Virtù, Bellezza, Onore,* e che so io... E non le pare che fosse rosso, ad esempio, il lanternone della Virtù pagana? Di color violetto, color deprimente, quello della Virtù cristiana. Il lume d'una idea comune è alimentato dal sentimento collettivo; se questo sentimento però si scinde, rimane sì in piedi la lanterna del termine astratto, ma la fiamma dell'idea vi crepita dentro e vi guizza e vi singhiozza, come suole avvenire in tutti i periodi che son detti di transizione. Non sono poi rare nella storia certe fiere ventate che spengono d'un tratto tutti quei lanternoni. Che piacere! Nell'improvviso bujo, allora è indescrivibile lo scompiglio delle singole lanternine: chi va di qua, chi di là, chi torna indietro, chi si raggira; nessuna più trova la via; si urtano, s'aggregano per un momento in dieci, in venti; ma non possono mettersi d'accordo, e tornano a sparpagliarsi in gran confusione, in furia angosciosa: come le formiche che non trovino più la bocca del formicajo, otturata per ispasso da un bambino crudele. Mi pare, signor Meis, che noi ci troviamo adesso in uno di questi momenti. Gran bujo e gran confusione! Tutti i lanternoni, spenti. A chi dobbiamo rivolgerci? Indietro, forse? Alle lucernette superstiti, a quelle che i grandi morti lasciarono accese su le loro tombe? Ricordo una bella poesia di Niccolò Tommaseo:

> *La piccola mia lampa*
> *Non, come sol, risplende,*
> *Né, come incendio, fuma;*
> *Non stride e non consuma,*
> *Ma con la cima tende*
> *Al ciel che me la diè.*
> *Starà su me, sepolto,*
> *Viva; né pioggia o vento,*
> *Né in lei le età potranno;*
> *E quei che passeranno*
> *Erranti, a lume spento,*
> *Lo accenderan da me.*

Ma come, signor Meis, se alla lampa nostra manca l'olio sacro che alimentava quella del Poeta? Molti ancora vanno nelle chiese per provvedere dell'alimento necessario le loro lanternucce. Sono, per lo più, poveri vecchi, povere donne, a cui mentì la vita, e che vanno innanzi, nel bujo dell'esistenza, con quel loro sentimento acceso come una lampadina votiva, cui con trepida cura riparano dal gelido soffio degli ultimi disinganni, ché duri almeno accesa fin là, fino all'orlo fatale, al quale s'affrettano, tenendo gli occhi intenti alla fiamma e pensando di continuo: «*Dio mi vede!*» per non udire i clamori della vita intorno, che suonano ai loro orecchi come tante bestemmie. «*Dio mi vede...*» perché lo vedono loro, non solamente in sé, ma in tutto, anche nella loro miseria, nelle loro sofferenze, che avranno un premio, alla fine. Il fioco, ma placido lume di queste lanternucce desta certo invidia angosciosa in molti di noi; a certi altri, invece, che si credono armati, come tanti Giove, del fulmine domato dalla scienza, e, in luogo di quelle lanternucce, recano in trionfo le lampadine elettriche, ispira una sdegnosa commiserazione. Ma domando io ora, signor Meis: E se tutto questo bujo, quest'enorme mistero, nel quale indarno i filosofi dapprima specularono, e che ora, pur rinunziando all'indagine di esso, la scienza non esclude, non fosse in fondo che un inganno come un altro, un inganno della nostra mente, una fantasia che non si colora? Se noi finalmente ci persuadessimo che tutto questo mistero non esiste fuori di noi, ma soltanto in noi, e necessariamente, per il famoso privilegio del sentimento che noi abbiamo della vita, del lanternino cioè, di cui le ho finora parlato? Se la morte, insomma, che ci fa tanta paura, non esistesse e fosse soltanto, non l'estinzione della vita, ma il soffio che spegne in noi questo lanternino, lo sciagurato sentimento che noi abbiamo di essa, penoso, pauroso, perché limitato, definito da questo cerchio d'ombra fittizia, oltre il breve àmbito dello scarso lume, che noi, povere lucciole sperdute, ci projettiamo attorno, e in cui la vita nostra rimane come imprigionata, come esclusa per alcun tempo dalla vita universale, eterna, nella quale ci sembra che dovremo un giorno rientrare, mentre già ci siamo e sempre vi rimarremo, ma senza più questo sentimento d'esilio che ci angoscia? Il limite è illusorio, è relativo al poco lume nostro, della nostra individualità: nella realtà della natura non esiste. Noi, – non so se questo possa farle piacere – noi abbiamo sempre vissuto e sempre vivremo con l'universo; anche ora, in questa forma nostra, partecipiamo a tutte le manifestazioni dell'universo, ma non lo sappiamo, non lo vediamo, perché purtroppo questo maledetto lumicino piagnucoloso ci fa vedere soltanto quel poco a cui esso arriva; e ce lo facesse vedere almeno com'esso è in realtà! Ma nossignore: ce lo colora a modo suo, e ci fa vedere certe cose, che noi dobbiamo veramente lamentare, perbacco, che forse in un'altra forma d'esistenza non avremo più una bocca per poterne fare le matte risate. Risate, signor Meis, di tutte le vane, stupide afflizioni che esso ci ha procurate, di tutte le ombre, di tutti i fantasmi ambiziosi e strani che ci fece sorgere innanzi e intorno, della paura che c'ispirò!

Oh perché dunque il signor Anselmo Paleari, pur dicendo, e con ragione, tanto male del lanternino che ciascuno di noi porta in sé acceso, ne voleva accendere ora un altro col vetro rosso, là in camera mia, pe' suoi esperimenti spiritici? Non era già di troppo quell'uno?

Volli domandarglielo.

– Correttivo! – mi rispose. – Un lanternino contro l'altro! Del resto a un certo punto questo si spegne, sa!

– E le sembra che sia il miglior mezzo, codesto, per vedere qualche cosa? – m'arrischiai a osservare.

– Ma la così detta luce, scusi, – ribatté pronto il signor Anselmo, – può servire per farci vedere ingannevolmente qua, nella così detta vita; per farci vedere di là da questa, non serve affatto, creda, anzi nuoce. Sono stupide pretensioni di certi scienziati di cuor meschino e di più meschino intelletto, i quali vogliono credere per loro comodità che con questi esperimenti si faccia oltraggio alla scienza o alla natura. Ma nossignore! Noi vogliamo scoprire altre leggi, altre forze, altra vita nella natura, sempre nella natura, perbacco! oltre la scarsissima esperienza normale; noi vogliamo sforzare l'angusta comprensione, che i nostri sensi limitati ce ne dànno abitualmente. Ora, scusi, non pretendono gli scienziati per i primi ambiente e condizioni adatti per la buona riuscita dei loro esperimenti? Si può fare a meno della camera oscura nella fotografia? E dunque? Ci sono poi tanti mezzi di controllo!

Il signor Anselmo però, come potei vedere poche sere dopo, non ne usava alcuno. Ma erano esperimenti in famiglia! Poteva mai sospettare che la signorina Caporale e Papiano si prendessero il gusto d'ingannarlo? e perché, poi? che gusto? Egli era più che convinto e non aveva affatto bisogno di quegli esperimenti per rafforzar la sua fede. Come uomo dabbenissimo che era, non arrivava a supporre che potessero ingannarlo per altro fine. Quanto alla meschinità affliggente e puerile dei resultati, la teosofia s'incaricava di dargliene una spiegazione plausibilissima. Gli esseri superiori del *Piano Mentale,* o di più sù, non potevano discendere a comunicare con noi per mezzo di un *medium*: bisognava dunque contentarsi delle manifestazioni grossolane di anime di trapassati inferiori, del *Piano Astrale,* cioè del più prossimo al nostro: ecco.

E chi poteva dirgli di no?[1]

Io sapevo che Adriana s'era sempre ricusata d'assistere a questi esperimenti. Dacché me ne stavo tappato in camera, al bujo, ella non era entrata se non raramente, e non mai sola, a domandarmi come stessi. Ogni volta quella domanda pareva ed era infatti rivolta per pura convenienza. Lo sapeva, lo sapeva bene come stavo! Mi pareva finanche di sentire un certo sapor d'ironia birichina nella voce di lei, perché già ella ignorava per qual ragione mi fossi così d'un tratto risoluto ad assoggettarmi all'operazione, e doveva perciò ritenere ch'io soffrissi per vanità, per farmi cioè più bello o meno brutto, con l'occhio accomodato secondo il consiglio della Caporale.

– Sto benone, signorina! – le rispondevo. – Non vedo niente...

– Eh, ma vedrà, vedrà meglio poi, – diceva allora Papiano.

Approfittandomi del bujo, alzavo un pugno, come per scaraventarglielo in faccia. Ma lo faceva apposta certamente, perch'io perdessi quel po' di pa-

---

[1] «Fede», scriveva Maestro Alberto Fiorentino, «è sustanzia di cose da sperare, e argomento e pruova di non apparíscienti.» (*Nota di don Eligio Pellegrinotto.*)

zienza che mi restava ancora. Non era possibile ch'egli non s'accorgesse del fastidio che mi recava: glielo dimostravo in tutti i modi, sbadigliando, sbuffando; eppure, eccolo là: seguitava a entrare in camera mia quasi ogni sera (ah lui, sì) e vi si tratteneva per ore intere, chiacchierando senza fine. In quel bujo, la sua voce mi toglieva quasi il respiro, mi faceva torcere su la sedia, come su un aculeo, artigliar le dita: avrei voluto strozzarlo in certi momenti. Lo indovinava? lo sentiva? Proprio in quei momenti, ecco, la sua voce diventava più molle, quasi carezzevole.

Noi abbiamo bisogno d'incolpar sempre qualcuno dei nostri danni e delle nostre sciagure. Papiano, in fondo, faceva tutto per spingermi ad andar via da quella casa; e di questo, se la voce della ragione avesse potuto parlare in me, in quei giorni, io avrei dovuto ringraziarlo con tutto il cuore. Ma come potevo ascoltarla, questa benedetta voce della ragione, se essa mi parlava appunto per la bocca di lui, di Papiano, il quale per me aveva torto, torto evidente, torto sfacciato? Non voleva egli mandarmi via, infatti, per frodare il Paleari e rovinare Adriana? Questo soltanto io potevo allora comprendere da tutti que' suoi discorsi. Oh possibile che la voce della ragione dovesse proprio scegliere la bocca di Papiano per farsi udire da me? Ma forse ero io che, per trovarmi una scusa, la mettevo in bocca a lui, perché mi paresse ingiusta, io che mi sentivo già preso nei lacci della vita e smaniavo, non per il bujo propriamente, né per il fastidio che Papiano, parlando, mi cagionava.

Di che mi parlava? Di Pepita Pantogada, sera per sera.

Benché io vivessi modestissimamente, s'era fitto in capo che fossi molto ricco. E ora, per deviare il mio pensiero da Adriana, forse vagheggiava l'idea di farmi innamorare di quella nipote del marchese Giglio d'Auletta, e me la descriveva come una fanciulla saggia e fiera, piena d'ingegno e di volontà, recisa nei modi, franca e vivace; bella, poi; uh, tanto bella! bruna, esile e formosa a un tempo; tutta fuoco, con un pajo d'occhi fulminanti e una bocca che strappava i baci. Non diceva nulla della dote: – Vistosissima! – tutta la sostanza del marchese d'Auletta, nientemeno. Il quale, senza dubbio, sarebbe stato felicissimo di darle presto marito, non solo per liberarsi del Pantogada che lo vessava, ma anche perché non andavano tanto d'accordo nonno e nipote: il marchese era debole di carattere, tutto chiuso in quel suo mondo morto; Pepita invece, forte, vibrante di vita.

Non comprendeva che più egli elogiava questa Pepita, più cresceva in me l'antipatia per lei, prima ancora di conoscerla? La avrei conosciuta – diceva – fra qualche sera, perché egli la avrebbe indotta a intervenire alle prossime sedute spiritiche. Anche il marchese Giglio d'Auletta avrei conosciuto, che lo desiderava tanto per tutto ciò che egli, Papiano, gli aveva detto di me. Ma il marchese non usciva più di casa, e poi non avrebbe mai preso parte a una seduta spiritica, per le sue idee religiose.

– E come? – domandai. – Lui, no; e intanto permette che vi prenda parte la nipote?

– Ma perché sa in quali mani l'affida! – esclamò alteramente Papiano.

Non volli saper altro. Perché Adriana si ricusava d'assistere a quegli esperimenti? Pe' suoi scrupoli religiosi. Ora, se la nipote del marchese Giglio avrebbe preso parte a quelle sedute, col consenso del nonno clericale, non avrebbe potuto anch'ella parteciparvi? Forte di questo argomento, io cercai di persuaderla, la vigilia della prima seduta

Era entrata in camera mia col padre, il quale udita la mia proposta:

– Ma siamo sempre lì, signor Meis! – sospirò. – La religione, di fronte a questo problema, drizza orecchie d'asino e adombra, come la scienza. Eppure i nostri esperimenti, l'ho già detto e spiegato tante volte a mia figlia, non sono affatto contrarii né all'una né all'altra. Anzi, per la religione segnatamente sono una prova delle verità che essa sostiene.

– E se io avessi paura? – obbiettò Adriana.

– Di che? – ribatté il padre. – Della prova?

– O del bujo? – aggiunsi io. – Siamo tutti qua, con lei, signorina! Vorrà mancare lei sola?

– Ma io... – rispose, impacciata, Adriana, – io non ci credo, ecco... non posso crederci, e... che so!

Non poté aggiunger altro. Dal tono della voce, dall'imbarazzo, io però compresi che non soltanto la religione vietava ad Adriana d'assistere a quegli esperimenti. La paura messa avanti da lei per iscusa poteva avere altre cause, che il signor Anselmo non sospettava. O le doleva forse d'assistere allo spettacolo miserevole del padre puerilmente ingannato da Papiano e dalla signorina Caporale?

Non ebbi animo d'insistere più oltre.

Ma ella, come se mi avesse letto in cuore il dispiacere che il suo rifiuto mi cagionava, si lasciò sfuggire nel bujo un: – *Del resto...* – ch'io colsi subito a volo:

– Ah brava! L'avremo dunque con noi?

– Per domani sera soltanto, – concesse ella, sorridendo.

Il giorno appresso, sul tardi, Papiano venne a preparare la camera: v'introdusse un tavolino rettangolare, d'abete, senza cassetto, senza vernice, dozzinale; sgombrò un angolo della stanza; vi appese a una funicella un lenzuolo; poi recò una chitarra, un collaretto da cane con molti sonaglioli, e altri oggetti. Questi preparativi furono fatti al lume del famoso lanternino dal vetro rosso. Preparando, non smise – s'intende! – un solo istante di parlare.

– Il lenzuolo serve, sa! serve... non saprei, da... da accumulatore, diciamo, di questa forza misteriosa: lei lo vedrà agitarsi, signor Meis, gonfiarsi come una vela, rischiararsi a volte d'un lume strano, quasi direi siderale. Sissignore! Non siamo ancora riusciti a ottenere «materializzazioni», ma luci sì: ne vedrà, se la signorina Silvia questa sera si troverà in buone disposizioni. Comunica con lo spirito di un suo antico compagno d'Accademia, morto, Dio ne scampi, di tisi, a diciott'anni. Era di... non so, di Basilea, mi pare: ma stabilito a Roma da un pezzo, con la famiglia. Un genio, sa, per la musica: reciso dalla morte crudele prima che avesse potuto dare i suoi frutti. Così almeno dice la signorina Caporale. Anche prima che ella sapesse d'aver questa facoltà medianica, comunicava con lo spirito di Max. Sissignore: si chiamava così, Max... aspetti, Max Oliz, se non sbaglio. Sissignore! Invasata da questo spirito, improvvisava sul pianoforte, fino a cader per terra, svenuta, in certi momenti. Una sera si raccolse perfino gente, giù in istrada, che poi la applaudì...

– E la signorina Caporale ne ebbe quasi paura, – aggiunsi io, placidamente.

– Ah, lo sa? – fece Papiano, restando.

– Me l'ha detto lei stessa. Sicché dunque applaudirono la musica di Max sonata con le mani della signorina Caporale?

– Già, già! Peccato che non abbiamo in casa un pianoforte. Dobbiamo contentarci di qualche motivetto, di qualche spunto, accennato su la chitarra. Max s'arrabbia, sa! fino a strappar le corde, certe volte... Ma sentirà stasera. Mi pare che sia tutto in ordine, ormai.

– E dica un po', signor Terenzio. Per curiosità, – volli domandargli, prima che andasse via, – lei ci crede? ci crede proprio?

– Ecco, – mi rispose subito, come se avesse preveduto la domanda. – Per dire la verità, non riesco a vederci chiaro.

– Eh sfido!

– Ah, ma non perché gli esperimenti si facciano al bujo, badiamo! I fenomeni, le manifestazioni sono reali, non c'è che dire: innegabili. Noi non possiamo mica diffidare di noi stessi...

– E perché no? Anzi!

– Come? Non capisco!

– C'inganniamo così facilmente! Massime quando ci piaccia di credere in qualche cosa...

– Ma a me, no, sa: non piace! – protestò Papiano. – Mio suocero, che è molto addentro in questi studii, ci crede. Io, fra l'altro, veda, non ho neanche il tempo di pensarci... se pure ne avessi voglia. Ho tanto da fare, tanto, con quei maledetti Borboni del marchese che mi tengono lì a chiodo! Perdo qui qualche serata. Dal canto mio, son d'avviso, che noi, finché per grazia di Dio siamo vivi, non potremo saper nulla della morte; e dunque, non le pare inutile pensarci? Ingegnamoci di vivere alla meglio, piuttosto, santo Dio! Ecco come io la penso, signor Meis. A rivederla, eh? Ora scappo a prendere in via dei Pontefici la signorina Pantogada.

Ritornò dopo circa mezz'ora, molto contrariato: insieme con la Pantogada e la governante era venuto un certo pittore spagnuolo, che mi fu presentato a denti stretti come amico di casa Giglio. Si chiamava Manuel Bernaldez e parlava correttamente l'italiano; non ci fu verso però di fargli pronunciare l'esse del mio cognome: pareva che ogni volta, nell'atto di proferirla, avesse paura che la lingua gliene restasse ferita.

– Adriano *Mei*, – diceva, come se tutt'a un tratto fossimo diventati amiconi.

– Adriano *Tui*, – mi veniva quasi di rispondergli. Entrarono le donne: Pepita, la governante, la signorina Caporale, Adriana.

– Anche tu? Che novità? – le disse Papiano con mal garbo.

Non se l'aspettava quest'altro tiro. Io intanto, dal modo con cui era stato accolto il Bernaldez, avevo capito che il marchese Giglio non doveva saper nulla dell'intervento di lui alla seduta, e che doveva esserci sotto qualche intrighetto con la Pepita.

Ma il gran Terenzio non rinunziò al suo disegno. Disponendo intorno al tavolino la catena medianica, si fece sedere accanto Adriana e pose accanto a me la Pantogada.

Non ero contento? No. E Pepita neppure. Parlando tal quale come il padre, ella si ribellò subito:

– *Gracie tanto, así no puede ser! Ió voglio estar entre el segnor Paleari e la mia gobernante, caro segnor Terencio!*

La semioscurità rossastra permetteva appena di discernere i contorni; cosicché non potei vedere fino a qual punto rispondesse al vero il ritratto che della signorina Pantogada m'aveva abbozzato Papiano; il tratto però, la voce e quella sùbita ribellione s'accordavano perfettamente all'idea che m'ero fatta di lei, dopo quella descrizione.

Certo, rifiutando così sdegnosamente il posto che Papiano le aveva assegnato accanto a me, la signorina Pantogada m'offendeva; ma io non solo non me n'ebbi a male, ma anzi me ne rallegrai.

– Giustissimo! – esclamò Papiano. – E allora, si può far così: accanto al signor Meis segga la signora Candida; poi prenda posto lei, signorina. Mio suocero rimanga dov'è: e noi altri tre pure così, come stiamo. Va bene?

E no! non andava bene neanche così: né per me, né per la signorina Caporale, né per Adriana e né – come si vide poco dopo – per la Pepita, la quale stette molto meglio in una nuova catena disposta proprio dal genialissimo spirito di Max.

Per il momento, io mi vidi accanto quasi un fantasima di donna, con una specie di collinetta in capo (era cappello? era cuffia? parrucca? che diavolo era?). Di sotto quel carico enorme uscivan di tratto in tratto certi sospiri terminati da un breve gemito. Nessuno aveva pensato a presentarmi a quella signora Candida: ora, per far la catena, dovevamo tenerci per mano; e lei sospirava. Non le pareva ben fatto, ecco. Dio, che mano fredda.

Con l'altra mano tenevo la sinistra della signorina Caporale seduta a capo del tavolino, con le spalle contro il lenzuolo appeso all'angolo; Papiano le teneva la destra. Accanto ad Adriana, dall'altra parte, sedeva il pittore; il signor Anselmo stava all'altro capo del tavolino, dirimpetto alla Caporale.

Papiano disse:

– Bisognerebbe spiegare innanzi tutto al signor Meis e alla signorina Pantogada il linguaggio... come si chiama?

– Tiptologico, – suggerì il signor Anselmo.

– Prego, anche a me, – si rinzelò la signora Candida, agitandosi su la seggiola.

– Giustissimo! Anche alla signora Candida, si sa!

– Ecco, – prese a spiegare il signor Anselmo. – Due colpi vogliono dir *sì...*

– Colpi? – interruppe Pepita. – Che colpi?

– Colpi, – rispose Papiano, – o battuti sul tavolino o su le seggiole o altrove o anche fatti percepire per via di toccamenti.

– *Ah no-no-no-no-nó!!* – esclamò allora quella a precipizio, balzando in piedi. – *Ió non ne amo, tocamenti. De chi?*

– Ma dello spirito di Max, signorina, – le spiegò Papiano. – Gliel'ho accennato, venendo: non fanno mica male, si rassicuri.

– *Tittologichi,* – aggiunse con aria di commiserazione, da donna superiore, la signora Candida.

– E dunque, – riprese il signor Anselmo, – due colpi, *sì;* tre colpi, *no;* quattro, *bujo;* cinque, *parlate;* sei, *luce.* Basterà così. E ora concentriamoci, signori miei.

Si fece silenzio. Ci concentrammo.

XIV. *Le prodezze di Max*

Apprensione? No. Neanche per ombra. Ma una viva curiosità mi teneva e anche un certo timore che Papiano stésse per fare una pessima figura. Avrei dovuto goderne; e, invece, no. Chi non prova pena, o piuttosto, un frigido avvilimento nell'assistere a una commedia mal rappresentata da comici inesperti?

«Tra due sta», pensavo: «o egli è molto abile, o l'ostinazione di tenersi accanto Adriana non gli fa veder bene dove si mette, lasciando il Bernaldez e Pepita, me e Adriana disillusi e perciò in grado d'accorgerci senza alcun gusto, senz'alcun compenso, della sua frode. Meglio di tutti se n'accorgerà Adriana che gli sta più vicina; ma lei già sospetta la frode e vi è preparata. Non potendo starmi accanto, forse in questo momento ella domanda a se stessa perché rimanga lì ad assistere a una farsa per lei non solamente insulsa, ma anche indegna e sacrilega. E la stessa domanda certo, dal canto loro, si rivolgono il Bernaldez e Pepita. Come mai Papiano non se ne rende conto, or che s'è visto fallire il colpo d'allogarmi accanto la Pantogada? Si fida dunque tanto della propria abilità? Stiamo a vedere.»

Facendo queste riflessioni, io non pensavo affatto alla signorina Caporale. A un tratto, questa si mise a parlare, come in un leggero dormiveglia.

– La catena, – disse, – la catena va mutata...

– Abbiamo già Max? – domandò premurosamente quel buon uomo del signor Anselmo.

La risposta della Caporale si fece attendere un bel po'.

– Sì, – poi disse penosamente, quasi con affanno. – Ma siamo in troppi, questa sera...

– È vero sì! – scattò Papiano. – Mi sembra però, che così stiamo benone.

– Zitto! – ammonì il Paleari. – Sentiamo che dice Max.

– La catena, – riprese la Caporale, – non gli par bene equilibrata. Qua, da questo lato (*e sollevò la mia mano*), ci sono due donne accanto. Il signor Anselmo farebbe bene a prendere il posto della signorina Pantogada, e viceversa.

– Subito! – esclamò il signor Anselmo, alzandosi. – Ecco, signorina, segga qua!

E Pepita, questa volta, non si ribellò. Era accanto al pittore.

– Poi, – soggiunse la Caporale, – la signora Candida...

Papiano la interruppe:

– Al posto d'Adriana, è vero? Ci avevo pensato. Va benone!

Io strinsi forte, forte, forte, la mano di Adriana fino a farle male, appena ella venne a prender posto accanto a me. Contemporaneamente la signorina Caporale mi stringeva l'altra mano, come per domandarmi: «*È contento così?*». «*Ma sì, contentone!*», le risposi io con un'altra stretta, che significava anche: «E ora fate pure, fate pure quel che vi piace!».

– Silenzio! – intimò a questo punto il signor Anselmo.

E chi aveva fiatato? Chi? Il tavolino! Quattro colpi: – *Bujo!*

Giuro di non averli sentiti.

Se non che, appena spento il lanternino, avvenne tal cosa che scompigliò d'un tratto tutte le mie supposizioni. La signorina Caporale cacciò uno strillo acutissimo, che ci fece sobbalzar tutti quanti dalle seggiole.

– Luce! luce!

Che era avvenuto?

Un pugno! La signorina Caporale aveva ricevuto un pugno su la bocca, formidabile: le sanguinavano le gengive.

Pepita e la signora Candida scattarono in piedi, spaventate. Anche Papiano s'alzò per riaccendere il lanternino. Subito Adriana ritrasse dalla mia mano la sua. Il Bernaldez col faccione rosso, perché teneva tra le dita un fiammifero, sorrideva, tra sorpreso e incredulo, mentre il signor Anselmo, costernatissimo, badava a ripetere:

– Un pugno! E come si spiega?

Me lo domandavo anch'io, turbato. Un pugno? Dunque quel cambiamento di posti non era concertato avanti tra i due. Un pugno? Dunque la signorina Caporale s'era ribellata a Papiano. E ora?

Ora, scostando la seggiola e premendosi un fazzoletto su la bocca, la Caporale protestava di non voler più saperne. E Pepita Pantogada strillava:

– *Gracie, segnori! gracie! Aquí se dano cachetes!*

– Ma no! ma no! – esclamò il Paleari. – Signori miei, questo è un fatto nuovo, stranissimo! Bisogna chiederne spiegazione.

– A Max? – domandai io.

– A Max, già! Che lei, cara Silvia, abbia male interpretato i suggerimenti di lui nella disposizione della catena?

– È probabile! è probabile! – esclamò il Bernaldez, ridendo.

– Lei, signor Meis, che ne pensa? – mi domandò il Paleari, a cui il Bernaldez non andava proprio a genio.

– Eh, di sicuro, questo pare, – dissi io.

Ma la Caporale negò recisamente col capo.

– E allora? – riprese il signor Anselmo. – Come si spiega? Max violento! E quando mai? Che ne dici tu, Terenzio?

Non diceva nulla, Terenzio, protetto dalla semioscurità: alzò le spalle, e basta.

– Via – diss'io allora alla Caporale. – Vogliamo contentare il signor Anselmo, signorina? Domandiamo a Max una spiegazione: che se poi egli si dimostrerà di nuovo spirito... di poco spirito, lasceremo andare. Dico bene, signor Papiano?

– Benissimo! – rispose questi. – Domandiamo, domandiamo pure. Io ci sto.

– Ma non ci sto io, così! – rimbeccò la Caporale, rivolta proprio a lui.

– Lo dice a me? – fece Papiano. – Ma se lei vuol lasciare andare...
– Sì, sarebbe meglio, – arrischiò timidamente Adriana.
Ma subito il signor Anselmo le diede su la voce:
– Ecco la paurosa! Son puerilità, perbacco! Scusi, lo dico anche a lei, Silvia!
Lei conosce bene lo spirito che le è familiare, e sa che questa è la prima volta
che... Sarebbe un peccato, via! perché – spiacevole quanto si voglia quest'in-
cidente – i fenomeni accennavano questa sera a manifestarsi con insolita ener-
gia.
– Troppa! – esclamò il Bernaldez, sghignazzando e promovendo il riso degli
altri.
– E io, – aggiunsi, – non vorrei buscarmi un pugno su quest'occhio qui...
– *Ni tampoco ió!* – aggiunse Pepita.
– A sedere! – ordinò allora Papiano, risolutamente. – Seguiamo il consiglio
del signor Meis. Proviamoci a domandare una spiegazione. Se i fenomeni si
rivelano di nuovo con troppa violenza, smetteremo. A sedere!
E soffiò sul lanternino.
Io cercai al bujo la mano di Adriana, ch'era fredda e tremante. Per rispettare
il suo timore, non gliela strinsi in prima; pian piano, gradatamente, gliela
premetti, come per infonderle calore, e, col calore, la fiducia che tutto adesso
sarebbe proceduto tranquillamente. Non poteva esser dubbio, infatti, che Papiano, forse pentito della violenza a cui s'era lasciato andare, aveva cangiato
avviso. A ogni modo avremmo certo avuto un momento di tregua; poi forse,
io e Adriana, in quel bujo, saremmo stati il bersaglio di Max. «Ebbene», dissi
tra me, «se il giuoco diventerà troppo pesante, lo faremo durar poco. Non
permetterò che Adriana sia tormentata.»
Intanto il signor Anselmo s'era messo a parlare con Max, proprio come si
parla a qualcuno vero e reale, lì presente.
– Ci sei?
Due colpi, lievi, sul tavolino. C'era!
– E come va, Max, – domandò il Paleari, in tono d'amorevole rimprovero, –
che tu, tanto buono, tanto gentile, hai trattato così malamente la signorina Silvia? Ce lo vuoi dire?
Questa volta il tavolino si agitò dapprima un poco, quindi tre colpi secchi e
sodi risonarono nel mezzo di esso. Tre colpi: dunque, *no*: non ce lo voleva
dire.
– Non insistiamo! – si rimise il signor Anselmo. – Tu sei forse ancora un po'
alterato, eh, Max? Lo sento, ti conosco... ti conosco... Vorresti dirci almeno se
la catena così disposta ti accontenta?
Non aveva il Paleari finito di far questa domanda, ch'io sentii picchiarmi rapidamente due volte su la fronte, quasi con la punta di un dito.
– Sì! – esclamai subito, denunciando il fenomeno; e strinsi la mano d'A-
driana.
Debbo confessare che quel «toccamento» inatteso mi fece pure, lì per lì, una
strana impressione. Ero sicuro che, se avessi levato a tempo la mano, avrei
ghermito quella di Papiano, e tuttavia... La delicata leggerezza del tocco e la
precisione erano state, a ogni modo, meravigliose. Poi, ripeto, non me l'aspettavo. Ma perché intanto Papiano aveva scelto me per manifestar la sua remissione? Aveva voluto con quel segno tranquillarmi, o era esso all'incontro una
sfida e significava: «*Adesso vedrai se son contento?*».
– Bravo, Max! – esclamò il signor Anselmo.
E io, tra me:
«(Bravo, sì! Che fitta di scapaccioni ti darei!)».
– Ora, se non ti dispiace – riprese il padron di casa, – vorresti darci un segno
del tuo buon animo verso di noi?
Cinque colpi sul tavolino intimarono: – *Parlate!*

– Che significa? – domandò la signora Candida, impaurita.
– Che bisogna parlare, – spiegò Papiano, tranquillamente.
E Pepita:
– A chi?
– Ma a chi vuol lei, signorina! Parli col suo vicino, per esempio.
– Forte?
– Sì, – disse il signor Anselmo. – Questo vuol dire, signor Meis, che Max ci prepara intanto qualche bella manifestazione. Forse una luce... chi sa! Parliamo, parliamo...

E che dire? Io già parlavo da un pezzo con la mano d'Adriana, e non pensavo, ahimè, non pensavo più a nulla! Tenevo a quella manina un lungo discorso intenso, stringente, e pur carezzevole, che essa ascoltava tremante e abbandonata; già l'avevo costretta a cedermi le dita, a intrecciarle con le mie. Un'ardente ebbrezza mi aveva preso, che godeva dello spasimo che le costava lo sforzo di reprimer la sua foga smaniosa per esprimersi invece con le maniere d'una dolce tenerezza, come voleva il candore di quella timida anima soave.

Ora, in tempo che le nostre mani facevano questo discorso fitto fitto, io cominciai ad avvertire come uno strofinìo alla traversa, tra le due gambe posteriori della seggiola; e mi turbai. Papiano non poteva col piede arrivare fin là; e, quand'anche, la traversa fra le gambe anteriori gliel'avrebbe impedito. Che si fosse alzato dal tavolino e fosse venuto dietro alla mia seggiola? Ma, in questo caso, la signora Candida, se non era proprio scema, avrebbe dovuto avvertirlo. Prima di comunicare a gli altri il fenomeno, avrei voluto in qualche modo spiegarmelo; ma poi pensai che, avendo ottenuto ciò che mi premeva, ora, quasi per obbligo, mi conveniva secondar la frode, senz'altro indugio, per non irritare maggiormente Papiano. E avviai a dire quel che sentivo.

– Davvero? – esclamò Papiano, dal suo posto, con una meraviglia che mi parve sincera.

Né minor meraviglia dimostrò la signorina Caporale.

Sentii rizzarmi i capelli su la fronte. Dunque, quel fenomeno era vero?

– Strofinìo? – domandò ansiosamente il signor Anselmo. – Come sarebbe? come sarebbe?

– Ma sì! – confermai, quasi stizzito. – E séguita! Come se ci fosse qua dietro un cagnolino... ecco!

Un alto scoppio di risa accolse questa mia spiegazione.

– Ma è Minerva! è Minerva! – gridò Pepita Pantogada.

– Chi è Minerva? – domandai, mortificato.

– Ma la mia cagnetta! – riprese quella, ridendo ancora. – *La viechia mia, segnore, che se grata así soto tute le sedie. Con permisso! con permisso!*

Il Bernaldez accese un altro fiammifero, e Pepita s'alzò per prendere quella cagnetta, che si chiamava *Minerva*, e accucciarsela in grembo.

– Ora mi spiego, – disse contrariato il signor Anselmo, – ora mi spiego la irritazione di Max. C'è poca serietà, questa sera, ecco!

Per il signor Anselmo, forse, sì: ma – a dir vero – non ce ne fu molta di più per noi nelle sere successive, rispetto allo spiritismo, s'intende.

Chi poté più badare alle prodezze di Max nel bujo? Il tavolino scricchiolava, si moveva, parlava con picchi sodi o lievi; altri picchi s'udivano su le cartelle delle nostre seggiole e, or qua or là, su i mobili della camera, e raspamenti, strascichii e altri rumori; strane luci fosforiche, come fuochi fatui, si accendevano nell'aria per un tratto, vagolando, e anche il lenzuolo si rischiarava e si gonfiava come una vela; e un tavolinetto porta-sigari si fece parecchie passeggiatine per la camera e una volta finanche balzò sul tavolino intorno al quale sedevamo in catena; e la chitarra come se avesse messo le ali, volò dal cassettone su cui era posata e venne a strimpellar su noi... Mi parve però che Max manifestasse meglio le sue eminenti facoltà musicali coi sonaglioli d'un collaretto da cane, che a un certo punto fu messo al collo della signorina Caporale; il che parve al signor Anselmo uno scherzo affettuoso e graziosissimo di Max; ma la signorina Caporale non lo gradì molto.

Era entrato evidentemente in iscena, protetto dal bujo, Scipione, il fratello di Papiano, con istruzioni particolarissime. Costui era davvero epilettico, ma non così idiota come il fratello Terenzio e lui stesso volevano dare a intendere. Con la lunga abitudine dell'oscurità, doveva aver fatto l'occhio a vederci al bujo. In verità, non potrei dire fino a che punto egli si dimostrasse destro in quelle frodi congegnate avanti col fratello e con la Caporale; per noi, cioè per me e per Adriana, per Pepita e il Bernaldez, poteva far quello che gli piaceva e tutto andava bene, comunque lo facesse: lì, egli non doveva contentare che il signor Anselmo e la signora Candida; e pareva vi riuscisse a meraviglia. È vero bensì, che né l'uno né l'altra erano di difficile contentatura. Oh, il signor Anselmo gongolava di gioja; pareva in certi momenti un ragazzetto al teatrino delle marionette; e a certe sue esclamazioni puerili io soffrivo, non solo per l'avvilimento che mi cagionava il vedere un uomo, non certamente sciocco, dimostrarsi tale fino all'inverosimile; ma anche perché Adriana mi faceva comprendere che provava rimorso a godere così, a scapito della serietà del padre, approfittandosi della ridicola dabbenaggine di lui.

Questo solo turbava di tratto in tratto la nostra gioja. Eppure, conoscendo Papiano, avrebbe dovuto nascermi il sospetto che, se egli si rassegnava a lasciarmi accanto Adriana e, contrariamente a' miei timori, non ci faceva mai disturbare dallo spirito di Max, anzi pareva che ci favorisse e ci proteggesse, doveva aver fatto qualche altra pensata. Ma era tale in quei momenti la gioja che mi procurava la libertà indisturbata nel bujo, che questo sospetto non mi s'affacciò affatto.

– No! – strillò a un certo punto la signorina Pantogada.

E subito il signor Anselmo:

– Dica, dica, signorina! che è stato? che ha sentito?

Anche il Bernaldez la spinse a dire, premurosamente; e allora Pepita:

– *Aquí, su un lado, una careccia...*

– Con la mano? – domandò il Paleari. – Delicata, è vero? Fredda, furtiva e delicata... Oh, Max, se vuole, sa esser gentile con le donne! Vediamo un po', Max, potresti rifar la carezza alla signorina?

– *Aquí está! aquí está!* – si mise a gridare subito Pepita ridendo.

– Che vuol dire? – domandò il signor Anselmo.

– Rifà, rifà... *m'acareccia!*

– E un bacio, Max? – propose allora il Paleari.

– No! – strillò Pepita, di nuovo.

Ma un bel bacione sonoro le fu scoccato su la guancia.

Quasi involontariamente io mi recai allora la mano di Adriana alla bocca; poi, non contento, mi chinai a cercar la bocca di lei, e così il primo bacio, bacio lungo e muto, fu scambiato fra noi.

Che seguì? ci volle un pezzo, prima ch'io smarrito di confusione e di vergogna, potessi riavermi in quell'improvviso disordine. S'erano accorti di quel nostro bacio? Gridavano. Uno, due fiammiferi, accesi; poi anche la candela, quella stessa che stava entro il lanternino dal vetro rosso. E tutti in piedi! Perché? Perché? Un gran colpo, un colpo formidabile, come vibrato da un pugno di gigante invisibile, tonò sul tavolino, così, in piena luce. Allibimmo tutti e, più di ogni altro, Papiano e la signorina Caporale.

– Scipione! Scipione! – chiamò Terenzio.

L'epilettico era caduto per terra e rantolava stranamente.

– A sedere! – gridò il signor Anselmo. – È caduto in *trance* anche lui! Ecco,

ecco, il tavolino si muove, si solleva, si solleva... La levitazione! Bravo, Max! Evviva!

E davvero il tavolino, senza che nessuno lo toccasse, si levò alto più d'un palmo dal suolo e poi ricadde pesantemente.

La Caporale, livida, tremante, atterrita, venne a nascondere la faccia sul mio petto. La signorina Pantogada e la governante scapparono via dalla camera, mentre il Paleari gridava irritatissimo:

– No, qua, perbacco! Non rompete la catena! Ora viene il meglio! Max! Max!

– Ma che Max! – esclamò Papiano, scrollandosi alla fine dal terrore che lo teneva inchiodato e accorrendo al fratello per scuoterlo e richiamarlo in sé.

Il ricordo del bacio fu per il momento soffocato in me dallo stupore per quella rivelazione veramente strana e inesplicabile, a cui avevo assistito. Se, come sosteneva il Paleari, la forza misteriosa che aveva agito in quel momento, alla luce, sotto gli occhi miei, proveniva da uno spirito invisibile, evidentemente, questo spirito non era quello di Max: bastava guardar Papiano e la signorina Caporale per convincersene. Quel Max, lo avevano inventato loro. Chi dunque aveva agito? chi aveva avventato sul tavolino quel pugno formidabile?

Tante cose lette nei libri del Paleari mi balzarono in tumulto alla mente; e, con un brivido, pensai a quello sconosciuto che s'era annegato nella gora del molino alla *Stìa*, a cui io avevo tolto il compianto de' suoi e degli estranei.

«Se fosse lui!», dissi tra me. «Se fosse venuto a trovarmi, qua, per vendicarsi, svelando ogni cosa...»

Il Paleari intanto, che – solo – non aveva provato né meraviglia né sgomento, non riusciva ancora a capacitarsi come un fenomeno così semplice e comune, quale la levitazione del tavolino, ci avesse tanto impressionato, dopo quel po' po' di meraviglie a cui avevamo precedentemente assistito. Per lui contava ben poco che il fenomeno si fosse manifestato alla luce. Piuttosto non sapeva spiegarsi come mai Scipione si trovasse là, in camera mia, mentr'egli lo credeva a letto.

– Mi fa specie, – diceva – perché di solito questo poveretto non si cura di nulla. Ma si vede che queste nostre sedute misteriose gli han destato una certa curiosità: sarà venuto a spiare, sarà entrato furtivamente, e allora... pàffete, acchiappato! Perché è innegabile, sa, signor Meis, che i fenomeni straordinarii della medianità traggono in gran parte origine dalla nevrosi epilettica, catalettica e isterica. Max prende da tutti, sottrae anche a noi buona parte d'energia nervosa, e se ne vale per la produzione dei fenomeni. È accertato! Non si sente anche lei, difatti, come se le avessero sottratto qualche cosa?

– Ancora no, per dire la verità.

Quasi fino all'alba mi rivoltai sul letto, fantasticando di quell'infelice, sepolto nel cimitero di Miragno, sotto il mio nome. Chi era? Donde veniva? Perché si era ucciso? Forse voleva che quella sua triste fine si sapesse: era stata forse riparazione, espiazione... e io me n'ero approfittato! Più d'una volta, al bujo – lo confesso – gelai di paura. Quel pugno, lì, sul tavolino, in camera mia, non lo avevo udito io solo. Lo aveva scagliato lui? E non era egli ancor lì, nel silenzio, presente e invisibile, accanto a me? Stavo in orecchi, se m'avvenisse di cogliere qualche rumore nella camera. Poi m'addormentai e feci sogni paurosi.

Il giorno appresso aprii le finestre alla luce.

XV. *Io e l'ombra mia*

Mi è avvenuto più volte, svegliandomi nel cuor della notte (la notte, in questo caso, non dimostra veramente d'aver cuore), mi è avvenuto di provare al bujo, nel silenzio, una strana meraviglia, uno strano impaccio al ricordo di qualche cosa fatta durante il giorno, alla luce, senz'abbadarci; e ho domandato allora a me stesso se, a determinar le nostre azioni, non concorrano anche i colori, la vista delle cose circostanti, il vario frastuono della vita. Ma sì, senza dubbio; e chi sa quant'altre cose! Non viviamo noi, secondo il signor Anselmo, in relazione con l'universo? Ora sta a vedere quante sciocchezze questo maledetto universo ci fa commettere, di cui poi chiamiamo responsabile la misera coscienza nostra, tirata da forze esterne, abbagliata da una luce che è fuor di lei. E, all'incontro, quante deliberazioni prese, quanti disegni architettati, quanti espedienti macchinati durante la notte non appajono poi vani e non crollano e non sfumano alla luce del giorno? Com'altro è il giorno, altro la notte, così forse una cosa siamo noi di giorno, altra di notte: miserabilissima cosa, ahimè, così di notte come di giorno.

So che, aprendo dopo quaranta giorni le finestre della mia camera, io non provai alcuna gioja nel riveder la luce. Il ricordo di ciò che avevo fatto in quei giorni al bujo me la offuscò orribilmente. Tutte le ragioni e le scuse e le persuasioni che in quel bujo avevano avuto il loro peso e il loro valore, non ne ebbero più alcuno, appena spalancate le finestre, o ne ebbero un altro al tutto opposto. E invano quel povero me che per tanto tempo se n'era stato con le finestre chiuse e aveva fatto di tutto per alleviarsi la noja smaniosa della prigionia, ora – timido come un cane bastonato – andava appresso a quell'altro me che aveva aperte le finestre e si destava alla luce del giorno, accigliato, severo, impetuoso; invano cercava di stornarlo dai foschi pensieri, inducendolo a compiacersi piuttosto, dinanzi allo specchio, del buon esito dell'operazione e della barba ricresciuta e anche del pallore che in qualche modo m'ingentiliva l'aspetto.

«Imbecille, che hai fatto? che hai fatto?»

Che avevo fatto? Niente, siamo giusti! Avevo fatto all'amore. Al bujo – era colpa mia? – non avevo veduto più ostacoli, e avevo perduto il ritegno che m'ero imposto. Papiano voleva togliermi Adriana; la signorina Caporale me l'aveva data, me l'aveva fatta sedere accanto, e s'era buscato un pugno sulla bocca, poverina; io soffrivo, e – naturalmente – per quelle sofferenze credevo com'ogni altro sciagurato (leggi uomo) d'aver diritto a un compenso, e – poiché l'avevo allato – me l'ero preso; lì si facevano gli esperimenti della morte, e Adriana, accanto a me, era la vita, la vita che aspetta un bacio per schiudersi alla gioja; ora Manuel Bernaldez aveva baciato al bujo la sua Pepita, e allora anch'io...

– Ah!

Mi buttai su la poltrona, con le mani su la faccia. Mi sentivo fremere le labbra al ricordo di quel bacio. Adriana! Adriana! Che speranze le avevo acceso in cuore con quel bacio? Mia sposa, è vero? Aperte le finestre, festa per tutti!

Rimasi, non so per quanto tempo, lì su quella poltrona, a pensare, ora con gli occhi sbarrati, ora restringendomi tutto in me, rabbiosamente, come per schermirmi da un fitto spasimo interno. Vedevo finalmente: vedevo in tutta la sua crudezza la frode della mia illusione: che cos'era in fondo ciò che m'era sembrata la più grande delle fortune, nella prima ebbrezza della mia liberazione.

Avevo già sperimentato come la mia libertà, che a principio m'era parsa senza limiti, ne avesse purtroppo nella scarsezza del mio denaro; poi m'ero anche accorto ch'essa più propriamente avrebbe potuto chiamarsi solitudine e

XV. IO E L'OMBRA MIA 277

noja, e che mi condannava a una terribile pena: quella della compagnia di me stesso; mi ero allora accostato agli altri; ma il proponimento di guardarmi bene dal riallacciare, foss'anche debolissimamente, le fila recise, a che era valso? Ecco: s'erano riallacciate da sé, quelle fila; e la vita, per quanto io, già in guardia, mi fossi opposto, la vita mi aveva trascinato, con la sua foga irresistibile: la vita che non era più per me. Ah, ora me n'accorgevo veramente, ora che non potevo più con vani pretesti, con infingimenti quasi puerili, con pietose, meschinissime scuse impedirmi di assumer coscienza del mio sentimento per Adriana, attenuare il valore delle mie intenzioni, delle mie parole, de' miei atti. Troppe cose, senza parlare, le avevo detto, stringendole la mano, inducendola a intrecciar con le mie le sue dita; e un bacio, un bacio infine aveva suggellato il nostro amore. Ora, come risponder coi fatti alla promessa? Potevo far mia Adriana? Ma nella gora del molino, là alla *Stìa*, ci avevano buttato me quelle due buone donne, Romilda e la vedova Pescatore; non ci s'eran mica buttate loro! E libera dunque era rimasta lei, non io, moglie; non io, che m'ero acconciato a fare il morto, lusingandomi di poter diventare un altro uomo, vivere un'altra vita. Un altr'uomo, sì, ma a patto di non far nulla. E che uomo dunque? Un'ombra d'uomo! E che vita? Finché m'ero contentato di star chiuso in me e di veder vivere gli altri, sì, avevo potuto bene o male salvar l'illusione ch'io stessi vivendo un'altra vita; ma ora che a questa m'ero accostato fino a cogliere un bacio da due care labbra, ecco, mi toccava a ritrarmene inorridito, come se avessi baciato Adriana con le labbra d'un morto, d'un morto che non poteva rivivere per lei! Labbra mercenarie, sì, avrei potuto baciarne; ma che sapor di vita in quelle labbra? Oh, se Adriana, conoscendo il mio strano caso... Lei? No... no... che! neanche a pensarci! Lei, così pura, così timida... Ma se pur l'amore fosse stato in lei più forte di tutto, più forte d'ogni riguardo sociale... ah povera Adriana, e come avrei potuto io chiuderla con me nel vuoto della mia sorte, farla compagna d'un uomo che non poteva in alcun modo dichiararsi e provarsi vivo? Che fare? che fare?

Due colpi all'uscio mi fecero balzar dalla poltrona. Era lei, Adriana.

Per quanto con uno sforzo violento cercassi di arrestare in me il tumulto dei sentimenti, non potei impedire che non le apparissi almeno turbato. Turbata era anche lei, ma dal pudore, che non le consentiva di mostrarsi lieta, come avrebbe voluto, di rivedermi finalmente guarito, alla luce, e contento... No? Perché no?... Alzò appena gli occhi a guardarmi; arrossì; mi porse una busta:

– Ecco, per lei...

– Una lettera?

– Non credo. Sarà la nota del dottor Ambrosini. Il servo vuol sapere se c'è risposta.

Le tremava la voce. Sorrise.

– Subito, – diss'io; ma un'improvvisa tenerezza mi prese, comprendendo ch'ella era venuta con la scusa di quella nota per aver da me una parola che la raffermasse nelle sue speranze; un'angosciosa, profonda pietà mi vinse, pietà di lei e di me, pietà crudele, che mi spingeva irresistibilmente a carezzarla, a carezzare in lei il mio dolore, il quale soltanto in lei, che pur ne era la causa, poteva trovar conforto. E pur sapendo che mi sarei compromesso ancor più, non seppi resistere: le porsi ambo le mani. Ella, fiduciosa, ma col volto in fiamme, alzò pian piano le sue e le pose sulle mie. Mi attirai allora la sua testina bionda sul petto e le passai una mano su i capelli.

– Povera Adriana!

– Perché? – mi domandò, sotto la carezza. – Non siamo contenti?

– Sì...

– E allora perché povera?

Ebbi in quel momento un impeto di ribellione, fui tentato di svelarle tutto, di risponderle: «Perché? senti: io ti amo, e non posso, non debbo amarti! Se tu vuoi però...». Ma dàlli! Che poteva volere quella mite creatura? Mi premetti forte sul petto la sua testina, e sentii che sarei stato molto più crudele se dalla gioja suprema a cui ella, ignara, si sentiva in quel punto inalzata dall'amore, io l'avessi fatta precipitare nell'abisso della disperazione ch'era in me.

– Perché, – dissi, lasciandola, – perché so tante cose, per cui lei non può esser contenta...

Ebbe come uno smarrimento penosissimo, nel vedersi, così d'un tratto, sciolta dalle mie braccia. Si aspettava forse, dopo quelle carezze, che io le dessi del tu? Mi guardò e, notando la mia agitazione, domandò esitante:

– Cose... che sa lei... per sé, o qui.... di casa mia?

Le risposi col gesto: «Qui, qui» per togliermi la tentazione che di punto in punto mi vinceva, di parlare, di aprirmi con lei.

L'avessi fatto! Cagionandole subito quell'unico, forte dolore, gliene avrei risparmiato altri, e io non mi sarei cacciato in nuovi e più aspri garbugli. Ma troppo recente era allora la mia triste scoperta, avevo ancor bisogno d'approfondirla bene, e l'amore e la pietà mi toglievano il coraggio d'infrangere così d'un tratto le speranze di lei e la mia vita stessa, cioè quell'ombra d'illusione che di essa, finché tacevo, poteva ancora restarmi. Sentivo poi quanto odiosa sarebbe stata la dichiarazione che avrei dovuto farle, che io, cioè, avevo moglie ancora. Sì! sì! Svelandole che non ero Adriano Meis, io tornavo ad essere Mattia Pascal, MORTO E ANCORA AMMOGLIATO! Come si possono dire siffatte cose? Era il colmo, questo, della persecuzione che una moglie possa esercitare sul proprio marito: liberarsene lei, riconoscendolo morto nel cadavere d'un povero annegato, e pesare ancora, dopo la morte, su lui, addosso a lui, così. Io avrei potuto ribellarmi, è vero, dichiararmi vivo, allora... Ma chi, al posto mio, non si sarebbe regolato come me? Tutti, tutti, come me, in quel punto, nei panni miei, avrebbero stimato certo una fortuna potersi liberare in un modo così inatteso, insperato, insperabile, della moglie, della suocera, dei debiti, d'un'egra e misera esistenza come quella mia. Potevo mai pensare, allora, che neanche morto mi sarei liberato della moglie? lei, sì, di me, e io no di lei? e che la vita che m'ero veduta dinanzi libera libera libera, non fosse in fondo che una illusione, la quale non poteva ridursi in realtà, se non superficialissimamente, e più schiava che mai, schiava delle finzioni, delle menzogne che con tanto disgusto m'ero veduto costretto a usare, schiava del timore d'essere scoperto, pur senza aver commesso alcun delitto?

Adriana riconobbe che non aveva in casa, veramente, di che esser contenta; ma ora... E con gli occhi e con un mesto sorriso mi domandò se mai per me potesse rappresentare un ostacolo ciò che per lei era cagione di dolore. «No, è vero?», chiedeva quello sguardo e quel mesto sorriso.

– Oh, ma paghiamo il dottor Ambrosini! – esclamai, fingendo di ricordarmi improvvisamente della nota e del servo che attendeva di là. Lacerai la busta e, senza pôr tempo in mezzo, sforzandomi d'assumere un tono scherzoso: – Seicento lire! – dissi. – Guardi un po', Adriana: la Natura fa una delle sue solite stramberie; per tanti anni mi condanna a portare un occhio, diciamo così, disobbediente; io soffro dolori e prigionia per correggere lo sbaglio di lei, e ora per giunta mi tocca a pagare. Le sembra giusto?

Adriana sorrise con pena.

– Forse, – disse, – il dottor Ambrosini non sarebbe contento se lei gli rispondesse di rivolgersi alla Natura per il pagamento. Credo che si aspetti anche d'esser ringraziato, perché l'occhio...

– Le par che stia bene?

Ella si sforzò a guardarmi, e disse piano, riabbassando subito gli occhi:

– Sì... Pare un altro...

– Io o l'occhio?

– Lei.

– Forse con questa barbaccia...

– No... Perché? Le sta bene...

Me lo sarei cavato con un dito, quell'occhio! Che m'importava più d'averlo a posto?

– Eppure, – dissi, – forse esso, per conto suo, era più contento prima. Ora mi dà un certo fastidio... Basta. Passerà!

Mi recai allo stipetto a muro, in cui tenevo il denaro. Allora Adriana accennò di volersene andare; io stupido, la trattenni; ma, già, come potevo prevedere? In tutti gl'impicci miei, grandi e piccini, sono stato, come s'è visto, soccorso sempre dalla fortuna. Ora ecco com'essa, anche questa volta, mi venne in ajuto.

Facendo per aprire lo stipetto, notai che la chiave non girava entro la serratura: spinsi appena appena e, subito, lo sportellino cedette: era aperto!

– Come! – esclamai. – Possibile ch'io l'abbia lasciato così?

Notando il mio improvviso turbamento, Adriana era diventata pallidissima. La guardai, e:

– Ma qui... guardi, signorina, qui qualcuno ha dovuto metter le mani!

C'era dentro lo stipetto un gran disordine: i miei biglietti di banca erano stati tratti dalla busta di cuojo, in cui li tenevo custoditi, ed erano lì sul palchetto sparpagliati. Adriana si nascose il volto con le mani, inorridita. Io raccolsi febbrilmente quei biglietti e mi diedi a contarli.

– Possibile? – esclamai, dopo aver contato, passandomi le mani tremanti su la fronte ghiaccia di sudore.

Adriana fu per mancare, ma si sorresse a un tavolinetto lì presso e domandò con una voce che non mi parve più la sua:

– Hanno rubato?

– Aspetti... aspetti... Com'è possibile? – dissi io. E mi rimisi a contare, sforzando rabbiosamente le dita e la carta, come se, a furia di stropicciare, potessero da quei biglietti venir fuori gli altri che mancavano.

– Quanto? – mi domandò ella, scontraffatta dall'orrore, dal ribrezzo, appena ebbi finito di contare.

– Dodici... dodici mila lire... – balbettai. – Erano sessantacinque... sono cinquantatré! Conti lei...

Se non avessi fatto a tempo a sorreggerla, la povera Adriana sarebbe caduta per terra, come sotto una mazzata. Tuttavia, con uno sforzo supremo, ella poté riaversi ancora una volta, e singhiozzando, convulsa, cercò di sciogliersi da me che volevo adagiarla su la poltrona e fece per spingersi verso l'uscio:

– Chiamo il babbo! chiamo il babbo!

– No! – le gridai, trattenendola e costringendola a sedere. – Non si agiti così, per carità! Lei mi fa più male... Io non voglio, non voglio! Che c'entra lei? Per carità, si calmi. Mi lasci prima accertare, perché... sì, lo stipetto era aperto, ma io non posso, non voglio credere ancora a un furto così ingente... Stia buona, via!

E daccapo, per un ultimo scrupolo, tornai a contare i biglietti; pur sapendo di certo che tutto il mio denaro stava lì, in quello stipetto, mi diedi a rovistare da per tutto, anche dove non era in alcun modo possibile ch'io avessi lasciato una tal somma, tranne che non fossi stato colto da un momento di pazzia. E per indurmi a quella ricerca che m'appariva a mano a mano sempre più sciocca e vana, mi sforzavo di credere inverosimile l'audacia del ladro. Ma Adriana, quasi farneticando, con le mani sul volto, con la voce rotta dai singhiozzi:

– È inutile! è inutile! – gemeva. – Ladro... ladro... anche ladro!... Tutto congegnato avanti... Ho sentito, nel bujo... m'è nato il sospetto... ma non volli credere ch'egli potesse arrivare fino a tanto...

Papiano, sì: il ladro non poteva esser altri che lui; lui, per mezzo del fratello, durante quelle sedute spiritiche...

– Ma come mai, – gemette ella, angosciata, – come mai teneva lei tanto denaro, così, in casa?

Mi voltai a guardarla, inebetito. Che risponderle? Potevo dirle che per forza, nella condizione mia, dovevo tener con me il denaro? potevo dirle che mi era interdetto d'investirlo in qualche modo, d'affidarlo a qualcuno? che non avrei potuto neanche lasciarlo in deposito in qualche banca, giacché, se poi per caso fosse sorta qualche difficoltà non improbabile per ritirarlo, non avrei più avuto modo di far riconoscere il mio diritto su esso?

E, per non apparire stupito, fui crudele:

– Potevo mai supporre? – dissi.

Adriana si coprì di nuovo il volto con le mani, gemendo, straziata:

– Dio! Dio! Dio!

Lo sgomento che avrebbe dovuto assalire il ladro nel commettere il furto, invase me, invece, al pensiero di ciò che sarebbe avvenuto. Papiano non poteva certo supporre ch'io incolpassi di quel furto il pittore spagnuolo o il signor Anselmo, la signorina Caporale o la serva di casa o lo spirito di Max: doveva esser certo che avrei incolpato lui, lui e il fratello: eppure, ecco, ci s'era messo, quasi sfidandomi.

E io? che potevo far io? Denunziarlo? E come? Ma niente, niente, niente! io non potevo far niente! ancora una volta, niente! Mi sentii atterrato, annichilito. Era la seconda scoperta, in quel giorno! Conoscevo il ladro, e non potevo denunziarlo. Che diritto avevo io alla protezione della legge? Io ero fuori d'ogni legge. Chi ero io? Nessuno! Non esistevo io, per la legge. E chiunque, ormai, poteva rubarmi; e io, zitto!

Ma, tutto questo, Papiano non poteva saperlo. E dunque?

– Come ha potuto farlo? – dissi quasi tra me. – Da che gli è potuto venire tanto ardire?

Adriana levò il volto dalle mani e mi guardò stupita, come per dire: «*E non lo sai?*».

– Ah, già! – feci, comprendendo a un tratto.

– Ma lei lo denunzierà! – esclamò ella, levandosi in piedi. – Mi lasci, la prego, mi lasci chiamare il babbo... Lo denunzierà subito!

Feci in tempo a trattenerla ancora una volta. Non ci mancava altro, che ora, per giunta, Adriana mi costringesse a denunziare il furto! Non bastava che mi avessero rubato, come niente, dodici mila lire? Dovevo anche temere che il furto si conoscesse; pregare, scongiurare Adriana che non lo gridasse forte, non lo dicesse a nessuno, per carità? Ma che! Adriana – e ora lo intendo bene – non poteva assolutamente permettere che io tacessi e obbligassi anche lei al silenzio, non poteva in verun modo accettare quella che pareva una mia generosità, per tante ragioni: prima per il suo amore, poi per l'onorabilità della sua casa, e anche per me e per l'odio ch'ella portava al cognato.

Ma in quel frangente, la sua giusta ribellione mi parve proprio di più: esasperato, le gridai:

– Lei si starà zitta: gliel'impongo! Non dirà nulla a nessuno, ha capito? Vuole uno scandalo?

– No! no! – s'affrettò a protestare, piangendo, la povera Adriana. – Voglio liberar la mia casa dall'ignominia di quell'uomo!

– Ma egli negherà! – incalzai io. – E allora, lei, tutti di casa innanzi al giudice... Non capisce?

– Sì, benissimo! – rispose Adriana con fuoco, tutta vibrante di sdegno. – Neghi, neghi pure! Ma noi, per conto nostro, abbiamo altro, creda, da dire contro di lui. Lei lo denunzii, non abbia riguardo, non tema per noi... Ci farà un bene, creda, un gran bene! Vendicherà la povera sorella mia... Dovrebbe intenderlo, signor Meis, che mi offenderebbe, se non lo facesse. Io voglio, vo-

glio che lei lo denunzii. Se non lo fa lei lo farò io! Come vuole che io rimanga
con mio padre sotto quest'onta! No! no! no! E poi...

Me la strinsi fra le braccia: non pensai più al denaro rubato, vedendola soffrire così, smaniare, disperata: e le promisi che avrei fatto com'ella voleva,
purché si calmasse. No, che onta? non c'era alcuna onta per lei, né per il suo
babbo; io sapevo su chi ricadeva la colpa di quel furto; Papiano aveva stimato
che il mio amore per lei valesse bene dodicimila lire, e io dovevo dimostrargli
di no? Denunziarlo? Ebbene, sì, l'avrei fatto, non per me, ma per liberar la
casa di lei da quel miserabile: sì, ma a un patto: che ella prima di tutto si calmasse, non piangesse più così, via! via! e poi, che mi giurasse su quel che
aveva di più caro al mondo, che non avrebbe parlato a nessuno, a nessuno, di
quel furto, se prima io non consultavo un avvocato per tutte le conseguenze
che, in tanta sovreccitazione, né io né lei potevamo prevedere.

– Me lo giura? Su ciò che ha di più caro?

Me lo giurò, e con uno sguardo, tra le lagrime, mi fece intendere su che cosa
me lo giurava, che cosa avesse di più caro.

Povera Adriana!

Rimasi lì, solo, in mezzo alla camera, sbalordito, vuoto, annientato, come se
tutto il mondo per me si fosse fatto vano. Quanto tempo passò prima ch'io mi
riavessi? E come mi riebbi? Scemo... scemo!... Come uno scemo, andai a osservare lo sportello dello stipetto, per vedere se non ci fosse qualche traccia di
violenza. No: nessuna traccia: era stato aperto pulitamente, con un grimaldello,
mentr'io custodivo con tanta cura in tasca la chiave.

– *E non si sente lei*, – mi aveva domandato il Paleari alla fine dell'ultima
seduta, – *non si sente lei come se le avessero sottratto qualche cosa?*

Dodici mila lire!

Di nuovo il pensiero della mia assoluta impotenza, della mia nullità, mi assalì, mi schiacciò. Il caso che potessero rubarmi e che io fossi costretto a restar zitto, e finanche con la paura che il furto fosse scoperto, come se l'avessi
commesso io e non un ladro a mio danno, non mi s'era davvero affacciato alla
mente.

Dodici mila lire? Ma poche! poche! Possono rubarmi tutto, levarmi fin la
camicia di dosso; e io, zitto! Che diritto ho io di parlare? La prima cosa che
mi domanderebbero, sarebbe questa: «E voi chi siete? Donde vi era venuto
quel denaro?». Ma senza denunziarlo... vediamo un po'! se questa sera io lo
afferro per il collo e gli grido: «Qua subito il denaro che hai tolto di là, dallo
stipetto, pezzo di ladro!». Egli strilla; nega; può forse dirmi: «Sissignore, eccolo qua, l'ho preso per isbaglio...»? E allora? Ma c'è il caso che mi dia anche
querela per diffamazione. Zitto, dunque, zitto! M'è sembrata una fortuna l'esser creduto morto? Ebbene, e sono morto davvero. Morto? Peggio che morto;
me l'ha ricordato il signor Anselmo: i morti non debbono più morire, e io sì:
io sono ancora vivo per la morte e morto per la vita. Che vita infatti può esser
più la mia? La noja di prima, la solitudine, la compagnia di me stesso?

Mi nascosi il volto con le mani; caddi a sedere sulla poltrona.

Ah, fossi stato almeno un mascalzone! avrei potuto forse adattarmi a restar
così, sospeso nell'incertezza della sorte, abbandonato al caso, esposto a un rischio continuo, senza base, senza consistenza. Ma io? Io, no. E che fare, dunque? Andarmene via? E dove? E Adriana? Ma che potevo fare per lei?
Nulla... nulla... Come andarmene però così, senz'alcuna spiegazione, dopo
quanto era accaduto? Ella ne avrebbe cercato la causa in quel furto; avrebbe
detto: «E perché ha voluto salvare il reo, e punir me innocente?». Ah no, no,
povera Adriana! Ma, d'altra parte, non potendo far nulla come sperare di render men trista la mia parte verso di lei? Per forza dovevo dimostrarmi incon-
seguente e crudele. L'inconseguenza, la crudeltà erano della mia stessa sorte,
e io per il primo ne soffrivo. Fin Papiano, il ladro, commettendo il furto, era

stato più conseguente e men crudele di quel che pur troppo avrei dovuto dimostrarmi io.

Egli voleva Adriana, per non restituire al suocero la dote della prima moglie: io avevo voluto togliergli Adriana? e dunque la dote bisognava che la restituissi io, al Paleari.

Per ladro, conseguentissimo!

Ladro? Ma neanche ladro: perché la sottrazione, in fondo, sarebbe stata più apparente che reale: infatti, conoscendo egli l'onestà di Adriana, non poteva pensare ch'io volessi farne la mia amante: volevo certo farla mia moglie: ebbene allora avrei riavuto il mio denaro sotto forma di dote d'Adriana, e per di più avrei avuto una mogliettina saggia e buona: che cercavo di più?

Oh, io ero sicuro che, potendo aspettare, e se Adriana avesse avuto la forza di serbare il segreto, avremmo veduto Papiano attener la promessa di restituire, anche prima dell'anno di comporto, la dote della defunta moglie.

Quel denaro, è vero, non poteva più venire a me, perché Adriana non poteva esser mia: ma sarebbe andato a lei, se ella ora avesse saputo tacere, seguendo il mio consiglio, e se io mi fossi potuto trattenere ancora per qualche po' di tempo lì. Molta arte, molta arte avrei dovuto adoperare, e allora Adriana, se non altro, ci avrebbe forse guadagnato questo: la restituzione della sua dote.

M'acquietai un po', almeno per lei, pensando così. Ah, non per me! Per me rimaneva la crudezza della frode scoperta, quella della mia illusione, di fronte a cui era nulla il furto delle dodici mila lire, era anzi un bene, se poteva risolversi in un vantaggio per Adriana.

Io mi vidi escluso per sempre dalla vita, senza possibilità di rientrarvi. Con quel lutto nel cuore, con quell'esperienza fatta, me ne sarei andato via, ora, da quella casa, a cui mi ero già abituato, in cui avevo trovato un po' di requie, in cui mi ero fatto quasi il nido; e di nuovo per le strade, senza meta, senza scopo, nel vuoto. La paura di ricader nei lacci della vita, mi avrebbe fatto tenere più lontano che mai dagli uomini, solo, solo, affatto solo, diffidente, ombroso; e il supplizio di Tantalo si sarebbe rinnovato per me.

Uscii di casa, come un matto. Mi ritrovai dopo un pezzo per la via Flaminia, vicino a Ponte Molle. Che ero andato a far lì? Mi guardai attorno; poi gli occhi mi s'affisarono su l'ombra del mio corpo, e rimasi un tratto a contemplarla; infine alzai un piede rabbiosamente su essa. Ma io no, io non potevo calpestarla, l'ombra mia.

Chi era più ombra di noi due? io o lei?

Due ombre!

Là, là per terra; e ciascuno poteva passarci sopra: schiacciarmi la testa, schiacciarmi il cuore: e io, zitto; l'ombra, zitta.

L'ombra d'un morto: ecco la mia vita...

Passò un carro: rimasi lì fermo, apposta: prima il cavallo, con le quattro zampe, poi le ruote del carro.

– Là, così! forte, sul collo! Oh, oh, anche tu, cagnolino? Sù, da bravo, sì: alza un'anca! alza un'anca!

Scoppiai a ridere d'un maligno riso; il cagnolino scappò via, spaventato; il carrettiere si voltò a guardarmi. Allora mi mossi; e l'ombra, meco, dinanzi. Affrettai il passo per cacciarla sotto altri carri, sotto i piedi de' viandanti, voluttuosamente. Una smania mala mi aveva preso, quasi adunghiandomi il ventre; alla fine, non potei più vedermi davanti quella mia ombra; avrei voluto scuotermela dai piedi. Mi voltai; ma ecco; la avevo dietro, ora.

«E se mi metto a correre», pensai, «mi seguirà!»

Mi stropicciai forte la fronte, per paura che stessi per ammattire, per farmene una fissazione. Ma sì! così era! il simbolo, lo spettro della mia vita era quell'ombra: ero io, là per terra, esposto alla mercé dei piedi altrui. Ecco quello che restava di Mattia Pascal, morto alla *Stìa*: la sua ombra per le vie di Roma.

Ma aveva un cuore, quell'ombra, e non poteva amare; aveva denari, quell'ombra, e ciascuno poteva rubarglieli; aveva una testa, ma per pensare e comprendere ch'era la testa di un'ombra, e non l'ombra d'una testa. Proprio così!

Allora la sentii come cosa viva, e sentii dolore per essa, come il cavallo e le ruote del carro e i piedi de' viandanti ne avessero veramente fatto strazio. E non volli lasciarla più lì, esposta, per terra. Passò un tram, e vi montai.

Rientrando in casa...

XVI. *Il ritratto di Minerva*

Già prima che mi fosse aperta la porta, indovinai che qualcosa di grave doveva essere accaduto in casa: sentivo gridare Papiano e il Paleari. Mi venne incontro, tutta sconvolta, la Caporale:

– È dunque vero? Dodici mila lire?

M'arrestai, ansante, smarrito. Scipione Papiano, l'epilettico, attraversò in quel momento la saletta d'ingresso, scalzo, con le scarpe in mano, pallidissimo, senza giacca; mentre il fratello strillava di là:

– E ora denunzii! denunzii!

Subito una fiera stizza m'assalì contro Adriana che, non ostante il divieto, non ostante il giuramento, aveva parlato.

– Chi l'ha detto? – gridai alla Caporale. – Non è vero niente: ho ritrovato il denaro!

La Caporale mi guardò stupita:

– Il denaro? Ritrovato? Davvero? Ah, Dio sia lodato! – esclamò, levando le braccia; e corse, seguìta da me, ad annunziare esultante nel salotto da pranzo, dove Papiano e il Paleari gridavano e Adriana piangeva: – Ritrovato! ritrovato! Ecco il signor Meis! Ha ritrovato il denaro!

– Come!

– Ritrovato?

– Possibile?

Restarono trasecolati tutti e tre; ma Adriana e il padre, col volto in fiamme; Papiano, all'incontro, terreo, scontraffatto.

Lo fissai per un istante. Dovevo essere più pallido di lui, e vibravo tutto. Egli abbassò gli occhi, come atterrito, e si lasciò cader dalle mani la giacca del fratello. Gli andai innanzi, quasi a petto, e gli tesi la mano.

– Mi scusi tanto; lei, e tutti... mi scusino, – dissi.

– No! – gridò Adriana, indignata; ma subito si premé il fazzoletto su la bocca.

Papiano la guardò, e non ardì di porgermi la mano. Allora io ripetei:

– Mi scusi... – e protesi ancor più la mano, per sentire la sua, come tremava. Pareva la mano d'un morto, e anche gli occhi, torbidi e quasi spenti, parevano d'un morto.

– Sono proprio dolente, – soggiunsi, – dello scompiglio, del grave dispiacere che, senza volerlo, ho cagionato.

– Ma no... cioè, sì... veramente, – balbettò il Paleari, – ecco, era una cosa che... sì, non poteva essere, perbacco! Felicissimo, signor Meis, sono proprio felicissimo che lei abbia ritrovato codesto denaro, perché...

Papiano sbuffò, si passò ambo le mani su la fronte sudata e sul capo e, voltandoci le spalle, si pose a guardare verso il terrazzino.

– Ho fatto come quel tale... – ripresi, forzandomi a sorridere. – Cercavo l'asino e c'ero sopra. Avevo le dodici mila lire qua, nel portafogli, con me.

Ma Adriana, a questo punto, non poté più reggere:

– Ma se lei, – disse, – ha guardato, me presente, da per tutto, anche nel portafogli; se lì, nello stipetto...

– Sì, signorina, – la interruppi, con fredda e severa fermezza. – Ma ho cercato male, evidentemente, dal punto che le ho ritrovate... Chiedo anzi scusa a
lei in special modo, che per la mia storditaggine, ha dovuto soffrire più degli
altri. Ma spero che...

– No! no! no! – gridò Adriana, rompendo in singhiozzi e uscendo precipitosamente dalla stanza, seguìta dalla Caporale.

– Non capisco... – fece il Paleari, stordito.

Papiano si voltò, irosamente:

– Io me ne vado lo stesso, oggi... Pare che, ormai, non ci sia più bisogno di...
di...

S'interruppe, come se si sentisse mancare il fiato; volle volgersi a me, ma
non gli bastò l'animo di guardarmi in faccia:

– Io... io non ho potuto, creda, neanche dire di no... quando mi hanno... qua,
preso in mezzo... Mi son precipitato su mio fratello che... nella sua incoscienza... malato com'è... irresponsabile, cioè, credo... chi sa! si poteva immaginare, che... L'ho trascinato qua... Una scena selvaggia! Mi son veduto costretto a spogliarlo... a frugargli addosso... da per tutto... negli abiti, fin nelle
scarpe... E lui... ah!

Il pianto, a questo punto, gli fece impeto alla gola; gli occhi gli si gonfiarono
di lagrime; e, come strozzato dall'angoscia, aggiunse:

– Così hanno veduto che... Ma già, se lei... Dopo questo, io me ne vado!

– Ma no! Nient'affatto! – diss'io allora. – Per causa mia? Lei deve rimanere
qua! Me n'andrò io piuttosto!

– Che dice mai, signor Meis? – esclamò dolente, il Paleari.

Anche Papiano, impedito dal pianto che pur voleva soffocare, negò con la
mano; poi disse:

– Dovevo... dovevo andarmene; anzi, tutto questo è accaduto perché io...
così, innocentemente... annunziai che volevo andarmene, per via di mio fratello che non si può più tenere in casa... Il marchese, anzi, mi ha dato... – l'ho
qua – una lettera per il direttore di una casa di salute a Napoli, dove devo recarmi anche per altri documenti che gli bisognano... E mia cognata allora, che
ha per lei... meritatamente, tanto... tanto riguardo... è saltata sù a dire che nessuno doveva muoversi di casa... che tutti dovevamo rimanere qua... perché
lei... non so... aveva scoperto... A me, questo! al proprio cognato!... l'ha detto
proprio a me... forse perché io, miserabile ma onorato, debbo ancora restituire
qua, a mio suocero...

– Ma che vai pensando, adesso! – esclamò, interrompendolo, il Paleari.

– No! – raffermò fieramente Papiano. – Io ci penso! ci penso bene, non dubitate! E se me ne vado... Povero, povero, povero Scipione!

Non riuscendo più a frenarsi, scoppiò in dirotto pianto.

– Ebbene, – fece il Paleari, intontito e commosso. – E che c'entra più
adesso?

– Povero fratello mio! – seguitò Papiano, con tale schianto di sincerità, che
anch'io mi sentii quasi agitare le viscere della misericordia.

Intesi in quello schianto il rimorso, ch'egli doveva provare in quel momento
per il fratello, di cui si era servito, a cui avrebbe addossato la colpa del furto,
se io lo avessi denunziato, e a cui poc'anzi aveva fatto patir l'affronto di
quella perquisizione.

Nessuno meglio di lui sapeva ch'io non potevo aver ritrovato il danaro ch'e-
gli mi aveva rubato. Quella mia inattesa dichiarazione, che lo salvava proprio
nel punto in cui, vedendosi perduto, egli accusava il fratello o almeno lasciava
intendere – secondo il disegno che doveva aver prima stabilito – che soltanto
questi poteva essere l'autore del furto, lo aveva addirittura schiacciato. Ora

piangeva per un bisogno irrefrenabile di dare uno sfogo all'animo così tremendamente percosso, e fors'anche perché sentiva che non poteva stare, se non così, piangente, di fronte a me. Con quel pianto egli mi si prostrava, mi s'inginocchiava quasi ai piedi, ma a patto ch'io mantenessi la mia affermazione, d'aver cioè ritrovato il denaro: che se io mi fossi approfittato di vederlo ora avvilito per tirarmi indietro, mi si sarebbe levato contro, furibondo. Egli era già inteso – non sapeva e non doveva saper nulla di quel furto, e io, con quella mia affermazione, non salvavo che suo fratello, il quale, in fin de' conti, ov'io l'avessi denunziato, non avrebbe avuto forse a patir nulla, data la sua infermità; dal canto suo, ecco, egli s'impegnava, come già aveva lasciato intravedere, a restituir la dote al Paleari.

Tutto questo mi parve di comprendere da quel suo pianto. Esortato dal signor Anselmo e anche da me, alla fine egli si quietò; disse che sarebbe ritornato presto da Napoli, appena chiuso il fratello nella casa di salute, *liquidate le sue competenze in un certo negozio che ultimamente aveva avviato colà in società con un suo amico*, e fatte le ricerche dei documenti che bisognavano al marchese.

– Anzi, a proposito, – conchiuse, rivolgendosi a me. – Chi ci pensava più? Il signor marchese mi aveva detto che, se non le dispiace, oggi.... insieme con mio suocero e con Adriana...

– Ah, bravo, sì! – esclamò il signor Anselmo, senza lasciarlo finire. – Andremo tutti... benissimo! Mi pare che ci sia ragione di stare allegri, ora, perbacco! Che ne dice, signor Adriano?

– Per me... – feci io, aprendo le braccia.

– E allora, verso le quattro... Va bene? – propose Papiano, asciugandosi definitivamente gli occhi.

Mi ritirai in camera. Il mio pensiero corse subito ad Adriana, che se n'era scappata singhiozzando, dopo quella mia smentita. E se ora fosse venuta a domandarmi una spiegazione? Certo non poteva credere neanche lei, ch'io avessi davvero ritrovato il denaro. Che doveva ella dunque supporre? Ch'io, negando a quel modo il furto, avevo voluto punirla del mancato giuramento. Ma perché? Evidentemente perché dall'avvocato, a cui le avevo detto di voler ricorrere per consiglio prima di denunziare il furto, avevo saputo che anche lei e tutti di casa sarebbero stati chiamati responsabili di esso. Ebbene, e non mi aveva ella detto che volentieri avrebbe affrontato lo scandalo? Sì: ma io – era chiaro – io non avevo voluto: avevo preferito di sacrificar così dodici mila lire... E dunque, doveva ella credere che fosse generosità da parte mia, sacrifizio per amor di lei? Ecco a quale altra menzogna mi costringeva la mia condizione: stomachevole menzogna, che mi faceva bello di una squisita, delicatissima prova d'amore, attribuendomi una generosità tanto più grande, quanto meno da lei richiesta e desiderata.

Ma no! Ma no! Ma no! Che andavo fantasticando? A ben altre conclusioni dovevo arrivare, seguendo la logica di quella mia menzogna necessaria e inevitabile. Che generosità! che sacrifizio! che prova d'amore! Avrei potuto forse lusingare più oltre quella povera fanciulla? Dovevo soffocarla, soffocarla, la mia passione; non rivolgere più ad Adriana né uno sguardo né una parola d'amore. E allora? Come avrebbe potuto ella mettere d'accordo quella mia apparente generosità col contegno che d'ora innanzi dovevo impormi di fronte a lei? Io ero dunque tratto per forza a profittar di quel furto ch'ella aveva svelato contro la mia volontà e che io avevo smentito, per troncare ogni relazione con lei. Ma che logica era questa? delle due l'una: o io avevo patito il furto, e allora per qual ragione, conoscendo il ladro, non lo denunziavo, e ritraevo invece da lei il mio amore, come se anch'ella ne fosse colpevole? o io avevo realmente ritrovato il denaro, e allora perché non seguitavo ad amarla?

Sentii soffocarmi dalla nausea, dall'ira, dall'odio per me stesso. Avessi almeno potuto dirle che non era generosità la mia; che io non potevo, in alcun modo, denunziare il furto... Ma dovevo pur dargliene una ragione... Eran forse denari rubati, i miei? Ella avrebbe potuto supporre anche questo... O dovevo dirle ch'ero un perseguitato, un fuggiasco compromesso, che doveva viver nell'ombra e non poteva legare alla sua sorte quella d'una donna? Altre menzogne alla povera fanciulla... Ma, d'altra parte, la verità ch'ora appariva a me stesso incredibile, una favola assurda, un sogno insensato, la verità potevo io dirgliela? Per non mentire anche adesso, dovevo confessarle d'aver mentito sempre? Ecco a che m'avrebbe condotto la rivelazione del mio stato. E a che pro? Non sarebbe stata né una scusa per me, né un rimedio per lei.

Tuttavia, sdegnato, esasperato com'ero in quel momento, avrei forse confessato tutto ad Adriana, se lei, invece di mandare la Caporale, fosse entrata di persona in camera mia a spiegarmi perché era venuta meno al giuramento. La ragione m'era già nota: Papiano stesso me l'aveva detta. La Caporale soggiunse che Adriana era inconsolabile.

– E perché? – domandai, con forzata indifferenza.

– Perché non crede, – mi rispose, – che lei abbia davvero ritrovato il danaro.

Mi nacque lì per lì l'idea (che s'accordava, del resto, con le condizioni dell'animo mio, con la nausea che provavo di me stesso) l'idea di far perdere ad Adriana ogni stima di me, perché non m'amasse più, dimostrandomele falso, duro, volubile, interessato... Mi sarei punito così del male che le avevo fatto. Sul momento, sì, le avrei cagionato altro male, ma a fin di bene, per guarirla.

– Non crede? Come no? – dissi, con un tristo riso, alla Caporale. – Dodici mila lire, signorina... e che son rena? crede ella che sarei così tranquillo, se davvero me le avessero rubate?

– Ma Adriana mi ha detto... – si provò ad aggiungere quella.

– Sciocchezze! sciocchezze! – troncai io. – È vero, guardi... sospettai per un momento... Ma dissi pure alla signorina Adriana che non credevo possibile il furto... E difatti, via! Che ragione, del resto, avrei io a dire che ho ritrovato il denaro, se non l'avessi davvero ritrovato?

La signorina Caporale si strinse ne le spalle.

– Forse Adriana crede che lei possa avere qualche ragione per...

– Ma no! ma no! – m'affrettai a interromperla. – Si tratta, ripeto, di dodici mila lire, signorina. Fossero state trenta, quaranta lire, eh via!... Non ho di queste idee generose, creda pure. Che diamine! ci vorrebbe un eroe...

Quando la signorina Caporale andò via, per riferire ad Adriana le mie parole, mi torsi le mani, me le addentai. Dovevo regolarmi proprio così? Approfittarmi di quel furto, come se con quel denaro rubato volessi pagarla, compensarla delle speranze deluse? Ah, era vile questo mio modo d'agire! Avrebbe certo gridato di rabbia, ella, di là, e mi avrebbe disprezzato... senza comprendere che il suo dolore era anche il mio. Ebbene, così doveva essere! Ella doveva odiarmi, disprezzarmi, com'io mi odiavo e mi disprezzavo. E anzi per inferocire di più contro me stesso, per far crescere il suo disprezzo, mi sarei mostrato ora tenerissimo verso Papiano, verso il suo nemico, come per compensarlo a gli occhi di lei del sospetto concepito a suo carico. Sì, sì, e avrei stordito così anche il mio ladro, sì, fino a far credere a tutti ch'io fossi pazzo... E ancora più, ancora più: non dovevamo or ora andare in casa del marchese Giglio: ebbene, mi sarei messo, quel giorno stesso, a far la corte alla signorina Pantogada.

– Mi disprezzerai ancor più, così, Adriana! – gemetti, rovesciandomi sul letto. – Che altro, che altro posso fare per te?

Poco dopo le quattro, venne a picchiare all'uscio della mia camera il signor Anselmo.

– Eccomi, – gli dissi, e mi recai addosso il pastrano. – Son pronto.
– Viene così? – mi domandò il Paleari, guardandomi meravigliato.
– Perché? – feci io.

Ma mi accorsi subito che avevo ancora in capo il berrettino da viaggio, che solevo portare per casa. Me lo cacciai in tasca e tolsi dall'attaccapanni il cappello, mentre il signor Anselmo rideva, rideva come se lui...

– Dove va, signor Anselmo?
– Ma guardi un po' come stavo per andare anch'io – rispose tra le risa, additandomi le pantofole ai piedi. – Vada, vada di là; c'è Adriana...
– Viene anche lei? – domandai.
– Non voleva venire, – disse, avviandosi per la sua camera, il Paleari. – Ma l'ho persuasa. Vada: è nel salotto da pranzo, già pronta...

Con che sguardo duro, di rampogna, m'accolse in quella stanza la signorina Caporale! Ella, che aveva tanto sofferto per amore e che s'era sentita tante volte confortare dalla dolce fanciulla ignara, ora che Adriana sapeva, ora che Adriana era ferita, voleva confortarla lei a sua volta, grata, premurosa; e si ribellava contro di me, perché le pareva ingiusto ch'io facessi soffrire una così buona e bella creatura. Lei, sì, lei non era bella e non era buona, e dunque se gli uomini con lei si mostravano cattivi, almeno un'ombra di scusa potevano averla. Ma perché far soffrire così Adriana?

Questo mi disse il suo sguardo, e m'invitò a guardar colei ch'io facevo soffrire.

Com'era pallida! Le si vedeva ancora negli occhi che aveva pianto. Chi sa che sforzo, nell'angoscia, le era costato il doversi abbigliare per uscire con me...

Non ostante l'animo con cui mi recai a quella visita, la figura e la casa del marchese Giglio d'Auletta mi destarono una certa curiosità.

Sapevo che egli stava a Roma perché, ormai, per la restaurazione del Regno delle Due Sicilie non vedeva altro espediente se non nella lotta per il trionfo del potere temporale: restituita Roma al Pontefice, l'unità d'Italia si sarebbe sfasciata, e allora... chi sa! Non voleva arrischiar profezie, il marchese. Per il momento, il suo compito era ben definito: lotta senza quartiere, là, nel campo clericale. E la sua casa era frequentata dai più intransigenti prelati della Curia, dai paladini più fervidi del partito nero.

Quel giorno, però, nel vasto salone splendidamente arredato non trovammo nessuno. Cioè, no. C'era, nel mezzo, un cavalletto, che reggeva una tela a metà abbozzata, la quale voleva essere il ritratto di *Minerva*, della cagnetta di Pepita, tutta nera, sdrajata su una poltrona tutta bianca, la testa allungata su le due zampine davanti.

– Opera del pittore Bernaldez, – ci annunziò gravemente Papiano, come se facesse una presentazione, che da parte nostra richiedesse un profondissimo inchino.

Entrarono dapprima Pepita Pantogada e la governante, signora Candida.

Avevo veduto l'una e l'altra nella semioscurità della mia camera: ora, alla luce, la signorina Pantogada mi parve un'altra; non in tutto veramente, ma nel naso... Possibile che avesse quel naso in casa mia? Me l'ero figurata con un nasetto all'insù, ardito, e invece aquilino lo aveva, e robusto. Ma era pur bella così: bruna, sfavillante negli occhi, coi capelli lucidi, nerissimi e ondulati; le labbra fine, taglienti, accese. L'abito scuro, punteggiato di bianco, le stava dipinto sul corpo svelto e formoso. La mite bellezza bionda d'Adriana, accanto a lei, impallidiva.

E finalmente potei spiegarmi che cosa avesse in capo la signora Candida! Una magnifica parrucca fulva, riccioluta, e – su la parrucca – un ampio fazzoletto di seta cilestrina, anzi uno scialle, annodato artisticamente sotto il mento.

Quanto vivace la cornice, tanto squallida la faccina magra e floscia, tuttoché imbiaccata, lisciata, imbellettata.

Minerva, intanto, la vecchia cagnetta, co' suoi sforzati rochi abbajamenti, non lasciava fare i convenevoli. La povera bestiola però non abbajava a noi; abbajava al cavalletto, abbajava alla poltrona bianca, che dovevano esser per lei arnesi di tortura: protesta e sfogo d'anima esasperata. Quel maledetto ordegno dalle tre lunghe zampe avrebbe voluto farlo fuggire dal salone; ma poiché esso rimaneva lì, immobile e minaccioso, si ritraeva lei, abbajando, e poi gli saltava contro, digrignando i denti, e tornava a ritrarsi, furibonda.

Piccola, tozza, grassa su le quattro zampine troppo esili, *Minerva* era veramente sgraziata; gli occhi già appannati dalla vecchiaja e i peli della testa incanutiti; sul dorso poi, presso l'attaccatura della coda, era tutta spelata per l'abitudine di grattarsi furiosamente sotto gli scaffali, alle traverse delle seggiole, dovunque e comunque le venisse fatto. Ne sapevo qualche cosa.

Pepita tutt'a un tratto la afferrò pel collo e la gettò in braccio alla signora Candida, gridandole:

– *Cito!*

Entrò, in quella, di furia don Ignazio Giglio d'Auletta. Curvo, quasi spezzato in due, corse alla sua poltrona presso la finestra, e – appena seduto – ponendosi il bastone tra le gambe, trasse un profondo respiro e sorrise alla sua stanchezza mortale. Il volto estenuato, solcato tutto di rughe verticali, raso, era d'un pallore cadaverico, ma gli occhi, all'incontro, eran vivacissimi, ardenti, quasi giovanili. Gli s'allungavano in guisa strana su le gote, su le tempie, certe grosse ciocche di capelli, che parevan lingue di cenere bagnata.

Ci accolse con molta cordialità, parlando con spiccato accento napoletano; pregò quindi il suo segretario di seguitare a mostrarmi i ricordi di cui era pieno il salone e che attestavano la sua fedeltà alla dinastia dei Borboni. Quando fummo innanzi a un quadretto coperto da un mantino verde, su cui era ricamata in oro questa leggenda: «*Non nascondo; riparo; alzami e leggi*», egli pregò Papiano di staccar dalla parete il quadretto e di recarglielo. C'era sotto, riparata dal vetro e incorniciata, una lettera di Pietro Ulloa che, nel settembre del 1860, cioè agli ultimi aneliti del regno, invitava il marchese Giglio d'Auletta a far parte del Ministero che non si poté poi costituire: accanto c'era la minuta della lettera d'accettazione del marchese: fiera lettera che bollava tutti coloro che s'erano rifiutati di assumere la responsabilità del potere in quel momento di supremo pericolo e d'angoscioso scompiglio, di fronte al nemico, al filibustiere Garibaldi già quasi alle porte di Napoli.

Leggendo ad alta voce questo documento, il vecchio s'accese e si commosse tanto, che, sebbene ciò ch'ei leggeva fosse affatto contrario al mio sentimento, pure mi destò ammirazione. Era stato anch'egli, dal canto suo, un eroe. N'ebbi un'altra prova, quando egli stesso mi volle narrar la storia di un certo giglio di legno dorato, ch'era pur lì, nel salone. La mattina del 5 settembre 1860 il Re usciva dalla Reggia di Napoli in un legnetto scoperto insieme con la Regina e due gentiluomini di corte: arrivato il legnetto in via di Chiaja dovette fermarsi per un intoppo di carri e di vetture innanzi a una farmacia che aveva su l'insegna i gigli d'oro. Una scala, appoggiata all'insegna, impediva il transito. Alcuni operaj, saliti su quella scala, staccavano dall'insegna i gigli. Il Re se n'accorse e additò con la mano alla Regina quell'atto di vile prudenza del farmacista, che pure in altri tempi aveva sollecitato l'onore di fregiar la sua bottega di quel simbolo regale. Egli, il marchese d'Auletta, si trovava in quel momento a passare di là: indignato, furente, s'era precipitato entro la farmacia, aveva afferrato per il bavero della giacca quel vile, gli aveva mostrato il Re lì fuori, gli aveva poi sputato in faccia e, brandendo uno di quei gigli staccati, s'era messo a gridare tra la ressa: «Viva il Re!».

Questo giglio di legno gli ricordava ora, lì nel salotto, quella triste mattina di settembre, e una delle ultime passeggiate del suo Sovrano per le vie di Napoli; ed egli se ne gloriava quasi quanto della *chiave d'oro* di gentiluomo di camera e dell'insegna di cavaliere di San Gennaro e di tant'altre onorificenze che facevano bella mostra di sé nel salone, sotto i due grandi ritratti a olio di Ferdinando e di Francesco II.

Poco dopo, per attuare il mio tristo disegno, io lasciai il marchese col Paleari e Papiano, e m'accostai a Pepita.

M'accorsi subito ch'ella era molto nervosa e impaziente. Volle per prima cosa saper l'ora da me.

– Quattro e *meccio*? Bene! bene!

Che fossero però le quattro e *meccio* non aveva certamente dovuto farle piacere: lo argomentai da quel «*Bene! bene!*» a denti stretti e dal volubile e quasi aggressivo discorso in cui subito dopo si lanciò contro l'Italia e più contro Roma così gonfia di sé per il suo passato. Mi disse, tra l'altro, che anche loro, in Ispagna, avevano *tambien* un Colosseo come il nostro, della stessa antichità; ma non se ne curavano né punto né poco:

– *Piedra muerta!*

Valeva senza fine di più, per loro, una *Plaza de toros*. Sì, e per lei segnatamente, più di tutti i capolavori dell'arte antica, quel ritratto di *Minerva* del pittore Manuel Bernaldez che tardava a venire. L'impazienza di Pepita non proveniva da altro, ed era già al colmo. Fremeva, parlando; si passava rapidissimamente, di tratto in tratto, un dito sul naso; si mordeva il labbro; apriva e chiudeva le mani, e gli occhi le andavano sempre lì, all'uscio.

Finalmente il Bernaldez fu annunziato dal cameriere, e si presentò accaldato, sudato, come se avesse corso. Subito Pepita gli voltò le spalle e si sforzò d'assumere un contegno freddo e indifferente; ma quando egli, dopo aver salutato il marchese, si avvicinò a noi, o meglio a lei e, parlandole nella sua lingua, chiese scusa del ritardo, ella non seppe contenersi più e gli rispose con vertiginosa rapidità:

– Prima de tuto lei parli taliano, porqué aqui siamo a Roma, dove ci sono aquesti segnori che no comprendono lo espagnolo, e no me par bona crianza che lei parli con migo espagnolo. Poi le digo che me ne importa niente del su' retardo e che podeva pasarse de la escusa.

Quegli, mortificatissimo, sorrise nervosamente e s'inchinò; poi le chiese se poteva riprendere il ritratto, essendoci ancora un po' di luce.

– Ma comodo! – gli rispose lei con la stessa aria e lo stesso tono. – *Lei puede pintar senza de mi o tambien borrar lo pintado, come glie par.*

Manuel Bernaldez torno a inchinarsi e si rivolse alla signora Candida che teneva ancora in braccio la cagnetta.

Ricominciò allora per *Minerva* il supplizio. Ma a un supplizio ben più crudele fu sottoposto il suo carnefice: Pepita, per punirlo del ritardo, prese a sfoggiar con me tanta civetteria, che mi parve anche troppa per lo scopo a cui tendevo. Volgendo di sfuggita qualche sguardo ad Adriana, m'accorgevo di quant'ella soffrisse. Il supplizio non era dunque soltanto per il Bernaldez e per *Minerva*; era anche per lei e per me. Mi sentivo il volto in fiamme, come se man mano mi ubriacasse il dispetto che sapevo di cagionare a quel povero giovane, il quale tuttavia non m'ispirava pietà: pietà, lì dentro, m'ispirava soltanto Adriana; e, poiché io dovevo farla soffrire, non m'importava che soffrisse anche lui della stessa pena: anzi quanto più lui ne soffriva, tanto meno mi pareva che dovesse soffrirne Adriana. A poco a poco, la violenza che ciascuno di noi faceva a se stesso crebbe e si tese fino a tal punto, che per forza doveva in qualche modo scoppiare.

Ne diede il pretesto *Minerva*. Non tenuta quel giorno in soggezione dallo sguardo della padroncina, essa, appena il pittore staccava gli occhi da lei per rivolgerli alla tela, zitta zitta, si levava dalla positura voluta, cacciava le zampine e il musetto nell'insenatura tra la spalliera e il piano della poltrona, come se volesse ficcarsi e nascondersi lì, e presentava al pittore il di dietro, bello scoperto, come un o, scotendo quasi a dileggio la coda ritta. Già parecchie volte la signora Candida la aveva rimessa a posto. Aspettando, il Bernaldez sbuffava, coglieva a volo qualche mia parola rivolta a Pepita e la commentava borbottando sotto sotto fra sé. Più d'una volta, essendomene accorto, fui sul punto d'intimargli: «Parli forte!». Ma egli alla fine non ne poté più, e gridò a Pepita:

– Prego: faccia almeno star ferma la bestia!

– *Vestia, vestia, vestia...* – scattò Pepita, agitando le mani per aria, eccitatissima – Sarà *vestia*, ma non glie se dice!

– Chi sa che capisce, poverina... – mi venne da osservare a mo' di scusa, rivolto al Bernaldez.

La frase poteva veramente prestarsi a una doppia interpretazione; me ne accorsi dopo averla proferita. Io volevo dire: «Chi sa che cosa immagina che le si faccia». Ma il Bernaldez prese in altro senso le mie parole, e con estrema violenza, figgendomi gli occhi negli occhi, rimbeccò:

– Ciò che dimostra di non capir lei!

Sotto lo sguardo fermo e provocante di lui, nell'eccitazione in cui mi trovavo anch'io, non potei fare a meno di rispondergli:

– Ma io capisco, signor mio, che lei sarà magari un gran pittore...

– Che cos'è? – domandò il marchese, notando il nostro fare aggressivo.

Il Bernaldez, perdendo ogni dominio su se stesso, s'alzò e venne a piantarmisi di faccia:

– Un gran pittore... Finisca!

– Un gran pittore, ecco... ma di poco garbo, mi pare; e fa paura alle cagnette, – gli dissi io allora, risoluto e sprezzante.

– Sta bene, – fece lui. – Vedremo se alle cagnette soltanto!

E si ritirò.

Pepita improvvisamente ruppe in un pianto strano, convulso, e cadde svenuta tra le braccia della signora Candida e di Papiano.

Nella confusione sopravvenuta, mentr'io con gli altri mi facevo a guardar la Pantogada adagiata sul canapè, mi sentii afferrar per un braccio e mi vidi sopra di nuovo il Bernaldez, ch'era tornato indietro. Feci in tempo a ghermirgli la mano levata su me e lo respinsi con forza, ma egli mi si lanciò contro ancora una volta e mi sfiorò appena il viso con la mano. Io mi avventai, furibondo; ma Papiano e il Paleari accorsero a trattenermi, mentre il Bernaldez si ritraeva gridandomi:

– Se l'abbia per dato! Ai suoi ordini!... Qua conoscono il mio indirizzo!

Il marchese s'era levato a metà dalla poltrona, tutto fremente, e gridava contro l'aggressore; io mi dibattevo intanto fra il Paleari e Papiano, che mi impedivano di correre a raggiungere colui. Tentò di calmarmi anche il marchese, dicendomi che, da gentiluomo, io dovevo mandar due amici per dare una buona lezione a quel villano, che aveva osato di mostrar così poco rispetto per la sua casa.

Fremente in tutto il corpo, senza più fiato, gli chiesi appena scusa per lo spiacevole incidente e scappai via, seguito dal Paleari e da Papiano. Adriana rimase presso la svenuta, ch'era stata condotta di là.

Mi toccava ora a pregare il mio ladro che mi facesse da testimonio: lui e il Paleari: a chi altri avrei potuto rivolgermi?

– Io? – esclamò, candido e stupito, il signor Anselmo. – Ma che! Nossignore! Dice sul serio? – (e sorrideva). – Non m'intendo di tali faccende, io, signor Meis... Via, via, ragazzate, sciocchezze, scusi...

– Lei lo farà per me, – gli gridai energicamente, non potendo entrare in quel momento in discussione con lui. – Andrà con suo genero a trovare quel signore, e...

– Ma io non vado! Ma che dice! – m'interruppe. – Mi domandi qualunque altro servizio: son pronto a servirla; ma questo, no: non è per me, prima di tutto; e poi, via, glie l'ho detto: ragazzate! Non bisogna dare importanza... Che c'entra...

– Questo, no! questo, no! – interloquì Papiano vedendomi smaniare. – C'entra benissimo! Il signor Meis ha tutto il diritto d'esigere una soddisfazione; direi anzi che è in obbligo, sicuro! deve, deve...

– Andrà dunque lei con un suo amico, – dissi, non aspettandomi anche da lui un rifiuto.

Ma Papiano aprì le braccia addoloratissimo.

– Si figuri con che cuore vorrei farlo!

– E non lo fa? – gli gridai forte, in mezzo alla strada.

– Piano, signor Meis, – pregò egli, umile. – Guardi... Senta: mi consideri... consideri la mia infelicissima condizione di subalterno... di miserabile segretario del marchese... servo, servo, servo...

– Che ci ha da vedere? Il marchese stesso... ha sentito?

– Sissignore! Ma domani? Quel clericale... di fronte al partito... col segretario che s'impiccia in questioni cavalleresche... Ah, santo Dio, lei non sa che miserie! E poi, quella fraschetta, ha veduto? è innamorata, come una gatta, del pittore, di quel farabutto... Domani fanno la pace, e allora io, scusi, come mi trovo? Ci vado di mezzo! Abbia pazienza, signor Meis, mi consideri... È proprio così.

– Mi vogliono dunque lasciar solo in questo frangente? – proruppi ancora una volta, esasperato. – Io non conosco nessuno, qua a Roma!

– ...Ma c'è il rimedio! C'è il rimedio! – s'affrettò a consigliarmi Papiano. – Glielo volevo dir subito... Tanto io, quanto mio suocero, creda, ci troveremmo imbrogliati; siamo disadatti... Lei ha ragione, lei freme, lo vedo: il sangue non è acqua. Ebbene, si rivolga subito a due ufficiali del regio esercito: non possono negarsi di rappresentare un gentiluomo come lei in una partita d'onore. Lei si presenta, espone loro il caso... Non è la prima volta che càpita loro di rendere questo servizio a un forestiere.

Eravamo arrivati al portone di casa; dissi a Papiano: – Sta bene! – e lo piantai lì, col suocero, avviandomi solo, fosco, senza direzione.

Mi s'era ancora una volta riaffacciato il pensiero schiacciante della mia assoluta impotenza. Potevo fare un duello nella condizione mia? Non volevo ancora capirlo ch'io non potevo far più nulla? Due ufficiali? Sì. Ma avrebbero voluto prima sapere, e con fondamento, ch'io mi fossi. Ah, pure in faccia potevano sputarmi, schiaffeggiarmi, bastonarmi: dovevo pregare che picchiassero sodo, sì, quanto volevano, ma senza gridare, senza far troppo rumore... Due ufficiali! E se per poco avessi loro scoperto il mio vero stato, ma prima di tutto non m'avrebbero creduto, chi sa che avrebbero sospettato; e poi sarebbe stato inutile, come per Adriana: pur credendomi, m'avrebbero consigliato di rifarmi prima vivo, giacché un morto, via, non si trova nelle debite condizioni di fronte al codice cavalleresco...

E dunque dovevo soffrirmi in pace l'affronto, come già il furto? Insultato, quasi schiaffeggiato, sfidato, andarmene via come un vile, sparir così, nel bujo dell'intollerabile sorte che m'attendeva, spregevole, odioso a me stesso?

No, no! E come avrei potuto più vivere? come sopportar la mia vita? No, no, basta! basta! Mi fermai. Mi vidi vacillar tutto all'intorno; sentii mancarmi le gambe al sorgere improvviso d'un sentimento oscuro, che mi comunicò un brivido dal capo alle piante.

«Ma almeno prima, prima...», dissi tra me, vaneggiando, «almeno prima tentare... perché no? se mi venisse fatto... Almeno tentare... per non rimaner di fronte a me stesso così vile... Se mi venisse fatto... avrei meno schifo di me... Tanto, non ho più nulla da perdere... Perché non tentare?»

Ero a due passi dal Caffè Aragno. «Là, là, allo sbaraglio!» E, nel cieco orgasmo che mi spronava, entrai.

Nella prima sala, attorno a un tavolino, c'erano cinque o sei ufficiali d'artiglieria e, come uno d'essi, vedendomi arrestar lì presso torbido, esitante, si voltò a guardarmi, io gli accennai un saluto, e con voce rotta dall'affanno:

– Prego... scusi... – gli dissi. – Potrei dirle una parola?

Era un giovanottino senza baffi, che doveva essere uscito quell'anno stesso dall'Accademia, tenente. Si alzò subito e mi s'appressò, con molta cortesia.

– Dica pure, signore...

– Ecco, mi presento da me: Adriano Meis. Sono forestiere, e non conosco nessuno... Ho avuto una... una lite, sì... Avrei bisogno di due padrini... Non saprei a chi rivolgermi... Se lei con un suo compagno volesse...

Sorpreso, perplesso, quegli stette un po' a squadrarmi, poi si voltò verso i compagni, chiamò:

– Grigliotti!

Questi, ch'era un tenente anziano, con un pajo di baffoni all'insù, la caramella incastrata per forza in un occhio, lisciato, impomatato, si levò, seguitando a parlare coi compagni (pronunziava l'*erre* alla francese) e ci s'avvicinò, facendomi un lieve, compassato inchino. Vedendolo alzare, fui sul punto di dire al tenentino: «Quello, no, per carità! quello, no!». Ma certo nessun altro del crocchio, come riconobbi poi, poteva esser più designato di colui alla bisogna. Aveva su la punta delle dita tutti gli articoli del codice cavalleresco.

Non potrei qui riferire per filo e per segno tutto ciò che egli si compiacque di dirmi intorno al mio caso, tutto ciò che pretendeva da me... dovevo telegrafare, non so come, non so a chi, esporre, determinare, andare dal colonnello... *ça va sans dire*... come aveva fatto lui, quando non era ancora sotto le armi, e gli era capitato a Pavia lo stesso mio caso... Perché, in materia cavalleresca... e giù, giù, articoli e precedenti e controversie e giurì d'onore e che so io.

Avevo cominciato a sentirmi tra le spine fin dal primo vederlo: figurarsi ora, sentendolo sproloquiare così! A un certo punto, non ne potei più: tutto il sangue m'era montato alla testa: proruppi:

– Ma sissignore! ma lo so! Sta bene... lei dice bene; ma come vuole ch'io telegrafi, adesso? Io son solo! Io voglio battermi, ecco! battermi subito, domani stesso, se è possibile... senza tante storie! Che vuole ch'io ne sappia? Io mi son rivolto a loro con la speranza che non ci fosse bisogno di tante formalità, di tante inezie, di tante sciocchezze, mi scusi!

Dopo questa sfuriata, la conversazione diventò quasi diverbio e terminò improvvisamente con uno scoppio di risa sguaiate di tutti quegli ufficiali. Scappai via, fuori di me, avvampato in volto, come se mi avessero preso a scudisciate. Mi recai le mani alla testa, quasi per arrestar la ragione che mi fuggiva; e, inseguito da quelle risa, m'allontanai di furia, per cacciarmi, per nascondermi in qualche posto... Dove? A casa? Ne provai orrore. E andai, andai all'impazzata; poi, man mano rallentai il passo e alla fine, arrangolato, mi fermai, come se non potessi più trascinar l'anima, frustata da quel dileggio, fremebonda e piena d'una plumbea tetraggine angosciosa. Rimasi un pezzo attonito; poi mi mossi di nuovo, senza più pensare, alleggerito d'un tratto, in modo strano, d'ogni ambascia, quasi istupidito; e ripresi a vagare, non so per quanto tempo, fermandomi qua e là a guardar nelle vetrine delle botteghe, che man mano si serravano, e mi pareva che si serrassero per me, per sempre; e che le vie a poco a poco si spopolassero, perché io restassi solo, nella notte, errabondo, tra case tacite, buje, con tutte le porte, tutte le finestre serrate, serrate per me, per sempre: tutta la vita si rinserrava, si spegneva, ammutoliva con quella notte; e io già la vedevo come da lontano, come se essa non avesse più senso né scopo per me. Ed ecco, alla fine, senza volerlo, quasi guidato dal sentimento oscuro che mi aveva invaso tutto, maturandomisi dentro man mano, mi ritrovai sul Ponte Margherita, appoggiato al parapetto, a guardare con occhi sbarrati il fiume nero nella notte.

«Là?»

Un brivido mi colse, di sgomento, che fece d'un subito insorgere con impeto rabbioso tutte le mie vitali energie armate di un sentimento d'odio feroce contro coloro che, da lontano, m'obbligavano a finire, come avevan voluto, là, nel molino della *Stìa*. Esse, Romilda e la madre, mi avevan gettato in questi frangenti: ah, io non avrei mai pensato di simulare un suicidio per liberarmi di loro. Ed ecco, ora, dopo essermi aggirato due anni, come un'ombra, in quella illusione di vita oltre la morte, mi vedevo costretto, forzato, trascinato pei capelli a eseguire su me la loro condanna. Mi avevano ucciso davvero! Ed esse, esse sole si erano liberate di me...

Un fremito di ribellione mi scosse. E non potevo io vendicarmi di loro, invece d'uccidermi? Chi stavo io per uccidere? Un morto... nessuno...

Restai, come abbagliato da una strana luce improvvisa. Vendicarmi! dunque, ritornar lì, a Miragno: uscire da quella menzogna che mi soffocava, divenuta ormai insostenibile; ritornar vivo per loro castigo, col mio vero nome, nelle mie vere condizioni, con le mie vere e proprie infelicità? Ma le presenti? Potevo scuotermele di dosso, così, come un fardello esoso che si possa gettar via? No, no, no! Sentivo di non poterlo fare. E smaniavo lì, sul ponte, ancora incerto della mia sorte.

Frattanto, ecco, nella tasca del mio pastrano palpavo, stringevo con le dita irrequiete qualcosa che non riuscivo a capir che fosse. Alla fine, con uno scatto di rabbia, la trassi fuori. Era il mio berrettino da viaggio, quello che, uscendo di casa per far visita al marchese Giglio, m'ero cacciato in tasca, senza badarci. Feci per gittarlo al fiume, ma – sul punto – un'idea mi balenò; una riflessione, fatta durante il viaggio da Alenga a Torino, mi tornò chiara alla memoria.

«Qua», dissi, quasi inconsciamente, tra me, «su questo parapetto... il cappello... il bastone... Sì! Com'esse là, nella gora del molino, Mattia Pascal; io, qua, ora, Adriano Meis... Una volta per uno! Ritorno vivo; mi vendicherò!»

Un sussulto di gioia, anzi un impeto di pazzia m'investì, mi sollevò. Ma sì! ma sì! Io non dovevo uccider me, un morto, io dovevo uccidere quella folle, assurda finzione che m'aveva torturato, straziato due anni, quell'Adriano Meis, condannato a essere un vile, un bugiardo, un miserabile; quell'Adriano Meis dovevo uccidere, che essendo, com'era, un nome falso, avrebbe dovuto aver pure di stoppa il cervello, di cartapesta il cuore, di gomma le vene, nelle quali un po' d'acqua tinta avrebbe dovuto scorrere, invece di sangue: allora sì! Via, dunque, giù, giù, tristo fantoccio odioso! Annegato, là, come Mattia Pascal! Una volta per uno! Quell'ombra di vita, sorta da una menzogna macabra, si sarebbe chiusa degnamente, così, con una menzogna macabra! E riparavo tutto! Che altra soddisfazione avrei potuto dare ad Adriana per il male che le avevo fatto? Ma l'affronto di quel farabutto dovevo tenermelo? Mi aveva investito a tradimento, il vigliacco! Oh, io ero ben sicuro di non aver paura di lui. Non io, non io, ma Adriano Meis aveva ricevuto l'insulto. Ed ora, ecco, Adriano Meis s'uccideva.

Non c'era altra via di scampo per me!

Un tremore, intanto, mi aveva preso, come se io dovessi veramente uccidere qualcuno. Ma il cervello mi s'era d'un tratto snebbiato, il cuore alleggerito, e godevo d'una quasi ilare lucidità di spirito.

Mi guardai attorno. Sospettai che di là, sul Lungotevere, ci potesse essere qualcuno, qualche guardia, che – vedendomi da un pezzo sul ponte – si fosse fermata a spiarmi. Volli accertarmene: andai, guardai prima nella Piazza della

Libertà, poi per il Lungotevere dei Mellini. Nessuno! Tornai allora indietro; ma, prima di rifarmi sul ponte, mi fermai tra gli alberi, sotto un fanale: strappai un foglietto dal taccuino e vi scrissi col lapis: *Adriano Meis*. Che altro? Nulla. L'indirizzo e la data. Bastava così. Era tutto lì, Adriano Meis, in quel cappello, in quel bastone. Avrei lasciato tutto, là, a casa, abiti, libri... Il denaro, dopo il furto, l'avevo con me.

Ritornai sul ponte, cheto, chinato. Mi tremavano le gambe, e il cuore mi tempestava in petto. Scelsi il posto meno illuminato dai fanali, e subito mi tolsi il cappello, infissi nel nastro il biglietto ripiegato, poi lo posai sul parapetto, col bastone accanto; mi cacciai in capo il provvidenziale berrettino da viaggio che m'aveva salvato, e via, cercando l'ombra, come un ladro, senza volgermi addietro.

XVII. *Rincarnazione*

Arrivai alla stazione in tempo per il treno delle dodici e dieci per Pisa.

Preso il biglietto, mi rincantucciai in un vagone di seconda classe, con la visiera del berrettino calcata fin sul naso, non tanto per nascondermi, quanto per non vedere. Ma vedevo lo stesso, col pensiero: avevo l'incubo di quel cappellaccio e di quel bastone, lasciati lì, sul parapetto del ponte. Ecco, forse qualcuno, in quel momento, passando di là, li scorgeva... o forse già qualche guardia notturna era corsa in questura a dar l'avviso... E io ero ancora a Roma! Che s'aspettava? Non tiravo più fiato...

Finalmente il convoglio si scrollò. Per fortuna ero rimasto solo nello scompartimento. Balzai in piedi, levai le braccia, trassi un interminabile respiro di sollievo, come se mi fossi tolto un macigno di sul petto. Ah! tornavo a esser vivo, a esser io, io, Mattia Pascal. Lo avrei gridato forte a tutti, ora: «Io, io, Mattia Pascal! Sono io! Non sono morto! Eccomi qua!». E non dover più mentire, non dover più temere d'essere scoperto! Ancora no, veramente: finché non arrivavo a Miragno... Là, prima, dovevo dichiararmi, farmi riconoscer vivo, rinnestarmi alle mie radici sepolte... Folle! Come mi ero illuso che potesse vivere un tronco reciso dalle sue radici? Eppure, eppure, ecco, ricordavo l'altro viaggio, quello da Alenga a Torino: m'ero stimato felice, allo stesso modo, allora. Folle! La liberazione! dicevo... M'era parsa quella la liberazione! Sì, con la cappa di piombo della menzogna addosso! Una cappa di piombo addosso a un'ombra... Ora avrei avuto di nuovo la moglie addosso, è vero, e quella suocera... Ma non le avevo forse avute addosso anche da morto? Ora almeno ero vivo, e agguerrito. Ah, ce la saremmo veduta!

Mi pareva, a ripensarci, addirittura inverosimile la leggerezza con cui, due anni addietro, m'ero gettato fuori d'ogni legge, alla ventura. E mi rivedevo nei primi giorni, beato nell'incoscienza, o piuttosto nella follia, a Torino, e poi man mano nelle altre città, in pellegrinaggio, muto, solo, chiuso in me, nel sentimento di ciò che mi pareva allora la mia felicità; ed eccomi in Germania, lungo il Reno, su un piroscafo: era un sogno? no, c'ero stato davvero! ah, se avessi potuto durar sempre in quelle condizioni; viaggiare, forestiere della vita... Ma a Milano, poi... quel povero cucciolotto che volevo comperare da un vecchio cerinajo... Cominciavo già ad accorgermi... E poi... ah poi!

Ripiombai col pensiero a Roma; entrai come un'ombra nella casa abbandonata. Dormivano tutti? Adriana, forse, no... m'aspetta ancora, aspetta che io rincasi; le avranno detto che sono andato in cerca di due padrini, per battermi col Bernaldez; non mi sente ancora rincasare, e teme e piange...

Mi premetti forte le mani sul volto, sentendomi stringere il cuore d'angoscia.

– Ma se io per te non potevo esser vivo, Adriana, – gemetti, – meglio che tu ora mi sappia morto! morte le labbra che colsero un bacio dalla tua bocca, povera Adriana... Dimentica! Dimentica!

Ah, che sarebbe avvenuto in quella casa, nella prossima mattina, quando qualcuno della questura si sarebbe presentato a dar l'annunzio? A qual ragione, passato il primo sbalordimento, avrebbero attribuito il mio suicidio? Al duello imminente? Ma no! Sarebbe stato, per lo meno, molto strano che un uomo, il quale non aveva mai dato prova d'essere un codardo, si fosse ucciso per paura di un duello... E allora? Perché non potevo trovar padrini? Futile pretesto! O forse... chi sa! era possibile che ci fosse sotto, in quella mia strana esistenza, qualche mistero...

Oh, sì: l'avrebbero senza dubbio pensato! M'uccidevo così, senz'alcuna ragione apparente, senza averne prima dimostrato in qualche modo l'intenzione. Sì: qualche stranezza, più d'una, l'avevo commessa in quegli ultimi giorni: quel pasticcio del furto, prima sospettato, poi improvvisamente smentito... Oh che forse quei denari non erano miei? dovevo forse restituirli a qualcuno? m'ero indebitamente appropriato d'una parte di essi e avevo tentato di farmi credere vittima d'un furto, poi m'ero pentito, e, in fine, ucciso? Chi sa! Certo ero stato un uomo misteriosissimo: non un amico, non una lettera, mai, da nessuna parte...

Quanto avrei fatto meglio a scrivere qualche cosa in quel bigliettino, oltre il nome, la data e l'indirizzo: una ragione qualunque del suicidio. Ma in quel momento... E poi, che ragione?

«Chi sa come e quanto», pensai, smaniando, «strilleranno adesso i giornali di questo Adriano Meis misterioso... Salterà certo fuori quel mio famoso cugino, quel tal Francesco Meis torinese, ajuto-agente, a dar le sue informazioni alla questura: si faranno ricerche, su la traccia di queste informazioni, e chi sa che cosa ne verrà fuori. Sì, ma i danari? l'eredità? Adriana li ha veduti, tutti que' miei biglietti di banca... Figuriamoci Papiano! Assalto allo stipetto! Ma lo troverà vuoto... E allora, perduti? in fondo al fiume? Peccato! peccato! Che rabbia non averli rubati tutti a tempo! La questura sequestrerà i miei abiti, i miei libri... A chi andranno? Oh! almeno un ricordo alla povera Adriana! Con che occhi guarderà ella, ormai, quella mia camera deserta?»

Così, domande, supposizioni, pensieri, sentimenti tumultuavano in me, mentre il treno rombava nella notte. Non mi davano requie.

Stimai prudente fermarmi qualche giorno a Pisa per non stabilire una relazione tra la ricomparsa di Mattia Pascal a Miragno e la scomparsa di Adriano Meis a Roma, relazione che avrebbe potuto facilmente saltare a gli occhi, specie se i giornali di Roma avessero troppo parlato di questo suicidio. Avrei aspettato a Pisa i giornali di Roma, quelli de la sera e quelli del mattino; poi, se non si fosse fatto troppo chiasso, prima che a Miragno, mi sarei recato a Oneglia, da mio fratello Roberto, a sperimentare su lui l'impressione che avrebbe fatto la mia resurrezione. Ma dovevo assolutamente vietarmi di fare il minimo accenno alla mia permanenza in Roma, alle avventure, ai casi che m'erano occorsi. Di quei due anni e mesi d'assenza avrei dato fantastiche notizie, di lontani viaggi... Ah, ora, ritornando vivo, avrei potuto anch'io prendermi il gusto di dire bugie, tante, tante, tante, anche della forza di quelle del cavalier Tito Lenzi, e più grosse ancora!

Mi restavano più di cinquantadue mila lire. I creditori, sapendomi morto da due anni, s'erano certo contentati del podere della Stìa col mulino. Venduto l'uno e l'altro, s'erano forse aggiustati alla meglio: non mi avrebbero più molestato. Avrei pensato io, se mai, a non farmi più molestare. Con cinquantadue mila lire, a Miragno, via, non dico grasso, avrei potuto vivere discretamente.

Lasciato il treno a Pisa, prima di tutto mi recai a comperare un cappello, della forma e della dimensione di quelli che Mattia Pascal ai suoi dì soleva portare; subito dopo mi feci tagliar la chioma di quell'imbecille d'Adriano Meis.

Corti, belli corti, eh? – dissi al barbiere.

M'era già un po' ricresciuta la barba, e ora, coi capelli corti, ecco che cominciai a riprender il mio primo aspetto, ma di molto migliorato, più fino, già... ma sì, ringentilito. L'occhio non era più storto, eh! non era più quello caratteristico di Mattia Pascal.

Ecco, qualche cosa d'Adriano Meis mi sarebbe tuttavia rimasta in faccia. Ma somigliavo pur tanto a Roberto, ora; oh, quanto non avrei mai supposto.

Il guajo fu, quando – dopo essermi liberato di tutti quei capellacci – mi rimisi in capo il cappello comperato poc'anzi: mi sprofondò fin su la nuca! Dovetti rimediare, con l'ajuto del barbiere, ponendo un giro di carta sotto la fodera.

Per non entrare così, con le mani vuote, in un albergo, comperai una valigia: ci avrei messo dentro, per il momento, l'abito che indossavo e il pastrano. Mi toccava rifornirmi di tutto, non potendo sperare che, dopo tanto tempo, là a Miragno, mia moglie avesse conservato qualche mio vestito e la biancheria. Comperai l'abito bell'e fatto, in un negozio, e me lo lasciai addosso; con la valigia nuova, scesi all'*Hôtel Nettuno*.

Ero già stato a Pisa quand'ero Adriano Meis, ed ero sceso allora all'*Albergo di Londra*. Avevo già ammirato tutte le meraviglie d'arte della città; ora, stremato di forze per le emozioni violente, digiuno dalla mattina del giorno avanti, cascavo di fame e di sonno. Presi qualche cibo, e quindi dormii quasi fino a sera.

Appena sveglio, però, caddi in preda a una fosca smania crescente. Quella giornata quasi non avvertita da me, tra le prime faccende e poi in quel sonno di piombo in cui ero caduto, chi sa intanto com'era passata lì, in casa Paleari! Rimescolìo, sbalordimento, curiosità morbosa di estranei, indagini frettolose, sospetti, strampalate ipotesi, insinuazioni, vane ricerche; e i miei abiti e i miei libri, là, guardati con quella costernazione che ispirano gli oggetti appartenenti a qualcuno tragicamente morto.

E io avevo dormito! E ora, in questa impazienza angosciosa, avrei dovuto aspettare fino alla mattina del giorno seguente, per saper qualche cosa dai giornali di Roma.

Frattanto, non potendo correre a Miragno, o almeno a Oneglia, mi toccava a rimanere in una bella condizione, dentro una specie di parentesi di due, di tre giorni e fors'anche più: morto di là, a Miragno, come Mattia Pascal; morto di qua, a Roma, come Adriano Meis.

Non sapendo che fare, sperando di distrarmi un po' da tante costernazioni, portai questi due morti a spasso per Pisa.

Oh, fu una piacevolissima passeggiata! Adriano Meis, che c'era stato, voleva quasi quasi far da guida e da cicerone a Mattia Pascal; ma questi oppresso da tante cose che andava rivolgendo in mente, si scrollava con fosche maniere, scoteva un braccio come per levarsi di torno quell'ombra esosa, capelluta, in abito lungo, col cappellaccio a larghe tese e con gli occhiali.

«Va' via! va'! Tornatene al fiume, affogato!»

Ma ricordavo che anche Adriano Meis, passeggiando due anni addietro per le vie di Pisa, s'era sentito importunato, infastidito allo stesso modo dall'ombra, ugualmente esosa, di Mattia Pascal, e avrebbe voluto con lo stesso gesto cavarsela dai piedi, ricacciandola nella gora del molino, là, alla *Stìa*. Il meglio era non dar confidenza a nessuno dei due. O bianco campanile, tu potevi pendere da una parte; io, tra quei due, né di qua né di là.

Come Dio volle, arrivai finalmente a superare quella nuova interminabile nottata d'ambascia e ad avere in mano i giornali di Roma.

Non dirò che, alla lettura, mi tranquillassi: non potevo. La costernazione che mi teneva, fu però presto ovviata dal vedere che alla notizia del mio suicidio i giornali avevano dato le proporzioni d'uno dei soliti fatti di cronaca. Dicevano tutti, sù per giù, la stessa cosa: del cappello, del bastone trovati sul Ponte Margherita, col laconico bigliettino; ch'ero torinese, uomo alquanto singolare, e che s'ignoravano le ragioni che mi avevano spinto al triste passo. Uno però avanzava la supposizione che ci fosse di mezzo una «ragione intima», fondandosi sul «diverbio con un giovane pittore spagnuolo, in casa di un notissimo personaggio del mondo clericale».

Un altro diceva «probabilmente per dissesti finanziarii». Notizie vaghe, insomma, e brevi. Solo un giornale del mattino, solito di narrar diffusamente i fatti del giorno, accennava «alla sorpresa e al dolore della famiglia del cavalier Anselmo Paleari, caposezione al Ministero della pubblica istruzione, ora a riposo, presso cui il Meis abitava, molto stimato per il suo riserbo e pe' suoi modi cortesi». – Grazie! – Anche questo giornale, riferendo la sfida corsa col pittore spagnuolo M. B., lasciava intendere che la ragione del suicidio dovesse cercarsi in una segreta passione amorosa.

M'ero ucciso per Pepita Pantogada, insomma. Ma, alla fine, meglio così. Il nome d'Adriana non era venuto fuori, né s'era fatto alcun cenno de' miei biglietti di banca. La questura dunque, avrebbe indagato nascostamente. Ma su quali tracce?

Potevo partire per Oneglia.

Trovai Roberto in villa, per la vendemmia. Quel ch'io provassi nel rivedere la mia bella riviera, in cui credevo di non dover più metter piede, sarà facile intendere. Ma la gioja m'era turbata dall'ansia d'arrivare, dall'apprensione d'esser riconosciuto per via da qualche estraneo prima che dai parenti, dall'emozione di punto in punto crescente che mi cagionava il pensiero di ciò che avrebbero essi provato nel rivedermi vivo, d'un tratto, innanzi a loro. Mi s'annebbiava la vista, a pensarci, mi s'oscuravano il cielo e il mare, il sangue mi frizzava per le vene, il cuore mi batteva in tumulto. E mi pareva di non arrivar mai!

Quando, finalmente, il servo venne ad aprire il cancello della graziosa villa, recata in dote a Berto dalla moglie, mi sembrò, attraversando il viale, ch'io tornassi veramente dall'altro mondo.

– Favorisca, – mi disse il servo, cedendomi il passo su l'entrata della villa. – Chi debbo annunziare?

Non mi trovai più in gola la voce per rispondergli. Nascondendo lo sforzo con un sorriso, balbettai:

– Di'... dite... ditegli che... sì, c'è... c'è... un suo amico... intimo, che... che viene da lontano... Così...

Per lo meno quel servo dovette credermi balbuziente. Depose la mia valigia accanto all'attaccapanni e m'invitò a entrare nel salotto lì presso.

Fremevo nell'attesa, ridevo, sbuffavo, mi guardavo attorno, in quel salottino chiaro, ben messo, arredato di mobili nuovi di lacca verdina. Vidi a un tratto, su la soglia dell'uscio per cui ero entrato, un bel bimbetto, di circa quattr'anni, con un piccolo annaffiatojo in una mano e un rastrellino nell'altra. Mi guardava con tanto d'occhi.

Provai una tenerezza indicibile: doveva essere un mio nipotino, il figlio maggiore di Berto; mi chinai, gli accennai con la mano di farsi avanti; ma gli feci paura; scappò via.

Sentii in quel punto schiudere l'altro uscio del salotto. Mi rizzai, gli occhi mi s'intorbidarono dalla commozione, una specie di riso convulso mi gorgogliò in gola.

Roberto era rimasto innanzi a me, turbato, quasi stordito.

– Con chi...? – fece.

– Berto! – gli gridai, aprendo le braccia. – Non mi riconosci?

Diventò pallidissimo, al suono della mia voce, si passò rapidamente una mano su la fronte e su gli occhi, vacillò, balbettando:

– Com'è... com'è... com'è?

Ma io fui pronto a sorreggerlo, quantunque egli si traesse indietro, quasi per paura.

– Son io! Mattia! non aver paura! Non sono morto... Mi vedi? Toccami! Sono io, Roberto. Non sono mai stato più vivo d'adesso! Sù, sù, sù...

– Mattia! Mattia! Mattia! – prese a dire il povero Berto, non credendo ancora agli occhi suoi. – Ma com'è? Tu? Oh Dio... com'è? Fratello mio! Caro Mattia!

E m'abbracciò forte, forte, forte. Mi misi a piangere come un bambino.

– Com'è? – riprese a domandar Berto che piangeva anche lui. – Com'è? com'è?

– Eccomi qua... Vedi? Son tornato... non dall'altro mondo, no... sono stato sempre in questo mondaccio... Sù... Ora ti dirò...

Tenendomi forte per le braccia, col volto pieno di lagrime, Roberto mi guardava ancora trasecolato:

– Ma come... se là...?

– Non ero io... Ti dirò. M'hanno scambiato... Io ero lontano da Miragno e ho saputo, come l'hai saputo forse tu, da un giornale, il mio suicidio alla *Stìa*.

– Non eri dunque tu? – esclamò Berto. – E che hai fatto?

– Il morto. Sta' zitto. Ti racconterò tutto. Per ora non posso. Ti dico questo soltanto, che sono andato di qua e di là, credendomi felice, dapprima, sai?: poi, per... per tante vicissitudini, mi sono accorto che avevo sbagliato, che fare il morto non è una bella professione: ed eccomi qua: mi rifaccio vivo.

– *Mattia*, l'ho sempre detto io, *Mattia, matto*... Matto! matto! matto! – esclamò Berto. – Ah che gioja m'hai dato! Chi poteva aspettarsela? Mattia vivo... qua! Ma sai che non ci so credere ancora? Lasciati guardare... Mi sembri un altro!

– Vedi che mi sono aggiustato anche l'occhio?

– Ah già, sì... per questo mi pareva... non so... ti guardavo, ti guardavo... Benone! Sù, andiamo di là, da mia moglie... Oh! Ma aspetta... tu...

Si fermò improvvisamente e mi guardò, sconvolto:

– Tu vuoi tornare a Miragno?

– Certamente, stasera.

– Dunque non sai nulla?

Si coprì il volto con le mani e gemette:

– Disgraziato! Che hai fatto... che hai fatto...? Ma non sai che tua moglie...?

– Morta? – esclamai, restando.

– No! Peggio! Ha... ha ripreso marito!

Trasecolai.

– Marito?

– Sì, Pomino! Ho ricevuto la partecipazione. Sarà più d'un anno.

– Pomino? Pomino, marito di... – balbettai; ma subito un riso amaro, come un rigurgito di bile, mi saltò alla gola, e risi, risi fragorosamente.

Roberto mi guardava sbalordito, forse temendo che fossi levato di cervello.

– Ridi?

– Ma sì! ma sì! ma sì! – gli gridai, scotendolo per le braccia. – Tanto meglio! Questo è il colmo della mia fortuna!

– Che dici? – scattò Roberto, quasi rabbiosamente. – Fortuna? Ma se tu ora vai lì...

– Subito ci corro, figùrati!

– Ma non sai dunque che ti tocca a riprendertela?

– Io? Come!

– Ma certo! – raffermò Berto, mentre sbalordito lo guardavo io, ora, a mia volta. – Il secondo matrimonio s'annulla, e tu sei obbligato a riprendertela.

Sentii sconvolgermi tutto.

– Come! Che legge è questa? – gridai. – Mia moglie si rimarita, ed io... Ma che? Sta' zitto! Non è possibile!

– E io ti dico invece che è proprio così! – sostenne Berto. – Aspetta: c'è di là mio cognato. Te lo spiegherà meglio lui, che è dottore in legge. Vieni... o meglio, no: attendi un po' qua: mia moglie è incinta; non vorrei che, per quanto ti conosca poco, le potesse far male un'impressione troppo forte... Vado a prevenirla... Attendi, eh?

E mi tenne la mano fin sulla soglia dell'uscio, come se temesse ancora, che – lasciandomi per un momento – io potessi sparir di nuovo.

Rimasto solo, mi misi a fare in quel salottino le volte del leone. «Rimaritata! con Pomino! Ma sicuro... Anche la stessa moglie. Lui – eh già! – la aveva amata prima. Non gli sarà parso vero! E anche lei... figuriamoci! Ricca, moglie di Pomino... E mentre lei qua s'era rimaritata, io là a Roma... E ora devo riprendermela! Ma possibile?»

Poco dopo, Roberto venne a chiamarmi tutto esultante. Ero ormai però tanto scombussolato da questa notizia inattesa, che non potei rispondere alla festa che mi fecero mia cognata e la madre e il fratello di lei. Berto se n'accorse, e interpellò subito il cognato su ciò che mi premeva soprattutto di sapere.

– Ma che legge è questa? – proruppi ancora una volta. – Scusi! Questa è legge turca!

Il giovane avvocato sorrise, rassettandosi le lenti sul naso, con aria di superiorità.

– Ma pure è così, – mi rispose. – Roberto ha ragione. Non rammento con precisione l'articolo, ma il caso è previsto dal codice: il secondo matrimonio diventa nullo, alla ricomparsa del primo coniuge.

– E io devo riprendermi, – esclamai irosamente, – una donna che, a saputa di tutti, è stata per un anno intero in funzione di moglie con un altr'uomo, il quale...

– Ma per colpa sua, scusi, caro signor Pascal! – m'interruppe l'avvocatino, sempre sorridente.

– Per colpa mia? Come? – feci io. – Quella buona donna sbaglia, prima di tutto, riconoscendomi nel cadavere d'un disgraziato che s'annega, poi s'affretta a riprender marito, e la colpa è mia? e io devo riprendermela?

– Certo, – replicò quegli, – dal momento che lei, signor Pascal, non volle correggere a tempo, prima cioè del termine prescritto dalla legge per contrarre un secondo matrimonio, lo sbaglio di sua moglie, sbaglio che poté anche – non nego – essere in mala fede. Lei lo accettò, quel falso riconoscimento, e se ne avvalse... Oh, badi: io la lodo di questo: per me ha fatto benissimo. Mi fa specie, anzi, che lei ritorni a ingarbugliarsi nell'intrico di queste nostre stupide leggi sociali. Io, ne' panni suoi, non mi sarei fatto più vivo.

La calma, la saccenteria spavalda di questo giovanottino laureato di fresco m'irritarono.

– Ma perché lei non sa che cosa voglia dire! – gli risposi, scrollando le spalle.

– Come! – riprese lui. – Si può dare maggior fortuna, maggior felicità di questa?

– Sì, la provi! la provi! – esclamai, voltandomi verso Berto, per piantarlo lì, con la sua presunzione.

Ma anche da questo lato trovai spine.

– Oh, a proposito, – mi domandò mio fratello, – e come hai fatto, in tutto questo tempo, per...?

E stropicciò il pollice e l'indice, per significare quattrini.

– Come ho fatto? – gli risposi. – Storia lunga! Non sono adesso in condizione di narrartela. Ma ne ho avuti, sai? quattrini, e ne ho ancora: non credere dunque ch'io ritorni ora a Miragno perché ne sia a corto!

– Ah, ti ostini a tornarci? – insistette Berto, – anche dopo queste notizie?

– Ma si sa che ci torno! – esclamai. – Ti pare che, dopo quello che ho sperimentato e sofferto, voglia fare ancora il morto? No, caro mio: là, là; voglio le mie carte in regola, voglio risentirmi vivo, ben vivo, e anche a costo di riprendermi la moglie. Di' un po', è ancora viva la madre... la vedova Pescatore?

– Oh, non so, – mi rispose Berto. – Comprenderai che, dopo il secondo matrimonio... Ma credo di sì, che sia viva...

– Mi sento meglio! – esclamai. – Ma non importa! Mi vendicherò! Non son più quello di prima, sai? Soltanto mi dispiace che sarà una fortuna per quell'imbecille di Pomino!

Risero tutti. Il servo venne intanto ad annunziare ch'era in tavola. Dovetti fermarmi a desinare; ma fremevo di tanta impazienza, che non m'accorsi nemmeno di mangiare; sentii però infine che avevo divorato. La fiera, in me, s'era rifocillata, per prepararsi all'imminente assalto.

Berto mi propose di trattenermi almeno per quella sera in villa: la mattina seguente saremmo andati insieme a Miragno. Voleva godersi la scena del mio ritorno impreveduto alla vita, quel mio piombar come un nibbio là sul nido di Pomino. Ma io non tenevo più alle mosse, e non volli saperne: lo pregai di lasciarmi andar solo, e quella sera stessa, senz'altro indugio.

Partii col treno delle otto: fra mezz'ora, a Miragno.

XVIII. *Il fu Mattia Pascal*

Tra l'ansia e la rabbia (non sapevo che mi agitasse di più, ma eran forse una cosa sola: ansiosa rabbia, rabbiosa ansia) non mi curai più se altri mi riconoscesse prima di scendere o appena sceso a Miragno.

M'ero cacciato in un vagone di prima classe, per unica precauzione. Era sera; e del resto, l'esperimento fatto su Berto mi rassicurava: radicata com'era in tutti la certezza della mia trista morte, ormai di due anni lontana, nessuno avrebbe più potuto pensare ch'io fossi Mattia Pascal.

Mi provai a sporgere il capo dal finestrino, sperando che la vista dei noti luoghi mi destasse qualche altra emozione meno violenta; ma non valse che a farmi crescer l'ansia e la rabbia. Sotto la luna, intravidi da lontano il clivio della *Stìa.*

– Assassine! – fischiai tra i denti. – Là... Ma ora...

Quante cose, sbalordito dall'inattesa notizia, mi ero dimenticato di domandare a Roberto! Il podere, il molino erano stati davvero venduti? o eran tuttora, per comune accordo dei creditori, sotto un'amministrazione provvisoria? E Malagna era morto? E zia Scolastica?

Non mi pareva che fossero passati soltanto due anni e mesi; un'eternità mi pareva, e che – come erano accaduti a me casi straordinarii – dovessero parimenti esserne accaduti a Miragno. Eppure niente, forse, vi era accaduto, oltre quel matrimonio di Romilda con Pomino, normalissimo in sé, e che solo adesso, per la mia ricomparsa, sarebbe diventato straordinario.

Dove mi sarei diretto, appena sceso a Miragno? Dove s'era composto il nido la nuova coppia?

Troppo umile per Pomino, ricco e figlio unico, la casa in cui io, poveretto, avevo abitato. E poi Pomino, tenero di cuore, ci si sarebbe trovato certo a disagio, lì, con l'inevitabile ricordo di me. Forse s'era accasato col padre, nel *Palazzo.* Figurarsi la vedova Pescatore, che arie da matrona, adesso! e quel povero cavalier Pomino, Gerolamo I, delicato, gentile, mansueto, tra le grinfie della megera! Che scene! Né il padre, certo, né il figlio avevano avuto il coraggio di levarsela dai piedi. E ora, ecco – ah che rabbia! – li avrei liberati io...

Sì, là, a casa Pomino, dovevo indirizzarmi: che se anche non ce li avessi trovati, avrei potuto sapere dalla portinaja dove andarli a scovare.

Oh paesello mio addormentato, che scompiglio dimani, alla notizia della mia resurrezione!

C'era la luna, quella sera, e però tutti i lampioncini erano spenti, al solito, per le vie quasi deserte, essendo l'ora della cena pei più.

Avevo quasi perduto, per la estrema eccitazione nervosa, la sensibilità delle gambe: andavo, come se non toccassi terra coi piedi. Non saprei ridire in che animo fossi: ho soltanto l'impressione come d'una enorme, omerica risata che, nell'orgasmo violento, mi sconvolgeva tutte le viscere, senza poter scoppiare: se fosse scoppiata, avrebbe fatto balzar fuori, come denti, i selci della via, e vacillar le case.

Giunsi in un attimo a casa Pomino; ma in quella specie di bacheca che è nell'androne non trovai la vecchia portinaja; fremendo, attendevo da qualche minuto, quando su un battente del portone scorsi una fascia di lutto stinta e polverosa, inchiodata lì, evidentemente, da parecchi mesi. Chi era morto? La vedova Pescatore? Il cavalier Pomino? Uno dei due, certamente. Forse il cavaliere... In questo caso, i miei due colombi, li avrei trovati sù, senz'altro, insediati nel *Palazzo*. Non potei aspettar più oltre: mi lanciai a balzi sù per la scala. Alla seconda branca, ecco la portinaja.

– Il cavalier Pomino?

Dallo stupore con cui quella vecchia tartaruga mi guardò, compresi che proprio il povero cavaliere doveva esser morto.

– Il figlio! il figlio! – mi corressi subito, riprendendo a salire.

Non so che cosa borbottasse tra sé la vecchia per le scale. A pie' dell'ultima branca dovetti fermarmi: non tiravo più fiato! guardai la porta; pensai: «Forse cenano ancora, tutti e tre a tavola... senz'alcun sospetto. Fra pochi istanti, appena avrò bussato a quella porta, la loro vita sarà sconvolta... Ecco, è in mia mano ancora la sorte che pende loro sul capo».

Salii gli ultimi scalini. Col cordoncino del campanello in mano, mentre il cuore mi balzava in gola, tesi l'orecchio. Nessun rumore. E in quel silenzio ascoltai il *tin-tin* lento del campanello, tirato appena, pian piano.

Tutto il sangue m'affluì alla testa, e gli orecchi presero a ronzarmi, come se quel lieve tintinno che s'era spento nel silenzio, m'avesse invece squillato dentro furiosamente e intronato.

Poco dopo, riconobbi con un sussulto, di là dalla porta, la voce della vedova Pescatore:

– Chi è?

Non potei, lì per lì, rispondere: mi strinsi le pugna al petto, come per impedir che il cuore mi balzasse fuori. Poi, con voce cupa, quasi sillabando, dissi:

– Mattia Pascal.

– Chi?! – strillò la voce di dentro.

– Mattia Pascal, – ripetei, incavernando ancor più la voce.

Sentii scappare la vecchia strega, certo atterrita, e subito immaginai che cosa in quel momento accadeva di là. Sarebbe venuto l'uomo, adesso: Pomino: il coraggioso!

Ma prima bisognò ch'io risonassi, come dianzi, pian piano.

Appena Pomino, spalancata di furia la porta, mi vide – erto – col petto in fuori – innanzi a sé – retrocesse esterrefatto. M'avanzai, gridando:

– Mattia Pascal! Dall'altro mondo.

Pomino cadde a sedere per terra, con un gran tonfo, sulle natiche, le braccia puntate indietro, gli occhi sbarrati:

– Mattia! Tu?!

La vedova Pescatore, accorsa col lume in mano, cacciò uno strillo acutissimo, da partoriente. Io richiusi la porta con una pedata, e d'un balzo le tolsi il lume, che già le cadeva di mano.

– Zitta! – le gridai sul muso. – Mi prendete per un fantasima davvero?

– Vivo?! – fece lei, allibita, con le mani tra i capelli.

– Vivo! vivo! vivo! – seguitai io, con gioja feroce. – Mi riconosceste morto, è vero? affogato là?

– E di dove vieni? – mi chiese con terrore.

– Dal molino, strega! – le urlai. – Tieni qua il lume, guardami bene! Sono io? mi riconosci? o ti sembro ancora quel disgraziato che s'affogò alla *Stìa*?

– Non eri tu?

– Crepa, megera! Io sono qua, vivo! Sù, alzati tu, bel tomo! Dov'è Romilda?

– Per carità... – gemette Pomino, levandosi in fretta. – La piccina... ho paura... il latte...

Lo afferrai per un braccio, restando io, ora, a mia volta:

– Che piccina?

– Mia... mia figlia.... – balbettò Pomino.

– Ah che assassinio! – gridò la Pescatore.

Non potei rispondere ancora sotto l'impressione di questa nuova notizia.

– Tua figlia?... – mormorai. – Una figlia, per giunta?... E questa, ora...

– Mamma, da Romilda, per carità... – scongiurò Pomino.

Ma troppo tardi. Romilda, col busto slacciato, la poppante al seno, tutta in disordine, come se – alle grida – si fosse levata di letto in fretta e in furia, si fece innanzi, m'intravide:

– Mattia! – e cadde tra le braccia di Pomino e della madre, che la trascinarono via, lasciando, nello scompiglio, la piccina in braccio a me, accorso con loro.

Restai al bujo, là, nella sala d'ingresso, con quella gracile bimbetta in braccio, che vagiva con la vocina agra di latte. Costernato, sconvolto, sentivo ancora negli orecchi il grido della donna ch'era stata mia, e che ora, ecco, era madre di questa bimba non mia, non mia! mentre la mia, ah, non la aveva amata, lei, allora! E dunque, no, io ora, no, perdio! non dovevo aver pietà di questa, né di loro. S'era rimaritata? E io ora... – Ma seguitava a vagire quella piccina, a vagire; e allora... che fare? per quietarla, me l'adagiai sul petto e cominciai a batterle pian pianino una mano su le spallucce e a dondolarla passeggiando. L'odio mi sbollì, l'impeto cedette. E a poco a poco la bimba si tacque.

Pomino chiamò nel bujo con sgomento:

– Mattia!... La piccina!...

– Sta' zitto! L'ho qua, – gli risposi.

– E che fai?

– Me la mangio... Che faccio!... L'avete buttata in braccio a me... Ora lasciamela stare! S'è quietata. Dov'è Romilda?

Accostandomisi, tutto tremante e sospeso, come una cagna che veda in mano al padrone la sua cucciola:

– Romilda? Perché? – mi domandò.

– Perché voglio parlarle! – gli risposi ruvidamente.

– È svenuta, sai?

– Svenuta? La faremo rinvenire.

Pomino mi si parò davanti, supplichevole:

– Per carità... senti... ho paura... come mai, tu... vivo!... Dove sei stato?... Ah, Dio... Senti... Non potresti parlare con me?

– No! – gli gridai. – Con lei devo parlare. Tu, qua, non rappresenti più nulla.
– Come! io?
– Il tuo matrimonio s'annulla.
– Come... che dici? E la piccina?
– La piccina... la piccina... – masticai. – Svergognati! In due anni, marito e moglie, e una figliuola! Zitta, carina, zitta! Andiamo dalla mamma... Sù, conducimi! Di dove si prende?

Appena entrai nella camera da letto con la bimba in braccio, la vedova Pescatore fece per saltarmi addosso, come una jena.

La respinsi con una furiosa bracciata:
– Andate là, voi! Qua c'è vostro genero: se avete da strillare, strillate con lui. Io non vi conosco!

Mi chinai verso Romilda, che piangeva disperatamente, e le porsi la figliuola:
– Sù, tieni... Piangi? Che piangi? Piangi perché son vivo? Mi volevi morto? Guardami... sù, guardami in faccia! Vivo o morto?

Ella si provò, tra le lagrime, ad alzar gli occhi su me, e con voce rotta dai singhiozzi, balbettò:
– Ma... come... tu? che... che hai fatto?
– Io, che ho fatto? – sogghignai. – Lo domandi a me, che ho fatto? Tu hai ripreso marito... quello sciocco là!... tu hai messo al mondo una figliuola, e hai il coraggio di domandare a me che ho fatto?
– E ora? – gemette Pomino, coprendosi il volto con le mani.
– Ma tu, tu... dove sei stato? Se ti sei finto morto e te ne sei scappato... – prese a strillar la Pescatore, facendosi avanti con le braccia levate.

Glien'afferrai uno, gliel storsi e le urlai:
– Zitta, vi ripeto! Statevene zitta, voi, perché, se vi sento fiatare, perdo la pietà che m'ispira codesto imbecille di vostro genero e quella creaturina là, e faccio valer la legge! Sapete che dice la legge? Ch'io ora devo riprendermi Romilda,..
– Mia figlia? tu? Tu sei pazzo! – inveì, imperterrita, colei.

Ma Pomino, sotto la mia minaccia, le si accostò subito a scongiurarla di tacere, di calmarsi, per amor di Dio.

La megera allora lasciò me, e prese a inveire contro di lui, melenso, sciocco, buono a nulla e che non sapeva far altro che piangere e disperarsi come una femminuccia...

Scoppiai a ridere, fino ad averne male ai fianchi.
– Finitela! – gridai, quando potei frenarmi. – Gliela lascio! la lascio a lui volentieri! Mi credete sul serio così pazzo da ridiventar vostro genero? Ah, povero Pomino! Povero amico mio, scusami, sai? se t'ho detto imbecille; ma hai sentito? te l'ha detto anche lei, tua suocera, e ti posso giurare che, anche prima, me l'aveva detto Romilda, nostra moglie... sì, proprio lei, che le parevi imbecille, stupido, insipido... e non so che altro. È vero, Romilda? di' la verità... Sù, sù, smetti di piangere, cara: rassèttati: guarda, puoi far male alla tua piccina, così... Io ora sono vivo – vedi? – e voglio stare allegro... *Allegro!* come diceva un certo ubriaco amico mio... Allegro, Pomino! Ti pare che voglia lasciare una figliuola senza mamma? Ohibò! Ho già un figliuolo senza babbo... Vedi, Romilda? Abbiamo fatto pari e patta: io ho un figlio, che è figlio di Malagna, e tu ormai hai una figlia, che è figlia di Pomino. Se Dio vuole, li mariteremo insieme, un giorno! Ormai quel figliuolo là non ti deve far più dispetto... Parliamo di cose allegre... Ditemi come tu e tua madre avete fatto a riconoscermi morto, là, alla *Stìa*...
– Ma anch'io! – esclamò Pomino, esasperato. – Ma tutto il paese! Non esse sole!
– Bravi! bravi! Tanto dunque mi somigliava?

– La tua stessa statura... la tua barba... vestito come te, di nero... e poi, scomparso da tanti giorni...

– E già, me n'ero scappato, hai sentito? Come se non m'avessero fatto scappar loro... Costei, costei... Eppure stavo per ritornare; sai? Ma sì, carico d'oro! Quando... che è, che non è, morto, affogato, putrefatto... e riconosciuto, per giunta! Grazie a Dio, mi sono scialato, due anni mentre voi, qua: fidanzamento, nozze, luna di miele, feste, gioje, la figliuola... chi muore giace, eh? e chi vive si dà pace...

– E ora? come si fa ora? – ripeté Pomino, gemendo, tra le spine. – Questo dico io!

Romilda s'alzò per adagiar la bimba nella cuna.

– Andiamo, andiamo di là, – diss'io. – La piccina s'è riaddormentata. Discuteremo di là.

Ci recammo nella sala da pranzo, dove, sulla tavola ancora apparecchiata, erano i resti della cena. Tutto tremante, stralunato, scontraffatto nel pallore cadaverico, battendo di continuo le palpebre su gli occhietti diventati scialbi, forati in mezzo da due punti neri, acuti di spasimo, Pomino si grattava la fronte e diceva, quasi vaneggiando:

– Vivo... vivo... Come si fa? come si fa?

– Non mi seccare! – gli gridai. – Adesso vedremo, ti dico.

Romilda, indossata la veste da camera, venne a raggiungerci. Io rimasi a guardarla alla luce, ammirato: era ridivenuta bella come un tempo, anzi più formosa.

– Fammiti vedere... – le dissi. – Permetti, Pomino? Non c'è niente di male: sono marito anch'io, anzi prima e più di te. Non ti vergognare, via, Romilda! Guarda, guarda come si torce Mino! Ma che ti posso fare se non son morto davvero?

– Così non è possibile! – sbuffò Pomino, livido.

– S'inquieta! – feci, ammiccando, a Romilda. – No, via, calmati, Mino... Ti ho detto che te la lascio, e mantengo la parola. Solo, aspetta... con permesso!

Mi accostai a Romilda e le scoccai un bel bacione su la guancia.

– Mattia! – gridò Pomino, fremente.

Scoppiai a ridere di nuovo.

– Geloso? di me? Va' là! Ho il diritto della precedenza. Del resto, sù, Romilda, cancella, cancella... Guarda, venendo, supponevo (scusami, sai, Romilda), supponevo, caro Mino, che t'avrei fatto un gran piacere, a liberartene, e ti confesso che questo pensiero m'affliggeva moltissimo, perché volevo vendicarmi, e vorrei ancora, non credere, togliendoti adesso Romilda, adesso che vedo che le vuoi bene e che lei... sì, mi pare un sogno, mi pare quella di tant'anni fa... ricordi, eh, Romilda?... Non piangere! ti rimetti a piangere? Ah, bei tempi... sì, non tornano più!... Via, via: voi ora avete una figliuola, e dunque non se ne parli più! Vi lascio in pace, che diamine!

– Ma il matrimonio s'annulla? – gridò Pomino.

– E tu lascialo annullare! – gli dissi. – Si annullerà pro forma, se mai: non farò valere i miei diritti e non mi farò neppure riconoscer vivo ufficialmente, se proprio non mi costringono. Mi basta che tutti mi rivedano e mi risappiano vivo di fatto, per uscir da questa morte, che è morte vera, credetelo! Già lo vedi: Romilda, qua, ha potuto divenir tua moglie... il resto non m'importa! Tu hai contratto pubblicamente il matrimonio; è noto a tutti che lei è, da un anno, tua moglie, e tale rimarrà. Chi vuoi che si curi più del valor legale del suo primo matrimonio? Acqua passata... Romilda *fu* mia moglie: ora, da un anno, è *tua*, madre d'una tua bambina. Dopo un mese non se ne parlerà più. Dico bene, doppia suocera?

La Pescatore, cupa, aggrondata, approvò col capo. Ma Pomino, nel crescente orgasmo, domandò:

– E tu rimarrai qua, a Miragno?

– Sì, e verrò qualche sera a prendermi in casa tua una tazza di caffè o a bere un bicchier di vino alla vostra salute.

– Questo, no! – scattò la Pescatore, balzando in piedi.

– Ma se scherza!... – osservò Romilda, con gli occhi bassi

Io m'ero messo a ridere come dianzi.

– Vedi, Romilda? – le dissi. – Hanno paura che riprendiamo a fare all'amore... Sarebbe pur carina! No, no: non tormentiamo Pomino... Vuol dire che se lui non mi vuole più in casa, mi metterò a passeggiare giù per la strada, sotto le tue finestre. Va bene? E ti farò tante belle serenate.

Pomino, pallido, vibrante, passeggiava per la stanza, brontolando:

– Non è possibile... non è possibile...

A un certo punto s'arrestò e disse:

– Sta di fatto che lei... con te, qua, vivo, non sarà più mia moglie...

– E tu fa' conto che io sia morto! – gli risposi tranquillamente.

Riprese a passeggiare:

– Questo conto non posso più farlo!

– E tu non lo fare. Ma, via, credi davvero – soggiunsi, – che vorrò darti fastidio, se Romilda non vuole? deve dirlo lei... Sù, di', Romilda, chi è più bello? io o lui?

– Ma io dico di fronte alla legge! di fronte alla legge! – gridò egli, arrestandosi di nuovo.

Romilda lo guardava, angustiata e sospesa.

– In questo caso, – gli feci osservare, – mi sembra che più di tutti, scusa, dovrei risentirmi io, che vedrò d'ora innanzi la mia bella *quondam* metà convivere maritalmente con te.

– Ma anche lei, – rimbeccò Pomino, – non essendo più mia moglie...

– Oh, insomma, – sbuffai, – volevo vendicarmi e non mi vendico; ti lascio la moglie, ti lascio in pace, e non ti contenti? Sù, Romilda, alzati! andiamocene via, noi due! Ti propongo un bel viaggetto di nozze... Ci divertiremo! Lascia questo pedante seccatore. Pretende ch'io vada a buttarmi davvero nella gora del molino, alla *Stìa*.

– Non pretendo questo! – proruppe Pomino al colmo dell'esasperazione. – Ma vattene, almeno! Vattene via, poiché ti piacque di farti creder morto! Vattene subito, lontano, senza farti vedere da nessuno. Perché io qua... con te... vivo...

Mi alzai; gli battei una mano su la spalla per calmarlo e gli risposi, prima di tutto, ch'ero già stato a Oneglia, da mio fratello, e che perciò tutti, là, a quest'ora, mi sapevano vivo, e che domani, inevitabilmente, la notizia sarebbe arrivata a Miragno; poi:

– Morto di nuovo? lontano da Miragno? Tu scherzi, mio caro! – esclamai. – Va' là: fa' il marito in pace, senza soggezione... Il tuo matrimonio, comunque sia, s'è celebrato. Tutti approveranno, considerando che c'è di mezzo una creaturina. Ti prometto e giuro che non verrò mai a importunarti, neanche per una miserrima tazza di caffè, neanche per godere del dolce, esilarante spettacolo del vostro amore, della vostra concordia, della vostra felicità edificata su la mia morte... Ingrati! Scommetto che nessuno, neanche tu, sviscerato amico, nessuno di voi è andato ad appendere una corona, a lasciare un fiore su la tomba mia, là nel camposanto... Di', è vero? Rispondi!

– Ti va di scherzare!... – fece Pomino, scrollandosi.

– Scherzare? Ma nient'affatto! Là c'è davvero il cadavere di un uomo, e non si scherza! Ci sei stato?

– No... non... non ne ho avuto il coraggio... – borbottò Pomino.

– Ma di prendermi la moglie, sì, birbaccione!

– E tu a me? – diss'egli allora, pronto. – Tu a me non l'avevi tolta, prima, da vivo?

– Io? – esclamai. – E dàlli! Ma se non ti volle lei! Lo vuoi dunque ripetuto che le sembravi proprio uno sciocco? Diglielo tu, Romilda, per favore: vedi, m'accusa di tradimento... Ora, che c'entra! è tuo marito, e non se ne parla più; ma io non ci ho colpa... Sù, sù. Ci andrò io domani da quel povero morto, abbandonato là, senza un fiore, senza una lacrima... Di', c'è almeno una lapide su la fossa?

– Sì, – s'affrettò a rispondermi Pomino. – A spese del Municipio... Il povero babbo...

– Mi lesse l'elogio funebre, lo so! Se quel pover'uomo sentiva... Che c'è scritto su la lapide?

– Non so... La dettò Lodoletta.

– Figuriamoci! – sospirai. – Basta. Lasciamo anche questo discorso. Raccontami, raccontami piuttosto come vi siete sposati così presto... Ah, come poco mi piangesti, vedovella mia... Forse niente, eh? di' sù, possibile ch'io non debba sentir la tua voce? Guarda: è già notte avanzata... appena spunterà il giorno, io andrò via, e sarà come non ci avessimo mai conosciuto... Approfittiamoci di queste poche ore. Sù, dimmi...

Romilda si strinse nelle spalle, guardò Pomino, sorrise nervosamente: poi, riabbassando gli occhi e guardandosi le mani:

– Che posso dire? Certo che piansi...

– E non te lo meritavi! – brontolò la Pescatore.

– Grazie! Ma infine, via... fu poco, è vero? – ripresi. – Codesti begli occhi, che pur s'ingannarono così facilmente, non ebbero a sciuparsi molto, di certo.

– Rimanemmo assai male, – disse, a mo' di scusa, Romilda. – E se non fosse stato per lui...

– Bravo Pomino! – esclamai. – Ma quella canaglia di Malagna, niente?

– Niente, – rispose, dura, asciutta, la Pescatore. – Tutto fece lui...

E additò Pomino.

– Cioè... cioè... – corresse questi, – il povero babbo... Sai ch'era al Municipio? Bene, fece prima accordare una pensioncina, data la sciagura... e poi...

– Poi accondiscese alle nozze?

– Felicissimo! E ci volle qua, tutti, con sé... Mah! Da due mesi...

E prese a narrarmi la malattia e la morte del padre; l'amore di lui per Romilda e per la nipotina; il compianto che la sua morte aveva raccolto in tutto il paese. Io domandai allora notizie della zia Scolastica, tanto amica del cavalier Pomino. La vedova Pescatore, che si ricordava ancora del batuffolo di pasta appiastratole in faccia dalla terribile vecchia, si agitò sulla sedia. Pomino mi rispose che non la vedeva più da due anni, ma che era viva; poi, a sua volta, mi domandò che avevo fatto io, dov'ero stato, ecc. Dissi quel tanto che potevo senza far nomi né di luoghi né di persone, per dimostrare che non m'ero affatto spassato in quei due anni. E così, conversando insieme, aspettammo l'alba del giorno in cui doveva pubblicamente affermarsi la mia resurrezione.

Eravamo stanchi della veglia e delle forti emozioni provate; eravamo anche infreddoliti. Per riscaldarci un po', Romilda volle preparare con le sue mani il caffè. Nel porgermi la tazza, mi guardò, con su le labbra un lieve, mesto sorriso, quasi lontano, e disse:

– Tu, al solito, senza zucchero, è vero?

Che lesse in quell'attimo negli occhi miei? Abbassò subito lo sguardo.

In quella livida luce dell'alba, sentii stringermi la gola da un nodo di pianto inatteso, e guardai Pomino odiosamente. Ma il caffè mi fumava sotto il naso, inebriandomi del suo aroma e cominciai a sorbirlo lentamente. Domandai quindi a Pomino il permesso di lasciare a casa sua la valigia, fino a tanto che non avessi trovato un alloggio: avrei poi mandato qualcuno a ritirarla.

– Ma sì! ma sì! – mi rispose egli, premuroso. – Anzi non te ne curare: penserò io a fartela portare...

– Oh, – dissi, – tanto è vuota, sai?... A proposito, Romilda: avresti ancora, per caso, qualcosa di mio... abiti, biancheria?

– No, nulla... – mi rispose, dolente, aprendo le mani. – Capirai... dopo la disgrazia...

– Chi poteva immaginarselo? – esclamò Pomino.

Ma giurerei ch'egli, l'avaro Pomino, aveva al collo un mio antico fazzoletto di seta.

– Basta. Addio, eh! Buona fortuna! – diss'io, salutando, con gli occhi fermi su Romilda, che non volle guardarmi. Ma la mano le tremò, nel ricambiarmi il saluto. – Addio! Addio!

Sceso giù in istrada, mi trovai ancora una volta sperduto, pur qui, nel mio stesso paesello nativo: solo, senza casa, senza mèta.

«E ora?», domandai a me stesso. «Dove vado?»

Mi avviai, guardando la gente che passava. Ma che! Nessuno mi riconosceva? Eppure ero ormai tal quale: tutti, vedendomi, avrebbero potuto almeno pensare: «Ma guarda quel forestiero là, come somiglia al povero Mattia Pascal! Se avesse l'occhio un po' storto, si direbbe proprio lui». Ma che! Nessuno mi riconosceva, perché nessuno pensava più a me. Non destavo neppure curiosità, la minima sorpresa... E io che m'ero immaginato uno scoppio, uno scompiglio, appena mi fossi mostrato per le vie! Nel disinganno profondo, provai un avvilimento, un dispetto, un'amarezza che non saprei ridire; e il dispetto e l'avvilimento mi trattenevano dallo stuzzicar l'attenzione di coloro che io, dal canto mio, riconoscevo bene: sfido! dopo due anni... Ah, che vuol dir morire! Nessuno, nessuno si ricordava più di me, come se non fossi mai esistito...

Due volte percorsi da un capo all'altro il paese, senza che nessuno mi fermasse. Al colmo dell'irritazione, pensai di ritornar da Pomino, per dichiarargli che i patti non mi convenivano e vendicarmi sopra lui dell'affronto che mi pareva tutto il paese mi facesse non riconoscendomi più. Ma né Romilda con le buone mi avrebbe seguito, né io per il momento avrei saputo dove condurla. Dovevo almeno prima cercarmi una casa. Pensai d'andare al Municipio, all'ufficio dello stato civile, per farmi subito cancellare dal registro dei morti; ma, via facendo, mutai pensiero e mi ridussi invece a questa biblioteca di Santa Maria Liberale, dove trovai al mio posto il reverendo amico don Eligio Pellegrinotto, il quale non mi riconobbe neanche lui, lì per lì. Don Eligio veramente sostiene che mi riconobbe subito e che soltanto aspettò ch'io pronunziassi il mio nome per buttarmi le braccia al collo, parendogli impossibile che fossi io, e non potendo abbracciar subito uno che gli *pareva* Mattia Pascal. Sarà pure così! Le prime feste me le ebbi da lui, calorosissime; poi egli volle per forza ricondurmi seco in paese per cancellarmi dall'animo la cattiva impressione che la dimenticanza dei miei concittadini mi aveva fatto.

Ma io ora, per ripicco, non voglio descrivere quel che seguì alla farmacia del Brìsigo prima, poi al *Caffè dell'Unione*, quando don Eligio, ancor tutto esultante, mi presentò redivivo. Si sparse in un baleno la notizia, e tutti accorsero a vedermi e a tempestarmi di domande. Volevano sapere da me chi fosse allora colui che s'era annegato alla *Stìa*, come se non mi avessero riconosciuto loro: tutti, a uno a uno. E dunque ero io, proprio io: donde tornavo? dall'altro mondo! che avevo fatto? il morto! Presi il partito di non rimuovermi da queste due risposte, e lasciar tutti stizziti nell'orgasmo della curiosità, che durò parecchi e parecchi giorni. Né più fortunato degli altri fu l'amico Lodoletta che venne a «intervistarmi» per il *Foglietto*. Invano, per commuovermi, per tirarmi a parlare mi portò una copia del suo giornale di due anni avanti, con la mia necrologia. Gli dissi che la sapevo a memoria, perché all'Inferno il *Fo-glietto* era molto diffuso.

– Eh, altro! Grazie caro! Anche della lapide... Andrò a vederla, sai?

Rinunzio a trascrivere il suo nuovo *pezzo forte* della domenica seguente che recava a grosse lettere il titolo: MATTIA PASCAL È VIVO!

Tra i pochi che non vollero farsi vedere, oltre ai miei creditori, fu Batta Malagna, che pure – mi dissero – aveva due anni avanti mostrato una gran pena per il mio barbaro suicidio. Ci credo. Tanta pena allora, sapendomi sparito per sempre, quanto dispiacere adesso, sapendomi ritornato alla vita. Vedo il perché di quella e di questo.

E Oliva? L'ho incontrata per via, qualche domenica, all'uscita della messa, col suo bambino di cinque anni per mano, florido e bello come lei: – mio figlio! Ella mi ha guardato con occhi affettuosi e ridenti, che m'han detto in un baleno tante cose...

Basta. Io ora vivo in pace, insieme con la mia vecchia zia Scolastica, che mi ha voluto offrir ricetto in casa sua. La mia bislacca avventura m'ha rialzato d'un tratto nella stima di lei. Dormo nello stesso letto in cui morì la povera mamma mia, e passo gran parte del giorno qua, in biblioteca, in compagnia di don Eligio, che è ancora ben lontano dal dare assetto e ordine ai vecchi libri polverosi.

Ho messo circa sei mesi a scrivere questa mia strana storia, ajutato da lui. Di quanto è scritto qui egli serberà il segreto, come se l'avesse saputo sotto il sigillo della confessione.

Abbiamo discusso a lungo insieme su i casi miei, e spesso io gli ho dichiarato di non saper vedere che frutto se ne possa cavare.

– Intanto, questo, – egli mi dice: – che fuori della legge e fuori di quelle particolarità, liete o tristi che sieno, per cui noi siamo noi, caro signor Pascal, non è possibile vivere.

Ma io gli faccio osservare che non sono affatto rientrato né nella legge, né nelle mie particolarità. Mia moglie è moglie di Pomino, e io non saprei proprio dire ch'io mi sia.

Nel cimitero di Miragno, su la fossa di quel povero ignoto che s'uccise alla *Stìa*, c'è ancora la lapide dettata da Lodoletta:

COLPITO DA AVVERSI FATI
MATTIA PASCAL
BIBLIOTECARIO
CUOR GENEROSO ANIMA APERTA
QUI VOLONTARIO
RIPOSA

LA PIETÀ DEI CONCITTADINI
QUESTA LAPIDE POSE

Io vi ho portato la corona di fiori promessa e ogni tanto mi reco a vedermi morto e sepolto là. Qualche curioso mi segue da lontano; poi, al ritorno, s'accompagna con me, sorride, e – considerando la mia condizione – mi domanda:

– Ma voi, insomma, si può sapere chi siete?

Mi stringo nelle spalle, socchiudo gli occhi e gli rispondo:

– Eh, caro mio... Io sono il fu Mattia Pascal.

Avvertenza sugli scrupoli della fantasia

Il signor Alberto Heintz, di Buffalo negli Stati Uniti, al bivio tra l'amore della moglie e quello d'una signorina ventenne, pensa bene di invitar l'una e l'altra a un convegno per prendere insieme con lui una decisione.

Le due donne e il signor Heintz si trovano puntuali al luogo convenuto; discutono a lungo, e alla fine si mettono d'accordo.

Decidono di darsi la morte tutti e tre.

La signora Heintz ritorna a casa; si tira una revolverata e muore. Il signor Heintz, allora, e la sua innamorata signorina ventenne, visto che con la morte della signora Heintz ogni ostacolo alla loro felice unione è rimosso, riconoscono di non aver più ragione d'uccidersi e risolvono di rimanere in vita e di sposarsi. Diversamente però risolve l'autorità giudiziaria, e li trae in arresto.

Conclusione volgarissima.

(Vedere i giornali di New York del 25 gennajo 1921, edizione del mattino.)

*

Poniamo che un disgraziato scrittor di commedie abbia la cattiva ispirazione di portare sulla scena un caso simile.

Si può esser sicuri che la sua fantasia si farà scrupolo prima di tutto di sanare con eroici rimedii l'assurdità di quel suicidio della signora Heintz, per renderlo in qualche modo verosimile.

Ma si può essere ugualmente sicuri, che, pur con tutti i rimedii eroici escogitati dallo scrittor di commedie, novantanove critici drammatici su cento giudicheranno assurdo quel suicidio e inverosimile la commedia.

Perché la vita, per tutte le sfacciate assurdità, piccole e grandi, di cui beatamente è piena, ha l'inestimabile privilegio di poter fare a meno di quella stupidissima verosimiglianza, a cui l'arte crede suo dovere obbedire.

Le assurdità della vita non hanno bisogno di parer verosimili, perché sono vere. All'opposto di quelle dell'arte che, per parer vere, hanno bisogno d'esser verosimili. E allora, verosimili, non sono più assurdità.

Un caso della vita può essere assurdo, un'opera d'arte, se è opera d'arte, no.

Ne segue che tacciare d'assurdità e d'inverosimiglianza, in nome della vita, un'opera d'arte è balordaggine.

In nome dell'arte, sì; in nome della vita, no.

*

C'è nella storia naturale un regno studiato dalla zoologia, perché popolato dagli animali.

Tra i tanti animali che lo popolano è compreso anche l'uomo.

E lo zoologo sì, può parlare dell'uomo e dire, per esempio, che non è un quadrupede ma un bipede, e che non ha la coda, vuoi come la scimmia, vuoi come l'asino, vuoi come il pavone.

All'uomo di cui parla lo zoologo non può mai capitar la disgrazia di perdere, poniamo, una gamba e di farsela mettere di legno; di perdere un occhio e di *farselo mettere di vetro. L'uomo dello zoologo ha sempre due gambe, di cui nessuna di legno; sempre due occhi, di cui nessuno di vetro.*

E contraddire allo zoologo è impossibile. Perché lo zoologo, se gli presentate un tale con una gamba di legno o con un occhio di vetro, vi risponde che egli non lo conosce, perché quello non è l'uomo, *ma* un uomo.

E vero però che noi tutti, a nostra volta, possiamo rispondere allo zoologo che l'uomo *ch'egli conosce non esiste, e che invece esistono* gli uomini, *di cui nessuno è uguale all'altro e che possono anche avere per disgrazia una gamba di legno o un occhio di vetro.*

Si domanda a questo punto se vogliono esser considerati come zoologi o come critici letterarii quei tali signori che, giudicando un romanzo o una novella o una commedia, condannano questo o quel personaggio, questa o quella rappresentazione di fatti o di sentimenti, non già in nome dell'arte come sarebbe giusto, ma in nome d'una umanità *che sembra essi conoscano a perfezione, come se realmente in astratto esistesse, fuori cioè di quell'infinita varietà d'uomini capaci di commettere tutte quelle sullodate assurdità* che non hanno bisogno di parer verosimili, perché sono vere.

*

Intanto, per l'esperienza che dal canto mio ho potuto fare d'una tal critica, il bello è questo: che mentre lo zoologo riconosce che l'uomo si distingue dalle altre bestie anche per il fatto che l'uomo ragiona e che le bestie non ragionano, – il ragionamento appunto (vale a dire ciò che è più proprio dell'uomo) è apparso tante volte ai signori critici, non come un eccesso se mai, ma anzi come un difetto d'umanità in tanti miei non allegri personaggi. Perché pare che umanità, *per loro, sia qualche cosa che più consista nel sentimento che nel ragionamento.*

Ma volendo parlare così astrattamente come codesti critici fanno, non è forse vero che mai l'uomo tanto appassionatamente ragiona (o sragiona, che è lo stesso), come quando soffre, perché appunto delle sue sofferenze vuol veder la radice, e chi gliele ha date, e se e quanto sia stato giusto il darglielo, – mentre, quando gode, si piglia il godimento e non ragiona, come se il godere fosse suo diritto?

Dovere delle bestie è il soffrire senza ragionare. Chi soffre e ragiona (appunto perché soffre), per quei signori critici non è umano; *perché pare che, chi soffra, debba esser soltanto bestia, e che soltanto quando sia* bestia, *sia per essi* umano.

*

Ma di recente ho pur trovato un critico, a cui son molto grato.

A proposito della mia disumana *e, pare, inguaribile «cerebralità» e paradossale inverosimiglianza delle mie favole e dei miei personaggi, egli ha domandato a quegli altri critici donde attingevano il criterio per giudicare siffattamente il mondo della mia arte.*

«Dalla cosiddetta vita normale?», *ha domandato. «Ma cos'è questa se non un sistema di rapporti, che noi scegliamo nel caos degli eventi quotidiani e che arbitrariamente qualifichiamo* normale?» *Per concludere che «non si può giudicare il mondo d'un artista con un criterio di giudizio attinto altrove che da questo mondo medesimo.»*

Debbo aggiungere, per dar credito a questo critico presso gli altri critici, che non ostante questo, anzi proprio per questo, anch'egli poi giudica sfavorevolmente l'opera mia, perché gli pare, cioè, ch'io non sappia dar valore e senso universalmente umano alle mie favole e ai miei personaggi, tanto da lasciar perplesso chi deve giudicarli, se io non abbia inteso piuttosto limitarmi a riprodurre certi curiosi casi, certe particolarissime situazioni psicologiche.

Ma se il valore e il senso universalmente umano *di certe mie favole e di certi miei personaggi, nel contrasto, com'egli dice, tra realtà e illusione, tra volto individuale ed immagine sociale di esso, consistesse innanzi tutto nel senso e nel valore da dare a quel primo contrasto, il quale, per una beffa costante della vita, ci si scopre sempre inconsistente, in quanto che,* necessariamente *purtroppo, ogni realtà d'oggi è destinata a scoprircisi illusione domani, ma il-lusione* necessaria, *se purtroppo fuori di essa non c'è per noi altra realtà? Se consistesse appunto in questo, che un uomo o una donna, messi da altri o da se stessi in una penosa situazione, socialmente anormale, assurda per quanto si voglia, vi durano, la sopportano, la rappresentano davanti agli altri,* finché non la vedono, *sia pure per la loro cecità o incredibile buonafede; perché ap-pena la vedono come a uno specchio che sia posto loro davanti, non la sop-portano più, ne provan tutto l'orrore e la infrangono o, se non possono in-frangerla, se ne senton morire? Se consistesse appunto in questo, che una si-tuazione, socialmente anormale, si accetta, anche vedendola a uno specchio, che in questo caso ci para davanti la nostra stessa illusione; e allora la si rappresenta, soffrendone tutto il martirio, finché la rappresentazione di essa sia possibile dentro la maschera soffocante che da noi stessi ci siamo imposta o che da altri o da una crudele necessità ci sia stata imposta, cioè fintanto che sotto questa maschera un sentimento nostro, troppo vivo, non sia ferito così addentro, che la ribellione alla fine prorompa e quella maschera si stracci e si calpesti?*

«*Allora, di colpo*», dice il critico, «*un fiotto d'umanità invade questi perso-naggi, le marionette divengono improvvisamente creature di carne e di san-gue, e parole che bruciano l'anima e straziano il cuore escono dalle loro lab-bra.*»

E sfido! Hanno scoperto il loro nudo volto individuale sotto quella maschera, che li rendeva marionette di se stessi, o in mano agli altri; che li faceva in prima apparir duri, legnosi, angolosi, senza finitezza e senza delicatezza, compli-cati e strapiombanti, come ogni cosa combinata e messa sù non liberamente ma per necessità, in una situazione anormale, inverosimile, paradossale, tale in-somma che essi alla fine non han potuto più sopportarla e l'hanno rotta.

L'arruffío, se c'è, dunque è voluto, il macchinismo, se c'è, dunque è voluto, ma non da me: bensì dalla favola stessa, dagli stessi personaggi; e si scopre subito, difatti: spesso è concertato apposta e messo sotto gli occhi nell'atto stesso di concertarlo e di combinarlo: è la maschera per una rappresenta-zione, il giuoco delle parti; quello che vorremmo o dovremmo essere; quello che agli altri pare che siamo; mentre quel che siamo, non lo sappiamo, fino a un certo punto, neanche noi stessi; la goffa, incerta metafora di noi; la co-struzione, spesso arzigogolata, che facciamo di noi, o che gli altri fanno di noi: dunque, davvero, un macchinismo, sì, in cui ciascuno volutamente, ripeto, è la marionetta di se stesso; e poi, alla fine, il calcio che manda all'aria tutta la baracca.

Credo che non mi resti che di congratularmi con la mia fantasia se, con tutti i suoi scrupoli, ha fatto apparir come difetti reali, quelli ch'eran voluti da lei: difetti di quella fittizia costruzione che i personaggi stessi han messo su di sé e della loro vita, o che altri ha messo sù per loro: i difetti insomma della maschera *finché non si scopre nuda.*

*

Ma una consolazione più grande m'è venuta dalla vita, o dalla cronaca quo-tidiana, a distanza di circa vent'anni dalla prima pubblicazione di questo mio romanzo Il fu Mattia Pascal, *che ancora una volta oggi si ristampa.*

Neppure ad esso, quando apparve per la prima volta, mancò, pur tra il con-senso quasi unanime, chi lo tacciasse d'inverosimiglianza.

Ebbene, la vita ha voluto darmi la prova della verità di esso in una misura veramente eccezionale, fin nella minuzia di certi caratteristici particolari spontaneamente trovati dalla mia fantasia.

Ecco quanto si leggeva nel Corriere della Sera *del 27 marzo 1920:*

L'OMAGGIO DI UN VIVO ALLA PROPRIA TOMBA

Un singolare caso di bigamìa, dovuto all'affermata ma non sussistente morte di un marito, si è rivelato in questi giorni. Risaliamo brevemente all'antefatto. Nel reparto Calvairate il 26 dicembre 1916 alcuni contadini pescavano dalle acque del canale delle «Cinque chiuse» il cadavere di un uomo rivestito di maglia e pantaloni color marrone. Del rinvenimento fu dato avviso ai carabinieri che iniziarono le investigazioni. Poco dopo il cadavere veniva identificato da tale Maria Tedeschi, ancor piacente donna sulla quarantina, e da certi Luigi Longoni e Luigi Majoli, per quello dell'elettricista Ambrogio Casati di Luigi, nato nel 1869, marito della Tedeschi. In realtà l'annegato assomigliava molto al Casati.

Quella testimonianza, a quanto ora è risultato, sarebbe stata alquanto interessata, specie per il Majoli e per la Tedeschi. Il vero Casati era vivo! Era, però, in carcere ancora dal 21 febbraio dell'anno precedente per un reato contro la proprietà e da tempo viveva diviso, sebbene non legalmente, dalla moglie. Dopo sette mesi di gramaglie, la Tedeschi passava a nuove nozze col Majoli, senza urtare contro nessuno scoglio burocratico. Il Casati finì di scontare la pena l'8 marzo del 1917 e solo in questi giorni egli apprese di essere... morto e che sua moglie si era rimaritata ed era scomparsa. Seppe tutto ciò quando si recò all'Ufficio di anagrafe in piazza Missori, avendo bisogno di un documento. L'impiegato, allo sportello, inesorabilmente gli osservò:

– Ma voi siete morto! Il vostro domicilio legale è al cimitero di Musocco, campo comune 44, fossa n. 550...

Ogni protesta di colui che voleva essere dichiarato vivo fu inutile. Il Casati si propone di far riconoscere i suoi diritti alla... resurrezione, e non appena rettificato, per quanto lo riguarda, lo stato civile, la presunta vedova rimaritata vedrà annullato il secondo matrimonio.

Intanto la stranissima avventura non ha punto afflitto il Casati: anzi si direbbe che l'ha messo di buon umore, e, desideroso di nuove emozioni, ha voluto far una capatina alla... propria tomba e come atto di omaggio alla sua memoria, ha deposto sul tumulo un fragrante mazzo di fiori e vi ha acceso un lumino votivo!

Il presunto suicidio in un canale; il cadavere estratto e riconosciuto dalla moglie e da chi poi sarà secondo marito di lei, il ritorno del finto morto e finanche l'omaggio alla propria tomba! Tutti i dati di fatto, naturalmente senza tutto quell'altro che doveva dare al fatto valore e senso universalmente umano.

Non posso supporre che il signor Ambrogio Casati, elettricista, abbia letto il mio romanzo e recato i fiori alla sua tomba per imitazione del fu Mattia Pascal.

La vita, intanto, col suo beatissimo dispregio d'ogni verosimiglianza, poté trovare un prete e un sindaco che unirono in matrimonio il signor Majoli e la signora Tedeschi senza curarsi di conoscere un dato di fatto, di cui pur forse era facilissimo aver notizia, che cioè il marito signor Casati si trovava in carcere e non sottoterra.

La fantasia si sarebbe fatto scrupolo, certamente, di passar sopra a un tal dato di fatto; e ora gode, ripensando alla taccia di inverosimiglianza che anche allora le fu data, di far conoscere di quali reali inverosimiglianze sia capace la vita, anche nei romanzi che, senza saperlo, essa copia dall'arte.

SUO MARITO

A Ugo Ojetti
fraternamente

Invito alla lettura

Il romanzo fu pubblicato nel 1911 (Ed. Quattrini, Firenze). Pirandello non lo ripubblicò durante la sua vita perché vi si potevano cogliere riferimenti alla scrittrice Grazia Deledda. Cominciò comunque a rivederlo, ma non poté compiere interamente l'opera di revisione che si arrestò ai primi quattro capitoli e all'inizio del quinto. Il figlio dello scrittore, Stefano. pubblicò nel 1941 la parte rifatta del romanzo «e di seguito il resto qual era nella prima edizione», intitolandolo Giustino Roncella nato Boggiòlo. *Si dà qui l'edizione interamente voluta dall'autore, cioè quella del 1911, con il titolo* Suo marito.*

La protagonista del romanzo, ambientato agli inizi del '900, Silvia Roncella, è una scrittrice che per la forza e la spontaneità dei suoi lavori s'impone alla società letteraria romana. Silvia è come isolata e sollevata al di sopra di questo mondo fatuo e affaccendato in mille relazioni che Pirandello descrive in maniera prevalentemente negativa. Silvia è certamente diversa da Dora Barmis, una giornalista disincantata e scettica, piena di un buon gusto artificioso e costruito o dal Raceni o da tanti altri. L'unico letterato, peraltro schivo di ogni mondanità, cui Silvia si sente vicina, è Maurizio Gueli. Ma il Gueli, scrittore «bizzarro e profondo», autore anni prima di «un'opera di viva e possente genialità», è ora come posseduto dal potere distruttore della sua amante, Livia Frezzi, la cui ossessiva gelosia lo soffoca e ne dissecca la vena artistica. La situazione in cui è possibile cogliere un riferimento alla dolorosa esperienza biografica di Pirandello, ritorna, nell'ambito dei romanzi, nelle pagine piene di amara ironia dedicate nei Quaderni di Serafino Gubbio operatore *alla morbosa gelosia di Nene Cavalena.*

Una grande distanza, che alla fine diventerà incolmabile, divide Silvia dal marito Giustino che, completamente miope di fronte alle motivazioni interiori dell'arte, si fa ridicolo e patetico araldo dei «prodotti» artistici della moglie. Giustino ne coglie immediatamente gli effetti pratici in termini di denaro e di notorietà: «Scusa quando si lavora, perché si lavora? Per raggiungere un fine, mi pare! Tu volevi lavorare e restare ignorata? Lavorare, allora, perché? Per niente?». Silvia, invece, avverte che l'arte ha in sé le sue motivazioni e il suo fine: «...ogni opera in lei s'era sempre mossa da sé, perché da sé soltanto s'era voluta; ella non aveva mai fatto altro che obbedire docile e con amore seguace a questa volontà di vita, a ogni spontaneo movimento interiore». Silvia dapprima sente, ma alla fine del romanzo saprà con faticosa conquista, che l'artista ospita in sé una forza con la quale non si può del tutto identificare, dando voce a un richiamo che lo trascende. Pirandello che spesso opera temporanee e parziali identificazioni con i suoi personaggi può prestare a Silvia, e Silvia se ne appropria, le sue concezioni, può rivivere in lei i suoi processi elaborativi. Così Silvia è presentata come l'autrice della commedia Se non così, *il cui definitivo titolo nelle* Maschere nude *sarà* La ragione degli altri, *e del dramma* La nuova colonia *che la compagnia di Pirandello rappresentò nel 1928. Il figlio che Silvia, per quelle coincidenze apparentemente casuali, ma in realtà corrispondenti a segrete ragioni, dà alla luce quasi contemporaneamente alla* prima di *questo dramma, morirà, mentre, al di là della sua stessa autrice, permarrà il frutto della sua arte.*

*Nel delineare il ripiegarsi dell'artista verso le interiori spinte della propria
arte, Pirandello tiene presenti G. Séailles (*Essai sur le génie dans l'art, *Paris,
1883) e A. Binet (*Les altérations de la personnalité, *Paris, 1892), ma anticipa
anche con sorprendente lucidità alcune tesi di C. G. Jung, per il quale il processo della creazione artistica s'impone al suo stesso autore ed è come un essere vivente piantato nel suo animo (C. G. Jung, *Psicologia analitica e arte
poetica, *1922). E senza dubbio per Pirandello questo essere, una volta portato
alla luce dell'arte, rappresenta la forma più alta e meno effimera di vita.*

M.A.

I. Il banchetto

1.

Attilio Raceni, da quattro anni direttore della rassegna femminile (non feminista) *Le Muse si* svegliò tardi, quella mattina, e di malumore.

Sotto gli occhi delle innumerevoli giovani scrittrici italiane, poetesse, novellatrici, romanzatrici (qualcuna anche drammaturga), che lo guardavano dalle fotografie disposte in varii gruppi alle pareti, tutte col volto composto a un'aria particolare di grazia vispa o patetica, scese dal letto – oh Dio, in camicia da notte naturalmente, ma lunga, lunga per fortuna fino alla noce del piede. Infilate le pantofole, andò a spalancar la finestra.

In casa Attilio Raceni conosceva pochissimo se stesso, tanto che, se qualcuno gli avesse detto: «Tu hai fatto or ora questo e quest'altro» – si sarebbe ribellato, rosso come un tacchino.

– Io? Non è vero! Impossibile.

Eppure, eccolo là: seduto in camicia a pie' del letto, con due dita accanite contro un peluzzo profondamente radicato nella narice destra. E strabuzza gli occhi e arriccia il naso e contrae le labbra in su al fitto spasimo di quel pinzare ostinato, finché, tutt'a un tratto, non gli s'apre la bocca e non gli si dilatano le nari per l'esplosione improvvisa d'una coppia di sternuti.

– Duecentoquaranta! – dice allora. – Trenta per otto, duecentoquaranta.

Perché Attilio Raceni, pinzandosi quel peluzzo del naso, era assorto nel calcolo, se trenta convitati, pagando lire otto ciascuno, potessero pretendere allo *Champagne* o a qualche altro più modesto (cioè nostrano) vino spumante per i brindisi.

Attendendo alle consuete cure della propria persona, seppure alzava gli occhi, non vedeva le immagini di quelle scrittrici, zitelle la maggior parte, per quanto in verità tutte nei loro scritti si dimostrassero poi provate a bastanza e sperimentate nel mondo; e non notava perciò che quelle dal lezio svenevole pareva fossero afflitte vedendo fare al loro bel direttore, nell'incoscienza dell'abitudine, atti non belli certamente, quantunque naturalissimi, e che ne sorridessero quelle da la smorfietta anzi vispa che no.

Aveva oltrepassato da poco i trent'anni Attilio Raceni, e non aveva ancor perduto la svelta adattezza giovanile. Il languor pallido del volto, i baffetti riccioluti, gli occhi a mandorla vellutati, l'ondulato ciuffo corvino, gli davano l'aria d'un trovatore.

Era pago, in fondo, della considerazione di cui godeva qual direttore di quella rassegna femminile (non feminista) *Le Muse*, che pur gli era costata non lievi sacrifizii pecuniarii. Ma fin dalla nascita egli era votato alla letteratura femminile, perché sua «mammà», Teresa Raceni Villardi, era stata un'esimia poetessa, e in casa di «mammà» convenivano tante scrittrici, alcune già morte, altre adesso molto anziane, su le cui ginocchia egli quasi quasi poteva dire d'esser cresciuto. E de' loro vezzi, delle loro carezze senza fine gli era rimasta quasi una patina indelebile in tutta la persona. Pareva che quelle lievi e delicate mani feminee, esperte d'ogni segreto, lisciandolo, levigandolo, lo avessero per sempre acconciato e composto in quella sua ambigua beltà artificiale. Si umettava spesso le labbra, s'inchinava sorridente ad ascoltare, si rizzava sul busto, volgeva il capo, si ravviava i capelli, tal quale come una femmina. Qualche amico burlone gli aveva talvolta allungato le mani al petto, cercando:

– Ce l'hai?

Le mammelle: sguajato! E lo aveva fatto arrossire.

Rimasto orfano e padrone d'una discreta sostanza, aveva per prima cosa abbandonato gli studii universitarii e, per darsi una professione, fondato *Le Muse*. Il patrimonio s'era assottigliato, bastava ora appena a farlo vivere modestamente, ma tutto dedito alla rassegna che s'era già con gli abbonamenti raccolti con molta industria assicurata l'esistenza e, oltre ai pensieri, non gli costava più nulla: come nulla pareva costasse lo scrivere alle numerosissime collaboratrici, se non ne avevano avuto mai alcuna remunerazione.

Quella mattina, egli non ebbe neanche il tempo di rammaricarsi dei molti fili del ciuffo corvino rimasti nel pettine dopo l'acconciatura frettolosa. Aveva tanto da fare!

Alle dieci doveva trovarsi in via Sistina, in casa di Dora Barmis, prima musa della rassegna *Le Muse*, sapientissima consigliera della bellezza e delle grazie naturali e morali delle signore e delle signorine italiane. Doveva accordarsi con lei circa al banchetto, alla fraterna agape letteraria, che aveva pensato di offrire alla giovine e già veramente illustre scrittrice Silvia Roncella, venuta da poco da Taranto col marito a stabilirsi a Roma, «*per rispondere* (com'egli aveva scritto nell'ultimo fascicolo de *Le Muse*) *al primo appello de la Gloria, dopo la trionfale accoglienza fatta unanimamente dalla critica e dal pubblico al suo ultimo romanzo* La casa dei nani».

Trasse dalla scrivania un fascio di carte, che si riferivano al banchetto, si diede un'ultima guardatina allo specchio, come per salutarsi, e uscì.

2.

Un clamor confuso lontano, un corri corri di gente verso piazza Venezia. Costernato, Attilio Raceni s'accostò in via San Marco a un grosso mercante di stoviglie d'alluminio, che s'affrettava sbuffando di tirar giù le bande su le vetrine della bottega; e gli domandò pulitamente:

– Di grazia, cos'è?

– Mah... dice... non so, – grugnì quegli in risposta senza voltarsi.

Uno spazzino, seduto tranquillamente su una stanga del carretto, con la granata in ispalla a mo' di bandiera, e un braccio a contrappeso sul bastone di essa, si cavò la pipetta di bocca, sputò, disse:

– *Ciarifanno*.

Attilio Raceni si voltò a guardarlo come per compassione.

– Dimostrazione? E perché?

– Uhm!

– Cani! – gridò il mercante panciuto, rizzandosi ansante, paonazzo.

Sotto il carretto stava sdrajato, più placido dello spazzino, un vecchio cane spelato, con gli occhi tra le cispe socchiusi; al – *Cani!* – del mercante levò appena il capo dalle zampe, senza schiuder gli occhi, solo raggrinzando un po' le orecchie, dolorosamente. Dicevano a lui? S'aspettava un calcio. Il calcio non venne; dunque non dicevano a lui; e si ricompose a dormire.

Lo spazzino osservò:

– *Hanno sciorto er comizzio...*

– E vogliono far la festa ai vetri, – aggiunse l'altro. – Sente? sente?

Un turbine di fischi si levò dalla prossima piazza e, subito dopo, un urlìo che arrivò al cielo.

Il tumulto vi doveva esser grande.

– *C'è er cordone, nun se passaa...* – canterellò dietro alla gente che seguitava ad accorrere il placido spazzino, senza muoversi dalla stanga, e sputò di nuovo.

Attilio Raceni s'avviò di fretta, contrariato. Bell'affare, se non si passava! Tutti, tutti gl'impedimenti in quei giorni, come se fossero pochi i pensieri le cure e le noje che lo travagliavano da che gli era sorta l'idea di quel banchetto. Ora ci voleva anche la canaglia che reclamava per le vie di Roma qualche nuovo diritto; e, santo Dio, s'era d'aprile e faceva un tempo stupendo: il fervido tepore del primo sole inebriava!

Innanzi a piazza Venezia il volto d'Attilio Raceni si allungò come se un filo interno gliel'avesse a un tratto tirato. Lo spettacolo violento gli riempì la vista e lo tenne lì un pezzo a bocca aperta, sopraffatto e compreso.

La piazza rigurgitava di popolo. I cordoni dei soldati erano all'imboccatura di via del Plebiscito e del Corso. Parecchi dimostranti s'erano arrampicati sul tram d'aspetto e di là urlavano a squarciagola.

– Morte ai traditorìì!
– Mortèèè!
– Abbasso il ministeròòò!
– Abbassòòò!

Nel dispetto rabbioso contro tutta quella feccia dell'umanità che non voleva starsi quieta, sorse improvvisamente ad Attilio Raceni il proposito disperato d'attraversare a furia di gomiti la piazza. Se vi fosse riuscito, avrebbe pregato l'ufficiale che stava lì, di guardia al Corso, che lo facesse passare per favore. Non gliel'avrebbe negato, a lui. Ma sì! Tutt'a un tratto, dal mezzo della piazza:

– *Pè pè pèèèè*.

La tromba. Il primo squillo. Scompiglio, serra serra: molti, sospinti dalla piena nel forte del tumulto, volevan sguizzare e bàttersela, ma non potevano far altro che divincolarsi rabbiosamente, presi com'erano, pigiati e incalzati tutt'intorno da altri a ridosso, mentre i più facinorosi, concitando, volevano rompere la calca, o meglio, cacciarsela davanti, tra fischi e urli più tempestosi di prima.

– A Palazzo Braschìì!
– Via! Avantìì!
– Sforziamo i cordonìì!

E la tromba di nuovo:

– *Pè pè pèèèèè!*

D'improvviso, senza saper come, Attilio Raceni, soffocato, pesto, boccheggiante come un pesce, si ritrovò rimbalzato al Foro Traiano in mezzo alla folla fuggiasca e delirante. Gli sembrò che la Colonna vacillasse. Dove riparare? per dove prendere? Gli parve che il grosso de la folla s'avventasse su per Magnanapoli, e allora egli scappò come un dàino per la salita delle Tre Cannelle; ma intoppò anche lì nei soldati che già si disponevano in cordone per via Nazionale.

– Non si passa!
– Senta, per favore, io dovrei...

Una spinta furiosa troncò ad Attilio Raceni la spiegazione, facendolo schizzar col naso su la faccia dell'ufficiale. Questi, furibondo, lo respinse subito indietro coi pugni nel ventre; ma un nuovo violentissimo urtone lo scaraventò tra i soldati che cedettero all'impeto. Rimbombò tremenda dalla piazza una scarica di fucili. E Attilio Raceni, tra la folla impazzita dal terrore, si trovò perduto in mezzo alla cavalleria sopravvenuta di corsa, chi sa donde, forse dalla Pilotta. Via, via con gli altri, via a gambe levate, lui, Attilio Raceni, inseguito dalla cavalleria, Attilio Raceni direttore della rassegna femminile (non feminista) *Le Muse*.

S'arrestò, che non tirava più fiato, all'imboccatura di via Quattro Fontane.

– Vigliacchi! Canaglia! Farabutti! – gridava tra i denti, svoltando per quella via, quasi piangente dalla rabbia, pallido, stravolto, tutto vibrante; e si tastava le costole, i fianchi, e cercava di rassettarsi gli abiti addosso, per togliér via subito ogni traccia della violenza patita e della fuga che lo avviliva di fronte a sé stesso. – Vigliacchi! Farabutti! – e si voltava a guardare indietro, se mai qualcuno lo vedesse in quello stato, e stirava il collo, fremente, con le pugna serrate. Sissignori, c'era un vecchietto, affacciato alla finestra d'un mezzanino, che stava a godérselo con la bocca aperta, sdentata, grattandosi con una mano sul mento, dal piacere, la barbetta gialliccia. Attilio Raceni arricciò il naso e fu lì lì per scagliare improperie a quello scimunito, ma chinò gli occhi, sbuffò e si volse a guardar di nuovo verso via Nazionale. Avrebbe voluto, per riacquistare il sentimento della propria dignità mortificata, riandar lì, ricacciarsi nella mischia, afferrare per il petto a uno a uno tutti quei mascalzoni e pestarseli sotto i piedi, schiaffeggiar quella folla che lo aveva assaltato alla sprovvista così selvaggiamente, e gli aveva fatto patir l'onta della fuga, la vergogna della paura, l'inseguimento, la derisione di quel vecchio imbecille... Ah bestie, bestie, bestie! come si rizzavano trionfanti su le zampe posteriori, urlando e annaspando, per ghermir l'offa dei ciarlatani!

Quest'immagine gli piacque, e si confortò alquanto. Ma, guardandosi le mani... oh Dio, le carte, dov'erano le carte che aveva prese con sé, uscendo di casa? la lista degli invitati... le adesioni? Gliele avevano strappate di mano, o le aveva perdute tra il serra serra. E come avrebbe fatto ora a rammentarsi di tutti coloro che aveva invitati? di coloro che avevano aderito o che si erano scusati di non poter partecipare al banchetto? E tra quelle adesioni, una che gli stava tanto a cuore, veramente preziosa, che avrebbe voluto mostrare alla Barmis e poi conservare e tenere esposta in cornice in camera sua: quella di Maurizio Gueli, del Maestro, che gliel'aveva mandata da Montèporzio, scritta tutta di suo pugno... – perduta anche quella! Ah, l'autografo del Gueli, là, calpestato dai luridi piedi di quei bruti... Attilio Raceni si sentì di nuovo rimescolar tutto. Che schifo provò di vivere in giorni di così orrida barbarie mascherata di civiltà!

Con passo fiero e sguardo d'aquila sdegnata, era già in via Sistina, presso alla scesa di Capo le Case. Dora Barmis abitava lì, sola, in quattro stanzette al primo mezzanino, dal tetto basso basso, quasi buje.

3.

Piaceva a Dora Barmis di far sapere a tutti ch'era poverissima, quantunque poi, lisci e gale e abiti squisitamente capricciosi. Il salottino, ch'era anche scrittojo, l'alcova, la saletta da pranzo e quella d'ingresso erano, come la padrona, addobbati alla bizzarra e certo non poveramente.

Divisa da anni da un marito che nessuno aveva mai conosciuto, bruna agile pieghevole, dagli occhi un po' bistrati, la voce un po' rauca, ella diceva chiaramente con gli sguardi, coi sorrisi, con tutte le mosse del corpo come e quanto conoscesse la vita, i fremiti del cuore e dei nervi, l'arte di contentare, di svegliare, d'irritare i più raffinati e veementi desiderii maschili, che la facevano poi rider forte, quando li vedeva fiammeggiar negli occhi di coloro con cui parlava. Ma più forte rideva nel veder certi occhi invece illanguidirsi come nella promessa d'un sentimento duraturo.

Attilio Raceni la trovò nel salottino, presso una piccola scrivania di ghisa nichelata, tutta rabeschi, intenta a leggere, con una vestaglia giapponese ampiamente scollata.

– Povero Attilio! povero Attilio! – gli disse, dopo aver tanto riso al racconto dell'ingrata avventura. – Sedete. Che posso offrirvi per sedarvi lo spirito esagitato?

E lo guardò con aria di benevola canzonatura, strizzando un poco gli occhi e piegando il capo sul collo nudo provocante.

– Nulla? proprio nulla? Del resto, sapete? state bene così... un po' scomposto. Ve l'ho sempre detto, caro: una... una *nuance* di brutalità v'andrebbe a meraviglia! Troppo languido e... debbo dirvelo? la vostra eleganza è da qualche tempo un po'... un po' *démodée*. Non mi piace, per esempio, il gesto che avete fatto or ora, sedendo.

– Che gesto? – domandò il Raceni, a cui pareva di non averne fatto alcuno.

– Ma avete allargato di qua e di là le *basques* del *krauss*... E giù quella mano, adesso! Sempre tra i capelli... L'avete bella, lo sappiamo!

– Per favore, Dora! – sbuffò il Raceni. – Io sono oppresso!

Dora Barmis scoppiò di nuovo a ridere, poggiando le mani su la scrivania e rovesciandosi indietro.

– Il banchetto? – poi disse. – Ma proprio proprio? Mentre i miei fratelli proletarii reclamano...

– Non scherziamo, vi prego, o me ne vado! – minacciò il Raceni.

Dora Barmis si levò in piedi.

– Ma io vi dico sul serio, mio caro! Non mi affannerei tanto, se fossi in voi. Silvia Roncella... ma prima di tutto, ditemi com'è! Mi muojo dalla curiosità di conoscerla. Ancora non riceve?

– Eh no... Hanno trovato casa, poverini, da pochi giorni soltanto. La vedrete al banchetto.

– Datemi un po' di fuoco, – disse Dora, – e poi rispondetemi francamente.

Accese la sigaretta, chinandosi e protendendo il volto verso il fiammifero sorretto dal Raceni; poi, tra il fumo, domandò:

– Ve ne siete innamorato?

– Siete matta? – scattò il Raceni. – Non mi fate arrabbiare.

– Bruttina, allora? – osservò la Barmis.

Il Raceni non rispose. Accavalciò una gamba su l'altra; alzò la faccia al soffitto; chiuse gli occhi.

– Ah no, caro! – esclamò allora la Barmis. – Così non ne facciamo niente. Siete venuto da me per ajuto; dovete prima soddisfare la mia curiosità.

– Ma scusatemi! – tornò a sbuffare il Raceni, sgruppandosi. – Mi fate certe domande!

– Ho capito, – disse la Barmis. – Tra due sta: O ve ne siete davvero innamorato, o dev'esser brutta bene, come dicono a Milano. Su via, rispondete: come veste? male, senza dubbio!

– Maluccio. Inesperta, capirete.

– Capito, capito... – ripeté la Barmis – Diciamo un'anatroccola arruffata?

Aprì la bocca, arricciò il naso e finse di ridere, con la gorga.

– Aspettate, – poi disse, accostandoglisi. – Vi casca la spilla... Uh, e come vi siete annodata codesta cravatta?

– Mah – fece il Raceni. – Tra quel...

S'interruppe. Il volto di Dora gli stava troppo vicino. Ella, intentissima a riannodargli la cravatta, si sentì guardata; quand'ebbe finito, gli diede un biscottino sul naso e, sorridendogli d'un sorriso indefinibile:

– Dunque? – gli domandò. – Dicevamo... ah, la Roncella! Non vi piace anatroccola? Scimmietta allora.

– V'ingannate, – rispose il Raceni. – È bellina, v'assicuro. Poco appariscente, forse; ma ha certi occhi!

– Neri?

– No, ceruli, intensi, soavissimi... E un sorriso mesto, intelligente... Dev'essere molto, molto buona, ecco.

Dora Barmis lo investì:

– Buona avete detto? buona? Ma andate là! Chi ha scritto *La casa dei nani* non può esser buona, ve lo dico io.

– Eppure... – fece il Raceni.

– Ve lo dico io! – ribatté Dora. – Quella lì va armata di stocco, giurateci!
Raceni sorrise.

– Dev'aver dentro uno spirito affilato come un coltello, – seguitò la Barmis.
– E dite un po', è vero che ha un porro peloso qua, sul labbro?

– Un porro?

– Peloso, qua.

– Non me ne sono accorto. Ma no, chi ve l'ha detto?

– Me lo sono immaginato. Per me, la Roncella deve avere un porro peloso
sul labbro. Mi è parso di vederglielo sempre, leggendo le cose sue. E dite: il
marito? com'è il marito?

– Lasciatelo perdere! – rispose impaziente il Raceni. – Non è per voi...

– Grazie tante! – disse Dora. – Io voglio sapere com'è. Me l'immagino
tondo... Tondo, è vero? Per carità, ditemi che è tondo, biondo, rubicondo e... e
senza malizia.

– Va bene: sarà così, se vi fa piacere. Parliamo sul serio adesso, vi prego.

– Del banchetto? – domandò di nuovo la Barmis. – Sentite: la Roncella,
caro, non è più per noi. Troppo, troppo alto ormai ha spiccato il volo la colombella vostra; ha valicato le Alpi e il mare, e andrà a farsi il nido lontano
lontano, con molte pagliuzze d'oro, nelle grandi riviste di Francia, di Germania, d'Inghilterra... Come volete che deponga più qualche ovetto azzurro, e sia
pur piccolo piccolo, così... su l'ara delle nostre povere *Muse?*

– Ma che ovetti! che ovetti! – fece, scrollandosi, il Raceni. – Né ovetti di colomba, né uova di struzzo... Non scriverà più per nessuna rivista, la Roncella.
Si dà tutta al teatro.

– Al teatro? Ah si? – esclamò la Barmis, incuriosita.

– Mica a recitare! – disse il Raceni. – Non ci mancherebbe altro! A scrivere.

– Per il teatro?

– Già. Perché il marito...

– Ah giusto! il marito... come si chiama?

– Boggiolo.

– Si si, mi ricordo. Boggiolo. E scrive anche lui.

– Eh altro! All'archivio notarile.

– Notajo? O Dio! Notajo?

– Archivista. Bravo giovane... Basta, vi prego. Voglio uscire al più presto da
questa briga del banchetto. Avevo con me la lista degli invitati, e quei cani...
Ma vediamo di rifarla. Scrivete. Oh, sapete che il Gueli ha aderito? È la prova
più chiara ch'egli stima davvero la Roncella, come dicevano.

Dora Barmis rimase un po' assorta a pensare; poi disse:

– Non capisco... il Gueli... mi pare cosi diverso...

– Non discutiamo, – troncò il Raceni. – Scrivete: Maurizio Gueli.

– Aggiungo tra parentesi, se non vi dispiace, *permettendo la Frezzi.* Poi?

– Il senatore Borghi.

– Ha accettato?

– Eh, perbacco... Presiederà! Ha pubblicato nella sua rivista *La casa dei
nani.* Scrivete: donna Francesca Lampugnani.

– La mia simpatica presidentessa, sì, sì, – disse scrivendo, la Barmis. – Cara,
cara, cara...

– Donna Maria Rosa Bornè-Laturzi, – seguitò a dettare il Raceni.

– Oh Dio! – sbuffò Dora Barmis. – Quell'onesta gallina faraona?

– E decorativa, scrivete, – disse il Raceni. – Poi: Filiberto Litti.

– Benissimo! Di bene in meglio! – approvò la Barmis. – L'archeologia accanto all'antichità! E dite, Raceni: il banchetto lo faremo tra le rovine del Foro?

– Già, a proposito! – esclamò il Raceni. – Dobbiamo ancora stabilire il
luogo. Dove direste voi?

– Ma con questi invitati...

– Oh Dio, no, parliamo sul serio, vi ripeto! Avevo pensato al *Caffè di Roma*.

– Di sera? No! Siamo in primavera. Bisogna farlo di giorno, in un bel posto, fuori... Aspettate: al *Castello di Costantino*. Ecco. Delizioso. Nella sala vetrata, con tutta la campagna davanti... i monti Albani... i Castelli... e poi, di fronte, il Palatino... sì, sì, là... è un incanto! senz'altro!

– Vada per il *Castello di Costantino*, – disse il Raceni. – Andremo insieme domani a dare le ordinazioni opportune. Saremo, credo, una trentina. Sentite, Giustino mi si è tanto raccomandato...

– Chi è Giustino?

– Ma suo marito, ve l'ho detto, Giustino Boggiolo. Mi si è tanto raccomandato per la stampa. Vorrebbe molti giornalisti. Ho invitato il Lampini...

– Ah, *Ciceroncino*, bravo!

– E, mi pare, altri quattro o cinque, non so: Bardozzi, Centanni, Federici e quello... come si chiama? della *Capitale*...

– Mola?

– Mola. Segnateli. Ci vorrebbe qualche altro un po' più... un po' più... Venendo il Gueli, capirete... Per esempio, Casimiro Luna.

– Aspettate, – disse la Barmis. – Se viene donna Francesca Lampugnani, non sarà difficile avere il Betti.

– Ma ha scritto male della *Casa dei nani*, il Betti, avete visto? – osservò il Raceni.

– E che fa? Meglio, anzi. Invitatelo! Ne parlerò poi io a donna Francesca. Quanto a Miro Luna non dispero di trascinarlo con me.

– Fareste felice il Boggiolo, felice addirittura! Oh, segnate intanto l'onorevole Carpi, e quello zoppetto... il poeta...

– Zago, sì! Carino, poveretto! Che bei versi sa fare! L'amo, sapete? Guardate lì il ritratto. Me lo son fatto dare. Non vi sembra Leopardi con gli occhiali?

– Faustino Toronti, – seguitò a dettare il Raceni. – E il Jàcono...

– No! – gridò Dora Barmis, buttando la penna. – Avete invitato anche Raimondo Jàcono, quell'odiosissimo napoletanaccio? Non vengo più io, allora!

– Abbiate pazienza, non ho potuto farne a meno, – rispose dolente il Raceni. – Era con lo Zago... Invitando l'uno, ho dovuto invitare anche l'altro.

– E allora io v'impongo Flavia Morlacchi, – disse la Barmis. – Qua: Fla-vi-a Morlacchi. Mica vero che si chiama Flavia: Gaetana si chiama, Gaetana.

– Questo lo dice il Jàcono, via! – sorrise il Raceni. – Dopo la sgraffiatura.

– Sgraffiatura? – fece la Barmis. – Ma si sono bastonati caro mio! sputati in faccia; sono corse le guardie...

Rileggendo, poco dopo, la lista, la Barmis e il Raceni s'indugiarono a far girare come una mola d'arrotino questo e quel nome per il gusto d'affilare il taglio, ancora un po', alla loro lingua, che non ne aveva punto bisogno. Tanto che alla fine un moscone, che se ne stava quieto a dormire tra le pieghe d'una portiera, si destò e con molto slancio volle entrar terzo nella conversazione. Ma Dora mostrò d'averne terrore – più che ribrezzo, terrore – e prima s'aggrappò al Raceni, stringendoglisi forte forte contro il petto, cacciandogli i capelli odorosi sotto il mento; poi scappò a chiudersi nell'alcova, gridando dietro l'uscio al Raceni che non sarebbe rientrata, se lui prima non faceva andar via per la finestra o non uccideva *quell'orribile bestia*.

– Ve la lascio qua, e me ne vado, – le disse placidamente il Raceni, prendendo la nuova lista dalla scrivania.

– No, per carità, Raceni! – scongiurò Dora di là.

– E allora aprite!

– Ecco, apro, ma voi... oh! che fate?

– Un bacio, – disse il Raceni, avanzando un piede per tener lo spiraglio concesso da Dora. – Uno solo...

– Ma che vi salta in mente? – gridò ella, sforzandosi di richiuder l'uscio.
– Piccolo piccolo, – insistette egli. – Vengo quasi dalla guerra... Un piccolo rinfranco, da qua stesso, su... uno solo!
– Entra il moscone, oh Dio, Raceni!
– E fate presto!
Attraverso lo spiraglio le due bocche s'eran congiunte e lo spiraglio a mano a mano s'allargava, quando dalla via s'intesero gli strilli di parecchi giornalai:
– *Terza edizioneee! Quattro morti e venti feritiiii!... Lo scontro con la truppaaa! L'assalto a Palazzo Braschiii! L'eccidio di Piazza Navonaaa!*
Attilio Raceni si staccò, pallido, dal bacio:
– Sentite? Quattro morti... Ma perdio! non hanno proprio da fare costoro? E ci potevo essere anch'io là in mezzo...

4.

Già mezzodì era sonato, e dei trenta che dovevano partecipare al banchetto su al *Castello di Costantino* solo cinque eran venuti, che si pentivano in segreto della loro puntualità, temendo potesse parer soverchia premura o troppa degnazione.
Prima fra tutti era venuta Flavia Morlacchi, poetessa, romanziera e drammaturga. Gli altri quattro, sopraggiunti, la avevano lasciata sola, in disparte. Erano il vecchio professore d'archeologia e poeta dimenticato Filiberto Litti, il novelliere piacentino Faustino Toronti, lezioso e casto, il grasso romanziere napoletano Raimondo Jàcono e il poeta veneziano Cosimo Zago, rachitico e zoppo d'un piede. Stavano tutt'e cinque nel terrazzo, innanzi alla sala vetrata.
Filiberto Litti, lungo asciutto legnoso, con baffoni bianchi e moschetta, un pajo d'enormi orecchie carnose e paonazze, parlava, balbutendo un po', delle rovine là del Palatino, come di cosa sua, con Faustino Toronti ormai vecchiotto anche lui, così che non pareva, sarchiati i capelli su gli orecchi e i baffetti ritinti. Raimondo Jàcono voltava le spalle a la Moralacchi e guardava compassionevolmente lo Zago, il quale ammirava nella fresca limpidezza di quel dolcissimo giorno d'aprile tutto il verde paese che si scopriva di là.
Arrivava appena al parapetto del terrazzo, il poverino; ancora con un vecchio pastrano inverdito che gli sgonfiava da collo, aveva posato su la cimasa una mano nocchieruta, dalle unghie rose, deformata dallo sforzo continuo di spingere la stampella, e ora, socchiudendo gli occhi dolenti dietro gli occhiali, ripeteva come se non avesse mai goduto in vita sua di tanta festa di luce e di colori:
– Che incanto! Come inebria questo sole! – Che vista!
– Già... già... – masticò il Jàcono. – Molto bella. Meravigliosa. Peccato che...
– Quei monti laggiù laggiù, aerei... fragili, quasi... sono ancora gli Albani?
– Gli Appennini o gli Albani, non svenire! Puoi domandarlo qua al professor Litti, che è archeologo.
– E... e che ci han da fare, scusi, i monti, scusi, con... con l'archeologia? – domandò un po' risentito il Litti.
– Professore, voi che dite! – esclamò il napoletano. – Monumenti della natura, della più venerabile antichità... Peccato che... dicevo... sono le dodici e mezzo, ohè! Ho fame io.
La Morlacchi, di là, fece una smorfia di disgusto. Gonfiava in silenzio, ma si fingeva incantata dello stupendo paesaggio. Gli Appennini o gli Albani? Non lo sapeva neanche lei, ma che importava il nome? Nessuno come lei, più di lei, sapeva intenderne l'«azzurra» poesia. E domandò a se stessa se la parola *colombario*... austero *colombario*, avrebbe reso bene l'immagine di quelle rovine del Palatino: occhi ciechi, occhi d'ombra dello spettro romano feroce e glorioso, indarno aperti ancora là, sul colle, a lo spettacolo della verde vita maliosa di questo Aprile d'un tempo lontano.

Di questo Aprile d'un tempo lontano...

Bel verso! Languido...

E abbassò su gli occhi torbidi e scialbi, di capra morente, le grosse pàlpebre gravi. Ecco, aveva spiccato dalla natura e dalla storia il fiore d'una bella immagine, in grazia della quale poteva non pentirsi più ora, d'essersi abbassata a fare onore anch'essa a quella Silvia Roncella, tanto più giovine di lei, ancor quasi principiante, inculta, digiuna affatto di poesia.

Volse, così pensando, con atto di sdegno la faccia pallida, ruvida, disfatta, in cui spiccavano violentemente le tumide labbra dipinte, verso quei quattro che non si curavano di lei; eresse il busto e sollevò una mano sovraccarica d'anelli per palparsi lievemente su la fronte il crine, che pareva di capecchio.

Forse lo Zago meditava anche lui una poesia, pinzandosi con le dita gl'ispidi peluzzi neri sparsi sul labbro. Ma per comporre aveva bisogno di saper prima tante cose, lui, che non voleva più domandare a uno che dichiarava d'aver fame dinanzi a uno spettacolo come quello.

Sopravvenne, saltellando secondo il solito suo, il giovine giornalista tirocinante Tito Lampini, *Ciceroncino* come lo chiamavano, autore anche lui d'un volumetto di versi; smilzo, dalla testa secca, quasi calva, su un collo da cicogna, riparato da un solino alto per lo meno otto dita.

La Morlacchi lo investì con voce stridula, agra:

– Ma che modo è codesto, Lampini? Si dice per mezzodì; a momenti è il tocco; non si vede nessuno...

Il Lampini s'inchinò, aprì le braccia, si volse sorridendo a gli altri quattro e disse:

– Scusi, ma... che c'entro io, signora mia?

– Voi non c'entrate, lo so, – riprese la Morlacchi. – Ma il Raceni, almeno, come ordinatore del banchetto...

– Ar... archi... architriclino, già, – corresse timidamente con la lingua imbrogliata, ponendosi una mano innanzi alla bocca, il Lampini, e guardando l'archeologo professor Litti.

– Già, va bene; ma avrebbe dovuto trovarsi qua, mi sembra. Non è piacevole, ecco.

– Ha ragione, non è piacevole... già! Ma io non so, non c'entro... invitato come lei, signora mia. Permette?

E il Lampini, tornando a inchinarsi frettolosamente, andò a stringer la mano al Litti, al Toronti, al Jàcono. Non conosceva lo Zago.

– Son venuto in vettura, io, temendo di far tardi, – annunziò. – Ma già viene qualche altro. Ho visto per la salita donna Francesca Lampugnani e il Betti e anche la Barmis con Casimiro Luna.

Guardò nella sala vetrata, dov'era già apparecchiata la lunga tavola adorna di molti fiori e con una fronda d'ellera serpeggiante tutt'in giro; poi si rivolse alla Morlacchi, dolente ch'ella se ne stésse là in disparte, e disse:

– Ma la signora, scusi, perché...

Raimondo Jàcono lo interruppe a tempo:

– Di', Lampini, tu che ti ficchi da per tutto: la hai già veduta, questa Roncella?

– No. Tant'è vero che non mi ficco affatto. Non ho avuto ancora il piacere e l'onore...

E il Lampini, inchinandosi una terza volta, mandò un sorriso gentile alla Morlacchi.

– Molto giovane? – domandò Filiberto Litti, stirandosi e guardandosi sottecchi uno dei lunghissimi baffi bianchi, che parevano finti, appiccicati nella faccia legnosa.

– Ventiquattr'anni, dicono, – rispose Faustino Toronti.

– Fa anche versi? – tornò a domandare il Litti stirandosi e guardandosi l'altro baffo, adesso.

– No, per fortuna! – gridò il Jàcono. – Professore, voi ci volete tutti morti! Un'altra poetessa in Italia? Di' di', Lampini, e il marito?

– Sì, il marito sì, – disse il Lampini. – È venuto la settimana scorsa in redazione per avere una copia del giornale con l'articolo di Betti su *La casa dei nani*.

– E come si chiama?

– Il marito? Non so.

– Mi par d'avere inteso Bóggiolo, – disse il Toronti. – O Boggiòlo. Qualcosa così...

– Grassottino, belloccio, – aggiunse il Lampini, – occhiali d'oro, barbetta bionda, quadra. E deve avere una bellissima calligrafia. Si vede dai baffi.

I quattro risero. Sorrise anche di là, senza volerlo, la Morlacchi.

Vennero sul terrazzo, traendo un gran sospiro di soddisfazione, la marchesa donna Francesca Lampugnani, alta, dall'incesso maestoso, come se recasse sul seno magnifico un cartellino con la scritta: *Presidentessa del circolo di coltura feminile*, e il suo bel paladino Riccardo Betti, che nello sguardo un po' languido, nei mezzi sorrisi sotto gli sparsi baffi biondissimi e nei gesti e nell'abito, come nella prosa de' suoi articoli, affettava la dignità, la misura, la correttezza, le maniere tutte insomma del... no, *du vrai monde*.

Tanto il Betti quanto Casimiro Luna eran venuti unicamente per far piacere a donna Francesca che, in qualità di presidentessa del *Circolo di coltura feminile*, proprio non poteva mancare a quel banchetto. Essi appartenevano a un altro clima intellettuale, al fior fiore del giornalismo; non avrebbero mai degnato della loro presenza quella riunione di letterati. Il Betti lo dava a veder chiaramente; Casimiro Luna, invece, più gajo, irruppe romorosamente nel terrazzo con Dora Barmis. Passando per l'andito, aveva dato della gran toppa del *Castello di Costantino* e dell'enorme chiave di cartone, esposte lì per burla, una spiegazione di cui la Barmis, ridendo, si fingeva scandalizzata, e aveva già chiesto ajuto alla marchesa, e ora, in quel suo italiano che voleva a tutti i costi parer francese:

– Ma io vi trovo abominevole, – protestava, – abominevole, Luna! Che è questo continuo, odioso *persiflage*?

Lei sola, dei quattro nuovi venuti, si accostò dopo questo sfogo alla Morlacchi e la trasse a forza con sé nel gruppo, non volendo perdere le altre salaci graziosissime arguzie del «terribile» Luna.

Il Litti, seguitando a stirare ora questo ora quel baffo ed ora il collo, come se non riuscisse mai ad assettarsi bene la testa sul busto, guardava adesso quella gente, ne ascoltava la chiacchiera volubile, e sentiva a mano a mano infocarsi vie più le grosse orecchie carnose. Pensava che tutti costoro vivevano a Roma come avrebbero potuto vivere in qualunque altra città moderna, e che la nuova popolazione di Roma era composta di gente come quella, bastarda, fatua e vana. Che sapevano di Roma tutti costoro? Tre o quattro frasucce retoriche. Che visione ne avevano? Il Corso, il Pincio, i caffè, i salotti, i teatri, le redazioni dei giornali... Eran come le vie nuove, le case nuove, senza storia, senza carattere, vie e case che avevano allargato la città solo materialmente, e svisandola. Quando più angusta era la cerchia delle mura, la grandezza di Roma spaziava e sconfinava nel mondo; ora, allargata la cerchia... eccola là, la nuova Roma. E Filiberto Litti stirava il collo.

Parecchi altri, intanto, erano venuti: marmaglia, che cominciava a impicciare i camerieri che recavano i serviti alle due o tre coppie di forestieri che desinavano nella sala vetrata.

Tra questi giovani, più o men chiamati, aspiranti alla gloria, collaboratori non retribuiti degli innumerevoli giornali letterarii della penisola, erano tre fanciulle, evidentemente studentesse di lettere: due con gli occhiali, patite e taciturne; la terza, invece, vivacissima, dai capelli rossi, tagliati a tondo, maschilmente, dal visetto vispo, lentigginoso, dagli occhietti grigi variegati, in cui la malizia parea vermicasse: rideva, rideva, si buttava via dalle risa, e promoveva una smorfia tra di sdegno e di pietà in un uomo grave, anziano, che s'aggirava tra tanta gioventù non curato. Era Mario Puglia, che in altri tempi aveva cantato con un certo impeto artificiale e con volgare abbondanza. Ora si sentiva già entrato nella storia, lui. Non cantava più. Era però rimasto zazzeruto, con molta forfora sul bavero della napoleona e la pancia gravida di boria.

Casimiro Luna, che lo contemplava da un pezzo, accigliato, a un certo punto sospirò e disse piano:

– Guardatemi Puglia, signori. Chi sa dov'ha lasciato la chitarra...

– Cariolin! Cariolin! – gridarono alcuni in quel momento, facendo largo a un omettino profumato, elegantissimo, che pareva fatto e messo in piedi per ischerzo, con una ventina di capelli lunghi, raffilati sul capo calvo, due violette all'occhiello e la caramella.

Momo Cariolin, sorridendo e inchinandosi, salutò tutti con ambo le mani inanellate e corse a baciar la mano a donna Francesca Lampugnani. Conosceva tutti; non sapeva far altro che strisciar riverenze, baciar la mano alle signore, dir barzellette in veneziano; ed entrava da pertutto, in tutti i salotti più in vista, in tutte le redazioni dei giornali, da pertutto accolto con festa; non si sapeva perché. Non rappresentava nulla, e tuttavia riusciva a dare un certo tono alle radunanze, ai banchetti, ai convegni, forse per quel suo garbo inappuntabile, complimentoso, per quella sua cert'aria diplomatica.

Vennero con la vecchia poetessa donna Maria Rosa Bornè-Laturzi il deputato conferenziere on. Silvestro Carpi e il romanziere lombardo Carlino Sanna di passaggio per Roma. La Bornè-Laturzi, come poetessa (diceva Casimiro Luna) era un'ottima madre di famiglia. Non ammetteva che la poesia, l'arte in genere, dovesse servire di scusa al mal costume. Per cui non salutò né la Barmis né la Morlacchi; salutò soltanto la marchesa Lampugnani perché marchesa e perché presidentessa, Filiberto Litti perché archeologo, e si lasciò baciar la mano da Cariolin, perché Cariolin la baciava soltanto alle vere dame.

Si erano formati intanto parecchi gruppi; ma la conversazione languiva, perché ciascuno era geloso di sé, costernato di sé soltanto, e questa costernazione gli impediva di pensare. Tutti ripetevano ciò che qualcuno, facendo un grande sforzo, era riuscito a dire o sul tempo o sul paesaggio. Tito Lampini, per esempio, saltellava da un crocchio all'altro, per ridire, sorridendo con una mano innanzi alla bocca, qualche frasuccia che gli pareva graziosa, raccolta qua e là, ma come se fosse venuta a lui lì per lì.

Ciascuno, dentro di sé, faceva una critica più o meno acerba dell'altro; ciascuno avrebbe voluto che si parlasse di sé, della sua ultima pubblicazione; ma nessuno voleva dare all'altro questa soddisfazione. Due magari parlavano piano fra loro di ciò che aveva scritto un terzo ch'era pur lì, poco discosto, e ne dicevano male; se poi questi si avvicinava, cambiavano subito discorso e gli sorridevano.

C'erano i malinconici annoiati e i romorosi come il Luna. E quelli invidiavano questi, non perché ne avessero stima, ma perché sapevano che alla fine la sfrontatezza trionfa. Essi li avrebbero molto volentieri imitati; ma, essendo timidi, e per non confessare a se stessi la propria timidezza, preferivano credere che la serietà dei loro intenti li trattenesse dal fare altrettanto.

Sconcertava tutti un lanternone biondiccio, con gli occhiali azzurri a staffa, così squallido che pareva cavato di mano alla morte, coi capelli lunghi e il collo lungo, esilissimo. Portava su la finanziera una mantelletta grigia; piegava il collo di qua e di là e si scarnava le unghie con le dita irrequiete. Era evidentemente uno straniero: svedese o norvegese. Nessuno lo conosceva, nessuno sapeva chi fosse, e tutti lo guardavano con stupore e ribrezzo.

Vedendosi guardato così, egli sorrideva e pareva dicesse a tutti, complimentoso:

– Fratelli, si muore!

Era una vera sconcezza, tra tanta vanità, quello scheletro ambulante. Dove mai era andato a scovarlo il Raceni? come gli era potuto venire in mente d'invitarlo al banchetto?

– Io me ne vado! – dichiarò il Luna. – Non potrei mangiare, con quel cicogna lì, davanti.

Ma non se ne andò, trattenuto dalla Barmis che volle sapere – *sinceramente*, veh! – che cosa pensasse della Roncella.

– Amica mia, un gran bene! Non ho mai letto un rigo di lei.

– E avete torto, – disse donna Francesca Lampugnani, sorridendo. – V'assicuro, Luna, avete torto.

– An... anch'io veramente, – soggiunse il Litti. – Ma... mi pare che tutta questa fama impro... improvvisa... Almeno per quel che n'ho sentito dire...

– Già, – fece il Betti, tirandosi fuori i polsini con una certa sprezzatura signorile. – Le manca un pochino troppo la forma, ecco.

– Ignorantissima! – proruppe Raimondo Jàcono.

– Bene, – disse allora Casimiro Luna. – Io l'amo forse per questo.

Carlino Sanna, il romanziere lombardo di passaggio per Roma, sorrise nella grinta caprigna, lasciandosi cadere dall'occhio il monocolo: si passò una mano sui capelli grigi crespi gremiti e disse piano:

– Ma offrirle un banchetto, neh? Non vi pare... non vi pare un pochino troppo?

– Un banchetto... Dio mio, che male c'è? – domandò donna Francesca Lampugnani.

– Intanto s'improvvisa una gloria! – sbuffò di nuovo il Jàcono.

– Uuuh! – fecero tutti.

E il Jàcono, acceso:

– Scusate, scusate, ne parleranno tutti i giornali.

– E poi? – fece Dora Barmis, aprendo le braccia e stringendosi ne le spalle.

Partita da quel crocchio la favilla, la conversazione s'accese. Si misero tutti a parlare de la Roncella, come se ora soltanto si ricordassero d'essere convenuti là per lei. Nessuno se ne dichiarava ammiratore convinto. Qua e là qualcuno le riconosceva... sì, qualche qualità, una tal quale penetrazione della vita, strana, lucida, per la cura forse troppo minuziosa... miope, anzi, dei particolari, e qualche atteggiamento nuovo e caratteristico nella rappresentazione artistica, e un cotal sapore insolito nelle narrazioni. Ma pareva a tutti che si fosse fatto troppo rumore intorno alla *Casa dei nani*, buon romanzo, sì... forse; affermazione di un ingegno non comune senza dubbio; ma non poi quel capolavoro d'umorismo che s'era voluto proclamare. Strano, a ogni modo, che avesse potuto scriverlo una giovinetta vissuta fin'ora quasi fuori d'ogni pratica del mondo, laggiù a Taranto. C'era fantasia e anche pensiero; poca letteratura, ma vita, vita.

– Ha sposato da poco?

– Da uno o due anni, dicono.

Tutti i discorsi, a un tratto, furono interrotti. Sul terrazzo si presentarono l'on. senatore Romualdo Borghi, già ministro della pubblica istruzione, direttore della *Vita Italiana*, e Maurizio Gueli, l'illustre scrittore, il Maestro, che da circa dieci anni né sollecitazioni d'amici né ricche profferte d'editori riuscivano a smuovere dal silenzio in cui s'era chiuso.

Si scostarono tutti per farli passare. I due stavano male insieme: il Borghi, piccolo, tozzo, dai capelli lunghi, la faccia piatta, cuojacea, da vecchia serva pettegola; il Gueli, alto, aitante, dall'aria ancor giovanile, non ostanti i capelli bianchi, che contrastavano fortemente col bruno caldo del volto maschio, austero.

Il banchetto assumeva ora, con l'intervento del Gueli e del Borghi, una grande importanza.

Non pochi si meravigliarono che il maestro fosse venuto ad attestare di presenza a la Roncella la stima in cui già a qualcuno aveva dichiarato di tenerla. Si sapeva ch'egli era molto affabile e amico dei giovani; ma questo suo intervento al banchetto pareva troppa degnazione, e molti ne soffrivano per invidia, prevedendo che la Roncella avrebbe avuto in quel giorno quasi una consacrazione ufficiale; altri si sentivano più alleggeriti. Essendo venuto il Gueli, via, potevano venire anche loro.

Ma come mai il Raceni tardava ancora? Era una vera indegnità! Lasciar tutti così ad aspettare; e lì il Gueli e il Borghi smarriti fra gli altri, senza qualcuno che li accogliesse...

– Eccoli! eccoli! – annunziò accorrendo il Lampini, ch'era sceso giù a vedere. – Vengono! Sono arrivati in vettura! Salgono!

– C'è il Raceni?

– Sì, con la Roncella e il marito. Eccoli!

Tutti si voltarono a guardare con vivissima curiosità verso l'entrata del terrazzo.

Silvia Roncella apparve, pallidissima, a braccio del Raceni, con la vista intorbidata dall'interna agitazione. Subito tra i convenuti, che si scostavano per farla passare, si propagò un susurrìo fitto fitto di commenti: – Quella? – Piccola! – No, non tanto... – Veste male... – Begli occhi! – Dio che cappello! – Poverina, soffre! – Magrolina! – Non dice nulla... – No, perché? ora che sorride, è graziosa... – Timida timida... – Ma guardale gli occhi: non è modesta! – Bellina, eh? – Pare impossibile! – Vestitela bene, pettinatela bene... – Oh, dire che sia bella, non si potrebbe dire... – È tanto impacciata! – Non pare... – Che complimenti, il Borghi! – Un parapioggia! La sputa... – Che le dice il Gueli? – Ma il marito, signori! guardatemi là il marito, signori! – Dov'è? dov'è? – Là, accanto al Gueli... guardatelo! guardatelo!

In marsina. Giustino Boggiolo era venuto in marsina. Lucido, quasi di porcellana smaltata; occhiali d'oro; barbetta a ventaglio; e un bel pajo di baffi bene affilati, castani, e i capelli neri, tagliati a spazzola, rigorosamente.

Che stava a far lì, tra il Borghi e il Gueli e la Lampugnani e il Luna? Attilio Raceni lo trasse con sé, poi chiamò la Barmis.

– Ecco, l'affido a voi, Dora. Giustino Boggiolo, il marito. Dora Barmis. Io vado di là a vedere che si fa in cucina. Intanto, vi prego, fate prender posto.

E Attilio Raceni, con la soddisfazione che gli rideva nei bellissimi occhi neri e languidi da trovatore, ravviandosi il ciuffo corvino, si fece largo tra la marmaglia che voleva sapere il perché del ritardo.

– S'è sentita poco bene... Ma niente, è passato... A tavola, signori, a tavola! Prendete posto...

– Lei è cavaliere, no? – domandava intanto Dora Barmis, offrendo il braccio a Giustino Boggiolo.

– Sì, veramente...

– Ufficiale?

– No... non ancora. Non ci tengo, sa? Giova per l'ufficio.

– Lei è l'uomo più fortunato della terra! – esclamò con impeto la Barmis, stringendogli forte forte il braccio.

Giustino Boggiolo diventò vermiglio, sorrise:

– Io?

– Lei, lei, lei! La invidio! Vorrei esser uomo ed esser lei, capisce? Per avere sua moglie! Quant'è carina! Quant'è graziosa! Non se la mangia a baci? Dica, non se la mangia a baci? E dev'esser buona tanto tanto, no?

– Sì... veramente... – balbettò di nuovo Giustino Boggiolo, confuso, stordito, ebriato.

– E Lei deve farla felice, badi! Obbligo sacrosanto... Guai a Lei se non me la fa felice! Mi guardi negli occhi! Perché è venuto in *frac*?

– Ma... credevo...

– Zitto! È una stonatura. Non lo faccia più! Luna... Luna! – chiamò poi la Barmis.

Casimiro Luna accorse.

– Vi presento il cav. Giustino Boggiolo, il marito.

– Ah, benissimo, – fece il Luna, inchinandosi appena. – Mi congratulo.

– Fortunatissimo, grazie; desideravo tanto di conoscerla, sa? – s'affrettò a dire il Boggiolo. – Lei, scusi...

– Qua il braccio! – gli gridò Dora Barmis. – Non mi scappi! Lei è affidato a me.

– Sissignora, grazie, – le rispose il Boggiolo, sorridendo; poi seguitò, rivolto al Luna: – Lei scrive nel *Corriere di Milano*, è vero? So che paga bene il *Corriere*...

– Eh, – fece il Luna. – Così... discretamente...

– Sì, me l'hanno detto, – riprese il Boggiolo. – Glielo domando perché Silvia ha avuto richiesto un romanzo dal *Corriere*. Ma forse non accetteremo, perché, veramente, in Italia... in Italia non c'è convenienza, ecco... Io vedo in Francia... e anche in Germania, sa? La *Grundbau* mi ha dato due mila e cinquecento marchi per *La casa dei nani*.

– Ah, bravo! – esclamò il Luna.

– Sissignore, anticipati, e sa? pagando lei a parte la traduttrice, – aggiunse Giustino Boggiolo. – Non so quanto... La Schweizer-Sidler... buona, buona... traduce bene... In Italia conviene meglio il teatro, ho sentito dire... Perché io, sa? prima non m'intendevo di nulla in fatto di letteratura. Ora, a poco a poco, una certa praticaccia... Bisogna stare con tanto di occhi aperti, specialmente nel fare i contratti... A Silvia, per esempio...

– Su, su, a tavola! a tavola! – lo interruppe furiosamente Dora Barmis. – Prendono posto! Starete accanto a noi, Luna?

– Ma certo, figuratevi! – disse questi.

– Con permesso, – pregò Giustino Boggiolo. – C'è il signor Lifjeld là, che traduce in svedese *La casa dei nani*. Con permesso... Devo dirgli una parolina.

E, lasciando il braccio della Barmis, s'accostò a quel lanternone biondiccio, che sconcertava tutti con l'aspetto macabro.

– Fate presto! – gli gridò la Barmis.

Silvia Roncella aveva già preso posto tra Maurizio Gueli e il senatore Romualdo Borghi. Attilio Raceni aveva disposto con molto discernimento gli invitati; cosicché, vedendo Casimiro Luna sedere in un angolo presso la Barmis, che aveva lasciato accanto a sé vuota una sedia per il Boggiolo, corse ad avvertirlo che il suo posto non era lì, che diamine! Su, su, accanto alla marchesa Lampugnani.

– No, grazie, Raceni, – gli rispose il Luna. – Mi lasci qua, la prego; abbiamo con noi il marito...

Come se avesse inteso, Silvia Roncella si volse a cercar con gli occhi Giustino. Quello sguardo allungato in giro per la tavola e poi nella sala espresse un penosissimo sforzo, interrotto a un certo punto dalla vista d'una persona cara, a cui ella sorrise con mesta dolcezza. Era una vecchia signora, venuta in carrozza con lei, a cui nessuno badava, smarrita lì in un cantuccio, poiché il Raceni non aveva più pensato di presentarla almeno ai vicini di tavola, come aveva promesso. La vecchia signora, che aveva un parrucchino biondo su la fronte e molta cipria in viso, fece un breve gesto vivace con la mano a la Roncella, come per dirle: «Su! su!», e la Roncella tornò a sorriderle mestamente, chinando più volte il capo, appena appena; poi si voltò verso il Gueli che le rivolgeva la parola.

Giustino Boggiolo, rientrando con lo Svedese nella sala vetrata, si accostò al Raceni, che aveva preso il posto del Luna accanto alla Lampugnani, e gli disse piano che il Lifjeld, professore di psicologia all'Università di Upsala, dottissimo, non aveva dove sedere. Subito il Raceni gli cedette il posto, presentandolo di qua alla Lampugnani, di là a donna Maria Bornè-Laturzi. Eran le conseguenze della perdita della prima lista degli invitati: la tavola era apparecchiata per trenta, e i commensali erano trentacinque! Basta: egli, il Raceni, si sarebbe accomodato alla meglio in qualche angolo.

– Senta, – soggiunse pianissimo Giustino Boggiolo, tirandolo per la manica e porgendogli di nascosto un pezzettino di carta arrotolato. – C'è scritto il titolo del dramma di Silvia... Sarebbe bene che il senatore Borghi, quando farà il brindisi, lo annunziasse, che ne dice? Ci penserà lei...

I camerieri entrarono di corsa recando il primo servito. S'era fatto molto tardi, e il pasto imminente promosse subito in tutti un silenzio religioso.

Maurizio Gueli lo notò, si volse a guardare le rovine del Palatino e sorrise. Poi si chinò verso Silvia Roncella e le disse piano:

– Guardi, signora Silvia: vedrà che a un certo punto s'affacceranno di là a guardarci, soddisfatti, gli antichi Romani.

5.

S'affacciarono davvero?

Nessuno dei commensali, certo, se n'accorse. La realtà del banchetto, realtà poco ben cucinata, a dir vero, e non abbondante né varia; la realtà del presente con le invidie segrete, che fiorivano su le labbra di questo e di quello in falsi sorrisi e in complimenti avvelenati; con le gelosie mal nascoste, che tiravan qua e là due a maldicenze sommesse; con le ambizioni insoddisfatte e le illusioni fatue e le aspirazioni che non trovavan modo di manifestarsi; teneva schiave tutte quelle anime irrequiete per lo sforzo che a ciascuna costava la simulazione e la difesa. Come le lumache le quali, non potendo o non volendo ricacciarsi nel guscio, segregano a riparo la bava e se n'avvolgono e tra quel vano bollichìo iridescente allungano i tentoni oculati, friggevano quelle anime nelle loro chiacchiere, tra cui la malizia di tratto in tratto drizzava le corna.

Chi poteva fra tanto pensare alle rovine del Palatino e immaginarvi affacciate le anime degli antichi Romani a mirar soddisfatte quel moderno simposio? Soltanto Maurizio Gueli, che nelle *Favole di Roma*, cioè in uno de' suoi libri più noti, forse men denso degli altri di quel suo profondo e caratteristico umorismo filosofico, ma in cui tuttavia la critica agra e spietata, disperatamente scettica e pur non di meno limpida e fiorita di tutte le grazie dello stile, era riuscita meglio a sposarsi con la bizzarra fantasia creatrice, aveva raggruppato e fuso, scoprendo le più riposte analogie, la vita e le figure più espressive delle tre Rome. Non aveva egli forse, in quel libro, chiamato Cicerone a difendere innanzi al Senato, al Senato non più romano soltanto, il prefetto d'una provincia siciliana, prevaricatore, un gustosissimo prefetto clericale dei giorni nostri?

Ora a gli occhi di lui, che sentiva l'irrisione crudele del fato di Roma mitriato dai papi col triregno e la croce, incoronato d'una corona piemontese dalle varie e diverse genti d'Italia, chi s'affacciò dalle rovine del Palatino a salutare con lungo svolazzìo di bianche toghe tutti quegli efimeri letterati a banchetto nella sala vetrata del *Castello di Costantino*?

Molti senatori forse, per raccomandare a Romualdo Borghi, loro venerando collega, di non farsi vincer troppo dalla tentazione e di non mangiar altro che carne, per la salute delle patrie lettere, carne, essendo egli diabetico da più anni; e poi... poi tutti i poeti e prosatori di Roma: i comici e i lirici e gli epici e gli storici e i romanzieri. Tutti? Tutti no: Virgilio no, intanto, né Tacito; Plauto sì e Catullo e Orazio; Lucrezio, no; sì Properzio e sì uno che, più di tutti, ecco, accennava di voler partecipare a quel banchetto, non perché lo degnasse, ma per riderne, come già aveva fatto d'una cena famosa, a Cuma.

Maurizio Gueli si passò il tovagliolo su le labbra per nascondere un sorriso. Oh se egli si fosse alzato a dire in mezzo a quella tavolata:

– Prego, signori, facciano un po' di largo a Petronio Arbitro che vuol venire.

Silvia Roncella, intanto, per non sentir l'impaccio che le veniva da tanti occhi appuntati su lei, che la spiavano, aveva rivolto lo sguardo e il pensiero alla verde campagna lontana, ai fili d'erba che colà crescevano, alle foglie che vi brillavano, a gli uccelli per cui cominciava la stagione felice, alle lucertole acquattate al primo tepore del sole, alle righe nere delle formiche, che tante volte ella s'era trattenuta a mirare, assorta. Quell'umilissima vita, tenue, labile, senz'ombra d'ambizione, aveva avuto sempre potere d'intenerirla per la sua precarietà quasi inconsistente. Ci vuol tanto poco perché un uccellino muoja; un villano passa e schiaccia con le scarpacce imbullettate quei fili d'erba, schiaccia una moltitudine di formiche... Fissarne una fra tante e seguirla con gli occhi per un pezzo, immedesimandosi con lei così piccola e incerta tra il va e vieni delle altre; fissar fra tanti un filo d'erba, e tremar con esso a ogni lieve soffio; poi alzar gli occhi a guardare altrove, quindi riabbassarli a ricercar fra tanti *quel* filo d'erba, *quella* formichetta, e non poter più ritrovare né l'uno né l'altra e aver l'impressione che un filo, un punto dell'anima nostra si sono smarriti con essi lì in mezzo, per sempre...

Un improvviso silenzio arrestò quel fantasticare di Silvia Roncella. Romualdo Borghi, accanto a lei, s'era levato in piedi. Ella guardò il marito, che le fe' cenno d'alzarsi anche lei, subito. Si alzò, turbata, con gli occhi bassi. Ma che avveniva di là, nell'angolo ov'era seduto il marito?

Giustino Boggiolo s'era voluto levare anche lui diritto in piedi; e invano Dora Barmis lo tirava per le falde della marsina:

– Giù lei! Stia seduto! Che c'entra lei? Giù, giù.

Niente! Diritto impalato, Giustino Boggiolo, in marsina, volle riceversi anche lui, come marito, il brindisi del Borghi; e non ci fu verso di farlo sedere.

– *Gentili signore, signori cari!* – cominciò il Borghi col mento sul petto, la fronte contratta, gli occhi chiusi.

– (Silenzio! Parla al bujo – comentò sotto sotto Casimiro Luna.)

– *È una bella e ricordevole ventura per noi il poter dare su la soglia d'una nuova vita il benvenuto a questa giovane forte, già avviata e qua giunta con passo di gloria.*

– Benissimo – esclamarono due o tre.

Giustino Boggiolo volse gli occhi lustri in giro e notò con piacere che tre dei giornalisti intervenuti prendevano appunti. Poi guardò il Raceni per domandargli se aveva comunicato al Borghi il titolo del dramma di Silvia scritto in quel cartellino che gli aveva porto prima di sedere a tavola; ma il Raceni stava intentissimo al brindisi e non si voltava. Giustino Boggiolo cominciò a struggersi dentro.

– *Che dirà Roma*, – seguitava intanto il Borghi, che aveva sollevato il capo e tentava d'aprir gli occhi, – *che dirà Roma, l'immortale anima di Roma all'anima di questa giovine? Pare, o signori, che la grandezza di Roma ami piuttosto la severa maestà della Storia anziché gli estri immaginosi dell'arte. L'epopea di Roma, o signori, è nella prime deche di Livio; negli Annali di Tacito è la tragedia.* (Bene! Bravo! Bravissimo!)

Giustino Boggiolo s'inchinò, con gli occhi fissi sul Raceni che non si voltava ancora. La Barmis tornò a tirargli le falde della marsina.

– *La parola di Roma è la Storia; e questa voce sopraffà qualunque voce individuale...*

Oh ecco, ecco, il Raceni si voltava, approvando col capo. Subito Giustino Boggiolo, con gli occhi che gli schizzavano dalle orbite per l'intenso sforzo d'attirar l'attenzione di lui, gli fe' un cenno. Il Raceni non capiva.

– *Ma il* Giulio Cesare, *o signori? ma il* Coriolano*? ma* l'Antonio e Cleopatra*? I grandi drammi romani dello Shakespeare...*

«Quel rotoletto di carta che le ho dato...», dicevano intanto le dita di Giustino Boggiolo, aprendosi e chiudendosi con stizzosa smania, poiché il Raceni non comprendeva ancora e lo guardava come sbigottito.

Scoppiarono applausi, e Giustino Boggiolo tornò a inchinarsi meccanicamente.

– Scusi, è Shakespeare lei? – gli domandò sotto voce Dora Barmis.

– Io no, che c'entra Shakespeare?

– Non lo sappiamo neanche noi, – gli disse Casimiro Luna. – Ma segga, segga... Chi sa quanto durerà questo magnifico brindisi!

– ...per *tutte le vicende, o signori, d'una evoluzione infinita!* (Bene! Bravo! Benissimo!) *Ora il tumulto della nuova vita vuole una voce nuova, una voce che...*

Finalmente! aveva capito il Raceni; si cercava nelle tasche del panciotto... Sì, eccolo là, il rotoletto di carta... – Questo? – Sì, sì... – Ma, come ormai? A chi? – Al Borghi! – E come? – Se n'era dimenticato... Troppo tardi, adesso... Ma via, stésse sicuro il Boggiolo; avrebbe pensato lui a comunicar quel titolo ai giornalisti... dopo, sì, dopo...

Tutto questo discorso fu tenuto a furia di cenni, da un capo all'altro della tavola.

Nuovi applausi scoppiarono. Il Borghi si voltava a toccar col calice il calice di Silvia Roncella: il brindisi era finito, con gran sollievo di tutti. E i commensali si levarono, anch'essi coi calici in mano, e s'accostarono in fretta alla festeggiata.

– Io tocco con lei... Tanto è lo stesso! – disse Dora Barmis a Giustino Boggiolo.

– Sissignora, grazie! – rispose questi, stordito dalla stizza. – Ma santo Dio, ha guastato tutto!...

– Io? – domandò la Barmis.

– Nossignora, il Raceni... Gli avevo dato il titolo del coso... del dramma e... e niente, se l'è ficcato in tasca e se n'è scordato! Queste cose non si fanno! Il senatore, tanto buono... Oh, ecco, scusi, signora, mi chiamano di là i giornalisti... Grazie, Raceni! Il titolo del dramma? Lei è il signor Mola, è vero? Sì, della *Capitale*, lo so... Grazie, fortunatissimo... Suo marito, sissignore. In quattro atti, il dramma. Il titolo? *La nuova colonia.* Lei è Centanni? Fortunatissimo... Suo marito, sissignore. *La nuova colonia*, sicuro, in quattr'atti... Già lo traducono in francese, sa? Il Desroches lo traduce, sissignore. Desroches, sissignore, così... Lei è Federici? Fortunatissimo... Suo marito, sissignore. Anzi, guardi, se volesse avere la bontà d'aggiungere che...

– Boggiolo! Boggiolo! – venne a chiamarlo di corsa il Raceni.

– Che cos'è?

– Venga... La sua signora si risente male, un pochino... Meglio andar via, sa!

– Eh, – fece dolente il Boggiolo tra i giornalisti inarcando le ciglia e aprendo le braccia.

Lasciò intendere così di che genere fosse il male della mogliettina, e accorse.

– Lei è un gran birbante! – gli diceva poco dopo Dora Barmis, facendogli gli occhiacci e stringendogli le braccia. – Lei si deve star quieto, ha capito? quieto!... Ora vada! vada! Ma non si dimentichi di venire da me, presto... Gliela farò io allora la ramanzina, mala carne!

E lo minacciò con la mano, mentr'egli, inchinandosi e sorridendo a tutti, vermiglio, confuso, felice, si ritraeva con la moglie e col Raceni dal terrazzo.

II. Scuola di grandezza

1.

Nello studiolo angusto, arredato di mobili, se non meschini, certo molto comuni, comperati di combinazione o a un tanto il mese, ma pur fornito già d'un tappeto nuovo fiammante e di due tende agli usci anch'esse nuove e d'una tal quale appariscenza, sembrava non ci fosse nessuno. Ma c'era lui, Ippolito Onorio Roncella: là, immobile come le tende, come quel tavolinetto innanzi al divanuccio, immobile come le due tozze scansie e le tre seggiole imbottite.

Guardava con occhi sonnolenti quegli oggetti e pensava che ormai poteva essere di legno anche lui. Sicuro. E tarlato bene.

Stava seduto presso la piccola scrivania, con le spalle volte contro l'unica finestretta quadra, che dava sul cortile e da cui entrava perciò ben poca luce, riparata come se fosse molta da una lieve cortina.

A un certo punto, tutto lo studiolo parve sussultasse. Niente. S'era mosso lui, Ippolito Onorio Roncella.

Per non guastare all'ampia bellissima barba grigia e ricciuta, lavata, pettinata, spruzzata di liquido odore, quel boffice ch'egli le dava ogni mattina palpeggiandola con la mano cava, si fece venir sul petto, con una mossa del collo, il fiocco del berretto da bersagliere che teneva sempre in capo, e si mise a lisciarlo pian piano. Come il bimbo la poppa della mamma o della bàlia, così egli, fumando, aveva bisogno di lisciar qualcosa e, non volendo la barba, si lisciava invece quel fiocco del berretto da bersagliere.

Nella quiete cupa del mattino cinereo, nel silenzio grave, ch'era come la tetra ombra del tempo, Ippolito Onorio Roncella sentiva quasi sospesa in una immobilità di triste e oscura e rassegnata aspettativa la vita di tutte le cose, prossime e lontane. E gli pareva che quel silenzio, quell'ombra del tempo, varcasse i limiti dell'ora presente e si profondasse a mano a mano nel passato, nella storia di Roma, nella storia più remota degli uomini, che avevano tanto faticato, tanto combattuto, sempre con la speranza di venire a capo di qualche cosa; e sissignori, a che erano riusciti? Ecco qua: a poter considerare come lui, che – a conti fatti – poteva anche valere quanto un'altra faccenda, stimata di grandissimo momento per l'umanità, questa di lisciare quietamente il fiocco d'un berretto da bersagliere.

– *Che si fa?*

Così domandava di tratto in tratto, con voce cornea e con un verso che accorava profondamente, un vecchio maledetto pappagallo nel silenzio del cortile: il pappagallo de la signora Ely Faciolli, che abitava lì accanto.

– Che si fa? – veniva d'ora in ora a domandare quella vecchia e sapiente signora alla stupidissima bestia.

E:

– *Che si fa?* – le rispondeva ogni volta il pappagallo; il quale poi, per conto suo, pareva ripetesse la domanda, quanto era lunga la giornata, a tutti gli inquilini della casa.

Ciascuno gli rispondeva a suo modo, sbuffando, secondo la qualità o il fastidio delle proprie faccende. Tutti, con poco garbo. Peggio di tutti gli rispondeva Ippolito Onorio Roncella, il quale non aveva più nulla da fare, messo da tre anni ormai a riposo, perché senza la minima intenzione d'offendere – (poteva giurarlo) – aveva dato di bestia a un suo superiore.

Per più di cinquant'anni egli aveva lavorato di testa. Bella testa, la sua. Piena zeppa di pensieri, l'uno più piacevole dell'altro. Basta ora, eh? Ora egli voleva attendere solamente ai tre regni della natura, rappresentati in lui dai capelli e dalla barba *(regno vegetale)*, dai denti *(regno minerale)*, e da tutte le altre parti della sua vecchia carcassa *(regno animale)*. Quest'ultimo e un po' anche i minerali gli s'erano guastati alquanto, per l'età; il regno vegetale invece gli dava ancora una bella soddisfazione; ragion per cui egli, che aveva fatto sempre ogni cosa con impegno e voleva che paresse, a chi come quel pappagallo gli domandava: – Signor Ippolito, che si fa? – additava la barba e rispondeva gravemente:

– Il giardiniere.

Sapeva d'avere una nemica acerrima entro di sé: l'animaccia ribelle, che non poteva tenersi di schizzare in faccia a tutti la verità come un cocomerello selvatico il suo sugo purgativo. Non per offendere, veh, ma per mettere le cose a posto.

– *Tu sei un asino; ti bollo; e non se ne parli più. – Questa è una sciocchezza; la bollo; e non se ne parli più.*

Amava le cose spicce, quella sua nemica. Un bollo, e lì. Meno male che, da qualche tempo, era riuscito ad addormentarla un poco, col veleno, fumando da mane a sera in quella pipa dalla canna lunghissima, mentre con la mano si lisciava il fiocco del berretto da bersagliere. A quando a quando, però, certi furiosi terribili assalti di tosse lo avvertivano che la nemica si ribellava all'intossicamento. Il signor Ippolito allora, strozzato, paonazzo in volto, con gli occhi schizzanti, tempestava coi pugni, coi piedi, si convelleva, lottava rabbiosamente per vincere, per domare la ribelle. Invano il medico gli diceva che l'anima non c'entrava, non aveva che vederci, e che quella tosse gli veniva dai bronchi attossicati, e che smettesse di fumare o non fumasse più tanto, se non voleva incorrere in qualche malanno.

– Caro signore, – gli rispondeva, – consideri la mia bilancia! In un piatto, tutti i pesi della vecchiaja; nell'altro ci ho soltanto la pipa. Se la levo, tracollo. Che mi resta? Che faccio più, se non fumo?

E seguitava a fumare.

Esonerato dell'ufficio, ch'egli aveva avuto, indegno di lui, al Provveditorato agli studii, per quel giudizio esplicito e spassionato sul suo capo, invece di ritirarsi a Taranto, sua città natale, dove, morto il fratello, non avrebbe trovato più nessuno della sua famiglia, era rimasto a Roma per ajutare con la non lauta pensione la nipote Silvia Roncella, venuta da circa tre mesi a Roma con lo sposo. Ma già n'era pentito, e come!

Non poteva soffrire specialmente quel suo nuovo nipote, Giustino Boggiolo; per tante ragioni, ma soprattutto perché gli dava afa. Afa, afa. Che è l'afa? Ristagno di luce in basso che snerva l'elasticità dell'aria. Bene. Quel suo nuovo nipote s'indugiava a far lume, il più affliggente lume, in tutte le bassure: parlava troppo, spiegava le cose più ovvie e più chiare, quelle più terra terra, come se le vedesse lui solo e gli altri senza il suo lume non le potessero vedere. Che smanie, che affanno, a sentirlo parlare! Il signor Ippolito dapprima soffiava due o tre volte pian piano, per non offenderlo; alla fine non ne poteva più e sbuffava, sbuffava e sbatteva anche le mani in aria per spegnere tutto quell'inutile lume e restituire l'elasticità all'aria respirabile.

Di Silvia sapeva che, fin da ragazza, aveva il viziaccio di scribacchiare; che aveva stampato quattro, cinque libri, forse più; ma non s'aspettava davvero che dovesse arrivargli a Roma letterata già famosa. Uh, il giorno avanti, le avevano offerto finanche un banchetto tant'altri pazzi scribacchiatori come

lei... Non era però cattiva, in fondo, Silvia, no; anzi non pareva per nulla, poverina, che avesse quella specie di bacamento cerebrale. Aveva, aveva ingegnaccio veramente, quella donnetta lì; e in tante e tante cose collegava, collegava bene con lui. Sfido! lo stesso sangue... la stessa macchinetta cavapensieri,
tipo Roncella!

Il signor Ippolito socchiuse gli occhi e tentennò il capo, pian piano, per non
guastarsi la barba.

Aveva fatto studii particolari, lui, su quella macchinetta infernale, specie di
pompa a filtro che metteva in comunicazione il cervello col cuore e cavava
idee dai sentimenti, o, com'egli diceva, l'estratto concentrato, il sublimato
corrosivo delle deduzioni logiche.

Pompatori e filtratori famosi, i Roncella, tutti quanti, da tempo immemora-
bile!

Ma a nessuno finora, per dir la verità, era mai venuto in mente di mettersi a
spacciar veleno per professione, come ora pareva volesse fare quella ragazza,
quella santa figliuola: Silvia.

Il signor Ippolito non poteva soffrire le donne che portano gli occhiali, camminano come soldati, oggi impiegate alla posta, telegrafiste, telefoniste, e
aspiranti all'elettorato e alla toga; domani, chi sa? alla deputazione e magari al
comando dell'esercito.

Avrebbe voluto che Giustino impedisse alla moglie di scrivere, o, non potendo impedirglielo (ché Silvia veramente non gli pareva tipino da lasciarsi in
questo imporre dal marito), che non la incoraggiasse almeno, santo Dio! Incoraggiarla? Altro che incoraggiarla! Le stava appresso dalla mattina alla sera, a
incitarla, a spingerla, a fomentare in tutti i modi in lei quella passionaccia maledetta. Invece di domandarle se avesse rassettato la casa, sorvegliato la serva
nella pulizia o in cucina, o se magari si fosse fatta una bella passeggiata a
Villa Borghese; le domandava se e che cosa avesse scritto durante la giornata,
mentr'egli era all'ufficio, quante cartelle, quante righe, quante parole... Sicuro!
Perché contava finanche le parole che la moglie sgorbiava, come se poi dovesse spedirle per telegrafo. Ed ecco là: aveva comperato di seconda mano
una macchina da scrivere e ogni sera, dopo cena, stava fino a mezzanotte, fino
al tocco, a sonar quel pianofortino lì, lui, per aver bell'e pronto, ricopiato a
stampa, il *materiale*, – com'egli lo chiamava – da mandare ai giornali, alle
rassegne, agli editori, ai traduttori, coi quali era in attivissima corrispondenza.
Ed ecco là lo scaffale coi palchetti a casellario, i registri a repertorio, i copia-
lettere... Computisteria in piena regola, inappuntabile! Perché cominciava
a smerciarsi il veleno, eh altro! anche fuori, all'estero... Gusti! Non si smercia
il tabacco? E le parole che sono? Fumo. E che cos'è il fumo? Nicotina, veleno.

Sentiva finirsi lo stomaco il signor Ippolito, assistendo a quella vita di famiglia. Abbozzava, abbozzava da tre mesi; ma già prevedeva non lontano il
giorno che non avrebbe potuto più reggere e avrebbe detto il fatto suo in faccia a quel figliuolo, non per offenderlo, veh, ma per mettere le cose a posto,
secondo il solito suo. Un bollo, e lì. Poi, magari, se ne sarebbe andato a viver
solo.

– Permesso? – domandò in quel punto dietro l'uscio una vocetta dolce dolce
di donna, che il signor Ippolito riconobbe subito per quella de la vecchia signora Faciolli, padrona del pappagallo e della casa (o «la Longobarda»,
com'egli la chiamava.)

– S'accomodi, s'accomodi, – brontolò, senza scomporsi.

2.

Era quella stessa vecchia signora, che aveva accompagnato Silvia al banchetto il giorno avanti. Veniva ogni mattina, dalle otto alle nove, a dar lezione di lingua inglese a Giustino Boggiolo.

Gratis, beninteso, quelle lezioni; come gratis la signora Ely Faciolli, proprietaria della casa, accordava al suo caro inquilino Boggiolo l'uso del proprio salotto sempre che n'avesse bisogno per qualche ricevimento letterario.

Bacata anche lei, la vecchia signora, non tanto del verme solitario della letteratura, quanto del tarlo della storia e della tignuola dell'erudizione, stava attorno premurosa a Giustino Boggiolo e gli faceva continue e pressanti esibizioni di tant'altri servizii, avendole Giustino lasciato intravveder da lontano il miraggio d'un editore e fors'anche d'un traduttore (tedesco, s'intende) per la voluminosa opera inedita: *Dell'ultima dinastia Longobarda e dell'origine del potere temporale dei Papi* (con documenti inediti), nella quale ella aveva chiaramente dimostrato come qualmente l'infelice famiglia degli ultimi re longobardi non fosse finita del tutto con la prigionia di Desiderio né con l'esilio di Adelchi a Costantinopoli; ma che anzi, ritornata in Italia e rimpiattata sotto mentito nome in un angolo di questa classica terra (l'Italia), a salvaguardarsi dall'ira dei Carolingi e dei Papi, fosse durata ancora per molto e molto tempo.

La madre della signora Ely era stata inglese, e si vedeva ancora dal color biondo del parrucchino tutto arricciolato che teneva su la fronte la figliuola. La quale era rimasta nubile per aver fatto con l'occhialino analisi troppo sottili in gioventù, per aver troppo badato cioè al naso un tantino storto, alle mani un pochino grosse di questo o di quel pretendente. Pentita, troppo tardi, di tanta schifiltà, ella era adesso tutta miele per gli uomini. Ma non pericolosa. Portava sì quel parrucchino su la fronte e si rafforzava un po' col lapis le ciglia, ma solo per non spaventar troppo lo specchio e indurlo a un mesto sorriso di compatimento. Le bastava.

– Ben levato, buon giorno, signor Ippolito, – diss'ella entrando con molti inchini e spremendo dagli occhi e dal bocchino un sorriso, di cui avrebbe potuto anche fare a meno, poiché il Roncella aveva abbassato gravemente le pàlpebre per non vederla.

– Bene a lei, signora, – rispose egli. – Tengo in capo, al solito, e non mi alzo, eh? Lei è di casa...

– Ma sì, grazie... stia comodo, per carità! – s'affrettò a dire la signora Ely, protendendo le mani piene di giornali. – È forse ancora a letto il signor Boggiolo? Ero venuta di furia perché ho letto qua... oh se sapesse quante, quante belle cose dicono i giornali della festa di jeri, signor Ippolito! Riportano il magnifico brindisi del senatore Borghi! Annunziano con augurii caldissimi il dramma della signora Silvia! Chi sa quanto dev'essere contento il signor Giustino!

– Piove, no?

– Come dice?

– Non piove?... Mi pareva che piovesse, – brontolò, volgendosi verso la finestra, il signor Ippolito.

La signora Ely conosceva il vizio del signor Ippolito di dare quelle brusche giratine al discorso; pur non di meno, questa volta, restò un po' confusetta; poi, raccapezzatasi, rispose frettolosamente:

– No, no; ma sa? starà poco forse... È nuvolo. Tanto bello jeri, e oggi... Ah jeri, jeri, una giornata che mai più... Una giornata... Come dice?

– Doni, – gridò il signor Ippolito, – doni, dico, del Padreterno, signora mia, messo di buon umore dall'allegria degli uomini. Come vanno, come vanno codeste lezioni d'inglese?

– Ah, benissimo! – esclamò la vecchia signora. – Dimostra un'attitudine, il signor Boggiolo, a imparare le lingue, un'attitudine che mai più... Già il francese, proprio bene; l'inglese, fra quattro o cinque mesi (oh, anche prima!) lo parlerà discretamente. Attaccheremo poi subito col tedesco.

– Pure il tedesco?

– Eh sì... non potrebbe farne a meno! Serve, serve tanto, sa?

– Pei Longobardi?

– Lei scherza sempre coi miei Longobardi, cattivo! – disse la signora Ely, minacciandolo graziosamente con un dito. – Gli serve per veder chiaro nei contratti, per sapere a chi affida le traduzioni e poi per rendersi conto del movimento letterario, per leggere gli articoli, le critiche dei giornali...

– Ma Adelchi, Adelchi, – muggì il signor Ippolito. – Questa faccenda d'Adelchi come va? è proprio vera?

– Vera? Ma se c'è la lapide, non gliel'ho detto? scoperta da me nella chiesetta di S. Eustachio a Catino presso Farfa, per una fortunata combinazione, circa sette mesi fa, mentre vi ero in villeggiatura. Creda pure, signor Ippolito, che re Adelchi non morì in Calabria come dice il Gregorovius.

– Morì nel catino?

– A Catino, già! Documento inconfutabile. *Loparius*, dice la lapide, *Loparius et judex Hubertus*...

– Oh, ecco qua Giustino! – interruppe il signor Ippolito, fregandosi le mani. – Lo riconosco al passo.

E tirò in gran fretta cinque o sei boccate grosse di fumo.

Sapeva che suo nipote non poteva soffrire ch'egli se ne stésse lì nello scrittojo. Veramente, aveva la sua camera, ch'era la migliore dell'appartamento, dove nessuno lo avrebbe disturbato. Ma a lui piaceva tanto starsene lì, a riempire di fumo quello sgabuzzino.

(«Nubifico l'Olimpo!», sghignava tra sé.)

Boggiolo non fumava; e, ogni mattina, aprendo l'uscio, chiudeva gli occhi, lì su la soglia, e cacciava il fumo con le mani e sbuffava e si faceva venir la tosse... Il signor Ippolito non se ne dava per inteso, anzi tirava il fumo dalla pipa a più grosse boccate, come aveva fatto or ora, e lo depositava denso nell'aria, senza soffiarlo.

Non tanto quel fumo, però, non poteva soffrire Giustino Boggiolo, quanto il modo con cui lo zio lo guardava. Gli pareva quasi un vischio quello sguardo che gli impacciasse non solo tutti i movimenti, ma anche i pensieri. Ed egli aveva tanto da fare, lì dentro, nelle poche ore che l'ufficio gli lasciava libere! Intanto, la lezione d'inglese doveva farsela dare nella saletta da pranzo, come se non avesse studiolo.

Quella mattina però egli aveva da dire qualche cosa in segreto alla signora Faciolli e nella saletta da pranzo, ch'era presso alla camera, dove Silvia si tratteneva fino a tardi, non avrebbe potuto. Si fece animo dunque e, dato il buon giorno allo zio con un insolito sorriso, lo pregò d'aver la bontà di lasciarlo solo, lì con la signora Ely, almeno per un momentino.

Il signor Ippolito aggrottò le ciglia.

– Che hai in mano? – gli domandò.

– Mollica di pane, – rispose Giustino, aprendo la mano. – Perché? Mi serve per la cravatta.

Si tolse la cravatta, di quelle a nodo fatto, e accennò di stropicciarvi sù la mollica.

Il signor Ippolito approvò col capo; si alzò e parve lì lì per dire qualche altra cosa; ma si trattenne. Reclinò indietro il capo e, schizzando il fumo prima da un angolo e poi dall'altro della bocca e facendo dondolare il fiocco del berretto, se ne andò.

Per prima cosa Giustino andò a spalancare la finestra, stronfiando, e buttò fuori con rabbia la mollica.

– Ha veduto i giornali? – gli domandò subito, spiccando due passettini, vispa e contenta come una passeretta, la signora Faciolli.

– Sissignora, li ho di là, – rispose, imbronciato, Giustino. – Li aveva portati anche lei? Grazie. Eh, devo comperarne ancora tanti... Bisognerà mandarne via parecchi. Ma ha visto che razza di pasticci... che pasticcioni questi giornalisti?

– Mi pareva che... – arrischiò la signora Ely.

– Ma nossignora, scusi! – la interruppe il Boggiolo. – Quando le cose non si sanno, o non si dicono oppure, se si vogliono dire, si domanda prima a chi le sa, come stanno e come non stanno. Non fossi stato là! Ero là, perbacconaccio, pronto a dare tutte le spiegazioni, tutti gli schiarimenti... Che c'entrava cavarsi dalla manica certe storie? Il *Lifield* qua... no, dov'è? su la *Tribuna*... diventato un editore tedesco! E poi, guardi: *Delosche*... qua, *Deloche* invece di Desroches. Mi dispiace, ecco... mi dispiace. Devo mandare i giornali anche a lui, in Francia, e...

– Come sta, come sta la signora Silvia? – domandò la Faciolli, per non insistere su quel tasto che sonava male.

Sonò peggio quest'altro.

– Mi lasci stare! – sbuffò Giustino, dando una spallata, e buttò su la scrivania i giornali. – Cattiva nottata.

– Forse l'emozione... – si provò a spiegar quella.

– Ma che emozione! – scattò irritato il Boggiolo. – Quella... emozioni? Quella è una benedetta donna, che non la smuove neanche il Padreterno. Tanta gente convenuta là per lei, il fior fiore, no? il Gueli, il Borghi... crede che le abbia fatto piacere? Ma nemmen per sogno! Già, ho dovuto trascinarla per forza, ha visto? E le giuro su l'anima mia, signora, che questo banchetto è venuto da sé, cioè in mente al Raceni, a lui soltanto: io non ci sono entrato né punto né poco. Dopo tutto, mi pare che sia riuscito bene...

– Benissimo! come no? – approvò subito la signora Ely. – Una festa che mai più!

– Beh, a sentir lei, – fece Giustino, alzando le spalle, – dice e sostiene che ha fatto una pessima figura...

– Chi? – gridò la Faciolli, battendo le mani. – La signora Silvia? Oh santo cielo!

– Già! Ma lo dice ridendo, sa? – seguitò il Boggiolo. – Che non glien'importa nulla, dice. Ora, si deve o non si deve stare in mezzo? Io faccio, io faccio... ma pure lei dovrebbe ajutarmi. Mica scrivo io; scrive lei. Se la cosa va, perché non dobbiamo fare in modo che vada il meglio possibile?

– Ma sicuro! – approvò di nuovo, convintissima, la signora Ely.

– Quel che dico io, – riprese Giustino. – Avrà, sì, ingegno, Silvia; saprà magari scrivere; ma certe cose, creda pure, non le capisce. E non parlo d'inesperienza, badi. Due volumi, buttati via così, prima di sposar me, senza contratto... Una cosa incredibile! Appena posso, farò di tutto per riscattarli, quantunque pei libri, sa? ormai non mi faccio più tante illusioni. Sì, il romanzo va; ma non siamo in Inghilterra e neppure in Francia. Ora ha fatto il dramma; s'è lasciata persuadere, e l'ha fatto subito, bisogna dirlo, in due mesi. Io non me ne intendo... L'ha letto il senatore Borghi e dice che... sì, non saprebbe prevedere l'esito, perché è una cosa... non so com'ha detto... classica, mi pare... sì, classica e nuova. Ora, dico, se l'imbrocchiamo, se riusciamo bene a teatro, capirà, signora mia, può esser la nostra fortuna.

– Eh altro! eh altro! – esclamò la signora Ely.

– Ma dobbiamo prepararci, – soggiunse con stizza Giustino, giungendo le
mani. – C'è aspettativa, curiosità... Ora s'è tenuto questo banchetto. Io ho potuto vedere che è piaciuta.

– Moltissimo! – appoggiò la Faciolli.

– Guardi, – seguitò Giustino. – L'ha invitata la marchesa Lampugnani, che
ho sentito dire è fra le prime signore; l'ha invitata anche quell'altra, che ha
pure un salotto ricercatissimo... come si chiama? la Bornè-Laturzi... Bisogna
andare, non è vero? Mostrarsi... Ci vanno tanti giornalisti, critici drammatici...
Bisognerà che lei li veda, parli, si faccia conoscere, apprezzare... Ebbene, chi
sa quanto mi farà penare per indurla!

– Forse perché, – arrischiò, impacciata, la signora Ely, – forse perché si
trova in... in uno stato?

– Ma no! – negò subito Giustino Boggiolo. – Ancora per due o tre mesi non
parrà, potrà presentarsi benissimo! Io le ho detto che le farò un bell'abito...
Anzi, ecco, volevo dirle appunto questo, signora Ely; se lei mi sapesse indicare una buona sarta, che non avesse però troppe pretensioni, troppi fumi...
ecco, perché... aspetti, scusi; e se poi mi volesse ajutare nella scelta di quest'abito e... e anche, sì, a persuadere Silvia che, santo cielo, si lasci guidare e
faccia quello che deve! Il dramma andrà in iscena verso la metà di ottobre.

– Ah, così tardi?

– Tardi; ma quest'indugio in fondo non mi dispiace, sa? Il terreno non è ancora ben preparato; conosco pochi; e poi la stagione, fra qualche settimana
non sarebbe più propizia. Il vero chiodo però è Silvia, è Silvia ancora così impacciata. Abbiamo circa sei mesi innanzi a noi, per provvedere e rimediare a
tutte queste cose e ad altre ancora. Ecco, io vorrei concertare un programmino.
Per me, non ce ne sarebbe bisogno, ma per Silvia... Mi fa stizza, creda, che il
maggiore ostacolo debba trovarlo proprio in lei. Non che si ribelli ai consigli;
ma non vuole sforzarsi per nulla a investirsi bene della sua parte, ecco, a far
quella figura che dovrebbe, a vincere insomma la propria indole...

– Schiva... già!

– Come dice?

– È troppo schiva, dicevo.

– Schiva?... si dice così? Non lo sapevo. Le mancano le maniere, ecco.
Schiva, sì, la parola mi capàcita. Un po' di scuola, creda, le è necessaria,
come il pane. Io mi sono accorto che... non so... c'è come una... una intesa tra
tanti che... non so... si riconoscono all'aria... basta pronunziare un nome, il
nome... aspetti, com'è?... di quel poeta inglese di piazza di Spagna, morto
giovine...

– Keats! Keats! – gridò la signora Ely.

– Chizzi, già... questo! Appena dicono *Chizzi*... niente, hanno detto tutto, si
sono capiti. Oppure dicono... non so... il nome di un pittore forestiere... Sono
così... quattro, cinque nomi di questi che li collegano, e non hanno neanche
bisogno di parlare... un sorriso... uno sguardo... e fanno una figurona! una figurona! Lei che è tanto dotta, signora Ely, mi dovrebbe far questo piacere,
ajutarmi, ajutare un po' Silvia.

E come no? promise, felicissima, la signora Ely che avrebbe fatto di tutto e
del suo meglio. Aveva la sarta, intanto, e per l'abito – un bell'abito nero, di
drappo lucido, no? – bisognava farlo in modo che man mano...

– Naturalmente!

– Sì, si possa, insomma...

– Naturalmente, fra tre... quattro mesi... eh! Vuole che andiamo domani, insieme, a comperarlo?

Stabilito questo, Giustino trasse dal cassetto della scrivania alcuni *albums* e
li mostrò, sbuffando:

– Guardi, quattro, oggi!

Un affar serio, quegli *albums*. Ne piovevano da tutte le parti alla moglie. Ammiratrici, ammiratori che, direttamente o per mezzo del Raceni, o per mezzo anche del senatore Borghi, chiedevano un pensiero, un motto o la semplice apposizione della firma.

A dar retta a tutti, Silvia avrebbe perduto chi sa quanto tempo. È vero che, per ora, non s'affannava troppo, anche in considerazione dello stato in cui si trovava; ma a qualche lavorino leggero leggero tuttavia attendeva, per non stare in ozio del tutto e rispondere alle richieste minute di questo o di quel giornale.

La seccatura di quegli *albums* se l'era perciò accollata lui, Giustino Boggiolo: vi scriveva lui i pensieri invece della moglie. Non se ne sarebbe accorto nessuno, perché egli sapeva imitare appuntino la scrittura e la firma di Silvia. I pensieri li traeva dai libri di lei già stampati; anzi, per non star lì ogni volta a sfogliare e a cercare, se n'era ricopiati una filza in un quadernetto, e qua e là ne aveva anche inserito qualcuno suo; sì, qualche pensiero suo, che poteva passare, via, tra tanti... In quelli della moglie s'era arrischiato di far nascostamente, alle volte, qualche lieve correzioncina ortografica. Leggendo nei giornali gli articoli di scrittori raffinati (come, per esempio, il Betti, che aveva trovato tanto da ridire sulla prosa di Silvia) s'era accorto che costoro scrivevano – chi sa perché – con lettera majuscola certe parole. Ebbene, anche lui, ogni qual volta nei pensieri di Silvia ne trovava qualcuna majuscolabile, come *vita, morte*, ecc.: là, una bella *V*, una magnifica *M*! Se si poteva fare con così poca spesa una miglior figura...

Scartabellò nel quadernetto e, con l'ajuto della signora Ely, scelse quattro pensieri.

– Questo... Senta questo! «*Si dice sempre: Fa' quel che devi! Ma il Dovere intimo nostro si esplica spesso su tanti attorno a noi. Ciò che è Dovere per noi, può essere di danno agli altri. Fa' dunque quel che devi; ma sappi anche quello che fai.*»

– Stupendo! – esclamò la signora Ely.

– È mio, – disse Giustino.

E lo trascrisse, sotto la dettatura della signora Ely, in uno di quegli *albums*. «Dovere» con lettera majuscola, due volte. Si stropicciò le mani; poi guardò l'orologio: ih, tra venti minuti doveva trovarsi all'ufficio! *Lectio brevis*, quella mattina.

Sedettero, maestra e scolaro, innanzi alla scrivania.

– Perché faccio tutto questo io? – sospirò Giustino. – Me lo dica Lei...

Aprì la grammatica inglese e la porse alla signora Ely.

– Forma negativa, – prese poi a recitare con gli occhi chiusi. – Present Tense: *I do not go*, io non vado; *thou dost not go*, tu non vai; *he does not go*, egli non va...

3.

Così cominciò per Silvia Roncella la scuola di grandezza: maestro in capo, il marito; supplente coadiutrice, Ely Faciolli.

Vi si sottomise con ammirevole rassegnazione.

Ella aveva sempre rifuggito dal guardarsi dentro, nell'anima. Qualche rara volta che ci s'era provata per un istante, aveva avuto quasi paura d'impazzire.

Entrare in sé voleva dire per lei spogliar l'anima di tutte le finzioni abituali e veder la vita in una nudità arida, spaventevole. Come vedere quella cara e buona signora Ely Faciolli senza più il parrucchino biondo, senza cipria e nuda. Dio, no, povera signora Ely!

Ed era poi quella la verità? No, neppur quella. La verità: uno specchio che per sé non vede, e in cui ciascuno mira sé stesso, com'egli però si crede, qual'egli s'immagina che sia.

Orbene, ella aveva orrore di quello specchio, dove l'immagine della propria anima, nuda d'ogni finzione necessaria, per forza doveva anche apparirle priva d'ogni lume di ragione.

Quante volte, nell'insonnia, mentre il marito e maestro le dormiva placido accanto, ella non s'era veduta assaltare nel silenzio da uno strano terrore improvviso, che le mozzava il respiro e le faceva battere in tumulto il cuore! Lucidissimamente allora la compagine dell'esistenza quotidiana, sospesa nella notte e nel vuoto della sua anima, priva di senso, priva di scopo, le si squarciava per lasciarle intravedere in un attimo una realtà ben diversa, orrida nella sua crudezza impassibile e misteriosa, in cui tutte le fittizie relazioni consuete di sentimenti e d'immagini si scindevano, si disgregavano.

In quell'attimo terribile ella si sentiva morire, provava proprio tutto l'orrore della morte e con uno sforzo supremo cercava di riacquistare la coscienza normale delle cose, di riconnettere le idee, di risentirsi viva. Ma a quella coscienza normale, a quelle idee riconnesse, a quel sentimento solito della vita non poteva più prestar fede, poiché sapeva ormai ch'erano un inganno per vivere e che sotto c'era qualcos'altro, a cui l'uomo non può affacciarsi, se non a costo di morire o d'impazzire.

Per giorni e giorni, tutto le appariva cambiato; nessuna cosa più le stimolava un desiderio; non vedeva anzi più nulla ne la vita di desiderabile; il tempo le s'affacciava davanti vôto, cupo e greve e tutte le cose in esso, come attonite, in attesa del deperimento e della morte.

Le avveniva spesso, meditando, di fissare lo sguardo sopra un oggetto qualunque e rilevarne minutamente le varie particolarità, come se quell'oggetto l'interessasse. La sua osservazione, dapprima, era quasi macchinale: gli occhi del corpo si fissavano e si riconcentravano in quel solo oggetto, quasi per allontanare ogn'altra causa di distrazione, e ajutar così quelli de la mente nella meditazione. Ma, a poco a poco, quell'oggetto le s'imponeva stranamente; cominciava a vivere per sé, come se a un tratto esso acquistasse coscienza di tutte le particolarità scoperte da lei, e si staccava da ogni relazione con lei stessa e con gli altri oggetti intorno.

Per paura d'esser di nuovo assaltata da quella realtà diversa, orribile, che viveva oltre la vista consueta, quasi fuori delle forme dell'umana ragione, forse senz'alcun sospetto dell'inganno umano o con una derisoria commiserazione di esso, ella stornava subito lo sguardo; ma non sapeva più posarlo sopra alcun altro oggetto; sentiva orrore della vista; le pareva che gli occhi suoi trapanassero tutto; li chiudeva e si cercava in cuore angosciosamente un ajuto qualunque per ricomporsi la finzione squarciata. Il cuore però, in quello strano sgomento, le si inaridiva. Non già per la macchinetta di cui parlava lo zio Ippolito! Ella non riusciva a cavar nessuna idea da quel sentimento oscuro e profondo: non sapeva riflettere, o piuttosto, se l'era sempre vietato.

Da ragazza aveva assistito a scene penose tra il padre e la madre, ch'era stata una santa donna tutta dedita alle pratiche religiose. Ricordava l'espressione della madre nello stringersi al cuore la crocetta del rosario quando il marito la derideva per la sua fede in Dio e per le sue lunghe preghiere, la contrazione di spasimo di tutto il volto, quasi che, serrando così gli occhi, ella potesse anche non udire quelle bestemmie del marito. Povera mamma! E con quale affanno e con qual pianto tendeva, subito dopo, le braccia a lei, piccina, e se la stringeva al seno e le turava le orecchie; e poi, appena il padre voltava le spalle, la faceva inginocchiare e le faceva ripetere con le manine giunte una preghiera a Dio, che perdonasse a quell'uomo il quale, se era tanto onesto e buono, era pur segno che Lo aveva in cuore, e intanto, ecco, non Lo voleva riconoscer fuori! Sì, erano queste le parole della mamma. Quante volte, dopo la morte di lei, non se le era ripetute! Aver Dio in cuore e non volerlo riconoscere fuori. Ella, con la madre, da piccina, andava sempre in chiesa; aveva seguitato ad andarci sola, rimasta orfana, tutte le domeniche; ma non avveniva forse a lei, in fondo, quello stesso che avveniva al padre? Riconosceva ella veramente Dio, fuori? Seguiva esternamente, come tanti altri, le pratiche del culto. Ma che aveva dentro? Come il padre, un sentimento oscuro e profondo, uno sgomento, quello stesso che entrambi si erano scorti l'uno negli occhi dell'altra, allorché tra loro due, sul letto, era spirata la madre. Ora, credere ad esso, sì, per forza, se ella lo provava; ma non era forse Dio una suprema finzione creata da questo sentimento oscuro e profondo per tranquillarsi? Tutto, tutto quanto era un apparato di finzioni che non si doveva squarciare, a cui bisognava credere, non per ipocrisia, ma per necessità, se non si voleva morire o impazzire. Ma come credere, se si sapevano finzioni? Ahimè, senza un fine, che senso aveva la vita? Le bestie vivevano per vivere, e gli uomini non potevano e non sapevano; per forza gli uomini dovevan vivere, non per vivere, ma per qualche cosa fittizia, illusoria che désse senso e valore alla loro vita.

Laggiù a Taranto l'aspetto delle cose ordinarie, consuete a lei fin dalla nascita e divenute parte della sua vita quotidiana quasi incosciente, non le avevano mai inquietato troppo lo spirito, quantunque ella avesse scoperto in esse tante meraviglie nascoste agli altri, ombre e luci di cui gli altri non si erano mai accorti. Avrebbe voluto rimanere laggiù presso al suo mare, nella casa ov'era nata e cresciuta, dove si vedeva ancora, ma con l'impressione strana che fosse un'altra, quella là, sì, un'altra *se stessa* ch'ella stentava a riconoscere. Le pareva di vedersi proprio, così da lontano, con occhi d'altri, e che si scorgesse... non sapeva dir come... diversa... curiosa... E quella là scriveva? aveva potuto scrivere tante cose? come? perché? chi gliel'aveva insegnate? donde le erano potute venire in mente? Pochi libri aveva letti, e in nessuno aveva mai trovato un tratto, un atteggiamento che avesse una somiglianza anche lontanissima con tutto ciò che veniva a lei di scrivere spontaneamente, così, all'improvviso. Forse non si dovevano scrivere tali cose? Era un errore scriverle a quel modo? Ella, o piuttosto, quella là non lo sapeva. Non avrebbe mai pensato a stamparle, se il padre non gliele avesse scoperte e strappate dalle mani. Ne aveva avuto vergogna, la prima volta, una gran paura di sembrare strana, quando era tale, per nulla: sapeva fare tutte le altre cose tanto per benino, lei: cucinare, cucire, badare alla casa; e parlava così assennata, poi... – oh, come tutte le altre fanciulle del paese... C'era però qualcosa dentro di lei, uno spiritello pazzo, che non pareva, perché lei stessa non voleva ascoltarne la voce né seguirne le monellerie, se non in qualche momento d'ozio, durante il giorno, o la sera, prima d'andare a letto.

Più che soddisfazione, nel vedere accolto favorevolmente e lodato con molto calore il suo primo libro, ella aveva provato una gran confusione, un'ambascia, una costernazione smaniosa. Avrebbe saputo più scrivere, ora, come prima? non più per sé soltanto? Il pensiero della lode le si affacciava, e la turbava; si poneva tra lei e le cose che voleva descrivere o rappresentare. Non aveva toccato più la penna, per circa un anno. Poi... oh come aveva ritrovato cresciuto, ingrandito quel suo demonietto, e com'egli era divenuto cattivo, malizioso, scontento... Un demoniaccio s'era fatto, che le faceva quasi quasi paura, perché voleva parlar forte, ora, quando non doveva, e rider di certe cose che ella, come gli altri, nella pratica della vita, avrebbe voluto stimar serie. Era cominciato il combattimento interno, da allora. Poi s'era presentato Giustino...

Ella vedeva bene che il marito non la comprendeva, o meglio, non comprendeva di lei quella parte ch'ella stessa, per non apparir singolare dalle altre, voleva tener nascosta in sé e infrenata, che ella stessa non voleva né indagare né penetrare fino in fondo. Se un giorno questa parte avesse preso in lei il sopravvento, dove la avrebbe trascinata? Dapprima, quando Giustino, pur senza

comprendere, s'era messo a spingerla, a forzarla al lavoro, allettato dagli insperati guadagni, ella, sì, aveva provato un vivo compiacimento, ma più per
lui, quasi, che per sé. Avrebbe voluto, però, che egli si fosse arrestato lì e, sopratutto, che – dopo il molto rumore che s'era fatto attorno al romanzo *La
casa dei nani* – non avesse tanto brigato e tempestato per venire a Roma.

Lasciando Taranto, aveva avuto l'impressione che si sarebbe smarrita, e che
per assumer coscienza di sé in un'altra vita, e così vasta, avrebbe dovuto fare
un violentissimo sforzo. E come si sarebbe ritrovata? Ella non si conosceva
ancora, e non voleva conoscersi. Avrebbe dovuto parlare, mostrarsi... e che
dire? Era proprio ignara di tutto. Quel che di volutamente angusto, di primitivo, di casalingo era in lei s'era ribellato, massime quando i primi segni della
maternità le si erano manifestati. Quanto aveva sofferto durante quel banchetto, esposta lì, come a una fiera! S'era veduta quale un automa mal congegnato, a cui si fosse sforzata la carica. Per paura che questa scattasse da un
momento all'altro, s'era tenuta s'era tenuta; ma poi il pensiero che dentro a
questo automa si maturava il germe d'una vita, di cui ella avrebbe avuto tra
breve la responsabilità tremenda, le aveva dato acute fitte di rimorso e reso
addirittura insopportabile lo spettacolo di tanta insulsa e sciocca vanità.

Passato lo sbalordimento, passata la confusione dei primi giorni, s'era messa
a girare per Roma in compagnia dello zio Ippolito. Che bei discorsi avevano
fatto insieme! Che gustose spiegazioni le aveva dato lo zio! Era stato un gran
conforto per lei il trovarlo a Roma, l'averlo con sé.

Bastava soltanto proferire questo nome – Roma – perché tanti e tanti si sentissero obbligati all'ammirazione, all'entusiasmo. Sì, aveva ammirato anche
lei; ma con senso d'infinita tristezza: aveva ammirato le ville solitarie, vegliate dai cipressi; gli orti silenziosi del Celio e dell'Aventino, la tragica solennità delle rovine e di certe vie antiche come l'Appia, la chiara freschezza
del Tevere... Poco la seduceva tutto ciò che gli uomini avevano fatto e detto
per fabbricare innanzi ai loro stessi occhi la propria grandezza. E Roma... sì,
una prigione un po' più grande, dove i prigionieri apparivano un po' più piccoli e tanto più goffi, quanto più gonfiavan la voce e si sbracciavano a far più
larghi gesti.

Ella cercava ancora rifugio nelle più umili occupazioni, si appigliava alle
cose più modeste e più semplici, quasi elementari. Sapeva di non poter dire
quel che voleva, quel che pensava, perché la sua stessa volontà, il suo stesso
pensiero, tante volte, non avevano più senso neanche per lei, se vi rifletteva
un poco.

Per non veder Giustino imbronciato, si forzava a tenersi su, a darsi una cer-
t'aria, un certo tono. Leggeva, leggeva molto; ma fra tanti libri, soltanto quelli
del Gueli erano riusciti a interessarla profondamente. Ecco un uomo che doveva aver dentro un demonio simile al suo, ma molto più dotto!

Non bastava la lettura a Giustino; voleva inoltre che ella si assuefacesse a
parlar francese e ne acquistasse pratica con la signora Ely Faciolli, che conosceva tutte le lingue, e da costei si facesse accompagnare nei musei e nelle
gallerie d'arte antica e moderna per saperne parlare all'occorrenza; e di più
voleva che si prendesse cura della persona, che s'acconciasse un po' meglio,
via!

Le veniva da ridere, certe volte, innanzi allo specchio. Si sentiva come tenuta
dal suo sguardo stesso. Oh perché proprio doveva esser così, lei, con quella
faccia? con quel corpo? Alzava una mano, nell'incoscienza; e il gesto le restava sospeso. Le pareva strano che l'avesse fatto lei. *Si vedeva vivere.* Con
quel gesto sospeso si assomigliava allora a una statua d'antico oratore (non
sapeva chi fosse) veduta in una nicchia, salendo un giorno da via Dataria per
la scalinata del Quirinale. Quell'oratore, con un rotolo in una mano e l'altra
mano tesa a un sobrio gesto, pareva afflitto e meravigliato d'esser rimasto lì,

di pietra, per tanti secoli, sospeso in quell'atteggiamento dinanzi a tanta e
tanta gente ch'era salita e sarebbe salita e saliva per quella scalinata. Che impressione strana le aveva fatto! Era a Roma da pochi giorni. Un meriggio di
febbrajo. Il sole, pallido, su i grigi umidi selci della piazza del Quirinale, deserta. C'erano soltanto il soldato di sentinella e un carabiniere su la soglia del
Palazzo Reale. (Forse a quell'ora il re sbadigliava nella reggia.) Sotto l'obeli-
sco, tra i grandi cavalli impennati, l'acqua della fontana scrosciava; ed ella,
come se quel silenzio attorno fosse diventato subito lontananza, aveva avuto
l'impressione del fragorìo incessante del suo mare. S'era voltata: su la cordo-
nata del Palazzo aveva veduto un vispo passero che molleggiava su i selci,
scotendo la testina. Sentiva forse anch'esso un vuoto strano in quel silenzio e
come un misterioso arresto del tempo e della vita, e se ne voleva accertare,
spiando impaurito?

Ella conosceva bene quest'improvviso e per fortuna momentaneo sprofondarsi del silenzio negli abissi del mistero. Gliene durava a lungo, però, l'impressione d'orrida vertigine, con cui contrastava la stabilità, ma così vana,
delle cose: ambiziose e pur misere apparenze. La vita che s'aggirava, piccola,
solita, fra queste, le pareva poi che non fosse per davvero, che fosse quasi una
fantasmagoria meccanica. Come darle importanza? come portarle rispetto?
quel rispetto, quell'importanza che voleva Giustino?

Eppure, dovendo vivere... Ma sì, ella riconosceva che, in fondo, aveva ragione lui, il marito, e torto lei a esser così. Bisognava fare, ormai, a modo di
lui. E si proponeva di contentarlo in tutto e di lasciarsi guidare, vincendo il fastidio e facendosi anche vedere ben disposta, per non risponder male a quanto
egli aveva fatto e faceva per lei.

Povero Giustino! Così economo e misurato, ecco, non badava più neanche a
spese per farla comparire... Che bell'abito le aveva comperato e fatto allestire
di nascosto! E ora si doveva andare per forza, proprio per forza, in casa della
marchesa Lampugnani? Sì, sì, sarebbe andata, avrebbe fatto da manichino a
quel bell'abito nuovo: manichino non molto adatto, non molto... snello, in
quel momento, ma via! se egli credeva proprio che fosse necessario andare,
era pronta.

– Quando?

Gongolante, Giustino, nel vederla così arrendevole, le rispose che sarebbero
andati la sera del giorno appresso.

– Ma aspetta, – soggiunse. – Non voglio che tu faccia cattive figure. Capisco
che ci sono tante piccole formalità, tante... sì, saranno magari sciocchezze,
come tu credi, ma è bene saperle, cara mia. M'informerò. Della signora Ely,
dico la verità, poco mi fido per queste cose.

E Giustino Boggiolo, quella sera, uscendo dall'ufficio, si recò a far la visita
promessa a Dora Barmis.

4.

Appoggiata alla cassapanca della saletta d'ingresso, una stampella. Su la
stampella, un cappello a cencio. La bussola, che metteva nel salotto, era
chiusa, e nella penombra si soffondeva il color verde giallino della carta a
scacchi applicata ai vetri.

– Ma no, no, no: vi ho detto no; basta! – s'intese gridare di dentro, irosamente.

La servetta, venuta ad aprire, restò a questo grido un po' perplessa se entrare
in quel momento ad annunziare il nuovo visitatore.

– Disturbo? – domandò, timidamente, Giustino. La servetta si strinse ne le
spalle, poi si fece animo, picchiò sul vetro della bussola, aprì:

– C'è un signore...

– Boggiolo... – suggerì piano Giustino.

– Ah, voi Boggiolo? Che piacere! Entrate, entrate, – esclamò Dora Barmis tendendo il capo e sforzandosi di comporre subito a un'aria risolente il volto acceso, alterato dallo sdegno e dal dispetto.

Giustino Boggiolo entrò un po' sbigottito, inchinando il capo anche a Cosimo Zago, che, scontraffatto, pallidissimo, s'era levato su un piede e, tenendo bassa la grossa testa arruffata, si reggeva penosamente su la spalliera d'una seggiola.

– Vado. A rivederla, – diss'egli, con voce che voleva parer calma.

– Addio, – gli rispose subito Dora, sprezzante, senza guardarlo; e tornò a sorridere a Giustino. – Sedete, sedete, Boggiolo. Come siete stato bravo... Ma tardi, eh?

Appena lo Zago, zoppicando malamente, fu uscito, ella fece un balzo su la seggiola, con le braccia per aria e sbuffò:

– Non ne potevo più! Ah caro amico, come vi fa pentir la gente d'avere un po' di cuore! Ma se un povero disgraziato viene a dirvi: «Sono brutto... sono storpio...» – che gli rispondete voi? «No, caro; perché? E poi pensate che la Natura v'ha compensato con altri doni...» È la verità! Sapeste che bei versi sa fare quel poverino... Lo dico a tutti; l'ho detto anche a lui; l'ho stampato; ma egli ora me ne fa pentire... *C'est toujours ainsi!* Perché sono donna, capite? Ma io gliel'ho detto *tout bonnement*, potete crederci! Così, come a un collega... Io sono donna, perché... perché non sono uomo, santo Dio! Ma non ci penso neppure, tante volte, che sono donna, ve l'assicuro! Me lo dimentico assolutamente. Sapete come me ne ricordo? Vedendo certuni che mi guardano, che mi guardano... Oh Dio! Scoppio a ridere. Ma già! dico tra me. Davvero, io sono donna. Mi amano... ah ah ah... E poi, che volete, caro Boggiolo, vecchia ormai, no? Su... eh perbacco! fatemi un complimento, ditemi che non sono vecchia...

– Non c'è mica bisogno di dirlo, – fece Giustino, arrossendo e abbassando gli occhi.

Dora Barmis scoppiò a ridere, secondo il solito suo, arricciando il naso:

– Caro! caro! Vi vergognate? Ma no, via! Prendete il thè? prendete un vermouth? Ecco, fumate.

E gli porse con una mano la scatola delle sigarette, mentre con l'altra premeva il bottone del campanello elettrico sotto il palco che reggeva tanti libri e ninnoli e statuette e ritratti, sospeso là su l'ampio divano ad angolo, ricoperto di stoffe antiche.

– Grazie, non fumo, – disse Giustino.

Dora posò la scatola delle sigarette sul tavolino basso basso, tondo, a due piani, che stava davanti al divano. Entrò la servetta.

– Porta il vermouth. A me, il thè. Qua, Nina, preparo io.

Poco dopo, la servetta rientrò con la teiera, col vermouth e con le paste in una coppa argentata. Dora versò il vermouth a Giustino e gli disse:

– Di ben altro, ora che ci penso, dovreste vergognarvi, voi, bel tomo! E questo, badate, ve lo dico sul serio adesso.

– Di che? – domandò Giustino, che già aveva capito; tanto vero che schiuse le labbra sotto i baffi a un risolino fatuo.

– Voi avete dalla natura un sacro deposito, Boggiolo! – disse la Barmis, agitando un dito e con tono di minaccia e di severo ammonimento. – Prendete un *fondant*... Vostra moglie non appartiene solamente a voi. I vostri diritti, caro, devono essere limitati. Voi, magari, se vostra moglie non ne soffre... Dite un po', è gelosa di voi, vostra moglie?

– Ma no, – rispose Giustino. – Del resto, non posso dirlo, perché...

– Non le avete mai dato il minimo incentivo, – compì la frase Dora. – Siete dunque davvero un bravo figliuolo; si vede; ma troppo bravo, forse... eh? dite

la verità... No, voi dovreste risparmiarla, Boggiolo. Del resto... gli uomini
dànno un brutto nome alla cosa; ma quelle de le donne potrebbero bene chiamarsi antenne: le hanno anche le farfalle... Su, gli occhi! su, gli occhi! Perché
non mi guardate? Vi sembro molto curiosa? Oh bravo, così! Ridete? Ma sicuro, caro mio, non basta essere un bravo figliuolo, quando si ha la fortuna
d'avere una moglie come la vostra... Conoscete la poetessa Bertolè-Viazzi?
Non è venuta al banchetto, perché, povera donna...
    – Anche lei? – domando Giustino Boggiolo pietosamente.
    – Eh... ma molto più grave! – esclamò Dora. – Ha un marito addirittura ter-
ribile, quella lì!
    Giustino si strinse ne le spalle e sospirò con un mesto sorriso:
    – D'altra parte...
    – Ma che d'altra parte! – scattò Dora Barmis. – Bisogna che il marito in certi
casi abbia considerazione e pensi che... Guardate: da quattro o cinque anni la
Bertolè lavora a un poema, molto bello, v'assicuro, tutto intessuto di ricordi
eroici, di famiglia: il nonno fu un patriota vero, esiliato a Londra, poi garibaldino; il padre le morì a Bezzecca... Ebbene, a pensare che ella ha già nel capo
una gestazione come quella, un poema vi dico, un poema! e poi a vederla contemporaneamente, povera donna, oppressa, deformata più giù, per un altro
verso... No no, credete, è proprio un di più, una soperchieria crudele! O l'una
cosa o l'altra, ecco!
    – Capisco, – fece Giustino, angustiato. – Ma crede che sia seccato poco
anche a me? Silvia però non farà nulla durante tutto questo tempo.
    – E sarà un tempo prezioso perduto! – esclamò Dora.
    – Lo dice a me? – soggiunse Giustino. – Tutto perduto e niente di guada-
gnato. La famiglia che cresce... e chi sa quante spese e cure e pensieri. Poi, la
lontananza: perché il bambino, o la bambina che sarà, dovremo mandarla via,
a bàlia, presso la nonna...
    – A Taranto?
    – No, a Taranto. La mamma di Silvia è morta da tanti anni. Da mia madre, a
Cargiore.
    – Cargiore? – domandò Dora, sdrajandosi sul divano. – Dov'è Cargiore?
    – In Piemonte. Oh, un villaggetto sparso, di poche case, presso Torino.
    – Perché voi siete piemontese, è vero? – tornò a domandare la Barmis, av-
volgendosi tra il fumo della sigaretta. – Si sente. E come mai avete conosciuto
la Roncella?
    – Mah, – fece Giustino. – Mi mandarono laggiù a Taranto, dopo il concorso
all'Archivio Notarile...
    – Uh, poverino!
    – Un anno e mezzo d'esilio, creda. Fortuna che il padre di Silvia, allora mio
capo...
    – All'Archivio?
    – Capo-Archivista, sissignora... Oh, un buon impiego, per questo! Mi prese
subito a benvolere.
    – E voi, birbante, gl'innamoraste la figliuola letterata?
    – Eh, per forza... – sorrise Giustino.
    – Come, per forza? – domandò Dora, riscotendosi.
    – Dico per forza, perché... vacci oggi, vacci domani... Un povero giovine, là
solo... Lei non può capire che cosa sia... Vissuto sempre con la mia mamma,
povera vecchina; abituato alle cure di lei... L'onorevole Datti, deputato del
mio collegio, mi aveva promesso che presto m'avrebbe fatto chiamare a
Roma, all'archivio del Consiglio di Stato. Ma sì! il Datti... Eppoi, mia madre
avrebbe forse potuto raggiungermi qua? Dovevo prender moglie per forza. Ma
non m'innamorai di Silvia perché letterata, sa? Non ci pensavo neppure, allora,

alla letteratura. Sapevo, sì, che Silvia aveva stampato due libri; ma questo anzi per me... Basta!

– No no, raccontate, raccontate, – lo incitò Dora. – Mi fate tanto piacere.

– Ma c'è poco da raccontare, – disse Giustino. – Quando andai la prima volta in casa di lei, m'immaginavo di trovare... non so, una giovine con la testa accesa... Ma che! Semplice, timida... già Lei l'ha veduta...

– Che amore, già! che amore! – esclamò Dora.

– Il padre sì, mio suocero, buon'anima...

– Ah, le è morto anche il padre?

– Sissignora, di colpo; un mese appena dopo il nostro matrimonio. Poverino, fanatico, lui! Ma s'intende, l'unica figliuola... Se ne compiaceva; dava a leggere quei libri, i giornali che ne parlavano, a tutti gl'impiegati, lì, all'ufficio... La prima volta li lessi anch'io, così...

– Per dovere d'ufficio, eh? – domandò ridendo la Barmis.

– Capirà, – fece Giustino. – Silvia però soffriva proprio, vedendo il padre così infervorato, non permetteva mai che ne parlasse in sua presenza. Quieta quieta, senz'alcuna ambizione, neppure nel vestire, sa? attendeva alle cure domestiche, faceva tutto lei in casa. Quando sposammo, mi fece finanche ridere...

– Che volevate piangere?

– No, dico, mi fece ridere perché volle confessarmi il suo vizio nascosto, come lo chiamava: quello di scrivere. Mi disse che dovevo rispettarglielo, ma che in compenso non mi sarei mai accorto di quando ella scrivesse e di come facesse a scrivere tra le faccende di casa.

– Cara! E voi?

– Ma io promisi. Poi, però, – pochi mesi dopo il matrimonio – sicuro! – arrivò dalla Germania un vaglia di trecento marchi, per diritto di traduzione. Non se l'aspettava neanche lei, Silvia, si figuri! Tutta contenta, dentro di sé, che in quei suoi libri fosse riconosciuto un merito, che forse nemmeno lei supponeva d'avere, ignara, inesperta, aveva aderito alla richiesta di traduzione delle *Procellarie* (il suo secondo volume di novelle) così, senza pretender nulla...

– E voi allora?

– Eh, aprii gli occhi, si figuri! Venivano altre richieste da rassegne, da giornali. Silvia mi confessò che nel cassetto aveva tant'altri manoscritti di novelle, l'abbozzo d'un romanzo... *La casa dei nani*... Gratis? Come, gratis? Perché? Non è forse lavoro? E il lavoro non deve fruttare? Loro letterati stessi, per questa parte qui, non sanno farsi valere. Ci vuole uno che le sappia queste cose e ci badi. Io, guardi, appena capii che c'era da cavarne qualche cosa, cominciai a prender subito le debite informazioni, con ordine; mi misi in corrispondenza con un mio amico libraio di Torino per aver notizie del commercio librario; con parecchi redattori di rassegne e giornali che avevano scritto bene dei libri di Silvia; scrissi, mi ricordo anche al Raceni...

– Eh, mi ricordo anch'io! – esclamò Dora, sorridendo

– Tanto buono, il Raceni! – seguitò Giustino. – Eppoi studiai la legge su la proprietà letteraria, sicuro! e anche il trattato di Berna sui diritti d'autore... Eh, la letteratura è un campo, signora mia, da contrastare allo sfruttamento sfacciato della stampa e degli editori. Ne hanno fatte tante anche a me, nei primi giorni! Contrattavo così, tentoni, si sa... Ma poi vedendo che le cose andavano... Silvia si spaventava dei patti che facevo; nel vedere poi accettati i prezzi, quando le mostravo il denaro guadagnato, rimaneva soddisfatta... eh sfido! Però, sa, posso dire d'averlo guadagnato io, il denaro, perché ella dai suoi lavori non avrebbe saputo cavare mai nulla.

– Che uomo prezioso siete voi, Boggiolo! – disse Dora, chinandosi a mirarlo davvicino.

– Non dico questo, – fece Giustino, – ma creda che gli affari li so trattare.
Mi ci metto con impegno, ecco. Devo veramente gratitudine agli amici, al Raceni, per esempio, ch'è stato tanto buono con mia moglie fin dal principio. E
anche a lei...

– Ma no! Io? che ho fatto io? – protestò Dora, vivamente.

– Anche lei cara, anche lei, – ripeté Giustino, – insieme col Raceni, tanto
buona. E il senatore Borghi?

– Ah, il padrino della fama di Silvia Roncella è stato lui! – disse Dora.

– Sissignora, sissignora... proprio così, – confermò il Boggiolo. – E debbo
anche a lui la mia venuta a Roma, sa? Non ci voleva, giusto in questo momento, il guajo della gravidanza...

– Vedete? – esclamò Dora. – E la vostra signora, chi sa quanto soffrirà poi a
staccarsi dal bambino!

– Ma! – fece il Boggiolo, – dovendo lavorare...

– È molto triste! – sospirò la Barmis. – Un figliuolo!... Dev'essere terribile
vedersi, sentirsi madre! Io morrei di gioja e di spavento! Dio Dio Dio non mi
ci fate pensare.

Scattò in piedi, come sospinta da una susta; si recò presso l'uscio della camera e cercò sotto la portiera la chiavetta della luce elettrica; ma poi si volse e
disse con voce cangiata:

– O vogliamo restare così? Non vi piace? *Dämmerung*... Intristisce questa
pena del giorno che muore, ma fa anche bene. Bene e male, a me. Tante volte,
divento più cattiva, pensando in quest'ombra. M'accoro e mi nasce un'invidia
angosciosa della casa altrui, d'ogni casa che non sia come questa...

– Ma è tanto bello qui... – disse Giustino, guardando intorno.

– Voglio dire, così sola... – spiegò Dora, – così triste... Vi odio tutti, io, voialtri uomini, sapete? Perché a voi sarebbe tanto più facile esser buoni, e non
siete, e ve ne vantate. Oh, quanti uomini ho sentito io ridere delle loro perfidie,
Boggiolo. E ne ho riso anch'io ascoltandoli. Ma poi, a ripensarci sola, in quest'ora, che voglia, che voglia m'è nata tante volte... d'uccidere! Su, su, facciamo la luce, sarà meglio!

Girò la chiavetta e salutò la luce con un profondo sospiro. Era impallidita
davvero e aveva negli occhi bistrati come un velo di lacrime.

– Non dico per voi, badate, – soggiunse con un mesto sorriso, tornando a sedere. – Voi siete buono, lo vedo. Volete essere mio amico sincero?

– Felicissimo! – s'affrettò a rispondere Giustino, un po' commosso.

– Datemi la mano, – riprese Dora. – Proprio sincero? Ne cerco uno da tanto
tempo, che mi sia come un fratello...

E stringeva la mano.

– Sissignora...

– Col quale io possa parlare a cuore aperto...

E stringeva vie più la mano.

– Sissignora...

– Ah, se voi sapeste quanto sia doloroso questo sentirsi sola, sola nell'anima,
intendete? perché il corpo... Oh, non mi guardano che il corpo, come sono
fatta... i fianchi, il petto, la bocca... ma gli occhi non me li guardano, perché si
vergognano... Ed io voglio essere guardata negli occhi, negli occhi...

E seguitava a stringer la mano.

– Sissignora... – ripeté Giustino, guardandola negli occhi, smarrito e vermiglio.

– Perché negli occhi ho l'anima, l'anima che cerca un'anima a cui confidarsi
e dire che non è vero che noi non crediamo alla bontà, che non siamo sinceri
quando ridiamo di tutto, quando per parere esperti diventiamo cinici, Boggiolo!
Boggiolo!

– Che debbo fare? – domandò stordito, esasperato, in uno stato da far pietà,

Giustino Boggiolo, sotto la morsa di quella mano così frale e pur così nervosa
e forte.

Dora Barmis si buttò via dalle risa.

– Ma no, davvero! – disse allora con forza Giustino per riprendersi. – Se io
posso fare per Lei qualche cosa, sono qua, signora! vuole un amico? sono qua;
glielo dico davvero.

– Grazie, grazie, – rispose Dora, tirandosi su. – Scusatemi, se ho riso. Vi
credo: voi siete troppo... oh Dio... sapete che i muscoli da cui dipende il riso
non obbediscono alla volontà, ma a certi moti emozionali incoscienti? Io non
sono avvezza a una bontà come la vostra. La vita per me è stata cattiva; e,
trattando con uomini cattivi, anch'io... pur troppo... Non vorrei farvi male!
Forse la vostra bontà degenererebbe... No? Maligneerebbero gli altri, lo stesso...
E anch'io, ma sì, parlandone con gli altri, sapete? son capace di mettermi a ridere d'essere stata oggi così sincera con voi... Basta, basta! Non ci facciamo
illusioni. Sapete chi mi ha chiesto di vostra moglie? La marchesa Lampugnani.
Voi avete un invito, e ancora non siete andati.

– Sissignora, domani sera, infallibilmente, – disse Giustino Boggiolo. – Silvia non ha potuto. Anzi io ero venuto qua per questo. Ci sarà Lei domani sera,
dalla Marchesa?

– Sì, sì, – rispose Dora. – Tanto buona, la Lampugnani, e s'interessa tanto di
vostra moglie; desidera proprio di vederla. Voi le fate fare una vita troppo ritirata.

– Io? – esclamò Giustino. – Io no, signora; io anzi vorrei... Ma Silvia è ancora un po'... non saprei come dire...

– Non me la guastate! – gli gridò Dora. – Lasciatela com'è, per carità! Non
la forzate...

– No, ecco, – disse Giustino, – ma per saperci regolare... capirà... Ci va
molta gente dalla Marchesa?

– Oh, i soliti, – rispose la Barmis. – Forse domani sera ci sarà anche il Gueli,
permettendo la Frezzi, si sa.

– La Frezzi? chi è? – domandò Giustino.

– Una donna terribile, caro, – rispose la Barmis. – Colei che tiene in dominio
assoluto Maurizio Gueli.

– Ah, non ha moglie il Gueli?

– Ha la Frezzi, che è lo stesso, anzi peggio, povero Gueli! C'è tutto un
dramma, sotto. Basta. Ama la musica la vostra signora?

– Credo, – rispose Giustino, impacciato. – Non so bene... Ne ha sentita
poca... là, a Taranto. Perché, si fa molta musica in casa della Marchesa?

– Talvolta sì, – disse Dora. – Viene il violoncellista Begler, il Milani, il Cor-
dova, il Furlini, e s'improvvisa il quartetto...

– Eh già, – sospirò Giustino. – Un po' di conoscenza della musica... di quella
difficile... oggi è proprio necessaria... Wagner

– No, Wagner, col quartetto! – esclamò Dora. – Tchaikowsky, Dvorak... e
poi, si sa, Glazounov, Mahler, Raff.

– Eh già, – sospirò di nuovo Giustino. – Tante cose si dovrebbero sapere...

– Ma no! basta saperli pronunziare, caro Boggiolo! – disse Dora, ridendo. –
Non vi date pensiero. Se non dovessi guardarmi la professione, scriverei io un
libro, che vorrei intitolare *La Fiera* o il *Bazar della Sapienza*... Proponetelo a
vostra moglie, Boggiolo. Ve lo dico sul serio! Le darei io tutti i dati e i connotati e i documenti. Una filza di questi nomi difficili... poi un po' di storia del-
l'arte... – basta leggere un trattatello qualunque – un po' d'ellenismo, anzi di
pre-ellenismo, arte micenaica e via dicendo, – un po' di Nietzsche, un po' di
Bergson, un po' di conferenze, e avvezzarsi a prendere il the, caro Boggiolo.
Voi non ne prendete, e avete torto. Chi prende il the per la prima volta, comincia subito a capire tante cose. Volete provare?

– Ma l'ho preso già, qualche volta, – disse Giustino.

– E non avete capito ancor nulla?

– Se devo dire la verità, preferisco il caffè...

– Caro! Non lo dite, però! Il the, il the; bisogna avvezzarsi a prendere il the, Boggiolo! Verrete in *frac* domani sera, dalla Marchesa. Gli uomini in *frac*; le donne... no, qualcuna viene anche senza *décolleté*.

– Glielo volevo domandare, – disse Giustino. – Perché Silvia...

– Ma sfido! – lo interruppe Dora, ridendo forte. – Senza *décolleté*, lei, in quello stato; non c'è bisogno di dirlo. Siamo intesi?

Quando, di lì a poco, Giustino Boggiolo uscì dalla casa di Dora Barmis, la testa gli girava come un molino a vento.

Da un pezzo, accostandosi ora a questo ora a quel letterato, osservava, studiava quel che ci voleva e come gli altri riuscissero a far bella figura; le loro impostature di grandezza. Ma tutto gli sembrava come campato in aria. L'istabilità della fama lo angosciava: gli pareva come l'esitar sospeso d'uno di quegli argentei pennacchioli di cardo che il più lieve soffio portava via. La Moda poteva da un istante all'altro mandare ai sette cieli il nome di Silvia o buttarlo a terra e sperderlo in un angolo bujo.

Aveva il sospetto che Dora Barmis si fosse alquanto burlata di lui; ma questo tuttavia non gl'impediva d'ammirar lo spirito indiavolato di quella donna. Ah quanto più facile sarebbe stato il suo cómpito, se Silvia avesse avuto almeno un po' di quello spirito, di quelle maniere, di quella padronanza di sé. Ne difettava anch'egli, finora; lo riconosceva; e riconosceva perciò quasi un diritto alla Barmis di beffarsi di lui. Non gliene importava. Era stata una lezione, in fin dei conti. Doveva prendere ammaestramento e inviamento e stato anche a costo di soffrire in principio qualche mortificazioncella. Egli mirava alla meta.

E come per raccogliere il frutto di quei primi ammaestramenti, quella sera, rientrò in casa con tre volumi nuovi da far leggere alla moglie:

1. – un breve compendio illustrato di storia dell'arte;

2. – un libro francese su Nietzsche;

3. – un libro italiano su Riccardo Wagner.

III. Mistress Roncella two accouchements

1.

La servotta abruzzese, che rideva sempre vedendo quel berretto da bersagliere in capo al signor Ippolito, entrò nello studiolo ad annunziare che c'era di là un signore forestiere, il quale voleva parlare col signor Giustino.

– All'Archivio!

– Se poteva riceverlo la signora, dice.

– Pollo d'India, non sai che la signora è... (e disse con le mani com'era; quindi soggiunse:) – Fallo passare. Parlerà con me.

La servotta uscì, com'era entrata, ridendo. E il signor Ippolito borbottò tra sé, stropicciandosi le mani:

«L'accomodo io».

Entrò poco dopo nello studiolo un signore biondissimo, dalla faccia rosea, da bamboccione ingenuo, con certi occhi azzurri ilari parlanti.

Ippolito Onorio Roncella accennò di levarsi con grandissima cura il berretto.

– Prego, segga pure. Qua, qua, su la poltrona. Permette ch' io tenga in capo? Mi raffredderei.

Prese il biglietto che quel signore tra smarrito e sconcertato gli porgeva e vi lesse: C. NATHAN CROWELL.

– Inglese?

– No, signor, americano, – rispose il Crowell, quasi incidendo con la pronunzia le sillabe. – Corrispondente giornale americano *The Nation*, New York. Signor Bòggiolo...

– Boggiòlo, scusi.

– Ah! Boggiòlo, grazie. Signor – Boggiòlo – accordato – intervista – su – nuova – grande – opera grande – scrittrice – italiana – Silvia – Roncella.

– Per questa mattina? – domandò il signor Ippolito, parando le mani. (Ah che vellicazione al ventre gli producevano lo stile telegrafico e lo stento della pronunzia di quel forestiere!)

Il signor Crowell si alzò, trasse di tasca un taccuino e mostrò in una paginetta l'appunto scritto a lapis: *Mr. Boggiolo, Thursday, 23 (morning).*

– Benissimo. Non capisco; ma fa lo stesso, – disse il signor Ippolito. – S'accomodi. Mio nipote, come vede, non c'è.

– Ni – pote?

– Sissignore. Giustino Boggiolo, mio ni – po – te... Nipote, sa? sàrebbe... *nepos*, in latino; *neveu*, in francese. L'inglese non lo so... Lei capisce l'italiano?

– Sì, poco, – rispose, sempre più smarrito e sconcertato, il signor Crowell.

– Meno male, – riprese il signor Ippolito. – Ma *nipote*, intanto, eh?... Veramente, mio nipote, non lo capisco neanche io. Lasciamo andare. C'è stato un contrattempo, veda.

Il signor Crowell s'agitò un poco su la seggiola, come se certe parole gli facessero proprio male e credesse di non meritarsele.

– Ecco, le spiego, – disse il signor Ippolito, agitandosi un poco anche lui. – Giustino è andato all'ufficio... uffi – uf – fi – cio, all'ufficio, sissignore (Archivio Notarile). È andato per domandare il permesso... – ancora, già! e perderà l'impiego, glielo dico io! – il permesso d'assentarsi, perché jersera noi abbiamo avuto una bella consolazione.

A quest'annunzio il signor Crowell rimase dapprima un po' perplesso, poi tutt'a un tratto ebbe un prorompimento di vivissima ilarità, come se finalmente gli si fosse fatta la luce.

– Conciolescione? – ripeté, con gli occhi pieni di lagrime. – Veramente, conciolescione?

Questa volta ci restò brutto il signor Ippolito, invece.

– Ma no, sa! – disse irritato. – Che ha capito? Abbiamo ricevuto da Cargiore un telegramma con cui la signora Velia Bòggiolo, che sarebbe la mamma di Giustino, sissignore, ci annunzia per oggi la sua venuta; e non c'è mica da stare allegri, perché viene per assistere Silvia, mia nipote, la quale finalmente... siamo lì lì: tra pochi giorni, o maschio o femmina. E speriamo tutti che sia maschio, perché, se nasce femmina e si mette a scrivere anche lei, Dio ne liberi e scampi, caro signore! Ha capito?

(«Scommetto che non ha capito un corno!», borbottò tra sé, guardandolo.)
Il signor Crowell gli sorrise.

Il signor Ippolito, allora, sorrise anche lui al signor Crowell. E tutti e due, così sorridenti, si guardarono un pezzo. Che bella cosa, eh? Sicuro... sicuro...
Bisognava riprendere daccapo la conversazione, adesso.

– Mi pare che Lei tanto tanto non lo... non lo... mastichi, ecco, l'italiano, – disse bonariamente il signor Ippolito: – Scusi, part... par – to – ri – re, almeno...

– Oh, sì, partorire, benissimo, – affermò il Crowell.

– Sia lodato Dio! – esclamò il Roncella. – Ora, mia nipote...

– Grande opera? dramma?

– Nossignore: figliuolo. Figliuolo di carne. Ih, com'è duro lei d'intendere certe cose! Io che voglio parlare con creanza. Il dramma è già partorito. Sono cominciate le prove l'altro jeri, a teatro. E forse, sa? verranno alla luce tutt'e due insieme, dramma e figliuolo. Due parti... cioè, parti, sì, plurale di parto... parti nel senso di... di... partori... là, partorizioni, capisce?

Il signor Crowell diventò molto serio; s'eresse su la vita; impallidì; disse:

– Molto interessante.

E, tratto di tasca un altro taccuino, prese frettolosamente l'appunto: *Mrs. Roncella two accouchements*.

– Ma creda pure, – riprese Ippolito Onorio Roncella, sollevato e contento, – che questo è nulla. C'è ben altro! Lei crede che meriti tanta considerazione mia nipote Silvia? Non dico di no; sarà una grande scrittrice. Ma c'è qualcuno molto più grande di lei, in questa casa, e che merita d'esser preso in maggior considerazione dalla stampa internazionale.

– Veramente? Qua? In questa casa? – domandò, sbarrando gli occhi, il signor Crowell.

– Sissignore, – rispose il Roncella. – Mica io, sa! Il marito, il marito di Silvia...

– Mister Bòggiolo?

– Se lei lo vuol chiamare Bòggiolo, si serva pure, ma le ho detto che si chiama Boggiòlo. Incommensurabilmente più grande. Guardi, Silvia stessa, mia nipote, riconosce che lei non sarebbe nulla, o ben poco, senza di lui.

– Molto interessante, – ripeté con la stessa aria di prima il signor Crowell, ma un po' più pallido.

E Ippolito Onorio Roncella:

– Sissignore. E se Lei vuole, potrei parlarle di lui fino a domattina. E Lei mi ringrazierebbe.

– Oh, sì, io molto ringraziare, signore, – disse alzandosi e inchinandosi più volte il signor Crowell.

– No, dicevo, – riprese il signor Ippolito, – segga segga, per carità! Mi ringrazierebbe, dicevo, perché la sua... come la chiama? intervista, già, già, intervista... la sua intervista riuscirebbe molto più... più... saporita, diremo, che se riferisse notizie sul nuovo dramma di Silvia. Già io poco potrei dargliene, perché la letteratura non è affar mio, e non ho mai letto un rigo, che si dice un rigo, di mia nipote. Per principio, sa? e un po' anche per stabilire un certo equilibrio salutare in famiglia. Ne legge tanti lui, mio nipote! E li leggesse soltanto... Scusi, è vero che in America i letterati sono pagati a tanto per parola?

Il signor Crowell s'affrettò a dir di sì e aggiunse che ogni parola degli scrittori più famosi soleva esser pagata anche una lira, anche due e perfino due lire e cinquanta centesimi, in moneta nostrale.

– Gesù! Gesù! – esclamò il signor Ippolito. – Scrivo, per esempio, *ohibò*, due lire e cinquanta? E allora, figuriamoci, gli Americani non scriveranno mai *quasi*, già, scriveranno sempre *quasi quasi*, già già... Ora comprendo perché quel povero figliuolo... Ah dev'essere uno strazio per lui contare tutte le parole che gli sgorbia la moglie e pensare quanto guadagnerebbe in America. Per ciò dice sempre che l'Italia è un paese di straccioni e d'analfabeti... Caro signore, da noi le parole vanno più a buon mercato; anzi si può dire che siano l'unica cosa che vada a buon mercato; e per questo ci sfoghiamo tanto a chiacchierare e si può dire che non facciamo altro...

Chi sa dove sarebbe arrivato il signor Ippolito quella mattina, se non fosse sopravvenuto a precipizio Giustino Boggiòlo a levargli dalle grinfie quella vittima innocente.

Giustino non tirava più fiato: acceso in volto e in sudore, volse un'occhiata feroce allo zio e poi, tartagliando in inglese, si scusò del ritardo col signor Crowell e lo pregò che fosse contento di rimandare alla sera l'intervista, perché adesso egli aveva le furie: doveva recarsi alla stazione a prendere la madre, poi al *Valle* per la prova del dramma, poi...

– Ma se lo stavo servendo io! – gli disse il signor Ippolito.

– Lei dovrebbe almeno farmi il piacere di non immischiarsi in queste faccende, – non poté tenersi di rispondergli Giustino. – Pare che me lo faccia apposta, scusi!

Si volse di nuovo all'Americano; lo pregò di attenderlo un istante: voleva vedere di là come stésse la moglie; sarebbero poi andati via insieme.

– Perde l'impiego, perde l'impiego, com'è vero Dio! – ripeté il signor Ippolito, stropicciandosi di nuovo contentone le mani, appena Giustino varcò la soglia.

– Ha perduto la testa; ora perde l'impiego.

Il signor Crowell tornò a sorridergli.

All'Archivio Giustino aveva litigato davvero col Capo-Archivista, che non voleva concedergli d'assentarsi anche di mattina, dopo avere ottenuto per parecchi giorni di fila la licenza di non ritornare in ufficio nel pomeriggio per potere assistere alle prove.

– Troppo, – gli aveva detto, – troppo, caro signor Roncello!

– *Roncello?* – aveva esclamato Giustino, restando.

Ignorava che all'Archivio tutti i compagni d'ufficio lo chiamavano così, quasi senza farci più caso.

– Boggiòlo, già... scusi, Boggiòlo, – s'era ripreso subito il Capo-Archivista.
– Scambiavo col nome della sua egregia signora. Del resto, mi sembra naturalissimo.

– Come!

– Non se n'abbia per male, e permetta anzi che glie lo dica paternamente: lei stesso, cav. Boggiòlo, pare che faccia di tutto per... sì, per posporsi alla sua signora. Lei sarebbe un bravo impiegato, attento, intelligente... ma debbo dirglielo? Troppo... troppo per la moglie, ecco.

– È Silvia Roncella, mia moglie, – aveva mormorato Giustino.

E il Capo-Archivista:

– Tanto piacere! Mia moglie è donna Rosolina Caruso! Capirà che questa non è una buona ragione perché io non faccia qua il mio dovere. Per questa mattina, vada. Ma pensi bene a ciò che le ho detto.

Liberatosi a piè della scala del signor Crowell, Giustino Boggiolo, molto seccato da tutte quelle piccole e volgari contrarietà alla vigilia della grande battaglia, s'avviò quasi di corsa per la stazione, tenendo tuttavia un libro aperto sotto gli occhi: la grammatica inglese.

Superata l'erta di Santa Susanna, si cacciò il libro sotto il braccio; guardò l'orologio, cavò dalla tasca del panciotto una lira e la ficcò subito in un portamonete che teneva nella tasca posteriore dei pantaloni; poi trasse un taccuino e vi scrisse col lapis:

> *Vettura stazione... L. 1,00*

L'aveva guadagnata. Fra cinque minuti sarebbe giunto alla stazione, in tempo per il treno che arrivava da Torino. Era, sì, accaldatuccio e affannatello, ma... – una lira è sempre una lira.

A chi avesse avuto la leggerezza di accusarlo di tirchieria, Giustino Boggiolo avrebbe potuto dare a sfogliare un po' quel suo taccuino, dov'erano le prove più lampanti non pure di quanto egli, anzi, fosse splendido nelle intenzioni, ma anche della generosità de' suoi sentimenti e della nobiltà de' suoi pensieri, della larghezza delle sue vedute, non che dell'inclinazione che avrebbe avuto – deplorabilissima – allo spendere.

In quel taccuino erano, infatti, segnati tutti i denari ch'egli avrebbe speso, se si fosse sbilanciato. E rappresentavano lotte d'intere giornate con se stesso alcune di quelle cifre, e cavillazioni penose, e un volgere e rivolgere infinito di contrarie ragioni e calcoli d'opportunità sottilissimi: Pubbliche sottoscrizioni, feste di beneficenza per calamità cittadine o nazionali, a cui con ingegnosi sotterfugi, senza far cattive figure, *non* aveva partecipato; elegantissimi cappellini per la moglie da trentacinque, da quaranta lire cadauno, che *non* aveva mai comperati: poltrone di teatro da lire venti per straordinarie rappresentazioni, a cui *non* aveva mai assistito; e poi... e poi quante spesucce giornaliere, segnate lì a testimonianza, almeno, del suo buon cuore! Vedeva, per esempio, andando all'ufficio o tornandone, un poverello cieco, che destava veramente pietà? Ma egli, prima d'ogni altro passante, se ne impietosiva; si fermava a considerar da lontano la miseria di quell'infelice; diceva a se stesso:

«Chi non gli darebbe due soldini?».

E spesso li traeva realmente dal portamonete del panciotto, ed era lì lì per avvicinarsi a porgerli, quand'ecco una considerazione e poi un'altra e poi tante insieme, angustiose, gli facevano alzar le ciglia, tirar fiato, abbassar la mano e gliela guidavano pian pianino al portamonete dei pantaloni, e quindi a segnar nel taccuino con un sospiro: *Elemosina, lire zero, centesimi dieci.* Perché una cosa è il buon cuore, un'altra la moneta; tiranno il buon cuore, più tiranna la moneta; e costa più pena il non dare, che il dare, quando non si può.

Già già la famiglia cominciava a crescere, ohè; e chi ne portava il peso? Sicché dunque, più della soddisfazione che in quel tal giorno egli aveva avuto un desiderio gentile, una generosa intenzione, l'impulso a soccorrere l'umana miseria, non poteva concedersi, in coscienza di galantuomo.

2.

Non rivedeva la madre da più di quattro anni, da quando cioè lo avevano sbalestrato a Taranto. Quante cose erano avvenute in quei quattro anni, e come si sentiva cambiato, ora che l'imminente arrivo della madre lo richiamava alla vita che aveva vissuto con lei, agli umili e santi affetti rigorosamente custoditi, ai modesti pensieri, da cui per tante vicende impredute egli s'era staccato e allontanato!

Quella vita quieta e romita, tra le nevi e il verde de' prati sonori d'acqua, fra i castagni del suo Cargiore vegliato dal borboglìo perenne del Sangone, quegli affetti, quei pensieri egli avrebbe riabbracciato tra breve in sua madre, ma con un penoso disagio interno, con non tranquilla coscienza.

Sposando, egli aveva nascosto alla madre che Silvia fosse una letterata; le aveva parlato a lungo, invece, nelle sue lettere, delle qualità di lei che alla madre sarebbero riuscite più accette; vere, pertanto; ma appunto per ciò sentiva ora più spinoso il disagio: ché proprio lui aveva indotto la moglie a trascurare quelle qualità; e se ora Silvia dal libro spiccava un salto al palcoscenico, a questo salto la aveva spinta lui. E se ne sarebbe accorta bene la madre in quel momento, trovando Silvia derelitta e bisognosa soltanto di cure materne, lontanissima da ogni pensiero che non si riferisse al suo stato miserevole; trovando lui invece, là, tra i comici, in mezzo alle brighe d'una prima rappresentazione.

Non era più un ragazzo, è vero; doveva ormai regolarsi con la propria testa; e non vedeva nulla di male, del resto, in ciò che faceva; tuttavia da buon figliuolo com'era sempre stato, obbediente e sottomesso alla volontà e incline ai desiderii, al modo di pensare e di sentire della sua buona mamma, si turbava al pensiero di non aver l'approvazione di lei, di far cosa che a lei, anzi, certamente doveva dispiacere, e non poco. Tanto più se ne turbava, in quanto prevedeva che la sua santa vecchierella, venuta per amor suo da così lontano a soffrire con la nuora, non gli avrebbe in alcun modo manifestato la sua riprovazione, né mosso il minimo rimprovero.

Molta gente attendeva con lui il treno da Torino, già in ritardo. Per stornarsi da quei pensieri molesti egli si forzava d'attendere alla grammatica inglese, andando su e giù per la banchina; ma a ogni fischio di treno si voltava o s'arrestava.

Fu dato finalmente il segno dell'arrivo. I numerosi aspettanti s'affollarono, con gli occhi al convoglio che entrava sbuffante e strepitoso nella stazione. Si schiusero i primi sportelli; la gente accorse con varia ansia, cercando da una vettura all'altra.

– Eccola! – disse Giustino, ilarandosi e cacciandosi tra la ressa, per raggiungere una delle ultime vetture di seconda classe, da cui s'era sporta con aria smarrita la testa d'una vecchina pallida, vestita di nero. – Mamma! Mamma!

Questa si volse, alzò una mano e gli sorrise con gli occhi neri, intensi, la cui vivacità contrastava col pallore del volto già appassito dagli anni.

Nella gioia di rivedere il figliuolo la piccola signora Velia cercò quasi un rifugio dallo sbalordimento che la aveva oppressa durante il lungo viaggio e dalle tante e nuove impressioni che le avevano tumultuosamente investito la stanca anima, chiusa e ristretta ormai da anni e anni nelle abituali relazioni dell'angusta e timida sua vita.

Era come intronata e rispondeva a monosillabi. Le pareva diventato un altro il figliuolo, tra tanta gente e tanta confusione; anche il suono della voce, lo sguardo, tutta l'aria del volto le parevano cangiati. E la stessa impressione aveva Giustino della vista della madre. Sentivano entrambi che qualcosa tra loro s'era come allentata, disgiunta: quell'intimità naturale, che prima impediva loro di vedersi così come si vedevano adesso; non più come un essere solo, ma due; non già diversi, ma staccati. E non s'era egli difatti nutrito, lontano da lei – pensava la madre – d'una vita che le era ignota? non aveva egli adesso un'altra donna accanto, ch'ella non conosceva e che certo doveva essergli cara più di lei? Tuttavia, quando si vide sola, finalmente, con lui nella vettura, e vide salvi la valigia e il sacchetto che aveva portati con sé, si sentì sollevata e confortata.

– Tua moglie? – domandò poi, dando a vedere nel tono della voce e nello sguardo, che ne aveva una grande suggezione.

– T'aspetta con tanta ansia, – le rispose Giustino. – Soffre molto...

– Eh, poverina... – sospirò la signora Velia, socchiudendo gli occhi. – Ho paura però, che io poco... poco potrò fare... perché forse per lei... non sarò...

– Ma che! – la interruppe Giustino. – Non ti mettere in capo codeste prevenzioni, mamma! Tu vedrai quanto è buona...

– Lo credo, lo so bene, – s'affrettò a dire la signora Velia. – Dico per me...

– Perché ti figuri che una che scrive, – soggiunse Giustino, – debba essere per forza una... una smorfiosa? aver fumi?... Nient'affatto! Vedrai. Troppo... troppo modesta, anzi... È la mia disperazione! E poi, sì, in quello stato... Via, via, mammina, è come te, sai? senza differenza...

La vecchietta approvò col capo. Le ferirono il cuore quelle parole. Lei era la mamma; e un'altra donna, adesso, per il figliuolo era *come lei*, *senza differenza*. Ma approvò, approvò col capo.

– Faccio tutto io! – seguitò Giustino. – Gli affari li tratto io. Del resto, ohè, a Roma, cara mamma... che! tutto il doppio... non te lo puoi neanche figurare! e se non ci s'ajuta in tutti i modi... Lei lavora a casa; io faccio fruttare il suo lavoro fuori...

– E... frutta, frutta? – domandò timidamente la madre, cercando di smorzare l'acume degli occhi.

– Perché ci sono io, che lo faccio fruttare! – rispose Giustino. – Opera mia, non ti figurare! Sono io... tutta opera mia... Quello che fa lei... ma sì, niente, sarebbe come niente... perché la cosa... la... la letteratura, capisci? è una cosa che... puoi farla e puoi non farla, secondo i giorni... Oggi ti viene un'idea; sai scriverla, e la scrivi... Che ti costa? Non ti costa niente! Per sé stessa, la letteratura, è niente; non dà, non darebbe frutto, se non ci fosse... se non ci fosse... se non ci fossi io, ecco! Io faccio tutto. E se lei ora è conosciuta in Italia...

– Bravo, bravo... – cercò d'interromperlo la signora Velia. Poi arrischiò: – Anche dalle nostre parti conosciuta?

– Ma anche fuori d'Italia! – esclamò Giustino. – Tratto con la Francia, io! Con la Francia, con la Germania, con la Spagna. Ora comincio con l'Inghilterra! Vedi? Studio l'inglese. Ma è un affar serio, l'Inghilterra! Basta; l'anno scorso, sai quanto? Ottomilacinquecentoquarantacinque lire, tra originali e traduzioni. Più, con le traduzioni.

– Quanto! – esclamò la signora Velia, ricadendo nella costernazione.

– E che sono? – sghignò Giustino. – Mi fai ridere... Sapessi quanto si guadagna in America, in Inghilterra! Centomila lire, come niente. Ma quest'anno, chi sa!

Invece d'attenuare, si sentiva ora spinto a esagerare da un'irritazione ch'egli di fronte a se stesso fingeva gli fosse cagionata dall'angustia mentale della madre, mentre gli era in fondo cagionata da quel disagio interno, da quel rimorso.

La madre lo guardò e abbassò subito gli occhi.

Ah, com'era tutto preso, povero figliuolo, dalle idee della moglie! Che guadagni sognava! E non le aveva domandato nulla del loro paese; appena appena a lei della salute e se aveva viaggiato bene. Sospirò e disse, come tornando di lontano:

– Ti saluta tanto la Graziella, sai?

– Ah, brava! – esclamò Giustino. – Sta bene la mia nutrice?

– Comincia a essere stolida, come me, – gli rispose la madre. – Ma, tu sai, è fidata. Anche il Prever ti saluta.

– Sempre matto? – domandò Giustino.

– Sempre, – fece la vecchietta, sorridendo.

– Ti vuole sposare ancora?

La signora Velia agitò una mano, come se cacciasse via una mosca, sorrise e ripeté:

– Matto... matto... Abbiamo già la neve a Cargiore, sai? La neve su Roccia Vrè e sul Rubinett!

– Se tutto andrà bene, – disse Giustino, – dopo il parto, chi sa che Silvia non venga su con te, a Cargiore, per alcuni mesi...

– Su, con la neve? – domandò, quasi sgomenta, la madre.

– Anzi! – esclamò Giustino. – Le piacerà tanto: non l'ha mai veduta! Io dovrò muovermi per affari, forse... Speriamo! Riparleremo poi di questo, a lungo. Tu vedrai come t'accorderai subito con Silvia che, poverina, è cresciuta senza mamma...

3.

Fu veramente così.

Fin dal primo vedersi, la signora Velia lesse negli occhi dolenti di Silvia il desiderio d'essere amata come una figliuola, e Silvia negli occhi di lei il timore e la pena di non bastare col suo affetto semplice al cómpito per cui il figliuolo la aveva chiamata. Subito l'una e l'altra s'affrettarono di soddisfare quel desiderio e di cancellare quel timore.

– Me l'ero immaginata proprio così! – disse Silvia, con gli occhi pieni di affettuosa e tenera riverenza. – È strano!... Mi pare che l'abbia sempre conosciuta...

– Qua, niente! – rispose la signora Velia, alzando una mano alla fronte. – Cuore, sì, figlia, quanto ne vuoi...

– Viva il pane di casa! – esclamò il signor Ippolito, consolato di veder finalmente una brava donnetta all'antica. – Cuore, cuore, sì, dice bene, signora! Cuore ci vuole e maledetta la testa! Lei che è mamma, faccia il miracolo! tolga il mantice dalle mani al suo figliuolo!

– Il mantice? – domandò la signora Velia, non comprendendo e guardando le mani di Giustino.

– Il mantice, sissignora, – rispose il signor Ippolito. – Un certo manticetto, ch'egli caccia nel buco dell'orecchio di cotesta povera figliuola, e soffia e soffia e soffia, da farle diventar la testa grossa così!

– Povero Giustino! – esclamò Silvia con un sorriso, rivolgendosi alla suocera. – Non gli dia retta, sa?

Giustino rideva come una lumaca nel fuoco.

– Ma va' là, che la signora mi comprende! – riprese lo zio Ippolito. – Fortuna che codesta scioccona, signora mia, non piglia vento! Ci ha cuore anche lei, e solido sa?; se no, a quest'ora... Il cervello, un pallone... su per le nuvole... se non ci fosse un po' di zavorra qua, nella navicella del cuore... Non scrivo, io, stia tranquilla; parlo bene, quando mi ci metto; e mia nipote mi ruba le immagini... Tutte sciocchezze!

E, scrollando le spalle, se n'andò a fumare nello studiolo.

– Un po' matto, ma buono, – disse Silvia per rassicurar la vecchietta stordita. – Non può soffrire che Giustino...

– Già l'ho detto alla mamma! – la interruppe questi, stizzito. – Faccio tutto io. Lui fuma, e io penso a guadagnar denari! Siamo a Roma. Senti, Silvia:

adesso la mamma si mette in libertà; poi si desina. Debbo subito scappare per la prova. Sai che ho i minuti contati. Oh, a proposito, volevo dirti che la Carmi...

– Oh Dio, no, Giustino! – pregò Silvia. – Non mi dir nulla oggi, per carità!

– E due! e tre! – proruppe Giustino, perdendo finalmente la pazienza. – Tutti addosso a me! E va bene... Bisogna che ti dica, cara mia! Potevi levarti la seccatura in una volta sola, ricevendo la Carmi.

– Ma come? Possibile, in questo stato? – domandò la Silvia. – Lo dica lei, mamma...

– Che vuoi che sappia la mamma! – esclamò Giustino, più che mai stizzito. – Che cos'è? Non è una donna anche lei, la Carmi? Ha marito e ha fatto· figliuoli anche lei. Un'attrice... Sfido! Se il dramma si deve rappresentare, bisogna pure che ci siano le attrici! Tu non puoi andare a teatro per assistere alle prove. Ci sono io: ho pensato io a tutto. Ma capirai che se quella vuole uno schiarimento su la parte che deve rappresentare, bisogna che lo domandi a te. Riceverla, nossignore! parlarne con me, neppure! Come devo fare io?

– Poi, poi, – disse Silvia, per troncare il discorso. – Lasciami attendere alla mamma adesso.

Giustino scappò via su le furie.

Era così preso e infiammato dell'imminente battaglia, che non avvertiva al turbamento della moglie, ogni qual volta le moveva il discorso del dramma.

Deplorabile contrattempo davvero, che *La nuova colonia* dovesse andare in iscena, mentre Silvia si trovava in quello stato. Ma era rimasto gabbato nel computo dei mesi, Giustino: aveva calcolato che per l'ottobre la moglie sarebbe stata libera; invece...

La Compagnia Carmi-Revelli, scritturata al *Valle* giusto per quel mese, faceva assegnamento sopra tutto su *La nuova colonia*, di cui s'era accaparrata la primizia da parecchi mesi.

Il cav. uff. Claudio Revelli, direttore e capocomico, detestava cordialmente, come tutti i suoi colleghi direttori e cavalieri capicomici, i lavori drammatici italiani; ma Giustino Boggiolo in quei mesi di preparazione, ajutato da tutti quelli che, in compenso, pigliavano a goderselo, aveva saputo far tanto scampanìo attorno a quel dramma, ch'esso ormai era atteso come un vero e grande avvenimento d'arte e prometteva quasi quasi di fruttare quanto una sconcia farsaccia parigina. Credette perciò il Revelli di potere arrendersi per quella volta alle voglie ardenti e smaniose della sua consocia e prima attrice della Compagnia, signora Laura Carmi, che ostentava una fervorosa predilezione per gli scrittori di teatro italiani e un profondo disprezzo per tutte le miserie del palcoscenico; e non volle sapere di rimandar la prima rappresentazione del dramma al prossimo novembre a Napoli, perché avrebbe perduto, così facendo, non solo la priorità, ma anche, nel giro, la «piazza» di Roma; giacché un'altra Compagnia, che recitava adesso a Bologna e aspettava l'esito di Roma per mettere in iscena colà il dramma, l'avrebbe subito e per la prima offerto al giudizio del pubblico bolognese e quindi portato a Roma novissimo, in dicembre.

Giustino non poteva proprio, dunque, risparmiare alla moglie quelle trepidazioni.

Silvia aveva sofferto moltissimo durante l'estate. La signora Ely Faciolli la aveva tanto pregata e pregata d'andare con lei in villeggiatura a Catino, presso Farfa; le aveva inviato di là parecchie calorosissime lettere d'invito e cartoline illustrate; ma ella non solo non si era voluta muovere da Roma, ma non era neppur voluta uscire di casa, provando ribrezzo e quasi onta della propria deformità, parendole di vedere in essa quasi un'irrisione della natura – sconcia e crudele.

– Hai ragione, figliuola! – le diceva lo zio Ippolito. – Molto più gentile con le galline, la natura. Un uovo, e il calore materno.

– Eh già! – borbottava Giustino. – Deve nascere un pulcino, infatti...

– Ma dall'asina, caro! – gli rispondeva il signor Ippolito, – deve nascere un uomo, dall'asina? E trattare una donna come un'asina ti sembra gentile?

Silvia sorrideva pallidamente. Meno male che c'era lui in casa, lo zio, che di tratto in tratto con quei razzi la scoteva dal torpore, dall'istupidimento in cui si sentiva caduta.

Sotto il peso d'una realtà così opprimente, ella provava in quei giorni disgusto profondo di tutto quanto nel campo dell'arte è necessariamente, come nella vita stessa, convenzionale. Anche i suoi lavori, pur così spesso violentati da irruzioni improvvise di vita, quasi da sbuffi di vento e da ondate impetuose, irruzioni contrarie talvolta alla logica della sua stessa concezione, le apparivano falsi e la disgustavano.

E il dramma?

Si sforzava di non pensarci, per non agitarsi La crudezza di certe scene però la assaltava a quando a quando e le toglieva il respiro! Le pareva mostruoso, ora, quel dramma.

Aveva immaginato un'isoletta del Jonio, feracissima, già luogo di pena, abbandonata dopo un disastro tellurico, che aveva ridotto un mucchio di rovine la cittaduzza che vi sorgeva. Sgomberata dei pochi superstiti, era rimasta deserta per anni, destinata probabilmente a scomparire un giorno dalle acque.

Qua si svolgeva il dramma.

Una prima colonia di marinai d'Otranto, rozzi, primitivi, è andata di nascosto ad annidarsi tra quelle rovine, non ostante la terribile minaccia incombente su l'isola. Essi vivono là, fuori d'ogni legge, quasi fuori del tempo. Tra loro, una sola donna, la *Spera*, donna da trivio, ma ora lì onorata come una regina, venerata come una santa, e contesa ferocemente a colui che l'ha condotta con sé: un tal *Currao*, divenuto, per ciò solo, capo della colonia. Ma Currao è anche il più forte e col dominio di tutti mantiene a sé la donna, la quale in quella vita nuova è diventata un'altra, ha riacquistato le virtù native, custodisce per tutti il fuoco, è la dispensiera d'ogni conforto familiare, e ha dato a Currao un figliuolo, ch'egli adora.

Ma un giorno uno di quei marinai, il rivale più accanito di Currao, sorpreso da costui nell'atto di trarre a sé con la violenza la donna, e sopraffatto, sparisce dall'isola. Si sarà forse buttato in mare su una tavola; avrà forse raggiunto a nuoto qualche nave che passava lontana.

Di lì a qualche tempo, una nuova colonia sbarca nell'isola, guidata da quel fuggiasco: altri marinai che recano però con sé le loro donne, madri, mogli, figlie e sorelle. Quando gli uomini della prima colonia s'accorgono di questo, smettono d'osteggiarne l'approdo sotto il comando di Currao. Questi resta solo, perde d'un tratto ogni potestà; la Spera ridiventa subito per tutti quella che era prima. Ma ella non se ne duole tanto per sé, quanto per lui; s'avvede, sente che egli, prima così orgoglioso di lei, ora ne ha onta; ne sopporta in pace il disprezzo. Alla fine la Spera s'accorge che Currao, per rialzarsi di fronte a sé stesso e a gli altri, medita d'abbandonarla. Dileggiandola, alcuni giovani marinai, quelli stessi che già spasimarono tanto per lei invano, vengono a dirle ch'egli non si cura più di farle la guardia perché s'è messo a farla invece a *Mita*, figliuola d'un vecchio marinajo, *padron Dodo*, che è come il capo della nuova colonia. La Spera lo sa; e s'aggrappa ora al figliuolo, con la speranza di tener così l'uomo che le sfugge. Ma il vecchio padron Dodo, per consentire alle nozze, pretende che Currao abbia con sé il ragazzo. La Spera prega, scongiura, si rivolge ad altri perché s'interpongano. Nessuno vuol darle ascolto. Ella si reca allora a supplicare il vecchio e la sposa; ma quegli le dimostra che dev'esser più contenta che il figliuolo rimanga col padre; l'altra la assicura che il ragazzo sarà da lei ben trattato. Disperata, la donna, per non abbandonare il figliuolo e per colpire nel cuore l'uomo che l'abbandona, in un impeto di rabbia furibonda abbraccia la sua creatura e in quel terribile amplesso, ruggendo, lo soffoca. Cade un masso, dopo quel grido, e un altro, lugubremente, nel silenzio orribile che segue al delitto; e altre grida lontane si levano dall'isola. La Spera abita in cima a un poggio, tra le rovine d'una casa crollata al tempo del primo disastro. Pare che non sia ben certa se lei stessa col suo ruggito abbia fatto crollare quei massi, abbia suscitato quelle grida d'orrore. Ma no, no, è la terra! è la terra! – Balza in piedi; sopravvengono urlanti, scontraffatti dal terrore, alcuni fuggiaschi, scampati all'estrema rovina. S'è aperta la terra! è sprofondata la terra! La Spera sente chiamarsi, sente chiamare il figliuolo con grida strazianti dalla costa del poggio; accorre, vacillando, con gli altri, si sporge di lassù a guardare raccapricciata e, tra i clamori che vengono dal basso, grida:

– Ti s'è aperta sotto i piedi? t'ha inghiottito a metà? Il figlio? Te l'avevo ucciso io con le mie mani... Muori, muori dannato!

Che impressione avrebbe fatto questo dramma? Silvia chiudeva gli occhi, vedeva in un baleno la sala del teatro, il pubblico di fronte all'opera sua, e s'atterriva. No! No! Ella lo aveva scritto per sé! Scrivendolo, non aveva pensato minimamente al pubblico, che ora lo avrebbe veduto, ascoltato, giudicato. Quei personaggi, quelle scene ella li vedeva su la carta, come li aveva scritti, traducendo con la massima fedeltà la visione interna. Ora dalla carta come sarebbero balzati vivi su la scena? con qual voce? con quali gesti? Che effetto avrebbero fatto quelle parole vive, quei movimenti reali, su le tavole del palcoscenico, tra le quinte di carta, in una realtà fittizia e posticcia?

– Vieni a vedere, le consigliava Giustino. – Non c'è bisogno nemmeno che tu salga sul palcoscenico. Potrai assistere alle prove dalle poltrone, da un palchetto vicino. Nessuno potrebbe giudicare meglio di te, consigliare, suggerire.

Silvia era tentata d'andare; ma poi, sul punto, sentiva mancarsi l'animo e le forze, aveva paura che la soverchia emozione recasse danno a quell'altro essere, che già le viveva in grembo. E poi, come presentarsi in quello stato? come parlare ai comici? No, no, chi sa che strazio sarebbe stato per lei!

– Come fanno almeno? – domandava al marito. – Ti pare che intendano la loro parte?

Giustino, di ritorno dalle prove, con gli occhi lustri e il volto pezzato di rosso, come se gli avessero dato tanti pizzichi in faccia, sbuffava, levando irosamente le mani:

– Non ci si capisce niente!

Era profondamente avvilito, Giustino. Quel palcoscenico bujo, intanfato di muffa e di polvere bagnata; quei macchinisti che martellavano sui telai, inchiodando le scene per la rappresentazione della sera; tutti i pettegolezzi e le piccinerie e la svogliatezza e la cascaggine di quei comici sparsi a gruppetti qua e là, quel suggeritore nella buca con la papalina in capo e il copione davanti, pieno di tagli e di richiami; il direttore capocomico, sempre arcigno e sgarbato, seduto presso alla buca; quello che copiava lì su un tavolinetto le parti; il trovarobe in faccende tra i cassoni, tutto sudato e sbuffante, gli avevano cagionato un disinganno crudele, che lo esasperava.

S'era fatto mandare da Taranto parecchie fotografie di marinai e popolane di Terra d'Otranto, per i figurini, e anche vesti e scialli e berretti, per modelli. Il vestiario, alla maggior parte, aveva fatto molto effetto; ma qualche stupida attrice secondaria aveva dichiarato di non volersi camuffar così da stracciona. Il Revelli, per gli scenarii tutti ad aria aperta, «selvaggi» come egli diceva, voleva lesinare. E Laura Carmi, la prima attrice, se ne fingeva indignata. Lei sola, la Carmi, era un po' il conforto di Giustino: aveva voluto leggere le *Procellarie* e *La casa dei nani*, per introdursi più preparata – aveva detto – nella finzione del dramma; e si dichiarava entusiasta della parte di *Spera*: ne avrebbe fatto una «creazione»! Ma non sapeva ancora neanche lei una parola della parte; passava innanzi alla buca del suggeritore e ripeteva meccanicamente, come tutti gli altri, le battute che quello, vociando e dando le indicazioni secondo le didascalie, leggeva nel copione. Solo il caratterista Adolfo Grimi cominciava a dare qualche rilievo, qualche espressione alla parte del vecchio *Padron Dodo* e il Revelli a quella di *Currao*; ma a Giustino pareva che così l'uno che l'altro le caricassero un po' troppo; il Grimi baritoneggiava addirittura. In confidenza e con garbo Giustino glielo aveva fatto notare; ma al Revelli non s'arrischiava, e si struggeva dentro. Avrebbe voluto domandare a questo e a quello come avrebbero fatto quel tal gesto, come avrebbero proferita quella tal frase. Alla terza o alla quarta prova, il Revelli, piccato dell'entusiasmo ostentato dalla Carmi, s'era messo a interrompere tutti, di tratto in tratto, e sgarbatamente; interrompeva tante volte proprio per un nonnulla, sul più bello, quando a Giustino pareva già che tutto andasse bene e la scena cominciasse a prender calore, ad assumer vita da sé, vincendo man mano l'indifferenza degli attori e costringendoli a colorir la voce e a muovere i primi gesti. La Grassi, ad esempio, che faceva la parte di *Mita*, per uno sgarbo del Revelli per poco non s'era messa a piangere. Perdio! Almeno con le donne avrebbe dovuto essere un po' più gentile, colui! Giústino s'era fatto in quattro per consolarla.

Non s'accorgeva che sul palcoscenico parecchi comici, e sopra tutti il Grimi, lo pigliavano in giro, lo beffavano. Eran finanche arrivati, quando il Revelli non c'era, a fargli provare le «battute» più difficili del dramma.

– Come direbbe lei questo? come, quest'altro? Sentiamo.

E lui, subito! Sapeva, sapeva benissimo che avrebbe detto male; non prendeva mica sul serio gli applausi e gli urli di ammirazione di quei burloni scapati; ma almeno avrebbe fatto intravveder loro l'intenzione della moglie nello scrivere quelle... come si chiamavano? ah, già, battute... quelle battute, sicuro.

Cercava in tutti i modi d'infiammarli, d'averli cooperatori amorosi a quella suprema e decisiva impresa. Gli pareva che alcuni comici fossero un po' sgomenti dell'arditezza di certe scene, della violenza di certe situazioni. Egli stesso, per dir la verità, non era tranquillo su più d'un punto, e qualche volta era assalito dallo sgomento anche lui, guardando dal palcoscenico la sala del teatro, tutte quelle file di poltrone e di sedie disposte lì, come in attesa, gli ordini dei palchi, tutti quei vani buj, quelle bocche d'ombra, in giro, minacciose. E poi le quinte sconnesse, le scene tirate su a metà, il disordine del palcoscenico, in quella penombra umida e polverosa, i discorsi alieni dei comici che finivan di provare qualche scena e non prestavano ascolto ai compagni ch'erano in prova, le arrabbiature del Revelli, la voce fastidiosa del suggeritore, lo sconcertavano, gli scompigliavano l'animo, gl'impedivano di costruirsi l'idea di ciò che sarebbe stato fra poche sere lo spettacolo.

Laura Carmi veniva a scuoterlo da quei subitanei abbattimenti.

– Boggiolo, ebbene? Non siamo allegri?

– Signora mia... – sospirava Giustino, aprendo le braccia respirando con piacere il profumo dell'elegantissima attrice, dalle forme provocanti, dall'espressione voluttuosa, quantunque avesse il volto quasi tutto rifatto artificialmente, gli occhi allungati, le pàlpebre annerite, le labbra invermigliate, e sotto tanta biuta s'intravvedessero i guasti e la stanchezza.

– Su, caro! Sarà un successone, vedrete!

– Lei crede?

– Ma senza dubbio! Novità, potenza, poesia: c'è tutto! E non c'è *teatro*, – soggiungeva con una smorfia di disgusto. – Né personaggi, né stile, né azione, *qui sentent le «théâtre»*. Voi comprendete?

Giustino si riconfortava.

– Senta, signora Carmi: lei dovrebbe farmi un piacere: dovrebbe farmi sentire il ruggito di *Spera* all'ultimo atto, quando soffoca il figlio.

– Ah, impossibile, caro mio! Quello deve nascere lì per lì. Voi scherzate? Mi lacererebbe la gola... E poi, se lo sento una volta, io stessa, anche fatto da me, addio! lo ricopio alla rappresentazione. Mi verrebbe a freddo. No, no! Deve nascere lì per lì. Ah, sublime, quell'amplesso! Rabbia d'amore e d'odio insieme. La *Spera*, capite? vuole quasi far rientrare in sé, nel proprio seno, il figliuolo che le vogliono strappare dalle braccia, e lo strozza! Vedrete! Sentirete!

– Sarà il suo figliuolo? – le domandava, gongolante, Giustino.

– No, strozzo il figlio di Grimi, – gli rispondeva la Carmi. – Mio figlio, caro Boggiolo, per vostra regola, non metterà mai piede sul palcoscenico. Che! che!

Finita la prova, Giustino Boggiolo scappava nelle redazioni dei giornali, a trovare qua il Lampini, *Ciceroncino*, là il Centanni o il Federici o il Mola, coi quali aveva stretto amicizia e per mezzo dei quali aveva già fatto conoscenza con quasi tutti i giornalisti così detti militanti della Capitale. Anche costoro, è vero, se lo pigliavano a godere, apertamente; ma non se n'aveva per male; mirava alla meta, lui. Casimiro Luna aveva saputo che all'Archivio Notarile gli storpiavano il nome. Indegnità! I cognomi si rispettano, i cognomi non si storpiano! E aveva aperto tra i colleghi una sottoscrizione a dieci centesimi per offrire al Boggiolo cento biglietti da visita stampati così:

> GIUSTINO RONCELLA
> *nato Boggiolo*

Sì, sì, benissimo. Ma lui, intanto, da Casimiro Luna aveva ottenuto un brillante articolo su tutta quanta l'opera della moglie, ed era riuscito a far rilevare da tutti i giornali la vivissima attesa del pubblico per il nuovo dramma *La nuova colonia*, stuzzicando la curiosità con «interviste» e «indiscrezioni».

La sera rincasava stanco morto e stralunato. La sua vecchia mamma non lo riconosceva più; ma egli ormai non era più in grado d'avvertire né allo stupore di lei né all'aria di dileggio dello zio Ippolito, come non avvertiva all'agitazione che cagionava alla moglie. Le riferiva l'esito delle prove e quel che si diceva nelle redazioni dei giornali.

– La Carmi è grande! E quella piccola Grassi, nella parte di *Mita*, se la vedessi: un amore! Si sono già affissi per le vie i primi manifesti a strisce. Stasera comincia la prenotazione dei posti. È un vero e proprio avvenimento, sai? Dicono che verranno i maggiori critici teatrali di Milano, di Torino, di Firenze, di Napoli e di Bologna...

La sera della vigilia ritornò a casa com'ebbro addirittura. Recava tre notizie: due luminose, come il sole; l'altra, nera, viscida e velenosa come una serpe. Il teatro, tutto venduto per tre sere; la prova generale, riuscita mirabilmente; i giornalisti più accontati e qualche letterato che vi avevano assistito, rimasti tutti quanti sbalorditi, a bocca aperta. Solo il Betti, Riccardo Betti, quel frigido imbecille tutto leccato, aveva osato dire nientemeno che *La nuova colonia* era «la *Medea* tradotta in tarentino».

– La Medea? – domandò Silvia, confusa, stordita.

Non sapeva nulla, proprio nulla, lei, della famosa maga della Colchide; aveva sì letto qualche volta quel nome, ma ignorava affatto chi fosse Medea, che avesse fatto.

– L'ho detto! l'ho detto! – gridò Giustino. – Non mi son potuto tenere... Forse ho fatto male. Infatti la Barmis, ch'era lì presente, voleva che non lo dicessi. Ma che Medea! Ma che Euripide! Per curiosità, domattina, appena arriva la signora Faciolli da Catino, fatti prestare questa benedetta *Medea*: dicono che è una tragedia di... di... coso... l'ho detto or ora... Stùdiale, stùdiale queste benedette cose greche, mice... non so come le chiamino... micenatiche... stùdiale! Vanno tanto oggi! Capisci che con una frase, buttata così, ti possono stroncare? *La Medea tradotta in tarentino*... Basta questo! Sono tanti imbecilli che non capiscono nulla, peggio di me! Li conosco adesso... oh se li conosco!

Dopo cena, la signora Velia, molto impensierita dello stato di Silvia in quegli ultimi giorni, la forzò amorosamente a uscir di casa col marito. Era già tardi, e nessuno la avrebbe veduta. Una passeggiatina pian piano le avrebbe fatto bene: ella non avrebbe dovuto mai trascurare, in tutti quei mesi, un po' di moto.

Silvia si lasciò indurre; ma quando Giustino, a una cantonata, al gialliccio lume tremolante d'un fanale volle mostrarle il manifesto già affisso del Teatro *Valle*, che recava a grossi caratteri il titolo del dramma e il nome di lei e poi l'elenco dei personaggi, e sotto, ben distinto, *novissimo*; si sentì mancare, ebbe come una vertigine e appoggiò la fronte pallida, gelida, su la spalla di lui:

– Se morissi? – mormorò.

4.

Giustino Boggiolo arrivò tardi a teatro, e con la vettura veramente questa volta, e di trotto, avvampato, quasi avesse la febbre, e sconvolto.

Fin dalla piazzetta di Sant'Eustachio la via era ingombra, ostruita dalle vetture, tra le quali la gente si cacciava impaziente e agitata. Per non stare a far lì la coda, Giustino pagò la corsa, sguisciò tra i legni e la folla. Su la meschina facciata del teatro le grosse lampade elettriche vibravano, ronzavano, quasi partecipassero al vivo fermento di quella serata straordinaria.

Ecco Attilio Raceni su la soglia.

– Ebbene?

– Mi lasci stare! – sbuffò Giustino, con un gesto disperato. – Ci siamo! Le doglie. L'ho lasciata con le doglie!

– Santo Dio! – fece il Raceni. – Era da aspettarselo... L'emozione...

– Il diavolo! dica il diavolo, mi faccia il piacere! – replicò Giustino, fieramente irritato, girando gli occhi e provandosi ad accostarsi al botteghino, innanzi al quale si pigiava la gente per acquistare i biglietti d'ingresso.

Si levò su la punta dei piedi per vedere il cartellino affisso su lo sportello del botteghino: – *Tutto esaurito*.

Un signore lo urtò, di furia.

– Scusi...

– Di niente... Ma sa, è inutile, glielo dico io. Non c'è più posti. Tutto esaurito. Torni domani sera. Si ripete.

– Venga, venga, Boggiolo! – lo chiamò il Raceni. – Meglio che si faccia vedere sul palcoscenico.

– *Due... quattro... uno... due... uno... tre...* – gridavano intanto all'ingresso le maschere in livrea di gran gala, ritirando i biglietti.

– Ma dove si vuol ficcare tutta questa gente adesso? – domandò Giustino su le spine. – Quanti biglietti d'ingresso avranno dato via? Avrei dovuto trovarmi là di prima sera... Ma quando il diavolo ci caccia la coda! E sto in pensiero, creda, sto proprio in pensiero... Ho un brutto presentimento...

– Non dica così! – gli diede su la voce il Raceni.

– Per Silvia, dico per Silvia! – spiegò Giustino. – Mica pel dramma... L'ho lasciata, creda, molto, molto male... Speriamo che tutto vada bene... ma ho paura che... E poi, guardi, tutta questa gente... dove si ficcherà? Starà scomoda, sarà impaziente, turbolenta... Ohè, paga, e vorrà godere... Ma poteva venire la seconda sera, perdio! Si ripete... Andiamo, andiamo...

Tutto il teatro risonava d'un fragorìo vario, confuso, di gigantesco alveare. Come saziar la brama di godimento, la curiosità, i gusti, l'aspettativa di tutto quel popolo, già per il suo stesso assembramento sollevato a una vita diversa dalla comune, più vasta, più calda, più fusa?

Avvertì come uno smarrimento angoscioso, Giustino, guardando attraverso l'entrata della platea il vaso rigurgitante di spettatori. Il volto, di solito rubicondo, gli era diventato paonazzo.

Sul palcoscenico stenebrato appena da alcune lampadine elettriche accese dietro i fondali, i macchinisti e il trovarobe davano gli ultimi tocchi alla scena, mentre già con miagolii lamentosi si accordavano gli strumenti dell'orchestrina. Il direttore di scena, col campanello in mano, faceva fretta; voleva dar subito il primo segnale agli attori.

Alcuni di questi eran già pronti; la piccola Grassi parata da *Mita* e il Grimi da *Padron Dodo*, con la barba finta, grigia e corta, il volto affumicato come un presciutto, orribile a vedere così da vicino, il berrettone marinaresco ripiegato su un orecchio, i calzoni rimboccati e i piedi che parevano scalzi, in una maglia color carne, parlavano con Tito Lampini in marsina e col Centanni e il Mola. Appena videro Giustino e il Raceni, vennero loro incontro, rumorosamente.

– Eccolo qua! – gridò il Grimi, levando le braccia. – Ebbene, come va? come va?

– Teatrone! – esclamò il Centanni.

– Contento, eh? – aggiunse il Mola.

– Coraggio! – gli disse la Grassina, stringendogli forte forte la mano.

Il Lampini gli domandò:

– La sua signora?...

– Male... male... – prese a dire Giustino.

Ma il Raceni, sgranando gli occhi, gli fece un rapido cenno col capo. Giustino comprese, abbassò le pàlpebre e aggiunse:

– Capiranno che... tanto... tanto bene non può stare...

– Ma starà bene! benone starà! benone! – fece il Grimi col suo vocione pastoso, dimenando il capo e sogghignando.

– Su, Lampini, – disse il Centanni. – L'augurio di prammatica: *In bocca al lupo!*

– La signora Carmi? – domandò Giustino.

– In camerino, – rispose la Grassi.

Si sentiva attraverso il siparlo il rimescolìo incessante dell'ampio vaso. Mille voci confuse, prossime, lontane, rombanti, e sbatacchiar d'usci e stridore di chiavi e scalpiccìo di piedi. Il mare nel fondo della scena, il Grimi vestito da marinajo, diedero a Giustino l'impressione che ci fosse un gran molo di là con tanti piroscafi in partenza. Gli orecchi presero d'un tratto a gridargli e una densa oscurità gli occupò il cervello.

– Vediamo la sala! – gli disse il Raceni, prendendolo sotto il braccio e tirandolo verso la spia del telone. – Non si lasci scappare, per carità! – aggiunse poi, piano, – che la signora è soprapparto.

– Ho capito, ho capito, – rispose Giustino, che si sentiva morir le gambe accostandosi alla ribalta.

– Senta, Raceni, lei mi dovrebbe fare il piacere di correre a casa mia a ogni fin d'atto.

– Ma s'intende! – lo interruppe il Raceni, – non c'è bisogno che me lo dica...

– Per Silvia, dicevo... – soggiunse Giustino, – per avere io notizie... Capirà che a lei non si potrà dir nulla... Ah che sciagurata congiuntura! E meno male che ho avuto la ispirazione di far venire mia madre! Poi c'è lo zio... E ho sacrificato anche quella povera signora Faciolli, che aveva tanto desiderio d'assistere allo spettacolo...

Mise l'occhio alla spia e restò sgomento a mirar prima giù nelle poltrone, in platea, poi in giro nei palchi e su al loggione formicolante di teste. Erano inquieti, impazienti lassù, vociavano, battevano le mani, pestavano i piedi. Giustino trasalì a una scampanellata furiosa del buttafuori.

– Niente! – gli disse il Raceni, trattenendolo, – è il segnale all'orchestra.

E l'orchestrina si mise a strimpellare.

Tutti, tutti i palchi erano straordinariamente affollati e non un posto vuoto in platea, e che ressa nel breve spazio dei posti all'in piedi! Giustino si sentì come arso dal soffio infocato della sala luminosa, dallo spettacolo tremendo di tanta moltitudine in attesa, che lo feriva, lo trafiggeva con gl'innumerevoli occhi. Tutti, tutti quegli occhi col loro luccichìo irrequieto rendevano terribile e mostruosa la folla. Cercò di distinguere, di riconoscere qualcuno lì nelle poltrone. Ah ecco il Luna, che guardava nei palchi e inchinava il capo, sorridendo... ecco là il Betti, che puntava il binocolo. Chi sa a quanti e quante volte aveva ripetuto quella sua frase, con signorile sprezzatura:

– La Medea tradotta in tarentino.

Imbecille! Guardò di nuovo ai palchi e, seguendo le indicazioni del Raceni, cercò nel primo ordine il Gueli, nel secondo donna Francesca Lampugnani, la Bornè-Laturzi; ma non riuscì a scorgere né queste né quello. Era gonfio d'orgoglio, ora, pensando che già era uno splendido e magnifico spettacolo per sé stesso quel teatro così pieno, e che si doveva a lui: opera sua, frutto del suo costante, indefesso lavoro, la considerazione di cui godeva la moglie, la fama di lei. L'autore, il vero autore di tutto, era lui.

– Boggiolo! Boggiolo!

Si volse: gli stava davanti Dora Barmis, raggiante.

– Che magnificenza! Non ho mai visto un teatro simile! Un mago, siete un mago, Boggiolo! Una vera magnificenza, *à ne voir que les dehors*. E che miracolo, avete visto? È in teatro Livia Frezzi! Dicono che sia già terribilmente gelosa di vostra moglie.

– Di mia moglie? – esclamò Giustino, stordito. – Perché?

Era così infatuato in quel momento, che se la Barmis gli avesse detto che la amica del Gueli e tutte le donne ch'erano in teatro deliravan per lui, lo avrebbe compreso e creduto facilmente. Ma sua moglie... – che c'entrava sua moglie? Livia Frezzi gelosa di Silvia? E perché?

– Ve ne fate? – soggiunse la Barmis. – Ma chi sa quante donne saranno tra poco gelose di Silvia Roncella! Che peccato ch'ella non sia qui! Come sta? come sta?

Giustino non ebbe tempo di risponderle. Squillarono i campanelli. Dora Barmis gli strinse forte forte la mano e scappò via. Il Raceni lo trascinò tra le quinte a destra.

Si levò il sipario, e a Giustino Boggiolo parve che gli scoperchiassero l'anima e che tutta quella moltitudine d'un tratto silenziosa s'apparecchiasse al feroce godimento del supplizio di lui, supplizio inaudito, quasi di vivisezione, ma con un che di vergognoso, come se egli fosse tutto una nudità esposta, che da un momento all'altro, per qualche falsa mossa imprevedutà, potesse apparire atrocemente ridicola e sconcia.

Sapeva a memoria da capo a fondo il dramma, le parti di tutti gli attori dalla prima all'ultima battuta, e involontariamente per poco non le ripeteva ad alta voce, mentre quasi in preda a continue scosse elettriche si voltava a scatti di qua e di là con gli occhi brillanti spasimosi, i pomelli accesi, straziato dalla lentezza dei comici, che gli pareva s'indugiassero apposta su ogni battuta per prolungargli il supplizio, come se anch'essi ci si divertissero.

Il Raceni, caritatevolmente, a un certo punto tentò di strapparlo di là, di condurlo nel camerino del Revelli, non ancora entrato in iscena; ma non riuscì a smuoverlo.

Man mano che la rappresentazione procedeva, una violenza strana, un fascino teneva e legava lì Giustino, sgomento, come al cospetto d'un fenomeno mostruoso: il dramma che sua moglie aveva scritto, ch'egli sapeva a memoria parola per parola, e che finora aveva quasi covato, ecco, si staccava da lui, si staccava da tutti, s'inalzava, s'inalzava come un pallone di carta ch'egli avesse diligentemente portato lì, in quella sera di festa, tra la folla, e che avesse a lungo e con cura trepidante sorretto su le fiamme da lui stesso suscitate perché si gonfiasse, a cui ora infine egli avesse acceso lo stoppaccio; si staccava da lui, si liberava palpitante e luminoso, si inalzava, si inalzava nel cielo, traendosi seco tutta la sua anima pericolante e quasi tirandogli le viscere, il cuore, il respiro, nell'attesa angosciosa che da un istante all'altro un buffo d'aria, una scossa di vento, non lo abbattesse da un lato, ed esso non s'incendiasse, non fosse divorato lì nell'alto dallo stesso fuoco ch'egli vi aveva acceso.

Ma dov'era il clamore della folla per quell'inalzamento?

Ecco: la mostruosità del fenomeno era questo silenzio terribile in mezzo al quale il dramma s'inalzava. Esso solo, lì, da sé e per conto suo viveva, sospendendo, anzi assorbendo la vita di tutti, strappando a lui le parole di bocca, e con le parole il fiato. E quella vita là, di cui egli ormai sentiva l'indipendenza prodigiosa, quella vita che si svolgeva ora calma e possente, ora rapida e tumultuosa in mezzo a tanto silenzio, gl'incuteva sgomento e quasi orrore, misti a un dispetto a mano a mano crescente; come se il dramma, godendo di se stesso, godendo di vivere in sé e per sé solo, sdegnasse di piacere altrui, impedisse che gli altri manifestassero il loro compiacimento, si assumesse insomma una parte troppo preponderante e troppo seria, trascurando e rimpicciolendo le cure innumerevoli ch'egli se n'era dato sinora, fino a farle apparire inutili e meschine, e compromettendo quegli interessi materiali a cui egli doveva attendere sopratutto. Se non scoppiavano applausi... se tutti restavano così sino alla fine, sospesi e intontiti... Ma com'era? che cos'era avvenuto? Tra poco il primo atto sarebbe terminato... Non un applauso... non un segno d'approvazione... niente!... Gli pareva d'impazzire... apriva e chiudeva le mani, affondandosi le unghie nelle palme, e si grattava la fronte ardente e pur bagnata di sudor freddo. Figgeva gli occhi nel viso alterato del Raceni tutto intento allo spettacolo, e gli pareva di leggervi il suo stesso sgomento... no, uno sgomento nuovo, quasi uno sbalordimento... forse quello stesso che teneva tutti gli spettatori... Per un momento temette non fosse una cosa atrocemente orrida, non mai finora perpetrata, quel dramma, e che tra poco, da un istante all'altro non scoppiasse una feroce insurrezione di tutti gli spettatori sdegnati, adontati. Ah era veramente una cosa terribile quel silenzio! Com'era? com'era? si soffriva? si godeva? Nessuno fiatava... E le grida dei comici sul palcoscenico, già all'ultima scena, rimbombavano. Ecco, ora calava la tela...

Parve a Giustino che egli, egli solo, lì dal fondale, con l'ansia sua, con la sua brama, con tutta l'anima in un tremendo sforzo supremo strappasse dalla sala, dopo un attimo eterno di voraginosa aspettazione, gli applausi, i primi applausi, secchi, stentati, come un crepitìo di sterpi, di stoppie bruciate, poi una vampata, un incendio: applausi pieni, caldi, lunghi, lunghi, strepitosi, assordanti... – e allora si sentì rilassar tutte le membra e venir meno, quasi cadendo, affogando in mezzo a quello scroscio frenetico, che durava, ecco, durava, durava ancora, incessante, crescente, senza fine...

Il Raceni lo aveva raccolto tra le braccia, sul petto, singhiozzante e lo sorreggeva, mentre quattro, cinque volte gli attori si presentavano alla ribalta, a quell'incendio là... Egli singhiozzava, rideva e singhiozzava e tremava tutto di gioja. Dalle braccia del Raceni cadde tra quelle della Carmi, e poi del Revelli, e poi del Grimi che gli stampò su le labbra, su la punta del naso e sulla guancia i colori della truccatura, perché in un impeto di commozione egli volle baciarlo a ogni costo, a ogni costo, non ostante che quegli, sapendo il guajo che ne sarebbe venuto, si schermisse. E col volto così impiastricciato, seguitò a cadere tra le braccia dei giornalisti e di tutti i conoscenti accorsi sul palcoscenico a congratularsi; non sapeva far altro; era così esausto, spossato, sfinito, che solo in quell'abbandono trovava sollievo; e ormai s'abbandonava a tutti, quasi meccanicamente; si sarebbe abbandonato anche tra le braccia dei pompieri di guardia, dei macchinisti, dei servi di scena, se finalmente a distoglierlo da quel gesto comico e compassionevole, a scuoterlo con una forte scrollatina di braccia non fosse sopravvenuta la Barmis, che lo guidò nel camerino della Carmi per fargli ripulir la faccia. Il Raceni era scappato a casa a prender notizie della moglie.

Nei corridoi, nei palchi era un gridìo, un'esagitazione, un subbuglio. Tutti gli spettatori, per tre quarti d'ora soggiogati dal fascino possente di quella creazione così nuova e straordinaria, così viva da capo a fondo d'una vita che non dava respiro, rapida, violenta, tutta lampeggiante di guizzi d'anima impreveduti, s'erano come liberati con quell'applauso frenetico, interminabile, dallo stupore che li aveva oppressi. Era in tutti adesso una gioja tumultuosa, la certezza assoluta che quella vita, la quale, nella sua novità d'atteggiamenti e d'espressioni, si dimostrava d'una saldezza così adamantina, non avrebbe potuto più frangersi per alcun urto di casi, poiché ogni arbitrio ormai, come nella stessa realtà, sarebbe apparso necessario, dominato e reso logico dalla fatalità dell'azione.

Consisteva appunto in questo il miracolo d'arte, a cui quella sera quasi con sgomento si assisteva. Pareva non ci fosse la premeditata concezione d'un autore, ma che l'azione nascesse lì per lì, di minuto in minuto, incerta, imprevedibile, dall'urto di selvagge passioni, nella libertà d'una vita fuori d'ogni legge e quasi fuori del tempo, nell'arbitrio assoluto di tante volontà che si sopraffacevano a vicenda, di tanti esseri abbandonati a sé stessi, che compivano la loro azione nella piena indipendenza della loro natura, cioè contro ogni fine che l'autore si fosse proposto.

Molti, tra i più accesi e pur non di meno afflitti dal dubbio che la loro impressione potesse non collegare col giudizio dei competenti, cercavano con gli occhi nelle poltrone, nei palchi i visi dei critici drammatici dei più diffusi giornali quotidiani, e si facevano indicare quelli venuti da fuori, e stavano a spiarli a lungo.

Segnatamente su un palco di prima fila si appuntavano gli occhi di costoro: nel palco di *Zeta*, terrore di tutti gli attori e autori che venivano ad affrontare il giudizio del pubblico romano.

Zeta discuteva animatamente con due altri critici, il Devicis venuto da Milano, il Còrica venuto da Napoli. Approvava? disapprovava? e che cosa? il dramma o l'interpretazione degli attori? Ecco, entrava nel palco un altro critico. Chi era? Ah, il Fongia di Torino... Come rideva! E fingeva di piangere e di abbandonarsi sul petto del Còrica e poi del Devicis. Perché? *Zeta* scattava in piedi, con un gesto di fierissimo sdegno, e gridava qualcosa, per cui gli altri tre prorompevano in una fragorosa risata. Nel palco accanto, una signora dal volto bruno, torbido, dagli occhi verdi profondamente cerchiati, dall'aria cupa, rigidamente altera, si levò e andò a sedere all'altro angolo del palco, mentre dal fondo un signore dai capelli grigi... – ah, il Gueli, il Gueli! Maurizio Gueli! – sporgeva il capo a guardare nel palco dei critici.

– Maestro; perdonate, – gli disse allora *Zeta*, – e fatemi perdonare dalla signora. Ma quello è un guajo, Maestro! Quello è la rovina della povera figliola! Se voi volete bene alla Roncella...

– Io? Per carità! – fece il Gueli; e si ritrasse col viso alterato, guardando negli occhi la sua amica.

Questa, con un fremito di riso tagliente su le labbra nere e restringendo un po' le pàlpebre quasi a smorzare il lampo degli occhi verdi, chinò più volte il capo e disse al giornalista:

– Eh, molto... molto bene...

– Signora, con ragione! – esclamò allora quello. – Genuina figliuola di Maurizio Gueli, la Roncella! Lo dico, l'ho detto e lo dirò. Questa è una cosa grande, signora mia! Una cosa grande! La Roncella è grande! Ma chi la salverà da suo marito?

Livia Frezzi tornò a sorridere come prima e disse:

– Non abbia paura... Non le mancherà l'ajuto... paterno, s'intende.

Poco dopo questa conversazione da un palco all'altro, mentre già si levava il sipario sul secondo atto, Maurizio Gueli e la Frezzi lasciavano il teatro come due che, non potendo più oltre frenare in sé l'impeto dell'avversa passione, corressero fuori per non dare un laido e scandaloso spettacolo di sé. Stavano per montare in vettura, quando da un'altra vettura arrivata di gran furia smontò, stravolto, Attilio Raceni.

– Ah, Maestro, che sventura!

– Che cos'è? – domandò con voce che voleva parer calma il Gueli.

– Muore.. muore... muore... La Roncella, forse, a quest'ora... l'ho lasciata che... vengo a prendere il marito...

E senza neanche salutar la signora, il Raceni s'avventò dentro il teatro. Passando innanzi all'ingresso della platea udì un fragore altissimo d'applausi. In due salti fu sul palcoscenico. Qui, a prima giunta, si trovò come in mezzo a una mischia furibonda. Giustino Boggiolo ormai ringalluzzito, anzi quasi impazzito dalla gioja, tra i comici che lo tiravano per le falde della giacca, gridava e si divincolava per presentarsi lui, lui alla ribalta, invece della moglie, a ringraziare il pubblico che ancora non si stancava di chiamar fuori l'autrice, a scena aperta.

IV. Dopo il trionfo

1.

Alla stazione, una folla. I giornali avevano divulgato la notizia che Silvia Roncella, per miracolo scampata alla morte proprio nel momento supremo del suo trionfo, finalmente in grado di sopportar lo strapazzo d'un lungo viaggio, partiva quella mattina, ancora convalescente, per andare a recuperar le forze e la salute in Piemonte, nel paesello nativo del marito. E giornalisti e letterati e ammiratori e ammiratrici erano accorsi alla stazione per vederla, per salutarla, e s'affollavano innanzi alla porta della sala d'aspetto, poiché il medico che la assisteva e che l'avrebbe accompagnata fino a Torino, non permetteva che molti le facessero ressa attorno.

– Cargiore? Dov'è Cargiore?
– Uhm! Presso Torino, dicono.
– Ci farà freddo!
– Eh, altro... Mah!

Quelli intanto che erano ammessi a stringerle la mano, a congratularsi, non ostanti le proteste del medico, le preghiere del marito, non sapevano più staccarsene per dar passo agli altri; e, seppur si allontanavano un poco dal divano ov'ella stava seduta tra la suocera e la bàlia, rimanevano nella sala a spiare con occhi intenti ogni minimo atto, ogni sguardo, ogni sorriso di lei. Quelli di fuori picchiavan sui vetri, chiamavano, facevan cenni d'impazienza e d'irritazione; nessuno di quelli entrati se ne dava per inteso; anzi qualcuno pareva si compiacesse di mostrarsi sfrontato fino al punto di guardare con dispettoso sorriso canzonatorio quello spettacolo d'impazienza e d'irritazione.

L'esito del dramma *La nuova colonia* era stato veramente straordinario, un trionfo. La notizia della morte dell'autrice, diffusasi in un baleno nel teatro, durante la prima rappresentazione, alla fine del secondo atto, quando già tutto il pubblico era preso, affascinato dalla vasta e possente originalità del dramma, aveva suscitato una così nuova e solenne manifestazione di lutto e d'entusiasmo insieme, che ancora, dopo circa due mesi, ne durava un fremito di commozione in tutti coloro che avevano avuto la ventura di parteciparvi. Affermando quel trionfo della vita dell'opera d'arte, acclamando, gridando, deprecando, singhiozzando, era parso che il pubblico quella sera volesse vincere la morte: era rimasto lì, in teatro, alla fine dello spettacolo, a lungo, a lungo, frenetico, quasi in attesa che la morte lasciasse quella preda sacra alla gloria, la restituisse alla vita; e quando Laura Carmi, esultante, era irrotta al proscenio ad annunziare che l'autrice non era ancor morta, un delirio s'era levato come per una vittoria soprannaturale.

La mattina appresso tutti i giornali erano usciti in edizioni straordinarie per descrivere quella serata memorabile, e per tutta Italia, per tutti i paesi n'era volata subito la notizia, suscitando in ogni città il desiderio più impaziente di vedere al più presto rappresentato il dramma e d'avere intanto altre notizie, altre notizie dell'autrice e del suo stato, altre notizie del lavoro.

Bastava guardar Giustino Boggiolo per farsi un'idea dell'enormità dell'avvenimento, della febbre di curiosità per tutto divampata. Non la moglie, ma lui pareva uscito or ora dalle strette della morte.

Strappato, quella sera, dalle braccia dei comici che lo tenevano agguantato per il petto, per le spalle, per le falde della giacca, a impedire che si presentasse, o piuttosto, si precipitasse alla ribalta, lui invece della moglie, ebbro furente per i fragorosi applausi scoppiati a scena aperta, in principio del secondo atto, nel momento dell'approdo della nuova colonia, allorché alla vista delle donne i primi coloni smettono di combattere e lasciano solo *Currao*, era stato trascinato via, a casa, da Attilio Raceni che si squagliava in lagrime, convulso.

Come non era impazzito alla vista del tragico trambusto, lì in casa, innanzi a quei tre medici curvi addosso alla moglie sanguinosa abbandonata urlante, nel veder fare scempio e strazio del corpo esposto di lei?

Chiunque altro forse, balzato così da una violenta terribile emozione a un'altra opposta, non meno violenta e terribile, sarebbe impazzito. Lui no! Lui, invece, poco dopo entrato in casa, aveva dovuto e potuto trovare in sé la forza sovrumana di tener testa alla petulanza crudele dei giornalisti accorsi dal teatro appena la prima notizia della morte aveva cominciato a circolar tra i palchi e la platea. E mentre di là venivano gli urli, gli ùluli lunghi orrendi della moglie, aveva potuto, pur sentendosi da quegli urli, da quegli ùluli strappar le viscere e il cuore, rispondere a tutte le domande che quelli gli rivolgevano e dar notizie e ragguagli e finanche andare a scovar nei cassetti e distribuire ai redattori dei giornali più in vista il ritratto della moglie, perché fosse riprodotto nelle edizioni straordinarie del mattino.

Ora ella intanto – bene o male – s'era liberata del suo cómpito: quel che doveva fare, lo aveva fatto: eccolo là, tra i veli, quel caro gracile roseo cosino in braccio alla bàlia; e andava lontano, a riposarsi, a ristorarsi nella pace e nell'ozio. Mentre lui... Già prima di tutto, altro che quel cosino lì! Un gigante, un gigante aveva messo su, egli; un gigante che ora, subito, voleva darsi a camminare a grandi gambate per tutta l'Italia, per tutta l'Europa, anche per l'America, a mietere allori, a insaccar denari; e toccava a lui d'andargli appresso col sacco in mano, a lui già stremato di forze, così sfinito per il suo parto gigantesco.

Perché veramente per Giustino Boggiolo il gigante non era il dramma composto da sua moglie; il gigante era il trionfo, di cui egli solamente si riconosceva l'autore. Ma sì! se non ci fosse stato lui, se lui non avesse operato miracoli in tutti quei mesi di preparazione, ora difatti tanta gente sarebbe accorsa lì, alla stazione, a ossequiar la moglie, a felicitarla, ad augurarle il buon viaggio!

– Prego, prego... Mi facciano la grazia, siano buoni... Il medico, hanno sentito?... E poi, guardino, ci sono tant'altri di là... Sì, grazie, grazie... Prego, per carità... A turno, a turno, dice il medico... Grazie, prego, per carità... – si rivolgeva intanto a questo e a quello, con le mani avanti, cercando di tenerne quanti più poteva discosti dalla moglie, per regolare anche quel servizio nel modo più lodevole, così che la stampa poi, quella sera stessa, ne potesse parlare come d'un altro avvenimento. – Grazie, oh prego, per carità... Oh signora Marchesa, quanta degnazione... Sì, sì, vada, grazie... Venga, venga avanti, Zago, ecco, le faccio stringer la mano, e poi via, mi raccomando. Un po' di largo, prego, signori... Grazie, grazie... Oh signora Barmis, signora Barmis, mi dia ajuto, per carità... Guardi, Raceni, se viene il senatore Borghi... Largo, largo, per favore... Sissignore, parte senz'avere assistito neanche a una rappresentazione del suo dramma... Come dice? Ah sì... purtroppo, sì, neanche una volta, neanche alle prove... Eh, come si fa? deve partire, perché io... Grazie, Centanni!... Deve partire... Ciao, Mola, ciao! E mi raccomando, sai?... Deve partire, perché... Come dice? Sissignora, quella è la Carmi, la prima attrice... La *Spera*, sissignora!... Perché io... mi lasci stare, ah, mi lasci stare... Non me ne parli, non me ne parli, non me ne parli... A Napoli, a Bologna, a Firenze, a Milano, a Torino, a Venezia... non so come spartirmi... sette, sette compagnie in giro, sissignore...

Così, una parola a questo, una a quello, per lasciar tutti contenti; e occhiatine e sorrisi d'intelligenza ai giornalisti; e tutte quelle notizie distribuite così, quasi per incidenza; e or questo ora quel nome pronunziato forte a bella posta, perché i giornalisti ne prendessero nota.

Cèrea, con le labbra esangui, le nari dilatate, tutta occhi, i capelli cascanti, Silvia Roncella appariva piccola, minima, misera, quale centro di tutto quel movimento attorno a lei; più che stordita, smarrita.

Le si notavano sul volto certi sgrati movimenti, guizzi nervosi, contrazioni, che tradivano duri sforzi d'attenzione; come se ella, a tratti, non sapesse più credere a quel che vedeva e si domandasse che cosa infine dovesse fare, quel che si volesse da lei, ora, nel momento di partire, col bambino accanto, a cui forse tutto quell'assembramento, tutto quel rimescolìo potevano far male, come facevano male a lei.

«Perché? perché?», dicevano chiaramente quegli sforzi. «Ma dunque è vero, proprio vero, questo trionfo?»

E pareva avesse paura di crederlo vero, o fosse all'improvviso assaltata dal dubbio che ci fosse sotto sotto qualcosa di combinato, tutta una macchinazione ordita dal marito che si dava tanto da fare, una gonfiatura, ecco, per cui ella dovesse provare, più che sdegno, onta, come per una irriverenza indecente alla sua maternità, alle atroci sofferenze che essa le era costata, e uno strappo, una violenza alle sue modeste, raccolte abitudini; una violenza non solo importuna ma anche fuor di luogo, perché ella ora lì non stava a far nulla da richiamare tanto popolo: doveva partire, e basta; con la bàlia e il piccino e la suocera, povera cara vecchina tutta sbalordita, e lo zio Ippolito, che si prestava con gran sacrifizio ad accompagnarla fin lassù, invece del marito, e anche a tenerle compagnia in casa della suocera: – ecco, così, un viaggetto in famiglia, da far con le debite precauzioni, inferma com'era tuttavia.

Se il trionfo era vero, in quel momento, per lei, voleva dir fastidio, oppressione, incubo. Ma forse... sì, forse, in altro momento, appena ella avrebbe riacquistato le forze... se esso era vero... chi sa!

Qualcosa come un émpito immenso, tutto pungente di brividi, le si levava dal fondo dell'anima, turbando, sconvolgendo, strappando affetti e sentimenti. Era il dèmone, quell'ebbro dèmone che ella sentiva in sé, di cui aveva avuto sempre sgomento, a cui sempre s'era sforzata di contrastare ogni dominio su lei, per non farsi prendere e trascinar chi sa dove, lontano da quegli affetti, da quelle cure in cui si rifugiava e si sentiva sicura.

Ah, faceva proprio di tutto, di tutto, il marito per gittarla in preda ad esso! E non gli balenava in mente che se ella...?

No, no: ecco; contro il dèmone un altro più tremendo spettro le sorgeva dentro: quello de la morte: la aveva toccata, da poco, toccata; e sapeva com'era: gelo, bujo freddo e duro. Quell'urto! ah, quell'urto! Sotto la morbida mollezza delle carni, sotto il fervido fluire del sangue, quell'urto contro le ossa del suo scheletro, contro la sua cassa interna! Era la morte, quella; la morte che la urtava coi piedini del suo bimbo, che voleva vivere uccidendola. La sua morte e la vita del suo bambino le sorgevano dinanzi contro il dèmone malioso della gloria: una laidezza sanguinosa, brutale, vergognosa, e quel roseo d'alba lì tra i veli, quella purezza gracile e tenera, carne della sua carne, sangue del suo sangue.

Così combattuta, nella spossatezza della convalescenza, così sbalzata da un sentimento all'altro, Silvia Roncella or si volgeva al bambino, tra un saluto e l'altro; or abbassava la mano per dare una rapida stretta incoraggiante alle mani della vecchia che le sedeva accanto; ora rispondeva con uno sguardo freddo e quasi ostile agli augurii, alle congratulazioni d'un giornalista o d'un letterato, come a dir loro: «Non me n'importa poi tanto, sa? Io sono stata per morire!» – ora, invece, a qualche altra congratulazione, a qualche altro augurio, si rischiarava in viso, aveva come un lampo negli occhi e sorrideva.

– È meravigliosa! meravigliosa! Ingenuità, primitività incantevole! Freschezza di prato! – non rifiniva intanto d'esclamare la Barmis tra il crocchio dei comici venuti anch'essi, come tanti altri, a veder per la prima volta, a conoscer l'autrice del dramma.

Quelli, per non parere imbronciati, assentivano col capo. Eran venuti sicuri d'una calorosissima accoglienza da parte della Roncella al cospetto di tutti, d'una accoglienza quale si conveniva, se non proprio agli artefici primi di tanto trionfo, ai più efficaci cooperatori di lei, non facilmente surrogabili o superabili, via! Erano stati accolti invece, come tutti gli altri, e d'un subito s'erano immelensite le arie con cui erano entrati e raggelati i loro modi.

– Sì, ma soffre, – osservava il Grimi, facendo boccacce con gravità baritonale. – È chiaro che soffre, guardatela! Ve lo dico io che soffre quella poverina là...

– Tanto di donnetta, che forza! – diceva invece la Carmi, mordicchiandosi il labbro. – Chi lo direbbe? Me la immaginavo tutt'altra!

– Ah sì? Io, no! io, no! Io proprio così, – affermò la Barmis. – Ma se la guardate bene...

– Già, sì, negli occhi... – riconobbe subito la Carmi. – C'è! c'è! negli occhi c'è qualcosa... Certi lampi, sì, sì... Perché il grande della sua arte è... non saprei... in alcuni guizzi, eh? non vi pare? subitanei, improvvisi... in certi bruschi arresti che vi scuotono e vi stonano. Noi siamo abituati a un solo tono, ecco; a quelli che ci dicono: la vita è questa, questa e questa; ad altri che ci dicono: è quest'altra, quest'altra e quest'altra, è vero? La Roncella vi dipinge un lato, anch'essa; ma poi d'un tratto si volta e vi presenta l'altro lato, subito. Ecco, questo mi pare!

E la Carmi, succhiando come una caramella la soddisfazione d'aver parlato così bene, forte, volse gli occhi in giro come a raccogliere gli applausi di tutta la sala, o almeno almeno i segni dell'unanime consenso, e vendicarsi così, cioè con vera superiorità, della freddezza e della ingratitudine della Roncella. Ma non raccolse neanche quelli del suo crocchio, perché tanto la Barmis quanto i suoi compagni di palcoscenico s'accorsero bene ch'essa più che per loro aveva parlato per essere intesa dagli altri, e sopra tutto dalla Roncella. Due soli, rincantucciati in un angolo, la signora Ely Faciolli e Cosimo Zago appoggiato alla stampella, approvarono col capo, e Laura Carmi li guatò con sdegno, come se essi con la loro approvazione la avessero insultata.

A un tratto, un vivo movimento di curiosità si propagò nella sala e molti, cavandosi di capo, inchinandosi, s'affrettarono a trarsi da canto per lasciar passare uno, cui evidentemente l'insospettata presenza di tanta gente cagionava, più che fastidio e imbarazzo, un vero e profondo turbamento, quasi ira, stizza e vergogna insieme; un turbamento che saltava a gli occhi di tutti e che non poteva affatto spiegarsi col solo sdegno ben noto in quell'uomo di darsi in pascolo alla gente.

Altro doveva esserci sotto; e altro c'era. Lo diceva piano, in un orecchio del Raceni, Dora Barmis, con gioja feroce:

– Teme, teme che i giornalisti questa sera, nel resoconto, facciano il suo nome! E sicuro che lo faranno! sfido io, se lo faranno! in prima! capolista! Chi sa, caro mio, dove avrà detto alla Frezzi che sarebbe andato; e invece, eccolo qua; è venuto qua... E questa sera Livia Frezzi leggerà i giornali; leggerà in prima il nome di lui, e figuratevi che scenata gli farà! Gelosa pazza, ve l'ho già detto! gelosa pazza; ma – siamo giusti – con ragione, mi sembra... Per me, via, non c'è più dubbio!

– Ma statevi zitta! – le diede su la voce il Raceni. – Che dite! Se le può esser
padre!

– Bambino! – esclamò allora la Barmis con un sorriso di commiserazione.

– Sarà gelosa la Frezzi! Lo sapete voi; io non lo so, – insistette il Raceni.

La Barmis aprì le braccia:

– Ma lo sa tutta Roma, santo Dio!

– Va bene. E che vuol dire? – seguitò il Raceni, accalorandosi. – Gelosa e
pazza, se mai! Non può esser altro che pazzia... Ma se alla prima rappresentazione se n'andò dopo il primo atto. Lo notarono tutti i maligni, come una
prova che il dramma non gli è piaciuto!

– Per altra ragione, caro, per altra ragione andò via! – canterellò la Barmis.

– Grazie, lo so! Ma quale? – domandò il Raceni. – Perché innamorato della
Roncella? Fate ridere, se lo dite. Controsenso! Andò via per la Frezzi. D'accordo! E che vuol dire? Ma se lo sanno tutti che è schiavo di quella donna!
che quella donna lo vessa! e che egli farebbe di tutto per stare in pace con lei!

– E viene qua? – domandò argutamente la Barmis.

– Sicuro! viene qua! sicuro! – rispose con stizza il Raceni. – Perché avrà saputo com'è stata interpretata dai maligni quella sua uscita dal teatro, e viene a
riparare. È turbato, sfido! non s'aspettava qua tutta questa gente. Teme che
questa sera colei, come voi e come tutti possa malignare su questa venuta. Ma
via! ma via! Se fosse altrimenti, o non sarebbe venuto, o non sarebbe così turbato. È chiaro!

– Bambino! – ripeté la Barmis.

Non poté aggiungere altro, perché, imminente ormai la partenza, la Roncella
tra Maurizio Gueli e il senatore Romualdo Borghi, col marito davanti, battistrada, si disponeva a uscir dalla sala per prender posto sul treno.

Tutti si scoprirono il capo; si levarono grida di evviva tra un lungo scroscio
d'applausi; e Giustino Boggiolo, già preparato, in attesa, guardando di qua e
di là, sorridente, raggiante, con gli occhi lustri lustri e i pomelli accesi, s'inchinò a ringraziare più volte, invece della moglie.

Nella sala, dietro la porta vetrata, rimase sola a singhiozzare dentro il moccichino profumato la signora Ely Faciolli, dimenticata e inconsolabile. Guardando cauto, obliquo, col grosso testone triste arruffato, lo zoppetto Cosimo
Zago balzò con la stampella a quel posto del divano ove poc'anzi stava seduta
la Roncella, ghermì una piccola piuma che s'era staccata dal boa di lei e se la
cacciò in tasca appena in tempo da non essere scoperto dal romanziere napoletano Raimondo Jàcono, il quale riattraversava sbuffante la sala per andar via,
stomacato.

– Ohè! tu? che fai? Mi sembri un cane sperduto... Senti, senti che grida? Gli
osanna! È la santa del giorno! Buffoni, peggio di quel suo marito! Su, su, coraggio, figlio mio! È la cosa più facile del mondo, vedi... Quella ha preso
Medea e l'ha rifatta stracciona di Taranto; tu piglia Ulisse e rifallo gondoliere
veneziano. Un trionfo! Te l'assicuro io! E vedrai che quella mo' si fa ricca,
oh! Due, trecento mila lire, come niente! Balla, comare, che fortuna suona!

2.

Ritornando a casa in vettura con la signora Ely Faciolli (la poverina non sapeva staccarsi il fazzoletto dagli occhi, ma ormai non tanto più per il cordoglio della partenza di Silvia, quanto per non scoprire i guasti che le lagrime
avevano cagionato, lunghi e profondi, alla sua chimica), Giustino Boggiolo
scoteva le spalle, arricciava il naso, friggeva, pareva che ce l'avesse proprio
con lei. Ma no, povera signora Ely, no; lei non c'entrava per nulla.

Tre minuti prima della partenza del treno s'era attaccato a Giustino un nuovo
fastidio; ne aveva pochi! quasi un pezzo di carta, uno straccio, un vilucchio,

che s'attacchi al piede d'un corridore tutto compreso della gara in una pista assiepata di popolo. Il senatore Borghi, parlando con Silvia affacciata al finestrino della vettura, le aveva chiesto nientemeno il copione de *La nuova colonia* per pubblicarlo nella sua rassegna. Per fortuna egli aveva fatto in tempo a intromettersi, a dimostrargli che non era possibile: già tre editori, tra i primi, gli avevano fatto ricchissime profferte e ancora egli li teneva a bada tutti e tre, temendo che la diffusione del libro scemasse alquanto la curiosità del pubblico in tutte quelle città che aspettavano con febbrile impazienza la rappresentazione del dramma. Il Borghi allora, in cambio, s'era fatto promettere da Silvia una novella – lunghetta, lunghetta – per la *Vita Italiana*.

– Ma a quali patti, scusi? – cominciò a dire Giustino, come se avesse accanto nella vettura il senatore direttore e già ministro, e non quella sconsolata signora Ely, che non poteva davvero mostrare gli occhi e affrontare una conversazione in quello stato. – A quali patti? Bisogna vedere; bisogna intenderci, ora... Non sono più i tempi della *Casa dei nani*. Quel che può bastare a un nano, signora mia, diciamola com'è, non può bastare più a un gigante, ecco. La gratitudine, sissignora! Ma la gratitudine... la gratitudine prima di tutto non bisogna sfruttarla, ecco! Come dice?

Approvò, approvò più volte col capo, dentro il moccichino, la signora Ely; e Giustino seguitò:

– Al mio paese, chi sfrutta la gratitudine non solo perde ogni merito del beneficio, ma si regola... no, che dico? peggio! si regola peggio di chi nega con crudeltà un ajuto che potrebbe prestare. Questo me lo conservo, guardi! come un buon pensiero per il primo *album* che mi manderà lui, il signor senatore. Anzi, me l'appunto. Così lo leggerà...

Trasse dalla tasca il taccuino e prese nota del pensiero.

– Creda che se non faccio così... Ah, signora mia, signora mia! Cento teste dovrei avere, cento, e sarebbero poche! Se penso a tutto quello che devo fare, Dio, mi prende la vertigine! Ora vado all'ufficio e domando sei mesi d'aspettativa. Non posso farne di meno. E se non me l'accordano? Mi dica lei... Se non me l'accordano? Sarà un affar serio; mi vedrò costretto a... a... Come dice?

Disse qualche altra cosa dentro il moccichino la signora Ely, qualche altra cosa che non volle ridire né manifestar per segni: solamente alzò un poco le spalle. E allora Giustino:

– Ma veda, per forza... Vedrà che per forza mi costringeranno a dare un calcio all'ufficio! E poi cominceranno a dire, uh, ne sono sicuro!, che vivo alle spalle di mia moglie. Io, già! alle spalle di mia moglie! Come se mia moglie, senza di me... roba da ridere, via! Già si vede: eccola là: se n'è andata in villeggiatura; e chi resta qua, a lavorare, a far la guerra? Guerra, sa? guerra davvero, guerra... Si entra ora in campo! Sette eserciti e cento città! Se ci resisto... Andate a pensare all'ufficio! Se domani lo perdo, per chi lo perdo? lo perdo per lei... Bah, non ci pensiamo!

Aveva tante cose per il capo, che più di qualche minuto di sfogo non poteva concedere al dispiacere anche grave che qualcuna gli cagionava. Tuttavia non poté fare a meno di ripensare, prima d'arrivare a casa, a quella tal richiesta a tradimento del senatore Borghi. Gli aveva fatto troppa stizza, ecco, anche perché, se mai, gli pareva che non alla moglie, ma a lui avrebbe dovuto rivolgersi il signor senatore. Ma, poi, Cristo santo! un po' di discrezione! Quella poverina partiva per rimettersi in salute, per riposarsi. Se a qualche cosa poi, là a Cargiore, le fosse venuto voglia di pensare, ma avrebbe pensato a un nuovo dramma, perbacco! non a cosettine che portan via tanto tempo, e non fruttano nulla. Un po' di discrezione, Cristo santo!

Appena arrivato a casa – paf! un altro inciampo, un altro grattacapo, un'altra ragione di stizza. Ma questa, assai più grave!

Trovò nello studiolo un giovinotto lungo lungo, smilzo smilzo, con una selva
di capelli riccioluti indiavolati, pizzo ad uncino, baffi all'erta, un vecchio fazzoletto verde di seta al collo che forse nascondeva la mancanza della camicia,
un farsettino nero inverdito, le cui maniche, sdrucite ai gomiti, gli lasciavano
scoperti i polsi ossuti e gli facevano apparire sperticate le braccia e le mani.
Lo trovò come padrone del campo, in mezzo a una mostra di venticinque pastelli disposti giro giro per la stanza, su le seggiole, su le poltrone, su la scrivania, da per tutto: venticinque pastelli tratti dalle scene culminanti de *La
nuova colonia*.

– E scusi... e scusi... e scusi... – si mise a dire Giustino Boggiolo, entrando,
stordito e sperduto, tra tutto quell'apparato. – Ma chi è lei, scusi?

– Io? – disse il giovinotto, sorridendo con aria di trionfo. – Chi sono io?
Nino Pirino. Io sono Nino Pirino, pittorino tarentino, dunque compatriottino di
Silvia Roncella. Lei è il marito, è vero? Piacere! Ecco, io ho fatto questa roba
qua, e son venuto a mostrarla a Silvia Roncella, mia celebre compatriota.

– E dov'è? – fece Giustino.

Il giovinotto lo guardò, stordito.

– Dov'è? chi? come?

– Ma signor mio, è partita!

– Partita?

– Lo sa tutta Roma, perbacco! c'era tutta Roma alla stazione, e lei non lo sa!
Ho tanto poco tempo io, scusi... Ma già... aspetti un momento... Scusi, queste
sono scene de *La nuova colonia*, se non sbaglio?

– Sissignore.

– E che è roba di tutti *La nuova colonia*, scusi? Lei prende così le scene e...
e se le appropria... Come? con qual diritto?

– Io? che dice? ma no! – fece il giovinotto. – Io sono un artista! Io ho veduto
e...

– Ma nossignore! – esclamò con forza Giustino. – Che ha veduto? Ha veduto
La nuova colonia di mia moglie...

– Sissignore.

– E questa è l'isola abbandonata, è vero?

– Sissignore.

– Dove l'ha mai veduta Lei? esiste forse nella realtà, nella carta geografica
quest'isola? Lei non ha potuto vederla!

Il giovinotto credeva propriamente che il caso fosse da ridere, e in verità a
ridere era disposto; così investito contro ogni sua aspettazione, ora si sentiva
rassegare il riso su le labbra. Più che mai stordito, disse:

– Con gli occhi? con gli occhi no, certo! con gli occhi non l'ho veduta. Ma
l'ho immaginata, ecco!

– Lei? Ma nossignore! – incalzò Giustino. – Mia moglie! L'ha immaginata
mia moglie, non Lei! E se mia moglie non l'avesse immaginata, Lei non
avrebbe dipinto lì un bel corno, glielo dico io! La proprietà...

A questo punto Nino Pirino riuscì a fare erompere la risata che gli gorgo-
gliava dentro da un pezzo.

– La proprietà? ah sì? quale? quella dell'isola? oh bella! oh bella! oh bella!
vuol esser Lei soltanto il proprietario dell'isola? il proprietario d'un'isola che
non esiste?

Giustino Boggiolo, sentendolo ridere così, s'intorbidò tutto dall'ira e gridò,
fremente:

– Ah, non esiste? Lo dite voi che non esiste! Esiste, esiste, esiste, sissignore!
Ve lo faccio vedere io se esiste!

– L'isola?

– La proprietà! il mio diritto di proprietà letteraria! il mio diritto, il mio diritto esiste; e vedrete se saprò farlo rispettare e valere! Ci sono qua io, per

questo! Tutti ormai sono avvezzi a violarlo questo diritto, che pure emana da una legge dello Stato, perdio, sacrosanta! Ma ripeto che ci sono qua io, ora, e glielo faccio vedere!

– Va bene... ma guardi... sissignore... si calmi, guardi... – gli diceva intanto il giovinotto, angustiato di vederlo in quelle furie. – Guardi, io... io non ho voluto usurpare alcun diritto, alcuna proprietà... Se lei s'arrabbia così... ma io sono pronto a lasciarle qua tutti i miei pastelli, e me ne vado. Glie li regalo e me ne vado... Mi sono inteso di fare un piacere, di fare onore alla mia compaesana... Sì, volevo anche pregarla di... di... ajutarmi col prestigio del suo nome, perché credo, via, di meritarmi qualche ajuto... Sono belli, sa? Li degni almeno d'uno sguardo, questi miei pastellini... Non c'è male, creda! Glieli regalo, e me ne vado.

Giustino Boggiolo si trovò d'un tratto disarmato e restò brutto di fronte alla generosità di quel ricchissimo straccione.

– No, nient'affatto... grazie... scusi... dicevo, discutevo per il... la... il... diritto, la proprietà, ecco. Creda che è un affar serio... come se non esistesse... Una pirateria continua nel campo letterario... Mi sono riscaldato, eh? ma perché, veda... in questo momento, mi... mi... mi... riscaldo facilmente: sono stanco, stanco, stanco da morirne; e non c'è peggio della stanchezza! Ma io devo guardarmi davanti e dietro, caro signore; devo difendere i miei interessi, Lei lo capisce bene.

– Ma certo! ma naturalmente! – esclamò Nino Pirino, rifiatando. – Però, senta... Non s'arrabbi di nuovo, per carità! Senta... crede che io non possa fare un quadro, poniamo, su... sui *Promessi sposi*, ecco? Leggo i *Promessi sposi*... ho l'impressione d'una scena... non posso dipingerla?

Giustino Boggiolo si concentrò con grande sforzo; rimase un po' cogitabondo a stirarsi con due dita la moschetta della barba a ventaglio:

– Eh, – poi disse. – Veramente non saprei... Forse, trattandosi dell'opera d'un autore morto, già caduta da un pezzo in pubblico dominio... Non so. Bisogna che studii la questione. Qui il suo caso, a ogni modo, è diverso. Guardi! Sta di fatto che se un musicista domani mi chiede di musicare *La nuova colonia* – glielo dico perché sono già in trattative con due compositori, tra i primi – anche facendosene cavare il libretto da altri, deve pagare a me quel che io pretendo, e non poco, sa? Ora, se non sbaglio, il suo caso è lo stesso: lei per la pittura, quello per la musica...

– Veramente... già... – cominciò a dire Nino Pirino, uncinandosi vieppiù il pizzo; ma poi, d'un balzo, ricredendosi. – Ma no! sbaglia, sa! Veda... il caso è un altro! Il musicista paga perché, per il melodramma, prende le parole; ma se non prende più le parole, se riesprime solo musicalmente in una sinfonia, o che so io, le impressioni, i sentimenti suscitati in lui dal dramma della sua signora, non paga più, sa? ne può star sicuro; non paga più!

Giustino Boggiolo parò le mani come ad arrestar subito un pericolo o una minaccia.

– Parlo accademicamente, – s'affrettò allora a soggiungere il giovinotto. – Io le ho già detto perché sono venuto e, ripeto, sono pronto a lasciarle qua i miei pastelli.

Un'idea luminosa balenò in quel momento a Giustino. Il dramma, prima o poi, doveva andare a stampa. Farne un'edizione ricchissima, illustrata, con la riproduzione a colori di quei venticinque pastelli là... Ecco, il libro così non sarebbe andato per le mani di tutti; così egli avrebbe anche impedito lo sfruttamento dell'opera della moglie da parte di quel pittore; e avrebbe anche prestato a questo l'ajuto richiesto, morale e materiale, perché avrebbe imposto all'editore un adeguato compenso per quei pastelli là.

Nino Pirino si dichiarò entusiasta dell'idea e per poco non baciò le mani al suo benefattore, il quale intanto aveva avuto un altro lampo e gli faceva cenno d'aspettare che la luce gli si facesse intera.

– Ecco. Una prefazione del Gueli, al volume... Così, tutti i maligni che vanno gracchiando che al Gueli il dramma non è piaciuto... Egli è venuto questa mattina a ossequiar la mia signora alla stazione, sa? Ma possono ancora dire (li conosco bene, io!) che è stato per mera cortesia. Se il Gueli fa la prefazione... Benissimo, sì sì, benissimo. Ci andrò oggi stesso, subito com'esco dall'ufficio. Ma vede quant'altri pensieri, quant'altro da fare mi dà Lei adesso? E ho i minuti contati! Debbo partire stasera per Bologna. Basta, basta... Vedrò di pensare a tutto. Lei mi lasci qua i pastelli. Le prometto che appena passo da Milano... Dica, il suo indirizzo?

Nino Pirino si strinse i gomiti alla vita e domandò, tirando su il busto, impacciato:

– Ecco... quando... quando passerà, Lei, da Milano?

– Non so, – disse il Boggiolo. – Fra due, tre mesi al massimo...

– E allora, – sorrise Pirino, – è inutile che le dica il mio indirizzo. Di qui a tre mesi, ne avrò cangiati otto per lo meno. Nino Pirino, ferma in posta: ecco, mi scriva così.

3.

Quando, sul tardi, Giustino Boggiolo rientrò in casa (aveva appena il tempo di fare in fretta in furia le valige) era così stanco, in tale vana fissità di stordimento, che finanche alle pietre avrebbe fatto pietà. Solamente a sé stesso non ne faceva.

Appena entrato nella cupa ombra dello studiolo, si trovò senza saper come né perché tra le braccia, sul seno d'una donna che lo sorreggeva in piedi e gli carezzava la guancia pian pianino con la tepida mano profumata e gli diceva con dolce voce materna:

– Poverino... poverino... ma si sa!... ma così voi vi distruggete, caro!... oh poverino... poverino...

Ed egli, senza volontà, abbandonato, rinunziando affatto a indovinare come mai Dora Barmis fosse là, nella sua casa, al bujo, e potesse sapere ch'egli per tutte le fatiche sostenute, per i dispiaceri incontrati e la stanchezza enorme aveva quello strapotente bisogno di conforto e di riposo, si lasciava carezzare come un bambino.

Forse era entrato nello studiolo vagellando e lamentandosi.

Non ne poteva più, davvero! All'ufficio il capo lo aveva accolto a modo d'un cane, e gli aveva giurato che la domanda di sei mesi d'aspettativa non si sarebbe chiamato più Gennaro Ricoglia se non gliel'avrebbe fatta respingere, respingere, respingere. In casa del Gueli, poi... Oh Dio, che era accaduto in casa del Gueli?... Non sapeva raccapezzarsi più... Aveva sognato? Ma come? non era andato il Gueli quella mattina alla stazione? Doveva essersi impazzito... O impazzito lui, o il Gueli... Ma forse, ecco, in mezzo a tutto quel tramenio vertiginoso qualche cosa doveva essere avvenuta, a cui egli non aveva fatto caso, e per cui ora non poteva capire più nulla; neanche perché la Barmis fosse là... Forse era giusto, era naturale che fosse là... e quel conforto pietoso e carezzevole era anche opportuno, sì, e meritato... ma ora... ma ora basta, ecco.

E fece per staccarsi. Dora gli trattenne con la mano il capo sul seno:

– No, perché? Aspettate...

– Devo... le... le valige... – balbettò Giustino.

– Ma no! che dite! – gli diede su la voce Dora. – Volete partire in questo stato? Voi non potete, caro, non potete!

Giustino resisté alla pressione della mano parendogli ormai troppo quel conforto e un poco strano, benché sapesse che la Barmis spesso non si ricordava più, proprio, d'esser donna.

– Ma... ma come?... – seguitò a balbettare, – senza... senza lume qui? Che ha fatto la serva della signora Ely?

– Il lume? Non l'ho voluto io, – disse Dora. – L'avevano portato. Qua, qua, sedete con me, qua. Si sta bene al bujo... qua...

– E le valige? Chi me le fa? – domandò Giustino, pietosamente.

– Volete partire per forza?

– Signora mia...

– E se io ve l'impedissi?

Giustino, nel bujo, si sentì stringere con violenza un braccio. Più che mai sbalordito, sgomento, tremante, ripeté:

– Signora mia...

– Ma stupido! – scattò allora quella con un fremito di riso convulso, afferrandolo per l'altro braccio e scotendolo. – Stupido! stupido! Che fate? Non vedete? È stupido... sì, stupido che voi partiate così... Dove sono le valige? Saranno nella vostra camera. Dov'è la vostra camera? Su, andiamo, v'ajuterò io!

E Giustino si sentì trascinare, strappare. Reluttò, perduto, balbettando:

– Ma... ma se... se non ci portano un lume...

Una stridula risata squarciò a questo punto il bujo e parve facesse traballare tutta la casa silenziosa.

Giustino era ormai avvezzo a quei sùbiti prorompimenti d'ilarità folle nella Barmis. Trattando con lei era sempre tra perplessità ambasciose, non riuscendo mai a sapere come dovesse interpretare certi atti, certi sguardi, certi sorrisi, certe parole di lei. In quel momento, sì, in verità gli pareva chiaro che... – ma se poi si fosse sbagliato? E poi... ma che! A parte lo stato in cui si trovava... ma che! sarebbe stata una nequizia bell'e buona, di cui non si sentiva capace.

Trovò in questa coscienza della sua inespugnabile onestà coniugale il coraggio di accendere risolutamente e anche con un certo sdegno un fiammifero.

Una nuova, più stridula, più folle risata assalì e scontorse la Barmis alla vista di lui con quel fiammifero acceso tra le dita.

– Ma perché? – domandò Giustino con stizza. – Al bujo... certo che...

Ci volle un bel pezzo prima che Dora si riavesse da quella convulsione di riso e prendesse a ricomporsi, ad asciugarsi le lagrime. Intanto egli aveva acceso una candela trovata su la scrivania, dopo aver fatto volare tre dei pastelli del Pirino.

– Ah, vent'anni! vent'anni! vent'anni! – fremette Dora alla fine. – Sapete, gli uomini? stecchini mi parevano! Qua, tra i denti, spezzati, e via! Sciocchezze! sciocchezze! L'anima, adesso, l'anima, l'anima... Dov'è l'anima? Dio! Dio! Ah, come fa bene respirare... Dite, Boggiolo: per voi dov'è? dentro o fuori? dico l'anima! Dentro di noi o fuori di noi? Sta tutto qui! Voi dite dentro? Io dico fuori. L'anima è fuori, caro; l'anima è tutto; e noi, morti, non saremo più nulla, caro, più nulla, più nulla... Su, fate lume! Queste valige subito... V'ajuterò io... Sul serio!

– Troppo buona – disse Giustino, mogio mogio, sbigottito, avviandosi innanzi, con la candela, verso la camera.

Dora, appena entrata, guardò il letto a due, guardò in giro tutti gli altri mobili più che modesti, sotto il tetto basso:

– Ah, qua... – disse. – Bene, sì... Che buono odor di casa, di famiglia, di provincia... Sì, sì... bene... beato voi, caro! Sempre così! Ma dovete far presto. A che ora parte la corsa? Ih, subito... Su, su, senza perder tempo...

E prese a disporre con sveltezza e maestria nelle due valige aperte sul letto le robe che Giustino cavava dal cassettone e le porgeva. Frattanto:

– Sapete perché son venuta? Volevo avvertirvi che la Carmi... tutti gli attori della Compagnia... ma specialmente la Carmi, caro mio, sono su le furie!

– E perché? – domandò Giustino, restando.

– Ma vostra moglie, caro, non ve ne siete accorto? – rispose Dora, facendogli cenno con le mani di non arrestarsi. – Vostra moglie... forse, poverina, perché ancora così... li ha accolti male, male, male...

Giustino, inghiottendo amaro, chinò più volte il capo, per significare che se n'era accorto e doluto tanto.

– Bisogna riparare! – riprese la Barmis. – Voi appena da Bologna raggiungerete a Napoli la Compagnia... Ecco, la Carmi si vuol vendicare a tutti i costi; voi dovete assolutamente ajutarla a vendicarsi.

– Io? come? – domandò Giustino, di nuovo stordito.

– Oh Dio! – esclamò la Barmis, stringendosi ne le spalle. – Non pretenderete che ve l'insegni io, come. È difficile con voi... Ma quando una donna si vuole vendicare di un'altra... Guardate, la donna può essere anche buona verso un uomo, specialmente se egli le si dà come un fanciullo... Ma verso un'altra donna la donna è perfida, caro mio; capace di tutto poi, se crede d'averne ricevuto un affronto, uno sgarbo. E poi l'invidia! Sapeste quanta invidia tra le donne, e come le rende cattive! Voi siete un bravo giovane, un gran brav'uomo... enormemente bravo, capisco; ma, se volete fare i vostri interessi, ecco... dovete... dovete sforzarvi... farvi un po' di violenza magari... Del resto, starete parecchi mesi lontano da vostra moglie, è vero? Ora, via, non mi darete a intendere...

– Ma no! ma no, creda, signora mia! – esclamò Giustino. – Io non ci penso! Non ho neanche il tempo di pensarci! Per me, ho preso moglie, e basta!

– Siete appadronato?

– È finita! non ci penso più! Tutte le donne per me sono come uomini, ecco; non ci faccio più alcuna differenza. Donna per me è mia moglie, e basta. Forse per le donne è un'altra cosa... ma per gli uomini, creda pure, almeno per me... L'uomo ha tant'altre cose a cui pensare... Si figuri se io, tra tanti pensieri, con tanto da fare...

– Oh Dio, lo so! ma io dico nel vostro stesso interesse, non volete capirlo? – riprese la Barmis, trattenendosi a stento di ridere e affondando il capo nelle valige. – Se voi volete fare i vostri interessi, caro... Per voi, sta bene; ma dovete trattar con donne per forza: attrici, giornaliste... E se non fate come vogliono loro? Se non le seguite nel loro istinto? sia pur malvagio, d'accordo! Se queste donne invidiano vostra moglie? se vogliono vendicarsi... capite? Dico nel vostro stesso interesse... Sono necessità, caro, che volete farci? necessità della vita! Su, su, ecco fatto; chiudete e partiamo subito. Vi accompagnerò fino alla stazione.

In vettura, istintivamente gli prese una mano; subito si ricordò e fu lì lì per lasciargliela; ma poi... tanto, dacché c'era... Giustino non si ribellò. Pensava a quel che gli era accaduto in casa del Gueli.

– Mi spieghi Lei; io non so, – disse a Dora. – Sono andato dal Gueli...

– In casa? – domandò Dora, e subito esclamò: – Oh Dio, che avete fatto?

– Ma perché? – replicò Giustino. – Sono andato per.. per chiedergli un favore... Bene. Lo crederebbe? Mi... mi ha accolto come se non mi avesse mai conosciuto...

– La Frezzi era presente? – domando la Barmis.

– Sissignora, c'era...

– E allora, che meraviglia? – disse Dora. – Non lo sapete?

– Ma scusi! – riprese Giustino. – C'è da cascar dalle nuvole! Fingere finanche di non ricordarsi più che questa mattina è stato alla stazione...

– Anche questo avete detto, lì, voi, in presenza della Frezzi? – proruppe

Dora, ridendo. – Oh povero Gueli, povero Gueli! Che avete fatto, caro Boggiolo!

– Ma perché? – tornò a replicar Giustino. – Scusi, sa!... io non posso ammettere che...

– Voi! e già, siamo sempre lì! – esclamò la Barmis. – Voi volete fare i conti senza la donna! Ve lo dovete levar dal capo... Volete ottenere un favore dal Gueli? che egli abbia ancora amicizia per la vostra signora? Caro mio, dovete provarvi a fare un po' di corte a quella sua nemica. Chi sa!

– Anche a quella?

– Non è mica brutta, vi prego di credere, Livia Frezzi! Non sarà più una... una giovinetta... ma...

– Via, non lo dica neanche per ischerzo, – fece Giustino.

– Ma io ve lo dico proprio sul serio, caro, sul serio, sul serio, – ribatté Dora. – Dovete mutar registro! Così non farete nulla...

E ancora, fino al momento che il treno si scrollò per partire, Dora Barmis seguitò a battere su quel chiodo:

– Ricordatevi... la Carmi! la Carmi! Ajutatela a vendicarsi... Pazienza... caro... Addio!... Sforzatevi... nel vostro interesse... fatevi un po' di violenza... Addio, caro, buone cose! addio! addio!

4.

Dov'era?

Sì, dirimpetto, oltre il prato, di là dal sentiero, sorgeva nello spiazzo erboso la chiesa antica, dedicata alla Vergine *sidera scandenti*, col lungo campanile dalla cuspide ottagonale e le finestre bifore e l'orologio che recava una leggenda assai strana per una chiesa: OGNVNO A SVO MODO; e accanto alla chiesa era la bianca cura con l'orto solingo, e più là, recinto da muri, il piccolo cimitero.

All'alba la voce delle campane su quelle povere tombe.

Ma forse la voce, no: il cupo ronzo che si propaga quando han finito di sonare, penetra in quelle tombe e desta un fremito nei morti, d'angoscioso desiderio.

Oh donne dei casali sparsi, lasciate, donne di Villareto e di Galleana, donne di Rufinera e di Pian del Viermo, donne di Brando e di Fornello, lasciate che a questa messa dell'alba vadano per una volta tanto esse sole le vostre antiche nonne divote, dal cimitero; e officii il loro vecchio curato da tant'anni anch'esso sepolto, il quale forse, appena finita la messa, prima d'andare a riporsi sotterra, s'indugerà a spiare attraverso il cancelletto l'orto solingo della cura, per vedere se al nuovo curato esso sta tanto a cuore quanto stette a lui.

No, ecco... Dov'era? dov'era?

Sapeva ormai tanti luoghi e il loro nome; luoghi anche lontani da Cargiore. Era stata su Roccia Corba; sul colle di Bràida, a veder tutta la Valsusa immensa. Sapeva che il viale, qua, oltre la chiesa, scende tra i castagni e i cerri a Giaveno, ov'era anche stata, attraversando giù quella curiosa Via della Buffa, larga, a bastorovescio, tutta sonora d'acque scorrenti nel mezzo. Sapeva ch'era la voce del Sangone quella che s'udiva sempre, e più la notte, e le impediva il sonno tra tante smanie con l'immagine di tanta acqua in corsa perenne, senza requie. Sapeva che più su, per la vallata dell'Indritto, si precipita fragoroso il Sangonetto: era stata in mezzo al fragore, tra le rocce, a vederlo: gran parte delle acque devolve incanalata nei lavori di presa: lì, romorosa, libera, vorticosa, spumante, sfrenata; qui, placida pei canali, domata, assoggettata all'industria dell'uomo.

Aveva visitato tutte le frazioni di Cargiore, quei ceppi di case sparsi tra i castagni e gli ontani e i pioppi e ne sapeva il nome. Sapeva che quella a levante, lontana lontana, alta sul colle, era la Sacra di Superga. Sapeva i nomi dei monti attorno, già coperti di neve: Monte Luzera e Monte Uja e la Costa del Pagliajo e il Cugno dell'Alpet, Monte Brunello e Roccia Vrè. Quello di fronte, a mezzodì, era il monte Bocciarda; quello di là, il Rubinett.

Sapeva tutto; la avevano già informata di tutto la mamma (*madama* Velia, come lì la chiamavano) e la Graziella e quel caro signor Martino Prever, il pretendente. Sì, di tutto. Ma ella... dov'era? dov'era?

Si sentiva gli occhi pieni di uno splendor vago, innaturale; aveva negli orecchi come una perenne onda musicale, ch'era a un tempo voce e lume, in cui l'anima si cullava serena, con una levità prodigiosa, ma a patto che non fosse tanto indiscreta da volere intendere quella voce, fissar quel lume.

Era veramente così pieno di fremiti, come a lei pareva, il silenzio di quelle verdi alture? trapunto, quasi pinzato a tratti da zighi lunghi, esilissimi, da acuti fili di suono, da fritinnìi? Era quel fremito perenne il riso dei tanti rivoli scorrenti per borri, per zane, per botri scoscesi e cupi all'ombra di bassi ontani; rivoli che s'affrettano, in cascatelle garrule spumose, dopo avere irrigato un prato, benedetti, a far del bene altrove, a un altro campo che li aspetta, dove par che tutte le foglie li chiamino, brillando festose?

No, no, attorno a tutto – luoghi e cose e persone – ella vedeva soffusa come una vaporosa aria di sogno, per cui anche gli aspetti più vicini le sembravan lontani e quasi irreali.

Certe volte, è vero, quell'aria di sogno le si squarciava d'un tratto, e allora certi aspetti pareva le si avventassero agli occhi, diversi, nella loro nuda realtà. Turbata, urtata da quella dura fredda impassibile stupidità inanimata, che la assaltava con precisa violenza, chiudeva gli occhi e si premeva forte le mani su le tempie. Era davvero così quella tal cosa? No, non era forse neanche così! Forse, chi sa come la vedevano gli altri... se pur la vedevano! E quell'aria di sogno le si ricomponeva.

Una sera, la mamma s'era ritirata nella sua cameretta, perché le faceva male il capo. Ella era entrata con Graziella a sentir come stésse. Nella cameretta linda e modesta ardeva solo un lampadino votivo su una mensola innanzi a un antico crocefisso d'avorio; ma il plenilunio la inalbava tutta, dolcemente. Graziella, appena entrata, s'era messa a guardar dietro i vetri della finestra i prati verdi inondati di lume, e a un tratto aveva sospirato:

– Che luna, madama! Dio, par che sia raggiornato...

La mamma allora aveva voluto ch'ella aprisse la mezza imposta.

Ah che solennità d'attonito incanto! In qual sogno erano assorti quegli alti pioppi sorgenti dai prati, che la luna inondava di limpido silenzio? E a Silvia era parso che quel silenzio si raffondasse nel tempo, e aveva pensato a notti assai remote, vegliate come questa dalla Luna, e tutta quella pace attorno aveva allora acquistato agli occhi suoi un senso arcano. Da lungi, continuo, profondo, come un cupo ammonimento, il borboglìo del Sangone, ne la valle. Là presso, di tratto in tratto, un curioso stridore.

– Che stride così, Graziella? – aveva domandato la mamma.

E Graziella, affacciata alla finestra, nell'aria chiara, aveva risposto lietamente:

– Un contadino. Falcia il suo fieno, sotto la luna. Sta a raffilare la falce.

Donde aveva parlato Graziella? A Silvia era parso ch'ella avesse parlato dalla Luna.

Poco dopo, da un lontano ceppo di case s'era levato un canto dolcissimo di donne. E Graziella, parlando ancor quasi dalla Luna, aveva annunziato:

– Cantano a Rufinera...

Non una parola aveva potuto ella proferire.

Da che s'era mossa da Roma e, con quel viaggio, tante e tante imagini nuove le avevano invaso in tumulto lo spirito, da cui già appena appena si diradavano le tenebre della morte, ella notava in sé con sgomento un distacco irreparabile da tutta la sua prima vita. Non poteva più parlare né comunicar con gli altri, con tutti quelli che volevano seguitare ad aver con lei le relazioni solite finora. Le sentiva spezzate irrimediabilmente da quel distacco. Sentiva che ormai ella non apparteneva più a sé stessa.

Quel che doveva avvenire, era avvenuto.

Forse perché lassù, dove l'avevano portata, le eran mancate attorno quelle umili cose consuete, alle quali ella prima si aggrappava, nelle quali soleva trovar rifugio?

S'era trovata come sperduta lassù, e il suo dèmone ne aveva profittato. Le veniva da lui quella specie d'ebbrezza sonora in cui vaneggiava, accesa e stupita, poiché le trasformava con quei vapori di sogno tutte le cose.

E lui, lui faceva sì che di tratto in tratto la stupidità di esse le s'avventasse agli occhi, squarciando quei vapori.

Era un dispetto atroce. Specialmente di tutte quelle cose ch'ella aveva voluto e avrebbe ancora voluto aver più care e sacre, esso si divertiva ad avventarle agli occhi la stupidità; e non rispettava neppure il suo bambino, la sua maternità! Le suggeriva che stupidi l'una e l'altro non sarebbero più stati solo a patto ch'ella, mercé lui, ne facesse una bella creazione. E che così era di quelle cose, come di tutte le altre. E che soltanto per creare ella era nata, e non già per produrre materialmente stupide cose, né per impacciarsi e perdersi tra esse.

Là, nella vallata dell'Indritto, che c'era? L'acqua incanalata, saggia, buona massaja, e l'acqua libera, fragorosa, spumante. Ella doveva esser questa, e non già quella.

Ecco: sonava l'ora... Come diceva l'orologio del campanile? OGNVNO A SVO MODO.

> Verrà tra poco, senza fin, la neve,
> e case e prati, tutto sarà bianco,
> il tetto, il campanil di quella pieve,
> donde ora, all'alba, qual dal chiuso un branco
> di pecorelle, escono per due porte
> le borghigiane, ed hanno il damo a fianco.
> Hanno pensato all'anima, alla morte
> (qua presso è il cimiter pieno di croci);
> le riprende or la vita, e parlan forte,
> liete di riudir le loro voci
> nell'aria nuova del festivo giorno,
> tra i rivoli che corrono veloci
> tra i prati che verdeggiano d'intorno.

Ecco ecco, così! A SUO MODO. Ma no! ma che! Ella finora non aveva mai scritto un verso! Non sapeva neppure come si facesse a scriverne... – Come? Oh bella! Ma così, come aveva fatto! Così come cantavano dentro... Non i versi, le cose.

Veramente le cantavano dentro tutte le cose, e tutte le si trasfiguravano, le si rivelavano in nuovi improvvisi aspetti fantastici. Ed ella godeva d'una gioja quasi divina.

Quelle nuvole e quei monti... Spesso i monti parevano nuvoloni lontani impietrati, e le nuvole montagne d'aria nere grevi cupe. Avevano le nuvole verso quei monti un gran da fare! Ora tonando e lampeggiando li assalivano con furibondi impeti di rabbia; ora languide, morbide si sdrajavano su i loro fianchi e li avvolgevano carezzose. Ma né di quelle furie né di questi languori pareva che essi si curassero levati, con le azzurre fronti al cielo, assorti nel mistero dei più remoti evi racchiuso in loro. Femmine, e nuvole! I monti amavano la neve.

E quel prato lassù, di quella stagione, coperto di margherite? S'era sognato?

O aveva voluto la terra fare uno scherzo al cielo, imbiancando di fiori quel lembo, prima che esso di neve? No, no: in certi profondi, umidi recessi del bosco ancora spuntavano fiori; e di tanta vita recondita ella aveva provato quasi uno strano stupor religioso... Ah, l'uomo che prende tutto alla terra e tutto crede sia fatto per lui! Anche quella vita? No. Lì, ecco, era signore assoluto un grosso calabrone ronzante, che s'arrestava a bere con vorace violenza nei teneri e delicati calici dei fiori, che si piegavano sotto di lui. E la brutalità di quella·bestia bruna, rombante, vellutata e striata d'oro offendeva come alcunché d'osceno, e faceva quasi dispetto la sommissione con cui quelle campanule tremule gracili subivan l'oltraggio di essa e restavano poi a tentennar lievi un tratto sul gambo, dopo che quella, sazia e ingorda tuttavia, se n'era oziando allontanata.

Di ritorno alla quieta casetta, soffriva di non poter più essere o almeno apparire a quella cara vecchina della suocera qual'era prima. In verità, forse perché non era mai riuscita a tenersi, a comporsi, a fissarsi in un solido e stabile concetto di sé, ella aveva sempre avvertito con viva inquietudine la straordinaria disordinata mobilità del suo essere interiore, e spesso con una meraviglia subito cancellata in sé come una vergogna, aveva sorpreso tanti moti incoscienti, spontanei così del suo spirito, come del suo corpo, strani, curiosissimi, quasi di guizzante bestiola incorreggibile; sempre aveva avuto una certa paura di sé e insieme una certa curiosità quasi nata dal sospetto non ci fosse in lei anche un'estranea che potesse far cose ch'ella non sapeva e non voleva, smorfie, atti anche illeciti, e altre pensarne, che non stavano proprio né in cielo né in terra; ma sì! cose orride, talvolta, addirittura incredibili, che la riempivano di stupore e di raccapriccio. Lei! lei così desiderosa di non prender mai troppo posto e di non farsi notare, anche per non avere il fastidio di molti occhi addosso! Temeva ora che la suocera non le scorgesse negli occhi quel riso che si sentiva fremere dentro ogni qualvolta nella saletta da pranzo trovava aggrondato e con le ciglia irsute, gonfio di cupa ferocia quel bravo, innocuo signor Martino Prever, geloso come una tigre dello zio Ippolito, il quale, seguitando quietamente a lisciarsi anche lì il fiocco del berretto da bersagliere e a fumar da mane a sera la lunghissima pipa, si divertiva un mondo a farlo arrabbiare.

Era anche lui, *monsù* Prever, un bel vecchione con una barba anche più lunga di quella de lo zio Ippolito, ma incolta e arruffata, con un pajo d'occhi ceruli chiari da fanciullo, non ostante la ferma intenzione di farli apparire spesso feroci. Portava sempre in capo un berretto bianco di tela, con una larga visiera di cuojo. Molto ricco, cercava soltanto la compagnia della gente più umile, e la beneficava nascostamente; aveva anche edificato e dotato un asilo d'infanzia. Possedeva a Cargiore un bel villino, e su la vetta del Colle di Bràida in Valgioje una grande villa solitaria, donde si scopriva tra i castagni i faggi e le betulle tutta l'ampia, magnifica Valsusa, azzurra di vapori. In compenso dei tanti beneficii ricevuti, il paesello di Cargiore non l'aveva rieletto sindaco; e forse perciò egli schivava la compagnia delle poche persone così dette per bene. Tuttavia, non abbandonava mai il paese, neppure d'inverno.

La ragione c'era, e la sapevano tutti lì a Cargiore: quel persistente cocciuto amore per *madama* Velia Boggiolo. Non poteva stare, povero *monsù* Martino, non poteva vivere senza vederla, quella sua madamina. Tutti a Cargiore conoscevano *madama* Velia, e però nessuno malignava, anche sapendo che *monsù* Martino passava quasi tutto il giorno in casa di lei.

Egli avrebbe voluto sposarla; non voleva lei; e non voleva perché... oh Dio, perché sarebbe stato ormai inutile, all'età loro. Sposare per ridere? Non stava egli là, a casa sua, tutto il giorno da padrone? E dunque! Poteva ormai bastargli... La ricchezza? Ma era noto a tutti che, essendo il Prever senza parenti né prossimi né lontani, tutto il suo, tranne forse qualche piccolo legato ai servi, sarebbe andato un giorno, lo stesso, a *madama* Velia, se fosse morta dopo di lui.

Era una specie di fascino, un'attrazione misteriosa che *monsù* Martino aveva sentito tardi verso quella donnetta, che pure era stata sempre così quieta, umile, timida, al suo posto. Tardi lui, il signor Martino; ma un suo fratello, invece, troppo presto e con tanta violenza che, un giorno, sapendo ch'ella era già fidanzata, zitto zitto, povero ragazzo, s'era ucciso.

Eran passati più di quarant'anni, e ancora nel cuore di *madama* Velia ne durava, se non il rimorso, uno sbigottimento doloroso; e anche perciò, forse, pur sentendosi qualche volta imbarazzata – ecco – non diceva proprio infastidita – dalla continua presenza del Prever in casa, la sopportava con rassegnazione. Graziella anzi aveva detto a Silvia in un orecchio che *madama* la sopportava per timore che anche lui, *monsù* Martino – se ella niente niente si fosse provata ad allontanarlo un po' – non facesse, Dio liberi, come quel suo fratellino. Ma sì, ma sì, perché... – rideva? oh non c'era mica da ridere: un filettino di pazzia dovevano proprio averlo quei Prever là, lo dicevano tutti a Cargiore, un filettino di pazzia. Bisognava sentire come parlava solo, forte, per ore e ore, *monsù*... E forse lo zio, il signor Ippolito, ecco, avrebbe fatto bene a non insister tanto su quello scherzo di volerla sposar lui *madama*. E Graziella aveva consigliato a Silvia d'indurre lo zio a dar la baja invece a don Buti, il curato, che veniva qualche volta in casa anche lui.

– Ecco, a chiel là sì! a chiel là!

Ah, quel don Buti, che disillusione! In quella bianca canonica, con quell'orto accanto, Silvia s'era immaginato un ben altro uomo di Dio. Vi aveva trovato invece un lungo prete magro e curvo, tutto aguzzo, nel naso, negli zigomi, nel mento, e con un pajo d'occhietti tondi, sempre fissi e spaventati. Disillusione, da un canto; ma, dall'altro, che gusto aveva provato nel sentir parlare quel brav'uomo dei prodigi d'un suo vecchio cannocchiale adoperato come strumento efficacissimo di religione e però sacro a lui quasi quanto il calice dell'altar maggiore.

Gli uomini, pensava don Buti, sono peccatori perché vedon bene e belle grandi le cose vicine, quelle della terra; le cose del cielo, a cui dovrebbero pensare sopratutto, le stelle, le vedon male, invece, e piccoline, perché Dio le volle mettere troppo alte e lontane. La gente ignorante le guarda, e sì, *a dis magara ch'a son bele*; ma così piccoline come pajono, non le calcola, non le sa calcolare, ed ecco che tanta parte della potenza di Dio resta loro sconosciuta. Bisogna far vedere agli ignoranti che la vera grandezza è lassù. Onde, il *canucial*.

E ne le belle serate don Buti lo armava sul sagrato, quel suo cannocchiale, e chiamava attorno ad esso tutti i suoi parrocchiani che scendevano anche da Rufinera e da Pian del Viermo, le giovani cantando, i vecchi appoggiati al bastone, i bimbi trascinati dalle mamme, a vedere le «gran montagne» della Luna. Che risate ne facevan le rane in fondo ai botri! E pareva che anche le stelle avessero guizzi d'ilarità in cielo. Allungando, accorciando lo strumento per adattarlo alla vista di chi si chinava a guardare, don Buti regolava il turno, e si udivano da lontano, tra la confusione, i suoi strilli:

– *Con un euj soul! con un euj soul!*

Ma sì! specialmente le donne e i ragazzi aprivano tanto di bocca e storcevano in mille smorfie le labbra per riuscire a tener chiuso l'occhio manco e aperto il diritto, e sbuffavano e appannavan la lente del cannocchiale, mentre don Buti, credendo che già stessero a guardare, scoteva in aria le mani col pollice e l'indice congiunti ed esclamava:

– *La gran potensa 'd Nosgnour, eh? la gran potensa 'd Nosgnour!*

Che scenette gustose quando veniva a parlarne con lo zio Ippolito e con *monsù* Martino in quel caro tepido nido tra i monti, pieno di quel sicuro conforto familiare che spirava da tutti gli oggetti ormai quasi animati dagli antichi ricordi della casa, santificati dalle sante oneste cure amorose; che scenette specialmente nei giorni che pioveva e non si poteva andar fuori neanche un momento!

Ma proprio in quei giorni, appena Silvia cominciava a riassaporar la pace della vita domestica, ecco sopravvenire il procaccia carico di posta per lei, e ventate di gloria irrompevano allora là dentro a investirla, a sconvolgerla tutta, da quei fasci di giornali che il marito le spediva da questa e da quella città.

Trionfava da per tutto *La nuova colonia*. E la trionfatrice, la acclamata da tutte le folle, ecco, era là, in quella casettina ignorata, perduta in quel verde pianoro su le Prealpi.

Era lei, davvero? o non piuttosto un momento di lei, che era stato? Un subitaneo lume nello spirito e, nello sprazzo, là, una visione, di cui poi ella stessa provava stupore...

Davvero non sapeva più lei stessa, ora, come e perché le fosse venuta in mente quella *Nuova colonia*, quell'isola, con quei marinai... Ah che ridere! Non lo sapeva lei; ma lo sapevano bene, benissimo lo sapevano tutti i critici drammatici e non drammatici di tutti i giornali quotidiani e non quotidiani d'Italia. Quante ne dicevano! Quante cose scoprivano in quel suo dramma, a cui ella non si era mai neppur sognata di pensare! Oh, ma cose tutte, badiamo, che le recavano un gran piacere, perché erano la ragione appunto delle maggiori lodi; lodi che, in verità, più che a lei, che quelle cose non aveva mai pensate, andavano diritte diritte ai signori critici che ve le avevano scoperte. Ma forse, chi sa! c'erano veramente, se quelli così in prima ve le scoprivano...

Giustino nelle sue lettere frettolose si lasciava intravveder tra le righe soddisfatto, anzi contentissimo. Si rappresentava, è vero, come rapito in un turbine, e non rifiniva di lamentarsi della stanchezza estrema e delle lotte che doveva sostenere con gli amministratori delle compagnie e con gl'impresarii, delle arrabbiature che si prendeva coi comici e coi giornalisti; ma poi parlava di teatroni rigurgitanti di spettatori, di penali a cui i capicomici si sobbarcavano volentieri pur di trattenersi ancora per qualche settimana oltre i limiti dei contratti in questa e in quella «piazza» a soddisfar la richiesta di nuove repliche da parte del pubblico, che non si stancava di accorrere e di acclamare in delirio.

Leggendo quei giornali e quelle lettere, da cui le vampava innanzi agli occhi la visione affascinante di quei teatri, di tanta e tanta moltitudine che la acclamava, che acclamava lei, lei, l'autrice – Silvia si sentiva risollevare da quell'émpito tutto pungente di brividi già avvertito nella sala d'aspetto della stazione di Roma, allorché per la prima volta s'era trovata di fronte al suo trionfo, impreparata, prostrata, smarrita.

Risollevata da quell'émpito, e tutta accesa ora e vibrante, domandava a sé stessa perché non doveva esser là, lei, dove la acclamavano con tanto calore, anziché qua, nascosta, appartata, messa da canto, come se non fosse lei!

Ma sì, se non lo diceva chiaramente, lo lasciava pure intender bene Giustino, che lei lì non c'entrava, che tutto doveva far lui, lì, lui che sapeva ormai a meraviglia come si dovesse fare ogni cosa.

Eh già, lui... Se lo immaginava, lo vedeva or faccente, accaldato, or su le furie, ora esultante tra i comici, tra i giornalisti; e un senso le si destava, non d'invidia né di gelosia, ma piuttosto di smanioso fastidio, un'irritazione ancora non ben definita, tra d'angustia, di pena e di dispetto.

Che doveva pensar mai di lei e di lui tutta quella gente? di lui in ispecie, nel vederlo così? ma anche di lei? che forse era una stupida? Stupida, no, se aveva potuto scrivere quel dramma... Ma, via, una che non sapeva forse né muoversi né parlare; impresentabile?

Sì, era vero: senza di lui *La nuova colonia* forse non sarebbe neanche andata in iscena. Egli aveva pensato a tutto; e di tutto ella doveva essergli grata. Ma ecco, se stava bene o poteva almeno non saltar tanto agli occhi tutto quel gran da fare ch'egli s'era dato finché il nome di lei era ancor modesto, modesta la fama, e lei poteva starsene in ombra, chiusa, in disparte; ora che il trionfo era venuto a coronare tutto quel suo fervido impegno, che figura ci faceva lui, lui solo là, in mezzo ad esso? Poteva più ella starsene così in disparte, ora, e lasciar lì lui solo, esposto, come l'artefice di tutto, senza che il ridicolo investisse e coprisse insieme lui e lei? Ora che il trionfo era venuto, ora che egli alla fine – lei reluttante – era riuscito nel suo intento, a sospingerla, a lanciarla verso la luce abbagliante della gloria, ella – per forza – sì, anche contro voglia e facendosi violenza, doveva apparire, mostrarsi, farsi avanti; e lui – per forza – ritrarsi, ora, non esser più così faccente, così accanito, sempre in mezzo: tutto lui!

La prima impressione del ridicolo, di cui già agli occhi suoi cominciava a vestirsi il marito, Silvia l'aveva avuta da una lettera della Barmis, nella quale si parlava del Gueli e della visita inconsulta che Giustino era andato a fargli per averne la prefazione al volume della *Nuova colonia*. Nelle sue lettere Giustino non gliene aveva mai fatto alcun cenno. Alcune frasi della Barmis sul Gueli, non chiare, sinuose, la avevano spinta a strappare quella lettera con schifo.

Pochi giorni dopo, le pervenne dal Gueli appunto una lettera, anch'essa non ben chiara, che le accrebbe il malumore e il turbamento. Il Gueli si scusava con lei di non poter fare la prefazione alla stampa del dramma, con certi vaghi accenni a segrete ragioni che gli avevano impedito la prima sera di assistere all'intera rappresentazione di esso; parlava anche di certe miserie (senza dir quali) tragiche e ridicole a un tempo, che avviluppan le anime e sbarrano la via, quando non tolgano anche il respiro; e terminava con la preghiera che ella (se voleva rispondergli) anziché a casa indirizzasse la risposta presso gli uffici di redazione della *Vita Italiana*, ov'egli di tanto in tanto si recava a parlar di lei col Borghi.

Silvia lacerò con dispetto anche questa lettera. Quella preghiera in coda la offese. Ma già tutta la lettera le parve un'offesa. La miseria tragica e ridicola a un tempo, di cui egli le parlava, non doveva esser altro per lui che la Frezzi; ma egli ne parlava a lei come di cosa che ella dovesse intendere e conoscer bene per propria esperienza. Ne resultava chiarissima, insomma, un'allusione al marito. E di tale allusione Silvia si offese tanto più, in quanto che già veramente cominciava a scorgere il ridicolo del marito.

L'inverno intanto s'era inoltrato, orribile su quelle alture. Piogge continue e vento e neve e nebbia, nebbia che soffocava. Se ella non avesse avuto in sé tante ragioni di smania e d'oppressione, quel tempo gliele avrebbe date. Sarebbe scappata via, sola, a raggiungere il marito, se il pensiero di lasciare il bambino prima del tempo non l'avesse trattenuta.

Aveva per quella sua creaturina momenti di tenerezza angosciosa, sentendo di non poter essere per lei una mamma quale avrebbe voluto. E anche di quest'angoscia, che il pensiero del figlio le cagionava, incolpava con rancor sordo il marito che con quel suo testardo furore la aveva tant'oltre spinta e disviata dai raccolti affetti, dalle modeste cure.

Ah forse egli se l'era già bell'e tracciato il suo piano: farla scrivere, là, come una macchina; e perché la macchina non avesse intoppi, via il figlio, isolarla; poi badare a tutto lui, fuori, gestir lui quella nuova grande azienda letteraria. Ah, no! ah no! Se lei non doveva esser più neanche madre...

Ma forse era ingiusta. Il marito nelle ultime lettere le parlava della nuova casa che, tra poco, in primavera, avrebbero avuto a Roma, e le diceva di prepararsi a uscir finalmente dal guscio, intendendo che il suo salotto fosse domani il ritrovo del fior fiore dell'arte, delle lettere, del giornalismo. Anche quest'altra idea però, di dover rappresentare una parte, la parte della «gran donna» in mezzo alla insulsa vanità di tanti letterati e giornalisti e signore così dette intellettuali, la sconcertava, le dava uggia e nausea in quei momenti.

Forse meglio, forse meglio rimaner lì nascosta, in quel nido tra i monti, accanto a quella cara vecchina e al suo bambino, lì tra il signor Prever e lo zio Ippolito, il quale anche lui diceva di non volere andar via mai più, mai più di lì, mai più – e strizzava un occhio furbescamente ammiccando a *chièl*, a *monsù* Martino, che si rodeva dentro nel sentirgli dir così.

Ah povero zio!... Mai più, mai più davvero, povero zio! Davvero lui doveva rimanere per sempre lì a Cargiore!

Una sera, mentre si affannava a gridare contro a Giustino, di cui poc'anzi era arrivata una lettera, nella quale annunziava che, messo alle strette, s'era licenziato dall'impiego; e a gridar contro il signor Prever, il quale misteriosamente si ostinava a dire che alla fin fine non sarebbe stato un gran danno, perché... perché... un giorno... chi sa! (alludeva senza dubbio alle sue disposizioni testamentarie) – tutt'a un tratto, aveva stravolto gli occhi, lo zio Ippolito, e storto la bocca come per uno sbadiglio mancato; un gran sussulto delle spalle poderose e del capo gli aveva fatto saltar su la faccia il fiocco del berretto da bersagliere; poi giù il capo sul petto, e l'estremo abbandono di tutte le membra.

Fulminato!

Quanto tempo, quante pene perdute invano dal signor Prever per andare a scovar con quel tempaccio il medico condotto, il quale alla fine venne a dire tutto affannato quel che già si sapeva; e dalla povera Graziella per condurre il curato con l'olio santo!

«Piano! piano! Non gli guastate così la bella barba!», avrebbe voluto ella dire a tutti, scostandoli, per starselo a mirare ancora per poco lì sul letto, il suo povero zio, immobile e severo, con le braccia in croce.

«– Che fa, signor Ippolito?»

«– Il giardiniere...»

E, mirandolo, non riusciva a levarsi dagli occhi quel fiocco del berretto che nell'orrendo sussulto gli era saltato su la faccia, povero zio! povero zio! Tutta una pazzia per lui e quell'impegno testardo di Giustino e la letteratura, i libri, il teatro... Ah sì; ma pazzia fors'anche tutta quanta la vita, ogni affanno, ogni cura, povero zio!

Voleva restar lì? Ed ecco, ci restava. Lì, nel piccolo cimitero, presso la bianca cura. Il suo rivale, il signor Prever che non sapeva consolarsi d'aver provato tanta stizza per la venuta di lui, ecco, gli dava ricetto nella sua gentilizia, ch'era la più bella del cimitero di Cargiore...

I giorni che seguirono quell'improvvisa morte dello zio Ippolito furono pieni per Silvia d'una dura, ottusa, orrida tetraggine, in cui più che mai le si rappresentò cruda la stupidità di tutte le cose e della vita.

Giustino seguitò a mandarle, prima da Genova, poi da Milano, poi da Venezia, fasci e fasci di giornali e lettere. Ella non li aprì, non li toccò nemmeno.

La violenza di quella morte aveva spezzato il lieve superficiale accordo di sentimenti tra lei e le persone e anche le cose che la circondavano lì; accordo che si sarebbe potuto mantenere e per breve tempo, solo a patto che nulla di grave e d'inatteso fosse venuto a scoprir l'interno degli animi e la diversità degli affetti e delle nature.

Scomparso così d'un tratto dal suo lato colui che la confortava con la sua presenza, colui che aveva nelle vene il suo stesso sangue e rappresentava la sua famiglia, si sentì sola e come in esilio in quella casa, in quei luoghi, se non proprio tra nemici, fra estranei che non potevano comprenderla, né direttamente partecipare al suo dolore, e che, col modo onde la guardavano e seguivan taciti e come in attesa tutti i suoi movimenti e gli atti con cui esprimeva il suo cordoglio, le facevano intendere ancor più e quasi vedere e toccare la sua solitudine, inasprendogliene di mano in mano la sensazione. Si vide esclusa da tutte le parti: la suocera e la bàlia, poiché il suo bambino doveva rimaner lì affidato alle loro cure, la escludevano già fin d'ora dalla sua maternità; il marito, correndo di città in città, di teatro in teatro, la escludeva dal suo trionfo; e tutti così le strappavano le cose sue più preziose e nessuno si curava di lei, lasciata lì in quel vuoto, sola. Che doveva far lei? Non aveva più nessuno della sua famiglia, morto il padre, morto ora anche lo zio; fuori e tanto lontana dal suo paese; distolta da tutte le sue abitudini; sbalzata, lanciata in una via che rifuggiva dal percorrere così, non col suo passo, liberamente, ma quasi per violenza altrui, sospinta dietro da un altro... E la suocera forse la accusava entro di sé d'aver fuorviato lei il marito, d'avergli riempito l'animo di fumo e acceso la testa fino al punto da fargli perdere l'impiego. Ma sì! ma sì! aveva già scorto chiaramente quest'accusa in qualche obliqua occhiata di lei, colta all'improvviso. Quegli occhietti vivi nel pallore del volto, che si volgevano sempre altrove, quasi a sperdere l'acume degli sguardi, dimostravano bene una certa sbigottita diffidenza di lei, un rammarico che si voleva celare, pieno d'ansie e di timori per il figliuolo.

Lo sdegno per questa ingiustizia però, anziché contro quella vecchina ignara, si ritorceva nel cuore di Silvia contro il marito lontano. Era egli cagione di quella ingiustizia, egli, accecato così dal suo furore, che non vedeva più né il male che faceva a lei, né quello che faceva a sé stesso. Bisognava arrestarlo, gridargli che la smettesse. Ma come? era possibile, ora che tant'oltre erano spinte le cose, ora che quel dramma, composto in silenzio, nell'ombra e nel segreto, aveva suscitato tanto fragore e acceso tanta luce attorno al suo nome? Come poteva giudicare ella, da quel cantuccio, senz'aver veduto ancor nulla, che cosa avrebbe dovuto o potuto fare? Avvertiva confusamente che non poteva e non doveva essere più qual'era stata finora; che doveva buttar via per sempre quel che d'angusto e di primitivo aveva voluto serbare alla sua esistenza, e dar campo invece e abbandonarsi a quella segreta potenza che aveva in sé e che finora non aveva voluto conoscer bene. Solo a pensarci, se ne sentiva turbare, rimescolar tutta dal profondo. E questo le si affermava preciso innanzi agli occhi: che, cangiata lei, non poteva più il marito restarle davanti, tra i piedi, così a cavallo della sua fama e con la tromba in bocca.

In che strani atteggiamenti da pazzi si storcevano i tronchi ischeletriti degli alberi affondati giù nella neve, con viluppi, stracci, sbréndoli di nebbia impigliati tra gl'ispidi rami! Guardandoli dalla finestra, ella si passava macchinalmente la mano su la fronte e su gli occhi, quasi per levarseli, quegli sbréndoli di nebbia, anche dai pensieri ispidi, atteggiati pazzescamente, come quegli alberi là, nel gelo della sua anima. Fissava su l'umida imporrita ringhiera di legno del ballatojo le gocce di pioggia in fila, pendule, lucenti su lo sfondo plumbeo del cielo. Veniva un soffio d'aria; urtava quelle gocce abbrividenti; l'una traboccava nell'altra, e tutte insieme in un rivoletto scorrevano giù per la bacchetta della ringhiera. Tra una bacchetta e l'altra ella allungava lo sguardo fino alla cura che sorgeva là dirimpetto, accanto alla chiesa; vedeva le cinque finestre verdi che guardavan l'orto solingo sotto la neve, guarnite di certe tendine, che col loro candore dicevano d'essere state lavate e stirate insieme coi mensali degli altari. Che dolcezza di pace in quella bianca cura! Li presso, il cimitero...

Silvia s'alzava all'improvviso, s'avvolgeva lo scialle attorno al capo e usciva fuori, su la neve, diretta al cimitero, per fare una visita allo zio. Dura e fredda come la morte era la tetraggine del suo spirito.

Cominciò a rompersi questa tetraggine col sopravvenire della primavera, allorché la suocera, che la aveva tanto pregata di non andar tutti i giorni con quella neve, con quel vento, con quella pioggia al cimitero, si mise invece a pregarla, or che venivano le belle giornate, ad andar con la bàlia e col piccino giù per la via di Giaveno, al sole.

Ed ella prese ad uscire col bambino. Mandava innanzi per quella via la bàlia, dicendole che la aspettasse al primo tabernacolo; ed entrava nel cimitero per la visita consueta allo zio.

Una mattina, lì davanti al primo tabernacolo, trovò con la bàlia, impostato dietro una macchina fotografica, un giovane giornalista venuto su da Torino proprio per lei, o, com'egli disse, «alla scoperta di Silvia Roncella e del suo romitorio».

Quanto la fece parlare e ridere quel grazioso matto, che volle saper tutto e veder tutto e tutto fotografare e sopratutto lei in tutti gli atteggiamenti, con la bàlia e senza bàlia, col bambino e senza bambino, dichiarandosi felice addirittura di aver scoperto una miniera, una miniera affatto inesplorata, una miniera vergine, una miniera d'oro.

Quand'egli andò via, Silvia restò a lungo stupita di sé stessa. Anche lei, anche lei si era scoperta un'altra, or ora, di fronte a quel giornalista. Si era sentita felice anche lei di parlare, di parlare... E non sapeva più che cosa gli avesse detto. Tante cose! Sciocchezze? Forse... Ma aveva parlato, finalmente! Era stata lei, quale ormai doveva essere.

E godé senza fine il giorno appresso nel veder riprodotta la sua imagine in tanti diversi atteggiamenti sul giornale che quegli le mandò e nel leggere tutte le cose che le aveva fatto dire, ma sopratutto per le espressioni di meraviglia e d'entusiasmo che quel giornalista profondeva, più che per l'artista ormai celebre, per lei *donna* ancora a tutti ignota.

Una copia di quel giornale Silvia a sua volta volle spedir subito al marito per dargli una prova che, via – a mettercisi – non lui soltanto, ma poteva far per benino le cose anche lei.

V. La crisalide e il bruco

1.

Disingannati, sempre; ma che si possa per giunta rimanere con avvilimento di rimorso anche dopo essere stati intesi e assorti in un'opera da cui ci aspettavamo lode e gratitudine, par troppo. Eppure...

Voleva che volassero, Giustino, volassero le due carrozzelle per giungere presto a casa, ritornando dalla stazione ove, insieme con Dora Barmis e Attilio Raceni, era andato ad accogliere Silvia.

L'aspetto della moglie, all'arrivo, lo aveva sconcertato; più che più, poi, le poche parole e gli sguardi e i modi, nel breve tratto dall'interno della stazione all'uscita, finché non s'era messa con la Barmis in una vettura, e lui col Raceni non era saltato in un'altra.

– Il viaggio... Sarà stanca... Poi, così sola... – disse a Giustino il Raceni, impressionato anche lui dal torbido volto e dal gelido tratto della Roncella.

– Eh già... – riconobbe subito Giustino. – Capisco. Dovevo andar io lassù, a prenderla. Ma come facevo? Qua, con la casa addosso, sossopra. E poi sa? La morte dello zio. C'è anche questo. L'ha sentita. Eh, l'ha sentita, l'ha sentita troppo, quella morte...

Questa volta fu il Raceni a riconoscer subito:

– Ah già... ah già...

– Capisce? – riprese Giustino. – Nell'andar su, era con lui; ora è ritornata sola... L'ha lasciato là... E mica lo zio solo! Ma già, sì! dovevo dovevo dovevo proprio andar io a prenderla a Cargiore... C'è stato anche il distacco dal bambino, perdio! Lei capisce?

E il Raceni, di nuovo:

– Ah già... ah già... Sicuro... sicuro...

A quante cose non avevano pensato, infervorati tutti e tre nei lavori d'addobbo della nuova casa!

Erano andati alla stazione festanti, con la soddisfazione d'esser riusciti a costo d'incredibili fatiche a farle trovar tutto in ordine; ed ecco qua, d'un tratto ora s'accorgevano che, non solo non meritavano né ringraziamenti né gratitudine per tutto quello che avevano fatto, ma dovevano per giunta pentirsi di non aver pensato, non diciamo al lutto di quella morte recente, ma nemmeno allo strazio della madre nel distaccarsi dal suo bambino.

Ogni minuto a Giustino, adesso, sapeva un'ora. Sperava che Silvia, appena entrata nella nuova casa, non avrebbe pensato più a nulla, dallo stupore... Non glien'aveva fatto apposta alcun cenno, nelle lettere.

Prodigi – ecco, questa era la parola – prodigi aveva operato, col consiglio e l'ajuto assiduo della Barmis e anche... sì, anche del Raceni, poverino!

Diceva casa, ma così, tanto per dire. Che casa! Non era casa. Era... – ma, zitti, per carità, che Silvia ancora non lo sappia! un villino era – zitti! – un villino in quella via nuova, tutta di villini, di là da ponte Margherita, ai Prati, in via Plinio; uno dei primi, con giardinetto attorno, cancellata e tutto. Fuorimano? Che fuorimano! Due passi, e si era al Corso. Via signorile, silenziosa; la meglio che si potesse scegliere per una che doveva scrivere! Ma c'era di

più. Non l'aveva mica preso in affitto, quel villino. – Zitti, per carità! – Lo
aveva comperato. Sissignori, comperato, per novanta mila lire. Sessanta mila
pagate là, sul tamburo; le altre trenta da pagare a respiro, in tre anni. E – zitti!
– circa venti altre mila lire aveva speso finora per l'arredo. Meraviglioso! Con
la sapienza della Barmis in materia... Tutto arredo nuovo e di stile: semplice,
sobrio, snello e solido: mobili del Ducrot! Bisognava vedere il salotto, a sinistra, subito come s'entrava; e poi l'altro salotto accanto; e poi la sala da
pranzo che dava sul giardino. Lo studio era su, al piano di sopra, a cui si ac-
cedeva per un'ampia bella scala di marmo dalla ringhiera a pilastrini, che cominciava poco più oltre l'uscio del salotto. Lo studio – su – e le camere, due
belle camere accanto, gemelle. Veramente Giustino, non sapendo come Silvia
la pensasse su questo punto, ma anche dal canto suo, ecco, avrebbe voluto una
camera sola. Dora Barmis se n'era mostrata indignata, inorridita:
– Ma per carità! Non lo dite neppure... Volete guastar tutto? Divisi, divisi,
divisi... Imparate a vivere, caro! Mi avete detto che d'ora in poi prenderete
sempre il thè...
Due camere. E poi lo stanzino da bagno, e il lavabo, e il guardaroba... Meraviglie! O pazzie? Ecco, a dir vero, pareva avesse perduto quel suo famoso taccuino il Boggiolo in questa occasione. S'era sbilanciato, e come! Ma aveva
tanto denaro in mano! E la tentazione... Per ogni oggetto che gli era stato presentato in parecchi esemplari di vario prezzo, aveva veduto soltanto quel pochino pochino che avrebbe speso di più a scegliere il più bello; e, sissignori,
alla fine tutti quei pochini pochini di più, sommati insieme, avevano arroton-
dato quella bellissima pancia di zeri alla spesa per l'arredo.
Della compera del villino, invece, non era pentito. Che! Potendolo fare,
avendo cioè tanto in mano da liberarsi della prepotente usura dei padroni di
casa, sarebbe stata una pazzia non comperare, seguitare a buttar via da due a
trecento lire al mese per un appartamentino appena appena decente. Il villino
rimaneva, e quei denari della pigione sarebbero invece volati via in tasca dei
padroni di casa. È vero che, a non comperare il villino, anche il capitale sarebbe rimasto. D'accordo! bisognava ora dunque fare il calcolo se col frutto
d'un capitale di novantamila si sarebbe pagata una pigione mensile di trecento
lire. Non si sarebbe pagata! E intanto, invece d'un appartamentino appena appena decente, con novantamila lire si aveva quel villino là, quella reggia! Ma,
e i pesi? Sì, è vero, le tasse, e poi tante altre spese in più. Manutenzione, illuminazione, servizio... Con una casa messa su a quel modo, certo non poteva
bastare più una servotta abruzzese; ci volevano a dir poco tre servi. Giustino,
per il momento, ne aveva presi due, in prova; anzi, uno e mezzo; o piuttosto,
due mezzi: ecco: una mezza cuoca e un mezzo cameriere (*valet de chambre*,
valet de chambre, come gli suggeriva di chiamarlo la Barmis): ragazzo svelto,
con la sua brava livrea, per la pulizia, per servire in tavola e aprir la porta.
Ecco, ora, subito... appena le due carrozzelle arrivavano al cancello, Èmere
(si chiamava Èmere)...
– Ohè, Èmere!... Èmere!... – gridò Giustino, nella notte, smontando; e poi,
rivolto al Raceni: – Ha visto?... Non si trova al posto... Che gli avevo detto?
Ah, eccolo: sta ad aprir la luce, prima su, poi giù: ecco, tutto il villino appare
dalle finestre illuminato, splendido, sotto il cielo stellato; sembra un incanto!
Ma a Silvia, già smontata con la Barmis, tocca di aspettare dietro il cancello
chiuso, e tocca al Raceni di tirar giù da cassetta le valige, mentre un cane abbaja da un villino accanto e Giustino paga in fretta i vetturini e corre subito
alla moglie per mostrarle su uno dei pilastri che reggono il cancello la targa di
marmo con l'iscrizione: *Villa Silvia*.
Le guardò gli occhi, prima. Durante la corsa aveva supposto ch'ella, parlando nell'altra vettura con la Barmis dello zio morto e del bambino abbando-

nato, avesse pianto. Purtroppo, no, non aveva pianto. Conservava lo stesso aspetto che all'arrivo: torbido, rigido, gelido.

– Vedi? Nostro! – le disse. – Tuo... tuo... *Villa Silvia*, vedi? Tuo... L'ho comperato!

Silvia aggrottò le ciglia, guardò il marito; guardò le finestre illuminate.

– Un villino?

– Vedrà che bellezza, signora Silvia! – esclamò il Raceni.

Èmere accorse ad aprire il cancello e s'impostò, cavandosi e reggendo col braccio all'altezza del capo il berretto gallonato, senza scomporsi minimamente al rimprovero che gli gridò in faccia Giustino:

– Bella prontezza! bella puntualità!

L'irritazione di Giustino era accresciuta dalla mutria della Barmis. Certo Silvia, in vettura, non si era mostrata gentile con lei. E aveva faticato tanto, s'era affannata tanto con lui quella povera donna! Bel modo di ringraziar la gente!

– Vedi? – riprese, rivolto alla moglie, appena entrato nel vestibolo. – Vedi, eh? Non sono venuto a Cargiore... a prenderti, ma... eh?... vedi, eh? per prepararti qua questa sorpresa, eh? con l'ajuto di... come dici? eh? che vestibolo! con l'ajuto di questa nostra cara amica e del Raceni...

– Ma no! ma che dite! statevi zitto! – cercò d'interromperlo subito la Barmis. Protestò anche il Raceni.

– Ma nient'affatto! – insisté Giustino – Se non fosse stato per voi! Sì, infatti... io solo... Adesso – questo è niente! – adesso vedrai... Abbiamo motivo, non solo di ringraziarvi, ma di restarvi grati eternamente...

– Oh Dio, com'esagerate! – sorrise la Barmis. – Lasciate stare. Badate piuttosto alla vostra signora che dev'essere molto stanca...

– Sì, ecco, proprio stanca... – disse allora Silvia, con un sorriso dolce e freddo a un tempo. – E chiedo scusa se non ringrazio come dovrei... Questo viaggio interminabile...

– Già dev'essere a ordine da cena, – s'affrettò a dire il Raceni, tutto commosso da quel sorriso (finalmente!) e da quelle buone parole (ah che voce s'era fatta la Roncella! che dolcezza! Un'altra voce... Già, tutta gli pareva un'altra!). – Un piccolo ristoro; poi, subito il riposo!

– Ma prima, – disse Giustino, aprendo l'uscio del salotto, – prima... come! almeno così, sopra sopra, bisogna che veda... Avanti, avanti... O meglio, ecco, faccio strada io...

E cominciò la spiegazione, interrotto di tratto in tratto dalla Barmis con tanti: «*ma sì... ma andate innanzi... ma questo poi lo vedrà*», per ogni minuzia su cui lo vedeva indugiare ripetendo goffamente, con orribili stonature, tutto ciò che già gli aveva detto lei per spiegargliene la proprietà, la finezza, la convenienza, il gusto.

– Vedi? Di porcellana... Sono del... Di chi sono, signora? ah già, del Lerche... Lerche, norvegese... Pajono niente; eppure, cara mia... costano! costano! Ma che finezza, eh?... questo gattino, eh? che amore! Sì, andiamo innanzi, andiamo innanzi... Tutta roba del Ducrot!.. È il primo, sai? Adesso è il primo, è vero, signora? Non c'è che lui... Mobili del Ducrot! tutti mobili del Ducrot... Anche questo... E guarda qua questa poltrona... come la chiamano? tutta di pelle fina... non so che pelle... Ne hai due compagne su nello studio... pure del Ducrot! Vedrai che studio!

Se Silvia avesse detto una parola, o almeno avesse con lo sguardo, con un cenno anche lieve dimostrato curiosità, gradimento, meraviglia, Dora Barmis avrebbe preso a parlar lei, a far lei brevemente e col debito tatto, il debito rilievo, le debite sfumature, l'illustrazione di tutte quelle squisitezze; tanto soffriva a quelle grottesche spiegazioni del Boggiolo, che le pareva gualcissero, azzoppassero, spiegazzassero ogni cosa.

Ma Silvia soffriva più di lei a vedere, a sentir parlare il marito così; per sé e

per lui soffriva: e s'immaginava in quel momento quanto spasso doveva essersene preso quella donna, se non il Raceni, nell'arredar quella casa a suo modo
coi denari di lui; e ne provava sdegno dispetto onta, per cui a mano a mano,
procedendo, s'irrigidiva vieppiù; e pur tuttavia non troncava quel supplizio,
rattenuta dalla curiosità, che si forzava a non mostrare, di veder quella casa,
che non le pareva sua, ma estranea, fatta non più per viverci come finora ella
aveva vissuto, ma per rappresentarvi d'ora in poi, sempre e per forza, una
commedia; anche davanti a sé stessa; obbligata a trattar coi dovuti riguardi
tutti quegli oggetti di squisita eleganza, che la avrebbero tenuta in continua
suggezione; obbligata a ricordarsi sempre della parte che doveva recitar tra
loro. E pensava che ormai, come non aveva più il bambino, così neanche la
casa – ecco – aveva più, qual'essa la aveva finora intesa e amata. Ma doveva
esser così, purtroppo. E dunque presto, via, da brava attrice, si sarebbe impadronita di quelle stanze, di quei mobili là, da palcoscenico, donde ogni intimità familiare doveva esser bandita.

Quando vide, su, la sua camera divisa da quella del marito:

– Ah, sì, ecco, – disse. – Bene, bene...

E fu la sola approvazione che le uscisse dalle labbra quella sera.

Giustino, che si sentiva come un macigno sul petto al pensiero di quest'altra
novità forse non gradita, che Silvia avrebbe trovata nella nuova casa, e già in
mente raggirava le maniere migliori per presentare e colorir la cosa senza offendere la moglie da un canto, né dall'altro promuovere il riso della Barmis; si
sentì d'un tratto alleggerito e felicissimo, non intendendo affatto il perché del
compiacimento della moglie.

– E io sto qua, vedi? qua accanto, – s'affrettò a spiegare. – Qua, proprio
qua... Camere, come si chiamano? ah, gemelle, già... camere gemelle, perché
vedi? tal quale... questa è la mia! E cos'hai tu di là? Il mio ritratto. E cos'ho
io, di qua? Il tuo ritratto. Vedi? Camere gemelle. Ti piacciono, eh? Eh già,
ormai, tutti fanno così... E va bene! Sono proprio contento...

La Barmis e il Raceni, vedendolo, quella sera, come un cagnolino appresso
alla moglie, se ne meravigliavano, si guardavano tratto tratto negli occhi e sorridevano.

Ma Giustino quella sera era così sottomesso e desideroso dell'approvazione
di Silvia non già perché, reduce da quel giro trionfale de *La nuova colonia* per
le principali città della penisola, fosse cresciuta in lui la stima di lei, e questa
ora gl'imponesse maggior rispetto e considerazione; né già perché dall'aspetto
di lei indovinava, o intravvedeva almeno, mutato verso di lui l'animo della
moglie. La stima era quella stessa di prima. Dell'effettivo merito artistico di
lei egli in verità non si era mai riconosciuto buon giudice, e tuttora non se ne
curava affatto, pago che questo merito fosse riconosciuto dagli altri e sinceramente convinto che così fosse – almeno in quella misura – per l'opera
straordinaria ch'egli all'uopo aveva messa e seguitava a mettere. Tutta opera
sua, si sa, quel riconoscimento. Quanto poi all'animo di lei, come avrebbe potuto dubitare che esso – ora più che mai – fosse pieno di ammirazione e di
gratitudine?

E dunque? Dunque altre ragioni dovevano esserci che né la Barmis né il Raceni si figuravano.

Era pentito Giustino d'aver troppo speso per l'arredo, e temeva da un canto
che questo potesse farlo alcun poco scapitare appunto in quell'ammirazione e
in quella gratitudine; dall'altro, desiderava l'approvazione come un balsamo
che gli quietasse il rimorso. Era poi davvero dolente d'aver fatto viaggiare
sola per la prima volta la moglie senza aver pensato al distacco dal figlio e
alla morte dello zio (uniche ragioni, queste, per lui del rigido contegno di Silvia). E infine... c'era un altro perché, intimo, particolarissimo, che aveva fondamento nella più rigorosa, nella più scrupolosa osservanza de' suoi doveri

coniugali per sei lunghissimi mesi a un bell'incirca. Almeno quest'ultima ragione Dora Barmis avrebbe potuto supporla. Ella sorrideva, veramente, sotto sotto... Ma sì, via! senza dubbio la aveva supposta...

Non per essa solamente, però, quando fu l'ora d'andare a cena, la quale era pure, fin da prima della loro partenza per la stazione, già ordinata e apparecchiata per quattro, non volle assolutamente cedere alle insistenti preghiere di Giustino, e andò via. Il Raceni da un canto avvertiva che sarebbe stato sconveniente non seguire la Barmis; ma dall'altro era rimasto come abbagliato dalla Roncella fin dal primo rivederla; e non seppe risponder no appena ella con un sorriso gli disse:

– Resterete almeno voi...

E seguitò di proposito Silvia ad abbagliarlo, durante la cena, quella sera, con molto stupore e anche con molto dispetto di Giustino, che a un certo punto non poté più reggere e sbuffò:

– Ma quella Barmis, perbacco! Quanto mi dispiace!

– Oh Dio! – esclamò Silvia. – Se non ha voluto rimanere... L'hai tanto pregata!

– Avresti dovuto pregarla anche tu! – rimbeccò allora Giustino.

E Silvia, freddamente:

– Glie l'ho detto, mi pare; come l'ho detto al Raceni...

– Ma non hai affatto insistito! Potevi insistere...

– Non insisto mai, – disse Silvia; e aggiunse, rivolgendosi sorridente al Raceni: – Ho insistito con voi? Mi pare di no. Se la Barmis avesse avuto piacere di star con noi...

– Piacere! piacere! E se se ne fosse andata, – proruppe Giustino al colmo della stizza, – per non recarti disturbo dopo il viaggio?

– Giustino! – lo richiamò subito Silvia con tono di rimprovero, ma pur seguitando a sorridere. – Ora tu fai uno sgarbo al Raceni che è rimasto. Povero Raceni!

– Nient'affatto! nient'affatto! – si ribellò Giustino. – Io difendo la Barmis dal tuo sospetto. Il Raceni sa che ci reca piacere, se l'abbiamo trattenuto!

Veramente non parve punto al Raceni che ne recasse molto a lui; ma sì a lei, tanto; e non capiva più nei panni, povero giovine: s'era invermigliato come un papavero, e tutto il sangue si sentiva scorrere per le vene come fuoco liquido, con tanta repenza, che n'era addirittura stordito.

Giustino, che lo vedeva così e udiva a quando a quando ripetere a Silvia tra i sorrisi: «*Povero Raceni!... Povero Raceni!*», si sentiva intanto, a sua volta, divampar dentro un altro fuoco: fuoco di stizza, anzi d'ira, fomentato anche dal dispetto di non scorgere ancora nella moglie alcun segno di piacere, di meraviglia, d'ammirazione per quella sala da pranzo, per quella suppellettile da tavola, per quella splendida giardiniera in mezzo, tutta piena e fragrante di garofani bianchi, per il servizio inappuntabile di cui Èmere qua, in quella bella livrea, e di là la cuoca davano il primo saggio. Niente! nemmeno un segno! come se ella fosse sempre vissuta in mezzo a quegli splendori, abituata a vedersi servita così, a cenare così, ad aver di quei commensali a tavola; o come se, prima d'arrivare, fosse già a conoscenza di tutto e s'aspettasse di trovar quel villino di proprietà loro e arredato così; anzi come se, non lui, ma lei, lei solamente avesse pensato a tutto e tutto preparato.

Ma come? Glielo faceva apposta? E perché? Com'era? Proprio perché lui non era andato a prenderla a Cargiore? perché non aveva pensato al distacco dal bambino? Ma se non ne pareva afflitta né punto né poco! Eccola là, rideva... Ma che modo di ridere era quello, adesso? E dàlli ancora con quel «*povero Raceni!*».

Intronò addirittura Giustino e si sentì strappar tutto internamente, dalle dita dei piedi su su alla radice dei capelli, quando Silvia annunziò al Raceni una

grande novità: che aveva scritto versi, a Cargiore, tanti versi, e gli promise di
regalargliene un saggio per *Le Muse*.

– Versi? Che versi? Tu hai fatto versi? – esplose. – Ma fa' il piacere!

Silvia lo guardò come se non capisse affatto.

– Perché? – disse. – Non potevo scriverne? Non ne avevo mai scritti, è vero.
Ma mi son venuti fatti da sé, creda, Raceni. Non so – questo sì – se siano belli
o brutti. Saranno brutti magari...

– E li vorresti pubblicare su *Le Muse*? – domandò Giustino, con gli occhi più
che mai inveleniti dalla stizza.

– Ma, scusate, perché no, Boggiolo? – si risentì il Raceni. – Credete sul serio
che possano esser brutti? Figuratevi con quale ansia saranno cercati e letti,
come una nuova, inattesa manifestazione del talento di Silvia Roncella!

– No no, per carità, non dite così, Raceni, – s'affrettò a protestare Silvia. –
Non ve li do più, altrimenti. Sono versucci, a cui non dovete dare alcuna importanza. Ve li do a questo patto, e soltanto per farvi un piacere.

– Sta bene, sta bene... – masticò allora Giustino. – Ma... permetti?... ti faccio
osservare... non per il Raceni che... sta bene, gliel'hai promessi; basta... Avevi
promesso prima però al senatore Borghi una novella, e non gliel'hai fatta!

– Oh Dio, gliela farò, se mi verrà... – rispose Silvia.

– Ecco... io dico... invece dei versi... almeno avresti potuto far questa novella,
a Cargiore! – non seppe tenersi di rimbrottare ancora Giustino. – E intanto...
se ora non puoi dar più codesti versi al senatore, avendoli promessi al Raceni...
direi di... di aspettare almeno che abbi pronta la novella per il Borghi.

Tutto attraverso, tutto attraverso, quella sera, per guastargli la festa della presa
di possesso del villino, premio di tanti travagli! Ah, ora, anche tornare indietro
voleva la moglie, ai bei tempi quando spargeva così, in regalo a tutti, i suoi lavori? voleva anche mettersi a far da sé, approfittando che lui quella sera non voleva proprio perdere del tutto quei necessarii tratti manierosi verso di lei?

Ahimè, avvertiva che li perdeva; e anche perciò di punto in punto sentiva
crescersi l'orgasmo. Ma sfido! per forza! Il disinganno della lode mancata,
della mancata meraviglia, tutto il contegno di lei, quello sgarbo immeritato
alla Barmis, ora questa promessa al Raceni...

Per sfogarsi, per farsi in certo qual modo svaporar le furie, scaraventò a
questo, appena andato via, una filza d'improperie e d'ingiurie: – Stupido! imbecille! pulcinella!

Ma ecco qua Silvia prenderne le difese, sorridendo:

– E la gratitudine, Giustino? Se ti ha tanto ajutato?

– Lui? Impicciato mi ha! – scattò furente Giustino. – Impicciato soltanto!
come adesso! come sempre! La Barmis mi ha ajutato davvero, capisci? lei, sì!
la Barmis, che tu invece hai fatto andar via a quel modo. E a questo qua, sorrisi, complimenti, *povero Raceni, povero Raceni*, e anche... anche il regalo
dei versi, perdio!

– Ma non fanno insieme, tutti e due? – disse Silvia. – Lui, direttore; lei, re-
dattrice?... Sarà meglio, credi, d'ora in poi, per tutto l'ajuto che t'hanno prestato, compensarli ogni tanto così, affinché non si prendano più il piacere di
servirci per... non so bene perché...

– Ah no, cara, no, cara... senti, cara... – prese allora a dire Giustino, finendo
di perdere ogni dominio di sé, punto così sul vivo. – Mi devi fare il piacere di
non immischiarti in queste cose, che sono affar mio! Ma hai veduto, di'? hai
veduto tutto bene? Io non so... Tutte queste cose qui... È tutto nostro! Ed è
frutto, dico, di lavoro mio, di tanti pensieri, di tante cure! Vuoi insegnarmi tu,
ora, scusa, come si deve fare, quel che si deve dire?

Silvia troncò subito la discussione, dichiarandosi stanca sfinita dal lungo
viaggio e bisognosa di riposo.

Comprese bene ch'egli non avrebbe mai ceduto su quel punto e che, a volergli impedire o anche per poco ostacolare quello che ormai considerava il suo ufficio, la sua professione, sarebbe accaduto inevitabilmente un tale urto tra loro da determinare una rottura insanabile.

Meglio lo comprese, allorché – respinto – egli nella camera accanto, spogliandosi, cominciò a dare sfogo senza più alcun ritegno al disinganno, alla stizza acerrima, alla rabbia, con imprecazioni e rimbrotti e raffacci e pentimenti e scatti di maligno riso, che tanto più la sdegnavano e la ferivano, quanto più le accrescevano innanzi agli occhi la ormai scoperta e sfolgorante ridicolaggine di lui.

– Ma sì! aveva ragione quella! *Ajutatela, Boggiolo, ajutatela a vendicarsi!* Stupido io che non l'ho fatto! Ecco il premio! ecco la ricompensa! Stupido... stupido... stupido... Centomila occasioni... E va bene! Questo è niente, signori! Non siamo ancora a niente! Quello che si vedrà adesso!... Regaliamo, regaliamo... Facciamo versi, e regaliamo... La poesia, adesso!... Scappa fuori la poesia... Ma sì! cominciamo a vivere tra le nuvole, senza più occhi per vedere qua tutte queste spese... Prosa, prosa, questa, da non calcolare... Tante pene, tanto lavoro, tanti denari: ecco il ringraziamento! Lo sapevamo... Ma sì, cose da niente... Un villino? Buh! che cos'è? Mobili del Ducrot? Buh! li sapevamo... Ah, eccoci a letto! Che bel letto di rose!... Che delizia incignarlo così, caro signor Ducrot! Corri di qua, stupido! scappa di là! rómpiti il collo! pèrdici il fiato! pèrdici l'impiego! prega, minaccia, briga! Ecco il premio, signori! ecco il premio!

E seguitò così, al bujo, per più di un'ora rigirandosi tra le smanie su per il letto, tossendo, sbuffando, sghignando...

Ella intanto di là, tutta ristretta in sé sotto le coperte, con la faccia affondata nel guanciale per non sentirlo, malediva, malediva la fama, a cui con l'ajuto di lui, cioè a prezzo di tante risa e di tante beffe della gente, era salita. Da tutte quelle risa, ora, da tutte quelle beffe, si sentiva assalita, frustata, avviluppata, con la romba che le era rimasta negli orecchi per il frastuono del treno. Ah come non se n'era accorta prima? Soltanto adesso, ecco, tutti gli spettacoli che egli aveva dato di sé, uno più dell'altro ridicolo, le saltavano agli occhi, le si rappresentavano con tal cruda vivezza, che era uno strazio: tutti gli spettacoli, da quello primo del banchetto, quando al brindisi del Borghi s'era levato in piedi insieme con lei, come se quel brindisi dovesse riferirsi anche a lui perché suo marito; all'ultimo cui ella aveva assistito, là, alla stazione, prima della partenza per Cargiore, allorché, facendo da battistrada, s'era inchinato per conto di lei agli applausi ch'erano scoppiati nella sala d'aspetto.

Ah, poter tornare indietro, rinchiudersi nel suo guscio a lavorar quieta e ignorata! Ma egli non avrebbe mai permesso che andasse così frustrata l'opera sua di tanti anni, ove riponeva ormai tutta la sua compiacenza. Con quel villino, che riteneva, e forse a ragione, soltanto frutto del suo lavoro, s'era inteso di edificare quasi un tempio alla Fama, per officiarvi, per pontificarvi! Follia sperare che ora volesse rinunziarci! Vi aveva fitto il capo e là, là sarebbe rimasto per sempre e per forza attaccato a quella fama, di cui si riconosceva l'artefice! E sempre più grande avrebbe cercato di renderla per apparirvi in mezzo sempre più ridicolo.

Era il suo fato, ed era inevitabile.

Ma come avrebbe fatto ella a resistere a quel supplizio, ora che la benda le era caduta dagli occhi?

2.

Pochi giorni dopo, Giustino volle dar principio con solennità all'istituzione dei «lunedì letterarii di Villa Silvia», come la Barmis gli aveva suggerito.

Per quel primo, estese gl'inviti a tutti i più noti maestri di musica e critici musicali di Roma, perché pretesto all'inaugurazione era la lettura a pianoforte di alcune parti dell'opera *La nuova colonia* già compiuta dal giovine maestro Aldo di Marco.

Il nome del maestro era a tutti ignoto. Si sapeva soltanto che questo di Marco era veneziano israelita e ricchissimo, e che per musicar *La nuova colonia* aveva fatto tali profferte, che il Boggiolo s'era affrettato a rompere le trattative già bene avviate con uno tra i più insigni compositori.

Benché a Giustino non premesse tanto né poco il buon esito dell'opera, che anzi desiderava modesto perché non désse alcun'ombra al dramma, aveva tuttavia fatto annunziare dagli amici giornalisti che quell'opera avrebbe tra poco rivelato all'Italia, ecc. ecc.; e aveva anche fatto riprodurre nei giornali l'esile e, ahimè, non ben chiomata immagine del giovine maestro veneziano, il quale ecc. ecc.

L'annunzio gli era sembrato doveroso e opportuno, non solo in considerazione dell'ingente somma sborsata dal maestro per musicare il dramma fortunato (ridotto in versi da Cosimo Zago), ma anche per accrescer solennità all'inaugurazione.

Avrebbe potuto farne a meno.

Quella lettura a pianoforte e quel giovine maestro ignoto, dall'aspetto così poco promettente, rappresentavan per tutti un fastidio e un ingombro. Era invece vivissima la curiosità di veder la Roncella in casa sua, donna, dopo il trionfo.

Silvia se l'aspettava; e, nell'orgasmo che le suscitava il pensiero di dover tra poco affrontare questa curiosità, vedendo il marito in grandi ambasce per i preparativi e pur con l'aria di chi sa tutto e non ha bisogno di nessuno, avrebbe voluto gridargli:

«Basta! Lascia star tutto; non affannarti più! Vengono per me, per me soltanto! Tu non c'entri più; tu non hai più da far nulla, altro che da starti zitto, quieto, in un canto!».

L'orgasmo non era soltanto per la curiosità da affrontare; era anche per lui, anzi soprattutto per lui.

Ricorse finanche all'astuzia di fingersi gelosa della Barmis e gl'impedì con ciò di ricorrere a costei per quei preparativi, con la speranza che, mancandogli questo ajuto, egli non si désse più tanto da fare e si lasciasse persuadere che aveva già fatto abbastanza e non occorreva più altra sua opera.

Giustino, all'idea che la moglie – venuta (fosse pure per lui) in tanta celebrità – cominciava a essere, quantunque a torto, un po' gelosa, provò un certo piacere, che gli fece manifestare come avvolta tutta in un roseo sorrisetto fatuo l'irritazione che questa gelosia gli cagionava in quel momento. L'ajuto della Barmis gli era indispensabile. Ma Silvia tenne duro.

– No, quella no! quella no!

– Ma, Dio... Silvia, dici sul serio? Se io...

Silvia scosse il capo con rabbia e si nascose il volto tra le mani, per interromperlo.

Di quella sua finzione ebbe all'improvviso onta e ribrezzo, vedendo che egli in fondo se ne compiaceva: onta e ribrezzo, perché le parve che anche lei, ora, cominciasse a beffarsi di lui come tutti gli altri, per lo spettacolo anche di questa fatuità.

Subito, credendo di dargli uno scrollo poderoso, per salvarlo e salvarsi, facendo cadere anche a lui la benda dagli occhi, proruppe:

– Ma perché, perché vuoi far ridere? di te e di me? ancora? Non ti accorgi che la Barmis ride di te; ne ha sempre riso? e tutti con lei, tutti! Non te n'accorgi?

Giustino non tentennò minimamente a quest'impeto di rabbia della moglie;

la guardò con un sorriso quasi di compassione e alzò una mano a un gesto, più
che di sdegno, di filosofica noncuranza.

– Ridono? Eh, da tanto... – disse. – Ma tira la somma, cara mia, e vedi se
sono sciocchi quelli che ridono o io che... ecco qua, ho fatto tutto questo e
t'ho messa alla testa! Lasciali ridere. Vedi? Essi ridono, e io me ne servo e ottengo da loro tutto quello che voglio. Eccole qua, eccole qua, tutte le loro
risa...

E agitò le mani guardando in giro la stanza; come per dire: «Vedi in quante
belle cose si sono convertite?».

Silvia sentì cascarsi le braccia; restò a mirarlo a bocca aperta.

Ah, dunque, egli sapeva? se n'era già accorto? e aveva seguitato, senza curarsene, e voleva ancor seguitare? non gl'importava affatto che tutti ridessero
di lui e di lei? Oh Dio, ma dunque... – se era sicuro, sicurissimo che la fama
di lei era opera sua unicamente, e che tutta quest'opera sua, in fondo, non era
consistita in altro che nel far ridere di sé, per poi convertire queste risa in lauti
guadagni, in quel villino là, ne' bei mobili che lo adornavano – che voleva
dire? voleva dir forse che per lui era tutta una cosa da ridere la letteratura, una
cosa di cui un uomo di sano criterio, sagace e accorto, non avrebbe potuto impacciarsi se non così, cioè a patto di trar profitto delle risa degli sciocchi che
la prendevano sul serio?

Questo voleva dire? Ma no!

Seguitando a guardare il marito, Silvia riconobbe subito che ella, suppo-
nendo così, gli prestava una veduta che non era da lui. No, no! Non poteva
esser voluto da lui stesso il ridicolo di cui s'era valso. Fin da quando, laggiù a
Taranto, erano arrivati quei trecento marchi per la traduzione delle *Procellarie*, aveva cominciato a prender tanto sul serio la letteratura, che sciocchezza
per lui era soltanto il non curarsi dei frutti ch'essa, come ogni altro lavoro – se
amministrato bene – può rendere... E s'era messo ad amministrare, ad amministrare con tal fervore, anzi con tanto accanimento da tirarsi addosso le risa
di tutti. Non le aveva provocate lui con intenzione, quelle risa, per farci su
bottega; ma era stato costretto a sopportarle; e le stimava ora da sciocchi solo
perché egli, pur tra esse e con esse, era riuscito nell'intento. Ma la saviezza
sua aveva per piedistallo quelle risa e tutta da quelle risa era composta: non
avrebbe dovuto più muoversi ora: al minimo movimento, lo squarcio d'una risata! Quanto più serio voleva ora apparire, tanto più ridicolo sarebbe sembrato.

Ah quella serata dell'inaugurazione! Fin nel fruscìo degli abiti, nel lieve
sgrigliolìo delle scarpe attutito dalla spessezza dei tappeti, in ogni rumore,
fosse d'una seggiola smossa, d'un uscio aperto, d'un cucchiaino agitato nella
tazza; e poi nel frastuono del pianoforte allorché il di Marco cominciò a sonare; sorrisetti, risatine, sghigni, scrosci di risa fragorose, sbardellate, squac-
querate parve a Silvia d'avvertire, e le sembrò dileggio ogni sorriso di deferenza o di compiacimento per lei; il dileggio credette di scorgere in ogni
sguardo, in ogni gesto, sotto ogni parola dei tanti convitati.

Si sforzò di non badare al marito; ma come, se lo aveva sempre davanti, là,
piccolo, tutto aggiustato, irrequieto, raggiante, e sentiva che tutti da ogni parte
lo chiamavano? Ecco, ora il Luna se lo prendeva a braccio, e altri quattro, cinque giornalisti gli correvano attorno, in frotta; ora lo chiamava la Lampugnani
di là tra il crocchio delle più spiritose signore.

Ella avrebbe voluto esser per tutto o trattener tutti attorno a sé; non potendo,
nel ribollimento dello sdegno, aveva a quando a quando la tentazione di dire o
far qualcosa di inaudita, non mai veduta, da far passare a ognuno la voglia di ridere, di venir lì per mettere in burla il marito, e col marito, per conseguenza,
anche lei.

Le toccava, invece, di sopportar la corte quasi sfacciata che tutti quei giovani letterati e giornalisti si permettevano di farle, come se ella, avendo per fortuna un marito di quella fatta, così felicemente disposto a esibirla a tutti, un marito che tanto s'adoperava a farla entrare nelle grazie d'ognuno, un marito che, via, non avrebbe potuto neanche lei in nessun modo prendere sul serio, non potesse, non dovesse rifiutarla, quella corte, anche per non dare a lui questo dispiacere.

E difatti, ecco, non le si accostava egli di tanto in tanto per raccomandarle di far buon viso ora all'uno, ora all'altro, e proprio ai più sfrontati, a quelli che ella aveva allontanato da sé con duro e freddo sprezzo? Il Betti, il Betti, colui che aveva finora colto ogni occasione per scriver male di lei in parecchi giornali, e quel Paolo Baldani venuto da poco da Bologna, bellissimo giovine e critico eruditissimo, facitor di versi e giornalista, il quale con incredibile tracotanza le aveva bisbigliato una dichiarazione d'amore in piena regola?

Ah, non solamente le risa e le beffe, ma – pur di riuscire – anche questo? – si domandava Silvia, a quelle brevi, furtive raccomandazioni del marito, che non potevano parere a lei, com'eran per lui, innocenti. – Anche questo?

E gelava di ribrezzo e avvampava sempre più di sdegno.

Le più strane idee le guizzavano intanto per la mente, incutendo a lei stessa sgomento, poiché le scoprivano sempre più nel fondo dell'essere quelle parti di sé ancora inesplorate, tutto ciò che di sé ella finora non aveva voluto conoscere, ma di cui aveva già il presentimento che, se un giorno il suo dèmone se ne fosse impossessato, chi sa dove l'avrebbe trascinata.

Finiva di scomporsi nella sua coscienza ogni concetto ch'ella fin'ora s'era sforzata di tener fermo, e intravvedeva che, abbandonata a quella nuova sua sorte, o piuttosto, all'estro del caso, e ormai così senza più alcuna voluta consistenza interiore, l'animo suo poteva cambiarsi in un punto, rivelarsi da un istante all'altro capace di tutto, delle più impensate, inattese risoluzioni.

– Mi pare che... dico... mi pare che... tutto bene, eh? benissimo, mi pare... – s'affrettò a dirle Giustino, quando gli ultimi invitati se ne furono andati, per scuoterla dall'atteggiamento in cui era rimasta: rigida in piedi, con gli occhi acuti, intenti, e la bocca serrata.

Si sentiva ancora nella mano gelida la stretta di fuoco che le aveva dato il Baldani or ora, nell'accomiatarsi.

– Tutto bene, no?... – ripeté Giustino. – E, sai, passando di qua e di là, ho sentito che dicevano di te tante... buone, buone cose... sì...

Silvia si scosse e lo guardò con tali occhi, ch'egli restò un pezzo come smarrito, con su le labbra quel sorriso vano di chi s'accorge che uno sta a scoprirci un'altra faccia che ancora noi non ci conosciamo.

– Non credi? – poi chiese. – Tutto bene, ti dico... Soltanto quella musica del di Marco mi pare che... hai sentito? dotta, sì.. sarà musica dotta, ma...

– Dobbiamo seguitare così? – domandò d'un tratto Silvia, con voce strana, come se la voce sola fosse lì, e tutta lei assente, in una lontananza infinita. – Ti avverto che così io non posso fare più nulla.

– Come... perché?... anzi, ora che... ma come! – fece Giustino quasi a un tempo colpito da più parti alla sprovvista. – Con quello studio lassù...

Silvia strizzò gli occhi, contrasse tutto il volto e squassò la testa.

– Ma come? – ripeté Giustino. – Puoi chiuderti lì... Chi ti disturba?... Con tanto silenzio... Ecco, anzi ti volevo dire... Tutti domandano che cosa prepari di nuovo. Ho risposto: niente, per ora. Nessuno ci vuol credere. Certo un nuovo dramma, dicono. Pagherebbero chi sa che cosa per un cenno, una notizia, un titolo... Dovresti pensarci, ecco, rimetterti al lavoro adesso...

– Come? come? come? – gridò Silvia, scotendo le pugna, smaniosa, esasperata. – Non posso pensare, non posso far più nulla io! Per me, è finita! Potevo lavorare ignorata, quando non mi sapevo neanche io stessa! Ora non posso più

nulla! è finita! Non sono più quella! non mi ritrovo più in me! è finita! è finita!

Giustino la seguì con gli occhi in quelle smanie; poi, con una mossa del
capo:

– Andiamo bene! – esclamò. – Ora che si comincia, è finita? Ma che dici?
Scusa, quando si lavora, perché si lavora? Per raggiungere un fine, mi pare!
Tu volevi lavorare e restare ignorata? Lavorare, allora, perché? per niente?

– Per niente! per niente! per niente! – rispose Silvia con foga. – Ecco, proprio cosi, per niente! Lavorare per lavorare, e nient'altro! senza sapere né
come né quando, di nascosto a tutti e quasi di nascosto a me stessa!

– Ma codeste sono pazzie che ti vengono ora! – gridò Giustino, cominciando
ad alterarsi anche lui. – E allora io che ho fatto? ho fatto male a far valere il
tuo lavoro, è vero? vuoi dir questo?

Silvia con le mani di nuovo sul volto accennò di sì, col capo, più volte.

– Ah sì? – riprese Giustino. – E allora perché mi hai lasciato fare sinora? Me
lo dici per ringraziamento, adesso che ne raccogli il frutto a cui aspirano
quanti lavorano come te: la gloria e l'agiatezza? Te ne lagni... E non è pazzia?
Ma va' la, cara; saranno i nervi! Del resto, scusa, che c'entri tu? chi ti dice
d'immischiarti in cose che non ti riguardano?

Silvia lo guardò sbalordita

– Non mi riguardano?

– No, cara, che non ti riguardano! – replicò subito Giustino. – Tu lavora per
nulla, come prima; ritorna a lavorare come ti pare e piace; e lascia il pensiero
a me del rimanente. Eh, lo so bene... che novità!... lo so bene che, se fosse per
te... Ma, scusa, se il sugo ce lo cavo io, con l'opera mia, tu che n'hai da fare?
che faccio carico a te anche di questo? Questo è affar mio! Tu mi dài carta
scritta; scrivi per niente, come vuoi; bùttala; io la prendo e te la cambio in denari ballanti e sonanti. Me lo puoi impedire? È affar mio, e tu non c'entri. Tu
lavora com'hai lavorato fin adesso; lavora per lavorare... ma lavora! Perché se
tu non lavori più, io... io... che faccio più io? me lo dici? Io ho perduto l'impiego, cara mia, per attendere ai tuoi lavori. Bisogna che a questo, ohè, tu ci
pensi! La responsabilità ora è mia... dico, del tuo lavoro. Abbiamo guadagnato
molto, è vero, e ancora ce ne sarà, con *La nuova colonia*. Ma tu vedi qua
come sono cresciute tutte le spese... Ora è un altro piede di casa. Trenta mila
lire si devono ancora pagare per il villino. Potevo pagarle; ma ho pensato di
tenere qualche cosa da parte, perché tu avessi un certo respiro... Adesso ti rac-
coglierai. È stata una scossa troppo forte, un cangiamento troppo repentino...
Ti abituerai presto; ritroverai la calma... Il più è fatto, cara mia. Abbiamo la
casa... la ho voluta apposta così; ho speso, ma... per l'apparenza, sai?... tutto
fa! La tua firma vale, adesso, vale molto, per sé stessa... Senza regalare niente
a nessuno! Se Raceni aspetta i versi che gli hai promessi per la sua rassegna,
può star fresco! Io non glieli do. *Povero Raceni, povero Raceni*, vedrai quanto
frutteranno adesso quei versi... Lascia fare a me! Basta che tu ti rimetta a scrivere... Scrivi, e non pensare a nulla. Lassù, perbacco, in quello studio magnifico...

Silvia non vide in questo lungo discorso di Giustino la buona intenzione di
ricondurla alla calma e alla ragione, al riconoscimento e alla gratitudine di
quanto aveva fatto e voleva ancor fare per lei; vide soltanto ciò che poteva, in
quel momento d'esasperazione, porglielo di fronte, nemico e tiranno: che egli
cioè le faceva ora un obbligo perentorio di lavorare, avendo perduto l'impiego:
lavorare per dare ancora a lui una professione, la quale adesso, oltre che ridicola, sarebbe forse sembrata a tutti odiosa. Non voleva egli vivere sul lavoro e
del lavoro di lei, attribuendosi poi tutto il merito dei guadagni? Finché il lavoro a lei non era costato alcuno sforzo, ella poteva anche riconoscere che il
merito di quei guadagni insperati fosse tutto o quasi tutto di lui; non più ora

che egli le faceva così espresso e preciso obbligo di lavorare; ora che il lavoro le costava un supplizio al solo pensiero di doverlo affidare a lui, tutto, senza poterne disporre neanche d'una minima parte a piacer suo; tutto, tutto, perché ancora tra le beffe e ora anche con la disistima degli altri ne facesse mercato, ecco; un capo d'entrata di tutto, pur di quei poveri, intimi e schivi versucci là... Mercato, anche a costo della dignità di lei! Lo avvertiva egli, questo? Era mai possibile che il furore lo accecasse fino al punto da non farglielo vedere?

Insonne tutta la notte, Silvia stette a pensare, e a un certo punto, col favore del bujo e del silenzio, sorprese in sé, nel fondo del suo essere, come un rimescolìo strano di sentimenti ch'era sicura di aver mai avuti: sentimenti remotissirni, da cui le saliva alla gola un'angoscia inattesa, quasi di nostalgia. Ecco, vedeva sorgere chiare e precise le case della sua Taranto; vedeva entro quelle le sue buone, mansuete compaesane, le quali, use a vedersi custodite dall'uomo gelosamente e con lo scrupolo più rigoroso, perché nessun sospetto potesse arrivar fino a loro; use a veder l'uomo rientrare ogni volta nella propria casa come in un tempio da tener chiuso a tutti gli estranei e anche ai parenti che non fossero i più intimi, si turbavano, si offendevano come per una irriverenza al loro pudore, se l'uomo cominciava ad aprir quel tempio, quasi più non importandogli della loro buona reputazione.

No no: ella non aveva mai avuto questi sentimenti: suo padre, laggiù, era stato sempre ospitale specialmente verso gl'impiegati subalterni, forestieri: ella anzi li aveva sdegnati, questi sentimenti, sapendo che molti mormoravano su quell'ospitalità del padre, la quale senza dubbio avrebbe reso difficile un matrimonio di lei con qualcuno del paese. Le pareva allora che la donna dovesse anzi offendersi di quella gelosa cura degli uomini come d'una mancanza di stima e di fiducia.

Come mai anche ella ora si offendeva del contrario, scopriva in sé quei sentimenti insospettati, simili in tutto a quelli delle donne di laggiù?

La ragione le apparve chiara a un tratto.

Quasi tutte le donne di laggiù erano sposate senz'amore, per calcoli di convenienza, per prendere uno stato; ed entravan soggette e obbedienti nella casa del marito, ch'era il padrone. La loro obbedienza, la loro devozione non eran mosse da affetto, ma solo dalla stima per l'uomo che lavora e che mantiene; stima che poteva reggersi solo a patto che quest'uomo, con la laboriosità, se non in tutto con la buona condotta, certo a ogni modo col rigore sapesse conservare a sé il rispetto che si deve al padrone. Ora, un uomo che allentava il rigore fino ad aprire agli altri la propria casa, scadeva subito nella stima anche di quei medesimi ch'erano ammessi, e la donna sentiva una vera e propria offesa al suo pudore perché si vedeva scoperta in quella sua intimità senz'amore, in quel suo stato di soggezione a un uomo che non se lo meritava più per il solo fatto che permetteva una cosa che gli altri non avrebbero mai permessa.

Ebbene, anch'ella aveva sposato senz'amore, mossa dalla necessità di prendere uno stato e persuasa da un sentimento di stima e di gratitudine per colui che la toglieva in moglie senza adombrarsi di un'altra grave colpa, che avrebbe dato ombra ai compaesani, oltre all'ospitalità del padre: la sua letteratura. Ma ecco, ora egli s'era messo a far bottega di quel segreto su cui era edificata la stima, la gratitudine di lei; s'era messo a vendere e a gridare con tanto baccano la merce, perché tutti entrassero nel vivo segreto di lei e vedessero e toccassero. Qual rispetto potevano aver gli altri d'un tal uomo? Ne ridevano tutti, ed egli non se ne curava! Quale stima più poteva averne lei e qual gratitudine, se egli ora, invertendo le parti, la costringeva anche al lavoro e voleva viver di esso?

Più di tutto in quel momento la offendeva che gli altri potessero credere che ella amasse ancora un tal uomo o gli fosse per altro devota.

Forse credeva questo anche lui? O la sicurezza sua riposava su la fiducia nell'onestà di lei? Ah, sì; ma onesta per sé medesima; non già per lui! La sicurezza sua non poteva aver su lei altro effetto che quello di irritarla come una sfida, e offenderla e colmarla di sdegno.

No no: così non poteva più seguitare a vivere, ella: lo vedeva.

3.

Due giorni appresso, com'era da aspettarsi dopo quella stretta di mano, tornò al villino Paolo Baldani.

Giustino Boggiolo lo accolse a braccia aperte.

– Disturbare, lei? Ma che dice! Onore, piacere...

– Piano, piano... – disse sorridendo, ponendosi un dito su le labbra, il Baldani. – La vostra signora è su? Non vorrei farmi sentire. Ho bisogno di voi.

– Di me? Eccomi... Che posso?... Entriamo qua, in salotto... o se vuole, andiamo in giardino... o nel salottino qui accanto. Silvia è su, nel suo studio.

– Grazie, basterà qui, – disse il Baldani, sedendo nel salotto; poi, protendendosi verso il Boggiolo, aggiunse a bassa voce: – Debbo essere per forza indiscreto.

– Lei? ma no... perché? anzi...

– È necessario, amico mio. Ma quando l'indiscrezione è a fin di bene, un gentiluomo non deve ritrarsene. Ecco, vi dirò. Ho pronto uno studio esauriente su la personalità artistica di Silvia Roncella...

– Oh gra...

– Piano, aspettate! Son venuto per rivolgervi alcune domande... dirò, intime, specialissime, a cui voi solamente siete in grado di rispondere. Vorrei da voi, caro Boggiolo, certi lumi... dirò fisiologici.

Giustino dal tono basso, misterioso con cui il Baldani seguitava a parlare era quasi tirato per la punta del naso ad ascoltare a capo chino, con gli occhi intenti e la bocca aperta.

– Fisio?

– logici. Mi spiego. La critica, amico mio, ha oggi ben altri bisogni d'indagine, che non sentiva per lo innanzi. Per l'intelligenza compiuta d'una personalità è necessaria la conoscenza profonda e precisa anche de' più oscuri bisogni, dei bisogni più segreti e più riposti dell'organismo. Sono indagini molto delicate. Un uomo, capirete, vi si sottopone senza tanti scrupoli; ma una donna... eh, una donna... dico, una donna come la vostra signora, intendiamoci! ne conosco tante che si sottoporrebbero a queste indagini senz'alcuno scrupolo, anche più apertamente degli uomini; per esempio... là, non facciamo nomi! Ora, avventare un giudizio, come tanti fanno, fondato solamente su i tratti fisionomici apparenti, è da ciarlatani. La forma d'un naso, Dio mio, può benissimo non corrispondere alla vera natura di colui che lo porta in faccia. Il nasino così grazioso della vostra signora, ad esempio, ha tutti i caratteri della sensualità...

– Ah, sì? – domandò Giustino, meravigliato.

– Sì, sì, certo, – raffermò con gran serietà il Baldani. – Eppure, forse... Ecco, per compire il mio studio, io avrei bisogno da voi, caro Boggiolo, alcune notizie... ripeto, intime, imprescindibili per la intelligenza compiuta della personalità della Roncella. Se permettete, vi rivolgo una o due domande, non più. Ecco, vorrei sapere se la vostra signora...

E il Baldani, accostandoglisi ancor più, ancor più piano, con garbo e sempre serio, fece la prima domanda. Giustino, curvo con gli occhi più che mai intenti, diventò rosso rosso, ascoltando; alla fine, ponendosi le due mani sul petto e raddrizzandosi:

– Ah, nossignore! nossignore! – negò con vivacità – Questo glielo posso giurare!

– Proprio? – disse il Baldani, scrutandolo negli occhi.

– Glielo posso giurare! – ripeté con solennità Giustino.

– E allora, – riprese il Baldani, – abbiate la compiacenza di dirmi, se...

E pian piano, come prima, con garbo, sempre serio, fece la seconda domanda. Questa volta Giustino, ascoltando, aggrottò un po' le ciglia, poi espresse una gran meraviglia, domandò:

– E perché?

– Come siete ingenuo! – sorrise il Baldani; e gli spiegò quel perché.

Giustino allora, diventando di nuovo rosso rosso come un papavero, dapprima appuntì le labbra come se volesse soffiare, poi le schiuse a un risolino vano e rispose, esitante:

– Questo... ecco... sì, qualche volta... ma creda che...

– Per carità! – lo interruppe il Baldani. – Non c'è bisogno che me lo diciate. Chi può mai pensare che Silvia Roncella... ma per carità! Basta, basta così. Erano questi i due punti che più mi premeva di chiarire. Grazie di cuore, caro Boggiolo, grazie!

Giustino, un po' sconcertato ma pur sorridente, si grattò un orecchio e domandò:

– Ma scusi, che forse nell'articolo?...

Paolo Baldani lo interruppe, negando col dito; poi disse:

– Prima di tutto non è un articolo; è uno studio, v'ho detto. Vedrete! Le indagini restano segrete; servono a me, per farmi lume nella critica. Poi, poi vedrete. Se voleste ora aver la bontà d'annunziarmi alla vostra signora...

– Subito! – disse Giustino. – Abbia la pazienza d'attendere un momentino...

E corse su allo studio di Silvia, ad annunziarglielo. Era sicurissimo d'averla convinta col suo ultimo discorso, e non s'aspettava perciò che ella si rifiutasse fieramente di vedere il Baldani.

– Ma perché? – le domandò, restando.

Silvia ebbe la tentazione di gettargli in faccia la risposta vera, per scomporlo da quell'atteggiamento di attonita, dolente meraviglia; ma temette che egli le rifacesse quel gesto di filosofica noncuranza, come allorché gli aveva rinfacciato le risa e le beffe della gente.

– Perché non voglio! – gli disse. – Perché mi secca! Vedi che sto qui a rompermi la testa!

– Eh via, cinque minuti... – insistette Giustino. – Ha pronto uno studio su tutta l'opera tua, sai! Oggi, una critica del Baldani, bada... è il critico di moda... critica, aspetta! come la chiamano? non so... una critica nuova, che se ne parla tanto, adesso, cara mia! Cinque minuti... Ti studia, e basta. Lo faccio passare?

– Bella cosa, bella cosa, – diceva, poco dopo, Paolo Baldani lì nello studio, battendo lievemente la mano feminea sul bracciuolo della poltrona e rimirando con occhi un po' strizzati Giustino Boggiolo. – Bella cosa, signora, vedere un uomo così sollecito della vostra fama e del vostro lavoro, così interamente devoto a voi. M'immagino come ne dovete esser lieta!

– Ma sa?... perché... se io... – tentò subito d'interloquire Giustino, temendo che Silvia non gli volesse rispondere.

Il Baldani lo fermò con la mano. Non aveva finito.

– Permettete? – disse; e seguitò: – Lo noto, perché tanta sollecitudine e tanta devozione debbono aver pure il loro peso nella valutazione dell'opera vostra, in quanto che, mercé di esse, voi certamente potete, senza veruna estranea cura, abbandonarvi tutta alla divina gioia di creare.

Pareva che parlasse così, ora, per ischerzo; che di quel suo parlar dipinto egli per il primo avvertisse l'affettazione e la accompagnasse con un lievissimo, appena percettibile risolino ironico, non già per attenuarla però, ma anzi per armarla del fascino d'una inquietante ambiguità. «Quello che ho dentro, lo so

io solo», pareva dicesse. «Per voi, per tutti, ho questo lusso di parole, ecco, e
me ne vesto con signorile sprezzatura; ma posso anche, all'occorrenza, buttarlo via e spogliarmene, per mostrarmi a un tratto bello e forte nella mia nuda
animalità.»

Questa animalità Silvia gli scorgeva chiaramente nel fondo degli occhi; ne
aveva avuto una prova nella sfrontata dichiarazione dell'altra sera; era certa
che ne avrebbe avuto un nuovo e più sfrontato assalto, se per poco il marito si
fosse allontanato dallo scrittojo. Intanto – oh schifo! – egli lodava e ammirava
innanzi a lei Giustino, per farselo amico e, dopo averlo guardato, ecco, rivolgeva gli occhi a lei con incredibile impudenza. Il Baldani, difatti, col suo
sguardo le diceva: «Tu non ti sogni neppure di sospettare quel che so di te...».

– Gioja di creare? – proruppe Silvia. – Non l'ho mai provata. E sono proprio
dolente di non poter più attendere ora, come prima, a quelle che lei chiama
cure estranee. Erano le sole tra cui mi ritrovassi; che mi déssero qualche sicurezza. Tutta la mia sapienza era in esse! Perché io non so nulla, proprio. Non
capisco nulla, io. Se lei mi parla d'arte, io non capisco nulla di nulla.

Giustino si agitò, tutto scombussolato, su la seggiola. Il Baldani lo notò, si
voltò a guardarlo, sorrise e disse:

– Ma questa è una confessione preziosa... preziosa.

– Vuol sapere, se le serve, che cosa stavo a fare io, – seguitò Silvia, – messa
qua di proposito a scrivere? Ho contato sul mio braccio le righette bianche e
nere di questo mio abito di mezzo lutto: centosettantatré nere e centosettanta-
due bianche, dal polso all'attaccatura della spalla. E così soltanto so che ho un
braccio e questa veste. Altrimenti, non so nulla; nulla, nulla, proprio nulla.

– E questo spiega tutto! – esclamò allora il Baldani, come se proprio lì la
aspettasse. – Tutta la vostra arte è qui, signora mia.

– Nelle righette bianche e nere? – domandò Silvia, fingendo quasi sgomento.

– No, – sorrise il Baldani. – Nella vostra meravigliosa incoscienza, la quale
spiega la non meno meravigliosa nativìtà spontanea dell'opera vostra. Voi siete
una vera forza della natura; dirò meglio, siete la natura stessa che si serve dello
strumento della vostra fantasia per creare opere sopra le comuni. La vostra logica,
intanto, è quella della vita, e voi non potete averne coscienza, perché logica inge-
nita, logica mobile e complessa. Vedete, signora mia: gli elementi che costituiscono il vostro spirito sono straordinariamente numerosi, e voi li ignorate; essi si
aggregano, si disgregano con una facilità, con una rapidità prodigiosa, e questo
non dipende dalla vostra volontà; essi non si lasciano fissar da voi in alcuna
forma stabile; si mantengono, dirò così, in uno stato di perpetua fusione, senza
mai rapprendersi; duttili, plastici, fluidi; e voi potete assumere tutte le forme
senza che lo sappiate, senza che lo vogliate per riflessione.

– Ecco! ecco! ecco! – cominciò a dire Giustino, scattando, tutto esultante e
gongolante. – Questo è! questo è! Glielo dica, glielo ripeta, glielo faccia entrar bene in mente, caro Baldani! Lei sta facendo in questo momento opera di
vero amico. È un po' confusetta, veda... un po' incerta, dopo questo trionfo.

– Ma no! – gridò Silvia su le brage, cercando d'interromperlo.

– Sì, sì, sì! – incalzò invece Giustino, levandosi in piedi e facendosi in
mezzo, quasi per impedire che gli sfuggisse quell'occasione propizia, ora che
la teneva acciuffata. – Santo Dio, te l'ha spiegato così bene, qua, il Baldani!
È proprio così com'ha detto lei, Baldani! Non trova, non trova l'argomento
del nuovo dramma, e...

– Non trova? Ma se già ce l'ha! – esclamò il Baldani sorridendo. – Posso
permettermi un suggerimento per l'affetto che vi porto? Il dramma ce l'avete
già! Credono gli sciocchi (e lo van dicendo) che sia più agevole creare fuori
delle esperienze quotidiane, ponendo cose e persone in luoghi imaginarii, in
tempi indeterminati, quasi che l'arte abbia da impacciarsi della così detta
realtà comune, e non crei essa una realtà sua propria e superiore. Ma io so le

vostre forze e so che voi potete confondere questi beoti e ridurli al silenzio e
costringerli all'ammirazione, affrontando e dominando una materia affatto diversa da quella de *La nuova colonia*. Un dramma d'anime, e nel mezzo nostro,
cittadino. Voi avete nel vostro volume delle *Procellarie* una novella, la terza,
se ben ricordo, intitolata *Se non così...* Ecco il dramma nuovo! Pensateci. Io
mi stimerò felice di avervelo additato; se potrò dire un giorno: Questo
dramma ella lo ha scritto per me; ho insinuato io nella matrice della sua fantasia, per la fecondazione, questo nuovo germe vitale!
    Si alzò; disse a Giustino quasi con solennità:
    – Lasciamola sola.
    Le si fece innanzi; le prese la mano, inchinandosi; vi depose un bacio; uscì.
    Silvia, appena sola, fu assalita da quella fiera stizza che si prova allorché, di-
battuti in una tempesta da cui non scorgevamo più né quasi più speravamo
salvezza, d'un tratto e con tranquillo gesto ci vediamo offrire da chi meno
avremmo voluto – ecco qua, una tavola, una fune. Vorremmo piuttosto affogare, che servircene, per non riconoscere di dover la nostra salvezza a uno che
con tanta facilità ce l'ha offerta. Questa facilità, che vuol quasi dimostrarci
sciocca e vana la disperazione nostra di poc'anzi, ci sembra un insulto; e vorremmo subito dimostrare invece a nostra volta sciocco e vano l'ajuto così facilmente offerto; ma avvertiamo intanto che, contro la nostra volontà, già ci
siamo aggrappati ad esso.
    Silvia smaniava di rimettersi al lavoro, a un lavoro che la prendesse tutta e le
impedisse di vedere, di pensare a se stessa e di sentirsi. Ma cercava e non trovava; e si struggeva nella smania, sempre più convincendosi che veramente
ormai ella non poteva più far nulla.
    Ora, non volle andare a prendere dallo scaffale il libro delle *Procellarie*; ma
già vi era dentro con lo spirito, già si sforzava di vedere il dramma in quella
terza novella indicata dal Baldani.
    C'era? Sì, c'era veramente. Il dramma d'una moglie sterile. Ersilia Groa,
ricca provinciale, non bella, di cuore ardente e profondo, ma rigida e dura d'a-
spetto e di maniere, ha sposato da sei anni Leonardo Arciani, letterato senza
più voglia – dopo le nozze – né di scrivere né d'attendere a' libri, pur avendo
destato con un suo romanzo grandi speranze e viva attesa nel pubblico. Quegli
anni di matrimonio son passati in apparenza tranquilli. Ersilia non sa offrire
da sé quel tesoro d'affetti che chiude in cuore; forse teme che esso non abbia
alcun valore per il marito. Poco egli le chiede e poco ella gli dà; gli darebbe
tutto se egli volesse. Sotto quella apparente tranquillità, dunque, il vuoto. Solo
un figlio potrebbe riempirlo; ma ormai, dopo sei anni, ella dispera d'averne.
Arriva un giorno al marito una lettera. Leonardo non ha segreti per lei: leggono quella lettera insieme. È di una cugina di lui, Elena Orgera, che un
tempo gli fu fidanzata: le è morto il marito; è rimasta povera e senza asse-
gnamenti, con un figliuolo che vorrebbe fosse ammesso in un collegio di orfani; gli chiede un soccorso. Leonardo se ne sdegna; ma Ersilia stessa lo per-
suade a mandare quel soccorso. Ivi a poco, improvvisamente, egli ritorna al
lavoro. Ersilia non ha mai veduto lavorare il marito; ignara affatto di lettere,
non sa spiegarsi quel nuovo improvviso fervore; vede ch'egli deperisce di
giorno in giorno; teme che si ammali; vorrebbe almeno che non si affannasse
tanto. Ma egli le dice che l'estro gli si è ridestato, che ella non può comprendere che sia. E così, per circa un anno, riesce a ingannarla. Quando Ersilia alla
fine scopre il tradimento, il marito ha già una bambina da Elena Orgera. Du-
plice tradimento: ed Ersilia non sa se più le sanguini il cuore per il marito che
colei le ha tolto o per la figlia che ha potuto dargli. Veramente la coscienza ha
curiosi pudori: Leonardo Arciani strappa il cuore alla moglie, le ruba l'amore,
la pace: si fa scrupolo del denaro. Eh! col denaro della moglie, no, da galantuomo non vuol mantenere un nido fuori della casa. Ma gli scarsi e incerti

proventi del suo lavoro affannato non possono bastare a sopperire ai bisogni, che presto cominciano a riempir di spine quel nido. Ersilia, appena scoperto il tradimento, s'è chiusa in sé ermeticamente, senza lasciar trapelare al marito né lo sdegno né il cordoglio: ha solo preteso che egli seguitasse a vivere in casa, per non dare scandalo; ma separato affatto da lei. E non gli rivolge più né uno sguardo né una parola. Leonardo, oppresso da un peso che non può sopportare, resta profondamente ammirato del dignitoso, austero contegno della moglie, la quale forse comprende che, oltre e sopra ogni suo diritto, c'è per lui ormai un dovere più imperioso: quello verso la figlia. Sì, difatti, Ersilia comprende questo dovere: lo comprende perché sa quel che le manca; lo comprende tanto che, se egli ora, stremato e avvilito com'è, ritornasse a lei, abbandonando con l'amante la figlia, ella ne avrebbe orrore. Di questo tacito sublime compatimento di lei egli ha una prova nel silenzio, nella pace, in tante cure pudicamente dissimulate che ritrova in casa. E l'ammirazione diviene a mano a mano gratitudine; la gratitudine, amore. Lì, in quel nido di spine, egli non va più, ora, che per la figlia. Ed Ersilia lo sa. Che aspetta? Lo ignora ella stessa; e intanto si nutre in segreto dell'amore che già sente nato in lui. Sopravviene, a rompere questo stato di cose, il padre di lei, Guglielmo Groa, grosso mercante di campagna, ruvido, inculto, ma pieno d'arguto buon senso.

Ecco, il dramma poteva aver principio qui, con l'arrivo del padre. Ersilia, che da tre anni non rivolge la parola al marito, si reca a trovarlo nella sede d'un giornale quotidiano, dov'egli è sopportato come redattore artistico, per prevenirlo che il padre, a cui ella ha tutto nascosto, è già in sospetto e verrà quella mattina stessa a provocare una spiegazione. Vuole ch'egli sappia fingere per risparmiare almeno al padre quel cordoglio. È una scusa; teme in realtà che il padre, per venire a una soluzione impossibile, infranga irremediabilmente quel tacito accordo di sentimenti ch'ella ha penato tanto a stabilire tra lei e il marito, e che le è cagione d'ineffabile spasimo segreto e insieme d'ineffabile segreta dolcezza. Ersilia non trova il marito nella redazione del giornale e gli lascia un biglietto, promettendo che ritornerà presto per ajutarlo a fingere, quando il padre, che si è recato ad assistere a una seduta mattutina della Camera, verrà lì per parlargli. Leonardo trova il biglietto della moglie e sa dall'usciere che è venuta poc'anzi a cercar di lui anche un'altra signora. È la Orgera, da cui egli non è più andato da una settimana, sentendosi spiato dagli occhi sospettosi del suocero. Ella ritorna difatti poco dopo, in quel momento così poco opportuno, e invano Leonardo le spiega perché non è venuto e in prova le dà a leggere quel biglietto della moglie. Ella deride l'abnegazione di Ersilia, che vuol risparmiare noje e amarezze al marito, mentre lei... eh, lei rappresenta il bisogno, la crudezza d'una realtà non più sostenibile: i fornitori che vogliono esser pagati, il padrone di casa che minaccia lo sfratto. Meglio finirla! Già tutto è finito tra loro. Egli ama la moglie, quella sublime silenziosa: ebbene, ritorni a lei, e basta così! Leonardo le risponde che se potesse la soluzione esser così semplice, già da un pezzo egli ci sarebbe venuto; ma pur troppo non può esser quella la soluzione, legati come sono l'uno all'altra; e dunque, via, se ne vada per ora; le promette che verrà a trovarla appena potrà. In mal punto per Leonardo, così amareggiato, sopravviene il suocero prima del tempo, seccato delle chiacchiere parlamentari. Guglielmo Groa non sa d'aver di fronte nel genero un altro padre che al par di lui deve difendere la propria figlia; crede a un traviamento del genero, riparabile con un po' di tatto e di denaro, e gli profferisce ajuto e lo invita a confidarsi a lui. Leonardo è stanco di mentire; confessa la sua colpa, ma dice che ne ha già avuto la punizione più grave che potesse aspettarsene, e rifiuta come inutile l'ajuto del suocero e anche di ragionare con lui. Il Groa crede che la punizione di cui parla Leonardo sia quel lavoro a cui s'è condannato, e lo rimbrotta aspramente. Quando Ersilia troppo tardi, sopraggiunge, il padre e il marito stan quasi per venire alle mani. Vedendo Ersilia, Leonardo, sovreccitato, fremente, s'affretta a raccogliere le carte dalla scrivania e scappa; il Groa allora fa per lanciarglisi addosso, ruggendo: «Ah, non vuoi ragionare?», ma Ersilia lo arresta col grido: «Ha la figlia, babbo, ha la figlia! Come vuoi che ragioni?».

Con questo grido poteva esser chiuso il primo atto. A principio del secondo, una scena tra il padre e la figlia. Tutt'e due hanno atteso invano, la notte, che Leonardo rincasasse. Ora Ersilia svela al padre tutto il suo martirio, e come fu ingannata, e come e perché s'era acconciata in silenzio a quella pena. Ella quasi difende il marito, perché – messo tra lei e la figlia – è corso da questa. Dove sono i figli è la casa! Il padre se ne indigna; si ribella; vuole subito ripartirsene; e, come Leonardo sopravviene per poco, a prendersi i libri e le carte, gli va innanzi e gli dice che rimanga pur lì; andrà via lui, or ora. Leonardo resta perplesso, non sapendo come interpretare quell'improvviso invito del suocero a rimanere. Ma ecco Ersilia. Ella entra per dirgli che non parte da lei quell'invito e che anzi egli, se vuole, può andare. E allora Leonardo piange e dice alla moglie il suo tormento e il pentimento e l'ammirazione per lei e la gratitudine. Ersilia gli domanda perché soffre, se ha con sé la figlia; e Leonardo le risponde che quella donna gliela vorrebbe togliere, perché egli non basta a mantenerla e perché non vuol più vederlo in quelle smanie. «Ah, sì?», grida Ersilia. «Questo vorrebbe? E allora...» Il suo piano è fatto. Ella comprende che non può riavere il marito *se non così*, cioè a patto d'avere insieme la figlia. Non gliene dice nulla; e, poiché egli chiede il perdono, glielo accorda, ma nello stesso tempo si svincola dalle braccia di lui e lo costringe ad andar via: «No, no,» gli dice. «Ora tu non puoi più rimanere qui! Due case, no; qua io e là la tua figlia, no! Va' va': so quello che tu desideri: va'!» E lo manda via a forza, e subito com'egli esce, scoppia in un pianto di gioja.

Il terzo atto doveva svolgersi nel nido di spine, in casa di Elena Orgera. Leonardo è venuto a trovar la bambina, ma si è dimenticato di portarle un regaluccio che le aveva promesso. La bambina, Dinuccia, ha pianto molto aspettandolo; ora si è addormentata di là. Leonardo dice che tornerà presto col giocattolo e va via. La bimba, che ha ormai cinque anni, si sveglia; viene in iscena, domanda del babbo e vuole che la mamma le parli del regalo ch'egli le porterà: una campagna con tanti alberetti e le pecorelle e il cane e il pastore. Si sente sonare alla porta. «Eccolo!» dice la madre. E la bimba vuole andar lei ad aprire. Si ripresenta poco dopo su la soglia, tutta confusa, con una signora velata. È Ersilia Arciani, che ha veduto andar via dalla casa il marito e non sospetta ch'egli debba tra poco ritornare. Sospetta Elena, invece, una congiura tra la moglie e il marito per portarle via la figlia; e grida, minaccia di chiamar ajuto, inveisce, smania. Invano Ersilia tenta di calmarla, di dimostrarle che il suo sospetto è infondato, ch'ella non vuole né può farle alcuna violenza; che è venuta a parlare al suo cuore di madre, per il bene della sua bambina, la quale sarebbe adottata, uscirebbe dall'ombra della colpa, sarebbe ricca e felice; invano poi le grida ch'ella non ha il diritto di pretendere ch'egli abbandoni la figlia, se lei non vuol cederla. L'uscio di casa è rimasto aperto per la confusione della bambina nel vedersi innanzi quella signora invece del babbo; e Leonardo, entrando in quel punto, si trova in mezzo alla contesa delle due donne, stupito di veder lì la moglie. La bambina ode la voce del padre e picchia all'uscio della camera ove Elena è corsa a rinchiuderla appena Ersilia Arciani s'è svelata. Ora ella apre di furia quell'uscio, si toglie in braccio la piccina e grida ai due d'andar via, subito, via! A questo scatto, Leonardo, percosso, si rivolge alla moglie e la spinge ad abbandonare quell'impresa disumana e a ritrarsi. Ersilia se ne va. E allora nell'animo di Elena, che ha veduto in sua presenza scacciata la moglie, segue all'orgasmo la confusione, lo smarrimento, e vorrebbe che Leonardo subito corresse a raggiunger la moglie e andasse via per sempre con lei. Ma Leonardo, al colmo dell'esasperazione, le grida: «No!» e si prende tra le gambe la piccina e le dà il regaluccio e comincia a disporre, nella scatola, la cascina, gli alberetti, le pecorelle, il pastore, il cane, tra le risa, i gridi di gioja, le liete domande infantili di Dinuccia. Elena, ascoltando quelle domande della bimba e le risposte del padre angosciato, ripensa a tutto ciò che le ha detto colei che se n'è andata, su l'avvenire della sua piccina, e tra le lagrime comincia a rivolgere a Leonardo, tutto intento alla gioja della figliuola, qualche domanda: «Diceva, l'adozione... ma è possibile?» e Leonardo non le risponde e seguita a parlare delle pecorelle e del cane con la bambina. Ivi a poco, un'altra domanda di Elena, o una considerazione amara su lei o su Dinuccia, se mai ella... Leonardo non ne può più; balza in piedi; prende in braccio la figlia e le grida: «Me la dài?». «No! no! no!», risponde a precipizio Elena, strappandogliela e cadendo in ginocchio innanzi alla piccina abbracciata: «Non è possibile, no! ora non posso, ora non posso! Vattene! vattene! Poi... chi sa! se ne avrò la forza, per lei! Ma ora vattene! vattene! vattene!».

Ecco, sì, poteva esser questo il dramma. Ella lo vedeva chiaro innanzi a sé, tutto, fin nei particolari dell'architettura scenica. Ma che lo dovesse al suggerimento del Baldani, la irritava. E non si sentiva attratta da esso minimamente.

Non aveva mai lavorato così, volendo e costruendo la sua opera. L'opera, appena intuita, s'era sempre voluta invece lei stessa prepotentemente, senza che ella provocasse nel suo spirito alcun movimento atto a effettuarla. Ogni opera in lei s'era sempre mossa da sé, perché da sé soltanto s'era voluta; ed ella non aveva mai fatto altro che obbedire docile e con amor seguace a questa volontà di vita, a ogni suo spontaneo movimento interiore. Or che la voleva lei e doveva darle lei il movimento, non sapeva più come cominciare, da che parte rifarsi. Si sentiva arida e vuota, e in quell'aridità e in quel vuoto smaniava.

La vista di Giustino, il quale non osava chiederle notizia del lavoro, a cui fingeva di saperla ritornata, e faceva di tutto perché ella credesse che di questo egli fosse certo, appartandola, imponendo a Èmere silenzio, allontanando da lei ogni cura della casa, le suscitava ogni volta tale stizza, che sarebbe trascesa in escandescenze, se la nausea di altre più volgari da parte di lui non l'avesse trattenuta. Avrebbe voluto gridargli:

«Smettila! Risparmiati codeste finzioni! Io non fo nulla, e tu lo sai! Non posso e non so più far nulla, così, già te l'ho detto! Èmere può anche fischiare, in maniche di camicia, lavorando, e rovesciar seggiole e romperti tutti codesti famosi mobili del Ducrot: io ne godrei tanto, caro mio! Mi metterei io a romper tutto, tutto, tutto qua dentro, e anche le mura se potessi!».

Quel che aveva avvertito tanti e tanti anni fa, a Taranto, per una causa molto minore, allorché il padre aveva voluto mandare a stampa le prime sue novelle, che cioè il pensiero della lode, con cui queste erano state accolte, s'era interposto tra lei e le nuove cose che avrebbe voluto descrivere e rappresentare, turbandola così che per circa un anno non aveva potuto più toccar la penna, avvertiva adesso, la stessa confusione, la stessa ambascia, la stessa costernazione, ma centuplicate. Anziché infiammarla, il recente trionfo la assiderava; anziché sollevarla, la schiacciava, la annientava. E se cercava di riscaldarsi, sentiva subito che il calore che si dava era artificiale; e se cercava di rilevarsi da quell'avvilimento, da quella prostrazione, sentiva nello sforzo irrigidirsi, vanamente impettita. Quasi inevitabilmente quel trionfo la induceva a strafare. E ora, per non strafare, ecco l'eccesso opposto: l'arido stento, la rigida nudità scheletrica.

Così, come uno scheletro, nell'arido stento di quel lavoro forzato, le veniva fuori penosamente il nuovo dramma, rigido, nudo.

– Ma no, perché? Ma se va benissimo! – le disse il Baldani, quand'ella, per far tacere il marito, gli lesse il primo atto e parte del secondo. – È del carattere di questa vostra stupenda creatura, di Ersilia Arciani, tanta sostenutezza austera, questa che a voi sembra rigidità. Va benissimo, vi assicuro. L'anima e i modi di Ersilia Arciani, debbono governare così tutta l'opera, per necessità. Seguitate, seguitate.

4.

D'altra guida, d'altro consiglio, in difetto dell'estro, Silvia sentiva bisogno in quel momento.

Era stata notata da tutti l'assenza di Maurizio Gueli, la sera dell'inaugurazione. Molti, e certo non senza malignità, avevano domandato quella sera a Giustino:

– E il Gueli? non viene?

E Giustino di rimando:

– Ma è a Roma? Mi hanno detto che è in villa, a Monteporzio.

Anche da Silvia, specialmente alcune signore, così senza parere, avevano voluto notizie del Gueli. Silvia sapeva che, o per gelosia o per invidia o, a ogni modo, per ferirla, donne e letterati si sarebbero messi o prima o poi a malignar su lei. Il marito stesso, del resto, era il primo a dare, senza bisogno, pretesto e materia alla malignità. E con un siffatto marito ella stessa ormai riconosceva che sarebbe stato quasi impossibile rimanere insospettata. Il suo stesso amor proprio, irresistibilmente, l'avrebbe tratta per tanti segni a far nascere sospetti, perché ella non poteva sottostare più, innanzi agli occhi di tutti, al ridicolo di cui egli la copriva, fingendo di non accorgersene ancora. Doveva per forza, in qualche modo, dimostrare di provarne o dolore e dispetto, e forse avrebbe fatto peggio, perché si sarebbe troppo avvilita e tutti allora ne avrebbero approfittato per addolorarla e indispettirla ancor più; o lo stesso piacere degli altri, e allora, se da un canto si sarebbe in parte salvata dall'avvilimento, non poteva più lei stessa dall'altro pretendere che si francasse dai più tristi giudizii della gente. Può, impune, una donna deridere apertamente il proprio marito? Né ella, del resto, con intenzione o per finzione avrebbe saputo farlo. Ma temeva lo facesse, contro la sua volontà, per irresistibile reazione, il suo stesso amor proprio. Ed ecco inevitabili i sospetti e le malignità. No no, davvero, ella non poteva più in alcun modo durare, schietta e onesta, in quelle condizioni.

Fu lieta dell'assenza del Gueli, la sera dell'inaugurazione. Lieta, non tanto perché veniva meno una ragione di malignare più forte delle altre, essendo già nota a tutti la simpatia del Gueli per lei, quanto perché, dopo quella lettera ch'egli le aveva inviato a Cargiore, non lo avrebbe ella stessa veduto volentieri. Non ne sapeva ancor bene il perché. Ma il pensiero che la simpatia del Gueli, ben nota a lei anche per via segreta e per una ragione di cui in principio s'era sdegnata, désse pretesto a malignità, la feriva molto più che ogn'altro sospetto che potesse sorgere o per il Betti o per il Luna o per il Baldani, per chiunque altro.

Ella non avrebbe mai, con nessuno, ingannato il marito. Per quanto si fosse franta al tumulto di tanti nuovi pensieri e sentimenti la compagine della sua prima coscienza, per quanto l'ira, il dispetto che la condotta del marito le suscitava, potessero incitarla a vendicarsi, questo credeva ancora di poter sicuramente affermare a sé stessa: che nessuna passione, nessun impeto di ribellione la avrebbero mai travolta fino al punto di venir meno al suo debito di lealtà. Se domani non avesse più saputo resistere a convivere in quelle condizioni col marito; se, non pure indifesa, ma quasi indotta e spinta, col cuore ormai non solamente vuoto d'affetto per lui, ma anche repugnante ed affogato di nausea e di tristezza, si fosse sentita avviluppare e trascinare da qualche disperata passione, ella no, non avrebbe ingannato a tradimento, mai. Lo avrebbe detto al marito, e a qualunque costo avrebbe salvato la sua lealtà.

Purtroppo nulla più in quella casa aveva potere di trattenerla con la voce degli antichi ricordi. Quella era per lei una casa quasi estranea, da cui le poteva esser facile andar via; le destava attorno di continuo l'immagine d'una vita falsa, artificiale, vacua, insulsa, alla quale, non persuasa più da alcun affetto, non riusciva ad accostumarsi, e che anzi l'obbligo ormai imprescindibile del suo lavoro le rendeva odiosa. E neppure da quel lavoro forzato le era concesso di trar la soddisfazione ch'esso, se non a lei, serviva almeno a far piacere a un altro che gliene restasse grato. Grata doveva restar lei, per giunta, al marito che la trattava come il villano tratta il bue che tira l'aratro, come il cocchiere tratta la cavalla che tira la vettura, che l'uno e l'altro si prendono il merito della buona aratura e della bella corsa e vogliono esser poi ringraziati del fieno e de la stalla.

Ora, della simpatia più o meno sincera che le dimostravano i Baldani, i Luna, adesso anche il Betti, tutti quei giovani letterati e giornalisti chiomati e vestiti di soperchio, ella poteva non fare alcun caso né apprensionirsi affatto; paura aveva invece di quella del Gueli, che come lei sapeva avviluppato da una miseria tragica e ridicola a un tempo, che gli toglieva il respiro (così le aveva scritto); paura aveva del Gueli perché più d'ogni altro poteva leggerle in cuore; perché della presenza e del consiglio di lui ella in quel momento infastidita, urtata dalla frigida e spavalda saccenteria del Baldani, sentiva cosi acuto e urgente bisogno.

Chiusa lì nello studio, si sorprendeva con gli occhi attoniti e lo spirito sospeso, tutta intenta a seguir pensieri, da cui si riscoteva con orrore.

Erano quei pensieri come una scala agevole, per cui ella – ecco – poteva scendere anche alla sua perdizione; erano una sequela di scuse per tranquillare la coscienza antica, per mascherar l'aspetto odioso di un'azione che quella coscienza antica le rappresentava ancora come una colpa, e attenuar la condanna della gente.

La serietà austera, l'età del Gueli non farebbero sospettare ch'ella per basso pervertimento cercasse in lui l'amante, anziché una guida degna e quasi paterna, un nobile compagno ideale. E parimenti forse il Gueli in lei soltanto e per lei troverebbe la forza di rompere il tristo legame con quella donna che da tanti anni lo opprimeva.

E il figlio?

Per un momento, questo nome, gittandosi attraverso quel torbido immaginare, lo disperdeva. Ma subito l'idea del figlio le richiamava con angoscia alla memoria un ordine di vita, una castità di cure, un'intimità santa, che altri e non lei aveva voluto violentemente spezzare.

Se ella avesse potuto aggrapparsi al figlio che le era stato strappato e non pensare né attender più a nulla, avrebbe trovato certamente nel suo bambino la forza di chiudersi tutta nell'ufficio della maternità e di non esser più altro che madre, la forza di resistere a ogni tentazione d'arte per non dar più pretesto al marito d'offenderla e di ridurla alla disperazione con quel furor di guadagni e quello spettacolo di bravure.

A un solo patto avrebbe potuto seguitare a convivere col marito, cioè a patto di rinunziare all'arte. Ma poteva più ora? Non poteva più. Egli ormai non aveva altro impiego che quello d'agente del suo lavoro, ed ella doveva lavorare per forza, e non poteva più, così: né esser madre né lavorare poteva più. Doveva per forza? E allora, via, via di là! via da lui! Gli avrebbe lasciato la casa e tutto. Così non poteva più reggere. Ma che sarebbe avvenuto di lei?

A questa domanda, tutto lo spirito le si scombujava e le si arretrava con orrore. Ma qual gioja poteva darle il riconoscere di non aver fatto altro che immaginare? Poco dopo, ricadeva in quelle torbide immaginazioni, e, purtroppo, con minor rimorso per la stolida petulanza del marito che seguitava a importunarla quanto più la vedeva disviata dal lavoro e smaniosa.

Per questo, quando alla fine Maurizio Gueli, inatteso, all'improvviso, si presentò nel villino con uno strano aspetto risoluto, con insoliti modi, e la guardò negli occhi e con evidente sdegno accolse tutti gl'inchini e le cerimonie e le feste di Giustino, ella si vide a un tratto perduta. Per fortuna, sentendo il marito sfogarsi col Gueli senza nulla comprendere, a un certo punto ebbe così viva e forte l'impressione d'esser cacciata quasi a urtoni e a percosse e tirata per i capelli a commettere una follia, ebbe tanta vergogna del suo stato e tale onta ne provò, che poté avere contro il Gueli uno scatto di fierezza, allorché questi, prendendo ardire dall'aspetto scombujato di lei, si rivoltò aspramente contro il marito e per poco non lo trattò in sua presenza da volgare sfruttatore.

Allo scatto impreveduto, il Gueli restò come percosso in capo.

– Comprendo... comprendo... comprendo... – disse, chiudendo gli occhi, con un tono e un'aria di così intensa profonda disperata amarezza, che apparve subito chiaro agli occhi di Silvia che cosa egli avesse compreso senza né sdegno né offesa.

E se ne andò.

Giustino, stordito e stizzito da un canto, mortificato dall'altro per il modo com'il Gueli era andato via, non volendo dire né in sua difesa né contro quello, pensò bene di togliersi di perplessità rimproverando alla moglie la violenza con cui... – ma poté appena accennare il rimprovero: Silvia gli si fece innanzi, a petto, tutta vibrante e stravolta, gridando:

– Va' via! taci! O mi butto dalla finestra!

Comando e minaccia furon così fieri e perentorii, l'aspetto e la voce così alterati, che Giustino s'insaccò ne le spalle e uscì cucciolo cucciolo dallo studio.

Gli parve che la moglie volesse impazzire. O che le era accaduto? Non la riconosceva più! – *Mi butto dalla finestra... taci!... va' via!* – Non si era mai permessa di parlargli così... Eh, le donne! A far troppo per loro... Ecco qua, che ansa aveva preso! – *Va' via! taci!...* – Come se non fosse a quel posto per lui! Se non era pazzia, qualcos'altro era, peggio, peggio dell'ingratitudine...

Col naso stretto e arricciato, Giustino, ferito nel cuore, stentava a dirlo a sé stesso che cosa gli pareva che fosse. Ma sì, via, ma sì! gli voleva far pesare ingenerosamente, adesso, la necessità del suo lavoro, quando per lei – egli – senza mai lamentarsi, senza darsi requie un momento, s'era dato tanto da fare; e per lei, per potere attendere e dedicarsi tutto a lei, aveva rinunziato finanche all'impiego, senza esitare! Ecco qua: non pensava più di dover tutto a lui, lo vedeva senza impiego e in attesa del suo lavoro e ne profittava per trattarlo come un servo: – *Va' via! taci!...*

Ah, un annetto... no, che diceva un annetto? – un mesetto, un mesetto solo senza di lui avrebbe voluto vederla, con un dramma da far rappresentare o con un contratto da stabilire con qualche editore! Si sarebbe accorta bene allora, se aveva bisogno di lui...

Ma no, via! non era possibile che non riconoscesse questo... Altro doveva esserci! Quel mutamento, da che era ritornata da Cargiore; quella scontentezza; quelle smanie; quelle bizze; tutta quell'acerbità per lui... O che forse sul serio supponeva che egli con la Barmis...?

Giustino stirò il collo avanti e contrasse in giù gli angoli della bocca, a esprimere nello stupore quel dubbio, e aprì le braccia e seguitò a pensare.

Il fatto era che, appena ritornata da Cargiore, con la scusa d'aver trovato quelle due maledette camere gemelle volute dalla Barmis, ella, come se avesse sospettato fosse pensiero suo e di questa tenerla separata di letto, quasi quasi non voleva più sapere di lui. Forse l'orgoglio non le lasciava manifestare apertamente questo sentimento di rancore e di gelosia, e si sfogava a quel modo...

Ma santo Dio, santo Dio, santo Dio, come supporlo capace d'una cosa simile? Se qualche volta, a tavola, aveva mostrato dispiacere dell'allontanamento così brusco della Barmis, questo dispiacere – avrebbe dovuto capirlo – non era se non per la mancanza di tutti quei saggi consigli e utili ammaestramenti che una donna di tanto gusto e di tanta esperienza avrebbe potuto dare a lei. Perché capiva che così testardamente chiusa in sé, così sola, senz'amicizie ella non poteva stare. Di lavorare non le andava; la casa non le piaceva; di lui forse sospettava indegnamente: non voleva veder nessuno, né uscire per distrarsi un pochino... Che vita era quella? L'altro giorno, all'arrivo d'una lettera da Cargiore, in cui la nonna parlava con tanta tenerezza del nipotino, era scoppiata in un pianto, in un pianto...

Per parecchi giorni Giustino, tenendo il broncio alla moglie, ruminò se non fosse il caso di far venire a Roma il bambino con la bàlia. Era anche per lui una crudeltà tenerlo così lontano; non per il bambino veramente, che in migliori mani non poteva essere affidato. Pensò che il bimbo certo riempirebbe subito il vuoto ch'ella sentiva in quella casa e anche nell'animo in quel momento. Ma aveva anche da pensare a tant'altre cose lui, a tant'altre necessità impellenti, a tanti impegni contratti in vista dei nuovi lavori a cui ella avrebbe dovuto attendere. Ora, se stentava tanto a lavorare così con le mani libere, figurarsi col bambino lì, che la assorbirebbe tutta nelle cure materne...

D'un tratto, una notizia lungamente attesa venne a distrar Giustino da questo e da ogni altro pensiero. A Parigi la *Nuova colonia*, già tradotta dal Desroches, sarebbe andata in iscena su i primi dell'entrante mese. A Parigi! a Parigi! Egli doveva partire.

Ripreso dalla frenesia del lavoro preparatorio, armato di quel telegramma del Desroches che lo chiamava a Parigi, si mise in giro dalla redazione di un giornale all'altra. E ogni mattina, su la scrivania, nello studio, e a mezzogiorno, a tavola, nella sala da pranzo, e la sera, sul tavolino da notte, in camera, faceva trovare a Silvia tre o quattro giornali alla volta non solamente di Roma, ma anche di Milano e di Torino e di Napoli e di Firenze e di Bologna, ove quelle prossime rappresentazioni parigine erano annunziate come un nuovo e grande avvenimento, una nuova consacrazione trionfale dell'arte italiana.

Silvia fingeva di non accorgersene. Ma egli non dubitò minimamente, che questo suo nuovo lavoro preparatorio avesse fatto su lei un grandissimo effetto, allorché, una di quelle notti, sentì che la moglie nella camera accanto si levava all'improvviso dal letto e si rivestiva per andare a chiudersi nello studio. Dapprima, per dir la verità, se ne apprensionì; ma poi, spiando per il buco della serratura e accorgendosi ch'ella era seduta alla scrivania nell'atteggiamento che soleva prendere ogni qual volta si metteva a scrivere ispirata, per miracolo così in camicia com'era, al bujo, e coi piedi scalzi non si diede a trar salti da montone per la contentezza. Eccola lì! eccola lì! era tornata al lavoro! come prima! al lavoro! al lavoro!

E non dormì neanche lui tutta quella notte, in febbrile attesa; e, come fu giorno corse con le mani avanti incontro a Èmere per impedirgli che facesse il minimo rumore, e subito lo mandò in cucina a ordinare alla cuoca che preparasse il caffè e la colazione per la signora, subito! Appena preparati:

– Ps! Senti... Bussa, ma pian piano, e domanda se vuole... piano però, eh? piano, mi raccomando!

Èmere tornò poco dopo, col vassojo in mano, a dire che la signora non voleva nulla.

– E va bene! zitto... lascia... La signora lavora... zitti tutti!

Si costernò un poco quando, anche a mezzogiorno, Èmere, mandato con le stesse raccomandazioni ad annunziare ch'era in tavola, tornò a dire che la signora non voleva nulla.

– Che fa? scrive?

– Scrive, sissignore.

– E come t'ha detto?

– Non voglio nulla, via!

– E scrive sempre?

– Scrive, sissignore.

– Va bene, va bene; lasciamola scrivere... Zitti tutti!

– Si porta in tavola intanto per il signore? – domandò Èmere sottovoce.

Giustino, levato dalla notte, aveva veramente appetito; ma sedere a tavola lui solo, mentre la moglie di là lavorava digiuna, non gli parve ben fatto. Si struggeva di sapere a che cosa lavorasse con tanto fervore. Al dramma? Al dramma, certamente. Ma voleva finirlo così tutto d'un fiato? aspettar di mangiare, che lo avesse finito? Un'altra pazzia, questa...

Verso le tre del pomeriggio Silvia, disfatta, vacillante, uscì dallo studio e andò a buttarsi sul letto, al bujo. Subito Giustino corse alla scrivania, a vedere: restò disingannato: vi trovò una novella, una lunga novella. Su l'ultimo foglio, sotto la firma, era scritto: *Per il senatore Borghi*. Senz'alcun piacere si mise a leggerla; ma dopo le prime righe cominciò a interessarsi... Oh guarda! Cargiore... don Buti col suo cannocchiale... il signor Martino... la storia della mamma... il suicidio di quel fratellino del Prever... Una novella strana, fantastica, piena d'amarezza e di dolcezza insieme, nella quale palpitavano tutte le impressioni ch'ella aveva avuto durante quell'indimenticabile soggiorno lassù. Aveva dovuto averne all'improvviso, nella notte, la visione...

Via, pazienza, se non era il dramma! Qualche cosa era, intanto. E ora a lui! Le avrebbe fatto vedere che cosa saprebbe fare anche con quel poco che gli dava in mano. Per lo meno cinquecento lire doveva pagar quella novella il signor senatore: cinquecento lire, subito, o niente.

E andò la sera dal Borghi, alla redazione della *Vita Italiana*.

Forse Maurizio Gueli era stato là da poco e aveva detto male di lui a Romualdo Borghi. Ma della schifiltosa freddezza con cui questi lo accolse, Giustino non si curò, anzi gli piacque, perché così, sottratto all'obbligo d'ogni riguardo per l'antica riconoscenza, poté dal canto suo con altrettanta freddezza dir chiari i patti e le condizioni. E lasciò che il Borghi pensasse di lui quel che gli pareva, premendogli soltanto di far vedere alla moglie tutto quel di più ch'ella doveva unicamente a lui.

Pochi giorni dopo la pubblicazione di quella novella su la *Vita Italiana*, Silvia ricevette dal Gueli un biglietto di fervida ammirazione e di cordiale compiacimento.

Vittoria! vittoria! vittoria! Appena scorso quel biglietto, Giustino, frenetico di gioja, corse a prendere il cappello e il bastone:

– Vado a ringraziarlo a casa! Vedi? s'invita da sé.

Silvia gli si parò davanti.

– Dove? quando? – gli domandò fremente. – Qua non fa altro che congratularsi. Ti proibisco di...

– Ma santo Dio! – la interruppe egli. – Ci vuol tanto a comprendere? Dopo la partaccia che gli hai fatta, ti scrive in questo modo... Lasciami fare, cara mia! lasciami fare! Io ho bell'e capito che quel Baldani ti dà nel naso; l'ho bell'e capito, sai? e vedi che non l'ho fatto più venire. Ma il Gueli è un'altra cosa! Il Gueli è un maestro, un maestro vero! Gli leggerai il dramma; seguirai i suoi consigli; vi chiuderete qua; lavorerete insieme... Domani io devo partire; lasciami partir tranquillo! La novella, va bene; ma a me preme il dramma, cara mia! in questo momento ci vuole il dramma, il dramma, il dramma! Lascia fare a me, ti prego!

E scappò via, alla casa del Gueli.

Silvia non cercò più di trattenerlo. Contrasse il volto in una smorfia di nausea e d'odio, torcendosi le mani.

Ah, il dramma voleva? Ebbene: dopo tanta commedia, avrebbe avuto il dramma.

VI. Vola via

1.

Maurizio Gueli era in uno dei più crudeli momenti della sua vita tristissima. Per la nona o decima volta, ridotto agli estremi della pazienza, aveva trovato nella disperazione la forza di strappare il capo dal capestro. Era suo questo paragone bestiale, e se lo ripeteva con voluttà. Livia Frezzi era da quindici giorni ne la villa di Monteporzio, sola; e lui, in Roma, solo.

Solo diceva, e non libero, sapendo per trista esperienza che, quanto più forte affermava il proposito di non ricongiungersi mai più con quella donna, tanto più prossimo ne era il giorno. Che se era vero ch'egli con lei non poteva più vivere, era vero altresì che non poteva senza di lei.

Venuto da Genova a Roma circa venti anni fa, nel suo miglior momento, quando già in Italia e fuori con la pubblicazione del *Socrate demente* si stabiliva indiscussa la sua fama di scrittor bizzarro e profondo, a cui la vivida e possente genialità permetteva di giocare coi più gravi pensieri e la poderosa dottrina con quella stessa agilità graziosa con cui un equilibrista giuoca co' suoi globetti di vetro colorati, era stato accolto in casa del suo vecchio amico Angelo Frezzi, mediocre storiografo, che da poco aveva sposato, in seconde nozze, Livia Maduri.

Egli aveva allora trentacinque anni, e Livia poco più di venti.

Non il prestigio della fama però aveva innamorato Livia Frezzi del Gueli, come tanti allora facilmente credettero. Di quella fama, anzi, e di quella certa ebrezza ch'egli in quel momento ne aveva, ella si era mostrata fin da principio così gelidamente sdegnosa, ch'egli subito, per picca, s'era intestato di vincerla, quasi costretto a chiuder gli occhi sui suoi doveri verso l'amico e verso l'ospite dall'acerbità stessa con cui ella, apertamente, senza tener conto dell'amicizia antica del marito per lui, senza alcun riguardo per l'ospitalità, gli s'era posta di fronte, nemica.

Maurizio Gueli ricordava in sua scusa d'aver tentato, veramente, in principio, di fuggire per non tradir l'amicizia e l'ospitalità. Ma ormai il dispetto di sé e di tutti, il disgusto della sua viltà verso quella donna, l'obbrobrio della sua schiavitù gli avevano riempito l'animo di tale e tanta amarezza, lo avevano reso così crudamente spietato contro sé stesso, ch'egli non riusciva più a concedersi alcuna finzione. Se pur dunque ricordava quel tentativo di fuga, in fondo sapeva bene di non poter dare ad esso alcun peso in suo favore, che se davvero egli avesse voluto salvar sé e non tradire l'amico, senz'altro avrebbe dovuto voltar le spalle e allontanarsi dalla casa ospitale.

Invece... Ma sì! S'era ripetuta in lui per la millesima volta quella solita farsa delle quattro o cinque o dieci o venti anime in contrasto, che ciascun uomo, secondo la propria capacità, alberga in sé, distinte e mobili, com'egli credeva, e di cui con perspicuità meravigliosa aveva sempre saputo scoprire e rappresentare il vario giuoco simultaneo in sé medesimo e negli altri.

Per una finzione spesso incosciente, suggerita dal tornaconto o imposta da quel bisogno spontaneo di volerci in un modo anziché in un altro, d'apparire a noi stessi diversi da quel che siamo, si assume una di quelle tante anime e secondo essa si accetta la più favorevole interpretazione fittizia di tutti gli atti che, di nascosto alla nostra coscienza, furbescamente operano le altre. Tende ognuno ad ammogliarsi per tutta la vita con un'anima sola, con la più comoda, con quella che ci porta in dote la facoltà più adatta a conseguire lo stato a cui aspiriamo; ma fuori dell'onesto tetto coniugale della nostra coscienza è assai difficile che non si abbian poi tresche e trascorsi con le altre anime rejette, da cui nascono atti e pensieri bastardi, che subito ci affrettiamo a legittimare.

Non si era forse accorto il suo vecchio amico Angelo Frezzi che non aveva da stentar molto per costringerlo a rimanere in casa sua, quand'egli aveva manifestato il desiderio d'andarsene, desiderio finto doppiamente e sapientemente, poiché il desiderio suo era invece di rimanere e lo vestiva del dolore di non riuscir gradito alla signora? E se Angelo Frezzi se n'era accorto bene, perché aveva tanto protestato e tempestato per trattenerlo? Ma aveva certo rappresentato una farsa anche lui! Due anime, la sociale e la morale, cioè quella che lo faceva andar sempre vestito in *redingote* e gli poneva su le grosse labbra pallide con qualche filamento di biascia il più amabile dei sorrisi, e quell'altra che gli faceva spesso abbassare con tanta languida dignità le pàlpebre acquose e macerate su gli occhi azzurrognoli ovati venati impudenti, avevano fatto sfoggio in lui della loro virtù, sostenendo con accigliata fermezza che l'amico meritamente venuto in tanta fama non si sarebbe mai e poi mai macchiato d'un tradimento all'amico e all'ospite; mentre una terza animula astuta e beffarda gli suggeriva sotto sotto, così a bassa voce ch'egli poteva benissimo fingere di non udirla:

«Bravo, caro, così, trattienilo! Tu sai bene che sarebbe per te gran ventura s'egli riuscisse a portarti via questa seconda moglie così male assortita, con un capino così levato e aspra e dura e pertinace anche contro te, poverino, troppo vecchio, eh, troppo vecchio per lei! Insisti, e quanto più fingi di crederlo incapace di tradirti, quanto più fiducioso ti mostri, tanto più ti riuscirà facile far d'un nonnulla un capo di scandalo».

E difatti Angelo Frezzi, ancor senz'ombra di ragione, almeno da parte della moglie, così in prima aveva gridato al tradimento, che era dovuto passare ancora un anno, avanti che Livia, andata a viver sola, si concedesse a lui.

In quell'anno egli si era legato in tal modo da non potersi più sciogliere, derogando a sé stesso in tutto, impegnandosi ad accogliere e a seguire senz'alcun sacrifizio tutti i pensieri e i sentimenti di lei.

Fingeva ora di credere che questo suo legame consistesse nel dovere imprescindibile assunto verso quella donna che aveva perduto per lui stato e reputazione, scacciata ancora innocente dal marito. Certo egli lo sentiva questo dovere; ma pur sapeva, in fondo, che esso non era la sola e vera ragione della sua schiavitù. E quale, allora, la vera ragione? Forse la pietà che egli, sano di mente, e con la tranquilla coscienza di non aver mai dato alcun pretesto, alcun incentivo alla gelosia di lei, doveva usare verso quella donna, senza dubbio di mente inferma? Oh sì, vera anche questa pietà, come vero quel dovere; ma più che ragione della sua schiavitù, non era forse questa pietà una scusa, una nobile scusa, con cui egli vestiva il cocente bisogno che lo ritrascinava a quella donna, dopo un mese o più di lontananza, durante il quale aveva anche finto di credere che, alla sua età, dopo aver dato per tanti anni a colei il meglio di sé, non avrebbe potuto riprendere più la vita con nessun'altra? E vere, vere, sì, fondatissime, quest'altre considerazioni; ma, a pesarle nella bilancia nascosta nell'intimità più segreta della coscienza, egli sapeva bene che l'età, la dignità erano scuse anch'esse e non ragioni. Se un'altra donna, difatti, non cercata, avesse avuto potere d'attrarlo a sé, strappandolo dalla suggezione, liberandolo dall'invasamento di colei che gli aveva ispirato una abominazione profonda e invincibile d'ogni altro abbraccio e lo teneva in tale stato di schiva timidità ombrosa, da non poter più non che aver contatto, ma neppur pensare al contatto d'altra donna: oh, egli non avrebbe certamente badato più a età, a dignità, a dovere, a pietà, a nulla. Eccola, eccola dunque, la vera ragione della sua schiavitù; era questa schiva timidità ombrosa, che proveniva dal potere fascinoso di Livia Frezzi.

Nessuno era in grado di comprendere come e perché quella donna avesse potuto esplicare sul Gueli un fascino così potente e persistente, anzi una così nefasta malìa. Era sì, senza dubbio, una bella donna, Livia Frezzi, ma la rigida durezza del portamento, la severità dello sguardo, ostile senza curiosità, lo sprezzo quasi ostentato d'ogni garbo, toglievano ogni grazia e ogni attrattiva a quella bellezza. Pareva, era anzi manifesto ch'ella faceva di tutto per non piacere.

Ebbene: consisteva appunto in questo il suo fascino; e solo poteva comprenderlo colui al quale unicamente ella voleva piacere.

Ciò che le altre donne belle dànno all'uomo, cui nell'intimità si concedono, è così poco a confronto di quanto han profuso tutto il giorno agli altri, e questo poco è concesso con modi e grazie e sorrisi così simili in tutto a quelli che esse prodigano a tanti e che tanti perciò, pur non entrati in quell'intimità, conoscono o facilmente immaginano, che – a pensarci – si smaga subito la gioja del possederle.

Livia Frezzi aveva dato a Maurizio Gueli la gioja del possesso unico e intero. Nessuno poteva conoscerla o immaginarla, com'egli la conosceva e la vedeva nei momenti dell'abbandono. Ella era tutta per uno; chiusa a tutti, fuor che a uno.

Allo stesso modo però voleva che quest'uno fosse tutto per lei: chiuso in lei tutto e per sempre, tutto esclusivamente suo, non solo coi sensi, col cuore, con la mente, ma finanche con lo sguardo. Guardare, anche senza la minima intenzione, un'altra donna, era già per lei quasi un delitto. Ella non guardava nessuno, mai. Delitto era piacere altrui oltre i limiti della più fredda cortesia. *Displiceas aliis, sic ego tutus ero.*

Gelosia? Ma che gelosia! Comportarsi così era come dimandava la serietà, come dimandava l'onestà. Ella era seria e onesta; non gelosa. E così voleva che si comportassero tutti.

Per contentarla, bisognava restringersi e costringersi a vivere per lei unicamente, escludersi affatto dalla vita altrui. E non bastava nemmeno: che se gli altri, pur non curati, pur non guardati, e fors'anche per questo, mostravano comunque il minimo interesse o qualche curiosità per un'esistenza così appartata, per un contegno così schivo e sdegnoso, ella n'avrebbe fatto colpa ugualmente a colui che stava con lei, come se fosse egli cagione se gli altri lo guardavano o se ne curavano in qualche modo.

Ora, impedire questo non era affatto possibile a Maurizio Gueli. Per quanto facesse, la sua fama era tanta, che non poteva passare inosservato. Egli poteva tutt'al più non guardare; ma come impedire che tanti lo guardassero? Riceveva da tutte le parti inviti, lettere, omaggi; poteva non accettar mai alcuno di quegli inviti, non rispondere mai ad alcuna lettera, ad alcun omaggio; ma, nossignori, doveva anche dar conto a lei degli inviti che riceveva, delle lettere e degli omaggi che gli arrivavano.

Ella comprendeva che tutto quell'interesse, tutta quella curiosità dipendevano dalla fama di lui, dalla letteratura ch'egli professava; e contro questa fama perciò e contro la letteratura appuntava più fieramente il suo livore, armato d'ispido dileggio; covava per esse il più acre e cupo rancore.

Livia Frezzi era fermamente convinta che la professione del letterato non potesse comportare alcuna serietà, alcuna onestà; che fosse anzi la più ridicola e la più disonesta delle professioni, come quella che consisteva in una continua offerta di sé, in un continuo commercio di vanità, in un accatto di fatue soddisfazioni, in un perpetuo struggimento di piacere altrui e d'averne lodi. Soltanto una sciocca, a suo modo di vedere, poteva gloriarsi della fama dell'uomo con cui conviveva, provar piacere pensando che quest'uomo, da tante donne ammirato e desiderato, apparteneva o diceva d'appartenere a lei solamente. Come e in che poteva appartenere a una sola quest'uomo, se voleva piacere a tutti e a tutte, se giorno e notte s'affannava per esser lodato e ammirato, per darsi in pascolo alla gente e procurar diletto a quanti più poteva, per attirar continuamente l'attenzione su di sé e correr su la bocca di tutti ed esser mostrato a dito? se da sé si esponeva di continuo a tutte le tentazioni? Data quella voglia irresistibile di piacere altrui, era mai da credere ch'egli potesse resistere a tutte quelle tentazioni?

Invano tante volte il Gueli s'era provato a dimostrarle che un vero artista, come egli era o credeva almeno di essere, non andava così a caccia di fatue soddisfazioni, né si struggeva così di piacere altrui; che non era già un buffone tutto inteso a dare spasso alla gente e a farsi ammirar dalle donne; e che la lode di cui egli poteva compiacersi era solo quella dei pochi a cui riconosceva capacità d'intenderlo. Trascinato dalla foga della difesa però, spesso per un punto solo perdeva ogni effetto; se, per esempio, gli avveniva di soggiungere, a modo di considerazione generale, ch'era pure umano, del resto, e senz'ombra di male, che non solamente un letterato ma chiunque provasse una certa soddisfazione nel veder bene accolta e pregiata dagli altri la propria opera, qualunque fosse. Ah, ecco, gli altri! gli altri! sempre il pensiero degli altri! Ella non lo aveva mai avuto, codesto pensiero! Per lui non c'era alcun male, in questo? E come in questo, chi sa in quant'altre cose! Dov'era il male per lui? in che consisteva? Chi poteva mai veder chiaro nella coscienza d'un letterato, la cui professione era un continuo giuoco di finzioni? Fingere, fingere sempre, dare apparenza di realtà a tutte le cose non vere! Ed era senz'altro apparenza tutta quella austerità, tutta quella dignitosa onestà ch'egli ostentava. Chi sa quanti sbalzi di cuore e sussulti interni e fremiti e solletichii per un'occhiatina misteriosa, per un risolino di donna appena appena accennato, passando per via! L'età? Ma che età! Può forse invecchiare il cuore d'un letterato? Quanto più vecchio, tanto più ridicolo.

Al dileggio incessante, alla denigrazione feroce, Maurizio Gueli si sentiva dentro tòrcere le viscere e rivoltare il cuore. Perché egli avvertiva in pari tempo la ridicolaggine atroce della sua tragedia: essere lo zimbello d'una vera e propria follìa, soffrir il martirio per colpe immaginarie, per colpe che non erano colpe e che, del resto, egli si era sempre guardato bene dal commettere, anche a costo di parere sgarbato, superbo e scontroso, per non dare a lei il minimo incentivo. Ma pareva tuttavia che le commettesse, a sua insaputa, chi sa come e chi sa quando.

Manifestamente, egli era due: uno per sé; un altro per lei.

E quest'altro ch'ella vedeva in lui, carpendo a volo, fantasma tristo, ogni sguardo, ogni sorriso, ogni gesto, il suono stesso della voce, non che il senso delle parole, tutto insomma di lui, e travisandolo e falsandolo agli occhi di lei, assumeva vita, e per lei viveva esso solo ed egli non esisteva più: non esisteva più, se non per l'indegno, disumano supplizio di vedersi vivere in quel fantasma, e solo in quello; e invano s'arrovellava a distruggerlo: ella non credeva più in lui; ella vedeva in lui quello solamente, e, com'era giusto, lo faceva segno d'odio e di scherno.

Viveva talmente quest'altro, ch'ella s'era foggiato di lui, assumeva nella morbosa immaginazione di lei una così solida, evidente consistenza, ch'egli stesso quasi lo vedeva vivere della sua vita, ma indegnamente falsata; de' suoi pensieri, ma stravolti; d'ogni suo sguardo, d'ogni sua parola, d'ogni suo gesto; lo vedeva vivere così, ch'egli stesso talvolta arrivava fino al punto di dubitare di sé medesimo, di rimanere in forse, se lui non fosse quello davvero. Ed era così cosciente ormai dell'alterazione che ogni suo minimo atto avrebbe subìto nell'immediata appropriazione di quell'altro, che gli pareva quasi di vivere con due anime, di pensare a un tempo con due teste, in un senso per sé, in un altro senso per quello.

«Ecco», avvertiva subito, «se io ora dico così, le mie parole assumeranno per lei quest'altro significato.»

E non sbagliava mai, perché egli conosceva perfettamente quell'altro *lui* che viveva in lei e per lei, così vivo com'egli stesso era vivo, anzi forse di più, perché egli viveva soltanto per soffrire, mentre quello viveva nella mente di lei per godere, per ingannare, per fingere, per tant'altre cose una più indegna dell'altra; egli reprimeva in sé ogni moto, soffogava anche i più innocenti desiderii, si vietava tutto, fin anche di sorridere a una visione d'arte che gli passasse per la mente, e di parlare e di guardare; mentre quell'altro, chi sa come, chi sa quando, trovava modo di sfuggire a quella galera, con la sua inconsistenza di fantasma svaporante da una vera e propria follìa, e correva per il mondo a farne d'ogni colore.

Più di quanto aveva fatto per stare in pace con lei Maurizio Gueli non poteva fare: s'era escluso dalla vita, aveva finanche rinunziato all'arte: non scriveva più un rigo da oltre dieci anni. Ma questo suo sacrificio non era valso a nulla. Ella non poteva calcolarlo. L'arte per lei era un giuoco disonesto: dovere, dunque, e nessun merito, per un uomo serio, il rinunziarvi. Ella non aveva mai letto nemmeno una pagina dei libri di lui, e se ne vantava. Della vita ideale, delle doti migliori di lui, ignorava dunque tutto. In lui non vedeva altro che l'uomo, un uomo che, per forza, così violentato, così escluso da ogn'altra vita, così privato d'ogn'altra soddisfazione, per forza a tutte le sue rinunzie, a tutte le sue privazioni, a tutti i suoi sacrifizii doveva cercare in lei quell'unico compenso ch'ella poteva dargli, quell'unico sfogo che con lei poteva concedersi. E di qui appunto il tristo concetto ch'ella se n'era formato, quel fantasma che s'era foggiato di lui e che ella unicamente vedeva vivere, senza punto comprendere che egli era così soltanto per lei, perché non trovava da poter essere con lei in altro modo. Né questo il Gueli glielo poteva dimostrare, per timore d'offenderla nella sua rigidissima onestà. Spesso ella, assediata da continui sospetti e sdegnata, gli negava anche quel compenso; e allora egli si irritava più vilmente entro di sé per la sua schiavitù; quando poi ella era più inchinevole a cedere, ed egli ne profittava; subito, con la stanchezza, una più generosa irritazione lo assaliva, un fremito d'indignazione lo scoteva dalla gravezza tetra della voluttà sazia e stracca; vedeva a qual prezzo otteneva quelle soddisfazioni del senso da una donna pur schiva d'ogni sensualità e che tuttavia lo abbrutiva, non concedendogli di vivere la vita dello spirito e condannandolo alla perversità di quell'unione per forza lussuriosa. E se in quei momenti ella era così mal'accorta da riprendere il dileggio, scoppiava pronta e fiera la ribellione.

In questi momenti di stanchezza appunto erano avvenute le temporanee separazioni: o egli era partito per Monteporzio ed ella era rimasta a Roma, o viceversa, risolutissimi entrambi a non riunirsi mai più. Ma a Roma o fuori, egli aveva pur sempre seguitato a provvedere al mantenimento di lei, priva affatto di mezzi. Maurizio Gueli, se non più ricco, come lo aveva lasciato il padre, socio tra i maggiori d'una delle prime agenzie di navigazione transoceanica, era ancor molto agiato.

Se non che, appena solo, egli si sentiva sperduto nella vita, da cui per tanto tempo si era escluso; avvertiva subito di non avervi più radici e di non potervisi più in alcun modo ripiantare, non solamente per l'età; il concetto che gli altri s'eran formato di lui, dopo tanti anni di clausura austera, gli pesava addosso come una cappa, gli misurava i passi, gl'imponeva con arcigna vigilanza il contegno, il riserbo ormai consueto, lo condannava a essere quale gli altri lo credevano e lo volevano; lo stupore che leggeva in tanti visi appena si mostrava in qualche luogo a lui insolito, la vista degli altri abituati a vivere liberamente, e il segreto avvertimento del suo impaccio e del suo disagio di fronte all'insolenza di quei fortunati che non avevan mai reso conto a nessuno del loro tempo e dei loro atti, lo turbavano, lo avvilivano, lo irritavano. E con ribrezzo un'altra cosa avvertiva, un fenomeno addirittura mostruoso: appena solo, gli pareva di scoprire in sé, vivo veramente, a ogni passo, a ogni sguardo, a ogni sorriso, a ogni gesto, quell'altro *lui* che viveva nella morbosa immaginazione della Frezzi, quel tristo fantasma odiato, che lo scherniva dentro, dicendogli:

«Ecco, tu ora vai dove ti piace, tu ora guardi di qua e di là, anche le donne; tu ora sorridi, tu ora ti muovi, e credi di fare innocentemente? non sai che tutto questo è male, è male, è male? Se ella lo sapesse! se ella ti vedesse! Tu che hai sempre negato, tu che le hai detto sempre di non aver piacere d'andare in alcun luogo, ad alcun ritrovo, di non guardar le donne, di non sorridere... Ma, tanto, sai? anche a non farlo, ella crederà sempre che tu l'abbia fatto; e dunque fallo, fallo pure, che è lo stesso!».

Ebbene, no: egli non poteva più farlo; non sapeva più farlo; si sentiva dentro tenuto, esasperatamente, dall'iniquità del giudizio di quella donna; vedeva il male, non già per sé, in quello che faceva, ma per colei che da tanti anni lo aveva abituato a stimarlo male e come tale lo aveva attribuito a quell'altro *lui* che – secondo lei – usava farlo continuamente, anche quand'egli non lo faceva, anche quand'egli, per stare in pace, si vietava di farlo, come se veramente fosse male.

Tutta questa complicazione di segreti avvertimenti gl'ingenerava un tal disgusto, una tale uggia, un avvilimento così dispettoso, una così sorda e agra e negra tristezza, che subito tornava a ritrarsi dal contatto e dalla vista degli altri e, di nuovo appartato, nel vuoto, nella solitudine orribile, si sprofondava a considerare la sua miseria a un tempo tragica e ridicola, ormai senza più rimedio. Non riusciva a far lo sforzo d'astrarsene per rimettersi al lavoro, che solo avrebbe potuto salvarlo. E allora cominciavano a risorgere tutte quelle scuse ch'egli fingeva di creder ragioni della sua schiavitù; risorgevano istigate principalmente dal bisogno istintivo, man mano più urgente, della sua ancor forte maschilità, dal ricordo malioso degli amplessi di lei.

E ritornava alla sua catena.

2.

Era proprio sul punto di ritornare, quando Giustino Boggiolo venne a invitarlo al villino, dove Silvia – a suo dire – lo aspettava con impazienza.

Maurizio Gueli abitava in una vecchia casa di via Ripetta, alla vista del fiume, che egli ricordava fluente tra le sponde naturali, scoscese, popolate di querci; ricordava anche il vecchio ponte di legno rintronante a ogni vettura e, presso la casa, l'ampia scalinata del porto e le tartane di Sicilia che venivano a ormeggiarvisi cariche di vino, e i canti che si levavano la sera da quelle taverne galleggianti con le vele attendate, mentre serpeggiavan nell'acqua nera, rossi e lunghi, i riflessi dei lumi. Ora la scalinata e il ponte di legno, le sponde naturali e quelle maestose querci erano sparite: un nuovo grande quartiere sorgeva di là dal fiume incassato tra grige dighe. E come il fiume tra quelle dighe, come i Prati di Castello con quelle vie diritte e lunghe, ancor senza colore di tempo, la sua vita in venti anni s'era disciplinata, scolorita, ammiserita, irrigidita.

Per le due grandi finestre dello studio austero, che pareva piuttosto una sala di biblioteca, senza un quadro, senza gingilli d'arte, dalle pareti occupate tutte da alti scaffali sovraccarichi di libri, entrava l'ultimo abbagliamento purpureo del crepuscolo fiammeggiante dietro i cipressi di Monte Mario.

Sprofondato nel seggiolone di cuojo innanzi alla grande antica scrivania massiccia, Maurizio Gueli rimase un pezzo accigliato e torbido a guatar quell'ometto che quasi vaporava innanzi a lui nel purpureo abbagliamento; quell'ometto che veniva, così sorridente e sicuro, a cimentare il destino di due vite.

Già in due occasioni egli aveva manifestato alla Roncella la stima e la simpatia per l'opera e per l'ingegno di lei, partecipando al banchetto in suo onore, quando da poco ella era arrivata a Roma, e andando a salutarla alla stazione dopo il trionfo del dramma; le aveva poi scritto una prima volta a Cargiore, e di recente era stato a visitarla nel villino di via Plinio. Tutte queste attestazioni di stima e di simpatia avevano potuto aver luogo durante l'una o l'altra separazione dalla Frezzi; e per esse egli aveva provato tanto più forte il turbamento, quell'impressione di trasgredire e di far male, in quanto che subito aveva intravveduto in quella giovine, dallo spirito così simile al suo, per quanto ancor selvatico e inculto, quella che avrebbe potuto liberarlo dalla suggezione della Frezzi, se la troppa distanza dell'età, il dovere di lei, se non verso quell'indegno marito, certamente verso il figlio, non gli avessero fatto considerare come un vero e proprio delitto il solo pensarlo. Eppure, nella lettera che le aveva diretto a Cargiore s'era lasciato andare a dirle più che non dovesse, e ultimamente, nella visita al villino, a farle intendere assai più che non dicesse. Le aveva letto negli occhi lo stesso orrore che egli aveva del proprio stato e, insieme, lo stesso terrore di strapparsene; e aveva ammirato lo sforzo con cui a un tratto era riuscita a riprendersi di fronte a lui, quasi scacciandolo. Doveva ora credere a quel che gli diceva il marito, che ella cioè lo aspettava con impazienza? Voleva dire, senza dubbio, che aveva preso una violenta, disperata risoluzione, da cui non si tornava più indietro. E aveva mandato proprio il marito, a invitarlo? No: questo gli parve troppo, e non da lei. L'invito seguiva certamente al biglietto di congratulazione ch'egli le aveva scritto dopo la lettura della novella su la *Vita Italiana*; e quell'impazienza era forse un'aggiunta del marito.

Maurizio Gueli non avrebbe voluto riconoscerlo; ma pur vedeva chiaramente che istigatore era stato lui, due volte: con la sua visita, prima; con quel biglietto, poi. E avendo ella resistito alla prima istigazione, quasi offendendolo, era naturale che ora, dopo quel biglietto, lo invitasse.

Doveva andare? Poteva rifiutarsi; addurre una scusa, un pretesto. Ah, la violenza continua, in cui da venti anni era tenuta la sua vita, la continua esasperazione dell'animo lo traevano, appena solo, a eccedere inevitabilmente, a commettere atti inconsulti, a compromettere e a compromettersi.

Era infatti per lui eccesso, atto inconsulto, compromissione grave ciò che per ogni altro sarebbe stato innocuo e comunissimo atto senza conseguenze: una visita, un biglietto di congratulazione... Egli doveva considerarli delitti, e tali in fondo ritenerli veramente nella mostruosa coscienza che quella donna gli aveva fatto, per cui avevan peso di piombo anche i più lievi e innocenti atti della vita: uno sguardo, un sorriso, una parola...

Maurizio Gueli si sentì sollevare da un impeto di ribellione, da una prepotente foga d'orgoglio; ritorse contro la Frezzi l'irritazione che in quel momento provava per la coscienza del male che in verità credeva d'aver fatto con quella visita prima, con quel biglietto poi; e per togliersi dalla vista quel figuro là in attesa della risposta, promise che presto sarebbe venuto.

– La incoraggi, sa! – gli diceva ora Giustino, accomiatandosi, davanti alla porta. – La spinga, la spinga anche con forza... Questo benedetto dramma! È già alla fine del secondo atto; le manca il terzo; ma l'ha già tutto pensato; e creda che... a me par bello, ecco: e anche... anche il Baldani che l'ha sentito, dice che...

– Il Baldani?

Dal tono con cui il Gueli fece questa domanda, Giustino comprese d'aver toccato un tasto che non doveva toccare. Ignorava che Paolo Baldani s'era scagliato in quei giorni con furia demolitrice, in una serie d'articoli su un giornale fiorentino, contro tutta l'opera letteraria e filosofica del Gueli, dal *Socrate demente* alle *Favole di Roma*.

– Già... sì, è venuto a visitare Silvia, e... – rispose impacciato, esitante. – Silvia veramente non voleva; sono stato io... sa? per... per spingerla...

– Dica alla Roncella ch'io verrò da lei questa sera stessa, – troncò il Gueli, allontanandolo da sé con una quasi opaca durezza di sguardo.

Giustino si profuse in inchini e in ringraziamenti.

– Perché io parto domani per Parigi – volle aggiungere, già sul pianerottolo, – per assistere a...

Ma il Gueli non gli diede tempo di finire: chinò appena il capo e chiuse l'uscio.

La sera andò a Villa Silvia. Vi ritornò il giorno appresso, quando già Giustino Boggiolo era partito per Parigi; e d'allora in poi ogni giorno, o di mattina o nel pomeriggio.

Era in entrambi, la stessa coscienza, che un minimo atto, una minima concessione, un minimo abbandono, avrebbe determinato un rivolgimento assoluto e intero della loro esistenza.

Ma come sarebbe stato a lungo possibile impedirlo, se tanta era l'esasperazione delle loro anime e così chiaramente l'uno la avvertiva nell'altra? se i loro occhi, incontrandosi, s'abbagliavano a vicenda, le loro mani tremavano al pensiero d'un fortuito contatto, e quella ritenutezza li manteneva in uno stato di così angosciosa, insostenibile sospensione, da far loro considerare come un riposo, come una liberazione ciò che più temevano e a cui volevano sfuggire?

Il solo fatto che egli veniva lì e che ella lo accoglieva e tutti e due stavano insieme e soli, pur quasi senza guardarsi e senz'affatto toccarsi, era già concessione peccaminosa per l'uno e per l'altra, una compromissione che sentivano a mano a mano irreparabile.

Avvertivano entrambi di cedere sempre più, inevitabilmente, a una violenza non già d'un interno sentimento reciproco che li attraesse; ma, al contrario, a una violenza esterna che li premesse e li spingesse a unirsi contro lo sforzo che essi anzi facevano per resistere e tenersi discosti, sentendo che la loro unione sarebbe per forza quale essi in fondo non avrebbero voluto.

Ah, potersi liberare a vicenda da quelle condizioni odiose, senza che la loro unione fosse possibile solo a costo d'una colpa che incuteva a lei ribrezzo e orrore, a lui sgomento e rimorso!

La violenza che avvertivano era appunto questa: di dover commettere quella colpa più forte di loro, ma necessaria, inevitabile, se volevano liberarsi. Ed ecco, eran lì, messi insieme, per commetterla, tremanti, disposti e restii.

Egli aveva dietro di sé la fiera ombra di quella donna rigida livida irsuta, che già gli fischiava negli orecchi di non poter più ritornare a lei, di non poter più mentire, adesso, negare che della libertà aveva profittato per avvicinarsi a un'altra donna: eccola lì, quella! onesta, è vero? onesta come lui, simile in tutto a lui; ah quella sì! e lo avrebbe ricondotto all'arte, quella, prendendolo per mano, a viver di poesia; e gli avrebbe riacceso col fuoco della gioventù il sangue intorpidito... Ma via, perché così timido? Su, su, coraggio! Ah, forse l'amore... già! l'amore lo rimbamboliva... Che bella manina, eh? con quella venuccia azzurra che si diramava... Posarsela su la fronte, passarsela sugli occhi, quella manina... e baciarla, baciarla lì su le unghie rosee... Quelle, no, non sgraffiavano. Gattina mansa, gattina mansa... Su, provarsi a strisciarle la groppa! Miagolìo o belato? Povera pecorella, che un marito infame voleva mungere e tosare...

Come andar di nuovo incontro a un simile dileggio? Sentiva quelle parole, come se la Frezzi veramente gliele fischiasse dietro le spalle.

E dietro, a spingerla, ella si sentiva il marito che appunto la aveva messa e lasciata lì col Gueli e se n'era partito per Parigi, a dar spettacolo anche là delle sue bravure, a convertire in denari anche là lo spasso che avrebbe offerto a attori, attrici e scrittori e giornalisti francesi, sicuro che intanto qua ella col Gueli gli apparecchiava il nuovo dramma. Lo voleva! non voleva altro! E come non gli era importato di tutte le risa, così non gl'importava ora che la moglie fosse sospettata da tutti i pettegoli che, durante la sua assenza, vedevano andar lì il Gueli già libero della Frezzi, il Gueli su la cui simpatia per lei s'era già tanto malignato.

Stavano entrambi, con quella loro tempesta compressa a stento in petto, saggi e discosti ancora, là, fermi al posto e al cómpito assegnato: intenti a quel nuovo dramma che pareva, col titolo, li irridesse e li aizzasse: – *Se non così...*

Le propose egli forse perciò di mutare quel titolo? L'atto della protagonista, di quella *Ersilia Arciani*, quel suo andare in casa della amante del marito a prendersi la bimba, gli suggeriva l'immagine del nibbio che piomba in un nido a ghermirvi il pulcino. Ecco, forse il dramma poteva intitolarsi così: *Nibbio.*

Ma conveniva all'indole di Ersilia Arciani, alla ragione e al sentimento ond'era mossa a quell'atto l'idea di rapacità crudele che il nibbio richiama? Non conveniva, secondo lei. Ma Silvia intendeva perché egli, con quella proposta di mutare il titolo, tendeva ad alterar l'indole della protagonista, a dare una ragione di vendetta e un intento aggressivo a quell'atto di lei: egli certo in quell'indole chiusa, in quella rigidezza austera di Ersilia Arciani vedeva alcunché della Frezzi e non sapeva tollerar che quella fosse e si dimostrasse così nobile, così indulgente alla colpa, e la voleva snaturare. Snaturandola però così, non sarebbe stato tutt'altro il dramma? Bisognava riprenderlo, ripensarlo tutto daccapo.

Egli restava in apparenza assorto a quelle sagge osservazioni che ella gli faceva in un tono che chiaramente lasciava intendere d'avere inteso e di non volere insistere per non toccare una piaga ancor viva e dolorosa.

Erano già apparse sui giornali di Roma, di Milano, di Torino lunghe conversazioni del marito coi corrispondenti da Parigi, i quali, pur parlando seriamente del dramma e della viva ansia con cui il pubblico parigino ne attendeva la rappresentazione, con un tono poi che lasciava chiaramente sottintendere un'intenzione di burla, decantavano la prodigiosa attività, lo zelo, il fervore ammirevole di quell'ometto «che talmente considerava come sua l'opera della moglie, che quasi era debito ne venisse gloria anche a lui». Venne alla fine il telegramma di Giustino annunziante il trionfo, e seguirono il telegramma giornali e giornali e giornali col giudizio dei critici più autorevoli tutti in gran parte benigni.

Silvia impedì al Gueli d'indugiarsi a leggere innanzi a lei, anche per conto suo, quei giornali.

– No, per carità, per carità! Non posso più sentirne parlare! Le giuro che darei... non so, mi par poco ogni cosa, tutto, tutto darei, per non averlo scritto, quel dramma!

Èmere, intanto, quasi a ogni ora veniva ad annunziare una nuova visita. Silvia avrebbe voluto far dire a tutti che non era in casa. Ma il Gueli le fece intendere che avrebbe fatto male. Ella scendeva giù nel salotto, e lui rimaneva lì, nascosto nello studio, ad aspettarla, scorrendo quei giornali, o piuttosto, pensando. Giù, intanto, con lei erano o il Baldani o il Luna o il Betti.

– Ah, gioventù! – sospirò una volta il Gueli nel vederla rientrar nello studio col volto acceso.

– No! che dice? – scattò ella, pronta e fiera. – Io ne ho schifo! ne ho schifo!
Ah, deve finire, deve finire, deve finire... Se sapesse come li tratto!

Già qualche silenzio d'una gravezza enorme cadeva tra i loro discorsi stanchi
e trascinati a forza; qualche silenzio, durante il quale sentivano il loro sangue
fremere e frizzare e le loro anime angosciarsi nell'ansia d'una tremenda attesa.
Ecco, bastava che in uno di quei momenti egli stendesse una mano su la mano
di lei: ella gliel'avrebbe lasciata, e irresistibilmente avrebbe appoggiato il
capo, nascosto il viso sul petto di lui; e il loro destino, ormai inevitabile, si sarebbe compiuto. Perché dunque ritardarlo ancora? Ah, perché! perché ancora
l'uno e l'altra potevano pensare questo loro abbandono e perciò tenersi ancora,
quantunque già dentro di sé abbandonati l'uno all'altra perdutamente.

Doveva pur venire l'istante che non l'avrebbero più pensato!

Si vedevano arrivati al limite estremo d'un atto che avrebbe segnato la fine
della loro prima vita, senz'essersi ancora detta una parola d'amore, parlando
d'arte, come un'alunna può parlarne al suo maestro; si sarebbero a un tratto ritrovati di là, smarriti, angosciati, sconvolti, all'inizio d'una nuova vita, non
sapendo neppure come dirsi, come intendersi su la via da prendere subito, subito, perché ella a ogni modo si allontanasse di là.

Sentivano così assolutamente il bisogno di fuggire, più per pietà di sé che
per amore, che il disgusto d'indugiarsi nei particolari del modo bastava a trattenerli ancora.

Certo, avrebbe dovuto anch'egli lasciar la sua casa tutta piena dei ricordi di
colei. Dove andare? Bisognava trovar qualche rifugio, almeno per il primo
momento, un ricovero per sottrarsi allo scoppio dello scandalo inevitabile.
Anche questo li avviliva profondamente e li disgustava.

Non avevano essi il diritto di vivere in pace, alla fine, e umanamente, nella
pienezza incontaminata della loro dignità? Perché avvilirsi? perché nascondersi? Ma perché né il marito né colei avrebbero accettato in silenzio le ragioni che essi, prima ancora di venir meno al loro debito di lealtà verso l'uno
e verso l'altra, potevano gittar loro in faccia, affermando quel diritto così a
lungo e in tanti modi calpestato; avrebbero gridato, cercato d'impedire... Altro
disgusto, più forte del primo.

Tra questi pensieri stavan sospesi e trattenuti, quand'egli – alla vigilia appunto del ritorno di Giustino da Parigi – avviò un discorso nel quale subito
ella sottintese una proposta risolutiva di quel loro stato di pena.

Pesava su loro come una condanna quel dramma stento e duro, ch'ella aveva
cominciato e non riusciva a condurre a fine; nella discussione su i personaggi
e le scene di esso s'era impigliata finora l'ambascia della loro irresoluzione.
Ora, la proposta di lui di metter da canto e lasciar lì quel dramma e il suggerimento improvviso di un altro da comporre insieme, fondato su una visione
ch'egli aveva avuto tant'anni addietro della Campagna romana, presso Ostia,
tra la gente di Sabina, che scende a svernar colà in orride capanne, significa-
rono chiaramente per lei la fine della irresoluzione; e più chiaramente ancora
ella scoprì in lui il proposito di troncare ogni indugio e d'affrontar la loro vita
nuova, nobile e operosa, nell'invito che le fece per il giorno appresso – il
giorno appunto che doveva arrivare il marito – d'andare insieme a veder quei
luoghi presso Ostia, luoghi minacciosi, dalla parte verso il mare, ove gigan-
teggia una torre solitaria, Tor Bovacciana, con a' piedi il fiume traversato da
un'alzaja, lungo la quale passa una barcaccia per il tragitto di qualche pescatore silenzioso, di qualche cacciatore...

– Domani? – chiese ella; e l'aria e la voce espressero una totale remissione.

– Sì, domani, domani stesso. A che ora arriverà?

Ella intese subito chi, e rispose:

– Alle nove.

– Bene. Sarò qui alle nove e mezzo. Non bisognerà dir nulla. Parlerò io. Partiremo subito dopo.

Non si dissero altro. Egli andò via in fretta; ella rimase tutta vibrante sotto l'oscura imminenza del suo nuovo destino.

La torre... il fiume traversato dall'alzaja... la barca che traghetta i rari passanti per quei luoghi minacciosi...

Aveva sognato?

Là, dunque, il ricovero? A Ostia... Non bisognava dir nulla... Domani!

Ella avrebbe lasciato tutto qui: sì, tutto, tutto. Gli avrebbe scritto. Fino all'ultimo non avrebbe mentito. Di questo sopratutto era grata al Gueli. Anche partendo, il giorno appresso, non avrebbe mentito. In quel dramma, con quel dramma da lui proposto sarebbe entrata nella vita nuova, con l'arte e dentro l'arte, nobilmente. Era la via; non era un mezzo o un pretesto d'inganno: la via per uscire, senza menzogna e senza vergogna, da quella casa odiosa, non più sua.

3.

– Via, via, fate presto, fate presto: non arriverete a tempo!

Giustino gridò dal cancello del villino quest'ultima raccomandazione ai due che s'allontanavano in carrozza, e aspettò che Silvia almeno, se non il Gueli, si voltasse a salutarlo con la mano.

Non si voltò.

E Giustino, seccato di quella mutria persistente della moglie, scrollò le spalle e risalì in camera ad aspettare che Èmere venisse ad annunziargli che il bagno era pronto.

«Che donna!», pensava. «Far quel viso disgustato anche a un invito così gentile... Il duomo d'Orvieto: bello! Arte antica... roba da studiare...»

Veramente, tanto tanto non era piaciuto neanche a lui, che proprio nel giorno, anzi quasi nel punto stesso del suo arrivo da Parigi, il Gueli fosse venuto a invitar la moglie a quella gita artistica. Ma se il Gueli non sapeva che egli sarebbe arrivato quella mattina! Ne aveva mostrato tanto dispiacere, anche perché il giorno appresso doveva partire per Milano e non avrebbe avuto più il tempo di mostrare a Silvia tutte le meraviglie d'arte racchiuse là – nel duomo d'Orvieto.

Bello, bello, il duomo d'Orvieto: lo aveva sentito dire... Certo, non avrebbe potuto fare una grande impressione a lui che veniva da Parigi, ma... arte antica, roba da studiare...

Proprio urtante, ecco, quel viso disgustato. Tanto più che il Gueli, santo Dio, s'era prestato così gentilmente a tenerle compagnia in quei giorni, e con tanta grazia la esortava a non farsi scrupolo dell'arrivo del marito, il quale, essendosi certamente divertito a Parigi, non poteva aversi a male che la moglie si pigliasse qualche svago per poche ore, fino alla sera... Ma già, quando lui stesso, perbacco, le aveva detto: – Va' pure, ti prego, mi fai piacere!

Giustino si picchiò due volte la fronte con un dito, fece una smusata e canterellò:

– Non mi piaaàce... non mi piaaàce...

Èmere venne ad annunziargli che il bagno era bell'e pronto.

– Eccomi!

Steso poco dopo, deliziosamente, nella bianca vasca smaltata, in cui l'acqua assumeva una dolcissima tinta azzurrina; ripensando al fragoroso turbinìo degli splendori di Parigi nella nitida quiete di quel luminoso stanzino da bagno, suo, si sentì beato. Sentì che quello alla fine era veramente il riposo del trionfatore.

Deliziosa lì, in quel tepido bagno, anche la sensazione della stanchezza, che gli ricordava quanto aveva lavorato per vincere a quel modo.

Ah, questa vittoria di Parigi, questa vittoria di Parigi era stata il vero coronamento di tutta l'opera sua! Ora si poteva dire appieno soddisfatto: felice, ecco.

Tutto sommato, era anche bene che Silvia si fosse recata a quella gita. Con la stanchezza e nella prima foga dell'arrivo egli avrebbe forse sciupato l'effetto del racconto e delle descrizioni che voleva farle.

Ora, dopo il bagno, prenderebbe un ristoro, poi andrebbe a dormire. Riposatamente, la sera, il racconto e le descrizioni alla moglie e al Gueli delle «gran cose» di Parigi. Gli sarebbe piaciuto che fosse presente qualche giornalista, da riferirli poi al pubblico, magari in forma d'intervista. Ma domani, eh! ne avrebbe trovato uno, cento ne avrebbe trovati, felicissimi di contentarlo.

Si svegliò verso le otto di sera, e per prima cosa pensò ai regali ch'aveva portato da Parigi alla moglie: una magnifica vestaglia, tutta una spuma di merletti; un'elegantissima borsa da passeggio d'ultimo modello; tre pettini e un ferma-capelli di tartaruga chiara, finissimi, e poi un arredo d'argento artisticamente lavorato per la scrivania. Volle trarli dalle valige perché la moglie, subito com'entrava, s'empisse gli occhi di meraviglia e di piacere: i pettini e la borsa su la specchiera; la vestaglia, sul letto. Si fece ajutar da Èmere a portare i pezzi dell'altro regalo su la scrivania; ve li depose, e rimase lì nello studio per vedere che cosa avesse fatto la moglie durante la sua assenza.

Come, come? Niente! Possibile? Il dramma... oh, che! ancora alla fine del secondo atto... Su la prima cartella il titolo era cancellato e accanto alla cancellatura era scritto tra parentesi *Nibbio* seguìto da un punto interrogativo.

Che voleva dire?

Ma come! Niente? Neanche un rigo, in tanti giorni! Possibile?

Frugò nei cassetti: niente!

Di mezzo alle cartelle grandi del dramma scivolò una cartellina staccata. La prese: vi erano scritte qua e là di minutissimo carattere alcune parole: *fugacità lucida*... poi, più sotto: *fredde difficoltà amare*... più sotto ancora: *tra tanto prosperar di menzogne*... e poi: *Quante salde opinioni che traballano come ubriachi*... e infine: *campane, gocce d'acqua in fila su la ringhiera del ballatojo*... *alberi pazzi e pensieri pazzi*... *le tendine bianche della canonica, l'orlo sbrindellato d'una veste su una scarpa scalcagnata*...

Uhm! Giustino fece un viso lungo lungo. Rivoltò la cartellina. Niente. Non c'era altro.

Eccolo là tutto quello che aveva scritto la moglie in circa venti giorni! Non era valso a nulla, dunque, neppure il consiglio del Gueli... Che significavano quelle frasi staccate?

Si posò le mani su le guance e ve le tenne un pezzo. Gli occhi gli andarono su la seconda frase: *fredde difficoltà amare*...

– Ma perché? – disse forte, scrollando le spalle.

E si mise a passeggiare per lo studio, ancora con le mani su le guance. Perché e quali difficoltà ora che tutto, mercé lui, era facile e piano: aperta la via, e che via! un vialone, senza più né sassi né sterpi, da correre di trionfo in trionfo?

– Difficoltà *amare*... Fredde difficoltà amare... *Fredde* e *amare*... Uhm! Ma quali? perché?

E seguitava a passeggiare, con le mani, ora, afferrate dietro la schiena. Si fermava un tratto, più assorto, con gli occhi chiusi, e riprendeva ad andare per rifermarsi poco dopo, ripetendo a ogni fermata, adesso, con un lungo stiramento del viso:

– *Alberi pazzi e pensieri pazzi*...

E lui che s'aspettava il dramma finito e che contava di cominciar domani stesso a intercalare le prime «indiscrezioni» su esso nel racconto ai giornalisti del trionfo di Parigi!

Entrò Èmere a recargli i giornali della sera.

– E come? – gli domandò Giustino. – Già così tardi?

– Passate le dieci, – rispose Èmere.

– Ah sì? E come? – ripeté Giustino che, avendo dormito fino a tardi, aveva perduto l'esatta percezione del tempo. – Che hanno fatto? Avrebbero dovuto esser qui alle nove e mezzo al più tardi... Il treno arriva alle nove meno dieci...

Èmere aspettò, impalato, che il padrone finisse quelle sue considerazioni, e poi disse:

– Giovanna voleva sapere se si deve aspettare la signora.

– Ma sicuro che si deve aspettare! – rispose, irritato, Giustino. – E anche il signor Gueli che cenerà con noi... Forse qualche ritardo... Se... se... ma no! se avessero perduto la corsa, avrebbero fatto un telegramma. Sono già le dieci?

– Passate, – ripeté Èmere, sempre impalato, impassibile.

Giustino, guardandolo, sentì crescersi l'irritazione. Aprì un giornale per guardar negli avvisi, se per caso ci fosse qualche cambiamento nell'orario delle ferrovie.

– Arrivi... arrivi... arrivi... Ecco qua: da Chiusi, ore 20 e 50.

– Sissignore, – disse Èmere. – La corsa è già arrivata.

– Come lo sai, imbecille?

– Lo so perché il signore, qua, del villino accanto, che va e viene da Chiusi, giusto sarà arrivato da un tre quarti d'ora.

– Ah sì?

– Sissignore. Anzi, sentendo il rumore della carrozza e immaginando che fosse la signora, io ero sceso ad aprire il cancello. Ho visto invece il signore del villino accanto, che viene da Chiusi... Se la signora è andata a Chiusi...

– È andata a Orvieto! – gridò Giustino. – Ma è la stessa linea... Vuol dire che hanno proprio perduto la corsa!

– Se il signore vuole che vada a domandare qui accanto...

– Che cosa?

– Se il signore è proprio arrivato da Chiusi...

– Sì, sì, va', e di' intanto alla Giovanna che aspetti.

Èmere andò, e Giustino, riprendendo concitatamente a passeggiare:

– Hanno perduto la corsa... hanno perduto la corsa... hanno perduto la corsa... – si mise a dire con gesti di rabbia. – Orvieto!... la gita a Orvieto!... il duomo d'Orvieto!... Giusto oggi, il duomo d'Orvieto! che c'entrava? Se hanno la testa!... Certi bisogni precipitosi, irresistibili... certe idee!... Poi s'arrabbiano se sentono dire da quello... come si chiama? che sono tutti quanti un'infunata di pazzi! Il duomo d'Orvieto... Avesse lavorato, capivo la distrazione! Non ha fatto nulla, perdio! *Alberi pazzi e pensieri pazzi*... ecco: lo dice lei stessa...

Èmere tornò a dire che il signore del villino accanto era proprio arrivato da Chiusi.

– E va bene! – gli gridò Giustino. – Porta in tavola per me solo! Avrebbero potuto almeno spedire un telegramma, mi pare.

A tavola, la vista dei due coperti apparecchiati per la moglie e per il Gueli, a cui si riprometteva il piacere di raccontare le «gran cose» di Parigi, gli accrebbe il dispetto, e ordinò a Èmere che li sparecchiasse.

Èmere forse stava a guardarlo come lo aveva sempre guardato; ma a Giustino parve che quella sera lo guardasse in altro modo, e anche di questo provò stizza, e lo mandò in cucina.

– Quand'ho bisogno, ti chiamo.

La vista d'un marito, a cui avvenga che la moglie, per un caso imprevveduto, resti la notte a dormir fuori in compagnia d'un altro uomo, dev'esser molto divertente per uno che non abbia moglie, specie poi se questo marito è arrivato quel giorno stesso in casa dopo venti giorni d'assenza e ha portato alla moglie tanti bei regali. Bel regalo, in ricambio!

Giustino si sarebbe guardato bene dall'immaginare che il Gueli, gentiluomo austero, più che maturo, potesse minimamente profittare d'un caso come quello... Che! che! E poi, Silvia, il riserbo, l'onestà in persona! Ma un telegramma, perdio, un telegramma avrebbero potuto spedirlo, anzi dovuto, dovuto, ecco: un telegramma avrebbero dovuto spedirlo.

Questa mancanza del telegramma non spedito si fece a mano a mano più grave agli occhi di Giustino, perché a mano a mano si gonfiò di tutta la stizza che egli provava per quella gita giusto nel giorno del suo arrivo, per il racconto delle «gran cose» di Parigi che gli era rimasto in gola e gl'impediva di mangiare, per i regali che la moglie non avrebbe visti e per il meritato compenso che aveva tutto il diritto d'aspettarsene dopo venti giorni d'assenza, perdio! Non spedire neanche un telegramma...

Il silenzio della casa, forse perché egli stava con l'orecchio in attesa della scampanellata d'un fattorino del telegrafo, gli fece a un tratto una sinistra impressione. Si alzò da tavola; guardò di nuovo nel giornale l'orario della ferrovia per sapere a che ora il giorno appresso la moglie poteva esser di ritorno, e vide, che non prima del tocco: arrivava un'altra corsa di mattina, ma troppo presto per una signora. Era sperabile intanto che, se non durante la notte, la mattina per tempo arrivasse il telegramma, il telegramma, il telegramma. E andò su per leggersi a letto il giornale e aspettare il sonno che certamente per tante ragioni sarebbe tardato a venire.

Sporse il capo dall'uscio a guardar la camera vuota della moglie. Che pena! Sul letto, come in attesa, era la bella vestaglia di merletti. Per il riflesso della campana attorno alla lampadina di luce elettrica, il bianco dei merletti si coloriva d'una soave tenuissima tinta rosea. Giustino se ne sentì turbato e angosciato, e volse gli occhi alla specchiera per vedere i pettini e la borsa appesa a uno dei bracci che reggevano in bilico lo specchio; vi si accostò e, notando un certo disordine, lì sul piano della specchiera, certo per la fretta con cui Silvia la mattina, all'importuno invito del Gueli, s'era acconciata, si mise a rassettare, pensando che doveva esser pure ben triste per la moglie, ormai abituata a dormire in una camera come quella, passar la notte chi sa in quale misero alberguccio d'Orvieto...

4.

Si svegliò tardi, la mattina, e per prima cosa domandò a Èmere se non era arrivato il telegramma.

Non era arrivato.

Qualche disgrazia? Qualche incidente? Ma no! il Gueli, Silvia Roncella non erano due viaggiatori come gli altri. Se qualche disgrazia fosse loro occorsa, si sarebbe subito saputo. E poi, tanto più, se mai, il Gueli o qualcun altro gli avrebbe telegrafato, per non tenerlo in più gravi angustie con quel silenzio. Pensò di telegrafar lui a Orvieto; ma dove indirizzare il telegramma? No, niente. Meglio aspettare con pazienza l'arrivo del treno. Intanto avrebbe atteso a sistemare i conti arretrati da tanti giorni, quello degli introiti e quello degli esiti. Un bel da fare!

Era da circa tre ore tutto immerso nella sua minuziosissima contabilità, e però lontano ormai da ogni costernazione per la moglie, quando Èmere venne ad annunziargli che c'era giù una signora che gli voleva parlare.

– Una signora? Chi?

– Voleva vedere propriamente la signora. Le ho detto che la signora non c'è.

– Ma chi è? – gridò Giustino. – Signora... signora... signora... È mai stata qui?

– Nossignore, mai.

– Forestiera?

– Nossignore, non pare.

– E chi può essere? – domandò a sé stesso Giustino. – Ecco, vengo.

E scese al salotto. Restò su la soglia come basito al cospetto di Livia Frezzi, la quale, col viso scontraffatto, orribilmente macerato, quasi pinzato qua e là da rapidi guizzi nervosi, lo investì coi denti serrati e le labbra divaricate e gli occhi verdi fissi e scoloriti...

– Non è tornata? Non sono ancora tornati?

Giustino, nel vedersela addosso, irta così di furia dilaniatrice, ebbe paura, e insieme compassione e sdegno.

– Ah, sa anche lei? – fece. – Jersera... jersera certo... avranno perduto la... la corsa... ma... ma forse a momenti...

La Frezzi gli si fece ancor più addosso, proprio quasi ad aggredirlo:

– Dunque voi sapevate? voi avete permesso che andassero insieme? voi!

– Come... signora mia... ma perché? – rispose, traendosi indietro. – Lei... lei s'immagina... io compatisco... ma...

– Voi? – incalzò la Frezzi.

E allora Giustino, giungendo pietosamente le mani, quasi a raccogliere e a offrire con supplice atto la ragione a quella povera donna:

– Ma che ci può esser di male, scusi? Io la prego di credere che la mia signora...

Livia Frezzi non lo lasciò proseguire: serrò le mani artigliate accanto al volto contratto, quasi spremuto per fare uscir fuori dei denti serrati l'insulto imbevuto di tutto il suo fiele, di tutto il suo disprezzo e proruppe:

– Imbecille!

– Ah, perdio! – scattò Giustino. – Lei m'insulta a casa mia! Insulta me e la mia signora col suo sospetto indegno!

– Ma se li hanno visti, – riprese quella, faccia contro faccia, con le labbra stirate ora da un orribile ghigno. – Insieme, a braccetto, tra le rovine di Ostia... così!

E sporse una mano per afferrargli il braccio.

Giustino si scansò.

– Ostia? ma che Ostia! Lei travede! Chi gliel'ha detto? Se sono andati a Orvieto!

– A Orvieto, è vero? – sghignò ancora la Frezzi. – Ve l'hanno detto loro?

– Ma sissignora! Il signor Gueli! – affermò con forza Giustino. – Una gita artistica, una visita al duomo d'Orvieto... Arte antica, roba da...

– Imbecille! imbecille! imbecille! – proruppe di nuovo la Frezzi. – Gli avete, così, tenuto mano?

Giustino, pallidissimo, levò un braccio e, contenendosi a stento, fremette:

– Ringrazii Dio, signora, d'esser donna, se no...

Più torbida e più fiera che mai, la Frezzi gli tenne testa, interrompendolo:

– Voi, voi ringraziate Dio piuttosto, che non l'ho trovata qui! Ma saprò trovar lui, e sentirete!

Scappò via con questa minaccia, e Giustino rimase a guardarsi attorno, vibrante e stordito, movendo le dieci dita delle mani in aria come non sapesse che prendere e che toccare.

– È impazzita... è impazzita... è impazzita... – bisbigliava. – Capace di commettere un delitto...

Che doveva far lui? Uscire, correrle dietro? Uno scandalo per istrada... Ma intanto?

Si sentiva come trascinato dalla furia di colei, e protendeva il corpo quasi per lanciarsi alla corsa, e subito lo arretrava, trattenuto da una riflessione che non aveva tempo né modo d'affermarsi nel confuso sbigottimento, nella perplessità, tra tanti incerti, opposti consigli. E vaneggiava:

– Ostia... che Ostia!... Sarebbero tornati... A braccetto... tra le rovine... È pazza... Li hanno visti... Chi può averli visti?... E sono andati a dirlo a lei?... Qualcuno che la sa gelosa, e ci si spassa... E intanto?... Costei è capace d'andare alla stazione e di far chi sa che cosa...

Guardò l'orologio, senza pensare che la Frezzi non aveva alcuna ragione d'andare alla stazione a quell'ora, se supponeva che il Gueli e Silvia fossero andati a Ostia e non a Orvieto; e chiamò Emere perché gli portasse giù il cappello e il bastone. Mancava quasi mezz'ora al tocco: aveva appena il tempo di trovarsi presente all'arrivo del treno.

– Alla stazione, caccia! – gridò, montando su la prima vettura incontrata presso il Ponte Margherita.

Ma vi giunse pochi istanti dopo l'arrivo del treno da Chiusi. Ne scendevano ancora gli ultimi passeggeri. Guardò tra questi. Non c'erano! Corse verso l'uscita, lanciando occhiate qua e là su tutti quelli che si lasciava indietro. Non li vedeva! Possibile che non fossero arrivati neppure con quel treno? Forse erano già usciti, s'eran già messi in vettura... Ma non li avrebbe incontrati, venendo, lì presso la stazione:

– Mi saranno sfuggiti!

E saltò in un'altra vettura per farsi riportare al villino, di furia.

Era quasi sicuro, quando vi giunse, che Emere dovesse rispondergli che nessuno era arrivato.

Non poteva più esser dubbio ormai che qualche cosa di grave doveva essere accaduto. Si trovava fra la stranezza (che ora gli saltava agli occhi losca) di quella gita proposta giusto sul punto del suo arrivo, a cui, dopo il mancato ritorno, seguiva un così lungo, inesplicabile silenzio, e il sospetto oltraggioso di quella pazza. Avrebbe voluto arrestarlo perché non riempisse quel vuoto e quel silenzio e non s'impadronisse anche di lui, quell'oltraggioso sospetto; e tentava di parargli contro, per sbigottirlo, l'enormità dell'inganno che quei due gli avrebbero fatto, incommensurabile per la sua coscienza di marito esemplare, che sempre e tutto si era speso per la moglie, fino a conquistarle quei trionfi e l'agiatezza; e la fama d'austerità di cui godeva il Gueli, e l'onestà, l'onestà di sua moglie, scontrosa e dura. Strana, sì: ella era stata strana in quegli ultimi tempi, dopo il trionfo del dramma, ma appunto perché quella sua onestà scontrosa e dura, amante della semplicità e dell'ombra, non sapeva ancora acconciarsi al fasto e allo splendore della fama. No, no, via! come dubitare dell'onestà di lei, che gli doveva, se non altro, tanta gratitudine, e della lealtà del Gueli, già vecchio, e poi così legato da tanti anni a quella donna, schiavo di lei?

Uno sprazzo... Che forse al Gueli il servo avesse telegrafato a Orvieto l'improvviso arrivo della Frezzi da Monteporzio, e ora egli non osasse ritornare a Roma? Ma, perdio, doveva tenersi Silvia con sé, là, per la sua paura di ritornare? E Silvia, prestarsi, senza capire che n'andava di mezzo la sua dignità? Ma che, no! Non era possibile! Avrebbero capito che, più stavano a ritornare, più sarebbero cresciuti i sospetti e le furie di quella pazza... Tranne che il Gueli, persuaso da quella paura, perseguitato da quel sospetto, ora, fuori delle grinfe della Frezzi, non inducesse Silvia...

Quel silenzio, quel silenzio con lui, più di tutto era grave!

Doveva egli andare a Orvieto? E se non c'erano più? Se non c'erano mai stati? Ecco, già ne dubitava... Forse erano andati altrove... Gli sovvenne a un tratto che il Gueli aveva detto di dover partire per Milano. Che si fosse portata seco Silvia fin lassù? Ma come: senza darne avviso? Se onestamente fosse nato loro il desiderio di visitare qualche altro luogo, glien'avrebbero dato notizia in qualche modo... No, no... Dov'erano andati?

Ah, ecco il campanello! Balzò allo squillo, non aspettò che Èmere corresse ad aprire il cancello, vi corse lui, si trovò di fronte il postino che gli porgeva una lettera.

Era di Silvia! Ah, finalmente... Ma come? Su la busta, un francobollo di città... Gli scriveva da Roma?

– Va'! va'! – gridò a Èmere, accorso, mostrandogli che aveva preso lui la lettera.

E strappò la busta, lì nel giardino stesso, innanzi al cancello.

La lettera, brevissima, d'una ventina di righe in tutto, era senza luogo di provenienza né data né intestazione. Lette le prime parole, egli si provò a trarre, come trafitto, due volte invano il respiro; il volto gli si sbiancò; gli s'intorbidarono gli occhi; vi passò sopra una mano; poi strinse questa e l'altra che reggeva la lettera, e la lettera si spiegazzò.

Ma come?... via?... così?... per non ingannarlo? E guardava fieramente un placido leoncino di terracotta là presso il cancello, che, con la testa allungata su le zampe anteriori, niente, seguitava a dormire. – Ma come? e non l'aveva ingannato, con quel vecchio lì?... non era andata via con lui? E gli lasciava tutto... che voleva dir tutto? che era più tutto, che era più lui, se ella... Ma come? Perché? Non una ragione! Niente... Se ne andava via così, senza dire perché... Perché egli aveva fatto tanto, troppo, per lei? Questo, il compenso? Gli buttava in faccia tutto... Come se egli avesse lavorato per sé solo e non per lei insieme! E poteva più star lì, egli, senza di lei? Era il crollo... il crollo di tutta la sua vita... il suo annientamento... Ma come? Nulla, nulla, nulla di preciso diceva quella lettera; non parlava affatto del Gueli; diceva di non volerlo ingannare e soltanto affermava recisamente il proposito di rompere la loro convivenza. E proveniva da Roma! Era ella dunque a Roma? E dove? In casa del Gueli, no, non era possibile; c'era la Frezzi, e costei era venuta da lui quella mattina stessa. Forse non era a Roma; e quella lettera era stata mandata a qualcuno perché la impostasse. A chi? Forse al Raceni... forse alla signora Ely Faciolli... Qualche cosa all'uno o all'altra aveva dovuto scrivere e, se non altro, dalla busta si sarebbe scoperto il luogo di provenienza. Egli doveva andare, rintracciarla a ogni costo, farla parlare, che gli spiegasse perché non poteva più vivere con lui, e farle intendere la ragione. Doveva essersi impazzita! Forse il Gueli... No, egli non sapeva ancor credere che si fosse potuta mettere col Gueli! Ma forse questi, chi sa che le aveva istigato contro di lui, vessato com'era dalla Frezzi, impazzito anche lui... Ah pazzi, pazzi tutti! E che cieco era stato lui ad andare a invitarlo contro la volontà di lei... Chi sa che si figurava di lui il Gueli! Che egli volesse vessar la moglie come la Frezzi vessava lui? Ecco, sì, doveva averle messo in capo questa nequizia... Perché egli la spingeva a lavorare? Ma per lei! per lei! per mantenerla nella fama, nell'altezza a cui l'aveva inalzata con tante fatiche! Tutto, tutto per lei! Se egli aveva anche perduto l'impiego per lei? se per sé stesso non era più vissuto, come sospettar di lui una tale nequizia? Ella, se mai, ella, Silvia aveva sfruttato lui, s'era preso tutto il suo lavoro, tutto il suo tempo, tutta l'anima sua; ed ecco, ora lo abbandonava, ora lo buttava lì, via, come uno straccio inutile. Poteva egli tenersi il villino, i guadagni fatti sui lavori di lei? Pazzie! Neanche a pensarci! Ed ecco, restava in mezzo a una strada, senza più stato, senza professione, come un sacco vuoto... No, no, perdio! Prima che scoppiasse lo scandalo, la avrebbe ritrovata! la avrebbe ritrovata!

S'avventò al cancello per correre alla casa della signora Ely Faciolli; ma non l'aveva ancora aperto tutto, che due cronisti, e subito dopo un terzo e un quarto, gli si pararono di fronte con visi alterati dalla corsa e dall'ansia.

– Che è stato?

– Il Gueli... – disse uno ansimante. – È stato ferito il Gueli.

– E Silvia? – gridò Giustino.

– No, niente! – rispose un altro, che tirava appena il fiato. – Stia tranquillo, non c'era!

– E dov'è? dov'è? – domandò Giustino, smaniando e cercando di scappare.

– Non è a Roma! non è a Roma! – gli gridarono quelli a coro, per trattenerlo.

– Se era col Gueli! – esclamò Giustino, fremendo, convulso. – E la lettera... la lettera è da Roma!

– Una lettera, ah... una lettera della sua signora? L'ha ricevuta lei?

– Ma sì! Eccola qua... Sarà un quarto d'ora... Con francobollo di città...

– Si può vederla? – chiese uno, timidamente.

Ma un altro s'affrettò a chiarire:

– No, sa! Non è possibile! È certo che la sua signora è a Ostia.

– A Ostia? Certo?

– Sì sì, a Ostia, a Ostia, senza dubbio.

Giustino si portò le mani al volto e tornò a fremere:

– Ah, dunque è vero! dunque è vero! dunque è vero!

I quattro rimasero a guardarlo, impietositi; uno chiese:

– Lei sapeva che la sua signora era a Roma?

– No, jeri, – scattò Giustino, – col Gueli... mi dissero che andavano a Orvieto...

– A Orvieto? No, che!

– Pretesto!

– Per metterla su una falsa traccia...

– Se il Gueli, guardi, tornava da Ostia...

– Scusi, – ripeté quello, allungando una mano, – si potrebbe vederla codesta lettera?

Giustino tirò indietro il braccio.

– No, niente... dice che... niente! Ma dove, dove è stato ferito il Gueli?

– Due ferite, gravissime!

– Al ventre, al braccio destro...

Giustino squassò la testa:

– No! dico, dove? dove? a casa? per istrada?

– A casa, a casa... Dalla Frezzi... Ritornava da Ostia e... appena giunto a casa...

– Da Ostia? Dunque, l'avrà impostata lui, la lettera...

– Ah, ecco... già... è probabile...

Giustino tornò a coprirsi il volto con le mani, gemendo:

– È finita! è finita! è finita!

Poi domandò con rabbia:

– È stata arrestata la Frezzi?

– Sì, subito!

– Io lo sapevo, che avrebbe commesso un delitto! È stata qua questa mattina!

– La Frezzi?

– Sì, qua, a cercar di mia moglie! E non le son corso dietro!

– Ah, amici miei! amici miei! amici miei! – soggiunse, tendendo le braccia a Dora Barmis, al Raceni, al Lampini, al Centann, al Mola, al Federici, che, appena volata la notizia del delitto, erano accorsi prima alla casa del Gueli, e avevano ancora nei volti l'orrore del sangue sparso là nelle stanze e nella scala invase dai curiosi, e la febbre dello scandalo enorme.

Dora Barmis, rompendo in lagrime, gli buttò le braccia al collo; tutti gli altri gli si fecero intorno, premurosi e commossi; ed entrarono così a gruppo nel salotto del villino. Qua, Dora Barmis, che gli teneva ancora un braccio intorno al collo, per poco non se lo fece sedere su le ginocchia. Non rifiniva dal gemere tra le lagrime abbondanti:

– Poverino... poverino... poverino...

Intenerito da questo compianto e sentendosi a poco a poco racconsolare, riscaldare il cuore da quell'attestato di stima e d'affetto di tutti quegli amici letterati e giornalisti:

– Che infamia! – prese a dire Giustino guardandoli a uno a uno in faccia, pietosamente. – Oh, amici miei, che infamia! A me, a me questo tradimento! Mi siete tutti testimonii di quello che io ho fatto per questa donna! Qua, qua, tutt'intorno, anche le cose parlano! Io, tutto, per lei! Ed ecco, ecco il compenso! Torno jeri da Parigi... anche lì, la gloria, in uno dei primi teatri di Francia... feste, banchetti, ricevimenti... tutti, così, attorno a me, a sentir le notizie che davo di lei, della sua vita, dei suoi lavori... torno qua, sissignori! oh che infamia, amico mio, amico mio, caro Baldani, grazie! Che infamia, sì! che indegnità, grazie! Caro Luna, anche lei! grazie... Caro Betti, grazie; grazie a tutti, amici miei... Anche lei, Jàcono? Sì, una vera perfidia, grazie! Oh, caro Zago, povero Zago... vede? vede? – No! – gridò a un tratto, scorgendo i quattro cronisti intenti a ricopiar la lettera della moglie, che gli doveva esser caduta di mano. – No! Lo dicano a tutti, lo sappia la stampa e l'oda tutta l'Italia! E sappiatelo anche voi, e lo sappiano anche tutti i miei amici di Francia: Qua, ella, in questa lettera, sissignori, dice che mi lascia tutto! Ma lascio tutto io, io a lei! Ne ho schifo! A lei, io, io ho dato tutto, io a lei... e mi sono rovinato! Lascio tutto qua... casa, titoli, danaro... tutto, tutto... e me ne ritorno dal mio figliuolo, io, senza nulla, rovinato. Dal mio figliuolo... Non ho mai pensato neanche al mio figliuolo... io, per lei! per lei!

A questo punto la Barmis non poté più reggere, balzò in piedi e l'abbracciò freneticamente. Giustino, tra lo stordimento e la commozione di tutti, scoppiò in dirottissimo pianto, nascondendo il volto su la spalla di quella sua consolatrice.

– Sublime, sublime, – diceva piano il Luna al Baldani, uscendo dal salotto. – Sublime! Ah, bisognerebbe assolutamente, poverino, che subito qualche altra scrittrice, subito se lo prendesse per segretario! Peccato, peccato, che quella Barmis là non sappia scrivere... È proprio sublime, poverino!

VII. Lume spento

1.

– *E 'l giudisi? douva t' l'as 'l giudisi, martuf?*

Il bimbo, a cavalcioni su le gambe di nonno Prever, lo guardava con gli occhioni intenti e ridenti, frenandosi; poi subito alzava una manina e con l'indice teso si toccava la fronte.

– *Bel e sì.*

– *L'è nen vera!* – gli gridava allora il vecchione, afferrandogli con le grosse mani e fingendo di volergli strappar la pancina: – *T'l'as anvece sì, sì, sì...*

E il bimbo, a questo scherzo tante volte ripetuto, si buttava via dalle risa.

La nonna, allo scatto di quelle fresche ingenue risa infantili, si voltava a guardare la riccioluta testina rovesciata del nipotino. Non rideva troppo? E c'era una maledetta mosca che ronzava, così urtante, malaugurosa, nella camera. La cercava nel vano; quindi tornava con occhi dolenti a rimirare il figliuolo che se ne stava presso la finestra a guardar fuori, col capo insaccato ne le spalle e le mani in tasca, taciturno e scuro.

Già da circa nove mesi le era ritornato da Roma, così, quasi ignudo, con quegli abiti che aveva indosso e la poca biancheria. Ma avesse perduto soltanto la roba e l'impiego! Il cuore, il cervello, la vita, tutto, tutto aveva perduto, dietro a quella donna là, che per forza doveva esser cattiva.

Sessanta e più anni aveva ella vissuto, la signora Velia, e non aveva mai veduto alcun uomo ridursi in quello stato per una donna onesta e buona.

Dio, non più neanche un filo d'amore per quel piccino, per lei! Eccolo là: non voleva pensare più a niente; guardava e pareva non vedesse e non udisse, alienato da ogni senso, vuoto, distrutto, spento.

Solo per qualche traccia rimasta del soggiorno di colei nella casa accennava di rianimarsi un po', e come un cane che si sdraj su le vestigia del padrone morto, quasi a covarne l'ultimo sentore, che non se ne vada via anche quello, stava lì e non c'era verso di mandarlo fuori a distrarsi.

Già più volte il Prever gli aveva proposto di andare con la Graziella, per qualche mese, per una settimana, per un giorno almeno, a la villa sul colle di Bràida; e poi, che lo ajutasse un po' – essendo egli ormai vecchio – nell'amministrazione dei beni. A quest'ultima proposta, s'era un po' scosso, ma come per il peso di un obbligo, col quale gli si volesse rendere crudelmente più grave l'infelicità. Tanto che il Prever, subito, lo aveva esonerato, non ostante che don Buti, il curato, sostenesse che bisognava persistere, anche lasciandogli credere che gli si facesse quel carico per obbligo e con crudeltà.

– *Meisiña*, – diceva – *avei nen paura ch'a la treuva amera.*

Medicina il signor Prever non voleva essere; o, se mai, dolce; così amara, no.

– *Grazious!* – diceva a madama Velia, appena don Buti se n'andava. – *Chiel a ven con so canucial për Meisiña, e mi i dovria veŋì sì con i me count 'd cassa...*

Don Buti infatti, visto che Giustino non s'era voluto arrendere a fargli una visitina lì nella canonica a due passi, una sera aveva portato con sé sotto il tabarro il suo vecchio famoso cannocchiale per fargli ammirare *la gran potensa 'd Nosgnour* come quand'era piccolino e per tener chiuso l'occhio manco faceva tante smorfie con la bocca:

– *Ratoujin, così!*

Ma Giustino non s'era commosso alla vista del vecchio cannocchiale; per non far dispiacere al brav'uomo aveva guardato con esso «le gran montagne» della Luna e aveva scosso appena appena il capo, con gli occhi aggrondati, quando don Buti aveva ripetuto col solito gesto il solito ritornello:

– *La gran potensa 'd Nosgnour, eh? la gran potensa 'd Nosgnour!*

Al ritornello era seguìto un lungo predicozzo pieno di *oh!* e di *eh!* perché da quel tentennar del capo con gli occhi aggrondati la gran potenza di Dio era parsa a don Buti, se non propriamente messa in dubbio, riconosciuta però anche capace di permettere che si facesse tanto male a un povero innocente. Ma al predicozzo Giustino era rimasto impassibile, come per una cosa che don Buti, nella sua qualità di sacerdote, dovesse fare, e nella quale lui non avesse nulla da vedere, fuori com'era di quel dovere sacerdotale e padrone di pensarla *a suo modo*, come stava scritto sul campanile della chiesa.

Da quel cupo torpore di spirito lo aveva un po' scosso, invece, il nuovo medico condotto, venuto da poco a Cargiore con una signora che non si sapeva ancor bene se gli fosse moglie oppur no. Doveva esser ricca *madama*, perché il dottor Lais aveva preso in affitto un bel villinetto di certi signori di Torino e diceva di volerlo comperare. Alto, asciutto, rigido e preciso come un inglese, coi baffetti ancora biondi e i capelli già canuti, fitti, corti corti, si dava l'aria di esercitar la professione tanto per fare qualche cosa; vestiva con ricca e semplice eleganza e portava sempre un pajo di splendidi gambali di cuojo, di cui pareva ogni volta si dimenticasse apposta a casa d'affibbiar qualche stringa, per affibbiarsela fuori, per istrada o nelle visite, e richiamar così su essi l'attenzione. Si dilettava molto di letteratura, il dottor Lais. Chiamato per un lieve disturbo del bimbo e saputo che il Boggiolo era marito della celebre scrittrice Silvia Roncella e per tanti anni era stato in mezzo alla letteratura, lo aveva assediato di domande e invitato al suo villino, ove la sua signora avrebbe avuto certamente tanto piacere di sentirlo parlare, amante appassionata com'era anch'ella de le belle lettere e insaziabile divoratrice di libri.

– Se lei non viene, badi! – gli aveva detto. – Son capace di portarla io qua, la mia signora.

E l'aveva portata, difatti. E tutti e due, egli che pareva un inglese, ella che pareva una spagnuola (era venezianina), tutta fiocchi e nastri, tutta cascante di vezzi, bruna, con due occhietti vivaci neri neri e due labbra carnute rosse rosse, il nasino ritto fiero e impertinente, avevano fatto parlar Giustino per una intera serata, ammirati da un canto, dall'altro irritati da certe notizie, da certi giudizii contrarii alle loro sviscerate simpatie di dilettanti ammiratori di provincia. – *Me schiopa el fiel!* – protestava lei. – Ma come? la Morlacchi... Flavia Morlacchi!... nessuno davvero la calcolava a Roma? Ma il suo romanzo *La vittima*... tanto bello!... Ma *Fiocchi di neve*... versi meravigliosi!... E il dramma... com'era intitolato?... *Discordia*, già già, no, *La Discordia*... perdio, applauditissimo a Como, quattr'anni fa!

Il signor Martino e don Buti stavano a sentire e a guardare con occhi spalancati, a bocca aperta, e la signora Velia mirava costernata il suo Giustino che, pur senza volerlo, tirato da quei due, ecco ricascava a parlar di quelle cose e si riscaldava, si riscaldava... Oh Dio, no: preferiva vederlo scuro, taciturno, sprofondato nel cordoglio, la signora Velia, anziché rianimato così, per quei discorsi. Via, via, quella tentazione! E si sentì più tranquilla quando, alcuni giorni dopo, a quei due che ebbero la sfrontatezza di mandargli a chiedere per la servetta un certo libro della moglie e d'invitarlo a colazione, Giustino rispose che non aveva il libro e che non poteva andare.

Se li era levati, così, d'attorno.

«Che avrà intanto, quest'oggi?», pensava la piccola signora Velia, seguitando a mirare il figliuolo innanzi alla vetrata della finestra, mentre Vittorino faceva il diavoletto su le ginocchia del Prever.

Forse quel giorno era più raffagottato del solito perché la mattina – per una disattenzione di quella stolida di Graziella – aveva scoperto una lettera arrivata parecchi giorni addietro e non distrutta come tutte le altre, quando si poteva, di nascosto a lui.

Tante e tante lettere gli arrivavano ancora, respinte da Roma, anche dalla Francia, anche dalla Germania... E la signora Velia, all'arrivo di esse, tentennava il capo, come se dalla distanza da cui arrivavano misurasse l'estensione del male che colei aveva fatto al suo figliuolo.

Egli si buttava su quelle lettere come un affamato; andava a chiudersi in camera e si metteva a rispondere. Ma non rimandava poi quelle lettere con la risposta direttamente alla moglie. Per mezzo del signor Martino la signora Velia aveva saputo da *monsù* Gariola, il quale aveva in appalto l'ufficio postale, che il figliuolo le indirizzava a un tal Raceni, a Roma. Forse per il tramite di questo amico consigliava alla moglie come avrebbe dovuto regolarsi.

Era veramente così.

Dalla Barmis e dal Raceni, dopo il suo ritorno a Cargiore, Giustino aveva ricevuto fino a pochi mesi addietro frequenti lettere, dalle quali con strazio indicibile aveva saputo in quale disordine vivesse a Roma la moglie.

Ora egli era più che mai convinto che tra Silvia e il Gueli non fosse avvenuto nulla di male; e credeva d'averne la prova nel fatto che il Gueli, quasi miracolosamente guarito dalle due ferite, sebbene col braccio destro amputato, era ritornato a vivere con la Frezzi, liberata come incosciente dopo circa cinque mesi di carcere preventivo, appunto per le aderenze e le brighe del Gueli stesso.

Ah, se egli allora, nel primo momento, non si fosse lasciato sopraffare dallo scandalo e fosse corso a Ostia a rilevar la moglie ancora senz'altra colpa che quella d'aver voluto fuggire da lui! No, no, no: egli non doveva credere, non ostante quell'inganno della gita a Orvieto, non doveva credere che ella si fosse potuta mettere col Gueli. Avrebbe dovuto correre a Ostia e ricondurre con sé la moglie, la quale certamente, allora, non si sarebbe così perduta... Con chi viveva ella ora? La Barmis diceva col Baldani; il Raceni invece sospettava una relazione col Luna. Viveva sola, in apparenza. Il villino, tutti i mobili, venduti. E nelle ultime lettere il Raceni lasciava intendere che ella dovesse trovarsi in qualche imbarazzo finanziario. Ma sfido! Senza di lui... Chi sa come la rubavano tutti! Forse ella ora riconosceva che cosa volesse dire avere accanto un uomo come lui! Tutto venduto... Peccato!... Quel villino... quei mobili del Ducrot...

Da circa due mesi né la Barmis né il Raceni gli scrivevano più, né alcun altro amico da Roma. Che era accaduto? Forse non avevano veduto più la ragione di seguitare ancora la corrispondenza con uno ormai quasi sparito dalla vita. S'era prima stancata la Barmis, ora non rispondeva più neanche il Raceni.

Ma quel giorno egli non era né per questo silenzio né per la ragione supposta dalla madre più fosco del solito.

In casa, dacché era ritornato, non entravano più giornali per la promessa da lui fatta alla madre di non leggerne più. S'era poi pentito, e come! di questa promessa; ma non aveva osato manifestare il desiderio di leggere almeno quelli di Torino per timore che la madre non lo credesse ancor fisso col pensiero a quella donna. Finché la Barmis e il Raceni gli scrivevano, non aveva sofferto tanto di quella privazione; ma ora...

Ebbene, quella mattina, in un giornale vecchio d'una ventina di giorni, nel quale Graziella gli aveva portati avvolti in camera i colletti e i polsini stirati,

aveva letto due notizie sotto la rubrica dei teatri, che lo avevano tutto sconvolto.

Una era di Roma: l'imminente rappresentazione al teatro *Argentina* del
nuovo dramma della moglie, quello, quello stesso ch'egli aveva lasciato incompiuto, *Se non così...* L'altra, che a Torino, all'*Alfieri*, recitava la Compagnia Carmi-Revelli.

Divorato dalla brama di saper l'esito di quel nuovo dramma a Roma e forse
in altre città, fors'anche a Torino, se c'era la Compagnia Carmi-Revelli; e di
parlarne o con la signora Laura o col Grimi, con qualcuno insomma; non sapeva come dire alla madre che la mattina appresso desiderava di scendere a
Torino. Temeva che il signor Prever lo volesse accompagnare. Sapeva in
quale costernazione viveva la madre per lui. A dirle che voleva andar solo
così lontano, all'improvviso, quando s'era rifiutato fino al giorno addietro
anche di far due passi fuor di casa, chi sa che pensieri ella avrebbe fatto... E
poi, non aveva più che pochi soldi con sé, residuo dello stretto costo del viaggio prelevato dai denari recati da Parigi; si vergognava a dirlo quasi a sé
stesso, figuriamoci poi a chiederne per quella ragione alla madre, la quale non
aveva altro che quel po' di pensioncina lasciatale dal marito, e ora, con addosso anche il peso di lui, stentava più che mai a tirare avanti, poveretta. Il signor Prever, sì, porgeva qualche soccorso di tanto in tanto, sottomano, or con
una scusa, or con un'altra. Ma se in quel momento la madre era agli sgoccioli
e doveva chiedere ajuto al signor Martino, ecco che questi avrebbe saputo e
certamente si sarebbe profferto d'accompagnarlo. Aspettò che il Prever, dopo
cena, se n'andasse al suo villino e, per provocare un nuovo e più pressante invito della madre a procacciarsi qualche distrazione, si lamentò d'una enorme
gravezza al capo. Sollecito, come s'aspettava, venne l'invito:

– Va' a Bràida, domani...

– No, piuttosto vorrei... vorrei veder gente, ecco. Questa solitudine, forse, mi
fa male...

– Vuoi andare a Torino?

– Ecco, piuttosto...

– Ma sì, subito, domani stesso! – s'affrettò a dire la madre. – Mando Graziella a fissarti un posto in vettura da *monsù* Gariola.

– No no, – disse Giustino. – Lascia. Scendo a piedi fino a Giaveno.

– Ma perché?

– Perché... Lascia! Mi farà bene camminare... sto in casa da tanto tempo.
Piuttosto... per il tram a vapore da Giaveno... mamma, io...

La signora Velia capì a volo, e subito alzò una mano verso la fronte e chiuse
gli occhi, come per dire: «Non ci pensare!».

Quando entrò nella sua camera, accompagnato dalla mamma che gli faceva
lume, s'accorse che questa sul piano del cassettone aveva posato tre carte da
dieci lire.

– Oh, no! – esclamò. – Che vuoi che me ne faccia di tante? Prendi, prendi...
Basterà una!

La vecchia mamma si scostò parando le mani, e con un sorriso a un tempo
mesto e maliziosetto su le labbra e negli occhi:

– Ma credi davvero, – gli disse, – che la tua vita sia finita, figliuolo mio?...
Tu sei ancor quasi ragazzo... Va'! va'!

E richiuse l'uscio.

2.

Sceso dalla tramvia a vapore, la prima impressione che provò nel rimetter
piede in città dopo nove mesi d'oscuro e profondo silenzio interiore, di seppellimento nel cordoglio, fu quella di non saper più camminare tra il rumore e

la confusione. N'ebbe subito un intronamento quasi di greve e cupa ubria-
chezza, quell'irritazione, quell'uggia, quell'astio che prova un malato costretto
a muoversi col ronzo della medicina negli orecchi in mezzo a sani àlacri e in-
differenti.

Volgeva di qua, di là rapide occhiate oblique, per timore che qualcuno dei
conoscenti antichi, non letterati, lo riconoscesse, e per un altro timore opposto,
che fingesse cioè di non riconoscerlo qualcuno dei conoscenti nuovi, giornalisti e letterati. Assai più crudele della commiserazione derisoria di quelli gli sarebbe stata la noncuranza sdegnosa di questi, ora che egli non era più neanche
l'ombra di quel che era stato.

Ah, se un giornalista amico, passando, gli avesse introdotto un braccio sotto
il braccio, festosamente, come a' bei tempi, e gli avesse detto:

«Oh, caro Boggiolo, ebbene, che notizie?».

E gli avesse fatto raccontare il trionfo di Parigi, che non aveva potuto raccontare a nessuno e gli era rimasto in gola, nodo d'angoscia che non si sarebbe sciolto mai più!

«E la vostra signora? A che lavori attendiamo? Un nuovo dramma, eh? Su,
ditemi qualche cosa...»

Non sapeva neppure se fosse stato rappresentato il nuovo dramma, lui, e che
esito avesse avuto...

Andò a un'edicola e comperò i giornali di Roma, di Milano e quelli cittadini.
Non se ne parlava.

Ma negli annunzii degli spettacoli nei giornali di Roma, ecco, al teatro Argentina: *Se non così...*

Ah, dunque, era stato rappresentato! Dunque aveva avuto un buon successo!
Se si replicava... Chi sa da quante sere? Buon successo...

E si diede a immaginare che, questa volta, doveva essere andata lei, Silvia, a
metterlo in iscena. Vide subito col pensiero il palcoscenico, di giorno, durante
le prove; s'immaginò l'impressione che aveva dovuto provarne Silvia che non
vi era mai stata e si vide lì con lei, sua guida, tra i comici; ella incerta, smarrita; lui invece ormai pratico, sicuro; ed ecco le dimostrava tutta la sua sicurezza, la padronanza che aveva del luogo e d'ogni cosa, e la esortava a non disperarsi della svogliatezza e della cascaggine di quelli, dei tagli che si facevano al copione, delle sfuriate del direttore capo-comico... Eh, non era mica
facile combattere con quei tipi! Bisognava prenderli per il loro verso e aver
pazienza se fino all'ultimo mostravano di non saper la parte...

A un tratto, s'infoscò in volto. Pensò che forse ella si era fatta ajutare, accompagnare a quelle prove da qualcuno, forse dal Baldani, forse dal Luna o
dal Betti... Chi era in quel momento il suo amante? E a questo pensiero, diventò subito una cosa facilissima mettere in iscena quel dramma, assistere alle
prove, combattere con gli attori. Ma sì, certo, bella forza, ora che ella, mercé
lui, s'era fatto tanto nome e tutte le porte le erano aperte e tutti gli attori pendevano dalle labbra di lei, tra ossequii e sorrisi; bella forza!

«Ai conti però ti voglio! ai conti! ai conti!», esclamò tra sé.

«Ossequii, sorrisi... sfido! una donna... e poi, ora.. senza marito... Ma ai
conti, chi ci bada? Ci baderà lei? Con la bella pratica che ne ha! Ci baderà lui,
il bello... Se la mangeranno viva! Sì sì, va' che potrai arrivare a rifarti un villino adesso, come quello! Aspetta, aspetta...»

Aprì un giornale di Torino e vide che al teatro *Alfieri* la Compagnia Carmi-
Revelli era alle ultime recite.

Rimase un pezzo col giornale aperto innanzi agli occhi, perplesso se andare
o no. La brama di saper notizie del dramma, di parlar di lei, di sentirne parlare,
lo spingeva; lo tratteneva il pensiero d'affrontar la vista, le domande di tutti
quegli attori. Come lo avrebbero accolto? Si burlavano di lui un tempo; ma
egli allora aveva il cappio in mano, con cui, dopo aver permesso che essi bra-

veggiassero un pezzo come tanti cavallini scapati attorno a lui, poteva in un momento dare una stratta e legarli addomesticati al carro del trionfo. Ora, invece...

Si mosse, immerso nei ricordi ch'erano ormai tutta la sua vita, e dopo un lungo giro si ritrovò, guidato inconsciamente da essi, innanzi al teatro *Alfieri*.

Forse a quell'ora c'era prova. S'appressò titubante all'entrata e finse di leggere nel manifesto il titolo del dramma che si rappresentava quella sera, poi l'elenco dei personaggi; alla fine, facendosi animo, come un autor novellino chiese rispettosamente a uno lì di guardia, che non conosceva, se la signora Carmi era in teatro.

– Non ancora, – gli rispose quello.

E Giustino rimase innanzi al manifesto senz'ardire di chieder altro. In altri tempi sarebbe entrato da padrone nel teatro, senza neppur degnare d'uno sguardo quel cerbero là!

– E il cavalier Revelli? – chiese dopo un pezzo.

– È entrato or ora.

– C'è prova, è vero?

– Prova, prova...

Sapeva che il Revelli era rigorosissimo nel concedere l'entrata a estranei durante la prova. Certo, se avesse porto a quell'uomo un biglietto da visita da presentare al Revelli, questi lo avrebbe fatto entrare; ma si sarebbe allora trovato esposto alla curiosità indiscreta e irriverente di tutti. Non volle. Meglio rimaner lì come un mendico ad attendere la Carmi, che non poteva tardar molto, se gli altri erano già venuti.

Difatti, la Carmi arrivò poco dopo, in carrozza. Non s'aspettava di trovar lui lì innanzi alla porta e, nel vedersi salutata, chinò appena il capo e passò oltre, senza riconoscerlo.

– Signora... – chiamò allora Giustino, trafitto.

La Carmi si volse, strizzando un po' gli occhi miopi, e subito allungo il viso in un *oooh* di meraviglia.

– Voi, Boggiolo? E come mai qui? come mai?

– Eh... – fece Giustino, aprendo appena appena le braccia.

– Ho saputo, ho saputo, – riprese la Carmi con ansia pietosa. – Povero amico mio! Che azionaccia vile! Non me la sarei mai aspettata, credete. Non per lei, badiamo! Ah, ne so qualche cosa io, dell'ingratitudine di quella donna! Ma per voi, caro. Su, su, venite con me. Sono in ritardo!

Giustino esitò, poi disse con voce tremante e gli occhi invetrati di lagrime:

– La prego, signora, non... non vorrei farmi vedere...

– Avete ragione – riconobbe la Carmi. – Aspettate; prendiamo di qua.

Entrarono nel teatro quasi bujo; attraversarono il corridojo del primo ordine dei palchi; là in fondo la Carmi aprì l'usciolino dell'ultimo palco e disse al Boggiolo, sotto voce:

– Ecco, aspettatemi qua. Vado su in palcoscenico e ritorno subito.

Giustino si rannicchiò in fondo al palco, nel bujo, con le spalle a la parete attigua al palcoscenico, per non farsi scorgere dagli attori, di cui rimbombavano le voci nel teatro vuoto.

– *Oh signora, oh signora*, – baritoneggiava al solito suo il Grimi, coprendo la voce fastidiosa del suggeritore, – *e vi par troppa grazia codesta?*

– *Ma no, nessuna grazia, caro signore*, – sorrideva la piccola Grassi con la sua vocetta tenera.

E il Revelli gridava:

– Più strascicato! più strascicato! *Ma nooo, ma nessuna grazia, amico...*

– Il secondo *ma* non c'è!

– E lei ce lo metta, oh perdio! È naturale!

Giustino stava a udire quelle voci note che, pur senza volere, si alteravano nel dar vita al personaggio della scena; guardava l'ampia vacuità sonora del teatro in ombra; ne aspirava quel particolare odor misto d'umido, di polvere e di fiati umani ristagnati, e si sentiva a mano a mano crescer l'angoscia, come se lo assaltasse alla gola il ricordo preciso d'una vita che non poteva più esser sua, a cui non poteva accostarsi più, se non così, nascosto, quasi di furto, o commiserato come dianzi. La Carmi aveva riconosciuto, e tutti con lei, certo, avrebbero riconosciuto ch'egli non meritava d'esser trattato a quel modo; e questa pietà degli altri, se da un canto gli faceva sentire più profonda e più amara la sua miseria, gliela rendeva dall'altro più cara, perché era quasi l'ombra superstite di ciò che egli era stato.

Aspettò un bel pezzo la Carmi, che doveva provare una lunga scena col Revelli. Quando alla fine ella venne, lo trovò che piangeva, seduto, coi gomiti su le ginocchia e la faccia tra le mani. In silenzio piangeva, ma con calde lagrime abbondanti e sussulti di singhiozzi raffrenati.

– Su, su, – gli disse, posandogli una mano su la spalla. – Capisco, sì, povero amico; ma via, su! Così non mi sembrate più voi, caro Boggiolo! Lo so, consacrato tutto, anima e corpo a quella donna; ora...

– La rovina, capisce? – proruppe, soffocando la voce e le lagrime, Giustino, – la rovina, la rovina di tutto un edificio, signora, messo su da me, a pietra a pietra! da me, da me soltanto! Sul più bello, quando già tutto era a posto, e mi toccava di goder la soddisfazione di quanto avevo fatto, una ventata a tradimento, una ventata di pazzia, creda, di pazzia, con quel vecchio là, con quel vecchio pazzo, che si è prestato vilmente, forse per vendicarsi, distruggendo un'altra vita com'era stata distrutta la sua; giù tutto, giù tutto, giù tutto!

– Piano, sì, piano, calmatevi! – lo esortava anche col gesto la Carmi.

– Mi lasci sfogare, per carità! Non parlo e non piango da nove mesi! Mi hanno distrutto, signora mia! Io non sono più niente, ora! Mi ero messo tutto in quell'opera che potevo fare io solo, io solo, lo dico con orgoglio, signora mia, io solo perché non badavo a tutte le sciocchezze, a tutte le fisime, a tutti i grilli che saltano in mente a questi letterati; non mi scaldavo mai la testa, io, e li lasciavo ridere, se volevano ridere; ha riso anche Lei di me, è vero? tutti hanno riso di me; ma che me n'importava? io dovevo edificare! E c'ero riuscito! E ora... e ora, capisce?

Mentre il Boggiolo qua, nel bujo del palchetto, parlava e piangeva così, strozzato dall'angoscia, seguitava di là, sul palcoscenico, la prova. La Carmi notò a un tratto, con un brivido, la strana contemporaneità di quei due drammi, uno vero, qua, d'un uomo che si struggeva in lagrime, con le spalle addossate alla parete verso il palcoscenico, donde sonavan false le voci dell'altro dramma finto, che al paragone immediato stancava e nauseava come un vano petulante irriverente giuoco. Ebbe la tentazione di sporgersi dal palchetto e di far cenno agli attori che smettessero e venissero qui, qui, a vedere, ad assistere a quest'altro dramma vero. S'accostò invece al Boggiolo e di nuovo lo pregò di calmarsi con buone parole e battendogli ancora la mano su la spalla.

– Sì, sì, grazie, signora... mi calmo, mi calmo, – disse Giustino, tranghiottendo le lagrime e asciugandosi gli occhi. – Mi perdoni, signora. Avevo bisogno, proprio bisogno di questo sfogo. Mi perdoni. Ecco, ora sono calmo. Dica un po', questo dramma... questo dramma nuovo, *Se non così...* è andato eh?... com'è andato?

– Ah, non me ne parlate! – protestò la Carmi. – È la stessa azione, caro, la stessa azionaccia che ha fatto a voi! Non me ne parlate, lasciamo andare...

– Volevo saper l'esito... – insisté, con timidezza, Giustino, avvilito della sua stessa pena.

– Silvia Roncella, amico mio, è l'ingratitudine fatta persona! – sentenziò allora la Carmi. – Chi la portò al trionfo? Ditelo voi, Boggiolo! Non credetti io sola, io sola, mentre tutti ridevano o dubitavano, nella potenza del suo ingegno e del suo lavoro? Ebbene, ecco qua: ha pensato a tutte le altre, tranne che a me, per il nuovo dramma! Badate, questo lo dico a voi, perché so ciò che anche voi ne avete ricevuto. Agli altri – ah, perbacco, io tengo alla mia dignità – agli altri dico che sono stata io a non volerne sapere. E non recito più neanche *La nuova colonia*, adesso. Per grazia di Dio, la gente viene a teatro per me, a sentir me, qualunque cosa io faccia: non ho bisogno di lei! Ne parlo soltanto perché l'ingratitudine, si sa, fa sdegno a tutti, e voi potete comprendermi.

Giustino rimase un pezzo in silenzio a tentennare il capo; poi disse:

– Tutti, sa? tutti gli amici che m'ajutarono, furono trattati così da lei... Ricordo la Barmis, anch'essa... Dunque, questo nuovo dramma... così... com'è andato?

– Mah! – fece la Carmi. – Pare che... niente di straordinario... Quel che si dice un successo di stima. Qualche scena, qua e là, pare che sia buona... il finale dell'ultimo atto, specialmente, sì, quello... quello ha salvato il lavoro... Non avete letto i giornali?

– Nossignora. Da nove mesi. Sono stato chiuso in casa... Scendo ora per la prima volta a Torino. Io sto qua, sopra Giaveno, nel mio paesello, con mia madre e il mio bambino...

– Ah, ve lo siete tenuto con voi, il figliuolo?

– Certo! Con me... È stato sempre qua, veramente, con mia madre.

– Bravo, bravo, – approvò la Carmi. – E così, voi non ne avete più notizia dunque?

– No, nessuna più. Per caso ho saputo che il nuovo dramma è stato rappresentato. Ho comperato i giornali, oggi, e ho visto che a Roma si replica...

– Anche a Milano, per questo... – disse la Carmi.

– Ah, si è dato anche a Milano?

– Sì sì, con lo stesso successo.

– Al *Manzoni?*

– Al *Manzoni*, già. E tra poco... aspettate, fra tre giorni, da Milano verrà la Compagnia Fresi a metterlo in iscena qua, in questo teatro. E lei, la Roncella, è a Milano adesso, e verrà qua ad assistere alla rappresentazione.

Giustino alla notizia balzò in piedi, anelante.

– Lo sa sicuro?

– Ma sì, mi par d'avere inteso così... Che?... Vi fa... vi fa un certo effetto, eh? Capisco...

La Carmi s'era alzata anche lei e lo guardava pietosamente.

– Verrà?

– Dicono! E io lo credo. La sua presenza, dopo tanto chiasso che si è fatto attorno a lei, può giovar molto, essendo il dramma anche un po' scadente. Il pubblico poi non la conosce ancora e vuol conoscerla.

– Già già... – disse Giustino, smanioso. – È naturale... questo è come il primo lavoro per lei... Forse gliel'avranno anche imposto... Verrà fra tre giorni la Compagnia Fresi?

– Sì, fra tre giorni. C'è giù nell'atrio il cartello, non l'avete veduto?

Giustino non poté più stare alle mosse; ringraziò la Carmi dell'affettuosa accoglienza e andò via, sentendosi già soffocare in quell'ombra fitta del teatro, tutto stravolto com'era dalla tremenda notizia che quella gli aveva dato.

Silvia, a Torino! La avrebbero chiamata fuori, lì, a teatro, ed egli la avrebbe riveduta!

Si sentì mancare le gambe uscendo all'aperto; ebbe come una vertigine e si portò le mani al volto. Tutto il sangue gli era balzato alla testa e il cuore gli martellava in petto. La avrebbe riveduta! Ah, chi sa come s'era fatta, adesso, in quel disordine di vita, sbattuta da quella tempesta! Chi sa com'era cangiata! Forse non sussisteva più nulla in lei di quella Silvia ch'egli aveva conosciuta!

Ma no: forse non sarebbe venuta, sapendo che lui poteva scendere da Cargiore a Torino, e... E se veniva appunto per questo? per riaccostarsi a lui? Oh Dio, oh Dio... E come poteva più perdonarla, lui, dopo tanto scandalo? come riprendere a vivere con lei, ora? No, no... Egli non aveva più alcuno stato; si sarebbe coperto di vergogna; tutti avrebbero creduto ch'egli si riuniva con lei per viver di lei, su lei, ancora, turpemente. No, no! Non era più possibile, ormai... Ella doveva intenderlo. Ma non le aveva lasciato tutto, partendo? Anche gli altri da questo suo atto avevano potuto argomentare ch'egli non era un vile sfruttatore. Aveva dato a tutti la prova che non era capace di vivere con vergogna, lui, d'un denaro ch'era pur suo in gran parte, frutto del suo lavoro, sangue suo; e glielo aveva lasciato! Chi poteva accusarlo?

Questa protesta di fierezza, in cui s'indugiava con crescente soddisfazione, era la scusa con cui, tergiversando, la sua coscienza accoglieva la segreta speranza che Silvia venisse a Torino per farsi riprendere da lui.

Ma se ella veniva, invece, perché non poteva farne a meno, per impegno contratto con la Compagnia Fresi? E forse... chi sa?... non era sola; forse qualcuno la accompagnava, la sosteneva in quel viaggio penoso...

No, no: egli non poteva, non doveva far nulla. Solo, a ogni costo, voleva ritornare a Torino fra poche sere per assistere, di nascosto, alla rappresentazione del dramma, per rivederla da lontano un'ultima volta...

3.

Di nascosto! da lontano!

Un fiume di gente, in quella dolcissima sera di maggio, entrava nel teatro illuminato a festa, le vetture accorrevano rombanti e facevan ressa lì innanzi alle porte, fra il contrasto delle luci, il brusìo de la folla agitata.

Di nascosto, da lontano, egli assisteva a quello spettacolo. Ma non era ancor l'opera sua, quella, che aveva preso corpo e seguitava ora ad andare da sé, senza più curarsi di lui?

Sì, era l'opera sua, l'opera che gli aveva assorbito, succhiato tutta la vita, fino a lasciarlo così, vuoto, spento. E gli toccava di vederla proseguire, là, ecco, in quella fiumana di gente ansiosa, a cui non poteva più neanche accostarsi, mescolarsi; espulso, respinto, egli, egli per cui la prima volta quella fiumana s'era mossa, egli che primo la aveva raccolta e guidata, in quella serata memorabile al teatro *Valle* di Roma!

Ora doveva aspettare così, di nascosto, da lontano, ch'essa, fragorosa, impaziente, invadesse e riempisse tutto il teatro, dov'egli si sarebbe cacciato furtivamente e per ultimo, vergognoso.

Straziato da questo esilio, ch'era d'un passo e infinito, dalla sua stessa vita, la quale, ecco, viveva là, fuori di lui, innanzi a lui, e lo lasciava spettatore inerte della sua propria miseria, della sua nullità adesso, Giustino ebbe un impeto d'orgoglio e pensò che – sì – seguitava ad andare da sé l'opera sua; ma come? non certo come se ci fosse lui ancora, a dirigerla, a sorvegliarla, a governarla, a sorreggerla da tutte le parti! Davvicino avrebbe voluto vedere com'essa seguitava ad andare senza di lui! Che preparazione aveva avuto quella *prima* del nuovo dramma? Appena appena ne avevano parlato i giornali della sera avanti e della mattina... Se ci fosse stato lui, invece! Sì, affluiva, seguitava ad affluire la gente; ma perché? per la memoria della *Nuova colonia*, del trionfo procurato da lui; e per vedere, per conoscere l'autrice, quella timida, scontrosa, inesperta ragazzetta di Taranto ch'egli, con l'opera sua, aveva messo avanti a tutti e reso celebre: egli che se ne stava qui, ora, abbandonato, nascosto nel bujo, mentr'ella di là, nella luce della gloria, era circondata dall'ammirazione di tutti.

Doveva esser là, certo, sul palcoscenico, a quell'ora. Chi sa com'era! Che diceva? Possibile che non pensasse ch'egli da Cargiore, così vicino, sarebbe venuto ad assistere alla rappresentazione del dramma? Oh Dio, oh Dio... lo riassaliva, a farlo tremar tutto, il pensiero che gli era sorto al primo annunzio ch'ella sarebbe venuta a Torino: che fosse venuta appunto per riaccostarsi a lui; che si aspettasse, dopo i primi applausi, una furiosa irruzione di lui sul palcoscenico e un abbraccio frenetico innanzi a tutti gli attori commossi; e poi, e poi... oh Dio – si sentiva aprir le reni dai brividi, un formicolio per tutta la persona – ecco, si scostava da una parte e dall'altra la tenda, e tutti e due, lei e lui, presi per mano si mostravano, s'inchinavano, riconciliati e felici, a tutto il popolo acclamante in delirio.

Follie! follie! Ma, d'altra parte, non passava anche ogni limite l'improntitudine di lei, di venir là a Torino, fin sotto gli occhi di lui?

Si struggeva di sapere, di vedere... Ma come poteva da quel palchetto d'ultima fila, nel centro, che era riuscito ad accaparrarsi dal giorno avanti?

Vi era entrato or ora, di furia, salendo a quattro a quattro le scale.

Si teneva in fondo, per non farsi scorgere. Sul suo capo già la piccionaja strepitava; veniva dal basso, dai palchi, dalla platea, il fragorio, il fermento delle grandi serate. Il teatro doveva esser pieno e splendido.

Ancora anelante, più dall'emozione che dalla corsa, egli guardava il telone e avrebbe voluto trapanarlo con gli occhi. Ah che avrebbe pagato per riudire il suono della voce di lei! Credeva di non ricordarselo più! Come parlava ella adesso? come vestiva? che diceva?

Sobbalzò a uno squillo prolungato d'un campanello, che rispondeva al chiasso cresciuto nel loggione. Ed ecco s'apriva la tela!

Istintivamente, nell'improvviso silenzio, egli si fece innanzi, guardò la scena, che fingeva la sala di redazione d'un giornale. Conosceva il primo atto e anche il secondo del dramma, e sapeva che ella non ne era contenta. Forse li aveva rifatti, o forse, se il successo del dramma era stato mediocre, li aveva lasciati così com'erano, costretta a metter subito in iscena il lavoro per provvedere a difficoltà finanziarie.

La prima scena, tra *Ersilia Arciani* e il direttore del giornale *Cesare D'Albis*, era tal quale. Ma la Fresi non rappresentava la parte d'Ersilia con quella rigidezza che Silvia aveva dato al carattere della protagonista. Forse ella stessa, Silvia, aveva attenuato quella rigidezza per rendere il personaggio men duro e più simpatico. Ma, evidentemente, non bastava. In tutto il teatro s'era già, fin dalle prime battute, diffuso il gelo d'una disillusione.

Giustino lo avvertiva, e da tutto quel gelo si sentiva venire un gran caldo alla testa, e sudava e s'agitava, smanioso. Per Dio! esporsi così al cimento terribile d'un nuovo dramma, dopo il trionfo clamoroso del primo, senza un'adeguata preparazione della stampa, senza prevenire il pubblico che quel nuovo dramma sarebbe stato diverso in tutto dal primo, la rivelazione d'un nuovo aspetto dell'ingegno di Silvia Roncella. Ecco qua le conseguenze: il pubblico s'aspettava la poesia selvaggia della *Nuova colonia*, la rappresentazione di strani costumi, di personaggi insoliti; si trovava invece davanti aspetti consueti della vita, prosa, prosa, e restava freddo, disingannato, scontento.

Avrebbe dovuto goderne, egli; ma no, no! perché quant'era ancora di vivo in lui era tutto in quell'opera che vedeva cascare, e sentiva ch'era un peccato ch'egli non ci potesse più metter le mani per sorreggerla, rialzarla, farla di nuovo trionfare; un peccato per l'opera e una crudeltà feroce per sé!

Scattò in piedi a uno zittìo prolungato che si levò a un tratto dalla platea, come un vento ad agitare tutto il teatro, e arretrò fino in fondo al palchetto con le mani sul volto in fiamme, quasi gliel'avessero sferzato.

L'ostinazione con cui *Leonardo Arciani* si rifiutava di ragionare col suocero urtava gli spettatori. Ma forse in fine il grido di Ersilia, che spiegava quell'ostinazione: «*Babbo, ha la figlia, la figlia: non può ragionare!*» avrebbe salvato l'atto. Ecco, entrava la Fresi. Si faceva silenzio. Guglielmo Groa e il genero venivano quasi alle mani. Il pubblico, non comprendendo ancora, s'agitava vie più. E Giustino, fremente, avrebbe voluto gridar lui dal suo palchetto d'ultima fila:

«Idioti, non può ragionare! ha la figlia!».

Ma ecco, ecco, lo gridava la Fresi.. brava! così... forte, con tutta l'anima, come una scudisciata... Il pubblico rompeva in un *aaahhh* prolungato... Come?... non piaceva? No... Molti applaudivano... Ecco, il sipario calava fra gli applausi; ma erano applausi contrastati; molti anche zittivano... Oh Dio, un fischio acuto, lacerante, dalla piccionaja... benedetto, benedetto fischio! in reazione, infittivano ora gli applausi nelle poltrone, nei palchi... Giustino, col volto inondato di lagrime, convulso, si storceva le mani, tentato d'applaudire anche lui furiosamente, e pur non di meno impedito dall'attesa angosciosa che gli concentrava tutta l'anima negli occhi. Venivano fuori gli attori... No, ella non c'era... Silvia non c'era... Fuori! fuori ancora una volta! Oh Dio... C'era? No... neanche questa volta... Gli applausi cadevano, e con gli applausi cadeva anche Giustino su una seggiola del palchetto, sfinito, ansimante, come se avesse fatto una corsa d'un'ora. Dal fuoco che gli bruciava la fronte venivano fuori gocce di sudore grosse come lagrime. Tutto ristretto in sé, cercava dar requie alle viscere contratte, al cuore tumultuante, e un gemito gli usciva dalla gola tra l'ansito, come per la crudeltà d'un tormento che non si possa più sopportare. Ma non poteva star fermo un istante; s'alzava, s'appoggiava alla parete del palchetto con le braccia abbandonate, il fazzoletto in mano, il capo ciondoloni... guardava l'usciolino... si portava il fazzoletto alla bocca e lo strappava... Era prigioniero lì... Non poteva farsi vedere... Avrebbe voluto udire almeno i commenti che si facevano su quel primo atto; accostarsi al palcoscenico, vedere quelli che vi entravano a confortar l'autrice... Ah, in quel momento ella di certo non pensava a lui; non esisteva egli per lei: era uno lì de la folla, confuso con tutti... eh no, no, neppur questo: neanche de la folla egli poteva più far parte: egli non doveva esserci, ecco; e non c'era, di fatti: chiuso, nascosto lì in un palchetto che tutti dovevano creder vuoto, l'unico vuoto, perché c'era uno che non doveva esserci... Che tentazione, intanto, di correre al palcoscenico, farsi largo, da padrone, riprendere il suo posto, la bacchetta del comando! Un furore eroico lo sollevava, di far cose inaudite, non mai vedute, per cangiar di punto in bianco le sorti di quella serata, sotto gli occhi attoniti di tutto il pubblico; dimostrare che c'era lui, adesso, lui, l'autore del trionfo della *Nuova colonia*...

Ecco, squillavano i campanelli per il secondo atto. Ricominciava la battaglia. Oh Dio, come avrebbe fatto ad assistervi, così stremato di forze?

Il pubblico rientrava nella sala agitato, turbolento. Se la prima scena del secondo atto, tra il padre e la figlia, non piaceva, il lavoro sarebbe caduto irreparabilmente.

Si alzò la tela.

La scena rappresentava lo studio di *Leonardo Arciani*. Era giorno, e il lume rimasto acceso tutta la notte, ardeva ancora su la scrivania. *Guglielmo Groa* dormiva, sdrajato su una poltrona, con un giornale su la faccia. Entrava *Ersilia*, spegneva il lume, svegliava il padre e gli annunziava che il marito non era rincasato; alle domande aspre e recise di quello, come martellate su la roccia, si rompeva la durezza di *Ersilia*, e la sua passione chiusa cominciava a fluire; ella parlava con languida calma accorata e difendeva il marito, il quale, posto tra lei e la figlia, se n'era andato da questa: «*Dove sono i figli è la casa!*».

Giustino, preso, affascinato anche lui dalla profonda bellezza di quella scena rappresentata con arte mirabile dalla Fresi, non avvertiva che il pubblico, s'era fatto, ora, attentissimo. Quando, alla fine, scoppiò un applauso caldo, lungo, unanime, sentì tutto il sangue d'un tratto piombargli al cuore e d'un tratto rimontargli alla testa. La battaglia era vinta; ma lui, lui si vide perduto; se Silvia a quegli applausi insistenti si presentava a ringraziare il pubblico, non la avrebbe veduta: gli era calato come un velo davanti agli occhi. No, no, per fortuna! La rappresentazione seguitava. Egli però non poté più prestare attenzione. L'ansia, l'angoscia, la smania gli crebbero di punto in punto, progredendo l'atto, approssimandosi alla fine, alla scena stupenda tra il marito e la moglie, allorché *Ersilia*, perdonando a *Leonardo*, lo allontana da sé: «*Tu non puoi più rimanere qua, ora. Due case, no, io qua e tua figlia là, no. Non è più possibile, vattene! So quello che tu desideri*». Ah, come lo diceva la Fresi! Ecco, *Leonardo* andava via; ella rompeva in un pianto di gioja, e calava la tela tra applausi fragorosi.

– L'autrice! l'autrice!

Giustino con le braccia strette, incrociate sul petto e le mani aggrappate agli omeri, quasi a impedire che il cuore gli balzasse fuori, aspettò mugolando che Silvia comparisse alla ribalta. Lo spasimo dell'attesa gli rendeva quasi feroce il viso.

Eccola! No. Erano gli attori. Gli applausi seguitavano scroscianti.

– L'autrice! Fuori l'autrice!

Eccola! Eccola! Quella? Sì, eccola là tra i due attori. Ma si distingueva appena, così dall'alto: la distanza era troppa e troppo la commozione gl'intorbidava la vista! Ma ecco, la chiamavano ancora una volta fuori; eccola, eccola di nuovo; i due attori si traevano indietro e la lasciavano sola alla ribalta, là, esposta, a lungo, a lungo, alla dimostrazione solenne del pubblico acclamante in piedi. Questa volta Giustino la poté scorgere bene: stava diritta, pallida, e non sorrideva; inchinava appena il capo, lentamente, con una dignità non fredda, ma piena d'una invincibile tristezza.

Non pensò più a nascondersi, Giustino, appena ella si ritrasse dalla ribalta, scappò fuori del palchetto come un forsennato; si precipitò giù per le scale, incontro alla folla che usciva dalla sala e ingombrava i corridoi; si fece largo con gesti furiosi, tra lo stupore di quanti si videro strappati indietro; udì grida e risa alle sue spalle; trovò l'uscita del teatro, e via, via quasi di corsa, con una sola sensazione in sé nella tenebra vorticosa che gli occupava il cervello, tutta trafitta da sprazzi di luce; quella d'un fuoco che gli divorasse le viscere e gli désse alla gola un'arsura atroce.

Come un cane battuto, si cacciò dalla piazza nella prima via che gli s'aprì davanti, lunga, diritta, deserta; e prese ad andare senza saper dove, con gli occhi chiusi, grattandosi con ambo le mani i capelli su le tempie e dicendosi senza voce entro la bocca arida, come di sughero:

– È finita... è finita... è finita.

Questo, dalla vista di lei, gli era penetrato, gli s'era imposto come una convinzione assoluta: che tutto per lui era finito, perché quella non era più Silvia, no, no, quella non era più Silvia; era un'altra, a cui egli non poteva più accostarsi, lontana, irraggiungibilmente lontana, sopra di lui, sopra di tutti, per quella tristezza ond'era tutta avvolta, isolata, inalzata, così diritta e austera, com'era uscita dalla tempesta attraversata; un'altra, per cui egli non aveva più alcuna ragione d'esistere.

Dove andava? Dove s'era cacciato? Guardò smarrito le case tacite, buje; guardò i fanali veglianti tristi nel silenzio; si fermò; fu per cascare; s'appoggiò al muro, con gli occhi a uno di quei fanali; osservò come un insensato la fiamma immota, poi, sotto, il cerchio di luce sul marciapiede; allungò lo sguardo nella via; ma perché cercare di raccapezzarsi, se tutto era finito? Dove doveva andare? a casa? e perché? doveva seguitare a vivere, è vero? e perché? Lì, nel vuoto, in ozio, a Cargiore, per anni e anni e anni... Che gli restava più, che potesse dare un qualche senso, un qualche valore alla sua vita? Nessun affetto, che non rappresentasse ormai un dovere insopportabile: quello

per il figlio, quello per la madre. Egli non ne sentiva più bisogno, di questi affetti; ne sentivano il bisogno gli altri, il figlio, la madre; ma che poteva più
fare per loro? Vivere, è vero? Vivere per non far morire di dolore la sua vecchia mamma... Quanto al figlio, se egli fosse morto e morta la nonna, restava
la madre, e sarebbe stato meglio per lui e meglio anche per lei. Col bambino
accanto, ella avrebbe dovuto per forza pensare a lui, al padre, a quello ch'era
stato suo marito, e così egli avrebbe seguitato a esistere per lei, col figlio, nel
figlio.

Ah, come ridursi a piedi, così sfinito, da Giaveno a Cargiore? Certo sua
madre stava ad aspettarlo, chi sa fra quali tristi pensieri per quella sua scomparsa... Era stato come pazzo tutti quei giorni, da che aveva saputo che Silvia
sarebbe venuta a Torino. Lo aveva saputo anche la madre per mezzo del Prever, a cui forse qualcuno lo aveva detto in paese, il dottor Lais probabilmente,
che aveva letto la notizia nei giornali. E gli era entrata in camera, la madre, a
scongiurarlo di non scendere più in città in quei giorni. Ah, poverina! poverina! che spettacolo le aveva dato! S'era messo a gridare, proprio come un
pazzo, che voleva essere lasciato stare, che non aveva bisogno della tutela
d'alcuno, che non voleva essere soffocato da tutte quelle premure e paure, né
accoppato da tutti quei consigli. E per tre giorni non era più sceso neanche a
desinare e a cenare, tappato in camera, senza voler vedere nessuno né sentir
nulla.

Basta, ora. La aveva riveduta, s'era tolta ogni speranza; che più gli restava
da fare? Ritornare al suo figliuolo, alla sua mamma, e basta... basta per sempre!

S'avviò, si raccapezzò, si diresse alla stazione della tramvia a vapore che doveva condurlo a Giaveno; vi giunse appena in tempo per l'ultima corsa.

Sceso a Giaveno circa a mezzanotte, si mise in via per Cargiore. Tutto era silenzio, sotto la luna, nella fresca dolcissima notte di maggio. Provò, più che
sgomento della solitudine attonita e quasi stupefatta nel blando chiaror lunare,
una guardinga ambascia della misteriosa affascinante bellezza della notte tutta
pezzata d'ombre di luna e sonora di trilli argentini. A tratti, certi segreti mormorii d'acque e di frondi gli rendevano più cupa e più vigile l'ambascia. Gli
pareva che quei mormorii non volessero essere uditi né udire il suono dei suoi
passi; ed egli camminava più lieve. All'improvviso, dietro un cancello, un
cane gli abbajò ferocemente e lo fece sobbalzare e tremare e gelar di spavento.
Subito, tant'altri cani presero ad abbajare da presso, da lontano, protestando
contro quel suo passare a quell'ora. Cessato il tremito, avvertì maggiormente
l'estrema stanchezza che gli aggravava le membra; pensò a che doveva quella
stanchezza; pensò alla via interminabile che aveva davanti, e subito gli s'o-
scurò la bellezza della notte, gli svanì il fascino di essa, e si sprofondò nel
vuoto tenebroso del suo dolore. Andò, andò per più di un'ora, senza voler so-
stare un momento a riprender fiato; alla fine non ne poté più e sedette sul ciglio del viale: proprio cascava a pezzi; non aveva neanche più forza di reggere
il capo. Gli si fece distinto, a poco a poco, il fragorio profondo del Sangone
giù nella valle, poi anche il fruscio delle foglie nuove dei castagni e la frescura densa della vallata boscosa, in fine il riso d'un rivoletto di là; e risentì
l'arsura della bocca. Si lagnò per far pietà a sé stesso, al suo animo cupo e in-
crudelito; si vide così solo, per via, nella notte, e così stanco e disperato, e
provò un cocente bisogno di conforto. Si rialzò per giunger più presto a colei
che sola ormai poteva darglielo. Ma dovette andare per un'altra ora buona,
prima di scorgere la cuspide ottagonale della chiesa, appuntata come un dito
minaccioso al cielo. Quando vi giunse e volse gli occhi alla sua casa, vi vide
con stupore accesi i lumi a tre finestre. Uno, sì, se lo aspettava; ma tanti perché?

Al bujo, seduto su lo scalino innanzi alla porta, trovò il Prever che piangeva dirottamente.

– La mamma? – gli gridò.

Il Prever si levò e con la testa bassa gli tese le braccia:

– Rino... Rino... – gemette, tra i singhiozzi, entro il barbone abbatuffolato.

– Rino?... Ma come?... Che ha?

E, sciogliendosi con rabbia dalle braccia del vecchio, Giustino corse su alla camera del bimbo gridando ancora:

– Che ha? che ha?

Restò, su la soglia, davanti allo scompiglio della camera.

Il bimbo era stato tratto or ora da un bagno freddo, e la nonna lo teneva su le ginocchia, avvolto nel lenzuolo. C'era il dottor Lais. Graziella e la bàlia piangevano. Il bimbo non piangeva; tremava tutto, con la testina ricciuta inzuppata d'acqua, gli occhi serrati, il visino avvampato, quasi paonazzo, già gonfio.

La madre alzò appena gli occhi, e Giustino si sentì trafiggere da quello sguardo.

– Che ha? che ha? – chiese con voce tremante al dottore. – Che è accaduto? Così... d'un colpo?

– Eh, da due giorni... – fece il dottore.

– Due giorni?

La madre tornò a sogguatarlo.

– Io non so... non so nulla... – balbettò allora Giustino al medico, come a scusarsi. – Ma come? Che ha, dottore? Mi dica! Che è stato? che è stato?

Il Lais lo prese per un braccio, gli fece un cenno col capo, e se lo portò nella stanza accanto.

– Lei viene da Torino, è vero? È stato a teatro?

– Sì, – bisbigliò Giustino, guardandolo, intronato.

– Ebbene, – riprese il Lais, esitante. – Se la madre è qua...

– Che cosa?

– Penso che... sarà bene, forse, avvertirla...

– Ma dunque, – gridò Giustino, – dunque Rino... il mio bimbo...

Gli risposero tre scoppi di pianto dalla stanza attigua, e un quarto alle spalle, del Prever ch'era risalito. Giustino si volse, si abbandonò tra le braccia del vecchio e ruppe in pianto anche lui.

Il Lais rientrò nella stanza del bimbo, che, riposto sul letto, pure sprofondato nel letargo, pareva désse gli ultimi tratti. Già scottava di nuovo. Sopravvenne Giustino, invano trattenuto dal Prever.

– Voglio sapere che ha! voglio sapere che ha! – gridò al dottore, in preda a una rabbia feroce.

Il Lais se ne irritò, e gli gridò a sua volta:

– Che ha? Una perniciosa!

E il tono e il cipiglio dicevano: «Lei se ne viene dal teatro, e ha il coraggio di domandare a me a codesto modo che cos'ha il suo figliuolo!».

– Ma come! In tre giorni?

– In tre giorni, sicuro! Che meraviglia? È ben per questo una perniciosa!... S'è fatto di tutto... ho tentato...

– Rino mio... Rino mio... Oh Dio, dottore... Rirì mio!

E Giustino si buttò in ginocchio accanto al lettuccio, a toccare con la fronte la manina bruciante del bimbo, e tra i singhiozzi pensò che non aveva dato mai, mai tutto il suo cuore a quell'esseruccio che se n'andava, ch'era vissuto circa due anni quasi fuori dell'anima sua, fuori di quella de la madre, povero bimbo, e aveva trovato rifugio soltanto nell'amor della nonna... Ed egli poc'anzi aveva pensato di darlo alla madre! Ma non se lo meritava neanche lei, come non se lo meritava lui! Ed ecco, perciò il bimbo se ne andava... Non se lo meritavano nessuno dei due.

Il dottor Lais lo fece alzare da terra e con dolce violenza se lo portò di nuovo nella camera accanto.

– Ritornerò appena sarà giorno, – gli disse qua. – Se vuole fare il telegramma alla madre... Mi sembra giusto... Posso, se vuole, incaricarmi io di passarlo, prima di ritornare. Ecco, scriva qua.

E gli porse un biglietto del suo taccuino e la penna. Egli vi scrisse: «*Vieni subito. Tuo figlio muore. Giustino*».

4.

Tutta la cameretta era piena di fiori; pieno di fiori il lettuccio su cui giaceva il cadaverino sotto un velo azzurro; quattro ceri ardevano agli angoli, quasi a stento, come se le fiammelle penassero a respirare in quell'aria troppo gravata di profumi. Anche il morticino ne pareva oppresso: cereo, coi globi degli occhietti induriti sotto le pàlpebre livide.

Tutti quei fiori insieme non facevano più odore: avevano ammorbato l'aria chiusa di quella cameretta; stordivano e nauseavano. E il bimbo sotto il velo azzurro, irremovibilmente abbandonato a quel profumo ammorbante, sprofondato in esso, prigioniero di esso, ecco, non poteva esser più guardato se non da lontano, al lume di quei quattro ceri, il cui giallor caldo rendeva quasi visibile e impenetrabile il graveolente ristagno di tutti quegli odori.

Soltanto Graziella stava presso l'uscio a mirare con occhi disfatti dal pianto il cadaverino, allorché, verso le undici, come in un vento improvviso su per la scala, tra gemiti e fruscii d'abiti e singhiozzi rinnovati giù a pianterreno, Silvia, sorretta dal dottor Lais, fece per irrompere nella cameretta e subito s'arrestò poco oltre la soglia, levando le mani, come a ripararsi da quello spettacolo, e aprendo la bocca a un grido, a un altro, a un altro, che non poterono romperle dalla gola. Il dottor Lais se la sentì mancare tra le braccia; gridò:

– Una sedia!

Graziella la porse; entrambi, sorreggendola, la fecero sedere, e subito il Lais balzò alla finestra, esclamando:

– Ma, dico, come si fa a star così? Qua dentro non si respira! Aria, aria!

E ritornò sollecito a Silvia, la quale ora, seduta, con le mani sul volto, il capo piegato come sotto una condanna, che oltre al peso del cordoglio avesse quello del rimorso e della vergogna, piangeva scossa da violenti singulti. Pianse così un pezzo; poi levò il capo, sorreggendoselo con le mani allargate di qua e di là dagli occhi, e guardò il lettuccio; si alzò, vi s'accostò, dicendo al dottore che voleva impedirglielo:

– No... no... mi lasci... me lo lasci vedere...

E dapprima lo mirò attraverso il velo, poi senza il velo, soffocando i singhiozzi, rattenendo il respiro per provare in sé la morte del figlio, che non riconosceva più; e come non poté regger più oltre a quell'arresto di vita in sé, si chinò a baciare la fronte del cadaverino e vi gemette sopra:

– Ah, come sei freddo... come sei freddo...

E dentro sé piangeva: «Perché il mio amore non ha potuto riscaldarti...».

– Freddo... freddo...

E gli carezzò sul capo, lievemente, i riccioletti biondi.

Il dottor Lais la costrinse a staccarsi dal lettuccio. Ella guardò Graziella che piangeva, ma le scorse dietro le lagrime per il bimbo uno sguardo ostile per lei; non ne provò sdegno, anzi amò l'odio di quella vecchia ch'era un atto d'amore per il suo bimbo, e si rivolse al dottore:

– Com'è stato? com'è stato?

Il Lais la condusse nella stanza attigua, in quella stessa ov'ella aveva dormito nei mesi del suo soggiorno là. Il pianto, allora, che nella cameretta del bimbo le era venuto agli occhi se non propriamente sforzato, quasi strappato dalla violenza di quella vista, qua le sgorgò spontaneo e impetuoso: qua si sentì lacerare il cuore dai ricordi vivi della sua creaturina, qua si risentì madre veramente, col cuore d'allora, quando la bàlia ogni mattina le recava a letto il piccino roseo ignudo levato or ora dal bagno, ed ella, stringendoselo al seno, pensava che presto le sarebbe toccato di separarsi da lui...

Intanto il Lais le parlava della malattia improvvisa, di quanto aveva fatto per salvarlo, e le raccontava che anche per il padre quella sciagura era stata uno schianto inatteso, perché la sera avanti egli era a teatro ad assistere al dramma di lei, senza sapere che il bambino fosse così gravemente malato.

Silvia levò il capo, percorsa da un brivido, a questa notizia:

– Iersera? a teatro? Ma come non sapeva?...

– Eh, signora, – rispose il Lais. – Con la notizia che lei sarebbe venuta a Torino...

E con la mano fece un gesto che significava: parve si levasse di cervello.

– La madre non gliene disse nulla, vedendolo così, – aggiunse. – Non suppose veramente che si trattasse d'un caso così grave... Fa pietà, creda, fa pietà! Appena arrivato jeri notte, verso le due, a piedi da Giaveno, trovò qua il bimbo moribondo. Sono stato io a suggerirgli di avvisar lei per telegramma, anzi l'ho passato io stesso il telegramma, quando già il bimbo purtroppo... È spirato verso le sei... Sente? sente?

Su per la scaletta, all'improvviso, sonarono i singhiozzi di Giustino tra uno scalpiccìo confuso e le grida di altri che forse cercavano di trattenerlo.

Silvia balzò in piedi, sconvolta, e si ritrasse in un angolo, come se volesse nascondersi.

Sorretto da don Buti, dal Prever e dalla madre, Giustino apparve su la soglia come smemorato, scomposto negli abiti, nei capelli, il volto bagnato di lagrime; guardò truce il dottor Lais, disse:

– Dov'è?

Appena la vide, il ventre, il petto gli si misero a sussultare e le gambe e il mento a tremar d'un lieve e fitto tremito crescente, finché il pianto, scomponendogli a mano a mano i tratti del viso, non gli gorgogliò in gola convulso; ma come il Prever e don Buti cercarono di trarlo via, si strappò da loro ferocemente:

– No, qua! – gridò.

E stette un istante così, sciolto, perplesso; poi, arrangolando, si precipitò su Silvia e l'abbracciò furiosamente.

Silvia non mosse un braccio; s'interì per resistere allo strazio che quell'impeto disperato le cagionava, serrò gli occhi per pietà, poi li riaprì per rassicurar la madre che non temesse di lei, che – ecco – non abbracciava, si lasciava abbracciare per pietà, e quella pietà avrebbe saputo contenere.

– Hai veduto? hai veduto? – le singhiozzava intanto Giustino sul seno, stringendola sempre più. – Se n'è andato,... Rirì se n'è andato, perché noi non c'eravamo... tu non c'eri... e neanche io c'ero più... e allora il povero piccino ha detto: «E che ci faccio più io qua?» e se n'è andato... Se ti vedesse qua ora... Vieni! vieni! Se ti vedesse qua...

E la trascinò per mano alla camera del bimbo, come se la venuta di lei e la gioja ch'egli ne provava potessero fare il miracolo di richiamare in vita il bambino.

– Rirì!... Ah, Rirì... ah, Rirì mio...

E cadde di nuovo in ginocchio innanzi al letto, affondando la faccia tra i fiori.

Silvia si sentì venir meno; il dottor Lais accorse, la sorresse, la riportò nella camera attigua. Anche Giustino fu strappato dal lettuccio da don Buti e dal Prever e ricondotto giù a pianterreno.

– Silvia! Silvia! – seguitava a chiamare, subendo la violenza di quei due senza più coraggio di ribellarsi ora che aveva riveduto morto il suo bambino.

Al suono del suo nome che s'allontanava, Silvia si sentì come chiamata dal fondo della vita trascorsa lì un anno addietro: era tra la letizia d'allora il presentimento oscuro di questa sciagura; e qual presentimento ora la chiamava così tra il pianto: – Sil*via!... Silvia!...* – da lontano. Ah, se avesse potuto sentire allora il suo nome gridato così, ella avrebbe trovato la forza di resistere a ogni tentazione; sarebbe rimasta lì col suo piccino, in quel nido di pace tra i monti, e il suo piccino non sarebbe morto, e nessuna delle cose orrende che erano avvenute, sarebbe avvenuta. Quella più orrenda fra tutte... ah, quella! Ancora, tra vampe di soffocanti immaginazioni, ella si sentiva bruciar le carni dalla vergogna d'un unico amplesso, tentato quasi a freddo, per un'orrida necessità ineluttabile, là a Ostia, e rimasto disperatamente incompiuto; si sentiva da esso insozzata per sempre, più che se si fosse resa colpevole mille e mille volte con tutti quei giovani che la voce pubblica le aveva affibbiati e le affibbiava ancora per amanti. La memoria viscida di quell'unico amplesso mancato le aveva incusso una nausea invincibile, un'abominazione, nella quale si sarebbe ormai sempre affogato ogni desiderio d'amore. Era sicura che Giustino, se ella avesse voluto, si sarebbe strappato dalle braccia della madre, da ogni ritegno d'amor proprio, per ritornare a lei. Ma no: ella non voleva; per lui e per sé non doveva! Ora anche l'ultimo vincolo tra loro era stato spezzato dalla morte; e invano egli laggiù si dibatteva tra le braccia che volevano trattenerlo. Il dottor Lais era stato chiamato in ajuto. Di là giaceva tra i fiori il suo bambino morto. Saliva gente a vederlo: donne del paese, vecchi, ragazzi, e recavano tutti altri fiori, altri fiori...

Poco dopo il dottor Lais, tutto accaldato e sbuffante, risalì da lei con un foglio di carta in mano, la bozza d'un telegramma, che il marito giù, gridando e dibattendosi, aveva voluto scrivere per forza. E voleva che lui, il dottor Lais, andasse subito a passarlo, dopo averlo fatto vedere a lei.

– Un telegramma? – domandò Silvia, stordita.

– Già, eccolo.

E il Lais glielo porse.

Era un telegramma alla Compagnia Fresi. Parecchie parole erano rese quasi illeggibili dalle lagrime che vi erano cadute sopra. Vi si annunziava la morte del bambino, chiedendo che fossero sospese le repliche del dramma; previo annunzio al pubblico del grave lutto dell'autrice. Era firmato *Boggiolo.*

Silvia lo lesse e restò, sotto gli occhi del dottore in attesa, assorta stupita e perplessa.

– Si deve passare?

Ecco: dopo l'abbraccio, egli si sentiva già ridiventato suo marito.

– Così, no, – rispose al dottore. – Levi l'annunzio al pubblico e, se vuole incomodarsi, lo passi pure, ma sotto il mio nome, prego...

Il dottor Lais s'inchinò.

– Comprendo bene, – disse. – Non dubiti, sarà fatto.

E andò via.

Ma dopo circa mezz'ora, ecco Giustino su di nuovo, con un'aria da folle, insieme con un giornalista, con quello stesso giovine giornalista venuto da Torino un anno addietro alla scoperta dell'autrice, della *Nuova colonia.*

– Eccola qua! eccola qua! – disse, facendolo entrare nella camera; e, rivolto a Silvia: – Tu lo conosci, è vero?

Il giovine, mortificato da quell'ansia scomposta, quasi ilare, del Boggiolo, che avventava in mezzo al luttuoso momento, benché il pover'uomo mostrasse pure il volto bruciato dalle lagrime, s'inchinò e stese la mano a Silvia, dicendo:

– Mi duole, signora, di ritrovarla qui in un animo così diverso dalla prima volta. Ho saputo in teatro, ch'ella era corsa qui... Non m'aspettavo, che già...

Giustino lo interruppe, afferrandolo per un braccio:

– Mentre jersera giù a Torino si rappresentava il dramma, – prese a dirgli con un gran tremore nella voce e nelle mani, ma pur con gli occhi fissi in quelli di lui, come se volesse fargli la lezione, – qua il bambino moriva, e non lo sapevamo né io né lei, capisce? E lei, – seguitò, additando Silvia, – lei qua, la prima volta, sa perché ci venne? Per la nascita del nostro bimbo! E sa quando nacque il nostro bimbo? La sera stessa del trionfo della *Nuova colonia*, proprio la stessa sera, per cui lo chiamammo Vittorio, Vittorino... Ora è ritornata qua per la sua morte! E quando avviene questa morte? Proprio mentre a Torino si rappresenta il nuovo dramma! Veda un po'! veda un po' la fatalità... Nasce e muore così... Venga, venga qua, glielo faccio vedere...

Così ripreso dalla foga della sua professione, in quello stato, faceva quasi spavento. Il giovine giornalista lo guatava, sbalordito.

– Eccolo! eccolo qua, il nostro angioletto! Vede com'è bello tra tanti fiori? Queste sono le tragedie della vita, caro signore, le tragedie che afferrano... Non c'è mica bisogno di andarle a cercar sempre nelle isole lontane, tra gente selvaggia, le tragedie della vita! Lo dico per il pubblico, sa? che certe cose non le vuol capire... Loro, loro giornalisti dovrebbero spiegarlo bene al pubblico, che se oggi una scrittrice si può cavare una tragedia... così, dalla testa, una tragedia selvaggia, che per la novità piace subito a tutti, domani lei stessa, la scrittrice, può essere afferrata da una di queste tragedie qua, della vita, che stritolano un povero bambino, il cuore d'un padre e d'una madre, capisce? Questo, questo dovrebbero loro spiegare al pubblico, che resta freddo davanti alla tragedia d'un padre che ha una figlia fuori di casa, d'una moglie che sa di non poter riavere il marito se non a patto di prendersi con sé la figlia di lui, e va là, va dall'amante del marito a farsela dare! Queste sono tragedie... le tragedie... le tragedie della vita, caro signore... Questa povera donna qua, creda, non può far nulla... non... non le sa far valere, le cose sue... Io, io ci voglio, io che so bene queste cose... ma la testa in questo momento mi... mi fa male assai, creda... mi fa male assai... Troppe emozioni... troppe, troppe... e ho bisogno di dormire... È la stanchezza, sa? che mi fa parlare così... Bisogna proprio che vada a dormire... non mi reggo più... non mi reggo più...

E se n'andò, curvo, con la testa presa tra le mani, ripetendo: – Non mi reggo più... non mi reggo più...

– Oh poverino! – sospirò il giornalista, rientrando con Silvia nell'altra camera. – In che stato si trova!...

– Per carità, – s'affrettò a pregar Silvia, – non dica, non riferisca nulla nel giornale...

– Signora mia! che crede? – la interruppe quello, parando le mani.

– È un doppio strazio per me! – riprese Silvia quasi soffocata. – È stato come un fulmine! E ora... quest'altro strazio...

– Fa veramente pietà!

– Sì, e proprio per la pietà che ne sento, io voglio andarmene, voglio andarmene...

– Se vuole, signora, ho qui con me...

– No, no: domani, domani. Finché il mio bimbo è qua, starò qua. Qua è sepolto anche mio zio. E mi faceva tanto male il pensiero che quel mio caro vecchio fosse qua, in una tomba non sua. I morti, capisco, non sono tra loro né amici né nemici. Ma io lo pensavo tra morti non amici. Ora avrà con sé il nipotino e non sarà più solo nella tomba straniera. Gli darò domani il mio piccino e, appena sarà finito tutto, me ne scenderò...

– Vuole che venga io domani a rilevarla? Sarebbe per me una fortuna.

– Grazie, – disse Silvia. – Ma io non so ancor quando...

– M'informerò, non dubiti. A domani!

E il giovine giornalista andò via, tutto contento. Silvia chiuse gli occhi, con le labbra atteggiate più d'amarezza che di sdegno, e scosse un pezzo il capo. Poco dopo, Graziella le recò con gli occhi bassi, un ristoro; ma ella non volle neppur accostarvi le labbra. Sul tardi, le toccò il supplizio d'una visita: quella della moglie del dottore, più che mai cascante di vezzi. Ma per fortuna, nella stanchezza e nello stordimento, mentre colei cercava di confortarla scioccamente, poté trovare una nuova sorgiva di pianto, volgendo gli occhi a un angolo della camera.

Sul cassettone, come in colloquio tra loro, erano i giocattoli di Rirì: un cavalluccio di cartapesta, fissato su una tavoletta a quattro ruote, una trombettina di latta, una barchetta, un pagliaccetto coi cembali a scatto. Il cavalluccio, con la coda spelata, un orecchio ammaccato e una rotellina mancante, era il più malinconico di tutti. La barchetta con le vele stese gli voltava la poppa e pareva lontana lontana, una grande barca in un mare lontano lontano, di sogno; e andava così a vele stese in quel mare di sogno con l'animuccia di Rirì meravigliata e smarrita... Ma che! no! il pagliaccetto, ridendo, le diceva che non era vero, che il piano del cassettone non era mica il mare, e che l'animuccia di Rirì non navigava più su lei.

Li aveva lasciati, Rirì, per fare una cosa seria seria, una cosa che pareva inverosimile per un bimbo: morire! Il cavalluccio, benché zoppo e spelato, com'era sorte di tutti i giocattoli, pareva tentennasse il capo, quasi non se ne sapesse capacitare. Se la trombetta si fosse provata a richiamarlo da quel sonno in mezzo a tutti quei fiori di là!... Ma anch'essa la trombetta era rotta, non sonava più... Anche la bocca di Rirì non parlava più... non si movevano più le manine... gli occhi non si riaprivano più... giocattolino rotto anche lui, Rirì!

Che avevano veduto quegli occhiuzzi di due anni aperti allo spettacolo di un mondo così grande? Chi serba memoria delle cose vedute con occhi di due anni? Ed ecco, quegli occhiuzzi che guardavano senza serbar memoria delle cose vedute, s'erano chiusi per sempre. Fuori c'erano tante cose da vedere: i prati, i monti, il cielo, la chiesa; Rirì se n'era andato da quel mondo grande che non era stato mai suo, se non in quel piccolo cavalluccio di cartapesta, che sentiva di colla, in quella barchetta con le vele stese, in quella trombetta di latta, in quel pagliaccetto che rideva e batteva i cembali a scatto. E non aveva conosciuto il cuore della sua mamma. Rirì...

Venne la sera; la moglie del dottore se ne andò; ella restò sola, nel silenzio enorme di tutta la casa.

S'affacciò alla cameretta mortuaria. C'erano Graziella e la bàlia: quella pisolava su la seggiola, l'altra recitava il rosario. Silvia ebbe all'improvviso la tentazione di mandar via a dormire l'una e l'altra, di restar sola lì col suo bimbo, serrar bene la finestra e l'uscio, stendersi accanto al suo piccino, lasciarsi prendere tutta dal suo gelo di morte e uccidere da tutti quei fiori. Con lo stordimento del loro profumo, che le aveva reso come di piombo la testa, si era a un tratto sentita vincere da una disperata stanchezza di tutte le cose della vita, nel tetro silenzio di quella casa schiacciata dall'incubo della morte. Affacciandosi però alla finestra, ebbe la strana impressione che la sua anima in tutto quel tempo fosse rimasta fuori, là, e che lei la ritrovasse ora con uno stupore e un refrigerio infinito. Era quella stessa anima che aveva mirato lassù lo spettacolo di un'altra notte di luna simile a questa. Ma c'era nella dolcezza del refrigerio, ora, un accoramento più intenso, un più urgente bisogno di sciogliersi da tutto, e nello stupore un più anelante risveglio a nuove aure, ad aure più vaste, di sogni eterni. Guardò in cielo la luna che pendeva su una di quelle grandi montagne, e nel placido purissimo lume che allargava il cielo, mirò, bevve le poche stelle che vi sgorgavano come polle di più vivida luce; abbassò gli occhi alla terra e rivide le montagne in fondo con le azzurre fronti levate a respirare nel lume, rivide gli alberi attoniti, i prati sonori d'acqua sotto il limpido silenzio della luna; e tutto le parve irreale, e che in quella ir-realtà la sua anima si soffondesse divenuta albore e silenzio e rugiada.

Ma, ecco, come una tenebra enorme le assommava a mano a mano dal fondo dello spirito, di fronte a quella limpida irrealità di sogno: il sentimento oscuro e profondo della vita, composto da tante impressioni inesprimibili, sbuffi e vortici e accavallamenti nella tenebra di più dense tenebre. Fuori di tutte le cose che davan senso alla vita degli uomini, c'era nella vita delle cose un altro senso che l'uomo non poteva intendere: lo dicevan quegli astri col loro lume, quelle erbe coi loro odori, quelle acque col loro murmure: un arcano senso che sbigottiva. Bisognava andar oltre a tutte le cose che davan senso alla vita degli uomini, per penetrare in questo arcano senso della vita delle cose. Oltre alle meschine necessità che gli uomini si creavano, ecco altre cupe giganteshe necessità profilarsi entro il fluir fascinoso del tempo, come quelle grandi montagne là, entro l'incanto della verde silentissima alba lunare. In esse ella doveva d'ora innanzi affisarsi, infrontar con esse gli occhi inflessibili della mente, dar voce a tutte le cose inespresse del suo spirito, a quelle che sempre finora le avevano incusso sgomento, e lasciar la fatuità dei miseri casi dell'e-sistenza quotidiana, la fatuità degli uomini che, senz'accorgersene, vàgolano immersi nel vortice immenso della vita.

Tutta la notte stette lì affacciata alla finestra, finché l'alba frigida non venne a poco a poco a scomporre e a irrigidire gli aspetti prima vaporosi di sogno. E a questo frigido irrigidirsi delle cose toccate dalla luce del giorno, anch'ella sentì la divina fluidità del proprio essere quasi rapprendersi, e avvertì l'urto della realtà cruda, la terribilità bruta e dura della materia, la possente, avida, distruttrice ferocia della natura sotto l'occhio implacabile del sole che sorgeva. Questa terribilità e questa ferocia si riprendevano ora il suo povero bimbo, a rifarlo terra sottoterra.

Ecco, portavano la cassa. La campana della chiesa squillò a gloria nella luce del nuovo giorno.

Per un morticino che aspetta sul letto il tempo d'esser sepolto, quant'è lungo un giorno? quant'è lungo il ritorno della luce non più veduta fin dal giorno avanti? Questa lo ritrova già più lontano nelle tenebre della morte, già più lontano nel dolore dei superstiti. Per poco ora il dolore si ravvicinerà e urlerà allo spettacolo orrendo della chiusura del cadaverino nella cassa già pronta; poi, subito dopo il seppellimento, tornerà ad allontanarsi, a rifarsi in fretta di quel breve riavvicinamento crudele, finché non scomparirà a poco a poco nel tempo, dove di tratto in tratto soltanto la memoria, volando s'affannerà di rag-giungerlo e lo scorgerà in fondo in fondo, e si ritrarrà oppressa e stanca, ri-chiamata da un sospiro di rassegnazione...

Che cosa lesse Giustino, il quale aveva dormito fin'allora d'un sonno di piombo, nel volto di Silvia, in cui pareva si fosse illividito il pallore della luna mirato dalla finestra tutta la notte? Egli restò come sbigottito di fronte a lei; ebbe di nuovo nel ventre, nel petto un sussulto tremendo di pianto, ma non ardì più l'abbraccio della prima volta; si buttò invece a terra sul cadaverino del bimbo già composto nella bara, coperto di fiori. Fu tratto via dal Prever; la Graziella e la bàlia trassero via la nonna. Nessuno si curò di lei, che volle avere il cuore d'assistere a tutto sino alla fine, dopo aver baciato la morte su la piccola, dura e gelida fronte del bimbo. Quando già il coperchio della cassa era saldato, sopravvenne il giovine giornalista, ed ella si commosse un poco alle premure che costui le usò; ma non volle allontanarsi.

– Ormai... ormai è fatto, – gli disse. – Grazie, lasciatemi! Ormai ho visto tutto... Non si vede più nulla... Una cassa e l'amor mio di madre, là...

Un émpito di pianto le balzò alla gola, le sgorgò dagli occhi. Lo represse, quasi rabbiosamente, col fazzoletto.

Appena Giustino, sorretto dal Prever, a pie' della casa, in mezzo alla gente accorsa per l'accompagnamento funebre, vide scendere dietro la piccola bara il giovine giornalista accanto a Silvia, comprese che questa, dopo il seppellimento, non sarebbe più ritornata a casa. Disse allora al Prever e alla gente che gli faceva ressa attorno:

– Aspettate, aspettate...

E corse su, in casa. La morte per lui non era tanto in quella piccola bara, quanto nell'aspetto di Silvia, nella definitiva partenza di lei. Quel ch'era morto di lui nel suo bimbo era ben poco a confronto di quel che di lui moriva con l'allontanamento della moglie. I due dolori erano per lui un dolore solo, inseparabile. Deponendo il bimbo nella tomba, egli doveva deporre insieme un'altra cosa, nelle mani di lei: gli ultimi resti della sua vita, ecco.

Fu visto poco dopo ridiscendere con un fascio di carte sotto il braccio. Con esse, appoggiato al Prever, seguì il mortorio fino alla chiesa, fino al cimitero. Quando il mortorio si sciolse, si strappò dal braccio del Prever e si accostò vacillante a Silvia che si disponeva a montare su l'automobile del giornalista.

– Ecco, – le disse, porgendole le carte, – tieni... Ormai io... che... che me ne faccio più? A te possono servire... Sono... sono recapiti di traduttori... note mie... appunti, calcoli... contratti... lettere... Ti potranno servire per... per non farti ingannare... Chi sa... chi sa come ti rubano... Tieni... e... addio! addio! addio!...

E si buttò singhiozzando tra le braccia del Prever che s'era avvicinato.

I VECCHI E I GIOVANI

Ai miei figli
giovani oggi vecchi domani

Invito alla lettura

Pubblicato a puntate su La rassegna contemporanea *(1909)* «I vecchi e i gio-vani» uscì nel 1913 in due volumi, in edizione corretta e rimaneggiata presso i Fratelli Treves di Milano.

Pirandello lo definisce: «...il romanzo della Sicilia dopo il 1870, amarissimo e popoloso romanzo, ov'è racchiuso il dramma della mia generazione». *L'in-tenzione è, dunque, di tracciare un vasto affresco storico della Sicilia postri-sorgimentale, descrivendo il disagio dei suoi figli per gli effetti disastrosi del-l'unificazione.*

L'amarezza per il Risorgimento tradito è il motivo dominante del romanzo; un'amarezza che Pirandello ha assaporato fin dall'infanzia, ascoltando le pa-role e partecipando ai sentimenti del padre, Stefano, che aveva combattuto con Garibaldi nell'impresa dei Mille e poi lo aveva seguito fino in Aspro-monte; e soprattutto della madre, la più delusa di tutti, Caterina Ricci Gra-mitto, sorella di Rocco, compagno d'arme di Stefano, che, bambina tredicenne, aveva dovuto seguire il padre esiliato dai Borboni a Malta e aveva vissuto una giovinezza fervente di spiriti patriottici. Tanta fede e tanto slancio civile erano naufragati nel disordine morale e nella corruzione, il cui culmine è se-gnato dallo scandalo della Banca Romana. Questo avvenimento fa balenare alla mente di Pirandello un'espressione sferzante che fissa con grande effica-cia la tragedia morale e politica del momento storico: «la bancarotta del pa-triottismo».

L'azione si svolge tra la Sicilia e Roma, nel periodo delle prime lotte dei Fasci Siciliani (1893), in una complessa situazione politica, sociale, psicolo-gica, nella quale sempre più si accentua la frattura tra la vecchia generazione che, in parte, ha la responsabilità diretta della caduta degli ideali del Risor-gimento, in parte, vi assiste sgomenta, e la nuova generazione che reagisce contro la prepotenza e la corruzione, e nel conservatorismo dei padri vede soltanto la difesa di interessi privati.

Fra tante divisioni e contrasti unico stimolo all'avvicinamento dei ceti so-ciali la ribellione meridionalistica che insorge per la violenza con cui ven-gono repressi i moti popolari, quasi con disprezzo, ridestando persino nei bempensanti timorosi d'ogni disordine, «la nativa fierezza comune a tutti gli isolani».

I numerosi personaggi rappresentano in maniera esemplare le diverse posi-zioni politiche che s'intrecciano nell'ampia trama del quadro. Il vecchio Principe Ippolito Laurentano è il conservatore più illustre: egli teneva addi-rittura «una guardia di venticinque uomini con la divisa borbonica nel suo feudo di Colimbètra, dove fin dal 1860 si era esiliato per attestare la sua fiera fedeltà al passato governo delle Due Sicilie». Il figlio Lando è all'estremo op-posto: crede in un rinnovamento socialista ed è il più autorevole organizza-tore dei Fasci; ma dopo sanguinosi disordini da lui non voluti, sarà costretto a fuggire in esilio per evitare una condanna. La sorella di Ippolito, Caterina (non a caso ha il nome della madre di Pirandello) è di idee liberali: ha spo-sato Stefano (è il nome del padre di Pirandello) Auriti, caduto nella battaglia di Milazzo. Era con lui il figlio dodicenne Roberto, che sciuperà la sua gloria garibaldina nel grigiore di una vita mediocre e squallida e subirà ingiustamente l'onta dell'arresto, pagando di persona, proprio lui che era il più onesto di tutti, per la corruzione della classe dirigente. Il terzo dei fratelli Laurentano, Don Cosmo, non ha idee politiche, vive segregato nel suo feudo di Valsanìa, osservando con distacco filosofico gli altri che si agitano inutilmente, convinto della vanità di tutte le cose. Così lo vede il nipote rivoluzionario alla fine del romanzo: «Dal suo aspetto, agli occhi di Lando, spirava quello stesso sentimento che spira dalle cose che assistono impassibili alla fugacità delle vicende umane». Don Flaminio Salvo risponde alla figura dell'industriale emergente: ambizioso, scettico, senza scrupoli, riesce persino ad imparentarsi con Ippolito Laurentano, facendogli sposare la sorella Adelaide.

Notevole l'intelligenza storica e politica con la quale Pirandello riesce a descrivere la situazione: lo scadimento della pubblica moralità, i troppo fiacchi tentativi di riscatto dei liberali, le preoccupazioni e le trame dei clericali, le difficoltà per dare una coscienza sociale a lavoratori rozzi ed ignoranti nei Fasci, le ingiustizie che la Sicilia è costretta a subire, l'ottusa repressione armata, il totale disfacimento dei valori che avevano reso possibile la creazione dello stato unitario.

A dar vita al vasto frastagliatissimo affresco sono i pensieri, i sentimenti, le riflessioni, le parole dei tanti personaggi, espressi in continui monologhi ed in fitti dialoghi. Se è vero che Don Cosmo è il più pirandelliano di essi, nessuno appare estraneo alla fondamentale esperienza del fu Mattia Pascal, che si rivela nell'approfondimento psicologico ed umoristico (in senso pirandelliano) di ciascun carattere, nella verisimiglianza non già conferita ad isolati bozzetti di gusto verista, ma a personaggi inseriti nelle comuni vicende del proprio tempo e nella peculiarità della loro personale pena di vivere. Tutti insieme costituiscono un mosaico d'ampio respiro, che trasferisce il pessimismo di Pirandello dal piano individuale sul piano storico. Un pessimismo percorso da un'autentica amarezza di natura autobiografica per gli avvenimenti politici, ma sul quale non cessano mai di pesare le oscure leggi che governano le vicende umane.

A Caterina Laurentano non restava che la sua austera fierezza: dalla morte del marito a Milazzo è vissuta come murata in una «cupa amarezza» rifiutando l'aiuto del fratello conservatore; ebbene proprio in questa sua unica ricchezza morale sarà colpita: morirà di dolore per l'arresto del figlio Roberto.

Don Flaminio Salvo accumula ricchezze «per dominare su tutti, per essere temuto e rispettato»; ma tanti beni a nulla gli servono: ha perduto il figlio maschio che ne sarebbe stato l'erede e la moglie è impazzita. Eppure insiste: «Crudele con lui la sorte, crudele la rivincita che si prendeva su essa». Ma niente può essere più crudele della sorte. Sarà ancora colpito nella figlia, la delicata, dolce Dianella che «nella voce pareva avesse la gioia dell'aria pura e del sole, quella stessa gioia che tremava nella gola delle allodole». Don Flaminio aveva ostacolato il suo amore per l'Ing. Aurelio Costa che era cresciuto con lei; e finisce per provocare involontariamente la morte del giovane, affidandogli una missione rischiosa presso gli zolfatari in sciopero. I rivoltosi lo uccidono e, insieme con lui, Nicoletta Capolino, la donna bella ed intrigante che lo aveva seguito per sedurlo ed impedire un suo eventuale matrimonio con Dianella. Don Flaminio Salvo crede di poter manovrare tutti, con ordini e con connivenze più o meno esplicite, e invece non domina nessuno evento che riguardi la sua vita familiare. La figlia, per il suo sogno d'amore tragicamente infranto, impazzisce, colpita dall'oscuro destino della madre. Nemmeno il matrimonio della sorella con Ippolito Laurentano, da lui voluto e predisposto accuratamente con l'aiuto di un ecclesiastico, dà buoni frutti. Adelaide, smaniosa ed insofferente, sarà costretta a fuggire da un ambiente a *lei non adatto. Adelaide è una donna grassa e sgraziata, priva di educazione, afflitta da tutti i difetti che provocano repulsione nell'austero Don Ippolito, la cui raffinata sensibilità è messa a durissima prova: «...quelle indegne sue seconde nozze che avevano profanato il decoro della sua vecchiezza, l'austerità del suo esilio» sono un cattivo scherzo della sorte, complicato dallo smacco per la fuga e l'abbandono della moglie. La sorte, in sostanza, ha voluto colpirlo proprio nella dignità, uno dei valori in cui più crede.*

Politica e vita si mescolano, generano sentimenti compositi, come avviene realmente nell'animo umano. Un atto terroristico può nutrirsi «...veracemente di tutto il rancore contro la vita, fin dall'infanzia accolto e covato». La frase è riferita al giovane Antonio Del Re che va meditando atti clamorosi contro la società; ma riguarda ogni personaggio, la cui pena va oltre il disagio per la situazione politica. Così Lando Laurentano «calmo e freddo in apparenza, covava in segreto un dispetto amaro e cocente del tempo cui gli era toccato in sorte di vivere». Ed ha anche momenti di smarrimento esistenziale: «...i suoi lineamenti ...se li guardava nello specchio come se fossero d'un estraneo».

L'aspetto umano accompagna le passioni politiche in ogni circostanza, conferendo al racconto un più universale respiro.

Antonio Del Re guardando i liberali, gli ex garibaldini riuniti con lo zio Roberto candidato alle elezioni «...provava una tristezza indefinita, la tristezza che si prova nel veder nei vecchi, che per un tratto si dimenticano d'esser tali, ancora verdi certe passioni che hanno radici in un terreno oltrepassato, che noi ignoriamo».

La decadenza è nel destino di tutte le cose viventi e il momento della perfezione raggiunta, quando capita, dura solo un istante, invano cerchiamo di renderlo eterno. È la sorte riservata a tutti gli eroi che vivono oltre la loro breve epopea: «Ah, in verità, sorte miserabile quella dell'eroe che non muore, dell'eroe che sopravvive a se stesso».

Il Risorgimento è un ricordo che inesorabilmente sbiadisce, vanificato dal tempo oltre che ucciso dalle ingiustizie e dalla corruzione. Pirandello ne insegue la morte attraverso tutto il romanzo, e nel finale la fissa simbolicamente nella poderosa immagine di Mauro Mortara, epica e patetica ad un tempo, che corre ad immolarsi per i suoi ideali. L'irsuto vecchio eroe «generoso e feroce, fedele come un cane e coraggioso come un leone», tra le cui braccia era morto Stefano Auriti, ha conservato intatti nell'anima ingenua gli ideali garibaldini e crede appassionatamente nei valori dello Stato unitario. Quando sa che l'esercito sta intervenendo per porre fine ai sanguinosi tumulti dei Fasci, s'arma di tutto punto e si precipita ad aiutarlo, sicuro di fare ancora una volta il bene dell'Italia. I soldati, nel vederlo all'improvviso apparire armato, lo abbattono. Tre militari s'avvicinano per «vedere in faccia» lo strano uomo caduto bocconi. «Rimosso, quel cadavere mostrò sul petto insanguinato quattro medaglie. I tre, allora, rimasero a guardarsi negli occhi, stupiti e sgomenti. Chi avevano ucciso?»

Il rimpianto per la fine violenta del Risorgimento e la pena per la crudeltà della sorte umana tremano nella domanda che resta sospesa in questa scena finale del romanzo, la cui forza simbolica è degna dei momenti più alti di certe commedie pirandelliane.

I.B.

Parte prima

I.

La pioggia, caduta a diluvio durante la notte, aveva reso impraticabile quel lungo stradone di campagna, tutto a volte e risvolte, quasi in cerca di men faticose erte e di pendìi meno ripidi. Il guasto dell'intemperie appariva tanto più triste, in quanto, qua e là, già era evidente il disprezzo e quasi il dispetto della cura di chi aveva tracciato e costruito la via per facilitare il cammino tra le asperità di quei luoghi con gomiti e giravolte e opere or di sostegno or di riparo: i sostegni eran crollati, i ripari abbattuti, per dar passo a dirupate scorciatoje. Piovigginava ancora a scosse nell'alba livida tra il vento che spirava gelido a raffiche da ponente; e a ogni raffica, su quel lembo di paese emergente or ora, appena, cruccioso, dalle fosche ombre umide della notte tempestosa, pareva scorresse un brivido, dalla città, alta e velata sul colle, alle vallate, ai poggi, ai piani irti ancora di stoppie annerite, fino al mare laggiù, torbido e rabbuffato. Pioggia e vento parevano un'ostinata crudeltà del cielo sopra la desolazione di quelle piagge estreme della Sicilia, su le quali Girgenti, nei resti miserevoli della sua antichissima vita raccolti lassù, si levava silenziosa e attonita superstite nel vuoto di un tempo senza vicende, nell'abbandono d'una miseria senza riparo. Le alte spalliere di fichidindia, ispide, carnute e stravolte, o le siepi di rovi secchi e di agavi, le muricce qua e là screpolate erano di tratto in tratto interrotte da qualche pilastro cadente che reggeva un cancello scontorto e arrugginito, o da rozzi e squallidi tabernacoli, i quali, nella solitudine immobile, guardati dagl'ispidi rami degli alberi gocciolanti, anziché conforto ispiravano un certo sgomento, posti com'eran lì a ricordare la fede a viandanti (per la maggior parte campagnuoli e carrettieri) che troppo spesso, con aperta o nascosta ferocia, dimostravano di non ricordarsene. Qualche triste uccelletto sperduto veniva, col timido volo delle penne bagnate, a posarsi su essi; spiava, e non ardiva mettere neppure un lamento in mezzo a tanto squallore. Vi strillava, al contrario (almeno a prima vista), una giumenta bianca montata da un fantoccio in calzoni rossi e cappotto turchino. Se non che, a guardar bene, quella giumenta bianca si scopriva anch'essa compassionevole: vecchia e stanca, sbruffava ogni tanto dimenando la testa bassa, come se non ne potesse più di sfangare per quello stradone; e il cavaliere, che la esortava amorevolmente, pur in quella vivace uniforme di soldato borbonico, non appariva meno avvilito della sua bestia, le mani paonazze, gronchie dal freddo, e tutto ristretto in sé contro il vento e la pioggia.

– Coraggio, Titina!

E intanto il fiocco del berretto a barca, di bassa tenuta, pendulo sul davanti, gli andava in qua e in là, quasi battendo la solfa al trotto stracco della povera giumenta.

Dei rari passanti a piedi o su pigri asinelli qualcuno che ignorava come qualmente il principe don Ippolito Laurentano tenesse una guardia di venticinque uomini con la divisa borbonica nel suo fèudo di Colimbètra, dove fin dal 1860 si era esiliato per attestare la sua fiera fedeltà al passato governo delle Due Sicilie, si voltava stupito e si fermava un pezzo a mirare quel buffo fantasma emerso dai velarii strappati di quell'incerto crepuscolo, e non sapeva che pensarne.

Passando innanzi allo stupore di questi ignoranti, Placido Sciaralla, capitano di quella guardia, non ostante il freddo e la pioggia ond'era tutto abbrezzato e inzuppato, si drizzava sulla vita per assumere un contegno marziale; marzialmente, se capitava, porgeva con la mano il saluto a qualcuno di quei tabernacoli; poi, chinando gli occhi per guardarsi le punte tirate sù a forza e insegate dei radi baffetti neri (indegni baffi!) sotto il robusto naso aquilino, cangiava l'amorevole esortazione alla bestia in un: – Sù! sù! – imperioso, seguito da una stratta alla briglia e da un colpetto di sproni giunti, a cui talvolta Titina – mannaggia! – sforzata così nella lenta vecchiezza, soleva rispondere dalla parte di dietro con poco decoro.

Ma questi incontri, tanto graditi al capitano, avvenivano molto di rado. Tutti ormai sapevano di quel corpo di guardia a Colimbètra, e ne ridevano o se n'indignavano.

– Il Papa in Vaticano con gli Svizzeri; don Ippolito Laurentano, nel suo fèudo con Sciaralla e compagnia!

E Sciaralla, che dentro la cinta di Colimbètra si sentiva a posto, capitano sul serio, fuori non sapeva più qual contegno darsi per sfuggire alle beffe e alle ingiurie.

Già cominciamo che tutti lo degradavano, chiamandolo caporale. Stupidaggine! indegnità! Perché lui comandava ben venticinque uomini (ohè, venticinque!) e bisognava vedere come li istruiva in tutti gli esercizii militari e come li faceva trottare. E poi, del resto, scusate, tutti i signoroni non tengono forse nelle loro terre una scorta di campieri in divisa?

Veramente, dichiararsi campiere soltanto, scottava un po' al povero Sciaralla, che «nasceva bene» e aveva la patente di maestro elementare e di ginnastica. Tuttavia, a colorar così la cosa s'era piegato talvolta a malincuore, per non essere qualificato peggio. Campiere, sì. Campiere capo.

– Caporale?

– Capo! capo! Che c'entra caporale? Ammettete allora che sia milizia?

Di chi? come? e perché vestita a quel modo? Sciaralla si stringeva nelle spalle, socchiudeva gli occhi:

– Un'uniforme come un'altra. Capriccio di Sua Eccellenza, che volete farci?

Con alcuni più crèduli, tal'altra, si lasciava andare a confidenze misteriose: che il principe cioè, mal visto per le sue idee dal governo italiano, il quale – figurarsi! – avrebbe alzato il fianco a saperlo morto assassinato o derubato senza pietà, avesse davvero bisogno nella solitudine della campagna di quella scorta, di cui egli, Sciaralla, indegnamente era capo. Restava però sempre da spiegare perché quella scorta dovesse andar vestita di quell'uniforme odiosa.

– Boja, piuttosto! – s'era sentito più volte rispondere il povero Sciaralla, il quale allora pensava con un po' di fiele quanto fosse facile al principe il serbare con tanta dignità e tanta costanza quel fiero atteggiamento di protesta, rimanendo sempre chiuso entro i confini di Colimbètra, mentre a lui e ai suoi subalterni toccava d'arrischiarsi fuori a risponderne.

Invano, a quattr'occhi, giurava e spergiurava, che mai e poi mai, al tempo dei Borboni, avrebbe indossato quell'uniforme, simbolo di tirannide allora, simbolo dell'oppressione della patria; e soggiungeva scotendo le mani:

– Ma ora, signori miei, via! Ora che siete voi i padroni... Lasciatemi stare! È pane. Dite sul serio?

Gli volevano amareggiare il sangue a ogni costo, fingendo di non comprendere che egli poi non era tutto nell'abito che indossava; che sotto quell'abito c'era un uomo come tutti gli altri costretto a guadagnarsi da vivere in qualche porca maniera. Con gli sguardi, coi sorrisi, componendo il volto a un'aria di vivo interessamento ai casi altrui, cercava in tutti i modi di stornar l'attenzione da quell'abito; poi, di tutte quelle arti che usava, di tutte quelle smorfie che faceva, si stizziva fieramente con se stesso, perché, a guardar quell'abito senza alcuna idea, gli pareva bello, santo Dio! e che gli stésse proprio bene; e quasi quasi gli cagionava rimorso il dover fingersi afflitto di portarlo.

Aveva sentito dire che sù a Girgenti un certo «funzionario» continentale, barbuto e bilioso, aveva pubblicamente dichiarato con furiosi gesti, che una tale sconcezza, una siffatta tracotanza, un così patente oltraggio alla gloria della rivoluzione, al governo, alla patria, alla civiltà, non sarebbero stati tollerati in alcun'altra parte d'Italia, né forse in alcun'altra provincia della stessa Sicilia, che non fosse questa di Girgenti, così... così... – e non aveva voluto dir come, a parole; con le mani aveva fatto un certo atto.

Oh Dio, ma proprio per lui, per quell'uniforme borbonica dei venticinque uomini di guardia, tanto sdegno, tanto schifo? O perché non badavan piuttosto codesti indignati al signor sindaco, ai signori assessori e consiglieri comunali e provinciali e ai più cospicui cittadini, che venivano a gara, tutti parati e impettiti, a fare ossequio a S. E. il principe di Laurentano, che li accoglieva nella villa come un re nella reggia? E Sciaralla non diceva dell'alto clero con monsignor vescovo alla testa, il quale, si sa, per un legittimista come Sua Eccellenza, poteva considerarsi naturale alleato.

Sciaralla gongolava e gonfiava per tutte queste visite; e nulla gli era più gradito che impostarsi ogni volta su l'attenti e presentar le armi. Se veniva monsignore, se veniva il sindaco, la sentinella chiamava dal cancello il drappelletto dal posto di guardia vicino, e un primo saluto, là, in piena regola, con un bel fracasso d'armi, levate e appiedate di scatto; un altro saluto poi, sotto le colonne del vestibolo esterno della villa, al richiamo dell'altra sentinella del portone. Rispetto al salario, era così poco il da fare, che tanto lui quanto i suoi uomini se ne davano apposta, cercandone qua e là il pretesto; e una delle faccende più serie erano appunto questi saluti *alla militare*, i quali servivano a meraviglia a toglier loro l'avvilenza di vedersi, così ben vestiti com'erano, inutili affatto.

In fondo, con tali e tanti protettori, Sciaralla avrebbe potuto ridersi della baja che gli dava la gente minuta, se, come tutti i vani, non fosse stato desideroso d'esser veduto e accolto da ognuno con grazia e favore. Non sapeva ridersene poi, e anzi da un pezzo in qua ne era anche più d'un po' costernato, per un'altra ragione.

C'era una chiacchiera in paese, la quale di giorno in giorno si veniva sempre più raffermando, che tutti gli operai delle città maggiori dell'isola, e le contadinanze e, più da presso, nei grossi borghi dell'interno, i lavoratori delle zolfare si volessero raccogliere in corporazioni o, come li chiamavano, *in fasci*, per ribellarsi non pure ai signori, ma a ogni legge, dicevano, e far man bassa di tutto.

Più volte, essendo di servizio nell'anticamera, ne aveva sentito discutere nel salone. Il principe ne dava colpa, s'intende, al governo usurpatore che prima aveva gabbato le popolazioni dell'isola col lustro della libertà e poi la aveva affamata con imposte e manomissioni inique; gli altri gli facevano coro; ma monsignor vescovo pareva a Sciaralla che meglio di tutti sapesse scoprir la piaga.

Il vero male, il più gran male fatto dal nuovo governo non consisteva tanto nell'usurpazione che faceva ancora e giustamente sanguinare il cuore di S. E. il principe di Laurentano. Monarchie, istituzioni civili e sociali: cose temporanee; passano; si farà male a cambiarle agli uomini o a toglierle di mezzo, se giuste e sante; sarà un male però possibilmente rimediabile. Ma se togliete od oscurate agli uomini ciò che dovrebbe splendere eterno nel loro spirito: la fede, la religione? Orbene, questo aveva fatto il nuovo governo! E come poteva più il popolo starsi quieto tra le tante tribolazioni della vita, se più la fede non gliele faceva accettare con rassegnazione e anzi con giubilo, come prova e promessa di premio in un'altra vita? La vita è una sola? questa? le tribolazioni non avranno un compenso di là, se con rassegnazione sopportate? E allora per qual ragione più accettarle e sopportarle? Prorompa allora l'istinto bestiale di soddisfare quaggiù tutti i bassi appetiti del corpo!

Parlava proprio bene, Monsignore. La vera vera ragione di tutto il male era questa. Insieme però con Monsignore che veramente, ricco com'era, sentiva poco le tribolazioni della vita, Sciaralla avrebbe voluto che tutti i poveri la riconoscessero, questa ragione. Ma non riusciva a levarsi dal capo un vecchierello mendico, presentatosi un giorno al cancello della villa col rosario in mano, il quale, stando ad aspettar l'elemosina e sentendo un lungo brontolio nel suo stomaco, gli aveva fatto notare con un mesto sorriso:

– Senti? Non te lo dico io; te lo dice lui che ha fame...

La costernazione di Sciaralla, per quel grave pericolo che sovrastava a tutti i signori, proveniva più che altro dalla sicurezza con cui il principe, là nel salone, pareva lo sfidasse. Riposava certo su lui e sul valore e la devozione dei suoi uomini quella sicurezza del principe, al quale poteva bastare che dicesse di non aver paura, lasciando poi agli altri il pensiero del rimanente.

Fortuna che finora lì a Girgenti nessuno si moveva, né accennava di volersi muovere! Paese morto. Tanto vero – dicevano i maligni – che vi regnavano i corvi, cioè i preti. L'accidia, tanto di far bene quanto di far male, era radicata nella più profonda sconfidenza della sorte, nel concetto che nulla potesse avvenire, che vano sarebbe stato ogni sforzo per scuotere l'abbandono desolato, in cui giacevano non soltanto gli animi, ma anche tutte le cose. E a Sciaralla parve di averne la prova nel triste spettacolo che gli offriva, quella mattina, la campagna intorno e quello stradone.

Aveva già attraversato il tratto incassato nel taglio perpendicolare del lungo ciglione su cui sorgono aerei e maestosi gli avanzi degli antichi Tempii akragantini. Si apriva là, un tempo, la Porta Aurea dell'antichissima città scomparsa. Ora egli ranchettava giù per il pendìo che conduce alla vallata di Sant'Anna, per la quale scorre, intoppando qua e là, un fiumicello di povere acque: l'*Hypsas* antico, ora *Drago*, secco d'estate e cagione di malaria in tutte le terre prossime, per le trosce stagnanti tra gl'ispidi ciuffi del greto. Impetuoso e torbido per la grande acquata della notte scorsa, investiva laggiù, quella mattina, il basso ponticello uso, d'estate, ad accavalciare i ciottoli e la rena.

Veramente da quella triste contrada maledetta dai contadini, costretti a dimorarvi dalla necessità, macilenti, ingialliti, febbricitanti, pareva spirasse nello squallore dell'alba un'angosciosa oppressione di cui anche i rari alberi che vi sorgevano fossero compenetrati: qualche centenario olivo saraceno dal tronco stravolto, qualche mandorlo ischeletrito dalle prime ventate d'autunno.

– Che acqua, eh! – s'affrettava a dire capitan Sciaralla, imbattendosi lungo quel tratto nella gente di campagna o nei carrettieri che lo conoscevano, per prevenire beffe e ingiurie, e dava di sprone alla povera Titina.

Non a caso però, quel giorno, metteva avanti la pioggia della notte scorsa. Trottando e guardando nel cielo la nera nuvolaglia sbrendolata e raminga, pensava proprio a essa per trovarvi una scusa che gli quietasse la coscienza, avendo trasgredito a un ordine positivo ricevuto la sera avanti dal segretario del principe: l'ordine di recare sul tamburo una lettera a don Cosmo Laurentano, fratello di don Ippolito, che viveva segregato anche lui nell'altro fèudo di Valsanìa, a circa quattro miglia da Colimbètra. Sciaralla non se l'era sentita d'avventurarsi a quell'ora, con quel tempo da lupi, fin laggiù; aveva pensato che Lisi Prèola, il vecchio segretario, avendo una forca di figliuolo che aspirava a diventar capitano della guardia, non cercava di meglio che mandar lui

Sciaralla all'altro mondo; che però forse quella lettera non richiedeva tale urgenza ch'egli rischiasse di rompersi il collo per una via scellerata, al bujo, sotto la pioggia furiosa, tra lampi e tuoni; e che infine avrebbe potuto aspettar l'alba e partir di nascosto, senza rinunziare per quella sera alla briscola nella casermuccia sul greppo dello Sperone, dove si riduceva coi tre compagni graduati a passar la notte, dandosi il cambio ogni tre ore nella guardia.

L'uscir di Colimbètra era sempre penoso per capitan Sciaralla, ma una vera spedizione allorché doveva recarsi a Valsanìa, dove ogni volta gli toccava d'affrontar paziente l'odio d'un vecchio energumeno, terrore di tutte le contrade circonvicine, chiamato Mauro Mortara, il quale, approfittando della dabbenaggine di don Cosmo, a cui certo i libracci di filosofia avevano sconcertato il cervello, vi stava da padrone, né sopra di lui riconosceva altra signoria.

– Coraggio, coraggio, Titina! – sospirava pertanto Sciaralla, ogni qual volta gli si presentava alla mente la figura di quel vecchio: basso di statura, un po' curvo, senza giacca, con una ruvida camicia d'albagio di color violaceo a quadri rossi aperta sul petto irsuto, un enorme berretto villoso in capo, ch'egli da se stesso s'era fatto dal cuojo d'un agnello, la cui concia col sudore gli aveva tinti di giallo i lunghi cernecchi e, ai lati, l'incolta barba bianca: comico e feroce, con due grosse pistole sempre alla cintola, anche di notte, poiché si buttava a dormir vestito su uno strapunto di paglia per poche ore soltanto: a settantasette anni sveglio ancora e robusto, più che un giovanotto di venti.

– E non morrà mai! – sbuffava Sciaralla. – Sfido! che gli manca? Dopo tant'anni è considerato come parte della famiglia anche da don Ippolito, che è tutto dire. Con don Cosmo per poco non si dànno del tu.

E ripensava, proseguendo la via, alle straordinarie avventure di quell'uomo che, al Quarantotto, aveva seguito nell'esilio a Malta il principe padre, don Gerlando Laurentano, il quale gli s'era affezionato fin da quando, privato del grado di gentiluomo di camera, *chiave d'oro*, per uno scandalo di corte a Napoli, s'era ritirato a Valsanìa, dove il Mortara era nato, figlio di poveri contadini, contadinotto anche lui, anzi guardiano di pecore, allora.

A un'avventura segnatamente, tra le tante, si fermava il pensiero di Placido Sciaralla: a quella che aveva procurato al Mortara il nomignolo di *Monaco*; avventura dei primi tempi, avanti al Quarantotto, quando a Valsanìa, attorno al vecchio principe di Laurentano, acceso di vendetta dopo quello scandalo di corte a Napoli, si radunavano di nascosto, venendo da Girgenti, i caporioni del comitato rivoluzionario. Mauro Mortara faceva la guardia ai congiurati a piè della villa. Ora una volta un frate francescano ebbe la cattiva ispirazione di avventurarsi fin là per la questua. Il Mortara, chi sa perché, lo prese per una spia; e senza tante cerimonie lo afferrò, lo legò, lo tenne appeso a un albero per tutto un giorno; alla notte lo sciolse e lo mandò via; ma tanta era stata la paura, che il frate non poté più riaversene e ne morì poco dopo.

Quest'avventura era più viva delle altre nella memoria di Sciaralla, non solo perché in essa Mauro Mortara si mostrava, come a lui piaceva crederlo, feroce, ma anche perché l'albero, a cui il francescano era stato appeso, era ancora in piedi presso la villa, e Mauro non tralasciava mai d'indicarglielo, accompagnando il cenno con un muto ghigno e un lieve tentennar del capo, atteggiato il volto di schifo nel vedergli addosso quell'uniforme borbonica.

– Coraggio, coraggio, Titina!

Conveniva soffrirseli in pace gli sgarbi e i raffacci di quel vecchio. Il quale, sì, guaj e rischi d'ogni sorta ne aveva toccati e affrontati in vita sua, senza fine; ma che fortuna, adesso, servire sotto don Cosmo che non si curava mai di nulla, fuori di quei suoi libracci che lo tenevano tutto il giorno vagante come in un sogno per i viali di Valsanìa!

Che differenza tra il principe suo padrone e questo don Cosmo! che diffe-

renza poi tra entrambi questi fratelli e la sorella donna Caterina Auriti, che viveva – vedova e povera – a Girgenti!

Da anni e anni tutti e tre erano in rotta tra loro.

Donna Caterina Laurentano aveva seguito lei sola le nuove idee del padre; e
poi si diceva che, da giovinetta, aveva recato onta alla famiglia, fuggendo di
casa con Stefano Auriti, morto poi nel Sessanta, garibaldino, nella battaglia di
Milazzo, mentre combatteva accanto al Mortara e al figlio don Roberto, che
ora viveva a Roma e che allora era ragazzo di appena dodici anni, il più piccolo dei Mille. Figurarsi, dunque, se il principe poteva andar d'accordo con
quella sorella! Ma con Cosmo, intanto, perché no? Questi, almeno apparentemente, non aveva mai parteggiato per alcuno. Ma forse non approvava la protesta del fratello maggiore contro il nuovo Governo. Chi aveva però ragione di
loro due? Il padre, prima che liberale, era stato borbonico, gentiluomo di camera e *chiave d'oro*: che meraviglia dunque, se il figlio, stimando fedifrago il
padre, s'era serbato fedele al passato Governo? Meritava anzi rispetto per
tanta costanza: rispetto e venerazione; e non c'era nulla da ridire, se voleva
che tutti sapessero com'egli la pensava, anche dal modo con cui vestiva i suoi
dipendenti. Sissignori, sono borbonico! ho il coraggio delle mie opinioni!

Un toffo di terra arrivò a questo punto alle spalle di capitan Sciaralla, seguìto
da una sghignazzata.

Il capitano dié un balzo sulla sella e si voltò, furente. Non vide nessuno. Da
una siepe sopra l'arginello venne fuori però questa strofetta, declamata con
tono derisorio, lento lento:

> Sciarallino, Sciarallino,
> dove vai con tanta boria
> sul ventoso tuo ronzino?
> Sei scappato dalla storia,
> Sciarallino, Sciarallino?

Capitan Sciaralla riconobbe alla voce Marco Prèola, il figlio scapestrato del
segretario del principe, e sentì rimescolarsi tutto il sangue. Ma, subito dopo, il
Prèola gli apparve in tale stato, che le ciglia aggrottate gli balzarono fino al
berretto e la bocca serrata dall'ira gli s'aprì dallo stupore.

Non pareva più un uomo, colui: salvo il Santo battesimo, un porco pareva,
fuori del brago, ritto in piedi, cretaceo e arruffato. Con le gambe aperte, buttato indietro sulle reni a modo degli ubriachi, il Prèola seguitò da lassù a declamare con ampii e stracchi gesti:

> Oppur vai, don Chisciottino,
> all'assalto d'un molino?
> od a caccia di lumache
> t'avventuri col mattino,
> così rosso nelle brache,
> nel giubbon così turchino,
> Sciarallino, Sciarallino?

– Quanto sei caro! – sbuffò Sciaralla, allungando una mano alle terga, ove la
mota gli s'era appiastrata.

Marco Prèola si calò giù, sul sedere, dall'arginello lubrico di fango, e gli
s'accostò.

– Caro? No, – disse, – mi vendo a buon mercato! Ti piace la poesia? Bella!
E séguita, sai? La stamperò su *L'Empedocle* domenica ventura.

Capitan Sciaralla stette ancora un pezzo a guardarlo, col volto contratto, ora,
in una smorfia tra di schifo e di compassione. Sapeva che colui andava soggetto ad attacchi d'epilessia; che spesso vagava di notte come un cane randa-
gio e spariva per due o tre giorni finché non lo ritrovavano come una bestia
morta, con la faccia a terra e la bava alla bocca, o sù al Culmo delle Forche o
su la Serra Ferlucchia o per le campagne. Gli vide la faccia gonfia, deturpata

da una livida cicatrice su la gota destra, dall'occhio alla bocca, con pochi peli ispidi biondicci sul labbro e sul mento; gli guardò il vecchio cappelluccio stinto e roccioso, che non arrivava a nascondergli la laida calvizie precoce; notò che calvo era anche di ciglia; ma non poté sostenere lo sguardo di quegli occhi chiari, verdastri, impudenti, in cui tutti i vizii pareva vermicassero. Cacciato dalla scuola militare di Modena, il Prèola era stato a Roma circa un anno nella redazione d'un giornalucolo di ricattatori; scontata una condanna di otto mesi di carcere, aveva tentato di uccidersi buttandosi giù da un ponte nel Tevere; salvato per miracolo, era stato rimpatriato dalla questura, e ora viveva alle spalle del padre, a Girgenti.

– Che hai fatto? – gli domandò Sciaralla.

Il Prèola si guardò l'abito cretoso addosso, e con un ghigno frigido rispose:
– Niente. Un insultino...

Con le mani aggiunse un gesto per significare che s'era voltolato per terra. Poi, all'improvviso, cangiando aria e tono, gli ghermì un braccio e gli gridò:
– Qua la lettera! So che l'hai!

– Sei matto? – esclamò Sciaralla con un soprassalto, tirandosi indietro.

Il Prèola scoppiò a ridere sguajatamente.

– Mi serve soltanto per annusarla. Càvala fuori. Voglio sentire se sa odor di confetti. Animale, non sai che il tuo padrone sposa?

Sciaralla lo guardò, stordito.

– Il principe?

– Sua Eccellenza, già! Non credi? Scommetto che la lettera parla di questo. Il principe annunzia le prossime nozze al fratello. Non hai visto monsignor Montoro? È lui il paraninfo.

Veramente monsignor Montoro in quegli ultimi giorni s'era fatto vedere molto più di frequente a Colimbètra. Che fosse vero? Sciaralla si sforzò d'impedire che quella notizia incredibile, di un avvenimento cosi inopinato, gli accendesse in un lampo la visione di splendide feste, di una gaja animazione nuova in quel silenzioso, austero ritiro; la speranza di regali per la bella comparsa che avrebbe fatto coi suoi uomini e il servizio inappuntabile che avrebbe disimpegnato... Ma il principe, possibile? così serio... alla sua età? E poi, come prestar fede al Prèola?

Cercando di nascondere la meraviglia e la curiosità con un sorriso di diffidenza, gli domandò:
– E chi sposa?

– Se mi dài la lettera, te lo dico, – rispose quello.

– Domani! Va' là! Ho capito.

E Sciaralla si spinse col busto per cacciar la giumenta.

– Aspetta! – sclamò il Prèola, trattenendo Titina per la coda. – M'importa assai delle nozze, e che tu non ci creda! Forse... vedi? questo mi premerebbe più di sapere... forse il principe parla al fratello delle elezioni, della candidatura del nipote. Non sai neanche questo? Non sai che Roberto Auriti, «il dodicenne eroe», si presenta deputato?

– So un corno io; chi se n'impiccia? – fece Sciaralla. – Non abbiamo l'on. Fazello per deputato?

– Non lo dico io che siete fuori della storia, vojaltri, a Colimbètra! – ghignò il Prèola. – Abbiamo le elezioni generali, e Fazello non si ripresenta, somaro, per la morte del figliuolo!

– Del figliuolo? Se è scapolo!

Il Preola tornò a ridere sguajatamente.

– E che uno scapolo, uomo di chiesa per giunta, non può aver figliuoli? Bestione! Avremo l'Auriti, sostenuto dal governo, contro l'avvocato Capolino. Fiera lotta, singolar tenzone... Dammi la lettera!

Sciaralla diede una spronata a Titina e con uno sfaglio si liberò del Prèola.

Questi allora gli tirò dietro una e due sassate; stava per tirargli la terza, quando dalla svoltata si levò una voce rabbiosa:

– Ohè, corpo di... Chi tira?

E un'altra voce, rivolta evidentemente a Sciaralla che fuggiva:

– Vergógnati! Fantoccio! Ignorante! Buffone!

E dalla svoltata apparvero sotto un ombrellaccio verde sforacchiato, stanchi e inzaccherati, i due inseparabili Luca Lizio e Nocio Pigna, o, come tutti da un pezzo li chiamavano, *Propaganda e Compagnia*: quegli, uno spilungone ispido e scialbo, con un pajo di lenti che gli scivolavano di traverso sul naso, stretto nelle spalle per il freddo e col bavero della giacchettina d'estate tirato sù; questi, tozzo, deforme, dal groppone sbilenco, con un braccio penzolante quasi fino a terra e l'altro pontato a leva sul ginocchio, per reggersi alla meglio.

Erano i due rivoluzionarii del paese.

Capitan Sciaralla credeva a torto che nessuno si movesse a Girgenti.

Si movevano loro, Lizio e Pigna.

È vero che, l'uno e l'altro, quella mattina, così bagnati e intirizziti, sotto quell'ombrello sforacchiato, non davano a vedere che potessero esser molto temibili le loro imprese rivoluzionarie.

Nessuno poteva vederlo meglio di Marco Prèola, il quale, avendo già da un pezzo abbandonato al caso la propria vita, tenuta per niente da lui stesso più che dagli altri e senza più né affetti né fede in nulla, sciolta non pur d'ogni regola, ma anche d'ogni abitudine e gettata in preda a ogni capriccio improvviso e violento, tutto vedeva buffo e vano e tutto e tutti derideva, sfogando in questa derisione le scomposte energie non comuni dell'animo esacerbato.

Sapeva che, tre giorni addietro, quei due si erano recati alla marina di Porto Empedocle a catechizzare i facchini addetti all'imbarco dello zolfo, gli scaricatori, gli stivatori, i marinaj delle spigonare, i carrettieri, i pesatori, per raccoglierli in fascio. Vedendoli di ritorno a quell'ora, in quello stato, arricciò il naso, si fermò in mezzo allo stradone ad aspettarli per accompagnarsi con loro fino a Girgenti; quando gli furon vicini, aprì le braccia, quasi per reggere un fiasco, di que' grossi, e disse loro:

– Andiamo; niente: lo porto io.

Il Pigna si fermò e, sforzandosi di dirizzarsi meglio sul braccio, squadrò con disprezzo il Prèola. Il corpo, tutto groppi e nodi; ma una faccia da bambolone aveva, senza un pelo, arrossata sulle gote dal salso che gli aveva dato fuori alla pelle, e un pajo d'occhi neri, smaltati e mobilissimi da matto, sotto un cappellaccio tutto sbertucciato, che lo faceva somigliare a uno di quei fantocci che schizzan sù dalle scàtole a scatto.

Marco Prèola lo chiamò con un vezzeggiativo dispettosamente bonario, e gli disse ammiccando:

– *Nociarè*, non te n'avere a male! Mondaccio laido è questo, d'ingrati. Marinaj, piedi piatti. Oh, e chiudi il paracqua, Luca! Dio ci manda l'acqua, e non te ne vuoi profittare? Laviamoci il visino, così...

E levò la faccia fangosa verso il cielo. Spruzzolava ancora dalle nuvole che s'imporporavano negli orli frastagliati, correndo incontro al sole che stava per levarsi, un'acquerugiola gelida e pungente.

– Che son aghi? – gridò, sbruffando come un cavallo, squassando la testa e buttandosi apposta addosso al Pigna.

Sozzo com'era già da capo a piedi e tutto fradicio di pioggia, si sentiva ormai libero da ogni angustia di guardarsi dall'acqua e dalla zàcchera, e provava la voluttà, sguazzando nel fango senza più impaccio né ritegno, di potere insozzarne gli altri impunemente.

– Scànsati! – gli gridò il Pigna. – Chi ti cerca? chi ti vuole? chi ti ha dato mai confidenza?

Il Prèola, senza scomporsi, gli rispose:

– Quanto mi piaci arrabbiato! Creta madre, caro mio. Te ne volevo attaccare un po'... Mi scansi? Poi ti lagni degli altri, che sono ingrati.

– Ci vuole una faccia... – brontolò il Pigna, rivolto al Lizio.

Ma questi andava chiuso in sé, non curante e accigliato. Diede una spallata, come per dire che non voleva esser frastornato dai suoi pensieri, e avanti.

Il Prèola li seguì un pezzo in silenzio, un po' discosto, guardando ora l'uno ora l'altro. Aveva nelle viscere la smania di fare qualche cosa, quella mattina; non sapeva quale. Si sarebbe messo a urlare come un lupo. Per non urlare, apriva la bocca, si cacciava una mano sui denti e tirava fin quasi a slogarsi la mascella; poi sospirava o si scrollava tutto in un fremito animalesco. Poteva solo sfogarsi con quei due; ma, a stuzzicare il Lizio, che gusto c'era? Disperatonaccio come lui e, per giunta, con la testa piena di fumo. Due disgrazie, una sopra l'altra, il suicidio del padre, bravo avvocato ma di cervello balzano, poi quello del fratello, gli avevano cattivato in paese una certa simpatia, mista di costernazione, e anche un certo rispetto. Studiava molto e parlava poco, anzi non parlava quasi mai. La ragione c'era, veramente: gli mancava quasi mezzo alfabeto. Di lui si poteva ridere soltanto per questo: che aveva trovato nel Pigna il suo organetto; e organetto e sonatore, ogni volta, ai comizii, comparivano insieme. Se il Pigna stonava, egli lo rimetteva in tono, serio serio, tirandolo per la manica. Rivoluzione sociale... fratellanza dei popoli... rivendicazione dei diritti degli oppressi... parole grandi, insomma! E forse perciò, distratto, s'era attaccato intanto a un tozzo di pane faticato da altri per lui. Faceva benone, oh! Solo che, con questo po' po' di freddo...

– Una caffettierina, volesse Iddio! – invocò con improvviso scatto il Prèola, levando le braccia. – Tre pezzetti di zucchero, un vasetto di panna, quattro fettine di pane abbruscato. Oh animucce sante del Purgatorio!

Luca Lizio si voltò, brusco, a guatarlo. Proprio a una tazzina di caffè pensava in quel momento, così accigliato; e la vedeva, e se ne inebriava quasi in sogno, aspirandone il fumante aroma; e stringeva in tasca, nel desiderio che lo struggeva, il pugno intirizzito. Partito a bujo, e sconfitto, da Porto Empedocle, sentiva un freddo da morire; non gli pareva l'ora d'arrivare. Avvilito da quel bisogno meschino, si vedeva misero, degno di conforto, d'un conforto che sapeva di non poter trovare in nessuno.

Poc'anzi, tra quel fantoccio fuggito di là su la giumenta bianca e il Prèola fermo più sù ad aspettare con un ghigno rassegato sulle labbra, aveva avuto lui stesso un'improvvisa strana impressione di sé, che gli era penetrata fino a toccare e sommuovere dal fondo del suo essere un sentimento finora sconosciuto, quasi di stupore per tutti i suoi sdegni, per tutte le sue furie ardenti, le quali a un tratto gli s'erano scoperte, come da lontano, folli e vane, là in mezzo a quella scena di desolato squallore. Nella magrezza miserabile del suo corpo tremante di freddo e pur madido di un sudorino vischioso, s'era veduto simile a quegli alberi che s'affacciavano dalle muricce, stecchiti e gocciolanti. Gocciolavano anche a lui per il freddo la punta del naso e gli occhi miopi dietro le lenti. S'era ristretto in sé; e, quasi quell'impressione, toccato il fondo del suo essere e vanita in quello stupore, gli si fosse ora serrata attorno come un'irta angustia, s'era sentito tutto dolere: doler le tempie schiacciate, le aguzze sporgenze delle scapole, su cui la stoffa della giacchettina d'estate aveva preso il lustro, e i polsi scoperti dalle maniche troppo corte e i piedi bagnati entro le scarpe rotte. E tutto ora gli pareva un di più, una soperchieria crudele: ogni nuova pettata di quello stradone divenuto una fiumara di creta; la cruda luce dell'alba che, non ostante la cupezza di quelle nuvole, si rifletteva su la motriglia e lo abbagliava, ma sopra tutto la compagnia di quel tristo, da capo a piedi imbrattato di fango, fango fuori, fango dentro, che stuzzicava il Pigna a parlare. Avvezzo ormai da anni a star zitto, provava uno stordimento a mano a mano più confuso per quel suo silenzio che, all'insaputa di tutti, si nutriva e s'accresceva dentro di lui di certe stravaganti impressioni, come quella di poc'anzi, che non avrebbe potuto esprimere neppure a se stesso, se non a costo di togliere ogni credito e ogni fiducia all'opera sua.

Marco Prèola, intanto, seguitava a dire, quasi tra sé:

– Io, va bene; che sono io? un vagabondo; mi merito questo e altro. Ma vedete Domineddio che tempo pensa di fare, quando sono in cammino per una santa missione due poveri umanitarii che una turba irriverente ha cacciato via, di notte, a nerbate!

Il Pigna accennò di fermarsi, fremente; ma Luca Lizio lo tirò via con uno strappo alla manica e un grugnito rabbioso.

– Nerbate... ma bada, sai! – masticò quello tra i denti. – Gliele darei io, le nerbate...

– E da te me le piglierei, *Nociarè*, – s'affrettò a dirgli il Prèola con un inchino, – perché tu, non sembri, ma sei un eroe. Puzzi, mannaggia, ma sei un eroe; e quando te lo dico io ci puoi credere. Il popolo non ti può capire. Non può capire la tua idea, perché per disgrazia l'idea non ha occhi, non ha gambe, non ha bocca. Parla e si muove per bocca e con le gambe degli uomini. Se dici, poniamo: «Popolo, l'umanità cammina! T'insegnerò io a camminare!» – son capaci di guardarti le cianche, come le butti: «Ma guarda un po', chi vuole insegnarci a camminare!».

– Pezzo d'asino! – sbottò Propaganda, non potendo più tenersi. – E non si chiama ragionare coi piedi, codesto?

– Io? Il popolo! – rimbeccò il Prèola.

– Il Popolo, per tua norma, – ribatté il Pigna, roteando gli occhi da matto; ma subito si trattenne. – Non lo nominare, il Popolo; non sei degno neanche di nominarlo, tu, il Popolo! Troppe cose ha capito il Popolo, caro mio, per tua norma; e prima di tutte questa: che i tuoi *patrioti* lo ingannarono...

– I miei? – fece il Prèola, ridendo.

– I tuoi, quelli che lo spinsero a fare la rivoluzione del Sessanta, promettendo l'età dell'oro! I patrioti e i preti. Noi, caro mio, per tua norma, gli dimostriamo, quattr'e quattr'otto e con le prove alla mano, che... capisci? per virtù della sua stessa forza, capisci? per virtù, dico bene, della sua stessa forza, non per concessione d'altri, esso può, se vuole, migliorare le sue condizioni.

– Meglio sarebbe per forza della sua virtù, – osservò, placido, il Prèola.

Il Pigna lo guardò, stordito. Ma subito quello s'affrettò a tranquillarlo:

– Niente, non ci badare. Giuoco di parole!

– Per virtù... per virtù della sua stessa forza, – ribatté a bassa voce, non più ben sicuro il Pigna, rivolgendosi al Lizio per consigliarsi con gli occhi di lui se aveva detto bene; e seguitò, un po' sconcertato: – Migliorare, sissignore, questo iniquo ordinamento economico, dove uomini vivono... cioè, no... oppure, sì... uomini vivono senza lavorare, e uomini, pur lavorando, non vivono! Capisci? Noi diciamo al Popolo: «Tu sei tutto! Tu puoi tutto! Unìsciti e detta la tua legge e il tuo diritto!».

– Bravissimo! – esclamò il Prèola. – Permetti che parli io, adesso?

– La tua legge e il tuo diritto! – ripeté ancora una volta il Pigna, furioso. – Parla, parla.

– E non t'offendi?

– Non m'offendo: parla.

– Fosti, sì o no, sagrestano fino a poco tempo fa?

Propaganda si voltò di nuovo a guardarlo, stordito.

– Che c'entra questo?

E il Prèola, placido:

– Hai promesso di non offenderti! Rispondi.

– Sagrestano, sissignore, – riconobbe il Pigna, coraggiosamente. – Ebbene? Che vuoi dire con ciò? Che ho cambiato colore?

– No, che colore! Lascia stare. Al massimo, casacca.

– Ho imparato a conoscere i preti, ecco tutto!

– E a far figliuoli, – raffibbiò il Prèola: – sette figlie femmine, tutte di fila; lo puoi negare?

Nocio Pigna si fermò per la terza volta a guatarlo. Aveva promesso di non offendersi. Ma dove voleva andare a parare con quell'interrogatorio? Aveva perduto il posto alla chiesa, perché una delle figliuole, la maggiore, e un certo canonico Landolina...

– Col patto, oh, di non toccare certi tasti, – lo prevenne, scombujandosi e abbassando gli occhi.

– No no no, – disse precipitosamente il Prèola, con una mano al petto. – Senti, Nocio, io sono, *a giudizio de' savi universale*, quel che si dice un farabutto. Va bene? Sono stato otto mesi *dentro*... figùrati! E vedi qua? – soggiunse, indicando la cicatrice sulla gota. – Quando mi buttai *a fiume*, come dicono a Roma... Già!... Figùrati dunque se certe cose mi possono fare impressione! Sai, anzi, che mi fa impressione? Che tu, a quella disgraziata...

– Non tocchiamo, t'ho detto, certi tasti.

– Caro mio! – sospirò il Prèola, socchiudendo gli occhi. – Ti faccio una confidenza. Quelli che combatto sono i soli per cui abbia una certa stima. Ma questi tali, per le mie... diciamo disgrazie, non vogliono averne di me, e non mi vorrebbero lasciar vivere. Qui sbagliano. Vivere debbo! E per vivere, sto coi preti. Gli uomini non perdonano; Dio invece, a detta dei preti, m'ha da un pezzo perdonato; e con questa scusa si servono di me. Guarda, oh, che piazza, Nocio! – aggiunse, buttandosi indietro il cappelluccio per mostrare la fronte. – E ce n'ho, dentro, sai! Se le cose mi fossero andate per il loro verso... Basta, lasciamo stare. Io, voi... tutto... ma guardate! Fango. Ci stiamo tutti e tre, coi piedi affondati; ebbene, parliamoci chiaro, in nome di Dio, diciamoci le cose come sono, senza vestirle di frasi, nude; pigliamoci questo piacere! Io sono un porco, sì, ma tu che sei, *Nociarè*? che lavoro è il tuo, me lo dici? Pàssati una mano su la coscienza: tu non lavori!

– Io? – esclamò il Pigna, stupito più che offeso dell'ingiustizia, allungando il braccio e ripiegandolo sul petto con l'indice teso.

– Lavori per la causa? Frase! – ribatté il Prèola, pronto. – T'ho pregato: la verità nuda! Poi te la vesti a casa come vuoi, per quietarti la coscienza. Lavoravi... ti cacciarono via dalla chiesa; poi, da un banco di lotto... Calunnia, lo so! Ma pure, se davvero ti fossi messo in tasca i bajocchi dei gonzi che venivano a giocare al botteghino, credi che per me avresti fatto male? Benone avresti fatto! Ma ora che fai? Lavorano le tue figliuole, e tu mangi e predichi. E qua, quest'altro San Luca evangelista... Come lo chiamate? Amore libero. Va bene: frase! Il fatto è che s'è messo con un'altra delle tue figliuole, e...

Luca Lizio, a questo punto, livido e scontraffatto, si avventò con le braccia protese alla gola del Preola. Ma questi si trasse indietro, ridendo, finché poté ghermirgli i polsi e respingerlo senza furia.

– Ma va'! – gli gridò, con un lustro di gioja maligna negli occhi e nei denti. – Io sto dicendo la verità.

– Lascialo perdere! – s'interpose il Pigna, a sua volta, trattenendo Luca Lizio e riavviandosi. – Non vedi che fa professione di mosca canina?

– Canina, già: gli ho punzecchiato la nudità, – sghignò il Prèola. – E con questo freddo... Sì sì, meglio nasconderla! Volevo spiegarti soltanto, caro Nocio, senza offenderti, perché non puoi fare effetto.

– Perché questo è un paese di carogne! – gridò il Pigna, voltandosi a fulminarlo con tanto d'occhi.

– D'accordo! – approvò subito il Prèola. – E io, più carogna di tutti. D'accordo! Ma tu non lavori: le tue figliuole lavorano, e Luca mangia e studia, e tu mangi e predichi. Studiare, predicare: parole. La sostanza è il boccone che si mangia. Vorrei sapere come non vi strozza, pensando che le tue figliuole sgobbano a cucire e non dormono la notte per procurarvelo.

Il Pigna finse di non udire; scrollò più volte il capo e brontolò tra sé, di nuovo:

– Paese di carogne! Va' ad Aragona, a due passi da Girgenti; va' a Favara, a Grotte, a Casteltermini, a Campobello... Paesi di contadini e solfaraj, poveri analfabeti. Quattromila, soltanto a Casteltermini! Ci sono stato la settimana scorsa; ho assistito all'inaugurazione del *Fascio*.

– Col lumino acceso davanti alla Madonna? – domandò il Prèola.

– Altro è Dio, altro il prete, imbecille! – rispose alteramente il Pigna.

– E le trombe che suonano la fanfara reale?

– Disciplina! Disciplina! – esclamò il Pigna. – Fanno bene! Bisognava vederli... Tutti pronti e serii... quattromila... compatti... parevano la terra stessa, la terra viva, capisci? che si muove e pensa... ottomila occhi che sanno e che ti guardano... ottomila braccia... E il cuore mi si voltava in petto pensando che soltanto da noi, qua a Girgenti, capoluogo, a Porto Empedocle, paese di mare, aperto al commercio, niente! niente! non si può far niente! Come i bruti! Peggio! Ma sai come vivono giù a Porto Empedocle? Come si fa ancora l'imbarco dello zolfo? Lo sai?

Marco Prèola era stanco: crollò il capo, mormorò:

– Porto Empedocle...

E a tutti e tre si rappresentò l'immagine di quella borgata di mare cresciuta in poco tempo a spese della vecchia Girgenti e divenuta ora comune autonomo. Una ventina di casupole prima, là sulla spiaggia, battute dal vento tra la spuma e la rena, con un breve ponitojo da legni sottili, detto ora Molo Vecchio, e un castello a mare, quadrato e fosco, dove si tenevano ai lavori forzati i galeotti, quelli che poi, cresciuto il traffico dello zolfo, avevano gettato le due ampie scogliere del nuovo porto, lasciando in mezzo quel piccolo Molo, al quale in grazia della banchina è stato serbato l'onore di tener la sede della capitaneria del porto e la bianca torre del faro principale. Non potendo allargarsi per l'imminenza d'un altipiano marnoso alle sue spalle, il paese s'è allungato sulla stretta spiaggia, e fino all'orlo di quell'altipiano le case si sono addossate, fitte, oppresse, quasi l'una sull'altra. I depositi di zolfo s'accatastano lungo la spiaggia; e da mane a sera è uno stridor continuo di carri che vengono carichi di zolfo dalla stazione ferroviaria o anche, direttamente, dalle zolfare vicine; e un rimescolìo senza fine d'uomini scalzi e di bestie, ciattìo di piedi nudi sul bagnato, sbaccaneggiar di liti, bestemmie e richiami, tra lo strepito e i fischi d'un treno che attraversa la spiaggia, diretto ora all'una ora all'altra delle due scogliere sempre in riparazione. Oltre il braccio di levante fanno siepe alla spiaggia le spigonare con la vela ammainata a metà su l'albero; a piè delle cataste s'impiantano le stadere su le quali lo zolfo è pesato e quindi caricato su le spalle dei facchini, detti *uomini di mare*, i quali, scalzi, in calzoni di tela, con un sacco su le spalle rimboccato su la fronte e attorto dietro la nuca, immergendosi nell'acqua fino all'anca, recano il carico alle spigonare, che poi, sciolta la vela, vanno a scaricar lo zolfo nei vapori mercantili ancorati nel porto, o fuori.

– Lavoro da schiavi, – disse il Pigna, – che stringe il cuore, certi giorni d'inverno. Schiacciati sotto il carico, con l'acqua fino alle reni. Uomini? Bestie! E se dici loro che potrebbero diventar uomini, aprono la bocca a un riso scemo o t'ingiuriano. Sai perché non si costruiscono le banchine sulle scogliere del nuovo porto, da cui l'imbarco si potrebbe far più presto e comodamente coi carri o i vagoncini? Perché i pezzi grossi del paese sono i proprietarii delle spigonare! E intanto, con tutti i tesori che si ricavano da quel commercio, le fogne sono ancora scoperte sulla spiaggia e la gente muore appestata; con tanto mare lì davanti, manca l'acqua potabile e la gente muore assetata! Nessuno ci pensa; nessuno se ne lagna. Pajono tutti pazzi, là, imbestiati nella guerra del guadagno, bassa e feroce!

– Ma sai che parli bene davvero? – concluse il Prèola, approvando. – Ma sai che ti giovarono sul serio le prediche che sentisti da sagrestano?

– *Baibai, baibai*, dice l'Inglese! – soggiunse Nocio Pigna, stendendo minacciosamente il lunghissimo braccio. – Trecentomila siamo, caro mio, oggi come oggi. E presto ci sentirete.

Superata l'erta dello stradone, appoggiato di là all'altro versante della vallata, Placido Sciaralla seguitava intanto a trotterellare su Titina per Valsanìa, immerso in nuove e più complicate considerazioni, dopo quelle notizie del Prèola. A un certo punto se ne stancò, scrollò le spalle e si mise a guardare intorno.

Gli si svolgeva ora, a sinistra, la campagna lieta della vicinanza del mare, tutta a mandorli, a olivi e a vigneti. Era già in vista della Seta, casale d'una cinquantina d'abituri allineati sullo stradone, fondachi e taverne per i carrettieri, la maggior parte, da cui esalava un tanfo acuto e acre di mosto, un tepor grasso di letame, e botteghe di maniscalchi, di magnani, di carraj, con una stamberguccia in mezzo, ridotta a chiesuola per le funzioni sacre della domenica. Per schivare la vista di quei borghigiani zotici che lo conoscevano tutti, Sciaralla imboccò un sentieruolo tra i campi e in breve s'internò nelle terre di Valsanìa.

Tranne il vigneto, cura appassionata e orgoglio di Mauro Mortara, e l'antico oliveto saraceno, il mandorleto e alcuni ettari di campo sativo e, giù nell'ampio burrone, l'agrumeto, che costituivano la parte di mezzo riservata a don Cosmo, tutto il resto era ceduto in piccoli lotti a mezzadrìa a poveri contadini, non dal principe don Ippolito direttamente, a cui anche quel fèudo apparteneva, ma da fittavoli di fittavoli, i quali, non contenti di vivere in città da signori sulla fatica di quei poveri disgraziati, li vessavano con l'usura più spietata e con un raggiro intricato di patti esosi. L'usura si esercitava sulla semente e su i soccorsi anticipati durante l'annata; l'angheria più iniqua, nei prelevamenti al tempo del raccolto. Dopo aver faticato un anno, il così detto mezzadro si vedeva portar via dall'aja a tumulo a tumulo quasi tutto il raccolto: i tumuli per la semente, i tumuli per la pastura, e questo per la *lampada* e quello per il campiere e quest'altro per la Madonna Addolorata, e poi per San Francesco di Paola, e per San Calògero, e insomma per quasi tutti i santi del calendario ecclesiastico; sicché talvolta, sì e no, gli restava il *solame*, cioè quel po' di grano misto alla paglia e alla polvere, che nella trebbiatura rimaneva sull'aje.

Il sole s'era già levato, e capitan Sciaralla vedeva qua e là, nella distesa delle terre, sprazzar di luce qualche pozza d'acqua piovana o forse qualche piccolo rottame smaltato. Tutta la campagna vaporava, quasi un velo di brina vi tremolasse. Di tratto in tratto, qualche tugurio screpolato e affumicato, che i contadini chiamavano *roba*, stalla e casa insieme; e usciva da questo la moglie d'uno dei mezzadri per legare all'aperto il porchetto grufolante, e tre, quattro gallinelle la seguivano; innanzi alla porta rossigna e imporrita di quello, un'altra donna pettinava una ragazzetta che piagnucolava; mentre gli uomini, con vecchi aratri primitivi, tirati da una mula stecchita e da un lento asinello che si sfiancava nello sforzo, grattavano a mala pena la terra, dopo quella prim'acquata della notte. Tutta questa povera gente, vedendo passare Sciaralla su la giumenta bianca, sospendeva il lavoro per salutarlo con riverenza, come se passasse il principe in persona. Capitan Sciaralla rispondeva pieno di dignità, alzando la mano al berretto, militarmente, e accoglieva quelle dimostrazioni di rispetto come un anticipato compenso all'umiliazione che andava a patire da quella vecchia bestia feroce del Mortara. Una costernazione tuttavia gli guastava il piacere di quei saluti: tra breve, entrando nei dominii di colui, sarebbe stato assaltato dai cani, da quei tre mastini più feroci del padrone, il quale certo aveva loro insegnato a fargli ogni volta quell'accoglienza. E aveva un bel gridare Sciaralla, mentre quelli gli saltavano addosso, di qua e di là, fino all'altezza di Titina, la quale a sua volta traeva salti da montone, spaventata: Mauro o il *curàtolo* Vanni di Ninfa si presentavano col loro comodo a richiamarli, quando il malcapitato aveva già veduto più volte la morte con gli occhi.

Con quei tre mastini Mauro Mortara conversava proprio come se fossero creature ragionevoli. Diceva che gli uomini non san capire i cani; ma questi sì, gli uomini. Il male è – diceva – che, poveretti, non ce lo sanno esprimere, e noi crediamo che non ci capiscano e non sentano. Sciaralla però se lo spiegava altrimenti, il fenomeno. Quei cani intendevano così bene il padrone, perché questo era più cane di loro. E gli parve d'averne una riprova quella mattina stessa.

Mauro stava innanzi alla villa; e i tre amiconi, vigili attorno, col muso all'aria. Ebbene, all'arrivo di lui, questa volta, essi se ne stettero lì (uno, anzi, sbadigliò), quasi avessero compreso che il padrone avrebbe fatto ottimamente le loro veci.

– Che vuoi tu qua, a quest'ora, mal'ombra? – gli disse infatti Mauro, tirandosi giù dal capo il cappuccio del ruvido cappotto, in cui era avvolto, e scoprendo la testa oppressa dall'enorme berretto villoso.

Quand'era prossima la vendemmia, Mauro Mortara non dormiva più, le notti: stava a guardia della vigna, passeggiando per i lunghi filari, insieme coi tre mastini. Forse se n'era stato all'aperto anche con quella notte da lupi: n'era ben capace!

Sciaralla lo salutò umilmente, poi, indicando i cani, domandò:

– Posso scavalcare?

– Scavalca, – borbottò Mauro. – Che porti?

– Una lettera per don Cosmo, – rispose Sciaralla, smontando dalla giumenta.

E mentre si cercava nella tasca interna del cappotto, si sentiva addosso gli occhi di Mauro pieni d'ira e di scherno.

– Eccola. La manda Sua Eccellenza di gran fretta.

– Sta' qui, – gl'intimò Mauro, prendendo la lettera. – E bada di non lasciare la giumenta.

Sciaralla sapeva che gli era proibito di salire alla villa, come se, con la sua uniforme, potesse sconsacrare quel vecchiume, quella rozza cascinaccia d'un sol piano: lui che veniva dagli splendori di Colimbètra, dove uno si poteva specchiare anche nei muri! La proibizione non partiva certo da don Cosmo, ma dal Mortara stesso, il quale gli vietava perfino di legare la giumenta agli anelli confitti nell'aggetto della rustica scala a collo. Doveva tener le briglie in mano e star lì in piedi, all'aperto, ad aspettare, quasi fosse venuto per l'elemosina.

Appena Mauro si mosse, i tre cani s'accostarono pian piano a capitan Sciaralla e cominciarono a fiutarlo. Il poveretto, fermo e con l'anima sospesa, alzò gli occhi al Mortara che saliva la scala.

– Non vi sporcate il muso con codesti calzoni! – disse Mauro, dopo aver chiamato a sé i cani; e soggiunse, rivolto a Sciaralla: – Adesso ti mando un sorso di caffè, per farti rimettere dalla paura.

Pervenuto al pianerottolo, fece per bussare al modo convenuto, battendo cioè tre volte il saliscendi sul dente del nasello interno; ma, appena alzato il saliscendi, la porta si aprì, e Mauro entrò esclamando:

– Aperta? Di nuovo aperta? L'avete aperta voi? – soggiunse poi dietro l'uscio della cucina, da cui per un istante s'era mostrata la testa incuffiata di donna Sara Alàimo, la casiera (cameriera, no!) di Valsanìa.

– Io? – gridò dall'interno donna Sara. – Mi alzo adesso, io!

E, sentendo che Mauro si allontanava, fece le corna con una mano e le scosse più volte in un gesto di dispetto.

Cameriera, no – lei: eh perbacco! né di lui, né di nessuno, là dentro. Aveva la ventola in mano, è vero; stava ad accendere il fuoco in cucina, ma era vera signora, di nascita e d'educazione, lei; lontana parente di Stefano Auriti, cognato dei Laurentano, e perciò, via, se vogliamo, parte della famiglia anche lei.

Stava a Valsanìa da molti anni a badare a don Cosmo, che forse non avrebbe mai sentito alcun bisogno di lei se la sorella donna Caterina non gliel'avesse mandata da Girgenti, dove da vera signora non le restava altra consolazione che quella di morire dignitosamente di fame. A Valsanìa le giornate le passavano a striscíar la groppa a due gatti, debitamente castrati, che le andavano sempre dietro a coda ritta; a dir corone di quindici poste, a labbreggiar senza fine altre preghiere; ma, a starla a sentire, tutto andava bene, solo perché c'era lei; senza lei, addio ogni cosa. Se le messi imbiondivano, se gli alberi fruttificavano, se veniva a tempo la pioggia... Insomma si dava l'aria di governare il mondo. Mauro non la poteva soffrire. E donna Sara in questo lo contraccambiava cordialmente; anzi nulla le riusciva più penoso che il dovere apparecchiar la tavola anche per lui, poiché don Cosmo pur troppo s'era ridotto fino a tal punto, fino a dar quest'onore a un figlio di contadini e quasi contadino zappaterra anche lui; sissignori... mentre lei, donna Sara, vera signora di nascita e d'educazione, lì, in cucina lei, e obbligata a servirlo!

S'affacciò alla finestra e, vedendo giù capitan Sciaralla, emise un profondo sospiro con un breve lamento nella gola:

– Ah, Placidino, Placidino! Offriamolo al Signore in penitenza dei nostri peccati...

Intanto Mauro era entrato nello stanzino da bagno di don Cosmo.

Tutto era vecchio e rustico in quell'antica villa abbandonata: rosi i mattoni dei pavimenti avvallati; le pareti e i soffitti, anneriti; le imposte e i mobili, stinti e corrosi; e tutto era impregnato come d'un tanfo di granaglie secche, di paglia bruciata, d'erbe appassite nell'afa delle terre assolate.

Nello stanzino da bagno, don Cosmo, in mutande a maglia, nudo il torso peloso, nudi i piedi nelle vecchie ciabatte, si preparava alla consueta abluzione con una dozzina di spugne, grandi e piccole, disposte sul lavabo. Si lavava tutto, ogni mattina, anche d'inverno, con l'acqua diaccia; e questa era l'unica delizia della sua vita: solennissima pazzia, invece, per Mauro che, sì e no, ogni mattina si lavava «la semplice maschera», com'egli diceva, per significare la sola faccia.

– Avete dormito di nuovo con la porta aperta?

– Sì? Oh guarda! – fece don Cosmo, come ne fosse stupito; e si grattò sul mento la corta barba grigia, ricciuta.

– Mai, eh? gli occhi non li aprirete mai? – incalzò Mauro. – Non lo dico io? Il bamboccetto! l'ajo, la bàlia, gli dobbiamo dare... Santissimo Dio, che cristiano siete? Non lo avete letto il giornale di jeri? Di quei lacci di forca che, con la scusa della fame, vogliono mandare a gambe all'aria tutto quello che abbiamo fatto noi, a costo del sangue nostro?

Don Cosmo, tra i gesticolamenti furiosi di Mauro, non s'era accorto della lettera che questi teneva in mano, e quietamente aveva cominciato a insaponarsi il capo calvo. Stizzito da quella calma, Mauro seguitò:

– E se tutti fossero come voi... Ma ci sono anch'io, qua, per grazia di Dio! Vecchio come sono, avrebbero ancora da vedersela con me!

Don Cosmo voltò il capo tutto luccicante di bolle di sapone e lo guardò:

– Vedi che posso dunque seguitare a dormire anche con la porta aperta? Ci sei tu!

I giornali, a Valsanìa, capitavano di tanto in tanto, già destinati al loro più umile e forse più utile uso d'involti. Mauro se li rimetteva in sesto amorosamente, ci passava sopra le mani più volte per appianarne le brancicature e gli strambelli; e, vincendo con una pazienza da certosino l'enorme stento della lettura (giacché da sé assai tardi aveva imparato a compitare appena), se ne pascolava per intere settimane, cacciandoseli a memoria dal primo all'ultimo rigo. Eran tutte notizie nuove per lui, echi sperduti colà della vita del mondo.

Nell'ultimo giornale, venutogli così per caso tra mano, aveva letto, il giorno avanti, di uno sciopero di solfaraj in un paese della provincia e della costituzione di essi in «Fascio di lavoratori».

– *Rivendicazione del proletariato!*

Uhm! Si era fatte spiegare da don Cosmo queste due parole per lui sibilline, e tutta la notte, chiuso nel boricco sotto l'acqua furiosa, aveva ruminato e ruminato, sbuffante di sacro sdegno contro quei nemici della patria.

Non degnò di risposta le ultime parole di don Cosmo, il quale anche per lui non doveva avere la testa a segno, e gli porse la lettera di don Ippolito.

– L'ha portata uno dei suoi pagliacci: Sciarallino il capitano.

– Per me? – domandò don Cosmo meravigliato, tenendo l'acqua nelle mani giunte. – Mi scrive Ippolito? Oh che miracolo... Apri, leggi: ho le mani bagnate...

– Asciugatevele! – gli disse Mauro, brusco. – Negli affari di vostro fratello sapete bene che non voglio entrarci. Ma non pare la sua scrittura.

– Ah, Prèola! – osservò don Cosmo, guardando la busta.

La lettera era scritta dal segretario sotto dettatura e firmata da don Ippolito. Leggendola, don Cosmo alle prime righe aggrottò le ciglia, poi sciolse man mano la tensione della fronte e degli occhi in uno stupore doloroso; abbassò le pàlpebre; abbassò la mano con la lettera.

– Ah, dunque è vero...

– Vero che cosa? – brontolò Mauro, stizzito della sua curiosità.

Don Cosmo sporse il labbro contraendo in giù gli angoli della bocca in un gesto d'amara e sdegnosa commiserazione, tentennando il capo, poi disse:

– Se dà questo passo, non c'è più rimedio... si rovina...

– Ditemi che cos'è, santo diavolo! – ripeté Mauro, vieppiù stizzito.

Ma don Cosmo stette a guardarlo un pezzo prima di rispondergli.

– Mi domanda la villa, – poi disse lasciandosi cadere a una a una le parole dalle labbra, – la villa, per Flaminio Salvo.

– Qua? – domandò Mauro con un soprassalto, quasi don Cosmo gli avesse dato un pugno in faccia. – Qua? – ripeté, tirandosi indietro. – A Flaminio Salvo, la villa del generale Laurentano?

Ma don Cosmo non s'infuriava come Mauro per l'immaginaria profanazione della villa: era sì oppresso di doloroso stupore per ciò che significava quell'ospitalità offerta al Salvo dal fratello. Pochi giorni addietro, un amico, Leonardo Costa, che veniva qualche volta a trovarlo dal vicino borgo di mare, gli aveva riferito la voce che correva a Girgenti d'un prossimo matrimonio di don Ippolito con la sorella nubile, zitellona, del Salvo. Don Cosmo non aveva voluto crederci: suo fratello Ippolito aveva due anni più di lui, sessantacinque; da dieci era vedovo e s'era mostrato sempre inconsolabile, pur nella sua compostezza, della morte della moglie, santa donna... Impossibile! – Eppure...

– Gli risponderete di no? – disse Mauro minaccioso dopo avere atteso un momento.

Don Cosmo aprì le braccia e sospirò, con gli occhi chiusi:

– Sarebbe inutile! E poi, del resto...

– Come! – lo interruppe Mauro. – Il Salvo, quell'usurajo baciapile, qua? Ma me ne vado io, allora! E non vi ricordate, perdio, che suo padre andò ad assistere al *Te Deum* quando vostro padre fu mandato in esilio? E lui, lui stesso giovanotto non insegnò alla sbirraglia borbonica la casa dove s'era nascosto don Stefano Auriti con vostra sorella, quando i nobili di Palermo portarono a Satriano in Caltanissetta le chiavi della città? Ve le siete scordate, voi, queste cose? Io le ho tutte qua in mente, come in un libro stampato! Fatelo venire a Valsanìa, ora, se n'avete il coraggio! Ma la stanza del Generale, no! quella, no! La chiave del *camerone* la tengo io! Là non metterà piede, o l'ammazzo, parola di Mauro Mortara!

Don Cosmo non si scompose affatto dal suo penoso attonimento a quella lunga sfuriata. Parecchie volte era stato sul punto di far intendere a Mauro che a Gerlando Laurentano suo padre non era mai passata per il capo l'idea dell'unità italiana, e che il Parlamento siciliano del 1848, nel quale suo padre era stato per alcuni mesi ministro della guerra, non aveva mai proposto né confederazione italiana né annessione all'Italia, ma un chiuso regno di Sicilia, con un re di Sicilia e basta. Questa l'aspirazione di tutti i buoni vecchi Siciliani d'allora; la quale, se di qualche punto, all'ultimo, s'era spinta più in là, non era stato mai oltre una specie di federazione, in cui ciascuno stato dovesse conservare la propria autonomia. Non glien'aveva detto mai nulla; né pensò di dirglielo adesso; e lasciò che Mauro, sbuffando di sdegno, gli voltasse le spalle e andasse a rinchiudersi in quella stanza del principe padre, sacra per lui quanto la patria stessa, primo covo della libertà e ora quasi tempio di essa.

Giù, intanto, innanzi alla villa, il povero Sciaralla stava ad aspettare ancora il caffè promesso: magari un sorso, e una bella fiammata per stirizzirsi... Aspetta, aspetta: se ne scordò anche lui e cominciò a sentirsi tra le spine per il ritardo della risposta. Avrebbe dovuto averla con sé dalla sera avanti, se avesse obbedito al Prèola. Pensava che a quell'ora il principe a Colimbètra s'era forse levato e domandava al segretario quella risposta. E lui, ecco, era ancora là, ad aspettarla! Ma ci voleva tanto a legger la lettera e a buttar giù due righi di risposta? O che il Mortara, a bella posta, non l'avesse ancora data a don Cosmo? E capitan Sciaralla sbuffava; se la prendeva ora con Titina che non stava ferma un momento, tormentata dalle mosche.

– Quieta! Quieta! Quieta!

Tre strattoni di briglia. Titina chiuse gli occhi lagrimosi con tanta pena rassegnata, che Sciaralla subito si pentì dello sgarbo.

– Hai ragione anche tu, poveretta! Non hanno dato neanche a te una manata di paglia...

E lasciò andare un sospirone.

Finalmente don Cosmo s'affacciò a una finestra della villa. Al rumore delle imposte, Sciaralla si voltò di scatto. Ma don Cosmo si mostrò meravigliato di vederlo ancora lì.

– Oh, Placido! E che fai?

– Ma come, eccellenza! la risposta! – gemette il Capitano, giungendo le mani.

Don Cosmo aggrottò le ciglia.

– C'è bisogno della risposta?

– Come! – ripeté Sciaralla, esasperato. – Se sto qui da un'ora ad aspettarla!

Ecco, ecco appunto! Quel vecchio boja non glien'aveva detto nulla!

– Hai ragione, sì, aspetta, figliuolo, – gli disse don Cosmo, ritirandosi dalla finestra.

Pensò che il fratello stava attento anche alle minime formalità (minchionerie, le chiamava lui), e che avrebbe considerato come un affronto, o un grave sgarbo per lo meno, non aver risposta; prese dunque un umile foglietto di carta ingiallito; intinse la penna tutta aggrumata in una bottiglina d'inchiostro rugginoso e, in piedi, lì sul piano di marmo del cassettone, si mise a ponzar la risposta, che in fine, dopo molto stento, gli uscì in questi termini:

Da Valsanìa li 22 di settembre del 1892

Caro mio Ippolito,
Tu forse non sai in quali miserevoli condizioni sia ridotta questa decrepita stamberga, dove io solamente posso abitare, che mi considero già fuori del mondo, e non me ne lagno! Se tu stimi, ciò non per tanto, che non si possa fare di meno, che ci vengano a rusticare li Salvo; abbi, ti prego, l'avvertenza di prevenirli che qua difettiamo di tutto, e che però seco loro si portino tutte quelle masserizie di casa et ogni altra suppellettile, di cui reputino aver bisogno.
Altro vorrei dirti e direi, se vano non mi paresse lo sperare, che potesse tornare al pro la mia ragione. Onde, senz'altro, caramente ti abbraccio.

Cosmo

Chiuse la lettera, sbuffando, e si recò di nuovo alla finestra. Capitan Sciaralla accorse, si levò il berretto e vi accolse la lettera.
– Bacio le mani a Vostra Eccellenza!
Un salto, e in sella.
– Di volo, Titina!
Bau! bau! bau! – i tre mastini, svegliati di soprassalto, gli corsero dietro un lungo tratto, per dargli a modo loro l'addio.
Don Cosmo rimase alla finestra: seguì con gli occhi il galoppo di capitan Sciaralla fino alla voltata del viale; poi il ritorno ringhioso e sbuffante dei tre mastini, dopo la vana corsa e il vano abbajare. Quando le tre bestie alla fine si sdrajarono di nuovo a terra presso la scala e allungando il muso sulle zampe anteriori chiusero gli occhi per rimettersi a dormire, egli, mirandole, scrollò lievemente il capo e sorrise. Davanti a quel loro ricomporsi al sonno non gli sembrarono più vani né l'abbajare né la corsa di poc'anzi. Ecco: le tre bestie avevano protestato contro la venuta di quell'uomo, il quale aveva loro interrotto il sonno; ora che credevano di averlo cacciato via, tornavano saggiamente a dormire.
«Perché è saggezza del cane», pensò, sospirando profondamente, «quand'abbia mangiato e atteso agli altri bisogni del corpo, lasciare che il tempo passi dormendo.»
Guardò gli alberi, davanti alla villa: gli parvero assorti anch'essi in un sogno senza fine, da cui invano la luce del giorno, invano l'aria smovendo loro le frondi tentassero di scuoterli. Da un pezzo ormai, nel fruscìo lungo e lieve di quelle fronde egli sentiva, come da un'infinita lontananza, la vanità di tutto e il tedio angoscioso della vita.

II.

Pregati da Flaminio Salvo, che dagli affari di banco e dai tanti altri negozii a cui attendeva non aveva mai un momento libero, Ignazio Capolino, già suo cognato, e Ninì De Vincentis, giovane amico di casa, scendevano il giorno dopo in carrozza da Girgenti a Valsanìa per dare le opportune disposizioni per la villeggiatura: incarico graditissimo all'uno e all'altro, per due diverse, anzi opposte ragioni.
I carri, sovraccarichi di suppellettile, erano partiti da un pezzo da Girgenti, e a quell'ora dovevano essere già arrivati a Valsanìa. Il discorso, tra i due in quella carrozza padronale del Salvo, era caduto su le proposte nozze di donna Adelaide, sorella di don Flaminio, col principe di Laurentano.
– No no: è troppo! è troppo! – diceva sogghignando Capolino. – Povera Adelaide, è troppo, dopo cinquant'anni d'attesa! Diciamo la verità!

Ninì De Vincentis batteva di continuo le pàlpebre, come per contenere nei begli occhi neri a mandorla il dispiacere per quella derisione. Nello stesso tempo, con l'atteggiamento del volto pallido affilato avrebbe voluto mostrare l'intenzione almeno d'un sorriso, per regger la cèlia e rispondere in qualche maniera all'ilarità pur così smodata e sconveniente di Capolino.

– Già, nozze per modo di dire! – seguitò questi, implacabile, lì che nessuno lo sentiva (Ninì, il buon Ninì, pasta d'angelo, era men che nessuno). – Per modo di dire... perché, lasciamo andare! sarà bene, sarà male: la legge è legge, caro mio, e le opinioni politiche e religiose, se cóntano, cóntano poco di fronte a lei. Ora il principe, lo sai, *conditio sine qua non*, vuole che il matrimonio sia soltanto religioso, non ammette l'altro per le sue idee. Dunque, matrimonio senza effetti legali, mi spiego? Sarà una cosa bella, oh! gustosa... anche coraggiosa, non dico di no: ma quella povera Adelaide, via!

E Capolino si mise a ghignar di nuovo, come se nel suo concetto Adelaide Salvo non fosse la donna più adatta a quell'eroismo di nuovo genere che si richiedeva da lei, a quella sfida coraggiosa alla società civilmente costituita.

Ninì De Vincentis taceva e continuava a sbatter gli occhi, ancora con quel sorriso afflitto, rassegato sulle labbra, sperando che il suo silenzio impacciasse la foga derisoria del compagno.

Ma che! Ci sguazzava, Capolino.

– Perché lo fa? – riprese, ponendosi davanti la sposa zitellona. – Per entrare nel mondo con tutti i diritti di signora? Ma io direi che ne esce, piuttosto. Va a rinchiudersi a Colimbètra! E, monacazione sotto tutti i rispetti, mi spiego? Il principe, a buon conto, ha sessantacinque anni sonati.

S'interruppe a un atto del De Vincentis.

– Eh, caro mio! Lo so, tu fai professione d'angelo; ma qua si tratta di matrimonio; e ci si deve pur pensare all'età. *Vis, vis, vis*: lo dicono anche i sacerdoti! Dunque, mondo, niente. Diventa principessa, principessa di Laurentano: dirò, regina di Colimbètra! Sì: per me, per te, per tutti noi che riteniamo il matrimonio religioso, non pur superiore al civile, ma il solo, il vero che valga; quello che, bastando davanti a Dio, dovrebbe strabastare per gli uomini. Tutti gli altri però, ohè, non hanno mica l'obbligo di riconoscerlo e di rispettare lei, fuori di Colimbètra, quale principessa di Laurentano; e Lando, per esempio, il figlio del primo letto, di rispettarla quale seconda madre. E che le resta allora? La ricchezza... Non lo fa per questo certamente, ricca com'è di casa sua. Se lo facesse per questo, oh! povera Adelaide, ho una gran paura che le andrebbe a finire come a me...

E qui rise di nuovo Capolino, ma come una lumaca nel fuoco.

Dopo una lunghissima lotta, era riuscito a ottenere in moglie una sorella di Flaminio Salvo, mezza gobba, minore di due anni di donna Adelaide, e formarsi con la dote di lei uno stato invidiabile. Allegrezza in sogno, ahimè! Povero mondo, e chi ci crede! Cinque anni dopo, morta la moglie, sterile per colmo di sventura, aveva dovuto restituire al Salvo la dote, ed era ripiombato nello stato di prima, con tante e tante idee, una più bella e più ardita dell'altra nel fecondo cervello, alle quali purtroppo, così d'un tratto, era venuta meno la benedetta leva del denaro. S'era concesso sei mesi di profondo scoramento e poi altri sei d'invincibile malinconia, sperando con quello e con questa d'intenerire il cuore dell'altra sorella del Salvo, di donna Adelaide appunto. Ma il cuore di donna Adelaide non s'era per nulla intenerito: ben guardato nell'ampia e solida fortezza del busto, aveva per due anni resistito all'assedio di lui, assedio di gentilezze, di cortesie, di devozione; aveva infine respinto d'un colpo un assalto supremo e decisivo, e Capolino s'era dovuto ritirare in buon ordine. Altri sei mesi di profondo scoramento, d'invincibile malinconia; e, finalmente, munito d'una seconda moglie, giovane, bella e vivacissima, era ritornato con più fortuna all'assalto della casa di Flaminio Salvo.

Le male lingue dicevano che in grazia di Nicoletta Spoto, cioè della moglie giovane, bella e vivacissima, la quale era diventata subito quasi la dama di compagnia di donna Adelaide e dell'unica figliuola di don Flaminio, Dianella, Capolino era bucato nel banco in qualità di segretario e d'avvocato consulente. Ma se vogliamo pigliare tutte le mosche che volano... Da un anno egli viveva nel lusso e nell'abbondanza; tanto lui quanto la moglie si servivano da padroni dei landò pomposi e dei superbi cavalli della scuderia del Salvo; elegantissimo cavaliere, ogni domenica, sù e giù per il viale della Passeggiata, pareva che egli ne facesse la mostra; e infine col favore incondizionato di Flaminio Salvo era riuscito a imporsi, a farsi riconoscere capo del partito clericale militante, il quale, dopo il ritiro dell'onorevole Fazello, gli avrebbe offerta fra pochi giorni la candidatura alle imminenti elezioni politiche generali.

All'anima candida di Ninì De Vincentis non balenava neppur da lontano il sospetto che tutta quell'acredine di Capolino per donna Adelaide potesse avere una ragione reconcdita e inconfessabile. Come non credeva che qualcuno mai si fosse potuto accorgere del suo timido, puro e ardentissimo amore per Dianella Salvo, la figlia ora inferma di don Flaminio, così non s'era mai accorto, prima, del vano ostinato assedio di Capolino a donna Adelaide, né credeva ora minimamente alle chiacchiere maligne sul conto di quella cara signora Nicoletta, seconda moglie di Capolino. Non sapeva scoprir secondi fini in nessuno; meno che mai poi quello del denaro. Era, su questo punto, come un cieco. Da parecchi anni, dopo la morte dei genitori, si lasciava spogliare, insieme col fratello maggiore Vincente, da un amministratore ladro, chiamato Jaco Pacia, il quale aveva saputo arruffar così bene la matassa degli affari, che il povero Ninì, avendogliene tempo addietro domandato conto, per poco non ne aveva avuto il capogiro. E s'era dovuto recare una prima volta al banco del Salvo per un prestito di denaro su cambiali. Parecchie altre volte era poi dovuto ritornare allo stesso banco; e, alla fine, per consiglio dell'amministratore, aveva fatto al Salvo la proposta di saldare il debito con la cessione della magnifica tenuta di *Primosole*, proposta che il Salvo aveva subito accettata, acquistandosi per giunta la più fervida gratitudine di Ninì, a cui naturalmente non era passato neppure per il capo il sospetto d'un accordo segreto tra il Pacia, suo amministratore, e il banchiere. Amava Dianella Salvo e in don Flaminio non sapeva veder altro che il padre di lei.

Ora avrebbe tanto desiderato che la fanciulla, scampata per miracolo a un'infezione tifoidea, fosse andata a recuperar la salute a *Primosole*, nell'antica villa di sua madre, dove tutto le avrebbe parlato di lui, con la mesta, amorosa dolcezza dei ricordi materni. Ma i medici avevano consigliato al Salvo per la figliuola aria di mare. E Ninì pensava, dolente, che a Valsanìa sul mare egli non avrebbe potuto recarsi a vederla se non di rado. Si confortava per il momento col pensiero che avrebbe sorvegliato lui alla preparazione della camera, del nido che l'avrebbe accolta per qualche mese.

Come se Capolino avesse letto il pensiero del suo giovane amico, di cui facilmente e da un pezzo aveva indovinato l'ingenua aspirazione, suggellò, dopo la risata, con un *basta!* il primo discorso, e riprese, fregandosi le mani:

– Tra poco saremo arrivati. Tu attenderai alla camera di Dianella; sarà meglio. Io penserò per donna Vittoriona.

Ninì, soprappreso così, mostrò una viva costernazione per quest'ultima, ch'era la moglie del Salvo, pazza da molti anni.

– Sì sì, – disse, – bisogna star bene attenti, che questo cambiamento, Dio liberi, non la turbi troppo.

– Non c'è pericolo! – lo interruppe Çapolino. – Vedrai che neppure se n'accorgerà. Seguiterà tranquillamente la sua interminabile calza. Fa le calze al Padreterno, lo sai. Notte e giorno; e vuole che lavorino con lei anche le due suore di San Vincenzo che l'assistono. Pare che questa calza sia già grande come un tartanone.

Ninì crollò il capo mestamente.

La vettura, poco oltre la Seta, entrò nel fèudo, dallo stradone. Il cancello era rovinato: una sola banda, tutta arrugginita, era in piedi, fissa a un pilastro; l'altro pilastro era da gran tempo diroccato. La strada carrozzabile, che attraversava quest'altra parte del fèudo, ceduta anch'essa a mezzadria, era come tutto il resto in abbandono, irta di cespugli, tra i quali si vedevano i solchi lasciati di recente dai carri con la suppellettile.

Ninì De Vincentis guardò tutt'intorno quella desolazione, senza dir nulla, ma seguitò a parlar per sé e per lui Capolino.

– La malatuccia – disse, facendo una smusata, – avrà poco da stare allegra, qua, non ti pare?

– È molto triste, – sospirò Ninì.

– Non dico soltanto per il luogo – soggiunse Capolino. – Anche per quelli che vi stanno. Due tomi, caro mio. Adesso vedrai. Mah... Questa villeggiatura si farà più per donna Adelaide che non ci viene, che per Dianella. E Dianella, che forse lo sospetta, la soffrirà in pace, al solito, per amore della zia... Eh! Flaminio è un grand'uomo, non c'è che dire!

– L'aria però è buona, – osservò il giovanotto per attenuare, almeno un po', l'aspro giudizio del compagno sul Salvo.

– Ottima! ottima! – sbuffò Capolino, il quale, da questo punto, si chiuse in un silenzio accigliato, fino all'arrivo alla villa.

I carri erano giunti da poco, insieme con la *giardiniera* che aveva portato due servi del Salvo, il cuoco, una cameriera e due tappezzieri. Donna Sara Alàimo, sul pianerottolo in cima alla scala, batteva le mani, festante, a quelle quattro montagne di bella roba su i carri.

– Presto, scaricate! – ordinò ai servi e ai carrettieri Capolino, smontando dalla vettura e agitando la mazzettina. Poi, salita in fretta la scala, domandò a donna Sara: – Don Cosmo?

Ed entrò, senza aspettar risposta, nel vecchio cascinone con Ninì De Vincentis, che gli andava dietro come un cagnolino sperduto.

– Scaricate! – ripeté uno dei servi, rifacendo tra le risate dei compagni il tono di voce e il gesto imperioso di quel padrone improvvisato.

Don Cosmo s'aggirava come una mosca senza capo per le stanze lavate di fresco da donna Sara, la quale fin dal giorno avanti, appena saputo la notizia della prossima venuta del Salvo, s'era sentita tutta allargare dalla contentezza e, subito messa in gran da fare, aveva anche persuaso a don Cosmo che sarebbe stato bene sgombrare questa e quella stanza della decrepita mobilia, perché gli ospiti ricconi non vedessero tutta quella miseria in una casa di principi.

– Ma no! ma no! ma no! – aveva cominciato subito a strillare don Cosmo dalla sua stanza, udendo il fracasso di quei poveri vecchi mobili strappati a forza dai loro posti e trascinati; e donna Sara, stupefatta da quella protesta: – No? Come no, se me l'ha detto lei? –. Perché avveniva sempre così: donna Sara parlava, parlava, e don Cosmo, dal canto suo, pensava, pensava, facendo finta di tanto in tanto d'udire, con qualche rapido cenno del capo, quando più lo pungeva il fastidio del suono di quelle interminabili parole. Questi cenni erano interpretati naturalmente da donna Sara come segni d'assentimento; la sopportazione con cui don Cosmo simulava d'ascoltarla, come riconoscimento della saggezza con cui lei governava la casa e il mondo; e tanto lontana era arrivata nell'interpretare a suo modo quei segni e quella sopportazione del suo padrone, che forse qualche sera se lo sarebbe preso per mano e condotto a letto, se tutt'a un tratto don Cosmo, sbarrando tanto d'occhi e prorompendo in un'esclamazione inopinata, non le avesse fatto crollare tutto il castello delle sue supposizioni.

– Don Cosmo onorandissimo! – esclamò Capolino, scoprendolo alla fine, dopo aver girato anche lui di qua e di là per trovarlo. – In gran confusione, eh? Perbacco!

– No, no, – s'affrettò a rispondere don Cosmo per troncar subito le cerimonie, con le nari arricciate per il lezzo acre di muffa che ammorbava il cascinone, umido ancora per l'insolita lavatura. – Cercavo una stanza appartata, dove starmene senza recare incomodo.

Capolino fece per protestare; ma don Cosmo lo fermò a tempo:

– Lasciatemi dire! Ecco... comodo io, comodi loro: va bene così? In capo, in capo, tenete in capo!

Alzò una mano, così dicendo, a carezzare l'elegantissima barbetta nera di Ninì De Vincentis.

– Ti sei fatto un bel ragazzo, figliuolo mio, e così cresciuto, mi fai accorgere di quanto sono vecchio! Tuo fratello Vincente? sempre arabista?

– Sempre! – rispose Ninì, sorridendo.

– Ah! Quei quattordici volumi d'arabo manoscritti dovrebbero pesare come tanti macigni, nel mondo di là, sull'anima del conte Lucchesi-Palli che volle farne dono morendo alla nostra Biblioteca per rovinare codesto povero figliuolo!

– Ne ha già interpretati dieci, – disse Ninì. – Gliene restano ancora quattro, ma grossi così!

– Faccia presto! faccia presto! – concluse don Cosmo paternamente. – E anche tu, figliuolo mio, bada... badate alle cose vostre: so che vanno male! Giudizio!

Capolino intanto, presso la finestra, s'industriava di farsi specchio della vetrata aperta, e si lisciava sulle gote le fedine, già un po' brizzolate. Bello non era davvero, ma aveva occhi fervidi e penetranti che gli accendevano simpaticamente tutto il volto bruno e magro.

Sentendo cadere il discorso tra il Laurentano e Ninì, finse di star lì a determinare i punti cardinali della villa.

– Esposizione a mezzogiorno, è vero? Ma se l'era scelta per lei, questa camera, don Cosmo?

– Questa o un'altra, – rispose il Laurentano. – Camere, ce n'è d'avanzo, vedrete; ma tutte così, vecchie e in pessimo stato. Uscendo di qua... (no, senza cerimonie: scusate, che gusto c'è a dire che non è vecchio quello che è vecchio? Si vede!)... dicevo, uscendo di qua, abbiamo questo lungo corridojo, che divide in due parti il casermone: le camere da questa parte sono a mezzogiorno; quelle di là, a tramontana. La sala d'ingresso interrompe di qua e di là il corridojo, e divide la villa in due quartieri uguali, salvo che di qua, in fondo, abbiamo un camerone, il cui uscio è alle mie spalle; di là, invece, abbiamo una terrazza. È semplicissimo.

– Ah bene bene bene, – approvò Capolino. – E dunque abbiamo anche un camerone?

Don Cosmo sorrise, negando col capo; poi spiegò che cosa era il «camerone», e come ridotto e da chi custodito.

– Per amor di Dio! – esclamò Capolino.

– Sarebbe meglio perciò, – concluse don Cosmo, – che disponeste l'abitazione nel quartiere di là, libero del tutto. Io m'ero scelta apposta questa camera.

Capolino approvò di nuovo; e poiché i servi eran già venuti sù col primo carico, s'avviò con Ninì per l'altro quartiere. Don Cosmo rimase in quella camera, dove con l'ajuto di donna Sara trasportò tutti i suoi libracci. La povera casiera, sentendo quanto pesava tutta quella erudizione, non riusciva a capacitarsi come mai don Cosmo che se l'era messa in corpo, potesse vivere poi così sulle nuvole. Don Cosmo, ancora con le nari arricciate, non riusciva a capaci-

tarsi, invece, perché quella mattina ci fosse tutto quel puzzo d'umido. Ma
forse non distingueva bene tra il puzzo e il fastidio che gli veniva dal pensare
che or ora, per l'arrivo degli ospiti, tutte le sue antiche abitudini sarebbero fra-
stornate, e chi sa per quanto tempo.

Di lì a poco, Capolino ritornò, lasciando solo di là il De Vincentis, che s'era
dimostrato molto più adatto di lui alla bisogna: così almeno dichiarò. In verità,
veniva per porre a effetto una delle ragioni per cui s'era volentieri accollato
l'incarico del Salvo: quella cioè di scoprir l'umore di don Cosmo circa il matrimonio del fratello, o di «tastargli il polso» su quell'argomento, com'egli diceva tra sé.

Non già che sperasse che ormai quelle nozze potessero andare a monte; ma,
conoscendo la diversità, anzi l'opposizione inconciliabile tra i due modi di
pensare e di sentire del Salvo e di don Cosmo, gli piaceva supporre che qualche attrito, qualche urto potesse nascere dal soggiorno di quello a Valsanìa.
Era così astratta e solitaria l'anima di don Cosmo, che la vita comune non riusciva a penetrargli nella coscienza con tutti quegli infingimenti e quelle arti e
quelle persuasioni che spontaneamente la trasfigurano agli altri, e spesso, perciò, dalla gelida vetta della sua stoica noncuranza lasciava precipitar come valanghe le verità più crude.

– Uh quanti libri! – esclamò Capolino entrando. – Già lei studia sempre...
Romagnosi, Rosmini, Hegel, Kant...

A ogni nome letto sul dorso di quei libri sgranava gli occhi, come se vi ponesse punti esclamativi sempre più sperticati.

– Poesie! – sospirò don Cosmo, con un gesto vago della mano, socchiudendo
gli occhi.

– Come come? Don Cosmo, non capisco. Filosofia, vorrà dire.

– Chiamatela come volete, – rispose il Laurentano, con un nuovo sospiro. –
Da studiare, poco o niente: c'è da godere, sì, della grandezza dell'ingegnaccio
umano, che su un'ipotesi, cioè su una nuvola, fabbrica castelli: tutti questi
varii sistemi di filosofia, caro avvocato, che mi pajono... sapete che mi pajono?
chiese, chiesine, chiesacce, di vario stile, campate in aria.

– Ah già, ah già... – cercò d'interrompere Capolino, grattandosi con un dito
la nuca.

Ma don Cosmo, che non parlava mai, toccato giusto su quell'unico tasto sensibile, non seppe trattenersi:

– Soffiate, rùzzola tutto; perché dentro non c'è niente: il vuoto, tanto più opprimente, quanto più alto e solenne l'edifizio.

Capolino s'era tutto raccolto in sé, per raccapezzarsi, incitato dalla passione
con cui don Cosmo parlava, a rispondere, a rintuzzare; e aspettava, sospeso,
una pausa; avvenuta, proruppe:

– Però..

– No, niente! Lasciamo stare! – troncò subito don Cosmo, posandogli una
mano su la spalla. – Minchionerie, caro avvocato!

Per fortuna, in quella, Mauro Mortara, sulla spianata innanzi alla villa dalla
parte che guardava la vigna e il mare, si mise a chiamare col suo solito verso
– pïo, pïo, pïo – gl'innumerevoli colombi, a cui soleva dare il pasto due volte
al giorno.

Don Cosmo e Capolino s'affacciarono al balcone. Anche Ninì si sporse a
guardare dalla ringhiera dell'ultimo balcone in fondo, e poi dal terrazzo s'affacciarono i servi e le cameriere e i tappezzieri.

Era ogni volta, tra quel candido fermento d'ali, una zuffa terribile, giacché la
razione delle cicerchie era rimasta da tempo la stessa, mentre i colombi s'e-
rano moltiplicati all'infinito e vivevano, ormai, quasi in istato selvaggio per il
fèudo e per tutte le contrade vicine. Sapevano l'ora dei pasti e accorrevano
puntuali a fitti nugoli fruscianti, da ogni parte: invadevano, tubando d'impa-

zienza, in gran subbuglio, i tetti della villa, della casa rustica, del pagliajo, del colombajo, del granajo, del palmento e della cantina; e se Mauro tardava un po', dimentico o assorto nelle sue memorie, una numerosa comitiva si spiccava dai tetti e andava a sollecitarlo dietro la porta della nota camera a pianterreno: la comitiva a poco a poco diventava folla e in breve tutta la spianata ferveva d'ali e grugava, mentre per aria tant'altri si tenevan su le ali sospesi a stento, non sapendo dove posarsi.

Don Cosmo pensò con dispiacere che quel giorno, intanto, Mauro non sarebbe salito a desinare; gliel'aveva detto la sera avanti:

– Questa è l'ultima volta che mangio con voi. Perché mi farete la grazia di credere che non verrò a sedermi a tavola con Flaminio Salvo.

Ora se ne stava giù tra i suoi colombi a testa bassa, aggrondato. Capolino l'osservava dal balcone, come se avesse sotto gli occhi una bestia rara.

– Lo saluto? – domandò piano a don Cosmo.

Questi con la mano gli fe' cenno di no.

– Orso, eh? – soggiunse Capolino. – Ma un gran bel tipo!

– Orso, – ripeté don Cosmo, ritirandosi dal balcone.

Andati nella sala da pranzo dell'altro quartiere, già riccamente addobbata dai tappezzieri, Capolino tentò di nuovo di «tastare il polso» a don Cosmo sul noto argomento. Non sarebbe più certo ricascato a muovergliene il discorso dai libri di filosofia.

Don Cosmo era distratto nell'ammirazione di quella sala, resa così d'improvviso irriconoscibile.

– Prodigio d'Atlante! – esclamava, battendo una mano su la spalla di Ninì De Vincentis. – Mi par d'essere a Colimbètra!

Subito Capolino colse la palla al balzo:

– Lei non ci va più da anni, a Colimbètra, eh?

Don Cosmo stette un po' a pensare.

– Da circa dieci.

E restò sospeso, senza aggiunger altro. Ma Capolino, fissando il gancio per tirarlo a parlare:

– Da quando vi morì sua cognata, è vero?

– Già, – rispose, asciutto, il Laurentano.

E Capolino sospirò:

– Donna Teresa Montalto... che dama! che lutto! Vera donna di stampo antico!

E, dopo una pausa, grave di simulato rimpianto, un nuovo sospiro, d'altro genere:

– Mah! *Cosa bella mortal passa e non dura!*

Donna Sara Alàimo, la casiera, che si trovava in quel punto a servire in tavola, per rialzarsi agli occhi degli ospiti della sua indegna condizione di serva, fu tentata d'interloquire e sospirò timidamente con un languido risolino:

– Metastasio!

Ninì si voltò a guardarla, stupito; don Cosmo accomodò la bocca per emettere un suo riso speciale, fatto di tre *oh! oh! oh!* pieni, cupi e profondi. Ma Capolino, nel vedersi minacciato d'aver guastate le uova nel paniere sul più bello, rimbeccò, stizzito:

– Leopardi, Leopardi...

– Petrarca, Petrarca, scusate, caro avvocato! – protestò don Cosmo, aprendo le mani. – Me n'appello a Ninì!

– Ah, già, Petrarca, che bestia! *Muor giovine colui che al cielo è caro...* – si riprese subito Capolino. – Confondevo... E lei dunque.. dunque lei non rivede il fratello da allora?

Don Cosmo riprese a un tratto l'aria addormentata; socchiuse gli occhi; confermò col capo.

– Sempre sepolto qui! – spiegò allora Capolino al De Vincentis, come se
questi non lo sapesse. – Altri gusti, capisco... anzi diametralmente opposti,
perché don Ippolito ama la... la compagnia, non sa farne a meno... E forse, io
dico, dopo la sciagura, avrebbe molto desiderato di non restar solo, senza parenti attorno... Ma, lei qui; il figlio sempre a Roma... e...

Don Cosmo, che aveva già compreso, ma a suo modo, l'intenzione di Capolino, per tagliar corto uscì a dire:

– E dunque fa bene a riammogliarsi, volete dir questo? D'accordo! Tu intanto, – soggiunse, rivolgendosi a Ninì, – bello mio, non ti risolvi ancora?

Ninì, nel vedersi così d'improvviso tirato in ballo, s'invermigliò tutto:

– Io?

– Guarda come s'è fatto rosso! – esclamò Capolino, scoppiando a ridere,
dalla rabbia.

– Dunque c'è, dunque c'è? – domandò don Cosmo, picchiandosi con un dito
il petto, dalla parte del cuore.

– Altro se c'è! – esclamò Capolino, ridendo più forte.

Ninì, tra le spine, mortificato, urtato da quella risata sconveniente, protestò
con qualche energia:

– Ma non c'è nientissim'affatto! Per carità, non dicano codeste cose!

– Già! San Luigi Gonzaga! – riprese allora Capolino, prolungando sforzata-
mente la risata. – O piuttosto... sì, dov'è donna Sara? lui sì, davvero, Metastasio... un eroe di Metastasio, don Cosmo! o diciamo meglio, un angelo... ma un
angelo, non come ad Alcamo, badiamo! Sa, don Cosmo, che ad Alcamo
chiamano angelo il porchetto?

Ninì s'inquietò sul serio; impallidì; disse con voce ferma:

– Lei mi secca, avvocato!

– Non parlo più! – fece allora Capolino, ricomponendosi.

Don Cosmo rimase afflitto, senza comprendere in prima: poi aprì la bocca a
un *ah!* che gli rimase in gola. Si trattava forse della figlia del Salvo? Ah, ecco,
ecco... Non ci aveva pensato. Non la conosceva ancora. Ma sicuro! benissimo!
Una fortuna per quel caro Ninì! E glielo volle dire:

– Non ti turbare, figliuolo mio. È una cosa molto seria. Non dovresti perder
tempo, nella tua condizione.

Ninì si torse sulla seggiola quasi per resistere, senza gridare, alla puntura di
cento spilli su tutto il corpo. Capolino rattenne il fiato e aspettò che la valanga
precipitasse. Don Cosmo non seppe rendersi ragione dell'effetto di quelle sue
parole e guardò stordito, prima l'uno, poi l'altro.

– M'e scappata qualche altra minchioneria? – domandò. – Scusate. Non
parlo più neanche io.

Ninì viveva veramente in cielo, in un cielo illuminato da un suo sole particolare, lì lì per sorgere, non sorto ancora, e che forse non sarebbe sorto mai. Lo
lasciava lì, dietro le montagne dure della realtà, e preferiva rimanere nel lume
roseo e vano d'una perpetua aurora, perché il sole, sorgendo, non dovesse poi
tramontare, e perché le ombre, inevitabili, rimanessero tenui e quasi diafane.
Già gli s'era affacciato il dubbio che il Salvo ormai non avrebbe accolto bene
la sua richiesta di nozze, dato che egli si fosse mai spinto a fargliela. Ma
aveva sempre rifuggito dall'accogliere e ponderare questo dubbio per non turbare il purissimo sogno di tutta la sua vita. E non perché quel dubbio gliel'a-
vesse impedito, ma perché veramente gli mancava il coraggio di tradurre in
atto un ideale così altamente vagheggiato che quasi temeva si potesse guastare
al minimo urto della realtà, non s'era mai risoluto, non che a fare la richiesta,
ma nemmeno a dichiararsi apertamente con Dianella Salvo. Ora, il sospetto
che egli potesse farlo per la dote della ragazza che avrebbe rimesso in sesto le
sue finanze, gli cagionò un acutissimo cordoglio, gli avvelenò la gioia di quel
servigio reso per amore, e che invece poteva parere interessato; e, come se

tutt'a un tratto il suo sole avesse dato un tracollo, tutto improvvisamente gli s'oscurò, e quando le stanze furon messe in ordine, ed egli con la gola stretta d'angoscia fece un ultimo giro d'ispezione, non seppe posare, come s'era proposto, sul guanciale del letto di Dianella il bacio dell'arrivo, perché ella, senza saperlo, ve lo trovasse la sera, andando a dormire.

Don Cosmo e Capolino, piccoli, neri, sotto un cielo altissimo, cupamente infocato dal tramonto, s'erano messi intanto a passeggiare innanzi alla vecchia villa, per il lungo, diritto viale, che fa quasi orlo, a manca, al ciglio, d'onde sprofonda ripido un burrone ampio e profondo, detto il *vallone*.

Pareva che lì l'altipiano per una convulsione tellurica si fosse spaccato innanzi al mare.

La tenuta di Valsanìa restava di qua, scendeva con gli ultimi olivi in quel burrone, gola d'ombra cinerulea, nel cui fondo sornuotano i gelsi, i carubi, gli aranci, i limoni lieti d'un rivo d'acqua che vi scorre da una vena aperta laggiù in fondo nella grotta misteriosa di San Calògero.

Dall'altra parte del burrone, alla stessa altezza, eran le terre alberate di Platanìa che a mezzogiorno scendono minacciose sulla linea ferroviaria, la quale, sbucando dal traforo sotto Valsanìa, corre quasi in riva al mare fino a Porto Empedocle.

La zona di fiamma e d'oro del tramonto traspariva in un fantastico frastaglio di tra il verde intenso degli alberi lontani, di là dal burrone. Qua, su i mandorli e gli olivi di Valsanìa, alitava già la prima frescura d'ombra, dolce, lieve e malinconica, della sera.

Quest'ora crepuscolare, in cui le cose, nell'ombra calante, ritenendo più intensamente le ultime luci, quasi si smaltano nei lor chiusi colori, era alla solitudine di don Cosmo più d'ogn'altra gradita. Egli aveva costante nell'animo il sentimento della sua precarietà nei luoghi dove abitava, e non se n'affliggeva. Per questo sentimento che si trasfondeva lieve e vago nel mistero impenetrabile di tutte le cose, ogni cura, ogni pensiero gli erano insopportabilmente gravi. Figurarsi, ora, come schiacciante dovesse riuscirgli il discorso di Capolino, che s'aggirava fervoroso intorno alle imprese fortunate del Salvo, a un gran disegno che costui meditava, insieme col direttore delle sue zolfare, l'ingegnere Aurelio Costa, per sollevar le sorti dell'industria zolfifera, miserrime da parecchi anni.

– Coscienza nuova, la sua, – diceva Capolino. – Lucida, precisa e complicata, don Cosmo, come un macchinario moderno, d'acciajo. Sa sempre quel che fa. E non sbaglia mai!

– Beato lui! – ripeteva don Cosmo con gli occhi socchiusi, in atto di rassegnata sopportazione.

– E credentissimo, sa!`– seguitava Capolino. – Veramente divoto!

– Beato lui!

– È una meraviglia come, tra tante brighe, riesca a trovar tempo e modo di badare anche al nostro partito. E con che impegno ne ha sposato la causa!

Ma, poco dopo, Capolino cambiò discorso, accorgendosi che don Cosmo non gli prestava ascolto. Gli si fece più accosto, gli toccò il braccio e aggiunse piano, con aria mesta:

– Quel povero Ninì! Son sicuro che ci piange, sa? per quel po' di baja che gli abbiamo dato a tavola. Innamoratissimo, povero figliuolo! Ma la ragazza, eh! purtroppo, non è per lui.

– Fidanzata ad altri? – domandò don Cosmo, fermandosi.

– No no: ufficialmente, no! – negò subito Capolino. – Ma... zitto però, mi raccomando: non deve saperlo neanche l'aria! Io credo, caro don Cosmo, che la ragazza sia in fondo più malata d'anima che di corpo.

– Toccata, eh?

– Toccata. Questa forse è l'unica cosa mal fatta di suo padre. Qua Flaminio ha sbagliato... eh, non c'è che dire, ha sbagliato!

Don Cosmo si rifermò, crollò più volte il capo e disse, serio serio:

– Vedete dunque che sbaglia anche lui, caro avvocato?

– Ma se il diavolo, creda, ci volle proprio cacciar la coda, quella volta! – riprese Capolino. – Lei saprà che Flaminio... sarà dieci anni, altro che dieci! saranno quindici di sicuro! Insomma lì, poco più poco meno, fu a un pelo di morire affogato... Non lo sa? E come! Ai bagni di mare, a Porto Empedocle. Una cosa buffa, creda, buffa e atroce al tempo stesso! Per un pajo di zucche...

– Di zucche? Sentiamo, – disse don Cosmo, contro il suo solito, incuriosito.

– Ma sì, – seguitò Capolino. – Prendeva un bagno, ai *Casotti*. Non sa nuotare e, per prudenza, si teneva tra i pali del recinto, dove l'acqua, sì e no, gli arrivava al petto. Ora (il diavolo!) vide un pajo di zucche galleggiare accanto a lui, lasciate in mare forse da qualche ragazzo. Le prese. Stando accoccolato, perché l'acqua lo coprisse fino al collo – (com'è brutto l'uomo nell'acqua, don Cosmo mio, l'uomo che non sa nuotare!) – gli venne la cattiva ispirazione d'allungar la mano a quel pajo di zucche e cacciarsele sotto con la cordicella che le teneva unite; ci si mise a seder sopra, e, siccome le zucche, naturalmente, spingevano, e lui aveva lasciato il sostegno del palo per veder se quelle avessero tanta forza da sollevargli i piedi dal fondo, a un tratto, patapùmfete! perdette l'equilibrio e tracollò a testa giù, sott'acqua!

– Oh, guarda! – esclamò don Cosmo, costernato.

– Si figuri, – riprese Capolino, – come cominciò a fare coi piedi per tornare a galla! Ma, per disgrazia, i piedi gli s'erano impigliati nella cordicella e, naturalmente, per quanti sforzi facesse sott'acqua, non li poteva più tirare al fondo.

– Zitto! zitto! ohi ohi ohi... – fece don Cosmo, contraendo le dita e tutto il volto.

Ma Capolino seguitò:

– Badi che è buffo davvero rischiar d'affogare in un recinto di bagni, in mezzo a tanta gente che non se ne accorgeva e non gli dava ajuto, non sospettando minimamente ch'egli fosse lì con la morte in bocca! E sarebbe affogato, affogato com'è vero Dio, se un ragazzotto di tredici anni – questo Aurelio Costa, che ora è ingegnere e direttore delle zolfare del Salvo ad Aragona e a Comitini – non si fosse accorto di quei due piedi che si azzuffavano disperatamente a fior d'acqua e non fosse accorso, ridendo, a liberarlo...

– Ah, capisco... – fece don Cosmo. – E la figliuola, adesso...

– La figliuola... la figliuola... – masticò Capolino. – Flaminio, capirà, dovette disobbligarsi con quel ragazzo e si disobbligò nella misura del pericolo che aveva corso e del terrore che s'era preso. Gli dissero che era figlio d'un povero staderante all'imbarco dello zolfo...

– Il Costa, già, Leonardo Costa, – interruppe don Cosmo. – Amico mio. Viene a trovarmi qua, qualche domenica, da Porto Empedocle.

– Saprà dunque che sta con Flaminio, adesso? – soggiunse Capolino. – Flaminio lo levò dalle stadere e gli diede un posto nel suo gran deposito di zolfi su la spiaggia di levante. Al figlio Aurelio, poi, volle dar lui la riuscita, senza badare a spese; non solo, ma se lo tolse con sé, lo fece crescere in casa sua, coi figliuoli, con Dianella e con quell'altro bimbo che gli morì. Anche questa disgrazia contribuì certo a fargli crescere l'affetto per il giovine. Ma, affetto, dico, fino a un certo punto. Per la stessa ragione per cui ora non darebbe la figlia a Ninì De Vincentis, non la darebbe mai, m'immagino, neanche ad Aurelio Costa, suo dipendente, si figuri!

– Ma! – esclamò don Cosmo, scrollando le spalle. – Ricco com'è... con una figlia sola...

– Eh no... eh no..., – rispose Capolino. – Capisco, a un caso di lui, tutte le

ricchezze cascheranno per forza in mano a qualcuno, a un genero, a quello che
sarà. Ma vorrà ben pesarlo, prima, Flaminio! Non è uomo da rosee romanticherie. Può averne la figlia... E, romanticherie nel vero senso della parola,
badi! Perché, di questa sua vera e segreta malattia sono a conoscenza io, per
certe mie ragioni particolari; ne è a conoscenza, credo, anche Flaminio, o almeno ne ha il sospetto; ma lui, l'ingegnere Costa (ottimo giovine, badiamo!
giovine solido, cosciente del suo stato e di quanto deve al suo benefattore)
non ne sa nulla di nulla, non se l'immagina neppur lontanamente; glielo posso
assicurare, perché ne ho una prova di fatto, intima. L'ingegnere...

A questo punto Capolino s'interruppe, scorgendo in fondo al viale un uomo,
che veniva loro incontro di corsa, gesticolando.

– Chi è là? – domandò, fermandosi, accigliato.

Era Marco Prèola, tutto impolverato, arrangolato, in sudore, con le calze ri-
cadute su le scarpacce rotte. Stanco morto.

– Ci siamo! ci siamo! – si mise a gridare, appressandosi. – È arrivato!

– L'Auriti? – domandò Capolino.

– Sissignore! – riprese il Prèola. – Per le elezioni: non c'è più dubbio! Vengo
di corsa apposta da Girgenti.

Si tolse il cappelluccio roccioso, e con un fazzoletto sudicio s'asciugò il sudore che gli grondava dal capo tignoso.

– Mio nipote? – domandò, frastornato e stupito, don Cosmo.

Subito Capolino, con aria rammaricata, prese a informarlo e delle dimissioni
del Fazello, e delle premure che si facevano su lui perché accettasse la candidatura, e delle voci che correvano a Girgenti su questa venuta inattesa di Roberto Auriti. Voci... voci a cui egli, Capolino, non voleva prestar fede per due
ragioni: prima, per il rispetto che aveva per l'Auriti, rispetto che non gli consentiva di supporre che, non chiamato, venisse a contendere un posto che il
Fazello lasciava volontariamente. La compagine del partito che rappresentava
la maggioranza del paese, come per tante prove indiscutibili s'era veduto, rimaneva salda, anche dopo il ritiro di Giacinto Fazello. L'altra ragione era più
intima, ed era questa: che gli sarebbe doluto, troppo doluto, d'aver per avversario non temibile, in una lotta ímpari, uno che, non ostanti le divergenze d'o-
pinioni in famiglia, era parente pur sempre dei Laurentano ch'egli venerava e
della cui amicizia si onorava. No, no: preferiva credere piuttosto che l'Auriti
fosse venuto a Girgenti solo per riveder la madre e la sorella.

– Ma che dice, avvocato? – proruppe Marco Prèola, scrollandosi dalle spalle
quel lungo, faticoso discorso, col quale Capolino, senza parere, aveva voluto
dare un saggio delle sue attitudini politiche. – Se sono andati a prenderlo alla
stazione quattro mascalzoni, studentelli dell'Istituto Tecnico? se sono arrivate
in paese la mafia e la massoneria, capitanate da Guido Verònica e da Giam-
battista Mattina? Non c'è più dubbio, le dico! È venuto per le elezioni.

Mentre Capolino e il Prèola discutevano tra loro, gli occhi, il naso, la bocca
di don Cosmo facevano una mimica speciosissima: si strizzavano, s'arricciavano, si storcevano... Vivendo in quell'esilio, assorto sempre in pensieri eterni,
con gli occhi alle stelle, al mare lì sotto, o alla campagna solitaria intorno, ora,
così investito da tutte quelle notizie piccine, si sentiva come pinzato da tanti
insettucci fastidiosi.

– Gesù! Gesù! Pare impossibile... Quante minchionerie...

– E allora, un bicchiere di vino, si-don Co', – esclamò, per concluder bene,
Marco Prèola. – Vossignoria mi deve fare la grazia d'un bicchiere di vino.
Non ne posso più! Ho girato tutta Girgenti per trovare il nostro carissimo avvocato; m'hanno detto che si trovava qua a Valsanìa, e subito mi sono precipitato a piedi per la Spina Santa. Mi guardino! Ho la gola, propriamente, arsa.

– Andate, andate a bere alla villa, – gli rispose don Cosmo.

– E non c'è il Mortara? – domandò il Prèola. – Ho paura... – aggiunse ridendo. – Mi sparò, or è l'anno... Dice che venivo qua nel fèudo a caccia dei suoi colombi. Parola d'onore, si-don Cosmo, non è vero! Per le tortore venivo. Forse, qualche volta, non dico, avrò sbagliato. Tiro e, botta e risposta, mi sento arrivare... Fortuna che mi voltai subito. Pum! Nelle natiche, una grandinata... Privo di Dio, le giuro, si-don Co', che se non era per il rispetto alla famiglia Laurentano... La doppietta ce l'avevo anch'io e, parola d'onore...

Dal fondo del viale giunse in quella un rumore di sonaglioli. I tre, che s'erano accostati alla villa conversando, si voltarono a guardare. Capolino chiamò:

– Ninì! Ninì! Ecco le vetture! Arrivano!

Ninì s'affrettò a scendere dalla villa; ne scesero anche i servi, donna Sara Alàimo e la cameriera, già amiche tra loro.

Erano due *vittorie*. Nella prima stava don Flaminio con la figliuola; nella seconda, la demente con due infermiere. Don Cosmo s'aspettava di vedere smontare da una delle vetture anche donna Adelaide, la sposa: restò disilluso. Ninì De Vincentis non ebbe il coraggio di farsi avanti a offrire il braccio a Dianella. Col cuore tremante e la vista annebbiata dalla commozione, le intravide il volto affilato, pallidissimo sotto la spessa veletta da viaggio, e la seguì con lo sguardo, mentre, appoggiata al braccio di Capolino, tutta avvolta in una pesante mantiglia, saliva pian piano la scala, come una vecchina, tra gli augurii ossequiosi di donna Sara Alàimo.

Donna Vittoria, smontata dalla vettura faticosamente per l'enorme pinguedine, restò tra le due infermiere con gli occhi immobili, vani nell'ampio volto pallido, incorniciato dall'umile scialle nero, che teneva in capo; guardò così un pezzo don Cosmo; poi aprì le labbra carnose e quasi bianche a un sorriso squallido e disse in un inchino:

– Signor Priore!

Una delle infermiere la prese per mano, mentre don Cosmo, accanto al Salvo, socchiudeva gli occhi, afflitto. Ninì andò dietro alla demente.

– Grazie, – disse Flaminio Salvo, stringendo forte la mano a don Cosmo. – E non dico altro a lei.

– No, no... – s'affrettò a rispondere il Laurentano, turbato e commosso ancora dal triste spettacolo, sentendo un'improvvisa, profonda pietà per quell'uomo che, nella sua invidiata potenza, con quella stretta di mano gli confidava in quel punto il sentimento della propria miseria.

III.

– Di qua, di qua, mi segua, – disse al signore che gli veniva dietro il vecchio cameriere dalle piote sbieche in fuori, che lo facevano andare in qua e in là con le gambe piegate.

Attraversarono su i soffici tappeti polverosi tre stanze morte in fila, in ognuna delle quali il cameriere, passando, apriva gli scuri dei vecchi finestroni tinti di verde. Le stanze tuttavia rimanevano in un'angustiosa penombra, sia per la pesantezza dei drappi, sia per la bassezza della casa sovrastata dagli edifizii di contro che paravano. Aperti gli scuri, il cameriere guardava la stanza e sospirava, come per dire: «Vede com'è arredata bene? E intanto non figura!».

Pervennero così al salone in fondo, lugubre e solenne, dal palco scompartito, in rilievo, ornato di dorature.

Il signore trasse da un elegante portafogli un biglietto da visita stemmato, ne piegò un lembo e lo porse al cameriere, il quale, indicando un uscio nel salone, disse:

– Un momentino. C'è di là il cavalier Prèola.

– Prèola padre?

– Figlio.

– E cavaliere per giunta?

– Per me, – protestò il vecchio inchinandosi profondamente con la mano al petto, – tutti i padroni miei, cavalieri!

E, andandosene su i piedi sbiechi, lesse sottecchi, sul biglietto da visita: *Cav. Gian Battista Mattina.*

– (Costui, – dunque, – cavaliere autentico, pare.)

Il Mattina rimase in piedi, cogitabondo in mezzo al salone; poi scrollò le spalle, seccato; volse uno sguardo distratto in giro; vide uno specchio alla parete di fronte e vi s'appressò. In quel vasto specchio, dalla luce tetra, la propria immagine gli apparve come uno spettro; e ne provò un momentaneo turbamento indefinito.

Spirava da tutti i mobili, dal tappeto, dalle tende, quel tanfo speciale delle case antiche, d'una vita appassita nell'abbandono. Quasi il respiro d'un altro tempo. Il Mattina si guardò di nuovo attorno con una strana costernazione per la immobilità silenziosa di quei vecchi oggetti, chi sa da quanti anni lì senz'uso, e si accostò di più allo specchio per scrutarsi davvicino, movendo pian piano la testa, stirandosi fin sotto gli occhi stanchi le punte dei folti baffi conservati neri da una mistura, in contrasto coi capelli precocemente grigi che conferivano cotal serietà al suo volto bruno. A un tratto, un lunghissimo sbadiglio gli fece spalancare e storcere la bocca, e all'emissione del fiato fradicio contrasse il volto in un'espressione di nausea e di tedio. Stava per scostarsi dallo specchio, allorché sul piano della mensola, chinando gli occhi, scorse qua e là tanti bei mucchietti di tarlatura disposti quasi con arte, e si chinò a mirarli con curiosità. Avevano lavorato bene quelle tarme, e nessuno intanto pareva tenesse in debito conto la lor fatica... Eppure, il frutto, eccolo là, bene in vista, che diceva: «Questo è fatto. Portate via!». Stese una mano a uno di quei mucchietti, ne prese un pizzico e strofinò le dita. Niente! Neanche polvere... E, guardandosi i polpastrelli dell'indice e del pollice, andò a sedere su una comoda poltrona accanto al canapè. Seduto, la scosse un po', come per accertarsi della solidità.

«Neanche polvere... Niente!»

Con una smorfia, trasse dal tavolinetto tondo innanzi al canapè un album, in capo al quale era il ritratto del padrone di casa, il canonico Agrò.

Era sempre parso al Mattina che il canonico Pompeo Agrò avesse una strana somiglianza con un uccellaccio, di cui non rammentava il nome. Certo il naso, largo alla base, acuminato in punta, s'allungava in quel volto come un becco. Era però negli occhietti grigi, vivi, sotto la fronte alta e angusta, tutta la malizia astuta, sottile e tenace, di cui l'Agrò godeva fama.

Il Mattina esaminò quel viso, come se nei tratti di esso volesse scorgere la ragione dell'invito ricevuto la sera avanti. Che diamine poteva voler da lui l'Agrò? Il dissidio di questo canonico gran signore col partito clericale, dissidio che suscitava tanto scandalo in paese, era proprio proprio vero, o non piuttosto un atteggiamento concertato, insidioso, per tradir la buona fede dell'Auriti, penetrar nel campo avversario e sorprenderne le mosse? Eh, a fidarsi d'una volpe... Quel colloquio segreto col Prèola... Fosse tutto un tranello?

Alzò gli occhi, volse di nuovo lo sguardo attorno e di nuovo dall'immobilità silenziosa di quei vecchi oggetti senz'uso e senza vita si sentì turbato, quasi che essi, per averne egli scoperto le magagne, lo spiassero ora più ostili.

Udì per le tre stanze in fila la voce del vecchio cameriere, che ripeteva:

– Di qua, di qua, mi segua.

Posò l'album e guardò in direzione dell'uscio.

– Oh! Verònica...

– Caro Titta, – rispose Guido Verònica, fermandosi in mezzo al salone.

Si tolse le lenti per pulirle col fazzoletto pronto nell'altra mano; strizzò gli

occhi fortemente miopi, e con l'indice e il pollice della mano tozza si stropicciò il naso maltrattato dal continuo pinzar delle lenti; poi si appressò per sedere su la poltrona di fronte al Mattina; ma questi, alzandosi, lo prese sotto il
braccio e gli disse piano:
— Aspetta, ti voglio far vedere...
E lo condusse innanzi alla mensola per mostrargli tutti quei mucchietti di
polviglio.
Il Verònica, non comprendendo che cosa dovesse guardare, miope com'era,
si chinò fin quasi a toccar col naso il piano della mensola.
— Tarli? – disse poi, ma senza farci caso, anzi guardando freddamente il Mattina, come per domandargli perché glieli avesse mostrati: e andò a sedere su la
poltrona.
— *Tu quoque?* – domandò allora il Mattina, rimasto male e volendo dissimu-
lar la stizza.
— Non so di che si tratti, – gli rispose il Verònica con l'aria di chi voglia na-
scondere un segreto.
— Neanch'io, – s'affrettò a soggiungere il Mattina con indifferenza. – Ho ri-
cevuto un invito...
E posò gli occhi senza sguardo su la fronte del Verònica sconciata da tre
lunghi raffrigni in vario senso: ferite riportate in duello.
— Torni da Roma?
— No. Da Palermo.
— E ti trattieni molto?
— Non so.
Dimostrava chiaramente il Verònica con quelle secche risposte che voleva
restar chiuso in sé, per non darsi importanza con ciò che – volendo – avrebbe
potuto dire. Difatti il suo cómpito, adesso, era questo: mostrarsi seccato, anzi
stanco e sfiduciato. Per sua disgrazia, egli – e tutti lo sapevano – aveva un
ideale: la Patria, rappresentata, anzi incarnata tutta quanta nella persona di un
vecchio glorioso statista, il Crispi, battuto alcuni anni addietro in una tumultuosa seduta parlamentare, dopo una lotta piccina e sleale. Per questo vecchio
glorioso s'era cimentato in tanti e tanti duelli, riportandone quasi sempre la
peggio; aveva respinto su i giornali con inaudita violenza di linguaggio le ingiurie degli oppositori. Ma ormai, caduto quel Vecchio, anche la patria per lui
era caduta: trionfava la marmaglia; non era noja, la sua; era propriamente
schifo di vivere. Non credeva affatto che Roberto Auriti potesse vincere,
quantunque sostenuto dal Governo; ma quel suo Vecchio venerato – che ancora intorno all'avvenire della patria s'illudeva come un fanciullo – gli aveva
imposto di recarsi a Girgenti a combattere per l'Auriti; sapeva che questi, più
che per le premure del Governo, s'era piegato ad accettare la lotta per la
spinta del vecchio statista; ed eccolo a Girgenti. Tanto per non venir meno al
dovere, rispondeva ora all'invito dell'Agrò, d'un canonico, lui che amava i
preti quanto il fumo negli occhi. C'era; bisognava che s'adattasse. Non ostante
però la sfiducia con cui s'era lasciato andare a quella impresa elettorale, si
sentiva alquanto stizzito, nel vedersi messo ora alla pari con un Mattina qualunque, appajato con costui nella piccola congiura che il canonico Agrò pareva volesse ordire.
Il Mattina si mosse su la poltrona, sbuffando e prendendo un'altra positura.
— Si fa aspettare...
— Chi c'è di là? – domandò Guido Verònica, senz'ombra d'impazienza.
Il Mattina si protese e disse sottovoce:
— Prèola figlio, la lancia spezzata d'Ignazio Capolino. L'ho saputo dal came-
riere. Che te ne pare? Domando e dico, che cosa ci stiamo a fare qua noi due?
— Sentiremo... – sospirò il Verònica.
— Non vorrei che...

Il Mattina s'interruppe, vedendo aprir l'uscio ed entrare, lungo e curvo su la sua magrezza, il canonico Pompeo Agrò.

Facendo cenno con ambo le mani ai due ospiti di rimaner seduti, disse con vocetta stridente:

– Chiedo vènia... Stieno, stieno seduti, prego. Caro Verònica; cavaliere esimio. Qua, cavaliere, segga qua, accanto a me; non ho paura de' suoi peccatacci di gioventù.

– Sì, gioventù! – sorrise il Mattina, mostrando il capo grigio.

Il Canonico trasse dal petto un vecchio orologino d'argento.

– Il pelo, eh, lei m'insegna, e non il vizio. Già le dieci, perbacco! Ho perduto molto tempo... Mah!

S'alterò in volto; restò un momento perplesso, se dire o non dire; poi, come attaccando una coda al sospiro rimasto in tronco:

– La gratitudine, un mito!

Tentennò il capo, e riprese:

– Sarebbero disposti lor signori a venire un momentino con me?

– Dove? – domandò il Mattina.

– In casa di Roberto Auriti... tanto amico mio, tanto... fin dall'infanzia, lo sanno. I nostri padri, più che fratelli, compagni d'arme; quello di Roberto a Milazzo, e il mio cadde al Volturno. Storia, questa. Se ne dovrebbe tener conto in paese, invece di menare tanto scalpore per la mia... come la chiamano? diserzione... eh? diserzione, già. La veste! Sissignori. Ma sotto la veste c'è pure un cuore; e ce l'ho anch'io per la santa amicizia, e anche... e anche...

Il Canonico forse voleva aggiungere «per la patria»; lo lasciò intendere col gesto e pose un freno alla foga del sentimento generoso. Si sforzava di parlar dipinto, con un risolino arguto su le labbra, strofinandosi di continuo sotto il mento le mani ossute, come se le lavasse alla fontanella delle sue frasi polite, sì, non però fluenti e limpide e continue, ma quasi a sbruffi, esitanti spesso e con curiosi ingorghi esclamativi. Di tratto in tratto, nel sollevar le pàlpebre stanche, lasciava intravedere qualche obliquo sguardo fuggevole, così diverso dall'ordinario, che subito ciascuno immaginava quell'uomo dovesse, nell'intimità, non esser quale appariva, aver più d'una afflizione profondamente segreta che lo rendeva astuto e cattivo, e travagli d'animo oscuri.

– Prima d'andare, – riprese cangiando tono, – due paroline per intenderci. Avrei meditato... messo sù, o mi sembra, un piccolo piano di battaglia. Non la pretendo a generale, veh! Lor signori combatteranno; io porterò il gamellino. Ecco. Ben ponderato tutto, il nostro più temibile avversario chi è? Il Capolino? No; ma chi gli fa spalla: il Salvo, già suo cognato, potentissimo. Ora io da buona fonte so che il Salvo fino a pochi giorni fa non voleva permettere in verun modo questa... questa comparsa del Capolino.

– Sì, sì, – confermò il Mattina. – A causa delle trattative di matrimonio tra la sorella e il principe di Laurentano.

– Oh! Benissimo, – approvò il Canonico. – Ma il Salvo concesse la grazia di fargli spalla appena seppe che il principe non intendeva d'aver riguardo alla parentela dell'Auriti e ordinava non ne avesse parimenti il partito. Stando così le cose, le sorti del nostro Roberto sono quasi disperate. Non c'illudiamo.

– Eh, lo so! – sbuffò il Verònica.

Subito il Canonico lo fermò con un gesto della mano, seguitando:

– Ma se noi, ecco, pognamo che noi, signori miei, a dispetto della libertà concessa dal principe, riuscissimo a legar mani e piedi al colosso, al Salvo... eh? Come? Ecco: sarebbe questo il mio piano.

Pompeo Agrò, data così l'esca alla curiosità, stette un pezzo con le mani spalmate, sospese sotto il mento; poi le ritrasse, richiudendole; chiuse anche gli occhi per raccogliersi meglio; lasciò andar fuori un altro: – Ecco! – , come

un gancio per sostener l'attenzione dei due ascoltatori, e rimase ancora un po'
in silenzio.

– Lor signori sanno le condizioni con cui si effettuerà il matrimonio per
espressa volontà del Laurentano. Ora queste condizioni, secondo che io ho divisato, dovrebbero diventare il punto... come diremo? vulnerabile del Salvo.

– Il tallone d'Achille, – suggerì il Mattina, scotendosi, per dire una cosa
nuova.

– Benissimo! d'Achille! – approvò l'Agrò. – E mi spiego. Preme al Salvo
certamente, avendole accettate, che il figlio del principe, residente a Roma (mi
par che si chiami Gerlando, eh? come il nonno: Gerlandino, Landino) non sia,
o almeno, non si mostri apertamente contrario a questo matrimonio del padre.
Anzi so che il Salvo ha posto come patto la presenza del giovine alla cerimonia nuziale, per il riconoscimento del vincolo da parte sua e come impegno da
gentiluomo per l'avvenire. Io non conosco codesto Gerlandino, ma so che è di
pelo... cioè, diciamo, di stampa ben altra dal padre.

– Opposta! – esclamò il Verònica. – Io lo conosco bene.

– Oh bravo! – soggiunse l'Agrò. – Ammesso dunque che non abbia neppure
le idee di Roberto Auriti, tra i due, voglio dire tra questo e un Capolino, dovrebbe aver più cara, m'immagino, la vittoria del parente.

Guido Verònica, a questo punto, si scosse e sospirò a lungo, come per vôtarsi dell'illusione accolta per un momento, e disse:

– Ah, no, non credo, sa! non credo proprio che Lando si impicci di codeste
cose...

– Mi lasci dire, – riprese il Canonico, con voce agretta. – A me non cale che
se ne impicci: vorrei saper solamente da lei che è stato tanto tempo a Roma e
conosce il giovine, se l'antagonismo, diciamo così, tra don Ippolito Laurentano e donna Caterina Auriti sussista anche tra i loro figliuoli.

– No, questo no! – rispose subito il Verònica. – Sono anzi in buon accordo,
amici.

– Mi basta! – esclamò allora il Canonico picchiandosi col dorso d'una mano
la palma dell'altra. – Mi strabasta! Se della parentela con l'Auriti non vuole
tener conto il padre, può invece, o potrebbe, tener conto il figlio. Ed ecco legato il Salvo, il colosso!

Pompeo Agrò volle godere un momento di quella prima vittoria, guardando
acutamente, con un sorrisino un po' smorfioso, il Verònica, poi il Mattina, già
accampati entrambi nel suo piano, stimato almeno meditabile. Quindi, come
un generale non contento di vincere soltanto a tavolino, con le leggi della tattica, scese a osservare le difficoltà materiali dell'impresa.

– Il punto, – disse, – sarà persuadere a quel benedetto Roberto di servirsi di
questo spediente. Giacché, per lo meno, abbiamo bisogno di una lettera privata di Gerlandino, da far vedere o conoscere in qualche modo al Salvo, ecco!
o diretta al Salvo stesso, che sarà difficile, o a Roberto, o a qualche amico: a
lei, per esempio, caro Verònica: insomma, una prova, un documento...

Guido Verònica non volle dichiarare ch'egli non poteva attendersi una lettera
da Lando, col quale non aveva alcuna intimità; stimò, sì, ingegnoso il piano
dell'Agrò, ma forse inattuabile per la troppa schifiltà di Roberto, il quale... il
quale... sì, benemerenze patriottiche...

– «Onestà immacolata!» – soggiunse l'Agrò.

– Sì, – concesse il Verònica, – e anche ingegno, se vogliamo; ma... ma...
ma... al dì d'oggi... e gli secca il Prefetto, e par che gli secchino anche gli
amici... basta! Sarà un affar serio! Io, per me, mi metterei anche la pelle alla
rovescia per ajutarlo; però...

S'interruppe; si batté la fronte con una mano; esclamò:

– Ho trovato! Giulio... c'è Giulio... il fratello di Roberto, giusto in questo
momento nella segreteria particolare di S. E. il ministro D'Atri: eh, perbacco!

a lui sì posso scrivere... è intimissimo di Lando. Da Giulio si otterrà facilmente quello che vogliamo, senza farne saper nulla a Roberto che opporrebbe chi sa quanti ostacoli. Ecco fatto!

– Bravissimo! bravissimo! – non rifiniva più d'esclamare il Canonico, gongolante.

Solo il Mattina era rimasto come una barca, la cui vela non riuscisse a pigliar vento. Vedendo quell'altre due barche filar così leste senza più curarsi di lui rimasto floscio indietro, si sentì umiliato; volle dir la sua e, non potendo altro, si provò a soffiare un po' di vento contrario e a parar qualche secca o qualche scoglio.

– Già, – disse, – ma non sarà troppo tardi, signori miei? Riflettiamo! Prima che la lettera arrivi, anche facendo con la massima sollecitudine, di qui a Roma, chiama e rispondi! Ci vorrà una settimana; dico poco. Il Salvo avrà tutto il tempo di compromettersi e non si potrà più tirare indietro.

– Eh, lo vorrò vedere! – esclamò il Canonico con un sogghignetto, e alzando una mano, come per salutarlo da lontano. – No, sa! no, sa! Mai piùù, mai piùù, mai piùù... Vuole che gli stia poi tanto a cuore il Capolino?

– Ma la propria dignità, scusi! – si risentì il cavaliere, come se fosse in ballo la sua. – Bella figura ci farebbe! Ma sa che oggi stesso nella sala di redazione dell'*Empedocle* si proclamerà ufficialmente la candidatura di Capolino con l'intervento del Salvo e di tutti i maggiorenti del partito? Non scherziamo!

– In questo caso, – saltò a dire il Verònica, – per far più presto, si spedirà a Giulio ora stesso, d'urgenza, un telegramma in cifre. Roberto ha un cifrario particolare col fratello. Non perdiamo più tempo... Piuttosto... aspetti!... ora che ci penso... il Selmi... perdio!

– Selmi? – domandò il Canonico, stordito da quel nome che cadeva all'improvviso come un ostacolo insormontabile su la via così bene spianata. – Il deputato Selmi?

– Corrado Selmi, sì, – rispose il Verònica. – L'ho visto a Palermo... Ha promesso a Roberto di venire qua, per lui, e che anzi avrebbe tenuto un discorso...

– Ebbene? – fece l'Agrò. – Anzi, un parlamentare di tanta autorità... vero patriota...

– Lasci andare! lasci andare! – lo interruppe il Verònica, socchiudendo gli occhi, scotendo una mano. – Patriota... va bene! Bacato, bacato, bacato, caro Canonico... Debiti... compromissioni... storie... e Dio non voglia che il povero Roberto per causa di lui... Basta. Non è per questo, adesso... Ma per Lando Laurentano...

E Guido Verònica fece più volte schioccar le dita, come per strigarsele dell'impiccio che gli dava il pensiero del Selmi.

– Non capisco... – osservò il Canonico. – Forse tra il Laurentano e il Selmi?...

– Eh, altro! – esclamò il Verònica. – Nimicizia mortale!

– Affar di donne, – aggiunse il Mattina, serio, socchiudendo gli occhi, soddisfattissimo di quella contrarietà.

E il Canonico, incuriosito:

– Ah sì? Di donne?

– Storia vecchia, – rispose il Verònica. – Finita, a quanto pare; ma, fino a un anno fa, Corrado Selmi – lo dico perché tutta Roma lo sa – fu l'amante di donna Giannetta D'Atri, moglie del Ministro d'oggi.

Il Canonico levò una mano:

– Uh, che cose! E questa... e questa donna Giannetta chi sarebbe?

– Ma una Montalto! – disse il Verònica. – Cugina di Lando... Lei sa che la prima moglie del principe fu una Montalto.

– Ah, ecco! E forse il giovine...?

– Da ragazzo, tra cugini... Questo non lo so bene. Il fatto è che Lando Laurentano provocò due volte il Selmi... Ora, capirà, se questi viene qua a sostenere la candidatura di Roberto...

– Già, già, già... ora comprendo! – esclamò il Canonico. – Si dovrebbe impedire! Ah, si dovrebbe impedire!

– Forse non sarà difficile, – concluse il Verònica. – Perché Corrado Selmi avrà da combattere per sé nel suo collegio. Basta, vedremo. Adesso andiamo subito da Roberto.

Il Canonico si alzò.

– Pronti, – disse. – La vettura è giù. Un momentino, col loro permesso. Prendo il cappello e il tabarro.

Poco dopo, il Verònica e il Mattina rividero il vecchio cameriere dai piedi sbiechi, parato da automedonte, e salirono in vettura con l'Agrò.

Venendo su dal Ràbato, per piazza San Domenico notarono subito un movimento insolito lungo la via maestra. Quattro, cinque monellacci, correndo e fermandosi qua e là, strillavano il giornaletto clericale *Empedocle*, che pareva andasse a ruba.

– *L'Impìducli! L'Impìducli!*

E per tutto si formavano capannelli, qua a leggere, là a commentar vivamente qualche articolo, certo violento, stampato in quel foglio.

Il Verònica, vedendo passare presso la vettura uno di quegli strilloni, non seppe resistere alla tentazione, e mentre il Canonico – che per le vie della città, in quei giorni, si sentiva in mezzo a un campo nemico – consigliava: – Meglio a casa! meglio a casa! – si fece buttare nella vettura una copia del giornale. La prese il Mattina.

– Leggo io?

E cominciò a leggere sottovoce l'articolo di fondo, quello che, indubbiamente, suscitava tanto fermento nel pubblico.

Era intitolato *Patrioti per bisogni di famiglia*, e si riferiva – senza far nomi, ma con turpe evidenza – alla memoria di Stefano Auriti, padre di Roberto, alterando con vilissima calunnia la storia romanzesca del suo amore per Caterina Laurentano; la fuga dei due giovani poco prima della rivoluzione del 1848; la parte presa da Stefano Auriti a questa rivoluzione «non già per amor di patria, ma appunto per bisogni di famiglia, cioè per la conquista d'una dote insieme con le grazie del suocero per forza, ricco, liberale, sì, ma, ahimè, d'una inflessibilità superiore a ogni previsione».

Man mano, leggendo, la voce del Mattina si alterava dallo sdegno, acceso maggiormente dall'indignazione dell'Agrò, che prorompeva di tratto in tratto, accennando di turarsi le orecchie e buttandosi indietro:

– Oh vigliacchi! oh vigliacchi!

A un certo punto il Mattina si vide strappar di mano il giornale. Guido Verònica, pallidissimo, col volto scontraffatto dall'ira, aprì lo sportello della vettura, ne balzò fuori e, senza sentire i richiami del Canonico, tanto per cominciare, si lanciò di furia tra un crocchio di gente, in mezzo al quale stava il Capolino, a cui schiaffò in faccia il giornale, stropicciandoglielo sul muso. L'aggressione fu così fulminea, che tutti restarono per un momento storditi e sgomenti, poi s'avventarono addosso all'aggressore: accorse gente, vociando, da tutte le parti: nel mezzo era la mischia, fitta: volavano bastonate, tra urli e imprecazioni. Il Mattina non ebbe tempo né modo di cacciarsi in difesa del Verònica; ma, poco dopo, l'abbaruffìo, lì nel forte, si allargò: la rissa era partita. Il Canonico chiamava il Mattina, smaniando, dalla vettura. Questi udì alla fine e si volse; ma vide in quella il Verònica, senza cappello, senza lenti, strappato, ansimante tra una frotta di giovani che evidentemente lo difendevano, e accorse. Ritornò, poco dopo, alla vettura del Canonico:

– Niente – dice; – stia tranquillo; andiamo pure; è tra amici; se l'è cavata bene.

Il Canonico tremava tutto.

– Signore Iddio, Signore Iddio... che scandalo... Ma perché?... Schifosi... Non conveniva sporcarsi le mani... E ora che avverrà?

– Oh, – fece con una certa sprezzatura il Mattina. – Un duello; è semplicissimo... o una querela, se la santa religione non consentirà a quel farabutto di dar conto delle turpitudini che pure gli ha permesso di sfognare.

– La religione, scusi, lasciamola stare, cavaliere, – disse Pompeo Agrò pacatamente. – Non c'entra e... mi lasci dire! non c'entra neppure il Capolino.

– Come no?

– Mi lasci dire. Io so chi ha scritto l'articolo, quella sozzura. Il Prèola, il Prèola venuto stamani da me, non so da chi spedito... Brutto ingrato! feccia d'uomo!

– Ma il Capolino, – obbiettò il Mattina, – è direttore del giornale e ha lasciato passar l'articolo.

– Giurerei, metterei le mani sul fuoco, – rispose il Canonico, – che non lo lesse prima. È mio avversario, veda, eppure lo riconosco incapace d'una siffatta bassezza... E ora, che troveremo in casa di Roberto?

Donna Caterina Auriti-Laurentano abitava con la figlia Anna, vedova anch'essa, e col nipote, una vecchia e triste casa sotto la Badìa Grande.

La casa era appartenuta a Michele Del Re, marito di Anna, che null'altro aveva potuto lasciare in eredità alla vedova giovanissima, all'unico figliuolo, Antonio, che ora aveva circa diciott'anni.

Vi si saliva per angusti vicoli sdruccioli, a scalini, malamente acciottolati, sudici spesso, intanfati dai cattivi odori misti esalanti dalle botteghe buje come antri, botteghe per lo più di fabbricatori di pasta al tornio, stesa lì su canne e cavalletti ad asciugare, e dalle catapecchie delle povere donne, che passavano le giornate a seder su l'uscio, le giornate eguali tutte, vedendo la stessa gente alla stess'ora, udendo le solite liti che s'accendevano da un uscio all'altro tra due o più comari linguacciute per i loro monelli che, giocando, s'erano strappati i capelli o rotta la testa. Unica novità, di tanto in tanto, il Viatico; il prete sotto il baldacchino, il campanello, il coro delle divote:

Oggi e sempre sia lodato
Nostro Dio Sacramentato...

Morto il marito, dopo appena tre anni di matrimonio, Anna Auriti era quasi morta anch'essa per il mondo. Fin dal giorno della sciagura non era uscita mai più di casa, neanche per andare a messa le domeniche; né s'era mai più mostrata, nemmeno attraverso i vetri delle finestre sempre socchiuse. Soltanto le monache della Badìa Grande, affacciandosi alle grate a gabbia, avevano potuto vederla dall'alto, quand'ella veniva a prendere, sul vespro, un po' d'aria nell'angusto giardinetto pensile della casa, ch'era addossata alla tetra, altissima fabbrica di quella badìa, già antico castello baronale dei Chiaramonte. Né certo quelle monache avevano potuto sentire alcuna invidia di lei, reclusa come loro. Come loro, se non più semplicemente, vestiva di nero, sempre; come loro nascondeva, sotto un fazzoletto nero di seta annodato al mento, i capelli, se non recisi, non più curati affatto, appena ravviati in due bande e attorti alla lesta dietro la nuca; que' bei capelli castani, voluminosi, che tanta grazia un giorno, acconciati con arte, avevano dato al suo pallido, mite, soavissimo volto.

Donna Caterina aveva condiviso strettamente questa clausura della figlia, vestita anch'essa di nero, fin dal 1860, data della morte eroica del marito, a Milazzo. Rigida, magra, non aveva l'aria di mesta rassegnazione della figlia. La macerazione cupa dell'orgoglio, la fierezza del carattere che, a costo d'incredibili sacrifizii, non s'era mai smentita di fronte alle più crudeli avversità della sorte, le avevano alterato così i lineamenti del volto, che nessuna traccia esso ormai serbava più dell'antica bellezza. Il naso le si era allungato, affilato e teso sulla bocca vizza, qua e là rientrante per la perdita di alcuni denti; le gote le si erano affossate; aguzzato il mento. Ma soprattutto gli occhi, sotto le folte sopracciglia nere, mostravano la rovina di quel volto: le pàlpebre s'eran rilassate, una più, l'altra meno, e quell'occhio più dell'altro socchiuso, dallo sguardo lento, velato d'intensa angoscia, conferiva a quella faccia spenta l'aspetto d'una maschera di cera, orribilmente dolorosa. I capelli, intanto, le erano rimasti nerissimi e lucidi, quasi per dileggio, per far risaltare meglio lo scempio di quelle fattezze e smentir la credenza che i dolori facciano incanutire. Aveva sofferto tutto donna Caterina Laurentano, anche la fame, lei nata nel fasto, allevata e cresciuta fra gli splendori d'una casa principesca: la fame, quando, domata la rivoluzione del 1848, a diciotto anni, col primo figliuolo neonato, Roberto, aveva dovuto seguire nell'esilio, in Piemonte, il marito, escluso con altri quarantatré dall'amnistia, e condannato alla confisca dei pochi beni. Il padre, don Gerlando Laurentano, anch'egli tra quei quarantatré esclusi, la aveva allora invitata ad andare con lui a Malta, suo luogo d'esilio, a patto però che avesse abbandonato per sempre Stefano Auriti. Lei? Aveva rifiutato sdegnosamente; e con più sdegno aveva poi rifiutato l'elemosina del fratello Ippolito, il quale con altri pochi indegni della nobiltà siciliana era andato a ossequiar Satriano a Palermo, e ne aveva ottenuto la restituzione dei beni confiscati al padre. Ed era andata a Torino col marito, tutti e due sperduti e come ciechi, a mendicare per quel figlioletto la vita. Nessuno degli esuli, dei fuorusciti siciliani colà, aveva voluto credere dapprima che ella, di così cospicui natali, unica figliuola femmina del principe di Laurentano, non avesse portato nulla con sé, né ricevesse soccorsi dalla famiglia; e Stefano Auriti era stato perciò in tutti i modi ostacolato dagli stessi compagni di sventura nella ricerca affannosa d'un posticino che gli avesse dato pane, solo pane per la moglie e per sé. E allora ella s'era gravemente ammalata e per cinque mesi era stata in un ospedale, ricoverata per carità dopo infiniti stenti, e per carità il piccolo Roberto era stato allevato in un altro ospizio. S'erano ravveduti finalmente e commossi i compagni d'esilio e avevano ajutato a gara Stefano Auriti. Uscita dall'ospedale, ella aveva ricevuto la notizia che il padre, don Gerlando Laurentano, era morto volontariamente a Bùrmula, di veleno. Dei dodici anni passati a Torino, fino al 1860, donna Caterina serbava ormai una memoria vaga, confusa, come di una vita non vissuta propriamente da lei, ma piuttosto immaginata in un sogno strano e violento, in cui tuttavia sprazzavano visioni liete, qualche momento felice e ardente, d'entusiasmo patriottico. Incancellabilmente impressa nel cuore aveva invece l'ora del risveglio da questo sogno: allorché le era pervenuta la notizia che Stefano Auriti, partito col figliuolo appena dodicenne da Quarto con Garibaldi per la liberazione della Sicilia, era caduto nella battaglia campale di Milazzo. Neanche la grazia di farla impazzire aveva voluto concederle Iddio in quel momento! E aveva dovuto sentire, vedere quasi, il suo cuore di moglie straziato, colpito a morte, là in Sicilia, trascinarsi sanguinando dietro al figliuolo giovinetto, rimasto ora senza il presidio del padre a seguitare la guerra. Le avevano fatto a Torino una colletta, e coi due orfanelli, Giulio e Anna, nati colà, era ritornata in Sicilia, nella patria già liberata; ma da vedova, in gramaglie, e più misera di come ne era partita: tra l'esultanza di tutti, lei, con quei due piccini, vestiti anch'essi di nero. Roberto era già entrato a Napoli con Garibaldi, e ora combatteva sotto Caserta, accanto a Mauro Mortara. Era stata accolta in casa degli Alàimo, parenti poveri di Stefano Auriti. Novamente il fratello Ippolito, ora riparato a Colimbètra, le aveva profferto ajuto; e novamente, con pari sdegno, ella lo aveva rifiutato, meravigliando e gettando nella costernazione gli Alàimo, che la ospitavano. Povera gente, anche d'intelletto povera e di cuore, quante amarezze non le aveva cagionate! S'era dovuta guardare da loro, come da nemici acerrimi della sua dignità, ch'essi non intendevano; capacissimi com'erano di chiedere e d'accettare di nascosto quell'ajuto che ella aveva rifiutato, non contenti del lavoro che faceva in casa e che si procacciava da fuori per cavarne un giusto compenso al poco dispendio che dava loro. S'era rialzata per poco da quell'orribile avvilimento al ritorno di Roberto, accolto da tutto il paese quasi in delirio. Ancora, ricordando quel giorno, quel momento, le sue misere carni eran corse da brividi. Ah con quale esultanza, con che spasimo d'amore e di dolore s'era serrato al seno il figliuolo, che ritornava solo, senza il padre, l'eroe giovinetto dalla camicia rossa, che il popolo le aveva recato su le braccia in trionfo! Il Governo provvisorio le aveva accordato un sussidio mensile, e a Roberto – non potendo altro, per l'età – aveva accordato una borsa di studio in Palermo. L'aveva perduta pochi anni dopo, questa borsa, Roberto, per seguir Garibaldi alla conquista di Roma. Ma al torrente di sangue giovanile, che avrebbe ristorato le vene esauste di Roma, la ragion di Stato aveva opposto, ad Aspromonte, un argine di petti fraterni; e Roberto, con gli altri, era stato preso e imprigionato, prima alla Spezia, poi al forte Monteratti a Genova. Liberato, aveva ripreso gli studii, per poco. Nel 1866, dietro a Garibaldi, di nuovo. Solo nel 1871 gli era venuto fatto di laurearsi in legge; e subito era andato a Roma per provvedere, dopo tante vicende tumultuose, alla propria esistenza e a quella dei suoi. Qualche anno dopo, lo aveva raggiunto il fratello Giulio. Anna, a Girgenti, aveva già trovato marito, e donna Caterina – aspettando che Roberto a Roma si facesse largo e si preparasse un avvenire degno del suo passato, e la consolasse infine di tutte le amarezze patite e dell'avvilimento per cui maggiormente aveva sofferto – era andata a vivere in casa del genero Michele Del Re. La morte di questo, tre anni dopo, la sciagura della figlia, la miseria sopravvenuta di nuovo, quasi non avevano avuto potere di scuoterla da un dolore più cupo e profondo, in cui era caduta. Il figlio, il figlio da cui tanto si aspettava, il suo Roberto, fra il trambusto violento della nuova vita nella terza Capitale, tra la baraonda oscena dei tanti che vi s'abbaruffavano reclamando compensi, carpendo onori e favori, il suo Roberto s'era perduto! Stimando semplicemente come suo dovere quanto aveva fatto per la patria, non aveva voluto né saputo accampare alcun diritto a compensi; aveva forse sperato e atteso che gli amici, i compagni, si fossero ricordati di lui dignitoso e modesto. Poi forse lo schifo lo aveva vinto e tratto in disparte. E qual rovinìo era sopravvenuto in Sicilia di tutte le illusioni, di tutta la fervida fede, con cui s'era accesa alla rivolta! Povera isola, trattata come terra di conquista! Poveri isolani, trattati come barbari che bisognava incivilire! Ed eran calati i *Continentali* a incivilirli: calate le soldatesche nuove, quella colonna infame comandata da un rinnegato, l'ungherese colonnello Eberhardt, venuto per la prima volta in Sicilia con Garibaldi e poi tra i fucilatori di Lui ad Aspromonte, e quell'altro tenentino savojardo Dupuy, l'incendiatore; calati tutti gli scarti della burocrazia; e liti e duelli e scene selvagge; e la prefettura del Medici, e i tribunali militari, e i furti, gli assassinii, le grassazioni, orditi ed eseguiti dalla nuova polizia in nome del Real Governo; e falsificazioni e sottrazioni di documenti e processi politici ignominiosi: tutto il primo governo della Destra parlamentare! E poi era venuta la Sinistra al potere, e aveva cominciato anch'essa con provvedimenti eccezionali per la Sicilia; e usurpazioni e truffe e concussioni e favori scandalosi e scandaloso sperpero del denaro pubblico; prefetti, delegati, magistrati messi a servizio dei deputati ministeriali, e clientele spudorate e brogli elettorali; spese pazze, cortigianerie degradanti; l'oppressione dei vinti e dei lavoratori, assistita e protetta dalla legge, e assicurata l'impunità agli oppressori...

Da due giorni – dacché Roberto era arrivato a Girgenti – usciva dalla bocca amara di donna Caterina Auriti questo fiotto veemente di crudeli ricordi, d'acerbe rampogne, di fiere accuse. Guardando il figlio, a traverso le pàlpebre rilassate, con quell'occhio quasi spento, si vòtava il cuore di tutte le amarezze accumulate in tanti anni, di tutto il dolore, di cui l'anima sua s'era nutrita e attossicata.

– Che speri? che vuoi? – gli domandava. – Che sei venuto a far qui?

E Roberto Auriti, investito dalla furia della madre, taceva aggrondato, a capo chino, con gli occhi chiusi.

Aveva ormai quarantatré anni: già calvo, ma vigoroso, col volto fortemente inquadrato dalle folte sopracciglia nere, quasi giunte, e dalla corta barba pur nera, se ne stava avvilito e addogliato, come un fanciullo debole al cospetto di quella madre che, pur così debellata dai dolori e dagli anni, serbava tanta energia e così fieri spiriti. Si sentiva veramente sconfitto. L'animo, troppo teso negli sforzi della prima gioventù, gli era venuto meno a poco a poco, di fronte alla nuova, laida guerra, guerra di lucro, guerra per la conquista indegna dei posti. E ne aveva chiesto uno anche lui, non per sé, per il fratello Giulio, e lo aveva ottenuto al Ministero del tesoro. Egli s'era affidato agli scarsi, incerti proventi della professione d'avvocato: proventi che tuttavia, tal volta, non gli lasciavano al tutto tranquilla la coscienza, non già perché non li credesse meritato compenso al proprio lavoro, allo zelo; ma perché la maggior parte delle liti gli venivano per il tramite dei deputati siciliani suoi amici, di Corrado Selmi specialmente, e per parecchie aveva il dubbio che le avesse vinte, non tanto per la sua bravura, quanto per l'indebita e non gratuita ingerenza di quelli. Ma, morto il cognato Michele Del Re, aveva la madre e la sorella vedova e il nipote da mantenere a Girgenti; oltre che a Roma, da parecchi anni, non era più solo. Certo la madre non ignorava la convivenza di lui a Roma con una donna, di cui per antichi pregiudizii e per la puritana rigidezza dei costumi non poteva avere alcuna stima; non glien'aveva mai fatto parola; ma egli sentiva l'aspra condanna nel cuore materno, un'altra amarezza – secondo lui ingiusta – che la madre non gli mostrava per non avvilirlo, per non ferirlo vieppiù. Ma forse donna Caterina, in quei momenti, non ci pensava nemmeno, tutt'intesa com'era a mettere innanzi al figlio, con foga inesausta, insieme coi ricordi luttuosi della famiglia, le condizioni tristissime del paese. E durante quest'esposizione, la sorpresero il canonico Pompeo Agrò e il Mattina.

Dalla cordialità vivace, con cui Roberto Auriti lo accolse, l'Agrò comprese subito ch'egli ignorava ancora la pubblicazione di quel turpe articolo. Presentò il Mattina, ossequiò la signora.

Donna Caterina aspettò che i primi convenevoli fossero scambiati e che i due amici esprimessero la gioja di rivedersi dopo tanti anni; e riprese, rivolta all'Agrò:

– Per carità, Monsignore, glielo faccia intendere anche lei, che è amico sincero. Qua siamo tra noi. Anche questo signore, se l'ha condotto lei, sarà un amico. Io voglio persuadere mio figlio a non accettare questa lotta.

– Mamma... – pregò Roberto, con un sorriso afflitto.

– Sì, sì, – incalzò la madre. – Lo dicano loro. Che ha fatto Roberto, e perché, in nome di che cosa viene oggi a chiedere il suffragio del suo paese? Forse in nome di tutto ciò che fece da giovinetto, in nome del padre morto, dei sacrifizii e degli ideali per cui quei sacrifizii furono fatti e quello strazio sofferto? Farà ridere!

– Oh, no, perché, donna Caterina? – si provò a interrompere il canonico Agrò, portandosi una mano al petto, quasi ferito. – Non dica così.

– Ridere! ridere! – incalzò quella con più foga. – Lo sa bene anche lei come quegli ideali si sono tradotti in realtà per il popolo siciliano! Che n'ha avuto?

com'è stato trattato? Oppresso, vessato, abbandonato e vilipeso! Gli ideali del Quarantotto e del Sessanta? Ma tutti i vecchi, qua, gridano: *Meglio prima! Meglio prima!* E lo grido anch'io, sa? io, Caterina Laurentano, vedova di Stefano Auriti!

– Mamma! mamma! – supplicò Roberto, con le mani agli orecchi.

E subito la madre:

– Sì, figlio: perché prima almeno avevamo una speranza, quella che ci sostenne in mezzo a tutti i triboli che tu sai e non sai, là, a Torino... Nessuno vuol più saperne, ora, credi. Troppo cari si son pagati, quegli ideali; e ora basta! Ritórnatene a Roma! Non voglio, non posso ammettere che tu sia venuto qua in nome del Governo che ci regge. Tu non hai rubato, figlio, non hai prestato man forte a tutte le ingiustizie e le turpitudini che qua si perpetrano protette dai prefetti e dai deputati, non hai favorito la prepotenza delle consorterie locali che appestano l'aria delle nostre città come la malaria le nostre campagne! E allora perché? che titoli hai per essere eletto? chi ti sostiene? chi ti vuole?

Entrò, in questo punto, Guido Verònica, rassettato e ricomposto. Era salito all'albergo dopo la rissa per cambiarsi d'abito, e vi aveva lasciato detto che se qualcuno fosse venuto a cercar di lui, egli sarebbe ritornato alle ore tre del pomeriggio. Subito l'Agrò e il Mattina gli fecero cenno con gli occhi, che Roberto non sapeva nulla. Donna Caterina Auriti s'era levata in piedi, per incitare il figlio a rifiutare l'ajuto del Governo, che del resto non avrebbe avuto alcun valore nell'imminente lotta, e ad accettar questa, invece, in nome dell'isola oppressa. Non avrebbe vinto, certamente; ma la sconfitta almeno non sarebbe stata disonorevole e sarebbe servita di mònito al Governo.

– Perché voi lo vedrete, – concluse. – Faccio una facile profezia: non passerà un anno, assisteremo a scene di sangue.

Guido Verònica parò le mani grassocce.

– Per carità, signora mia, per carità, non dica codeste cose, che sono orribili in bocca a lei! Le lasci dire ai sobillatori che, senza volerlo, fanno il giuoco dei clericali! Scusi, Canonico; ma è proprio così! Quattro mascalzoni ambiziosi che seminano la discordia per assaltare i Consigli comunali e provinciali e anche il Parlamento; altri quattro ignobili nemici della patria che sognano la separazione della Sicilia sotto il protettorato inglese, uso Malta! E c'è poi la Francia, la nostra cara sorella latina, che soffia nel fuoco e manda denari per trar partito domani di qualche sommossa brigantesca, ispirata dalla mafia!

– Ah sì? – proruppe donna Caterina, che s'era tenuta a stento. – Lei si conforta così? Sono tutte calunnie, le solite, quelle che ripetono i ministri, facendo eco ai prefetti e ai tirannelli locali capielettori; per mascherare trenta e più anni di malgoverno! Qua c'è la fame, caro signore, nelle campagne e nelle zolfare; i latifondi, la tirannia feudale dei cosiddetti *cappelli*, le tasse comunali che succhiano l'ultimo sangue a gente che non ha neanche da comperarsi il pane! Si stia zitto! si stia zitto!

Guido Verònica sorrise nervosamente, aprendo le braccia; poi si rivolse a Roberto:

– Oh senti... (col suo permesso, signora!): avrei bisogno del tuo cifrario, per spedire un telegramma d'urgenza a Roma.

– Ah già, bravo, bravo! – esclamò il canonico Agrò, riscotendosi dal doloroso atteggiamento preso durante la violenta intemerata di donna Caterina.

Roberto si recò di là per il cifrario. La conversazione cadde fra i tre amici e la vecchia signora; poi l'Agro per rompere il silenzio penoso sopravvenuto, sospirò:

– Eh, certo sono tristi assai le condizioni del nostro povero paese!

E la conversazione fu ripresa un po', ma senza più calore. I tre avevano un'intesa segreta tra loro ed erano anche gonfii e costernati dello scandalo di quell'articolo: si scambiavano occhiate d'intelligenza, avrebbero voluto rimanere soli un momento per accordarsi sul miglior modo di preparare Roberto. Ma donna Caterina non se n'andava.

– Sa se Corrado Selmi, – le domandò Guido Verònica, – ha scritto a Roberto che verrà?

– Verrà, verrà, – rispose ella, scrollando il capo con amaro sdegno.

– Ci ho pensato, – disse piano il Verònica all'Agrò e al Mattina. – Tanto meglio, se viene. Anzi gli spedirò io stesso un telegramma perché venga subito, *per me*, capite? Così Lando... zitti, ecco Roberto.

Ma non era Roberto: entrò invece nella sala un giovinotto alto, smilzo, a cui le lenti serrate in cima al naso, congiungendo le folte sopracciglia, davano un'aria di cupa e rigida tenacia. Era Antonio Del Re, il nipote. Pallidissimo di solito, appariva in quel momento quasi cèreo.

– Hanno letto nell'*Empedocle*? – domandò con un fremito nelle labbra e nel naso.

Il canonico Agrò e il Mattina alzarono subito le mani per impedire che seguitasse.

– Contro Roberto? – domandò donna Caterina.

– Contro il nonno! – rispose, vibrante, il giovinotto. – Una manata di fango! E contro te!

– Sozzure! sozzure! – esclamò l'Agrò. – Per carità, non ne sappia nulla il povero Roberto!

– Già sta a leggerlo, – disse il nipote, sprezzante.

– No! no! – gridò allora l'Agrò, levandosi in piedi. – Oh Signore Iddio, bisogna prevenirlo! Già questi farabutti hanno avuto la lezione che si meritavano dal nostro Verònica! Per carità, vada lei, donna Caterina... Imprudenza, imprudenza, ragazzo mio!

Donna Caterina accorse; ma troppo tardi. Roberto Auriti, ignorando quel che poc'anzi aveva fatto il Verònica, era corso – pallido, col volto contratto da un sorriso spasmodico, e come un cieco – alla redazione di quel giornalucolo, presso Porta Atenèa. Vi aveva trovati già raccolti i maggiorenti del partito, con Flaminio Salvo alla testa, per proclamare, subito dopo l'aggressione, la candidatura di Ignazio Capolino. Al vecchio usciere, che stava di guardia nella saletta d'ingresso innanzi all'uscio a vetri della sala di redazione, aveva detto – ancor sorridendo a quel modo – che Roberto Auriti voleva parlare col direttore. Nella sala di redazione s'era fatto un improvviso silenzio; poi agli orecchi di Roberto eran venute queste parole concitate:

– Nossignori! Vado io, tocca a me; l'articolo l'ho scritto io, e io ne rispondo!

Non aveva neppur visto chi gli s'era fatto innanzi: gli s'era lanciato addosso come una belva, lo aveva levato di peso e scagliato con tale impeto contro l'uscio, che questo s'era sfondato, sfasciato, con gran fracasso e rovinìo di vetri infranti.

Quando il Verònica, il Mattina e il nipote Del Re sopraggiunsero a precipizio, tra la ressa della gente accorsa da ogni parte agli urli che s'eran levati altissimi dalla sala di redazione, Marco Prèola col volto insanguinato e un coltello in mano si dibatteva ferocemente sbraitando:

– Lasciatemi, maledetti, lasciatemi! Se lo liberate adesso, l'ammazzo più tardi! Lasciatemi! Lasciatemi!

IV.

In fondo al vestibolo, tra i lauri e le palme, su lo sfondo della gran porta a vetri colorati, la preziosa statua acefala di Venere Urania, scavata a Colimbè-tra nello stesso posto ove ora sorge la villa, pareva che non per vergogna della sua nudità tenesse sollevato un braccio davanti al volto ideale che ciascuno, ammirandola, le immaginava subito, lievemente inclinato, come se in realtà vi fosse; ma per non vedere inginocchiati alla soglia della cappella che si apriva a destra tutti quegli uomini così stranamente parati: la compagnia borbonica di capitan Sciaralla.

La messa era per finire. Dentro la cappella, lucida di marmi e di stucchi, stavano soltanto il principe don Ippolito, raccolto nella preghiera su l'inginocchiatojo dorato e damascato, innanzi all'altare; più indietro, Lisi Prèola, il segretario; più indietro ancora, le donne di servizio: la governante e due giovani cameriere. La servitù maschile doveva contentarsi d'assistere alla messa dal vestibolo; solo a Liborio, cameriere favorito del principe, in brache corte e calze di seta, era concesso di star su l'entrata, più dentro che fuori; e questa pareva a Sciaralla un'ingiustizia del Prèola, bell'e buona. In qualità di capitano, egli si riteneva degno di sedere per lo meno accanto al Prèola stesso, se non subito dopo il principe, ecco. Apertamente, no, non se ne lagnava, per prudenza; ma ci pigliava certe bili! E come d'un peccato d'invidia se n'era confessato a don Lagàipa, che ogni domenica veniva a Colimbètra a dir messa.

– Almeno davanti a Dio dovremmo essere tutti eguali, ecco!

Tutti, escluso il principe; non c'era bisogno di dirlo.

Ma lui, Sciaralla, non si lagnava perché voleva esser favorito, messo avanti agli altri, distinto dai suoi subalterni al cospetto di Dio? Le corna aveva dunque, le corna e la coda del demonio, quella sua riflessione, che pur sembrava giusta a prima giunta.

Così don Illuminato Lagàipa aveva tappata la bocca a Sciaralla.

E Sciaralla, un sospirone.

Vera tentazione del demonio era intanto quella statua nuda, lì davanti la cappella, per tutti quegli uomini di guardia che dovevano star fuori. Mentre le labbra recitavano le preghiere, gli occhi eran quasi costretti a peccare guardando senza volerlo quella nudità, che S. E. il principe, tanto divoto, non avrebbe dovuto tenere così esposta! Oh maledetta! Sembrava viva, sembrava... Le povere donne di servizio abbassavano gli occhi, ogni volta, passando; e anche don Illuminato li abbassava, pezzo d'ipocrita!

Ridevano intanto, fiorenti, le mirabili forme della dea decapitata, emersa dal tempo remoto, nata da uno scalpello greco, da un artefice ignaro che la sua opera dovesse tanto sopravvivere e parlare a profana gente un linguaggio diabolico, ornamento d'un vestibolo, tra cassoni di lauri e di palme.

Finita la messa, gli uomini della compagnia di guardia fecero ala su l'attenti, al passaggio del principe che si recava al *Museo*.

Così eran chiamate le sale a pianterreno dell'altro lato del vestibolo, nelle quali tra alte piante di serra erano raccolti gli oggetti antichi, d'inestimabile valore: statue, sarcofaghi, vasi, iscrizioni, scavati a Colimbètra, e che don Ippolito aveva illustrati molti anni addietro nelle sue *Memorie d'Akragas*, insieme col prezioso medagliere esposto sù, nel salone della villa.

L'antica famosa Colimbètra akragantina era veramente molto più giù, nel punto più basso del pianoro, dove tre vallette si uniscono e le rocce si dividono e la linea dell'aspro ciglione, su cui sorgono i Tempii, è interrotta da una larga apertura. In quel luogo, ora detto dell'Abbadia bassa, gli Akragantini, cento anni dopo la fondazione della loro città, avevano formato la pescheria, gran bacino d'acqua che si estendeva fino all'Hypsas e la cui diga concorreva col fiume alla fortificazione della città.

Colimbètra aveva chiamato don Ippolito la sua tenuta, perché anch'egli lassù, nella parte occidentale di essa, aveva raccolto un bacino d'acqua, alimentato d'inverno dal torrentello che scorreva sotto Bonamorone e d'estate da una nòria, la cui ruota stridula era da mane a sera girata da una giumenta cieca. Tutt'intorno a quel bacino sorgeva un boschetto delizioso d'aranci e melograni.

Nel museo don Ippolito soleva passare tutta la mattinata, intento allo studio appassionato e non mai interrotto delle antichità akragantine. Attendeva ora a tracciare, in una nuova opera, la topografia storica dell'antichissima città, col sussidio delle lunghe minuziose investigazioni sui luoghi, giacché la sua Colimbètra si estendeva appunto dov'era prima il cuore della greca Akragante.

Presso una delle ampie finestre della seconda sala, guarnite di lievi tende rosee, era la scrivania massiccia, intagliata; ma don Ippolito componeva quasi sempre a memoria, passeggiando per le sale; architettava all'antica due, tre periodoni gravi di *laonde* e di *conciossiaché*, e poi andava a trascriverli su i grandi fogli preparati su la scrivania, spesso senza neppur sedere. Tenendosi con una mano sul mento la barba maestosa, che serbava tuttavia un ultimo vestigio, quasi un'aria del primo color biondo d'oro, egli, alto, aitante, bellissimo ancora, non ostanti l'età e la calvizie, si fermava davanti a questo o a quel monumento, e pareva che con gli occhi ceruli, limpidi sotto le ciglia contratte, fosse intento a interpretare una iscrizione o le figure simboliche d'un vaso arcaico. Talvolta anche gestiva o apriva a un lieve sorriso di soddisfazione le labbra perfette, giovanilmente fresche, se gli pareva d'aver trovato un argomento decisivo, vittorioso, contro i precedenti topografi.

Su la scrivania era quel giorno aperto un volume delle storie di Polibio, nel testo greco, Lib. IX, Cap. 27, alla pagina ov'è un accenno all'acropoli akragantina.

Un gravissimo problema travagliava da parecchi mesi don Ippolito circa alla destinazione di questa acropoli.

– Disturbo? – domandò, inchinandosi su la soglia di quella seconda sala, don Illuminato Lagàipa, che già si era spogliato degli arredi sacri e aveva fatto la solita colazione di cioccolato e biscottini.

Era un prete di mezz'età, tondo di corpo, dal volto bruciato dal sole, nel quale gli occhi cilestri, troppo chiari, pareva vaneggiassero smarriti. Buon uomo, in fondo, pacifico e noncurante; lì, in presenza del principe, che ogni domenica lo tratteneva a colazione, si dava, per fargli piacere, arie di rigida e battagliera intransigenza, di cui rideva poi, discorrendo filosoficamente con la sua vecchia e fedele Fifa, l'asina mansueta, che lo riconduceva al campicello presso il camposanto di Bonamorone, pochi ettari di terra, che – se sapevano il rapido passar della vita – pure, sotto questo o quel re, gli producevano ogni anno quel tanto che modestamente gli bisognava.

– Domenica, oggi, e non si lavora! – soggiunse, levando le mani e sorridendo.

– Non è lavoro, il mio, propriamente, – gli disse con un sobrio gesto garbato don Ippolito.

– Già, già! *otia, otia*, secondo Cicerone! – si corresse don Lagàipa. – Ha ragione. Venivo per dirle che jeri mattina, prima che mi recassi al mio campicello, Monsignore mi fece l'onore d'incaricarmi d'un'ambasciata per Vostra Eccellenza.

– Monsignor Montoro?

– Già. Mi disse di avvertir Vostra Eccellenza che oggi, nel pomeriggio, con l'ajuto di Dio, verrà qua, per parlare, suppongo, delle prossime elezioni. Eh, – sospirò, intrecciando le dita e scotendo le mani così giunte, – pare che il diavolaccio maledetto si senta prudere le corna... Guerra, guerra... tempesta! Ho sentito che sono arrivate da Palermo, per richiamo, dicono, del canonico Agrò, due certe gallinelle d'acqua... già! due famosi galoppini al comando dell'alta mafia e della famigerata banda massonica... un tal Mattina, un tal Verònica...

– L'Agrò? – disse cupo don Ippolito Laurentano, che s'era impuntato a quel nome, senza più badare al resto. – Dunque l'Agrò vuole proprio scendere in piazza, senza alcun ritegno, senza alcun riguardo, nemmeno per l'abito che indossa?

– Eh! – tornò a sospirare don Lagàipa. – Superiore mio... superiore... ma dico ciò che si dice... *relata refero*... non manda giù, dicono, che non l'abbiano fatto vescovo al posto del nostro Eccellentissimo monsignor Montoro. Crede di salvare le apparenze con... con la scusa dell'antica amicizia che lo lega all'Auriti, ecco...

– Bell'amicizia, da gloriarsene! – brontolò il Laurentano. – Per un sacerdote!

– Ma l'Agrò... – osservò don Illuminato. E non aggiunse altro. Chiuse gli occhi, tentennò il capo, emise un terzo sospiro: – Eh, si complica... la faccenda si complica... sì, dico... si fa molto delicata...

– Per me? – saltò sù a dire don Ippolito (e il lucido cranio gli s'infiammò). – Delicata per me? Sappia monsignor Montoro... già dovrebbe saperlo; io non riconosco, non ho mai riconosciuto per nipote codesto Roberto Auriti garibaldesco. Non lo conosco neppur di vista: qua non è mai venuto, né io del resto gli avrei fatto oltrepassar la soglia del mio cancello. Per ordine del suo governo, non invitato dalla cittadinanza, viene con la folle speranza di prendere il posto di Giacinto Fazello? Bene. Avrà ciò che si merita. Senza alcuna considerazione per la mia sciagurata parentela in-vo-lon-ta-ria, si lotti e si vinca!

– Ah, lottare, lottare, sicuro! bisogna lottare! – disse don Illuminato, aggrottando fieramente le ciglia su quegli occhi vani. – Anche se non si dovesse vincere...

– E perché no? – domandò severo don Ippolito. – Che probabilità di vittoria può aver l'Auriti? Che conta l'Agrò?

– Ma... dicono... la prefettura... – e don Illuminato si grattò la guancia raschiosa.

– Non è base! – ribatté subito il principe. – L'abbiamo veduto nelle elezioni comunali.

– Già, già... – si rimise don Lagàipa. – Però... la mafia in campo, adesso... la polizia favoreggiatrice... tutte le male arti... dicono... e deve arrivare... non so, un pezzo grosso... un deputato.... Selmi, mi par d'avere inteso...

Don Ippolito rimase in silenzio per un pezzo, col volto atteggiato di nausea; poi, scotendo un pugno, proruppe:

– Filangieri! Filangieri!

Il Lagàipa scrollò il capo, sospirando a questa esclamazione, frequente su le labbra del principe e accompagnata sempre da quel gesto di rabbioso rammarico:

– Filangieri!

Sapeva quanta venerazione don Ippolito Laurentano serbasse ancora alla memoria del Satriano, repressore benedetto della rivoluzione siciliana del 1848, provvido, energico restauratore dell'ordine sociale dopo i sedici mesi *dell'oscena baldoria rivoluzionaria*. Di quei sedici mesi era rimasto vivo di raccapriccio nel principe il ricordo, sopra tutto per la minaccia brutale del volgo ai privilegi nobiliari e alla credenza religiosa. Satriano era stato per lui il sole trionfatore di quella bufera sovvertitrice; e come un sole, ritornata la calma, aveva brillato sù nel cielo di Sicilia dalla reggia normanna di Palermo, riaperta alle splendide feste per circondare di prestigio napoleonico il suo potere. Lì, nella reggia, don Ippolito aveva conosciuto donna Teresa Montalto, giovinetta, a cui poi il Satriano stesso aveva voluto far da padrino nelle nozze, ottenendo a lui, sposo, con sommo stento dal Re l'ordine di cavaliere di San Gennaro, di cui già il padre era stato insignito. La bufera s'era scatenata di nuovo nel 1860: dal ritiro di Colimbètra egli ne udiva il rombo lontano: lottava di là con tutte le forze, nel piccolo àmbito della città natale: la causa dei Borboni era per il momento perduta; bisognava lottare per il trionfo del potere ecclesiastico; restituita Roma al Pontefice, chi sa! Intanto si doveva a ogni costo impedire che la rappresentanza di Giacinto Fazello fosse usurpata da Roberto Auriti.

– Del resto, – riprese, – l'Auriti non ha più alcun prestigio nel paese. Ne manca da circa vent'anni...

– Simpatie, però... – oppose reticente il Lagàipa, – ecco, sì... qualche simpatia forse la gode...

– Non contano nulla, oggi, le simpatie, – rispose don Ippolito recisamente. – Di fronte agl'interessi, nulla!

Prese dalla scrivania, così dicendo, il volume delle storie di Polibio che vi stava aperto e istintivamente se l'appressò agli occhi. Subito questi gli andarono sul passo, tante volte riletto e tormentato, della controversia su quella benedetta acropoli. Si distrasse dal discorso; rilesse ancora una volta il passo, con la mente già piena di nuovo della controversia che l'agitava; sospirò; chiuse il libro, lasciandovi l'indice in mezzo e, ponendoselo dietro il dorso:

– Insomma, – disse, – bisogna vincere, don Illuminato! Io, guardi, in questo momento ho contro me un esercito di eruditi tedeschi; di topografi; di storici antichi e nuovi, d'ogni nazione; la tradizione popolare; eppure non mi do per vinto. Il campo di battaglia è qua. Qua li aspetto!

Gli mostrò il libro, picchiando con le nocche delle dita su la pagina, e soggiunse:

– Come tradurrebbe lei queste parole: $\kappa\alpha\tau'\alpha\dot{\upsilon}\tau\grave{\alpha}\varsigma\ \tau\grave{\alpha}\varsigma\ \delta\epsilon\rho\iota\nu\grave{\alpha}\varsigma\ \dot{\alpha}\nu\alpha\tau o\lambda\acute{\alpha}\varsigma$?

Investito da quei quattro *às, às, às, às*, come da quattro schiaffi improvvisi, il povero don Illuminato Lagàipa restò quasi basito. Credeva di non meritarsi un simile trattamento.

Don Ippolito sorrise; poi, introducendo il braccio sotto il braccio di lui, soggiunse:

– Venga con me. Le spiegherò in due parole di che si tratta.

Uscirono sul vasto spiazzo innanzi alla villa; se ne scostarono un tratto a destra; quindi, voltando le spalle, il principe mostrò al prete l'ampia zona di terreno, dietro la villa, in scosceso pendìo, coronata in cima da un greppo isolato, ferrigno, da un cocuzzolo tutt'intorno tagliato a scarpa.

– Questa, è vero? La collina akrea, – disse. – Quella lassù, la nostra famosa Rupe Atenèa. Bene. Polibio dice: «*La parte alta* (l'arce, la così detta acropoli, insomma) *sovrasta la città*, noti bene!, *in corrispondenza a gli orienti estivi*». Ora, dica un po' lei: donde sorge il sole, d'estate? Forse dal colle dove sta Girgenti? No! Sorge di là, dalla Rupe. E dunque lassù, se mai, era l'Acropoli, e non su l'odierna Girgenti, come vogliono questi dottoroni tedeschi. Il colle di Girgenti restava oltre il perimetro delle antiche mura. Lo dimostrerò... lo dimostrerò! Mettano lassù Camìco... la reggia di Còcale... Omfàce... quello che vogliono... l'Acropoli, no.

E scartò con la mano Girgenti, che si vedeva per un tratto, lassù, a sinistra della Rupe, più bassa.

– Lì, – riprese, additando di nuovo la Rupe Atenèa e ispirandosi, – lì, sublime vedetta e sacrario soltanto, non acropoli, sacrario dei numi protettori, Gellia ascese, fremebondo d'ira e di sdegno, al tempio della diva Athena, dedicato anche a Giove Atabirio, e vi appiccò il fuoco per impedirne la profanazione. Dopo otto mesi d'assedio, stremati dalla fame, gli Akragantini, cacciati dal terrore e dalla morte, abbandonano vecchi, fanciulli e infermi e fuggono, protetti dal siracusano Dafnèo, da porta Gela. Gli ottocento Campani si sono ritirati dal colle; il vile Desippo s'è messo in salvo; ogni resistenza è ormai inutile. Solo Gellia non fugge! Spera d'avere incolume la vita mercé la fede, e si riduce al santuario d'Athena. Smantellate le mura, ruinati i meravigliosi edifizii, brucia qua sotto la città intera; e lui dall'alto, mirando l'incendio spaventoso che innalza una funerea cortina di fiamme e di fumo su la vista del mare, vuol ardere nel fuoco della Dea.

– Stupenda, stupenda descrizione! – esclamò il Lagàipa con gli occhi sbarrati.

Giù, nel secondo dei tre ampii ripiani fioriti, degradanti innanzi alla villa, come tre enormi gradini d'una scalea colossale, Placido Sciaralla e Lisi Prèola, appoggiati alla balaustrata marmorea, avevano interrotto la conversazione e ora tentennavano il capo, ammirati anch'essi del calore con cui il principe aveva parlato, sebbene per la distanza non ne avessero colto una parola.

Don Ippolito Laurentano restò acceso a mirare con gli occhi intensi il magnifico panorama. Dov'egli aveva rappresentato l'incendio formidabile e la distruzione, ora s'abbandonava la pace inconsapevole della campagna; dov'era il cuore dell'antica città sorgeva ora un bosco di mandorli e d'olivi, il bosco detto perciò ancora della *Cívita*. Le chiome dei mandorli s'erano con l'autunno diradate e, tra quelle perenni degli olivi cinerulei, parevano aeree, assumevano sotto il sole una tinta roseo-dorata.

Oltre il bosco, sul lungo ciglione, sorgevano i famosi Tempii superstiti, che parevano collocati apposta, a distanza, per accrescere la meravigliosa vista della villa principesca. Oltre il ciglione, il pianoro, ove stette splendida e potente l'antica città, strapiombava aspro e roccioso a precipizio sul piano dell'Akragas; tranquillo piano luminoso, che spaziava fino a terminare laggiù, nel mare.

– Non posso soffrire questi Tèutoni, – disse il principe, rientrando con don Illuminato Lagàipa nel *Museo*, – questi Tèutoni che, non potendo più con le armi, invadono coi libri e vengono a dire spropositi in casa nostra, dove già tanti se ne fanno e se ne dicono.

S'intese in quel punto il rotolìo d'una vettura per la strada incassata, dietro la villa, e don Ippolito contrasse le ciglia. Entrò poco dopo, turbato, smarrito nella sorpresa, Liborio, il cameriere.

– Pe... perdoni, eccellenza, – balbettò. – È arrivata da Girgenti la... la signora...

– Che signora? – domandò il principe.

– Sua sorella... donna Caterina...

Don Ippolito restò dapprima come stordito da un improwiso colpo alla testa. Arricciò il naso, impallidì. Poi, d'un subito, il sangue gli balzò al capo. Chiuse gli occhi, impallidì di nuovo, aggrottò le ciglia, serrò le pugna e, col cuore che gli martellava in petto, domandò:

– Qua? Dov'è?

– Sù, eccellenza... nel salone, – rispose Liborio; e, poco dopo, vedendo che il principe restava perplesso, chiese: – Ho fatto male?

Don Ippolito si voltò a guardarlo per un pezzo, come se non avesse inteso; poi disse:

– No...

E si mosse, senza neppur volgere uno sguardo al Lagàipa. Con l'animo in tumulto, cercò di fissare un pensiero che gli spiegasse il perché di quella visita straordinaria, non volendo, non sapendo ammettere quel che gli era in prima balenato, che la sorella cioè, colei che in tante e tante sciagure aveva sempre rifiutato con ostinata fierezza, anzi con disprezzo, ogni soccorso, venisse ora a intercedere per il figlio Roberto. Ma che altro poteva voler da lui? Salì la scala. Era tanto oppresso d'angoscia e in preda a un'agitazione così soffocante, che dovette fermarsi per un momento davanti la soglia. Entrare? presentarsi a lei in quello stato? No. Doveva prima ricomporsi. E in punta di piedi si diresse alla camera da letto. Qua, istintivamente, s'appressò allo scrigno dove erano conservati un medaglioncino di lei in miniatura, di quand'ella era giovinetta di sedici anni, e i due biglietti che gli aveva scritti, senza intestazione e

senza firma, uno da Torino, dopo la morte violenta del padre, l'altro da Girgenti, al ritorno dall'esilio dopo la morte del marito.

Il primo, più ingiallito, diceva:

*I beni, confiscati a Gerlando Laurentano dal governo borbonico, furono re-
stituiti al figlio Ippolito da Carlo Filangieri di Satriano. Nulla dunque mi
spetta dell'eredità paterna. La moglie e il figlio di Stefano Auriti non mangeranno il pane d'un nemico della patria.*

L'altro, più laconico, diceva:

*Grazie. Alla vedova, agli orfani, provvedono i parenti poveri di Stefano Au-
riti. Da te, nulla. Grazie.*

Scostò con la mano quei due biglietti e fissò gli occhi sul medaglioncino, che
egli aveva tolto dal salone della casa paterna dopo la fuga della sorella con
Stefano Auriti.

Da allora – eran già quarantacinque anni – non l'aveva più riveduta!

Come avrebbe riveduto, ora, dopo tanto tempo, dopo tante vicende funeste,
quella giovinetta bellissima che gli stava davanti, rosea, ampiamente scollata,
nell'antica acconciatura, con quegli occhi ardenti e pensosi?

Richiuse lo scrigno, dopo aver gettato un altro sguardo su i due biglietti
sprezzanti; e, grave, accigliato, s'avviò al salone.

Sollevata la tenda dell'uscio, intravide con gli occhi intorbidati dalla commozione la sorella in piedi, alta, vestita di nero. Si fermò poco oltre la soglia,
oppresso d'angoscioso stupore alla vista di quel volto disfatto, irriconoscibile.

– Caterina, – mormorò, sostando; e le tese istintivamente le braccia, pur con
l'impressione in contrasto, che quella era ormai un'estranea, al tutto ignota.

Ella non si mosse: rimase lì, in mezzo al salone, cerea tra le fitte gramaglie,
col volto contratto e gli occhi chiusi, altera, indurita nello spasimo di quell'attesa. Aspettò che egli le si accostasse e gli toccò appena la mano con la sua,
gelida, guardandolo ora con quegli occhi stanchi, velati di cordoglio, quasi a
metà nascosti dalle palpebre, uno più, l'altro meno.

– Siedi, – disse, con gli occhi bassi, quasi intimidito, il fratello, indicando il
divano e le poltrone nella parete a sinistra.

Seduti, stettero un lungo pezzo entrambi senza poter parlare, in un silenzio
che fremeva d'intensa, violenta commozione. Don Ippolito chiuse gli occhi.
La sorella, dopo aver soffocato parecchie volte con sforzo un singhiozzo che
le faceva impeto alla gola, disse alla fine, con voce rauca:

– Roberto è qui.

Don Ippolito si scosse; riaprì gli occhi e, senza volere, li volse in giro per la
sala, come se – smarrito tra gl'interni ricordi tumultuanti – avesse temuto
un'imboscata.

– Non qui, – riprese donna Caterina, con un freddo, amaro, lievissimo sorriso, – nel tuo dominio straniero. A Girgenti, da due giorni.

Don Ippolito, aggrondato, chinò più volte la testa per significarle che sapeva.

– E so perché è venuto, – aggiunse con voce cupa; poi levò il capo e guardò
la sorella con penosissimo sforzo. – Che potrei...

– Nulla... oh! nulla, – s'affrettò a rispondergli donna Caterina. – Voglio che
tu lo combatta con tutte le tue forze. Non ci mancherebbe altro, che anche tu
lo sostenessi e che egli andasse sù anche coi vostri voti!

– Sai bene... – si provò a dirle il fratello.

– So, so, – troncò recisamente con un gesto della mano donna Caterina. –
Ma combatterlo, Ippolito, non col coltello alla mano, non andando a scavar le
fosse, come le jene, a scoperchiare certe tombe sacre, da cui i morti potrebbero levarsi e farvi morire di paura.

– Piano, piano, – disse don Ippolito tendendo le mani che gli tremavano, non tanto per protestare, quanto per placare quell'ombra tragica della sorella così agitata. – Io non t'intendo...

– Mi brucia le mani, – disse allora donna Caterina, gettando sul tavolinetto innanzi al divano una copia dell'*Empedocle* tutta brancicata.

Don Ippolito prese quel foglio, lo spiegò e cominciò a leggerlo.

– Con codeste sozze armi... Contro un morto... – mormorò donna Caterina, accompagnando la lettura del fratello.

Ansava, seguendo quella lettura e osservando sul volto di lui l'impressione disgustosa ch'egli ne riceveva.

– Roberto – riprese, – è andato alla redazione di codesto giornale. Gli si è fatto innanzi l'autore dell'articolo, che è figlio, m'hanno detto, d'un tuo... schiavo qui, il Prèola. L'ha preso e scagliato contro una porta. Glielo hanno strappato dalle mani... Ora costui, armato di coltello (e l'ha cavato fuori!) minaccia d'uccidere; e questa mattina stessa è stato visto in agguato presso la mia casa. Ma io non temo di lui; temo che Roberto si comprometta di nuovo e torni a insozzarsi le mani... Così volete combatterlo?

Don Ippolito che, seguitando a leggere, aveva ascoltato con animo sospeso il racconto, a quest'ultima domanda si scosse, indignato, come se la sorella lo avesse percosso sul viso, accomunandolo con quell'abietto che aveva scritto l'articolo.

Si levò in piedi, alteramente; ma si frenò subito, e andò a premere un campanello. A Liborio, che subito si presentò su la soglia:

– Il Preola! – ordinò.

Poco dopo il vecchio segretario entrò curvo, ossequioso, anzi strisciante, quasi cacciato lì dentro a frustate. Vestiva un'ampia e greve napoleona. Dal colletto basso, troppo largo, la grossa testa calva, inteschiata, sbarbata, gli usciva come quella d'un vitello scorticato.

– Eccellenza... eccellenza...

– Manda subito a chiamare tuo figlio a Girgenti, – comandò il principe. – Che venga subito qua! Debbo parlargli.

– Eccellenza, mi conceda, – s'arrischiò a dire il Prèola, storcendosi e curvandosi vie più, con una mano sul petto, mentre la trama delle vene gli si gonfiava sul cranio paonazzo, – mi conceda che all'eccellentissima sua signora sorella io, umilmente...

– Basta, basta, basta! – gridò seccamente il principe. – So io quel che debbo dire a tuo figlio. Anzi, ascolta! Mi fa troppo schifo, e non voglio né vederlo, né parlargli. Gli dirai tu che se si arrischia ancora a mostrare la sua laida grinta per le vie di Girgenti, tu sei messo alla strada: ti caccio via su due piedi! Inteso?

Il Prèola cavò un fazzoletto dalla tasca posteriore della napoleona e approvò, approvò più volte, asciugandosi il cranio; poi si portò il fazzoletto agli occhi e si scosse tutto per un impeto di singhiozzi: – Sforcato... sforcato... – gemette. – Mi disonora, eccellenza... Lo manderò via, a Tunisi... Ho già fatto le pratiche... Intanto, subito, lo faccio venire qua. Mi perdoni, mi compatisca, eccellenza.

E uscì, rinculando, ossequiando, col fazzoletto su la bocca.

Donna Caterina si alzò.

– Con questo, – le disse don Ippolito, – non intendo affatto di derogare a me stesso, alla lotta per i miei principii, contro tuo figlio.

Donna Caterina alzò gli occhi a un grande ritratto a olio di Francesco II, a un altro del Re Bomba, che troneggiavano nel magnifico salone, da una parete: chinò il capo e disse:

– Sta bene. Non desidero altro.

E si mosse per uscire.

– Caterina! – chiamò don Ippolito, quand'ella era già presso l'uscio. – Te ne vai così? Forse non ci rivedremo mai più... Tu sei venuta qua...

– Come dall'altro mondo... – diss'ella, crollando il capo.

– E non t'avrei riconosciuta, – soggiunse il fratello. – Perché... attendi un po' qua: ti farò vedere come io ti ricordavo, Caterina.

Corse a prendere dallo scrigno nella camera da letto il medaglioncino in miniatura, e glielo mostrò:

– Guarda... Ti ricordi?

Donna Caterina provò dapprima come un urto violento alla vista della sua immagine giovanile, e ritrasse il capo; poi prese dalle mani di lui il medaglioncino, si appressò al balcone e si mise a contemplarlo. Da un pezzo quegli occhi quasi spenti non avevano più lacrime, e l'ebbero. Pianse silenziosamente anche lui, il fratello.

– Lo vuoi? – le disse infine.

Ella negò col capo, asciugandosi gli occhi col fazzoletto listato di nero, e gli porse in fretta il medaglioncino.

– Morta, – disse. – Addio.

Don Ippolito l'accompagnò a piè della villa; l'ajutò a montare in vettura; le baciò lungamente la mano; poi la seguì con gli occhi, finché la vettura non svoltò dal breve viale a manca per uscire dal cancello. Là uno della compagnia, in divisa borbonica, pensò bene d'impostarsi militarmente per presentar le armi. Don Ippolito se n'accorse e si scrollò rabbiosamente.

– Codeste pagliacciate! – muggì fulminando con gli occhi capitan Sciaralla, che si trovava presso il vestibolo.

Risalì alla villa, si chiuse in camera, e di lì mandò a far le scuse a don Illuminato, se per quel giorno non lo tratteneva a desinare con lui.

Monsignor Montoro arrivò alle quattro del pomeriggio con la sua vettura silenziosa, tirata da un pajo di vispi muletti accappucciati.

Lo accompagnava Vincente De Vincentis, l'arabista, che aveva lasciato quel giorno la biblioteca di Itria per il vicino palazzo vescovile e s'era sfogato a parlare per tutti i giorni e i mesi, in cui, quasi avesse lasciato la lingua per segnalibro tra un foglio e l'altro di quei benedetti codici arabi, restava muto come un pesce.

Aveva parlato anche in vettura, durante il tragitto, con certi scatti e schizzi e sbruffi che gli scotevano tutto il corpicciuolo ossuto, sparuto, convulso. Gli occhi duri dietro le lenti fortissime da miope, nel volto scavato, sanguigno, avevano la fissità della pazzia.

Parecchie volte il vescovo con le mani molli feminee e la voce melata, dalle inflessioni misurate e quasi soffuse di pura autorità protettrice, gli aveva consigliato calma, calma; gli consigliò adesso, piano, prudenza, prudenza, oltrepassando il cancello della villa tra il riverente ossequio degli uomini di guardia; e, di nuovo, col gesto, prudenza, prima di smontare dalla vettura.

I due ospiti furono subito introdotti da Liborio nel salone; ma confidenzialmente il vescovo si permise d'uscire sul terrazzo marmoreo aggettato su le colonne del vestibolo esterno, per godere del grandioso spettacolo della campagna e del mare.

Si delineava tutta di lassù la lontana riviera su l'aspro azzurro del mare sconfinato, da Punta Bianca, a levante, che pareva uno sprone d'argento, via via, con insenature e lunate più o meno lievi fino a Monte Rossello a ponente, di cui soltanto nella notte si vedeva il faro sanguigno. Solo per breve tratto, quasi nel mezzo della dolce amplissima curva, la riviera era interrotta dalla foce dell'Hypsas.

Don Ippolito sopravvenne poco dopo, premuroso, non ancor ben rimesso dal grave turbamento che la visita della sorella gli aveva cagionato.

– Ho condotto con me il nostro De Vincentis, – disse subito monsignor Montoro, – perché vorrebbe vedere non so che cosa nel vostro *Museo*, caro principe. Lo farete accompagnare, e noi resteremo qua, su questo pergamo di delizia: non saprei staccarmene. Ma prima il De Vincentis vorrebbe rivolgervi una preghiera.

– Sì, – scattò questi, come se avesse ricevuto una scossa elettrica. – Volevo venire da solo, questa mattina stessa. Monsignore, invece, no, dice, meglio che vieni con me. È una cosa molto seria, molto seria...

– Sentiamo, – disse il principe, invitandolo col gesto a rimettersi a sedere sulla seggiola di giunco del terrazzo.

Il De Vincentis si curvò goffamente per vedere dove fosse la seggiola; poi, sedendo e afferrando i bracciuoli con le piccole mani secche e adunche, proruppe:

– Don Ippolito, rovinati! rovinati!

– Ma no... ma no... – si provò a correggere Monsignore, protendendo la mano gravata dall'anello vescovile.

– Rovinati, Monsignore, mi lasci dire! – ribatté il De Vincentis; e le cave gote sanguigne gli diventarono livide. – E causa della rovina è mio fratello Ninì! È andato lui dal... dal...

Ancora una volta le mani del vescovo si protesero; il De Vincentis le intravvide a tempo e si poté tenere. Ma già il principe aveva compreso.

– Dal Salvo, – disse pacatamente. – So che gli avete ceduto...

– Ninì! Ninì! – squittì il De Vincentis. – *Primosole*... Ninì! Lui gliel'ha ceduto... Non so nulla io; nulla di nulla; al bujo, cieco... E lui più cieco di me, stupido, pazzo, innamorato... Come dice? *Transeat* per *Primosole*... Sì! Ci ho fatto la croce... benché... benché il podere solo, sa, è stato pagato, e in un modo che fa ridere...

– Ma no, perché? – interruppe di nuovo, serio, Monsignore.

– Piangere, allora! – rimbeccò il De Vincentis, che aveva già perduto le staffe. – Va bene? Ottantacinquemila lire, e la villa in groppa! La villa di mia madre, là...

E con la mano accennò verso levante, oltre il greppo dello Sperone, al colle più alto, detto di *Torre che parla*, dall'aspetto d'un leone posato, a cui faceva da giubba un folto bosco di ulivi.

– Quarantaduemila, – riprese, – erano di cambiali scadute: il resto, sfumato, volato via in meno di due anni? dove? Ora sento che si tratta di cedere al Salvo anche le terre di *Milione*. E che ci resta? I debiti col Salvo... gli altri debiti... Lo so, ho saputo... Lei sposerà, dice, la sorella... donna Adelaide...

– E che c'entra? – domandò, stordito, dolente, il principe, guardando monsignor Montoro.

– Mi congratulo, badi, mi congratulo... – soggiunse subito il De Vincentis, rosso come un gambero. – Noi però siamo rovinati!

E si alzò per non far vedere le lagrime sotto le lenti cerchiate d'oro.

Don Ippolito guardò di nuovo il vescovo, senza comprendere.

– Vi dirò, – disse questi con tono grave, di risentimento per la disubbidienza del giovine e calò su gli occhi chiari, pallidi, globulenti, le palpebre esilissime come veli di cipolla. – Vi dirò. So che Flaminio Salvo ha già fatto donazione alla sorella delle terre di *Primosole* e che è disposto a farle donazione, quando sarà, anche di quelle del fèudo di *Milione*. Ma sono addolorato del modo con cui il nostro Vincente si è espresso, perché... perché non è il modo, codesto, di parlare di persone onorandissime, da cui forse, senza saperlo, abbiamo ricevuto qualche beneficio.

Il De Vincentis, che stava con le spalle voltate ad asciugarsi gli occhi, si voltò a queste ultime parole del vescovo.

– Beneficio?

– Sì, figliuolo. Tu non puoi comprenderlo perché disgraziatamente non ti sei dato mai cura de' tuoi affari. Vedi ora il dissesto e senti il bisogno d'incolparne qualcuno, a torto; invece di portarvi rimedio. Non eri venuto qua per questo?

Il De Vincentis, che non poteva ancora parlare dalla commozione, chinò più volte il capo.

– È meglio – riprese Monsignore, – che tu vada giù; col vostro permesso, principe. Esporrò io il tuo desiderio.

Don Ippolito si alzò e invitò il De Vincentis a seguirlo; poi, su la scala, lo affidò a Liborio, cui diede la chiave del *Museo*, e ritornò dal vescovo, che lo accolse con un sospiro, scotendo le mani intrecciate.

– Due sciagurati, lui e il fratello! Flaminio Salvo, vi assicuro, principe, ha usato loro un trattamento da vero amico. Senz'alcuna... non diciamo usura per carità, non se ne parla nemmeno; senz'alcun interesse ha prestato loro dapprima somme rilevantissime; ha avuto poi offerta da loro stessi una terra, di cui egli, banchiere, dedito ai commercii, capirete, non sa che farsi: un altro creditore avrebbe mandato al pubblico incanto la terra, per riavere il suo danaro. Egli invece ha fatto all'amichevole e ha continuato a tenere aperta la cassa ai due fratelli che spendono, spendono... non so come, in che cosa... senza vizii, poverini, bisogna dirlo, ottimi, ottimi giovani, ma di poco cervello. Il fatto è che navigano proprio in cattive acque.

– Vorrebbero ajuto da me? – domandò don Ippolito, con un tono che lasciava intendere che sarebbe stato dispostissimo a darlo.

– No, no, – rispose afflitto Monsignore. – Una preghiera che, stimo, non potrà avere alcun effetto. Il De Vincentis crede che Ninì, suo fratello minore, sia innamorato della figlia di Flaminio Salvo, e...

– E...? – fece il principe.

Ma aveva già compreso; e il dialogo terminò sicilianamente in uno scambio di gesti espressivi. Don Ippolito si pose le mani sul petto e domandò con gli occhi: «Dovrei farne io la richiesta al Salvo?». Monsignore assentì malinconicamente col capo; col capo dapprima negò l'altro, poi alzò le spalle e una mano a un gesto vago, per significare: «Non lo faccio; ma quand'anche lo facessi?...». Monsignore sospirò, e basta.

Stettero un pezzo in silenzio entrambi.

Don Ippolito, già da parecchi anni, avvertiva confusamente che quel monsignor Montoro gli era non tanto davanti agli occhi, quanto nello spirito, un grave ingombro, quasi che col peso inerte di quelle sue carni rosee troppo curate si adagiasse a impedire che tante cose attorno a lui e per mezzo di lui si movessero. Quali, in verità, non avrebbe saputo dire; ma certo, con quella figura lì, con quella mollezza rosea inerte ingombrante, molte e molte colui doveva trascurarne, che forse un altro, al posto suo, più àlacre e men femineo, avrebbe mosse, anzi scosse e avviate.

Dal canto suo, Monsignore avvertiva, che tra lui e il principe c'era un sentimento non ben definibile, che spesso da una parte e dall'altra s'arricciava, si ritraeva, lasciando tra loro un vuoto impiccioso, dal quale venisse dentro a ciascuno de' due una certa lieve acredine rodente.

Forse questo vuoto era fatto da un argomento, che Monsignore sapeva di non poter toccare, e che pure era tanta parte della vita del principe: cioè, i suoi studii archeologici, il suo culto per le antiche memorie. Non poteva toccarlo, quest'argomento, per timore che fosse pretesto a don Ippolito di riparlargli d'una cosa, di cui egli, uomo di mondo e senza ubbìe d'alcuna sorta, non voleva sapere. Più volte il principe aveva cercato d'indurlo a consacrare almeno una piccola parte della sua cospicua mensa vescovile al restauro dell'antico Duomo, insigne monumento d'arte normanna, deturpato nel Settecento da orribili sostruzioni di stucco e volgarissime dorature. Egli s'era rifiutato, dicendogli che, se mai fosse riuscito a metter da parte qualche risparmio, lo avrebbe piuttosto destinato a costituire una rendita, per cui al convento di Sant'Alfonso, lì presso la cattedrale, potessero ritornare i Padri Liguorini cacciati dopo il 1860.

A don Ippolito non importava nulla dei miglioramenti arrecati alla sua città natale dalle nuove amministrazioni succedute alle decurie e agli intendenti del suo tempo. Per quanto non si desse requie nella lotta e mostrasse animo risoluto a raggiungerne il fine, non aveva più fiducia, in fondo, di potere un giorno rivedere la città, da cui s'era esiliato. La vedeva col pensiero, com'era prima di quell'anno fatale, ancora coi *burgi* e gli *stazzoni*, cioè coi pagliaj e le fornaci nella piazza paludosa fuori Porta di Ponte; ancora coi tre crocioni del Calvario sul declivio del colle, da cui ogni anno, il venerdì santo, si faceva la predica a tutto il popolo lì adunato, e ancora con l'antico giardinetto che un suo amico devoto, il colonnello Flores, comandante la guarnigione borbonica, per ingraziarsi gli animi dei cittadini, vi aveva fatto costruire dieci anni prima della rivoluzione. Sapeva che quel giardinetto era stato abbattuto per ingrandire il piano dalla parte che guarda il mare; e sapeva che su la vasta piazza sorge adesso un gran palazzo, destinato agli ufficii della Provincia e sede della Prefettura. Ma anche questa era per lui un'usurpazione indegna, perché la prima pietra di quel palazzo era stata posta nel 1858 da un munifico vescovo, che voleva farne un grande ospizio per i poveri, onde ancora i vecchi lo chiamavano il *Palazzo della Beneficenza*.

Gli sarebbe piaciuto che il Duomo fosse restaurato da monsignor Montoro, perché le chiese... eh, quelle non erano edifizii che la nuova gente potesse aver piacere d'abbellire; ed eran la sola cosa, di cui egli sentisse profondo il rimpianto. Gli arrivavano lì, nel suo esilio, le voci delle campane delle chiese più vicine. Egli le riconosceva tutte, e diceva: – Ecco, ora suona la Badìa Grande... ora suona San Pietro... ora suona San Francesco...

Arrivò, anche quella sera, a rompere il lungo silenzio, in cui egli e il vescovo lì sul terrazzo eran caduti, il suono dell'avemaria dalla chiesetta di San Pietro. Il cielo, poc'anzi d'un turchino intenso, s'era tutto soffuso di viola; e sotto, nella campagna già raccolta nella prima ombra, spiccava tra i mandorli spogli una fila di alti cipressi notturni, come un vigile drappello a guardia del vicino tempio della Concordia, maestoso, sul ciglione. Monsignor Montoro si tolse lo zucchetto, si curvò un poco, chiudendo gli occhi; il principe si segnò, e tutti e due recitarono mentalmente la preghiera.

– Avete sentito di questi scandali, – disse poi il vescovo gravemente, – che turberanno certo la nostra tranquilla diocesi?

Don Ippolito chinò più volte il capo, con gli occhi socchiusi.

– È stata qui mia sorella.

– Qui? – domando con vivo stupore il vescovo. Don Ippolito allora gli parlò brevemente della visita e della violenta scossa ch'egli ne aveva avuto.

– Oh comprendo! comprendo! – esclamò Monsignore, scotendo le bianche mani intrecciate e socchiudendo gli occhi anche lui.

– Come ridotta... – sospirò don Ippolito profondamente.

Per cangiar tono al discorso, monsignor Montoro, dopo aver tirato dentro aria e aria, sbuffò:

– E intanto il nostro paladino vuol montare a ogni costo in arcione; e sarà un nuovo scandalo, che avrei voluto almeno evitare...

– Capolino? – domandò, accigliandosi, don Ippolito. – Battersi?

– Ma sì! Aggredito...

– Lui? Il Prèola!

– Lui, anche lui! Non sapete tutto, dunque? Il nostro Capolino fu aggredito la mattina da un tal Verònica, che si trovava insieme con l'Agrò, che tanto m'addolora.

– Non me lo disse, – mormorò quasi tra sé don Ippolito.

– Perché pare, – spiegò Monsignore, – almeno a quel che si dice in paese, pare che l'Auriti non sapesse della rissa della mattina. Basta. Bisognerà chiudere un occhio, perché lo sfregio, eh, lo sfregio è stato molto grave: gli hanno strappato il giornale in faccia, su la pubblica via... Sapete che il nostro Capolino è focoso, cavaliere compito... Non è stato possibile ridurlo a ragione, all'osservanza del precetto cristiano... Ha già mandato il cartello di sfida...

– So che tira bene di spada, – disse don Ippolito, cupo e fiero. – In fin dei conti, non sarà male dare una lezione a uno di costoro per abbassare a tutti la cresta. Per me, Monsignore, l'ho dichiarato alla stessa mia sorella, lotta senza quartiere!

– Ma sì! la vittoria, la vittoria sarà nostra senza dubbio, – concluse il vescovo.

Seguì un altro silenzio; poi Monsignore domandò, riscotendosi:

– Landino? – come se per caso gli fosse venuto di far quella domanda, ch'era in fondo la vera ragione della sua visita.

Aveva combinato lui quelle prossime nozze di Adelaide Salvo con don Ippolito; aveva lasciato intendere a questo che solo per un riguardo a lui Flaminio Salvo consentiva che la sorella contraesse quel matrimonio illegittimo, almeno a giudizio della società civile; ma voleva – ed era giusto – che il figlio del primo letto riconoscesse la seconda madre, e fosse presente alla celebrazione religiosa: trattando con gentiluomini di quella sorte, questo solo atto di presenza gli sarebbe bastato.

Don Ippolito s'infoscò.

Dopo una lunga lotta con se stesso, aveva scritto al figlio che gli era cresciuto sempre lontano, prima a Palermo nella casa dei Montalto, poi a Roma, e col quale perciò non aveva alcuna confidenza. Lo sapeva d'idee e di sentimenti al tutto opposti ai suoi, quantunque non fosse mai venuto con lui ad alcuna discussione. Era molto malcontento del modo con cui gli aveva comunicato la decisione di contrarre queste seconde nozze e del modo con cui gli aveva espresso il desiderio di averlo a Colimbètra per l'avvenimento. Troppe ragioni in iscusa: la solitudine, l'età, il bisogno di cure affettuose... Gli pareva d'essersi avvilito a gli occhi del figlio. Il disgusto però e l'avvilimento non erano soltanto per effetto d'una lettera mal riuscita: provenivano da una causa più intima e profonda, nel cuore di lui.

Senza troppo volerlo da principio, s'era lasciato persuadere a ridurre a effetto un disegno stimato su le prime inattuabile; superato l'ostacolo della sua grave pretesa, trovata la sposa, stabilite le nozze, d'un tratto s'era veduto stretto da un impegno non ben ponderato avanti, e non aveva potuto più tirarsi indietro per nessuna ragione. La famiglia Salvo, se non aveva titoli nobiliari, era pur d'antico sangue; conveniente l'età della sposa; nulla in fondo da ridire su l'immagine che gli avevano mostrata di donna Adelaide in una fotografia; e poi la soddisfazione per la deferenza ai suoi principii politici e religiosi... Sì, sì; ma la memoria venerata di donna Teresa Montalto? e l'avvilimento per la coscienza della propria debolezza? Non aveva saputo resistere allo sgomento che gl'incuteva segretamente, da qualche tempo in qua, la solitudine, la sera, quando si chiudeva in camera e, guardandosi le mani, si dava a pensare che... sì, la morte è sempre accanto a tutti, bimbi, giovani, vecchi, invisibile, pronta a ghermire da un momento all'altro; ma allorché man mano si fa sempre più prossimo il limite segnato alla vita umana e già per tanti anni e tanto cammino si è sfuggiti comunque all'assalto di questa compagna invisibile, scema da un canto, grado grado, l'illusione d'un probabile scampo, e cresce dall'altro e s'impone il sentimento gelido e oscuro della tremenda necessità di incontrarla, di trovarsi a un tratto a tu per tu con essa, in quella strettura del tempo che avanza. E sentiva mancarsi il respiro; si sentiva stringer la gola da un'angoscia inesprimibile. Le sue mani gli facevano orrore. Soltanto le mani in lui, per ora, erano da vecchio: ingrossate le nocche, la pelle aggrinzita. Sì, le sue mani avevano cominciato a morire. Gli s'intorpidivano spesso. E non poteva più, la notte, stando a giacer supino sul letto, vedersele congiunte sul ventre. Ma quella era pure la sua positura naturale: doveva distendersi così per conciliare il sonno. Ebbene, no: si vedeva morto, con quelle mani fredde come di pietra sul ventre; e subito si scomponeva, prendeva un'altra positura, e smaniava a lungo.

Per questo aveva manifestato il desiderio d'un'intima compagnia; e il desiderio, ecco, si attuava; ma egli ne provava in segreto stizza e avvilimento. Gli pareva che questo suo desiderio avesse acquistato su lui una volontà che non era più la sua. Altri infatti lo aveva assunto e lo guidava e trascinava lui, che non poteva più opporsi: come il cavallo, che aveva dato la prima spinta a una vettura in discesa, ora dalla vettura stessa si sentiva premere e spingere suo malgrado.

– Nessuna risposta? – soggiunse Monsignore, per rompere subito il fosco silenzio in cui il principe s'era chiuso. – Bene, bene; tanto per sapere. Risponderà. Intanto... ecco: abbiamo parlato con Flaminio circa alla presentazione. Si può fare a Valsanìa, è vero? Donna Adelaide scenderà a visitar la nipote e la povera cognata; voi, di qua stesso, per lo stradone, senza toccar la città, vi recherete a visitare il fratello e i vostri ospiti. Va bene così? In settimana. Sceglierete voi il giorno.

– Subito, – disse il principe, riavendosi con una mossa energica. – Domani.

– Troppo presto... – osservò sorridendo Monsignore. – Bisognerà avvertire... dar tempo... Doman l'altro poi, no: è martedì. Le donne, sapete bene, badano a codeste cose. Sarà per mercoledì.

E si alzò, con stento e con riguardo per la sua molle rosea grassezza donnescamente curata, sospirando:

– *Bene eveniat!* Quel povero figliuolo... – soggiunse poi, alludendo al De Vincentis. – Si trovasse modo di tranquillarlo... Ne sarei proprio lieto... Mah!

A piè della scala monsignor Montoro trattenne il principe e, indicando la porta del *Museo* ove era il De Vincentis, disse piano:

– Non vi fate vedere. Lo saluterete dal terrazzo. Buona sera.

Il principe gli baciò la mano e risalì la scala. Poco dopo dal terrazzo s'inchinò al vescovo e salutò con la mano il De Vincentis che si scappellava, evidentemente senza scorgerlo. Rimase lì, seduto presso la balaustrata a guardar nella campagna l'ombra che man mano s'incupiva, la striscia rossastra del crepuscolo che diveniva livida e quasi fumosa sul cerulo mare lontano, su cui, laggiù in fondo, nereggiavano gli uliveti di Montelusa, a destra della lucida foce dell'Hypsas. In mezzo al cielo cominciava ad accendersi la falce della luna.

Don Ippolito guardò i Tempii che si raccoglievano austeri e solenni nell'ombra, e sentì una pena indefinita per quei superstiti d'un altro mondo e d'un'altra vita. Tra tanti insigni monumenti della città scomparsa solo ad essi era toccato in sorte di veder quegli anni lontani: vivi essi soli già, tra la rovina spaventevole della città; morti ora essi soli in mezzo a tanta vita d'alberi palpitanti, nel silenzio, di foglie e d'ali. Dal prossimo poggio di Tamburello pareva che movesse al tempio di Hera Lacinia, sospeso lassù, quasi a precipizio sul burrone dell'Akragas, una lunga e folta teoria d'antichi chiomati olivi; e uno era là, innanzi a tutti, curvo sul tronco ginocchiuto, come sopraffatto dalla maestà imminente delle sacre colonne; e forse pregava pace per quei clivi abbandonati, pace da quei Tempii, spettri d'un altro mondo e di ben altra vita.

Sonò a un tratto, nel bujo sopravvenuto, il chiurlo lontano d'un assiolo, come un singulto.

Don Ippolito si sentì stringere improvvisamente la gola da un nodo di pianto.

Guardò le stelle che già sfavillavano nel cielo, e gli parve che al loro lucido tremolìo rispondesse dalle campagne deserte il tremulo canto sonoro dei grilli. Poi vide, oltre il burrone del fiume, a levante, vacillare il lume di quattro lanterne cieche sù per l'aspro greppo dello Sperone.

Era Sciaralla, che si arrampicava coi tre compagni per montar la vana guardia alla casermuccia lassù.

V.

Appena il primo albore filtrò lieve attraverso le foglie coriacee del caprifico in fondo alla vigna, Mauro Mortara, che vi stava sotto, con le spalle appoggiate al tronco, aggrottò le ciglia, ritirò le braccia e stirò la schiena rugliando; poi s'allargò tutto in un lungo sbadiglio e si rilassò richiudendo gli occhi come a cercar di nuovo il tepido bujo del sonno; ma udì un gallo cantare da un'aja lontana, un altro da più lontano rispondere; udì un frullo d'ali vicino, e si riscosse. I tre mastini, accucciati sotto l'albero intorno a lui, lo guardavano con occhi umidi, intenti, salutandolo amorosamente con la coda. Ma il padrone li guatò, seccato che lo avessero veduto dormire; poi si guatò le gambe distese aperte, rigide, su la terra cretosa della vigna; si scrollò dalle spalle il cappotto d'albagio; si stropicciò gli occhi acquosi col dorso delle mani; cavò infine dalla sacca, pendula da un ramo, tre tozzi di pan secco e li buttò in bocca alle bestie; si tirò sù sù in piedi e, appeso il cappotto all'albero, lo schioppo alla spalla, si mosse ancor mezzo trasognato per la vigna.

Non gli riusciva più vegliar tutta la notte: guardingo, a una cert'ora, come se qualcuno se ne potesse accorgere, andava a rintanarsi sotto quel caprifico; per poco, diceva a se stesso; ma stentava a destarsi di giorno in giorno vieppiù. Le gambe non eran più quelle d'una volta; anche la forza del polso non era più quella.

Ah, la sua bella vigna! Forse il vino di quell'anno lo avrebbe ancora bevuto; ma quello dell'anno venturo? Diede una spallata, come per dire: «Oh, alla fin fine...», e tornò a sbadigliare a quella prima luce del giorno che pareva provasse pena a ridestare la terra alle fatiche; guardò la distesa vasta dei campi, da cui tardava a diradarsi l'ultimo velo d'ombra della notte; poi si voltò a guardare il mare, laggiù, d'un turchino fosco, vaporoso, di tra le agavi ispide e i pingui ceppi glauchi dei fichidindia, che sorgevano e si storcevano in quella scialba caligine. La luna calante, sorta tardi nella notte, era rimasta a mezzo cielo, sorpresa dal giorno, e già smoriva nella crudezza della prima luce. Qua e là nella campagna entro quel velo lieve di nebbiolina bianchiccia fumigavano i fornelli dove si bruciava il mallo delle mandorle, e quel fumichìo, nell'immobilità dell'aria, saliva dritto al cielo.

Tuttavia, da due giorni, Mauro Mortara era meno aggrondato. Guardava ancora in cagnesco la villa; ma poi, pensando che Flaminio Salvo ogni mattina, a quell'ora, se ne partiva in carrozza o per Girgenti o per Porto Empedocle, e che non vi ritornava se non a tarda sera, tirava un respiro di sollievo, come se la vista del cascinone gli diventasse più lieve, sapendo che colui non c'era. Vi rimanevano, sì, coi servi, la moglie e la figliuola; ma quella, una povera pazza, tranquilla e innocua; e questa... – pareva impossibile! – questa, quantunque figlia di quel «malo cristiano», non era cattiva, no, anzi...

E Mauro, senza volerlo, volse in giro uno sguardo per vedere se donna Dianella fosse già per la vigna.

In pochi giorni, da che era a Valsanìa, s'era rimessa quasi del tutto; si levava per tempo, ogni mattina; aspettava che il padre partisse con la carrozza, e veniva a raggiunger lui là per la vigna, e gli domandava tante cose della campagna: degli olivi, come si governano; dei gelsi, che a marzo colgono sangue di nuovo e, quando sono in amore, per gettare, son molli come una pasta; poi si

fermava sotto l'ombrellone del pino solitario laggiù dove l'altipiano stra-
piomba sul mare, per assistere alla levata del sole dalle alture della Crocca, in
fondo in fondo all'orizzonte, livide prima, poi man mano cerulee, aeree e
quasi fragili. Il primo a indorarsi al sole, ogni mattina, era quel pino là, che si
stagliava maestoso su l'azzurro aspro e denso del mare, su l'azzurro tenue e
vano del cielo.

In pochi giorni Dianella aveva fatto il miracolo: l'orso era domato. L'aria del
volto, la nobiltà gentile e pure altera del portamento, la dolcezza mesta dello
sguardo e del sorriso, la soavità della voce avevano fatto il miracolo, piana-
mente, naturalmente, andando incontro e vincendo la ruvidezza ombrosa del
vecchio selvaggio.

Parlando, a volte, ella aveva nella voce e negli sguardi certe improvvise opacità, come se, di tratto in tratto, l'anima le si partisse dietro qualche parola e le
andasse lontano lontano, chi sa dove; smarrita, se tardava a ritornarle, domandava: – Che dicevamo? – e sorrideva, perché lei stessa non sapeva spiegarsi
ciò che le era avvenuto. Spesso anche, a ogni minimo tocco rude della realtà,
provava quasi un improvviso sgomento, o, piuttosto, l'impressione di un'ombra fredda che le si serrasse attorno, e aggrottava un po' le ciglia. Subito però
cancellava con un altro dolce sorriso il gesto ombroso involontario, sgranando
e ilarando gli occhi, rinfrancata.

«Perché mi si dovrebbe far male?», pareva dicesse a se stessa. «Non vado
innanzi alla vita, fiduciosa e serena?»

La fiducia le raggiava da ogni atto, da ogni sguardo, e avvinceva. Anche
quei tre mastini feroci del Mortara bisognava vedere che festa le facevano
ogni volta! Si voltavano anch'essi, or l'uno or l'altro, a guardare verso la
villa, come se l'aspettassero. E Mauro, per non allontanarsi troppo, s'indugiava a esaminare ora questo ora quel tralcio, i cui grappoli, tesori gelosamente custoditi, aveva già mostrati quasi a uno a uno a Dianella, gongolando
accigliato alle lodi ch'ella gli profondeva tra vivaci esclamazioni di meraviglia:

– Uh, quanti qua!
– Carica, eh? E questo tralcio, guardate...
– Un albero... pare un albero!
– E qua, qua...
– Oh, più uva che pampini! E può sostenerla tant'uva, questa vite?
– Se non avrà male dal tempo...
– Che peccato sarebbe! E questa? – domandava, vedendo qualche vite atter-
rata. – È stato il vento? Ah, dev'essere ancora legata...

Oppure, più là:

– E questi? Vitigni selvaggi? Innesti nuovi, ho capito. Evviva, evviva... Ah,
c'è pure compensi nella vita!

E nella voce pareva avesse la gioja dell'aria pura e del sole, quella stessa
gioja che tremava nella gola delle allodole.

Per quel giorno Mauro le aveva promesso una visita al «camerone» del Generale: al «santuario della libertà». Ma i cani, a un tratto, drizzarono le orecchie; poi l'uno dopo l'altro s'avventarono senza abbaiare verso il sentieruolo
sotto la vigna, sul ciglio del burrone.

– Don Ma'! Don Ma'! – chiamò poco dopo, di lì, una voce affannata.

Mauro la riconobbe per quella di Leonardo Costa, l'amico di Porto Empedocle; e chiamò a sé i cani.

– Te', *Scampirro*! Te', *Nèula*! Qua, *Turco*!

Ma i cani avevano riconosciuto anch'essi il Costa e s'erano fermati al limite
della vigna, scodinzolandogli dall'alto.

Sopravvenne Mauro.

– Il principale? È partito? – gli domandò subito Leonardo Costa, trafelato, ansante.

Era un omaccione dalla barba e dai capelli rossi, crespi, la faccia cotta dal sole e gli occhi bruciati dalla polvere dello zolfo. Portava agli orecchi due cerchietti d'oro; in capo, un cappellaccio bianco tutto impolverato e macchiato di sudore. Veniva di corsa da Porto Empedocle, per la spiaggia, lungo la linea ferroviaria.

– Non so, – gli rispose Mauro, fosco.

– Per favore, date una voce di costà, che aspetti; debbo parlargli di cosa grave.

Mauro scosse il capo.

– Correte, farete a tempo... Che vi è avvenuto?

Leonardo Costa, riprendendo la corsa, gli gridò:

– Guaj! guaj grossi alle zolfare!

«Maledetto lui e le zolfare!», brontolò Mauro tra sé.

Flaminio Salvo scendeva la scala della villa per montar su la vettura già pronta, quando Leonardo Costa sbucò dal sentieruolo a ponente, di tra gli olivi, gridando:

– Ferma! Ferma!

– Chi è? Cos'è? – domandò il Salvo, con un soprassalto.

– Bacio le mani a Vossignoria, – disse il Costa, togliendosi il cappellaccio e accostandosi senza più fiato e tutto grondante di sudore. – Non ne posso più... Volevo venire stanotte... ma poi...

– Ma poi? Che cos'è? che hai? – lo interruppe, brusco, il Salvo.

– Ad Aragona, a Comitini, tutti i solfaraj, sciopero! – annunziò il Costa.

Flaminio Salvo lo guardò con freddo cipiglio, lisciandosi le lunghe basette grige che, insieme con le lenti d'oro, gli davano una certa aria diplomatica, e disse, sprezzante:

– Questo lo sapevo.

– Sissignore. Ma jersera, sul tardi, – riprese il Costa, – è arrivata a Porto Empedocle gente da Aragona e ha raccontato che tutto jeri hanno fatto l'ira di Dio nel paese...

– I solfaraj?

– Sissignore: picconieri, carusi, calcheronaj, carrettieri, pesatori: tutti! Hanno finanche rotto il filo telegrafico. Dice che hanno assaltato la casa di mio figlio, e che Aurelio ha tenuto testa, come meglio ha potuto...

Flaminio Salvo, a questo punto, si voltò a spiare acutamente gli occhi di Dianella che s'era accostata alla vettura. Quello sguardo strano, rivolto alla figlia a mezzo del discorso, frastornò il Costa, il quale si voltò anche lui a guardare la «signorinella», com'egli la chiamava. Questa di pallida si fece vermiglia, poi subito pallida di nuovo.

– Dunque? – gridò Flaminio Salvo, con ira.

– Dunque, sissignore, – riprese il Costa, sconcertato. – Guajo grosso, non c'è soldati; il paese, nelle loro mani. Due carabinieri soli, il maresciallo e il delegato... Che possono fare?

– E che posso fare io di qua, me lo dici? – gridò il Salvo su le furie. – Tuo figlio Aurelio che cos'è? il signor ingegnere direttore, venuto dall'*École des Mines* di Parigi, che cos'è? Marionetta? Ha bisogno che gli tiri io il filo di qua, per farlo muovere?

– Ma nossignore, – disse Leonardo Costa, ritraendosi d'un passo, come se il Salvo lo avesse sferzato in faccia. – Può star sicuro Vossignoria che mio figlio Aurelio sa quello che deve fare. Testa e coraggio... non tocca a dirlo a me... ma di fronte a duemila uomini, tra solfaraj e carrettieri, mi dica Vossignoria... Del resto, il guajo è un altro, fuori del paese. Aurelio ha mandato ad avvertirmi jeri sera che quelli hanno catturato per lo stradone gli otto carri di carbone che andavano alle zolfare di Monte Diesi.

– Ah, sì? – fece il Salvo, sghignando.

– Vossignoria sa, – seguitò il Costa – che il carbone lassù per le pompe dei cantieri è come il pane pei poverelli, e anche più necessario. Vossignoria va a Girgenti? Vada subito dal prefetto perché mandi soldati alla stazione d'Aragona, quanti più può, per fare scorta al carbone fino alle zolfare. Ci son sette vagoni pieni per rinnovare il deposito; i carrettieri sono in isciopero anch'essi; ma il carbone si potrà caricare su i muli e su gli asini, scortati dalla forza: ci metteranno più tempo, ma almeno si potrà scongiurare il pericolo che la zolfara grande, la *Cace*, Dio liberi, s'allaghi...

– E s'allaghi! s'allaghi! s'allaghi! – scattò, furente, Flaminio Salvo, levando le braccia. – Vada tutto alla malora! Non m'importa più di niente! Io chiudo, sai! e mando tutti a spasso, te, tuo figlio, tutti, dal primo all'ultimo, tutti! Caccia via! Andiamo! – ordinò al cocchiere.

La carrozza si mosse, e Flaminio Salvo partì senza neppur voltarsi a salutare la figlia.

Alla sfuriata insolita, don Cosmo s'era affacciato a una finestra della villa e donna Sara Alàimo s'era fatta sul pianerottolo della scala. L'uno e l'altra, e giù Dianella e il Costa rimasero come intronati. Il Costa alla fine si scosse, alzò il capo verso la finestra e salutò amaramente:

– Bacio le mani, si-don Cosmo! Ha ragione, lui: è il padrone! Ma per quel Dio messo in croce, creda pure, si-don Cosmo mio, creda, Signorinella: non sono prepotenze! La fame è fame, e quando non si può soddisfare...

Donna Sara dal pianerottolo scrollò il capo incuffiato, con gli occhi al cielo.

– Mangia il Governo, – seguitò il Costa, – mangia la Provincia; mangia il Comune e il capo e il sottocapo e il direttore e l'ingegnere e il sorvegliante... Che può avanzare per chi sta sotto terra e sotto di tutti e deve portar tutti sulle spalle e resta schiacciato?... Ah Dio! Sono un miserabile, un ignorante sono; e va bene: mi pesti pure sotto i piedi finché vuole. Ma mio figlio, no! mio figlio non me lo deve toccare! Gli dobbiamo tutto, è vero; ma anche lui, se è ancora lì, padrone mio riverito, che mi può anche schiaffeggiare, ché da lui mi piglio tutto e gli bacio anzi le mani; se ancora è lì che comanda e si gode le sue belle ricchezze, lo deve pure a mio figlio, lo deve: lei lo sa, Signorinella, e fors'anche lei, si-don Cosmo... siamo giusti!

– Già, già, – sospirò il Laurentano dalla finestra, – l'affare delle zucche...

– Che zucche? – domandò, incuriosita, donna Sara Alàimo.

– Ma! – fece il Costa. – Ve lo farete raccontare qualche volta dalla Signorinella qua, che conosce bene mio figlio, perché son cresciuti insieme, anche con quell'altro ragazzo, suo fratellino, che il Signore volle per sé e fu una rovina per tutti. La povera signora, là, che me la ricordo io, bella, un occhio di sole! ci perdette la ragione; e lui, povero galantuomo... chi ha figli lo compatisce...

Dianella, col cuore gonfio per la durezza del padre, a questo ricordo non poté più reggere e, per nascondere il turbamento, prese il sentieruolo per cui il Costa era venuto, e sparve tra gli olivi.

Subito donna Sara, poi anche don Cosmo invitarono il Costa ad andar sù, per farlo rimettere un po' dalla corsa e non lasciarlo così sudato alla brezza del mattino. Donna Sara avrebbe voluto far di più: offrirgli una tazzina di caffè; ma per non perdere una parola del discorso fitto fitto che il Costa aveva attaccato subito con don Cosmo sul Salvo, ora che la figliuola non poteva più sentirlo, finse di non pensarci.

– Ci conosciamo, santo Dio, ci conosciamo, si-don Co'! Che era lui, alla fin fine? Io, sì, coi piedi scalzi, ho portato in collo, lo dico e me ne vanto; in collo lo zolfo e il carbone, dalla spiaggia alle spigonare. Il latino come dice? *Neces-*

sitas non abita legge. Sissignore; e sono stato stivatore, e me ne vanto, misero staderante agl'imbarchi per la dogana, e me ne vanto. Lui, però, che cos'era? Di nobile casato, sissignore; ma un sensaluccio era, che veniva da Girgenti a Porto Empedocle, tutto impolverato per lo stradone della Spinasanta, perché non aveva neanche da pagarsi la carrozza o d'affittarsi un asinello, allora che la ferrovia non c'era. E i primi pìccioli, come li fece? Lo sa Dio e tanti lo sanno, tra i morti e i morti. Poi prese l'appalto delle prime ferrovie, insieme col cognato che ora sta a Roma, signor ingegnere, banchiere, commendatore, don Francesco Vella, che conosciamo anche lui...

– Ah, – fece donna Sara, – ha un'altra sorella, lui?

– Come no? – rispose il Costa, sospendendo gli inchini con cui aveva accompagnato ogni titolo del Vella, – donna Rosa, maggiore di tutti, moglie del – (e s'inchinò ancora una volta) – commendatore Francesco Vella, pezzo grosso dell'Amministrazione delle ferrovie adesso. La linea qua, da Girgenti a Porto Empedocle, non la fece lui? Balla comare, che fortuna suona! Centinaja di migliaja di lire, sorella mia; denari a cappellate, come fossero stati rena... Due ponti e quattro gallerie... Allunga là un gomito; taglia qua a scarpa... Poi altre imprese di linee... Tutta la ricchezza gli è venuta di là, dico bene, si-don Co'? Ci conosciamo!

– E le zucche? le zucche? – tornò a domandare donna Sara.

Bisognò che il Costa gliela narrasse per minuto, quella famosa storia delle zucche; e donna Sara lo compensò con le più vivaci esclamazioni di stupore, di raccapriccio, d'ammirazione del vocabolario paesano, battendo di tratto in tratto le mani, per scuotere don Cosmo, il quale, conoscendo la storia, era ricaduto nel suo solito letargo filosofico. Si scosse alla fine, ma senza aprir gli occhi; pose una mano avanti, disse:

– Però...

– Ah, sì! – riattaccò subito con enfasi il Costa, battendosi le due manacce sul petto. – In coscienza, un'anima sola abbiamo, davanti a Dio, e debbo dire la verità. Ma mio figlio, oh, si-don Cosmo – (e il Costa levò una mano con l'indice e il pollice giunti, in atto di pensare) – tutti i figli saranno figli, ma quello! cima! diritto come una bandiera! in tutte le scuole, il primo! Appena laureato, subito il concorso per la borsa di studio all'estero... Erano, sorella mia, più di quattrocento giovani ingegneri d'ogni parte d'Italia: tutti sotto, tutti sotto se li mise! E mi stette fuori quattr'anni, a Parigi, a Londra, nel Belgio, in Austria. Appena tornato a Roma, senza neanche farlo fiatare, il Governo gli diede il posto nel Corpo degli ingegneri minerarii, e lo mandò in Sardegna, a Iglesias, dove ci fece un lavoro tutto colorato su una montagna... Sarrubbas... non so... ah, Sarrabus, già, dico bene, Sarrabus (parlano turco, in Sardegna), un lavoro che fa restare, sorella mia, allocchiti. Ci stette poco, un anno, poco più, perché la Società francese, di quelle che... i marenghi, a sacchi... vedendo quella carta, rimase a bocca aperta. Non lo dico perché è figlio mio; ma quanti ingegneri c'è, qua e fuorivia? se li mette in tasca tutti! Basta. Questa Società francese, dice, qua c'è la cassa, figlio mio, tutto quello che volete. Aurelio, tra il sì e il no, d'accettare, venne qua in permesso – saranno sei o sette mesi – per consigliarsi con me e col principale, suo benefattore, ch'egli rispetta come suo secondo padre e fa bene! Il principale stesso gli sconsigliò d'accettare, perché lo volle per sé, capite? per badare alle sue zolfare d'Aragona e Comitini. Noi diciamo: il poco mi basta, l'assai mi soverchia... Accettò, ma ci scàpita, parola d'onore! E con tutto questo, ora... ora è marionetta, l'avete inteso?... Cristo sacrato!

Leonardo Costa levò un braccio, si alzò, sbuffò per il naso, scrollando il capo, e prese dalla sedia il cappellaccio bianco. Doveva andar via subito; ma ogni qual volta si metteva a parlare di quel suo figliuolo, lustro, colonna d'oro della sua casa, non la smetteva più.

– Bacio le mani, si-don Cosmo, mi lasci scappare. Donna Sara, servo vostro umilissimo.

– Oh, e aspettate! – esclamò questa, fingendo di ricordarsi, ora che il discorso era finito. – Un sorsellino di caffè...

– No no, grazie – si schermì il Costa. – Ho tanta fretta!

– Cinque minuti! – fece donna Sara, levando le mani a un gesto che voleva dire: «Non casca il mondo!».

E s'avviò. Ma il Costa, sedendo di nuovo, sospirò, rivolto a don Cosmo:

– C'è una mala femmina, si-don Co', una mala femmina che da qualche tempo a questa parte mette male tra mio figlio e don Flaminio; io lo so!

E donna Sara non poté più varcare la soglia: si voltò, strizzò gli occhi, arricciò il naso e chiese con una mossettina del capo: – Chi è?

– Non mi fate sparlare ancora, donna Sara mia! – sbuffò il Costa. – Ho parlato già troppo!

Ma, tanto, donna Sara Alàimo aveva già compreso di quale mala femmina egli intendesse parlare, e uscì, esclamando con le mani per aria:

– Che mondo! che mondo!

Dianella non s'affrettò quella mattina a raggiungere Mauro alla vigna. Quello sguardo duro del padre nell'ira, mentre il Costa parlava del pericolo da cui il figlio era minacciato in Aragona, le aveva in un baleno richiamato alla memoria un altro sguardo di lui, di tanti anni addietro, quando il fratellino era morto e la madre impazzita.

Aveva undici anni, lei, allora.

E più della morte del fratello, più della sciagura orrenda della madre le era rimasta indelebile nell'anima l'impressione di quello sguardo d'odio che a lei – ragazzetta ancor quasi ignara, incerta e smarrita tra i giuochi e la pena – aveva lanciato il padre, nel cordoglio rabbioso:

«Non potevi morir tu invece?», le aveva detto chiaramente quello sguardo.

Così. Proprio così. E Dianella comprendeva bene adesso perché il padre non avrebbe esitato un momento a dar la vita di lei in cambio di quella del fratello.

Tutte le cure e l'affetto e le carezze e i doni, di cui egli l'aveva poi colmata, non erano più valsi a scioglierle dal fondo dell'anima il gelo, in cui quello sguardo s'era quasi rappreso e indurito. Spesso se n'adontava con se stessa, sentendo che il calore dell'affetto paterno non riusciva più a penetrare in lei, quasi respinto istintivamente da quel gelo.

Per qual ragione seguitava egli ormai a lavorare con tanto accanimento? ad accumulare tanta ricchezza? Non per lei, certamente; sì per un bisogno spontaneo, prepotente, della sua stessa natura; per dominare su tutti; per esser temuto e rispettato; o fors'anche per stordirsi negli affari o per prendersi a suo modo una rivincita su la sorte che lo aveva colpito. Ma in certi momenti d'ira (come dianzi), o di stanchezza o di sfiducia, lasciava pur vedere apertamente che tutte le sue imprese e i suoi sforzi e la sua vita stessa non avevano più scopo per lui, perduto l'erede del nome, colui che sarebbe stato il continuatore della sua potenza e della sua fortuna.

Da un pezzo, convinta di questo, Dianella, pur non sapendo neanche immaginare la propria vita priva di tutto quel fasto che la circondava, aveva cominciato a sentire un segreto dispetto per quella ricchezza del padre, di cui un giorno (il più lontano possibile!) ella sarebbe stata l'unica erede, per forza e senza alcuna soddisfazione per lei. Quante volte, nel vederlo stanco e irato, non avrebbe voluto gridargli: «Basta! Lascia! Perché la accresci ancora, se dev'esser poi questa la fine?». E altro ancora, ben altro avrebbe voluto gridargli, se con l'anima avesse potuto arrivare all'anima del padre, senza che le labbra si movessero e udissero gli orecchi.

Da quanto aveva potuto intendere col finissimo intuito e penetrare con quegli occhi silenziosamente vigili e da certi discorsi colti a volo senza volerlo, aveva già coscienza che la ricchezza del padre, se non al tutto male acquistata, aveva pur fatto molte vittime in paese. Crudele con lui la sorte, crudele la rivincita che si prendeva su essa. Voleva tutto per sé, tutto in suo pugno: zolfare e terre e opificii, il commercio e l'industria dell'intera provincia. Ora perché gravare su le esili spalle di lei – figlia... sì, amata, ma non prediletta, quantunque rimasta sola – il fardello di tutte quelle ricchezze, che molti forse maledicevano in segreto e che certo non le avrebbero portato fortuna? Eppure s'era illusa, fino a poco tempo fa, che il padre l'avrebbe lasciata libera nella scelta; che anzi egli stesso la avesse ajutata a scegliere, beneficiando colui che, da ragazzo, gli aveva salvato la vita. Bruno, come fuso nel bronzo, coi capelli ricci, neri, e gli occhi fermi e serii, Aurelio Costa le era apparso la prima volta, a tredici anni; era stato poi per tanto tempo suo compagno di giuoco, suo e del fratellino. Tutt'e tre, ragazzi, non capivano allora che differenza fosse tra loro. Alla morte del fratellino però, Aurelio era man mano divenuto con lei sempre più timido e circospetto; non aveva più voluto giocare come prima; era cresciuto tanto; gli s'era alterata la voce; s'era messo a studiare, a studiare; e lei, che allora non aveva più di dodici anni, s'era contentata d'assistere zitta zitta al suo studio, fingendo di studiare anche lei; ogni tanto, in punta di piedi, andava a tiragli un ricciolo sulla nuca. A diciott'anni Aurelio era poi partito per iscriversi all'Università di Palermo nella facoltà d'ingegneria. Senza più lui, la casa per tanti mesi era rimasta per lei come vuota; aveva l'impressione di quella sua prima solitudine, come se avesse passato tutto un inverno interminabile con la fronte appoggiata ai vetri d'una finestra su cui le gocce della pioggia scorrevano come lagrime, su cui qualche mosca superstite, morta di freddo, rimaneva attaccata e lei con un dito, toccandola appena, la faceva cadere. Forse da allora la sua fronte, per il contatto di quei vetri gelati, le era rimasta così come fasciata di gelo. Ma che esultanza poi al ritorno di lui, finito l'anno scolastico! Era stata così vivace e piena di giubilo quella festa, che il padre, appena andato via Aurelio, se l'era chiamata in disparte e pian piano, con garbo, carezzandole i capelli, le aveva lasciato intendere che sarebbe stato bene frenarsi, perché era ormai un giovanotto quel suo antico compagno di giuoco, a cui non bisognava più dare del tu. Senza saperne bene il perché s'era fatta di bragia: oh Dio, e come allora, del lei? non era più lo stesso Aurelio? No, non era più lo stesso Aurelio, neanche per lei; e se n'era accorta sempre di più di anno in anno ai ritorni di lui, finché all'ultimo, presa la laurea, egli aveva manifestato l'intenzione di concorrere a una borsa di studio all'estero. Lui, proprio lui non era più lo stesso; perché lei, invece... sì, con la bocca, *signor Aurelio*, ma con gli occhi seguitava a dargli del tu. Prima di partire per Parigi, era venuto a ringraziare il suo benefattore, a giurargli eterna gratitudine; a lei non aveva saputo quasi dir nulla, quasi non aveva osato guardarla, fors'anche non s'era accorto né del pallore del volto né del tremito della mano di lei. E tuttavia non s'era perduta; aveva fatto anzi tanto più certo in sé il suo sentimento, quanto più incerta era rimasta sul conto di lui. Era sicura, superstiziosamente, ch'egli le fosse destinato. Dopo la partenza, più volte aveva sentito il padre parlare del valore eccezionale di quel giovine e dello splendido avvenire che avrebbe avuto, e lodarsi di quanto aveva fatto per lui, di averlo trattato come un figliuolo. Naturalmente questi discorsi le avevano ravvivato sempre più nel cuore il fuoco segreto e sempre più acceso la speranza che il padre, avendo perduto l'unico figliuolo, e avendo quasi creato lui quest'altro al quale pur doveva la vita, avrebbe preferito che a lui, anziché a un altro più *estraneo*, andassero un giorno le ricchezze e la figlia. S'era maggiormente raffermata in questa speranza pochi mesi fa, quando Aurelio, ritornato dalla Sardegna, era stato assunto dal padre alla direzione delle zolfare. Non lo aveva più riveduto dal giorno della partenza per Parigi. Op-

pressa, tra il vano fasto, dalla vita meschina di Girgenti, vecchia città, non zo-
tica veramente, ma attediata nel vuoto desolato dei lunghi giorni tutti uguali,
sempre con quel giro di visite delle tre o quattro famiglie conoscenti che ga-
reggiavano d'affetto e di confidenza verso di lei, ch'era come la reginetta del
paese, fra le spiritosaggini solite dei soliti giovanotti eleganti, anneghittiti,
immelensiti nella povera e ristretta vita provinciale, s'era riscossa alla vista di
lui così maschio e padrone di sé. La gioja di rivederlo le s'era però d'un subito offuscata al sopravvenire di Nicoletta Spoto, da un anno appena moglie
del Capolino. Aveva notato uno strano imbarazzo, un vivo turbamento tanto in
costei quanto in Aurelio, allorché questi, introdotto nel salone, s'era inchinato
a salutare. Poi, appena il padre aveva condotto via con sé nello studio Aurelio,
la Capolino, rifiatando, aveva narrato con focosa vivacità a lei e alla zia Adelaide, che quel poveretto lì, tutto impacciato, aveva nientemeno osato di mandare a chiederla in isposa, subito dopo ottenuto il posto d'ingegnere governativo in Sardegna, ricordandosi forse di qualche occhiatina scambiata tanti e
tanti anni addietro, quand'egli era ancora studentello all'Istituto. Figurarsi che
orrore aveva provato lei, Lellè Spoto, a una tal richiesta, e come s'era affrettata a rifiutare, tanto più che già erano avviate le prime pratiche per il matrimonio con Ignazio Capolino. S'era sentita voltare il cuore in petto a questa
notizia inattesa; s'era fatta certo di mille colori e certo s'era tradita con quella
donna, di cui già conosceva la relazione segreta e illecita col padre. Non le
aveva detto nulla; ma quando Aurelio, dopo la lunga udienza, era ritornato in
salone, lei, tutta accesa in volto lo aveva accolto apposta con premure esagerate, ricordandogli i giorni passati insieme, i giuochi, le confidenze. E più
volte, con gioja, aveva veduto colei mordersi il labbro e impallidire. Dianella
sperava che Aurelio, almeno quella volta, avesse compreso. Lo aveva subito
scusato in cuor suo del tradimento, di cui non poteva aver coscienza, non credendo di poter ardire di alzar gli occhi fino a lei; ma... intanto, ah! proprio a
quella donna lì, sotto ogni riguardo indegna di lui, era andato a pensare! E il
rifiuto di quella donna le era sembrato quasi un'offesa diretta anche a lei.
Però, ecco, egli era stato a Parigi; la vivacità, la capricciosa disinvoltura di
Nicoletta Spoto avevano forse acquistato allora un gran pregio agli occhi di
lui, ricordandogli probabilmente le donne conosciute e ammirate colà. D'umi-
lissimi natali, aveva creduto forse di fare un gran salto imparentandosi con
una famiglia come quella della Spoto, molto ricca un giorno, ora decaduta, ma
tuttavia tra le più cospicue del paese. Costei ora, certo, avvalendosi del potere
che aveva sul padre, si vendicava dell'affronto patito quella volta. Anche lei,
Dianella, aveva notato che da qualche tempo il padre non si mostrava più contento di Aurelio; e che da alcune sere lì, nella villa, parlando con don Cosmo
Laurentano, insisteva su certe domande che le davano da pensare. Segretà-
mente, lei disapprovava quelle nozze strane della zia col principe don Ippolito,
ne aveva quasi onta, sospettando nel padre un pensiero nascosto: che cioè si
volesse servire di quelle nozze non certo onorevoli per introdursi nella casa
dei Laurentano e attrarre a sé a poco a poco anche le sostanze di questa. Da
alcune sere, a cena, il discorso di don Cosmo cadeva, insistente, sul figlio del
principe, su Lando Laurentano, che viveva a Roma. Perché?

Assorta in questi pensieri, Dianella s'era seduta sotto un olivo sul ciglio del
profondo burrone e guardava la dirupata costa dirimpetto, dove pascolava una
greggiola di capre scesa dalle terre di Platanìa. Il giorno dopo l'arrivo in
quella campagna, s'era sentita quasi rinascere. L'aria di selvatica rustichezza,
che la vecchia villa aveva preso nell'abbandono; la malinconia profonda che
da quell'abbandono pareva si fosse diffusa tutt'intorno, nei viali, nei sentieri
solinghi, quasi scomparsi sotto le borracine e le tignàmiche, ove l'aria – fresca
dell'ombra degli olivi e dei mandorli o delle alte spalliere di fichidindia – era
satura di fragranze, amare di prugnole, dense e acute di mentastri e di salvie; e

quell'ampio burrone precipite; e la chiara e gaja vicinanza del mare; e quegli alberi antichi, non curati, irti di polloni selvaggi, sognanti nel silenzio della solitudine immensa, si accordavano soavemente con l'animo in cui ella si trovava. Ora, invece, quei discorsi del padre... l'ira contro Aurelio... e quello sciopero di solfaraj ad Aragona... le minacce... E lei, lì sola, senza nessuno veramente con cui vôtarsi il cuore... Aver la madre e non potersi rivolgere a lei, e vedersela davanti, peggio che morta – viva e vana... Lustreggiava per un tratto, tra i culmi radi delle canne in fondo al burrone un ruscelletto che a un certo punto era stato tagliato dai lavori di presa per la linea ferroviaria. Vi fissò gli occhi e le sorse allora spontanea l'immagine che lei fosse rimasta appunto come un ruscello a cui una mano ignota per malvagio capriccio avesse traviato la vena presso la fonte con irti e gravi sassi; e l'acqua di là si fosse sparsa stagnante, e di qua il ruscello si fosse raddensato in rena e in ciottoli. Ah, che sete inestinguibile le era rimasta dell'amore materno! Ma s'appressava alla madre, e questa non la riconosceva per figlia. Il dolore di lei così vicino e urgente non si ripercoteva per nulla in quella coscienza spenta.

– Vittoria Vivona d'Alessandria della Rocca, – diceva la madre di se stessa, con voce che pareva arrivasse di lontano. – Bella fig!ia! bella figlia! Aveva una treccia di capelli che non finiva mai; tre donne gliela pettinavano... Cantava e sonava. Sonava anche l'organo in chiesa, a Santa Maria dell'Udienza, e gli angioletti stavano a sentirla, in ginocchio e a mani giunte, così... Doveva sposare un riccone di Girgenti; le venne un mal di capo, e morì...

Dianella non poté più frenare le lagrime e si mise a piangere silenziosamente, con amara voluttà in quella solitudine. Ma il silenzio attorno era così attonito, e così intenso e immemore il trasognamento della terra e di tutte le cose, che a poco a poco se ne sentì attratta e affascinata. Le parvero allora gravati da una tristezza infinita e rassegnata quegli alberi assorti nel loro sogno perenne, da cui invano il vento cercava di scuoterli. Percepì, in quella intimità misteriosa con la natura, il brulichìo delle foglie, il ronzìo degli insetti; e non sentì più di vivere per sé; visse per un istante quasi incosciente, con la terra, come se l'anima le si fosse diffusa e confusa in tutte le cose della campagna. Ah, che freschezza d'infanzia nell'erbetta che le sorgeva accanto! e come appariva rosea la sua mano sul tenero verde di quelle foglie! oh, ecco un maggiolino sperduto, fuor di stagione, che le scorreva su la mano... Com'era bello! piccolo e lucido più d'una gemma! E poteva dunque la terra, tra tante cose brutte e tristi, produrne pure di così gentili e graziose?

Trascorse, quasi in risposta, su quelle foglie, su la sua mano come un lieve e fresco alito di gioja. Dianella trasse un sospiro e aspettò con la mano su l'erba che l'insetto ritrovasse la sua via tra le foglie, poi si scosse di soprassalto all'arrivo festoso improvviso dei tre mastini che le si fecero attorno, anzi sopra, impazienti, scostandosi l'un l'altro, per aver sul capo la carezza delle sue mani. E non la lasciavano alzare. Alla fine sopraggiunse Mauro Mortara.

– Vi siete sentita male? – le domandò, cupo, senza guardarla.

– No... niente... – gli rispose, schermendosi con le braccia dalle piote e dalle linguate dei cani, e sorridendo mestamente. – Un po' stanca...

– Qua! – gridò forte Mauro ai tre mastini, perché la lasciassero in pace.

E subito quelli restarono, come impietriti dal grido. Dianella sorse in piedi e si chinò a carezzarli di nuovo, in compenso della sgridata.

– Poverini... poverini...

– Se volete venire... – propose Mauro.

– Eccomi. A veder la stanza del Generale? Ho tanta curiosità...

Era impacciata nel parlargli, non sapendo ancor bene se dargli del voi o del tu.

– Vostro padre è partito?

– Sì, sì, – s'affrettò a rispondergli; e subito si pentì della fretta che poteva dimostrare in lei quel sollievo stesso che provavano tutti quando il padre era assente. – Ad Aragona, – disse – si sono ribellati i solfaraj. Bisognerà mandarci soldati e carabinieri.

– Piombo! piombo! – approvò Mauro subito, scotendo energicamente il capo. – Sbirro, vi giuro, andrei a farmi, vecchio come sono!

– Forse... – si provò a dire Dianella.

Ma il Mortara la interruppe con una sua abituale esclamazione.

– Oh Marasantissima, lasciatevi servire!

Non ammetteva repliche, Mauro Mortara. Nelle sue perpetue ruminazioni vagabonde tra la solitudine della campagna, s'era a modo suo sistemato il mondo, e ci camminava dentro, sicuro, da padreterno, lisciandosi la lunga barba bianca e sorridendo con gli occhi alle spiegazioni soddisfacenti che aveva saputo darsi d'ogni cosa. Tutto ciò che accadeva, doveva rientrar nelle regole di quel suo mondo. Se qualche cosa non poteva entrarci, egli la tagliava fuori, senz'altro, o fingeva di non accorgersene. Guai a contraddirlo!

– Oh Marasantissima, lasciatevi servire! Che pretendono? Voglio sapere che pretendono! Dobbiamo tutti ubbidire, dal primo all'ultimo, tutti, e ognuno stare al suo posto, e guardare alla comunità! Perché questi pezzi di galera, figli di cane ingrati e sconoscenti, debbono guastare a noi vecchi la soddisfazione di vedere questa comunità, l'Italia, divenuta per opera nostra quella che è? Che ne sanno, di cos'era prima l'Italia? Hanno trovato la tavola apparecchiata, la pappa scodellata, e ora ci sputano sopra, capite? Intanto, guardate: Tunisi è là!

Si voltò verso il mare e col braccio teso indicò, fosco, un punto nell'orizzonte lontano. Dianella si volse a guardare, senza comprendere come c'entrasse Tunisi. Ella lo lasciava dire e non l'interrompeva mai, se non per approvare tutti quegli sproloquii patriottici ch egli le faceva.

– È là! – ripeté Mauro fieramente. – E ci sono i Francesi là, che ce l'hanno presa a tradimento! E domani possiamo averli qua, in casa nostra, capite? Vi giuro che non ci dormo, certe notti, e mi mordo le mani dalla rabbia! E invece d'impensierirsi di questo, quei mascalzoni là pensano a fare scioperi, ad azzuffarsi tra loro! Tutta opera dei preti, sapete? Cima di birbanti! schiuma d'ogni vizio! abissi di malizia! Soffiano nel fuoco, sotto sotto, per smembrare di nuovo l'Italia... I Sanfedisti! i Sanfedisti! Io debbo guardarmi davanti e dietro, perché me l'hanno giurata e mi contano i passi. Ma con me le spese ci perdono... Guardate qua!

E mostrò a Dianella i due pistoloni napoletani che gli pendevano dalla cintola.

Quella visita alla famosa stanza del Generale, detta per antonomasia il *Camerone*, era una grazia veramente particolare concessa a Dianella. Mauro Mortara, che ne teneva la chiave, non vi lasciava entrar mai nessuno. E non l'uscio soltanto, ma anche le persiane dei due terrazzini e della finestra stavano sempre chiuse, quasi che l'aria e la luce, entrandovi apertamente, potessero fugare i ricordi raccolti e custoditi con tanta gelosa venerazione.

Certo, dopo la partenza del vecchio principe per l'esilio, uscio e finestre erano stati spalancati chi sa quante volte; ma il Mortara, da che era ritornato a Valsanìa, aveva tenute almeno le persiane sempre chiuse così, e aveva l'illusione che così appunto fossero rimaste da allora, sempre, e che però quelle pareti serbassero ancora il respiro del Generale, l'aria di quel tempo.

Questa illusione era sostenuta dalla vista della suppellettile rimasta intatta, tranne la lettiera d'ottone a baldacchino, che non aveva più né materasse, né tavole, né l'ampio parato a padiglione.

Quella penombra era così propizia alla rievocazione dei lontani ricordi!

Mauro, ogni volta, girava un po' per la stanza; si fermava innanzi a questo o a quel mobile decrepito, dall'impiallacciatura gonfia e crepacchiata qua e là;

poi andava a sedere sul divano imbottito d'una stoffa verde, ora ingiallita, con due rulli alla base di ciascuna testata, e lì, con gli occhi socchiusi, lisciandosi con la piccola mano tozza e vigorosa la lunga barba bianca, pensava, e più spesso ricordava, assorto, come in chiesa un divoto nella preghiera.

Non lo disturbavano neppure i topi che facevano talvolta una gazzarra indiavolata sul terrazzo di sopra, il cui piano, per impedire che il soffitto del *camerone* rovinasse, s'era dovuto ricoprire di lastre di bandone. Il rimedio era giovato poco e per poco tempo; le lastre di bandone s'erano staccate e accartocciate al sole, con molta soddisfazione dei topi che, rincorrendosi, vi s'appiattavano; e il soffitto già s'era aggobbato, gocciava d'inverno per due o tre stillicidii, e le pareti serbavano, anche d'estate, due larghe chiose d'umido, grommose di muffa. Don Cosmo non se ne dava pensiero: non entrava quasi mai nel camerone; Mauro non voleva che si riattasse: poco più gli restava da vivere e voleva che tutto lì rimanesse com'era; sapeva che, morto lui, nessuno si sarebbe preso più cura di custodire quel «santuario della libertà»; e il soffitto allora poteva anche crollare o essere riattato. Intanto, ogni anno, al sopravvenire dell'autunno, egli si recava sul terrazzo a rassettare e fissar le lastre di bandone con grosse pietre, e sul pavimento del *camerone* collocava concole e concoline sotto gli stillicidii. Le gocce vi piombavan sonore, ad una ad una; e quel *tin-tan* cadenzato pareva gli conciliasse il raccoglimento.

Dianella, entrando, ebbe subito come un urto dalla vista inattesa d'una belva imbalsamata che, nella penombra, pareva viva, là, nella parete di fronte, presso l'angolo, con la coda bassa e la testa volta da un lato, felinamente.

– Che paura! – esclamò, levando le mani verso il volto e sorridendo d'un riso nervoso. – Non me l'aspettavo... Che è?

– Leopardo.

– Bello!

E Dianella abbassò una mano a carezzare quel pelame variegato; ma subito la ritrasse tutta impolverata, e notò che alla belva mancava uno degli occhi di vetro, il sinistro.

– Un altro, compagno a questo, – riprese Mauro – l'ho regalato al Museo dell'Istituto, a Girgenti. Non l'avete mai veduto? C'è una vetrina mia, nel Museo. Accanto al leopardo, una jena, bella grossa, e, sopra, un'aquila imperiale. Su la vetrina sta scritto: *Cacciati, imbalsamati e donati da Mauro Mortara*. Gnorsì. Ma venite qua, prima. Voglio farvi vedere un'altra cosa.

La condusse davanti al vecchio divano sgangherato.

Appese alla parete, sopra il divano, eran quattro medaglie, due d'argento, due di bronzo, fisse in una targhetta di velluto rosso ragnato e scolorito. Sopra la targhetta era una lettera, chiusa in cornice, scritta di minutissimo carattere in un foglietto cilestrino, sbiadito.

– Ah, le medaglie! – esclamò Dianella.

– No, – disse Mauro, turbato, con gli occhi chiusi. – La lettera. Leggete la lettera.

Dianella s'accostò di più al divano e lesse prima la firma: GERLANDO LAURENTANO.

– Del Generale?

Mauro, ancora con gli occhi chiusi, accennò di sì col capo, gravemente.

E Dianella lesse:

Amici,
Le notizie di Francia, il colpo di Stato di Luigi Napoleone recheranno certamente una grave e lunga sosta al movimento per la nostra santa causa e ritarderanno, chi sa fino a quando, il nostro ritorno in Sicilia.

Vecchio come sono, non so né posso più sopportare il peso di questa vita d'esilio.

Penso che non sarò più in grado di prestare il mio braccio alla Patria, quand'essa, meglio maturati li eventi, ne avrà bisogno. Viene meno pertanto la ragione di trascinare così un'esistenza incresciosa a me, dannosa a' miei figli.

Voi, più giovani, questa ragione avete ancora, epperò vivete per essa e ricordatevi qualche volta con affetto del vostro

Gerlando Laurentano

Dianella si volse a guardare il Mortara che, tutto ristretto in sé, con gli occhi ora strizzati, il volto contratto e una mano su la bocca, si sforzava di soffocare nel barbone abbatuffolato i singhiozzi irrompenti.

– Non la rileggevo più da anni, – mormorò quando poté parlare.

Tentennò a lungo la testa, poi prese a dire:

– Mi fece questo tradimento. Scrisse la lettera e si vestì di tutto punto, come dovesse andare a una festa da ballo. Ero in cucina; mi chiamò. «Questa lettera a Mariano Gioèni, a La Valletta.» C'erano a La Valletta gli altri esiliati siciliani, ch'erano stati tutti qua, in questa camera, prima del Quarantotto, al tempo della cospirazione. Mi pare di vederli ancora: don Giovanni Ricci-Gramitto, il poeta; don Mariano Gioèni e suo fratello don Francesco; don Francesco De Luca; don Gerlando Bianchini; don Vincenzo Barresi: tutti qua; e io sotto a far la guardia. Basta! Portai la lettera... Come avrei potuto supporre? Quando ritornai a Burmula, lo trovai morto.

– S'era ucciso? – domandò, intimidita, Dianella.

– Col veleno, – rispose Mauro. – Non aveva fatto neanche in tempo a tirare sul letto l'altra gamba. Come era bello! Conoscete don Ippolito? Più bello. Diritto, con un pajo d'occhi che fulminavano: un San Giorgio! Anche da vecchio, innamorava le donne.

Richiuse gli occhi e a bassa voce recitò la chiusa della lettera, che sapeva a memoria:

– *Voi, più giovani, questa ragione avete ancora, epperò vivete per essa e ricordatevi qualche volta con affetto del vostro Gerlando Laurentano.* Vedete? E vissi io, come lui volle. E qua, sotto la lettera, che mi feci restituire da don Mariano Gioèni, ho voluto appendere, come in risposta, le mie medaglie. Ma prima di guadagnarmele! Sedete, qua; non vi stancate...

Dianella sedette sul vecchio divano. In quel punto, donna Sara Alàimo, sentendo parlare nel *camerone* e vedendo insolitamente l'uscio socchiuso, sporse il capo incuffiato a guardare.

– Che volete voi qua? – saltò su Mauro Mortara, come avrebbe fatto, se vivo, quel leopardo. – Qua non c'è nulla per voi!

– Puh! – fece donna Sara, ritraendo subito il capo. – E chi vi tocca?

Mauro corse a sprangar l'uscio.

– La strozzerei! Non la posso soffrire, non la posso vedere, questa spiaccia dei preti! S'arrischia anche a ficcare il naso qua dentro, ora? Non l'aveva mai fatto! La tengono qua i preti, sapete? approfittandosi di quel babbeo di don Cosmo. I Sanfedisti, i Sanfedisti...

– Ma ci sono ancora davvero codesti Sanfedisti? – domandò Dianella con un benevolo sorriso.

– Oh Marasantissima, lasciatevi servire! – tornò ad esclamare il Mortara. – Se ci sono! Forse ora si fanno chiamare d'un'altra maniera; ma sono sempre quelli. Setta infernale, sparsa per tutto il mondo! Spie dappertutto: ne trovi una finanche in Turchia, figuratevi! a Costantinopoli.

– Siete stato fin là? – domandò Dianella.

– Fin là? Ma più lontano ancora! – rispose Mauro con un sorriso di soddisfazione. – Dove non sono stato e che cosa non ho fatto io? Contiamo; ma non bastano le dita delle mani; pecorajo, contadino, servitore, mozzo di nave, sca-

ricatore di bordo, stivatore, fochista, cuoco, bagnino, cacciatore di bestie feroci, poi volontario garibaldino, attendente di Bixio; poi, dopo la Rivoluzione,
capo-carcerario: trecento galeotti ho tenuto in un pugno a Santo Vito, che volevano scappare; e alla fine, qua, campagnuolo di nuovo. La mia vita? Non
parrebbe vera, se qualcuno la volesse raccontare.

Stette un pezzo a lisciarsi la barba, mentre gli occhi verdastri gli ridevano lucidi, al fremito interno dei ricordi.

– Tagliate un tronco d'albero, – disse, – e buttatelo a mare, lontano dalla
spiaggia. Dove andrà a finire? Ero come un tronco d'albero, nato e cresciuto
qua, a Valsanìa. Venne la bufera e mi schiantò. Prima partì il Generale coi
compagni; io partii due giorni dopo, di notte, sopra un bastimento a vela,
com'usava a quei tempi: una barcaccia di quelle che chiamano tartane. Ora
rido. Sapeste però che spavento, quella notte, sul mare!

– La prima volta?

– Chi c'era mai stato! Nero, tutto nero, cielo e mare. Solo la vela, stesa,
biancheggiava. Le stelle, fitte fitte, alte, parevano polvere. Il mare si rompeva
urtando contro i fianchi della tartana, e l'albero cigolava. Poi spuntò la luna, e
il bestione si abbonacciò. I marinai, a prua, fumavano a pipa e chiacchiera-
vano tra loro; io, buttato là, tra le balle e il cordame incatramato, vedevo il
fuoco delle loro pipe; piangevo, con gli occhi spalancati, senz'accorgermene.
Le lagrime mi cadevano su le mani. Ero come una creatura di cinque anni; e
ne avevo trentatré! Addio, Sicilia; addio, Valsanìa; Girgenti che si vede da
lontano, lassù, alta; addio, campane di San Gerlando, di cui nel silenzio della
campagna m'arrivava il ronzìo; addio, alberi che conoscevo a uno a uno... Voi
non vi potete immaginare, come da lontano vi s'avvistino le cose care che lasciate e vi afferrino e vi strappino l'anima! Io vedevo certi luoghi, qua, di
Valsanìa, proprio come se vi fossi; meglio, anzi; notavo certe cose, che prima
non avevo mai notato; come tremavano i fili d'erba alla brezza grecalina, un
sasso caduto dal murello, un albero un po' storto a pendìo, che si sarebbe potuto raddrizzare, e di cui potevo contare le foglie, a una a una... Basta!
All'alba; giunsi a Malta. Prima si tocca l'isola di Gozzo... Malta, capite? tutta
come un golfo, abbraccia il mare. Qua e là, tante insenature. In una di queste
è Burmula, dove il Generale aveva preso stanza. Grossi porti, selve di navi; e
gente d'ogni razza, d'ogni nazione: Arabi, Turchi, Beduini, Marocchini; e poi
Inglesi, Francesi, Spagnuoli. Cento lingue. Nel Cinquanta, ci scoppiò il colera,
portato dagli Ebrei di Susa, che avevano con loro belle femmine, belle! ma,
sapete? ragazzette fresche, di sedici e diciott'anni come voi...

– Oh, ne ho di più io! – sorrise Dianella.

– Di più? Non pare. Si dipingevano. Senza bisogno, – seguitò Mauro, –
come se fossero state vecchie. Peccato! Belle femmine! Portarono il colera, vi
dicevo: un'epidemia terribile! Figuratevi che a Burmula, paesettuccio, in una
sola giornata, ottocento morti. Come le mosche si moriva. Ma la morte a un
disgraziato che paura può fare? Io mangiavo, come niente, petronciani e po-
modori: lo facevo apposta. Avevo imparato una canzonetta maltese e la cantavo giorno e notte, a cavalcioni d'una finestra. Perché ero innamorato...

– Ah sì? Là? – domandò Dianella, sorpresa.

– Non là, – rispose Mauro. – Avevo lasciato qua, a Valsanìa, una villanella
con cui facevo all'amore: Serafina... Si maritò con un altro, dopo un anno appena. E io cantavo... Volete sentire la canzonetta? Me la ricordo ancora.

Socchiuse gli occhi, buttò indietro il capo e si mise a canticchiare in falsetto,
pronunciando a suo modo le parole di quella canzonetta popolare:

Ahi me kalbi, kentu giani...

Dianella lo guardava, ammirata, con un intenerimento e una dolcezza accorata, che spirava anche dal mesto ritmo di quell'arietta d'un tempo e d'un

paese lontano, la quale affiorava su le labbra di quel vecchio, fievole eco della remota, avventurosa gioventù. Non sospettava minimamente sotto la ruvida scorza del Mortara la tenerezza di tali ricordi.

– Com'è bella! – disse. – Ricantatela.

Mauro, commosso, fe' cenno di no, con un dito.

– Non posso; non ho voce... Sapete che vogliono dire le prime parole? *Ahimè, il cuore, come mi duole.* Il senso delle altre non lo ricordo più. Piaceva tanto al Generale, questa canzonetta. Me la faceva cantare sempre. Eh, avevo buona voce, allora... Voi guardate il leopardo? Ora vi racconto.

E seguitò a raccontarle come, dopo la morte del Generale, rimasto solo a Burmula, non volendo ritornare in Sicilia, dove s'era già compromesso, si fosse recato a La Valletta. Qua, gli esiliati siciliani avrebbero voluto ajutarlo; ma egli, sapendo in che misere condizioni si trovassero, aveva rifiutato ogni soccorso e s'era messo a lavorare nel porto, come mozzo, come scaricatore, come stivatore. Mancavano le braccia, decimata la popolazione dal colera. Poi s'era imbarcato su un piroscafo inglese da fochista. Per più di sei mesi era stato sepolto lì, nel saldo ventre strepitoso della nave, ad arrostirsi al fuoco alimentato notte e giorno, senza mai sapere dove s'andasse. I macchinisti inglesi lo guardavano e ridevano – chi sa perché – e un giorno, per forza, avevano voluto presentarlo, così tutto affumicato com'era, al capitano – pezzo d'omone sanguigno, con una barbaccia fulva che gli arrivava fin quasi ai ginocchi – e il capitano gli aveva più volte battuto la spalla, lodandolo forse per lo zelo. Egli, difatti, in tutti quei mesi, non s'era dato un momento di requie, neanche per prendere un boccone; aveva perduto l'appetito: beveva soltanto, per temprar l'arsura del corpo che, là sotto, smaniava il respiro, un po' d'aria! Unico svago, quando si approdava in qualche porto, un vecchio libro di cucina, tutto squintermato, sul quale aveva imparato a compitare con l'ajuto del cuoco di bordo, anch'esso italiano, da lungo tempo spatriato a Malta.

Svago e tesoro, per lui, quel libro! Perché, un giorno, il cuoco, ammalatosi gravemente, era stato sbarcato a Smirne e, in mancanza d'altri, alla prova di quest'altro fuoco era stato messo lui, erede del libro e della dottrina culinaria di quello. S'era dato con tutto l'impegno a questo nuovo ufficio e in breve aveva saputo contentar così bene il capitano, che questi poi, vedendolo lì lì per ammalarsi come quell'altro cuoco, spontaneamente lo aveva allogato quale sguattero in una famiglia inglese, ricchissima, domiciliata a Costantinopoli. Ma la malattia contratta a bordo non lo aveva lasciato lungo tempo a quel posto, per un tristo accidente capitatogli uno di quei giorni. Un droghieruccio d'Alcamo, stabilito da molti anni là a Costantinopoli, dal quale egli si recava qualche volta per sentir parlare il dialetto nativo, aveva voluto avvelenarlo. Sì! Invece d'una pozione d'olio di mandorle dolci, gli aveva dato forse olio di mandorle amare. Spia dei preti, dei Sanfedisti, anche quello! Sbaglio involontario? Ma che! Ricordava bene che una volta colui aveva osato rimproverarlo acerbamente per l'avventura del francescano appeso, ch'egli, così per ridere, gli aveva narrata. Ah, ma rimessosi per miracolo, dopo circa tre mesi, dall'avvelenamento, gli aveva fatto pagar caro il delitto. Con un pugno (e Mauro mostrò sorridendo il pugno) lo aveva steso là, nella bottega. Aveva al dito un grosso anello di ferro, come un chiodo ritorto, comperato a Smirne, e con esso – senza volerlo, veh! – gli aveva sfracellato la tempia. Ripresosi dal pauroso sbalordimento nel vederselo cascare giù tutto in un fascio sotto gli occhi, insanguinato, s'era dato alla fuga e poche ore dopo era partito con una nave che si recava a un piccolo porto dell'Asia Minore. Non ricordava più il nome del paesello di mare in cui era disceso: era d'estate e aveva trovato subito da allogarsi come bagnino.

– Avete sentito nominare Orazio Antinori? – domandò a questo punto il Mortara.

– L'esploratore? Sì, – disse Dianella.

– Venne là, ai bagni, un giorno, – seguitò Mauro, – con un altro italiano. Li sentii parlare e m'accostai. L'Antinori assoldava cacciatori per la caccia delle fiere, nel deserto di Libia. Gli piacqui, mi prese con sé. Noi andavamo; gli mandavamo le fiere uccise; egli le imbalsamava e poi lei spediva ai musei, a Londra, a Vienna... Quando ritornavo dalle cacce, siccome lui mi voleva bene sapendomi fidato, lo ajutavo a preparar le droghe, e intanto, zitto zitto, gli rubavo l'arte. Così imparai a imbalsamare; e quando lui andò via, seguitai per conto mio la caccia e la spedizione. Vi voglio raccontare una certa avventura. Un giorno, eravamo sperduti, io e lui, morti di fame e di sete. A un certo punto avvistammo alcuni alberi di fico e li prendemmo d'assalto, figuratevi! Ma i fichi migliori erano in alto e non potevamo prenderli. Allora io, contadino, che feci? m'allontanai e ritornai poco dopo, munito d'una canna bella lunga; la spaccai un po' in cima e con essa mi misi a cogliere i fichi alti più maturi, con la lagrima di latte: un miele, vi dico! L'Antinori mi guardava e si rodeva dentro. Alla fine non poté più reggere e mi gridò: «Che fai? La smetti? Vuoi farmi ammazzare dai Turchi?». Capii l'antifona. Zitto, stesi il braccio e gli porsi la canna. Andai a prenderne un'altra, e tutti e due seguitammo a rubar fichi tranquillamente. Ah, l'Antinori... mi voleva bene, e m'ajutò tanto, anche da lontano. Stetti lì più di sei anni. Poi sentii che Garibaldi era sbarcato a Marsala; volai subito in Sicilia. Sbarco a Messina; raggiungo i volontarii a Milazzo. Don Stefano Auriti mi morì tra le braccia. Non poteva più parlare, mi raccomandava con gli occhi il figlio, don Roberto, il suo leonetto di dodici anni... Ci battemmo! A Reggio aprii il fuoco io, sapete? la prima fucilata fu la mia! Poi Bixio mi prese per attendente. Che giornata, quella del Volturno! Ma ora, dopo aver visto tante cose, dopo averne passate tante, sono soddisfatto, che volete! L'Italia è grande! L'Italia è alla testa delle nazioni! Detta legge nel mondo! E posso dire che anch'io, così da povero ignorante e meschino come sono, ho fatto qualche cosa, senza tante chiacchiere. Posso andare dal re e dirgli: «Maestà, alla sedia su cui voi sedete, se non una gamba o una traversa, un piccolo perno, qualche cavicchio, l'ho messo anch'io. La mia parte te l'ho fatta, figlio mio!». E sono contento. Cammino qua per Valsanìa, vedo i fili del telegrafo, sento ronzare il palo, come se ci fosse dentro un nido di calabroni, e il petto mi s'allarga; dico: «Frutto della Rivoluzione!». Vado più là, vedo la ferrovia, il treno che si caccia sottoterra, nel traforo sotto Valsanìa, che mi pare un sogno; e dico: «Frutto della Rivoluzione!». Vado sotto il pino, guardo il mare, vedo laggiù a ponente Porto Empedocle, che al tempo della mia partenza per Malta non aveva altro che la Torre, il Rastiglio, il Molo Vecchio e quattro casucce, e ora è diventato quasi una città; vedo le due lunghe scogliere del nuovo porto, che mi pajono due braccia tese a tutte le navi di tutti i paesi civili del mondo, come per dire: «Venite! venite! l'Italia è risorta, l'Italia abbraccia tutti, dà a tutti la ricchezza del suo zolfo, la ricchezza dei suoi giardini!». Frutto della Rivoluzione, anche questo, penso, e – vedete? – mi metto a piangere come un bambino, dalla gioja...

Cavò, così dicendo, dall'apertura della ruvida camicia d'albagio un grosso fazzoletto di cotone turchino, e si asciugò gli occhi, che gli s'erano veramente riempiti di lagrime.

Dianella sentì anche lei inumidirsi gli occhi. Quel vecchio che incuteva tanta paura, che aveva ucciso un uomo come niente e ne aveva fatto morire un altro per l'ombra d'un sospetto maniaco; che andava così armato, in procinto sempre di versare altro sangue, pronto com'era all'ira e irsuto e ombroso; quel vecchio, ecco, piangeva come un fanciullo per l'opera compiuta, ch'egli vedeva senza mende e gloriosa; piangeva esaltandosi nella sua gesta e nella grandezza della patria, per cui aveva tanto sofferto e combattuto, senza chieder mai nulla, generoso e feroce, fedele come un cane e coraggioso come un leone. Né i suoi colombi, né la pace dei campi, né il governo della vigna, né il canto delle allodole, riuscivano a rasserenargli lo spirito dopo tanto tempo: quel camerone era come la sua chiesa; e usciva di là com'ebbro, e s'aggirava per la campagna sotto i mandorli e gli olivi, parlando tra sé di battaglie e di congiure, guardando biecamente il mare dalla parte di Tunisi, donde immaginava un improvviso assalto dei Francesi...

Un rumore di sonaglioli e il rotolìo d'una vettura vennero a un tratto a scuotere Dianella da queste considerazioni e Mauro dal pianto.

– Vostro padre? – domandò questi, infoscandosi d'un subito e ricacciandosi nell'apertura della camicia il fazzoletto.

Dianella si levò, costernata, e corse alla finestra a guardare attraverso le stecche delle persiane. Restò. Dalla vettura, che s'era fermata davanti alla villa, scendevano il padre, di ritorno, e Aurelio Costa – lui! – in tenuta da campagna.

– Andate, andate, – le disse Mauro, quasi spingendola. – Chiudo e me ne scappo!

Dianella uscì sul corridojo e vide in fondo a esso il Costa e il padre, diretti alla camera di questo, nella quale si chiusero. Allora Mauro Mortara, come una bestia sorpresa nel giaccio, sgattajolò ranco ranco, senza dirle nulla.

Ella rimase perplessa, profondamente turbata, non sapendo che pensare di quell'improvviso insolito ritorno del padre. Evidentemente, tanto questo ritorno quanto la venuta d'Aurelio Costa si connettevano con le notizie dei tumulti d'Aragona. Qualcosa di molto grave doveva essere accaduto. Era fuggito Aurelio? No: Dianella non volle nemmeno supporlo. Forse il padre stesso aveva mandato a chiamarlo. Con quale animo?

Fu tentata di recarsi nella sua camera, attigua a quella del padre, se le riuscisse di cogliere qualche parola attraverso la parete; ma ricordò lo sguardo del padre, quella mattina, e se n'astenne; rimase tuttavia come tenuta tra due, nella sala d'ingresso.

– Suo papà, – le annunziò donna Sara Alàimo, sporgendo il capo dall'uscio della cucina.

Dianella le accennò di sì col capo.

– Con l'ingegnere, – aggiunse donna Sara, sottovoce.

Dianella le accennò di nuovo col capo che sapeva, e uscì sul pianerottolo della scala esterna. La vettura era lì ancora, in attesa, a piè della scala. Dunque il padre doveva ripartire subito? Forse era venuto per prendere qualche carta.

– Andrete a Porto Empedocle adesso? – domandò al cocchiere.

– Eccellenza, sì – rispose questi.

Ed ecco il padre e il Costa frettolosi. Flaminio Salvo non s'aspettava di trovar la figlia sul pianerottolo della scala, e, vedendola, si tirò un po' indietro, senza fermarsi, le fece un sorriso e la salutò con la mano. Aurelio Costa, che gli veniva dietro, rimase un istante confuso, accennò di togliersi il berretto da viaggio; ma il Salvo gli gridò:

– Andiamo, andiamo...

Dianella, pallida, col fiato rattenuto, li vide montare su la vettura, partire senza volgere il capo, e li seguì con gli occhi finché non scomparvero tra gli alberi del viale.

Com'era cangiato Aurelio! Sconvolto... Pareva malato, invecchiato, con la barba non rifatta... Dianella pensò al giudizio che ne aveva dato Nicoletta Capolino. Avrebbe voluto vederlo più altero di fronte al padre; avrebbe voluto che, non ostante il richiamo imperioso di questo, egli si fosse fermato lì sul pianerottolo, almeno per salutarla. Invece subito aveva obbedito... Forse il momento... Chi sa che era accaduto alle zolfare!

Flaminio Salvo ritornò tardi, la sera, d'umor gajo, come ogni qual volta prendeva una grave decisione.

A cena, si scusò con don Cosmo della sfuriata della mattina; disse che n'aveva fino alla gola, delle innumerevoli seccature che gli erano diluviate da quelle zolfare d'Aragona, e che aveva deciso di chiuderle.

– Così sciopereranno un po' per piacer mio, i signori solfaraj, e avranno più tempo d'assistere alle prediche dei loro sacerdoti umanitarii. Mangino prediche! Bello, il vangelo umanitario, don Cosmo, letto su una pagina sola! Se voltassero pagina... Ma se ne guardano bene! Hanno ragione; ma la loro ragione è qua!

E si toccò il ventre.

– Andate a far loro intendere che la politica doganale seguìta dal governo italiano è stata tutta una cuccagna per l'industria e gl'industriali dell'alta Italia e una rovina spaventosa per il Mezzogiorno e per la nostra povera isola; che da anni e anni l'aumento delle tasse e di tutti i pesi è continuo e continuo il ribasso dei prodotti; che col prezzo a cui è disceso lo zolfo non solo è assolutamente impossibile trattarli meglio, ma è addirittura una follìa seguitar l'industria... Io non avevo chiuso le zolfare per loro, per dar loro almeno un tozzo di pane. Scioperano? Tante grazie! Vuol dire che possono fare a meno di lavorare. Tutti a spasso! Allegria!

– La vita! – sospirò don Cosmo, con gli angoli della bocca contratti in giù. – A pensarci bene... Lo zolfo, sicuro... le industrie... questa tovaglia qua, damascata, questo bicchiere arrotato... il lume di bronzo... tutte queste minchionerie sulla tavola... e per la casa... e per le strade... piroscafi sul mare, ferrovie, palloni per aria... Siamo pazzi, parola d'onore!... Sì, servono, servono per riempire in qualche modo questa minchioneria massima che chiamiamo vita, per darle una certa apparenza, una certa consistenza... Mah! Vi giuro che non so, in certi momenti, se sono più pazzo io che non ci capisco nulla o quelli che credono sul serio di capirci qualche cosa e parlano e si muovono, come se avessero veramente un qualche scopo davanti a loro, il quale poi, raggiunto, non dovesse a loro stessi apparir vano. Io comincerei, signor mio, dal rompere questo bicchiere. Poi butterei giù la casa... Ricominciando daccapo, chi sa!... Voi dite che quei disgraziati la ragione l'hanno qua? Beati loro, signor mio! E guaj se si saziano... Dove l'avete più voi, la ragione? Dove l'ho più io?

Poco dopo, Flaminio Salvo e Dianella erano affacciati alla finestra. La notte era scurissima. Le stelle profonde, che pungevano e allargavano il cielo, non arrivavano a far lume in terra. I grilli scampanellavano lontano ininterrottamente e, a quando a quando, dal fondo del vallone saliva il verso accorato d'un gufo, come un singulto. Il bujo, il silenzio intorno alla villa era qua e là a tratti punto e vibrante di rapidi stridi di nottole invisibili. Poi la luna emerse, paonazza, sù dall'ampia chiostra di Monserrato in fondo, e s'avvertì un lievissimo brulichìo di foglie per tutta la campagna. Un cane, lontano, abbajò.

– Tu non hai niente, Dianella, proprio niente da dire a tuo padre? – domandò il Salvo senza guardarla, con tono mesto, come se con l'anima vagasse lontano assai da quella finestra.

– Io? – fece Dianella, incerta e quasi sbigottita. – Niente... Che potrei dirti?

– Niente, dunque, – riprese il padre. – Nessun piccolo, piccolo segreto... niente, eh? Sono contento. Perché tu, povera figliuola mia, purtroppo hai soltanto me, preso da tante brighe... E oggi... che giornataccia!... Sai che manca a molti? Il senso dell'opportunità. Non dico che avrei risposto di sì, se la domanda mi fosse stata rivolta in altro giorno, in altro modo; ma avrei risposto di no, almeno con più garbo, ecco, dopo aver parlato con te.

Dianella temette, ascoltando queste parole calme e lente del padre, che questi potesse udire il violento martellare del cuore di lei, sospeso in un'aspettazione angosciosa, tra l'impetuoso ribollimento di tutto il sangue per le vene.

– Mi hanno chiesto... tu m'intendi, – seguitò il Salvo, voltandosi a spiarla negli occhi. – E io, certo che la mia buona figliuola, così savia, non poteva aver fissato neanche per un momento la propria attenzione su un giovane – oh, buono, sì; ma pure, per tante ragioni, non adatto né degno – preso in quel momento proprio inopportuno, ho rifiutato, senz'altro. Vediamo un po', non indovini?

– No... – rispose, più col fiato che con la voce, Dianella.

– Non indovini proprio? – insistette il padre, sorridendo, come conscio della tortura che le infliggeva. – Sù, pròvati...

– Non... non saprei... – balbettò lei.

– E allora bisognerà che te lo dica, – concluse il padre, – perché tu sappia regolarti. Il De Vincentis...

– Ah! – esclamò Dianella, con uno scatto di riso irresistibile. – Quel povero Ninì?

– Quel povero Ninì, – ripeté il padre, scrollando il capo e sorridendo anche lui. – Dunque, te l'aspettavi?

– No, ti giuro, – s'affrettò a rispondergli Dianella, con vivacità. – M'ero accorta, sì...

– Ma t'aspettavi qualche altro? – tornò a domandare il padre, pronto, guardandola più acutamente.

Dianella allora s'impuntò e sostenne lo sguardo del padre con fredda fermezza.

– Ti ho detto di no.

Il sospetto che il padre con quel discorso avesse voluto tenderle un'insidia era divenuto certezza. Forse non era neanche vero che Ninì De Vincentis gli avesse fatto quella richiesta. E l'essersi il padre servito di lui, povero giovane troppo dabbene, quasi per metterlo in dileggio, le parve odioso, sapendo il De Vincentis anche per altro vittima del padre.

Questi non disse più nulla; rimase ancora un pezzo alla finestra, a guardar fuori, poi se ne ritrasse con un sospiro e salutò la figlia per andare a dormire.

– Buona notte – gli rispose Dianella, freddamente.

Appena sola, si nascose il volto tra le mani e pianse. Le parve che il padre si fosse divertito a straziarle il cuore, come un gatto col topo. Oh Dio, perché, perché così cattivo anche con la propria figlia, quando gli sarebbe stato così facile esser buono con tutti? Se veramente voleva ch'ella gli dicesse il suo segreto, ricordandole che non aveva più da confidarsi con altri se non con lui, perché, nello stesso momento che le poneva innanzi la sorte crudele che le aveva tolto il consiglio e l'amore della madre, le tendeva un'insidia? Dunque, no; era certo ormai: egli non voleva che lei amasse Aurelio. Aveva chiuso le zolfare; forse aveva posto a effetto la minaccia della mattina: «Caccio via tutti!». Anche Aurelio? Oh, Aurelio non aveva più bisogno di lui, adesso! Perduto quel posto, tanti altri, anche migliori, avrebbe potuto trovarne subito. E questo forse, ecco, faceva più dispetto al padre, aver dato a quel giovane il mezzo di non aver più bisogno di lui, e averglielo dato per un dovere che a lui lo legava. Voleva che tutti fossero docili strumenti nelle sue mani; e Aurelio invece avrebbe potuto levarglisi contro, dov'egli più temeva la ribellione: nel cuore di sua figlia. Sì, sì, perché sapeva bene che ella lo amava. Così lo avesse saputo Aurelio! Ma che sarebbe intanto avvenuto, se davvero il padre, chiuse le zolfare, lo aveva licenziato? Aurelio se ne sarebbe andato di nuovo lontano, sarebbe ritornato in Sardegna, senz'alcun sospetto dell'amore di lei, e forse, là...

Dianella tornò a nascondersi il volto tra le mani. Nel vuoto angoscioso, fissando l'udito, senza volerlo, nel fitto continuo scampanellìo dei grilli, le parve ch'esso nel silenzio diventasse di punto in punto più intenso e più sonoro; pensò ai tumulti d'Aragona e di Comitini; e quel fervido concento divenne allora per lei, a un tratto, il clamore lontano, indefinito d'un popolo in rivolta, di cui Aurelio, ribelle, andava a farsi duce e vendicatore. E lei? e lei?

Scoprì il volto: come un sogno le apparve allora la pace smemorata della campagna, lì presente, all'umido e blando albore lunare. E un fresco rivo inatteso di tenerezza le scaturì dal cuore; e altre lagrime le velarono gli occhi.

Ah, era pur bello lo spettacolo di quella profonda notte lunare su la campagna, con quegli alberi antichi, immobili nel loro triste sogno perenne, sorgente col fusto dal grembo della terra, con quei monti laggiù che chiudevano, cupi contro il cielo, il mistero degli evi più remoti, con quel tremulo limpido assiduo canto dei grilli che, sparsi tra le erbe dei piani, pareva persuadessero all'oblio d'ogni cosa.

Tra quei grilli e quegli alberi e quella luna e quei monti non era forse un concerto misterioso, a cui gli uomini restavano estranei? Tanta bellezza non era fatta per gli uomini, che chiudevano stanchi, a quell'ora, gli occhi al sonno; sarebbe durata tutta la notte non veduta più da nessuno, nella solitudine della campagna, quando anche lei avrebbe chiuso la finestra. Forse voleva questo la nottola invisibile che strideva svolando lì innanzi, offesa e attratta dal lume: voleva ch'ella non disturbasse più oltre con la sua veglia il notturno misterioso concerto della natura solitaria?

E Dianella chiuse la finestra: lasciò aperto appena appena uno scuro e, attraverso quello spiraglio, con le mani congiunte innanzi alla bocca, pregò silenziosamente per tutta quella bellezza rimasta fuori, animata a un tratto agli occhi di lei dallo spirito di Dio che gli uomini offendono con le loro torbide e tristi passioni. Volgendo un ultimo sguardo al viale innanzi alla villa, scorse un'ombra che vi passeggiava, un cranio lucido sotto la luna. Don Cosmo? Lui.

Ah, immerso là nello spirito di Dio, egli forse non lo sentiva! Andava a quell'ora sù e giù per il viale, con le mani dietro la schiena, assorto tuttavia, certo, nelle sue buje e vane meditazioni.

VI.

Né inviti agli elettori stampati a caratteri cubitali su carta d'ogni colore, né alcuna animazione insolita per le vie tortuose della vecchia città. Eppure il giorno fissato per le elezioni politiche era imminente. Ma il tedio da gran tempo aveva soffiato in bocca alla ciarlataneria, e questa aveva perduto la voce. La scala per dar l'assalto ai muri le si era imporrita e rotto il pentolino della colla. S'era camuffata decorosamente da prete la ciarlataneria a Girgenti, e raccolta, guardinga, a collo torto, andava per via, nascondendo tra le pieghe del tabarro il mazzocchio della grancassa cangiato in aspersorio. I cittadini, sotto a quel travestimento, la riconoscevano bene: la lasciavano andare e fare; la rispettavano anche; oh, perché non seccava nemmeno con troppe prediche; prestava denaro poi, sottomano – a usura, ma ne prestava –; pubblicamente, con molti carati del Salvo e con altri di socii minori, aveva aperto una banca popolare cattolica – all'interesse consentito da santa madre Chiesa. I pubblici ufficii, prefettura, intendenza delle finanze, scuole governative, tribunali, davano ancora un po' di movimento, ma quasi meccanico, alla città: altrove ormai urgeva la vita. L'industria, il commercio, la vera attività insomma, s'era da un pezzo trasferita a Porto Empedocle giallo di zolfo, bianco di marna, polverulento e romoroso, in poco tempo divenuto uno de' più affollati e affaccendati emporii dell'isola. Ma anche là, la sovrabbondanza dello zolfo per le condizioni mal proprie con cui si svolgeva l'industria, l'ignoranza degli usi a cui quel minerale era destinato e dei profitti che se ne potevano ricavare, il difetto di grossi capitali, il bisogno o l'avidità di un pronto guadagno, eran cagione che quella ricchezza del suolo, che avrebbe dovuto esser ricchezza degli abitanti, se n'andasse giorno per giorno ingojata dalle stive dei vapori mercantili inglesi, americani, tedeschi e francesi, lasciando tutti coloro che vivevano di quell'industria e di quel commercio con le ossa rotte dalla fatica, la tasca vuota e gli animi inveleniti dalla guerra insidiosa e feroce, con cui si eran conteso il misero prezzo o lo scotto o il nolo della merce da loro stessi rinvilita. A Girgenti, solo i tribunali e i circoli d'Assise davano da fare veramente, aperti com'erano tutto l'anno. Sù al Culmo delle Forche il carcere di San Vito rigurgitava sempre di detenuti, che talvolta dovevano aspettare tre o quattro anni per essere giudicati. E meno male che l'innocenza, nel maggior numero dei casi, di questo forzato indugio non aveva a patire. La città era piuttosto tranquilla; ma nelle campagne e nei paesi della provincia i reati di sangue, aperti o per mandato, per risse improvvise o per vendette meditate, e le grassazioni e l'abigeato e i sequestri di persona e i ricatti erano continui e innumerevoli, frutto della miseria, della selvaggia ignoranza, dell'asprezza delle fatiche che abbrutivano, delle vaste solitudini arse, brulle e mal guardate. In piazza Sant'Anna, ov'erano i tribunali, nel centro della città, s'affollavano i clienti di tutta la provincia, gente tozza e rude, cotta dal sole, gesticolante in mille guise vivacemente espressive: proprietarii di campagne e di zolfare in lite con gli affittuarii o coi magazzinieri di Porto Empedocle, e sensali e affaristi e avvocati e galoppini; s'affollavano storditi i paesani zotici di Grotte o di Favara, di Racalmuto o di Raffadali o di Montaperto, solfaraj e contadini, la maggior parte, dalle facce terrigne e arsicce, dagli occhi lupigni, vestiti dei grevi abiti di festa di panno turchino, con berrette di strana foggia: a cono, di velluto; a calza, di cotone; o padovane; con cerchietti o catenaccetti d'oro agli orecchi; venuti per testimoniare o per assistere i parenti carcerati. Parlavano tutti con cupi suoni gutturali o con aperte protratte interjezioni. Il lastricato della strada schizzava faville al cupo fracasso dei loro scarponi imbullettati, di cuojo grezzo, erti, massicci e scivolosi. E avevan seco le loro donne, madri e mogli e figlie e sorelle, dagli occhi spauriti o lampeggianti d'un'ansietà torbida e schiva, vestite di baracane, avvolte nelle brevi mantelline di panno, bianche o nere, col fazzoletto dai vivaci colori in capo, annodato sotto il mento, alcune coi lobi degli orecchi strappati dal peso degli orecchini a cerchio, a pendagli, a lagrimoni; altre vestite di nero e con gli occhi e le guance bruciati dal pianto, parenti di qualche assassinato. Fra queste, quand'eran sole, s'aggirava occhiuta e obliqua qualche vecchia mezzana a tentar le più giovani e appariscenti che avvampavano per l'onta e che pur non di meno talvolta cedevano ed eran condotte, oppresse di angoscia e tremanti, a fare abbandono del proprio corpo, senz'alcun loro piacere, per non ritornare al paese a mani vuote, per comperare ai figliuoli lontani, orfani, un pajo di scarpette, una vesticciuola. (– Occasioni! Una poverella bisognava che ne profittasse. Nessuno avrebbe saputo... Presto, presto... Peccato, sì, ma Dio leggeva in cuore...) I molti sfaccendati della città andavano intanto sù e giù, sempre d'un passo, cascanti di noja, con l'automatismo dei dementi, sù e giù per la strada maestra, l'unica piana del paese, dal bel nome greco, Via Atenea, ma angusta come le altre e tortuosa. Via Atenea, Rupe Atenea, Empedocle... – nomi: luce di nomi, che rendeva più triste la miseria e la bruttezza delle cose e dei luoghi. L'Akragas dei Greci, l'Agrigentum dei Romani, eran finiti nella Kerkent dei Musulmani, e il marchio degli Arabi era rimasto indelebile negli animi e nei costumi della gente. Accidia taciturna, diffidenza ombrosa e gelosia. Dal bosco della Civita, cuore della scomparsa città vetusta, saliva un tempo al colle, su cui siede misera la nuova, una lunga fila di altissimi e austeri cipressi, quasi a segnar la via della morte. Pochi ormai ne restavano; uno, il più alto e il più fosco, si levava ancora sotto l'unico viale della città, detto della Passeggiata, la sola cosa bella che la città avesse, aperto com'era alla vista magnifica di tutta la piaggia, sotto, svariata di poggi, di valli, di piani, e del mare in fondo, nella sterminata curva dell'orizzonte. Quel cipresso, stagliandosi nero e maestoso dopo il fiammeggiare dei meravigliosi tramonti su la piaggia che s'ombrava tutta di notturno azzurro, pareva riassumesse in sé la tristezza infinita del silenzio che spirava dai luoghi, sonori un tempo di tanta vita. Era qua, ora, il regno della morte. Dominata, in vetta al colle, dall'antica cattedrale normanna, dedicata a San Gerlando, dal Vescovado e dal Seminario, Girgenti era la città dei preti e delle campane a morto. Dalla mattina alla sera, le trenta chiese si rimandavano con lunghi e lenti rintocchi il pianto e l'invito alla preghiera, diffondendo per tutto un'angosciosa oppressione. Non passava giorno che non si vedessero per via in processione funebre le orfanelle grige del *Boccone del povero*: squallide, curve, tutte occhi nei visini appassiti, col velo in capo, la medaglina sul petto, e un cero in mano. Tutti, per poca mancia, potevano averne l'accompagnamento; e nulla era più triste che la vista di quella fanciullezza oppressa dallo spettro della morte, seguito così ogni giorno, a passo a passo, con un cero in mano, dalla fiamma vana nella luce del sole.

Chi poteva curarsi, in tale animo, delle elezioni politiche imminenti? E poi, perché? Nessuno aveva fiducia nelle istituzioni, né mai l'aveva avuta. La corruzione era sopportata come un male cronico, irrimediabile; e considerato ingenuo o matto, impostore o ambizioso, chiunque si levasse a gridarle contro.

In quei giorni, più che delle imminenti elezioni politiche, gli sfaccendati parlavano del duello del candidato Ignazio Capolino con Guido Verònica.

Per l'intromissione violenta di Roberto Auriti, la questione cavalleresca s'era complicata. Guido Verònica aveva accettato subito la sfida del Capolino; aveva chiesto però qualche giorno di tempo per provvedersi di padrini. Ed era arrivato da Palermo il deputato Corrado Selmi, con un altro signore, che si diceva famoso spadaccino. Roberto Auriti, intanto, non potendo battersi col Prèola e non volendo che altri vendicasse della turpe offesa la memoria del padre, aveva preteso di battersi lui per primo col Capolino. I padrini di questo, il Verònica stesso, si erano opposti a tale pretesa. A nome del Capolino quelli avevano lealmente dichiarato di deplorar l'articolo del Prèola, pubblicato di furto nel giornale. Squalificato così dai suoi stessi partigiani il vero autore dell'offesa, peraltro riconosciuto indegno di scendere sul terreno e ormai cacciato via da Girgenti, l'Auriti non aveva più da domandare altra soddisfazione; e un solo duello doveva aver luogo, perché l'affare si terminasse lodevolmente: tra il Verònica e il Capolino, per l'aggressione da questo patita sulla pubblica via. Troppo giusto!

La vertenza tanto dibattuta aveva appassionato vivamente la cittadinanza, tra la quale d'improvviso s'erano scoperti tanti calorosi dilettanti di cavalleria; e la passione sopra tutto s'era accesa per l'intervento d'un uomo così noto come il Selmi e per le arie spagnolesche e provocanti dell'altro testimonio del Verònica, spadaccino.

Ma, dal canto suo, il campione paesano, Ignazio Capolino, s'era affidato anche lui in buone mani: a un certo D'Ambrosio, lontano parente della moglie, che sapeva tener bene la spada in pugno e non si sarebbe lasciato imporre né dal prestigio di Corrado Selmi né dalla spocchia di quell'altro messere. E lui solo, ohè! perché l'altro testimonio di Capolino faceva ridere: Ninì De Vincentis, figurarsi!

Povero Ninì, vi era stato tirato proprio pei capelli! Sciabole, sangue – lui che era una damigella, un San Luigi col giglio in mano. Sarebbe svenuto certamente, assistendo allo scontro! Che idea, quel Capolino, andare a scegliere proprio Ninì, come se non ci fossero stati altri più adatti in paese! Ma forse lo aveva scelto il D'Ambrosio, apposta, per una bravata, per rispondere ironicamente alla chiamata dello spadaccino dalla parte avversaria.

Ninì ignorava ancora il rifiuto reciso opposto dal Salvo alla domanda di matrimonio che – costretto dal fratello Vincente – gli aveva fatto rivolgere da monsignor Montoro. Il Capolino lo aveva forzato ad accettar quell'ufficio per lui terribile di secondo testimonio al duello, dandogli a intendere che il Salvo lo avrebbe molto gradito. Perbacco, doveva sì o no sfatare una buona volta la fama di verginale timidezza che s'era fatta in paese? Uomo! uomo! bisognava che si dimostrasse uomo! Del resto, pancia e presenza: non si voleva altro da lui. Che pancia? Dove aveva la pancia Ninì? Fino e diritto come un bastoncino... Via, era un modo di dire, pancia e presenza. Composto, elegantissimo come un vero zerbinotto di Parigi, avrebbe fatto una splendida figura.

Tutti e quattro i padrini s'erano recati nella mattinata alla villa del principe di Laurentano, a Colimbètra, dove il duello avrebbe avuto luogo, per i concerti opportuni e la scelta del terreno. Nessuno lì si sarebbe attentato a disturbare lo scontro. Il principe, la mattina seguente, si sarebbe recato a Valsanìa per la presentazione con la sposa, com'era già convenuto; subito dopo la partenza del principe, si sarebbe fatto il duello.

Gli sfaccendati peripatetici assistettero dal viale della Passeggiata al ritorno in carrozza dei quattro padrini da Colimbètra.

Ignazio Capolino, intanto, aspettava i suoi, passeggiando coi maggiorenti del partito su l'ampia terrazza marmorea, davanti al Circolo che, come tant'altre cose, aveva anch'esso nome da Empedocle.

Quel duello, proprio alla vigilia delle elezioni, gli aveva accresciuto importanza e simpatia. Mostrava di non curarsene affatto, e questa noncuranza per nulla ostentata destava ammirazione e compiacimento negli amici che gli passeggiavano accanto. Aveva già intrapreso il giro elettorale, e ora descriveva le festose accoglienze ricevute il giorno avanti nel vicino borgo di Favara. Avrebbe voluto recarsi quel giorno stesso nell'altro borgo di Siculiana, dove gli elettori lo attendevano impazienti; ma il D'Ambrosio, suo padrone, suo tiranno in quel momento, gliel'aveva assolutamente proibito, per paura che si strapazzasse troppo.

Gli dispiaceva per gli amici di Siculiana, ecco. Gli avevano preparato anch'essi una gran festa. La vittoria era sicura, non ostanti le minacce e le prepotenze del Governo e gli ordini del Prefetto e le persecuzioni della polizia. Roberto Auriti avrebbe avuto, sì e no, una maggioranza di pochi voti soltanto nel borgo di Comitini, dove Pompeo Agrò contava molti amici.

Capolino dava queste notizie con sincero rammarico per il suo avversario, e sinceramente questo rammarico era condiviso da quanti lo ascoltavano. Perché si sapeva che l'Auriti non aveva mai cavato alcun profitto dai principii liberali, per cui da giovine aveva combattuto, né dalla fedeltà che sempre aveva serbato ad essi; certamente non per cavarne profitto adesso era venuto a chiedere il suffragio dei suoi concittadini, bensì quasi per un dovere impostogli, o forse per l'ingenua illusione che potesse bastargli a chiederlo il rispetto che si doveva alla sua onestà. Nessuno gli negava questo rispetto, e tutti si sentivano anche disposti a rendergli qualche onore consentaneo ai suoi meriti. Quello della deputazione, no, via: non era, né poteva essere per lui; e la prova più evidente era appunto nell'ingenuità di quella sua illusione.

Venuti i padrini, Capolino s'appartò con essi in un angolo dell'ampio salone del Circolo.

Ninì De Vincentis pareva imbalordito, col viso chiazzato, come se gli avessero dato qua e là tanti pizzichi, e gli occhi lustri, assenti e scontrosi. Il D'Ambrosio, alto e biondo, miope, irrequieto, dalla faccia equina, le spalle in capo, il torace enorme e le gambe secche e lunghe, parlava arruffato, ruzzolando le parole. Era sguajatissimo, e tutti tolleravano le sue sguajataggini, non solo perché lo sapevano manesco, ma anche perché spesso faceva ridere. Le sue ingiurie si spuntavano e perdevano il fiele nelle risate da cui erano accolte, e così egli poteva ingiuriar tutti e scagliare in faccia le villanie più crude senza che nessuno se ne sentisse offeso o ferito.

– Fammi il santissimo piacere, – cominciò, – di dire a mia cugina Nicoletta che questa sera si stia quieta, perché tu devi combattere per i santi diavoli. Voglio dire per i santi ideali. Sei vecchio, Gnazio, lo vuoi capire? Stendi il braccio: fammi vedere se ti trema.

Capolino, sorridendo, stese il braccio.

– Va bene, – riprese il D'Ambrosio. – Gli daremo le palle, caro mio. Sul serio! Prima, alla pistola. Scambio di tre palle, a venticinque passi. (Raccomandazione a Ninì di non turarsi gli orecchi, al botto.) Poi, alla sciabola. Quanto alla sciabola, siamo a cavallo; ma per la pistola. Gnazio mio, sei vecchio, e ho paura che... Basta; vieni con me, a casa mia. C'è il cortile. Voglio vedere come tiri.

Capolino tentò d'opporsi; ma non ci fu verso: dovette andare, e anche Ninì, per esercitarsi gli orecchi al botto.

Presero per l'erta via di Lena, dove pareva fosse un tumulto attorno a qualcuno che cantava. Niente! Erano i pescivendoli che, arrivati or ora dalla marina, scavalcati dalle mule cariche, gridavano tra la folla il pesce fresco, con lunga e gaja cantilena. I tre proseguirono per la salita sempre più erta di Bac Bac, finché non giunsero presso la porta più alta della città, a settentrione, il cui nome, arabo anch'esso, *Bâb-er-rijah* (Porta dei venti), era divenuto Biberìa.

Il D'Ambrosio stava lassù, in una casa antica, col *baglio* (vasto cortile acciottolato) e un cisternone in mezzo, insieme con la madre vecchissima, per cui aveva una devozione più che religiosa. La povera vecchina era sorda, e viveva in continua ansia, in continui palpiti per quel suo figliuolo impetuoso. Sempre con la calza in collo, stava a guardare dai vetri d'una finestra. Vedeva il colle, su cui sta Girgenti, scoscendere in ripido pendìo su la Val Sollano, tutta intersecata di polverosi stradoni. Il panorama, di fronte, era profondo e montuoso. A destra, si levava fosco e imminente monte Caltafaraci; più là, in fondo, il San Benedetto; quindi s'allargava il piano di Consolida, e a mano a mano, sempre più verso ponente, il pian di Clerici, di là dalla montagna di Carapezza e di Montaperto più qua. Giù, dirimpetto, la Serra Ferlucchia, gessosa, mostrava le bocche cavernose delle zolfare e i lividi tufi arsicci dei calcheroni spenti. In fondo in fondo, dai confini della provincia sorgeva maestoso e invaporato Monte Gemini, tra i più alti della Sicilia. La grigia, arida asperità ferrigna era solo interrotta qua e là da qualche cupo carubo.

Il D'Ambrosio fece aspettare i due amici nel cortile; andò sù e ridiscese subito con una grossa rivoltella da cavalleggere e una scatola di cartucce; tracciò con un pezzo di carbone sul muro, presso la stalla vuota, quattro segnacci, un uomo, Guido Verònica; poi contò dal muro venticinque passi.

– Qua, Gnazio! Batto tre volte le mani; alla terza, fuoco! In guardia.

Capolino si prestava a quella prova come a uno scherzo, svogliato. Tuttavia, quando si vide innanzi, sul muro, quella quintana là, che ora smorfiosamente inerte pareva aspettasse i suoi colpi ma che domani gli si sarebbe fatta incontro staccandosi da quel muro, con gambe e braccia vive, presentandogli la bocca d'un'altra pistola, Capolino, col sorriso rassegato sulle labbra, aggrottò le ciglia e tirò con impegno.

Il D'Ambrosio si dichiarò molto soddisfatto della prova; poi, per ridere, volle forzare Ninì a tirare anche lui al bersaglio. Ninì recalcitrò come un mulo. Ma il D'Ambrosio tanto disse, tanto fece, che lo costrinse a sparare; poi, subito dopo, scoppiò in una matta risata:

– Parola mia d'onore, ha chiuso gli occhi, tutti e due! Un bicchier d'acqua! un bicchier d'acqua!

E corse a sostenerlo, come se davvero Ninì stesse per svenire. Ma non insistette molto su quello scherzo. Prese a parlare con molto fervore di Corrado Selmi:

– Simpaticone! Pare un giovanotto, sai? ed è del 4 aprile, della campana della Gancia... Deve avere per lo meno cinquant'anni... Ne dimostra trenta-cinque, trentotto al più... Geniale, spregiudicato, alla mano. Dicono che ha più debiti che capelli. Me l'immagino! E... gallo, oh! Matto per le pollastrelle. Sua Eccellenza il ministro D'Atri pare ne debba sapere qualche cosa...

Presi gli accordi per la mattina seguente, Capolino andò via con Ninì De Vincentis.

– Mi raccomando per Nicoletta! Prudenza alla vigilia! – gli gridò dietro il D'Ambrosio dall'usciolo del cortile, facendosi portavoce delle mani; poi, come se avesse veduto un cane arrabbiato: – Scànsati, Gnazio! scànsati! Passa là! passa là!

Capolino e Ninì De Vincentis si voltarono a guardare, ridendo, e videro alle loro spalle Nocio Pigna, *Propaganda*, che scendeva per la stessa via col lungo braccio penzoloni e l'altro pontato a leva sul ginocchio. *Propaganda* si voltò anche lui, iroso, verso il D'Ambrosio, sbarrò gli occhi lustri da matto, e le-vando il braccio, gli scagliò la parola, ch'era per lui il più grave marchio d'in-famia:

– Ignorante!

E aveva più che mai il diritto, adesso, di bollar con questo marchio tutti i suoi nemici, borghesi e preti e titolati, *Propaganda*: il *Fascio*, a dispetto della Prefettura e del Municipio, della Polizia e del Comando militare, era riuscito finalmente a metterlo sù.

Sissignori, anche a Girgenti, nel paese dei corvi e delle campane a morto, un Fascio, con tutti i sagramenti.

Guardava lassù, gonfio d'orgoglio e con aria di protezione, quelle vecchie casupole del quartiere di San Michele, tane di miseria; quelle anguste viuzze storte, sudice, affossate, piene tutte di quel tanfo che suol lasciare la spazza-tura marcita; gli occhi gli sfavillavano. Più che con gli uomini, se la intendeva per ora con le pietre corrose e annerite di quelle casupole, coi ciottoli mal connessi di quelle viuzze fetide e dirupate; parlava con esse in cuor suo; di-ceva loro: «*Bai bai!*». Sopra tutto per l'onore del paese, infatti, aveva lottato e lottava, perché non si dicesse che Girgenti sola, quando tutta l'isola era in fermento, restava muta e come morta. Presto in quelle case, presto per quelle vie una nuova vita avrebbe tripudiato.

Era un gran dire però, che gli dovesse costar tanta fatica il persuadere agli altri di fare il proprio bene; e che tutti lo dovessero costringere ad affannarsi, a incalorirsi in quell'opera di persuasione così, che quasi quasi si poteva so-spettare ci avesse qualche tornaconto!

Chi glielo faceva fare? Oh bella! Era stato messo da parte, espulso dalla so-cietà, reso nella sua stessa casa superfluo. Con le buone e con le cattive gli avevano detto e dimostrato che se ne poteva pure andare; che non si aveva più alcun bisogno di lui. Dopo averlo spremuto come un limone, avergli disono-rato una figlia, o, come lui diceva, «inzaccherata di fango la canizie», averlo calunniato e infamato, volevano buttarlo via? Ah, no! Queste cose al Pigna non si facevano. Non solo non era superfluo, ma anzi necessario, perdio, vo-leva essere: necessario, a dispetto di tutti! E presto se ne sarebbero accorti gli ignoranti che non volevano riconoscerlo. Se altri lavorava per il suo manteni-mento, egli non ne profittava che per lavorare a sua volta per gli altri; con questo per giunta, che l'ajuto dato a lui era misero, in fondo, e per meschine, infime necessità, mentre l'ajuto ch'egli dava agli altri, l'opera ch'egli metteva, era grande e per necessità superiori. Facile, comoda, quest'opera? Ah, sì, tutta rose, difatti! Ma scalmanarsi da mane a sera, correr di qua e di là con quelle belle cianche che Dio gli aveva date, perderci la voce, sprecarci il fiato, ognuno poteva immaginare che bel piacere dovesse essere!

Come una rocca assediata, che di tutto ciò che aveva dentro si fosse fatto arma e puntello per resistere agli assalti di fuori, e dentro fosse rimasta vuota, Nocio Pigna aveva posto davanti e dietro e tutt'intorno a sé ragioni e sentimenti, tutte le sue disgrazie, com'armi di difesa contro a quelli che lavoravano accanitamente per levargli ogni credito. Più parlava e più le sue stesse parole accrescevano la sua persuasione e la sua passione. Ma a furia di ripetere sempre le medesime cose, col medesimo giro, queste alla fine gli s'erano fissate in una forma che aveva perduto ogni efficacia; gli s'erano, per dir così, impostate su le labbra, come bocche di fuoco che non mandavano più fuori se non botto, fumo e stoppaccio. Dentro, non aveva più nulla. Era un uomo che parlava, e nient'altro.

Il Fascio, intanto, lo aveva messo sù. Che fosse proprio tutto di lavoratori, si poteva dubitare. Neanch'egli, *Propaganda*, forse avrebbe avuto il coraggio d'affermare che quegli stessi non lavoratori iscritti fossero molti per ora. Ma il forte era cominciare; e così, a poco a poco, si comincia. Certo, una bella retata, un'entratura solenne con qualche migliajo di socii raccolti in un sol giorno sarebbe stata possibile a Porto Empedocle soltanto, tra gli *uomini di mare*, i carrettieri, i mozzi delle spigonare, i giovani di magazzino, i pesatori e gli scaricatori. Ma a Porto Empedocle... Piano, per amor di Dio! non poteva più sentirlo nominare, Nocio Pigna: la memoria della baja che gli avevano data laggiù era come una piaga sempre aperta nel cuore di lui e, a toccargliela appena appena, non avrebbe finito più di strillare. Figli di cane, ributto d'ogni civiltà! avere il mare, signori miei, lì sempre davanti agli occhi; che si scherza? il mare, l'immensità! aver posto le proprie case su la spiaggia in attesa delle navi di lontani paesi, cioè la propria vita alla mercé delle genti; e, sissignori, nessuno spirito di fratellanza umana! di tutto quel mare non sapevano veder altro che la spiaggia, anzi le immondizie soltanto della spiaggia, le loro fecce scorrenti lungo le fogne scoperte. Quel mare, ah quel mare avrebbe dovuto gonfiarsi d'ira, di sdegno, alzare un'ondata e sommergerlo, ingojarselo, quel paese di carognoni!

Qua, a Girgenti, bisognava lavorare come le formiche, pazienza! Aveva cominciato a trattare con qualche presidente delle maestranze locali: ma quelle due mani afferrate, simbolo delle società di mutuo soccorso, mani tagliate, senza sangue, cioè senza colore politico, o mani col santo rosario e la rametta d'olivo di qualche circolo cattolico, stentavano a staccarsi, stentavano a tendersi fraternamente ai lavoratori d'altre arti e d'altri mestieri, come avevano fatto a Catania, a Palermo, per comporre un più ampio circolo, l'unione di tutte le forze proletarie, il Fascio dei Fasci, in somma. Luca Lizio aveva già scritto a Roma a don Lando Laurentano (ch'era dei loro, vivaddio, principe e socialista!), perché désse lui la spinta a tutti i perplessi e i titubanti: una sola parola di lui, un cenno sarebbe bastato. Si aspettava di giorno in giorno la risposta, la quale forse tardava per il dispiacere che quel buffo matrimonio del padre doveva cagionare al giovine principe. Intanto lui, Nocio Pigna, non perdeva tempo e non s'avviliva tra gli ostacoli. Comprendeva che sarebbe stata ingenuità far troppo assegnamento su quelle maestranze: in un paese morto come Girgenti, privo d'ogni industria, ove da anni non si fabbricavan più case e tutto deperiva in lento e silenzioso abbandono; ove non solo non si cercavano mai svaghi costosi, ma ciascuno si sforzava di restringere i più modesti bisogni; muratori e fabbri-ferraj, sarti e calzolaj dipendevano troppo dai pochi così detti signori; e il segreto malcontento non avrebbe trovato certo in loro il coraggio d'affermarsi apertamente, all'occasione. Domani avrebbero votato tutti per quel farabutto di Capolino, a un cenno di don Flaminio Salvo. Ma pure, entrando, iscrivendosi al Partito, gli operaj potevano servire d'esempio ai contadini; tirarseli dietro, ecco. Come le pecore – questi – poveretti! Pecore però, che sapevan la crudeltà delle mani rapaci che le tosavano e le mungevano; pecore che, se riuscivano ad acquistar coscienza dei loro diritti, a compenetrarsi minimamente di quella famosa «virtù della loro forza», sarebbero diventate lupi in un punto. Parte di essi, intanto, dimorava sparsa nelle campagne e non saliva alla città, alta sul colle, se non le domeniche e le feste. Quelli tra loro che si chiamavano *garzoni*, i meno imbecilliti dalla miseria, perché riscotevano tutto l'anno un meschino salario, temevan troppo i castaldi, o *curàtoli*, o *soprastanti*, feroci aguzzini a servizio dei padroni. Restavano i braccianti a giornata, quelli che, dopo sedici ore di fatica (quando avevan la fortuna di trovar lavoro), si riducevano la sera in città con la zappa in collo, la schiena rotta e quindici soldi in tasca, sì e no. A questi mirava Nocio Pigna; erano i più; ma creta, creta, creta, su cui Dio non aveva soffiato, o la miseria aveva da tempo spento quel soffio; creta indurita, che destava pena e stupore se, guardando, moveva gli occhi e, parlando, le labbra.

Aveva preso in affitto il vasto magazzino d'un pastificio abbandonato al Piano di Gamez, accanto alla sua casa: capace di cinquecento e più socii. Umido e bujo, di giorno, senza l'ajuto di due o tre candele non ci si vedeva; ma con quelle candele accese e certi vecchi paramenti sacri di finto damasco appesi alle pareti, aveva l'aria d'un funerale. Quei paramenti avevano ornato un tempo, nelle feste solenni, la chiesa di San Pietro di cui Nocio Pigna era stato sagrestano; li aveva avuti in dono dal padre beneficiale d'allora, quando s'erano fatti i nuovi; e li aveva conservati con la canfora e col pepe in una vecchia cassapanca, tesoro ormai screditato. Ora, con le dieci tabelle sopra, cinque di qua e cinque di là, coi motti sacramentali del Partito, Luca Lizio poteva pur dire di no, ma agli occhi di Pigna facevano una magnifica figura. Del resto, per attirare i contadini, non vedeva male che il Fascio avesse quell'aria di chiesa; e su la tavola della presidenza aveva posto anche un Crocefisso. Dietro la tavola troneggiava lo stendardo rosso ricamato da sua figlia Rita, la *compagna* di Luca. E Luca stava lì, dalla mattina alla sera, a studiare Marx (*Marchis*, diceva il Pigna), a prendere appunti, a corrispondere coi presidenti degli altri *Fasci* della provincia e con quelli di tutta l'isola e con Milano e con Roma. Qualcuno, passando davanti al portone del Fascio, talvolta lo poteva credere magari intento a cavarsi qualche caccoletta dal naso; quand'uno è assorto e perduto nei suoi pensieri, un dito nel naso è niente, le maleducazioni a cui, senza saperlo, può lasciarsi andare, sono senza fine e imprevedibili; in quei momenti Luca non avvertiva neppur le strombettate dei cinque *fratelli* addetti alla fanfara; i quali, per dire la verità, erano un'ira di Dio. Ma non conveniva raffreddare l'entusiasmo giovanile. Cinque tra gli studenti dell'Istituto Tecnico accorsi tra i primi a iscriversi al Partito: Rocco Ventura, che aveva preso quell'anno il diploma di ragioniere, Mondino Micciché, Bernardo Raddusa, Totò Licasi ed Emanuele Garofalo ajutavano Luca nella corrispondenza. Avevan trovato un galoppino che s'era assunto l'ufficio della polizia segreta, un certo *Pìspisa*, che bazzicava tutto il giorno con quelli della questura. I quaranta socii, che presto sarebbero diventati quattrocento, quattromila, avevano già eletto i loro decurioni, ciascuno con la sua brava fascia rossa a tracolla. In previsione di qualche arresto del presidente, cioè di Luca Lizio, era stato eletto dal Consiglio presidente segreto Rocco Ventura. Perché già, tanto lui, Pigna, quanto il Lizio erano stati chiamati insieme *ad audiendum verbum* dal cavalier Franco, commissario di polizia. Uh, garbatissimo, biondo e sorridente, strizzando i begli occhi languidi o carezzandosi con le bianche mani di dama l'aurea barbetta spartita sul mento, il cavalier Franco aveva tenuto loro un discorsetto che Pigna non si stancava di ripetere a tutti, imitando i gesti e la voce. Il rosso, il rosso del gonfalone e delle fasce aveva urtato soprattutto il signor commissario. Eh già, come i tori, la sbirraglia davanti al rosso perdeva il lume degli occhi. Ma non s'era mica infuriato il cavalier Franco: tuttaltro; aveva voluto sapere perché rosso, ecco, quando c'erano tant'altri bei colori. E un'altra cosa aveva voluto sapere: perché proprio loro due,

Lizio e Pigna, s'erano messi a quell'impresa. Che speravano? che se n'aspettavano? Un seggio al Consiglio comunale, o anche più sù, al Parlamento?
Niente di tutto questo? E allora perché? Per disinteressata carità di prossimo?
Oh guarda! Ma erano poi certi di rendere al popolo un servizio rialzandolo
dalle condizioni in cui si trovava? Chi sta al bujo non spende per il lume; e il
lume costa, e fa veder certe cose che prima non si vedevano; e più se ne vedono e più se ne vogliono. Ora, in che consiste la vera ricchezza, la vera felicità? Nell'aver pochi bisogni. E dunque... e dunque... – In somma, uno squarcio di filosofia e questa conclusione:

– Cari signori, io non vi faccio arrestare, neanche se voi voleste. Voi dite che
l'urto avverrà per forza, se non migliora la sorte dei vostri protetti? Bene. Io
vi prego di ricordarvi della brocca che tanto andò al pozzo... E non aggiungo
altro!

Era rimasto un po' tra indispettito e sconcertato il cavalier Franco dal silenzio di Luca; parlando, s'era rivolto sempre a lui, e a stento aveva nascosto la
stizza nel sentirsi invece rispondere dal Pigna. Ma avrebbe potuto dirgli, questi, la ragione di quel silenzio? Povero Luca, che supplizio! Sarebbe stato
meno da compiangere, se cieco. Oratore nato, nato per arringar le folle, vero
tipo dell'uomo pubblico, tutto per gli altri, niente per sé – bollato nella lingua
dal destino buffone! Scriveva, si sfogava a scrivere, e schizzava fuoco dalla
penna, schegge d'inferno; poi s'arrabbiava, poveretto, si mangiava le mani,
mugolava, quando sentiva leggere la roba sua senza il giusto tono, il giusto rilievo, la fiamma che ci aveva messo lui dentro, nello scriverla. Nessuno lo
contentava, neanche Celsina, quella tra le figliuole del Pigna, che sola s'era
tutta accesa delle nuove idee. Anche Rita, sì, un poco, prima che le nascesse il
bambino... Ma che cos'era Rita a confronto di Celsina? Altra spina, questa,
che faceva sanguinare il cuore di Nocio Pigna: non poter mandare all'Università questa figliuola, che aveva preso la licenza d'onore all'Istituto Tecnico,
sbalordendo tutti, preside, professori e condiscepoli. A tanti scemi, figli di ricchi signori, la via aperta e piana; a Celsina, troncata ogni via; condannata Celsina a funghir lì, in quel paese marcio, d'ignoranti. Ecco la giustizia sociale!
Intanto, quella sera, vigilia delle elezioni, Celsina avrebbe fatto la sua prima
comparsa in pubblico: avrebbe tenuto una conferenza nella sede del Fascio.
Era in giro dalla mattina, Nocio Pigna, per questo solenne avvenimento.

Mancavano le seggiole.

Se ogni socio si fosse portata la sua con sé, e l'avesse poi lasciata lì... Per
ora, egli non pretendeva neppure che pagassero con la dovuta puntualità la
misera quota settimanale. Ma avessero almeno regalato una seggiola; santo
Dio, da servire per loro stessi! Niente. Sì e no, aveva potuto metterne insieme
una ventina. Pensava a tutte le seggiole delle chiese; a quelle ch'erano sotto la
sua custodia, un tempo, a San Pietro; pensava alle carrettate che ogni domenica sera se ne trasportavano all'emiciclo in fondo al viale della Passeggiata,
ove sonava la banda militare. Seggiole d'avanzo, là per le bigotte, qua per le
civette! e nel Fascio, niente! Colpa dei socii, però, alla fin fine; e dunque,
peggio per loro! Sarebbero rimasti in piedi.

Stava per rincasare, quando da un vicoletto che sboccava nella piazza sentì
chiamarsi piano da qualcuno in agguato lì ad aspettarlo, incappucciato.

– Ps, ps...

Un contadino! Il cuore gli diede un balzo in petto. Gli s'accostò premuroso.

– Serv'a Voscenza. Posso dirle una parolina?

– Come dici? – gli domandò Nocio Pigna, facendoglisi più presso, costernato
dall'aria di sospetto e di mistero con cui quell'uomo gli stava davanti, parlando dentro il cappuccio che gli lasciava scoperti appena gli occhi soltanto. –
Vuoi parlare con me?

– Sissignore, – rispose quegli più col cenno che con la voce.

– Eccomi, figlio mio, – s'affrettò a dir Pigna. – Vieni qua... entriamo qua...
E gl'indicò il portone del *Fascio*.

Ma quegli negò col capo e subito si trasse più indietro nel vicoletto. Pigna lo
seguì.

– Non aver paura. Non c'è nessuno. Che vuoi dirmi?

L'uomo incappucciato esitò ancora un po', prima di rispondere; volse intorno gli occhi sospettosi, poi mormorò, sempre dentro il cappuccio:

– M'hanno parlato a quattr'occhi... Persona fidata... Dice che...
E s'interruppe di nuovo.

– Parla, parla, figlio mio, – lo esortò il Pigna. – Siamo qua soli... Che
t'hanno detto?

Gli occhi sospettosi sotto il cappuccio espressero lo sforzo penoso che colui
faceva su se stesso per vincere il ritegno di parlare. Alla fine, stringendosi più
al muro e stendendo appena fuor del cappotto una mano sul braccio del Pigna,
domandò a bassissima voce:

– È qua che si spartiscono le terre?

Nocio Pigna, mezzo imbalordito per tutto quel mistero, restò a guardarlo un
pezzo di traverso, a bocca aperta.

– Le terre? – disse. – Le terre, no, figlio mio.

Quegli allora alzò il mento e chiuse gli occhi, per un cenno d'intesa. Sospirò:

– Ho capito. Mi pareva assai! Mi hanno burlato.

E si mosse per andar via. Nocio Pigna lo trattenne.

– Perché burlato? No, figlio mio... Senti...

– Mi scusi *Voscenza*, – disse quegli, fermandosi per farsi dar passo. – È inutile. Ho capito. Mi lasci andare...

– E aspetta, caro mio, se non mi dài il tempo di spiegarmi... – s'affrettò a
soggiungere il Pigna. – Le terre, sissignore, verranno anche quelle... Basta volere! Se noi vogliamo... Sta tutto qui!

Quegli seguitò a scuotere il capo con amara e cupa incredulità; poi disse:

– Ma che dobbiamo volere, noi poveretti? che possiamo volere?

Pigna si scrollò, urtato:

– E allora, scusa, tie', ti do le terre, è vero? Prima di tutto dev'esserci la volontà, in te e in tutti, senza paura, capisci? Non c'è bisogno di guerra, mettiti
bene in mente questo! Noi vogliamo anzi cantare inni di pace, caro mio. Il Fascio è come una chiesa! E chi entra nel Fascio...

– *Voscenza* mi lasci andare...

– Aspetta, ti voglio dir questo soltanto: chi entra nel Fascio, entra a far parte
d'una corporazione che abbraccia, puoi calcolare, i quattro quinti dell'umanità,
capisci? i quattro quinti, non ti dico altro.

E agitò innanzi a quegli occhi le quattro dita d'una mano: poi riprese:

– Unione, corpo di Dio, e siamo tutto, possiamo tutto! La legge la detteremo
noi: debbono per forza venire a patti con noi. Chi lavora? chi zappa? chi se-
mina? chi miete: O date tanto, o niente! Questo per il momento. Il nostro programma... Vieni, ti spiego tutto...

– *Voscenza* mi lasci andare... Non è per me...

– Come non è per te, pezzo d'asino? se si tratta proprio di te, della tua vita,
del tuo diritto? Pensaci, figlio! Guarda: il *Fascio* è qua. Mi trovi sempre.

– Sissignore, bacio le mani.... Per carità, come se non le avessi detto niente...

E, voltate le spalle, se n'andò randa randa, guardingo. Nocio Pigna lo seguì
per un pezzo con gli occhi, scrollando il capo.

Trambusto, a casa, più del solito. Si progrediva notevolmente, di giorno in
giorno, verso la rivoluzione sociale. C'erano – e s'indovinava subito fin dalla
strada – i cinque studenti, già condiscepoli di Celsina. C'era anche, ma ingru-
gnato e tutto aggruppato in un angolo, Antonio Del Re, il nipote di donna Ca-

terina Laurentano e di Roberto Auriti. Parlavano tutti insieme a voce alta. Il gigante, cioè Emanuele Garofalo, e quel piccolo Micciché che friggeva in ogni membro e scattava e schizzava come un saltamartino, e il recalmutese atticciato e violento Bernardo Raddusa gridavano, non si capiva bene che cosa, attorno a sua figlia Mita, la maggiore delle sei rimaste in casa, quella che lavorava tutto il giorno e talvolta anche la notte insieme con Annicchia, ch'era la terza. Attorno a questa strillavano le sorelle Tina e Lilla con Totò Licasi e Rocco Ventura; Rita cercava di quietare il bimbo che piangeva, spaventato; Celsina, accesa di stizza, litigava con Antonio Del Re; e, come se tutto quel badanai fosse poco, 'Nzulu, il vecchio barbone nero baffuto e mezzo cieco, acculato su una seggiola, levando alto il muso, si esercitava in lunghi e modulati guaiti di protesta.

Luca Lizio, appartato, si teneva il capo con tutt'e due le mani, quasi per paura che quegli strilli glielo portassero via.

– Signori miei, che cos'è? dove siamo? – gridò Nocio Pigna, entrando.

Tutti si voltarono, gli corsero incontro e, accalorati, presero a rispondergli a coro. Nocio Pigna si turò gli orecchi.

– Piano! Mi stordite! Parli uno!

– Mita e Annicchia, al solito! – strillò Tina.

– Smorfie! – aggiunse Lilla.

Ed Emanuele Garofalo, il gigante, scotendo le braccia levate, con voce da cannone:

– Tutti giù! tutti giù!

– S'imponga l'autorità paterna! – saltò a dire Mondino Micciché, facendo il mulinello in aria col bastoncino.

– Non capisco nulla! Zitti! – urlò Nocio Pigna.

Tacquero tutti; ma subito, nel silenzio sopravvenuto, sonò un: – Mammalucco! – rivolto da Celsina ad Antonio Del Re con tale espressione di rabbia concentrata, che le risa si levarono fragorose.

Celsina si fece avanti, snella su i fianchi procaci, col seno colmo in sussulto, il bruno volto in fiamme e gli occhi sfavillanti. In mezzo a tutte quelle risa, l'espressione di fierissima stizza accennò in un baleno di scomporsi, le labbra di fuoco le si atteggiarono per un momento a un riso involontario, ma subito si riprese e gridò imperiosamente e con sprezzo:

– Andiamo! andiamo! andiamo! Chi vuol sentire, senta! Chi non vuol sentire... me n'importa un corno!

– Insomma, – gemette Nocio Pigna, raggruppando le dita delle due mani e giungendole per le punte, – posso sapere che diavolo è avvenuto? – E subito aggiunse, sbarrando gli occhi: – Ma parli uno!

Parlò Rocco Ventura, piccolo e tondo, col naso a pallottola in sù e due baffetti spelati che gli cominciavano agli angoli della bocca e subito finivano lì, come due virgolette:

– Niente, – disse, – proponevamo semplicemente di scendere tutti giù, nella stanza a pianterreno, per assistere alla prova generale della conferenza di Celsina, ecco.

– E Mita e Annicchia, al solito... – aggiunse Tina, tutta scarmigliata.

– Smorfie! – ripeté Lilla.

– Non vogliono scendere? e lasciatele stare! – disse Celsina, dalla soglia. – Loro sono le formiche, si sa, io la cicala. Andiamo, andiamo giù, e basta!

Pigna guardò le due figlie Mita e Annicchia rimaste sedute, tutt'e due vestite di nero, pallide in volto e con gli occhi dolenti; poi guardò Antonio Del Re, rimasto anch'egli seduto, torbido in faccia, con un gomito appoggiato sul ginocchio e le unghie tra i denti.

– Andate, andate, – disse a quelli che già si disponevano a scendere dietro

Celsina nella stanza terrena. – Ora vengo... Debbo dire una parola a don Nino Del Re.

– Nient'affatto! – gridò Celsina, risalendo gli scalini della scaletta di legno e ripresentandosi tutta vibrante su la soglia. – Te lo proibisco, papà! A Nino ho parlato io, e basta! Vieni giù!

– Va bene, va bene, – disse il Pigna. – Che furia! Debbo tenergli un altro discorsetto io... Piano piano...

Antonio Del Re si sgruppò, scattò in piedi per un improvviso ribollimento di sdegno; ma, subito pentito della risoluzione d'andarsene, restò lì, cercando soltanto con gli occhi, in giro per la stanza, il cappello.

– Uh, santo Dio, come fate presto a pigliar ombra anche voi! Non vi precipitate! – esclamò Nocio Pigna.

– Ma no! ma lascialo andare, se vuole andarsene! – soggiunse aizzosa Celsina. – Mi fa un gran piacere, se va via; già gliel'ho detto! Anzi, aspetta...

Corse nel camerino accanto, in cui dormiva; trasse da un cassetto del canterano una vecchia bambola, la sua ultima bambola di tant'anni fa, ritrovata per caso alcuni giorni a dietro e a cui quel bestione di Emanuele Garofalo, senz'intendere la pena che le avrebbe cagionato, aveva fatto di nascosto con la penna un pajo di baffoni da brigadiere; e venne a posarla sul petto d'Antonio Del Re; gli tirò sù un braccio, perché se la tenesse lì stretta, dicendo:

– Tieni; questa è per te! questa tu puoi amare! – E di corsa scomparve per la scaletta.

Antonio Del Re buttò la bambola nel grosso canestro da lavoro, che stava tra Mita e Annicchia. Nocio Pigna rimase un po' a guardarla, accigliato; si curvò a osservarla davvicino; domandò:

– Che sono, baffi?

Per tutta risposta, Nino riprese la bambola e se la ficcò in tasca a capo all'ingiù. Le due gambette, una calzata e l'altra no, rimasero fuori.

– E così il sangue le andrà alla testa! – disse allora Nocio Pigna. – Calma, calma, don Ninì! Ragioniamo. Veramente sarebbe meglio che voi ve n'andaste. La vostra condizione, in questo momento, con vostro zio a Girgenti, in ballo... Noi qua dobbiamo lavorare. Si comincia adesso; poco possiamo fare; ma una voce almeno dobbiamo levarla, di protesta. Ora, io entro nel vostro cuore di nipote, e comprendo. Siete ancora ragazzo, figlio di famiglia: so come la pensate; certe cose non vi possono far piacere. Dovreste però entrare anche voi un poco nel mio cuore di padre, comprendere la mia responsabilità, mi spiego? e anche... Don Ninì, sono un uomo esposto, voi lo sapete; un pover'uomo lapidato di calunnie da tutte le parti: me ne rido; ma quanto a voi e ai vostri parenti, anche per riguardo a... – come sarebbe di voi don Landino Laurentano? zio? cugino? zio, è vero? già... cugino carnale di vostra madre – anche per un riguardo a lui, dicevo, non vorrei che si sospettasse... Parlo bene, Mitina?

Mita alzò gli occhi appena appena dal lavoro e li riabbassò subito, seguitando a cucire. Antonio Del Re era andato presso la vetrata del balconcino e guardava fuori, nel Piano di Gamez deserto, seguitando a rodersi le unghie.

– Sentite, – riprese il Pigna. – È la verità sacrosanta: non ha fatto tanto male a sé, a tutta la sua famiglia e a voi, vostra nonna...

A questo punto il Del Re si voltò di scatto, gli venne incontro, scotendo le pugna, e gridò:

– Basta! basta! basta!

Nocio Pigna lo guardò un pezzo, sbalordito, poi disse:

– Ma sapete che mi sembrate pazzi tutti quanti, oggi, qua? Sto dicendo che il più gran male lo fece al paese, lasciando tutto il ben di Dio che le spettava nelle mani di quel fratello che... Ma poi, ohè don Ninì, lasciamo svaporar le smanie e parliamoci chiaro! Di che colore siete? Così non facciamo niente! Io non vi sforzo. Ma è tempo di risolvervi, caro mio: o qua con noi, dico col Partito, a viso scoperto; o ve ne state coi vostri. Se non sapete neanche voi stesso...

– Ma giusto lei? giusto lei? – proruppe Antonio Del Re, quasi piangendo dalla rabbia, facendoglisi di nuovo incontro, con le dita artigliate (alludeva a Celsina). – Perché lei? Non c'eravate voi? non c'erano quegli stupidi là, Raddusa o Garofalo?

– Che, lei? – fece il Pigna, stordito.

– La conferenza, – spiegò, a bassa voce, Annicchia.

– Ah, la conferenza? E che fa?... Ah, già... Ma scusate tanto, don Nino mio! A voi non brucia! Voi ora ve n'andate a Roma con vostro zio, a seguitare gli studii, nella bella città; andate a sedere a tavola a pappa scodellata; tasse, libri, tutto pagato... Ma pensate, Cristo di Dio, che anche mia figlia qua... Ve l'immaginate come le deve ribollire il sangue, povera figlia mia, pensando che ha fatto tanto, stentato tanto, per niente? che deve finire così tutto il suo amore per lo studio, tutta la sua smania di riuscire? Lasciatela sfogare! Dovrebbe dar fuoco a tutto il paese! Vorreste metterle la museruola, per giunta? E con quale diritto, scusate? Che potete far voi per lei? Se non me ne vado, schiatto...

Scappò via, anche lui, infuriato, per la scaletta di legno.

Antonio Del Re era ritornato presso la vetrata a guardar fuori. Mita e Annicchia seguitarono a lavorare in silenzio, a testa bassa. In quel silenzio tutti e tre avvertirono l'affanno del proprio respiro, che palesava a loro stessi l'interno cordoglio, esasperato dal pensiero di non poter opporsi a quello stato di cose contrario alla loro natura, ai loro affetti, alle loro aspirazioni.

Il più combattuto era Antonio Del Re. Tutta la cupa amarezza della nonna gli s'era trasfusa, sin dall'infanzia, nel sangue, e glielo aveva avvelenato; la tenerezza quasi morbosa, piena di palpiti e di sgomento, della madre gli dava pena e fastidio, un'angustia che lo avviliva; la remissione dello zio, sopraffatto dalle tristi vicende, rimasto indietro, pur avendo corso da giovinetto con tanta fiamma e tanto ardire, e che tuttavia non voleva parer vinto e sorrideva per mostrar fiducia ancora in un ideale che tanti torti, tanti errori, avevano offeso e offuscato, gli cagionava dispetto. Sentiva, sapeva che quel sorriso avrebbe voluto nascondere un marcio insanabile, per una pietà mal intesa. Ma perché, invece di nasconderlo, non lo scopriva zio Roberto quel marcio, come la nonna, come qua in casa del Pigna, i suoi compagni, tutti i giovani? In un modo, però, questi lo scoprivano, che gli faceva nausea e stizza. Quelli che avevano operato, combattuto e sofferto, quelli sì avrebbero dovuto gridar forte contro tante colpe e tante miserie e domandar giustizia e vendetta in nome dell'opera loro e del loro sangue e delle loro sofferenze; non questi che nulla avevano fatto, che nulla dimostravano di saper fare, altro che chiacchiere per passatempo, e metter tutti in un fascio gli onesti e i disonesti, suo zio coi mestatori e gl'intriganti, coi tanti patrioti per burla o per tornaconto!

Non questa ingiustizia soltanto, però, rendeva avverso Antonio Del Re ai suoi compagni. Educato alla scuola di un dolor cupo e fiero che sdegnava di sfogarsi a parole, d'una rinunzia ancor più fiera che sdegnava ogni bassa invidia, se egli si fosse gettato nella lotta, spezzando ogni legame ideale coi suoi, non avrebbe né proferito una parola né cercato compagni: a testa bassa, coi denti serrati e la mano armata, subito all'atto si sarebbe avventato. Quelli invece eran lì per ciarlare, lì per spassarsi con le figlie del Pigna.

Non avrebbe voluto riconoscere Antonio Del Re che la sua avversione e il suo sdegno erano in gran parte gelosia feroce.

Con lo stesso ardor chiuso con cui si sarebbe lanciato a un'azione violenta, s'era innamorato perdutamente di Celsina fin dal primo giorno che questa, ragazzetta allora con la vestina fino al ginocchio, s'era presentata alle scuole tecniche maschili. E Celsina, pure corteggiata da tutti i compagni, aveva risposto all'amore di lui, prima in segreto, poi lasciandolo intravedere agli altri, dichiarandosi infine apertamente e sfidando la baja dei disillusi. Non s'era chiusa però nel suo amore, non s'era accostata e stretta a lui com'egli avrebbe voluto: era rimasta lì, in mezzo a tutti, col cuore aperto, la mente qua e là, prodiga di parole, di sguardi e di sorrisi, inebriata dei suoi trionfi, della sua gloriola di ribelle a tutti i pregiudizii, conscia del suo valore e smaniosa di farsi notare, ammirare, applaudire.

Più ella gli appariva così, e più Antonio riconosceva che non avrebbe dovuto amarla, non solo perché così non era secondo il sentimento suo, ma anche perché, pensando alla madre e alla nonna, comprendeva che l'una ne avrebbe avuto orrore e l'altra l'avrebbe stimata una fraschetta sciocca. Eppure, no: non era né cattiva né sciocca Celsina, egli lo sapeva bene; e anzi, se avesse dovuto ascoltar la voce più intima e profonda della sua coscienza, voce soffocata dal rispetto, dalla suggezione, dall'amore, anziché la ribellione aperta di Celsina, avrebbe condannato la fierezza troppo chiusa della nonna, la rassegnazione troppo ligia della madre.

– Don Ninì, – chiamò con dolce voce Mita. – Volete venire un po' qua?

Antonio si scosse, le s'accostò; ma nel vederle sollevare il capo di biancheria ch'ella stava a cucire come per prendergli una misura, si trasse subito indietro, urtato, scrollandosi tutto.

– No!... no, adesso...

– Caro don Ninì, – sospirò Mita. – Pazienza ci vuole! Bisogna far presto... Voi partite... Beato voi!

Mita stava ad allestirgli, insieme con la sorella, la biancheria che doveva portarsi a Roma.

Tutte le migliori famiglie della città, e anche la nonna e la madre d'Antonio, davan lavoro a quelle due povere sorelle, che si recavano spesso anche a giornata qua e là. La considerazione era per esse soltanto, anzi la pietà; ed esse lo comprendevano bene, e di giorno in giorno si facevano più umili per meritarsela meglio, per dimostrar la loro gratitudine e non essere abbandonate. Capivano che a troppe cose si doveva passare sopra per ajutarle, a troppe cose che il padre e le sorelle, anziché attenuare, facevan di tutto perché avventassero di più, come se apposta volessero concitarsi contro tutto il paese e stancare la pazienza e la carità del prossimo. Ma il danno poi non sarebbe stato anche loro? Che doveva dir la gente? Noi, estranei, dobbiamo aver considerazione per voi, dobbiamo ajutarvi, mentre il vostro sangue stesso, quelli che voi mantenete con l'ajuto nostro, debbono farci la guerra? Disordini, scandali, inimicizie!

Per scusare in certo qual modo il padre, Mita e Annicchia si forzavano a credere che veramente il cervello gli avesse dato di volta dopo la sciagura di Rosa, la sorella maggiore. Certo, da allora s'era aperto l'inferno in casa loro. Più che del padre, Mita e Annicchia si lagnavano, si crucciavano in cuore delle sorelle. Come mai non comprendevano, queste, che solamente col silenzio, con la modestia più umile e più schiva si poteva, se non cancellare del tutto, render meno evidente il marchio d'infamia di cui la loro casa era ormai segnata? Rita, quando il bambino le lasciava un po' le mani libere, e anche Tina e Lilla, sì, le ajutavano a cucire, a imbastire o a passare a macchina, nei giorni non frequenti che il lavoro abbondava; ma lavoravano senz'amore, svogliate, specialmente le due ultime, perché non rassegnate dopo quella sciagura alla rinunzia di ogni speranza e di ogni desiderio. Nel vederle acconciarsi e rabbellirsi ogni mattina, si sentivano stringere il cuore, intendendo che non si acconciavano, non si facevano belle per speranze e desiderii onesti: dovevano sapere anch'esse purtroppo che nessuno più, ormai, avrebbe voluto mettersi con loro. E da un giorno all'altro s'aspettavano che Tina e Lilla, con tutti quei giovanotti lì sempre tra i piedi, avrebbero finito come Rita. Ma avessero trovato almeno un buon giovine, come Luca! Poteva cader peggio Rita... Perché, in fondo, sì, sì, dovevano riconoscere che Luca era buono. Solo non potevano passargli l'ostinazione di non regolare davanti alla legge e all'altare la sua unione con Rita. Era così buono con tutti, e amava tanto il bambino e non pesava nulla in casa. Certo, se non si fosse fatti tanti nemici per quelle sue idee, e non fosse stato così disgraziato, avrebbe potuto recar molto ajuto alla famiglia, ché, quanto a lavorare, lavorava sempre e doveva esser dotto davvero, a giudicare dai tanti libri che aveva letti e leggeva!

Un po' di questo rispetto imposto dall'ingegno e dall'istruzione, Mita e Annicchia lo estendevano anche a Celsina, perché veramente pareva loro, per tante prove, fuori dell'ordinario, e riconoscevano col padre che, in altro luogo, in altre condizioni, ella avrebbe fatto davvero chi sa che spicco! La vedevano piena di sprezzo per gli uomini – e questo per un verso le rassicurava –. Ah, gli uomini ella era andata a sfidarli là, nelle loro stesse scuole; e tutti li aveva superati! Veramente, quella sfida non avevano saputo approvarla: con maggior profitto, se pur con minore soddisfazione, avrebbe potuto frequentare le scuole femminili e diventar maestra. Così, invece, era rimasta senza professione. Ma non temevano per l'avvenire; qualche via, certo, Celsina se la sarebbe aperta, in paese o altrove. Quel povero don Ninì, intanto, che l'amava e ne era geloso... Tanto buono, poveretto! Ma non era per lui, Celsina. Guaj se lo avessero saputo i suoi parenti! Pareva loro mill'anni che partisse per Roma.

Annicchia toccò pian piano un braccio a Mita per mostrarle le due gambette della bambola, che uscivano dalla tasca di lui ancora lì, dietro la vetrata del balconcino. Mita rispose con un mesto sorriso al sorriso della sorella; poi sovvenendosi di una preghiera che dalla notte aveva in animo di rivolgere al giovine, si levò in piedi, posando il lavoro nel canestro, e gli si accostò timidamente.

– Don Ninì, – gli disse piano, – prima di partire per Roma, dovreste farmi per l'ultima volta quella tal grazia, se...

– No, per carità, no, Mita, non me ne parlate! – la interruppe con violenza Antonio Del Re, premendosi le mani sulle tempie e strizzando gli occhi.

– L'avete a disonore, è vero? – disse afflitta, con gli occhi bassi, Mita.

– No, non per questo! non per questo! – s'affrettò a soggiungere Antonio. – Ma ora, in questo momento... non posso... non posso sentir parlare di nulla, Mita!

Una cosa atroce voleva da lui quella poveretta, un ricordo atroce gli ridestava proprio in quel momento. La guardò, temendo che l'orrore che traspariva attraverso il suo rifiuto avesse potuto farle sorgere qualche sospetto. Ma le vide più che mai dolenti e umili i begli occhi, che tante lagrime versate avevano velati e quasi intorbidati per sempre. Quasi ogni notte, infatti, ella piangeva col cuore sfranto per Rosa, la sorella sua disgraziata, la sorella sua perduta, caduta nell'ultimo fondo dell'ignominia. Più volte, non potendo andarla a trovare nel luogo infame, dove ora stava chiusa, aveva pregato Antonio di andarci per lei. E Antonio, l'ultima volta che c'era andato, trovandola mezzo brilla, era stato attratto da lei e...

Un fracasso di grida, d'applausi, misti agli strilli del bambino e agli abbajamenti del cane, giunse in quel punto dalla stanza a terreno; e poco dopo 'Nzulu, il vecchio barbone, cacciato via a pedate da giù, tutto tremante, piegato sulle zampe di dietro come se volesse col fiocchetto della coda convulsa spazzare il suolo, venne ad allungare il naso baffuto su le ginocchia di Mita, che s'era rimessa a sedere. Le due sorelle, nel veder la povera bestia implorante ajuto e riparo da loro, si misero a piangere. E allora Antonio Del Re, non sapendo più tenersi, si cacciò in capo il cappello, aprì la vetrata del balconcino e, scavalcata la ringhiera di ferro, mentre Mita e Annicchia, spaventate, gridavano: – Oh, Dio, don Ninì... che fate? che fate? –, si calò giù, reggendosi prima con le mani a due bacchette della ringhiera, poi si lasciò cadere nella piazza sottostante.

S'udì il tonfo e quindi il rumore di qualcosa andata in frantumi. Mita accorse a guardare e lo vide, curvo, che cercava con le braccia protese, come un cieco, il cappello che gli era càscato lì presso.

– Don Ninì, vi siete fatto male?

– Nulla... – rispose egli di sotto. – Le lenti... Mi son cascate le lenti.

E, ghermito il cappello, scappò via.

– Impazzisce! – disse Mita. – Ma possibile?

E accennò con la mano la stanza giù, dove Celsina predicava.

Precipitandosi per la via di Gamez, Antonio Del Re, che senza lenti non vedeva di qui là, inciampò in qualcuno all'imboccatura della via Atenea.

– Oh Nino!

Riconobbe alla voce l'on. Corrado Selmi.

– Mi lasci andare! – gli gridò, scrollandosi rabbiosamente.

Corrado Selmi aveva lasciato il Verònica all'albergo in compagnia dell'altro testimonio, e si recava ora in casa di Roberto Auriti che l'ospitava.

Da quattro giorni, appena si mostrava per via, si vedeva tutti gli occhi addosso; parecchi curiosi si fermavano anche a mirarlo a bocca aperta; altri sbucavano dalle botteghe e si piantavan sulla soglia, addossati gli uni agli altri. Tanta curiosità l'obbligava a darsi un certo contegno, contro il suo solito. Ma gli veniva da ridere. Non sapeva più dove guardare, perché gli occhi naturalmente gaj e l'aria aperta e fresca del volto non dèssero di lui un falso concetto di petulanza. Era davvero e si sentiva giovanissimo ancora, nel corpo e nell'anima, non ostanti l'età, le vicende fortunose e le tante lotte sostenute. Non un pelo bianco, né per nulla ancora appassito il color biondo dei baffi e dei capelli. Vestiva con naturale eleganza e spirava da tutta la persona, da ogni gesto, da ogni sguardo, una freschezza e una grazia che incantavano. Questa persistente gioventù Corrado Selmi di Rosàbia la doveva al vivace, costante amore per la vita e, nello stesso tempo, al pochissimo peso che sempre le aveva dato. Né di troppi ricordi, né di troppi studii, né di troppi scrupoli, né d'aspirazioni tenaci se l'era voluta mai gravare, come fanno tanti a cui per forza poi, sotto un tal fardello, debbono le gambe piegarsi e aggobbirsi le spalle. Viaggiatore senza bagaglio, soleva definirsi. E sempre s'era imbarcato così, spiccio e leggero, per viaggi lunghi, avventurosi e difficili. Niente da perdere, e avanti! Fallita l'insurrezione del 4 aprile, scampato per miracolo dal convento della Gancia, aveva dapprima guerrigliato con le squadre attorno a Palermo; aveva poi fatto la campagna del 1860 con Garibaldi fino al Volturno; ma come? senza munizioni e con un fucilaccio che non tirava, venuto da Malta per sei ducati. Alla Camera, tra tanti colleghi dalla fronte gravida di pensieri e dalla cartella gonfia di note e d'appunti, aveva fatto parte delle Commissioni più difficili, senza né un lapis né un taccuino. E sempre s'era dato da fare, comunque; senza mai sforzarsi; e tutto gli era riuscito facile e agevole, non schivando mai, anzi sfidando e bravando i più gravi pericoli, le più difficili imprese, le avventure più intricate. Non ammetteva che ci potessero essere difficoltà per uno come lui, sempre pronto a tutto. Non andava incontro alla vita; si faceva innanzi, e passava. Passava, disarmando tutti con la sicurezza convinta e la gaja tranquillità: d'ogni retorica ostentazione, la rigida virtù dei Catoni; d'ogni scrupolo di pudore, l'onestà delle donne. Né s'era mai fermato un momento in questa corsa della vita per giudicare fra sé se fosse bene o male ciò che aveva fatto pur dianzi. Non bisognava dar tempo al giudizio, come né peso ai proprii atti. Oggi, male; bene, domani. Inutile richiamarlo indietro a considerare il mal fatto; scrollava le spalle, sorrideva, e avanti; avanti a ogni modo, per ogni via, senza mai indugiarsi, lasciandosi purificare dall'attività incessante e dall'amore per la vita e rimanendo sempre alacre e schietto, largo di favori a tutti, con tutti alla mano. La vita era per lui piena di ganci che lo tiravano di qua e di là. Fermarlo, sospenderlo a uno solo per giudicarlo, sarebbe stata un'ingiustizia crudele.

Ora Corrado Selmi temeva che la minaccia d'una tale ingiustizia gli stesse sopra: che lo si volesse cioè agganciare per i molti debiti ch'era stato costretto a contrarre, per le molte cambiali che aveva in sofferenza presso una delle primarie banche, di cui già si cominciavano a denunziare le magagne. Forse all'apertura della nuova Camera lo scandalo sarebbe scoppiato. Prevedeva lo spettacolo che avrebbero offerto tutti i gelosi irsuti guardiani dell'onestà, a cui il timore di commettere qualche atto men che corretto aveva sempre impedito di far qualche cosa oltre alle insulse chiacchiere retoriche; egoisti meschini e miopi, diligenti coltivatori dell'arido giardinetto del loro senso morale, cinto tutt'intorno da un'irta siepe di scrupoli, la quale non aveva poi nulla da custodire, giacché quel loro giardinetto non aveva mai dato altro che frutti imbozzacchiti o inutili fiori pomposi. Debiti? Cambiali? Oh bella! Aveva firmato sempre cambiali, lui, in vita sua. A diciott'anni, a Palermo, nei primi mesi del 1860, il Comitato rivoluzionario non sapeva come fare: si sperava in Garibaldi, si sperava in Vittorio Emanuele e nel Piemonte, si sperava in Mazzini; ma i mezzi mancavano e le armi e le munizioni. Ebbene, chi aveva proposto di prendere dalla Cassa di sconto del Banco di Sicilia seimila ducati con le firme dei signori più facoltosi? Lui. E aveva firmato lui, capolista, per duecento ducati, lui che non aveva neppure un carlino in tasca. Il Governo provvisorio avrebbe poi pagato. Come s'era fatta l'insurrezione del 4 aprile? S'era fatta così! E come aveva compiuto, lui solo, il bonificamento dei terreni paludosi che ammorbavano gran parte del suo collegio elettorale? Ma anche a furia di cambiali! Poi, il collegio s'era liberato della malaria, e i debiti, si sa, erano rimasti a lui, perché l'impresa della coltivazione, affidata a certi suoi parenti inesperti, era fallita, e i frutti dell'opera sua ora se li godevano per la maggior parte tanti altri che gli davan solo le bucce come e quando volevano, ma che però gli facevano costantemente l'onore di eleggerlo deputato. Era vero, sì: oltre ai denari attinti alle banche per questa impresa e per altre ugualmente vantaggiose a molti e solo disgraziate per lui, altri e non pochi ne aveva presi per il suo mantenimento. Vivere doveva; e poveramente non sapeva, né voleva. Da giovane, aveva interrotto gli studii per prender parte alla rivoluzione. Per undici anni, finché Roma non era stata presa, non s'era dato un momento di requie. Posate le armi, rimasto senza professione e senza alcuno stato, dopo avere speso per gli altri i suoi anni migliori, che doveva fare? Impiccarsi? La fortuna non aveva voluto favorirlo nei negozii; gli aveva accordato altri favori, ma che gli eran costati cari, e qualcuno – il maggiore e il peggiore – non alla tasca soltanto.

Corrado Selmi vietava a se stesso ogni rimpianto. Pure, di tratto in tratto, quello dell'amore di donna Giannetta D'Atri-Montalto gli assaltava e gli strizzava improvvisamente il cuore. Ma più che pena per l'amore perduto, era rabbia per il cieco abbandono di sé nelle mani di quella donna che per più d'un anno lo aveva reso la favola di tutta Roma, facendogli commettere vere e proprie pazzie. Pareva che colei avesse giurato a se stessa di compromettersi e di comprometterlo in tutti i modi, presa da una furia di scandalo. Più per lei che per sé, aveva cercato prima di frenarla; ma s'era poi sfrenato anche lui per timore che i suoi ritegni la offendessero o che la sua prudenza le paresse dappocaggine. I più grossi debiti li aveva contratti allora, sebbene non figurassero sotto il suo nome per un riguardo alla donna che glieli faceva contrarre. Roberto Auriti s'era prestato con fraterna abnegazione a prender denari per lui alla banca, dopo una segreta intesa però col governatore di essa. La minacciata denunzia dei disordini di questa banca costernava pertanto Corrado

Selmi, forse più che per sé, per Roberto Auriti. Ma la grave costernazione gli era in parte ovviata dalla fiducia che il Governo aveva interesse, per tante ragioni, a impedire che lo scandalo scoppiasse. Sapeva bene che questo scandalo non avrebbe prodotto soltanto il fallimento d'una banca, ma anche il fallimento di tutto un ordine di cose. L'appoggio del Governo alla sua rielezione, non ostante che Francesco D'Atri fosse al potere, e l'appoggio alla candidatura di Roberto Auriti lo raffermavano in questa fiducia. Prima di partire da Roma, aveva promesso a Roberto di venire a Girgenti a sostenerlo nella lotta; chiamato in fretta in furia dal telegramma del Verònica, era accorso, e subito s'era reso conto delle condizioni difficilissime in cui Roberto si trovava di fronte a gli avversarii, aggravate ora, per giunta, da quel duello. Avrebbe fatto di tutto per liberar Roberto dalle tante angustie da cui lo vedeva oppresso, per tirarlo sù a respirare un'altr'aria, per innalzarlo a quel posto di cui lo sapeva meritevole per le doti della mente e del cuore, per tutto ciò che aveva fatto in gioventù; ma da che aveva posto il piede nella casa di lui a Girgenti e conosciuto la madre e la sorella, s'era sentito cascar le braccia; d'un tratto gli era apparsa chiara la ragione per cui l'Auriti era nella vita uno sconfitto. Un reclusorio gli era sembrata quella casa! Ma possibile che due creature umane si fossero adattate a trascinar l'esistenza in quella cupa ombra di tedio amaro e sdegnoso? che si fossero fatto un così tetro concetto della vita? Non aveva saputo resistere alla tentazione di muoverne il discorso alla madre, con la speranza di scuoterla un po'.

– Ma se la vita è una piuma, donna Caterina! Un soffio, e via... Lei vuol dar peso a una piuma?

– Voglio, caro Selmi? – gli aveva risposto donna Caterina. – Non l'ho voluto io... Per voi la vita è una piuma; un soffio e via; per me, è diventata di piombo, caro mio.

– Appunto questo è il male! – aveva subito rimbeccato lui. – Farla diventar di piombo, una piuma! Dovendo vivere, scusi, non le sembra che sia necessario mantenere l'anima nostra in uno stato... dirò così, di fusione continua? Perché fermare questa fusione e far rapprendere l'anima, fissarla, irrigidirla in codesta forma triste, di piombo?

Donna Caterina aveva tentennato un po' il capo, con le labbra atteggiate d'amaro sorriso.

– La fusione... già! Ma per mantener l'anima, come voi dite, in codesto stato di fusione, ci vuole il fuoco, caro amico! E quando, dentro di voi, il fornellino è spento?

– Non bisogna lasciarlo spegnere, perbacco!

– Eh, caro: quando il vento è troppo forte; quando la morte viene e ci soffia sù; quando cercate attorno e non trovate più un fuscello per alimentarlo...

– Ma dove lo cerca lei? qua? chiusa sempre fra queste quattro mura come in una carcere? La signora Anna, scusi... possibile che la signora Anna... io non so...

S'era interrotto per un subito imbarazzo, notando che la sorella di Roberto, nel vedersi tirata in ballo quando men se l'aspettava, s'era tutta invermigliata. Fin dal primo vederla, Corrado Selmi era rimasto ammirato della pura e delicata bellezza di lei e istintivamente aveva sofferto nel veder quella bellezza così mortificata da quelle ostinate gramaglie e, più che trascurata, sprezzata. A quel rossore improvviso, aveva temuto d'essersi spinto un po' troppo oltre; ma poi, vincendo il momentaneo imbarazzo, aveva soggiunto:

– Non ha un figliuolo, lei? E l'obbligo, dunque, di vivere per lui, di amar la vita per lui... no? Che so io... forse manifesto un po' troppo vivacemente quel che penso, vedendo qua tutta questa tetraggine che non mi par ragionevole, ecco! Che ne dice lei, signora Anna?

Ella s'era di nuovo invermigliata, s'era penosamente costretta a non abbassar gli occhi, e con la vista intorbidata e un sorriso nervoso sulle labbra, stringendosi un po' nelle spalle, aveva risposto, alludendo al figlio:

– È giovane, lui... La vita, se la farà da sé...

– Ma lei, dunque... è vecchia, lei?

Con quest'ultima domanda, quasi involontaria, s'era chiusa quella prima conversazione.

Ora Corrado Selmi rientrava in casa di Roberto, esilarato di quanto aveva veduto nella villa di Colimbètra. Tutti quei fantocci là con la divisa borbonica, che gli avevano presentato le armi! Roba da matti! Ma che splendore, quella villa! Il principe – no – non s'era fatto vedere. Che peccato! Avrebbe tanto desiderato di conoscerlo. Ecco là uno che s'era fissato anche lui, nei suoi affetti, in un tempo oltrepassato... – ma che pur seguitava a vivere, fuori del tempo, fuori della vita... in un modo curiosissimo, che bellezza! protendendo da quel suo tempo certe immagini di vita che per forza, nella realtà dell'oggi, dovevano apparire inconsistenti, maschere, giocattoli: tutti quei fantocci là... che bellezza!

– Eppure quei fantocci là, caro Selmi, che vi hanno fatto ridere, – gli disse donna Caterina, – nelle elezioni di domani, qua, vinceranno voi, il vostro amico Roberto, il signor Prefetto, il vostro Governo e tutti quanti... Ridete ancora, se vi riesce. Ombre? Ma siamo noi, le ombre!

– Io no, la prego, donna Caterina, – disse allora, ridendo e toccandosi, il Selmi. – Mi lasci almeno questa illusione! Guardi, il principe, innanzi a me, s'è dileguato lui come un'ombra... Avrei pagato non so che cosa per vedermelo venire incontro, anche per rifarmi... eh, Roberto lo sa... per rifarmi d'un certo incontro con suo figlio a Roma, in cui toccò a me, per forza, far la parte dell'ombra... Beh! pazienza... Ma sì, lei dice bene, donna Caterina; ci ostiniamo purtroppo a volere esser ombre noi, qua, in Sicilia. O inetti o sfiduciati o servili. La colpa è un po' del sole. Il sole ci addormenta finanche le parole in bocca! Guardi, non fo per dire: ho studiato bene la questione, io. La Sicilia è entrata nella grande famiglia italiana con un debito pubblico di appena ottantacinque milioni di capitale e con un lieve bilancio di circa ventidue milioni. Vi recò inoltre tutto il tesoro dei suoi beni ecclesiastici e demaniali, accumulato da tanti secoli. Ma poi, povera d'opere pubbliche, senza vie, senza porti, senza bonifiche, di nessun genere. Sa come fu fatta la vendita dei beni demaniali e la censuazione di quelli ecclesiastici? Doveva esser fatta a scopo sociale, a sollievo delle classi agricole. Ma sì! Fu fatta a scopo di lucro e di finanza. E abbiamo dovuto ricomprare le nostre terre chiesiastiche e demaniali e allibertar le altre proprietà immobiliari con la somma colossale di circa settecento milioni, sottratta naturalmente alla bonifica delle altre terre nostre. E il famoso quarto dei beni ecclesiastici attribuitoci dalla legge del 7 luglio 1866? Che irrisione! Già, prima di tutto, il valore di questi beni fu calcolato su le dichiarazioni vilissime del clero siciliano, per soddisfar la tassa di manomorta; e da questo valore nominale, noti bene, furon dedotte tutte le percentuali attribuite allo Stato e le tasse e le spese d'amministrazione. Poi però tutte queste deduzioni furono ragionate sul valore effettivo e furon sottratte inoltre le pensioni dovute ai membri degli enti soppressi. Cosicché nulla, quasi nulla, han percepito fin oggi i nostri Comuni. Ora, dopo tanti sacrificii fatti e accettati per patriottismo, non avrebbe il diritto l'isola nostra d'essere equiparata alle altre regioni d'Italia in tutti i beneficii, nei miglioramenti d'ogni genere che queste hanno già ottenuto? Non c'è stato mai verso, per quanti sforzi io abbia fatto, di raccogliere in un fascio operoso tutta la deputazione siciliana. Via, via, non ne parliamo, donna Caterina! Dovrei guastarmi il sangue. Io faccio quanto posso. Poi alzo le spalle e dico: «Vuol dire che questo ci meritiamo, noi».

Si voltò verso Roberto, per cambiar discorso, e aggiunse:

– Sai? Ho visto jeri, per via, la moglie del tuo avversario. Caro mio, tu devi perdere per forza. Ah che bella donnina! Scusatemi, signore mie, se parlo così; ma io non avrei proprio il coraggio di vincere, neanche nel nome santo della Patria e della Libertà, per non far piangere gli occhi di quella bella signora!

VII.

Nicoletta Capolino entrò nello studio del marito già abbigliata, con uno strano cappellone piumato di feltro su i bellissimi capelli corvini. Florida, snella e procacissima, ardente negli occhi e nelle labbra, spirava dalle segrete sapienti cure della persona un profumo voluttuoso, inebriante. Era quello un momento drammatico, d'intermezzo alla commedia che marito e moglie rappresentavano da due anni ogni giorno, anche nell'intimità delle pareti domestiche, l'una di fronte all'altro, compiacendosi reciprocamente della loro finezza e della loro bravura. Sapevano bene l'uno e l'altra che non sarebbero mai riusciti a ingannarsi e non tentavan nemmeno. Che lo facessero per puro amore dell'arte, non si poteva dire, ché odiavano entrambi in segreto la necessità di quelle loro finzioni. Ma se volevano vivere insieme, senza scandalo per gli altri, senza troppo disgusto per sé, riconoscevano di non poterne far di meno. Ed eccoli dunque premurosi a vestire, o meglio, a mascherare di garbata e graziosa menzogna quel loro odio; a trattar la menzogna come un mesto e caro esercizio di carità reciproca, che si manifestava in un impegno, in una gara di compitezze ammirevoli, per cui alla fine marito e moglie avevano acquistato non solo una stima affettuosa del loro merito, ma anche una sincera gratitudine l'uno per l'altra. E quasi si amavano davvero.

– Gnazio, non vado via tranquilla! – diss'ella, entrando, come imbronciata d'un supposto inganno che la addolorava e costernava. – Giurami che non vai a batterti questa mattina.

– Oh Dio, Lellè, ma se t'ho detto che vado a Siculiana! – rispose Capolino, levando le mani per posargliele lievemente sulle braccia. – Dovevo andarci jeri, lo sai. Sta' tranquilla, cara. Il duello è stato rimandato alla fine delle elezioni.

– Debbo crederci, proprio? – insistette lei, mentre stentava ad abbottonarsi il guanto con l'altra mano già inguantata.

Capolino volentieri avrebbe risposto a quell'insistenza con uno sbuffo; invece, sorrise; si accostò premuroso; le prese la mano per abbottonarle lui quel guanto, e vi s'indugiò, come un innamorato.

– Sapessi quanto mi secca d'andare a Valsanìa! – soggiunse lei allora, parlandogli quasi all'orecchio, con abbandono.

– Ma va'! – esclamò egli, guardandola negli occhi, come per farle avvertire che quella nota tenera (molto cara e graziosa, del resto) era per lo meno fuor di tempo e di luogo.

– Ti giuro! – replicò lei, ostinandosi, ma pur rispondendo al sorriso.

Capolino scattò a ridere forte:

– Ma va'! ma va'! che ti divertirai un mondo! Vedere quella foca di Adelaide davanti allo sposo... Sarà uno spettacolo impagabile! Dici sul serio, Lellè?

– Se avessi il cuore tranquillo... – ripeté Nicoletta. – Jersera ti sei trattenuto qua, chi sa quanto... Non t'ho sentito venire a letto...

– Ma tutta questa corrispondenza elettorale, non vedi? – le disse egli, indicando la scrivania. – Zio Salesio, santo Dio, almeno in questo, potrebbe ajutarmi...

– Oh sì, zio Salesio! Fossero pasticcini...

– Basta. Non perder tempo, va' va'... O aspetti la carrozza?

Nicoletta fece con gli occhi il gesto di chi si rassegna a credere non convinto, e sospirò:

– Se è vero che vai a Siculiana, al ritorno verso sera, passando dallo stradone, non potresti venire a Valsanìa?

– Ah, potendo, figùrati! – rispose egli. – Ma se gli amici... Non ritornerò solo... Se potrò... dico, se potrò lasciarli...

Tese le labbra per baciarla. Ella ritrasse il capo, istintivamente, temendo di guastarsi l'acconciatura.

– Perché? – disse.

– Perché mi piaci, così... Non vuoi darmi un bacio?

– Piano, però...

Furono sorpresi dalla vecchia cameriera, la quale veniva ad annunziare che la carrozza del Salvo era arrivata. Nicoletta si staccò subito dal marito.

– Ecco, vengo, – disse alla serva; poi, tendendo la mano al marito: – E allora, a rivederci.

– Divèrtiti, – le augurò Capolino.

Quella vettura, per una cittaduzza come Girgenti, era proprio di più; goffa ostentazione di lusso e di ricchezza che soltanto al Salvo si poteva passare. Dal sobborgo Ràbato, ove Capolino abitava, al viale della Passeggiata, ove il Salvo da alcuni anni s'era fatto costruire un'amenissima villa, si poteva andare a piedi in mezz'ora.

Nicoletta non aveva alcun dubbio che il marito andava a battersi quella mattina. Ma non doveva saperlo per potersi divertire. Quante e quant'altre cose non doveva allo stesso modo sapere, per poter essere così, gaja e amante della vita! Ci riusciva, spesso, a forza di volontà, non già a non saperle, che non le sarebbe stato possibile, ma a fare, proprio, come se non le sapesse. Di nascosto, quando ne aveva fino alla gola, uno sbuffo, e là! sollevava l'anima sopra tutte le miserie che la avevano oppressa sempre, fin dalla nascita. Non doveva sapere, ad esempio, che la madre le aveva fatto morire, se non proprio di veleno, come qualcuno in paese aveva malignato, certo però di crepacuore il padre, per unirsi in seconde nozze con colui ch'ella chiamava zio Salesio, antico scritturale del banco Spoto. Aveva appena cinque anni, quando il padre le era morto, eppure lo ricordava bene; tanto che la madre non aveva potuto mai persuaderla a chiamar babbo quel suo secondo marito molto più giovine di lei. Non era cattivo, no, zio Salesio; ma fatuo, e vano come la stessa vanità. Appena marito della vedova di Baldassare Spoto, aveva creduto sul serio che da quel matrimonio gli fosse derivato quasi un titolo di nobiltà; e i più strani fumi gli erano saliti al cervello; tutta l'anima anzi gli si era convertita in fumo. Presto però la brace per quei fumi aveva cominciato a languire. Spese pazze... E n'avesse almeno goduto! Che supplizio cinese dovevano essere per lui, tuttora, quelle scarpine di coppale, che lo costringevano ad andare a passetti di pernice, quasi in punta di piedi! Le male lingue dicevano che sotto il panciotto teneva il busto, come le donne. Il busto, no; una fascia di lana teneva, stretta e rigirata più volte attorno alla vita, anche a salvaguardia delle reni che gli s'erano ingommate. Non era poi tanto vecchio: aveva appena qualche annetto più di Capolino: ma lo sfacimento, ad onta di tutte le diligenze e delle più amorose e disperate cure, era cominciato in lui prestissimo. Pareva adesso un fantoccio automatico: tutto aggiustato, tutto congegnato, tutto finto: nei denti, nel roseo delle gote, nel nero dei baffetti incerati e del piccolo pappafico e delle esili sopracciglia e dei radi capelli; e camminava e si moveva come per virtù di molle, giovanilmente. Gli occhi, però, tra tanta chimica, quasi smarriti entro le borse gonfie e acquose delle pàlpebre, esprimevano una pena infinita. Perché erano venuti i guaj, purtroppo, dopo la morte della moglie. Nicoletta avrebbe potuto sbarazzarsi di lui, ma ne aveva avuto pietà; s'era presa lei però l'amministrazione di quel po' ch'era restato; e le apparenze, sì, aveva voluto salvarle, e zio Salesio (ormai quasi mummificato) aveva seguitato a mostrarsi per via come un milordino, prodigio d'eleganza, sempre in calze di seta e scarpine di coppale, in punta di piedi; ma, in casa, eh, in casa la più stretta economia. Tanto che un giorno Nicoletta se l'era visto arrivare con un involto di due polli arrosto finti, di cartone, sotto il braccio. Sicuro: due polli arrosto di cartone da figurare su la magra mensa sotto il paramosche di rete metallica. Ogni giorno il povero vecchio se li metteva lì davanti, su la tavola, per illudersi: non poteva farne a meno! E quei due polli di cartone e un tozzo di pane (vero, ma duro per i suoi denti non veri) erano adesso per intere settimane tutto il suo pranzo giornaliero! Perché Capolino non aveva voluto prenderlo con sé, e zio Salesio Marullo, rimasto solo nella vecchia e triste casa che Nicoletta gli aveva ceduto con quel po' ch'era riuscita a salvare dalla rovina, spesso, non sapendo limitarsi nelle spese, per comperarsi una bella cravatta o un bel bastoncino, restava digiuno – quando, beninteso, non si presentava in casa di Flaminio Salvo nell'ora del desinare, sapendo che la figliastra era lì. E Nicoletta, che per l'onta segreta gli avrebbe strappato il pappafico o gli occhi, doveva accoglierlo sorridente.

Sentiva che avrebbe potuto esser buona, in fondo, e veramente buona le pareva d'essersi dimostrata in certi momenti della sua vita; ma che intanto un perfido destino non aveva voluto permetterle d'esser tale. Cattiva per forza doveva essere! Tutto falso in lei, dentro e fuori e intorno. E una lotta segreta, continua, per vincer l'afa del disgusto, per non sentir l'impiccio della maschera, quantunque già sul volto le fosse divenuta fina come la stessa pelle. Ma aveva su la fronte un cerro di capelli svoltato, ribelle, Nicoletta Capolino, e temeva in certe ore che così l'anima qualche giorno le si sarebbe svoltata in petto, in un subito prorompimento contro la soffocazione di tanti e tanti anni.

Per ora, il marito andava a battersi? E lei a festa!

Per non vedere, per non esser veduta da troppa gente, ordinò al cocchiere di lasciar la via Atenea e di prendere per la strada esterna di Santa Lucia, sotto la città. Non si curava più da un pezzo di ciò che la gente pensava nel vederla nella carrozza del Salvo. Era ormai cosa risaputa. Del resto, anche qua, le apparenze in certo qual modo erano salvate dalla parentela che Capolino aveva avuto col Salvo e dall'ufficio ch'ella rappresentava presso la figlia di don Flaminio. L'audacia aveva sfidato la malignità e, se non vinta del tutto, l'aveva costretta a tacere e a far di cappello in pubblico; a spettegolare solo in privato, ed anche con una certa filosofica indulgenza. Perché la filosofia ha questo di buono: che alla fine dà sempre ragione a chi, comunque, riesca a imporsi.

Villa Salvo era situata in alto, aerea, e dominava il viale tagliato su la collina dal lato meridionale. Vi si saliva per ampie scalee, che superavano l'altezza con agevoli fughe. A ogni ripiano, su i pilastrini, eran quattro statue d'arcigna bruttezza, che certo non facevano buona accoglienza ai visitatori, né si congratulavano molto con essi della branca superata. Si godeva però di lassù la vista incantevole dell'intera campagna tutta a pianure e convalli e del mare lontano.

Prima di salire al piano superiore della villa, Nicoletta corse diviata allo studio del Salvo a pianterreno; ma si arrestò d'un tratto su la soglia, vedendo ch'egli non era solo.

– Avanti, avanti, – disse, inchinandosi, Flaminio Salvo, che stava in piedi davanti alla scrivania, a cui era seduto un giovine, intento a scrivere: Aurelio Costa.

– Domando scusa, se... – cominciò a dire Nicoletta, guardando il Costa che si levava da sedere.

– Ma non lo dica! – la interruppe il Salvo, lisciandosi le basette, con un sorriso freddo, a cui lo sguardo lento degli occhi sotto le grosse palpebre dava un'espressione di lieve ironia. – Venga avanti... stavo qui a chiacchierare col mio ingegnere.

Poi, notando l'impaccio di questo per la presenza della signora, aggiunse:

– Non vi conoscete?

– Veramente, di nome sì, – rispose con una certa disinvoltura Nicoletta. – Credo però non ci sia mai stata presentazione fra noi...

– Oh! e allora, – riprese il Salvo, – per la formalità: l'ingegnere Aurelio Costa, la signora Lellè Capolino-Spoto.

Aurelio Costa, con gli occhi bassi, senza scostarsi dalla scrivania, chinò lievemente il capo. Era ben messo, senz'ombra di ricercatezza, composto e altero nella maschia bellezza, cui l'insolito abito cittadino, di fresca fattura, faceva forse apparire un po' rude.

– Sarà pronta Adelaide? – domandò Nicoletta al Salvo dopo aver osservato il giovane e risposto con un lieve sorriso all'inchino sostenuto di lui.

– Ecco, un momento, – rispose il Salvo. – Segga, segga, donna Lellè. Io vado e torno. Credo che Adelaide sia pronta.

E s'avviò per uscire.

– Ma sarà meglio che venga sù anch'io! – gli gridò dietro Nicoletta.

– No, perché? – disse il Salvo, voltandosi su la soglia. – Viene giù subito Adelaide.

E uscì.

Nicoletta non volle sedere; girò un po', dimenandosi capricciosamente per l'ampia sala addobbata con sobria ricchezza. Aurelio, rimasto in piedi, non sapeva se dovesse, o no, rimettersi a sedere; temeva di commettere un atto indelicato; ma, d'altra parte, era urtato dal pensiero che, per il capriccio di colei, dovesse star lì come un servitore in attesa. E come una padrona veramente ella era lì: ma a qual prezzo? E dire che lui aveva sognato tant'anni di farla sua, quella donna! Era anche lui lì al servizio del Salvo, come lei, come Capolino, come tutti; ma se ella fosse stata sua moglie, il Salvo non avrebbe certamente osato neppur di pensare che avrebbe potuto servirsene per i suoi senili allettamenti. Là, tra due vecchi si trovava ella ora, con la sua florida bellezza voluttuosa, contaminata. Ne godeva? Ostentava di fronte a lui quella sfacciata padronanza? Godeva di quel lusso? degli onori che le si rendevano per l'onore perduto? Ma sì! Anche deputato sarebbe stato tra poco suo marito... E lei, moglie d'un deputato! Con lui, invece, che sarebbe stata, se pur fosse riuscita a vincere l'orrore – già, l'orrore! – d'unirsi a uno di così bassi natali? L'onestà, la gioventù, l'amore puro e santo? Ma valevan di più per lei le piume ondeggianti e il velo dell'ampio cappello!

Stanco e sdegnato, sedette.

– Oh bravo, sì, – esclamò allora Nicoletta, voltandosi a guardarlo. – Mi scusi tanto, se non gliel'ho detto... Distratta, pensavo...

Si appressò; venne a porsi innanzi alla scrivania, di fronte a lui, con una mossa repentina, risoluta e provocante della persona.

– Lei ora starà qui, ingegnere?

– Forse... Non so... – le rispose egli, guardandola a sua volta con fermezza. – Attendiamo per ora a tracciare un disegno... Se si attua...

– Rimarrà qui?

– Ci sarà bisogno d'un direttore...

Nicoletta rimase un po' a guardarlo, sopra pensiero; poi, rialzandosi lievemente con una mano i capelli su la fronte:

– Lei studiò a Parigi, è vero?

– Sì, – rispose lui, reciso, sentendo il profumo inebbriante che ella esalava dalla procacissima persona.

– Parigi! – esclamò Nicoletta Capolino, levando il mento e socchiudendo gli occhi. – Ci sono stata, nel mio viaggio di nozze... e dica un po', volendo, adesso, lei non potrebbe più ritornare ingegnere governativo?

Aurelio la guardò, stordito da questa subitanea diversione. Aggrottò le ciglia; rispose:

– Non so. Non credo. Ma non tenterei neppure. Ritornerei per mio conto in Sardegna. Sono qua per fare un piacere al signor Salvo. Non perderei nulla, andandomene.

– Oh lo so! – disse subito lei. – Coi suoi meriti... Volevo dir questo appunto! E il signor Salvo certamente non se lo lascerà scappare, se ha in mente, come lei dice, un disegno.

Strizzò un po' gli occhi, e portò un dito alle labbra, stette un po' assorta e riprese con altro tono di voce:

– Eppure io mi ricordo bene di lei, sa? di quando lei era qua, ancora studente... giovanottino... sì! me ne ricordo benissimo ora...

Aurelio fece un violento sforzo su se stesso per resistere al turbamento, all'urto che le parole di lei, dette con così calma improntitudine, gli cagionavano. Che voleva da lui quella donna? Perché gli parlava così?

Era veramente difficile a indovinare; e per Aurelio, anzi, impossibile. L'improvviso, inopinato incontro con lui; l'impressione che ne aveva ricevuta; i pensieri che coi feminei sguardi furtivi gli aveva letti in fronte dopo il suo irrompere con tanta libertà nello studio del Salvo, e poi durante quell'attesa; l'avvilimento segreto per la sua condizione, che in fondo non poteva non sentire davanti a quel giovine che un giorno l'aveva chiesta in moglie onestamente, per amore; il pensiero ch'egli ora sarebbe rimasto lì, nella casa del Salvo, e che Dianella lo amava in segreto, e che presto egli, con la vicinanza, avrebbe potuto accorgersene; e che tra poco dunque – ostinandosi Dianella fino a vincere l'opposizione del padre – lei avrebbe potuto soffrir l'onta d'assistere al fidanzamento di colui con la figlia del suo padrone, avevano messo in subbuglio l'anima di Nicoletta Capolino. Sarebbe toccato a lei, allora, di sorvegliare, di far la guardia ai fidanzati; e quel giovine là, che si mostrava ancor tanto mortificato del rifiuto ch'ella sdegnosamente aveva opposto alla domanda di lui; quel giovine là si sarebbe presa una tale rivincita su lei: sarebbe diventato domani suo padrone anche lui, marito di quella Diana, da cui ella si sentiva sprezzata e odiata. Ed era pur bello, e forte, e fiero! E ancora (se n'era accorta bene!), ancora sotto il fascino di lei, per quanto offeso e sdegnato... Perché poi Flaminio Salvo, che sapeva tutto, se n'era subito uscito e l'aveva lasciata lì, sola con lui?

Tornò a strizzar gli occhi, quasi per smorzare lo sfavillìo dei segreti pensieri; e aggiunse con un tono strano:

– Anche lei forse si ricorderà...

Aurelio, sconvolto, levò gli occhi a guardarla con un'espressione fosca e dura.

– Non me ne voglia male, – disse allora ella con triste dolcezza, piegando da un lato la testa. – Poiché lei rimarrà qui e noi avremo occasione di vederci spesso, cogliamo questa, intanto, per togliere con franchezza un'ombra tra noi, che ci aduggerebbe. Io passo per sventata; sarò tale, non nego; ma non posso soffrire le simulazioni, le dissimulazioni d'ogni sorta, per nessuna ragione, i pensieri coperti... Vogliamo essere buoni amici?

Gli tese, così dicendo, la bella mano inanellata; e, dopo la stretta, gliela lasciò ancora un poco per aggiungere:

– Tanto, creda, non glielo dico per civetteria, né per avere un complimento; lei ancora ha la sua bella libertà; nessuna perdita e nessun rimpianto. Buoni amici?

E, sentendo l'ànsito affannoso e il fruscìo della veste di seta di donna Adelaide Salvo, tornò a stringergli la mano in fretta, apposta, come per dar senso e sapore d'un patto segreto a quella conversazione.

– Alla fiera! alla fiera! – esclamò donna Adelaide, entrando con le mani per aria, accaldata, sbuffante. – Guarda, Lellè, guarda, ingegnere, figlio mio, come mi hanno parata! Oh, Maria Santissima, mi sembro io stessa una bella puledra stagionata, tutta infiocchettata, da condurre alla fiera... Ma con Flaminio non si può combattere, *picciotti* miei; bisogna fare: *Sù, bubbolino, salutami il re*; dir sempre di sì, dir sempre di sì. Ridete? ridete pure...

Ridevano, infatti, Nicoletta Capolino e Aurelio Costa, mentre donna Adelaide con le braccia aperte si girava intorno come una trottola; ridevano anche, irresistibilmente, per il piacere di sentire espressa con tanta disinvoltura e tanta comicità la loro segreta impressione, che essi si sarebbero guardati bene, non che d'esprimere, ma anche di riflettere, con quella crudezza, su la propria coscienza. Appunto questo voleva donna Adelaide. La quale sentiva il ridicolo di quelle nozze strane e tardive, e poneva le mani avanti per disarmar l'altrui malignità. Dotata di buon senso e d'un certo spirito, aveva stimato di poter senz'altro approfittare della sua privilegiata condizione e di quella dello sposo, che mascheravano con pompa sdegnosa quanto vi era d'illegale in quelle nozze. Ma vi si prestava senza entusiasmo, quasi per fare un piacere al fratello più che a se stessa. Sapeva però che il principe era un bellissimo e garbatissimo uomo. Ella, già anziana, dopo l'entrata di quella simpatica Nicoletta in casa, che aveva preso tanto impero su Flaminio (e giustamente, veh! bella figliuola, sacrificata, poverina, da quel cagliostro del marito!), ella s'era stancata della sua «terribile signorinaggine» come la chiamava, e aveva detto di sì:

– *Sù, bubbolino, salutami il re!*

Senza municipio; con la chiesa soltanto. Che glien'importava? Vecchia, non avrebbe fatto figli di certo. L'assoluzione del prete, per lei, bastava, per i parenti e gli amici bastava, e dunque avanti, alla fiera! allegramente! La musoneria, la musoneria non poteva soffrire, donna Adelaide. Era impensierita soltanto di questo: che le avevano detto che il principe aveva la barba lunga. Un uomo con la barba lunga doveva essere molto serio per forza, o averne per lo meno l'impostatura. Sperava di fargliela accorciare. Bella Madre Santissima, non ci avrebbe avuto pazienza, lei, a lisciar peli lunghi come fiumi! Più corta la barba, più corta... Chionza, popputa, quasi senza collo, non era tuttavia brutta, donna Adelaide; aveva anzi bello il viso, ma gli occhi troppo lucenti, d'una lucentezza cruda, quasi di smalto, e lucentissimi i denti che le si scoprivano tutti nelle sonore risate frequenti. Smaniava sempre, oppressa com'era e soffocata da quelle enormi poppe sotto il mento, «prepotenti escrescenze», com'ella le chiamava. E caldo, caldo, caldo; aveva sempre caldo, e voleva aria! aria! aria!

Non se l'aspettava, intanto, il vecchio cascinone di Valsanìa, nel desolato abbandono in cui da tanti anni viveva, tutti quei fronzoli e quei pennacchi, tutti quei paramenti sfarzosi che i tappezzieri gli appendevano dalla mattina. Pareva se li guardasse addosso, triste e un po' stupito, con gli occhi delle sue finestre. Oh! oh! gli avevano appeso anche un lungo festone di lauro, come una collana; un'altra collana, più sù, di mortella, sotto le gronde, con certi rosoni di carta che avevano spaventato i passeri del tetto. Povere care creaturine, a cui esso, buon vecchione ospitale, voleva tanto bene! Eccoli là, tutti scappati via, nascosti tra le foglie degli alberi attorno. E di là gli mandavano, sgomenti, certi acuti squittìi, che volevano dire:

«Oh Dio, che ti fanno, vecchione, che ti fanno?».

Mah! S'era da gran tempo addormentato, il vecchione, nella pace dei campi. Lontano dalla vita degli uomini e quasi abbandonato da essa, aveva da un pezzo cominciato a sentirsi, nel sogno, cosa della natura: le sue pietre, nel sogno, a risentire la montagna nativa da cui erano state cavate e intagliate; e l'umidore della terra profonda era salito e s'era diffuso nei muri, come la linfa nei rami degli alberi; e qua e là per le crepe erano spuntati ciuffi d'erba, e le tegole del tetto s'eran tutte vestite di musco. Il vecchio cascinone, dormendo, godeva di sentirsi così riprendere dalla terra, di sentire in sé la vita della montagna e delle piante, per cui ora intendeva meglio la voce dei venti, la voce del mare vicino, lo sfavillìo delle stelle lontane e la blanda carezza lunare. Che bel tappeto nuovo fiammante su la vecchia scala rustica, che aveva due stanghe verdi per ringhiera! che scorta di lauri e di bambù sù per i gradini e poi sul pianerottolo! e che drappi damascati ai davanzali delle finestre e al terrazzo di levante per nascondere la ringhiera arrugginita! che tappeto anche lì, su quel terrazzo, e sedie di giunco e tavolini e vasi di fiori... Ora vi rizzavano una tenda a padiglione. Il ricevimento e la presentazione degli sposi avrebbero avuto luogo lì, poiché non s'era potuta strappare a Mauro Mortara la chiave del *camerone*. Dall'alba egli era andato a rintanarsi, non si sapeva dove. Don Cosmo, in maniche di camicia, sbuffava e smaniava per la camera in disordine, mentre donna Sara Alàimo, ancora spettinata, cercava dentro un'arca antica di faggio, stretta e lunga come una bara, un abito decente, per farlo comparire nella solenne cerimonia. Spirava da quell'arca piena d'abiti vecchi un denso acutissimo odore di canfora.

– Mi tenga il coperchio, almeno, santo Dio! – gemeva soffocata, come da sotterra, la povera «casiera». Già due volte il coperchio le era caduto addosso, su le reni.

E don Cosmo:

– Gnornò! Siamo in campagna! Lasciatemi in pace!

– Ma si lasci servire... – seguitava a gemere dentro l'arca donna Sara. – Verrà monsignor vescovo... verrà la sposa... Vuol comparire in giacchetta? Mi lasci cercare... So che c'è!

– E io vi dico, invece, che non c'è più!

– Ma se l'ho vista io! C'è! C'è!

Cercava un'antica napoleona, che don Cosmo al tempo dei tempi aveva indossata una o due volte, e rimasta perciò nuova nuova, lì sepolta sotto la canfora, di foggia antica, sì, ma «abito di tono» almeno...

– Eccola qua! – gridò alla fine, trionfante, donna Sara, rizzandosi su le reni indolenzite.

E tira e tira e tira... oh, Dio, così lunga?... e tira...

Le si allentarono le braccia, a donna Sara. Era una tonaca, quella. La tonaca da seminarista di don Cosmo Laurentano. Finì di tirarla fuori tutta, mogia mogia, per ripiegarla a modo e riseppellirla coi debiti riguardi. Tentennò il capo; sospirò:

– Vero peccato! Chi sa che, invece di monsignor Montoro, non sarebbe lei a quest'ora vescovo di Girgenti...

– Starebbe fresca la diocesi! – borbottò don Cosmo. – Buttatela via, giù!

S'era turbato alla vista inaspettata di quella tonaca, spettro della sua antica fede giovanile. Vuota e nera come quella tonaca era rimasta di poi l'anima sua! Che angosce, che torture gli resuscitava... Con gli angoli della bocca in giù e gli occhi chiusi, don Cosmo s'immerse nelle memorie lontane e tuttavia dolenti della sua gioventù tormentata per anni dalla ragione in lotta con la fede. E la ragione aveva vinto la fede, ma per naufragare poi in quella nera, fredda e profonda disperazione.

– C'era o non c'era? – gli disse donna Sara alla fine, parandoglisi davanti con la napoleona su le braccia protese.

Don Cosmo fece appena in tempo a indossarla. Uno degli uomini di guardia (ne erano venuti otto, alla spicciolata, da Colimbètra, in gran tenuta) entrò di corsa ad annunziar l'arrivo di Monsignore. Don Cosmo tornò a sbuffare; volle alzar le braccia per esprimere il fastidio che gli recava quell'annunzio; ma non poté; la napoleona...

– Giusta! attillata! dipinta! – lo prevenne donna Sara.

– Dipinta un corno! – gridò don Cosmo. – Mi sega le ascelle, mi strozza!

E scappò via.

Sperava che arrivasse per ultimo il vescovo e che non toccasse a lui d'accoglierlo e di tenergli compagnia fino all'arrivo degli altri ospiti. Gli seccavano anche questi, gli seccava enormemente tutta quella pagliacciata pomposa; ma più di tutto e di tutti la vista di monsignor vescovo, di quell'alto rappresentante d'un mondo da cui egli s'era allontanato dopo tanto strazio, urtato specialmente dall'ipocrisia di tanti altri suoi compagni, i quali, pur assaliti in segreto dai suoi stessi dubbii, vi erano rimasti. E monsignor Montoro era appunto fra questi. Ora si faceva baciar la mano, colui, e aveva la cura suprema delle anime di un'intera diocesi. Le illusioni incoscienti, le finzioni spontanee e necessarie dell'anima, don Cosmo, sì, le scusava e le commiserava e compativa; ma le finzioni coscienti, no, segnatamente in quell'ufficio supremo, in quel ministero della vita e della morte.

– Oh bello! oh bene! – diceva intanto Monsignore, molle molle, smontato dalla vettura e guardando la campagna intorno, tra Dianella Salvo e il suo segretario, giovane prete, smilzo e pallidissimo, dagli occhi profondi e intelligenti. – Col mare vicino... oh bello!... oh bene!... e la valle... e la valle... e che...

S'interruppe, vedendo don Cosmo scender la scala della vecchia villa infronzolata.

– Oh eccolo! Caro mio don Cosmo...

– Monsignore riveritissimo, – disse questi, inchinandosi goffamente.

– Caro... Caro... – ripeté Monsignore, quasi abbracciandolo e battendogli una mano sulla spalla. – Da quanti mai anni non ci vediamo più... Vecchi... eh! vecchi... Tu... (ci daremo del tu, spero, come un tempo, noi due) tu devi avere, se non sbaglio, qualche annetto più di me...

– Forse... sì, – sospirò don Cosmo. – Ma chi li conta più, Montoro mio? So che n'ho molti dietro; pochi, davanti; e quelli mi pesano, e questi mi pajono enormemente lunghi... Non so altro.

Dianella Salvo, guardando don Cosmo, aveva atteggiato involontariamente il volto di riso nel vedergli addosso quell'antica napoleona che gli serrava le spalle e le braccia. Sorrideva sotto il naso anche il giovine e pallido prete; e gli otto uomini di guardia, postati e impalati a piè della scala, miravano il fratello del principe loro padrone, a quel solenne ricevimento, tra afflitti e mortificati. Donna Sara Alàimo s'era accomodati alla bell'e meglio i capelli sotto la cuffia ed era scesa a baciar la mano al vescovo, piegando un ginocchio fino a terra; erano scese con lei le due cameriere insieme col cuoco e il servitore, e s'era accostata anche la moglie del *curàtolo* Vanni di Ninfa coi tre marmocchi sbracati, dalle zampe a roncolo. Monsignore tendeva la mano al bacio e sorrideva a tutti, chinando il capo. Poi presentò il segretario a don Cosmo, e, salendo la scala della villa, parlò della visita che aveva fatto testé, di passata, alla chiesuola della Seta, e della festa che gli avevano fatta tutti gli abitanti di quel casale.

– Che buona gente... che buona gente...

E domandò a Dianella e a donna Sara se la domenica andavano a messa lì, a quella chiesuola.

– So che ci viene apposta un sacerdote da Porto Empedocle, e che quei buoni borghigiani raccolgono l'obolo dai viandanti tutta la settimana, per lo stradone...

Entrando nella villa si rivolse a Dianella e le domandò:

– La mamma?

Dianella gli rispose con un gesto sconsolato delle braccia, impallidendo e guardandolo negli occhi amaramente.

– Che pena! – sospirò Monsignore, andando a sedere nel terrazzo già addobbato. – Ma calma, eh, almeno è calma?

– Non si sente! – esclamò donna Sara.

– E seguita a pregare, è vero? – aggiunse il vescovo.

– Sempre, – rispose Dianella.

– Consolante per voi, – osservò Monsignore, tentennando lievemente il capo, con gli occhi globulenti socchiusi, – che nel bujo della mente, soltanto il lume della fede le sia rimasto acceso... Divina misericordia...

– Perdere la ragione! – mormorò don Cosmo.

Monsignore si voltò a guardarlo, piccato. Ma don Cosmo, assorto, non lo vide: pensava per conto suo.

– Dico serbar la fede, pur avendo perduto la ragione, – spiegò Monsignore.

– Sì, sì! – sospirò don Cosmo, riscotendosi. – Ma difficile è il contrario, Monsignore mio!

– Credo che non sia prudente, è vero, farmi vedere da lei? – domandò il vescovo, rivolgendosi a Dianella, come se non avesse inteso le parole di don Cosmo. – Lasciamola, lasciamola tranquilla... Con te, – soggiunse poi, piano e con un benevolo sorriso a don Cosmo, – vorrei pur riprendere le fervide discussioni nostre d'un tempo, ma non ora e non qui... Se tu volessi venire a trovarmi...

– Discutere? Stolido perfetto! – esclamò don Cosmo. – Sono diventato stolido perfetto, caro Montoro mio... Non connetto più! Se uno mi dice che due e due fanno sei e un altro mi dice che fanno tre...

– Ecco il principe! – lo interruppe donna Sara, che guardava verso il viale dalla ringhiera del terrazzo.

Monsignore si alzò con Dianella e don Cosmo per vederlo arrivare. Questi accorse, per abbracciarlo appena smontato dalla vettura. Cavalcavano ai due lati capitan Sciaralla e un altro graduato, anch'essi in alta tenuta. Il rosso acceso dei calzoni spiccava gajamente tra il verde degli alberi e sotto l'azzurro del cielo. La vettura era chiusa. Il segretario Lisi Prèola sedeva dirimpetto al principe.

Donna Sara si ritrasse dal terrazzo, ove rimasero soltanto Monsignore, Dianella Salvo e il segretario ad assistere dalla ringhiera all'abbraccio che i due fratelli si sarebbero scambiato.

Don Ippolito Laurentano smontò dalla vettura con giovanile agilità. Vestiva da mattina e aveva in capo un cappello avana dalle ampie tese. Baciò il fratello e subito si trasse indietro a osservarlo.

– Cosmo, e come ti sei conciato? – gli domandò sorridendo. – Ma no! ma no! Vai subito a levarti codesto monumento dalle spalle...

Don Cosmo si guardò addosso la napoleona, di cui non si ricordava più, quantunque se ne sentisse segar le ascelle.

– Sì, difatti, – disse, – sento un certo odore...

– Odore? Ma tu appesti, caro! – esclamò don Ippolito. – Senti di canfora lontano un miglio!

E sorrise a Monsignore e si levò il cappello per salutare Dianella Salvo nel terrazzo; poi s'avviò per la scala.

– Vi do la consolante notizia che siete molto più stolida di me! ma molto! molto! – diceva poco dopo don Cosmo alla «casiera» avvilita e stizzita, punto persuasa che quell'«abito di tono» fosse fuor di luogo in un avvenimento come quello, con la presenza d'un monsignore. – E mi avete fatto girar la testa, – incalzava don Cosmo, – e mi avete ubriacato con tutta la vostra canfora... Tirate, giù! tirate subito... Non mi posso scorticare da me! Datemi la mia solita giacca, adesso.

Quando ricomparve sul terrazzo, don Ippolito levò le braccia.

– Ah, sia lodato Dio! così va bene!

Monsignore e Dianella ridevano.

– Pensate di donna Sara! che vuoi farci? – sospirò don Cosmo, alzando le spalle. – Vi assicuro che è molto più stolida di me.

– Questo poi! – disse il principe, ridendo. – E di' un po', Mauro dov'è? non si fa vedere?

– Uhm! – fece don Cosmo. – Sparito! Non ne ho più nuova da tanti giorni, da che abbiamo l'onore...

– Io so dov'è, – disse Dianella, inchinando graziosamente il capo al complimento di don Cosmo, che volle interrompere. – Sotto un carubo giù nel vallone... Ma, per carità, non deve saperlo nessuno! Noi abbiamo fatto amicizia...

– Ah sì? – domandò don Ippolito, ammirando con occhi ridenti la gentilezza e la grazia della fanciulla. – Con quell'orso?

– È un gran pazzo! – sentenziò gravemente don Cosmo.

– No, perché? – fece Dianella.

– E guardi poi chi lo dice, Monsignore! – esclamò il principe. – Non so che pagherei per assistere, non visto, alle scene che debbono avvenire qua fra tutti e due, quando sono soli.

Don Cosmo approvò col capo ed emise il suo solito riso di tre *oh! oh! oh!*

– Dev'essere uno spasso! – aggiunse don Ippolito.

Dianella guardava con piacere e indefinibile soddisfazione quel vecchio, a cui la virile bellezza, la composta vigoria, la sicura padronanza di sé davano una nobiltà così altera e così serena a un tempo; indovinava il tratto squisito che doveva avere senza il minimo studio e però senz'ombra d'affettazione, e soffriva nel porgli accanto col pensiero sua zia Adelaide di così diversa, anzi opposta natura: scoppiante e sempliciona. Che impressione ne avrebbe ricevuta tra poco?

Si mossero tutti dal terrazzo e tutti, tranne Monsignore e il suo segretario che rimasero sul pianerottolo innanzi alla porta, scesero a piè della scala, quando i sonaglioli d'argento annunziarono per il viale la vettura di Flaminio Salvo. Don Ippolito si fece avanti per ajutar le signore a smontare, e sorprese la sposa nell'atto di sbuffare un *Eccoci qua!* con le braccia protese verso il cielo della carrozza, come per spicciarsele. Finse di non accorgersi di quell'atto sguajato, facendo più profondo l'inchino, poi le baciò la mano; la baciò a donna Nicoletta Capolino, e strinse vigorosamente quella di Flaminio Salvo, mentre le due signore abbracciavano festosamente Dianella, e don Cosmo restava impacciato, non sapendo se e come farsi avanti. Capitan Sciaralla su la giumenta bianca pareva una statua, a piè della scala, innanzi al plotone su l'attenti.

– Ah, i militari! lasciatemi vedere i militari! – esclamò donna Adelaide, accorrendo come una papera, senza accorgersi che dall'alto della scala, tra i cassoni di lauro e di bambù, monsignor Montoro col volto atteggiato di benevolo condiscendente sorriso per la terza volta si inchinava invano.

Dianella, scorgendo alla fine l'imbarazzo di don Cosmo, troncò le espansioni d'affetto di Nicoletta Capolino, e trattenne la zia per indicargli e presentargli il futuro cognato.

– Ah già, – fece donna Adelaide, ridendo e stringendogli forte la mano. – Tanto piacere! Il romito di Valsanìa, è vero? Piacerone! E come l'hanno parata bella la villa! Uh, guarda! guarda! ma c'è già Monsignore... E nessuno me lo diceva!

S'avviò in fretta per la scala; subito il principe accorse per offrirle il braccio; don Cosmo lo offrì a donna Nicoletta, e Dianella seguì col padre.

– Vestiti proprio bene codesti militari! – disse donna Adelaide al principe, tirandosi sù davanti con la mano libera la veste, per non incespicar nella salita.
– Graziosi davvero! pajono pupi di zucchero!

Poi, prima d'arrivare al pianerottolo in cima alla scala:

– Monsignore eccellentissimo! Credevo che Vostra Eccellenza dovesse arrivare col comodo suo ed eccola qua invece... puntuale!

Il vescovo sorrise, tese la mano perché donna Adelaide baciasse l'anello, e le
disse:

– Per aver la gioja di vedervi così, a braccio del principe, e darvi la benve-
nuta, donna Adelaide, nelle case dei Laurentano.

– Ma che degnazione, grazie, grazie, proprio gentile, Vostra Eccellenza! – rispose donna Adelaide entrando nella villa a un invito del principe.

Entrò Monsignore e poi donna Nicoletta e poi Dianella e il Salvo e il segretario del vescovo e anche don Cosmo: il principe volle entrare per ultimo.
Quando si fece nel terrazzo, sorprese i dolci occhi di Dianella che lo aspettavano, indagatori. Istintivamente rispose a quello sguardo con un lievissimo
sorriso.

– Bell'uomo, no? – disse piano a Dianella Nicoletta Capolino. – Non ci sarà
punto bisogno d'accorciargli la barba, come dice Adelaide.

– Accorciargli la barba? – domandò Dianella.

– Sì, – riprese l'altra. – Ci ha fatto tanto ridere in carrozza, con la paura della
barba lunga del principe!

– Che avete da dire voi due là? – saltò a domandare a questo punto donna
Adelaide. – Ridete di noi? Ridono di me e di voi, caro principe. Ragazzacce!
Ma non c'è da fare: siamo qua per questo; oggi è la nostra giornata... Come
alla fiera! Flaminio, figlio mio, non mi mangiare con gli occhi. Fammi coraggio, piuttosto! Io ti dico di sì, sempre di sì... Ma lasciami stare allegra! Dico
sciocchezze, perché sono commossa... Andiamo, Nicoletta! Con licenza vostra,
principe, vado a salutare la mia povera cognata.

E andò, seguita dalla nipote e da Nicoletta.

Subito il Salvo, per rimediare all'impressione sgradevole di quella scappata
della sorella nell'animo del principe, spiegò con aria misteriosa che la signora
Capolino ignorava affatto che il marito forse in quel momento stesso si batteva e che lo credeva invece a Siculiana per il giro elettorale.

– Preghiamo Iddio che avvenga bene! – sospirò Monsignore, afflittissimo,
levando gli occhi al cielo.

– Oh, non c'è da dubitarne! – sorrise il Salvo. – Un avversario ridicolo, che
le ha prese da tutti, sempre: corto, grassoccio e miope forte. Il nostro Capolino,
invece...

– Ho visto da lontano, per lo stradone, appena uscito dalla villa, – disse don
Ippolito, – le due carrozze che venivano a Colimbètra.

– Eh già, – soggiunse il Salvo, – a quest'ora, certamente...

E s'interruppe. Tacquero tutti per un istante, sopraffatti senza volerlo dalla
costernazione, e volarono col pensiero alla villa lontana, dove in quel momento avveniva lo scontro. Lì era una ben diversa realtà: due uomini a fronte,
due sciabole nude, guizzanti nell'aria; qua, in mezzo al silenzio della campagna, gli addobbi sfarzosi, improvvisati per una festa, che ora, stranamente, appariva a tutti quasi fuor di luogo. C'era veramente, fin dall'arrivo, in fondo a
gli animi una certa freddezza impicciosa, che tanto il principe quanto il Salvo
cercavano di dissimulare alla meglio. Tale freddezza proveniva dalla risposta
di Landino, finalmente arrivata, alla lettera del padre: solite congratulazioni,
soliti augurii, espressioni ricercate di compiacimento per la buona e affettuosa
compagnia che il padre avrebbe avuto; ma nessun accenno alla sua venuta per
assistere alle nozze. Don Ippolito, partendo da Colimbètra, aveva divisato di
mandare a Roma Mauro Mortara, perché facesse intendere a Landino quanto

dispiacere gli cagionasse la sua condotta, e lo inducesse a ritornare con sé in Sicilia. Sapeva che Landino fin dalla prima infanzia nutriva un affetto tenerissimo e profondo per il vecchio Mauro e una viva ammirazione per il carattere di lui, per la fedeltà fanatica alla memoria e alle idee del nonno, per l'atteggiamento quasi sdegnoso che aveva assunto fin da principio e manteneva tuttora di fronte al padre, cioè di fronte a lui don Ippolito, che pure era il suo padrone. Nessun ambasciatore forse sarebbe stato più efficace di lui. Perché quel vecchio selvaggio era come radicato nel cuore della famiglia. Volle approfittare di quel momento che le due signore s'erano assentate, per uscire sul pianerottolo della scala a ordinare a Sciaralla di mandar giù nel burrone Vanni di Ninfa in cerca di Mauro, a cui voleva parlare. Quando ritornò sul terrazzo, vi ritrovò donna Adelaide, donna Nicoletta e Dianella. Le prime due s'erano tolti i cappelli. Donna Adelaide aveva gli occhi rossi di pianto e Dianella era più pallida e più fosco il Salvo.

– Io non v'ho chiesto, don Flaminio, – disse il principe, afflitto, – d'essere presentato alla vostra signora, perché so purtroppo...

– Oh, grazie, grazie, – lo interruppe il Salvo, stringendosi nel suo cordoglio e scrollando lievemente il capo, con gli occhi socchiusi, come per dire: «Tanto... è come se non ci fosse!».

Donna Adelaide s'era accostata alla ringhiera del terrazzo e, con le spalle voltate, s'asciugava gli occhi, si soffiava forte il naso, dicendo a Nicoletta Capolino che la esortava a calmarsi:

– Sono un'asinaccia, lo so! Ma che ci posso fare? Quando la vedo.... quando le vedo quegli occhi... mi fa una pena! una pena!

A un tratto, facendo uno sforzo, alzò le braccia, si provò a sollevare e a scuotere il capo, come soffocata, sbuffò:

– Uff, e basta ora! – e si voltò sorridente.

Vennero nel terrazzo due camerieri in livrea con vassoj pieni di tazze e di paste. Dopo la colazione, monsignor Montoro prese la parola per dichiarare con un forbito sermoncino (che pur voleva aver l'aria d'essere improvvisato lì per lì, alla buona) la promessa formale delle prossime nozze, ed esaltò naturalmente i bei tempi, in cui alla società degli uomini bastava d'intendersi solamente con Dio per il vincolo matrimoniale, che soltanto la religione può render sacro e nobile, laddove la legge umana e così detta civile lo avvilisce e quasi lo abietta... Tutti ascoltavano a occhi bassi, religiosamente, le parole dipinte del vescovo. Solo don Cosmo teneva le ciglia aggrottate e gli occhi serrati, come se in qualcuna di quelle parole volesse trovar l'appiglio per una discussione filosofica. Don Ippolito, nel vederlo in quell'atteggiamento, se ne impensierì sul serio. Flaminio Salvo, dal canto suo, con quella lettera da Roma attraverso all'anima, pensava che eran belle e buone, sì, quelle considerazioni del vescovo, ma che intanto il signor figlio del principe faceva orecchie da mercante, e che non si stava ai patti, e che la sorella senz'alcuna garanzia si lasciava andare a quella prima compromissione. Per donna Adelaide quell'orazioncina era come una funzione sacra, quasi come sentir messa: una formalità, insomma. Tutta una commedia, invece, non molto divertente in quel punto era per Nicoletta Capolino, e nauseosa per Dianella che guardava costei e chiaramente le leggeva in fronte ciò che pensava.

S'era levata una brezzolina dal mare, e la tenda a padiglione si gonfiava a tratti come un pallone, e un lembo del drappo damascato sbatteva insolentemente contro le bacchette della ringhiera nascosta. Questo battìo distrasse alla fine l'attenzione non molto intensa che donna Adelaide prestava all'orazioncina oramai troppo lunga e, come una nuvola portata dal vento offuscò a un tratto il sole, ella si chinò alquanto a sbirciare il cielo di sotto la tenda e non poté tenersi dal mormorare:

– Purché non piova...

Queste tre parole, appena mormorate, ebbero un effetto disastroso, come se tutti irresistibilmente (tranne Monsignore, s'intende) scoprissero una relazione immediata tra la minaccia della pioggia e quel ponderoso e interminabile sermone. Don Cosmo sbarrò gli occhi, stralunato; donna Nicoletta non poté frenare uno scatto di riso; don Flaminio si acciglò; Monsignore s'interruppe, si smarrì, disse:

– Speriamo di no, – e subito soggiunse: – Conchiudo.

Conchiuse, naturalmente, con augurii e rallegramenti, e tutti si levarono con molto sollievo. Donna Adelaide, sentendosi proprio soffocare sotto quel parato a padiglione, propose di scendere a passeggiare per il viale. Il principe tornò a offrirle il braccio, Nicoletta scese con Dianella, e Monsignore, il Salvo, don Cosmo e il segretario tennero dietro.

Don Ippolito Laurentano si sentiva la lingua inaridita e legata, per la lotta crudele dentro di lui tra il sentimento cavalleresco che lo spingeva a mostrarsi premuroso e galante con la dama, e il disinganno e la repulsione invincibile che i modi di lei, il tratto, i gesti, la voce, il riso gli avevano subito ispirato; tra il bisogno istintivo, prepotente, irresistibile di liberarsene al più presto, mandando a monte senz'altro quel disegno che ora, in atto, gli appariva così intollerabilmente minore dell'idea che se n'era formata, e il pensiero della difficoltà dopo quella prima compromissione, e il puntiglio inoltre, segreto e acerbo, contro il figlio lontano, a cui gli pareva di darla vinta, dopo che s'era abbassato fin quasi a chiedergli il permesso di quelle nozze. Gli bolliva dentro, infine, acerrima, la stizza contro Monsignore che così ingannevolmente gli aveva dipinto la sposa: – *briosetta, gran cuore, indole aperta, sincera, vivace, remissiva...* – Che dirle intanto? da che rifarsi a parlarle? Per fortuna sopravvenne capitan Sciaralla ad annunziargli, su l'attenti, che il Mortara era venuto sù dal «vallone».

– E dov'è? – domandò il principe aspramente. – Digli che venga qua.

– Mauro? – domandò don Cosmo. – Eh no, lascialo stare, poveretto... Sai com'è...

– Ah, quello che chiamano il *monaco*? – esclamò donna Adelaide. – Andiamo a vederlo, andiamo subito, principe, per favore!

– No, zia! – pregò Dianella, che si pentiva d'avere indicato il nascondiglio... – Lo faremo soffrire...

– Ma è proprio così orso? – disse, stupita, donna Adelaide.

– Orsissimo! – confermò don Cosmo.

– Figuratevi, – soggiunse Flaminio Salvo, – che, dopo tanti giorni, non ho potuto ancora vederlo.

E Nicoletta domandò:

– È vero che ha una pelle di capro in testa e va armato fino ai denti?

– Andiamo noi due soli, principe! – propose di nuovo donna Adelaide. – Vorrei proprio vederlo... non so resistere, andiamo!

Mauro se ne stava davanti alla porta della sua camera a terreno, e guardava torvo la vigna e il mare. Vedendo il principe con una signora, s'infoscò vieppiù, ma, come don Ippolito lo chiamò amorevolmente, s'accostò e si curvò a baciarlo sul petto. Il bacio fu seguìto da una specie di singulto.

– Vecchio mio, – disse don Ippolito, intenerito da quel bacio sul cuore, – sai chi è questa signora?

– Me lo figuro; e Dio vi faccia contento! – rispose Mauro, guardando serio donna Adelaide che lo mirava con gli occhi lucenti, sbarrati, e la bocca ridente.

– Vorrei far contento anche te, – riprese il principe. – Vuoi andare a Roma?

– A Roma? io? – esclamò Mauro, stordito. – A Roma? E me lo domandate? Chi sa quante volte ci sarei andato a piedi, pellegrino, se le mie gambe...

– Bene, – lo interruppe il principe, – ci andrai col vapore e con la ferrovia.

Ho da darti un incarico per Lando. Vieni domani a Colimbètra... cioè, domani no... lasciami pensare! Manderò io a chiamarti in settimana. Devo parlarti a lungo.

– E poi... presto a Roma? – domandò, titubante, Mauro.

– Prestissimo!

– Perché sono vecchio, – soggiunse Mauro. – Su la forca dei due 7... e morire senza veder Roma è stata sempre la spina mia!

– Ma ci andrete vestito così, a Roma? – gli domandò donna Adelaide.

– Nossignora, – le rispose Mauro. – Ci ho l'abito buono, di panno, e un bel cappello nero, come codesto del vostro sposo.

– E codesta berretta lanosa, – tornò a domandargli donna Adelaide, – come potete sopportarla? Oh Dio, io soffro soltanto a vederla!

– Questa berretta... – cominciò a dir Mauro; ma un grido improvviso, dall'altra parte della cascina, lo interruppe.

Sopraggiunse, sconvolto, con passo concitato, Flaminio Salvo.

– Don Ippolito, venite! venite!... Il nostro Capolino...

– Che è stato? – gridò donna Adelaide.

– Ferito? – domandò il principe.

– Sì, pare gravemente... – rispose il Salvo. – Venite!

– Ma chi l'ha detto?

– È venuto di corsa uno dei vostri uomini da Colimbètra... L'hanno portato sù da voi ferito al petto... non so ancora se di sciabola o di pistola... E la povera signora Nicoletta che è qua con noi!

Quando salirono alla villa, Nicoletta si dibatteva tra Monsignore e Dianella, gemendo di continuo:

– Il cuore me lo diceva! il cuore mi parlava! Il mio cappello... il mio cappello... Presto, la vettura... Infami, assassini... O Gnazio mio!

– La vettura è pronta! – venne ad annunziare capitan Sciaralla.

Nicoletta si lanciò senza salutar nessuno.

– Voi, principe? – disse il Salvo.

– Debbo andare anch'io? – domandò don Ippolito.

E il Salvo:

– Sarebbe meglio. Tu, Adelaide, questa sera rimarrai qua. Andiamo. Andiamo.

La vettura con Nicoletta, il principe e il Salvo partì di galoppo.

– Oh bella Madre Santissima, che jettatura! – rimase a esclamare sul pianerottolo della scala donna Adelaide, battendo le mani. – Ma che c'entrava proprio oggi il duello, che c'entrava? Son cose giuste? Lasci star Dio, Monsignore! Mi faccia il piacere! Che ci prega?... Mi scusi Vostra Eccellenza, ma sono parti, queste, da fare a una povera donna come me?

VIII.

Nella casa di donna Caterina Auriti Laurentano, il giorno delle elezioni, erano raccolti intorno a Roberto i pochi amici rimasti fedeli, riveduti in quei giorni, mutati come lui dal tempo e dalle vicende della vita. Per un momento, negli occhi di ciascuno, abbracciando l'amico, era guizzato lo sguardo della gioventù, di quei giorni lontani, ignari di ciò che la sorte riservava; e, subito dopo, fra un lieve tentennìo del capo, quegli occhi s'eran velati di commozione mentre le labbra si schiudevano a uno squallido sorriso. «Chi ci avrebbe detto», esprimevano quello sguardo velato e quel sorriso, «chi ci avrebbe detto allora, che un giorno ci saremmo ritrovati così? che tante cose avremmo perdute, che erano tutta la nostra vita allora, e che ci sarebbe parso impossibile perdere? Eppure le abbiamo perdute; e la vita ci è rimasta così: questa!» Più penosa ancora era la vista di qualcuno che non s'era accorto, o fingeva di non accorgersi tuttavia delle sue perdite, e lo mostrava nella cura della propria persona rinvecchignita, da cui spiravano, compassionevolmente affievolite, le arie e le maniere d'un'altra età. Ciascuno s'era adattato alla meglio alla propria sorte, s'era fatto un covo, uno stato. Sebastiano Ceràulo, avvocato di scarsi studii, fervido improvvisatore di poesie patriottiche negli anni della Rivoluzione, giovine allora animoso, impetuoso, con una selva di capelli scarmigliati, era entrato per favore come segretario negli ufficii della Provincia, e si raffilava ora sul cranio con miserevole studio i quattro lunghi peli incerottati che gli erano rimasti; s'era ingrassato enormemente; aveva preso moglie; ne aveva avuto cinque figliole, ora tutte smaniose di trovar marito. Un altro, Marco Sala, condannato a morte dal governo borbonico, e pur non di meno tante volte dall'esilio venuto in Sicilia travestito da frate per diffondervi segretamente i proclami del Mazzini, s'era dato prima al commercio dello zolfo; aveva avuto fortuna per alcuni anni; poi un tracollo; e per parecchio tempo aveva mantenuto col giuoco la famiglia; alla fine aveva avuto il posto di magazziniere dei tabacchi. Rosario Trigóna, che nella giornata del 15 maggio del 1860, a Girgenti, mentre Garibaldi combatteva a Calatafimi, era uscito solo, pazzescamente, con altri quattro compagni, la bandiera tricolore in una mano e uno sciabolone nell'altra, incontro ai tre mila uomini del presidio borbonico, e che, inseguito, tempestato di fucilate, era scampato per miracolo e aveva raggiunto a piedi Garibaldi vittorioso, correndo di giorno e di notte e sfuggendo all'esercito regio che s'internava nella Sicilia in cerca del Filibustiere, il quale era intanto a Gibilrossa sopra Palermo; Rosario Trigóna, disfatto adesso dalla nefrite, gonfio, calvo, sdentato e quasi cieco, sovraccarico anch'esso di famiglia, vivucchiava miseramente col magro stipendio di vice-segretario alla Camera di Commercio. E Mattia Gangi, che aveva buttato la tonaca alle ortiche per prender parte alla Rivoluzione, ora, asmatico, rabbioso, con la barba, i capelli e le foltissime sopracciglia ritinti d'un color rosso di carota, insegnava nel ginnasio inferiore *alauda est laeta*, e «lieta un corno!», soggiungeva ai ragazzi con tanto d'occhi sbarrati: «ma che lieta! non ci credete, canta perché ha fame, canta per chiamare! lieta un corno!». Contrastava con questi Filippo Noto, alto, magro, appassito, ma ancora biondiccio e azzimato. Prima del '60 s'era battuto in duello con un ufficialetto borbonico per motivo di donne ed era stato perseguitato; quell'avventura amorosa era divenuta per lui un precedente patriottico; ma s'impacciava poco di politica: studiando molto, era riuscito a tenersi a galla, a rinnovarsi coi tempi, pur rimanendo *malva*, conservatore; passava per uno degli avvocati più dotti del foro siciliano, ed era spesso chiamato a difendere le più importanti cause civili anche a Palermo, a Messina, a Catania.

Questi cinque amici e il canonico Agrò si sforzavano di tener desta la conversazione, parlando di cose aliene, di avvenimenti lontani, ricordando aneddoti che promovevano qualche riso stentato; tanto per impedire che col silenzio il peso della sconfitta, quantunque prevista, gravasse maggiormente su gli animi oppressi. Ma veramente, a poco a poco, dopo la prima scossa nel riveder l'amico e ora per la commozione crescente nel rievocare gli antichi ricordi della gioventù, cominciava a scomporsi in loro la coscienza presente, e con una specie di turbamento segreto che li inteneriva avvertivano in sé la sopravvivenza di loro stessi quali erano stati tanti e tanti anni addietro, con quegli stessi pensieri e sentimenti che già da un lungo oblìo credevano oscurati, cancellati, spenti. Si dimostrava vivo in quel momento in ciascuno di loro un altro essere insospettato, quello che ognun d'essi era stato trent'anni fa, tal quale; ma così vivo, così presente che, nel guardarsi, provavano una strana impressione, triste e ridicola insieme, dei loro aspetti cangiati, che quasi quasi a loro medesimi non sembravano veri. Di tratto in tratto, però, entrava nel salotto Antonio Del Re, che li vedeva vecchi com'erano, e che, stando un pezzo a

udire i loro discorsi, provava una tristezza indefinita, la tristezza che si prova
nel veder nei vecchi, che per un tratto si dimenticano d'esser tali, ancora verdi
certe passioni che hanno radici in un terreno oltrepassato, che noi ignoriamo.

– Ci eravamo trattenuti a San Gerlando, – raccontava Marco Sala, – a giocare fin quasi a mezzanotte in casa di Giacinto Lumìa, buon'anima.

– Povero Giacinto! – sospirò il Trigóna, scrollando il capo.

– C'era con noi Vincenzo Guarnotta di Siculiana, – seguitò il Sala.

– Ah, Vincenzo! – disse Roberto Auriti. – Che ne è?

– Morto, – rispose il Sala.

– Anche lui?

– Eh, sarà nove o dieci anni!

Con quel suo sorriso perenne, più degli occhi che della bocca... occhi chiari,
di mare, col nudo faccione di terracotta... «Ah! sti cazzi! chi mi pigli pi fissa?»
– scomparso anche lui.

– Era venuto a Girgenti per affari, e alloggiava, come usava allora che non
c'erano alberghi, nel convento di Sant'Anna. Adesso, neanche il convento c'è
più! Nottata da lupi: vento, lampi, tuoni e acqua, acqua che il tetto pareva ne
dovesse subissare. Tanto che Giacinto Lumìa alla fine propose a tutti di rimanere a dormire in casa sua. Ci saremmo accomodati alla meglio. Gli altri, sca-
poli, e il Guarnotta, forestiere, accettarono l'invito; io, non ostanti le preghiere
insistenti, volli andarmene per non tenere in pensiero mia madre, sant'anima,
e mia moglie. Prima d'andarmene, il Guarnotta, sapendo che per arrivare a
casa dovevo passare per lo stretto di Sant'Anna, mi pregò di bussare alla porta
del convento per avvertire il frate portinajo ch'egli quella notte avrebbe dormito fuori. Glielo promisi e andai. Vi assicuro che, appena su la via, mi pentii
di non avere accettato l'ospitalità del Lumìa. Che vento! portava via! frustava
la pioggia, densa come piombo; e freddo e bujo, un bujo che s'affettava, dopo
gli sprazzi paurosi dei lampi. Tuttavia, passando per lo stretto di Sant'Anna,
mi ricordai di quel che m'aveva detto il Guarnotta e mi fermai a picchiare alla
porta del convento. Picchia e ripicchia: niente! non mi sentiva nessuno! per
miracolo non buttai la porta a terra. Stavo per andarmene, su le furie, quando
sentii schiudere una finestra ferrata in alto; e un vocione: «Chi è là?». «Sala»,
dico, «Marco Sala!» «Va bene!», risponde allora il vocione di lassù; e subito
dopo sento sbattere di nuovo e sprangare la finestra. Restai come un allocco.
Non mi avevano dato il tempo di parlare, e andava bene? Mi scrollai dalla
rabbia, pensando che per far piacere al Guarnotta che se ne stava al coperto,
io, col rischio di prendere un malanno, per giunta ero passato forse per matto
o per ubriaco. Chi poteva girare a quell'ora, con quel tempo? Fatti pochi
passi, sento per lo Stretto un rintocco di campana, – don – lento, che mi fece
sobbalzare; e il vento propagò il suono, lugubremente, nella notte; poi, di
nuovo, don, don, altri rintocchi; saranno stati quindici; non ci badai più. Arrivato a casa, mi strappai gli abiti, che mi s'erano incollati addosso; mi asciugai
ben bene; mi cacciai a letto, e buona notte. La mattina dopo, m'alzo presto,
com'è mia abitudine, vado per aprire la porta, e indovinate chi mi trovo davanti? I portantini col cataletto. Appena mi vedono, levano le braccia, dànno
un balzo indietro; rimangono basiti: «Don Marco! Ma come? Voscenza non è
morto?». «Figliacci di cane!», grido io levando il bastone. E quelli: «Sissignore... A Sant'Anna, stanotte, sono venuti ad avvertire che Voscenza era
morto!». Quella campana, capite? aveva sonato a morto per me. Ed ero andato
io stesso ad annunziare la mia morte.

Benché la storiella non fosse allegra, le ultime parole del Sala furono accolte
dalle risa degli amici.

– Ridete? – diss'egli. – Eppure chi sa se non sono morto davvero, io, allora,
cari miei! Ma sì! Posso dire che quella fu l'ultima nottata allegra della mia
gioventù! Forse, ripensandoci, l'impressione di quei rintocchi m's'è fissata,

mal augurosa; ma mi sembra che proprio da allora la vita mi si sia chiusa tra un diluvio di guaj, sia divenuta per me come era lo stretto di Sant'Anna in quella notte da lupi, e che quei *don don* della campana a morto mi abbiano seguito per tutto il cammino...

Rientrò, in quel punto, Antonio Del Re con un nuovo telegramma. Ne erano già arrivati parecchi dalle varie sezioni elettorali del collegio. Il canonico Agrò lo aprì, lo lesse con gli occhi soltanto e lo buttò in un canto, su la sedia presso al canapè. Né Roberto né gli altri si curarono di sapere da che sezione venisse, che esito recasse. Il gesto e il silenzio dell'Agrò avevano reso inutile ogni domanda. La sconfitta del momento, che toccava all'Auriti, rendeva più evidente quella, ben più grave e irrimediabile, che a ciascuno era toccata dal tempo e dalla vita. E questa sconfitta pareva avesse la propria immagine scolpita in donna Caterina Auriti Laurentano, taciturna e scura. Di tratto in tratto gli amici e Roberto le volgevano uno sguardo fuggevole, come a uno spettro del tempo, di cui essi erano i superstiti vani. Altre voci erano nel nuovo tempo, che non trovavano eco negli animi loro; altri pensieri che non entravano nelle loro menti; altre energie, altri ideali, innanzi a cui i loro animi si chiudevano ostili. E la prova era patente e cruda in quel mucchio di telegrammi su la sedia. Era sorta improvvisamente, negli ultimi giorni, ma certo preparata in segreto da lunga mano, la candidatura d'un tale Zappalà di Grotte, perito minerario: candidatura esplicitamente dichiarata come di protesta e d'affermazione dei lavoratori delle zolfare e delle campagne della provincia, già raccolti in fasci. Roberto Auriti era passato in terza linea. In quasi tutte le sezioni quello Zappalà aveva raccolto più voti di lui, mettendolo così fuori di combattimento, d'un tratto spiccio e sprezzante, come si butterebbe da canto con un piede uno straccio inutile, ingombro più che inciampo. A un certo punto, quando arrivò il telegramma da Grotte ch'era uno dei maggiori centri zolfiferi della provincia con l'esito della votazione quasi unanime per lo Zappalà, parve che costui dovesse finanche contender seriamente la vittoria al Capolino ed entrare in ballottaggio, non ostante il suffragio entusiastico che il campione clericale aveva raccolto a Girgenti, in compenso della grave ferita riportata nel duello. Il Trigóna, per coprire con pietoso inganno la verità, voleva attribuire principalmente la sconfitta all'esito di quel duello inconsulto, alle maniere troppo violente del Verònica, forestiere, e al contegno arrogante d'uno dei suoi padrini, quel signor tale, spadaccino, che aveva urtato e indignato veramente la cittadinanza girgentana, non ostante che il Selmi, già partito per il suo collegio, avesse fatto di tutto per attenuare l'indignazione. Il canonico Agrò approvò col capo, in silenzio. Non sapeva perdonare al Verònica di avergli mandato a monte, con quella indegna piazzata, il piano strategico meditato e disegnato da lui con astuzia così sottile. E quell'altro cavaliere Giovan Battista Mattina! Mandato a Grotte a sostenervi la candidatura dell'Auriti, aveva fatto la parte di Giuda, mettendosi d'accordo all'ultimo momento coi popolari.

– Ma chi è costui? – domandò col solito piglio feroce Mattia Gangi. – Chi rappresenta? come vive? che fa? da qual chiavica è scappato fuori? Lindo, attillato, con quell'aria di principe regnante...

Il canonico Agrò scosse leggermente la testa con un sogghignetto su le labbra, poi disse:

– Aquiloni, cari amici, aquiloni! Lui, il Verònica e quanti altri mai! Aquiloni... Li vedete in alto, ai sette cieli, rimanete a bocca aperta a mirarli; e chi sa intanto qual è la mano che dà loro il filo! Può esser quella di qualche mala femmina; o il filo può venire dalla Questura, o da qualche bisca notturna... Nessuno può saperlo! L'aquilone intanto è là, piglia il vento, lo segue e par che lo domini. Di tratto in tratto, uno svarione, una vertigine, l'accenno d'un crollo a capofitto. Ma la mano ignota, sotto, subito lo rialza con lievi scossettine sapienti o con larghe stratte energiche e lo rimette a vento e torna a dar filo e filo e filo. Gli aquiloni, cari miei... Quanti ce n'è! E hanno tutti la coda, *et in cauda venenum*...

Sei teste si scossero per approvare silenziosamente e con profonda amarezza l'immaginoso paragone del canonico Agrò, che ne rimase egli stesso un pezzetto come abbagliato, e trasse un respiro di sollievo, quasi con esso si fosse scrollato dall'anima il peso della sconfitta.

Roberto Auriti soffriva maggiormente per quell'ostinato, cupo silenzio della madre. Ella aveva parlato molto prima, contro il suo solito, per dissuaderlo dall'impresa; e gravi erano state allora le sue parole; più grave, adesso, era il suo silenzio. Voleva che soltanto i fatti parlassero ora, crudamente, a conferma di quanto aveva detto. Se ne irritò, e disse:

– Del resto, amici miei, aquiloni o serpi... lasciamoli andare! A parlarne, parrebbe che io, venendo, mi fossi fatta qualche illusione. Nessuna, lo sapete. Mi ha mandato qua Uno, a cui non potevo dir di no: mi sarebbe parso di disertare.

– Povero Cristo! – esclamò Mattia Gangi. – Per farti mettere in croce sei venuto!

– In croce no, veramente, – sorrise Roberto. – Perché la mia offerta, col valore che poteva avere nella presente lotta, venisse respinta dai miei concittadini; e questa risposta, data sul mio nome al Governo, facesse pensare che ormai basta, qua si vuol altro!

– Zappalà, Zappalà si vuole! – sghignò allora Mattia Gangi. – Quanto mi piacerebbe che fosse eletto Zappalà!

– Mamma, – soggiunse piano Roberto, toccandole un braccio, con un sorriso d'amara rassegnazione, – asini vecchi...

La madre sporse il labbro e aggrottò le ciglia mentre gli altri gridavano, approvando l'augurio di Mattia Gangi, che fosse eletto Zappalà. Un Zappalà solo? No! Cinquecentootto Zappalà, uno per ogni collegio della penisola! Che sedute allora alla Camera! Subito, abolizione di tutte le scuole! abolizione di tutte le tasse! abolizione dell'esercito e della polizia! della polizia e della pulizia! spianare i confini, e tutti fratelli! già, già, decapitare le montagne, ridurle tutte a colline d'uguale altezza! E Mattia Gangi, sorto in piedi, si mise a declamare:

> *Al ronzio di quella lira*
> *Ci uniremo, gira gira,*
> *Tutti in un gomitolo.*
> *Varietà d'usi e di clima*
> *Le son fisime di prima;*
> *È mutata l'aria.*
> *I deserti, i monti, i mari,*
> *Son confini da lunari,*
> *Sogni di geografi...*
> *... E tu pur chétati, o Musa,*
> *Che mi secchi con la scusa*
> *Dell'amor di patria.*
> *Son figliuol dell'universo,*
> *E mi sembra tempo perso*
> *Scriver per l'Italia.*

S'eran levati tutti in piedi, tranne Pompeo Agrò, e applaudivano calorosamente.

– Signori miei, signori miei, – disse allora Filippo Noto, tirandosi con le dita adunche i polsini di sotto le maniche, – siamo giusti, signori miei; non pigliamocela con loro, perché il torto è tutto nostro! di noi cristianelli! Quando noi sentiamo dire: «*Vogliamo che a ciascuno si dia secondo le sue opere! Vogliamo che la personalità umana possa elevarsi sopra la vita materiale! Vogliamo che ciascuno trovi pane e lavoro!*» – noi borghesucci ignoranti, noi cristianelli pietosi, siamo i primi ad applaudire...

– Sfido! – gridò il Ceràulo. – Nei voti per la felicità universale, sfido! tutti gli animi onesti si trovano d'accordo.

– E i socialisti, ahm! aprono la bocca, e voi ci cascate dentro, – rimbeccò pronto Filippo Noto. – Fanno intravedere un ideale d'umanità e di giustizia che a nessuno può dispiacere, di cui tutti dovrebbero esser contenti; e così fanno proseliti alla loro causa tra quanti non sanno distinguere le ragioni astratte da quelle pratiche della vita sociale, caro Ceràulo! Ingenui che non si domandano neppure se i nuovi metodi non siano tali da render mille volte maggiori le ingiustizie e la tristezza della nostra valle di lacrime; dico bene, Monsignore?

Pompeo Agrò chinò più volte il capo in segno di approvazione.

– Il pericolo vero, signori miei, è qua, – seguitò con più calore il Noto: – nella persuasione in cui siamo venuti noi cristianelli, che il movimento del così detto quarto stato sia inevitabile, irresistibile...

– È, è, è, purtroppo! – lo interruppe di nuovo il Ceràulo.

– Ma nient'affatto! nientissimo affatto! Fandonie! Fandonie! – gridò Filippo Noto. – Alla teoria dei socialisti manca l'appoggio della scienza, caro mio, della scienza, della logica, della morale e anche della civiltà, e non può reggersi, e cadrà per forza come un sogno pazzo, come uno sproloquio da ubriachi! Vorrei dimostrartelo, vorrei dimostrarlo a tutti, e prima a gli uomini di governo che ci fanno assistere allo spettacolo miserando dello Stato che si piega, dello Stato che si smarrisce e s'impaccia di cose di cui non dovrebbe impacciarsi!

Si calmò alquanto, protese le mani e riprese con altro tono di voce:

– Lasciatemi dire, in poche parole. Tutto il procedimento è sbagliato, dall'*a* alla *z*. Guardate! Il provvedere ai vecchi, alle donne, ai fanciulli abbandonati, agli infermi, può esser cosa, realmente, d'interesse pubblico.

– Interesse d'umanità, – disse il Trigóna.

– Benissimo! D'accordo! – approvò il Noto. – Ma dal soccorrere la miseria presente per mezzo d'asili, di dormitorii, di cucine economiche, è stato facile, inavvertito il passo, signori miei, a salvaguardare il proletariato...

– Il così detto proletariato, – masticò tra i denti il Gangi.

– ...dalla miseria anche possibile, – seguitò il Noto, – mercé le assicurazioni obbligatorie contro gl'infortunii del lavoro e contro la futura inabilità dell'operajo per età o per malattia. Ora non vi sembra facile, cari miei, dati questi primi passi, il darne altri che ci conducano sempre più verso quello Stato-Provvidenza tanto biasimato dai più illustri scrittori positivi? Perché, quando sia entrato nella coscienza pubblica il concetto che la comunità deve occuparsi di coloro che per inabilità fisica non possono lavorare, è facile saltare il fosso che ci separa dalla regione vera del socialismo, estendendo il principio anche agli uomini validi e disoccupati. E valga il vero! Se questi, non ostante la buona volontà, non trovano lavoro, o se le loro fatiche non sono sufficientemente retribuite, sono forse meno da compiangere di coloro che, per un difetto fisico, non possono lavorare? L'effetto è il medesimo, signori miei: la fame non meritata! E con la proclamazione del diritto al lavoro, si può vedere da tutti dove si andrà a finire; si è già veduto, del resto, in Francia, nel 1848...

Un'improvvisa esclamazione di sdegno del canonico Agrò interruppe a questo punto il discorso di Filippo Noto, che cominciava ad assumere proporzioni e tono di vera concione.

Era arrivata da Comitini, paese nativo dell'Agrò, una lettera che denunziava un altro tradimento. Il figlio di Rosario Trigóna s'era venduto colà al partito Capolino, spargendo la voce che Roberto Auriti si ritirava dalla lotta e pregava gli amici di votare per il candidato clericale contro il socialista Zappalà. L'Agrò non si poté frenare: senz'alcuna pietà per il povero padre mezzo cieco lì presente, ebbe parole di fuoco per quel tristo che gli faceva patire un così grave smacco là, nella sua stessa cittadella. Roberto Auriti tentò più volte di interromperlo, s'affrettò poi a consolare l'amico, il quale dapprima s'era levato in piedi inorridito, lì per lì per lanciarsi su quella lettera e su l'Agrò, poi s'era lasciato cader di peso su la seggiola, rompendo in singhiozzi, col volto tra le mani.

– Ma sarà una calunnia, Rosario... una calunnia, vedrai! Tuo figlio avrà agito in buona fede, credendo di interpretare il mio pensiero... Difatti, tra i due, tra il Capolino e quello Zappalà, via! meglio che i voti siano andati al Capolino... Ha stimato insostenibile da parte mia la lotta... e...

– No... no... – muggiva tra i singhiozzi Rosario Trigóna, inconsolabile. – Infame! Infame!

Per fortuna, sopravvenne Mauro Mortara, che da Valsanìa s'era recato a Colimbètra per accordarsi col principe circa alla sua andata a Roma. Non sapeva nulla delle elezioni. Accolto con festa da Marco Sala, dal Ceràulo, dal Gangi, i quali non lo vedevano da tanto tempo, scostò tutti con le braccia e quasi s'inginocchiò ai piedi di donna Caterina, prendendole una mano e baciandogliela più e più volte; abbracciò poi Roberto e si chinò a baciarlo al suo solito in petto, sul cuore.

– A Roma! – disse. – Sapete? Vengo a Roma!

Ma il suo giubilo non trovò eco: tutti erano ancora sconcertati e commossi dal pianto del Trigóna.

– Oh, don Rosario! – esclamò Mauro. – E che avete? Perché piangete?

Guardò tutti in giro e appuntò gli occhi sul canonico Agrò che appariva il più scuro e il più turbato.

– Niente, – disse subito Roberto. – Una notizia, senza dubbio, infondata. Signori miei, per carità! Soffro... soffro della vostra pena... molto più che per me. Volete farmi contento? Non parliamo più di nulla. Quel che è stato è stato. Basta! Voi sapete quanto mi siete cari e per qual ragione. Io non vi ringrazio di quel che avete fatto per me in questa occasione, perché so che, se sono cangiati i tempi, non è cangiato il nostro cuore, e voi dunque non potevate non fare per me quel che avete fatto. Il torto è nostro, veramente, cari miei! E lo sappiamo tutti, da un pezzo, chi per un verso, chi per un altro. Dunque... dunque basta: perché lagnarci adesso? È stata un'altra prova, di cui io, per conto mio, non sentivo alcun bisogno... Basta!

Non ne poteva proprio più Roberto Auriti. La vista di quegli amici e il silenzio della madre, il pianto del Trigóna, la stizza acerba dell'Agrò, la frigida saccenteria del Noto gli eran divenuti insopportabili. Gli premeva di scrivere a Roma, di dar subito notizia della lotta perduta alla sua donna, a colei che da tanto tempo gli aveva addormentato aspirazioni e sdegni, e nella quale, affogato ormai nell'incuria di tutto ciò che non si riferisse direttamente e minutamente alla sua persona, neghittoso e dimentico, saziava soltanto la fame bruta del senso. Di fronte alla nobiltà della madre, alla purezza della sorella, si sentiva quasi istintivamente costretto a nascondere anche a se stesso la sua schiavitù d'affetto per quella donna che conosceva tutte le sue miserie; e le scriveva di notte. Falsando i proprii sentimenti, per stare in pace con lei e averla docile e pronta alle sue voglie, non aveva osato confessarle prima di partire la vera ragione per cui s'esponeva a quella lotta: le aveva dato a intendere ch'era per migliorare la sua condizione, ponendosi da deputato più in vista. E nelle prime lettere le aveva lasciato sperare non improbabile la vittoria; poi man mano l'aveva messa in dubbio; le aveva scritto in fine che gli premeva ormai soltanto di ritornar presto a lei. Andava lui stesso a impostare quelle lettere, mentre per tutte le altre si serviva del nipote. Eppure sapeva che questi, il giorno appresso, sarebbe partito con lui per intraprendere a Roma gli studii universitarii e avrebbe abitato in casa sua e veduto, dunque, e saputo tutto. Ma voleva, finché era lì, serbare il segreto. Quel giovanotto ispido e angoloso non era fatto certamente per attirar la confidenza d'alcuno. E Roberto soffriva al pensiero di condurlo con sé, di fargli conoscere e di far quindi conoscere per mezzo di lui alla madre e alla sorella la vita ch'egli viveva a Roma. Ma come esimersi?

Donna Caterina, intanto, domandava a Mauro notizie del fratello Cosmo, «di quel matto», e di donna Sara Alàimo.

– Non me ne parlate, per carità! – esclamò Mauro. – Vado a Roma, vi dico, e non so altro, non voglio saper altro in questo momento!

– Caro Mauro mio, – gli rispose allora donna Caterina, sorridendo amaramente, – se è così, chiudi gli occhi, tùrati bene gli orecchi e ritórnatene subito in campagna: segui il consiglio mio!

Quando dalla Badia Grande gli amici scesero alla via Atenea, si trovarono presi in mezzo a una fiumana di popolo che esaltava la proclamazione d'Ignazio Capolino.

La carrozza del canonico Agrò si dovette fermare. Il vecchio servo-cocchiere dalle zampe sbieche faceva schioccar la frusta: – *Ohi, favorì! Ohi, favorì!* –. Poteva mai figurarsi che si dovesse mancar di rispetto al suo padrone, o che questi dovesse aver paura. E, tra il clamore e la confusione, non udiva la voce del Canonico che gli gridava: – Indietro, Cola! indietro! Per la via del Purgatorio! –. Un fischio, e due, e tre... Figli di cane! Ma Capolino era ancora a letto, convalescente nella villa del principe di Laurentano a Colimbètra, e la dimostrazione di giubilo, per darsi uno sfogo diretto, fu proprio tentata di cangiarsi lì per lì in dimostrazione di protesta contro il canonico Agrò. Per fortuna, i caporioni riuscirono a stornar la bufera che stava per rovesciarsi sulla carrozza mal capitata, non per riguardo a Pompeo Agrò, che non ne meritava alcuno, ma all'abito che indossava indegnamente. Qualche fischio sì, passando, non sarebbe stato sprecato; poi via, via, alla Passeggiata, sotto la villa di Flaminio Salvo.

– Viva Ignazio Capolinòòò!
– Vivààà!
– Viva il nostro deputatòòò!
– Vivààà!

Nel bujo della sera, sotto il pallore dei lampioni, per l'angusta via passò tumultuando quel torrente di popolo, che si lasciava trascinare senza il minimo entusiasmo, come un armento belante, dalla volontà di due o tre interessati. La villa di Flaminio Salvo era illuminata tutta, splendidamente, perché si vedesse come segno di trionfo dalla lontana Colimbètra. Vi erano raccolti i maggiorenti del partito che si affacciarono tutti al gran balcone dalla balaustrata di marmo, appena i clamori della dimostrazione si fecero sentire giù per il viale.

– Viva Flaminio Salvòòò!
– Vivààà!
– Viva Ignazio Capolinòòò!
– Vivààà!

Salì alla villa una commissione di dimostranti, che fu accolta dal Salvo con quel solito sorriso freddo, a cui lo sguardo lento degli occhi sotto le grosse pàlpebre dava un'espressione di lieve ironia. E veramente quei quindici o sedici cittadini accaldati, usciti or ora dalla moltitudine anonima, che giù nel bujo del viale aveva tanta imponenza, assumendo lì ciascuno il proprio nome, il proprio aspetto, timidi, impacciati, smarriti, ossequiosi, facevano una ben misera figura, tra gli splendori del magnifico salone. Flaminio Salvo si dichiarò grato alla cittadinanza di quella spontanea affermazione del sentimento popolare; diede notizie della salute dell'on. Capolino e, in presenza della commissione stessa, pregò l'ingegnere Aurelio Costa di recarsi sul momento alla villa del principe, a Colimbètra, per darvi l'annunzio della proclamazione e di quella manifestazione di giubilo di tutto il popolo di Girgenti. Uno dei quindici, allora, s'affacciò al balcone e, tra i lumi sorretti da due camerieri, arringò con impeto la folla.

Nessuno badò allo scompiglio delle povere nottole del viale che abbarbagliate piombavan dall'alto a strisciare sulle teste dei dimostranti, quindi al clamore, al battìo delle mani, si risollevavano disperatamente, lanciando acutissimi stridi, come per chiedere ajuto e vendetta alle stelle che sfavillavano ilari in cielo. L'oratore improvvisato diceva che l'elezione di Capolino era un avvenimento dei più memorabili della storia italiana contemporanea; ma nessuno certamente avrà potuto levar dal capo a quelle nottole, che invece tutta la città, quella sera, si fosse raccolta soltanto per dare a loro una immeritatissima guerra. Arringava ancora quell'oratore, quando Aurelio Costa su un sauro del Salvo, sellato in fretta in furia, partì di galoppo per Colimbètra.

Giù, confuso tra la folla, era il Pigna, arrivato in coda alla dimostrazione, espurgato smaltito evacuato da essa con molta violenza di conati lungo tutto il percorso. Prepotenza! Sopraffazione! Andava per i fatti suoi, stava a traversar la via Atenea, quando la folla gli era venuta addosso; non aveva fatto in tempo a ritrarsi, e allora quelli che stavano alla fronte lo avevano strappato indietro per passare, e così la fiumana se l'era ingojato: sguizzare, con quelle cianche e quel groppone, non gli era stato possibile; furibondo, urlando, s'era messo a tirare spinte da tutte le parti e pugni e calci e gomitate, per farsi un po' di largo e uscirne; ma quelli per il gusto di portarselo via con sé come in ostaggio gli s'eran pigiati con furia addosso, gridando: – Ecco Pigna! c'è Pigna! viva Pigna! abbasso *Propaganda*! no, viva! giù, giù con noi! – e qualche lattone e qualche scapaccione era pur volato; più che mai inferocito, come un cinghiale in mezzo a una muta di cani, aveva avventato anche morsi ai più vicini; più d'una volta, puntando i piedi e le spalle per svincolare un braccio e credendo che la folla dietro lo avrebbe parato, trovando invece un po' di largo fatto da qualcuno che voleva scansarlo, era stato per cadere; ma subito altri lo avevano scaraventato con un nuovo urtone alle spalle di chi stava davanti, e lì, rinserrato, compresso, boccheggiante come un pesce, altri lattoni e scapaccioni e dileggi; e tira e spingi, se l'erano sballottato così, malmenandolo in tutti i modi, fino a che, pesto, disfatto, non s'era lasciato andare alla corrente, ma con le proprie gambe no, no: là, così, trascinato... – Selvaggi! Mascalzoni! Coscienze vendute! Che spettacolo! Oh Girgenti, disonore della Sicilia e dell'umanità! ludibrio, vituperio! Tutti in sagrestia domani, sì, sì, ad attaccar con le ostie della chiesa le mezze carte da cinque lire... Sì, viva Capolino e viva Salvo! viva Bacco e viva Mammone! – Così esclamando, e guardando con aria di dispetto minaccioso la folla sotto la villa del Salvo, ora s'accomodava una spalla, ora soffiava o sbruffava, ora sorsava col naso, e puh, feccia della umanità! puh, vili ignoranti!

– Domani, *Propaga'*, sta' zitto! – gli gridavano alcuni. – Domani c'inscriveremo tutti al Fascio! Ora, qua: *Viva Capolinòòò!* (Non ci credere, sai? è per minchionare.) *Viva! Vivààà!*

Questa la conclusione d'una giornata campale, questo il rinfranco di tutte le corse che s'era fatte fin dalla mattina da un seggio elettorale all'altro, per assegnar le parti ai compagni, per dare istruzioni, e qua regolare, e là persuadere, e incitare, e pregare, secondo i casi, che il suffragio di tutti i lavoratori fosse per un lavoratore, loro compagno, perdio! Angelo Zappalà, che li avrebbe difesi, che avrebbe perorato la loro causa in Parlamento!

Sì, dato che quella candidatura popolare doveva valer soltanto quale protesta, egli in fondo avrebbe potuto dichiararsi soddisfatto dell'esito: sì, ma della votazione dei paeselli vicini! il cuore gli faceva sangue invece per la vergogna di Girgenti capoluogo, della sua città natale! Ludibrio, vituperio...

Quando, alla fine, il Pigna, senza più voce, cascante a pezzi dalla stanchezza, si ridusse a casa, al Piano di Gamez, per mandar giù un boccone di cena avvelenato dalla bile, salendo i primi gradini della scaletta di legno che dalla stanza terrena conduceva a quella di sopra, vi trovò al bujo in fitto colloquio Celsina e Antonio Del Re.

– Ohè, voi qua?

– Va' sù; passa, papà! – gli disse Celsina, come a un cane. – Sto a salutarlo. Parte domani.

– Ah, buona sera, allora, – disse il Pigna. – Cioè, buon viaggio... Partite subito, dunque? V'invidio, caro mio. Oh, vedrete certo a Roma... come viene a essere di voi don Landino Laurentano? già, zio, l'abbiamo detto: riveritelo tanto per me, ditegli che Girgenti ha bisogno di lui; sta disonorando l'isola, Girgenti...

– Abbiamo inteso, papà, – lo interruppe Celsina infastidita. – Lasciaci parlare adesso! Vattene!

– Paese di carogne! – brontolò il Pigna, tirando sù a stento le cianche per la scala. – Farabutti... ohi ohi... ignoranti...

E svoltò. Subito i due giovani si riabbracciarono. Antonio non si reggeva più; ebro, perduto, non poteva più staccarsi da lei; le cercò la bocca, com'arso di sete, per un altro bacio che le penetrasse nel fondo più fondo dell'anima; un altro bacio smanioso, cocente, infinito, col quale darle tutto se stesso e prendersela tutta, nello spasimo del più violento desiderio.

– Basta, – gemette ella, esausta, abbandonandogli il capo sul petto.

Ma egli la stringeva ancora, più ardente; più tremante; voleva ancora la bocca.

– No, basta, Nino, – disse allora Celsina, riavendosi. – Basta... basta...

Gli prese le mani, gliele strinse; se le posò sul seno ansante, senza lasciargliele; riprese:

– Così!... Dunque, senti... tu vedrai, è vero? cercherai... Devi far di tutto...

– Sì...

– M'ascolti?

– Sì...

– Non m'ascolti! Basta, ora, Nino! T'ho detto, basta. Non m'ascolti...

– Sì... cercherò...

– Che cercherai? Lasciami, per carità!

– Non so... farò di tutto... figùrati! Dammi ancora un bacio...

– No! Dove cercherai?

– Ma per tutto, per tutto...

– Sì, un posticino qualunque... infimo anche... per cominciare, capisci?... Tu sai che posso... m'adatterò a fare ogni cosa! Debbo, debbo essere a Roma al più presto, m'ascolti?

– Sì, amore... amore... amore mio! – alitò egli; poi, stringendole le braccia e smaniando: – Come faccio? oh Celsina mia... come faccio?

– Zitto! – gli intimò Celsina. – Non voglio che ti sentano sù.

– Allora vado... non posso...

– Sì, va' va'... è tardi! Mi chiamano. Scrivimi subito, sai?

– Sì...

– Addio, addio.

Ma egli non sapeva lasciarle ancora la mano; le accostò il volto al volto, le domandò:

– Che mi dài?

– Che vuoi?

– Te, tutta! Vieni con me, vieni con me!

– Potessi! Subito!

– Oh amore... Che mi dài? Qualcosa tua...

– Non ho nulla, Nino mio...
– Eppure ho qualcosa di te, sai? che tu m'hai data.
– Io?
– Non m'hai dato niente tu? Neppure il cuore, un poco?
– Ah, quello...
– E un'altra cosa... Non ti ricordi?
– No...
– La bambola...
– Ah, – sorrise Celsina, – quella coi baffi?
– Non ridere, non ridere. Glieli ho cancellati, sai? Me la porto con me.
– Ragazzo...
– Sai? stanotte è stata con me, abbracciata con me, a letto. E sempre...
– Ma va'! Non sono io, quella, sai!
– Lo so; ma è tua, è stata tua... Non l'hai baciata tu?
– Tanto, da bambina...
– E dunque...
– Va', va', Nino. Mi richiamano. Addio. Ricòrdati, sai? Scrivimi! Addio.

Un altro lungo, lungo bacio sulla porta, e Antonio andò via. Si fermò nel Piano di Gamez deserto; e si guardò intorno, smarrito; guardò sù nel vano immoto dell'aria ed ebbe un senso di stupore, come se, sveglio, fosse entrato in un sogno. Come sfavillavano le stelle! Sentì schiudere la vetrata del balconcino. Celsina s'affacciò.

– Addio. Ricòrdati.
– Sì. Addio!

Era già lontana; lontana la voce, lontana la figura; e quella casetta, sulla cui facciata chiara in mezzo al Piano umido e nero si rifletteva la luna, e quel Piano stesso, il chiocciolìo della fontanella, e quelle anguste viuzze storte, nere, tutto il paese silenzioso nella notte, alto sul colle, sotto le stelle, ogni cosa gli parve come lontana ormai; gli parve come se egli da lontano, con tristezza infinita, con infinita angoscia contemplasse la propria vita che rimaneva lì, strappata da lui.

Quando Aurelio Costa arrivò a Colimbètra, don Ippolito Laurentano sapeva già della proclamazione di Capolino; e ne parlava nel salone con don Salesio Marullo e con Ninì De Vincentis. Il primo, accorso subito da Girgenti appena conosciuto l'esito del duello; il secondo, dopo lo scontro a cui aveva assistito da testimonio, rimasto a Colimbètra accanto al letto del ferito.

Zio Salesio ascoltava il principe con un'aria di degnazione contegnosa, come se Capolino lo avesse fatto elegger lui. Ma sì, via! non gli aveva dato in moglie la figliastra? Da cinque giorni si sentiva proprio rinato, là tra gli splendori di Colimbètra, nei quali s'invaniva e si ricreava, come se fossero suoi. Camminava su gli spessi tappeti più che mai in punta di piedi; faceva il bocchino a tutte le cose belle e preziose che vedeva; a tavola per poco non sveniva dal piacere davanti a quelle finissime stoviglie luccicanti, o quando Liborio in marsina e guanti bianchi gli presentava i cibi prelibati. E sul tramonto, non ostante che i piedi gli facessero male, scendeva su lo spiazzo e andava fino al cancello per il gusto di farsi salutare militarmente dall'uomo di guardia in calzoni rossi e cappotto turchino. L'uomo di guardia prendeva lo stesso gusto a salutare; e tutti e due, dopo il saluto, si guardavano e si sorridevano.

Ninì De Vincentis pareva non si fosse rimesso ancora del tutto dallo spavento che s'era preso nel veder Capolino piegarsi sulle gambe, ferito in petto dalla pistola del Verònica, al secondo colpo. Era stata, veramente, una terribile sorpresa per tutti, quella ferita. Le pistole, per tacita intesa fra i padrini, erano state caricate in modo da non produrre alcun effetto, volendosi che il vero duello avvenisse alla sciabola. E meno male che la palla, arrivata senza troppa violenza, aveva appena appena intaccato una costola ed era deviata dal cuore! Ma non solo quello spavento teneva ancora il povero Ninì tanto abbattuto e sbalordito; Nicoletta Capolino gli aveva lasciato intendere chiaramente che Dianella Salvo non era né sarebbe mai stata per lui, quand'anche il padre non avesse opposto un così reciso rifiuto alla domanda. Dopo la prima notte vegliata accanto al letto del marito, non ostante l'assicurazione dei medici che ogni pericolo per fortuna fosse scongiurato, Nicoletta si era persuasa che non era più il caso di rappresentar la parte della moglie disperata, come aveva fatto a Valsanìa all'annunzio della ferita toccata «a Gnazio suo». E s'era messa ad alternar le cure amorose e diligenti al suo povero «paladino» ferito con lo studio sapiente di rimaner lì a Colimbètra, nella memoria di don Ippolito Laurentano, ospite graditissima. Ah, se al posto di quella foca di Adelaide Salvo fosse stata lei, là, tra poco, regina di quel piccolo regno! Era certa che tutte le parti buone, di cui si sentiva pur dotata e che la sorte aveva voluto opprimere e soffocare in lei, si sarebbero ridestate liberamente e avrebbero preso alla fine in lei il sopravvento; certo che avrebbe saputo render felici gli ultimi anni di quell'altero e bellissimo vecchio, ancora così vegeto e fresco! Indovinava in lui l'amaro disinganno provato alla vista della futura sposa; ma intuiva che nessun'arte di seduzione sarebbe valsa su quell'uomo, il quale della fedeltà alla parola data s'era fatta quasi una religione. Neppur l'ombra della civetteria, dunque, in lei, ma una gara di cortesie e di compitezze con lui, in quei giorni, senza la minima affettazione. E che prediche a quattro occhi allo zio Salesio, il quale non voleva capire che non c'era più nessuna ragione, proprio, perché si trattenesse ancora a Colimbètra. Sapeva star bene a posto, sì – troppo bene, anzi – zio Salesio; ma... ma... ma... E del suo sogno inattuabile, della nostalgia della bontà, dell'incubo che le cagionava la vista del patrigno così compìto e ridicolo, della nausea che in quel momento le dava la sua lunga odiosa finzione d'affetto per quel marito, per quel degno compagno della parte peggiore di sé, Nicoletta si vendicava tormentando Ninì De Vincentis, segnatamente la sera, su quel terrazzo aggettato su le colonne del vestibolo esterno. Gli parlava di Dianella. Lo straziava quasi con voluttà. Sapeva che nessun dolore, nessuna ingiustizia, non solo non avrebbero fatto commettere alcunché di male a quel giovine incorruttibile, ma non gli avrebbero neppure strappato una parola acerba dalle labbra, tanto era schiavo della propria bontà e rassegnato a essa! Gli parlava misteriosamente, con frasi smozzicate, quasi per non farlo saziare in una volta sola del proprio dolore. Ninì voleva sapere per qual ragione gli avesse detto che Dianella Salvo non sarebbe stata mai per lui, nemmeno se il padre avesse accondisceso.

– Perché? Eh, caro Ninì... C'è una ragione, una ragione che non è cattiva soltanto per voi!

– Che ragione?

– Non ve la posso dire.

– Cattiva anche per chi?

– Anche per me, Ninì!

– Per lei? – domandava Ninì, stupito.

E lei, sorridendo:

– Sicuro. Voi non la vedete; ma c'è. C'è una relazione tra me, voi e... lei. Che relazione? Che ci può esser di comune tra me e voi? Eppure c'è, Ninì. Io e voi siamo uniti da qualche cosa. Pare impossibile, no? Eppure!

Ninì De Vincentis restava assorto ad almanaccare su quella ragione misteriosa e si struggeva dentro.

Quando Aurelio Costa, introdotto da Liborio, si presentò nel salone, Nicoletta era presso il marito; ma sopravvenne poco dopo e provò un gran piacere nel farsi veder da lui in quella casa principesca, tra gli ossequii e il rispetto di tutti. Don Ippolito s'affrettò a riferirle la notizia della dimostrazione popolare.

– Ora riposa, – diss'ella. – Temo che si turberebbe troppo... Ma, se vogliono...

– No, no, – soggiunse subito il principe. – Si troverà modo d'annunziarglielo domani.

– Ma sì, credo che don Flaminio, – aggiunse Aurelio Costa, – mi abbia mandato così di fretta a quest'ora, per far sapere lì per lì agli elettori che l'onorevole Capolino e il principe sarebbero stati subito informati della dimostrazione.

– Mi dispiace tanto per lei, ingegnere, – disse allora Nicoletta, – che ha dovuto farsi codesta corsa...

– Ma non lo dica! – la interruppe subito il Costa. – L'ho fatta anzi con piacere.

– Anche perché, scommetto, – interloquì zio Salesio, – lei non era mai stato a Colimbètra, eh? Meravigliosa dimora, caro ingegnere... meravigliosa! Vero paradiso in terra!

Il principe sorrise, chinando lievemente il capo, e invitò Aurelio Costa a rimanere a cena.

Per quella serata Ninì De Vincentis fu lasciato in pace da Nicoletta; ma non gliene fu grato affatto. Aveva preso gusto alla tortura. Fu tutta per Aurelio Costa Nicoletta quella sera. E volle proprio inebriarlo; volle ch'egli interpretasse segretamente tutte le premure e gli sguardi e i sorrisi di lei come un compenso all'incarico ingrato impostogli da Flaminio Salvo, di venire cioè là a Colimbètra ad annunziare il trionfo del marito; e volle che in quel compenso ch'ella gli dava, egli sentisse un sapor di vendetta contro il Salvo stesso, il quale, pur conoscendo i sentimenti di lui, lo aveva mandato lì come un servo. Considerava egli tutti come suoi schiavi venduti? Poteva anche darsi però che questi schiavi alla fine, così provocati, accettassero la sfida e s'intendessero tra loro! Non s'intendevano già? Non c'era già tra loro un accordo, un patto segreto? E gli occhi di Nicoletta Capolino fissi in quelli di lui ora sfolgoravano aizzosi e ardenti, ora s'illanguidivano velati e turbati, quasi nella promessa di un'intensa voluttà. Schiavo, schiavo con lei! si sarebbero vendicati di tutti quei vecchi che volevano tenere schiavi loro due giovani! Per lei, d'ora innanzi, egli avrebbe amata la sua schiavitù; e non avrebbe più pensato di diventar padrone anche se Dianella Salvo gli avesse fatto intendere apertamente il suo amore. Schiavo, schiavo con lei!

Era veramente com'ebro Aurelio Costa, avvampato in volto da una gioja riconoscente verso quella donna, quando, a sera tarda, lasciò Colimbètra. Non sapeva che pensare. Il sangue gli frizzava per le vene, le orecchie quasi gli rombavano. Era ella così, per abito o per natura, lusinghiera con tutti, o per lui unicamente aveva formato quei sorrisi e trovato quegli sguardi e quelle premure? Doveva dubitarne o esserne certo? E se certo, per qual ragione s'era indotta così d'improvviso a tentarlo, a provocarlo, dopo avere opposto, anni fa, un così reciso e sdegnoso rifiuto all'onesta domanda di lui? Se n'era pentita? Stanca, nauseata della parte infame che le aveva assegnato il marito, voleva ribellarsi e vendicarsi, scegliendo per la vendetta chi onestamente un giorno aveva voluto farla sua? Voleva ora dargli questa rivincita sopra colui per il quale lo aveva allora rifiutato? O voleva tendergli un'insidia? Questo sospetto, per quanto gli paresse indegno in quel momento, gli s'era pure insinuato tra le varie ondeggianti supposizioni. Non poteva aver molta stima di lei. Ma quale insidia? Innamorarlo, fargli perdere la testa, fino al punto di suscitar la gelosia di Flaminio Salvo, e farlo cacciar via da questo? Ma non le aveva egli detto che nessuna perdita sarebbe stata per lui, ormai, lasciare il Salvo? E poi, qual interesse avrebbe avuto ad allontanarlo? che ombra le dava? Le ricordava, nella miseria presente, il passato? Ma se lei stessa, stringendogli forte, segretamente la mano, aveva voluto ricordare a lui invece quel passato, per toglier l'ombra di esso fra loro due? E gli era parsa sincera! Sì, franca e sincera! E com'era bella! Qual fascino si sprigionava da tutta la persona di lei! Oh, esserne amato...

Giunto alla villa di Flaminio Salvo, ora silenziosa e buja, Aurelio Costa lasciò nella scuderia il cavallo e salì nello studio, ove il Salvo lo aspettava. Questi notò subito il turbamento, l'animazione insolita nel volto e nelle parole del giovine che si scusava del ritardo per essere stato trattenuto a cena dal principe. Ascoltandolo, lo fissava con acuta investigazione; e, appena Aurelio chinava gli occhi, accentuava un po' più il solito sorriso, effuso in tutti i lineamenti del volto, che un po' di stanchezza, quella sera, faceva apparir più floscio.

– Me l'aspettavo, – gli disse, carezzandosi le basette.

– Credetti che... – si provò ad aggiungere Aurelio.

– Ma sì! hai fatto bene, – lo interruppe subito il Salvo. – Che buon'aria porti da fuori! Deve far bene una cavalcata a quest'ora in campagna... Bella serata! Qua si soffoca... Quando sarai vecchio te ne ricorderai...

– Io? – domandò Aurelio, indotto a sorridere dal tono amorevole con cui il Salvo gli parlava, quantunque le parole, dopo le riflessioni fatte nel venire, lo ponessero in sospetto. – Perché?

– Mah... dico, forse... – sospirò il Salvo, accompagnando un'alzata di spalle con un gesto vago della mano. – Veramente, tu ci sei avvezzo... Di giorno, di notte, in giro... Vita mossa, la tua! Ma forse questa gita è stata speciale. Quando siamo vecchi, ci si accendono, così, a lampi, ricordi, visioni lontane di noi stessi quali fummo in certi momenti... e non sappiamo neppure perché quel momento e non un altro ci sia rimasto impresso e, a un tratto, ci si stacchi e guizzi sperduto nella memoria. Era forse un ricordo più ampio, di tutto un brano di vita. S'è spezzato. Resta viva una sola scena, vivo un sol momento, un attimo... E ti rivedrai a cavallo, in una notte serena sotto le stelle... e forse invano ti sforzerai di ricordarti quali pensieri avevi in quel punto in mente, quali sentimenti nel cuore...

– Ma questo avviene anche senz'esser vecchi – osservò Aurelio.

– Non è lo stesso, – rispose il Salvo. – Te n'accorgerai.

E restò un pezzo con gli occhi immobili e fissi senza attenzione. C'era veramente anche nel Salvo, quella sera, non so che di strano, e anche Aurelio lo notò, come se, durante la sua assenza, quegli, lì nello studio austero, se ne fosse stato immerso in pensieri che gli avessero ingenerato una tristezza nuova. Quali pensieri? Certo, se n'era stato coi gomiti su la scrivania e la testa tra le mani, poiché sul capo, calvo su l'occipite, erano scomposti i pochi capelli grigi attorno alla fronte. Aurelio sapeva ch'era profondamente triste il fondo di quell'anima torbida e imperiosa, e che il tratto duro, i modi risentiti e irruenti eran come rigurgiti istantanei di quella tristezza inveterata, nascosta, compressa, inconsolabile. Ma perché si era tanto abbandonato ad essa proprio in quella sera che doveva esser lieto della vittoria?

– Tutti bene laggiù? – domandò il Salvo, riscotendosi. – Lui, lo hai visto?

– No, – rispose Aurelio, dissimulando l'impaccio e il turbamento che forse gli trasparivano sul viso, col timore d'aver mancato a una cosa che doveva fare; e però aggiunse in iscusa, arrossendo: – Perché la signora disse che riposava.

– Su gli allori, eh? – aggiunse il Salvo; quindi, levando il mento e sorridendo apertamente, domandò: – E... dimmi, contenta, lei... la signora?

Aurelio aprì le braccia, e con l'aria di chi si fa nuovo di una cosa:

– Non mi parve, – rispose. – Perché?

– Dev'esser contenta. Va a Roma...

– Già, col marito adesso...

– Deputato, deputato, – concluse il Salvo, dimenando il capo. – Era necessario! Deputato.

E si alzò.

– Vedi, caro mio, quali sono le nostre colpe imperdonabili? Poi ci lamen-
tiamo! In un momento come questo, con un'impresa come quella che abbiamo
in animo di tentare, che ci costa già tanti studii, che mi espone già a tanti rischi, ho fatto eleggere deputato Capolino. Proprio l'uomo che mi ci voleva,
non ti pare? per parlar forte a Roma, domani, al Ministero dell'Industria e del
Commercio... Ma era necessario. Vedrai che Ignazio starà benissimo a Roma:
è il posto suo, quello. Qua m'ingombrava... Piazza pulita, piazza pulita... Caso
mai, andrò io a parlare col signor Ministro, a Roma. Bisogna però che prima
qua sottoscrivano tutti i produttori di zolfo, grossi e piccini; li voglio tutti; e
con questo, che limitino, occorrendo, l'estrazione del minerale e lo depositino
tutto nei magazzini generali. Se no, niente. Arrischio i miei capitali per la salvezza dell'industria siciliana. Ho diritto di pretendere l'unione e l'accordo di
tutti gl'interessati e qualche lieve sacrifizio, se occorre. Intanto, mentre qua si
studia sul serio per portar rimedio a questa condizione di cose disperata per
tutti, hai sentito a Grotte? Vogliono imporsi col numero... Stupidi! Imporsi a
chi, e perché? la rovina, oggi, è più per chi ha, che per chi non ha! Il numero...
Che forza può avere il numero? Ti può dar l'urto bestiale; ma la valanga che
atterra, si frantuma anch'essa nello stesso tempo. Ah che nausea! che nausea!
A uno a uno, hanno paura, capisci? e si raccolgono in mille per dare un passo
che non saprebbero da soli; a uno a uno, non hanno un pensiero; e mille teste
vuote, raccolte insieme, si figurano che l'avranno, e non s'accorgono che è
quello del matto o dell'imbroglione che le guida. Questo, là. E qua? Qua un
altro spettacolo, più nauseante. Io forse invecchio, Aurelio.

– Lei?

– Invecchio, sì; perdo il gusto di comandare. Me lo fa perdere la servilità che
scopro in tutti. Uomini, vorrei uomini! Mi vedo attorno automi, fantocci che
devo atteggiare così o così, e che mi restano davanti, quasi a farmi dispetto,
nell'atteggiamento che ho dato loro, finché non lo cambio con una manata.
Soltanto di fuori però, capisci? si lasciano atteggiare! Dentro... eh, dentro, restano duri, coi loro pensieri coperti, nemici, vivi solamente per loro. Che puoi
su questi? Docili di fuori, miti, malleabili, visi ridenti, schiene ossequiose,
t'approvano, t'approvano sempre. Ah, che sdegno! Vorrei sapere perché mi
arrovello così; perché e per chi lo faccio... Domani morrò. Ho comandato! Sì,
ecco: ho assegnato la parte a questo e a quello, a tanti che non hanno mai saputo veder altro in me che la parte che rappresento per loro. E di tant'altra
vita, vita d'affetti e di idee che mi s'agita dentro, nessuno che abbia mai avuto
il più lontano sospetto... Con chi vuoi parlarne? Sono fuori della parte che
devo rappresentare... Certe volte, a qualcuno che viene qua a visitarmi, a in-
censarmi, mi diverto a rivolgere certi sguardi, certi sguardi che sfondano la
parete, e me lo vedo allora per un attimo, restar davanti sospeso, impacciato,
goffo; Dio sa che forza devo far su me stesso per non scoppiargli a ridere in
faccia. Mi crederebbe ammattito, per lo meno. E anche tu, caro mio, se vedessi con che occhi mi stai guardando in questo momento...

– Io no! – disse subito Aurelio, riscotendosi.

Flaminio Salvo rise, scotendo il capo:

– Anche tu, anche tu... È così; per forza è così... Ti posso io dire quel che
vorrei veramente da te? il piacere che mi faresti, se tu agissi com'io forse al
tuo posto agirei?

– E perché no? – domandò Aurelio, levandosi. – Mi dica...

– Ma perché no, – negò subito il Salvo, stringendosi nelle spalle, – perché
non posso... Puoi dirmi tu quel che pensi, quel che senti, la vita che hai dentro
in questo momento?... Non puoi... Sei davanti a me nelle relazioni che pos-

sono correre fra me e te: tu sei il mio ingegnere, il mio buon figliuolo che amo, a cui questa sera, davanti a una ventina di marionette, ho dato l'incarico di recarsi a Colimbètra, messaggero di trionfo: e basta! Che altro potrei dirti? Questo soltanto, forse, per il tuo bene...

E Flaminio Salvo posò una mano sulla spalla di Aurelio:

– Non ti tracciar vie da seguire, figliuolo mio; né abitudini, né doveri; va', va', muoviti sempre; scròllati di tratto in tratto d'addosso ogni incrostatura di concetti; cerca il tuo piacere e non temere il giudizio degli altri e neanche il tuo, che puoi stimar giusto oggi e falso domani. Conosci don Cosmo Laurentano? Se sapessi quanta ragione ha quel matto! Va', va', è tardi; andiamo a dormire. Addio.

Sceso nel viale della Passeggiata, sotto gli alberi spioventi, nell'ampio silenzio della notte, Aurelio Costa ebbe l'impressione di non trovar più se stesso in sé, e si fermò come per cercarsi. I pensieri che lo avevano agitato intorno al suo avvenire, per quel vasto disegno del Salvo; gli sguardi provocanti, le parole e le premure di Nicoletta Capolino, poc'anzi, a Colimbètra; e qua, adesso, questo discorso triste, sinuoso e inatteso del Salvo, gli avevano quasi disperso, sparpagliato lo spirito. Una parte era rimasta là a Colimbètra; l'altra qua nella villa. Frastornato, messo in sospetto, ripensava alle parole del Salvo. E dunque sarebbe andata a Roma Nicoletta? E allora? Ma come? Il Salvo s'era voluto sbarazzare del Capolino: Sì, lo aveva detto chiaramente: *Piazza pulita.* Aveva alluso fors'anche a lei? C'era una certa ironia nella domanda che gli aveva rivolta: *Contenta, la signora?* Aveva voluto allontanare anche lei dalla sua casa? O forse ella gli si era ribellata? Era egli così triste, in un animo così insolito, per questo? E che voleva da lui? Che senso cavare dalle strane cose che gli aveva dette? *Ti posso io dire il piacere che mi faresti, se tu agissi com'io forse al tuo posto agirei?* Che piacere? che aveva inteso dire? Un desiderio segreto, inconfessabile? O aveva detto così, in genere? S'era lamentato d'aver attorno automi, fantocci... E quei consigli, in fine. Per quanto si sforzasse, non riuscì a raccapezzarsi. E allora, quasi lasciando fuori, a vagar dove volevano, pensieri e dubbii e sospetti, si restrinse nel guscio sicuro della sua coscienza, nel sentimento modesto, tranquillo e solido che aveva sempre avuto di sé. Per il caso fortuito d'aver cavato, un giorno, quasi senza volerlo, dalle mani della morte il Salvo, era stato sollevato a una condizione invidiabile, di cui con le sue stesse doti naturali, e la buona volontà, aveva poi saputo rendersi degno. Il favore stesso della fortuna, che tutti riconoscevano meritato, l'eco ingrandita degli onori a cui era venuto negli studii, nei concorsi, nella professione, gli avevano dato di poi un'importanza che egli stesso riconosceva soverchia, e che lo metteva qualche volta in imbarazzo. Il modo con cui si vedeva accolto e trattato, quel che si diceva di lui, gli dimostravano di continuo ch'egli era per gli altri qualcosa di più che per se stesso; un altro Aurelio Costa, ch'egli non conosceva bene, di cui non si rendeva ben conto; restava perciò sempre innanzi agli altri in uno stato d'animo angustioso, in una strana apprensione confusa, di venir meno all'aspettativa altrui, di decadere dalla sua reputazione. Sapeva star bene al suo posto, ma avrebbe voluto starci quieto e sicuro; invece gli pareva che gli altri, avendo egli preso a salire fin da ragazzo, gli indicassero ancora come a lui pertinente un posto più alto, e lo spingessero e non lo lasciassero star tranquillo. Non era timidezza la sua; era un ritegno impiccioso, che spesso lo irritava contro gli altri o contro se stesso, una costernazione assidua che si scoprisse in lui qualche manchevolezza, se appena appena si fosse allontanato dal campo delle sue conoscenze, ove si sentiva sicuro, dal posto, ove poteva stare, ov'era arrivato da sé per suo merito effettivo. La irritazione contro se stesso nasceva anche dal veder che tanti, da lui stesso stimati inferiori in tutto, sapevano farsi avanti con disinvoltura ed erano lasciati passare; mentre lui, ritenuto da tutti superiore anche al concetto ch'egli aveva di se medesimo, lui si tirava indietro e, se spinto, si sentiva spesso impacciato nei movimenti, nel parlare, e arrossiva talvolta come una fanciulla.

Quella sera, Aurelio Costa avvertì più che mai quel senso di inesplicabile fastidio che gli cagionava sempre la propria ombra nell'allungarsi spericcatamente, assottigliandosi innanzi a lui, a mano a mano che si allontanava dai lampioni accesi. Dopo il frastuono della dimostrazione popolare, il silenzio della città addormentata, vegliata da quei lugubri lampioni, gl'incuteva ora una cupa ambascia.

A metà della via Atenea deserta, scorse Roberto Auriti, solo; si voltò a guardarlo con profonda pena e lo seguì con gli occhi finché non lo vide svoltare per una delle erte viuzze a manca che conducevano alla Badia Grande.

Tutta quella notte si vegliò in casa di donna Caterina Laurentano, dovendo Roberto e il nipote partire a bujo, alle quattro del mattino. La vecchia casa era ancora illuminata a petrolio, e s'andava col lume in mano da una stanza all'altra.

Anna Del Re s'indugiava amorosamente negli ultimi preparativi per il figliuolo. Che strazio, per lei, quella partenza! Tutto il suo mondo, tutta la sua vita, da anni e anni, erano raccolti nell'amore e nelle cure per quel suo unico bene. Come avrebbe vissuto più ora senza di lui? E piangeva silenziosamente.

Se l'era allevato, lo aveva custodito con l'anima e col fiato, non badando ai rimproveri della madre che temeva lo avviziasse troppo. Ma no, no! che avviziare! Era tanto impensierita e tormentata, lei, nel vederlo crescere così freddo e arcigno, sempre e tutto chiuso in sé, e procurava con le sue maniere, con le cure sempre vigili, d'addolcirlo, ecco, di riscaldarlo con l'amore materno, di renderlo più espansivo e confidente.

Non sapeva che cosa egli covasse in fondo al cuore, che lo allontanava anche dalla compagnia dei giovani della sua età. Studiare, studiava anche troppo, con nocumento finanche della salute; e quando non studiava, stava acutamente assorto in certi pensieri che gli rendevano più irsute le ciglia, più duro e scontroso lo sguardo dietro le lenti da miope.

– Oh Dio, Ninuccio, se vedessi come ti fai brutto...

Egli le rispondeva con una spallata.

Forse soffriva, il suo Ninuccio, delle angustiose condizioni della famiglia, forse pensava che la nonna anche senza derogare affatto a se stessa, ai suoi sentimenti, avrebbe potuto essere ricca. Troppo, certo, l'infanzia di lui e la prima giovinezza erano state adugiate dall'ombra cupa di tante sventure in quella vecchia e vasta casa sempre silenziosa, nella quale il sole, entrando, pareva non recasse mai né luce né calore. Che casa! Lo notava quella notte, presentendo lo squallore in cui domani le sarebbe apparsa! Logorati i mobili, anneriti i soffitti, consunto il pavimento, inaridite e stinte le cornici delle imposte, sbiadita in tutte le stanze la carta da parato. Pur curata e pulita e rassettata sempre, pareva che anch'essa sentisse oscuramente la doglia della vita. Aveva ragione Corrado Selmi; aveva interpretato bene il segreto sentimento di lei... Già da tempo rassegnata, avrebbe desiderato, se non per sé, almeno per quel figliuolo, che alla fine qualche sorriso di pace alleviasse un po' l'oppressione delle memorie dolorose, quel cupo rancore contro la vita, la muta, disperata amaritudine della madre.

Calma, e non pace! Non poteva aver pace l'anima di donna Caterina Laurentano. Forse perché non credeva più in nulla? Lei sì, Anna, credeva; credeva fervidamente in Dio, pur senza seguire alcuna delle pratiche religiose. Le donne del vicinato non la vedevano mai andare a messa, come la madre; e tuttavia distinguevano tra l'una e l'altra, indovinavano che la *signora giovane* era religiosa e, nell'intravederla qualche volta da lontano, così bella e mite, sempre vestita di nero, se l'additavano come una santa.

Anna stava soprattutto in pensiero per la nuova vita, in mezzo alla quale si sarebbe trovato fra poco il figlio nella casa del fratello, a Roma. Non dubitava che Roberto avrebbe avuto le più diligenti cure per il nipote; ma la donna ch'egli aveva con sé? i parenti, gli amici? quel Corrado Selmi che, col suo fascino strano, era finanche riuscito a turbar lei? Chi sa quale impressione ne avrebbe ricevuto il suo Ninuccio, vissuto sempre qua, rinchioccito presso lei e la nonna! L'una e l'altra avevano parlato spesso e a lungo, con amarezza, della vita mancata del loro Roberto, della falsa famiglia che s'era formata, su le notizie che ne aveva dato loro Giulio, l'altro fratello; notizie piuttosto vaghe, perché Giulio, cresciuto sempre a Roma, aveva perduto del tutto l'aria, il sentimento della famiglia, non pareva più affatto neanche siciliano; e forse scusava il fratello maggiore; certo non dava alcun peso, alcuna importanza a tante cose che per poco a lei e alla madre non facevano orrore.

Era una maestra di canto, moglie d'un tenore che aveva perduto la voce, la compagna di Roberto. E Giulio aveva detto, ridendo, che questo tenore, buon uomo, sedeva ogni giorno alla tavola di Roberto e dormiva poi, la sera, presso un fratello della moglie che teneva una specie di collegio, di conservatorio di musica privato, dove colei insegnava canto e il marito fungeva nientemeno che da censore. Roberto era come in pensione in quella casa, dove qualche volta, nelle annate di maggiore affluenza, alloggiava anche qualche convittore che non aveva trovato posto nel collegio del fratello. A contatto di tal gente si sarebbe trovato dunque, tra poco, il figliuolo. Parecchie volte Anna aveva cercato di persuadere la madre di proporre a Roberto il loro trasferimento a Roma. Avrebbero venduto quella casa, albergo di tante sventure, e si sarebbero accomodate a vivere alla meglio a Roma, magari sole dapprima, sole o con Giulio soltanto. Chi sa che, a poco a poco, col tempo, la madre non sarebbe poi riuscita a liberar Roberto da quella compagnia... Non sarebbe stato anche un risparmio, di tre case farne una sola? E tutta la famiglia raccolta insieme...

– Sogni! – le aveva detto la madre. E non aveva voluto neanche mettere in discussione la proposta.

Sapeva che né Giulio avrebbe voluto perdere la propria libertà, né Roberto avrebbe saputo sciogliersi dalla schiavitù di quella donna. Anche lei, poi, all'età sua, non avrebbe potuto resistere a un cambiamento così radicale di vita e d'abitudini.

– Sogni! Quand'io morrò, e Nino sarà cresciuto, tu andrai con lui... Ci penserà lui a farti una nuova vita.

– Ma intanto!... – sospirava Anna, e guardava nell'altra stanza il figlio, che ascoltava i discorsi della nonna e dello zio, con una mano tra i capelli, un gomito su la tavola, sotto la lampada che pendeva dal soffitto. Eccolo: non dimostrava né pena d'allontanarsi da lei per circa un anno, né gioja di recarsi a Roma. Sempre così! Una volta sola su i primi dello scorso anno, infatuato d'una scoperta che credeva d'aver fatto, d'un suo speciale congegno per trarre – diceva – l'energia elettrica dalle onde del mare (era venuto, quell'anno, all'Istituto Tecnico un bravo professore di fisica, il quale era riuscito a infervorare per la sua scienza tutti gli scolari) le aveva parlato con vero calore, per indurla a spingere la nonna a chiedere in prestito qualche migliajo di lire, – non allo *Zio Borbonico*, no! – ma allo zio Cosmo, magari: un migliajo di lire in prestito, per costruire alla meglio gli attrezzi necessarii agli esperimenti che si sarebbe recato a fare a Valsanìa, su la piaggia. Povero figliuolo! Gli aveva fatto cascar le braccia, subito. La nonna? chieder denaro in prestito ai fratelli? E non la conosceva? S'era subito rinchiuso nel suo ispido silenzio, e non aveva voluto darle nemmeno una spiegazione su quella sua famosa scoperta. Chi sa quanto c'era di vero... Forse un'illusione puerile! Ma pure, tutto quell'anno, aveva seguitato a studiare accanitamente quella scienza, e ora, andando a Roma, si proponeva di dedicarsi a essa interamente. Altri affetti – pur essendo così giovane – altre cure, altre voglie pareva non avesse.

– Ninuccio, – chiamò.

Aveva finito di preparare la valigia, e voleva l'ajuto di lui, per chiuderla. Egli accorse subito.

– Troppo piena? – gli domandò. – Hai voluto metterci tutti quei libri... Non sarebbe meglio levarli di qua e porli insieme con gli altri nella cassetta? Tanto, te la spediremo subito.

– Me la porto via con me, la cassetta, – diss'egli. – Non mi fido. Chi sa quando m'arriverebbe...

– Ma ti peserà troppo, figlio mio, che dici? Impossibile... Non dubitare, l'avrai subito. Ci penserò io...

– E allora qua nella valigia, lasciali qua, questi libri. Chiudo?

– Non ha detto nulla la nonna di là, a zio Roberto? – domandò lei allora, alludendo a quella sua proposta.

– Nulla, – rispose il figlio.

– Capisco anch'io, – sospirò Anna, – che è quasi impossibile... L'avrei voluto per te... Mah! Ninuccio mio, mi raccomando: mi devi scrivere tutto, sempre... se hai bisogno di qualche cosa... come stai... se ti trovi bene... Tutto! Mi contento anche di poche righe... Ma le prime lettere, no, sai? lunghe, le prime lettere... Voglio saper tutto! E bada, Ninuccio... un po' più d'ordine! Ti disporrai bene tutta la biancheria nei cassetti... Non fare al solito tuo! Zio Roberto è molto ordinato, lo sai... Ordinato anche tu! E non ti dico altro... So che farai il tuo dovere e che contenterai tua madre e la nonna, che restiamo qua... sole... Basta, basta... Presto sarà l'ora...

Entrarono nella sala da pranzo, dove la nonna e Roberto sedevano accanto sul canapè.

– Vedrai, – diceva donna Caterina. – Io vorrei prima finir di chiudere questi occhi. Ma toccherà forse di vedere anche a me, per conchiudere bene, questo spettacolo qua. Ci sarà, non dico, chi mette male apposta; ma alla mala semenza il terreno è preparato da anni. Voi state a Roma, e non sentite e non vedete nulla. Vorrei ingannarmi! Ma non m'inganno.

Alzò il capo a guardar la figlia e il nipote, vide negli occhi di Anna le lagrime, ed esclamò, levando un braccio:

– Lascialo partire, lascialo andar via! Aria! Aria! Respirerà... Buca l'uovo, figliuolo mio; e lascia star qua nojaltri, ad aspettare la manna del cielo! Nel Sessanta, caro Roberto, sai che facemmo noi qua? sciogliemmo in tante tazzoline le animucce nostre, come pezzetti di sapone; il Governo ci mandò in regalo un cannellino per uno; e allora noi qua, poveri imbecilli, ci mettemmo tutti a soffiare nella nostra acqua saponata, e che bolle! che bolle! una più bella e più variopinta dell'altra! Ma poi il popolo cominciò a sbadigliare per fame, e con gli sbadigli, addio! fece scoppiare a una a una tutte quelle magnifiche bolle che sono finite, figlio mio, con licenza parlando, in tanti sputi... Questa è la verità!

La serva venne ad annunziare che la carrozza era arrivata e che il vetturino, un po' in ritardo, faceva fretta. C'era circa mezz'ora di vettura da Girgenti alla stazione ferroviaria in Val Sollano.

Anna, con la candela in mano innanzi alla porta, presso la madre, rimase come sopraffatta, insaziata dell'ultimo abbraccio frettoloso al figlio, che correva accanto allo zio, giù per la ripida viuzza a scalini, nel bujo ancor fitto.

«Figlio mio! figlio mio!», gemeva tra sé.

– Tu, Ninuccio, lo rivedrai, – le disse piano la madre. – Io, Roberto... chi sa!

Udirono nel silenzio profondo il rotolìo della vettura che s'allontanava. E Anna levò gli occhi pieni di lagrime al cielo, dove le stelle, per lei, vegliavano religiosamente.

Parte seconda

I.

Seduto innanzi all'ampia scrivania, su cui stavano schierati tutt'intorno prospetti e relazioni irti di cifre, il segretario aspettava che S. E. il Ministro si ricordasse che doveva riprendere a dettare. Già era la terza notte che il cav. Cao... – ohè, lavorare, va bene; ma... ma... ma... – un'intera giornata a sgobbare al Ministero; poi la sera lì, al palazzo di Sua Eccellenza; di questo passo, non sarebbe venuta più a fine quella esposizione finanziaria. Eppure, tra pochi giorni, avrebbe dovuto esser letta alla Camera dei deputati. Non ne poteva più! Ma veramente non era tanto la stanchezza, quanto la sofferenza che da qualche tempo gli cagionava la vista di quell'uomo venerando, per cui sentiva ancora profondo e sincero affetto, se non più l'ammirazione di prima. Aveva già veduto tante cose il cav. Cao, prima da lontano, cert'altre ne vedeva adesso da vicino! Non si può vivere, è vero, settanta e più anni, commettendo sempre eroiche azioni. Per forza qualche sciocchezza, o piccola o grande, si deve pur commettere. E una oggi, una domani, tirando infine le somme... Si tirava, invece, così pensando, il cav. Cao un ispido pelo dei baffi, inverosimilmente lungo. Perbacco! Fin sul capo, gli arrivava... Un pelo solo. Nero. Per avvertir meno la stanchezza e la noja di quell'attesa, lavorava di fantasia. Un pajo di lenti di Sua Eccellenza, lì su la scrivania, eran diventate due laghetti gemelli; uno spazzolino da penne, un fitto boschetto di elci; il piano della scrivania, dov'era sgombro, una sterminata pianura, che forse primitive tribù migratrici attraversavano, sperdute. Sua Eccellenza passeggiava per lo scrittojo, aggrondato, a capo chino, con le mani dietro la schiena. E il cav. Cao, alzando gli occhi a guardarlo, con l'immagine di quello spazzolino da penne nella retina, pensò che Sua Eccellenza aveva la schiena pelosa. Pelosa la schiena e peloso il petto. Lo aveva veduto un giorno nel bagno. Pareva un orso, pareva. Ah quante cose, quante particolarità ridicole non aveva scoperto nella persona di Sua Eccellenza, da che non lo ammirava più come prima! Quella nuca, per esempio, così grossa e liscia e lucente, e tutti quei nerellini che gli pinticchiavano il naso, e quelle sopracciglia... là *zì!* e *zì!* – come due virgolette. Finanche negli occhi, negli occhi che gli incutevano un tempo tanta suggezione, aveva scoperto certe macchioline curiose, che pareva gli forassero la cornea verdastra. Proprio vero: *minuit praesentia famam!* E si meravigliava il cav. Cao e si rattristava insieme di poter vedere ora così quell'uomo che in altri tempi lo aveva addirittura abbagliato, acceso d'entusiasmo per le gesta eroiche che si raccontavano di lui garibaldino e poi per le memorabili lotte parlamentari «strenuamente combattute». Mah! Ormai Francesco D'Atri non pensava che a sporcarsi timidamente, d'una tinta gialligna, canarina, i pochi capelli che gli erano rimasti attorno al capo e l'ampia barba che sarebbe stata così bella, se bianca. Anche lui, è vero, il cav. Cao, da circa un anno, poco poco... i baffi soltanto. Ma per non averli, ecco, un po' bianchi, un po' neri. Gli seccava. E poi del resto, per lui quella tintura non avrebbe mai avuto le disastrose conseguenze che aveva avuto per Sua Eccellenza. Quantunque infine non avesse ancora quaran... ah già, sì, quarant'anni, da tre giorni: ebbene,

quaranta: non avrebbe mai preso moglie, lui. E Francesco D'Atri, invece, sì
l'aveva presa, a ses-san-ta-set-te anni sonati; e giovane per giunta l'aveva
presa. Segno evidentissimo di rammollimento cerebrale. Bisognava metterlo
da parte – (la vita ha le sue leggi!) – da parte, senza considerazione e senza
pietà. Pietà, tutt'al più, poteva averne lui, perché gli voleva bene, perché lo
vedeva soffrire atrocemente, in silenzio, dell'enorme sciocchezza commessa;
ma provava anche sdegno, ecco, per la remissione di cui gli vedeva dar prova
di fronte a quella moglie che, quasi subito dopo le nozze, s'era messa a far
pubblicamente strazio dell'onore di lui. Tutti, o quasi tutti, ammogliati tardi e
male, questi benedetti uomini della Rivoluzione. Da giovani, si sa, avevano da
pensare a ben altro! Amare, sì... *la bella Gigogin*... un bacio, e:

> *Addio, mia bella, addio;*
> *l'armata se ne va...*

   In fondo, a voler dir proprio, non avevano potuto far nulla a tempo e bene,
né studii, né altro. Nelle congiure, nelle battaglie erano stati come nel loro
elemento; in pace, erano ora come pesci fuor d'acqua. In vista, e senza uno
stato; anziani, e senza una famiglia attorno... Dovevan purtroppo commettere
tardi e male tutte quelle corbellerie che non avevano avuto tempo di commettere da giovani, quando, per l'età, sarebbero stati più scusabili. E poi, anche...
   Il cav. Cao, a questo punto, tornò a scuotersi come per un brivido alla
schiena. Da alcuni giorni era veramente sbigottito della gravità e della tristezza del momento. Tutte le sere, tutte le mattine, i rivenditori di giornali vociavano per le vie di Roma il nome di questo o di quel deputato al Parlamento
nazionale, accompagnandolo con lo squarciato bando ora di una truffa ora di
uno scrocco a danno di questa o di quella banca. In certi momenti climaterici,
ogni uomo cosciente che sdegni di mettersi con gli altri a branco, che fa? si
raccoglie; póndera; assume secondo i proprii convincimenti una parte, e la sostiene. Così aveva fatto il cav. Cao. Aveva assunto la parte dell'indignato e la
sosteneva. Non poteva tuttavia negare a se stesso, che godeva in fondo dello
scandalo enorme. Ne godeva sopra tutto perché, investito bene della sua parte,
trovava in sé in quei giorni una facilità di parola che quasi lo inebriava, certe
frasi che gli parevano d'una efficacia meravigliosa e lo riempivano di stupore
e d'ammirazione. Ma sì, ma sì: dai cieli d'Italia, in quei giorni, pioveva fango,
ecco, e a palle di fango si giocava; e il fango s'appiastrava da per tutto, su le
facce pallide e violente degli assaliti e degli assalitori, su le medaglie già guadagnate su i campi di battaglia (che avrebbero dovuto almeno queste, perdio!
esser sacre) e su le croci e le commende e su le marsine gallonate e su le insegne dei pubblici uffici e delle redazioni dei giornali. Diluviava il fango; e pareva che tutte le cloache della città si fossero scaricate e che la nuova vita nazionale della terza Roma dovesse affogare in quella torbida fetida alluvione di
melma, su cui svolazzavano stridendo, neri uccellacci, il sospetto e la calunnia.
Sotto il cielo cinereo, nell'aria densa e fumicosa, mentre come scialbe lune al-
l'umida tetra luce crepuscolare si accendevano ronzando le lampade elettriche,
e nell'agitazione degli ombrelli, tra l'incessante spruzzolìo di una acquerugiola lenta, la folla spiaccicava tutt'intorno, il cav. Cao vedeva in quei giorni
ogni piazza diventare una gogna; esecutore, ogni giornalajo cretoso, che brandiva come un'arma il sudicio foglio sfognato dalle officine del ricatto, e vomi-
tava oscenamente le più laide accuse. E nessuna guardia s'attentava a turargli
la bocca! Ma già, più oscenamente i fatti stessi urlavano da sé. Uomo d'ordine,
il cav. Cao avrebbe voluto difendere a ogni costo il Governo contro la denunzia delle vergognose complicità tra i Ministeri e le Banche e la Borsa attraverso le gazzette e il Parlamento. Non voleva credere che le banche avessero
largheggiato verso il Governo per fini elettorali, per altri più loschi fini coperti;
e che, favore per favore, il Governo avesse proposto leggi che per le banche

erano privilegi, e difeso i prevaricatori, proponendoli agli onori della commenda e del Senato. Ma non poteva negare che fosse stato aperto il credito a certi uomini politici carezzati, che in Parlamento e per mezzo della stampa avevano combattuto a profitto delle banche falsarie, tradendo la buona fede del paese; e che questi gaudenti avessero voluto occultare ciò che da tempo si sapeva o si poteva sapere; e che, ora che le colpe avventavano, si volesse percuotere, ma con la speranza che la percossa ai più deboli salvasse i più forti. Certo, lo sdegno del paese nel veder così bruttati di fango alcuni uomini pubblici che nei begli anni dell'eroico riscatto avevano prestato il braccio alla patria, si rivoltava acerrimo, adesso, anche contro la gloria della Rivoluzione, scopriva fango pur lì; e il cav. Cao si sentiva propriamente sanguinare il cuore. Era la bancarotta del patriottismo, perdio! E fremeva sotto certi nembi d'ingiurie che s'avventavano in quei giorni da tutta Italia contro Roma, rappresentata come una putrida carogna. In un giornale di Napoli aveva letto che tutte le forze s'erano infiacchite al contatto del Cadavere immane; sbolliti gli entusiasmi; e tutte le virtù, corrotte. Meglio, meglio quand'essa viveva d'indulgenze e di giubilei, affittando camere ai pellegrini, vendendo corone e immagini benedette ai divoti! Ne fremeva il cav. Cao, perché i clericali naturalmente, ne tripudiavano. Accompagnando talvolta Sua Eccellenza a Montecitorio, vedeva per i corridoi e le sale tutti i deputati, giovani e vecchi, novellini e anziani, amici o avversarii del Ministero, come avvolti in una nebbia di diffidenza e di sospetto. Gli pareva che tutti si sentissero spiati, scrutati; che alcuni ridessero per ostentazione, e altri, costernati del colore del loro volto, fingessero di sprofondarsi con tutto il capo in letture assorbenti. Per certuni, non ostante il freddo della stagione, i caloriferi erano mal regolati: troppo caldo! troppo caldo! Chi sa in quante coscienze era il terrore che da un momento all'altro gli occhi d'un giudice istruttore penetrassero in esse a indagare, a frugare, armati di crudelissime lenti. Al cav. Cao era sembrato, il giorno avanti, che alcuni deputati, i quali discutevano accalorati in una sala, avessero troncato a un tratto la discussione vedendo passare Sua Eccellenza D'Atri. S'era fermato un po' a guardare, accigliato, e da uno di quei deputati, che aveva subito voltato le spalle, aveva sentito ripetere chiaramente più volte, sottovoce ma con accento vibrato e impeto di sdegno, il nome di Corrado Selmi che in quei giorni correva sulla bocca di tutti. Il cav. Cao sapeva bene che nessuno avrebbe osato mettere in dubbio l'illibatezza di Francesco D'Atri; ma poteva darsi che, per via della moglie, fosse coinvolto anche lui nella rovina del Selmi che pareva ormai a tutti irreparabile.

Eppure, eccolo lì: passeggiando per lo scrittojo e non ricordandosi più evidentemente né di chi stava ad aspettarlo né dell'esposizione finanziaria, Sua Eccellenza pareva soltanto impensierito d'un pianto infantile angoscioso che, nel silenzio della casa, arrivava fin lì, da una camera remota, non ostanti gli usci chiusi. Già una volta si era recato di là a vedere che cosa avesse la figliuola. Il cav. Cao non seppe frenar più oltre la stizza – (perché, santo Dio, tutta Roma sapeva che quella bambina... quella bambina...) – si alzò come sospinto da una susta, soffiando per le nari uno sbuffo.

Sua Eccellenza si fermò e si volse a guardarlo. Subito il cav. Cao contrasse la faccia, come per un fitto spasimo improvviso, e disse, sorridendo e stropicciandosi con una mano la gamba:

– Crampo, eccellenza...

– Già... lei aspettava... Scusi tanto, cavaliere. M'ero distratto... Basta per questa sera, eh? Lei sarà stanco; io non mi sento disposto. Saranno le undici, è vero?

– Mezzanotte, eccellenza! Ecco qua: le dodici e dieci...

– Ah sì? E... e questo teatro, dunque, quando finisce?

– Che teatro, eccellenza?

– Ma, non so; il *Costanzi*, credo. Dico per... per quella bambina... Sente come strilla? Non si vuol quietare. Forse, se ci fosse la mamma...

– Vuole che passi dal *Costanzi*, ad avvertire?

– No, no, grazie... Tanto, adesso, poco potrà tardare. Piuttosto, guardi: avrei bisogno urgente di parlare con l'Auriti.

– Col cav. Giulio?

– Sì. È con mia moglie. Può darsi che non venga sù, alla fine del teatro. Mi farebbe un gran piacere, se lo avvertisse.

– Di venir sù? Vado subito, eccellenza.

– Grazie. Buona notte, cavaliere. A domani.

Il cav. Cao s'inchinò profondamente, tirando per il naso aria aria aria; appena varcata la soglia, la buttò fuori con un versaccio di rabbia, che mutò subito però in un sorriso grazioso alla vista del cameriere in livrea che gli si faceva incontro.

Rimasto solo, Francesco D'Atri si premé forte le mani sul volto. Il lucido cranio gli s'infiammò sotto le lampadine elettriche della lumiera che pendeva dal soffitto. Si trattenne ancora un pezzo nello scrittojo a passeggiare col viso disfatto dalla stanchezza e alterato dai foschi pensieri in cui era assorto. Con la piccola mano grinzosa e indurita dagli anni si lisciava quella lunga barba canarina in contrasto così penoso e ridicolo con tutta l'aria del volto e la gravità della persona. Come mai non s'accorgeva egli stesso, che quella barba, così mal dipinta, nelle circostanze presenti, era una smorfia orrenda? Non se n'accorgeva, perché da un pezzo ormai Francesco D'Atri non aveva più la guida di sé, né più lui soltanto comandava in sé a se stesso. Non eran più suoi gli occhi con cui si guardava; eran d'un altro Francesco D'Atri che dallo specchio gli si faceva incontro ogni mattina con aria rabbuffata e sdegnoso avvilimento nel vedergli gonfie e ammaccate le borse delle pàlpebre, e tutte quelle rughe e quel bianco attorno alla faccia. Né questo era il solo Francesco D'Atri che si rifacesse vivo in lui nella senile disgregazione della coscienza, e lo tirasse a pensare, a sentire, a muoversi, com'egli adesso non poteva, non poteva più, con quelle membra e il cervello e il cuore imbecilliti dall'età. Era ormaj un povero vecchio che volentieri si sarebbe rannicchiato in un cantuccio per non muoversene più; ma tanti altri *lui* spietati che gli sopravvivevano dentro, approfittando di quel suo smarrimento, non volevano lasciarlo in pace; se lo disputavano, se lo giocavano, gli proibivano di lamentarsi e di dirsi stanco, di dichiarare che non si ricordava più di nulla; e lo costringevano a mentire senza bisogno, a sorridere quando non ne aveva voglia, a pararsi, a far tante cose che gli parevano di più. E uno, ecco, gli tingeva in quel modo ridicolo la barba; un altro gli aveva fatto prender moglie, quando sapeva bene che non era più tempo; un altro ancora gli faceva tener tuttavia quel posto supremo, pur riconoscendolo di tanto superiore alle sue forze; un altro poi lo persuadeva ad amare con infinita pena quella bambina, che anch'egli sapeva non sua, adducendo una ragione quanto mai speciosa, che cioè, avendo egli avuto da giovine una figliuola a cui altri aveva dato e nome e amore e cure e sostanze, in compenso e in espiazione toccasse a lui ora di dare a questa il proprio nome e amore e cure e sostanze, come se questa fosse veramente quella sua povera piccina d'allora. Cedendo però a questo sentimento, riconoscendo davanti agli altri come sua la figliuola, «eh» lo avvertiva quello della barba, armato di pennello e di tintura «bisogna pure che tu, caro, per esser creduto padre, con codesta moglie giovine accanto, dia una mano di giallo a tutta la tua canutiglia!»; consiglio sciocco, a cui avrebbe voluto opporsi, per non profanare, non solo la sua figura veneranda, ma anche, in fondo, il suo vero sentimento verso quella bambina. Non sapeva però opporsi più, se non timidamente. E questa timidità penosa e ridicola si rispecchiava appunto nella tintura della barba. Preso in mezzo, tenuto lì come fra tanti, che ognuno pareva facesse per sé e lui non ci fosse per nulla, non sapeva dove voltarsi prima; niente gli piaceva; ma, a muoversi per un verso o per l'altro, temeva di far dispiacere a questo o a quello dei suoi crudeli padroni; e ogni risoluzione, anche lieve, gli costava pena e fatica. Vedeva purtroppo in qual gineprajo si fosse cacciato, contro ogni sua voglia; e non trovava più modo a uscirne. Tutto a soqquadro, tutto! Qua a Roma, l'abbaruffio osceno d'una enorme frode scellerata; in Sicilia, un fermento di rivolta. Tra gli urli delle passioni più abiette, scatenatesi nello sfacelo della coscienza nazionale, non s'era quasi avvertito un rombo di fucilate lontane, prima scarica d'una terribile tempesta che s'addensava con spaventosa rapidità. Una sola voce s'era levata nel Parlamento a porre avanti al Governo lo spettro sanguinoso di alcuni contadini massacrati in Sicilia, a Caltavutùro; ad agitare innanzi a tutti con fiera minaccia il pericolo, non si radicasse nel paese la credenza perniciosa che si potessero impunemente colpire i miseri e salvare i barattieri rifugiati a Montecitorio. Sì, aveva esposto la verità dei fatti quel deputato siciliano: quei contadini di Sicilia, trovando nella rabbia per l'ingiustizia altrui il coraggio d'affermare con violenza un loro diritto, s'erano recati a zappare le terre demaniali usurpate dai maggiorenti del paese, amministratori ladri dei beni patrimoniali del Comune: intimoriti dall'intervento dei soldati, avevano sospeso il lavoro ed erano accorsi a reclamare al Municipio la divisione di quelle terre; assente il capo, s'era affacciato al balcone un subalterno che, per allontanare il tumulto, li aveva consigliati di ritornar pure a zappare; ma per via la folla aveva trovato il passo ingombro dalla milizia rinforzata; accennando di voler resistere, s'era veduta prima assaltare alla bajonetta; poi, a fucilate, per avere agitato in aria le zappe a intimorir gli assalitori. Dodici, i morti; più di cinquanta, i feriti: tra questi, alcuni bambini, uno dei quali crivellato da ben sette bajonettate. Questo particolare orrendo s'era rappresentato agli occhi di Francesco D'Atri così vivo, che da tre giorni pur tra tante cure e tanto tumulto di pensieri, di tratto in tratto, riaffacciandosi, gli dava raccapriccio. Perché la ferocia di quel soldato, accanita sul corpo d'un bambino innocente, gli pareva l'espressione più precisa del tempo: la vedeva in tutti, quella stessa ferocia, e n'era sbalordito. Non più rispetto, né carità per le cose più sacre; una furia cieca, una rabbia d'odio, una selvaggia voluttà di basse vendette. S'aspettava d'esser preso per il petto da un forsennato qualunque, per dar conto di tutti i suoi errori, antichi e nuovi. Errori? E chi non ne aveva commessi? Ma era un momento, quello, che anche i più lievi, quelli a cui in altro tempo s'era soliti di passar sopra, saltavano a gli occhi di tutti, pigliavan dalla sinistra luce di quei giorni un certo ispido rilievo, un certo color misterioso, che subito aizzavano la smania di frugar sotto, per la soddisfazione atroce o la feroce consolazione di scoprire altre più gravi magagne nascoste. Il coraggio più difficile, quello della pubblica accusa, legato e persuaso con tanti argomenti a non rompere i freni della prudenza, ora che tutti si trovavan d'accordo, s'era svincolato, sferrato da tutti i ritegni e riguardi sociali; era diventato tracotanza inaudita; e nessuna coscienza poteva più sentirsi tranquilla e sicura. Quelle sue nozze tardive con una giovine; l'illusione che il prestigio del suo passato e degli altissimi onori a cui era venuto sarebbe valso a compensare, nella stima e nel cuore di lei, quanto di fervor giovanile doveva di necessità mancare al suo affetto grato e profondo; il lusso avventato; la relazione scandalosa della moglie col Selmi, quella bambina... potevano da un momento all'altro diventar pretesto d'accusa e di maligne insinuazioni, cagione di chi sa quali sospetti oltraggiosi. Tra i fantasmi dell'incertezza, in quella vuota, oscura realtà in cui gli pareva d'esser avviluppato, Francesco D'Atri sentiva di punto in punto crescere in sé la costernazione, ora che le grida rinfuriavano per il salvataggio violento, da parte del Governo, di alcuni parlamentari più in vista e più compromessi. Tra questi era il Selmi, che pure fino a quel giorno s'era lasciato esposto allo scandalo. Non glien'avevano detto nulla i suoi colleghi del Gabinetto; ma s'era accorto dalle loro arie che gli si voleva dare a intendere che il Selmi si salvava per lui. Non era vero! Non per lui, se mai; ma perché egli era con loro; e, in quel momento, la sua caduta avrebbe potuto determinare il crollo di tutti. Non era intanto peggiore del male quel rimedio? Non aveva saputo opporsi. Come proferir quel nome? Mondo d'ogni colpa, integro, per una sola debolezza, per quella illusione così presto perduta, si vedeva trascinato dalla moglie giù nel fango della piazza, ove una canea famelica di scandalo lo aspettava per farne strazio, accozzando in uno sconcio impasto il suo corpo e quello della moglie e del Selmi. Ora, con una nuova violenza si vedeva strappato dalla piazza, ma insieme col Selmi, aggrappato a lui e alla moglie, insieme con tutta la canaglia aggrappata al Selmi. Gli pareva che glielo rimettessero in casa, là, con tutta la folla urlante, beffarda e ingiuriosa. Tutti, ora, tutti avrebbero creduto che lo salvava lui il Selmi, non per generosità, ma per paura. E fors'anche il Selmi stesso... Ma qual paura, in fondo, poteva aver lui? Per generosità, se mai, avrebbe potuto farlo, perché lo ricordava prode e nobile, un giorno, sprezzante della vita tra i pericoli e tutto acceso dell'ideale santo della patria. Ma no, no, neanche per questa generosità lo avrebbe fatto: troppo, oltre all'odio e allo sdegno per il tradimento (quantunque ne facesse più carico alla moglie), troppo gli coceva il sospetto in lui di quella paura. Intanto, sottratte tutte le carte che avrebbero potuto perdere il Selmi, era rimasto esposto, senza difesa, e compromesso, un innocente: Roberto Auriti. S'era trovato a carico di lui un debito di circa quarantamila lire; e, quel ch'era peggio, più d'un biglietto laconico e misterioso, in cui si faceva allusione a un *amico* che assicurava il governatore della banca, o prometteva che avrebbe fatto o parlato o scritto secondo le istruzioni ricevute. Questi biglietti erano già in mano dell'autorità giudiziaria, e di questo egli doveva informare tra poco Giulio Auriti, fratello di Roberto.

S'era già abituato all'orrore della situazione; ne aveva acquistato il sentimento quasi d'una necessità fatale; e il suo sbalordimento era pieno d'uggia, di ribrezzo e greve d'una stanchezza dolorosa. Nessun conforto dalle memorie del passato: a richiamarle per un momento, non sarebbero valse ad altro che ad accrescere la vergogna e la miseria del presente. E in quell'uggia, la vista di tutte le cose, anche dei ninnoli della stanza, acquistava agli occhi suoi una insopportabile gravezza. Ah, il bujo, il bujo, un luogo di riposo: la morte, sì! Tutta quella guerra faceva vincere volentieri il ribrezzo della morte. Che crudeltà! Egli era uno che doveva presto morire... Serbargli quella feccia per gli ultimi giorni, da ingojare nel bicchiere della staffa...

Francesco D'Atri si fermò, con gli occhi immobili e vani. Immaginò il tempo dopo la sua fine: il tempo per gli altri... Ecco tornata la calma... per gli altri! rabbonite quelle onde, squarciato l'orrore di quella tempesta; e nessuna pietà, nessun rimpianto, nessuna memoria di chi s'era trovato in quei frangenti e vi era perito.

A un tratto, su la mensola, a cui teneva fissi gli occhi, gli s'avvistò una piccola bertuccia di porcellana, che gli rideva in faccia sguajatamente. Gli venne quasi la tentazione di romperla; voltò le spalle; avvertì di nuovo il pianto angoscioso della bambina e s'avviò a quella camera remota.

Era la camera della bàlia. Un lumino da notte, riparato da una ventola litofana, sul cassettone, la rischiarava a mala pena. La vecchia governante, magra e linda, passeggiava con la bimba in braccio che, convulsa dagli spasimi, pareva volesse sguizzarle dalle mani; procurava di tenersela adagiata sul seno e:

– *Nooo... nooo...* – le ripeteva, come in risposta ai vagiti angosciosi, dimenandosi in ritmo con tutta la persona e battendole di continuo, lievemente, una mano alle spalle.

La bàlia, con un'enorme mammella tirata fuori del busto, piangeva anche lei:

piangeva in silenzio e giurava alla cameriera che le sedeva accanto di non aver mangiato nulla che avesse potuto cagionare quella colica alla bambina.

Francesco D'Atri si fermò un pezzo a guardarla con occhi assenti: e i tratti del volto espressero lo sforzo quasi istintivo ch'egli, col cervello altrove, faceva per intendere ciò che essa stava a dire tra le lagrime copiose. Intanto guardava nauseato quella sconcia mammella dal cui capezzolo paonazzo pendeva una goccia di latte. La cameriera pensò bene di tirar sù il corpetto della bàlia per nascondere quella vista. E allora Francesco D'Atri si volse a guardar la governante. Stordito dai vagiti della bimba trangosciata, strizzò gli occhi; poi si recò a prendere dal tavolino da notte un campanello e si mise a farlo tintinnire pian piano innanzi a gli occhi della piccina, per distrarla, andando dietro alla governante che seguitava a passeggiare, dondolandosi.

Così lo trovò, poco dopo, donna Giannetta di ritorno dal teatro, tutta frusciante di seta. Alzò le ciglia e schiuse appena le labbra a un impercettibile sorriso canzonatorio dinanzi a quel notturno commovente quadro familiare, credendo che Sua Eccellenza si compiacesse, sotto gli occhi delle serve, di mostrare la sua ridicola tenerezza paterna dopo le gravi cure dello Stato. Ma la cameriera, accorsa a prendere il velo nero tutto luccicante di dischetti d'argento ch'ella si levava dal capo e a slacciarle la mantiglia, le spiegò, piano, che cosa era accaduto.

– Ah sì? Poverina... – disse, ostentando indifferenza, ma con una voce calda, melodiosa, e si accostò alla governante, così tutta fragrante di profumo e di cipria e ampiamente scollata. Ma il D'Atri le fe' cenno di tacere. La bambina si era finalmente quietata. Donna Giannetta allora con un lieve sbuffo di stanchezza s'avviò per la sua camera. Su la soglia si volse e disse al marito, quasi cantando:

– Oh, Giulio Auriti è di là.

Francesco D'Atri chinò il capo; le si avvicinò e le disse a voce bassa e grave, senza guardarla:

– Aspettami. Ho da parlarti.

– Discorso lungo? – domandò ella. – Non potresti domani? Temo d'esser troppo stanca e d'aver sonno. Mi sono orribilmente annojata.

– Mi farai il piacere d'aspettarmi, – insistette egli.

E andò allo scrittojo, ove lo attendeva l'Auriti.

Ah, come volentieri, adesso, avrebbe fatto a meno di veder quel giovine a cui doveva dare una tremenda notizia! Se n'era già dimenticato... Si moveva, in quei giorni, dava ordini, istruzioni, imponeva a se stesso atti, parole, risoluzioni, di cui subito dopo non riusciva più a veder bene la ragione, l'opportunità, lo scopo. Chiuse gli occhi e sospirò profondamente, con le ciglia gravate da un'oppressione tenebrosa. Aveva or ora detto alla moglie che lo aspettasse perché doveva parlarle. Ma di che? a che scopo? E lui stesso, poc'anzi, aveva pregato il suo segretario d'avvertir l'Auriti, all'uscita dal teatro, che venisse sù da lui, perché aveva urgente bisogno di vederlo. Era necessario, sì, che quel povero giovine avesse al più presto notizia dell'orrenda sciagura che gli stava sopra. Non poteva comunicargliela altri che lui. Sollevata la tenda dell'uscio e vedendolo, provò intanto un certo rancore per la pietà e la commozione che colui già gli suscitava.

Giulio Auriti non somigliava punto al fratello: alto, smilzo, elegantissimo, spirava dalla temprata agilità del corpo una energia vigorosa, che gli occhi, d'un bel grigio d'acciajo, attenuavano con un certo sguardo d'orgoglio svogliato. Si cangiò tutto, d'un subito, alla vista del vecchio Ministro che gli si faceva innanzi così scombujato. Uno dei guanti, che teneva in mano, gli cadde sul tappeto.

– Ebbene? – domandò.

Francesco D'Atri socchiuse gli occhi per sottrarsi alla pena dell'ansia smaniosa che gli leggeva nel viso. Aprì le mani e mormorò scotendo il capo:

– Non s'è trovata.

– Ah, no! – scattò allora l'Auriti con una nuova subitanea alterazione del viso, che esprimeva sdegno, rabbia e insieme risoluzione fierissima di ribellarsi a un'iniquità, senza alcun riguardo più per nessuno. – Ah, no, mi perdoni, eccellenza? la carta c'è, e si deve trovare! Lei sa che mio fratello Roberto...

– So, so... – cercò d'interromperlo, con durezza, il D'Atri.

– Ma dunque! – incalzò l'Auriti. – Quella sola dichiarazione può salvarlo, e non deve sparire! O via anche tutto ciò che può compromettere Roberto!

Il D'Atri sedette, tornò a premersi forte le mani sul volto e si lasciò cader dalle labbra:

– Il guajo è questo: che l'autorità giudiziaria...

– Ma no, eccellenza! – insorse di nuovo l'Auriti. – L'autorità giudiziaria ha in potere soltanto ciò che il Governo le ha voluto lasciare. Lo sanno tutti ormai!

Il D'Atri lo guardò come se egli, intanto, non lo sapesse: si rizzò su la vita e, facendo viso fermo, parve lo ammonisse che non poteva permettere si desse corso, in sua presenza, a una voce così piena di scandalo. Ma l'Auriti, smaniando, torcendosi le mani, aggiunse:

– E io... io che riposavo tranquillo.... Ma come, eccellenza? Io riposavo tranquillo perché c'era lei!

Il D'Atri s'accasciò; ma subito, come se qualcosa dentro gli facesse impeto nello spirito, tornò a rizzarsi e gridò con rabbia, guardando odiosamente il giovine:

– Che c'entro io? che posso io?

– Come! – esclamò l'Auriti. – Il Selmi...

– Il Selmi... – ruggì Francesco D'Atri, serrando le pugna, come se avesse voluto averlo fra le unghie.

– Ma sì, lo salvino pure! – esclamò Giulio Auriti. – Per salvarlo però...

– Già! ti figuri anche tu che lo salvi io... – disse lentamente il D'Atri, scrollando il capo con amarissimo sdegno.

– Ma il Selmi stesso, eccellenza, – ripigliò subito, con diverso sdegno l'Auriti, – vedrà che il Selmi stesso non tollererà d'esser salvato a costo dell'assassinio morale di mio fratello. E poi, eccellenza, se non parla lui, se tacerà Roberto, griderò io! C'è mia madre di mezzo, eccellenza! L'arresto di Roberto? Mia madre ne morrebbe! E il nostro nome?

A questo grido, il volto di Francesco D'Atri si scompose.

– Tua madre... sì... tua madre... – mormorò; e, curvo, si portò di nuovo le mani sul volto; stette un pezzo così, finché non cominciò a sussultare violentemente come per un impeto di singhiozzi soffocati. Aveva conosciuto a Torino, giovane, donna Caterina Laurentano e Stefano Auriti che quel figliuolo gli ricordava in tutto; pensò a quegli anni lontani; vide se stesso com'era allora; vide Roberto ragazzo; pensò a una notte sul mare, con quel ragazzo su le ginocchia, un'ora dopo la partenza da Quarto... ah, da quella notte a questa, che baratro!

Giulio Auriti, vedendo sussultare le spalle poderose del vecchio Ministro, allibì.

Questi alla fine scoprì il volto e, rimanendo curvo, guardando verso terra, scotendo le mani a ogni parola:

– Che gridi? che gridi? – gli disse. – La vergogna di tutti? Tutti impeciati! Vuoi dirmi che sai perché il Selmi prese quel denaro sotto il nome di tuo fratello? E griderai anche la mia vergogna!

– No, eccellenza! – negò subito con sbalordimento d'orrore, l'Auriti.

– Ma sì! – rispose Francesco D'Atri, levandosi. – Tutti impeciati, ti dico! Tutti... tutti... Muojo di schifo... Il fango, fino qua!

E s'afferrò con le mani la gola.

– M'affoga! Questo... dovevo veder questo! I più bei nomi... Tu vedi soltanto tuo fratello! Niente, sì, non glien'è venuto niente in mano; ma ha tenuto di mano a quello lì... E non è vergogna, questa? come lo scusi? che gridi? Tuo fratello promette, il tuo signor fratello assicura, in quei biglietti là, i laidi uffici dell'amico...

– E non lo nomina! – disse coi denti stretti, ridendo d'ira, d'onta, di dispetto, Giulio Auriti. – Ecco perché non sono stati sottratti!

– Ma quando la paura ha preso possesso! – venne a gridargli in faccia, con voce soffocata, Francesco D'Atri. – Zuffa di ladri che rubano di notte con mani tremanti e come ciechi; rimestano, arraffano, ficcano dentro; e intanto di qua, di là, dal sacco, dalle tasche, il furto scappa via; e nella ressa, tra i piedi, c'è chi ruba ai ladri, chi ghermisce questa o quella carta caduta e corre a far bottega su la vergogna: «Ecco, signori, i più bei nomi d'Italia! Ecco l'onore! ecco le glorie della patria!». Non mi far parlare... So a chi parlo! Ma ormai... tanto, n'ho fino alla gola... Non è umano, capisco che non è umano pretendere da Roberto il silenzio: per sé, per sua madre, per te, per il nome che portate...

– Roberto? – fece l'Auriti. – Ma Roberto, Vostra Eccellenza lo conosce, sarà anche capace di tacere. Il Selmi stesso...

– Se Roberto tacerà? – domandò il D'Atri, come se ne dubitasse.

– Ma io no, eccellenza! – s'affrettò allora a ripetere l'Auriti. – Glielo dico avanti: io no, per mia madre!

– Aspetta! – riprese il D'Atri, quasi imponendogli di tacere. – Se ho voluto vederti, è segno che ho da dirti qualche cosa.

Giulio Auriti lo guardò ansiosamente negli occhi. Ma il D'Atri non sostenne quello sguardo; n'ebbe fastidio, anzi dispetto; scorse per terra il guanto caduto fin da principio dalle mani del giovine e riebbe fortissima l'impressione di gravezza insopportabile, che in quei giorni gli faceva la vista di tutto. Ne distrasse gli occhi e disse, cupamente:

– Tu intendi che in tutta questa faccenda... io non posso cacciar le mani...

Si guardò le mani e le ritirò con atto di schifo.

– Pure, – seguitò, – per Roberto, ho parlato... questa sera stessa; ho detto... ho... ricordato... ricordato le sue benemerenze... Forse – ascolta bene – quei biglietti compromettenti, per cui è già spiccato il mandato di cattura... sì! Ma – ascolta bene – quei biglietti...

Non volle dire: significò con un rapido gesto espressivo della mano: via!

– Però, – riprese subito, – tu sai che i giornali hanno già pubblicato il nome di tuo fratello. Bisognerà, per togliere ogni sospetto di compromissione losca e per non lasciare nessuna traccia, nessuno strascico...

– Pagare? – domandò, smorendo, l'Auriti. – E dove... come?

Il D'Atri si strinse rabbiosamente nelle spalle.

– Sono quarantamila lire, eccellenza...

– Io non posso dartele... Procura... E presto! Tu intendi, è l'unico mezzo...

– Un denaro preso da altri... – gemette l'Auriti.

– Ma come preso? – domandò con ira il D'Atri. – Questo devi vedere!

– Per altri! – protestò Giulio.

– Sei un ragazzo?

– No, eccellenza: è la difficoltà... Dove lo trovo? come lo trovo?

– Cerca... tu hai parenti ricchi... tuo cugino...

– Lando?

– O i tuoi zii...

Giulio Auriti rimase pensieroso, a considerare quale, quanta probabilità di riuscita gli offrisse quella via indicata tra gli ostacoli che già gli si paravano

davanti: per Lando, l'ombra odiosa del Selmi; per gli zii, la fierezza incrollabile della madre. Come si sarebbe piegata questa a chiedere ajuto di danaro,
per quel debito non netto del figlio, a quel fratello? A piegarla, si sarebbe
certo spezzata! Decise senz'altro di tentar lui presso Lando: lui, a costo di
tutto, per risparmiare quel sacrifizio estremo della madre.
   – Che tempo? – domandò.
   – Presto... – ripeté il D'Atri. – Vedi tu... cinque, sei giorni...
   Giulio Auriti, perduta lì per lì la nozione dell'ora, compreso già della parte
che doveva sostenere, si licenziò e s'avviò in fretta, accigliato, come se dovesse subito correre a casa del cugino.
   Francesco D'Atri lo seguì con gli occhi fino alla soglia dell'uscio; poi rimase
perplesso, aggrondato, a stropicciarsi con una mano il dorso dell'altra, quasi
cercasse nella memoria ciò che ancora gli restava da fare. A un tratto, scorse
di nuovo per terra, sul rosso del tappeto, il guanto bianco, caduto di mano
all'Auriti. Quel guanto, lasciato lì, gli parve il segno che egli ormai non
avrebbe potuto più allontanare del tutto da sé le cose, la gente, i pensieri da
cui si sentiva soffocare; sempre una traccia, sempre un'orma, un vestigio, ne
sarebbero rimasti, risorgenti o incancellabili, come nell'incubo d'un sogno. E
come se in quel guanto si potesse scorgere una sua compromissione, Francesco D'Atri si chinò guardingo a raccattarlo con ribrezzo e se lo cacciò in
tasca, furtivamente.

   Donna Giannetta, in accappatoio, con una graziosa cuffia di trine e di nastri
in capo, aspettava intanto nella sua camera su un'ampia e bassa poltrona massiccia di cuojo grigio; una gamba su l'altra, tormentandosi il labbro inferiore
con le dita irrequiete. Teneva gli occhi fissi acutamente alla punta della bab-
buccia di velluto rosso, che compariva e spariva dall'orlo della veste al lieve
dondolìo della gamba accavalciata.
   Era la prima volta che il marito con quell'aria e quel tono le annunziava di
voler parlare con lei. Non le aveva detto mai nulla, prima, quando avrebbe
avuto ragione di parlare. Che poteva più dirle, ora?
   Aveva notato che, da alcuni mesi, era più cupo e più oppresso del solito; ma,
certo, non per lei; forse, per difficoltà parlamentari. Non aveva mai voluto
saper di politica, lei: aveva sempre proibito assolutamente a gli amici che ne
parlassero davanti a lei; non leggeva giornali e si gloriava della sua ignoranza,
si compiaceva delle risate con cui erano accolte certe sue confessioni, come
ad esempio quella di non sapere chi fossero i colleghi del marito. Che ora egli
volesse annunziarle, come aveva già fatto una volta, dopo il primo anno di
matrimonio, che aveva in animo di lasciare il «potere»? Oh, non le avrebbe
fatto più né caldo né freddo, ormai.
   Ma eccolo... Subito donna Giannetta si sgruppò, si abbandonò con gli occhi
chiusi su la spalliera della poltrona, volendo fingere di dormire; come però il
D'Atri aprì l'uscio, riaprì gli occhi con molle stanchezza, quasi veramente
avesse dormito.
   – Domani, no? – gli domandò di nuovo, con grazia languida. – Ho proprio
sonno, Francesco! Temo di perdere il filo del discorso.
   – Non lo perderai, – diss'egli aggrondato, lisciandosi la barba con la mano
tremolante. – Del resto, se vuoi, il mio discorso potrà anche essere breve.
   – Ti dimetti? – domandò lei, placidamente.
   Francesco D'Atri la guardò, stordito.
   – No... – disse. – Perché?
   – Credevo... – sbadigliò donna Giannetta, portandosi una mano alla bocca.
   – No, qui, qui, di cose nostre, della casa, devo parlarti, – riprese egli. – Abbi
un po' di pazienza. Sono anch'io tanto stanco! Se vuoi del resto che il mio di-
scorso sia breve, non offenderti.

Donna Giannetta sgranò gli occhi:

– Offendermi? perché?

– Ma perché, se dev'esser breve, sarà pure per conseguenza un po' rude, senza frasi, – rispose egli. – Mi lascerai dire; poi farai, spero, quel che ti dirò io, e basterà così. Dunque, senti.

– Sento, – sospirò ella, richiudendo gli occhi. Francesco D'Atri agitò più volte con stento due dita:

– Due sciagure ti sono capitate, – cominciò.

Donna Giannetta torno a scuotersi:

– Due? a me?

– Una, l'hai proprio voluta, – seguitò egli. – Vecchia sciagura. Sono io.

– Oh, – sclamò ella, abbandonandosi di nuovo su la poltrona. – Mi hai spaventata!

Sorridendo e intrecciando le mani sul capo, soggiunse:

– Ma no.... perché?

Le larghe maniche dell'accappatojo scivolarono e le scoprirono le braccia bellissime.

– Finora, no, – riprese egli. – Non te ne sei accorta bene, perché al fastidio che ho potuto recarti di quando in quando...

– Francesco, ho tanto sonno, – gemette lei.

– Permetti... permetti... permetti... – diss'egli con stizza. – Voglio dirti, che al fastidio hai trovato un compenso assai largo nella mia... nella mia... dirò, filosofia...

– Dimmi subito l'altra sciagura, ti prego! – sospirò quasi nel sonno donna Giannetta.

Francesco D'Atri si mise a sedere. Veniva adesso il difficile del discorso, e voleva esprimersi quanto meno crudamente gli fosse possibile. Poggiò i gomiti su i ginocchi, si prese la testa tra le mani per concentrarsi meglio, e parlò, guardando verso terra.

– Eccomi. Aspetta. Io ho dovuto... ho dovuto scontare... Ma già tu, in questo, non hai nessuna colpa. Era naturale che, tra i diritti della tua gioventù e i tuoi doveri di moglie, tu seguissi piuttosto quelli che questi. Avrei potuto farti osservare da un pezzo che tu stessa, accettando spontaneamente, anzi con... con giubilo, un giorno, questi doveri verso un vecchio, avevi implicitamente rinunciato a quei diritti; ma neanche di ciò ti fo colpa perché forse anche tu, allora, ti facesti l'illusione che...

A questo punto Francesco D'Atri sollevò il capo e s'interruppe. Donna Giannetta dormiva, con un braccio ancora sul capo e l'altro proteso verso di lui, come per implorar misericordia.

– Gianna! – chiamò, ma non tanto forte, frenando la stizza e lo sdegno, come se al suo amor proprio dolesse che ella, destandosi a quel richiamo, dovesse riconoscere d'aver ceduto così presto al sonno mentr'egli le parlava di cosa tanto grave. Riabbassò il capo e terminò a voce alta il discorso rimasto sospeso:

– Ti facesti l'illusione che... sì, che avresti potuto facilmente adempiere ai tuoi doveri.

Donna Giannetta non si destò; anzi, pian piano l'altro braccio le scivolò dal capo, le cadde in grembo con pesante abbandono. Allora Francesco D'Atri sorse in piedi, fremente; fu lì lì per afferrarle quel braccio nudo proteso e scoterglielo con estrema violenza, gridandole in faccia le ingiurie più crude. Ma la calma incosciente del sonno di lei, per quanto gli paresse spudorata e quasi una sfida, lo trattenne. Sembrava che così giacente nel sonno, gli dicesse: «Guardami come son giovane e come son bella! Che pretendi, tu vecchio, da me?».

Ah, che pretendeva! Ma di quella sua bellezza che ne aveva fatto? e che ne stava facendo della sua gioventù? Scempio vergognoso! Sì, dandosi a lui, a un vecchio, dapprima! Ma egli almeno, quei tesori li avrebbe adorati con animo tremante e traboccante di gratitudine, come un premio divino! Ella, invece, con obbrobrioso disprezzo, con incosciente crudeltà, li aveva violati! E nulla più poteva ormai rifar sacre quella bellezza e quella gioventù così indegnamente profanate!

Scosse il capo e uscì pian piano dalla camera.

Subito donna Giannetta balzò in piedi, sbuffando.

Auff! sul serio, a quell'ora, una spiegazione? E perché? Quando avrebbe dovuto parlare, zitto; ora che lei s'annojava soltanto, mortalmente, pretendeva una spiegazione? Eh via! Troppo tardi. Se lui stesso, del resto, col suo contegno, tra le inevitabili relazioni della nuova vita in cui l'aveva messa, di fronte alle tentazioni a cui questa vita la esponeva, agli esempii che di continuo le poneva sotto gli occhi, l'aveva indotta, certo senza volerlo, a stimar troppo ingenuo, puerile e tale da attirar l'altrui derisione il bel sogno da lei accarezzato, sposandolo?

Con la massima sincerità aveva sognato di rallegrare col riso della sua giovinezza gli ultimi anni della vita eroica di Francesco D'Atri, vecchio amico e fratello d'armi del padre.

Gli era forse sembrato che con troppa avventatezza ella avesse preso la risoluzione di sposarlo, quella sera ormai lontana, in cui, discorrendosi in casa del padre di donne, di vecchi, di matrimonii, a una domanda di lei egli aveva risposto per ischerzo, sorridendo malinconicamente: – Eh, bellina mia, se mi sposi tu... – ?

Ma fors'anche aveva sospettato in lei l'ambizione di diventar moglie d'un ministro! Per il parentado, per le condizioni della sua nascita, era quasi povera.

Avrebbe dovuto saper bene però che in casa di lei, sempre, le risoluzioni più serie erano state prese così; e che la precipitazione nel prenderle non era stata mai a scàpito della fermezza nel mantenerle. Suo padre, Emanuele Montalto, giovine, nella compagnia spensierata e gioconda di tant'altri giovani dell'aristocrazia palermitana, quasi per una picca da un giorno all'altro s'era ribellato alla famiglia devota ai Borboni; e non solo per quella ribellione aveva sofferto persecuzioni, prigionia, esilio dal governo oppressore, ma era stato anche diseredato dal padre a beneficio del fratello maggiore e della sorella Teresa, moglie di don Ippolito Laurentano e madre di Lando. E anche lei, già una volta, proprio per una picca, da un giorno all'altro s'era guastata col cugino Lando, il quale, vivendo a Palermo in casa dello zio principe di Montalto, veniva di furto ad amoreggiar con lei, cuginetta *eretica*, figlia dello zio *eretico*, a cui quello (il principe) come per un'elemosina della quale si dovesse vergognare, faceva passar sotto mano un assegno appena appena decente. Da un giorno all'altro, tutto finito, per sempre: non aveva più voluto sapere del cugino e aveva indotto il padre a lasciar Palermo per Roma, con la speranza che, allontanando il padre dall'isola, in una più larga cerchia e meno oppressa da pregiudizii, egli avesse alla fine condisceso a lasciarle prendere la via per cui il sangue materno la chiamava. Sua madre era stata un'attrice piemontese, la Berio, conosciuta dal padre a Torino, durante l'esilio, e sposata colà. Il sangue, proprio il sangue, non l'esempio la chiamava, perché la mamma lei non l'aveva nemmeno conosciuta: morta nel darla alla luce; e tutti, a Palermo, e più di tutti il padre, s'erano sempre guardati dal farle sapere ciò che la madre era stata. Ma una Montalto sul palcoscenico? Orrore! E anche lei, sì, doveva riconoscerlo, provava tra sé e sé un certo segreto ribrezzo. Tuttavia, per lanciare una sfida al cugino Lando e far onta a quello zio che si vergognava finanche di mantenerli di nascosto, oh, non solo questo ribrezzo avrebbe saputo vincere facilmente, ma qualunque altro! Lando, poco dopo, era venuto anche lui a stabilirsi a Roma, e insieme col padre aveva cercato di ammansarla, di rabbonirla. No, no e no. Già s'era innamorata di quel suo sogno per Francesco D'Atri, che, fin dal primo vederla, era rimasto come abbagliato di lei. Perché poi non l'aveva ritenuta capace Francesco D'Atri di serbarsi fedele a quel sogno? come non aveva compreso che un tal dubbio, un tal timore, manifestati con certi sguardi pietosi, con certi mezzi sorrisi afflitti, l'avrebbero offesa acerbamente, al pari della libertà concessa, anzi quasi imposta, non ostanti quel dubbio e quel timore? Dunque per lui una sua caduta era inevitabile e ci si rassegnava? E se lui non credeva, qual merito, qual premio, a non cadere? Per se stessa? Ah sì, per se stessa! Le era morto il padre, da poco. Addolorata, amareggiata profondamente, eppur costretta a far buon viso a tutti, s'era veduta, pure in quei giorni di lutto, vigilata da Lando con occhi freddamente sdegnosi. In un momento d'angoscia, di esasperazione, in un momento di vera pazzia, perché lo sdegno di quegli occhi si ritorcesse anche contro di lui, gli s'era offerta. Probo, intemerato, incorruttibile, Lando l'aveva respinta. Oh, e allora, più per vendicarsi di lui che della triste e muta sconfidenza del vecchio marito, s'era buttata in braccio di Corrado Selmi, e giù, giù, giù... orribilmente, sì... come un'ubriaca, come una pazza aveva sguazzato un anno nello scandalo.

Ma via! Non le aveva detto anche or ora il vecchio, che non trovava nulla da ridire? Perché dunque avrebbe dovuto farsene un rimorso? Oh, non si era davvero divertita in quell'anno della sua relazione col Selmi. Che voleva da lei, ora, il marito?

Donna Giannetta scrollò le spalle, e subito vide quel suo gesto, come se l'avesse fatto un'altra davanti a lei. Aveva spiccatissima la facoltà strana di osservarsi così, quasi da fuori, anche nei momenti di maggior concitazione, di vedersi muovere, di sentirsi parlare o ridere; e ne aveva quasi sgomento, talvolta, e spesso fastidio; temeva che i suoi atteggiamenti, i suoi gesti, il suono della sua voce, gli scatti dei suoi sorrisi potessero apparire studiati; soffriva di quel raggelarsi improvviso dei moti più spontanei e men pensati del suo essere, sorpresi in sul nascere da lei stessa in sé. Si passò parecchie volte la mano su la fronte e cercò d'affondarsi in un pensiero che le togliesse la visione di sé, così costernata. Ecco. L'altra sciagura... Quale poteva essere l'altra sciagura di cui il marito avrebbe voluto parlarle? Il volto le si fece scuro. Davanti a gli occhi le sorse l'immagine del Selmi, che, o sbigottito, per romper quella furia di scandalo, o per timore di perderla, cominciando ella a essere stufa, o con la speranza di legarla a sé maggiormente, o forse anche per vendetta, non aveva saputo impedire che divenisse madre. Sì, non c'era dubbio: l'altra sciagura, a cui il vecchio alludeva, era la figlia, quella bambina...

– *Due sciagure ti sono capitate... Una, l'hai proprio voluta.*

L'altra, dunque, no. E aveva ragione: quest'altra sciagura, non l'aveva proprio voluta.

Ma se egli sapeva tutto, e sapeva che lei non poteva sentire alcun affetto per quella creatura che le ricordava l'amante odiato, perché poc'anzi s'era fatto trovare presso quella bambina piangente, con un campanello in mano? Perché tanta ostentazione di tenerezza per quella creatura? Perché aveva voluto accomunarla a sé, come per mettersi con essa di fronte a lei, dicendo che entrambi – lui e la bambina – rappresentavano per lei due sciagure? Che voleva concludere?

Donna Giannetta si pentì d'aver finto di dormire. Rimase ancora un pezzo a riflettere; poi uscì dalla camera in punta di piedi e, al bujo, trattenendo il respiro, si recò fino all'uscio della camera del marito. Origliò, poi si chinò a guardare attraverso il buco della serratura.

Francesco D'Atri, seduto lì nella sua camera, come dianzi nella camera di lei, coi gomiti sui ginocchi e la testa tra le mani, piangeva.

Donna Giannetta si sentì fendere la schiena da un brivido e si ritrasse sconvolta, in preda a uno stupore che era anche sgomento.

– Piange...

Restò lì, tremante, senza riuscire a formare un pensiero. Poi, improvvisamente, temendo ch'egli aprisse l'uscio e la scoprisse lì in agguato, si mosse per rientrare nella sua camera. Ma, passando come una ladra davanti all'uscio della camera ove dormiva la bambina, si fermò.

Anche la bambina, qua, piangeva! Tutt'e due...

Inconsciamente, quasi per trovare un rifugio che la nascondesse a se medesima in quel momento, schiuse quell'uscio, entrò.

La bàlia, seduta in mezzo al letto, smaniava, disperata. La bambina, dopo un breve sonno inquieto, aveva ripreso a contorcersi per le doglie e a vagire così.

Donna Giannetta non intese bene dapprima ciò che la bàlia diceva; allungò una mano su la bambina trangosciata e subito la ritrasse, quasi per ribrezzo. Com'era fredda! Ma bisognava farla tacere... Quel pianto era insopportabile... Non voleva latte? Era fasciata forse troppo stretta? Volle sfasciarla lei, con le sue mani. Oh che gambette misere, paonazze... e come tremavano, contratte dallo spasimo... Si provò a tenergliele; ma erano gelate! Era tutta gelata, quella povera piccina... Fosse stato almeno un maschio; ma no, ecco, femminuccia... Con che ravvolgerla? Ecco là, la copertina della culla... Sù, sù. Donna Giannetta se la prese in braccio, se la strinse contro il seno, forte e delicatamente, e si mise a passeggiare per la camera, cullando la figlioletta col dondolìo della persona, come non aveva mai fatto. E stupì di saperlo fare. Sentiva sul seno le contrazioni del piccolo ventre addogliato e quasi il gorgoglio del pianto dentro quel corpicciolo tenero e freddo. Quasi senza volerlo, allora, si mise a piangere anche lei, non per pietà della piccina, no... o fors'anche, sì, perché la vedeva soffrire... ma piangeva anche perché... perché non lo sapeva neppur lei.

A poco a poco la piccina, come se sentisse il calore dell'amor materno che per la prima volta la confortava, si quietò di nuovo. Donna Giannetta era già stanca, tanto stanca, e pur non di meno seguitò ancora un pezzo a passeggiare e a batter lievemente, a ogni passo, una mano sulle spallucce della piccina. Poi si fermò; con la massima cautela, per non farla svegliare, se la tolse dal seno; si mise a sedere e se la adagiò su le ginocchia; fe' cenno alla bàlia di rimanersene a letto e, al lume del lampadino da notte, si diede a contemplare la figliuola. Vide quella creaturina, tranquilla ora per opera sua, lì in grembo a lei, come non l'aveva mai veduta. Forse perché non aveva mai fatto nulla per lei, povera piccina, cresciuta finora senz'affetto, senza cure... E che colpa aveva lei? Strizzò gli occhi, come per ricacciare indietro un sentimento odioso... Ma no! Che colpa aveva la piccina d'esser nata?

E a un tratto, guardando così la figlia, comprese quel che il marito voleva dirle. Egli era e si sentiva vecchio, e sapeva di non poter riempire la vita di lei; ma ella aveva una figlia, ora; e una figlia può e deve riempir la vita d'una madre. Egli poteva fare uno scandalo, e non l'aveva fatto; non solo, ma aveva dato anzi a quella bambina, che non era sua, il prestigio del nome, del grado, e anche... sì, anche la sua tenerezza. Orbene, lei, madre, poteva dar bene alla propria figlia l'affetto, le cure, l'esempio d'una condotta illibata.

Ecco, sì, questo, questo senza dubbio, egli voleva dirle. E lei aveva fatto finta di dormire...

A lungo donna Giannetta rimase lì quella notte a pensare, con la bambina in grembo. Pensò con amarissimo rimpianto al suo sogno giovanile; e, con nausea, a quel che gli uomini le avevano offerto in cambio di quel sogno... Stupide finzioni, volgarità schifose... Poi, a poco a poco, cedette al sonno.

Prima dell'alba, Francesco D'Atri, attraversando il corridojo per recarsi allo studio, vide aperto l'uscio della camera della bàlia e sporse il capo a guardare.

Rimase stupito nel trovare la moglie lì addormentata su una poltrona, con la bambina in braccio. Le s'accostò pian piano per contemplarla e sentì lo stupore sciogliersi, con un tremore per le vene, in una tenerezza infinita. Si chinò e le sfiorò con un bacio la fronte.

Donna Giannetta si destò; provò anche lei stupore, dapprima, nel ritrovarsi lì, con la piccina su le ginocchia; poi sorrise – vide quel suo sorriso – e, tendendo una mano al marito e guardandolo con gli occhi pieni d'una gioja nuova, gli domandò:

– Va bene così?

II.

Da una ventina di giorni, tutti, anche quelli che andavano per via frettolosi e sopra pensiero, si voltavano, si fermavano a mirare un vecchiotto nodoso e ferrigno, con un piccolo zàino alle spalle, quattro medaglie al petto e un cappellaccio nero, da cui scappava un arruffio di peli, i gialli cernecchi confusi col barbone lanoso, abbatuffolato. Camminava quel vecchiotto come in sogno, gli occhi lustri, ilari e lagrimosi, senz'alcun sospetto della sua straordinaria apparizione per le vie e le piazze di Roma, in quella comica acconciatura e con quella goffa aria di selvaggio intenerito. Ma, lasciati a Valsanìa il berretto villoso, gli scarponi imbullettati e il fucile, indossato il vestito nuovo di panno turchino e, sotto alla ruvida camicia d'albagio violacea, un'altra camicia di tela che gli sovrabbondava bianca e floscia dal collo e dalle maniche; con quel cappellaccio nero e le scarpe pulite, Mauro Mortara era sicuro d'essersi acconciato da compìto cittadino. La giacca, sì, aveva su i fianchi certi rigonfii... ma le pistole, eh quelle aveva fatto voto di non lasciarle mai. Le quattro medaglie poi che gli s'intravedevano appese alla camicia d'albagio, sul petto, se le era portate (chiestane licenza al Generale) unicamente per dimostrare ch'era degno di passare per Roma, che s'era meritata la grazia e guadagnato l'onore di vederla. Tutti i documenti erano dentro lo zainetto.

Come avrebbe potuto supporre che quelle medaglie, a Roma, attufata d'odio e tutta imbrattata di fango in quei lividi giorni, dovessero chiamare su le labbra un ghigno di scherno, diventata quasi titolo d'infamia la qualifica di «vecchio patriota»? Senza il più lontano sospetto che ridessero di lui, Mauro Mortara rideva a tutti coloro che gli ridevano in faccia, credendo che partecipassero alla sua gioja, a quella sua gioja rigata di lagrime che, quasi grillandogli attorno come una luce, gli abbagliava ogni cosa. Non vedeva altro di Roma, che questa sua gioja di esserci; e tutto in quella fiamma d'allucinazione gli si presentava magico e vaporoso; e non sentiva la terra sotto i piedi. Tre, quattro volte, nell'allungare il passo, gli era venuto meno il marciapiedi, e per poco non era ruzzolato. Andava com'ebro, senza mèta, smarrito, annegato nella sua beatitudine; e appena gli fantasmeggiava davanti un aspetto grandioso, giù altre lagrime dagli occhi gonfii di commozione.

Lando Laurentano avrebbe voluto dargli una guida; ma che guida! non voleva saper nulla; non voleva che gli si precisasse nulla; temeva istintivamente che ogni notizia, ogn'indicazione, ogni conoscenza anche sommaria gli rimpiccolisse quella smisurata, fluttuante immagine di grandezza, che il sentimento gli creava. Roma doveva rimanere per lui, come il mare, sconfinata. E ritornando la sera, stanco e non sazio, al villino di via Sommacampagna dove Lando abitava, alle domande se avesse veduto il Colosseo, il Foro, il Campidoglio:

– Ho visto, ho visto! – rispondeva in fretta. – Non mi dite niente... Ho visto!

– Anche San Pietro?

– Oh Marasantissima! Vi dico che ho visto. Non voglio saper niente! Questo... quello... che me n'importa? È tutto Roma!

Che gl'importava di sapere chi fosse quel cavaliere con le gambe nude e la corona in capo sul gran cavallo di bronzo in quell'alta piazza vegliata da statue in capo alla salita, dominata da una torre e porticata a destra e a sinistra? Era a Roma? E dunque era un grande, certo, un eroe dell'antichità, un vittorioso, un padrone del mondo. E quella statua lì, rossa, seduta sopra la fontana, con una palla in mano? Roma: quella era Roma, col mondo in pugno, e basta. Se per quella piazza non fosse passata di continuo tanta gente, si sarebbe chinato a baciar l'orlo di quella fontana, accostato a baciare il piedestallo di quel cavaliere con le gambe nude. E perché s'affaccendava lassù tutta quella gente? Ma perché lavorava a far più grande Roma: ecco perché! Si davano tutti da fare per questo. E Roma, Roma... eccola là: di nuovo, tra poco, tutto il mondo in pugno avrebbe tenuto, così!

Era lui davvero, Mauro Mortara, a Roma? respirava proprio lui lassù quell'aria di Roma? toccava proprio lui coi piedi il suolo di Roma? vedeva lui tutte quelle grandezze? o era sogno? Ah, si potevano chiudere ora gli occhi suoi, dopo tanta grazia? Veduta Roma, avevano veduto tutto. Posta la sua firma nel registro del Pantheon, alla tomba del Re, poteva morire: aveva dato atto di presenza nella vita, risposto all'appello della storia. Che stupore! Se le era trovate davanti all'improvviso, quelle colonne scure e maestose. Nel dubbio che fosse una chiesa, s'era tenuto in prima d'entrare per il cancello semichiuso della ringhiera, come vedeva fare a tanti. Venendo a Roma, aveva stabilito che, dalle chiese, alla larga! Rispettare Dio, sì, ma in cielo... E non era entrato difatti neanche in San Pietro. In mano ai preti, lui? Maramèo! Con occhi torvi aveva guatato il Vaticano, premendo coi gomiti su i fianchi il calcio delle due pistole. Era dunque una chiesa anche quella? Stava per domandarlo, quando gli s'era accostato un venditore di vedute di Roma: – Il Pantheon... la tomba del Re...

– Là dentro?

E subito allora era entrato. Quell'occhio tondo aperto nella cupola, da cui si vedeva il cielo, l'altare di fronte lo avevano un po' sconcertato. Dov'era la tomba del Re? Eccola là, a destra, in alto, di bronzo... E s'era avvicinato, timoroso; aveva veduto sotto la tomba i due veterani di guardia, con le medaglie al petto, il registro per le firme dei visitatori e, con gli occhi ridenti e invetrati di lagrime, aveva sollevato un po' la giacca per far vedere a quelli che aveva il diritto, lui, di firmare. Quei due veterani non avevano compreso bene, forse, ciò che avesse voluto dire e, vedendolo ridere e piangere insieme, lo avevano preso fors'anche per matto. Uno dei due, infatti, come a rassicurarsi, gli aveva domandato con un gesto della mano: firmare? Sì, aveva risposto lui, col capo: or ora, dopo tutti gli altri; ché, un po' per la mano poco avvezza, un po' per gli occhi e soprattutto poi per la commozione, chi sa quanto tempo ci avrebbe messo! Alla fine, rimasto solo davanti ai veterani, dopo aver raspato alla meglio sul registro, a lettera a lettera, nome, cognome e luogo di nascita:

– Ah, da Girgenti... siciliano? – s'era sentito domandare da uno di quelli, che con gli occhi aveva tenuto dietro alla penna. – Avete fatto la campagna del Sessanta?

– Eccole qua! – gli aveva risposto, gongolante, mostrando le medaglie. – E questa, del Quarantotto!

– Ah, reduce del Quarantotto... E siete *danneggiato*?

– Come, danneggiato? Che vuol dire?

– Se avete la pensione dei danneggiati politici...

Ma che pensione! Lui? Perché la pensione? Non aveva niente, lui. Non sapeva neppure che ci fosse, quella pensione; e se l'avesse saputo, non l'avrebbe mai chiesta. Prender danaro per quel che aveva fatto? Ma gli dovevano prima cascar le mani!

Quelli, ch'eran due piemontesi, s'erano messi a ridere, guardandosi negli

occhi. Lo avevano approvato – credeva lui – sicuramente. Sì, come lo appro-
vavano, nel villino, ogni sera, Raffaele il cameriere e Torello il servitorino,
dopo la severa riprensione del padrone che li aveva sorpresi in un momento
che se lo pigliavano a godere proprio di gusto. Alle esclamazioni di gioja, di
meraviglia, di entusiasmo, di soddisfazione, alle ingenue considerazioni di
Mauro sulla grandezza della patria, Lando Laurentano, benché pieno in quei
giorni di sdegno e di nausea, non aveva mai replicato; aveva trattenuto il sorriso anche quando il suo caro vecchio, una di quelle sere, era entrato ad annunziargli ancor tutto esultante:
– Ho visto il Re! ho visto il Re! Oh, povero figlio mio, come avrei potuto
mai crederlo? tutto bianco... bianco come me... Chi sa quanto gli costa sedere
lassù! quanti pensieri! Eh, il palo è lui! c'è poco da dire: il palo che regge
tutto... E sapete? M'ha salutato! se la carrozza andava più piano, mi buttavo in
ginocchio, com'è vero Dio!
«Sentirsi in petto per un momento quel cuore!», aveva pensato con tenerezza
e con invidia Lando Laurentano. «Potere con quella stessa fede, con quella
stessa purezza d'intenti, nutrire un sogno, un più vasto sogno; affrontare per
esso più aspre lotte e vincere, per goder poi una gioja più pura e più grande di
quella!»
Come per ritemprarsi e lavarsi lo spirito di tutte le sozzure sbomicanti in
quei giorni dalla vita nazionale, s'era immerso nei discorsi di quel vecchio,
strambi, sì, ma vero lavacro di purezza e di fede. La sua vista, la sua presenza
a Roma, in quei giorni, gli facevano apparir più sozzi, più turpi tutti coloro
che della fortuna insigne d'esser nati in un momento supremo e glorioso s'e-
rano avvantaggiati come ingordi mercanti e ladri speculatori. Che ne sapeva,
che poteva saperne quel vecchio, il quale, dopo aver dato il meglio della sua
forte e ingenua natura alla patria, s'era ritratto in solitudine a fantasticare sul
frutto che l'opera sua avrebbe certamente recato, sicuro che tutti gli altri avevano fatto come lui? Egli non pensava: sentiva soltanto: fiamma accesa, che si
beava nel suo lume e nel suo calore, e tutto avvivava intorno a sé di questo
lume. E, certo, come ora qua non avvertiva la tempesta di fango in mezzo alla
quale passava raggiante di gioja e d'entusiasmo, da trent'anni in Sicilia non
aveva mai avvertito gli orrori delle tante ingiustizie, la desolazione dell'abbandono, il crollo delle illusioni, il grido e le minacce della miseria. Impensierito dalle notizie di giorno in giorno più gravi che gli arrivavano di laggiù,
Lando avrebbe voluto qualche ragguaglio da lui, almeno intorno alla provincia
di Girgenti; ma non glien'aveva neppur fatto cenno, sicuro che gli avrebbe
oscurato d'un tratto tutta la festa col fargli sapere ch'egli, il nipote del Generale, era per quelli che egli in buona fede doveva stimar nemici della patria, e
dunque un nemico della patria anche lui. Gli aveva domandato invece notizie
del padre.
– Giù, dovete venire giù con me! – gli aveva risposto Mauro recisamente. –
Voi siete il ladro; io, il carabiniere. E ringraziate Dio che ha mandato me! Poteva mandarvi un plotone di quei suoi terribili pagliacci, con Sciaralla il capitano.
Lando aveva schiuso le labbra a un sorriso afflitto. E allora Mauro, picchiandosi la fronte con una mano:
– Testa! Che volete farci? Me li manda anche lì, a Valsanìa, vestiti a quel
modo, nella casa di suo Padre! Il cuore mi si volta in petto e vedo rosso, vi
giuro, certe volte! Basta, che dicevamo? Ah... anche questa vi pare che sia da
meno? andare a sposar di nuovo, alla sua età, e una di quella razza! Santo e
santissimo non so chi e non so come, il padre di quello, vi dico, quando vostro
nonno fu mandato in esilio, andò in chiesa a cantare il Te Deum. E lui, lui,
questo don Flaminio Salvo... Corpo di Dio, sapete che ho dovuto sopportar-
melo per un mese a Valsanìa? Ah, che bracalone quel vostro zio don Cosmo!

«Come!», doveva dire. «Flaminio Salvo a Valsanìa?» E invece, niente! Padronissimo. E sapete come sono stato io per un mese? Come una bestia che va cercando tutti i buchi e i bucherelli per nascondersi. Se lo vedevo... sangue di... per qua lo afferravo, vi dico, per la gola, e là, suona che ti suono, cazzotti dove coglievo coglievo! Sapete che quando mi piglia quel momentaccio, bestiale come sono... Lasciamo andare! Questo don Flaminio Salvo, al quarantotto, che fece? ve lo dico io che fece, andò dritto filato a denunziare alla sbirraglia borbonica il luogo dove s'era nascosto don Stefano Auriti con vostra zia donna Caterina. Storia! E ora, a Girgenti, porta tutti i preti in pianta di mano! Ma Dio, ah Dio l'ha castigato! La moglie, pazza! Peccato che la figlia... quella, no: buona, la figlia; buona e bella... Ma non vi venisse in mente, oh, di pigliarvela in moglie! Voi, caro mio, portate il nome di vostro nonno, ricordatevelo! E il nome di Gerlando Laurentano dev'essere per voi... che dico? no, caro mio, non ridete... di queste cose non dovete ridere davanti a me!

– Rido, – gli aveva risposto Lando, – perché ha mandato un buon ambasciatore mio padre per persuadermi ad assistere alle sue nozze!

E Mauro, mettendo le mani avanti:

– Ah no, che c'entra? io le cose le dico papali in faccia, anche a lui. E, tanto, se non le dico, mi si leggono in fronte lo stesso... Ciascuno col sentimento suo. Ma voi dovete venire con me, perché il padre è padrone, caro mio. Non andate di vostra volontà. Lui, com'ha cominciato, deve finire. Se s'è messo per quella via, che volete farci? Ve ne verrete per un po' di giorni a Valsanìa, a ristorarvi; vi arrabbierete un po' con quello stolido di vostro zio don Cosmo; ma poi ci sono io, c'è il camerone del Generale, intatto, tal quale... Entrando là, il petto... ah! vi s'allarga e il cuore vi si fa tanto... Voi, non so, mi parete... Con permesso, lasciatemi sentir l'orologio.

Gli s'era accostato, gli aveva posato un orecchio sul petto, dalla parte del cuore e, ridendo furbescamente, aveva concluso:

– Ho capito! L'ora delle femmine.

Calmo e freddo in apparenza, Lando Laurentano covava in segreto un dispetto amaro e cocente del tempo in cui gli era toccato in sorte di vivere; dispetto che non si sfogava mai in invettive o in rampogne, conoscendo che, quand'anche avessero trovato eco negli altri, come ne trovavano difatti quelle dei tanti malcontenti in buona o in mala fede, non avrebbero approdato a nulla.

Era, quel suo dispetto, come il fermento d'un mosto inforzato, in una botte che già sapeva di secco.

La vigna era stata vendemmiata. Tutti i pampini ormai erano ingialliti; s'accartocciavano aridi; cadevano; i tralci nudi si storcevano nella nebbia autunnale, come chi si stiri in un lungo e sordo spasimo di noja; nella grigia distesa dei campi, tra la caligine umida, non rimaneva più altro che un accennar muto e lieve e lento di pàlmiti vagabondi.

Aveva dato il suo frutto, il tempo. E lui era venuto a vendemmia già fatta. Il mosto generoso e grosso, raccolto in Sicilia con gioja impetuosa, mescolato con l'asciutto e brusco del Piemonte, poi col frizzante e aspretto di Toscana, ora col passante, raccolto tardi e quasi di furto nella vigna del Signore, mal governato in tre tini e nelle botti, mal conciato ora con tiglio or con allume, s'era irremediabilmente inacidito.

Età sterile, per forza, la sua, come tutte quelle che succedono a un tempo di straordinario rigoglio. Bisognava assistere, tristi e inerti, allo spettacolo di tutti coloro che avevan dato mano all'opera e volevano ora esser soli a darle assetto; alcuni tuttavia sovreccitati e quasi farneticanti, altri già lassi e crogiolantisi con senile sorriso di sufficienza nella soddisfazione d'un'ardua fatica comunque terminata, di cui non volevano vedere i difetti, né che altri li vedesse.

Ah, in verità, sorte miserabile quella dell'eroe che non muore, dell'eroe che sopravvive a se stesso! Già l'eroe, veramente, muore sempre, col momento: sopravvive l'uomo e resta male. Guaj se non scoppia l'anima con veemenza, investita da quel vento propulsore che la gonfia, la sforza e le fa assumere a un tratto una terribile maschera di grandezza! Dopo quello sforzo, caduto il vento, l'anima violentata non sa, non può più ricomporsi nelle sue naturali proporzioni, non trova più il suo equilibrio: qua ancora abbottata e intumidita, là floscia, ammaccata, casca da tutte le parti e, come un pallone in cui si sia consumato lo stoppaccio, incespica e si straccia in tutti gli sterpi della via dianzi sorvolata.

Lando Laurentano non sfogava il dispetto, perché, non avendo potuto prima per l'età, non potendo più ora per l'inerzia dei tempi far nulla, sdegnava come troppo facile dir che gli altri avevano fatto male. Fare... ecco, poter fare, senza punte parole! Avevano fatto gli altri. Ora era il tempo delle parole. Ne facevano tante gli altri inutilmente, ch'egli poteva bene risparmiar le sue. Vedeva che coloro, a cui era stato dato di fare, s'erano dibattuti a lungo tra due concezioni, una vacua e l'altra servile: quella di un'Italia classica e quella di un'Italia romantica: una fantasima in toga e un manichino da vestire con la livrea e il beneplacito altrui: un'Italia retorica, fatta di ricordi di scuola, quella stessa forse vagheggiata dal Petrarca e suggerita a Cola di Rienzo, repubblicana; e un'Italia forestiera, o inforestierata tutta nell'anima e negli ordini. Purtroppo, le necessità storiche dovevano effettuar questa. E, in fondo, non si era fatto altro che sostituire una retorica a un'altra; alla scolastica imitazione degli antichi, la spropositata imitazione degli stranieri. Imitare, sempre. «Oh Italiani», aveva gridato dalle *Murate* di Firenze il Guerrazzi, «scimmie e non uomini!»

Soffocati dalle così dette ragioni di Stato gl'impeti più generosi, la nazione era stata messa sù per accomodamenti e compromissioni, per incidenze e coincidenze. Un solo fuoco, una sola fiamma avrebbe dovuto correre da un capo all'altro d'Italia per fondere e saldare le varie membra di essa in un sol corpo vivo. La fusione era mancata per colpa di coloro che avevano stimato pericolosa la fiamma e più adatto il freddo lume dei loro intelletti accorti e calcolatori. Ma, se la fiamma s'era lasciata soffocare, non era pur segno che non aveva in sé quella forza e quel calore che avrebbe dovuto avere? Che nembo di fuoco allegro e violento dalla Sicilia sù sù fino a Napoli! Ancora da laggiù, più tardi, la fiamma s'era spiccata per arrivare fino a Roma... Dovunque era stata costretta ad arrestarsi, ad Aspromonte o su le balze del Trentino, era rimasto un vuoto sordo, una smembratura.

Non poteva l'Italia farsi in altro modo? Segno che non erano ancora ben maturi gli eventi, o che eran mancati in alcuni l'energia e l'ardire per secondarli. Troppi calcoli e riflessioni ombrose e tentennamenti e scrupoli e ritegni e soggezioni avevano mortificato la creazione della patria.

Che fare, adesso? Per chi vuole, sì, è sempre tempo di far bene. Ma un bene modesto, umile, paziente, Lando Laurentano sentiva che non era per lui. Gli avevano offerto, nelle ultime elezioni generali, la candidatura in uno dei collegi di Palermo: né preghiere, né pressioni, né richiami alla disciplina del partito erano valsi a farlo recedere dal rifiuto. Lui, a Montecitorio, in quel momento? Meglio affogarsi in una fogna!

Fin da giovinetto s'era nutrito di forti e severi studii, non tanto per bisogno di coltura o per passione, quanto per poter pensare e giudicare a suo modo, e serbare così, conversando con gli altri, l'indipendenza del proprio spirito. Aveva qua, nel villino solitario di via Sommacampagna, una ricca biblioteca, ove soleva passare parecchie ore del giorno. Ma, leggendo, era tratto irresistibilmente a tradurre in azione, in realtà viva quanto leggeva; e, se aveva per le mani un libro di storia, provava un sentimento indefinibile di pena angustiosa nel veder ridotta lì in parole quella che un giorno era stata vita, ridotto in dieci o venti righe di stampa, tutte allo stesso modo interlineate con ordine preciso, quello ch'era stato movimento scomposto, rimescolìo, tumulto. Buttava via il libro, con uno scatto di sdegno, e si metteva a passeggiare per la sala. Che strana impressione gli facevano allora tutti quei libri nella prigione degli alti e ampii scaffali che coprivano da un capo all'altro le quattro pareti! Dalle due finestre basse, che davano sul giardino, entrava il passerajo fitto, assiduo, assordante degl'innumerevoli uccelletti che ogni giorno si davan convegno sul pino là, palpitante più d'ali che di foglie. Paragonava quel fremito continuo, instancabile, quell'ebro tumulto di voci vive, con le parole racchiuse in quei libri muti, e gliene cresceva lo sdegno. Composizioni artificiose, vita fissata, rappresa in forme immutabili, costruzioni logiche, architetture mentali, induzioni, deduzioni – via! via! via!

Muoversi, vivere, non pensare!

Che angoscia, che smanie talvolta, se s'affondava nel pensiero che anch'egli, inevitabilmente, coi concetti e le opinioni che cercava di formarsi su uomini e cose, con le finzioni che si creava, con gli affetti, coi desiderii che gli sorgevano, fermava, fissava in sé e tutt'intorno a sé in forme determinate il flusso continuo della vita! Ma se già egli stesso con quel suo corpo, era una forma determinata, una forma che si moveva, che poteva seguire fino a un certo punto questo flusso della vita, fino a tanto che, man mano irrigidendosi sempre più, il movimento già a poco a poco rallentato non sarebbe cessato del tutto! Ebbene, certi giorni, arrivava a sentire per il suo stesso corpo, così alto e smilzo, per il suo volto bruno pallido, dalla fronte troppo ampia, dalla barba nera, quadra, dal naso imperioso in contrasto con gli occhi da arabo sonnolento e voluttuoso, una strana antipatia. Se li guardava nello specchio come se fossero d'un estraneo. Dentro quel suo stesso corpo, intanto, in ciò che egli chiamava anima, il flusso continuava indistinto, sotto gli argini, oltre i limiti ch'egli imponeva per comporsi una coscienza, per costruirsi una personalità. Ma potevano anche tutte quelle forme fittizie, investite dal flusso in un momento di tempesta, crollare, e anche quella parte del flusso che non scorreva ignota sotto gli argini e oltre i limiti, ma che si scopriva a lui distinta, e ch'egli aveva con cura incanalato nei suoi affetti, nei doveri che si era imposti, nelle abitudini che si era tracciate, poteva in un momento di piena straripare e sconvolger tutto.

Ecco: a uno di questi momenti di piena egli anelava! Si era perciò immerso tutto nello studio delle nuove questioni sociali, nella critica di coloro che, armati di poderosi argomenti, tendevano ad abbattere dalle fondamenta una costituzione di cose comoda per alcuni, iniqua per la maggioranza degli uomini, e a destare nello stesso tempo in questa maggioranza una volontà e un sentimento che facessero impeto a scalzare, a distruggere, a disperdere tutte quelle forme imposte da secoli, in cui la vita s'era ponderosamente irrigidita. Sarebbero sorti nelle maggioranze quella volontà e quel sentimento così forti da promuover subito il crollo? Mancava in esse ancora la coscienza e l'educazione necessarie. Renderle coscienti, educarle, prepararle: ecco un ideale! Ma a quando l'attuazione? Opera lenta, lunga e paziente anche questa, purtroppo.

Nei suoi vasti possedimenti in Sicilia, nella provincia di Palermo, ereditati dalla madre, aveva già accordato ai contadini la più equa mezzadria, proibendo assolutamente al suo amministratore di gravare anche d'un minimo interesse le anticipazioni concesse con liberalità per la semente e per tutte le altre spese necessarie alla coltura dei campi; vi aveva fondato e manteneva a sue spese parecchie scuole rurali; più volte, a ogni richiesta, aveva contribuito largamente ai fondi di riserva per la resistenza dei contadini e dei solfaraj nelle lotte contro i proprietari di terre e i produttori di zolfo; pagava le spese di stampa d'un giornale del partito: *La Nuova Età*, che si pubblicava ogni domenica a Palermo. L'amministratore Rosario Piro protestava da laggiù, mese per mese, con lunghissime lettere piene di buon senso e di spropositi di lingua: protestava e si lavava le mani. Povero Piro! Chi sa come se l'era ridotte, quelle mani, a furia di lavarsele! Lando, forse senza neppure accorgersene, o credendo fors'anche di viver sobriamente, spendeva molto per sé. L'esperienza di quanto vacua e insulsa fosse la vita di tutti coloro che per professione facevano bella figura nel così detto bel mondo, nei circoli, nei saloni dei grandi alberghi, nelle sale da giuoco, nelle piste delle corse, nelle cacce a cavallo, se l'era pagata, non per voglia che n'avesse, ma per non apparir singolare dagli altri in una cosa di così poco valore per lui e che in fondo non gli costava alcun sacrificio, date le sue abitudini signorili e le sue relazioni sociali; seguitava ancora a pagarsela di tratto in tratto, e pur cara, nei momenti in cui più forte sentiva il bisogno d'afferrarsi al solido fondamento della bestialità umana per sottrarsi o resistere a certi impulsi strani, a certi capricci dell'immaginazione, alle smaniose incertezze dell'intelletto. Si abbandonava allora a esercizii violenti con una freddezza che a lui stesso talvolta incuteva raccapriccio, o a piaceri sensuali, la cui profumata e luccicante squisitezza esteriore non riusciva a nascondergli la trista volgarità. Ma nell'inerzia si sentiva rodere; tra le smanie della forzata inazione, soffocare, tanto più in quanto si costringeva a respingere quelle smanie per non dare alcuno spettacolo di sé, mai. E mentre sorrideva, ascoltando al circolo o in qualche altro ritrovo le baggianate dei suoi conoscenti, dondolando un piede o carezzandosi la barba, immaginava freddamente qualche scoppio improvviso che mettesse in iscompiglio ridicolo a un tempo e spaventoso tutto quel mondo fatuo, fittizio, di cui gli pareva incredibile che gli altri sul serio potessero vivere e appagarsi. Gli altri? E lui? Di che viveva lui? Non se ne appagava, è vero; ma che ci guadagnava a non appagarsene? Ecco, quelle smanie. Non cupidigie effimere, non appetiti da soddisfar vi trovavano i suoi sensi: ritrarsene, non gli sarebbe costato alcuno sforzo di volontà; anzi doveva sforzarsi per rimanervi, come se fosse per lui esercizio di un dovere increscioso, condanna. D'altro canto, non sarebbe impazzito a restar solo con se stesso? Tanta era la mala contentezza della propria esistenza arida, senza germogli di desiderii vivi. Certe notti, rincasando oppresso dalla più cupa noja, aveva così forte l'impressione d'andare a ritrovar nella solitudine del suo villino il proprio spirito che non se n'era mosso e che lo avrebbe accolto dallo specchio con atteggiamento di scherno e gli avrebbe domandato se fuori faceva bel tempo, se c'era la luna, se qualche lampada elettrica non si fosse per caso stizzita lungo la via, o se San Paolo, stanco di stare in piedi, non si fosse messo a sedere su la colonna Antonina; così forte aveva questa impressione, che tornava indietro, per lasciar fuori la propria persona e non presentarla a quella derisione. Eccola, eccola lì, la sua bella persona, ben curata, ben lisciata, azzimata... chi se la voleva prendere a quell'ora di notte? Si fermava un po' per sentire intorno a sé il silenzio notturno; gli pareva che questo silenzio si profondasse nel tempo, nel passato di Roma, e diventasse terribile. Un brivido lo scoteva. Gravava quella notte su una città di mille e mille anni, per cui egli passava, ombra vana, minima, che un lieve soffio avrebbe spazzata via.

Da questi momenti non rari lo richiamava in sé ogni volta, accorrendo da Palermo senza invito e sempre in punto un amico, forse il solo che avesse sincero: Lino Apes, direttore della *Nuova Età*: Socrate, com'egli lo chiamava. E di Socrate veramente Lino Apes aveva l'umore e la bruttezza: alto, tutto collo e senza spalle, con le braccia scimmiesche che gli scivolavano fin quasi ai ginocchi, la fronte sfuggente, il naso schiacciato, e certi occhi ilari e acuti, che ridendo gli lagrimavano, quasi nascosti dalle folte sopracciglia spioventi. Poverissimo, con incredibili stenti superati allegramente, s'era mantenuto da sé agli studii, fino a laurearsi in lettere e filosofia; senza ambizioni di sorta, s'adattava a insegnare a suo modo in un ginnasio inferiore, con molto godimento

dei ragazzi, con molto struggimento del direttore che non osava muovergli alcuna riprensione. Passava il resto della giornata sperperando nella conversazione l'inesauribile ricchezza delle idee che, dopo un lungo giro, gli ritornavano appena appena riconoscibili, ciascuna col marchio della sciocchezza o
della vanità di chi se l'era appropriata. Era il suo discorso una fonte perenne
di speciosissimi argomenti, da cui sprazzava a un tratto una luce nuova e
strana che, inaspettatamente, rendeva tutto semplice e chiaro. Lino Apes
aveva più volte dimostrato a Lando Laurentano che, dicendosi socialista, mentiva con la più ingenua sincerità; si vedeva non qual era, ma quale avrebbe voluto essere. Il che, sosteneva lui, avviene a tutti, ed è la sorgente prima del ridicolo. Socialista, un indisciplinato? socialista, un nemico, non di questo o
quell'ordine, ma dell'ordine in genere, d'ogni forma determinata? Socialista
era per il momento: per quel tal momento di piena, a cui anelava. Ma la maggior parte dei socialisti, del resto, erano come lui e perciò poteva consolarsi, o
piuttosto, provarne dispetto. A ogni modo, una specialità l'avrebbe sempre
avuta: quella di esser ricco tra tanti consimili poveri e di farsi cavar sangue da
tutti e da lui, Lino Apes, direttore della *Nuova Età* e privato ispettore delle
scuole rurali dipendenti da S. E. il giovane principe di Laurentano.

Lando lo ascoltava con piacere. Tutto quello che gli altri dicevano lo lasciava scontento e insoddisfatto, come tutto quello che diceva lui stesso, pur
riconoscendo che, sì, era spesso sensato. Riconosceva anche che tanti e tanti
parlavano meglio di lui; ma che valevano poi tutte quelle parole, tutti quei ra-
gionamenti, tutte quelle idee giuste, tutte quelle cose sensate? Dentro di lui
scattava, esasperata, una protesta: «No, no, non è questo!», senza che poi egli
stesso sapesse dire che cosa dovesse essere in cambio. Ma tutto il resto, i
guizzi, i lampi che gli s'accendevano nello spirito non erano esprimibili: sarebbe sembrato pazzo, se li avesse espressi. Ebbene, Lino Apes, *Socrate*,
aveva questo: che sapeva esprimerli, ed era stimato saggio.

Riceveva da lui in quei giorni lettere su lettere, e ognuna con agro stile lo
pressava ad accorrere in Sicilia. Tutti i galli nelle aje bruciate non avevano
avuto mai così rossa e così irta la cresta, né mai più spavaldo avevan lanciato
nei campi il loro grido a salutare il nuovo sole che, per la prima volta dopo
una notte di secoli, sbadigliava nelle coscienze dei lavoratori. Coscienze? Per
modo di dire. Alla chiesa avevano sostituito il Fascio; e aspettavan da questo
tutti i miracoli impetrati invano da quella. Ma il fanatismo era al colmo: e
dunque possibili i miracoli e facile il cómpito dei taumaturghi. La piena stava
per irrompere, e in un momento avrebbe potuto travolgere «le impure sedi del
dominio borghese» ora senza presidio di soldatesche. Bisognava accorrere e
agire prima che la Sicilia fosse invasa militarmente e la reazione cominciasse.

Lando fremeva, ma non sapeva staccarsi da Roma in quel momento. Lo
scandalo bancario era come una voragine di fuoco aperta davanti al Parlamento nazionale: a una a una, uscendo di là, le putride carcasse del *vecchio
patriottismo* vi sarebbero precipitate; e quel fuoco, divorandole, avrebbe puri-
ficato la patria. Lo spettacolo era allegro nella sua oscena terribilità. Ma forse
non sarebbe stato tale per Lando, se in quella voragine non avesse aspettato
con ansia feroce uno: Corrado Selmi.

Ah finalmente! Già lo vedeva come un albero mezzo sfrondato all'appres-
sarsi della lava: fors'anche prima d'esser toccato dal liquido fuoco vorace, sarebbe sparito in una stridula vampata. E Lando sperava che il suo spirito si sarebbe rischiarato a quella vampata. Ah, per un momento almeno! Il male che
quell'uomo gli aveva fatto non era più rimediabile: gli aveva per sempre otte-
nebrato la vita, tolto per sempre la speranza di volgersi, di riaccostarsi a colei
che nella prima giovinezza gli aveva fatto intendere l'eternità in un attimo di
luce: luce sfavillante da due occhi neri e da un vanente sorriso, una sera di
maggio, lungo la marina di Palermo illuminata, tra il fragor delle vetture, l'o-

dore delle alghe che veniva dal mare, il profumo delle zagare che veniva dai giardini. Per il divino ricordo incancellabile di quest'attimo si sarebbe certamente riaccostato alla cugina, appena senza rimorso, senza profanazione almeno dal suo canto, morto il vecchio marito, avrebbe potuto farla sua di nuovo. Ben per questo l'aveva respinta, quand'ella, in un momento di follia, aveva voluto con rabbiosa disperazione aggrapparsi a lui. E quell'uomo vigliaccamente ne aveva profittato.

No, non poteva allontanarsi da Roma in quel momento.

Ora, chiamato con tanta premura da ben altre ragioni in Sicilia, quella per cui Mauro Mortara era venuto non poteva non sembrargli una grottesca irrisione. Pensò che non certo per il piacere di vederlo lo si voleva presente a quel festino di nozze, ma per una diffidenza del Salvo, che l'offendeva. E, per sbarazzarsene, decise di scrivere a costui una lettera che lo rassicurasse pienamente e per cui quel matrimonio potesse aver luogo senza il suo intervento. A Lino Apes rispose che, prima di muoversi, avrebbe voluto consultare tutti quei compagni che tra pochi giorni dovevano passare per Roma diretti al Congresso di Reggio Emilia. Si sarebbe tenuta un'adunanza in casa sua, alla quale anche lui, *Socrate*, doveva prender parte. A suo carico le spese di viaggio, tanto sue quanto quelle dei rappresentanti dei maggiori Fasci, di cui voleva un preciso ragguaglio delle condizioni in cui si sarebbe impegnata la lotta; e se queste veramente erano favorevoli, non avrebbe esitato un momento a cimentarsi, ad arrischiar tutto, là e addio! Due giorni dopo la spedizione di questa lettera, gli arrivò all'orecchio la notizia del salvataggio scandaloso del Selmi tentato dal Governo. Sentì rompersene lo stomaco, e in un furioso ribollimento di sdegno decise di partir subito per dar fuoco alle polveri preparate in Sicilia. La mattina dopo, mentre parlava con Mauro Mortara della partenza imminente, gli fu annunziata la visita del cugino Giulio Auriti.

Mauro era andato due volte a casa di Roberto in via delle Colonnette, e non l'aveva trovato. Prima di partire, avrebbe voluto almeno salutarlo. Non conosceva Giulio, avendolo veduto due o tre volte soltanto da ragazzo; diede un balzo, appena lo vide entrare nella stanza:

– Don Stefano! – esclamò. – Oh figlio mio! Don Stefano nelle forme... Tutto, tutto lui! La stessa faccia... lo stesso corpo...

Ma, notando che il giovine, nell'esagitazione a cui era in preda, gli restava dinanzi con fredda e accigliata perplessità:

– Non sapete chi sono io? – aggiunse. – Sono Mauro Mortara. Morì qua, tra queste braccia, vostro padre, con una palla in petto, qua sotto la gola. Aveva al collo il fazzoletto, e una cocca gli era entrata nella ferita: non poteva parlare; con codesti vostri occhi, nell'agonia, mentre lo sorreggevo, mi raccomandò il figliuolo, vostro fratello, che io scostavo col gomito, coprendo con tutta la persona il corpo di vostro padre caduto, per non farglielo vedere...

Giulio Auriti si premé forte le mani sul volto e scoppiò in singhiozzi.

Lando, conoscendo la rigida tempra del cugino, il dominio freddo che aveva di se stesso, si voltò a guardarlo, turbato e costernato. Gli s'accostò; gli posò una mano su la spalla:

– Giulio!

– Avreste fatto meglio a lasciarglielo vedere! – disse allora questi, rivolto a Mauro, riavendosi d'un tratto, al richiamo. – Gli sarebbe rimasto più impresso. Era troppo piccolo! E piccolo è rimasto. Piccolo e cieco. Ho da parlarti, – aggiunse poi, rivolgendosi a Lando, e con la mano si strinse gli occhi, quasi per portarne via ogni traccia di pianto.

Mauro non intese, non comprese nulla: con gli occhi fissi nella lontana visione della battaglia, scosse il capo a lungo, sospirò:

– Bella morte! Bella morte! Può piangerla un figlio; ma a pensarci, è una festa. Una festa era per noi morire! Che morte faremo adesso? Vecchi, spor-

cheremo il letto... Basta; me ne vado. È in casa don Roberto? Voglio andare a
salutarlo. Ho visto Roma, però, e anche in un canto, mangiato dalle mosche,
posso morir contento...

Fece con la mano un gesto di noncuranza e se ne andò.

Tutta la notte, dopo il colloquio con Francesco D'Atri, Giulio Auriti invece
di pensare a ciò che avrebbe dovuto dire al cugino per ottener l'ajuto che doveva chiedergli, prevedendolo nemico, per farsi animo all'impresa aveva richiamato, tra un continuo incalzar di smanie rabbiose, pensieri e ragioni che
non avrebbe potuto manifestargli; s'era compiaciuto nel dire a se stesso ciò
che non avrebbe potuto dire a lui; aveva voluto vedere in sé quasi un diritto a
quell'ajuto. E s'era accorto che soltanto in apparenza era stata finora cordiale
la sua relazione con lui. Quanta invidia ignorata e qual rancore non gli aveva
sommosso dal fondo segreto dell'anima, in quella notte, il bisogno! Finora
aveva pensato che la meschinità della condizione sua d'impiegato in un Ministero, nascosta con tanti sacrifizii sotto vesti signorili, non poteva avvilirlo di
fronte al cugino ricco e titolato, perché Lando doveva sapere che essa era conseguenza dell'altera e sdegnosa rinunzia della madre; e che, quanto alla nobiltà, non era da meno la sua, per ciò che il padre era stato. Ma ora? Compromesso indegnamente Roberto in quel turpe scandalo bancario, e costretto
lui a chieder soccorso, crollavano miseramente le ragioni della sua alterezza, e
con esse, a un tratto, anche quelle della cordialità verso il cugino. E s'era preparato a quel colloquio con lui come a un assalto contro un nemico. Nemico,
sì, perché Lando certamente avrebbe negato l'ajuto, sapendo che quel denaro
era stato preso dal Selmi. Avrebbe dovuto per forza confessarglielo. Ma
Lando doveva anche pensare, perdìo, che né Roberto si sarebbe ridotto a prestar come un cieco di quei favori al Selmi, in ricambio d'altri favori; né lui a
chiedergli ora quell'ajuto, se la madre non avesse rinunziato all'eredità paterna! Il danaro che gli avrebbe chiesto, rappresentava in fondo una minima
parte di quello lasciato sdegnosamente dalla madre al fratello maggiore; ed
egli avrebbe potuto chiederlo a titolo di restituzione, data quell'orribile necessità. Il sacrificio suo nel chiederlo non sarebbe stato minore di quello di
Lando nel darlo.

Ora, uscito Mauro Mortara, che gli aveva cagionato quella improvvisa commozione col ricordo della morte eroica del padre, egli, di fronte al cugino che
lo guardava turbato, in attesa ansiosa e benigna, restò per un pezzo come
smarrito, in preda a un orgasmo crudele. Contrasse tutto il volto nella rabbia
del cordoglio, e stringendo le mani intrecciate fin quasi a spezzarsi le dita:

– Ho bisogno di te, Lando, – disse. – È per me un momento terribile, da cui
solamente tu puoi liberarmi, ma... te ne prevengo, con un grande sacrifizio
anche da parte tua, morale e materiale.

Lando, confuso, perplesso, soffrendo alla vista del cugino così agitato e presentendo anche dalle parole di lui la gravità di ciò che gli avrebbe chiesto,
mormorò, aprendo le braccia:

– Parla... tutto quello che posso...

– Ah, no! – troncò subito Giulio, urtato dalla frase comune. – È difficile, è
difficile, tanto per me, quanto per te, sai! Ma devi pensare che la mia vita,
Lando, la vita di mia madre, l'onore nostro, sono... sono nelle tue mani, ecco!
Pensa a questo, e allora forse... spero... troverai la forza di compiere il sacrifizio che ti domando.

– Tu mi spaventi! – esclamò Lando. – Parla; che ti è accaduto?

Giulio tornò a stringersi le mani, convulsamente; se le batté più volte, così
strette, su la bocca, tenendo gli occhi serrati. Le vene gonfie, nella fronte contratta, mostravano lo sforzo atroce che faceva su se stesso.

– Se dico tutto, – scattò, smaniando, – mi darai ajuto?

– Ma perché no? – domandò Lando, con pena. – Che c'è? Se non so di che si tratta!

– Di me, – rispose pronto Giulio. – Pensa che si tratta di me soltanto, o, piuttosto, di mia madre. Tieni presente mia madre e tutte tutte le sciagure della mia famiglia. Tu hai rispetto e affezione per mia madre, non è vero?

– Ma sì, lo sai! – affermò Lando, con sincero interessamento. – Non mi tener così sospeso, per carità!

– Aspetta... aspetta... – scongiurò l'Auriti; come se non sapesse staccarsi da quel rivo di tenerezza, nell'amaritudine in cui affogava. – Per noi, per me è tutto; l'orgoglio suo, il suo sentimento... per cui, senza lagnarci mai, ci siamo ridotti... così... Non so, non so proprio come debba dirti; ma noi non abbiamo altro, non abbiamo mai avuto altro che questo orgoglio... e ora... ora...

– Càlmati, Giulio! – lo esortò di nuovo Lando, con un moto d'impazienza. – Non comprendo... Hai bisogno di me. Di'... Tua madre...

– Debbo impedire che ne muoja! – gridò Giulio. – A qualunque costo! E tu devi ajutarmi, Lando; e per ajutarmi devi fare il sacrifizio di vincere ogni risentimento, ogni ragione d'odio verso un uomo che è la causa di tutta questa rovina e che io detesto e maledico come te e vorrei morto con la stessa tortura che infligge ora a noi!

Lando s'irrigidì a un tratto, aggrottò le ciglia.

– Il Selmi? – domandò. – Roberto... col Selmi?

Giulio crollò più volte il capo; poi, in breve, concitatamente, espose la situazione del fratello e quel che si doveva fare per salvarlo, tacendo del colloquio avuto la sera avanti con S. E. il ministro D'Atri.

Ma Lando, già prevenuto, col pensiero fisso in un sol punto, dalle parole affannose del cugino non comprese altro, in prima, che salvare così Roberto voleva dire salvare anche il Selmi, e che la salvezza di questo poteva ancor dipendere da quella del cugino. Guardò Giulio negli occhi, quasi ora soltanto lo vedesse davanti a sé:

– E come? – esclamò, stupito. – Tu vieni da me, Giulio, per questo? proprio da me?

Sopraffatto da questa domanda piena di tanto stupore, Giulio si perdette per un momento e, come se l'orgasmo gli si sciogliesse dentro in un'agrezza velenosa:

– A chi... a chi altro...? – balbettò. – Tu sai che la mia famiglia... E poi... ricòrdati, t'ho chiesto, entrando, un sacrifizio...

– Ma che sacrifizio! No! – gridò Lando. – Non è umano! Vieni da me per questo? Ma come! Non sai che cosa rappresenta per me quell'uomo?

– T'ho detto perciò... – si provò a soggiungere Giulio.

– Che m'hai detto? No! – scattò di nuovo Lando. – Tu vieni a dirmi, Giulio, così: «Eccoti l'arma, l'unica arma con cui puoi uccidere il nemico che sta per sfuggire alla tua vendetta; ma no! quest'arma, tu non devi usarla; tu devi anzi ajutarmi a nasconderla, a levarla di mezzo, per salvarlo!». Questo vieni a dirmi!

– Perché vedi il Selmi, ecco, vedi il Selmi e non sai veder altro! – smaniò, esasperato, l'Auriti. – Lo sapevo! Quando ti dirò tutto, mi darai più ajuto?

– Ma che ajuto? – ribatté ancora una volta Lando. – Lo chiami ajuto, codesto? Questa è, da parte mia, complicità! Mi vuoi complice nel salvataggio del Selmi?

– E dàlli! – gridò Giulio. – Roberto! Io voglio salvare Roberto! Mia madre! Che m'importa del Selmi? L'odio, ti ho detto, lo detesto più di te! Ma devo salvar Roberto...

Lando con un violento sforzo su se stesso si costrinse alla calma di fronte a quella cieca, disperata ostinazione del cugino. Volle provarsi a ragionare con lui.

– Scusa, – disse. – Guarda... guarda, Giulio, rispondi a me. È colpevole Roberto? lo credi tu colpevole?

– Colpevole o non colpevole, – rispose Giulio, scrollandosi, – non si tratta di questo! è compromesso!

– Ma può difendersi, perdìo! – ribatté subito Lando.

– Grazie! Lo so. Ma io devo impedire che sia accusato, che sia tratto in arresto, non capisci? – spiegò l'Auriti. – Lo so che può difendersi! E se non vorrà difendersi lui...

– Ecco, ecco... benissimo! – approvò Lando. – Anch'io con te...

– Ma no! grazie! – ricusò di nuovo, con sdegno, Giulio. – Ajuto di parole, grazie! Basto io solo. Non c'era bisogno che venissi da te.

– Scusa, – disse Lando, risentito. – L'ajuto onesto... la difesa vera, onorevole, è soltanto questa. Pagare è complicità. Roberto deve parlare; non rendersi complice del Selmi, tacendo e pagando per lui.

– E tu vuoi dunque, – domandò Giulio, – ch'egli subisca l'ignominia dell'arresto e del carcere, quand'io posso ancora risparmiargliela?

– Col denaro?

– Col denaro, col denaro, – ripeté Giulio. – Onestà, disonestà... che vuoi che m'importi adesso? Basta a me saperlo onesto! Chi lo crederebbe più tale, domani, se oggi fosse arrestato? Chi crede più alle difese di chi è stato in carcere? Lando, per carità, stiamo all'esperienza. Guarda soltanto a Roberto! Tu, bada bene, ora mi neghi l'ajuto, non per altro, ma perché vuoi far Roberto strumento della tua vendetta!

– No, questo no! – negò energicamente Lando. – Ma non posso farmi, io, strumento della salvezza del Selmi, lo capisci? Tu m'infliggi un supplizio disumano! Io non posso, non devo subirlo! Per Roberto, tutto! Ma se Roberto è coinvolto col Selmi, e il mio ajuto può giovare a costui, no, io non posso dartelo, né tu puoi chiedermelo!

Giulio Auriti rimase un pezzo in silenzio, assorto cupamente.

– Dunque, no? – disse poi, levando il capo e guardando negli occhi il cugino.

A questa domanda categorica, Lando, compreso di profonda pietà, non seppe rispondere con un nuovo reciso rifiuto. Giunse le mani, s'accostò all'Auriti, disse:

– Ma, a parte ogni ragione mia propria, Giulio, pensa... pensa alle relazioni mie, al mio modo di sentire, alle idee per cui combatto... Io non potrei più domani trovarmi coi miei compagni in quest'opera d'epurazione che abbiamo intrapresa...

S'accorse subito che non doveva dire così, e tuttavia non seppe frenarsi, pur notando quasi con sgomento l'alterazione del volto del cugino a ogni parola che proferiva. Lo vide alla fine scattare in piedi, scontraffatto.

– Voi epurate, già! – esclamò Giulio Auriti, con un ghigno orribile. – Tu puoi epurare! Siete i puri, vojaltri! Noi, io, Roberto, anche mio padre, se vivesse...

– Giulio... Giulio! – cercò di richiamarlo Lando, addolorato.

Ma l'Auriti, fuori di sé, seguitò:

– Tutti quanti sporcati, nojaltri. E conierei moneta falsa, sì, e ruberei per aver queste quarantamila lire, che tu hai e ch'io non ho. E perché non le ho, sono uno sporcato! Tu le hai, e sei puro! Ma pensa che mia madre, intanto, non volle averle, perché le parvero sporche!

Lando si drizzò su la persona, e, fermo in mezzo alla stanza, squadrò il cugino con fredda alterezza:

– Il denaro mio, – disse, – tu lo sai, è quello soltanto di *mia* madre.

Ma anche dopo aver proferite queste parole si pentì subito, e atteggiò il volto di schifo per la crudezza triviale, a cui la discussione trascendeva. Pensò in un attimo che, per un'iniqua disposizione, anche nella famiglia materna uno

aveva scontato con la povertà la ribellione generosa; pensò che tra le tante ragioni, per cui nel fervore giovanile aveva voluto far sua Giannetta Montalto,
egli aveva posto anche questa, di ridarle cioè almeno una parte di quanto era
stato tolto al padre di lei, diseredato. Previde che il cugino avrebbe risposto a
quella sua altera e inconsulta affermazione, trascinando ancor più in basso la
contesa vergognosa. E difatti Giulio Auriti, scontorcendo il torbido volto, coz-
zando tra loro le pugna serrate e poi aprendole innanzi agli occhi sfavillanti di
un lustro di scherno, ghignò:

– Ma anche il denaro di tua madre, via!

E Lando, di fronte alla provocazione, ancora una volta non seppe frenarsi.

– Il denaro di mia madre? – domandò, facendoglisi avanti a petto.

Giulio Auriti si passò una mano su la fronte ghiaccia di sudore, si nascose gli
occhi, s'accasciò dolorosamente.

– Non mi far dire altro!

Lando rimase a guardarlo, o piuttosto, a guardargli dentro; poi disse con
cruda freddezza, piano, tra i denti, quasi sillabando:

– E anche ammesso ciò che tu pensi, vuoi che paghi io un debito contratto
dal Selmi per lo spasso d'una donna, che potrebbe aver da ridire sul denaro di
mia madre? Va', va', va', ...per carità, vàttene! – proruppe poi, nascondendosi
anche lui gli occhi. – Non posso più guardarti in faccia!

Udì andar via il cugino, stette ancora a lungo con le mani sul volto, per il ribrezzo che sentiva d'aver toccato il fondo lurido d'una realtà, a cui non si sarebbe mai aspettato di poter discendere, e della quale sempre gli sarebbe rimasta nell'anima l'impressione orrenda. Ora, risorgendo da quel fondo, nel quale
per un momento era scivolato, non gli sarebbe sembrato falso e vacuo e lercio
tutto intorno? In ogni suo sentimento, in ogni idea, in ogni atto, in ogni parola,
non sarebbe rimasto un segno, l'impronta di quel fango toccato?

Con gli occhi strizzati, i denti serrati e le labbra schiuse, aride e amare, si
stropicciò forte le mani. Poi aprì gli occhi, guardò la stanza; si sentì soffocare,
e andò a una finestra che dava sul giardino.

Ah, tutto, tutto così!... Tutto era vergogna in quel momento! La peste era nel-
l'aria. La carcassa sociale si sfaceva tutta, e anche la sua anima, ogni suo pensiero, ogni suo sentimento... tutto era insozzato...

Tre giorni dopo, nella sala della biblioteca erano adunati i compagni che dovevano recarsi al Congresso socialista di Reggio Emilia; i rappresentanti dei
Fasci più numerosi dell'isola, invitati da Lando; alcuni deputati amici, quattro
milanesi del *Partito italiano dei lavoratori* e Lino Apes.

Spiccava tra tanti uomini una giovinetta in giacchettino rosso e berretto nero
a barca, con una penna di gallo ritta spavaldamente da un lato: Celsina Pigna,
venuta invece di Luca Lizio a rappresentare il *Fascio* di Girgenti. Nessuno voleva far le viste di meravigliarsene; ma ella s'accorgeva bene dei rapidi
sguardi furtivi che tutti le lanciavano, in ispecie i meno giovani; e notava, ridendo dentro di sé, che quei pochi, i quali ostinatamente si vietavano di guardarla, prendevano per lei arie languide o fiere impostature e, per lei, parlando,
davan certe modulazioni alla voce, chi flebili e chi vivaci, le quali tradivano
tutte quel tale orgasmo che la presenza d'una donna suscita di solito. Notava
anche in più d'uno un'altra ostentazione: quella di una disinvoltura quasi
sprezzante, che tradiva il disagio segreto di trovarsi in una casa ricca e ben
messa.

Lando Laurentano non c'era ancora. Lino Apes, a nome di lui, aveva pregato
gli amici d'avere un po' di pazienza, che presto sarebbe venuto. Nell'attesa
s'erano formati alcuni crocchi: due presso le finestre che davano sul giardino,
uno presso la tavola preparata in capo alla sala per chi doveva presiedere
all'adunanza. Alcuni passeggiavano cogitabondi, altri leggevano sul dorso

delle rilegature i titoli dei libri negli scaffali, tendendo gli orecchi, senza parere, a ciò che si diceva in questo e in quel crocchio. Parecchi spiavano obliquamente uno dei deputati che, passeggiando per la sala con le dita inserte nei taschini del panciotto, alzava di tratto in tratto le spalle, protendeva il collo e in segno di meraviglia e di commiserazione stirava la bocca sotto i ruvidi baffi rossastri già mezzo scoloriti. Era il deputato repubblicano Spiridione Covazza che in quei giorni aveva scritto male, su una rassegna francese, dell'organamento delle forze proletarie in Sicilia. Vedendosi sfuggito da tutti, con quel gesto pareva dicesse: «Incredibile!». Ma pur doveva sapere che il suo torto era quello di veder tante cose che gli altri non vedevano, e di dare ad esse quel peso che gli altri ancora non sentivano, perché nel calore della passione ogni cosa par che si sollevi con chi la porta in sé. Illusioni: bolle di sapone, che possono a un tratto diventar palle di piombo. Lo sapevano bene quei poveri contadini massacrati a Caltavutùro. Aveva scritto su quella rassegna francese ciò che in coscienza credeva la verità; al solito suo, rudemente e crudamente. Ma volevano dire ch'egli provasse un acre piacere nel mettere avanti così, fuor di tempo e di luogo, le verità più spiacevoli, nello spegnere col gelo delle sue argomentazioni ogni entusiasmo, ogni fiamma d'idealità, a cui pur tuttavia era tratto irresistibilmente ad accostarsi. Scarafaggio con ali di falena – lo aveva definito su la *Nuova Età* Lino Apes: – accostatosi alla fiamma, spariva la falena, restava lo scarafaggio. Calunnia e ingratitudine! Egli stimava dover suo, invece, serbarsi così frigido in mezzo a tante fiamme giovanili; che se queste non eran fuochi di paglia, alla fine si sarebbe scaldato anche lui; e se erano, faceva il bene di tutti, spegnendoli. Forse la sua stessa figura, grassa e pure ispida, quegli occhi vitrei, aguzzi dietro gli occhiali a staffa, quel naso di civetta, il suono della voce, suscitavano in tutti una repulsione tanto più irritante, in quanto ciascuno poi era costretto a riconoscere che quasi sempre il tempo e gli avvenimenti gli avevano dato ragione, a pregiarne la dottrina vasta e profonda, la dirittura della mente e della coscienza, l'onestà degli intenti e ad avere stima e anche ammirazione di quella sua franchezza rude e dispettosa e del coraggio con cui sfidava l'impopolarità. Quell'accoglienza ostile, intanto, Spiridione Covazza sapeva di doverla soprattutto a tre giovani siciliani, che erano nella sala circondati in quel momento dalla fervida simpatia di tutti: Bixio Bruno, Cataldo Sclàfani e Nicasio Ingrao, i quali più degli altri s'eran sentiti ferire dalla sua critica. Stava ciascun d'essi in mezzo ai tre crocchi che si erano formati nella sala. Bixio Bruno, svelto, dal volto olivastro animoso e i capelli crespi gremiti da negro, spiegava con fluida e colorita loquela, storcendo in un mezzo sorriso di soddisfazione la bocca rossa e carnuta, come in poco tempo fosse riuscito a raccogliere a Palermo in un sol fascio i ventisei sodalizii operai, le maestranze discordi, le cui bandiere smesse erano adesso conservate in una sala, quali trofei di vittoria. Appariva pieno di fiducia e sicuro del trionfo. Si aspettava, credeva anzi imminente la reazione da parte del Governo: scioglimento dei *Fasci*, arresti, invasione militare. Ma il buon seme era sparso! Ogni sopraffazione, ogni persecuzione avrebbe reso più grande la vittoria. Potevano esser tratti in arresto trecentomila uomini? No. I capi soltanto, qualche dozzina di soci, se mai. Bene, eran già pronti i capi segreti, ignorati ancora dalla polizia; e la propaganda avrebbe seguitato più efficace che mai. Cataldo Sclàfani, tarchiato, con gli occhi un po' strabi e un barbone che pareva un fascio di pruni, parlava nell'altro crocchio, profeticamente ispirato; diceva con sorridente commozione che là dove prima era spuntata l'alba dell'unità della patria, era fatale spuntasse ora quella più rossa e più fulgida della rivendicazione degli oppressi. Sapeva, sì, che già prima nelle Romagne, nel Modenese, nelle province di Reggio Emilia e di Parma, nel Cremonese, nel Mantovano, nel Polesine, era sorto a far le prime armi il socialismo italiano; ma tutt'altra cosa era adesso in Sicilia! Rivelazione improvvisa, prodigiosa! Lino Apes, ascoltandolo, si tirava i baffi fino a strapparseli, per tenere a freno il sorriso. Nelle sue lettere a Lando, chiamava Cataldo Sclàfani il *Messia dei Fasci*. Nel terzo crocchio Nicasio Ingrao, tozzo, rude, con un'atra voglia di sangue che gli prendeva mezza faccia, parlava coi deputati, arrotondando alla meglio il dialetto nativo, e balzando con strana mimica da una sconcia bestemmia a una ingenua invocazione infantile; parlava della crisi dell'industria zolfifera in Sicilia e della spaventevole miseria dei solfaraj già da alcuni mesi in isciopero forzato. Un compagno, direttore del *Fascio* di Comitini, si provò a far sapere a quei deputati quanto l'Ingrao, proprietario di terre e di case in Aragona, avesse fatto e facesse per quei solfaraj, per impedire che trascendessero a rapine, incendii e tumulti sanguinosi; ma l'Ingrao gli saltò addosso e gli turò la bocca, minacciando di attondarlo con un pugno, se seguitava. Celsina Pigna, dal posto in cui si teneva appartata, scoppiò a ridere, a quel violento gesto burlesco, e l'Ingrao le domandò, ridendo anche lui:

– Lo attondo, signorina?

Nei tre crocchi tutti gli altri isolani, giovinotti dai venti ai trent'anni, sentendo parlare quei tre capi più in vista, gonfiavano d'orgoglio, s'intenerivano fin quasi alle lagrime. Erano certi, nella loro sincera fatuità giovanile, di rappresentare una parte nuova nella storia, pur lì a Roma. Avevano veduto davanti a quei tre duci del Comitato centrale migliaja di donne, migliaja di contadini, intere popolazioni dell'isola in delirio, gettar fiori, prosternarsi con la faccia a terra, piangere e gridare, come prima davanti alle immagini dei loro santi.

Tutti si volsero a un tratto e si mossero verso Lando Laurentano che entrava di fretta. Chiedendo scusa del ritardo, strinse la mano ai primi che gli si fecero innanzi; pregò tutti di prender posto, e appena fu fatto silenzio, disse:

– Ho perduto tempo, signori, per una ragione forse non estranea agli interessi nostri, agli interessi specialmente di tanti nostri compagni che più degli altri, credo, hanno bisogno in questo momento di ajuto, giù in Sicilia.

– I solfaraj! – gridò l'Ingrao, balzando in piedi, come se egli ne fosse il più legittimo difensore. – Ho capito! – aggiunse. – Vuoi dire che c'è qua l'ingegnere Aurelio Costa? Ho capito. Eh, ha viaggiato con me questo signore! Abbiamo discorso a lungo e...

Lando con un gesto lo pregò di tacere:

– L'ingegnere Aurelio Costa, appunto, – riprese, – direttore delle zolfare del Salvo, che credo sia uno dei più ricchi proprietarii di miniere della provincia di Girgenti, è venuto a Roma per interessare la deputazione siciliana a un disegno...

– Permesso? – interruppe di nuovo l'Ingrao. – Non perdiamo tempo, signori miei! Vi spiego io il fatto com'è. Il signor Salvo sta per imparentarsi, per via d'una sorella, col principe di Laurentano...

Un mormorio di protesta si levò per il tratto ruvido dell'Ingrao verso Lando, a cui tutti gli occhi si volsero a chiedere scusa dello sgarbo. Ma Lando, sorridendo, s'affrettò a dire:

– Non con me, vi prego! non con me!

E l'Ingrao allora, scrollandosi irosamente, gridò:

– Madonna santissima, per chi mi prendete? Se dico il principe! Avrei chiamato principe il nostro amico riverito, ospite e compagno amatissimo? Non per cosa oh! ma egli sa di non salire, se lo chiamiamo principe, e sa che noi non vogliamo abbassarlo chiamandolo semplicemente Laurentano. Io alludo al principe suo padre; e Lando Laurentano non può offendersi delle parole mie. Se si offende, è uno sciocco! Parlo io invece di lui, perché egli sta a Roma, io sto in mezzo alle zolfare, e so che il progetto del signor Salvo non tende ad altro che ad ingraziarsi il figlio del principe, facendogli vedere che gli stanno a cuore le sorti degli operaj delle zolfare. Bubbole! Panzane! Polvere negli occhi! Sa meglio di me il signor Salvo che il suo progetto è una coglionatura! Sissignori, io parlo nudo, così. Se veramente vuol fare qualche cosa, tolga il signor Salvo dalle zolfare di sua proprietà le così dette *botteghe*, dove gli operaj sono costretti a provvedersi con l'usura del cento per cento dei generi di prima necessità: vino, che è aceto; pane, che è pietra!

Spiridione Covazza domandò allora di parlare, e tutti si voltarono con viso ostile a guardarlo.

– Volete adesso difendere le *botteghe*? – lo apostrofò l'Ingrao.

Il Covazza non si voltò nemmeno.

– Vorrei sapere – disse piano – le idee generali di questo disegno.

– Vi dico che è una coglionatura! – tornò a gridare l'Ingrao.

Il Covazza tese una mano, senza scomporsi.

– Prego, – disse, – urlare non è ragionare. Sono stato anch'io nelle zolfare: ho studiato attentamente le condizioni dell'industria zolfifera, le ragioni complesse della sua crisi; e vi so dire che, se nelle condizioni presenti quelli che hanno da sperar meno sono i solfaraj, picconieri e carusi, non meno tristi sono però le sorti dei coltivatori delle miniere e dei proprietarii; e se questo disegno...

Non poté seguitare. Tutti i rappresentanti dei *Fasci* scattarono in piedi protestando. Lando s'interpose, cercò di calmarli, ammonì che si avesse rispetto per le opinioni altrui, e propose che uno fosse subito chiamato a dirigere la discussione.

– Bruno! Bruno! Bixio Bruno! – si gridò da varie parti.

E Bixio Bruno, avvezzo ormai a vedersi designato a quell'ufficio, in due salti fu alla tavola preparata in capo alla sala.

– Signori, – disse. – Di straforo, incidentalmente, siamo entrati nel pieno della discussione. L'on. Covazza, in un suo scritto recente...

– Pubblicato all'estero! – interruppe uno in fondo alla sala.

– All'estero, o in Italia, sciocchezze! – ribatté il Bruno. – Le nostre idee, il nostro partito non riconoscono confini di nazionalità. In questo scritto l'on. Covazza ha criticato l'opera mia e dei miei compagni.

Spiridione Covazza, con le braccia incrociate sul petto, negò più volte col capo.

– No? – domandò il Bruno. – Come no? Non ha ella detto che la nostra propaganda è fatta di miraggi?

– Io ho detto, – rispose il Covazza, levandosi in piedi, – che le vostre dimostrazioni oneste d'una libertà che dia intero realmente il diritto di soddisfare ai bisogni della vita, le spiegazioni che voi date della lotta di classe, sfruttati contro sfruttatori, e del programma della scuola marxista in genere e di quello minimo che vi siete tracciato, si traducono, inevitabilmente e sciaguratamente, in miraggi, per la ignoranza di coloro a cui sono rivolte. Questo ho detto! E ho soggiunto...

Nuove proteste confuse si levarono nella sala. Il Bruno batté il pugno sulla tavola e impose silenzio.

– Lasciatelo parlare!

– Ho soggiunto, – riprese il Covazza, – che voi, abbagliati, nel fervore della vostra sincera fede giovanile, credete che le vostre dimostrazioni e spiegazioni siano veramente comprese.

– Sono! sono! sono! – gridarono molti a coro.

– Non sono! Non possono essere! – negò energicamente il Covazza. – Come volete che siano, se non le comprendete bene neanche voi stessi?

Una tempesta di urli si scatenò a questa affermazione. Il Bruno, Lando Laurentano, Lino Apes, i colleghi deputati stentarono un pezzo a domarla. Spiridione Covazza aspettò a capo chino, con gli occhi chiusi, che fosse domata; a un certo punto, giunse le mani e, tenendole alte, piegò di più il capo tra esse, curvò con fatica l'obesa persona; poi, aprendole in un ampio gesto e risollevandosi, pregò quasi piangente:

– Non mi costringete, signori, per falsi riguardi al vostro malinteso amor proprio, non mi costringete ad attenuare d'un punto la verità, con concessioni che farebbero a me e a voi stessi vergogna, e che potrebbero essere perniciose in questo momento! Quanti tra voi conoscono veramente Marx? Quattro, cinque, non più! Siate franchi! Tutti gli altri non hanno coscienza vera di quel che si vuole: sì, sì, proprio così! né dei mezzi congrui per conseguirlo, infatuati d'un socialismo sentimentale, che s'inghirlanda delle magiche promesse di giustizia e d'uguaglianza. Ma sapete voi che cosa vuol dire *giustizia* per i contadini e i solfaraj siciliani? Vuol dire violenza! sangue, vuol dire! vuol dire strage! Perché alla giustizia legale, alla giustizia fondata sul diritto e sulla ragione essi non hanno mai creduto, vedendola sempre a loro danno conculcata! Li conosco io, molto meglio di voi, i contadini e i solfaraj siciliani... sì, sì, purtroppo, molto meglio di voi! Voi vi illudete! Voi dite loro collettivismo? ed essi traducono: divisione delle terre, tanto io e tanto tu! Dite loro abolizione del salario? ed essi traducono: padroni tutti, fuori le borse, contiamo il denaro, e tanto io tanto tu.

– Non è vero! Non è vero! – gridarono alcuni.

– Lasciatemi finire! – esclamò stanco, anelante, il Covazza. – L'altra illusione, che voi vi fate, è sul numero degli iscritti ai vostri *Fasci*: tremila qua, quattromila là, ottocento, mille, diecimila... Dove, come li contate? Son ombre vane, signori, filze di nomi e nient'altro! Sì, lo so anch'io: appena si aprono le iscrizioni, come le pecore: una dà l'esempio, tutte le altre dietro! Ma volete sul serio dar peso, fondarvi su questo, ch'è frutto d'un inevitabile contagio psichico? Quanti, sbollito il primo entusiasmo, restano effettivamente nei vostri *Fasci*? Basta ad allontanare il maggior numero la prima richiesta della misera quota settimanale! E quanti *Fasci*, sorti oggi, non si sciolgono domani? Lasciatevelo dire da uno che non s'inganna e che non vi inganna, signori! So che voi oggi qua volete stabilire se si debba, o no, secondare la tendenza delle moltitudini a un'azione immediata. So che parecchi tra voi sono contrarii, e io li stimo saggi e li approvo. Un movimento serio come voi l'intendete, non è possibile ancora in Sicilia! Se credete che già ci sia per opera vostra, v'ingannate! Per me non è altro che febbre passeggera, delirio di incoscienti!

Spiridione Covazza sedette, asciugandosi il sudore dal volto congestionato, mentre dieci, quindici, tutt'insieme, si levavano a domandar la parola.

Parlò Cataldo Sclàfani con voce tonante e col volto atteggiato più di dolore che di sdegno, giacché non l'accusa per se stessa poteva offenderlo, ma che uno potesse accusarlo e accusar con lui i suoi compagni.

– Non mi difendo, – disse, – espongo!

Quanti erano i *Fasci*? Eran presenti i capi dei più importanti, e ciascuno poteva dire all'on. Covazza come erano contati i socii e quanti fossero. I *Fasci*, secondo gli ultimi dati del Comitato centrale, erano centosessantatré fermamente costituiti, trentacinque in via di formazione. C'era dunque davvero un grande esercito di lavoratori in Sicilia, nel quale non si sapeva se ammirar più il fervore, la coscienza, o la disciplina con cui obbediva a un cenno del Comitato centrale. Il capo d'ogni *Fascio* passava la parola d'ordine ai singoli capi di sezione, e questi a lor volta ai capi dei rioni e delle strade: in un batter d'occhio, sia di giorno, sia di notte, tutti i socii dei *Fasci* potevano ricevere un avviso. E se domani i lavoratori si fossero mossi, tutta la gente siciliana sarebbe stata travolta come da una corrente di fuoco. Perché già da lunghi anni covava il fuoco in Sicilia, da che essa cioè, nel mare, si era veduta come una pietra a cui lo stivale d'Italia allungava un calcio in premio di quanto aveva fatto per la così detta unità e indipendenza della patria. Perché dire che solo da un anno si parlava di socialismo in Sicilia? Non vi era già, diciott'anni ad-

dietro, una sezione dell'Internazionale? E da allora non vi si eran sempre pub-
blicati giornali del partito; e circoli, gruppi, nuclei non si erano formati qua e
là, sicché appena sorta la prima idea dei *Fasci*, era stato un subito accorrere e
un subito riaggregarsi di antichi compagni di fede? Non era vero dunque che
la rapidissima formazione dei *Fasci* era dovuta solo all'assidua e vigorosa
propaganda dei giovani: il terreno era già da lunga mano preparato; mancava
l'unione, un indirizzo; e ai giovani era bastato soltanto dare una voce e indicar
la via, la stessa via che da anni batteva il proletariato di altri paesi. I contadini
e gli operaj di Sicilia erano accorsi ai giovani con le braccia tese, gridando: –
Voi, voi siete i veri amici! – e si erano mossi a seguirli con la gioja nel cuore,
con la piena coscienza di ciò che si disponevano a fare. E, a provar questa coscienza, Cataldo Sclàfani parlò, commosso, dei discorsi tenuti nell'ultimo
congresso di Palermo da alcune donne di Piana dei Greci e di Corleone; discorsi che dimostravano, nel modo più lampante, come non il lume artificiale
d'una coltura accademica, né teorie di scuola bisognavano a destar quella coscienza, ma la pratica quotidiana del dolore e dell'ingiustizia, e l'indicazione
più semplice e più spontanea del rimedio a tanti mali: l'unione! Socialismo
sentimentale? Ma la forza che crea è appunto il sentimento, non la fredda ragione, armata di dottrina! Che importava la nozione astratta d'un diritto,
quando c'era il sentimento immediato e prepotente di un bisogno? Sentire il
proprio diritto con la forza stessa con cui si sente la fame valeva mille volte
più d'ogni precisa dimostrazione teorica di esso. Per altro, ora questo sentimento era già divenuto coscienza lucida e ferma, e si dimostrava in tutti i
modi. Un vero spirito fraterno s'era diffuso tra i contadini e gli operaj, per cui
nei numerosi arresti recenti s'eran veduti i compagni liberi mantenere i carcerati e le loro famiglie; nella disgrazia di qualcuno, il pronto soccorso di tutti e
l'assistenza e la sorveglianza amorosa. Ecco la ronda dei decurioni, la sera,
per le strade e le osterie delle città e delle campagne, perché i fratelli non trascendessero ad atti violenti, eccitati dal vino.

– Questi sono gli arruffapopoli, on. Covazza! – esclamò a questo punto, concludendo, Cataldo Sclàfani con gli occhi lustri d'ebrezza e commozione. –
Vergognatevi delle vostre accuse! Siamo qua oggi, a Roma, di fronte, due generazioni. Guardate allo spettacolo che dànno i vecchi, e guardate a noi giovani! Domani da qui il Governo, che protegge tutti coloro che dell'amor di patria affagottato e tolto in braccio si fecero scudo per tanti anni ai sassi del popolo censore, manderà in Sicilia l'esercito e l'armata per soffocare con la violenza questo gran palpito di vita nuova che noi giovani vi abbiamo destato!
Fin oggi la maggioranza del Comitato centrale, di cui fo parte, è contraria a
un'azione immediata. Ma presto verrà il giorno, lo prevedo, che le smanie del-
l'impazienza da tanto tempo represse scoppieranno, e noi capi non potremo
più frenare il popolo senza immolare noi stessi.

Lando Laurentano, seduto accanto a Lino Apes, ascoltò il lungo discorso
dello Sclàfani a capo chino, stirandosi qua e là con le dita nervose la barba e
lanciando occhiate a destra e a sinistra. Quell'adunanza in casa sua gli pareva
la prova generale di una rappresentazione. Tutti quei giovani si erano anche
loro assegnate le parti, e gli pareva che, a furia di ripeterle, se le fossero cac-
ciate a memoria e le recitassero con artificioso calore. Mancava il coro innumerevole, che era in Sicilia. Oh sì, parlava bene, con bella enfasi apostolica,
Cataldo Sclàfani; meritava in qualche punto l'applauso caldo e scrosciante, le
lodi del coro, se fosse stato presente. Innamorato della sua parte, l'avrebbe
rappresentata con perfetta coerenza anche davanti ai fucili dei soldati, in
piazza; e, se tratto in arresto, davanti ai giudici, in una corte di giustizia. Perché lui solo non riusciva ancora a comporsi una parte? perché ancora, ancora
dentro, esasperatamente, gli scattava la protesta: «No, non è questo»? Che volevano in fatti tutti quei suoi compagni? Ben poco, per il momento, in Sicilia.

Volevano che, per l'unione e la resistenza dei lavoratori, venissero a patti più umani i proprietarii di terre e di zolfare, e cessasse il salario della fame, cessassero l'usura, lo sfruttamento, le vessazioni delle inique tasse comunali, per modo che a quelli fosse assicurato, non già il benessere, ma almeno tanto da provvedere ai bisogni primi della vita. Volevano, adattandosi modestamente alle condizioni locali, l'impianto di cooperative di consumo e di lavoro e la conquista dei pubblici poteri; fra qualche anno trionfare nelle elezioni comunali e provinciali dell'isola; riuscir vittoriosi in qualche collegio politico, per aver controlli e banditori delle più urgenti necessità dei miseri nei Consigli comunali e provinciali e nella Camera dei deputati. Questo volevano. Ed era giusto. Degne d'ammirazione la fede e la costanza con cui seguitavano quest'opera di protezione e di rivendicazione. Che altro voleva lui? Non c'era altro da volere, altro da fare, per ora. E tanta esaltazione, dunque, e tanto fermento per ottenere ciò che forse nessuno, fuori dell'isola, avrebbe mai creduto che già non ci fosse: che in ogni casolare sparso nella campagna la lucernetta a olio non mostrasse più ai padri che ritornavano disfatti dal lavoro lo squallido sonno dei figliuoli digiuni e il focolare spento; che fossero posti in grado di divenire e di sentirsi uomini, tanti cui la miseria rendeva peggio che bruti. Una buona legge agraria, una lieve riforma dei patti colonici, un lieve miglioramento dei magri salarii, la mezzadria a oneste condizioni, come quelle della Toscana e della Lombardia, come quelle accordate da lui nei suoi possedimenti, sarebbero bastati a soddisfare e a quietare quei miseri, senza tanto fragor di minacce, senza bisogno d'assumere quelle arie d'apostoli, di profeti, di paladini. Oneste, modeste aspirazioni, quasi evangelicamente disciplinate, da raggiungere grado grado, col tempo e con la chiara coscienza del diritto negato! Poteva egli pascersi di esse, e non pensare ad altro? No, no: troppo poco per lui! Se fosse bastato, magari avrebbe dato tutto il suo denaro, e chi sa, forse allora, da povero, avrebbe trovato in quelle aspirazioni un pascolo per l'anima irrequieta. Ma così, no, non potevano bastargli! All'improvviso, voltandosi a guardar Lino Apes, si sentì sonar dentro, come una feroce irrisione, i versi del Leopardi nella canzone all'Italia:

> *L'armi, qua l'armi: io solo*
> *Combatterò, procomberò sol io!*

E scattò in piedi agli applausi che in quel punto stesso scoppiavano nella sala a coronar l'eloquente discorso di Cataldo Sclàfani, e anche lui con tutti gli altri, senza volerlo, si recò a stringere la mano all'oratore.

Ma Lino Apes, dal suo posto, col socratico sorriso su le labbra e negli occhi, domandò allora a gran voce:

– Signori miei, e che si conclude?

Pareva tutto finito; assolto il còmpito; e ciascuno si sentiva come sollevato e liberato da un gran peso. Al richiamo dell'Apes tutti si guardarono negli occhi, sorpresi, con pena, e ritornarono mogi mogi ai loro posti.

– La natura, signori miei, – seguitò Lino Apes, appena li vide seduti, – la natura, nella sua eternità, può non concludere, anzi non può concludere, perché se conclude, è finita. Ma l'uomo no, deve concludere; ha bisogno di concludere; o almeno di credere che abbia concluso qualche cosa, l'uomo! Ebbene, signori miei, che concluderemo noi? Siamo uomini, e venuti qua per questo. Ma vi leggo negli occhi. Voi non avete nessuna voglia di concludere, pur non essendo eterni! Voi avete viaggiato. Molti tra voi seguiteranno il viaggio fino a Reggio Emilia. Qua a Roma, chi ci viene per la prima volta, ha da veder tante cose; e il tempo stringe. Scusatemi, se parlo così: sapete che io vedo per minuto, e parlo come vedo. Ho poca fiducia nelle conclusioni degli uomini, i quali tutti, a un certo punto, guardandosi dietro, considerando le opere e i giorni loro, scuotono amaramente il capo e riconoscono: «Sì, ci siamo arricchiti», oppure: «Sì, abbiamo fatto questo o quest'altro, – ma che abbiamo in fine concluso?». Veramente, a dir proprio, non si conclude mai nulla, perché siamo tutti nella natura eterna. Ma ciò non toglie che noi oggi qua, dato il momento, non dobbiamo venire a una qualsiasi, magari illusoria, conclusione. Io vi dico che questa s'impone, perché altrimenti ci verranno da sé, senza la vostra guida illuminata e il vostro consenso, gli operaj delle città, delle campagne, delle zolfare. E sarà cieco scompiglio, tumulto feroce, quello che potrebbe essere invece movimento ordinato, premeditato, sicuro. Le conseguenze? Signori, usa prevederle chi non è nato a fare. Credete voi che ci sia ragione d'agire? Avvisiamo ai modi e ai mezzi. Tutta la Sicilia è ora senza milizie. Tre, quattro compagnie di fantaccini vi fan la comparsa dei gendarmi offenbachiani, oggi qua, domani là, dove il bisogno li chiama. È contro ad essi, come voi dite, un intero, compatto esercito di lavoratori. Non c'è neanche bisogno d'armarlo; basterà disarmar quei pochi e si resta padroni del campo. No? Dite di no? Aspettate! Lasciatemi dire... santo Dio, concludere!

Ma non poté più dire. Come i ranocchi quatti a musare all'orlo d'un pantano, se uno se ne spicca e dà un tonfo, tutti gli altri a due, a tre, tuffandosi, vi fanno un crepitìo via via più fitto; gli ascoltatori, incantati dapprima dall'arguto dire dell'Apes, cominciarono alla fine dietro un primo interruttore a interromperlo a due, a tre insieme, e quasi d'un subito, tra fautori e avversarii, schizzò da ogni parte violenta la contesa.

Di qua Lando Laurentano quasi pregava:

– Sì, ecco, se c'è da fare qualche cosa, amici...

Di là Bixio Bruno e Cataldo Sclàfani gridavano:

– No! no! Sarebbe una pazzia! Ma che! La rovina!

E sfide, invettive, proposte, s'abbaruffarono per un pezzo nella sala. Alcuni, e tra questi il Covazza, scapparono via, indignati. A un certo punto, uno, tutto spaurito, si cacciò zittendo e con le braccia levate nel crocchio dove più ferveva la contesa e annunziò:

– Signori miei, siamo spiati!

Tutti gli occhi si volsero alle due finestre.

Dietro la ringhiera del giardino due uomini stavano di fatti a spiare, cercando di farsi riparo delle piante. Celsina Pigna guardò alla finestra anche lei e, appena scorse quei due, diventò in volto di bragia.

– Ma no! – saltò a dire irresistibilmente. – Li conosco io... Aspettano me.

Innanzi al vermiglio sorriso e agli occhi sfavillanti di lei, la contessa cadde, come se a nessuno paresse più possibile seguitarla, quando quel fior di giovinetta, a cui s'era fatto le viste di non badare, si faceva avanti d'un tratto, quasi ad ammonire: «Ci sono io, finitela: sono aspettata!».

Poco dopo, come tutti, tranne Lino Apes, furono andati via, Celsina si accostò a Lando Laurentano e gli domandò, alludendo a uno di quei due che stavano dietro la ringhiera ad aspettarla:

– Non lo conosce? È suo nipote...

– Mio nipote? – disse con meraviglia Lando che ignorava affatto d'averne uno.

– Ma sì, Antonio Del Re, – affermò Celsina. – Figlio di sua cugina Anna, sorella del signor Roberto Auriti.

– Ah! – sclamò Lando. – E perché non è entrato?

Celsina notò sul volto del Laurentano un improvviso turbamento subito dopo la domanda, e lo interpretò a suo modo, che egli cioè, sospettando qualche intrigo fra lei e il nipote, si fosse pentito della domanda inopportuna, e si affrettò a rispondere:

– Non è dei nostri, sa! Sta qui a Roma in casa del signor Roberto, all'Università... Ma temo che...

S'interruppe, accorgendosi che il Laurentano, astratto, assorto, non le badava; e subito riprese:

– Le reco i saluti del Lizio, presidente del *Fascio* di Girgenti, e i saluti di mio padre. Anch'io credo, se posso esprimere il mio parere, che non sia tempo d'agire. Abbiamo nel *Fascio* di Girgenti circa ottocento iscritti... Ma sono nomi soltanto: pochi vengono, pochi pagano...

– Ma sì, ma sì, ma sì... – le disse allora, graziosamente ridendo con tutto il volto bruttissimo, Lino Apes, quasi per farle intendere che egli aveva parlato a quel modo col solo intento di cacciar via tutti. – Agire? Ma sarebbe una pazzia! L'ho detto per celia, signorina!

Gli occhi di Celsina schizzarono fiamme. Lo avrebbe schiaffeggiato. Gli sorrise. Tese la mano a Lando Laurentano e:

– Mi permettano – disse. – Li lascio in libertà.

Il *quondam* tenore Olindo Passalacqua, marito onorario della maestra di canto signora Lalla Passalacqua-Bonomè, nonché censore effettivo del *Privato Conservatorio Bonomè*, da circa due ore cercava in tutti i modi di tenere a freno la muta rabbiosa impazienza di Antonio Del Re. Parlava sottovoce, e ogni tanto, di nascosto, se Antonio Del Re sbuffando guardava altrove, cavava fuori lesto lesto l'orologino della moglie e «Poveretto, ha ragione!», diceva prima con la mimica degli occhi, delle ciglia, della bocca, e subito dopo, con altra mimica: «Qua sono: avanti; seguitiamo!». E seguitava a parlare, a parlare quasi per commissione; ma in una particolar maniera comicissima e quasi incomprensibile, perché a voli a salti a precipizii per sottintesi che si riferivano a lontane e bizzarre vicende della sua scompigliata esistenza. E a ogni salto, a ogni volo, eran subitanee alterazioni di viso e di voce, esclamazioni e ghigni e gesti o di rabbia o di gioia o di minaccia o di commiserazione o di sdegno, che facevano restare intronato, a bocca aperta chi, ignorando quelle vicende, riuscisse per un po', senza ridere, a prestargli ascolto. Olindo Passalacqua, di fronte a questo intronamento, restava soddisfatto; era per lui la misura dell'effetto; e con le mani aperte a ventaglio si tirava sù, sù, sù, da ogni parte i lunghi grigi capelli riccioluti per modo che gli nascondessero la radura sul cocuzzolo, e quindi coi due indici tesi si toccava gli aghi incerati dei baffetti ritinti, quasi per mettere il punto a quel gesto abituale o per accertarsi che nella foga del parlare, non gli fossero cascati.

– Una miseria, basterebbe una miseria! – diceva. – Guarda, che sono due lirette al giorno, che sono? E vorrei dire anche meno! Una miseria... Sciagurato! Quanti ne butta via con quei farabutti là che gl'insudiciano il come si chiama... sicuro... lo stemma avito! Porci! E mio suocero per l'Italia rovina l'impresa del *Carolino* a Palermo... Tesori! Bastava la semplice *Jone*... povero Petrella! ... mio cavallo di battaglia... Là, tutto a catafascio... per questi porci qua! Senti come strillano? Ed è principe, sissignore... Vergognosi... Dico io, due lirette al giorno per un'opera meritoria... Dio dei cieli, una fortuna come questa! Tutto gratis... E tu che ne sai? Certi patti infernali... schiavitù per tutta la vita... Io, io, per più di dieci anni, trionfatore e schiavo... Qua, invece, solo ch'egli dicesse di sì... M'impegnerei io, Nino, m'impegnerei io di portarla in meno d'un anno su i primari palcoscenici d'Italia. Tu mi conosci; mi spezzo, non mi... non mi... *frangar*... come si dice? lo sapevo pure in latino, mannaggia! La parola... se do la parola! E che mi resta? Unico patrimonio. Bisognerà nutrirla un tantino meglio nei primi tempi: questo sì! Ma se ne viene... se ne viene... oh se se ne viene... E la bastarda musica moderna...

Aveva scoperto, Olindo Passalacqua, una portentosa voce di soprano nella gola di Celsina Pigna, subito, appena l'aveva sentita parlare.

– E con quella figurina là, che scherzi? Furore, m'impegno io: farà furore! Basterebbe a mio cognato, per rispetto a Roberto e a te, un misero assegnino,

anche di una lira e cinquanta al giorno, per le spese del vitto... Nutrirla bene...
e in meno di un anno... dici di no?

Antonio Del Re tornava a scrollarsi tutto, rabbiosamente, appena una parola
del Passalacqua riusciva a cacciarsi tra il tumulto dei pensieri violenti a cui
era in preda. Il giorno avanti, Celsina gli s'era presentata all'improvviso in
casa dello zio Roberto, durante il desinare. Frastornato, stordito dalla vita rumorosa della grande città, dagli aspetti nuovi, dalle nuove e strane abitudini,
non aveva potuto attendere in alcun modo alla promessa che le aveva fatto
prima di partire, di trovarle subito, cioè, un collocamento a Roma. Le aveva
scritto tuttavia che presto, appena un po' rassettato, si sarebbe messo a cercare;
con la certezza però, dentro di sé, che non solo non sarebbe riuscito, ma che
non avrebbe avuto né animo né modo di provarcisi, sospeso come si sentiva, e
come per un pezzo avrebbe seguitato a sentirsi, in uno smarrimento che quasi
gli toglieva il respiro e gli faceva apparir tutto intorno vacillante e inconsistente. Questo smarrimento, difatti, non solo gli era durato, ma gli era via via
cresciuto, in mezzo a quella precarietà d'esistenza eccentrica, scombussolata,
in casa dello zio. Come mai aveva potuto questi adattarsi a vivere così, comporsi in un certo suo ordine meticoloso, in mezzo a tanto disordine, trovarvi
un po' di terra da gettarvi le radici? Capiva Olindo Passalacqua, la signora
Lalla (*Nanna*, come la chiamavano) e il fratello di lei, Pilade Bonomè: zingari;
il primo, chi sa donde venuto; gli altri due, figli d'un impresario teatrale, capitato prima del 1860 a Palermo e travolto nella corrente liberale dai giovani signori dell'aristocrazia palermitana, frequentatori assidui del palcoscenico del
teatro *Carolino*. Fallita dopo alcuni anni l'impresa, poveri, *vittime della rivoluzione*, come diceva ancora Olindo Passalacqua, il quale, subito dopo aver
sposato la figlia dell'impresario, aveva perduto la voce; erano venuti a Roma,
poco dopo il '70, e s'erano rovesciati addosso a zio Roberto, raccomandati da
un amico di Palermo. Avventurarsi nel bujo della sorte, gettarsi alle più stravaganti imprese, prendere da un momento all'altro le più strampalate risoluzioni, era per essi come bere un bicchier d'acqua. Oggi qua, domani là; oggi
abbondanza, domani carestia; bastava loro ogni giorno arrivare alla sera, comunque, senza indietreggiare di fronte a tutti i possibili ostacoli, ai sacrifizii
più duri, buttando in mare le cose più care e più sacre pur di salvar la barca,
barca senza più né bussola, né àncora, né timone, assaltata dalle onde inces-
santi in quella perpetua bufera ch'era stata la loro vita. Ma tuttavia questo era
in essi meraviglioso e pietoso e comico a un tempo, che pur avendo fatto getto
di tutto senza alcun ritegno, eran rimasti nell'anima schietti, d'una ingenuità
vivida e tutta alata di palpiti gentili, eran rimasti affettuosi, generosi, pronti
sempre a spendersi per gli altri, a confortare, a soccorrere, ad accendersi d'entusiasmo per ogni nobile azione. Quel che di scorretto, di male, di vergognoso
era nella loro vita, forse stimavano sinceramente non imputabile a essi. Necess-
sità su cui bisognava chiudere un occhio, e se uno non bastava, tutt'e due.
Con quanta dignità, per esempio, Olindo Passalacqua, dopo aver mangiato alla
tavola di zio Roberto e aver raccomandato a questo di non dimenticarsi di far
prendere a *Nanna* le gocce per il mal di cuore o di far togliere subito dalla tavola il trionfino delle frutta per paura che, toccando inavvertitamente la buccia
di qualche pesca, non le si avesse a rompere, Dio liberi, il sangue del naso
come tante volte le soleva avvenire; lasciava a lui il letto maritale e, augu-
rando alla moglie la buona notte, felicissimi sogni a tutti; anche ai canarini e
al merlo nelle gabbie, al pappagallo *Cocò* sul tréspolo; a *Titì*, la scimmietta ti-
sica, su l'anello; a *Ragnetta*, la gattina in colletto e cravatta; ai due vecchi cani
Bobbi e *Piccinì*, invalidi entrambi in una cesta, quello cieco e questo con la
groppa impeciata; se n'andava coi due indici su le punte dei baffi, impalato
già nella rigida severità di censore inflessibile, a dormire nel *Privato Conservatorio* del cognato Bonomè in via dei Pontefici! E che barca di matti quella

tavola, a cui sedevano ogni sera quattro o cinque estranei, invitati lì per lì, o che venivano a invitarsi da sé, deputati amici di zio Roberto e di Corrado Selmi, maestri di musica chiomati, cantanti d'ambo i sessi! Che discorsi vi si tenevano, a quali scherzi spesso si trascendeva! E che pena vedere zio Roberto lì in mezzo, zio Roberto ch'egli da lontano s'era immaginato con le stesse idee e gli stessi sentimenti della nonna e della mamma (e non a torto, ché ogni giorno poi glieli dimostrava con le più squisite attenzioni e le cure paterne), che pena vederlo lì in mezzo, partecipare a quei discorsi, a quegli scherzi, e di tratto in tratto sorprendergli nel volto uno sguardo, un sorriso afflitto, di mortificazione, se incontrava gli occhi suoi che lo osservavano stupiti e addolorati! Qual guida più poteva dargli quello zio? Avrebbe potuto permettersi tutto, sicuro di non potere aver da lui né un richiamo, né un rimprovero. S'era iscritto alla facoltà di scienze; ma come studiare in quella casa che cinfolava, gargarizzava, guagnolava dalla mattina alla sera di trilli e scivoli e solfeggi e vocalizzi? Del resto, l'Università così lontana, i numerosi studenti gaj e spensierati, gli avevano destato fin dal primo giorno un'avversione invincibile, uggia, scoramento, sdegno, dispetto; e, pigliando scusa da ogni cosa, non era più andato. S'era figurato, e subito aveva ritenuto per certo, che a qualcuno di quei ragazzacci potesse venire la cattiva ispirazione di farsi beffe di lui così serio e diverso: e che sarebbe allora accaduto? Solo a pensarci, gli s'artigliavano le mani. Un incentivo qualunque, in quel punto, una favilla, e il furore, represso con tanto sforzo, sarebbe divampato terribile. Aveva l'impressione che la vita gli si fosse come ingorgata dentro e gli ribollisse, fomentata dal rimorso di quell'ozio e dal bisogno prepotente di darsi comunque uno sfogo. Ma come sottrarsi a quell'ozio, se aveva ormai acquistato la certezza di non poter più far nulla, poiché tutto gli si era come intralciato e confuso nel cervello? e dove trovar lo sfogo? Aveva corso Roma da un capo all'altro, come un matto, quasi senza veder nulla, tutto assorto in sé, in quella cupa scontentezza di tutto e di tutti, in quel ribollimento continuo di pensieri impetuosi che, prima di precisarsi, gli svaporavano dentro, lasciandolo vuoto e come stordito, coi lineamenti del volto alterati, le pugna serrate, le unghie affondate nel palmo della mano.

Infine, dalla sorda rabbia che lo divorava, da quell'agra inerzia fosca, un'idea truce, mostruosa, aveva cominciato a germinargli nel cervello, la quale subito aveva preso a nutrirsi voracemente di tutto il rancore contro la vita, fin dall'infanzia accolto e covato. L'idea gli era balenata, sentendo una sera a tavola discorrere del modello delle bombe recate da Francesco Crispi in Sicilia alla vigilia della Rivoluzione del 1860 e della preparazione di esse. Corrado Selmi aveva detto che ne aveva preparate alcune anche lui, di notte, nel magazzino preso in affitto da Francesco Riso presso il convento della Gancia. Forte delle sue nozioni di chimica moderna, s'era messo a ridere e aveva dimostrato quanto fosse puerile quella preparazione, e come adesso si sarebbero potuti ottenere effetti più micidiali con ordigni di molto più piccolo volume.

– Ecco! – aveva esclamato allora Corrado Selmi. – Per fare un po' di festa, bisognerebbe buttare dalle tribune uno di questi giocattolini nell'aula del Parlamento!

D'improvviso s'era sentito prendere e predominar tutto da quest'idea. Gli urli d'indignazione della piazza per la frode scoperta delle banche, e prima il sospetto e poi la certezza che anche zio Roberto col Selmi era coinvolto nello scandalo di quella frode, le notizie sempre più gravi che arrivavano dalla Sicilia, lo avevano deciso a cercare i mezzi e il modo d'attuare al più presto quell'idea. Tanto, ormai, era finita per lui! Se zio Giulio, partito a precipizio per Girgenti, non riusciva a ottenere dal fratello della nonna il denaro, zio Roberto sarebbe stato arrestato; e allora il crollo, il baratro... Ah, ma prima! Sì, sì, questa sarebbe la giusta vendetta, questo lo sfogo di tutte le amarezze, che avevano attossicato la sua vita e quella dei suoi; e a quei suoi compagni là, di Sicilia, cianciatori, avrebbe dimostrato che lui solo sapeva far quello che loro tutti insieme non avrebbero mai saputo.

Ebbene, proprio in quel momento, era capitata Celsina a Roma. Nel vedersela comparir dinanzi tutta accesa in volto e ridente nell'imbarazzo, aveva provato un fierissimo dispetto. Gli pareva ormai che nulla più potesse accadere, nulla più muoversi senza una sua spinta; che tutti dovessero stare al loro posto, immobili e come sospesi nell'attesa dell'atto grandioso e terribile ch'egli doveva compiere. Donde, come era venuta Celsina, se egli non aveva fatto nulla per farla venire? I denari di Lando... già! quei denari negati a zio Roberto... Il *Fascio* di Girgenti... Buffonate! E che rabbia nel veder Celsina accolta con tanta festa da quei Passalacqua, per i quali era la cosa più naturale del mondo che una ragazza si avventurasse sola fino a Roma con un pretesto come quello, e si presentasse lì in cerca dell'innamorato, ferma nel proposito di non ritornar più in Sicilia. S'era fatto di tutti i colori nel vedersi guardato da quelli con certi occhi ridenti di malizia e di indulgenza, che gli dicevano chiaramente: «Via, che c'è di male? abbiamo capito! Non ti vergognare!». E anche zio Roberto era rimasto lì, col suo solito sorriso afflitto, sotto al quale voleva nascondere il fastidio che gli recava ogni novità: soltanto il fastidio. Anche per lui nulla di male che una ragazza fosse venuta a trovare il nipote in casa sua, in un momento come quello, col baratro aperto in cui stavano per precipitare tutti. Per quei Passalacqua quel baratro era niente: una delle tante difficoltà della vita da superare; e per superarla fidavano ciecamente in Corrado Selmi. Bastava poi a tranquillarli la calma che zio Roberto s'imponeva per non agitar la sua *Nanna* malata di cuore. Via, via quel *signor Antonio* e quel *lei*, con cui Celsina s'era messa a parlargli! a chi voleva darla a intendere? ma si dessero pure del tu! Oh, cara... Ma sì, brava, ridere... Se non si rideva di cuore a quell'età, e con quegli occhi e con quel musino... Uh, che voce! ma senti?... un campanello! Non s'era mai provata la voce? Non aveva mai cantato, neanche così per ischerzo? mai mai? Ma bisognava provare, subito subito... Impossibile che non ci fosse la voce, con quelle inflessioni, con quelle modulazioni... Via, sù, una canzoncina qualunque, là, nel salottino, subito subito... Ecco il terno! Nulla meglio di questo espediente per non ritornar più in Sicilia! I mezzi per studiare? Ma c'era lei, la signora Lalla, e il *Privato Conservatorio Bonomè*. Lezioni gratis, carte e pianoforte gratis: soltanto un piccolo assegno per il vitto. E Olindo Passalacqua, saputo che Celsina era compagna di fede socialista di Lando Laurentano, subito aveva suggerito di chiedere a lui quell'assegno. No? perché no? Opera meritoria! Maledetti certi scrupoli, certi pudori che impediscono alla coscienza di fare il bene! Si sarebbe potuto proporre al Laurentano la restituzione di quel piccolo assegno coi primi guadagni; ma, nossignori, queste cose le fanno gli sfruttatori, gli strozzini, ragion per cui un gentiluomo deve astenersi dal farle... Stupidaggini! Miserie! S'era contorto su la seggiola, Antonio, udendo questi discorsi. Avrebbe voluto strappare per un braccio Celsina e gridarle sul volto: «Va', tórnatene donde sei venuta! Costoro son pazzi che danzano su l'abisso. Va'! va'! L'abisso lo spalancherò io! Non c'è più nulla; io stesso non sono più: tutto è finito!». Ma pure, eccolo lì, aveva col Passalacqua accompagnato Celsina fino al villino di Lando, e ora stava ad aspettare che l'adunanza si sciogliesse ed ella ne uscisse. Celsina gli aveva promesso in confidenza che non avrebbe neppur fatto cenno al Laurentano di quella ridicola proposta dell'assegno; solo lo avrebbe pregato d'interessarsi in qualche modo per farle trovare, con le sue tante aderenze, un posticino a Roma. L'assegno, Celsina si era proposto di domandarlo invece per lui, per Antonio. Egli le aveva confidato la sera avanti la terribile condizione in cui si trovava lo zio.

– E tu? – gli aveva domandato lei.

Non aveva avuto altra risposta che un gesto furioso, di disperazione. Le era balenato il sospetto ch'egli covasse un proposito violento, ma contro sé; e aveva cercato di scuoterlo, di rincorarlo. Era venuta con l'animo tutto acceso di sogni e di speranze, piena di fiducia in sé, e pronta e preparata a vincere tutti gli ostacoli. Ebbene, sarebbero stati in due, ora, a dividerli e ad affrontarli; ella lo avrebbe trascinato nella sua foga. Possibile ch'egli, col suo parentado, perisse? E non c'era poi l'altro zio? Via, via! Le difficoltà sarebbero state per lei. Ma ecco, ne rideva!

Uscì dal villino, su le furie.

– Niente! Buffoni... Andiamo! andiamo! – disse, spingendo i due compagni.

– Non ha parlato? – domandò, sospeso e afflitto, il Passalacqua.

– Ma che parlare! – si scrollò Celsina. – Sono tanti pazzi, scemi, stupidi, imbecilli... Chiacchiere, chiacchiere, declamazioni o ciance insipide che vorrebbero parere spiritose... Via, via, via! Ma ci ho guadagnato questo almeno, che sono qua, a Roma! Nino, per carità, Nino, non mi far quella faccia! Vattene... sì, sì... è meglio che te ne vada, se mi devi affliggere così!

Olindo Passalacqua corse dietro ad Antonio che, gonfio di rabbia, tutto rabbuffato, aveva allungato il passo; lo trattenne, invitò con la mano Celsina ad avvicinarsi subito, raccomandando con cenni calma e prudenza. Ma Celsina, sorridendo e avvicinandosi pian piano, gli accennò col capo che lo lasciasse pure andare.

– Ma pazzie, scusate... calma, ragazzi! Così v'accecate... E il rimedio? il rimedio così, accecandovi con le furie, non lo trovate più. Il rimedio c'è sempre, cari amici; a tutto c'è rimedio; più o meno duro, più o meno radicale... ma c'è! Non bisogna spaventarsi... In prima, come! dice, questo? Questo no! questo mai!... Poi... eh, cari miei, l'avrei a sapere! Questo e altro!... Però, però, però... dico, intendiamoci, rispettando sempre le leggi del... del.. della... Siamo gentiluomini! Nino, tu lo sai, mi spezzo, non mi... non mi...

– Che fai? che vuoi? che ti stilli così? – domandò Celsina a Nino, rimasto ansante in atteggiamento truce. – Finiscila! Sono proprio furie sprecate... Io mi sento così tranquilla e contenta! Sù, sù, per dove si prende, signor Olindo? Tu... tu guardami... no, no, guardami bene negli occhi... qua, dentro gli occhi... Prima di partire, ti ricordi?

Nino contrasse tutto il volto, nel tremendo orgasmo, e singultò nel naso, premendosi forte un pugno su la bocca.

– Via! basta, ora! Andiamo! – riprese Celsina. – Lei, signor Olindo, mi deve dir questo soltanto, ma me lo deve dire proprio in coscienza: – Ho la voce?

Olindo Passalacqua si tirò un passo indietro, con le due mani sul petto:

– Ma io ho cantato con la Pasta, sa lei? con la Lucca ho cantato; io ho cantato con le due Brambilla...

– Va bene, va bene, – lo interruppe Celsina. – E lei è certo dunque che io abbia la voce?

– Ma d'oro! – esclamò il Passalacqua. – D'oro, d'oro, d'oro, glielo dico io! E in meno d'un anno lei...

– Va bene, – tornò a interromperlo Celsina. – E allora senta... un altro favore! A procurarmi l'assegnino, come dice lei, ci penso io. Son capace di presentarmi in tutte le botteghe che vedo, in tutti gli alberghi, ufficii, banche, caffè, se han bisogno d'una contabile, giovane di negozio, interprete, quel che diavolo sia! Ho il diploma in ragioneria, licenza d'onore; possiedo due lingue, inglese e francese... Ma anche per sarta mi metto, per modista... Non so neppur tenere l'ago in mano; imparerò!... Maestra, governante, istitutrice... Lasci fare a me! Lei ora se ne vada! Mi lasci sola con questo bel tomo! A rivederla.

E, preso Antonio sotto il braccio, scappò via.

– Fammi veder Roma!

Ma che vedere! Non poteva veder nulla, col cervello in subbuglio. Parlava,

parlava, e gli occhi le sfavillavano ardenti, sotto quel cappellino dalla piuma spavalda; le labbra accese le fremevano, e rideva senz'ombra di malizia a tutti quelli che si voltavano a mirarla.

– Nino, senti, – gli disse a un certo punto, piano, in un orecchio. – Portami lontano... in un punto solitario... lontano... voglio cantare!... Ho bisogno di sentire come canto... Se fosse vero! Tu ci pensi? Ah, se fosse vero, Nino mio! Andiamo, andiamo...

Seguitò a cinguettare per tutta la via. Gli disse che per forza lei, prima di diventare un soprano, un contralto celebre, per forza doveva trovar marito, dato quel brutto cognome che l'affliggeva.

– Celsa, va bene; ma Pigna! ti pare possibile? Vediamo un po?, mettiamo... Celsa... come? Celsa Del Re? Oh Dio, no! Le mie opinioni politiche... Del re? Impossibile, Nino! non posso diventare tua moglie, è fatale! Ma tu del resto non mi vuoi... Ahi, ahi no! mi hai fatto un livido nel braccio... Mi vuoi? E allora Celsina Del Re, e non se ne parli più! Celsina di Sua Maestà, è buffo, sai? di Sua Maestà Antonio I.

Arrivarono, ch'era già il tramonto, di là dal recinto militare, in prossimità del Poligono, su la sponda destra del Tevere. Monte Mario drizzava il suo cimiero di cipressi nel cielo purpureo e vaporoso, e la vasta pianura, che serve da campo di esercitazione alle milizie, e le sponde erbose del fiume, nell'ombra soffusa di viola, parevano smaltate. Nel silenzio quasi attonito, più che la voce si sentiva il movimento delle acque dense, d'un verde morto, tinte dai riflessi rosei del cielo e qua e là macchiate da qualche cuora nera.

– Bello! – sospirò Celsina, guardandosi intorno. E con l'impressione che la vita vera se ne fosse come andata via di là, e ne fosse rimasta quasi una larva, nel ricordo o nel sogno, dolce e malinconica, aggiunse piano:

– Dove siamo qua?

Poi, volgendosi ad Antonio, che si era seduto su un masso e guardava verso terra, curvo, con le mani strette tra le gambe:

– Ma che fai? – gli domandò. – Ma tu non vedi, tu non senti più nulla? Alza il capo, guarda, senti... questo silenzio qua... il fiume... e là Roma... e io che sono qua con te!

Gli s'accostò, gli posò una mano sui capelli, si chinò a guardarlo in faccia, e:

– Tu non hai ancora vent'anni! – gli disse. – E io ne ho diciotto...

Antonio si scrollò rabbiosamente, per respingerla, e allora ella, sdegnata, alzò una spalla e si allontanò. Poco dopo, da lontano, giunse ad Antonio il suono della voce di lei che cantava, in quel silenzio, limpida e fervida.

Disperato, serrando le pugna nella furia della gelosia, la vide parata da attrice, in un vasto teatro, davanti ai lumi della ribalta. Si alzò, fremente; andò a raggiungerla.

– Andiamo! andiamo! andiamo!

– Che te ne pare? – gli domandò lei, con un fresco sorriso di beatitudine.

Antonio le strinse un braccio e, guardandola odiosamente negli occhi:

– Tu ti perderai! – le gridò tra i denti.

Celsina scoppiò a ridere.

– Io? – disse. – Ma se tu non mi vuoi, si perderanno quelli che mi verranno appresso, caro mio! Io ho le ali... le ali... Volerò!

III.

L'on. Ignazio Capolino non capiva nei panni dalla gioja. Migliaja d'operaj, nel suo collegio, inferociti dalla fame per la chiusura delle zolfare del Salvo, minacciavano tumulti, rapina, incendii, strage; Aurelio Costa, esposto all'ira di quelli per le promesse fatte a nome del Salvo, fremeva d'indignazione alle lepide ciance di S. E. il Sottosegretario di Stato al Ministero d'agricoltura; e lui gongolava beato dell'insperata affabilità, del tratto confidenziale, da vecchio amico, con cui quella sottoeccellenza lo aveva accolto.

Chiedendo per il Costa quell'udienza, aveva temuto che l'ostentato prestigio, la vantata amicizia personale coi membri del Governo, messi alla prova, avrebbero sofferto la più affliggente mortificazione; e invece... Ma sì, ma sì, matti da legare, benissimo! nemici dell'ordine sociale, quei solfaraj là! gente facinorosa, ma sì! esaltata da quattro impostori degni della forca! Misure estreme? di estremo rigore? ma sì! benissimo! Non ci voleva altro... Viso fermo, già! polso duro! Umanità... ah sicuro... fin dov'era possibile... Già, già, oh caro... ma come no? ma come no?

E accennava, con timidezza mal dissimulata, d'allungare una mano per batterla o su la gamba o dietro le spalle del Sottosegretario di Stato, come un cagnolino che, dopo essersi storcignato per far le feste al padrone che teme severo, s'arrischia a levare uno zampino per far la prova d'averlo placato.

Quanto a quel disegno d'un consorzio obbligatorio tra tutti i produttori di zolfo della Sicilia, studiato dall'amico ingegnere lì presente... – oh, valorosissimo e tanto modesto, già del corpo minerario governativo, sì, e uscito dall'*École des Mines* di Parigi – quanto a quel disegno, ecco, se almeno S. E. il Ministro avesse voluto degnarlo d'uno sguardo... No, eh? impossibile, è vero? il momento... già! già! non era il momento quello! nuova esca al fuoco, sicuro! ci voleva altro... ma sì! bravissimo! oh caro... come no? come no?

Uscì dal palazzo del Ministero, tronfio e congestionato come un tacchino, mentre Aurelio Costa, per sottrarsi alla tentazione di schiaffeggiarlo o sputargli in faccia, pallido e muto allungava il passo e lo lasciava indietro.

– Ingegnere!

Il Costa, senza voltarsi, gli rispose con un gesto rabbioso della mano.

– Ingegnere! – lo richiamò Capolino, raggiungendolo, fieramente accigliato. – Ma scusi, è pazzo lei? o che pretendeva di più?

– Mi lasci andare! per carità, mi lasci andare, – gli rispose Aurelio Costa, convulso. – Corro al telegrafo. Venga qua lui, don Flaminio! Io me ne riparto domani.

– Ma si calmi! Dice sul serio? – riprese, con tono tra arrogante e derisorio, Capolino. – Che voleva lei da un Sottosegretario di Stato? che le buttasse le braccia al collo? Io non so... Meglio di così? Non m'aspettavo io stesso una simile accoglienza...

– Eh, sfido! – ghignò, fremente, il Costa. – Se lei...

– Io che cosa? – rimbeccò pronto Capolino. – Voleva promesse vaghe? fumo? Mi ha trattato, mi ha parlato da amico, da vero amico! E metta ch'io sono deputato d'opposizione; che sono stato combattuto dal Governo, accanitamente, nelle elezioni. Lei lo sa bene!

– Non so nulla io! – sbuffò il Costa. – So questo soltanto: che avevo l'ordine, ordine positivo, che il disegno almeno fosse preso subito in considerazione dal Governo. E lei non ha speso una parola; lei non ha fatto che approvare...

Capolino lo arrestò, squadrandolo da capo a piedi.

– Parlo con un uomo, o parlo con un ragazzino? Dove vive lei? Può credere sul serio che in un momento come questo, in mezzo a questo pandemonio, si possa attendere all'esame del suo disegno? L'ordine! Abbia pazienza! Quando ricevette lei quest'ordine da Flaminio Salvo? Prima di partire, è vero? Ma scusi, ormai... ecco qua!

E Capolino con furioso gesto di sdegno trasse fuori dal fascio di carte che teneva sotto il braccio la partecipazione delle speciose nozze di S. E. il principe don Ippolito Laurentano con donna Adelaide Salvo.

– L'avrà ricevuta anche lei! – disse. – Si stia zitto, e non pensi più né a ordini né a progetti!

– Ah, dunque, un giuoco? – esclamò Aurelio Costa. – Con la pelle degli altri?

– Ma che pelle! – fece Capolino, con una spallata.

– Con la mia pelle! con la mia pelle, sissignore! – raffermò il Costa infiammato d'ira. – Con la mia pelle, perché dovrò tornarci io laggiù, ad Aragona, tra i solfaraj! E sa lei come li ritroverò, dopo sette mesi di sciopero forzato? Tante jene! Ma perché dunque mi ha fatto promettere a tutti... anche qua, anche qua adesso a Nicasio Ingrao, al figlio del principe? E tutti gli studii fatti?

– Caro ingegnere, scusi, – disse pacatamente Capolino, con gli occhi socchiusi, trattenendo il sorriso, – lei pratica con Flaminio da tanti anni e ancora non s'è accorto che Flaminio non è soltanto uomo d'affari, ma anche uomo politico. Ora la politica, sa? bisogna viverci un po' in mezzo; la politica, signor mio, che cos'è in gran parte? giuoco di promesse, via! E lei, scusi, va a cacciarsi in mezzo proprio in questo momento...

– Io? – proruppe Aurelio Costa, portandosi le mani al petto. – Io, in mezzo?

– Ma sì, ma sì, – affermò con forza Capolino. – Come un cieco, scusi! E non dico soltanto per questa faccenda qua, del progetto. Lei non vede nulla, lei non capisce... non capisce tante cose! Dia ascolto a me, ingegnere: non s'impicci più di nulla! se ne torni al suo posto... Mi duole, creda, sinceramente, veder fare a un uomo come lei, per cui ho tanta stima, una figura... non bella, via! non bella...

Aurelio Costa restò dapprima, a queste parole, a bocca aperta, trasecolato; poi si fece pallido e abbassò gli occhi per un momento; in fine, non riuscendo a frenar l'impeto della stizza:

– A me, – balbettò, – a me dice così? a me?... Ma io... Quando mai io... a quali cose io mi son cacciato in mezzo, di mia volontà? Vi sono stato sempre trascinato, io, tirato per i capelli, e sono stufo, sa? stufo, stufo di queste imprese, di questi intrighi, e bizze, e scandali...

– Scandali, poi! – fece Capolino.

– Sissignori, scandali! – seguitò Aurelio, senza più freno. – Scandali qua, laggiù... e se non li vede lei, li vedo io! Basta! basta! Io non ho voluto mai nulla! non ho aspirato mai a nulla, per sua norma, altro che di stare in pace con la mia coscienza, e tranquillo, facendo ciò che so fare. E basta! Venga qua lui, ora, e pensi, dopo le promesse fatte, ad aggiustar bene le cose, perché laggiù, ripeto, debbo tornarci io, e la pelle non ce la voglio lasciare. La riverisco.

Ignazio Capolino lo seguì un tratto con gli occhi; poi si scosse con un altro ghigno muto, e tentennò a lungo il capo. Se avesse saputo che la vera ragione, per cui Aurelio Costa voleva che Flaminio Salvo venisse a Roma, era quella stessa appunto per cui egli voleva che non venisse: sua moglie!

Il calore con cui difendeva quel disegno, studiato veramente con tutto lo zelo scrupoloso che metteva in ogni sua opera, e la stizza nel vederlo mandato a monte, buttato lì, senz'alcuna considerazione e quasi deriso, provenivano in fondo dal calore d'un'altra passione, dalla stizza per un altro smacco, di cui egli, per non mortificare innanzi a se stesso il suo amor proprio, non si voleva accorgere. Allontanato da Flaminio Salvo da Girgenti con la scusa di quel disegno, proprio nel momento in cui la figlia sapeva che Nicoletta Capolino era a Roma col marito, era accorso come un assetato alla fonte. Aveva creduto di ritrovar qui Nicoletta come la aveva veduta l'ultima volta a Colimbètra, piena di lusinghe per lui, ardente e aizzosa. E invece... per miracolo non s'era messa a ridere nel leggergli nello sguardo profondo il ricordo di quella sera indimenticabile!

Capolino, che aveva tanto da ridire su la condotta della moglie in quei giorni, se ne sarebbe potuto accorgere; ma da che, a Colimbètra, ancora col petto fasciato per la ferita, aveva sentito il bisogno d'un pajo d'occhiali, non riusciva a veder più nulla con l'antica chiarezza, Capolino, né in sé né attorno a sé. Lo scherzo di quella palla, scappata fuori con inopinata violenza dalla pistola del Verònica, gli aveva turbato profondamente la concezione della vita. Fino a quel punto, aveva creduto di farlo lui agli altri, lo scherzo, uno scherzo che gli era riuscito sempre bene; ora, all'improvviso e sul più bello, s'era accorto che, ad onta di tutte le diligenze e contro ogni previsione, ridendosi d'ogni arte e d'ogni riparo, il caso, nella sua cecità, può e sa scherzare anche lui, facendone passare agli altri la voglia. E Capolino era diventato seriissimo. Già, subito, o per la violenta emozione o per il sangue perduto, gli s'era indebolita la vista. Il principe don Ippolito, graziosamente, aveva voluto regalargli lui gli occhiali, un bel pajo d'occhiali serii, con staffe, cerchietti e sellino di tartaruga. E la vita veduta con quegli occhiali, e da deputato, gli aveva fatto d'improvviso un curioso effetto: le sue mani, tutte le cose intorno, sua moglie, il suo passato, il suo avvenire, gli s'erano presentati con linee, luci e colori nuovi, innanzi a cui egli si era veduto quasi costretto ad assumer subito un certo cipiglio tra freddo e grave, che aveva fatto rompere, la prima volta, in una risata sua moglie:

– Oh povero Gnazio mio!

Ed ecco, segnatamente sua moglie non aveva più saputo vedersi d'attorno, Capolino: sua moglie che gli cercava gli occhi dietro quei nuovi occhiali, e non poteva in alcun modo prenderlo sul serio.

Venuta a Roma con lui per quindici o venti giorni, per un mese al più, Lellè vi si tratteneva da più di tre mesi e non accennava ancora, neppur lontanamente, di volersene partire. O ch'era matta? Tripudiava, Lellè. Aveva trovato finalmente il suo elemento. Dai Vella, parenti di Flaminio Salvo, e un po' anche del marito per via della prima moglie, era diventata subito di casa. A Francesco Vella piaceva il fasto, donna Rosa Vella era tal quale la sorella minore donna Adelaide, sbuffante e sempliciona, e i loro due figli, Ciccino e Lillina, se Nicoletta fosse andata a ordinarseli apposta, non avrebbe potuto trovarli più di suo gusto. Che amore quella Lillina! Rimasta nubile, ormai spighita nella simpatica bruttezza tutta pepe, era la compagna inseparabile del fratello Ciccino: più scaltra, più ardita, più vivace di lui, lo ajutava, lo difendeva, lo guidava, a parte di tutti i suoi segreti più intimi. Fratello e sorella non avevano mai pensato ad altro che a darsi buon tempo; e Nicoletta, con loro, in pochi giorni era diventata una cavallerizza perfetta; era già andata tre volte alla caccia della volpe; e teatri e feste e gite: una cuccagna! Lillina sapeva sempre con precisione quando doveva farsi venire un po' di emicrania o qualche altro dolorino, per lasciare in libertà Ciccino e la nuova amica Lellè.

Ora Capolino, per quanto Roma fosse grande, da deputato e con gli occhiali serii, non vi si vedeva minimo, e temeva che quello sbrigliamento della moglie potesse dare all'occhio. Del resto, non poteva soffrirlo, non tanto per quello che potevano pensarne gli altri quanto per sé. Da deputato e con gli occhiali, voleva che anche sua moglie, ormai, diventasse più seria. A Roma e con quei Vella attorno e con la libertà in cui era costretto a lasciarla, non gli pareva possibile. Flaminio Salvo, ora che donna Adelaide era andata a nozze, certamente avrebbe avuto bisogno di lei, a Girgenti. Per la figliuola, s'intende; per quella cara Dianella senza mamma. Se non oggi, domani, avrebbe scritto per pregarla di ritornare. Non gli pareva l'ora all'onorevole Ignazio Capolino! Ma ecco, adesso, quell'imbecille del Costa che veniva a guastargli le uova nel paniere! La pelle... Temeva per la pelle... Pezzo d'asino! Ma già, se non era stato buono in tanti anni neanche d'accorgersi che Dianella lo amava, che aveva sotto mano la fortuna, una simile fortuna! come avrebbe riconosciuto ora, che meglio di così un deputato d'opposizione non poteva essere accolto da un Sottosegretario di Stato? E aveva osato rimproverargli le approvazioni... Ma sicuro! per far piacere a lui doveva difendere i solfaraj, quasi che, nelle ultime elezioni, egli fosse andato sù anche col suffragio di quei galantuomini! Messo tra il Governo e i socialisti, poteva un deputato conservatore, d'opposizione, esitare nella scelta? Ma andate a ragionare di queste cose con uno, a cui la fortuna dava il pane perché lo sapeva senza denti! Intanto Flaminio Salvo, per seguitare da un canto la commedia di quel progetto e aver modo dall'altro d'abboccarsi con Lando Laurentano, che non aveva voluto assistere alle nozze del padre, senza dubbio sarebbe accorso alla chiamata; e certo avrebbe condotto con sé Dianella, che non poteva restar sola a Girgenti. E sarebbe forse rimasta a Roma per un pezzo, Dianella, presso gli zii, per divagarsi e... chi sa! – gli occhi di Flaminio Salvo vedevano molto lontano – Lando andava qualche volta in casa Vella, e... chi sa! Rimanendo Dianella a Roma, addio ritorno di Lellè a Girgenti. Così pensando, Capolino sbuffava, e gli occhiali serii, con staffe, cerchietti e sellino di tartaruga, gli s'appannavano.

Non passò neanche una settimana, che Flaminio Salvo fu a Roma insieme con Dianella, come Capolino aveva preveduto.

Dianella arrivò come una morta; Flaminio Salvo, al solito, sicuro di sé, con quel sorriso freddo su le labbra, a cui lo sguardo lento degli occhi sotto le grosse pàlpebre dava un'espressione di lieve ironia. Furono ospitati dai Vella, che insieme coi coniugi Capolino e il Costa si recarono ad accoglierli alla stazione. Donna Rosa, Ciccino e Lillina non conoscevano ancora Dianella.

– Figlia mia, o che mangi lucertole? – le domandò in prima la zia Rosa, nel vederle il volto come di cera e con gli occhi dolenti e smarriti. – Ma capisco, sai? con un uomo insulso come tuo padre, difficile passarsela bene. Ah, io gliele dico, sai? Non sono come tua zia Adelaide che cala a tutto la testa. Sono più grande di lui, e mi deve rispettare.

– Io ti bacio sempre la mano, – disse don Flaminio, inchinandosi.

– Sicuro! Ecco qua: bacia, bacia! – riprese donna Rosa, stendendo la mano tozza, paffuta. – Sicuro che me la devi baciare! Sta' un po' con noi qua a Roma, figlia mia, e vedrai che ti farò ritornare in Sicilia bella grossa come una madre badessa. Vedi questa signora? – aggiunse, indicando Nicoletta Capolino. – Come ti pare? Brutta è, bisogna dirglielo; ma da che Ciccino e Lillina le hanno fatto far la cura di trotto a cavallo, vedi l'occhio? più vivo! Lascia fare ai tuoi cugini, cara mia. Andiamo, andiamo! Ridere, ridere... Cosa da ridere, la vita, te lo dico io.

A casa, don Flaminio narrò mirabilia alla sorella, al cognato, ai nipoti, agli amici, degli sponsali del principe con donna Adelaide, celebrati da monsignor Montoro nella cappella di Colimbètra, tra il fior fiore della cittadinanza girgentana. S.. A. R. il Conte di Caserta aveva avuto la degnazione di mandare dalla Costa Azzurra una lettera autografa d'augurii e rallegramenti agli sposi.

– E chi è? – domandò donna Rosa, guardando tutti in giro; poi, picchiandosi la fronte: – Ah già, ho capito, il fratello di Cecco Bomba... Ho un cognato borbonico, coi militari... Me l'ha scritto Adelaide! Ora è mai possibile che stia allegra codesta povera figliuola con tale razza di Altezze Reali che scrivono lettere autografe per le nozze di sua zia? Va' avanti, va' avanti... Ah se ci fossi stata io! Codesto tuo principe di Laurentano...

Seguitando, don Flaminio si dichiarò particolarmente grato della presenza di don Cosmo, fratello dello sposo, alla magnifica festa, e del dono prezioso mandato da Lando alla matrigna.

– L'ho visto! – disse Ciccino.

– L'ha comperato con noi! – aggiunse Lillina.

– Ah, dunque lo conoscete bene? – domandò, contento, don Flaminio.

E volle sapere dai nipoti in che intrinsechezza fossero con lui, e che aspetto e che umore avesse, chiamando a parte la figliuola, con vivaci esclamazioni, della sua meraviglia e del suo compiacimento per le risposte che quelli gli davano. Ma Dianella si turbò in viso così manifestamente e mostrò negli occhi un così strano sbigottimento, ch'egli cangiò a un tratto aria e tono, e finse di meravigliarsi, perché la gravità delle cose che avvenivano in quei giorni in Sicilia, e nelle quali il giovane principe, a quanto si diceva, doveva essere più d'un po' immischiato, gli pareva non comportasse in lui quell'umor gajo, che i nipoti dicevano. E prese a raccontare, con atteggiamento di grave costernazione, i fatti avvenuti di recente in Sicilia, a Serradifalco, a Catenanuova, ad Alcamo, a Casale Floresta i quali provavano come in tutta l'isola covasse un gran fuoco, che presto sarebbe divampato; e a rappresentar la Sicilia come una catasta immane di legna, d'alberi morti per siccità, e da anni e anni abbattuti senza misericordia dall'accetta, poiché la pioggia dei benefizii s'era riversata tutta su l'Italia settentrionale, e mai una goccia ne era caduta su le arse terre dell'isola. Ora i giovincelli s'erano divertiti ad accendere sotto la catasta i fasci di paglia delle loro predicazioni socialistiche, ed ecco che i vecchi ceppi cominciavano a prender fuoco. Erano per adesso piccoli scoppii striduli, crepitìi qua e là; scappava fuori ora da una parte ora dall'altra qualche lingua di fiamma minacciosa; ma già s'addensava nell'aria come una fumicaja soffocante. E il peggio era questo: che il Governo, invece d'accorrere a gettar acqua, mandava soldati a suscitare altro fuoco col fuoco delle armi. Ma avesse almeno avuto soldati abbastanza, da fronteggiare l'impeto delle popolazioni irritate! Gli scarsi presidii, bestialmente incitati a sparare su le folle inermi, si vedevano costretti, subito dopo, a rinserrarsi nelle caserme; e allora la folla, inselvaggita dagli eccidii, restava padrona del campo e assaltava furibonda i municipii e vi appiccava il fuoco. Lo sgomento intanto si propagava per tutta l'isola; sindaci e prefetti e commissarii di polizia perdevano la testa; e dove si sarebbe andati a finire?

Queste cose disse, rivolto specialmente al cognato Francesco Vella, al Capolino e ad Aurelio Costa: volle dedicare alle signore il racconto d'una recente prodezza compiuta da cinquecento donne in un villaggio dell'interno della Sicilia, chiamato Milocca. Per la speciosa denuncia di un mucchio di concime sparso non già fuori, ma nelle terre medesime d'un proprietario che non aveva voluto arrendersi ai nuovi patti colonici dei contadini del *Fascio*, la forza pubblica aveva tratto in arresto iniquamente e sottoposto a processo per associazione a delinquere il presidente e i quattro consiglieri del *Fascio* stesso. E allora le donne del villaggio, in numero di cinquecento, indignate dell'ingiustizia e della prepotenza, s'erano scagliate come tante furie contro la caserma dei carabinieri, ne avevano sfondato la porta e tratto fuori i cinque arrestati; poi, ebbre di gioja per la liberazione dei prigionieri, avevano condotto in trionfo sulle braccia, per le vie del paese, uno dei carabinieri e le armi strappate loro dalle mani.

Donna Rosa, Nicoletta Capolino e Lillina approvarono festosamente la vittoria di quelle donne gagliarde; ma don Flaminio parò le mani gridando:

– Piano, piano! Aspettate! L'allegrezza è stata breve... I milocchesi, dico gli uomini, che non s'erano affatto immischiati in questa rivolta delle loro donne, saputo che il prefetto della provincia mandava un rinforzo di soldati e delegati e giudici a Milocca, cavalcarono le mule e, armati di fucile, presero il largo. Sono ancora sparsi per le campagne, decisi a vender cara la loro libertà. Ma i signori giudici, a Milocca, hanno arrestato trentadue donne, di cui alcune gestanti, altre coi bambini lattanti in collo, e le hanno tradotte ammanettate nelle carceri di Mussomeli.

– Valorosi! valorosi! – esclamò allora donna Rosa. – Ma come? E voi, Gnazio, deputato siciliano, non levate la voce in Parlamento neanche contro l'arresto delle donne gravide e delle mamme coi bambini in collo?

Don Flaminio sorrise e, lisciandosi le basette:

– Non gli conviene, – disse. – Sono gestanti e mamme socialiste. Lui è conservatore. Quantunque laggiù, sai? don Ippolito Laurentano vorrebbe che il partito clericale secondasse il movimento proletario e se n'avvalesse, stabilendo anche con esso qualche accordo segreto. Ma monsignor Montoro, confòrtati, è contrario; forse perché il canonico Pompeo Agrò è da un mese a Comitini a far propaganda, non so quanto evangelica, contro me, tra i solfaraj. Basta. Vedremo di stare tra il padre e il figlio. Domani mi recherò dal giovane principe socialista a lasciargli un biglietto da visita.

Capolino accompagnò Flaminio Salvo in quella gita al villino di via Sommacampagna, tanto nell'andata quanto nel ritorno. La strana impressione, quasi di sgomento, che gli aveva fatta la vista di Dianella, all'arrivo, si raffermò al discorso che gli tenne il Salvo lungo la via.

Fu al solito un discorso sinuoso, pieno di sottintesi e di velate allusioni, da cui parve a Capolino di poter desumere questo: che il Salvo era davvero fortemente impensierito non dalle condizioni politiche della Sicilia, ma dalle condizioni di spirito della figliuola, le quali tanto più dovevano dar da pensare, in quanto che la madre era pazza; ch'egli intendeva perciò di contentarla, se quel viaggio a Roma non riusciva agli effetti che se ne riprometteva; contentarla, anche perché, uscita ormai di casa la sorella, egli, non avendo più alcuno che stésse attorno alla figliuola bisognosa di cure, d'affettuosa compagnia, di distrazioni, avrebbe dovuto sacrificare troppo gli affari, e non poteva (qui parve a Capolino di dover notare un grave rimprovero per sua moglie, che aveva osato lasciar sola anche donna Adelaide nell'avvenimento delle nozze); contentarla, in fine, anche per dare ad Aurelio Costa (che presto, fra due o tre giorni, sarebbe tornato in Sicilia) un premio degno, se riusciva a ridurre a ragione gli operaj delle zolfare.

Queste deduzioni così chiare del lungo discorso a mezz'aria del Salvo costarono a Capolino un così intenso sforzo, che uno dei cristalli degli occhiali, continuamente appannati dagli sbuffi, gli s'infranse tra le dita nervose, a furia di ripulirlo. Fortuna che le scagliette del cristallo s'infissero soltanto nel fazzoletto, senza ferirgli le dita. Ma la sera dovette parlare, e seriamente, alla moglie, senza occhiali.

Nicoletta sapeva che l'improvviso arrivo di Flaminio Salvo e di Dianella a Roma era dovuto al Costa. Più perspicace del marito, aveva subito preveduto che questo arrivo avrebbe segnato la fine della sua cuccagna, ed era perciò così gonfia d'odio contro quello che lo avrebbe ucciso senza esitare, se le avessero assicurato l'impunità. Già aveva veduto il primo effetto dell'arrivo: Ciccino e Lillina Vella se n'erano andati in giro per Roma con la cuginetta pallida e smarrita, mettendo lei da parte fin dal primo giorno. Scelto male, dunque, il momento per un discorso serio!

– Debbo partire? – domandò subito, per tagliar corto. – Parto anche domani. Senza chiacchiere. Ma sola, no!

– E con chi? – fece Capolino. – Io...

– Tu hai le sorti d'Italia su le braccia, lo so! – esclamò Nicoletta. – Come potrebbe sedere la Camera, domani, se tu mancassi?

– Ti prego, – fece Capolino, con un gesto delle mani, che significava freno, prudenza, da un canto, e dall'altro, sdegno di avviare il discorso, senza scopo, per una china facile, per quanto sdrucciolevole. – Io sono qui per fare il mio dovere.

– Anch'io! – rimbeccò, pronta, Nicoletta. – Non ti pare? Tu, di deputato; io, di moglie. Lo dice anche il sindaco: la moglie deve seguire il marito. Caro mio, se la pigli così!... Lascia stare i doveri, non mi far ridere! Te l'ho detto: tu, caro mio, hai perduto da un pezzo in qua la bussola! Parliamoci come prima, o piuttosto, intendiamoci come prima, senza parlare affatto, per il tuo e per il mio meglio! Bada Gnazio, tu sei stufo, ma io più che più, e capace...

non so, capace in questo momento di commettere qualunque pazzia. Te n'avverto!

– Santo Dio, ma perché? – gemette Capolino con le mani giunte.

– Ah, perché? – gridò Nicoletta, andandogli incontro, vampante d'ira e di
sprezzo. – Mi domandi perché? Mi dici di partire, di ritornarmene laggiù, e mi
domandi perché?

– Prego, prego... – cercò d'interromperla Capolino, protendendo adesso le
mani, per arrestare anche col gesto quella furia. – Nel nostro... nel tuo stesso
interesse, scusa! Se non mi lasci parlare...

– Ma che vuoi dire! Lascia stare! – esclamò Nicoletta.

– So come debbo dire, non dubitare, – riprese Capolino con molta gravità,
abbassando gli occhi. – Tu ignori il discorso che mi ha tenuto Flaminio questa
mattina. T'ho detto nulla, finora, del tuo prolungato soggiorno a Roma?
Nulla... E tu stessa ti sei rimproverata di non esser partita per assistere Adelaide nel giorno delle nozze. Ora la tua assenza da Girgenti sai qual effetto ha
prodotto? Questo, semplicemente: che Flaminio Salvo, lasciato solo e stanco,
ha deciso di contentar finalmente la figliuola.

Nicoletta restò a questa notizia.

– Ah sì? – disse; e si morse il labbro, fissando nel vuoto gli occhi, odiosamente.

– Capisci? – seguitò Capolino. – Teme che le dia di volta il cervello, come
alla madre. E mi pare che il timore non sia infondato. L'hai veduta? Fa pietà...

– Schifo! – scattò Nicoletta. – Se ne dovrebbe vergognare!

– L'amore... – sospirò Capolino, alzando le spalle, socchiudendo gli occhi. –
E Flaminio fors'anche pensa che, con l'ombra della pazzia della madre, un
degno partito per la figlia non sarebbe facile trovarlo. Ha messo poi in gravissimi imbarazzi il Costa laggiù, tra i solfaraj, e pensa di premiar la devozione,
l'abnegazione...

– Quanti pensieri!... quante dolcezze!... – disse Nicoletta. – E io dovrei
sguazzarci in mezzo, è vero? come un'ape nel miele...

– Tu? perché? – domandò Capolino.

– Ma la custode della figlia non sono io? – inveì Nicoletta. – Non toccherà a
me allora covar con gli occhi la coppia innamorata? assistere alle loro carezze,
ai loro colloquii? accogliere in seno le confidenze della timida colombella ri-
sanata?

Capolino si strinse nelle spalle, come per dire: «Dopo tutto, che male?...».

– Ah, no, caro mio! – riprese con impeto la moglie. – Non me ne importerebbe nulla se, per il mio interesse, come tu dici, non mi vedessi costretta a far
questa parte... E tu dimentichi un'altra cosa! Che codesto signor ingegnere
chiese un giorno la mia mano, e che io la rifiutai, perché non mi parve degno
di me! Bella vendetta, adesso, per lui, diventare sotto gli occhi miei il fidanzato della figlia di Flaminio Salvo!

– Ma questo, se mai, di fronte a te che l'hai rifiutato, – le fece osservar Capolino, – potrà esser ragione d'avvilimento per la figlia di Flaminio Salvo...

– Già! – esclamò Nicoletta, levandosi. – Perché io adesso sono la moglie del-
l'onorevole deputato Ignazio Capolino!

– Che vale molto di più, ti prego di credere! – gridò questi, dando un pugno
sulla tavola e levandosi in piedi anche lui, fiero.

Nicoletta lo squadrò, calma, di sotto in sù; poi disse:

– Uh, quanto a meriti, non oserei metterlo in dubbio! Però... però io debbo
partire, ecco, sempre per il mio interesse, come tu dici... Che vuoi? i meriti,
caro, non hanno spesso fortuna.

– Fa rabbia anche a me, – disse allora Capolino, – che uno stupido, un imbecille di quella fatta debba salire così, tirato sù dal favore della sorte, cacciato a
spintoni, come una bestia bendata e restìa... Perché egli, sai? l'ha detto a me:

non vorrebbe nulla... Questo è il bello. Non s'accorge di nulla, non capisce nulla, e la fortuna lo ajuta! Domani, genero di Flaminio Salvo!

– Ah no! – scattò Nicoletta. – Questo matrimonio non si farà! Te l'assicuro io: non-si-fa-rà!

Capolino tornò a stringersi nelle spalle e a socchiudere gli occhi:

– Se Flaminio vuole... come potresti impedirlo?

– Come? – rispose Nicoletta. – Come... non so! Ma a ogni costo... ah, a ogni costo! puoi esserne certo!

Capolino insistette:

– Ma via, tu credi che il Costa sia capace di sentir la vendetta che tu dici, per il tuo rifiuto? No, sai! Non è capace neanche di questo! Io l'ho studiato: è con te riguardoso, ossequioso... anzi, tutto impacciato in tua presenza... non ci penserà mai! E se tu... se tu saprai vincer lo sdegno, e trattarlo... dico, trattarlo con una certa... disinvoltura cortese...

Sotto gli occhi di Nicoletta, che lo fissavano con freddo e calmo sprezzo, smorì, si scompose il sorriso con cui aveva accompagnato le ultime parole.

– Come, del resto, lo hai trattato finora, – soggiunse dignitosamente. Poi, cangiando discorso: – Oh, volevo proporti d'uscire... Ceneremo fuori... Ti va?

Di ritorno a casa a tarda notte, Nicoletta, nel mettersi a letto, domandò al marito:

– Non deve ripartire fra due o tre giorni l'ingegnere Costa per la Sicilia?

– Sì, – rispose Capolino. – Me l'ha detto Flaminio stamattina.

– E tu a Flaminio potresti dire, – seguitò Nicoletta, raccogliendosi sotto le coperte, – che sono pronta anch'io a partire; ma non sola. Poiché parte l'ingegnere...

– Ah, già! – esclamò Capolino. – Benissimo! Potresti accompagnarti con lui.

– Buona notte, caro!

– Buona notte.

Fermamente convinto d'aver sempre avuto contraria la sorte, fin dalla nascita, Flaminio Salvo credeva che soltanto con l'assidua difesa d'una volontà sempre vigile e incrollabile, e opponendosi con atti che egli stesso stimava duri, contro tutti coloro che s'eran fatti e si facevano strumenti ciechi di essa, avesse potuto vincerla finora. Ma l'avversione della sorte, non potendo su lui, s'era rivolta con ferocia su i suoi, su la moglie, sul figlio: ora anche, con quella passione invincibile, su la figlia. In queste sciagure sentiva veramente come una vendetta vile e crudele; e questo sentimento non solo gli toglieva il rimorso di tutto il male che sapeva d'aver commesso, ma gl'ispirava anzi vergogna di qualche debolezza passeggera, e quasi lo abilitava a commettere altro male, sia per vendicarsi a sua volta della sorte, sia per non essere egli stesso sopraffatto. Non si poneva neppur lontanamente il dubbio che potesse in fondo non essere un male quella passione della figliuola per Aurelio Costa. Era per lui sicuramente un male; e non già per la disparità della nascita o della condizione sociale (fisime!), ma perché essa aveva origine da una sua debolezza, dalla gratitudine per tanti anni dimostrata al suo piccolo salvatore. Da un bene non poteva venirgli altro che un male. Domma, questo, per lui. E nessun filosofo avrebbe potuto indurlo a riconoscere che il suo ragionamento, fondato su un pregiudizio, era vizioso. La logica! Che logica contro l'esperienza di tutta una vita? E poi, se per un solo caso si fosse indotto a riconoscere il vizio del suo ragionamento, addio scusa di tutto il male in tanti altri casi coscientemente commesso! Ogni qual volta un negozio, una faccenda qualsiasi accennava fin da principio di volgergli a seconda, egli, anziché rallegrarsene, s'adombrava, sospettava subito una insidia e si parava in difesa.

Accolse male perciò, da un canto, la notizia e la proposta di Capolino, che cioè Nicoletta era pronta a partire il giorno appresso e che avrebbe voluto accompagnarsi nel viaggio col Costa; dall'altro, l'annunzio recato da Ciccino e Lillina, che Lando Laurentano, il quale tutta quella mattina era stato in giro con essi e con Dianella, sarebbe venuto quella sera stessa a salutarlo. Lo avevano incontrato per caso, e quantunque avesse detto loro in prima d'esser fortemente irritato per una certa pubblicazione in un giornale del mattino, s'era poi dimostrato gajo in loro compagnia e gratissimo della distrazione procuratagli. Flaminio Salvo era nella stanza da studio di Francesco Vella e dava ad Aurelio Costa le ultime istruzioni circa il ritorno di questo in Sicilia, fissato per la mattina seguente, quando i due nipoti gli recarono quest'annunzio, irrompendo rumorosamente e tirandosi dietro Dianella. Egli notò subito nel viso della figlia un'alterazione molto diversa dalle solite alla vista di Aurelio, e rimase per un attimo quasi stordito, allorché, parlando i due cugini della graziosa affabilità del Laurentano verso di loro, ella con voce vibrante, che non pareva più la sua, e con un'aria di sfida, confermò:

– Sì, gentilissimo! proprio gentilissimo!

– Piacere... – rispose freddamente, guardandola di su gli occhiali. – Ma, vi prego, io ora qua...

E accennò il Costa con un gesto che significava: «Ho da pensare a ben altro per il momento...».

Era vero, del resto. Si trattava d'esporre a un rischio di morte quel giovane dabbene, ignaro affatto della parte, che stava a rappresentare; si trattava di gettarlo in preda alla rabbia d'un intero paese affamato e disilluso. Nell'anima del Salvo si svolse allora uno strano giuoco di finzioni coscienti. Il piacere di quell'annunzio doveva mutarsi in lui in dispiacere, la speranza in diffidenza; e però non solo non doveva tener conto di quella fortunata combinazione dell'incontro del Laurentano e della buona impressione che la figlia pareva ne avesse avuto, ma considerarla anzi come una vera e propria contrarietà, nel momento ch'egli, per contentare appunto la figliuola, faceva intravvedere a quel buon giovane del Costa il premio della pericolosissima impresa a cui lo gettava. E seguitò in quella finzione cosciente, acceso di stizza contro la figliuola, la quale, dopo averlo costretto a piegarsi fino a tanto, eccola lì, veniva ora a fargli intendere, con aria nuova, che il giovane principe Laurentano non le era punto dispiaciuto! Né s'arrestava qui il giuoco delle finzioni nell'anima del Salvo. Fingeva di non comprendere ancora quell'aria nuova della figlia, che pure aveva già compreso bene; era sicuro infatti che Dianella, facendo quella lode del Laurentano in presenza di Aurelio, s'era intesa di vendicarsi di questo, e ora di là certo piangeva e si straziava in segreto. La stizza finta per quel premio ch'egli doveva far balenare al Costa, era dunque in fondo stizza vera, tanto che, per non avvertire il rimorso di quello strazio che cagionava alla figlia, seguitò a fingere di credere sul serio, che veramente, sì, veramente, se il Costa fosse riuscito a ridurre a ragione gli operaj delle zolfare in Sicilia, gli avrebbe dato in premio Dianella. Intanto, lo faceva partire il giorno appresso in compagnia di Nicoletta Capolino.

La sera, fu compìto, ma con una certa sostenutezza, verso Lando Laurentano, accolto con molta festa dai Vella, specialmente da Ciccino e Lillina. Dianella era pallidissima, e si teneva sù per continui sforzi a scatti, che facevano pena e paura. I dolci occhi ora le s'accendevano come in un confuso spavento, ora le smorivano quasi in una torba opacità. Nicoletta Capolino, invitata a tavola dai Vella quell'ultimo giorno, le aveva fatto sapere che la mattina appresso sarebbe partita col Costa; e adesso, ecco, era lì e parlava senza vezzi affettati, ma con la vivace disinvoltura consueta al giovane principe di Laurentano della cortesia squisita di don Ippolito, là a Colimbètra, nella disgraziata congiuntura del duello del marito.

Questi entrò, poco dopo, nel ricco salone insieme con l'ingegnere Aurelio Costa, che veniva a licenziarsi dai Vella.

Fu per Dianella e per Nicoletta un momento d'angosciosa sospensione. Quanto composto e grave e costernato l'onorevole Ignazio Capolino con quei funebri occhiali di tartaruga, tanto appariva stordito, acceso, abbagliato, Aurelio Costa. Gli si leggeva chiaramente in viso l'emozione profonda, che la notizia della sua prossima partenza con Nicoletta gli aveva suscitato. Non sentiva più la terra sotto i piedi; non riusciva ad articolar parola. Nel vederlo entrare, Nicoletta ne ebbe quasi sgomento: sentì, senza guardarlo, che egli la cercava con gli occhi, senza più badare a nessuno. Respirò nel sentirlo poco dopo discutere animatamente col Laurentano su i moti dei *Fasci* in Sicilia. Ogni costernazione gli era svanita, svanita ogni considerazione per quei solfaraj affamati d'Aragona, svanito il dispetto per quel suo disegno d'un consorzio obbligatorio mandato a monte: avrebbe ora affrontato col frustino in mano tutti quei ribelli laggiù. Flaminio Salvo, per prudenza di fronte al Laurentano, lo richiamò sorridendo a più miti propositi.

– Perché le diano fuoco alle zolfare? – gli domandò tutto infervorato il Costa. – Li conosco io, quei bruti! Guaj a mostrare di temerli! Con la verga si riducono a ragione! Lasci fare a me... Abbandonato da tutti, senza neanche la soddisfazione di veder degnato d'uno sguardo il mio progetto, andrò solo, laggiù... e ci guarderemo in faccia...

Nell'esaltazione, non avvertiva la stonatura di quella sua apostrofe bellicosa; né si mortificò affatto nell'accorgersi alla fine che nessuno gli badava più; si lasciò condurre da Capolino nell'ampio balcone della sala, mentre Flaminio Salvo, Francesco Vella e Lando Laurentano seguitavano a conversare tra loro pacatamente, e Ciccino prometteva a Nicoletta che presto sarebbe venuto a trovarla a Girgenti, e donna Rosa e Lillina davano consigli a Dianella che si regolasse così e così, se voleva presto recuperare la salute e la gajezza. Chiamato dal Salvo, Capolino rientrò poco dopo, e Aurelio Costa restò solo nel balcone.

Quanto vi restò? Guardava le stelle, guardava come in un sogno il chiaror della luna che si rifletteva su i vetri di lontane finestre dirimpetto, nella piazza; stretto da un'ansia smaniosa e dolce; senza più pensare al luogo ove si trovava; con una sola immagine davanti agli occhi, quella di lei che ora tra poco, senza dubbio sarebbe venuta a trovarlo là per dirgli: *A domani! Per sempre!* «A domani, per sempre», si ripeteva, serrando le pugna con gli occhi socchiusi voluttuosamente.

Aveva già parlato con lei la mattina. S'erano già accordati. Tutto, tutto ella avrebbe lasciato, per seguir lui! Sì, anche laggiù, nel pericolo, da cui egli non avrebbe potuto in quel momento ritrarsi. Del resto, per forza, doveva andar laggiù; lì era la sua casa, lì il suo lavoro, che avrebbe ora messo a disposizione di altri, lasciando il Salvo. Che gl'importava? Di qual premio gli aveva ella parlato? Un grosso premio ch'egli avrebbe perduto lasciando il Salvo... Che gl'importava? Qual premio maggiore della felicità che ella gli avrebbe data, amandolo? Così farneticava Aurelio nel balcone, in attesa, tornando a ripetere di tratto in tratto, smaniosamente: «A domani! per sempre!».

Nel salone, intanto, Ignazio Capolino parlava con aria afflitta del subbuglio, in cui la pubblicazione d'una denunzia in un giornale del mattino aveva messo tutto quel giorno i corridoj della Camera. Si trattava delle quarantamila lire, di cui appariva debitore verso la Banca Romana Roberto Auriti, «notoriamente prestanome» diceva il giornale «d'un deputato meridionale molto conosciuto e nelle grazie, fino a poco tempo fa, se non proprio del Governo, di qualche membro (*hic et haec*) di esso». E quel giornale, seguitando, parlava delle carte sottratte per salvare questo deputato meridionale. Ma nella fretta, all'ultimo momento, qualche biglietto era rimasto fuori e caduto in mano all'autorità giudiziaria, qualche biglietto appunto dell'Auriti, ora in ricerca affannosa di quelle quarantamila lire, per salvare sé e l'amico.

Capolino diceva che parecchi deputati dell'Estrema Sinistra avrebbero portato la denunzia alla Camera, e prevedeva imminente l'arresto dell'Auriti.

Lando Laurentano era su le spine. Tutto il pomeriggio di quel giorno aveva cercato d'appurare donde quella notizia fosse pervenuta al giornale del mattino: pareva riferita da qualcuno che fosse stato a origliare all'uscio della stanza, in cui Giulio Auriti aveva implorato ajuto da lui; e temeva che questi potesse ora sospettarlo autore della denunzia.

Il Salvo, il Vella e il Capolino, notando il turbamento del giovane principe, si misero a compiangere Roberto Auriti, come una vittima, e il Salvo lasciò intendere chiaramente che egli sarebbe stato disposto ad approntare quella somma per salvarlo; ma il Capolino disse che ormai era troppo tardi. Non restava che di prendere una tazza di tè, che Lillina aveva già preparato.

Le prime due tazze, recate da Ciccino, erano andate a donna Rosa e a Dianella. Nicoletta ne porgeva ora una tazza a Lando Laurentano.

– Latte?

– Sì, grazie. Poco.

E Dianella, sorbendo la sua, aspettava che Nicoletta si recasse al balcone con l'ultima tazza per Aurelio. Ma Nicoletta, vedendosi spiata, finse in prima di dimenticarsene, e tenne la tazza per sé.

– Uh, e per il mio cavaliere? – esclamò poi, come sovvenendosi all'improvviso.

E andò al balcone.

Appena Aurelio la vide comparire, si ritrasse istintivamente nell'ombra quanto più poté, per attirarla. Ma ella varcò appena la soglia del balcone e, porgendogli la tazza, disse piano, rigida:

– Rientri, per carità: lei si fa notare. Non faccia ragazzate!

– Ma mi dica soltanto... – scongiurò egli.

– Sì, questo; e se lo imprima bene in mente, – soggiunse lei, subito: – che ho fatto di tutto per impedir la sua e la mia rovina. Non mi accusi, domani; perché l'ha voluta anche lei. Basta!

E rientrò nel salone.

IV.

Corrado Selmi uscì dalla Camera dei deputati livido, stravolto, con un tremor convulso per tutto il corpo. Appena su la piazza, nel sole, fece uno sforzo disperato su se stesso per riaversi, per riafferrare in sé e rimettere sotto il suo dominio la vita che gli sfuggiva in un tremendo scompiglio; ma restò, avvertendo che non aveva neanche la forza di trarre il respiro, quasi avesse il petto, il ventre squarciati.

Un sentimento nuovo gli sorse allora improvviso: la paura. Non degli altri; ma di sé.

Or ora gli altri li aveva sfidati e assaliti, nell'aula del Parlamento, con estrema violenza. Ancora ne tremava tutto. Nessuno, là, aveva osato fiatare. Ma quel silenzio... ah, quel silenzio era stato per lui peggiore di ogni invettiva, d'ogni tumultuoso insorgere di tutta l'assemblea.

Quel silenzio lo aveva ucciso.

Aveva ancora negli orecchi il suono dei suoi passi nell'uscire dall'aula. Nel silenzio formidabile, quei passi avevano sonato come colpi di martello su una cassa da morto.

Sentiva una grande arsione; e le gambe, come... come se gli si fossero stroncate sotto.

Schiacciato dall'accusa, aveva voluto rilevarsene con tutto l'impeto delle energie vitali, ancora possenti in lui; ma appena aveva finito di parlare, quel silenzio. Nessun dubbio che l'assemblea, subito dopo la sua uscita dall'aula, avesse votato l'autorizzazione a procedere contro di lui.

Eppure tutti lo sapevano povero; sapevano che il denaro preso alle banche non poteva essere rinfacciato a lui come a tanti altri.

Dall'avere affrontato la morte, quando più bella suol essere per tutti la vita, non gli veniva il diritto di vivere? Nella losca complicazione di tante oblique vicende la semplicità di questo diritto appariva quasi ingenua e tale, che tutti, ridendo, dovessero negarglielo.

Morto; non solo, ma anche svergognato lo volevano! Doveva morire allora, e sarebbe stato un eroe per tutti questi vivi d'oggi che gli rinfacciavano come un delitto l'aver vissuto.

Ma non tanto l'accusa, in fondo, gli sembrava ingiusta, quanto ingiusti gli accusatori; e, più che ingiusti, ingrati e vili: vili perché, dopo aver per tanti anni compreso che egli aveva pure questo diritto di vivere, si levavano ora a dimostrargliene con ischerno l'ingenuità; dopo avere per tanti anni compreso il suo bisogno, si levavano ora a rinfacciarglielo come un'onta.

Né si sarebbero arrestati qui! Ora, il processo, la condanna, il carcere.

Corrado Selmi rise, e avvertì ancora lo sforzo che gli costava lo scomporre la truce espressione del volto in quel riso orribile. Il sorriso schietto e lieve, che aveva accompagnato sempre tutti gli atti della sua vita, anche i più gravi e i più rischiosi, s'era tramutato in quella triste smorfia dura e amara? Ebbe di nuovo paura di sé: paura di assumere coscienza precisa di un certo che oscuro e orrendo che gli s'era cacciato all'improvviso nel fondo dell'essere e glielo scompaginava, dandogli quell'impressione d'esser come squarciato dentro, irrimediabilmente. E per ricomporre comunque la compagine del suo essere, per vincere il ribrezzo e l'orrore di quell'impressione, si guardò attorno, quasi chiedendo sostegno e conforto ai noti aspetti delle cose. Gli parvero anche questi cangiati e come evanescenti. Sentì con terrore che non gli era più possibile ristabilire una relazione qual si fosse tra sé e tutto ciò che lo circondava. Sì, poteva guardare; ma che vedeva? poteva parlare; ma che dire? poteva muoversi; ma dove andare?

Parlò, tanto per udire il suono della sua voce, e gli parve anch'esso cangiato. Disse:

– Che faccio?

Sapeva bene quel che gli restava da fare. Ma nello schiacciar con la lingua contro il palato le due *c* di *faccio*, non avvertì altro che l'annodatura della lingua e l'amarezza aspra della bocca; e rimase col viso disgustato e arcigno.

– No, – soggiunse. – Prima... che altro?

Qualunque altra cosa gli apparve inutile, vana. Poteva soltanto, ancor per poco, per passarsi la voglia e darsi così fuor fuori uno sfogo, dire e fare sciocchezze. Pensare seriamente, agire seriamente non avrebbe potuto se non a costo di cedere al proposito oscuro e violento che stava a distruggergli dentro tutti gli elementi della vita. Baloccarsi poteva coi frantumi di essa che dal tumulto interno balzavano a galla della sua coscienza squarciata: baloccarsi un poco... Sì, in casa di Roberto Auriti! Doveva vederlo, dirgli che per lui, per coprirlo, si era messo da sé sotto accusa. Ecco che aveva ancora dove andare.

Chiamò una vettura, per non avvertire il tremore e la debolezza delle gambe, e diede al vetturino l'indirizzo: via delle Colonnette.

Appena montato, se ne pentì, prevedendo, in compenso di quanto aveva fatto, una scenata. Ma no: a ogni costo avrebbe saputo impedirla. Più che doveroso, il suo atto gli appariva generoso verso Roberto Auriti. E, in quel momento, non poteva sentir che disprezzo della sua stessa generosità. S'era spogliato d'ogni prestigio, d'ogni prerogativa, per subir la stessa sorte d'uno sconfitto, che delle sue doti, dei suoi meriti non aveva saputo avvalersi per farsi uno stato, per imporsi, come avrebbe potuto, alla considerazione altrui.

Non pietà, ma dispetto poteva ispirare Roberto Auriti. Che se pure egli, navigando alla ventura, lo aveva gittato con sé in quei frangenti, non meritava certo quel naufrago che Corrado Selmi, già quasi scampato, si ributtasse in mare per perire con lui: non lo meritava, perché non aveva saputo mai vivere, quell'uomo, mai disimpacciarsi da ostacoli anche lievi: era già per se stesso un annegato, a cui tante e tante volte egli aveva gettato una corda per ajutarlo a trarsi in salvo. L'unica volta che quest'uomo s'era messo a dar lui ajuto, ecco, con la stessa mano che gli aveva teso, lo tirava con sé nel baratro, giù, giù, costringendolo a rinunziare al salvataggio altrui. E quel suo fratello corso in Sicilia per salvare entrambi, ma sì! tutti dovevano stare ad aspettare che andasse e ritornasse col denaro! a comodo! senza fretta! e dopo avere svelato tutto a Lando Laurentano! imbecille! Ecco: per questo solo fatto, egli avrebbe potuto fare a meno d'esporsi per coprire un inetto. Ma ormai...

Arrivato in via delle Colonnette, salendo la scala semibuja, incontrò Olindo Passalacqua che scendeva gli scalini a quattro a quattro.

– Ah! giusto lei, onorevole! Correvo in cerca di lei... Dica, che c'è? che c'è?

– Vento, – rispose Corrado Selmi, placidamente.

Olindo Passalacqua restò come un ceppo.

– Vento? Che dice? Quella denunzia infame? Ma come? chi è stato? roba da sputargli in faccia! Andate a far l'Italia per questa canaglia!

Corrado Selmi gli prese il mento fra due dita:

– Bravo, Olindo! *Nobili sensi, invero*... Sù, andiamo!

– Aspetti, onorevole, – pregò il Passalacqua, trattenendolo. – La prevengo! *Nanna* mia non sa ancora nulla. Non sapevamo nulla neanche noi. Per combinazione a mio cognato Pilade càpita tra le mani il giornale di due giorni fa... apre e vede... ce lo manda sù, segnato... Roberto stava ad annaffiare i fiori in terrazzo... legge, casca dalle nuvole... Ma ci si crede? un uomo, un uomo come lui, non leggere i giornali, in un momento come questo? Capisce? come quell'uccello... qual è? che caccia la testa nella rena... E gliene compro tre, sa? ogni sera: tre giornali! Ne leggesse uno! Appena lo apre, si mette a pisolare; e poi dice che li ha letti tutti e tre e che dorme poco!

– Lo struzzo, – disse Corrado Selmi. – Permetti?

E alzò le mani per aggiustare sotto la gola a Olindo Passalacqua la cravatta rossa sgargiante, annodata a farfalla.

– Lo struzzo, – ripeté. – Quell'uccello che dicevi... Così va bene!

Olindo Passalacqua restò di nuovo a bocca aperta.

– Grazie, – disse. – Ma dunque... dunque possiamo star tranquilli?

Corrado Selmi lo guardò negli occhi, serio; gli posò le mani sugli omeri, e:

– Non sei censore tu? – gli domandò.

– Censore... già, – rispose perplesso, quasi non ne fosse ben sicuro, il Passalacqua.

– E dunque lascia crollare il mondo! – esclamò il Selmi con un gesto di noncuranza sdegnosa. – Censore, te ne impipi. Sù, sù, vieni sù con me.

Trovarono Roberto abbattuto su una poltrona, con la faccia rivolta al soffitto, le braccia abbandonate, l'annaffiatojo accanto. Appena vide il Selmi, fece per balzare in piedi, e, arrangolando in una irrompente convulsione, andò a buttarglisi sul petto.

– Per carità! per carità! – scongiurò Olindo Passalacqua, correndo a chiudere l'uscio e accennando con le mani di far piano, che *Nanna* non sentisse di là.

Attraverso l'uscio chiuso, all'arrangolìo di Roberto sul petto di Corrado Selmi rispondeva di là il vocalizzo miagolante di una studentessa di canto. Corrado Selmi, gravato dal peso di Roberto, stette un po' a guardare i cenni del Passalacqua, che seguitava a implorar carità per il cuore malato della sua povera moglie, carità per Roberto così perduto, carità per la casa che sarebbe andata a soqquadro; e scattò alla fine, scrollandosi, in una risata pazzesca:

– Ma da' qui! – disse, ghermendo l'annaffiatojo e avviandosi di furia al terrazzo. – Ma che facciamo sul serio? Annaffiavi? E seguitiamo ad annaffiare! Qua... qua... così! così! Pioggia, Olindo! pioggia! pioggia!

E una vera pioggia furiosa si rovesciò dalla mela dell'annaffiatojo addosso a Olindo Passalacqua, che prese a fuggire per il terrazzo, gridando e riparandosi con le mani la testa, inseguito dal Selmi che seguitava a ridere, dicendo:

– Io passo l'acqua, tu passi l'acqua, egli passa l'acqua, tutti passiamo l'acqua!

– Oh Dio! per carità... no! caro... nòooo... ma che fa? basta... per carità... non è scherzo! basta... uuuh... basta!...

Alle grida, sopravvennero *Nanna*, la studentessa di canto, Antonio Del Re e Celsina. Subito Corrado Selmi, ansante, corse a stringere la mano alla signora Lalla che rideva, guardando il marito che si scrollava come un pulcino bagnato. Ridevano anche le due giovinette.

– La pianta, *Nanna* mia, – gridò il Selmi, – quale è la pianta più utile? Il riso! Coltiviamo il riso e annacquiamo Olindo che fa ridere!

– Ma io piango, invece... – gemette il Passalacqua.

– E appunto perché piangi, fai ridere! – ribatté il Selmi.

– Chi fa ridere, invece... – brontolò Antonio Del Re, serrando le pugna.

– Fa piangere, è vero? – compì la frase il Selmi. – Bravo, giovanotto! Sempre serio! Tu le tue sciocchezze le farai sempre sode, bene azzampate e con tanto di grugno. Noi, le nostre... qua, censore... ballando, ballando... Sù, di là, *Nanna*, di là... al pianoforte! Lei suona, e noi balliamo! Roberto si metterà i calzoncini con lo spacco di dietro e la falda della camicina fuori; prenderà la sciaboletta e il cavalluccio di legno, quelli con cui giocò alla guerra, al Sessanta; gli faremo l'elmo di carta, e si metterà a girare attorno... *arri!... arri!...* mentre io e Olindo balleremo al suono dell'inno di Garibaldi... *Va' fuori d'Italia... va' fuori d'Italia... va' fuori d'Italia... va' fuori, o stranier!*

Non aveva finito l'ultima battuta, che su la soglia del terrazzo si presentò, con gli occhi ilari e lagrimosi, raggiante di commossa beatitudine, Mauro Mortara, con le medaglie sul petto e lo zainetto dietro le spalle. Appena lo vide, Corrado Selmi fece un gesto d'orrore e scappò via per l'altro finestrone che dava sul terrazzo, gridando:

– Ah perdio, no! Questo poi è troppo!

Roberto Auriti gli corse dietro per trattenerlo:

– Corrado! Corrado!

Mauro Mortara, a quella fuga, restò come smarrito davanti allo stupore della signora Lalla, del Passalacqua e della studentessa di canto, alla meraviglia sorridente di Celsina e a quella ingrugnita di Antonio Del Re.

– Vengo, se non c'è offesa, – disse, – a salutare don Roberto. Parto domani.

– Ma chi siete? – gli domandò la signora Lalla, come se avesse davanti un abitante della luna, piovuto dal cielo.

– Sono... – prese a rispondere Mauro Mortara; ma s'interruppe riconoscendo Antonio Del Re. – Non siete il nipote di donna Caterina, voi?

E, pronunziando questo nome, si levò il cappello.

– Diteglielo voi, – soggiunse, – chi sono io. Sono venuto due altre volte; non mi hanno fatto salire, perché don Roberto non era in casa.

Il Passalacqua, tutto bagnato, gli s'accostò, gli sbirciò le medaglie sul petto, e:

– Patriota siciliano? – domandò. – Ai patrioti siciliani, perdio, statue d'oro! sta... statu... statue...

Uno starnuto, tardo a scoppiare, lo tenne un tratto a bocca aperta, le nari frementi, le mani tese come a pararlo; finalmente scoppiò e:

– D'oro! – ripeté il Passalacqua. – Mannaggia il Selmi che m'ha fatto raffreddare! Ma perché è scappato? Che è pazzo?... Guardate come mi... mi ha... ma dove è andato?

– Roberto! – strillò a questo punto la signora Lalla, accorrendo dal terrazzo nella stanza, attraverso la quale il Selmi era poc'anzi fuggito.

Rientrarono tutti, spaventati, dietro a lei.

Un estraneo, col cappello in mano e gli occhi bassi, stava rigido su la soglia di quella camera, mentre Roberto, col viso terreo, chiazzato qua e là, si guardava attorno, convulso, indeciso. Al grido di lei, protese le mani, ma come per impedire il prorompere della sua più che dell'altrui commozione.

– Vi prego, vi prego, – disse, – senza chiasso... Nulla... Una... una chiamata in questura...

– Lo arrestano! – fischiò allora tra i denti Antonio Del Re, col volto scontraffatto e tutto vibrante.

Nanna cacciò uno strillo e cadde in convulsione tra le braccia del marito.

– Lo arrestano? – domandò Mauro Mortara, facendosi innanzi, mentre Roberto Auriti cercava nella camera gli abiti da indossare e con le mani accennava a tutti di non gridare, di non far confusione.

– Come? – seguitò Mauro, guardando Antonio Del Re.

Non ottenendo risposta da nessuno, andò incontro a quell'estraneo e, levando un braccio, lo apostrofò:

– Voi! voi siete venuto qua ad arrestare don Roberto Auriti?

– Mauro! – lo interruppe questi. – Per carità, Mauro... lascia!

– Ma come? – ripeté Mauro Mortara, rivolgendosi a Roberto. – Arrestano voi? Perché?

Roberto accorse a dare una mano al Passalacqua, alla studentessa di canto, a Celsina, che non riuscivano a sorreggere la signora Lalla, la quale si dibatteva e si scontorceva, tra urli, singhiozzi, gemiti e risa convulse.

– Di là, per carità, di là, portatela di là! – scongiurò.

Ma non fu possibile. Il Passalacqua, invece di avvalersi dell'ajuto di Roberto, pensò bene di buttargli le braccia al collo, rompendo in singhiozzi ed esclamando:

– Cireneo! Cireneo! Cireneo!

Roberto si divincolò, quasi con schifo, e si turò gli orecchi, mentre il Passalacqua, rivolto a Mauro Mortara, seguitava:

– Patriota, vedete? così l'Italia compensa i suoi martiri! così.

– Il figlio di Stefano Auriti! – diceva tra sé Mauro Mortara, con gli occhi sbarrati, battendosi una mano sul petto. – Il figlio di donna Caterina Laurentano!... E dovevo veder questo a Roma? Ma che avete fatto? – corse a domandare a Roberto, afferrandolo per le braccia e scotendolo. – Ditemi che siete sempre lo stesso! Sì? E allora...

Si afferrò con una mano le medaglie sul petto; se le strappò; le scagliò a terra; vi andò sopra col piede e le calpestò; poi, rivolgendosi al delegato:

– Ditelo al vostro Governo! – gridò. – Ditegli che un vecchio campagnuolo, venuto a veder Roma con le sue medaglie garibaldine, vedendo arrestare il figlio d'un eroe che gli morì tra le braccia nella battaglia di Milazzo, si strappò dal petto le medaglie e le calpestò! così!

Tornò a Roberto, lo abbracciò, e sentendolo singhiozzare su la sua spalla:

– Figlio mio! figlio mio! – si mise a dirgli, battendogli dietro una mano.

A questo punto, Antonio Del Re scappò via dalla camera, mugolando e rovesciando nella furia una seggiola. Celsina, che lo spiava, gli corse dietro, sgomenta, chiamandolo per nome. Mauro Mortara si voltò felinamente, come se a quell'uscita precipitosa gli fosse balenato in mente che si volesse impedire comunque l'arresto; e si mostrò pronto a qualunque violenza. Sciolto dall'abbraccio di lui, Roberto Auriti si fece innanzi al delegato:

– Eccomi.

– No! – gridò Mauro, riafferrandolo per un braccio. – Don Roberto! Così vi consegnate?

– Ti prego, lasciami... – disse Roberto Auriti; e, rivolgendosi al delegato: – Lei scusi...

Con la mano chiamò *Nanna*, che fiatava ora a stento, con ambo le mani sul cuore, e la baciò in fronte, dicendole:

– Coraggio...

– E che dirò a vostra madre? – esclamò allora Mauro agitando le mani in aria.

Roberto Auriti si gonfiò, si portò le mani sul volto per far argine all'impeto della commozione e andò via, seguito dal delegato, mentre la signora Lalla, sostenuta dal marito e dalla studentessa di canto, riprendeva più a gemere che a gridare:

– Roberto! Roberto! Roberto!

Mauro Mortara restò a guatare, come annichilito. Quando il Passalacqua lo ragguagliò di tutto, e, fresco della recente lettura del giornale, gli espose tutta la miseria e la vergogna del momento:

– Questa, – disse, – questa è l'Italia?

E, nel crollo del suo gran sogno, non pensò più a Roberto Auriti, all'arresto di lui, non sentì, non vide più nulla. Le sue medaglie rimasero lì per terra, calpestate.

Uscendo dalla casa di Roberto, Corrado Selmi s'imbatté per le scale nel delegato e nelle guardie che salivano ad arrestar l'innocente. Si fermò un istante, indeciso; ma subito si sentì occupare il cervello da una densa oscurità, e in quella tenebra d'ira e d'angoscia udì una voce che dal fondo della coscienza lo ammoniva ch'egli non poteva in alcun modo sul momento impedire quell'atroce ingiustizia. Seguitò a scendere la scala; rimontò in vettura e provò quasi stupore alla domanda del vetturino, ove dovesse condurlo. Ma a casa; c'era bisogno di dirlo? dove poteva più andare? che più gli restava da fare?

– Via San Niccolò da Tolentino.

E, come se già vi fosse, si vide per le scale della sua casa: ecco, entrava in camera; si recava all'angolo, ov'era uno stipetto a muro, di lacca verde; lo apriva; ne traeva una boccetta, e... Istintivamente, s'era cacciata una mano nel taschino del panciotto, ov'era la chiave di quello stipetto. Cosa strana: pensava ora allo specchio, a un piccolo specchio ovale, appeso accanto a quello stipetto, al quale egli non avrebbe dovuto volger lo sguardo, per non vedersi. Ma pure, ecco, si vedeva: sì, in quello specchio, con la boccetta in mano: vedeva l'espressione dei suoi occhi, ridente, quasi non credessero ch'egli avrebbe fatto *quella cosa*. No! Prima doveva scrivere e suggellare una dichiarazione per l'Auriti: poche righe, esplicite. Non meritavano gli accusatori un suo ultimo sfogo. Due righe soltanto, per salvar l'amico, già in carcere.

I nemici... – ma quali? quanti erano? Tutti! Possibile? Tutti gli amici di jeri. Tutti e nessuno, a prenderli a uno a uno. Ché nulla egli aveva fatto a nessuno di loro perché le liete accoglienze di jeri si convertissero così d'un tratto in tanta alienazione d'animi, in tanta ostilità. Ma era il momento, la furia cieca del momento, che s'abbatteva su lui, che in lui trovava la preda, e lo abbrancava, ecco, e lo sbranava in un attimo.

Ah come andava lenta quella vettura! Parve a Corrado Selmi ch'essa gli prolungasse con feroce dispetto l'agonìa.

– Non sono in casa per nessuno, – disse a Pietro, il vecchio servo che stava da tanti anni con lui.

E il primo suo moto, entrando in camera, fu verso quello stipetto. Si trattenne. Pensò alla dichiarazione da scrivere. Ma pur volle prendere prima la boccetta e, senza guardarla, la recò con sé alla scrivania dello studio. Restò un pezzo lì in piedi, come sospeso in cerca di qualche cosa che s'era proposto di fare e a cui non pensava più. Istintivamente, pian piano, rientrò nella camera; gli occhi gli andarono al piccolo specchio ovale, appeso alla parete presso lo stipetto. Aveva dimenticato di guardarsi lì. Scrollò le spalle e tornò indietro, alla scrivania; sedette; trasse dalla cartella un foglio e una busta; guardò se su la scrivania ci fosse il cannello di ceralacca e il sigillo; si alzò di nuovo e rientrò nella camera per prendere dal tavolino da notte la bugia con la candela.

La dichiarazione gli venne men breve di quanto aveva divisato, poiché a maggior salvaguardia dell'innocenza dell'Auriti pensò di chiamare in testimonio lo stesso governatore della banca, già anche lui tratto in arresto, col quale, prima di contrarre sott'altro nome quel debito, si era segretamente accordato. Finito di scrivere, guardò su la scrivania la boccetta, e sentì mancarsi a un tratto la voglia di rileggere quanto aveva scritto. Gli parvero enormi tutte le piccole cose che gli restavano ancora da fare: piegare in quattro quel foglio; chiuderlo nella busta; accendere la candela; bruciarvi il cannello di ceralacca: apporre i sigilli... Si diede a far tutto con esasperazione. Ansava; le dita, senza più tatto, gli ballavano. Stava per chiudere la busta, quando giù dalla via scattò stridulo, sguajato, il suono d'un organetto. Parve al Selmi che quel suono, in quel punto, gli spaccasse il cranio: si turò gli orecchi, balzò in piedi, contrasse tutto il volto come per uno strazio insopportabile, fu per avventarsi alla finestra a scagliare ingiurie a quel sonatore ambulante. Ah no, perdio! così, no! al suono d'una canzonetta napoletana, no, no, no. Si sentì avvilito da tutta quella furia. O che era un ladro davvero? Piano, piano, senza tremor di mani, senza quell'aridezza in bocca; dopo aver sedato i nervi, e sorridente, egli doveva uccidersi, come a lui si conveniva. Prese la busta con la dichiarazione e la cacciò dentro la cartella; si pose in tasca la boccetta del veleno. Voleva uscir di nuovo, per un'ultima passeggiata, per salutar la vita, scevro ormai d'ogni cura, esente d'ogni peso, libero d'ogni passione, con occhi limpidi e animo sereno; salutar la vita, col suo lieve antico sorriso; bearsi per l'ultima volta delle cose che restavano, liete in quel giorno di sole, ignare in mezzo al torbido fluttuare di tante vicende che presto il tempo avrebbe travolte con sé. Ridiscese in istrada, fe' cenno a un vetturino d'accostarsi e si fece condurre al Gianicolo. Dapprima, come in preda a quello stordimento rombante cagionato da un improvviso otturarsi degli orecchi, non poté avvertire, né vedere, né pensar nulla; solo quando passò con la vettura per la via della Lungara, innanzi le carceri di Regina Coeli, pensò che forse a quell'ora Roberto Auriti vi era rinchiuso; ma non volle affliggersene più. Tra poco, con quella sua dichiarazione, ne sarebbe uscito, per seguitare la sua incerta e penosa esistenza tra quella sua signora Lalla e il Passalacqua e il Bonomè, mentre egli, invece – ah! si sarebbe liberato!

Giunto in cima al colle, gli parve davvero una liberazione quell'altezza, da cui poté contemplare Roma luminosa nel sole, sotto l'azzurro intenso del cielo; liberazione da tutte le piccole miserie acerbe che laggiù lo avevano offeso e soffocato; dall'urto di tutte le meschine volgarità quotidiane; dalle fastidiose risse dei piccoli uomini che volevano contendergli il passo e il respiro. Si sentì lassù libero e solo, libero e sereno, sopra tutti gli odii, sopra tutte le passioni, sopra e oltre il tempo, inalzato, assunto a quella altezza dal suo grande amore per la vita ch'egli difendeva, uccidendosi. E in esso e con esso si sentì puro, in un attimo, per sempre. Nell'eternità di quell'attimo si cancellarono, sparvero assolte le sue debolezze, i suoi trascorsi, le sue colpe, già che egli era pure stato un uomo e soggetto a contrarie necessità. Ora, con la morte, le avrebbe vinte tutte. Restava solo, in quel punto, luminoso indefettibile immortale il suo amore per la vita, l'amore per la sua terra, per la sua patria, per cui aveva combattuto e vinto. Sì, come i tanti che avevano avuto lassù, in difesa di Roma, una bella morte, troncati nel frenetico ardore della gioventù e resi immuni di tutte le miserie, liberi di tutti gli ostacoli che forse nel tempo li avrebbero deformati e avviliti. Ora in quel momento anch'egli, spogliandosi di tutte le miserie, liberandosi di tutti gli ostacoli, acceso e vibrante dell'ardore antico, con negli occhi l'oro dell'ultimo sole su le case della grande città quadrata, si foggiava com'essi una bella morte, una morte che lo inalzava a se stesso, senza invidia per quelli effigiati e composti lassù per la gloria in un mezzo busto di marmo. Pensò che aveva con sé la boccetta del veleno; ma no! a casa! a casa! tranquillamente, sul suo letto: senza dare spettacolo! E ridiscese alla città.

Ridisceso, gli parve di aver lasciato la propria anima lassù, nel sole. Qua, nell'ombra, era il corpo ancor vivo, per poco. Si guardò le mani, le gambe, e provò subito un brivido d'orrore. Ma, come se di lassù una voce severamente lo richiamasse, egli si riprese e a quella voce rispose che sì, quel suo corpo, egli lo avrebbe tra poco ucciso, senza esitare.

Passato il ponte di ferro, udì strillare da alcuni giornalaj un'edizione straordinaria del foglio più diffuso di Roma. Pensò che fosse per lui, e fece fermar la vettura; comprò quel foglio. Difatti, in prima pagina era il resoconto della seduta parlamentare, e nella sesta colonna spiccava in cima il suo nome

CORRADO SELMI

come titolo dell'articolo del giorno. Prese a leggerlo; ma presto n'ebbe un fastidio strano: avvertì che quello era già per lui un linguaggio vuoto e vano, che non aveva più alcun potere di muovere in lui alcun sentimento, quasi fatto di parole senza significato. Gli parve che lo scrittore di quell'articolo non avesse altra mira che quella di dimostrare che egli era vivo, ben vivo, e che, come tale, poteva e sapeva giocare con le parole, perché gli altri vivi, i lettori, potessero dire: «Guarda com'è bravo! guarda come scrive bene!». Quel foglio, così leggero, gli parve a un tratto, con quel suo nome stampato lì in cima, una lapide, la sua lapide, ch'egli stesso per uno strano caso si portasse in carrozza, diretto alla fossa; strana lapide, in cui, anziché le solite lodi menzognere, fossero incise accuse e ingiurie. Ma che importavano più a lui? Era morto.

Voltò la pagina del giornale. Subito gli occhi gli andarono su un'intestazione a grossi caratteri, che prendeva cinque colonne di quella seconda pagina:

L'ECCIDIO D'ARAGONA IN SICILIA

e sotto, a caratteri più piccoli: *Gli operaj delle zolfare in rivolta – L'assalto alla vettura dell'ingegnere minerario Costa – Scene selvagge – Lo uccidono con la moglie del deputato Capolino e bruciano i cadaveri.*

Corrado Selmi restò, oppresso d'orrore e di ribrezzo, con gli occhi fissi su quelle notizie. Comprese che per esse e non per lui era uscita quell'edizione straordinaria del giornale. La moglie del deputato Capolino? Egli l'aveva veduta a Girgenti, quando vi si era recato per sostenere la candidatura di Roberto Auriti e assistere il Verònica nel duello col marito di lei. Bellissima donna... Uccisa? E come si trovava in vettura, ad Aragona, con quell'ingegnere? Ah, partita da Roma con lui... Una fuga?... Era l'ingegnere del Salvo... Gli operaj delle zolfare si recavano in colonna dal paese alla stazione, risoluti a non farlo entrare, se da Roma non portava l'assicurazione che le promesse sarebbero state mantenute... Oh, guarda... quel Prèola... Marco Prèola, quel miserabile che Roberto Auriti aveva scaraventato contro l'uscio a vetri della redazione del giornalucolo clericale... capitanava lui, adesso, quella turba selvaggia di facinorosi... li incitava all'assalto della vettura, al macello. Ah, vili! colpire una donna... Il Costa sparava... e allora...

Il Selmi non poté leggere più oltre; restò, nel raccapriccio, col giornale aperto tra le mani, come soffocato da quella strage; gli parve di sentirsi investito dal feroce affanno di tutto un popolo inselvaggito. Appallottò in un impeto di schifo il foglio e lo scagliò dalla vettura. Domani, o la sera di quello stesso giorno, in una nuova edizione straordinaria esso avrebbe annunziato con quei grossi caratteri il suicidio di lui.

Rientrando in casa, da Pietro, il vecchio servo, fu avvertito che c'era in salotto il nipote dell'Auriti, Antonio Del Re.

– Sta bene, – disse. – Lo farai entrare nello studio, appena sonerò.

Forse Pietro si aspettava una riprensione per aver fatto entrare quel giovanotto, e aveva pronta la risposta, che questi cioè s'era introdotto di prepotenza in casa, non ostante che lui già una prima volta gli avesse detto che il padrone non c'era e avesse fatto poi di tutto per impedirgli il passo. Aprì le braccia e s'inchinò al reciso ordine del Selmi; ma, come questi s'avviò per la sua camera, rimase perplesso, se non lo dovesse prevenire circa al contegno minaccioso e all'aspetto stravolto di quel giovanotto. Socchiuse gli occhi, si strinse nelle spalle, come per dire: «L'ordine è questo!» e si recò nel salotto per tener d'occhio quell'insolente visitatore.

– Ecco – gli disse, indicando con una mossa del volto l'uscio di fronte. – Adesso, appena suona...

Antonio Del Re non stava più alle mosse; friggeva. Il viso, nello spasimo dell'attesa terribile, gli si scomponeva. Teneva una mano irrequieta in tasca. E il vecchio servo gli guatava quella mano che, dentro la giacca, pareva brancicasse un'arma. Il suono del campanello, intanto, tardava; e più tardava, più cresceva l'ansito, invano dissimulato, del giovine e l'irrequietezza di quella mano. Il vecchio servo, ormai al colmo della costernazione, si accostò all'uscio, vi si parò davanti, appena a tempo, ché allo squillo del campanello Antonio Del Re s'avventò all'uscio come una belva con un pugnale brandito, trascinandosi dietro nella furia il vecchio che lo teneva abbrancato.

Corrado Selmi, pallidissimo, seduto innanzi alla scrivania, col bicchiere ancora in mano, da cui aveva bevuto or ora il veleno della boccetta rovesciata presso la cartella, si volse e arrestò d'un tratto con uno sguardo gelido e un sorriso appena sdegnoso, tremulo su le labbra, la violenza del giovine.

– Non t'incomodare! – gli disse. – Vedi? Ho fatto da me... Lascialo! – ordinò al servo. – E ti proibisco di gridare o di correre a soccorsi.

Prese dalla scrivania la busta sigillata e la mostrò al giovine che ansimava e mirava, ora, allibito.

– Tu butti male, ragazzo, – gli disse. – Hai una trista faccia... Ma sta' tranquillo: questa busta è per tuo zio. Sarà liberato. Lasciala stare qua.

Posò di nuovo la busta su la scrivania; strizzò gli occhi; serrò i denti; s'interì, mentre nel pallore cadaverico il viso gli si chiazzava di lividi. Fece per alzarsi; il servo accorse a sostenerlo.

– Accompagnami... al letto...

Si voltò al Del Re, con gli occhi già un po' vagellanti. Quasi l'ombra d'un sorriso gli tremò ancora nella faccia spenta. E disse con strana voce:

– Impara a ridere, giovanotto... Va' fuori: oggi è una bellissima giornata.

E scomparve dall'uscio, sostenuto dal servo.

Come da via delle Colonnette, all'arresto di Roberto Auriti, Antonio Del Re era scappato alla casa del Selmi, così, ma con altro animo, Mauro Mortara era corso in cerca di Lando Laurentano. Al villino di via Sommacampagna, Raffaele il cameriere gli aveva detto che il padrone, letta nel giornale la notizia di quell'eccidio avvenuto in Sicilia, dalle parti di Girgenti, era saltato in vettura, diretto alla casa dei Vella.

– E dov'è? Come faccio a trovar la via?

– Se volete, in vettura vi ci accompagno io.

In vettura, vedendolo affannato e smanioso d'arrivare, gli aveva chiesto se conosceva quella signora e quell'ingegnere.

– Che signora? che ingegnere?

– Come? Non avete inteso? Non sapete nulla? Li hanno assassinati ad Aragona...

– Ad Aragona?

– I solfaraj.

– Ma dunque...

E s'era interrotto, con un balzo, per guardar prima fiso in faccia, con occhi
stralunati, il cameriere, poi dalla vettura la gente che passava per via, quasi
tutt'a un tratto assaltato dal dubbio che una gran catastrofe fosse accaduta,
senza ch'egli ne sapesse nulla.

– Ma dunque, che succede? Tutto sottosopra? Là ammazzano! Qua arrestano!
Sapete che hanno arrestato don Roberto Auriti?

– Il cugino del padrone?

– Il cugino! il cugino! E lui se ne va dai Vella! Gli arrestano il cugino, don
Roberto Auriti, uno dei Mille, che al Sessanta aveva dodici anni, e combatteva!
E suo padre mi morì fra le braccia, a Milazzo... Arrestato! Sotto gli occhi
miei! A questo, a questo mi dovevo ritrovare!

S'era messo a gridare in vettura e a gesticolare e a pianger forte; e tutta la
gente, a voltarsi, a fermarsi, a commentare, nel vederlo così stranamente parato, con quello zainetto dietro le spalle, in fuga su quella vettura e vocife-
rante.

– Statevi zitto! statevi zitto!

Ma che zitto! Voleva giustizia e vendetta Mauro Mortara di quell'arresto; e
come Raffaele, per farlo tacere, gli parlò della visita che, alcuni giorni addietro, forse per questo don Giulio, il fratello di don Roberto, aveva fatto al padrone:

– Ma sicuro! – gridò, sovvenendosi. – C'ero io! c'ero io! E l'ho visto piangere. Per questo, dunque, piangeva quel povero figliuolo? Voleva ajuto... E
dunque... e dunque don Landino gliel'ha negato? possibile?

– Forse perché la somma era troppo forte...

– Ma che troppo forte mi andate dicendo! Quando si tratta dell'onore d'un
patriota! E lui è ricco! E sua zia non ebbe nulla dei tesori del padre, ché si
prese tutto il fratello maggiore... Oh Dio! Dio! Donna Caterina... l'unica
degna figlia di suo padre... Ora donna Caterina ne morrà di crepacuore... Ma
se è vero questo, per la Madonna, che gli ha negato ajuto, non lo guardo più
in faccia, com'è vero Dio! Non ci credo! non ci voglio credere!

Arrivato in casa Vella, però, vi trovò tale scompiglio, che non poté più pensare a domandar conto a Lando dell'arresto di Roberto Auriti. Dianella Salvo,
la sua amicuccia donna Dianella, la sua colomba, che in quel mese passato a
Valsanìa aveva saputo avvincerlo e intenerirlo con la grazia soave degli
sguardi e della voce, nel vederlo entrare aggrondato e smarrito nel salone, gli
si precipitò subito incontro quasi con un nitrito di polledra spaurita, e gli s'aggrappò al petto, tutta tremante, affondandogli la testa scarmigliata entro la
camicia d'albagio, quasi volesse nascondersi dentro di lui, e gridando, con una
mano protesa indietro, verso il padre:

– Il lupo!... Il lupo!

Mauro Mortara, così soprappreso, frugato nel petto da quella fanciulla in
quello stato, levò il capo, sbalordito, a cercar negli occhi degli astanti una
spiegazione: mirò visi sbigottiti, afflitti, piangenti, mani alzate in gesti di timore, di riparo, di pena e di maraviglia. Non comprese che la fanciulla fosse
impazzita. Le prese il capo tra le mani e provò di scostarselo dal petto per
guardarla negli occhi:

– Figlia mia! – disse. – Che vi hanno fatto? che vi hanno fatto? Ditelo a me!
Assassini... Il cuore... hanno strappato il cuore... Il cuore anche a me!

Ma, come poté vederle gli occhi e la faccia disfatta, stravolta, aperta ora a
uno squallido riso, con un filo di sangue tra i denti, inorridì: guatò di nuovo

tutti in giro e, riponendosi sul petto il capo di lei e lasciandovi sui capelli scarmigliati la mano in atto di protezione e di pietà:

– Come la madre? – disse in un brivido, e addietrò spinto dalla fanciulla che, seguitando sul petto di lui quell'orribile riso come un nitrito, con ansia frenetica lo incitava:

– Da Aurelio... da Aurelio...

Accorse, col volto inondato di lagrime, la cugina Lillina, mentre in fondo al salone Lando Laurentano e don Francesco Vella cercavano di far coraggio a Flaminio Salvo che, a quella scena, s'era nascosto il volto con le mani, imprecando.

– Sì, Dianella, sii buona! sii buona! Ora lui ti porterà... ti porterà dove tu vuoi... sii buona, cara, sii buona! da Aurelio!

Ma Dianella, sentendo la voce del padre, invasa di nuovo dal terrore, aveva ripreso ad affondar la testa sul petto di Mauro e a riaggrapparsi a lui più freneticamente, urlando:

– Il lupo!... il lupo!...

– Ci sono qua io! Dov'è il lupo? – le gridò allora Mauro, ricingendola con le braccia. – Non abbiate paura! Ci sono io, qua!

– Vedi? c'è lui, ora! c'è lui! – le ripeteva Lillina. E anche Ciccino e la zia Rosa le si fecero attorno a ripetere:

– C'è lui! Vedi che è venuto per te? per difenderti, cara...

Levò, felice e tremante, il volto, appena appena, la poverina, a mostrare un sorriso di riconoscenza, e seguitò a spinger Mauro verso la porta:

– Sì... sì... da Aurelio... da Aurelio...

Strozzato dalla commozione Mauro, così respinto indietro, tra quella gente che non conosceva e gli si stringeva attorno, domandò con rabbia:

– Ma insomma, che è? com'è stato? che dice? dice Aurelio? Chi è? Il figlio di don Leonardo Costa? Ah, è lui... quello che hanno assassinato?

Con gli occhi, con le mani, tutti gli facevano cenno di tacere, e qualcuno gli rispondeva chinando il capo.

– Lo amava? Oh figlia...

Lando Laurentano e don Francesco Vella si portarono via di là Flaminio Salvo.

– Ditemi, ditemi che vi hanno fatto, – seguitò Mauro rivolto a Dianella, con tenerezza quasi rabbiosa. – Ora andiamo da Aurelio... Ma ditemi che vi hanno fatto! Chi è il lupo, che lo ammazzo? Chi è il lupo? – domandò agli altri con viso fermo.

Ma nessuno sapeva con certezza che cosa fosse accaduto, a chi veramente alludesse Dianella con quel suo grido. Pareva al padre, ma poi, chi sa? Forse lo scambiava per un altro. Era stato lì, durante la loro assenza, Ignazio Capolino. Dianella era rimasta in casa, lei sola, perché si sentiva poco bene; e certo sopra di lei Capolino, senza misericordia, forsennato per l'orrenda sciagura, aveva dovuto rovesciar la furia della sua disperazione. Ciccino e Lillina, che erano stati i primi a rincasare, gli avevano sentito gridare:

– Tuo padre! tuo padre, capisci?

Ma al loro entrare, quegli era scappato via, furibondo, lasciando questa poveretta come insensata, come intronata da tanti colpi spietati alla testa, e, subito dopo, dando segni di terrore, s'era messa a urlare: – Il lupo!... il lupo!...

Che le aveva detto Capolino?

Uno solo poteva saperlo, così bene come se fosse stato presente alla scena: Flaminio Salvo, che di là, tra Lando Laurentano e il cognato Francesco Vella, sentiva prepotente il bisogno di confessare il suo rimorso, ma che tuttavia, senza che potesse impedirlo, si scusava accusandosi.

Francesco Vella gli aveva domandato, se si fosse mai accorto che la figliuola amava il Costa.

– Se tu non lo sapevi!

– Io lo sapevo. Ma potevo io, io padre, profferire la mia figliuola a un mio dipendente? Quel disgraziato, lui, non se n'era mai accorto, per la modestia della mia figliuola, e perché a lui stesso non poteva passare per il capo una tal cosa; tanto più che, da un pezzo, era invescato nella passione per quell'altra disgraziata... Ma il torto è mio, il torto è mio: io non ho scuse! Nessuno meglio di me può sapere che il torto è mio! Avevo beneficato quel povero giovine, come avevo beneficato tutti coloro che laggiù lo hanno assassinato! Qual altro frutto poteva recare il beneficio? Il Costa era cresciuto a casa mia, come un figliuolo; e quella mia povera ragazza... Ma sì, certo! E io, io vedevo bene la necessità che il male da me fatto in principio, beneficando, si dovesse compiere con un matrimonio; però, lo confesso, mi ripugnava, e cercavo d'allontanarlo quanto più mi fosse possibile. Ma, vedete: intanto, avevo richiamato quel figliuolo dalla Sardegna, e lo avevo assunto alla direzione delle zolfare d'Aragona; e ora, qua a Roma, avevo detto al Capolino, che se il Costa fosse riuscito a domare quei bruti laggiù, io gli avrei dato in premio la mia figliuola. Notate questo: che dunque Capolino sapeva e, per conseguenza, sapeva anche la moglie, che questo era il mio disegno. Sì, è vero, sotto, avevo altre intenzioni, o piuttosto, una speranza... Signori miei, io potevo bene per la mia figliuola aspirare a ben altro... (e, così dicendo, fissò negli occhi Lando Laurentano). L'avevo perciò condotta a Roma e mi proponevo di lasciarla qua in casa di mia sorella, con la speranza che si distraesse da quella sua puerile ostinazione. Ebbene, la signora Capolino volle profittare di questa mia speranza per render vano quel mio disegno: volle partire col Costa per toglierlo per sempre alla mia figliuola. E il signor Capolino forse sperava che, sposo Aurelio, domani, di mia figlia e già amante di sua moglie, egli potesse seguitare a tenere un posto in casa mia. E ora, ora che tutto gli è crollato così d'un tratto, ha gridato a mia figlia, come mie, le sue macchinazioni! Ma io vi giuro, signori, che lo schiaccerò, lo schiaccerò... Seppure... ormai... ormai...

Scrollò le spalle, scartò con le mani quella sua minaccia come se ogni proposito gli désse ora un'invincibile nausea. E andò a buttarsi su una poltrona, come atterrito a mano a mano dal vuoto arido, orrido, che dopo quel lungo sfogo gli s'era fatto dentro.

Nulla: non sentiva più nulla: nessuna pietà, né affetto per nessuno. Un fastidio enorme, anzi afa, afa sentiva ormai di tutto, e specialmente della parte che doveva rappresentare, di padre inconsolabile per quella sciagura della figliuola, che invece non gli moveva altro che irritazione, ecco, e dispetto, e quasi vergogna, sì, vergogna. Quella smania folle della figliuola per l'innamorato lo rivoltava come alcunché di vergognoso. E si domandava, con bieca crudezza, se avesse mai amato veramente, di cuore, quella sua figliuola. No. Come per dovere l'aveva amata. E ora che questo dovere gli si rendeva così grave e penoso, non poteva provarne altro che uggia e nausea. Ma sì, perché era anche fatalmente condannata quella sua figliuola! Non era pazza la madre? E ormai, tutto quello che poteva accadergli, ecco, gli era accaduto. La misura era colma, e basta ormai! Lo sterminio della sorte su la sua esistenza era compiuto; in quel vuoto arido, orrido, restava padrone, senza più nulla da temere. La morte non la temeva. E guardò il brillìo della grossa pietra preziosa dell'anello nel tozzo mignolo della sua mano pelosa, posata su la gamba. Quel brillìo, chi sa perché, gli richiamò un lembo delle carni di Nicoletta Capolino che laggiù quei bruti avevano arse. Sollevò il capo, con le nari arricciate. Ah come volentieri avrebbe fumato un sigaro! Ma pensò che non poteva fumare, perché in quel momento sarebbe sembrato scandaloso. Sentì che Francesco Vella diceva a Lando Laurentano:

– Ma sì, è certo: erano fuggiti! Partiti da quattro giorni, arrivavano allora appena ad Aragona... Dove erano stati in questi quattro giorni?

E interloquì, con altra voce, con altro aspetto, come se non fosse più quello di prima:

– Non c'è luogo a dubbio, – disse. – Già l'altro ieri da Napoli m'era arrivata una lettera del Costa, con la quale si licenziava da me. È andato dunque a morire per conto suo laggiù: e anche di questo, dunque, posso non aver rimorsi.

Entrò a questo punto Ciccino come sospeso e smarrito nell'ambascia della notizia che recava.

– Lando – disse esitante, – bisogna che ti avverta... Quel vecchio...

– Mauro?

– Ecco, sì... era venuto qua col tuo domestico a cercarti per... dice che... dice che hanno arrestato Roberto Auriti.

Lando impallidì, poi arrossì, aggrottando le ciglia come per un pensiero che, contro la sua volontà, gli si fosse imposto; si mostrò imbarazzato lì tra gente che aveva per sé una sciagura ben più grave. – Vada, vada, – s'affrettò a dirgli Flaminio Salvo, tendendogli una mano e posandogli l'altra su una spalla per accompagnarlo.

– Le auguro, – gli disse allora Lando, – che sia un turbamento passeggero questo della sua figliuola.

Flaminio Salvo socchiuse gli occhi e negò col capo:

– Non mi faccio illusioni.

E rientrarono nel salone, così, con le mani afferrate.

Mauro Mortara, già da un pezzo esasperato, soffocato, ancora con la povera fanciulla demente aggrappata al petto, non seppe trattenersi a quello spettacolo: si scrollò con un muggito nella gola, e gridò alle due donne che gli stavano attorno:

– Tenetela... prendetevela... Gli dà la mano... Non posso vederlo... Sapete come si chiama? Ha il nome di suo nonno: Gerlando Laurentano!

E, strappandosi dalle braccia di Dianella, scappò via.

Flaminio Salvo schiuse le labbra a un sorriso amaro, più di commiserazione derisoria che di sdegno: e, alle scuse che gli porgeva Lando Laurentano, rispose:

– Contagio... Niente, principe... La pazzia purtroppo è contagiosa...

V.

A Girgenti, tutto il popolo si accalcava nel vasto piano fuori Porta di Ponte, all'entrata della città, in attesa che dalla stazione, giù in Val Sollano, arrivassero con le vetture di quella corsa i resti (che si dicevano raccolti in una sola cassa) di Nicoletta Capolino e di Aurelio Costa.

Sbalordimento, angoscia, ribrezzo erano dipinti su tutti i volti per quell'efferato delitto, che da due giorni teneva in subbuglio la città e tutta la provincia intorno. Era in tutti quegli occhi un'attenzione intensa e dolorosa, un'ansietà guardinga di raccoglier nuove notizie di più precisi particolari e di non lasciarsi nulla sfuggire; perché nessuno era pago di quanto sapeva, e tutti volevano vedere e quasi toccare con gli occhi, in quella cassa che si aspettava, la prova che ciò che era avvenuto lontano, e che pareva per la sua ferocia incredibile, era vero. Non avendo potuto assistere allo spettacolo di quella ferocia, volevano vedere almeno, per quanto or ora sarebbe possibile, i miserandi effetti di essa.

Antiche ragioni, per una almeno delle vittime; altre nuove che ora si divulgavano e accrescevano, tra lo stupore e la pietà, il tragico dell'avvenimento, se trattenevano il rimpianto, non potevano impedir la commiserazione per l'atrocità di quella morte, l'indignazione per l'infamia che si riversava per essa su l'intera provincia.

Viva ancora davanti agli occhi di tutti era l'immagine della bellissima donna, quando, altera, squisitamente abbigliata, passava nella vettura del Salvo e chinava appena il capo per rispondere ai saluti con un sorriso quasi di mesta compiacenza. Tutti vedevano entro di sé, con una strana nitidezza di percezione, qualche particolarità viva del corpo o dell'espressione di lei, il bianco dei denti appena trasparente tra il roseo delle labbra, in quel sorriso; il brillare degli occhi tra le ciglia nere; e si domandavano, con una indefinibile inquietudine, chi avrebbe potuto immaginare, allora, che dovesse esser questa la sua fine. Per lasciare, così d'un tratto, gli agi e gli onori a cui, col Salvo amico e col marito deputato, era salita, e prender la fuga con uno, al quale prima aveva ricusato d'unirsi in matrimonio, via, certo il cervello doveva averle dato di volta. Ma forse per astio, ecco, per astio contro Dianella Salvo che amava segretamente il Costa... Forse? E non si sapeva già che quella poverina, appena avuta la notizia della fuga e di quel macello, era impazzita come la madre? Dunque, dal tradimento quei due, da un'avventura che forse per uno solo di essi era d'amore, e che già di per sé avrebbe suscitato tanto scandalo in paese, erano balzati a quella morte. Ma come, perché si erano diretti ad Aragona dov'egli doveva sapersi aspettato da quelle jene fameliche da tanti mesi per la chiusura delle zolfare del Salvo? Ma perché alla volta di Girgenti, così fuggiti insieme, non potevano avviarsi. Quella fuga, più che in onta al marito, era in onta al Salvo, e perciò là appunto s'era volta, dove tutti erano contro il Salvo. Forse egli, il Costa, credeva, o almeno sperava che, annunziando subito all'arrivo che anche lui si era ribellato al Salvo, quelli dovessero accoglierlo come uno dei loro e non tenerlo più responsabile delle mancate promesse. E poi, lì, ad Aragona, aveva la casa; forse vi andava soltanto per prendere la roba, gli strumenti del suo lavoro, i libri, col proposito di ripartirsene subito, di ritornarsene in Sardegna al posto di prima. Sì; ma con la donna? doveva andar lì, tra nemici, con la donna? Poteva almeno lasciar questa, prima, in qualche posto! Eh, ma forse lei, lei stessa aveva voluto affrontare insieme il pericolo. Aveva animo fiero, quella donna, e aveva saputo mostrarlo di fronte a quell'orda di selvaggi, levandosi in piedi su la carrozza, a fare scudo del suo corpo ad Aurelio Costa, e gridando che questi per loro s'era licenziato dal Salvo, per le promesse non mantenute! Ma quel ribaldo di Marco Prèola aveva levato la voce:

– Morte alla sgualdrina!

E l'orda dei selvaggi, rimasta dapprima come sbigottita dalla temerità superba di quella signora, aveva avuto un fremito. Forse Nicoletta Capolino sarebbe riuscita a dominarla, a farsi ascoltare, se inconsultamente a quel grido di morte, a quell'ingiuria volgare, Aurelio Costa non fosse balzato in difesa di lei, con l'arma in pugno. Allora la carrozza era stata assalita da ogni parte, e l'uno e l'altra, tempestati prima di coltellate, di martellate, erano stramazzati, poi sbranati addirittura, come da una canea inferocita; anche la carrozza, anche la carrozza era stata sconquassata, ridotta in pezzi; e, quando su la catasta formata dai razzi delle ruote, dagli sportelli, dai sedili, erano stati gettati i miserandi resti irriconoscibili dei due corpi, s'era visto uno versare su di essi, da un grosso lume d'ottone a spera, trafugato dalla vicina stazione ferroviaria, il petrolio, e tanti e tanti con cupida ansia affannosa appiccare il fuoco, come per togliere subito ai loro stessi occhi l'atroce vista di quello scempio.

Così, i particolari della strage erano per minuto e quasi con voluttà d'orrore descritti e rappresentati, come se tutti vi avessero assistito e la avessero ancora davanti agli occhi. Vedevano tutti quel bruto insanguinato, che versava il petrolio da quella lampa d'ottone su le membra oscenamente squarciate e ammucchiate su la catasta, e quegli altri chini e ansanti a suscitare il fuoco.

Si sapeva che molti, più di sessanta, erano gli arrestati insieme con Marco Prèola, aborto di natura; prima, lancia spezzata dei clericali; poi, presidente di quel *fascio* di solfaraj ad Aragona. Tra breve, dunque, forse quel giorno stesso, un nuovo avvenimento spettacoloso: il trasporto di tutti quei manigoldi, in catena, a due a due, dalla stazione al carcere di San Vito, tra una scorta solenne di guardie, di carabinieri a cavallo e di soldati.

– Ecco, ecco intanto le carrozze! – Là, eccola! – Dov'era la cassa? – Uh, come è piccola! – Eccola là! – Su la terza carrozza, là, su quella che aveva in serpe un maresciallo! – Uh, capiva tutta sul sedile davanti! – Quella, quella cassetta là! quella cassettina di latta! – Quella? che nell'altro sedile c'era il commissario di polizia? – Sì, sì! – E chi era quell'altro accanto? Ah, Leonardo Costa! il padre! il padre! – Ah, povero padre, con quella cassetta là davanti!

Un urlo di pietà, di raccapriccio si levò da tutta la folla alla vista del padre che pareva impietrato in una espressione di rabbia, ma come stupefatta nell'orrore; con gli occhi fissi su quella cassetta, quasi chiedesse come poteva esser là il suo figliuolo, la sua colonna! Ma che poteva dunque esser restato, del suo figliuolo, se due corpi, due, erano là, due? Le teste sole? Forse, spiccate, sì, e qualche membro, arsicchiato. Oh Dio! oh Dio!

E quasi tutti piangevano, e tanti singhiozzavano forte.

Udendo quegli urli, quei singhiozzi, Leonardo Costa, passando, levò un urlo anche lui, esalò la ferocia del suo cordoglio in un ruglio che non aveva più nulla di umano; poi s'abbatté, si contorse, tra le braccia del commissario di polizia.

La carrozza si fermò alla voltata della piazza, dove sorge il palazzo della Prefettura, sede anche del commissariato di polizia. Due guardie presero la cassetta; il cavalier Franco ajutò Leonardo Costa a smontare. Il povero vecchio, per quanto massiccio, non si reggeva più su le gambe; un'orecchia gli sanguinava, perché alla stazione, in un impeto di rabbia, s'era strappato uno dei cerchietti d'oro. Altre guardie si schierarono davanti al portone, per impedire alla folla d'invadere l'atrio del palazzo.

E la folla restò lì davanti, irritata, delusa, insoddisfatta. Che sarebbe avvenuto adesso? Era tutto finito così? Sarebbe rimasta lì, nel commissariato, quella cassetta? Non si farebbe il trasporto al camposanto di Bonamorone? C'era lì la gentilizia della famiglia Spoto. Ormai più nessuno restava di quella famiglia. Per Aurelio Costa c'era il padre; per Nicoletta Capolino, nessuno: non poteva esserci il marito; avrebbe potuto esserci il patrigno, don Salesio Marullo; ma si sapeva che il poverino, abbandonato da tutti, era andato a cercar rifugio per carità a Colimbètra, e si trovava lì da qualche mese, ammalato. Forse Leonardo Costa reclamava per sé i resti del suo figliuolo, per trasportarli al camposanto di Porto Empedocle; e ragioni giudiziarie si opponevano a questo suo desiderio.

La folla, a poco a poco, cominciò a sbandarsi tra infiniti commenti.

Leonardo Costa voleva proprio ciò che la folla aveva immaginato. Il commissario, cav. Franco, cercava di persuaderlo ad avere un po' di pazienza, che prima tutte le pratiche giudiziarie fossero, come egli diceva, esperite, là in ufficio... Ma sì, in giornata; dopo la visita del giudice istruttore. Il Costa, come se non capisse, insisteva, ripetendo ostinatamente, con le stesse parole, la richiesta pietosa. E il cavalier Franco, quantunque compreso di pietà per quel povero padre, sbuffava, non ne poteva più. Erano momenti terribili, per lui, e non sapeva da qual parte voltarsi prima, giacché da ogni canto della provincia, da tutta la Sicilia, giungevano notizie di giorno in giorno più gravi; pareva che da un istante all'altro dovesse scoppiare una generale sommossa, e il presidio delle milizie era scarso, e più scarso ancora quello di polìzia.

Ma che voleva, che altro voleva adesso quel benedett'uomo? Voleva... voleva che i resti di suo figlio – quali che fossero – non rimanessero mescolati là con quelli della donna, di quella donna esecrata! Perché, perché così insieme li avevano raccolti?

– Perché? – gli gridò. – Ma che vi figurate che ci sia più là dentro?

E indicò la cassetta, deposta su una tavola.

– Oh figlio!

– Tutto quello che si è potuto raccogliere, tra le fiamme. Niente! quasi niente!

– Oh figlio!

– Che volete più scartare, distinguere? Si arrivò troppo tardi. Alla stazione non c'erano guardie. Prima che arrivasse il delegato d'Aragona, il fuoco... Niente, vi dico... qualche residuo d'ossa...

– Oh figlio!

– Non si conosce più nulla... Sì, sì, pover'uomo, sì, piangete, piangete, che è meglio... Povero Costa, sì... sì... È una cosa che... oh Dio, oh Dio, che cosa... sì, fa rinnegare l'umanità! Ma voi pensate, per levarvi almeno questa spina dal cuore, pensate che lì non c'è... vostro figlio lì non c'è: non c'è più niente lì... E del resto, poverino, pensate che quella donna, se voi la odiate, egli la amò; e forse non gli dispiace adesso, che ciò che di lui ci può essere là dentro, sia insieme, mescolato, coi resti di lei... Povera donna! Avrà avuto i suoi torti, ma via, che sorte anche la sua!

– No... no... lei... non posso... non posso parlare... lei... a perdizione... mio figlio... lei! Ma non sapete, signor commissario, che mio figlio era amato dalla figlia del principale? Si sa sicuro... sicuro, questo... è impazzita quella povera figlia mia, come la mamma! È stata... è stata tutta una macchina... Costei e quell'assassino del padre... che se la intendevano tra loro... per rovinare questo figlio mio... per toglierlo all'amore di quella santa creatura... Oh, signor commissario, legatemi, legatemi le braccia; signor commissario, chiudetemi, chiudetemi in prigione, perché se io lo vedo, quell'assassino che mi ha fatto morire il figlio così, io lo ammazzo, signor commissario, io non rispondo di me, lo ammazzo! lo ammazzo!

Il cavalier Franco intrecciò le mani, le strinse, le scosse più volte in aria:

– Ma vi pare, – gli gridò poi, con gli occhi sbarrati – vi pare, scusate, che io debba sentire simili spropositi? Vi compatisco, siete arrabbiato dal dolore e non sapete più quel che vi dite. Ma perdio, vostro figlio, vostro figlio... in un momento come questo, che basta un niente... una favilla, a mandare in fiamme tutta la Sicilia... non si contenta di prender la fuga come un ragazzino con la moglie d'un deputato... ma va a cacciarsi da sé, là, come a dire: «Eccoci qua, fateci a pezzi! Cercate l'esca? Eccola qua! Ci siamo noi!». – Perdio, bisogna esser pazzi, ciechi... io non so! Con chi ve la prendete? E noi siamo qua a dover rispondere di tutto... anche d'una pazzia come questa! E per giunta, mi tocca di sentire anche voi: «*ammazzo! ammazzo! ammazzo!*». Chi ammazzate? Credete che il Salvo, se pur è vero tutto quel che voi farneticate, ha bisogno della vostra punizione? Gli basta la pazzia della figlia!

Il Costa, dopo questa sfuriata, non ebbe più ardire di parlar forte; lo guardò con gli occhi invetrati di lagrime; e si morse un dito; mormorò:

– Se fosse capace di rimorso, signor commissario! Ma non è!

Il cavalier Franco si scrollò; uscì dalla stanza.

– Andate, andate... – gli disse dietro, il Costa; poi cauto, s'appressò alla cassetta deposta su la tavola, e si provò ad alzarla.

Un groppo di singulti muti, fitti, nella gola e nel naso, gli scrollarono in convulsione la testa.

Non pesava, non pesava niente, quella cassetta!

S'inginocchiò davanti alla tavola, appoggiò la fronte al freddo di quella latta, e si mise a gemere:

– Figlio!... figlio!... figlio!...

Due giorni dopo, arrivò a Girgenti, inatteso, funebre, l'on. Ignazio Capolino. La condizione, in cui lo aveva messo non tanto forse la sciagura improvvisa quanto lo scatto violento per cui Dianella Salvo aveva perduto la ragione, era così difficile e incerta, che egli aveva bisogno di raccogliere a consulto, lì sul posto, tutte le sue forze per trovare una via da uscirne in qualche modo, al più presto. Lo scandalo della fuga della moglie era soffocato nell'orrore della morte; il tragico, che spirava da questa morte, lo rendeva immune dal ridicolo che poteva venirgli da quella fuga. Bastava dunque presentarsi ai suoi concittadini compunto nell'aspetto, ma nello stesso tempo austeramente riservato, per trarre profitto della commozione generale, senza tuttavia parteciparvi, giacché dalla moglie era stato offeso. La simpatia degli altri doveva venirgli come giusto e meritato compenso a questa offesa. E dovevano tutti vedere che egli soffriva, schiantato dall'atrocissimo fatto, e che lui più di tutti meritava compianto, poiché finanche dalle due vittime tanto commiserate era stato offeso, così da non poter piangere, neanche piangere ora la sua sciagura!

Eppure... come mai? Rientrando in casa, in quella casa che le squisite e sapienti cure della moglie avevano reso così bene adatta alla commedia di garbate e graziose menzogne, alla gara di compitezze ammirevoli, nella quale entrambi avevano preso tanto gusto a esercitarsi perché la loro vita non fosse troppo di scandalo agli altri, troppo disgustosa a loro stessi; e sentendo nel silenzio cupo delle stanze, rimaste con tutti i mobili come in attesa, il vuoto, il vuoto in cui dal primo momento della sciagura si vedeva perduto... – come mai? – nell'aprir la camera da letto e nell'avvertirvi affievolito, ma pur presente ancora, il voluttuoso profumo di *lei*, ecco, per un irresistibile impeto che lo stordì per la sua incoerenza, ma che pur gli piacque come un ristoro insperato di accorata tenerezza – pianse, sì, pianse per il ricordo di lei, pianse per la prima volta dopo l'annunzio di quella morte, pianse come non aveva mai pianto in vita sua, sentendo in quel pianto quasi un dolore non suo, ma delle sue lagrime stesse che gli sgorgavano dagli occhi senza ch'egli le volesse, ma, appunto perché non le voleva, con tanto sapor di dolcezza e di refrigerio!

Non doveva però, no, no, non doveva... perché... Si fermò un momento a considerare perché non avrebbe dovuto piangerla. Non era stata forse la compagna sua necessaria e insurrogabile? la compagna preziosa dei suoi sottili e complicati accorgimenti, la quale, correndo – più per sé, forse, quella volta, che per lui – a un riparo a cui anch'egli però l'aveva spinta – era caduta? Sì, e così orribilmente, così orribilmente caduta! Eppure, no; apparentemente, ecco, almeno apparentemente non doveva piangerla... Così in segreto sì, anche perché quel pianto gli faceva bene, ora. Era restato solo; e da sé solo, ora, doveva ajutarsi, difendersi; e non sapeva ancora, non vedeva come.

Piangendo, no, intanto, di certo!

E Capolino sorse in piedi; si portò via, prima con le mani, poi a lungo, col fazzoletto, accuratamente, le lagrime dagli occhi, dalle guance; si rimise le lenti cerchiate di tartaruga, e si presentò, fosco, severo, aggrondato, allo specchio dell'armadio.

Dio, come il suo viso era sbattuto, invecchiato in pochi giorni!

Il dolore? Che dolore? Non poteva riconoscere d'aver provato dolore... se non forse or ora, un poco. Ma no, anche prima, in fondo, aveva certo dovuto provarne uno e ben grande, se a Roma, all'annunzio della sciagura, era stato accecato da quella rabbia che lo aveva scagliato su Dianella Salvo.

Doveva pentirsi di quello scatto?

Si era con esso attirato per sempre l'odio, la nimicizia mortale del Salvo. Ma se pur fosse riuscito a reprimersi in quel primo momento, a vietarsi la soddisfazione feroce di quella vendetta, che avrebbe ottenuto? A lui, restato solo, senza più la moglie, avrebbe forse Flaminio Salvo seguitato a dare ajuto e sostegno, per il rimorso e la complicità segreta nel sacrifizio di quella? Forse la figlia, già inferma, sarebbe impazzita anche senza quel suo scatto, al solo annunzio della morte del Costa. E allora? Flaminio Salvo avrebbe creduto di pagare già abbastanza con la pazzia della figliuola; e per lui non avrebbe avuto più alcuna considerazione; anzi lo avrebbe respinto da sé, come lo spettro del suo rimorso. Caso pensato. Se poi Dianella non fosse impazzita e si fosse a poco a poco quietata, era uomo Flaminio Salvo, avendo raggiunto lo scopo, da restar grato alla memoria di chi gliel'aveva fatto raggiungere, a costo della propria vita; e, per essa, al marito, rimasto vedovo? Ma se già, subito, per scrollarsi d'addosso ogni responsabilità, subito aveva gridato ai quattro venti che Nicoletta Capolino e Aurelio Costa avevano preso la fuga e che il Costa s'era licenziato ed era andato dunque a morire per conto suo, ad Aragona, insieme con l'amante! Sì: fuggita col Costa, sua moglie; ma chi l'aveva spinta a commettere questa pazzia? Chi aveva spedito a Roma il Costa con la scusa di quel disegno da presentare al Ministero? Chi aveva aizzato la gelosia, o piuttosto, il puntiglio di lei, facendole balenare prossimo il matrimonio della figlia col Costa? Ed egli, Capolino, egli, il marito, aveva dovuto prestarsi a tutte queste perfide manovre che dovevano condurre a una tale tragedia; così, è vero? per restar poi abbandonato, senza più alcuna ragione d'ajuto, raccolto il frutto di tante scellerate perfidie! Ah, no, perdio! Di quel suo scatto non doveva pentirsi. Se egli aveva perduto la moglie, e lui la figlia! Pari, e di fronte l'uno all'altro. Ora il Salvo gli avrebbe soppresso ogni assegno. Toccava a lui, dunque, di provvedere subito anche ai bisogni più immediati. E ogni credito presso gli altri, con l'amicizia del Salvo, gli veniva meno. Che fare? Come fare?

Così pensando, Capolino brancicava con le dita irrequiete la medaglietta da deputato appesa alla catena dell'orologio. Aveva per sé, ancora, il prestigio che gli veniva da quella medaglietta. Per ora, il Salvo non poteva strappargliela dalla catena dell'orologio. E con essa, per uno che valeva, se non più, certo non meno del Salvo in paese, egli era ancora il deputato. Don Ippolito Laurentano non avrebbe permesso, che colui che rappresentava alla Camera il paladino della sua fede, si dibattesse tra meschine difficoltà materiali.

Ecco: subito, prima che Flaminio Salvo arrivasse a Girgenti e si recasse a Colimbètra a preoccupare l'animo del principe contro di lui, egli vi correrebbe e parlerebbe aperto a don Ippolito della perfidia di colui. Dopo tanti mesi di convivenza con donna Adelaide, non doveva il principe essere in animo da tenere più tanto dalla parte del cognato; oltreché, in favor suo, egli avrebbe in quel momento la commiserazione per la sua sciagura. Poteva, sì, contro a questa, il Salvo porre in bilancia quella della propria figliuola; ma appunto su ciò egli andrebbe a prevenire il principe, dimostrandogli che non lui, con quel suo scatto naturale e legittimo, nella rabbia del cordoglio, era stato cagione di quella pazzia; ma il padre, il padre stesso che con tanta violenza aveva voluto impedire che la figlia sposasse il Costa, sacrificando costui e distruggendolo insieme con la moglie. Ora, per sgabellarsi d'ogni rimorso, voleva gettar la colpa addosso a lui, e anche di lui sbarazzarsi, come già del Costa e della moglie.

Ecco il piano! Ma né quel giorno, né il giorno appresso, Capolino ebbe tempo di recarsi a Colimbètra ad attuarlo. Una processione ininterrotta di visite lo trattenne in casa, con molta sua soddisfazione, quantunque sapesse e vedesse chiaramente che più per curiosità che per pietà di lui si fosse mossa tutta quella gente, la quale certo, domani, a un cenno del Salvo, gli avrebbe voltato le spalle. A ogni modo, andando dal principe, avrebbe potuto parlare di questo solenne attestato di condoglianza e di simpatia dell'intera cittadinanza; oltreché, in tanti animi che, per la commozione del tragico avvenimento, eran come un terreno ben rimosso e preparato, poteva intanto seminar odio per il Salvo, così senza parere.

– Non me ne parlate, per carità! – protestava, alterandosi in viso al minimo accenno. – Dovrei dir cose, cose che... no, niente; per carità, non mi fate parlare...

E se qualcuno, esitante, insisteva:

– Quella povera figliuola...

– La figliuola? – scattava. – Ah, sì, povera, povera vittima anche lei! Non sopra tutte le altre, però, certo... Per carità, non mi fate parlare...

Il salotto era pieno zeppo di gente quando entrò il D'Ambrosio, quello che gli aveva fatto da testimonio nel duello col Verònica e che era lontano parente di Nicoletta Spoto. Avvenne allora una scena che, neanche se Capolino l'avesse preparata apposta, gli sarebbe riuscita più favorevole.

Il D'Ambrosio entrò tutto gonfio di commozione, e con le braccia protese. In piedi, tutti e due si abbracciarono in mezzo alla stanza, si tennero stretti un pezzo piangendo forte. Forte, con la sua abituale irruenza, parlò il D'Ambrosio, staccandosi dall'abbraccio:

– Dicono tutti, qua, che Nicoletta mia cugina era la ganza di quell'imbecille del Costa: è vero? Tu puoi dirlo meglio di tutti: è vero?

Sbigottiti, gli astanti si volsero a guatare il Capolino.

Questi cadde a sedere, come trafitto, su la poltrona, con le braccia abbandonate su le gambe, e scosse amaramente il capo. Poi, facendo un atto appena appena con le mani, parlò:

– Troppe... troppe cose dovrei dire, che non posso... Anche la pietà, capirete... sì, sì... anche queste lacrime, amici, mi bruciano! Perché anche da quei due che le meritano per la loro sorte, ma da voi, cari, da voi; non da me... anche da quei due io ebbi male; ma sopra tutto da chi li guidò a quel passo; da chi li teneva in pugno, e...

– Il Salvo! – proruppe il D'Ambrosio. – Hanno arrestato ad Aragona Marco Prèola; ma lui, il Salvo, per la Madonna, debbono arrestare! lui affamò là tutto il paese! lui è il vero assassino! E giustamente Dio l'ha punito, con la pazzia della figlia! Così, tra due pazze, se ne starà ora con tutte le sue ricchezze!

Capolino, allora, scattò in piedi, sublime.

– Ma per carità! no! no! Non posso permettere che si dicano di queste cose alla mia presenza! Vuoi difendere quegli assassini? Via! Sappiamo tutti che il Salvo era nel suo diritto, chiudendo là le zolfare! Ognuno provvede, come sa e crede, ai proprii interessi. E, del resto, non si è forse adoperato in tanti modi qua, al risorgimento dell'industria? No, no! Signori miei, vedete? parlo io, io, in questo momento, e arrivo fino a dirvi che egli, dal suo canto, anche come padre, ha creduto di agire per il bene della figliuola! Voi tutti non avete alcuna ragione per non riconoscer questo; potrei non riconoscerlo io, io solo, perché i mezzi di cui si è servito mi hanno distrutto la casa, spezzato la vita! Ma egli mirava, là, al bene di tutti quei bruti; e qua, al bene della sua figliuola!

Dieci, quindici, venti mani si tesero a Capolino, in un prorompimento d'ammirazione per così magnanima generosità; e Capolino si sentì levato d'un cubito sopra se stesso.

– Forse mi vedrò costretto, – soggiunse con triste gravità, – a restituirvi il mandato, di cui avete voluto onorarmi.

– No! no! che c'entra questo? E perché? – protestarono alcuni.

Capolino, sorridendo mestamente, levò le mani ad arrestare quell'affettuosa protesta:

– La condizione mia, – disse. – Considerate. Potrei più aver rapporti, non dico di parentela o d'amicizia, ma pur soltanto d'interessi, con Flaminio Salvo? No, certo. E allora? Devo provvedere a me stesso, signori miei, mentre il mandato che ho da voi esige un'assoluta indipendenza, quella appunto che avevo per i miei ufficii nel banco del Salvo. Ora... ora bisognerà che mi raccolga a pensar seriamente ai miei casi. Non son cose da decidere così su due piedi e in questo momento.

– Ma sì! ma sì! – ripresero quelli a confortarlo a coro. – Questi sono affari privati! La rappresentanza politica...
– Eh eh...
– Ma che! non c'entra...
– Altra cosa...
– E poi, per ora...
– Per ora, – disse, – mi basta, miei cari, di avervi dimostrato questo: che sono pronto a tutto, e che guardo le cose e la mia stessa sciagura con animo equo e, per quanto mi è possibile, sereno. Grazie, intanto, a tutti, amici miei.
Più tardi, recatosi al Vescovado a visitar Monsignore, ebbe da questo tali notizie su don Ippolito Laurentano e donna Adelaide, che stimò da abbandonare senz'altro il piano dapprima architettato, e che anzi gli convenisse aspettare il ritorno di Flaminio Salvo da Roma, per recarsi a Colimbètra a tentarne un altro, che già gli balenava, audacissimo.

Flaminio Salvo non volle lasciare a Roma Dianella in qualche «casa di salute», come i medici e la sorella e il cognato gli consigliavano; disse che, se mai, l'avrebbe lasciata in una di queste case a Palermo, per averla più vicina e poterla più spesso visitare; ma la sua casa ormai – soggiunse – poteva pur trasformarsi in uno di questi privati ospizii della pazzia, sotto il governo d'uno o più medici e con l'assistenza d'altre infermiere adatte: vi restava egli solo provvisto di ragione; ma sperava che presto, con l'esempio e un po' di buona volontà, la perderebbe anche lui.
Quando fu sul punto di partire, però, si vide costretto a ricorrere a Lando Laurentano, perché gli désse a compagno di viaggio Mauro Mortara, da cui Dianella non avrebbe voluto più staccarsi, e che forse era il solo che avrebbe potuto indurla a uscire da uno stanzino bujo ove s'era rintanata, e a partire. Lando Laurentano, che si preparava in gran fretta anche lui, chiamato a Palermo dai compagni del Comitato centrale del partito, rispose al Salvo, che avrebbero potuto fare insieme il viaggio, e che la mattina seguente sarebbe venuto con Mauro a prenderlo in casa Vella. Flaminio Salvo notò nell'aspetto, nella voce, nei gesti del giovane principe una strana agitazione febbrile, e fu più volte sul punto di domandargliene premurosamente il motivo; ma se n'astenne. Lando Laurentano era in quell'animo per una ragione, a cui il Salvo non avrebbe potuto neppur lontanamente pensare in quel momento: cioè, l'enorme impressione prodotta in tutta Roma dal suicidio di Corrado Selmi. Se n'era divulgata la notizia la sera stessa, che egli usciva con Mauro da casa Vella. Il grido d'un giornalajo glien'aveva dato l'annunzio. Aveva fatto fermar la vettura per comperare il giornale. Ma, anziché dargli gioja, quell'annunzio improvviso lo aveva in prima stordito. Aveva ordinato al vetturino d'accostarsi a un fanale, per leggere, non ostante l'impazienza di Mauro; aveva saltato il lungo commento necrologico premesso alle notizie sul suicidio, ed era corso con gli occhi a queste. Dal racconto del cameriere del Selmi aveva saputo, prima, l'aggressione a mano armata del nipote di Roberto Auriti, quando già il Selmi aveva ingojato il veleno; poi... ah poi!... una visita, che il giornalista diceva drammaticissima, al Selmi appena spirato, «d'una dama velata» di cui, per degni rispetti, non si faceva il nome, «accorsa», seguitava il cronista, «ignara del suicidio, forse per dare ajuto e conforto all'amico, dopo la sfida da lui lanciata, la mattina, all'intera assemblea».
Lando Laurentano non aveva avuto alcun dubbio, che quella dama velata fosse donna Giannetta D'Atri, sua cugina; e aveva strappato il giornale, con schifo e con rabbia, gridando al vetturino di correre a casa. Qua aveva trovato in smaniosa ambascia Celsina Pigna e Olindo Passalacqua, che cercavano disperatamente Antonio Del Re, scomparso dalla mattina. Eran sembrate così inopportune a Lando in quel momento la vista buffa di quell'uomo, le sma-

niette di quella ragazza, tutta quell'ansia attorno a lui per la ricerca d'un giovane ch'egli non conosceva e ch'era tanto lontano dai suoi pensieri, che aveva avuto contro il suo solito un violento scatto d'ira. Aveva chiamato Raffaele, il cameriere, per ordinargli di mettersi a disposizione di quei due, ed era rimasto solo con Mauro. Questi, interpretando quello scatto come un segno di sprezzante noncuranza per l'arresto del cugino, non s'era potuto trattenere; gli s'era fatto innanzi tutto acceso di sdegno, gridando:

– Me ne voglio andare, subito! ora stesso! Non voglio più guardarvi in faccia!

– Mauro! Mauro! Mauro! – aveva esclamato Lando, scotendo in aria le mani afferrate.

Mauro allora s'era cacciato una mano in tasca, per trarne fuori le medaglie:

– Guardate! Dal petto me l'ero strappate, davanti al delegato, quando ho visto arrestare vostro cugino! Ora quella ragazza è venuta a riportarmele... Che sangue avete voi nelle vene? È questa la gioventù d'oggi? è questa?

– La gioventù... – s'era messo a rispondere con veemenza Lando; ma s'era subito frenato, premendosi forte le pugna serrate su la bocca e andando a sedere, coi gomiti su le ginocchia e la testa tra le mani.

La gioventù? Che poteva la gioventù, se l'avara paurosa prepotente gelosia dei vecchi la schiacciava così, col peso della più vile prudenza e di tante umiliazioni e vergogne? Se toccava a lei l'espiazione rabbiosa, nel silenzio, di tutti gli errori e le transazioni indegne, la macerazione d'ogni orgoglio e lo spettacolo di tante brutture? Ecco come l'opera dei vecchi qua, ora, nel bel mezzo d'Italia, a Roma, sprofondava in una cloaca; mentre sù, nel settentrione, s'irretiva in una coalizione spudorata di loschi interessi; e giù, nella bassa Italia, nelle isole, vaneggiava apposta sospesa, perché vi durassero l'inerzia, la miseria e l'ignoranza e ne venisse al Parlamento il branco dei deputati a formar le maggioranze anonime e supine! Soltanto, in Sicilia forse, or ora, la gioventù sacrificata potrebbe dare un crollo a questa oltracotante oppressione dei vecchi, e prendersi finalmente uno sfogo, e affermarsi vittoriosa!

Lando era balzato in piedi per gridare questa sua speranza a Mauro Mortara; ma s'era trattenuto per carità, alla vista di lui che piangeva, con quelle sue pietose medaglie in mano.

Il giorno appresso Antonio Del Re era stato ritrovato. Olindo Passalacqua era venuto a mostrare a Lando due telegrammi e un vaglia spediti d'urgenza da Girgenti per far subito partire il giovine; ma aveva soggiunto che il Del Re si ricusava ostinatamente di ritornare in Sicilia. Lando allora aveva pregato Mauro di recarsi a prendere il giovine per invitarlo a partire con loro il giorno appresso e Mauro a questa preghiera si era arreso di buon grado. Ma come proporgli adesso di viaggiare insieme con Flaminio Salvo?

La mattina per tempo venne al villino di via Sommacampagna Ciccino Vella per concertare il modo di spinger fuori dal nascondiglio Dianella e farla partire. Guaj, se vedeva il padre! Durante tutto il viaggio non doveva vederlo. Zio Flaminio e Lando dovevano viaggiare in un altro scompartimento della vettura, senza mai farsi scorgere. C'era anche quel giovanotto, il Del Re? Bene: tutti e tre, appartati, nascosti. Mauro e Dianella sarebbero stati soli, nello scompartimento attiguo: tutt'intera una vettura sarebbe stata a loro disposizione.

Fu men difficile, a tali condizioni, persuadere Mauro a render questo servizio al Salvo. Quando seppe che né ora, a casa Vella, né poi, durante tutto il tragitto, lo avrebbe veduto, e che non si trattava tanto di rendere un servizio a lui quanto un'opera di carità a quella povera fanciulla demente, si arrese aggrondato, e andò avanti con Raffaele in casa Vella.

Non ci fu bisogno né di preghiere né di esortazioni: appena Dianella rivide Mauro, balzò dal nascondiglio e tornò a riaggrapparsi a lui, incitandolo a fuggire insieme. Si dovette all'incontro stentare a trattenerla un po' per rasset tarla alla meglio, ravviarle i capelli scarmigliati, metterle un cappello in capo, perché almeno non desse tanto spettacolo alla gente, in compagnia di quel vecchio che già per suo conto attirava la curiosità di tutti.

Quando l'uno e l'altra, tenendosi per mano, quello col viso tutto scombujato, lo zainetto alle spalle, questa con gli occhi e la bocca spalancati a un'ilarità squallida e vana, i capelli cascanti, scompigliati sotto il cappello assettato male sul capo, attraversarono il salone per andarsene, chi li vide non se ne poté più levar l'immagine dalla memoria.

Che discorsi tennero tra loro, nel viaggio?

Dietro l'usciolino dello scompartimento, il Salvo e il Laurentano, ora l'uno ora l'altro, li intesero conversar tra loro, a lungo, e s'illusero dapprima che tra loro il vecchio e la fanciulla s'intendessero. Ma sì, a maraviglia s'intendevano, perché l'uno e l'altra, ciascuno per sé, non parlavano se non con la propria follia. E le due follie sedevano accanto e si tenevano per mano.

– Una donna... vergogna!... Non si dice Aurelio... *Signor Aurelio... Signor Aurelio!...* Ma com'è possibile che l'abbia dimenticato?... Una così grossa ferita al dito... Vieni, vieni qua, al bujo... nell'andito... Te lo succhio io, il sangue dal dito... Una donna? Vergogna... *Signor Aurelio...*

– Questi... sono questi, i figli! La nuova gioventù... Per veder questo, oh assassini, abbiamo tanto combattuto, sacrificato la vita nostra... per veder questo, donna Dianella! E che ci vado più ad appendere, adesso, sotto la lettera del Generale nel camerone? che ci vado più ad appendere, dopo tutto quello che ho visto?

– Eh, ma chi lo sa l'anno che viene? Il gelso, a marzo, coglie sangue di nuovo... E allora, quand'è in amore, per gettare, è molle, molle come una pasta, e se ne fa quello che se ne vuole... Chi lo sa l'anno che viene?

– Incerto il bene, ma certe le pene, figlia mia! Incerto il bene, ma certe le pene!

Così conversavano di là, quei due.

Né Lando né Flaminio Salvo badavano intanto a un altro, di qua con loro, che non diceva nulla, ma che pure non meno di quei due vaneggiava col cervello. Non vedeva, non sentiva, non pensava più nulla, Antonio Del Re. La furia della disperazione, con la quale s'era avventato sopra il Selmi, gli aveva come folgorato lo spirito. Uscito dalla casa del Selmi, era rimasto vuoto, sospeso in una tetraggine attonita, spaventevole; e non ricordava più nulla, dove fosse andato, che avesse fatto, come e dove avesse passato la notte, se proprio la notte, una notte fosse passata. Non rispondeva a nessuna domanda; forse non udiva. Vedere, vedeva; stava per lo meno a guardare; ma la ragione non vedeva più, la ragione degli aspetti delle cose e degli atti degli uomini. Non si era già opposto al suo ritorno in Sicilia; ma a muoversi da sé dal luogo ove i piedi lo avevano condotto e la stanchezza accasciato. Si era mosso, allorché Mauro lo aveva strappato per il petto; ma senza udir nulla di quanto quegli gli aveva detto della nonna e della mamma. Il Passalacqua e Celsina lo avevano accompagnato, la mattina, al villino di Lando; prima di partire aveva veduto Celsina sorridere a Ciccino Vella, accettarne il braccio, montare in carrozza con lui e col Passalacqua: tutto questo aveva veduto, e più là, col pensiero; e nulla, più nulla gli s'era rimosso dentro.

Quando, passato lo stretto di Messina, Lando Laurentano scese dal treno per proseguire su un altro alla volta di Palermo, Flaminio Salvo provò una certa costernazione al pensiero di restar solo nella vettura per un'intera giornata fino a Girgenti con quel giovane a lui ignoto, che due giorni avanti aveva levato il pugnale per uccidere il Selmi, e che ora gli teneva gli occhi addosso con tanta fissità di sguardo, tra il torvo e l'insensato.

Ecco, con tre pazzi egli viaggiava; e forse non meno pazzo di questi tre era quello or ora sceso dal treno con l'intenzione di mettere a soqquadro tutta l'isola! Lui solo, dunque, per terribile condanna, doveva serbare intatto il privilegio di non aver minimamente velata, offuscata, né per rimorso, né per pietà, né più da alcun affetto, né più da alcuna speranza, né più da alcun desiderio, quella lucida, crudele limpidità di spirito? Lui solo.

E, come per assaporare lo scherno della sua sorte, si accostò ancora una volta all'usciolino dello scompartimento, con l'orecchio allo spiraglio, ad ascoltare i discorsi vani del vecchio e della figliuola.

Appena Mauro Mortara, arrivato a Girgenti, poté strapparsi dalle braccia di Dianella Salvo, corse di furia alla casa di donna Caterina Laurentano. Vi trovò Antonio Del Re ancora tra le braccia della madre che invano, stringendolo, scotendolo, smaniando, cercava di spetrarlo.

Come Anna vide entrar Mauro, gli corse incontro, lasciando il figlio:

– Che ha? Che ha? Ditemi voi che ha! Che gli hanno fatto?

Ma il Mortara le scostò le braccia e grido più forte di lei:

– Vostra madre? Dov'è vostra madre?

Sopravvenne Giulio, in pochi giorni invecchiato di dieci anni. Negli occhi, nelle braccia protese aveva la speranza di aver da Mauro qualche notizia precisa sull'arresto di Roberto, sul suicidio del Selmi, se questi veramente avesse lasciato qualche dichiarazione in favore del fratello, come dicevano i giornali. Dal nipote non aveva potuto saper nulla, per quanto, tra le braccia della madre, lo avesse furiosamente scrollato per farlo parlare.

Ma il Mortara scostò anche lui, ripetendo, testardo e violento:

– Vostra madre? Non so nulla! So che l'hanno arrestato sotto i miei occhi! Non voglio veder nessuno! Voglio vedere lei sola!

Giulio restò perplesso, se permettergli d'entrare nella camera della madre, così all'improvviso.

Dal giorno che egli, sotto l'urgenza della necessità, vincendo ogni riluttanza, dapprima con circospezione, poi risolutamente, con crudezza, le aveva detto che bisognava si recasse dal fratello Ippolito per salvare il figlio, era caduta, di schianto, in un attonimento quasi di apatia, come se la vista di tutte le cose intorno le si fosse a un tratto vuotata d'ogni senso. Non un gesto, non una parola. Più niente. E quella immobilità e quel silenzio avevano avuto fin da principio un che di così assoluto e invincibile, che né un gesto, né una parola eran più stati possibili agli altri per scuoterla o esortarla. Giulio sapeva che avrebbe ucciso la madre, parlando. E difatti, ecco, subito, parlando, l'aveva uccisa. Ella non poteva andare dal fratello per salvare il figlio: sarebbe stata la sua morte. Ed ecco, era morta.

Tanto egli quanto Anna avevano sperato, dapprima, che *non volesse* più muoversi né parlare; non che, veramente, *non potesse*. Ma ben presto s'erano accorti che non poteva. Pure, una lieve contrazione rimasta su la fronte, tra ciglio e ciglio, diceva chiaramente che, anche potendo, non avrebbe voluto. La avevano sollevata di peso dalla seggiola e adagiata sul letto. Erano di morte la immobilità e il silenzio; soltanto, ancora, non era fredda. E per impedire che anche quel freddo le sopravvenisse, si erano affrettati a coprirla bene sul letto, con mani amorose, piangendo. L'ultima crudeltà doveva compiersi così sopra di lei, e, perché fosse più iniqua, per mano stessa dei figli. Ora, vegliandola e piangendo, i figli le dimostravano, o piuttosto dimostravano a se stessi, che non erano stati loro a compierla. Se ella, per tutto ciò che aveva fatto, non poteva pagare per il figlio, bisognava che pagasse così, ora. Giulio lo sapeva; e, pur sapendolo, non aveva potuto impedirlo. Doveva parlare, spingerla a quella morte, darle il crollo. L'aveva poi raccolta su le braccia, e ora le rincalzava le coperte e le stringeva attorno alle braccia lo scialle nero di lana, per ripararla dall'ultimo freddo, e andava in punta di piedi, perché nessun rumore arrivasse più a quel silenzio. Anche il volo d'una mosca sarebbe stato di più, ora, oltre a quello che egli aveva fatto, perché doveva. Un pensiero, se non fosse anche di più la sua vita, il suo respiro, dopo quello che aveva fatto, gli era anche passato per la mente. Fuori di quella madre, fuori della Sicilia egli, fin da giovinetto, aveva preso mondo. Era vissuto senza né ricordi, né affetti, né aspirazioni, quasi giorno per giorno: freddo, svogliato, ironico, sdegnoso. D'improvviso, quando men se l'aspettava, il destino della sua famiglia aveva allungato una spira a involgerlo, a invilupparlo, e lo aveva attratto a sé e piombato là, a rinsertarsi, a riaffiggersi alla radice, da cui s'era strappato; a sentire tutto ciò che non aveva voluto mai sentire, a ricordarsi di tutto ciò di cui non aveva voluto mai ricordarsi. La fine di colei, che aveva sempre e tutto sentito, e di tutto e sempre si era ricordata, schiantata ora dall'urto con cui egli era tornato a inviscerarsi in lei, non doveva essere adesso anche la sua fine? Schiantato il tronco, schiantati i rami. Nel tetro squallore della casa, era rimasto inorridito del suo apparire a se stesso coi sentimenti e i ricordi tutti di quella madre. Ma gli era apparsa anche Anna, la sorella: il ramo che non s'era mai staccato da quel tronco; che miseramente una volta sola, per poco, era fiorito, per dare il frutto ispido e attossicato di quel figlio, in cui neanche l'amore della madre riusciva a penetrare. E fratello e sorella si erano stretti, allora, fusi in un abbraccio d'infinita tenerezza, d'infinita angoscia, all'ombra della tetra casa, assaporando la dolcezza del pianto che li univa per la prima volta e che pur rompeva loro il cuore. Egli doveva vivere per quella sorella e per quel ragazzo. La notizia dell'arresto di Roberto, ormai inevitabile, attesa da un momento all'altro, era finalmente arrivata insieme con quella del suicidio di Corrado Selmi, ma vaga, ristretta in poche righe nei giornali siciliani, come una notizia a cui i lettori non avrebbero dato importanza, presi com'erano tutti, allora, dalla morbosa curiosità di conoscere fin nei minimi particolari l'eccidio d'Aragona.

La trepidazione di Anna per il figlio solo a Roma, il pensiero dell'ajuto da portare a Roberto avevano spinto dapprima Giulio a ritornar subito alla Capitale. Ma come abbandonar la madre in quello stato, sola lì con Anna che s'aggirava per le stanze chiamando il figlio, quasi forsennata? E che ajuto avrebbe potuto portare a Roberto? L'unico ajuto possibile sarebbe stato il denaro, il rimborso alla banca di quelle quarantamila lire, così che tutti potessero credere che queste fossero state prese da lui, per bisogni suoi. Il suicidio del Selmi, ora, avrebbe forse aperta la porta del carcere a Roberto, ma gli sarebbe rimasta, incancellabile, dopo la denunzia e l'arresto, la macchia d'una losca complicità. Quanti avrebbero creduto, domani, che disinteressatamente egli si fosse prestato a contrarre il debito, sotto il suo nome, per conto d'un altro? La dichiarazione del Selmi, se davvero esisteva come i giornali asserivano, non sarebbe valsa a cancellare del tutto quella macchia.

Di là, nella camera della madre, c'era il canonico Pompeo Agrò, che da tanti giorni, per ore e ore, non si staccava dalla poltrona a pie' del letto, fissi gli occhi nella faccia spenta della giacente, forse con la speranza di scoprirvi un indizio che ella – non avendo più nulla da dire agli uomini – desiderasse per suo mezzo comunicare con Dio. Più d'una volta con profonda voce l'aveva chiamata per nome, a più riprese, senza ottener risposta.

Giulio disse a Mauro di attendere un poco: voleva consigliarsi con l'Agrò, se questi désse più peso alla sua speranza o al suo timore che la vista o la voce del Mortara, scotendo la madre da quel torpore di morte, potessero farle bene o male.

– Credo, – gli rispose l'Agrò, – che non ci sia più né da sperare né da temere. Non avvertirà nulla. Provare. Tanto, se dura così, è la morte lo stesso.

Mauro entrò come un cieco nella camera quasi al bujo, chiamando forte, con affanno di commozione:

– Donna Caterina... donna Caterina...

Restò, davanti al letto, alla vista di quella faccia volta al soffitto, sui guanciali ammontati, cadaverica, con gli occhi che s'immaginavano torbidi e densi di disperata angoscia sotto la chiusura perpetua delle gravi pàlpebre annerite, con una ostinata, assoluta volontà di morte negli zigomi tesi, nelle tempie affossate, nelle pinne stirate del naso aguzzo, nelle livide, sottili labbra, non solo serrate, ma anche in qualche punto attaccate dall'essiccamento degli umori.

– Oh figlia... oh figlia... – esclamò. – Donna Caterina... sono io... Mauro... il canè guardiano di vostro padre... Guardatemi... aprite gli occhi... da voi voglio essere guardato... Aprite gli occhi, donna Caterina; guardando me, guardate la vostra stessa pena... Sentitemi: debbo dirvi una cosa... torno da Roma...

Urtando contro la rigida impassibilità funerea della morente, la commozione di Mauro Mortara si spezzò a un tratto in striduli singhiozzi, molto simili a una risata. L'Agrò e Giulio, anch'essi piangenti, se lo presero in mezzo, e, sorreggendolo per le braccia, lo trassero fuori della camera.

La morente, rimasta sola nell'ombra, immobile su i guanciali ammontati, udì tardi la voce, come se questa avesse dovuto far molto cammino per raggiungerla nelle profonde lontananze misteriose, ove già il suo spirito s'era inoltrato. E da queste lontananze, in risposta a quella voce, tardi venne alle sue pàlpebre chiuse una lagrima, ultima, che nessuno vide. Sgorgò da un occhio; scorse su la gota; cadde e scomparve tra le rughe del collo.

Quando Pompeo Agrò tornò a sedere su la poltrona a pie' del letto, né più nell'occhio, né più su la gota ve n'era traccia.

Donna Caterina era morta.

VI.

Per donna Adelaide e don Ippolito Laurentano era cominciato, fin dalla prima sera che eran rimasti soli nella villa di Colimbètra, un supplizio previsto da entrambi difficilissimo da sopportare, per quanta buona volontà l'uno e l'altra ci avrebbero messo.

Appena andati via gl'invitati alla cerimonia nuziale, don Ippolito, con molto garbo prendendole una mano, ma pur senza guardargliela per non avvertire quanto fosse diversa da quella tenuta un tempo tra le sue (pallida e lunga mano, morbida, tenera e lieve!), aveva cercato di farle intendere il bene che da lei si riprometteva in quella solitudine d'esilio, di cui supponeva le dovessero esser note le ragioni, se non tutte, almeno in parte. Il discorso tenuto sul terrazzo, davanti alla campagna silenziosa, già invasa dal bujo della notte, era stato, in verità, un po' troppo lungo e un tantino anche faticoso. La povera donna Adelaide, oppressa dalla violenza di tanti sentimenti nuovi durante quella giornata, e ora da tutta quell'ombra e da quel silenzio che le vaneggiavano intorno e le rendevano più che mai soffocante l'ambascia per ciò che misteriosamente incombeva ancora su la sua «terribile signorinaggine», a un certo punto, per quanto si fosse sforzata, non aveva potuto udir più nulla di quel pacato interminabile discorso. Aveva avuto l'impressione che esso, proprio fuor di tempo, la volesse trarre per forza quasi in una cima di monte altissima e nebbiosa, dalla quale le sarebbe stato difficile, se non addirittura impossibile, ridiscendere ancora in grado di resistere ad altre sorprese, ad altre emozioni che quella notte certamente le apparecchiava. Non per cattiva volontà, ma per l'aria, ecco, per l'aria che, a un certo punto, cominciava a sentirsi mancare, non le era stato mai possibile prestare ascolto a lunghi discorsi. Oh, buon Dio, e perché poi prendere di questi giri così alla lontana, se alla fine pur sempre bisognava ridursi a fare, sù per giù, le stesse cose, quelle che la natura comanda? Che brutto vizio, buon Dio! E senz'altro effetto che la stanchezza e la stizza. Anche la stizza, sì. Perché le cose da fare sono semplici,

e da contarsi tutte su le dita d'una mano; cosicché, alla fine, ciascuno deve riconoscere che tutto quel girare attorno a esse, non solo è inutile, ma anche
sciocco e dannoso, in quanto che poi, per la stanchezza appunto e con la stizza
di questo riconoscimento, si fanno tardi e si fanno male. Dapprima s'era
messa a guardare, con occhi tra imploranti e spaventati, il principe, o piuttosto,
quella sua lunga, lunghissima barba. Poi, nell'intronamento, aveva sentito un
prepotente bisogno di ritirare la mano e di soffiare, di soffiare un poco almeno,
non potendo sbuffare, non potendo gridare per dare uno sfogo alla soffocazione e alle smanie. Alla fine, era riuscita a vincere l'intronamento: gli orecchi
le si erano rifatti vivi un istante, ma per fuggire lontano, per afferrarsi a un
qualche filo di suono, nell'oscurità della notte, che le avesse dato sollievo, distrazione. Veniva dalla riviera, laggiù laggiù, invisibile, un sordo borboglìo
continuo. E tutt'a un tratto, proprio nel punto che il discorso del principe s'era
fatto più patetico, donna Adelaide era uscita a domandargli:
– Ma che è, il mare? Si sente così forte, ogni notte?
Don Ippolito, dapprima stordito (– il mare? che mare? –) si era poi sentito
cascar le braccia:
– Ah sì... è il mare, è il mare...
E le aveva lasciato la mano e si era scostato.
Donna Adelaide, imbarazzata, non sapendo come rimediare all'evidente mortificazione del principe per quella domanda inopportuna, era rimasta come appesa balordamente alla sua domanda.
La risposta s'era fatta aspettare un po'; alla fine era arrivata da lontano,
grave:
– Grida così, quand'è scirocco...
Quella remota voce del mare era a lui cara e pur triste. Tante volte, nella
pace profonda delle notti, gli aveva dato angoscia e compagnia. Abbandonato
su la sedia a sdrajo, s'era lasciato cullare da quel cupo fremito continuo delle
acque che gli parlavano di terre lontane, d'una vita diversa e tumultuosa ch'e-
gli non avrebbe mai conosciuta. S'era sentito ripiombare tutt'a un tratto da
quel richiamo nella profondità della sua antica solitudine.
Come più riprendere il discorso, adesso? E, d'altra parte, come rimaner così
in silenzio, lasciar lì discosta nel terrazzo quella donna che ora gli apparteneva
per sempre e che s'era affidata alla sua cortesia, in quella solitudine per lei
nuova e certo non gradita? Bisognava farsi forza, vincere la ripugnanza e riaccostarsi. Ma certo, ormai, di non potere entrare con lei in altra intimità che di
corpo, don Ippolito s'era domandato amaramente qual altro effetto questa intimità avrebbe potuto avere, se non lo scàpito irreparabile della sua considerazione.
E difatti, quella notte...
Ah, la povera donna Adelaide non avrebbe potuto mai immaginare un simile
spettacolo, di pietà a un tempo e di paura! Le veniva di farsi ancora la croce
con tutt'e due le mani. Ah, Bella Madre Santissima! Un uomo con tanto di
barba... un uomo serio... Dio! Dio! Lo aveva veduto, a un certo punto, scappar
via, avvilito e inselvaggito. Forse era andato a rintanarsi di notte tempo nelle
sale del *Museo*, a pianterreno. E lei era rimasta a passare il resto della notte,
semivestita, dietro una finestra, a sentire i singhiozzi d'un chiù innamorato,
forse nel bosco della Civita, forse in quello più là, di Torre-che-parla.
Meno male che, la mattina dopo, la vista della campagna e dello squisito arredo della villa l'aveva un po' racconsolata e rimessa anche in parte nelle consuete disposizioni di spirito, per cui volentieri, ove non avesse temuto di far
peggio, si sarebbe lei per prima riaccostata al principe a dirgli, così alla
buona, senza stare a pesar le parole, che, via, non si désse pensiero né afflizione di nulla, perché lei... lei era contenta, proprio contenta, così...
Le aveva fatto pena quel viso rabbujato! Pover'uomo, non aveva saputo

neanche alzar gli occhi a guardarla, quando a colazione si era rimesso a parlarle. Ma sì, ma sì, certo: era una condizione insolita, la loro: trovarsi così, a essere marito e moglie, quasi senza conoscersi. A poco a poco, certo, sarebbe nata tra loro la confidenza, e... ma sì! ma sì! certo!

S'era accorta però che, dicendo così, le smanie del principe erano cresciute, s'erano anzi più che più esacerbate; e con vero terrore aveva veduto riapprossimarsi la notte. Per parecchie notti di fila s'era rinnovato questo terrore; alla fine aveva ottenuto in grazia d'esser lasciata in pace, a dormir sola, in una camera a parte. Se non che, il giorno dopo, era sceso a Colimbètra monsignor Montoro a farle a quattr'occhi un certo sermoncino. E allora lei, di nuovo: – Oh Bella Madre Santissima! Ma che!... no... Ah, come?... che?... che doveva far lei?... Gesù! Gesù!... Alla sua età, smorfie, moine? Ah! questo mai! no no! no no! questo mai! Non erano della sua natura, ecco. E, del resto, perché? Non si poteva restar così? Non chiedeva di meglio, lei. Che faccia aveva fatto Monsignore! E la povera donna Adelaide, da quel momento in poi, non aveva saputo più in che mondo si fosse o, com'ella diceva, aveva cominciato a sentirsi «presa dai turchi». Ma come? il torto era suo?

Il principe, tutto il giorno tappato nel *Museo*, non s'era più fatto vedere, se non a pranzo e a cena, rigido aggrondato taciturno. Aria! aria! aria! Sì, ce n'era tanta, lì: ma per donna Adelaide non era più respirabile. E il bello era questo: che della soffocazione, avvertita da lei, le era parso che dovessero soffrire tutte le cose, gli alberi segnatamente! Sul principio dei tre ripiani fioriti innanzi alla villa c'era da più che cent'anni un olivo saraceno, il cui tronco robusto, pieno di groppi e di nodi, per contrarietà dei venti o del suolo, era cresciuto di traverso e pareva sopportasse con pena infinita i molti rami sorti da una sola parte, ritti, per conto loro. Nessuno aveva potuto levar dal capo a donna Adelaide che quell'albero, così pendente e gravato da tutti quei rami, soffrisse.

– Oh Dio, ma non vedete? soffre! ve lo dico io che soffre! poverino!

E lo aveva fatto atterrare. Atterrato, guardando il posto dove prima sorgeva:

– Ah! – aveva rifiatato. – Così va bene! L'ho liberato.

Né s'era fermata qui. Altre prove di buon cuore aveva dato, le sere senza luna, durante la cena, verso le bestioline alate che il lume del lampadario attirava nella sala da pranzo. Un certo *Pertichino*, ragazzotto di circa tredici anni, figlio del sergente delle guardie, era incaricato di star dietro la sedia di donna Adelaide e di dar subito la caccia a quelle bestioline, appena entravano. Se non che, *Pertichino* spesso si distraeva nella contemplazione dei grossi guanti bianchi di filo, in cui gli avevano insaccato le mani; e donna Adelaide, ogni volta, doveva strapparlo a quella contemplazione con strilli e sobbalzi per lo springare di qualche grillo o per il ronzare di qualche parpaglione.

– Niente! Farfalletta... Non si spaventi! Eccola qua, farfalletta...

– Povera bestiola, non farla patire: staccale subito la testa; se no, rientra... Fatto?

– Fatto, eccellenza. Eccola qua.

– No, no, che fai? non me la mostrare, poverina! Farfalletta era? proprio farfalletta? Povera bestiolina... Ma chi gliel'aveva detto d'entrare? Con tanta bella campagna fuori... Ah, avessi io le ali, avessi io le ali!

Come dire che, senza pensarci due volte, se ne sarebbe volata via.

Don Ippolito, per quanto urtato e disgustato, la aveva lasciata fare e dire. Ma una sera, finalmente, non s'era più potuto tenere. Erano tutti e due seduti discosti sul terrazzo. Egli aspettava che su dalle chiome dense degli olivi, sorgenti sul pendìo della collina dietro la ripa, spuntasse la luna piena, per rinnovare in sé una cara, antica impressione. Gli pareva, ogni volta, che la luna piena, affacciandosi dalle chiome di quegli olivi allo spettacolo della vasta campagna sottostante e del mare lontano, ancora dopo tanti secoli restasse compresa di sgomento e di stupore, mirando giù piani deserti e silenziosi dove prima sorgeva una delle più splendide e fastose città del mondo. Ora la luna stava per sorgere, s'intravvedeva già di tra il brulichìo dei cimoli argentei degli olivi, e don Ippolito disponeva la sua malinconia attonita e ansiosa a ricevere l'antica impressione insieme con tutta la campagna, ove era un sommesso e misterioso scampanellìo di grilli e gemeva a tratti un assiolo, quando, all'improvviso, dalla casermuccia sul greppo dello Sperone, era scoppiato a rompere, a fracassare quell'incanto, il suono stridulo e sguajato del fischietto di canna di capitan Sciaralla. Donna Adelaide s'era messa a battere le mani, festante.

– Oh bello! Oh bravo il capitano che ci fa la sonatina!

Don Ippolito era balzato in piedi, fremente d'ira e di sdegno, s'era turati gli orecchi, gridando esasperato:

– Maledetti! maledetti! maledetti!

E, afferrando per le spalle *Pertichino* e scrollandolo furiosamente, gli aveva ingiunto di correre a gridare a quella canaglia dal ciglio del burrone dirimpetto, che smettesse subito.

– E poi, fuori di qua! fuori dai piedi! Non voglio più vederti! Chi ha qua fastidio delle mosche se le cacci da sé! zitta, da sé! Sono stanco, sono stufo di tutte queste volgarità che mi tolgono il respiro! Basta! basta! basta!

Ed era scappato via dal terrazzo, con gli occhi strizzati e le mani su le tempie.

Fortuna che, pochi giorni dopo, s'era presentato alla villa don Salesio Marullo, con un viso sparuto e quasi affumicato, guardingo e sgomento, a chiedere ajuto e ospitalità. Era diventato, fin dal primo giorno, cavaliere di compagnia di donna Adelaide, la quale credette che gliel'avesse mandato Iddio.

– Don Salesio, per carità, mangiate! Per carità, don Salesio, rimettetevi subito! Subito, *Pertichino*, due altri ovetti a don Salesio!

S'era messa a ingozzarlo come un pollo d'India prima di Natale. Il povero gentiluomo, ridotto una larva, non aveva saputo opporre alcuna resistenza; aveva ingollato, ingollato, ingollato tutto ciò che gli era stato messo davanti, e quasi in bocca, a manate; poi... eh, poi l'aveva scontato con tremende coliche e disturbi viscerali d'ogni genere, per cui, nel bel mezzo d'uno svago o d'un passatempo concertato con capitan Sciaralla per distrarre la principessa, si faceva in volto di tanti colori e alla fine doveva scappare, non è a dire con quanta sofferenza della sua dignità, per quanto ormai intisichita.

Ma donna Adelaide ne gongolava. Non potendo nulla contro quella del principe suo marito, per vendetta s'era gettata a fare strazio d'ogni dignità mascolina che le si parasse davanti: anche di quella di Sciaralla il capitano. Aveva trovato per caso tra le carte della scrivania, nella stanza del segretario Lisi Prèola, una vecchia poesia manoscritta contro il capitano, dove tra l'altro era detto:

> *Oppur vai, don Chisciottino,*
> *all'assalto d'un molino?*
> *od a caccia di lumache*
> *t'avventuri col mattino,*
> *così rosso nelle brache,*
> *nel giubbon così turchino,*
> *Sciarallino, Sciarallino?*

E un giorno, ch'era piovuto a dirotto, appena cessata la pioggia, era scesa nello spiazzo sotto il corpo di guardia dove «i militari» facevano le esercitazioni, e chiamando misteriosamente in disparte capitan Sciaralla, gli aveva ordinato di mandare i suoi uomini, con la zappetta in una mano e un corbellino nell'altra, in cerca di *babbaluceddi*, ossia delle lumachelle che dopo quell'acquata dovevano essere schiumate dalla terra.

Il povero capitano, a quell'ordine, era rimasto basito.

Come dare militarmente un siffatto comando ai suoi uomini? Perché donna Adelaide, per metterlo alla prova, aveva preteso che quella cerca di lumache avesse tutta l'aria d'una spedizione militare.

– Eccellenza, e come faccio?

– Perché?

– Se perdiamo il prestigio, eccellenza...

– Che prestigio?

– Ma... capirà, io debbo comandare... e in momenti come questi...

– Io voglio i *babbaluceddi*.

– Sì, eccellenza... più tardi, quando rompo le file...

– Quando rompete... che cosa?

– Le file, eccellenza.

– No no! E allora finisce il bello, che c'entra! Io voglio i *babbaluceddi* militari!

E non c'era stato verso di farla recedere da quella tirannia capricciosa. Con quali effetti per la disciplina, Sciaralla il giorno dopo lo aveva lasciato considerare amaramente a don Salesio Marullo, già da un pezzo messo a parte della sua costernazione per le notizie che arrivavano da tutta la Sicilia, del gran fermento dei *Fasci*, a cui pareva non potessero più tener testa né la polizia, né la milizia, «quella vera».

– Capissero almeno che qua siamo anche noi contro il governo... Ma no, caro sì-don Salesio: perché sono una lega, non tanto contro il governo, quanto contro la proprietà, capisce?

– Capisco, capisco...

– Vogliono le terre! E se, cacciati dalle città, si buttano nelle campagne? Quattro gatti siamo. E più diamo all'occhio, perché figuriamo in assetto di guerra, capisce?

– Capisco, capisco.

– Qua, così armati, diciamo quasi noi stessi che c'è pericolo; sfidiamo l'assalto; siamo come un piccolo stato, a cui si può fare benissimo una guerra a parte, mi spiego? E domani il prefetto un'offesa a noi sa come la prenderebbe? come una giusta retribuzione. Guarderà gli altri, e per noi dirà: «Ah, S. E. il principe di Laurentano, vuol fare il re, con la sua milizia? Bene, e ora si difenda da sé!». Ma con che ci difendiamo noi? Me lo dica lei... Che roba è questa?

– Piano... eh, con le armi...

– Armi? Non mi faccia ridere! Armi, queste? Ma quando si vuol tener gente così... e vestita, dico, lei mi vede... coraggio ci vuole, creda, coraggio a indossare in tempi come questi un abito che strilla così... e io mi sento scolorir la faccia, quando mi guardo addosso il rosso di questi calzoni. Dico, sì-don Salesio, che scherziamo? Quando, dico, si sta sul puntiglio di non volersi abbassare a nessuno...

– Forse, – suggeriva, esitante, don Salesio, – sarebbe prudente raccogliere...

– Altra gente? E chi? Sarebbe questo il mio piano! Ma chi? I contadini? E se sono anch'essi della lega? I nemici in casa?

– Già... già...

– Ma che! L'unica, sa quale sarebbe?...

A voce, non lo disse: con due dita si prese sul petto la giubba; guardingo, la scosse un poco; poi, quasi di furto, fece altri due gesti che significavano: ripiegarla e riporla; e subito domandò:

– Che? No? Lei dice di no?

Don Salesio si strinse nelle spalle:

– Dico che il principe... forse...

– Eh già, perché non deve portarla lui! Sì-don Salesio, il cielo s'incaverna, s'incaverna sempre più da ogni parte; e i primi fulmini li attireremo noi qua, con questi ferracci in mano; vedrà se sbaglio!

Scoppiò difatti il fulmine e terribile, pochi giorni dopo, e fu la notizia dell'eccidio d'Aragona. Parve che scoppiasse proprio su Colimbètra, poiché lì, per combinazione, sotto lo stesso tetto si trovarono il padre dell'autore principale dell'eccidio, cioè il segretario Lisi Prèola, e il patrigno della vittima, il povero don Salesio. E lo sbigottimento e l'orrore crebbero ancor più, allorché da Roma, come il rimbombo di quel fulmine caduto così da presso, giunse l'altra notizia dell'impazzimento di Dianella.

Donna Adelaide, colpita ora direttamente dalla sciagura, lasciò d'accoppare con la sua fragorosa e affannosa carità don Salesio, e si mise a strillare per conto suo che, con Dianella impazzita a causa di quell'eccidio, non era più possibile che rimanesse lì a Colimbètra il padre dell'assassino! E il principe, per farla tacere, quantunque stimasse ingiusto incrudelire su quel vecchio già atterrato dalla colpa nefanda del figlio, si vide costretto a mandarlo via dalla villa, con un assegno. Prima d'andare, il Prèola, strascicandosi a stento, col grosso capo venoso e inteschiato ciondoloni, volle baciar la mano anche alla signora principessa e le disse che volentieri offriva ai suoi padroni, per il delitto del figlio, la penitenza di lasciare dopo trentatré anni il servizio in quella casa, compiuto con tanto amore e tanta devozione. Donna Adelaide, commossa e pentita, cominciò a dare in ismanie e chiamò innanzi a Dio responsabile il principe del suo rimorso per l'ingiusta punizione di quel povero vecchio; sì, il principe, sì, per l'orgasmo continuo in cui la teneva, così che ella non sapeva più quel che si volesse e, pur di darsi uno sfogo, diceva e faceva cose contrarie alla sua natura. Le sue smanie divennero più furiose che mai, come seppe ch'erano ritornati da Roma suo fratello Flaminio e Dianella. A monsignor Montoro, sceso a Colimbètra in visita di condoglianza per la morte di donna Caterina, domandò con gli occhi gonfi dal pianto, se gli pareva umano che le si proibisse d'andare a vedere e assistere la nipote, a cui aveva fatto da madre!

Don Ippolito, in quel momento, non era in villa. S'era recato al camposanto di Bonamorone, poco discosto da Colimbètra, a pregare su la fossa della sorella. Quando entrò, scuro, nel salone, finse di non vedere il pianto della moglie, e al vescovo che gli si fece innanzi compunto e con le mani tese, disse:

– È morta disperata, Monsignore. Disperata. Il figlio in carcere, compromesso con tanti altri di questi *patrioti*, nella frode delle banche. E quel Selmi, venuto qua padrino avversario del Capolino, ha saputo? s'è ucciso. Scontano tutti le loro belle imprese! È lo sfacelo, Monsignore! Dio abbia pietà dei morti. Io mi sento il cuore così arso di sdegno, che non m'è stato possibile pregare. Un fremito ai ginocchi m'ha fatto levare dalla fossa della mia povera sorella, e mi sono domandato se questo era il momento di pregare e di piangere, o non piuttosto d'agire, Monsignore! Ma dobbiamo proprio rimanere inerti, mentre tutto si sfascia e le popolazioni insorgono? Ha sentito, ha letto nei giornali? Le folle hanno un bell'essere incitate da predicazioni anarchiche; scendendo in piazza a gridare contro la gravezza delle tasse, recano ancora con sé il Crocefisso e le immagini dei Santi!

– Anche quelle, però, del re e della regina, don Ippolito, – gli fece osservare amaramente Monsignore.

– Per disarmare i soldati, queste! – rispose pronto don Ippolito. – Il segno che l'animo del popolo è ancora con noi è in quelle! è chiaro in quelle! Sa che mio figlio è in Sicilia?

Monsignore chinò il capo più volte con mesta gravità, credendo che il principe gli avesse fatto quella domanda per chiamarlo a parte d'un dispiacere.

– Ha viaggiato insieme con don Flaminio, – aggiunse con un sospiro, – e con la povera figliuola.

Donna Adelaide ruppe in nuovi e più forti singhiozzi. Don Ippolito pestò un piede rabbiosamente.

– Bisogna vincere i proprii dolori, – disse con fierezza – e guardar oltre! Saper vivere per qualche cosa che stia sopra alle nostre miserie quotidiane e a tutte le afflizioni che ci procaccia la vita! Io ho scritto a mio figlio, Monsignore, e ho fatto anche chiamare il Capolino per proporgli d'andare ad abboccarsi con lui, se fosse possibile venire a qualche intesa...

– Ma come, don Ippolito? – esclamò, con stupore e afflizione, Monsignore. – Con quelli che gli hanno or ora assassinato barbaramente la moglie?

Don Ippolito tornò a pestare un piede sul tappeto, strinse e scosse le pugna, e col volto levato e atteggiato di sdegno, fremette:

– Schiavitù! schiavitù! schiavitù! Ah se io non fossi inchiodato qui!

– Ma che siamo sbanditi? davvero sbanditi? – domandò allora, tra le lagrime, donna Adelaide, rivolta al vescovo. – Chi ci proibisce d'uscire di qui, d'andare dove ci pare, Monsignore?

– Chi? – gridò don Ippolito, volgendosi di scatto, col volto scolorito dall'ira. – Non lo sapete ancora? Monsignore, non ha posto lei chiaramente i patti di queste mie nuove nozze sciagurate? Come non sa ancora costei chi ci proibisce d'uscire di qui?

– Ma in un caso come questo! – gemette donna Adelaide. – Vado io sola! Egli può restare! Santo Dio, ci vuole anche un po' di cuore, ci vuole!

Monsignor Montoro la supplicò con le mani di tacere, d'usar prudenza. Don Ippolito si portò e si premette forte le mani sul volto, a lungo; poi mostrando un'aria al tutto cangiata, di profonda amarezza, di profondo avvilimento, disse:

– Monsignore, procuri d'indurre mio cognato a portar qui la figliuola, presso la zia. Forse la quiete, la novità del luogo le potranno far bene.

– Ah, qui? davvero qui? Ah se viene qui... – proruppe allora con furia di giubilo donna Adelaide, dimenandosi, quasi ballando sulla seggiola. – Sì, sì, sì, Monsignore mio. Sente? lo dice lui! La faccia venire qui, Monsignore, subito subito, qui, la mia povera figliuola!

Lieto della concessione, Monsignore parò le candide mani paffute ad arrestare quella furia:

– Aspettate... permettete? Ecco... vi devo dire... oh, una cosa che mi ha tanto, tanto intenerito... Qua, sì... ma aspettate... vedrete che è meglio lasciare per ora a Girgenti la povera figliuola... Forse abbiamo un mezzo per guarirla. Sì, ecco, l'altro ieri sera, sapete chi è venuto a trovarmi al vescovado? Il De Vincentis, quel povero Ninì De Vincentis, innamorato da lungo tempo della ragazza, lo sapete. Caro giovine! Oh se l'aveste veduto! In uno stato, vi assicuro, che faceva pietà. Si mise a piangere, a piangere perdutamente, e mi pregò, mi scongiurò di dire a don Flaminio che si fidasse di lui e lo mettesse accanto alla ragazza, ché egli col suo amore, con la sua calda pietà insistente sperava di scuoterla, di richiamarla alla ragione, alla vita. Ebbene, che ne dite?

– Magari! – esclamò donna Adelaide. – E Flaminio? Flaminio?

– Ho fatto subito, jeri mattina, l'ambasciata, – rispose Monsignore. – E don Flaminio, che conosce il cuore, la gentilezza e l'onestà illibata del giovine, ha accettato la proposta, promettendo al De Vincentis che la figliuola sarà sua se farà il miracolo di guarirla. Ora il giovine è lì, presso la povera figliuola. Lasciamola stare, donna Adelaide, e preghiamo Iddio insieme, che il miracolo si compia.

Con questa esortazione, monsignor Montoro tolse commiato. Per le scale disse a don Ippolito che aveva in animo di mandare una pastorale ai fedeli della diocesi, e che fra qualche giorno sarebbe venuto a fargliela sentire, prima di mandarla. Don Ippolito aprì le braccia e, appena il vescovo partì con la vettura, andò a rinchiudersi nelle sale del *Museo*.

Donna Adelaide rimase a piangere, prima di tenerezza per quell'atto del povero Ninì, poi per disperazione, poiché sapeva purtroppo in che conto la nipote tenesse un tempo quel giovine. Forse, se anche lei avesse potuto esserle accanto, a persuaderla... chi sa! E cominciò a fremere di nuovo e a struggersi tra le smanie e a sentirsi divorata dalla rabbia per quella barbarie del principe, che la costringeva a star lì. E perché poi? che cosa rappresentava, che cosa stava a far lì, lei? No, no, no; voleva andar via, scappare, fuggire, o sarebbe anch'essa impazzita! Decise di scrivere al fratello, scongiurandolo di venir subito a riprendersela, a liberarla da quella galera, o con le buone o con le cattive.

Lieto della chiamata del principe di Laurentano, Ignazio Capolino si disponeva a scendere a Colimbètra, quando nella saletta d'ingresso udì la vecchia serva respingere sgarbatamente qualcuno, che chiedeva di lui. Si fece avanti, sporse il capo a guardare, vide due donne vestite di nero, con uno scialle pur nero in capo, stretto attorno al viso pallido e smunto. Erano le due figliuole del Pigna, Mita e Annicchia.

Capolino, come intese il nome, le fece entrare nel salotto e, dopo averle costrette a sedere, domandò loro che cosa desiderassero. Per pudore della loro miseria e per sostenere con dignità il cordoglio, resistevano entrambe alla commozione irrompente. Lo sforzo che facevano per non piangere, intanto, e la suggezione, impedivano la voce. E tutte e due stropicciavano forte, sotto lo scialle nero, il pollice della mano sinistra sulla costa dell'ultima falange dell'indice, ottusa, incallita, annerita e bucherata dall'assiduo passaggio dell'ago e del filo, quasi che soltanto nella sensibilità perduta di quel dito potessero trovar la forza e il coraggio di parlare. Alla fine, Mita, levando appena gli occhi offuscati, riuscì a dire:

– Signor deputato, siamo venute a pregarla...

E l'altra subito suggerì, corresse:

– Le diamo l'incomodo... col dolore che deve avere in sé...

– Dite, dite pure, – le esortò Capolino. – Sono qua ad ascoltarvi.

– Sissignore, ecco... Vossignoria saprà, – riprese Mita, facendosi improvvisamente rossa in viso, – che nostro padre e il Lizio, che è...

– Marito d'una nostra sorella, – tornò a suggerire Annicchia.

Mita le rivolse con gli occhi un pietoso rimprovero.

– Sono stati arrestati, signor deputato!

– Innocenti, signor deputato, innocenti!

– Siamo testimonie noi, che non sapevano nulla, proprio nulla del fatto...

Capolino, confuso tra l'ansia affannosa e incalzante con cui le due sorelle ora parlavano, domandò:

– Di qual fatto?

– Come! – fece Mita. – Del fatto, che vossignoria, purtroppo...

– Oh Signore! – esclamò Annicchia. – Ce ne trema ancora il cuore.

E Mita riprese:

– Sono stati arrestati anch'essi, innocenti come Cristo... Siamo testimonie noi, che sono rimasti sbalorditi e senza fiato, quando se ne sparse la notizia; non sapevano nulla di nulla...

– E vossignoria può credere, – aggiunse Annicchia, – che non avremmo avuto il coraggio di venire qua a parlarne a vossignoria, se non fossimo più che sicure che sono innocenti...

E Mita, con gli occhi bassi, tremante:

– La sua signora, – disse, – noi l'abbiamo servita e sappiamo quant'era buona... signora affabile... e bella, oh quant'era bella... che pena!

Capolino strizzò gli occhi, si torse un po' sulla seggiola, e domandò con voce grossa:

– Avete avuto una perquisizione in casa?

– Sissignore, – risposero a una voce le due sorelle. Seguitò Mita: – Guardie, delegati, giudici... come tanti diavoli... hanno messo tutto sossopra...

– E che hanno trovato?

– Niente!

– Oh Maria, proprio niente... Qualche lettera... giornali... l'elenco dei socii.

– Socii per modo di dire... non veniva nessuno...

– Libri... carte... Si son portato via tutto... anche un capo di biancheria, signor deputato, con una goccia di sangue che m'ero fatto io, qua al dito, cucendo...

Capolino si strinse la bocca con una mano sotto il naso, e rimase un pezzo accigliato, a pensare; poi disse:

– Se non verrà fuori qualche compromissione...

– Ah, nossignore! – esclamò subito Mita. – Col fatto per cui sono stati arrestati, nessuna; certo nessuna! Vossignoria può crederlo...

– Non saremmo venute da vossignoria... – ripeté Annicchia.

Capolino tese le mani per fermarle; si raccolse di nuovo a pensare.

– Sapete, – poi domandò, – che io non sono benvisto dall'autorità? Sapete che, per scusare trenta e più anni di malgoverno, si vuol far credere che tutti questi torbidi in Sicilia siano suscitati sotto sotto dal partito clericale, a cui io appartengo?

– Vossignoria... ma come! – disse Annicchia, con le mani giunte. – Se vossignoria ha avuto... se a vossignoria...

– Tanto più! Tanto più! – troncò Capolino. – Diranno: «Ecco, vedete che c'è l'accordo? Il cuore è una cosa; la politica, un'altra! Viene lui, lui stesso, a intercedere per gli arrestati». Così diranno!

Le due sorelle restarono smarrite, oppresse.

– E come si può credere una tal cosa?... – domandò Mita.

– Ma non la credono affatto! – rispose con un sorriso di sdegno Capolino. – Fingono di credere! È la loro scusa. E io, andando, voi lo capite, farei il loro gioco, senza ottenere nulla per voi. È proprio così! Anche nel 1866, che voi altre non eravate neppur nate, la sommossa popolare a causa delle iniquità politiche e amministrative, fu addebitata a questo capro espiatorio del partito clericale. È la scusa più comoda, per i governanti, e di sicuro effetto!

Le due sorelle rimasero un pezzo in silenzio, assorte, quasi a veder la speranza che le aveva condotte lì, rintanarsi nella pena, cacciata da una ragione inattesa che non riuscivano a intendere chiaramente.

– C'eravamo figurate, – disse poi Mita, – che se vossignoria avesse detto una parola... non solo di fronte all'autorità... ma anche per il paese... Viviamo del lavoro che facciamo noi due, io e questa mia sorella... Nessuno ce ne vuol più dare adesso, perché tutti, per quest'arresto, credono che nostro padre e nostro cognato siano complici nel fatto che giustamente ha indignato tutto il paese... Ora, se vossignoria, che è stato più di tutti offeso, dice una parola... l'innocenza...

– E c'è anche questo, signor deputato! – proruppe Annicchia, non riuscendo più a trattenere le lagrime, – che nostra sorella, signor deputato, quando sono venute le guardie ad arrestare il marito e nostro padre, aveva il bambinello attaccato al petto. Le si è attossicato il latte, signor deputato; e ora il bambino sta morendo, e non sappiamo come curarlo; e nostra sorella pare impazzita per il figlio che le muore, col padre in carcere! Siamo rimaste cinque sorelle in casa; ci volgiamo da tutte le parti e non sappiamo che ajuto darle... Per questo siamo venute qua, a supplicarla, signor deputato!

Capolino s'alzò, come sospinto dalla commozione.

– Vedrò... vedrò di fare qualche cosa... – disse. – Datemi un po' di tempo... Bisogna che veda... per la mia... dico, per la mia responsabilità politica... Il cuore, ve l'ho detto, è una cosa; la politica, un'altra... Ma vedrò... non m'impegno... Quietatevi, quietatevi... e coraggio, figliuole mie... È un momento orribile per tutti, credete... e nessuno riesce a vederci uno scampo...

Le accompagnò, così dicendo, fino alla saletta d'ingresso; non volle scuse né ringraziamenti; richiuse pian piano la porta alle loro spalle.

Pur senz'alcuna fiducia in quella vaga promessa d'ajuto, le due sorelle, appena uscite su la via, provarono un certo sollievo per il passo che avevano fatto, quasi un'ebbrezza d'aver saputo parlare, per cui si sentirono alquanto riconfortate. Ma presto, pensando al luogo ove erano avviate, ricaddero nell'avvilimento d'una vergogna scottante. Si recavano alla Posta a riscuotere un po' di denaro che Celsina aveva mandato da Roma, e di cui non sapevano che pensare... E altro danaro, in quei giorni, poco, oh poco, e frutto d'un'altra vergogna ben nota, veniva dalla sorella maggiore, da Rosa, a quelle loro povere mani logorate dal lavoro e ora forzate dall'ozio, forzate ad accogliere il tristo peso di quei soccorsi non chiesti.

Che agli occhi altrui figurasse d'andare a Colimbètra non di sua volontà, ma chiamato, piaceva molto a Capolino. Era là, adesso, appesa al ramo una pera, rimasta un tempo acerba alla sua brama; ma che ora, a quanto poteva congetturare da notizie recenti, doveva esser più che matura, lì lì per cadere, a una scrollatina cauta e ardita della sua mano. Sarebbe stato questo, il perfetto compimento della sua vendetta! E tutto pareva meravigliosamente preordinato perché si compisse presto e bene. Adelaide Salvo figurava nubile tuttora davanti allo stato civile. L'avrebbe spinta a fuggire con lui a Roma, a riparare in casa della sorella Rosa. Prudentemente, per raffermar bene il suo diritto di salvatore, si sarebbe prima trattenuto alcuni giorni a Napoli con lei che, poverina, doveva aver tanto bisogno di quegli svaghi che solamente una città come Napoli poteva offrirle. A Roma, si poteva senza chiasso contrar le nozze civili. Francesco Vella avrebbe trovato modo di farlo entrare in qualità d'avvocato consulente nell'amministrazione delle ferrovie; e non era detto che non dovesse piacergli che egli, divenuto di nuovo suo cognato, restasse con quella medaglietta ciondolante sul panciotto. Col tempo anche Flaminio Salvo, per intercessione di don Francesco e di donna Rosa, si sarebbe forse placato e non gli avrebbe attraversato la via. Il vero punto, adesso, era persuadere Adelaide d'affrontar lo scandalo della fuga, in quel momento sciagurato della pazzia della nipote. Ma monsignor Montoro gli aveva detto che il principe proibiva assolutamente alla moglie di recarsi a Girgenti anche per una visita in casa del fratello. Un'altra congiuntura meravigliosamente propizia era nell'opera pietosa offerta da quel caro Ninì Dè Vincentis alla povera ragazza. Che se Dianella fosse stata portata a Colimbètra presso la zia come il principe aveva proposto, altro che pensare alla fuga, egli non avrebbe potuto più neanche mettervi il piede! Ma poteva bastare ad Adelaide questa vaga speranza, questa magra consolazione da lontano, di sapere inginocchiato innanzi alla nipote demente quel povero San Luigi? In fondo tutto quell'ardore, per quanto sincero, di visitare la nipote, doveva essere un pretesto per uscir da Colimbètra. Le ragioni delle sue smanie perduravano tutte, esacerbate per giunta da quella proibizione. Né Flaminio Salvo si sarebbe mai indotto a persuadere il principe di concedere alla sorella quell'uscita. Bisognava insistere su questo punto, dimostrare ad Adelaide che il fratello non era uomo da venir meno ai patti stabiliti col principe per nessuna considerazione; cosicché ella, perduta ogni speranza nell'ajuto del fratello e vedendosi condannata a struggersi lì nel dispetto e nella noja, non vedesse più altro scampo che in lui, e trovasse nella disperazione il coraggio della fuga.

Questi pensieri e ricordi e propositi rivolgeva in sé Capolino, scendendo da Girgenti a Colimbètra in vettura. Ma non gli suscitavano dentro né ansia, né calore. Avvertiva anzi una frigidità nauseosa, come se la vita gli si fosse rassegata; sentiva che quella sua vendetta era per cose che restavano indietro nel tempo, irrevocabili, e già morte nel cuore, e che però non ne avrebbe avuto né gioja, né promessa di bene per l'avvenire. Vendicava uno che, un giorno, era stato respinto da Adelaide Salvo; ma era più ormai quell'uno? Tante cose non avrebbero dovuto accadere, che purtroppo erano accadute, e di cui sentiva in sé, nel cuore, il peso morto, perché avesse ora qualche gioja della sua vendetta. E appunto tutte queste cose morte gliela rendevano così facile. Ecco perché sentiva quella frigidità nauseosa. In Nicoletta Spoto aveva potuto trovare un certo compenso, un rinfranco alla nausea della sua abiezione; per quella e con quella, valeva quasi la pena d'esser vile... Ma suscitare adesso un nuovo scandalo, fare un affronto a un uomo come don Ippolito Laurentano, per Adelaide Salvo... Forse però, in fin dei conti, sarebbe stato anche un sollievo per don Ippolito portargli via quella moglie! Sul momento, l'amor proprio ne avrebbe un po' sofferto; ma non era male che a lui così favorito sempre dalla sorte, bello, nobile, ricco, che aveva potuto prendersi il gusto e la soddisfazione di tener sempre alta la fronte, la sorte stessa, ora, all'ultimo, con la mano di lui Capolino, allungasse uno scappellotto, così di passata.

Ancora un'altra agevolazione, e questa davvero inaspettata, e tale da fargli quasi cader le braccia, trovò, appena arrivato alla villa. Don Ippolito, sdegnato da un canto dalla sfiducia del vescovo, dall'altra al tutto disilluso dalla risposta di Lando, arrivatagli la sera avanti da Palermo, circa alla possibilità di venire a un accordo col partito clericale, s'era rifugiato, come in tante altre occasioni bisognoso di conforto, nel culto delle antiche memorie, nell'opera da lungo tempo intrapresa sulla topografia akragantina.

Come per l'acropoli, così per l'emporio d'Akragante, s'era messo contro tutti i topografi vecchi e nuovi, che lo designavano alla foce dell'Hypsas. Quivi egli invece sosteneva che fosse soltanto un approdo, e che l'emporio, il vero emporio, Akragante, come altre antiche città greche non poste propriamente sul mare, lo avesse lontano, in qualche insenatura che potesse offrire sicuro ricovero alle navi: Atene, al Pireo; Megara attica, al Niseo; Megara sicula, allo Xiphonio. Ora, qual era l'insenatura più vicina ad Akragante? Era la così detta Cala della Junca, tra Punta Bianca e Punta del Piliere. Ebbene là, dunque, nella Cala della Junca, doveva essere l'emporio akragantino.

A questa conclusione era arrivato con la scorta d'un antico leggendario di Santa Agrippina. Ed era lieto e soddisfatto di una pagina che aveva trovato modo d'inserire nell'arida discussione topografica, per descrivere il viaggio delle tre vergini Bassa, Paola e Agatonica, che avevano recato per mare da Roma il corpo della santa martire dell'imperatore Valeriano. Non era dubbio che le tre vergini fossero approdate col corpo della santa alla spiaggia agrigentina, in un luogo detto *Lithos* in greco e *Petra* in latino, quello stesso oggi chiamato Petra Patella, o Punta Bianca. Orbene, nell'antico agiografo si leggeva che al momento dell'approdo delle tre vergini un monaco che usciva dal monastero di Santo Stefano nel villaggio di Tyro presso l'emporio, avviato ad Agrigento, s'era fermato, attratto dal soave odore che emanava dal corpo della santa, ed era poi corso alla città ad annunziare quel prodigio al vescovo San Gregorio. Se, come volevano i vecchi e nuovi topografi, l'emporio era alla foce dell'Hypsas, e dunque pur lì il *vicus* di Tyro e il monastero di Santo Stefano, come mai quel monaco, avviato ad Agrigento, s'era potuto imbattere a Punta Bianca nelle tre vergini che approdavano col corpo della santa martire? Era del tutto inammissibile. Il monastero di Santo Stefano di Tyro doveva esser lì, presso Punta Bianca, e dunque pur lì l'emporio. E la prova più convincente era nel nome di quel villaggio, uguale a quello della grande città fenicia: Tyro. Questo nome probabilmente lo avevano dato i Cartaginesi al tempo del loro attivo commercio con gli Akragantini, e tale per qualche monte che doveva sorgere presso il villaggio: *tur*, difatti, in fenicio significa monte. Ne sorgeva forse qualcuno presso la foce dell'Hypsas? No; il monte, designato anzi come per antonomasia il Monte Grande, sorge là appunto, presso Punta Bianca, e domina la Cala della Junca.

Don Ippolito, quella mattina per tempissimo, s'era recato a cavallo, con la scorta di Sciaralla e di altri quattro uomini, a visitare più attentamente quei luoghi, e in ispecie la costa di quel Monte Grande, nella contrada detta Litrasi, ove sono certi loculi creduti da alcuni topografi tombe fenicie, ma che a lui parevano molto più recenti e disposti e scavati in uno stile uso in Sicilia al tempo del basso impero, sicché potevano risalire agli anni del vescovado di San Gregorio, cioè al tempo che colà erano sbarcate le tre fedeli vergini Bassa, Paola e Agatonica con la salma odorosa della santa martire Agrippina.

Di ritorno, benché da ogni parte gli si stendessero amenissimi allo sguardo nel tepore quasi primaverile immensi tappeti vellutati di verzura, qua dorati dal sole, là vaporosi di violente ombre violacee, sotto il turchino intenso e ardente del cielo, don Ippolito, guardando le sue mani appoggiate su l'arcione della sella, non aveva pensato più ad altro che alla morte, alla sua scomparsa da quei luoghi, che ormai non doveva essere lontana. Ma contemplata così, sotto quel sole, in mezzo a tutto quel verde, mentre il corpo si dondolava ai movimenti uguali della placida cavalcatura, la morte non gli aveva ispirato orrore, bensì un'alta serenità soffusa di rammarico e insieme di compiacenza, per la gentilezza e la nobiltà dei pensieri e delle cure, di cui aveva sempre intessuto la sua vita in quei luoghi cari, a cui tra poco avrebbe dato l'ultimo addio. E s'era immerso a lungo in quel sentimento nuovo di serenità, come per mondarsi del terrore angoscioso ch'essa, la morte, gli aveva cagionato finora, e a cui doveva quelle indegne sue seconde nozze che avevano profanato il decoro della sua vecchiezza, l'austerità del suo esilio.

Poco dopo mezzogiorno, rientrando a Colimbètra, stanco della lunga cavalcata, sorprese nel salone Capolino e donna Adelaide in fitto colloquio: questa, accesa e in lacrime; quello, pallido e in fervida agitazione. Si fermò su la soglia, con un piglio più di nausea che di sdegno.

– Oh, principe... – fece subito Capolino, levandosi in piedi, smarrito.

– State, state... – disse don Ippolito, protendendo una mano, più per impedirgli d'accostarsi, che per fargli cenno di restar seduto. – Non vi chiedo scusa del ritardo, perché la signora, vedo... mi avrà dipinto anche a voi per un così barbaro uomo, che non vi sarete doluto se vi è mancata finora la mia compagnia...

– No... la... la principessa... veramente... – barbugliò Capolino.

Don Ippolito s'impostò fieramente e disse con acciliata freddezza:

– Può andare, se vuole. Ma sappia che ciò che oggi le impedisce di uscire dal cancello della mia villa, le impedirà domani di rientrarvi. E ora seguitate pure la vostra conversazione.

Si mosse per uscire dal salone. Capolino tentò di sostenere, innanzi alla donna, la sua dignità maschile, e gli disse dietro, quasi con aria di sfida, ma che poteva anche parer di scusa:

– Voi, principe, mi avete fatto chiamare...

Don Ippolito, già arrivato all'uscio, si voltò appena, tenendo scostata con la mano la portiera:

– Oh, per una cosa da nulla, – disse. – Ormai... ubbie! ubbie!

E passò, lasciando ricadere la portiera.

– La risposta... la risposta... – proruppe subito donna Adelaide, alzandosi soffocata e con gli occhi tumidi e insanguati dal pianto, – aspetto fino a do-

mani la risposta, o che venga lui qua a dirmi se debbo proprio crepare e farmi
pestar la faccia così...

– Ma certo! ma certo! ma certo! – ribatté Capolino, andandole dietro. –
Come vuoi che Flaminio ti dica...

– Me lo deve dire! – lo interruppe lei, frenetica, mostrando i denti e le
pugna. – Questo mi deve dire, con la sua bocca; e allora sì, allora sì, subito!
faccio lo sproposito! sono pronta! faccio lo sproposito!

Entrò in quel punto Liborio, il cameriere favorito del principe, in preda a
un'ansia spaventata, e restò un momento perplesso alla vista del pianto e del-
l'agitazione della signora.

– Eccellenza... Eccellenza... – disse, – il signor don Salesio...

– Che cos'è? – domandò con rabbia donna Adelaide. – Che vuole?

– Niente, eccellenza... pare che...

E Liborio alzò una mano a un gesto vago, di benedizione.

– Ah, – fece allora donna Adelaide, piantando duramente gli occhi in faccia
a Capolino e restando un tratto a guardarlo accigliata e a bocca aperta, come
per saper da lui se fosse bene o male, che giusto in quel punto quel poveretto
morisse. – Meglio... meglio così! – esclamò poi, – meglio così, pover'uomo...
Andiamo, Gnazio, andiamo a vederlo...

E corse dietro a Liborio, seguita da Capolino, frastornato e turbato.

– L'ho tenuto qua con me... – gli diceva, andando, – l'ho trattato... l'ho curato... Bella gente siete stati vojaltri, ad abbandonarlo così... povero vecchio...
Meglio, meglio... si leva di patire... Anch'io l'ho trascurato in questi ultimi
giorni... Assassini! Gli hanno dato il colpo di grazia... Ma anche lui però, bisogna dirlo, mangiava troppo... troppi dolci...

– Eh sì, eccellenza, – sospirò Liborio, – glielo dicevo anch'io... troppi...

– Piglia, piglia, Gnazio... m'è caduto il fazzoletto. Oh Bella Madre Santissima, che puzzo qui!

E si turò il naso con una mano, restando davanti alla soglia della cameretta
in cui il povero vecchio moriva, sostenuto sul letto dal cuoco, accorso alla
chiamata di Liborio. Trattenuti dall'orrore istintivo della morte, ma forse più
dal ribrezzo per l'estrema magrezza di quel volto cartilaginoso, dai peli stinti,
dai globi degli occhi già induriti sotto le pàlpebre semichiuse, donna Adelaide
e Capolino stavano a guardare, ancora lì su la soglia, allorché videro la bocca
del moribondo aprirsi, aprirsi sempre più, spalancarsi smisuratamente, come
forzata con violenza crudele da una molla interna.

– Oh Dio! – gemette donna Adelaide. – Perché fa così?

Non aveva finito di dirlo, che da quella bocca springò fuori, di scatto, qualcosa, orribilmente. Donna Adelaide gettò un grido di raccapriccio e levò le
mani quasi a riparo del volto. Liborio andò a guardare sul letto e, scorgendovi
una dentiera aperta:

– Niente, eccellenza! – disse con un sorriso pietoso. – Ha finito di mangiare...

Il cuoco intanto adagiava sul cuscino il capo esanime del povero vecchio.

VII.

Nella vasta sala sonora dell'antica cancelleria nel palazzo vescovile, dal tetro
soffitto affrescato e coperto di polvere, dalle alte pareti dall'intonaco ingiallito,
ingombre di vecchi ritratti di prelati, coperti anch'essi di polvere e di muffa,
appesi qua e là senz'ordine sopra armadi e scansìe stinte e tarlate, si levò un
brusìo d'approvazioni appena monsignor Montoro, con la sua bella voce dalle
inflessioni misurate quasi soffuse di pura autorità protettrice, finì di leggere al
capitolo della cattedrale e a molti altri canonici e beneficiali, lì apposta radu-
nati, la pastorale ai reverendi parroci della diocesi su i luttuosi avvenimenti

che funestavano la Sicilia e contristavano ogni cuor cristiano. Da un versetto
di San Matteo, Monsignore aveva intitolato quella sua pastorale: *Semper pau-
peres habetis vobiscum...*

Era una giornataccia rigida e ventosa di gennajo; e più volte durante la lettura il vescovo e anche gli ascoltatori avevano rivolto gli occhi ai vetri dei finestroni che pareva volessero cedere alla furia urlante della libecciata. Tutta la
lettura calma di quella mansueta omelìa aveva avuto l'accompagnamento sinistro di sibili acuti e veementi, di cupi, lunghi mugolìi che spesso avevano distratto più d'uno, diffondendo nella vasta sala vegliata da quei ritratti antichi
impolverati e ammuffiti uno sbigottito rammarico della vanità di quella interminabile esercitazione oratoria.

Parecchi se n'erano stati a guardare attraverso uno di quei finestroni il terrazzino d'una vecchia casa dirimpetto, sul quale un povero matto pareva provasse chi sa che voluttà, forse quella del volo, esposto lì al vento furioso che
gli faceva svolazzare attorno al corpo la coperta del letto, di lana gialla, posta
su le spalle: rideva con tutto il viso squallido, e aveva negli occhi acuti, spiritati, come un lustro di lagrime, mentre gli scappavan via di qua e di là, come
fiamme, le lunghe ciocche dei capelli rossigni. Quel poverino era il giovane
fratello del canonico Batà, il quale si trovava anche lui nella sala, attentissimo
in vista alla lettura del vescovo, ma dentro di sé assorto di certo in pensieri
estranei che più volte lo avevano fatto gestire comicamente.

Terminata la lettura, quelli tra i più vecchi canonici che conoscevano meglio
il debole del loro eccellentissimo vescovo s'affrettarono a circondar la tavola,
innanzi alla quale egli stava seduto, per farsi ripetere chi una frase e chi un'altra fra le tante, di cui Monsignore, dal modo con cui le aveva proferite, era
parso loro dovesse essere più contento e soddisfatto.

– Quella, quella dell'esercito di Satana, eccellenza, come dice?

– Allude alla massoneria, non è vero, Vostra Eccellenza? come dice?

E Monsignore, dentro gongolante, ma fuori con un'aria di stanca condiscen-
denza, abbassando su i chiari occhi ovati quelle sue pàlpebre lievi come veli
di cipolla, e crollando il capo in segno di affermazione, e facendo cenno con
la mano d'aspettare, cercava nel foglio e ripeteva:

– Malvagia e ria setta... malvagia e ria setta, che a suo architetto ha scelto il
demonio, a gerofante il giudeo...

– Ah, ecco! A gerofante il giudeo! – esclamavano quelli. – Stupenda espressione, eccellenza! stupenda...

– Gagliarda... gagliarda...

– Ma che ventaccio, buon Dio! – riprendeva a lamentarsi il vescovo, afflitto,
come d'un ingiusto compenso al merito di quella sua fatica.

I più giovani canonici, intanto, che più di tutti avevano prestato ascolto alla
lettura, si scambiavano tra loro occhiate di disgusto per quei vecchi e sciocchi
piaggiatori, o di dolorosa rassegnazione per l'accoglienza che il popolo
avrebbe fatto a quel vaniloquio che s'aggirava tutto quanto attorno a una non
più ingenua che crudele domanda che i reverendi parroci avrebbero dovuto rivolgere ai poveri della diocesi: perché mai la miseria, che sempre era stata e
sempre sarebbe stata, solamente ora perturbasse così gli animi e gli ordini e
prorompesse in così deplorabili eccessi. Pareva ad alcuni di quei giovani prelati, che Monsignore avrebbe potuto almeno parafrasare per gli avvenimenti
dell'isola l'enciclica recente di S. S. Leone XIII, *De conditione opificum*, nella
quale era pur detto che i proprietarii dovessero cessare dall'usura aperta o pal-
liata, e dal tener gli operaj in conto di schiavi, e dal trafficare sul bisogno dei
miseri, invece di mostrarsi così avverso a coloro che «osavano attentare
all'antica rigidità del diritto quiritario». Tanto più s'affliggevano del tono di
quella pastorale del loro vescovo, in quanto che, proprio il giorno avanti, in
difesa dei poveri Pompeo Agrò aveva pubblicato un fiero opuscolo, nel quale,

dopo aver paragonato le condizioni della Sicilia a quelle dell'Irlanda, e messo in rilievo il linguaggio e l'atteggiamento assunti da illustri prelati cattolici, inglesi e americani, nelle questioni economiche e sociali del momento, aveva – quasi per sfida – citato l'insolente risposta del reverendo Mac Glynn, curato cattolico di New York, all'invito del suo vescovo di moderare la propaganda rivoluzionaria: «Ho sempre insegnato, Monsignore, e sempre insegnerò, fino all'ultimo respiro, che la terra è di diritto proprietà comune del popolo, e che il diritto di proprietà individuale sul suolo è opposto alla giustizia naturale, quantunque sancito dalle leggi civili e religiose!». Era quell'opuscolo dell'Agrò tutto un'acerba requisitoria contro l'ignoranza e l'accidia del clero siciliano. Ed ecco che, a un giorno di distanza, quella pastorale del loro vescovo veniva a darne la prova più schiacciante. Altri in crocchio si consigliavano, se non fosse prudente mandare più tardi, in segreto, qualcuno dei vecchi più accetti a Monsignore, per fargli notare a quattr'occhi anche l'inopportunità di quella pastorale, ora che in paese correva la voce che, per l'imperversare ovunque della bufera, fosse imminente se non di già avvenuta la proclamazione dello stato d'assedio in tutta la Sicilia. Si faceva anzi il nome d'un generale dell'esercito, nominato commissario straordinario con pieni poteri; quello stesso che, da alcuni giorni, era sbarcato a Palermo con un intero corpo d'armata. Si diceva che per prima cosa costui aveva fatto arrestare i membri del Comitato centrale dei *Fasci*, i quali la sera avanti avevano lanciato un proclama rivoluzionario ai lavoratori dell'isola.

– Sì, sì, eccolo... l'ho qua in tasca... è vero! è vero! – disse uno, misteriosamente. – Or ora, fuori, lo leggeremo...

Ma a frastornare e ad accrescere la curiosità ansiosa di quel crocchio, sopraggiunse in quel punto nella sala, più pallido del solito e anelante, il giovane segretario del vescovo, che recava evidentemente la conferma di quelle gravissime notizie. Si affollarono tutti attorno alla tavola.

– Proclamato?

– Sì, sì, lo stato d'assedio, proclamato; e ordinato il disarmo della popolazione.

– Anche il disarmo? Oh bene... bene...

– E arrestati i membri del Comitato centrale dei *Fasci*, in Palermo.

– Tutti?

– Non tutti; alcuni sono riusciti a fuggire. Tra questi, si dice, anche il figlio del principe di Laurentano.

– Oh Dio, che sento! – gemette il vescovo. – Già... c'era anche lui!... Fuggito? Fuggito?

La notizia non era certa: molti asserivano che anche il Laurentano era stato arrestato. Subito, del resto, tutta la Sicilia sarebbe occupata militarmente, fin nelle più piccole borgate, cosicché anche quei fuggiaschi sarebbero presi e tratti in arresto.

– Oh Dio, che sento! oh Dio, che sento! – riprese a esclamare Monsignore. – Ma dunque... siamo davvero a questo?

Di nascosto, dalla tasca di quel giovine prelato venne fuori il proclama del Comitato, diffuso in gran copia su fogli volanti per tutte le città dell'isola; passò dall'uno all'altro attorno alla tavola; ma molti non sapevano che fosse, e ognuno, saputolo, si ricusava d'aprirlo e ne faceva passaggio al più presto, come se quella carta ripiegata e brancicata bruciasse o insudiciasse le mani, finché arrivò a quelle del giovine segretario che la spiegò e cominciò a leggerla forte alla presenza del vescovo, tra lo stupore e lo sgomento d'alcuni e i vivaci commenti o di derisione o d'indignazione degli altri.

Trattando come da potenza a potenza col Governo, il Comitato, in tono solenne, domandava a nome dei lavoratori della Sicilia: *l'abolizione del dazio delle farine* (– Eh, fin qui! –); *un'inchiesta su le pubbliche amministrazioni, col concorso dei Fasci* (– Oh bravi! Eh, scaltri... già! –); *la sanzione legale dei patti colonici e minerarii deliberati nei congressi del partito socialista* (– Come come? Sanzione legale? Eh già, legale! Il bollo governativo! –); *la costituzione di collettività agricole e industriali, mediante i beni incolti dei privati o i beni comunali dello Stato e dell'asse ecclesiastico non ancora venduti* (e qui si scatenò una furia di proteste, una confusione di gridi, tra cui predominavano: – La spoliazione!... Briganti!... Roba di nessuno! – mentre il giovane segretario con la mano faceva cenno di tacere, ché c'era dell'altro, di meglio, di meglio, e ripeteva, leggendo nella carta: – Nonché... nonché... –); *nonché l'espropriazione forzata dei latifondi, con la concessione temporanea agli espropriati di una lieve rendita annua* (– Oh, troppo buoni! – Troppa grazia! – Che generosità! – Che degnazione! –); *leggi sociali per il miglioramento economico e morale dei proletarii*, e infine la bomba: *stanziamento nel bilancio dello Stato della somma di venti milioni di lire per provvedere alle spese necessarie all'esecuzione di queste domande, per l'acquisto degli strumenti da lavoro tanto per le collettività agricole quanto per quelle industriali, e per anticipare alimenti ai socii e porre le collettività in grado d'agire utilmente.*

– Ma sono pazzi! ma sono pazzi! – proruppe, tra il baccano generale, Monsignore, levandosi in piedi. – Oh Signore Iddio, che tracotanza! Ma è certo, eh? è certo l'arrivo di questo corpo d'armata? è certo, eh? Qua non si scherza! Oh Dio! oh Dio!

Il giovine segretario s'affrettò a rassicurarlo, poi terminò la lettura del proclama che, concludendo, raccomandava la calma, *perché coi moti isolati e convulsionarii non si sarebbero raggiunti benefizii duraturi*, e ammoniva che *dalle decisioni del governo si sarebbe tratta la norma della condotta da tenere.*

Ma Monsignore, scartando con ambo le mani come superflue quelle raccomandazioni e quegli ammonimenti, ordinò al segretario subito di mandare a stampa la sua pastorale che certo sonerebbe gradita a quel Generale comandante il corpo d'armata; e sciolse la riunione per recarsi in fretta a Colimbètra a confortare il principe di Laurentano. Con lungo e strepitoso svolazzìo di tonache e di tabarri quella frotta di canonici, investita dal vento, discese dalle alture di San Gerlando a mescolarsi al subbuglio della città. Il matto, sul terrazzino, gridava, felice, agitando la coperta gialla, come per rispondere allo svolazzare di tutti quei tabarri neri.

Correndo a Colimbètra, monsignor Montoro non supponeva di certo che sentimenti molto simili a quelli espressi da lui con tanta untuosità letteraria nella sua pastorale agitavano l'animo d'uno di coloro ch'egli aveva poc'anzi chiamato pazzi. Al primo contatto diretto con quei così detti compagni, alle ripercussioni più vicine e più frequenti degli episodii sanguinosi di quella sollevazione popolare, Lando Laurentano s'era veduto chiamato dagli amici in Sicilia a rispondere, se non d'un vero delitto, poiché non poteva diffidare della loro buona fede, certo d'una enorme pazzia. Sempre per quella infatuazione, dovuta forse in gran parte, quasi un abbagliamento, al calore stesso della terra che dava tanta teatralità di voce e di gesti alla vita dei suoi compaesani, e di cui egli – volontariamente rigido – aveva avuto sempre un così aspro dispetto! Come avevano potuto illudersi i suoi amici d'essere riusciti in pochi mesi, con le loro prediche, a rompere quella dura scorza secolare di stupidità armata di diffidenza e d'astuzie animalesche, che incrostava la mente dei contadini e dei solfaraj di Sicilia? Come avevano potuto credere possibile una lotta di classe, dove mancava ogni connessione e saldezza di principii, di sentimenti e di propositi, non solo, ma la più rudimentale cultura, ogni coscienza? Tutta, da cima a fondo, la tattica era sbagliata. Non una lotta di classe, impossibile in quelle condizioni, ma una cooperazione delle classi era da tentare, poiché in tutti gli ordini sociali in Sicilia era vivo e profondo il malcontento contro il governo italiano, per l'incuria sprezzante verso l'isola fin dal 1860. Da una parte il costume feudale, l'uso di trattar come bestie i contadini, e l'avarizia e l'usura; dall'altra l'odio inveterato e feroce contro i signori e la sconfidenza assoluta nella giustizia, si paravano come ostacoli insormontabili a ogni tentativo per quella cooperazione. Ma se disperata poteva apparire l'impresa, forse non meno disperata si scopriva adesso quella che i suoi amici avevano voluto tentare, agevolati sul principio, inconsciamente e sciaguratamente, dall'inerzia del Governo che incoraggiava tutti a osare? Sprofondato in quel momento a Roma fino alla gola nel pantano dello scandalo bancario e fiducioso qua in Sicilia nella sua polizia o inetta o arrogante e soverchiatrice, il Governo, senza darsi cura dei mali che da tanti anni affliggevano l'isola, senza rispetto né per la legge né per le pubbliche libertà, con l'inerzia o con le provocazioni aveva favorito e stimolato il rapido formarsi di quelle associazioni proletarie che, se avessero subito ottenuto qualche miglioramento anche lieve dei patti colonici e minerarii, e se non fossero state sanguinosamente aizzate, presto, senz'alcun dubbio, si sarebbero sciolte da sé, prive com'erano d'ogni sentimento solidale e senz'alcun lievito di coscienza o ombra d'idealità. Questo, Lando Laurentano aveva compreso ora, troppo tardi, sul luogo; e l'animo esacerbato con cui era accorso all'invito gli era rimasto oppresso da uno stupore pieno di tetra ambascia, come se i suoi amici gli avessero empito di stoppa la bocca arsa di sete.

Scosso dall'urgenza di correre a qualche riparo sotto la minaccia incombente d'una violenta, schiacciante repressione da parte del Governo, s'era opposto con indignazione ai consigli di prudenza dei suoi amici, smarriti e sbigottiti dalla gravità estrema del momento. Prudenza? Ora che, a distanza di pochi giorni, nei piccoli paesi dell'interno, a Giardinello, di appena ottocento abitanti, a Lercara, a Pietraperzìa, a Gibellina, a Marinèo, uscivano e si raccoglievano in piazza mandre di gente senz'alcuna intesa, senz'altra bandiera che i ritratti del re e della regina, senz'altra arma che una croce imbracciata da qualche donna lacera e infuriata in capo alla processione, e s'avviavano cieche incontro ai fucili d'una ventina di soldati, a cui più che altro la paura di vedersi sopraffatti consigliava all'improvviso di far fuoco, senza neppure aspettarne il comando? Sì, nessuno aveva suggerito loro quelle processioni che finivano in eccidii; ma di esse e di tutti gli atti inconsulti e del sangue di quei macellati si doveva ora rispondere, appunto perché quelle mandre cieche s'eran credute atte e mature ad accogliere la dimostrazione dei loro diritti. Come tirarsi più indietro, ora, e consigliar prudenza? No, non c'era più altro scampo, ormai, che nell'ultimo prorompimento di quella pazzia: bisognava immolarsi insieme con quelle vittime. E Lando Laurentano aveva sdegnosamente rifiutato di apporre la firma a quel manifesto del Comitato centrale ai lavoratori dell'isola, che nella solennità del tono perentorio gli era sembrato anche ridicolo, non tanto per i patti e le condizioni che poneva al Governo, ma in quanto mancava ogni realtà di coscienza e di forza in coloro nel cui nome li poneva. Di reale, non c'era altro che la disperazione di tanti infelici, condannati dall'ignoranza a una perpetua miseria; e il sangue, il sangue di quelle vittime.

A viva forza, appena proclamato lo stato d'assedio, s'era fatto trascinare da Lino Apes alla fuga. Era fuggito, non per le ragioni che l'Apes nella concitazione del momento gli aveva gridate, ma per l'invincibile repugnanza di far la figura dell'apostolo o dell'eroe o del martire, esposto nella gabbia d'un tribunale militare alla curiosità e all'ammirazione delle dame dell'aristocrazia palermitana a lui ben note. A compagni nella fuga, oltre l'Apes, aveva avuto il Bruno, l'Ingrao e Cataldo Sclàfani, tutti e tre travestiti.

Che riso, misto di sdegno e di compassione, che avvilimento insieme e che ribrezzo, gli aveva destato la vista irriconoscibile di quest'ultimo, senza più quel fascio di pruni che gli copriva le guance e il mento! Pareva che gli occhi e la voce ancora non lo sapessero, e producevano un ridicolissimo effetto di smarrimento nelle loro espressioni, di cui già tanta parte era quella barba che adesso mancava. Ma quel travestimento non tradiva, in verità, alcuna paura in nessuno dei tre; era come imposto dalla parte che la necessità della fuga assegnava loro in quel momento; ed entrava in esso anche, e non per poco, il fatuo puntiglio della scaltrezza isolana, di fuggire alla sopraffazione della forza pubblica.

S'erano internati nell'isola, correndo innanzi alle milizie che da Palermo si disponevano a invadere le altre province. Se fossero riusciti a traversarla tutta, si sarebbero rifugiati a Valsanìa, e di là si sarebbero imbarcati per Malta o per Tunisi. Sarebbe piaciuto a Lando di spatriare a Malta, luogo d'esilio di suo nonno, non perché ardisse di comparar la sua sorte a quella di lui, ma perché da un pezzo aveva in animo di recarsi a Bùrmula a rintracciarne, se gli fosse possibile, i resti mortali, con le indicazioni di Mauro Mortara, non ben sicure veramente, poiché il seppellimento era avvenuto nella confusione della gran morìa a Malta nel 1852. Invano Lino Apes, pigliando pretesto dagli incidenti e dai disagi della fuga precipitosa, ora a piedi, ora su carretti senza molle, ora su vetturette sgangherate, sù per monti, giù per vallate, in cerca di cibo e di ricovero, aveva tentato di dimostrare agli amici che, dopo tutto, quello che facevano non era cosa tanto seria, di cui, volendo, non si potesse anche ridere. Era, per esempio, lo strappo alle loro illusioni una ragione sufficiente perché non si désse alcuna importanza a quello che egli s'era fatto ai calzoni, scendendo da un carretto? Più vecchie di Tiberio Gracco, quelle illusioni; e i suoi calzoni erano nuovi! Dove aveva lasciato Cataldo Sclàfani il pacco della sua magnifica barba? Niente meglio che un pelo di quella barba – pensando filosoficamente – avrebbe potuto rammendare i suoi calzoni! Lo squallido aspetto dei luoghi, nella desolazione invernale, la costernazione per il cammino incerto e faticoso, l'ansia di apprendere notizie qua e là di quanto era accaduto dal momento della loro fuga, avevano lasciato senz'eco di riso le arguzie di Lino Apes.

Dalle impressioni a mano a mano raccolte, internandosi sempre più, su quelle misure eccezionali adottate all'improvviso dal Governo, era sorto nell'animo di Lando più fermo il convincimento dello sbaglio commesso dai suoi amici. L'antico, profondo malcontento dei Siciliani era d'un tratto diventato ovunque fierissima indignazione: per quanto i più alti ordini sociali fossero spaventati dalle agitazioni popolari, ora, di fronte a quella sopraffazione militare, a quell'aria di nemico invasore della milizia che aboliva per tutti ogni legge e sopprimeva ogni garanzia costituzionale, si sentivano inclinati, se non ad affratellarsi con gli infimi, se non a scusarli, almeno a riconoscere che in fine questi, finora, nei conflitti, avevano avuto sempre la peggio, né mai s'erano sollevati a mano armata, e che, se a qualche eccesso erano trascesi, vi erano stati crudelmente e balordamente aizzati dagli eccidii. La nativa fierezza, comune a tutti gli isolani, si ribellava a questa nuova onta che il governo italiano infliggeva alla Sicilia, invece di un tardo riparo ai vecchi mali; e per tutto era un fremito di odio alle notizie che giungevano, di paesi circondati da reggimenti di fanteria, da squadroni di cavalleria, per trarre in arresto a centinaja, senz'alcun discernimento e con furia selvaggia, ricchi e poveri, studenti e operaj, e qua consiglieri e là maestri e segretarii comunali, e donne e vecchi e finanche fanciulli: soppressa la stampa; sottoposta a censura anche la corrispondenza privata; tutta l'isola tagliata fuori dal consorzio civile e resa legata e disarmata all'arbitrio d'una dittatura militare.

Come un cavallo riottoso, cacciato contro sua voglia lontano dagli ostacoli che avrebbe dovuto superare, a un tratto, investito da una raffica turbinosa,

aombra e s'impenna e recalcitra, fremendo in tutti i muscoli, Lando Laurentano, investito dalla veemenza di quell'indignazione generale, a un certo punto
s'era impuntato, sentendosi soffocare dall'avvilimento della sua fuga. Era
proprio il momento di fuggire, quello? di lasciare il campo? Il terreno scottava
sotto i piedi; l'aria era tutta una fiamma. Possibile che l'isola, da un capo
all'altro fremente, si lasciasse schiacciare, pestare così, senza insorgere con
l'esasperazione dell'odio sì lungamente represso e ora sì brutalmente provocato? Forse bastava un grido! Forse bastava che uno si facesse avanti! Giunti
a Imera, alla notizia che in un paese lì presso, a Santa Caterina Villarmosa, il
popolo era insorto, Lando non poté più stare alle mosse; e, non ostante che gli
amici facessero di tutto per trattenerlo, gridandogli che non c'era più nulla da
tentare, da sperare e che andrebbe a cacciarsi da sé balordamente tra le grinfie
della forza pubblica, volle andare. Solo Lino Apes lo seguì, ma con la speranza di raffreddarlo e d'arrestarlo a mezza via, assumendo per l'occasione,
come meglio poté, la parte di Sancio, perché l'amico, che sapeva sensibile al
ridicolo, si scoprisse accanto a lui Don Chisciotte. E difatti, presto, i giganti
che Lando nell'esaltazione s'era figurato di vedere in quei popolani di Santa
Caterina Villarmosa, insorgenti a sfida della proclamazione dello stato d'assedio, gli si scoprirono molini a vento. Nei pressi del paese, seppero che colà
non si sapeva ancor nulla di quella proclamazione: un manifesto era stato attaccato ai muri, ma il popolino lo ignorava; e, ignorandolo, al solito, come altrove, coi ritratti del re e della regina, un crocefisso in capo alla processione,
gridando: – *Viva il re! abbasso le tasse!* – s'era messo a percorrere le vie del
paese, finché, uscendo dalla piazza e imboccando una strada angusta che la
fronteggiava, vi aveva trovato otto soldati e quattro carabinieri appostati. L'ufficiale che li comandava (non per niente si chiamava Colleoni) aveva preso
questo partito con strategia sopraffina, perché la folla inerme, lì calcata e pi-
giata, alle intimazioni di sbandarsi non si potesse più muovere; e lì non una,
ma più volte, aveva ordinato contro di essa il fuoco. Undici morti, innumerevoli feriti, tra cui donne, vecchi, bambini. Ora, tutto era calmo, come in un
cimitero. Solo, qua e là, il grido dei parenti che piangevano gli uccisi, e i gemiti dei feriti.

– Ti basta? – domandò Lino Apes a Lando.

Questi si volse al vecchio contadino che aveva dato quei ragguagli e che, pa-
ragonando il paese a un cimitero, aveva indicato una collina lì presso su cui
sorgevano alcuni cipressi, e gli domandò:

– Sono lì?

Il vecchio contadino, con gli occhi aguzzi d'odio e intensi di pietà, crollò più
volte il capo; poi tese le dita delle due mani deformi e terrose, per significare
prima dieci e poi uno; e con lo sguardo e col silenzio, che seguì a quel muto
parlare, espresse chiaramente ch'egli li aveva veduti. Lando si mosse verso la
collina.

– Ho capito! – sospirò Lino Apes. – Ora divento Orazio... Seconda rappresentazione: Amleto al cimitero.

Nel piccolo, squallido camposanto su la collina, tranne il custode freddoloso,
con un leggero scialle di lana appeso alle spalle, non c'era nessuno. Seduto su
uno sgabelletto, a sinistra dell'entrata, quegli stava a guardare apaticamente,
nel silenzio desolato, le casse schierate per terra innanzi a sé, come un pastore
la sua mandra. Aspettava la visita e le disposizioni dell'autorità giudiziaria,
per il seppellimento. Vedendo entrare quei due, si voltò, poi subito s'alzò e si
tolse il berretto, credendo che fossero il giudice e il commissario di polizia.
Lino Apes gli si diede a conoscere per giornalista, insieme col compagno, e
Lando lo pregò di fargli vedere qualcuno di quei cadaveri.

Il custode allora si chinò su una delle casse, più grande delle altre, tinta di grigio, con due fasce nere in croce, e tolse una grossa pietra che stava sul coperchio.

Due cadaveri in quella cassa, uno su l'altro: uno con la faccia sotto i piedi dell'altro.

Quello di sopra era d'un ragazzo. Divaricate, le gambe; la testa, affondata tra i piedi del compagno. A guardarlo così capovolto, pareva dicesse, in quell'atteggiamento: «*No! No!*» con tutto il visino smunto, dagli occhi appena socchiusi, contratti ancora dall'angoscia dell'agonia. No, quella morte; no, quell'orrore; no, quella cassa per due, attufata da quel lezzo crudo e acre di carneficina. Ma più raccapricciante era la vista dell'altro, di tra le scarpe logore del ragazzo, coi grandi occhi neri ancora sbarrati e un po' di barba fulva sotto il mento. Era d'un contadino nel pieno vigore delle forze. Con quei terribili occhi sbarrati al cielo, dal corpo supino, chiedeva vendetta di quell'ultima atrocità, del peso di quell'altra vittima sopra di sé.

«Vedete, Signore», pareva dicesse, «vedete che hanno fatto!»

Non una parola pote uscire dalle labbra di Lando e dell'Apes; e il custode richiuse il coperchio e di nuovo vi impose la grossa pietra.

Dopo altre e altre casse di nudo abete, misere, una ve n'era, foderata di chiara stoffa celeste, piccola, così piccola, che a Lando sorse, nel dubbio, la speranza che almeno quella non fosse della strage. Guardò il custode che vi si era affisato, e dal modo con cui la mirava comprese che, sì, anche quella... anche quella... Glielo domandò e il custode, dopo avere un po' tentennato il capo, rispose:

– Una 'nnuccenti (Una fanciullina).

– Si può vederla?

Lino Apes, rivoltato e su le spine, si ribellò:

– No, lascia, via, Lando! Non vedi? La cassa è inchiodata...

– Oh, per questo... – fece il custode, togliendo di tasca un ferruzzo. – Devo schiodarla per il giudice istruttore. Ci vuol poco...

E si chinò a schiodare il lieve coperchio, con cura per la gentilezza di quella stoffa celeste. I chiodi si staccavano docili dal legno molle, a ogni spinta. Scoperchiata la piccola bara, vi apparve dentro la fanciullina non ancora irrigidita dalla morte, ancora rosea in viso, con la testina ricciuta, un po' volta da un lato, e le braccia distese lungo i fianchi. Ma la boccuccia rossa era coperta di bava e dal nasino le colava una schiuma sanguigna, gorgogliante ancora, a intervalli che pareva avessero la regolarità del respiro.

– Ma è viva! – esclamò Lando, con raccapriccio.

Il custode sorrise amaramente:

– Viva? – e ripose il coperchio.

La avrebbe fatta andar via ancora viva quella mamma che così l'aveva pettinata e acconciata, che con tanto amore aveva adornato di quella chiara stoffa celeste la piccola bara?

– Questo hanno fatto... – mormorò Lando.

E Lino Apes e il custode credettero ch'egli alludesse ai soldati, che avevano ucciso quella povera bimba. Lando Laurentano, invece, alludeva ai suoi compagni, e aveva innanzi alla mente non più l'immagine di quella piccina, la quale almeno aveva avuto le cure della gentile pietà materna, ma l'immagine atroce di quell'altra vittima grande, con su la faccia le scarpe dell'altro cadavere, e gli occhi sbarrati, pieni di smisurata angoscia, rivolti al cielo.

Nell'antico palazzo dei De Vincentis, fuori annerito dal tempo e tutto screpolato come una rovina, dai balconi e dalla vasta terrazza vellutati di muschio, con le ringhiere a gabbia arrugginite, ma dentro, negli ampii cameroni, pieno di luce e di pace, con quei santi e fiori di cera nelle campane di cristallo che pareva diffondessero per tutto un odor di badìa, il silenzio stampato sui mattoni coi rettangoli di sole delle invetriate che s'allungavano lentissimamente sempre più, seguiti dal fervor lento e lieve del pulviscolo, era rotto da un cupo romore cadenzato di passi. Da una settimana Vincente De Vincentis dimentico dei codici arabi della biblioteca di Itria, se ne stava in una camera, avvolto in un vecchio pastrano stinto, col bavero alzato, a passeggiare dalla mattina alla sera, con le mani adunche, afferrate dietro il dorso, il capo ciondoloni e gli occhi tra i peli, quasi ciechi, poiché in casa non portava mai gli occhiali.

Nella stanza accanto, presso la vetrata del balcone, stava seduta a far la calza, con uno scialle grigio di lana addosso e un fazzoletto nero in capo di lana, anch'esso annodato sotto il mento, soffice e placida come una balla, donna Fana, la vecchia casiera. Per metà dentro al rettangolo di sole, quasi vaporava nella luce, e la caligine dello scialle di lana, accesa, brillava con gli atomi volteggianti del pulviscolo.

Donna Fana aveva composto con le sue mani nelle bare prima il padrone, morto giovane, poi la padrona, di cui, più che la serva, era stata l'amica e la consigliera, e aveva veduto nascere e crescere tra le sue braccia i due padroncini, ora affidati del tutto alle sue cure. Da giovane, era stata conversa nel monastero di San Vincenzo, ed era rimasta «senza mondo», com'ella diceva, cioè vergine e quasi monaca di casa. Traeva a quando a quando, come nel monastero, certi sospiri ardenti, seguiti dall'immancabile esclamazione:

– Se fossi là!

Ma non c'era più nessuno che le domandasse, come usava tra le monache: – Dove, sorella mia? – perché ella potesse rispondere in un altro sospiro:

– Con gli angeletti!

Ma nella pace degli angeli, veramente, era stata sempre, in quella casa. La padrona: una vera santa, ingenua fino a grande come una bambina, incapace di pensare il male, e tutta dedita alla religione e alle opere di misericordia; quei due figliuoli: anch'essi uno più buono dell'altro, costumati e timorati di Dio.

Ora, poteva mai il Signore abbandonare quella casa e lasciarla andare in rovina?

Donna Fana pareva fosse a parte di tutti i voleri di Dio; e parlava del Paradiso, come se già vi fosse e seguitasse a farvi la calza sotto gli occhi del Padre Eterno, di cui sapeva dire dove e come stava seduto, insieme con Gesù Nostro Salvatore e la Bella Madre. Da tempo aveva preparato i capi di biancheria e la veste e le pianelle di panno e il fazzoletto di seta per comparire al Giudizio Universale, sicurissima che il Giudice Supremo l'avrebbe chiamata tra gli eletti, così tutta bella pulita e rassettata; e ogni sera faceva una speciale orazione a Santa Brigida, che doveva annunziarle in sogno, tre giorni prima, l'ora precisa della morte, perché fosse pronta e in regola coi sagramenti. Non si angustiava dunque di nulla; e per lei tutta quella costernazione di Vincente (ch'ella chiamava don Tinuzzo) era una fanciullaggine. La raffermava in questa opinione, non solo la fiducia in Dio, ma anche la fede incrollabile che la ricchezza di quel casato non potesse aver mai fine. E seguitava a governare con l'antica abbondanza, per modo che tutte le poverelle del vicinato venissero a fin di tavola a spartirsi il superfluo e i resti del desinare, come al solito per tanti anni; e a tener provvista la dispensa d'ogni ben di Dio, e a preparare con le sue mani ai padroncini i rosolii e i dolci tradizionali, imparati alla badìa, il *cùscusu* di riso e pistacchi, i pesci dolci di pasta di mandorla, le pignoccate, e tutte le conserve e le cotognate e i frutti in giulebbe.

Forse, sì, qualche cosa raspava, sotto sotto, don Jaco Pàcia, l'amministratore.

– Ma che? – domandava a Ninì, dopo qualche sfuriata del fratello maggiore.

– Mollichelle, figlio mio, mollichelle!

Uomo di chiesa anche lui, don Jaco Pàcia, era mai possibile che rubasse come e quanto diceva don Tinuzzo? Ma se a lei don Jaco seguitava a dare per l'andamento di casa quello stesso che aveva dato sempre, senza far mai la più piccola osservazione? Tutto il maneggio dei denari lo aveva lui; via! bisognava chiudere un occhio, se qualcosina gli restava attaccata alle dita. Donna Fana lo difendeva, in coscienza, perché della onestà dei pensieri e delle azioni del Pàcia credeva d'avere una prova nel fatto che, l'anno che don Jaco era andato a Roma, le aveva portato di là una corona benedetta e una tabacchiera col ritratto del Santo Padre. Se avesse saputo che, quel giorno stesso, don Jaco, per far denari, oltre la cessione delle terre di *Milione* a don Flaminio Salvo, sarebbe venuto a proporre un'ipoteca su quel palazzo, ov'ella stava così tranquillamente a far la calza! Quest'ultima bomba, veramente, non se l'aspettava neanche Vincente. Oltre quella delle terre da cedere egli aveva, sì, un'altra grave preoccupazione, che non gli dava requie da due giorni, ma d'indole affatto diversa. Aveva scoperto nell'angolo d'uno stanzone, ov'era affastellata la roba fuori d'uso, un fucilaccio antico, di quelli a pietra focaja, tutto incrostato di ruggine e di polvere. Proclamato lo stato d'assedio e il disarmo in tutta la Sicilia, non era egli in obbligo di consegnare quell'arnese là? Ninì e donna Fana dicevano di no; Ninì anzi sosteneva che sarebbe sembrata, più che una impertinenza, uno scherno oltraggioso all'autorità la consegna d'un'arma come quella. Ma che ne sapevano essi? Come lo dicevano? Così, di testa loro! L'ordine di consegnare tutte quante le armi, senza eccezioni, era positivo e perentorio. Era un'arma, quella, sì o no? Poteva essere antica, anzi era antica e mangiata dalla ruggine, ma sempre arma era! E fors'anche carica e pronta a sparare... Si vedeva la pietra focaja; e l'acciarino, eccolo lì, pendeva da una catenella...

– Ebbene, prendila e va' a consegnarla! – gli aveva gridato, Ninì, scrollandosi, il giorno avanti. Aveva ben altro da pensare, lui, in quei momenti, nelle rare comparse che faceva in casa, tutto stravolto e impaziente di ritornare al suo supplizio, presso Dianella.

Vincente avrebbe preteso che Ninì perdesse una mezza giornata, nelle condizioni d'animo in cui si trovava, per chiedere informazioni su quell'arma. Una parola, prenderla! E se scoppiava? Consegnarla poi a chi, dove? Alla prefettura? al municipio? al commissariato di polizia? Egli non ne sapeva niente; e ad andare a domandarlo così, fingendo d'averne curiosità, dopo due giorni, c'era il rischio di far nascere qualche sospetto e d'attirarsi una perquisizione in casa.

Lo stato d'assedio aveva messo e teneva Vincente De Vincentis in tale orgasmo, da fargli vedere ovunque minacce e pericoli terribili. S'era proposto di non uscir più di casa, fintanto che fosse durato. Ma se, per il maledetto vizio di donna Fana di chiamare a parte tutto il vicinato d'ogni minimo incidente in famiglia, la polizia fosse venuta a sapere di quell'arma?

All'improvviso, la vecchia casiera lo vide uscire, frenetico, dalla camera in cui stava chiuso, con le braccia in aria e gridando:

– Scoppii! m'ammazzi! non me n'importa niente! Vado a prenderlo, vado a prenderlo io!

– Per carità, lasci, don Tinuzzo! – esclamò donna Fana, correndogli dietro. – Non sia mai, Dio, con questa furia... Vede come trema tutto? Lasci fare! Chiamerò qualcuno dal balcone...

– Chi chiamate? Non v'arrischiate... – s'era messo a urlare, paonazzo in volto, Vincente, quando dalla porta, sempre aperta di giorno, comparve don Jaco Pàcia con la sua solita aria di santo, caduto dal cielo in un mondo di guaj e d'imbrogli. Era lungo e secco, come di legno, con la faccia squallida, segnata con trista durezza dalle sopracciglia nere ad accento circonflesso, in contrasto col largo sorriso scemo, beato, sotto gl'ispidi baffi bianchi. Gli occhi, dalle pàlpebre stirate come quelle dei giapponesi, non scoprivano il bianco e restavano opachi e come estranei alla durezza di quegli accenti circonflessi e alla scema beatitudine dell'eterno sorriso. Con le braccia raccolte sempre sul petto e le grosse mani slavate e nocchierute prendeva atteggiamenti di umiltà rassegnata.

Udito di che si trattava, prese sopra di sé l'affare di quel fucile, e disse che aveva, non una, ma cento ragioni don Tinuzzo di costernarsi così. Sicuro, era un'arma! E, Dio liberi, in un momento come quello... Momento terribile per tutta la Sicilia! Ma c'era lui, c'era lui, lì, per quei due bravi giovanotti e, con l'ajuto di Dio, niente paura, da questa parte! I guaj, guaj grossi, erano invece da un'altra. E cominciò a rappresentare tutte le sue fatiche per rintracciare gl'incartamenti delle terre di *Milione*, prima all'archivio notarile, poi nella cancelleria del tribunale e in quella del Vescovado per tutti i piccoli e grossi censi che gravavano su quelle terre. Ora gl'incartamenti erano pronti e in ordine dal notajo; ma don Flaminio Salvo non voleva pagar le spese dell'atto di vendita, e forse dal suo canto aveva ragione, perché, dopo tutto, faceva un gran favore... lui banchiere...

– Ah sì, un gran favore? un gran favore? – scattò furibondo Vincente, – come per *Primosole*, è vero? un gran favore!

Don Jaco lo lasciò sfogare, in uno dei soliti atteggiamenti di santo martire; poi disse:

– Ma abbiate pazienza, don Tinuzzo mio! Che forse don Flaminio ha altri figliuoli, oltre quella già fidanzata a vostro fratello Ninì? Non vedete che è tutta una finta, santo Dio? Domani si fa lo sposalizio e, gira e volta, alla fine tutto ritornerà qui!

– Tutto, eh? Bello... facile... liscio come l'olio... – prese a dire Vincente, con furiosi inchini. – Lo sposalizio dei matti! Ma se è così, perché don Flaminio si ricusa di pagar le spese dell'atto? Segno che non ci crede! Chi vi dice che questo matrimonio si farà? chi vi dice che...

– Don Tinuzzo! – lo interruppe quello. – Vostro fratello don Ninì è entrato, sì o no, in casa del Salvo? o me l'invento io? Santo nome di Dio benedetto! Sono ormai parecchi giorni? Dunque, che vuol dire? Vuol dire che la ragazza ci sta! Ora volete che la paglia accanto al fuoco... Del resto, oh! ecco qua don Ninì in persona... Nessuno meglio di lui ve lo potrà confermare.

Vincente corse innanzi al fratello che entrava; gli s'accostò a petto, fremente; gli afferrò con le mani adunche le braccia, e alzò da un lato la faccia congestionata per sbirciarlo bene in volto, davvicino, con gli occhi miopi.

– Sì! guardatelo! – poi sghignò, allontanandosi e mostrandolo. – Vedete che faccia ha! Pare un morto, lo sposo!

Ninì, così soprappreso, restò in mezzo alla stanza a guardare il fratello e don Jaco e donna Fana, come insensato.

Aveva veramente dipinta una torbida angoscia nel volto che di solito esprimeva la bontà mite e gentile dell'animo; e i begli occhi neri, vellutati, erano intensi di tetro cordoglio, eppur quasi smemorati. Come seppe che cosa si voleva da lui e per qual fine, s'adontò fieramente, agitando le braccia, col volto atteggiato di schifo. Don Jaco da una parte, donna Fana dall'altra, cercarono di calmarlo, d'interrogarlo con garbo; ma invano: si storceva, scotendo il capo, con un grido soffocato in gola.

– Ma dite almeno se c'è qualche speranza, per tranquillare vostro fratello! – gli gridò alla fine don Jaco a mani giunte.

Ninì lo guatò con un lampo strano negli occhi. Ma se non ci fosse più alcuna speranza di richiamare Dianella alla ragione, che sarebbe più importato a lui della rovina della casa, della miseria, di tutto? Era mai possibile che qualcuno potesse sperar la salvezza di Dianella soltanto per questo, per salvar dalla rovina la casa? che tutto il suo impegno, il suo supplizio dovessero per quella gente servire a questo scopo? Ecco, lo costringevano a gettare la sua speranza come un'offa per placar la paura di quella miseria! Ebbene, sì, c'era una speranza, c'era, c'era...

E Ninì, coprendosi il volto, ruppe in uno stridulo pianto convulso.

Flaminio Salvo aveva stentato molto a decifrare la lettera della sorella Adelaide, la cui scrittura, non soltanto per gli spropositi d'ortografia quasi sempre illeggibile, pareva quella volta più che mai una furiosa raspatura di gallina. Tutta un grido d'ajuto e di minaccia, quella lettera, tra imprecazioni ed esclamazioni disperate. Le aveva risposto brevemente e pacatamente, che presto sarebbe venuto a visitarla a Colimbètra e che intanto stesse tranquilla, come si conveniva a una donna della sua età e della sua condizione. Un sorriso frigido gli era venuto alle labbra, sogguardando dopo la lettura quel foglietto di carta che avrebbe voluto recargli ancora un dispiacere. Pian piano lo aveva ripiegato e s'era messo a lacerarlo lentamente, per lungo e per largo, in pezzetti sempre più piccoli, senza più badare a quello che faceva, caduto in un attonimento grave, d'uggia aggrondata; alla fine, aveva guardato sul piano della scrivania l'opera delle sue dita: tutto quel mucchietto di minuzzoli di carta. Chi sa se non aveva fatto soffrire anche quel foglietto, a lacerarlo e ridurlo così, in tutti quei minuzzoli! Gli era rimasto un bruciorino ai polpastrelli dell'indice e del pollice, che s'erano accaniti in quell'opera di distruzione, senza ch'egli la volesse; da sé, per il gusto di distruggere. Ah, poter ridurre in minuzzoli così, senza pensarci, la vita, tutta quanta: ripiegarla in quattro, come un foglio sporco di spropositi, e strapparla per lungo e per largo, dieci, venti, trenta volte, pezzo per pezzo, lentamente!

Con uno sbuffo aveva sparpagliato su la scrivania e per terra tutti quei minuzzoli, e s'era alzato. Guardando dai vetri del balcone la distesa ben nota, sempre uguale, delle campagne; le due scogliere lontane di Porto Empedocle, protese nel mare laggiù a occidente, come due braccia; le macchie scure dei piroscafi ancorati, e immaginando il traffico di tanta gente lì a' suoi servizii per l'imbarco dello zolfo delle sue miniere accatastato su la spiaggia, s'era sentito soffocare da tutte le noje, da tutti i pensieri che da anni e anni gli venivano da quel traffico per lui ormai superfluo, necessario a tanti che ne traevano i mezzi per provvedere ai meschini bisogni quotidiani e affrontar le miserie, i dolori, di cui è intessuta la loro vita e quella di tutti. E s'era messo a pensare che, lui sazio e stanco, con la nausea della sazietà e l'abbandono della stanchezza, restava lì come disteso a farsi mangiare da tanti irrequieti affamati di cui non gl'importava nulla. Ma avrebbe potuto forse impedirlo? L'opera sua, di tutta la sua vita, aveva preso corpo fuori di lui, e stava lì per gli altri. Poteva forse quella distesa di campagne impedire che tanti uomini vi affondassero le zappe e gli aratri, vi piantassero gli alberi e ne raccogliessero i frutti? Così era ormai di lui. E, come la terra, egli non sentiva alcuna gioja del lavoro che gli altri facevano sopra di lui per raccogliere il frutto; né questi altri, quantunque gli camminassero sopra, potevano dargli compagnia, penetrare, rompere la sua solitudine che aveva ormai l'insensibilità della pietra. Sentiva solamente un enorme fastidio di tutto, che gli schiacciava la volontà di liberarsene, e solo gli moveva ancora inconsciamente le dita, come dianzi, a far del male a un foglietto di carta. Ma tutte le cose ormai per lui avevano il valore di quel foglietto di carta; e bisognava pur lasciare che le dita, almeno le dita, facessero qualche cosa, da sé, poiché il fastidio le moveva. Se si fossero rivoltate e accanite anche contro di lui, le avrebbe lasciate fare, allo stesso modo.

Davvero? O non fingeva l'incoscienza delle sue dita nel lacerar la lettera della sorella, per poter dire a se stesso che, anche *allo stesso modo*, aveva lacerato, dopo il suo ritorno a Girgenti, certe altre lettere appena intraviste nei cassetti della scrivania o nel palchetto a casellario che gli stava davanti? Certe lettere con la firma di Nicoletta Capolino?

Veramente, no: le immagini di Aurelio Costa e di Nicoletta Capolino non erano mai venute a piantarglisi di fronte, cosicché egli potesse respingerle con un *logico* sorriso, dando le sue ragioni e facendo loro notare che a essi mancavano per perseguitarlo coi rimorsi. La persecuzione loro era più d'ogni altra irritante, perché non appariva. Non appariva, per questa ragione certissima e solida e pesante come una pietra di sepoltura: che erano stati anch'essi, l'uno per il suo proprio accecamento, l'altra per un suo motivo particolarissimo, a volere quella loro morte.

Eppure... Eppure, sotto questa ragione che li seppelliva e glieli rendeva invisibili, essi, in un modo ch'egli non avrebbe saputo definire, gli erano... non presenti, no, mai; anzi costantemente assenti: ma con questa loro assenza intanto lo perseguitavano. Erano tutti e due di là, con Dianella, nell'assenza della sua ragione. Egli non li vedeva, ma pur li sentiva nelle parole vuote di senso, negli sguardi e nei sorrisi vani della figliuola. E allora, anche a lui irresistibilmente, come dal fondo delle viscere contratte dall'esasperazione, venivano alle labbra parole vuote di senso, del tutto impensate; strane, vaghe parole che gli atteggiavano il viso a seconda delle diverse espressioni che contenevano in sé, per conto loro, fuori assolutamente della sua coscienza e senz'alcuna relazione col suo stato presente. Ed ecco che, quel giorno, per seguitar la finzione della sua incoscienza, dopo aver lacerato la lettera della sorella, si era anche messo a dire, *allo stesso modo*, parole impensate:

– Quello che serve... quello che serve...

Se non che, alla fine, aveva mutato in ragionamento la finzione, apparsa a lui stesso troppo evidente:

«Quello che serve... sì. Devo accendere un sigaro? Mi serve un fiammifero. Ecco il sigaro... ecco il fiammifero: per sé, due cose; ma fatte per il mio bisogno di fumare. Prima l'uno, poi l'altro, li accendo e li distruggo... Quanti fiammiferi ho accesi! Troppi... E tutta l'opera mia è andata in fumo! Male, perché non sono riuscito allo scopo... ma io volevo maritar bene la mia figliuola, perché avessero almeno una bella corona... già! una corona principesca... tutte le mie fatiche e le mie lotte. Una corona principesca!... Fumo? Vanità? Eh, ma almeno questo compenso alla morte del mio bambino! Vanità, per forza, se la sorte volle togliermi ogni ragione di attendere a cose più serie, e mi lasciò una povera figliuola con l'ombra intorno della pazzia materna. E ormai... ormai... se servo io, per il bisogno che qualcuno abbia di fumare...».

Ma sì, ecco: non aveva lasciato entrare in casa quello stupido buon figliuolo del De Vincentis? E gli aveva messo davanti la figliuola: là! per l'esperimento! E se l'avesse guarita, con quei suoi begli occhi a mandorla vellutati, con quelle sue dolci manierine di dama, ecco che don Jaco Pàcia, seduto lì davanti a quella scrivania, maestro e donno, in pochi anni si sarebbe fumati a uno a uno tutti i suoi biglietti di banca e le sue cartelle di rendita e le zolfare e le campagne e le case e gli opificii.

«Quello che serve... quello che serve...»

Questa seccatura della sorella Adelaide, intanto, no, era proprio di più. Che voleva da lui? Non stava comoda al suo posto? C'erano spine? Oh cara! E voleva le rose da lui? Con tutti quei «militari» che le facevano scorta; con quei ritratti dei Re Borboni che la proteggevano, via, poteva esser lieta e contenta... Fosse stato lui al posto di lei!

Fallito ogni scopo, il solo pensiero di rivedere don Ippolito e di parlargli, era per lui ora un'oppressione intollerabile. Come resistere, con l'arida nudità del suo animo desolato, senza più uno straccio d'illusione, alla vista di quell'uomo tutto quanto composto e addobbato e parato di nobile decoro? Gli pareva ora incredibile che avesse potuto prendere sul serio quella via per arrivare al suo scopo... Povera Adelaide! C'era andata di mezzo lei... Ma, dopo tutto, via! la villa era sontuosa e il posto ameno; con un po' di pazienza e di buona volontà, poteva sopportar la noja di quell'uomo non fatto propriamente per lei.

In tale disposizione d'animo, scese due giorni dopo, in vettura, a Colimbètra. Il sorriso, venutogli alle labbra, su l'entrare, al saluto degli uomini di guardia parati, sì, ancora militarmente, ma senza più armi, non gli andò via per tutto il tempo che durò la visita. Sorridendo ascoltò sotto le colonne del vestibolo esterno la risposta di capitan Sciaralla impostato su l'attenti, che le armi, nossignore, non erano state consegnate all'autorità, ma si tenevano riposte per prudenza; sorridendo accolse l'invito di Liborio d'accomodarsi nel salone, e, poco dopo, l'irrompere come una bufera della sorella Adelaide e le prime domande affannose, tra il pianto, intorno a Dianella.

– Mah... fa cura d'amore, – le rispose.

E sorrise allo sbalordimento quasi feroce della sorella, per la sua placida risposta.

– Ridi?... Dunque può guarire?

– Guarire... Speriamo! La cura è buona...

Sorrise di più alle improperie che donna Adelaide gli scagliò in un impeto aggressivo, e poi alla rappresentazione di tutte le ambasce, di tutte le sofferenze e dei maltrattamenti, ch'ella chiamava «pestate di faccia», da parte del marito.

– Bada, Flaminio! – proruppe a un certo punto la sorella, vedendolo sorridere a quel modo. – Bada! Finisce ch'io la faccio davvero, la pazzia!

Egli la guardò un poco, e poi, aprendo le braccia:

– Ma perché? Scusa, se hai una bellissima cera!

A questa uscita, la sorella scappò via come per porre a effetto, subito subito, la minaccia.

E allora, attendendo che entrasse il principe per la seconda scena, sorrise ai ritratti dei due re di Napoli e Sicilia che lo guardavano con molta serietà dall'alto della parete.

Don Ippolito, scuro in viso e, dentro, in gran pensiero per la sorte del figliuolo di cui non aveva più notizie, entrò nel salone, maldisposto anche lui a quell'incontro, dal quale l'unico bene che potesse ripromettersi sarebbe stato certamente a costo d'uno scandalo, dopo la nauseante amarezza di volgari spiegazioni. Ma si rischiarò alla vista di quel sorriso sulle labbra del cognato. Lo interpretò nel senso che due uomini, com'essi erano, non potessero e non dovessero dare alcuna importanza alle lagrimucce facili, alle smaniette passeggere d'una donna, che la loro generosità maschile poteva e doveva senza stento compatire.

Sorrise allora anche lui, ma con mestizia, don Ippolito, stringendo la mano al cognato; e, seguitando a sorridere, gli parlò pacatamente e in quel tono di superiorità maschile del suo dispiacere per i dissapori sorti tra lui e la moglie, perché tardava ancora... eh, tardava purtroppo a stabilirsi l'accordo tra i loro sentimenti e i loro pensieri, non volendo ella intendere le ragioni per cui...

– Ma via, principe! – cercò d'interromperlo il Salvo.

– No no, – s'ostinò a dire don Ippolito. – Perché io apprezzo moltissimo il sentimento da cui ella è mossa a chiedermi quel che non posso accordarle. Io partecipo, credetemi, con tutto il cuore, alla vostra sciagura, e...

– Ma se sarebbe, tra l'altro, inutile la sua presenza! – disse, per troncare il discorso, il Salvo.

E con gran sollievo d'entrambi presero a parlar d'altro, cioè dei gravi avvenimenti del giorno. Se non che, allora, il principe restò sconcertato nel notare la permanenza di quel sorriso su le labbra del cognato, mentr'egli manifestava con tanto calore la sua indignazione, sia per le misure oltraggiose del governo, sia per la tracotanza popolare. Quale sarebbe stato il suo stupore se, interrompendosi all'improvviso e domandando a Flaminio Salvo perché seguitasse a sorridere a quel modo, questi gli avesse risposto:

«Perché?... Ah... Perché in questo momento sto pensando che Colimbètra ha, tra l'altro, la bella comodità d'esser molto vicina al cimitero, sicché voi tra poco, morendo, avrete l'insigne vantaggio d'esser seppellito a due passi da qui, senza attraversare la città, neanche da morto».

Ma gli sovvenne che il principe s'era fatto edificare nella stessa tenuta, e propriamente nel boschetto d'aranci e melograni attorno al bacino d'acqua che le dava il nome, un tumulo uguale a quello di Terone, e gli sorse una viva curiosità di andarlo a vedere. Appena poté, interruppe anche quel discorso e propose al cognato una giratina in quel boschetto.

Donna Adelaide approfittò di quel momento per spedire *Pertichino* di corsa a Girgenti a consegnare un biglietto all'onorevole deputato Ignazio Capolino: *S.P.M. (sue pregiatissime mani).*

Quando, sul far della sera, Flaminio Salvo rientrò in casa, nell'aprir l'uscio della stanza ove di solito stava Dianella, guardata dalla vecchia governante e da una infermiera, ebbe la sorpresa di trovar la figliuola appesa al collo di Ninì De Vincentis, con gli occhi che le si scoprivano appena di su la spalla del giovine, ilari, sfavillanti di felicità, sotto i capelli scarmigliati, e le due mani aggrovigliate nella stretta.

– Dianella... Dianella... – la chiamò, con l'ansia nella voce, di saperla guarita.

Ma Ninì De Vincentis, piegando a stento il capo e mostrando il volto congestionato da un orgasmo atroce, gli rispose disperatamente:

– Mi chiama Aurelio...

VIII.

Reduce da quel suo pellegrinaggio a Roma, da cui tanta gioja e tanta luce di sogni gloriosi s'era promesso di riportare a Valsanìa per i suoi ultimi giorni, Mauro Mortara, dopo la visita a donna Caterina Laurentano morente, a testa bassa, senza arrischiar neppure un'occhiata intorno, quasi avesse temuto d'esser deriso dagli alberi ai quali per tanti anni aveva parlato delle sue avventure, della grandezza e della potenza derivate alla patria dall'opera dei vecchi suoi compagni di cospirazione, d'esilio, di guerra, era andato a cacciarsi nella sua stanza a terreno, come nel suo covo una fiera ferita a morte. Invano don Cosmo, per circa una settimana, aveva cercato di scuoterlo, di farlo parlare, compreso di quella sua pietà sconsolata per tutti coloro che giustamente rifuggivano dal rimedio ch'egli aveva trovato per guarire d'ogni male. Alle sue insistenze, che almeno salisse alla villa per il desinare e la cena, Mauro aveva risposto, scrollandosi:

– Corpo di Dio, lasciatemi stare!

– E che mangi?

– Le mani, mi mangio! Andàtevene!

In un modo più spiccio e più brusco, il giorno dopo il suo arrivo, aveva risposto ai colombi, che durante la sua assenza erano stati governati due volte al giorno, all'ora solita, dal *curàtolo* Vanni di Ninfa: bum! bum! due schioppettate in aria; e li aveva dispersi con fragoroso scompiglio. Né migliore accoglienza aveva fatto alla festa dei tre mastini, quasi impazziti dalla gioja di rivederlo. La placida immobilità dei vecchi oggetti della stanza, impregnati tutti da un lezzo quasi ferino, i quali parevano in attesa ch'egli riprendesse tra loro la vita consueta, gli aveva suscitato una fierissima irritazione: avrebbe preso a due mani lo strapunto di paglia abballinato in un angolo e lo avrebbe scagliato fuori con le tavole e i trespoli che lo sorreggevano, e fuori quel torchio guasto delle ulive, fuori seggiole e casse e capestri e bardelle e bisacce. Solo gli era piaciuto riveder nel muro l'impronta degli sputi gialli di tabacco masticato che, stando a giacer sul letto, era solito scaraventare alla faccia dei nemici della patria, sanfedisti e borbonici.

Più volte, la lusinga degli antichi ricordi aveva cercato di riaffascinarlo; più volte, dalla porta aperta, i lunghi filari della vigna, con gli alberetti già verzicanti sparsi qua e là nel silenzio attonito di certe ore piene di smemorato abbandono, gli avevano per un momento ricomposto la visione quasi lontana di quel mondo, per cui fino a poco tempo addietro vagava nei dì sereni, gonfio d'orgoglio, da padreterno, lisciandosi la barba. D'improvviso, ogni volta, l'anima che già s'avviava affascinata da quella visione, s'era ritratta all'aspro e fosco ronzare di qualche calabrone che, entrando nella stanza, lo richiamava con violenza al presente e rompeva il fascino e sconvolgeva la visione.

Che fare? che fare? come vedersi più in quei luoghi testimonii della sua passata esaltazione? come più attendere alle cure pacifiche della campagna, mentre sapeva che tutta la Sicilia era sossopra e tanti vili rinnegati si levavano ad abbattere e scompigliare l'opera dei vecchi? Da anni e anni, tutti i suoi pensieri, tutti i suoi sentimenti, tutti i suoi sogni consistevano dei ricordi e della soddisfazione di quest'opera compiuta. Come aver più requie al pensiero ch'essa era minacciata e stava per essere abbattuta? Contro ogni seduzione delle antiche, tranquille abitudini, si vedeva costretto dalla sua logica ingenua a riconoscere ch'era debito d'onore, per quanti come lui portavano al petto le medaglie in premio di quell'opera, accorrere ora in difesa di essa.

«La vecchia guardia nazionale! la vecchia guardia! Tutti i veterani a raccolta!»

E alla fine, in un momento di più intensa esaltazione, era corso come un cieco, per rifugio e per consiglio, al *camerone* del Generale, ove finora non gli era bastato l'animo di rimetter piede. Appena entrato, era scoppiato in singhiozzi, e senza osare di riaprir gli scuri delle finestre e dei balconi, serrati con cura amorosa prima di partire, era rimasto al bujo, a lungo, con le mani sul volto, a piangere sull'antico divano sgangherato e polveroso. A poco a poco, i fremiti, le ansie degli antichi leoni congiurati del Quarantotto che si riunivano lì in quel camerone attorno al vecchio Generale, s'erano ridestati in lui a farlo vergognare del suo pianto; le ombre di quei leoni, terribilmente sdegnate, gli eran sorte intorno e gli avevan gridato d'accorrere, sì, sì, d'accorrere, pur così vecchio com'era, a impedire con gli altri vecchi superstiti la distruzione della patria. Nel bujo, da un canto di quel camerone, il malinconico leopardo imbalsamato, privo d'un occhio, non gli aveva potuto mostrare quanti ragnateli lo tenevano alla parete, quanta polvere fosse caduta sul suo pelo maculato ormai anche qua e là da molte gromme di muffa! E Mauro Mortara era riuscito con occhi atroci, gonfii e rossi dal pianto, e per poco non era saltato addosso a don Cosmo che, passeggiando per il corridojo, s'era fermato stupito, dapprima, a mirarlo in quello stato, e aveva poi cercato di trattenerlo e di calmarlo.

– Se non sapessi che vostra madre fu una santa, direi che siete un bastardo! – gli aveva gridato, quasi con le mani in faccia.

Don Cosmo non s'era scomposto, se non per sorridere mestamente, tentennando il capo, in segno di commiserazione; e gli aveva domandato dove volesse andare, contro chi combattere alla sua età. Mauro se n'era scappato, senza dargli risposta. E veramente, giù, nella sua stanza a terreno, aveva cominciato a darsi attorno per la partenza. Alla sua età? Sangue della Madonna, che età? Si parlava d'età, a lui! Dove voleva andare? Non lo sapeva. Armato, pronto a qualunque cimento, sarebbe salito a Girgenti, a consigliarsi e accordarsi con gli altri veterani, con Marco Sala, col Ceràulo, col Trigóna, con Mattia Gangi che certo come lui, se avevano ancora sangue nelle vene, dovevano sentire il bisogno d'armarsi e correre in difesa dell'opera comune. Se i nemici s'erano uniti, raccolti in fasci, perché non potevano unirsi, raccogliersi in fascio anche loro, della vecchia guardia? I soldati non bastavano; bisognava dar loro man forte; sciogliere con la forza quei *fasci*, cacciarne via tutti quei cani a fucilate, se occorreva. Certo c'erano i preti, sotto, che fomentavano; e anche la Francia, anche la Francia dicevano che mandava denari, sottomano, per smembrare l'Italia e rimettere in trono, a Roma, il papa. E chi sa che, scoppiata la rivoluzione, non volesse sbarcar da Tunisi in Sicilia? Come rimaner lì con le mani in mano, senza nemmeno tentare una difesa, senza nemmeno farsi vedere dagli antichi compagni e dir loro: «Son qua»? Bisognava partire, partir subito! Se non che, a poco a poco, quella sua furia s'era trovata impigliata, come in una ragna, dalle tante reliquie della sua vita avventurosa, esumate da vecchie casse e cassette e sacche logore e rattoppate e involti in carta ingiallita, strettamente legati con lo spago. Avrebbe voluto farne uno scarto e portarsene addosso quante più poteva tra le più care. Confuso, stordito, frastornato dai ricordi risorgenti da ognuna, a un certo punto s'era sentito fumar la testa e aveva dovuto smettere. No, non era possibile liberarsi con tanta precipitazione da tutti quei legami. E aveva rimandato la partenza al giorno dopo. Tutta la notte era stato fuori, per la campagna, farneticando. La voce del mare era quella del Generale; le ombre degli alberi erano quelle degli antichi congiurati di Valsanìa; e quella e queste seguitavano a incitarlo a partire. Sì, domani, domani: sarebbe andato incontro a quegli assassini; lo avrebbero sopraffatto e ucciso; ma sì, questo voleva, se la distruzione doveva compiersi! Che valore avrebbero più avuto, altrimenti, le sue medaglie? Bisognava morire per esse e con esse! E se le sarebbe appese al petto, domani, correndo incontro ai nuovi nemici della patria. Perché la Sicilia non doveva essere disonorata, no, no, non doveva essere disonorata di fronte alle altre regioni d'Italia che si erano unite a farla grande e gloriosa! Il giorno dopo, con l'enorme berretto villoso in capo, tutto affagottato e imbottito di carte e di reliquie, le quattro medaglie al petto, lo zàino dietro le spalle e armato fino ai denti, s'era presentato a don Cosmo per licenziarsi. E sarebbe partito senza dubbio, se insieme con don Cosmo non si fosse adoperato in tutti i modi a trattenerlo Leonardo Costa, sopravvenuto da Porto Empedocle. Licenziatosi dal Salvo, dopo la morte del figlio, e ricaduto nella misera e incerta condizione di sorvegliante alle stadere, Leonardo Costa aveva accettato, più per non vedersi solo che per altro, l'offerta pietosa di don Cosmo, di venire ogni sera da Porto Empedocle a cenare e a dormire a Valsanìa. Il cammino non era breve né facile al bujo, le sere senza luna, per quella stradella ferroviaria ingombra e irta di brecce. Dopo la sciagura, una stanchezza mortale gli aveva reso le gambe gravi, come di piombo. Più volte s'era veduto venire incontro minaccioso il treno; più volte aveva avuto la tentazione di buttarcisi sotto e finirla. Quando giù alla marina non trovava lavoro, se ne risaliva presto alla campagna, e per suo mezzo, da un po' di tempo, le notizie a Valsanìa arrivavano senza ritardo. Se, quel giorno, non avesse recato quella dello sbarco a Palermo del corpo d'armata che in un batter d'occhio avrebbe certamente domato e spazzato la rivolta, né lui né don Cosmo sarebbero riusciti a trattenere Mauro con la forza. A calmarlo ancor più, era poi venuta la notizia della proclamazione dello stato d'assedio e del disarmo. Nemmen per ombra gli era passato il dubbio, che l'ordine di consegnare le armi potesse riferirsi anche a lui, o che potesse correre il rischio d'esser tratto in arresto, se fosse salito alla città armato. Le sue armi erano come quelle dei soldati; il permesso di portarle gli veniva dalle sue medaglie.

Le notizie recate dopo dal Costa avevano fatto su l'anima di lui quel che su una macchia già arruffata dalla tempesta suol fare una rapida vicenda di sole e di nuvole. S'era schiarito un poco, sapendo che a Roma Roberto Auriti era stato scarcerato, quantunque soltanto per la concessione della libertà provvisoria, e che il fratello Giulio aveva condotto con sé a Roma la sorella e il nipote; e scombujato alla rivelazione inattesa che Landino, il nipote del Generale, colui che ne portava il nome, era tra i caporioni della sommossa, e che era fuggito da Palermo, dopo la proclamazione dello stato d'assedio, per sottrarsi all'arresto. Dopo questa notizia s'era messo a guardare con cipiglio feroce Leonardo Costa, appena lo vedeva arrivare stanco e affannato da Porto Empedocle. L'ansia di sapere era fieramente combattuta in lui dal timore rabbioso che, a cuor leggero, quell'uomo lo costringesse ad armarsi e a partire da Valsanìa. Dacché era stato sul punto di farlo, conosceva per prova quel che gli sarebbe costato staccarsi da quella terra, strapparsi da tutti i ricordi che ve lo legavano, abbandonar la custodia del *camerone*, la sua vigna, i suoi colombi, gli alberi, che per tanto tempo avevano ascoltato i suoi discorsi.

Ma Leonardo Costa, dopo le furie dell'altra volta, sapeva ormai quali notizie erano per lui, quali per don Cosmo e per donna Sara Alàimo. Si era lasciata scappar quella intorno al figlio del principe, perché supponeva che Mauro già lo sapesse socialista e dovesse aver piacere conoscendo ch'era riuscito a fuggire.

L'ultima notizia che il Costa recò, nuova nuova, fu tra i lampi, il vento e la pioggia d'una serataccia infernale.

Mauro aveva apparecchiato da cena, in vece di donna Sara da due giorni a letto per una forte costipazione, e ora stava con don Cosmo nella sala da pranzo in attesa dell'ospite che, forse a causa del cattivo tempo, tardava a venire. Quell'attesa lo irritava, non tanto perché avesse voglia di mangiare, quanto perché temeva andasse a male la cena apparecchiata. Aveva fatto sempre ogni cosa con impegno, e tra i tanti ricordi che gli davano soddisfazione c'era anche quello d'aver fatto «leccar le dita» agli Inglesi, quand'era stato cuoco, prima a bordo e poi a Costantinopoli. Una delle ragioni del suo odio per donna Sara era appunto la gioja maligna manifestata più volte da questa per la pessima riuscita di qualche lezione di culinaria che aveva voluto impartirle. Fuori d'esercizio e con l'animo sconvolto e distratto da tanti pensieri, si cimentava da due giorni con coraggio imperterrito nella confezione dei più complicati intingoli, e avvelenava l'ospite e il povero don Cosmo.

– Come vi pare?

– Ah, un miele, – rispondeva questi, invariabilmente. – Forse, però, ho poco appetito.

– Al senso mio, – arrischiava il Costa, – mi pare che ci manchi un tantino di sale.

– O Marasantissima, – prorompeva Mauro, – eccovi qua la saliera!

Donna Sara era da due giorni digiuna.

Tra gli urli del vento, i boati spaventosi del mare, lo scroscio della pioggia, si udivano i suoi scoppii di tosse, e lamenti e preghiere recitate ad alta voce. In preda, certo, a un assalto furioso di mania religiosa, s'era asserragliata nella sua cameretta e rifiutava ogni cibo e ogni cura. Di tanto in tanto don Cosmo, sentendola tossire più forte e più a lungo, si recava premuroso a chiamarla dietro l'uscio e a domandarle se volesse qualche cosa. Per tutta risposta donna Sara gli gridava, appena poteva, con voce soffocata:

– Pentìtevi, diavolacci!

E riprendeva a gridare avemarie e paternostri.

Finalmente arrivò Leonardo Costa, in uno stato miserando, tutto scompigliato dal vento, con l'acqua che gli colava a ruscelli dal cappotto e con tre dita di fango attaccato agli scarponi. Non tirava più fiato e non poteva più tener ritta la testa, dalla stanchezza. Mauro, per ricetta, gli fece subito trangugiare un bicchierone di vino, opponendo alla resistenza la solita esclamazione:

– Oh Marasantissima, lasciatevi servire!

Don Cosmo s'affrettò a condurselo in camera e lo ajutò a cangiarsi d'abito, facendogliene indossare uno suo che gli andava molto stretto, ma almeno non era bagnato. Intanto Mauro aveva portato in tavola e gridava dalla sala da pranzo:

– Santo diavolone, venite o non venite?

Quando vide comparire l'uno e l'altro con due visi stralunati, si mise in apprensione e domandò aggrondato:

– Che altro c'è?

Nessuno dei due gli rispose. Don Cosmo, invece, domandò al Costa:

– E Ippolito? Ippolito?

– Dormiva, – rispose quello. – Alle tre di notte! Dormiva. Ma dice che, quando l'uomo di guardia, costretto ad aprire il cancello, corse alla villa ad avvertire...

– Parlate di don Landino? – lo interruppe a questo punto Mauro, cacciandosi tra i due furiosamente. – Ditemi che cos'è!

– No, che don Landino! – gli rispose il Costa, mostrando sul volto una trista gajezza. – Gli hanno fatto l'ultima a quel degno galantuomo che è stato qua un mese a pestarvi la faccia! So che voi lo amate quanto me!

– Il Salvo?

– Già!

E il Costa alzò un piede come per darlo sul collo del caduto. Seguitò:

– Sua sorella, la moglie del principe, ha preso la fuga, questa notte, col deputato Capolino...

– La fuga? Come, la fuga?

– Come, eh? Ci vuol poco... Quello è venuto a pigliarsela con la carrozza, e son partiti di nottetempo, con la corsa delle tre, per Palermo. Certo s'erano accordati avanti...

Don Cosmo, ancora stralunato, mormorava tra sé in disparte:

– Povero Ippolito... povero Ippolito...

– Gli sta bene! – corse a gridargli Mauro in faccia.

– Mescolarsi con una tal razza di gente, – aggiunse il Costa con una smorfia di schifo. – Del resto, sa, sì-don Cosmo? una certa mortificazione, forse, non dico di no... Lo scandalo è grosso: non si parla d'altro a Girgenti e alla marina... Ma, dopo tutto... già non la trattava nemmeno da moglie... dice che dormivano divisi e che... a sentir le male lingue... quel cagliostro, dice, se la piglia com'era prima del matrimonio... Quando l'uomo di guardia corse alla villa ad annunziare la fuga e il cameriere andò a svegliare il principe, dice che egli non alzò neanche la testa dal cuscino e rispose al cameriere: «Ah sì? Buon viaggio! Penserò domani ad averne dispiacere, quando mi sarò levato...».

Don Cosmo negò più volte energicamente col capo e aggiunse:

– Non sono parole d'Ippolito, codeste!

– Per conto mio, – riprese il Costa, sedendo con gli altri a tavola e cominciando a cenare, – che vuole che le dica? Mi dispiace per il principe; ma ci ho gusto, un gran gusto per l'onta che n'avrà il fratello... Ah, sì-don Cosmo, non so davvero perché vivo! Vorrei salvarmi l'anima, glielo giuro; vorrei darle tempo di superar la pena, perché almeno in punto di morte potesse perdonare e salirsene a Dio... Ma no, sì-don Cosmo: la pena è più forte e si mangia l'anima; l'odio mi cresce e si fa più rabbioso di giorno in giorno; e allora dico: perché? non sarebbe meglio ammazzar prima lui e poi me, e farla finita?

– Forse, – mormorò don Cosmo, – gli fareste un regalo...

– Ecco ciò che mi tiene! – esclamò il Costa. – Perché sarebbe un regalo anche per me!

– Mangiate e non piangete! – gli gridò Mauro.

– Abbiate pazienza, don Mauro, – gli disse allora il Costa, forzandosi a sorridere. – Nei vostri piatti, per il palato mio, ci manca sempre un tantino di sale. Qualche lagrimuccia è condimento.

Don Cosmo, intanto, assorto, mirando attentamente un pezzetto di carne infilzato nella forchetta sospesa, diceva tra sé:

«Come due ragazzini...».

E tra i colpi di tosse donna Sara seguitava a gridar di là:

– Pentìtevi, diavolacci! pentìtevi!

All'improvviso, mentre i tre seduti a tavola finivano di cenare, da fuori, ove il vento e la pioggia infuriavano, tra il fragorìo continuo degli alberi e del mare, s'intesero i furibondi latrati dei mastini che ogni sera, su i gradini della scala, stavano ad aspettar l'uscita del padrone dopo la cena. Mauro, accigliato, si rizzò sul busto e tese l'orecchio. Quei latrati avvisavano che qualcuno era presso la villa. E chi poteva essere a quell'ora, con quel tempo da lupi? Si udirono grida confuse. Mauro balzò in piedi, corse a prendere il fucile appoggiato a un angolo della sala, e s'avviò alla porta. Prima d'aprire, applicò l'orecchio al battente e subito, intendendo che giù, innanzi a la villa, i cani cercavano d'impedire il passo a parecchi che se ne difendevano gridando, spense il lume, spalancò la porta e, tra lo scroscio violento della pioggia, nella tenebra sconvolta, spianando il fucile, urlò dal pianerottolo:

– Chi è là?

Un palpito di luce sinistra mostrò per un attimo, in confuso, la scena. Mauro credette d'intravedere quattro o cinque che, minacciando disperatamente, indietreggiavano all'assalto dei mastini.

– Mauro, perdio! Questi cani! Ne ammazzo qualcuno! Ti chiamo da tre ore!

– Don Landino?

E Mauro, fremente, si precipitò dalla scala, tra il vento, sotto la pioggia furiosa.

– Dove siete? dove siete?

Alla voce del padrone i cani desistettero dall'assalto, pur seguitando ad abbajare.

– Mauro!

– Voi qua? – gridò questi, cercando, invece dei cani, d'impedir lui ora il passo. – Avete il coraggio di rifugiarvi qua coi vostri compagni d'infamia? Non vi ricevo! Andatevene! Questa è la casa di vostro Nonno! Non vi ricevo!

– Mauro, sei pazzo?

– In nome di Gerlando Laurentano, via! Andatevene! Là, da vostro padre è il rifugio per voi e pei vostri compagni, non qua! Non vi ricevo!

– Sei pazzo? Lasciami! – gridò Lando, strappandosi dalla mano di Mauro, che lo teneva afferrato per un braccio.

Sprazzò sul pianerottolo della scala un lume, che subito il vento spense. E don Cosmo, accorso col Costa, chiamò di là:

– Landino! Landino!

Questi rispose:

– Zio Cosmo! – e, rivolto ai compagni: – Sù, sù, andiamo sù!

– Don Landino! – gl'intimò allora Mauro con voce squarciata dall'esasperazione. – Non salite alla villa di vostro Nonno! Se voi salite, io me ne vado per sempre! Ringraziate Iddio che vi chiamate Gerlando Laurentano! Questo solo mi tiene dal farvi fare una vampa, a voi e a codeste carogne, sacchi di merda, che avete accanto! Ah sì? salite? Un fulmine Dio che la dirocchi e vi schiacci tutti quanti! Aspettate, ecco qua, tenete, compite la vostra prodezza! Vi consegno la chiave!

E la grossa chiave del *camerone* venne a sbattere contro la porta che si richiudeva.

– È pazzo! è pazzo! – ripetevano al bujo Lando, don Cosmo, il Costa cercando in tasca i fiammiferi per riaccendere il lume, mentre i compagni di Lando, storditi da quell'accoglienza nel ricovero tanto sospirato e ora finalmente raggiunto, domandavano ansimanti e perplessi:

– Ma chi è?

– Pazzo davvero?

– O perché?

Riacceso il lume, i cinque fuggiaschi, Lando, Lino Apes, Bixio Bruno, Cataldo Sclàfani e l'Ingrao, apparvero come ripescati da una fiumara di fango. Cataldo Sclàfani, dalla faccia spiritata, già ispida su le gote, sul labbro e sul mento della barba che gli rispuntava, era più di tutti compassionevole: pareva un convalescente atterrito, scappato di notte da un ospedale schiantato dalla tempesta.

Fu per un momento uno scoppiettìo di brevi domande e di risposte affannose, tra esclamazioni, sospiri e sbuffi di stanchezza; e chi si scrollava, e chi pestava i piedi, e chi cercava una sedia per buttarcisi di peso.

– Inseguiti? – No, no... – Scoperti?... – Forse!... – Ma che! no... – Sì... – Forse Lando... – A piedi! E come?... – Da tre giorni! – Diluvio! diluvio!... – Ma come, dico io, senz'avvertire? senz'avvertire?

Quest'ultima esclamazione era – s'intende – di don Cosmo. L'andava ripetendo all'uno e all'altro, sforzandosi di concentrarsi nella gran confusione che gli faceva grattar la barba su le gote con ambo le mani.

– Dico... dico... Ma come?... senz'avvertire?...

E chi sa fino a quando l'avrebbe ripetuto, se finalmente non gli fosse balenata l'idea che bisognava dare ajuto in qualche modo a quei giovanotti. Che ajuto:

– Ecco, venite, venite qua! – prese a dire, afferrando per le braccia ora l'uno ora l'altro. – Spogliatevi, subito... Ho roba... roba per tutti... qua, qua in camera mia... nella cassapanca, venite con me!

Bixio Bruno e l'Ingrao, meno storditi e meno stanchi degli altri, s'opposero energicamente a quella strana insistenza.

– Ma no! Ma lasci! – gridò il primo. – Non c'è da perder tempo... È distante molto Porto Empedocle da qua?

– Ecco, sì, – esclamò Lando, rivolto allo zio. – Qualcuno... un contadino fidato, da spedire a Porto Empedocle subito, per noleggiare una barca... qualche grossa barca da pesca...

– Prima che spunti il giorno, per carità! – raccomandò lo Sclàfani, facendosi avanti con la sua aria spiritata. – Dovremmo essere in mare prima che spunti il giorno! Forse siamo stati scoperti...

– E dàlli! Ti dico di no, – gli gridò l'Ingrao.

– E io ti dico invece di sì – ribatté lo Sclàfani. – Alla stazione di Girgenti, Lando, potrei giurare, è stato riconosciuto...

Leonardo Costa fece osservare che il noleggio di una barca, in un frangente come quello, non era incarico da affidare a un contadino.

– Posso andare io, se volete! Anzi, andrò io, ora stesso!

– Con questo tempo? – domandò angustiato don Cosmo. – Signori miei, non precipitate così le cose... Spogliatevi, date ascolto a me: prenderete un malanno... Vedete... ecco qua... quest'amico mio... vedete... l'ho fatto cambiare io, or ora... C'è roba... roba per tutti... nella cassapanca, venite a vedere!

Il Costa con un gesto d'impazienza, domandò ai giovani:

– Vorreste che venisse qua sotto Valsanìa la barca?

– Sì, sì, qua! – rispose Lando. – No, zio, per carità, mi lasci stare!

– Spògliati, ti dico...

– Non è prudente, – seguitò Lando, rivolto al Costa, mentre lo zio gli strappava per forza il soprabito, – non è prudente mostrarci a Porto Empedocle. A quest'ora a tutti i porti di mare sarà certo venuto da Palermo l'ordine della nostra cattura.

– Ma sarà difficile, – fece notare allora il Costa, – che approdi qua sotto, di notte, una tartana, con questo mare grosso... Basta; non mi tiro indietro... Si potrà tentare...

E corse a prendere in sala l'ampio mantello a cappuccio, ancora zuppo di pioggia.

– Amici! – gridò l'Ingrao, – non sarebbe meglio seguire questo signore, ora che è notte e nessuno ci vede? Ci terremo nascosti in prossimità del paese, fintanto che egli non avrà noleggiato la barca!

Il consiglio non fu accettato per una savia considerazione di Lino Apes:

– Ma che dite? Credete che una tartana si noleggi in quattro e quattr'otto, di nottetempo e con questo tempo? Bisognerà trovare il padrone...

– Lo conosco! – interruppe il Costa. – Ne conosco uno io, mio amico, fidatissimo.

– E i marinaj? – domandò l'Apes. – Il padrone solo non basta.

– Certo! Bisognerà trovare anche i marinaj, – riconobbe il Costa, – e allestir la barca... Prima di giorno non si farà a tempo.

– E allora, no! – gridò subito lo Sclàfani, rifacendosi avanti impetuosamente.
– A Porto Empedocle, no, di giorno! Converrà imbarcarci qua!

– Intanto, io vado! – disse Leonardo Costa, che s'era già incappucciato.

– Povero amico! – gemette don Cosmo. – Ma proprio?...

Il Costa non volle sentir commiserazioni né ringraziamenti e s'avventurò nella tenebra tempestosa.

Allorché Lando seppe che costui era il padre di Aurelio Costa, barbaramente assassinato insieme con la moglie del deputato Capolino dai solfaraj del *Fascio* d'Aragona, guardò cupamente l'Ingrao e gli altri compagni. Interpretando male quello sguardo, il Bruno manifestò, sebbene esitante, il sospetto non si fosse quegli recato a Porto Empedocle per vendicarsi, denunziandoli. Don Cosmo allora, accomodando la bocca, emise il suo solito riso di tre *oh! oh! oh!*

– Quello? – disse; e spiegò il sentimento e la devozione del suo povero amico, il quale, facendo carico della morte del figliuolo soltanto a Flaminio Salvo, non pensava neppur lontanamente ai socii del *Fascio* d'Aragona.

– Oh, a proposito! – disse poi, colpito dal nome del Salvo, venutogli così per caso alle labbra. E si chiamò Lando in disparte per annunziargli la fuga di donna Adelaide.

– Come una ragazzina, capisci? Alle tre di notte!

Nel trambusto, era rimasta finora inavvertita la voce di donna Sara Alàimo che, credendo forse a una vera invasione di demonii in quella notte di tempesta, ripeteva più arrabbiata che mai dalla sua remota cameretta in fondo al corridojo:

– Pentìtevi, diavolacci!

Il grido strano giunse spiccatissimo in quel momento di silenzio, e tutti, tranne don Cosmo, ne rimasero sbalorditi; anche Lando, già sbalordito per conto suo dalla notizia che gli aveva dato lo zio.

– Chi è?

– Ah, niente, donna Sara! – rispose quegli, come se Lando e i compagni conoscessero da un pezzo la vecchia casiera di Valsanìa. – Mi sta facendo impazzire, parola d'onore... S'è chiusa da due giorni in camera, e grida così... È malata, poverina. Anche di...

E si picchiò con un dito la fronte.

I quattro compagni di Lando si guardarono l'un l'altro negli occhi. Dov'erano venuti a cacciarsi dopo tre giorni di fuga disperata? Pazzo era stato dichiarato il vecchio, che aveva fatto loro in principio quella bella accoglienza;

pazza era dichiarata ora anche quest'altra vecchia; e che fosse perfettamente in sensi chi dichiarava pazzi con tanta sicurezza quegli altri due, non appariva loro, in verità, molto evidente. Finora quello zio di Lando, tranne che per i loro abiti bagnati e inzaccherati, non aveva mostrato altra costernazione.

– State ancora così? – esclamò, difatti, meravigliato, don Cosmo, dopo aver dato quel ragguaglio sul grido di donna Sara; e corse ad aprir la cassapanca, ov'eran riposti i suoi abiti smessi. – Qua, qua... prendete... vi dico che c'è roba per tutti!

I quattro giovani non poterono più tenersi dal ridere, e presero ad ajutarsi a vicenda per spiccicarsi d'addosso gli abiti inzuppati di pioggia.

– L'importante, v'assicuro io, – diceva don Cosmo, – è questo soltanto, per ora: di non prendere un raffreddore. Minchionatemi pure, ma cambiatevi.

Che ci fosse roba per tutti, intanto, era soverchia presunzione. Lino Apes, non trovando più nella cassapanca nessun capo di vestiario per sé, gli si fece innanzi con la tonaca da seminarista distesa su le braccia come una bambina da portare al battesimo:

– Posso prender questa?

– E perché no? Ah, che cos'è, la tonaca? Eh... se v'andrà..

E sorrise alle risa di quei quattro che si paravano goffamente degli altri abiti, esalanti tutti un acutissimo odore di canfora. Cataldo Sclàfani s'era acconciato con la napoleona e, poiché gli faceva male il capo, s'era annodato alla carrettiera un bel fazzolettone giallo, di cotone, a quadri rossi.

La gioventù a poco a poco riprendeva il sopravvento. Nessuno pensò più alla disfatta, all'incertezza dell'avvenire. Tra gli spintoni e la baja dei compagni, Lino Apes, stremenzito in quella tonaca di seminarista, corse in cucina a riaccendere il fuoco. Avevano fame! avevano sete! Ma qua don Cosmo sentì cascarsi l'asino: sapeva appena dove fosse la dispensa; e la chiave forse l'aveva Mauro con sé.

– La chiave? – gridò l'Ingrao. – L'ho trovata!

E corse a raccattare dal pianerottolo della scala quella che Mauro aveva scagliata contro la porta, rimasta là fuori.

– Eccola qua! eccola qua!

Don Cosmo stette un pezzo a osservarla.

– Questa? – disse. – No... Oh che cos'è? questa è la chiave del *camerone*! Dove l'avete presa?

Nella confusione non aveva inteso l'ultimo grido di Mauro; e, come gli fu detto che quella chiave era stata scagliata contro Lando, subito s'impensierì e, volgendosi a questo:

– Ma allora vedrai che... oh per Dio! – esclamò, – se ti ha buttato la chiave, vedrai che se ne va davvero... Forse se n'è già andato!

– Andato? dove? – domandò Lando, costernato anche lui e addolorato.

– E chi lo sa? – sospirò don Cosmo. E narrò in breve come già a stento fosse riuscito una prima volta a trattenerlo; poi, siccome gli altri quattro giovani ridevano dei pazzi proposti e del sentimento di quello strano vecchio, gli bisognò dir loro chi fosse, che avesse fatto, che cosa fosse per lui quel camerone e che contenesse.

– Ah sì? Anche un leopardo imbalsamato?

E, incuriositi, Lino Apes, l'Ingrao, il Bruno, lo Sclàfani, appena don Cosmo e Lando si recarono a cercar di Mauro, ripresa quella chiave, entrarono nel *camerone*.

Sott'esso appunto era la stanza di Mauro Mortara.

Don Cosmo e Lando, con una candela in mano, erano entrati in uno stanzino segreto, ov'era una botola che conduceva al pianterreno della villa; senza far rumore avevano sollevato da terra la caditoja ed erano scesi per la ripida scala di legno non ben sicura alla cantina; di qua eran passati nel palmento; avevano poi attraversato due ampii magazzini vuoti, uno sgabuzzino pieno di vecchi arnesi rurali affastellati, ed erano arrivati a un uscio interno della stanza di Mauro. Chinandosi a guardare, Lando s'accorse, dalla soglia, che c'era lume.

– Mauro! – chiamò allora don Cosmo. – Mauro!

Nessuna risposta.

Lando tornò a chinarsi per guardare attraverso il buco della serratura.

Veniva, di sù, il frastuono di quei quattro, che rincorrevano per il *camerone* Lino Apes vestito da seminarista, e gridavano, e ridevano.

Mauro Mortara, seduto davanti a una cassa, tratta da sotto il letto, stava con le braccia appoggiate su l'orlo del coperchio sollevato, e il viso affondato tra le braccia.

– C'è? che fa? – domandò don Cosmo.

Lando levò rabbiosamente un pugno verso il soffitto, donde veniva il fracasso dei compagni. Sentiva, tra il dispetto acerbo contro questi e contro se stesso, un vivo rimorso della fiera offesa recata al sentimento di quel suo caro vecchio, e un angoscioso cordoglio di non potere in quel momento unire il suo richiamo affettuoso a quello dello zio.

– Che fa? – ridomandò questi, più piano.

Che cosa facesse Mauro, col viso così nascosto tra le braccia, lo dicevano chiaramente le medaglie che, appese al petto e ciondolanti per la positura in cui stava, traballavano a tratti. Piangeva... sì... ecco... piangeva... e aveva alle spalle quel suo comico zainetto che già gli aveva veduto a Roma.

– Mauro! – chiamò di nuovo don Cosmo.

A questo nuovo richiamo, Lando, ancora con l'occhio al buco della serratura, gli vide sollevar la faccia e tenerla un po' sospesa, senza tuttavia voltarla verso l'uscio; lo vide poi alzarsi e accostarsi di furia al tavolino.

– Ha spento il lume, – disse allo zio, rizzandosi.

Stettero entrambi un pezzo in ascolto, perplessi nell'attesa di sentirgli aprir la porta. Si videro lì, allora, come imprigionati; non avevan le chiavi né dei magazzini, né del palmento, né della cantina, e dovevano dunque ritornar sù, se volevano impedirgli d'andare; bisognava far presto, per non dargli tempo d'allontanarsi troppo. Ma nessun rumore veniva più dalla stanza.

Don Cosmo fe' cenno al nipote di risalire, in silenzio. Quando furono nel primo dei due magazzini, si fermò e disse sottovoce:

– Tanto, se vuole andare, né tu né io potremmo trattenerlo con la forza. Forse ritornerà, quando voi sarete partiti e gli sarà sbollita la collera.

Lando guardò quel suo vecchio zio, da lui appena conosciuto, in quel vasto magazzino, in cui il lume della candela projettava mostruosamente ingrandite le ombre dei loro corpi, ed ebbe l'impressione che una strana realtà impensata gli s'avventasse agli occhi all'improvviso, con la stramba inconseguenza d'un sogno. Da un pezzo non vedeva più la ragione dei suoi atti che gli lasciavan tutti uno strascico di rincrescimento, un amaro sapore d'avvilimento; ma ora, più che mai, di fronte alla realtà così stranamente spiccata di quel suo zio fuori della vita, in quell'antica solitaria campagna, lì davanti a lui, in quel magazzino vuoto, con quella candela in mano. Fu tentato di spegnerla, come dianzi Mauro aveva spento il lume nella sua stanza di là. Udì la voce del vento, i boati del mare: fuori era il bujo tempestoso; anche quello della sorte che lo aspettava. Bisognava che in quel bujo, a ogni costo, assolutamente, trovasse una ragione d'agire, in cui tutte le sue smanie si quietassero, tutte le incertezze del suo intelletto cessassero dal tormentarlo. Ma quale? ma quando? ma dove?

– Passerà, – diceva poco dopo don Cosmo, con gli angoli della bocca contratti in giù, la fronte increspata come da onde di pensieri ricacciati indietro dal riflusso della sua sconsolata saggezza, e con quegli occhi che pareva allontanassero e disperdessero nella vanità del tempo tutte le contingenze amare e fastidiose della vita. – Passerà, cari miei... passerà...

I quattro giovani avevano trovato da sé la dispensa e, poiché era aperta, avevan portato di là in tavola quanto poteva servire al loro bisogno; ora, dopo il pasto e saziata la sete, facevano sforzi disperati per resistere alla stanchezza aggravatasi su le loro pàlpebre all'improvviso.

Quell'esclamazione di don Cosmo era in risposta alla rievocazione ch'essi avevano fatta, alcuni con cupa amarezza, altri con rabbioso rammarico e Lino Apes con la sua solita arguzia, degli ultimi avvenimenti tumultuosi. Guardandoli come già lontanissimi nel tempo, don Cosmo non riusciva a scorgerne più il senso né lo scopo. Dal suo aspetto, agli occhi di Lando, spirava quello stesso sentimento che spira dalle cose che assistono impassibili alla fugacità delle vicende umane.

– Avete visto il leopardo?

– Sì, bello... bello – brontolò l'Ingrao, cacciando il volto, deturpato dall'atra voglia di sangue, tra le braccia appoggiate su la tavola.

– Quello era un leopardo vivo!

Lino Apes spalancò gli occhi e domandò, quasi con spavento:

– Mangiava?

– Lo dico, – riprese don Cosmo, – perché ora, cari miei, è pieno di stoppa e non mangia più. E quella lettera di mio padre? L'avete letta? Un foglietto di carta sbiadito... E la scrisse una mano viva, come questa mia, guardate... Che cos'è ora? Quel povero pazzo l'ha messa in cornice... Luigi Napoleone... il colpo di Stato... gli avvenimenti della Francia...

Raccolse le dita delle mani a pigna e le scosse in aria, come a dire: «Che ce n'è più? che senso hanno?».

– Realtà d'un momento... minchionerie...

Si alzò; s'appressò ai vetri del balcone che da un pezzo non facevano più rumore, e si voltò al nipote:

– Senti che silenzio? – disse. – Ti do la consolante notizia che il vento è cessato...

– Cessato? – domandò Cataldo Sclàfani, levando di scatto dalle braccia, che teneva anche lui appoggiate alla tavola, la faccia spiritata, da convalescente, col fazzoletto giallo tirato fin su le ciglia. – Bene bene... C'imbarcheremo qua... Buona notte!

E si ricompose a dormire.

– Così tutte le cose... – sospirò don Cosmo, mettendosi a passeggiare per la sala; e seguitò, fermandosi di tratto in tratto: – Una sola cosa è triste, cari miei: aver capito il giuoco! Dico il giuoco di questo demoniaccio beffardo che ciascuno di noi ha dentro e che si spassa a rappresentarci di fuori, come realtà, ciò che poco dopo egli stesso ci scopre come una nostra illusione, deridendoci degli affanni che per essa ci siamo dati, e deridendoci anche, come avviene a me, del non averci saputo illudere, poiché fuori di queste illusioni non c'è più altra realtà... E dunque, non vi lagnate! Affannatevi e tormentatevi, senza pensare che tutto questo non conclude. Se non conclude, è segno che non deve concludere, e che è vano dunque cercare una conclusione. Bisogna vivere, cioè illudersi; lasciar giocare in noi il demoniaccio beffardo, finché non si sarà stancato; e pensare che tutto questo passerà... passerà...

Guardò in giro alla tavola e mostrò a Lando i suoi compagni già addormentati.

– Anzi, vedi? è già passato...

E lo lasciò lì solo, innanzi alla tavola.

Lando mirò i penosi atteggiamenti sguajati, le comiche acconciature, le facce disfatte dalla stanchezza de' suoi amici, e invidiò il loro sonno e ne provò sdegno allo stesso tempo. Avevano potuto scherzare; ora potevano dormire,

dimentichi che dei disordini provocati dalle loro predicazioni a una gente oppressa da tante iniquità ma ancor sorda e cieca, s'avvaleva ora il Governo per
calpestare ancora una volta quella terra, che sola, senza patti, con impeto generoso s'era data all'Italia e in premio non ne aveva avuto altro che la miseria
e l'abbandono. Potevano dormire, quei suoi amici, dimentichi del sangue di
tante vittime, dimentichi dei compagni caduti in mano della polizia, i quali
certo, domani, sarebbero stati condannati dai tribunali militari...

Si alzò anche lui; si recò alla sala d'ingresso, desideroso d'uscire all'aperto,
a trarre una boccata d'aria, per liberarsi dell'angoscia che l'opprimeva, ora
che il vento e la pioggia erano cessati. Ma innanzi alla porta si fermò, vinto
dall'odore di antica vita che covava in quella villa ove suo nonno era vissuto,
ove con quel desolato sentimento di precarietà lasciava invano passare i suoi
tristi giorni quel suo zio, ove Mauro Mortara... Subito si scosse al ricordo del
suo vecchio snidato da lui crudelmente negli ultimi giorni da quella dimora
che il culto di tante memorie gli rendeva sacra; più che per tutto il resto sentì
dispetto e onta dell'opera sua e dei suoi compagni per quest'ultima conseguenza ch'essa cagionava: di cacciar via da Valsanìa il suo vecchio custode,
colui che gli appariva da un pezzo come la più schietta incarnazione dell'antica anima isolana; e corse per tentar di placarlo, per gridargli il suo pentimento e forzarlo a rimanere. La porta della stanza di Mauro era aperta; la
stanza era al bujo e vuota.

Su la soglia stavano incerti e come smarriti i tre mastini. Non abbajarono.
Anzi, gli si fecero attorno ansiosi, drizzando le aguzze orecchie, scotendo la
breve coda, quasi gli chiedessero perché il loro padrone, seguito da essi come
ogni notte, a un certo punto si fosse voltato a cacciarli, a rimandarli indietro
rudemente: perché?

Da un balcone in fondo venne la voce di don Cosmo:

– Se n'è andato?

– Sì, – rispose Lando.

Don Cosmo non disse più nulla. Nella tetraggine, solenne e come sospesa,
della notte ancora inquieta, rimase a udire il fragore del mare sotto le frane di
Valsanìa e l'abbajare più o men remoto dei cani; poi, con una mano sul capo
calvo, si affissò ad alcune stelle, chiodi del mistero com'egli le chiamava, apparse in una cala di cielo, tra le nuvole squarciate.

Senza curarsi del fango della strada, dove i suoi stivaloni ferrati affondavano
e spiacciavano; con gli occhi aggrottati sotto le ciglia e quasi chiusi; tutto il
viso contratto dallo sdegno; un agro bruciore al petto e la mente occupata da
una tenebra più cupa di quella che gli era intorno, Mauro Mortara era, intanto,
più d'un miglio lontano da Valsanìa. Andava nella notte ancora agitata dagli
ultimi fremiti della tempesta, investito di tratto in tratto da raffiche gelate che
gli spruzzavano in faccia la pioggia stillante dagli alberi, di qua e di là dalle
muricce, lungo lo stradone. Andava curvo, a testa bassa, il fucile appeso a una
spalla, le due pistole ai fianchi, un pugnale col fodero di cuojo alla cintola, lo
zàino alle spalle, il berretto villoso in capo e le medaglie al petto. Saliva verso
Girgenti; ma voleva andare più lontano; lasciare a un certo punto lo stradone e
mettersi per la linea ferroviaria; attraversare una breve galleria, sboccare in
Val Sollano, e di lì, nei pressi della stazione, avviarsi per un altro stradone al
paese di Favara, ove, in un poderetto di là dall'abitato, viveva un suo nipote
contadino, figlio d'una sorella morta da tanti anni, il quale più volte gli aveva
offerto tetto e cure nel caso che, infermo, avesse voluto ritirarsi da Valsanìa.
Andava lì, da quel suo nipote; ma non ci voleva pensare. La testa, il cuore gli
erano rimasti come pestati, schiacciati e macerati dallo stropicciò dei passi di
quei giovani, che per supremo oltraggio s'erano introdotti a profanare il *camerone* del Generale, mentr'egli nella sua stanza, sotto, s'apparecchiava a partire.

Non voleva più pensare né sentir nulla; nulla immaginare dei giorni che gli restavano. Tuttavia, il cuore calpestato, a poco a poco, sotto l'assillo del pensiero che, forse, quel suo nipote contadino gli aveva offerto ricetto perché s'aspettava da lui chi sa quali tesori, cominciò a rimuoverglisi dentro, a riallargarglisi in émpiti d'orgoglio. Soltanto da giovane e dalle mani del Generale, fino alla partenza per l'esilio a Malta, egli aveva avuto un salario. Ritornato a Valsanìa, dopo le vicende fortunose della sua vita errabonda, per mare, in Turchia, nell'Asia Minore, in Africa, e dopo la campagna del Sessanta, aveva prestato sempre la sua opera, colà, disinteressatamente. E ora, ecco, a settantotto anni, se ne partiva povero, senza neppure un soldo in tasca, con la sola ricchezza di quelle sue medaglie al petto. Ma appunto perché questa sola ricchezza aveva cavato dall'opera di tutta la sua vita, «Sciocco», poteva dire a quel suo nipote, «tu sei padrone di tre palmi di terra; e se te ne scosti d'un passo, non sei più nel tuo; io, invece, sono qua, sempre nel mio ovunque posi il piede, per tutta la Sicilia! Perché io la corsi da un capo all'altro per liberarla dal padrone che la teneva schiava!».

Preso così l'aire, la sua esaltazione crebbe di punto in punto, fomentata per un verso dal cordoglio d'essersi strappato per sempre da Valsanìa, e per l'altro dal bisogno di riempire con la rievocazione di tutti i ricordi che potevano dargli conforto il vuoto che si vedeva davanti.

Rideva e parlava forte e gestiva, senza badare alla via: rideva al binario della linea ferroviaria, ai pali del telegrafo, frutti della Rivoluzione, e si picchiava forte il petto e diceva:

– Che me n'importa? Io... io... la Sicilia... oh Marasantissima... vi dico la Sicilia... Se non era per la Sicilia... Se la Sicilia non voleva... La Sicilia si mosse e disse all'Italia: eccomi qua! vengo a te! Muoviti tu dal Piemonte col tuo Re, io vengo di qua con Garibaldi, e tutti e due ci uniremo a Roma! Oh Marasantissima, lo so: Aspromonte, ragione di Stato, lo so! Ma la Sicilia voleva far prima, di qua... sempre la Sicilia... E ora quattro canaglie hanno voluto disonorarla... Ma la Sicilia è qua, qua, qua con me... la Sicilia, che non si lascia disonorare, è qua con me!

Si trovò tutt'a un tratto davanti alla breve galleria che sbocca in Val Sollano, e stupì d'esservi giunto così presto, senza saper come; prima d'entrarvi, guardò in cielo per conoscere dalle stelle che ora fosse. Potevano essere le tre del mattino. Forse all'alba sarebbe alla Favara. Attraversata la galleria e giunto nei pressi della stazione di Girgenti, al punto in cui s'imbocca lo stradone che conduce a quel grosso borgo tra le zolfare, dovette però fermarsi davanti alla sfilata di due compagnie di soldati che, muti, ansanti, a passo accelerato, si recavano di notte colà. Dal cantoniere di guardia ebbe notizia che, nonostante la proclamazione dello stato d'assedio, alla Favara tutti i socii del *Fascio* disciolto, nelle prime ore della sera, s'erano dati convegno nella piazza e avevano assaltato e incendiato il municipio, il casino dei nobili, i casotti del dazio, e che gl'incendii e la sommossa duravano ancora e già c'erano parecchi morti e molti feriti.

– Ah sì? Ah sì? – fremette Mauro. – Ancora?

E si svincolò dalle braccia di quel cantoniere che voleva trattenerlo, vedendolo così armato, per salvarlo dal rischio a cui si esponeva d'esser catturato da quei soldati.

– Io, dai soldati d'Italia?

E corse per unirsi a loro.

Una gioja impetuosa, frenetica, gli ristorò le forze che già cominciavano a mancargli; ridiede l'antico vigore alle sue vecchie gambe garibaldine; l'esaltazione diventò delirio; sentì veramente in quel punto d'esser la Sicilia, la vecchia Sicilia che s'univa ai soldati d'Italia per la difesa comune, contro i nuovi nemici.

Divorò la via, tenendosi a pochi passi da quelle due compagnie che a un certo punto, per l'avviso di alcuni messi incontrati lungo lo stradone, s'eran lanciate di corsa.

Quando, alla prima luce dell'alba, tutto inzaccherato da capo a piedi, trafelato, ebbro della corsa, stordito dalla stanchezza, si cacciò coi soldati nel paese, non ebbe tempo di veder nulla, di pensare a nulla: travolto, tra una fitta sassajola, in uno scompiglio furibondo, ebbe come un guazzabuglio di impressioni così rapide e violente da non poter nulla avvertire, altro che lo strappo spaventoso d'una fuga compatta che si precipitava urlante; un rimbombo tremendo; uno stramazzo e...

La piazza, come schiantata e in fuga anch'essa dietro gli urli del popolo che la disertava, appena il fumo dei fucili si diradò nel livido smortume dell'alba, parve agli occhi dei soldati come trattenuta dal peso di cinque corpi inerti, sparsi qua e là.

Un bisogno strano, invincibile, obbligò il capitano a dare subito ai suoi soldati un comando qualunque, pur che fosse. Quei cinque corpi rimasti là, traboccati sconciamente, in una orrenda immobilità, su la motriglia della piazza striata dall'impeto della fuga, erano alla vista d'una gravezza insopportabile. E un furiere e un caporale, al comando del capitano, si mossero sbigottiti per la piazza e si accostarono al primo di quei cinque cadaveri.

Il furiere si chinò e vide ch'esso, caduto con la faccia a terra, era armato come un brigante. Gli tolse il fucile dalla spalla e, levando il braccio, lo mostrò al capitano; poi diede quel fucile al caporale, e si chinò di nuovo sul cadavere per prendergli dalla cintola prima una e poi l'altra pistola, che mostrò ugualmente al capitano. Allora questi, incuriosito, sebbene avesse ancora un forte tremito a una gamba e temesse che i soldati se ne potessero accorgere, si appressò anche lui a quel cadavere, e ordinò che lo rimovessero un poco per vederlo in faccia. Rimosso, quel cadavere mostrò sul petto insanguinato quattro medaglie.

I tre, allora, rimasero a guardarsi negli occhi, stupiti e sgomenti.

Chi avevano ucciso?

QUADERNI DI
SERAFINO GUBBIO OPERATORE

Invito alla lettura

Il romanzo fu pubblicato a puntate sulla Nuova Antologia *con il titolo «Si gira...» nel 1915 (dal primo giugno al 16 agosto). Fu poi ripubblicato nel 1925 (Bemporad, Firenze) con alcune modifiche da parte dell'autore e con il definitivo titolo* Quaderni di Serafino Gubbio operatore.

Il protagonista, Serafino Gubbio, diventato del tutto casualmente operatore cinematografico alla Kosmograph, ha «in corpo il baco della filosofia». La filosofia non gli ha certo dato la felicità, ma una lucida consapevolezza e la determinazione ad allontanare da sé qualsiasi individualismo egoistico. La via che Serafino vuole percorrere è quella della rinuncia a tutte le maschere consce ed inconsce, della regressione fino a diventare uno spazio bianco in cui gli uomini, le cose, il mondo possano incidere i loro segni senza essere deformati da falsanti intenzionalità individuali: «Ho ragione di credere (e già più d'una volta me ne sono compiaciuto) che la realtà ch'io do agli altri corrisponda perfettamente a quella che questi altri dànno a se medesimi, perché m'industrio di sentirli in me come essi in sé si sentono, di volerli per me com'essi per sé si vogliono: una realtà, dunque, al tutto "disinteressata"». Serafino riprende ampliandoli, i connotati del protagonista di una novella del 1902, Quando ero matto...; *l'impassibilità alla quale aspira è una positiva disponibilità, un'illimitata apertura al mondo, insomma una sorta di santità laica: « Vorrei non parlar mai; accoglier tutto e tutti in questo mio silenzio, ogni pianto, ogni sorriso [...] perché tutti in me trovassero, non solo dei loro dolori, ma anche e più delle loro gioje, una tenera pietà che li affratellasse almeno per un momento». Proprio per questo Serafino può guardare con occhi diversi da tutti gli altri Varia Nestoroff, la prima attrice della Kosmograph, approdata alla casa cinematografica dopo un'esistenza convulsa, segnata anche da una tragedia. La Nestoroff è tratteggiata come una vera e propria donna fatale e apparentemente si inscrive in quella nutrita schiera di maliarde che popola l'arte e la letteratura* fin de siècle *(si pensi al Vampiro di Munch, alle regine e principesse di Swinburne, di Banville, di Samain e, in Italia, del D'Annunzio). Ma lo sguardo «disinteressato» di Serafino, al di là dei cuprei riflessi della capigliatura, ne coglie l'ansia divorante, l'inquietudine oscura ed inesplicabile: «Forse da anni e anni, a traverso tutte le avventure misteriose della sua vita, ella va inseguendo questa ossessa che è in lei e che le sfugge, per trattenerla, per domandarle che cosa voglia, perché soffra, che cosa ella dovrebbe fare per ammansarla, per placarla, per darle pace... Ella è veramente tragica». Ed è probabile che Pirandello, disegnando una maliarda infelice, abbia voluto stravolgere il cliché della donna fatale, riprodotto anche in un romanzo del suo amico Giustino Ferri,* L'ultima notte *(Roma, 1884) in cui Vera (è solo casuale che la Nestoroff si chiami Varia?), demoniaca amante di Alessandro Nogoroff, appare «assetata di un amore diabolico, peccaminoso, senza riposo».*

Sempre per la sua disponibilità senza riserve, Serafino può guardare lucidamente e nello stesso tempo con tenera pietà alla follia di Nene Cavalena che vive unicamente dei fantasmi della sua ossessiva gelosia. La pazzia di Nene Cavalena appare come un esito dell'allentarsi della coscienza presente, possibile certo in tutti noi (e qui Pirandello si è certamente rifatto al processo di aggregazione-disgregazione degli elementi psichici, descritto da A. Binet nel saggio sulle modificazioni della personalità).

Oltre al tema della follia, che circola in molte opere pirandelliane, un altro tema molto caro a Pirandello è presente in questo romanzo: il solco profondo che divide l'uomo dal suo stesso passato. Serafino, che per una serie intricata di vicende si reca a Sorrento dove ha vissuto da giovane, deve riconoscere che i luoghi, le persone sono ormai diversi per lui perché è diverso il suo sentimento.

L'impassibilità attiva e positiva cui Serafino aspira è certo difficile da raggiungere o da mantenere; è minacciata continuamente da moti dell'animo o addirittura dall'insorgere del sentimento d'amore, come quello per la signorina Luisetta. Ma ciò che non riesce all'uomo può riuscire alla tecnica; la perfetta impassibilità, paradossalmente e negativamente, gli sarà procurata dalla macchina da presa, mostruoso «ragno di ferro» che tutto divora e che ottiene la totale assimilazione di Serafino ai suoi meccanismi. Filmando un omicidio fuori copione, Serafino, per non turbare la ripresa della scena, trattiene l'urlo spontaneo ma diventa muto per sempre.

In un periodo in cui la meccanizzazione veniva rumorosamente esaltata dai Futuristi, Pirandello medita pessimisticamente sul possibile spegnimento dell'uomo nella civiltà delle macchine. D'altronde anche il cinema, dal quale fu coinvolto e in qualche modo attratto[1], appare a Pirandello come la degenerazione meccanica della creativa attività artistica. Il cinema è solo un «ibrido giuoco», falso e fortemente kitsch. *Come risposta all'egoismo individualistico e alla civiltà delle macchine, Pirandello non propone certo l'utopia politica di un Gor'kij o la liberazione nell'eros come Hesse o l'integrazione della personalità individuale nel* sé *come Jung. L'unica grandiosa alternativa che si disegna sullo sfondo di questo romanzo è quella dell'arte. Per l'uomo contemporaneo sugli orli di un'angosciosa frantumazione e di un asservimento a mostri di ferro e di acciaio un unico dio resiste: il dio dell'arte.*

M.A.

---

[1] Già dal 1921 Gennaro Righelli aveva tratto un film dalla novella *Il viaggio;* nel 1929 lo stesso Pirandello si era recato ad Hollywood dove si girava con Greta Garbo *Come tu mi vuoi;* fino agli ultimi giorni della sua vita lo scrittore si recò a vedere le riprese del film tratto dal *Fu Mattia Pascal (N.d.C.).*

Quaderno primo

I.

Studio la gente nelle sue più ordinarie occupazioni, se mi riesca di scoprire negli altri quello che manca a me per ogni cosa ch'io faccia: la certezza che capiscano ciò che fanno.

In prima, sì, mi sembra che molti l'abbiano, dal modo come tra loro si guardano e si salutano, correndo di qua, di là, dietro alle loro faccende o ai loro capricci. Ma poi, se mi fermo a guardarli un po' addentro negli occhi con questi miei occhi intenti e silenziosi, ecco che subito s'aombrano. Taluni anzi si smarriscono in una perplessità così inquieta, che se per poco io seguitassi a scrutarli, m'ingiurierebbero o m'aggredirebbero.

No, via, tranquilli. Mi basta questo: sapere, signori, che non è chiaro né certo neanche a voi neppur quel poco che vi viene a mano a mano determinato dalle consuetissime condizioni in cui vivete. C'è un *oltre* in tutto. Voi non volete o non sapete vederlo. Ma appena appena quest'oltre baleni negli occhi d'un ozioso come me, che si metta a osservarvi, ecco, vi smarrite, vi turbate o irritate.

Conosco anch'io il congegno esterno, vorrei dir meccanico della vita che fragorosamente e vertiginosamente ci affaccenda senza requie. Oggi, così e così; questo e quest'altro da fare; correre qua, con l'orologio alla mano, per essere in tempo là. – No, caro, grazie: non posso! – Ah sì, davvero? Beato te! Debbo scappare... – Alle undici, la colazione. – Il giornale, la borsa, l'ufficio, la scuola... – Bel tempo, peccato! Ma gli affari... – Chi passa? Ah, un carro funebre... Un saluto, di corsa, a chi se n'è andato. – La bottega, la fabbrica, il tribunale...

Nessuno ha tempo o modo d'arrestarsi un momento a considerare, se quel che vede fare agli altri, quel che lui stesso fa, sia veramente ciò che sopra tutto gli convenga, ciò che gli possa dare quella certezza vera, nella quale solamente potrebbe trovar riposo. Il riposo che ci è dato dopo tanto fragore e tanta vertigine è gravato da tale stanchezza, intronato da tanto stordimento, che non ci è più possibile raccoglierci un minuto a pensare. Con una mano ci teniamo la testa, con l'altra facciamo un gesto da ubriachi.

– Svaghiamoci!

Sì. Più faticosi e complicati del lavoro troviamo gli svaghi che ci si offrono; sicché dal riposo non otteniamo altro che un accrescimento di stanchezza.

Guardo per via le donne, come vestono, come camminano, i cappelli che portano in capo; gli uomini, le arie che hanno o che si dànno; ne ascolto i discorsi, i propositi; e in certi momenti mi sembra così impossibile credere alla realtà di quanto vedo e sento, che non potendo d'altra parte credere che tutti facciano per ischerzo, mi domando se veramente tutto questo fragoroso e vertiginoso meccanismo della vita, che di giorno in giorno sempre più si còmplica e s'accèlera, non abbia ridotto l'umanità in tale stato di follìa, che presto proromperà frenetica a sconvolgere e a distruggere tutto. Sarebbe forse, in fin de' conti, tanto di guadagnato. Non per altro, badiamo: per fare una volta tanto punto e daccapo.

Qua da noi non siamo ancora arrivati ad assistere allo spettacolo, che dicono frequente in America, di uomini che a mezzo d'una qualche faccenda, fra il tumulto della vita, traboccano giù, fulminati. Ma forse, Dio ajutando, ci arriveremo presto. So che tante cose si preparano. Ah, si lavora! E io – modestamente – sono uno degli impiegati a questi lavori *per lo svago.*

Sono operatore. Ma veramente, essere operatore, nel mondo in cui vivo e di cui vivo, non vuol mica dire operare.

Io non opero nulla.

Ecco qua. Colloco sul treppiedi a gambe rientranti la mia macchinetta. Uno o due apparatori, secondo le mie indicazioni, tracciano sul tappeto o su la piattaforma con una lunga pertica e un lapis turchino i limiti entro i quali gli attori debbono muoversi per tenere in fuoco la scena.

Questo si chiama *segnare il campo.*

Lo segnano gli altri; non io: io non faccio altro che prestare i miei occhi alla macchinetta perché possa indicare fin dove arriva *a prendere.*

Apparecchiata la scena, il direttore vi dispone gli attori e suggerisce loro l'azione da svolgere.

Io domando al direttore:

– Quanti metri?

Il direttore, secondo la lunghezza della scena, mi dice approssimativamente il numero dei metri di pellicola che abbisognano, poi grida agli attori:

– Attenti, si gira!

E io mi metto a girar la manovella.

Potrei farmi l'illusione che, girando la manovella, faccia muover io quegli attori, press'a poco come un sonatore d'organetto fa la sonata girando il manubrio. Ma non mi faccio né questa né altra illusione, e séguito a girare finché la scena non è compiuta; poi guardo nella macchinetta e annunzio al direttore:

– Diciotto metri, – oppure: – trentacinque.

E tutto è qui.

Un signore, venuto a curiosare, una volta mi domandò:

– Scusi, non si è trovato ancor modo di far girare la macchinetta da sé?

Vedo ancora la faccia di questo signore: gracile, pallida, con radi capelli biondi; occhi cilestri, arguti; barbetta a punta, gialliccia, sotto la quale si nascondeva un sorrisetto, che voleva parer timido e cortese, ma era malizioso. Perché con quella domanda voleva dirmi:

«Siete proprio necessario voi? Che cosa siete voi? *Una mano che gira la manovella.* Non si potrebbe fare a meno di questa mano? Non potreste esser soppresso, sostituito da un qualche meccanismo?».

Sorrisi e risposi:

– Forse col tempo, signore. A dir vero, la qualità precipua che si richiede in uno che faccia la mia professione è *l'impassibilità* di fronte all'azione che si svolge davanti alla macchina. Un meccanismo, per questo riguardo, sarebbe senza dubbio più adatto e da preferire a un uomo. Ma la difficoltà più grave, per ora, è questa: trovare un meccanismo, che possa regolare il movimento secondo l'azione che si svolge davanti alla macchina. Giacché io, caro signore, non giro sempre allo stesso modo la manovella, ma ora più presto ora più piano, secondo il bisogno. Non dubito però, che col tempo – sissignore – si arriverà a sopprimermi. La macchinetta – anche questa macchinetta, come tante altre macchinette – girerà da sé. Ma che cosa poi farà l'uomo quando tutte le macchinette gireranno da sé, questo, caro signore, resta ancora da vedere.

II.

Soddisfo, scrivendo, a un bisogno di sfogo, prepotente. Scarico la mia professionale impassibilità e mi vendico, anche; e con me vendico tanti, condannati come me a non esser altro, che *una mano che gira una manovella*.

Questo doveva avvenire, e questo è finalmente avvenuto!

L'uomo che prima, poeta, deificava i suoi sentimenti e li adorava, buttati via i sentimenti, ingombro non solo inutile ma anche dannoso, e divenuto saggio e industre, s'è messo a fabbricar di ferro, d'acciajo le sue nuove divinità ed è diventato servo e schiavo di esse.

Viva la Macchina che meccanizza la vita!

Vi resta ancora, o signori, un po' d'anima, un po' di cuore e di mente? Date, date qua alle macchine voraci, che aspettano! Vedrete e sentirete, che prodotto di deliziose stupidità ne sapranno cavare.

Per la loro fame, nella fretta incalzante di saziarle, che pasto potete estrarre da voi ogni giorno, ogni ora, ogni minuto?

È per forza il trionfo della stupidità, dopo tanto ingegno e tanto studio spesi per la creazione di questi mostri, che dovevano rimanere strumenti e sono divenuti invece, per forza, i nostri padroni.

La macchina è fatta per agire, per muoversi, ha bisogno di ingojarsi la nostra anima, di divorar la nostra vita. E come volete che ce le ridiano, l'anima e la vita, in produzione centuplicata e continua, le macchine? Ecco qua: in pezzetti e bocconcini, tutti d'uno stampo, stupidi e precisi, da farne, a metterli sù, uno su l'altro, una piramide che potrebbe arrivare alle stelle. Ma che stelle, no, signori! Non ci credete. Neppure all'altezza d'un palo telegrafico. Un soffio li abbatte e li ròtola giù, e tal altro ingombro, non più dentro ma fuori, ce ne fa, che – Dio, vedete quante scatole, scatolette, scatolone, scatoline? – non sappiamo più dove mettere i piedi, come muovere un passo. Ecco le produzioni dell'anima nostra, le scatolette della nostra vita!

Che volete farci? Io sono qua. Servo la mia macchinetta, in quanto la giro perché possa mangiare. Ma l'anima, a me, non mi serve. Mi serve la mano; cioè serve alla macchina. L'anima in pasto, in pasto la vita, dovete dargliela voi signori, alla macchinetta ch'io giro. Mi divertirò a vedere, se permettete, il prodotto che ne verrà fuori. Un bel prodotto e un bel divertimento, ve lo dico io.

Già i miei occhi, e anche le mie orecchie, per la lunga abitudine, cominciano a vedere e a sentir tutto sotto la specie di questa rapida tremula ticchettante riproduzione meccanica.

Non dico di no: l'apparenza è lieve e vivace. Si va, si vola. E il vento della corsa dà un'ansia vigile ilare acuta, e si porta via tutti i pensieri. Avanti! Avanti perché non s'abbia tempo né modo d'avvertire il peso della tristezza, l'avvilimento della vergogna, che restano dentro, in fondo. Fuori, è un balenìo continuo, uno sbarbàglio incessante: tutto guizza e scompare.

Che cos'è? Niente, è passato! Era forse una cosa triste; ma niente, ora è passata.

C'è una molestia, però, che non passa. La sentite? Un calabrone che ronza sempre, cupo, fosco, brusco, sotto sotto, sempre. Che è? Il ronzìo dei pali telegrafici? lo striscìo continuo della carrucola lungo il filo dei tram elettrici? il fremito incalzante di tante macchine, vicine, lontane? quello del motore dell'automobile? quello dell'apparecchio cinematografico?

Il bàttito del cuore non s'avverte, non s'avverte il pulsar delle arterie. Guaj, se s'avvertisse! Ma questo ronzìo, questo ticchettìo perpetuo, sì, e dice che non è naturale tutta questa furia turbinosa, tutto questo guizzare e scomparire d'immagini; ma che c'è sotto un meccanismo, il quale pare lo insegua, stridendo precipitosamente.

Si spezzerà?

Ah, non bisogna fissarci l'udito. Darebbe una smania di punto in punto crescente, un'esasperazione a lungo insopportabile; farebbe impazzire.

In nulla, più in nulla, in mezzo a questo tramenìo vertiginoso, che investe e travolge, bisognerebbe fissarsi. Cogliere, attimo per attimo, questo rapido passaggio d'aspetti e di casi, e via, fino al punto che il ronzìo per ciascuno di noi non cesserà.

III.

Non posso levarmi dalla mente l'uomo incontrato un anno fa, la sera stessa che arrivai a Roma.

Di novembre, sera rigidissima. M'aggiravo in cerca d'un modesto alloggio, non tanto per me, uso a passar le notti all'aperto, amico delle nottole e delle stelle, quanto per la mia valigetta, ch'era tutta la mia casa, lasciata in deposito alla stazione; allorché m'imbattei per caso in un mio amico di Sassari, da molto tempo perduto di vista: Simone Pau, uomo di costumi singolarissimi e spregiudicati. Udite le mie misere condizioni, egli mi propose d'andare a dormire per quella sera nel suo albergo. Accettai, e ci avviammo a piedi per le vie quasi deserte. Cammin facendo, gli parlavo delle mie molte disgrazie e delle scarse speranze che m'avevano condotto a Roma. Simone Pau alzava di tratto in tratto la testa scoperta, su cui i lunghi capelli grigi, lisci, sono spartiti in mezzo da una scriminatura alla nazzarena, ma a zig-zag, perché fatta con le dita, in mancanza di pettine. Questi capelli, poi, tirati di qua e di là dietro gli orecchi, gli formano una curiosa zazzeretta rada, ineguale. Cacciava via una grossa boccata di fumo e restava un pezzo, ascoltandomi, con l'enorme bocca tumida aperta, come quella di un'antica maschera comica. Gli occhi sorcigni, furbi, vivi vivi, gli guizzavano intanto qua e là come presi in trappola nella faccia larga, rude, massiccia, da villano feroce e ingenuo. Credevo rimanesse in quell'atteggiamento, con la bocca aperta, per ridere di me, delle mie disgrazie e delle mie speranze. Ma, a un certo punto, lo vidi fermare in mezzo alla via vegliata lugubremente dai fanali e gli sentii dir forte nel silenzio della notte:

– Scusa, e come so io del monte, dell'albero, del mare? Il monte è monte, perché io dico: *Quello è un monte*. Il che significa: *io sono il monte*. Che siamo noi? Siamo quello di cui a volta a volta ci accorgiamo. Io sono il monte, io l'albero, io il mare. Io sono anche la stella, che ignora se stessa!

Restai sbalordito. Ma per poco. Ho anch'io – inestirpabilmente radicata nel più profondo del mio essere – la stessa malattia dell'amico mio.

La quale, a mio credere, dimostra nel modo più chiaro, che tutto quello che avviene, forse avviene perché la terra non è fatta tanto per gli uomini, quanto per le bestie. Perché le bestie hanno in sé da natura solo quel tanto che loro basta ed è necessario per vivere nelle condizioni, a cui furono, ciascuna secondo la propria specie, ordinate; laddove gli uomini hanno in sé un superfluo, che di continuo inutilmente li tormenta, non facendoli mai paghi di nessuna condizione e sempre lasciandoli incerti del loro destino. Superfluo inesplicabile, chi per darsi uno sfogo crea nella natura un mondo fittizio, che ha senso e valore soltanto per essi, ma di cui pur essi medesimi non sanno e non possono mai contentarsi, cosicché senza posa smaniosamente lo mutano e rimutano, come quello che, essendo da loro stessi costruito per il bisogno di spiegare e sfogare un'attività di cui non si vede né il fine né la ragione, accresce e complica sempre più il loro tormento, allontanandoli da quelle semplici con-

– Nudo?

– Nudo, in compagnia d'altri sei o sette nudi. Uno di questi cari amici qua della bacheca apre la chiavetta dell'acqua, e tu, sotto il tubo, *zifff*... ti prendi gratis, in piedi, una bellissima doccia. Poi t'asciughi magnificamente con l'accappatojo, ti calzi le pantofole di tela, te ne sali zitto zitto in processione con gli altri incappati per la scala; eccola qua; là c'è la porta del dormitorio, e buona notte.

– Imprescindibile?

– Che? La doccia? Ah, perché tu hai i guanti e le ghette, amico Serafino? Ma te le puoi levare senza vergogna. Ciascuno qua si leva le proprie vergogne d'addosso, e si presenta nudo al battesimo di questa piscina! Non hai il coraggio di scendere fino a queste nudità?

Non ce ne fu bisogno. La doccia è obbligatoria solo per i mendicanti sporchi. Simone Pau non l'aveva mai presa.

Egli è lì, veramente, professore. Sono annessi a quell'asilo notturno una cucina economica e un ricovero per i ragazzi senza tetto, d'ambo i sessi, figli di mendicanti, figli di carcerati, figli di tutte le colpe. Sono sotto la custodia di alcune suore di carità, che han trovato modo d'istituire per essi anche una scoletta. Simone Pau, quantunque per professione nimicissimo dell'umanità e di qualsiasi insegnamento, dà lezione con molto piacere a quei ragazzi, per due ore al giorno, la mattina per tempo; e i ragazzi gli vogliono un gran bene. Egli ha lì, in compenso, alloggio e vitto: cioè una cameretta, tutta per lui, comoda e decente, e un servizio di cucina particolare, insieme con quattro altri insegnanti, che sono un povero vecchietto pensionato dal Governo pontificio e tre zitellone maestre, amiche delle suore e lì ricoverate. Ma Simone Pau lascia il vitto particolare, perché a mezzogiorno non è mai all'ospizio, e soltanto la sera, quando gli va, prende qualche ciotola di minestra dalla cucina comune; tiene la cameretta, ma non ne approfitta mai, perché va a dormire nel dormitorio dell'asilo notturno, per la compagnia che vi trova, e a cui ha preso gusto, di esseri obliqui e randagi. Tolte quelle due ore di lezione, passa tutto il tempo nelle biblioteche e nei caffè; ogni tanto, stampa su qualche rassegna di filosofia uno studio che stordisce tutti per la bizzarra novità delle vedute, la stranezza delle argomentazioni e la copia della dottrina; e si rimpannuccia.

Io, allora, ripeto, non sapevo tutto questo. Credevo, e forse in parte era vero, ch'egli mi avesse condotto lì per il piacere di sbalordirmi; e poiché non c'è miglior mezzo di sconcertare chi voglia sbalordirvi con paradossi sbardellati o con le più strane e bislacche proposte, che fingere d'accettar quei paradossi come fossero le verità più ovvie e quelle proposte come naturalissime e del caso; così feci io quella sera, per sconcertare il mio amico Simone Pau. Il quale, capito il mio proposito, mi guardò negli occhi e, vedendomeli perfettamente impassibili, esclamò sorridendo:

– Come sei imbecille!

Mi profferse la sua cameretta; credetti in principio che scherzasse; ma quando m'assicurò che aveva lì veramente una cameretta per sé non volli accettare e andai con lui nel dormitorio dell'asilo. Non me ne pento, perché al disagio e al ribrezzo che provai in quell'orrido luogo, ebbi due compensi:

1° quello di trovare il posto, che occupo al presente, o meglio, l'occasione di entrare come operatore nella grande Casa di cinematografia la *Kosmograph*;

2° quello di conoscere l'uomo, che per me è rimasto il simbolo della sorte miserabile, a cui il continuo progresso condanna l'umanità.

Ecco, prima, l'uomo.

V.

Me lo mostrò Simone Pau, la mattina appresso, quando ci levammo dalla branda.

Non descriverò quello stanzone del dormitorio, appestato da tanti fiati, nella squallida luce dell'alba, né l'esodo di quei ricoverati, che scendevano irti e rabbuffati dal sonno nei lunghi càmici bianchi, con le pantofole di tela ai piedi e la tèssera in mano, giù allo spogliatojo, per ritirare a turno i loro panni.

Uno era in mezzo a questi, che fra gli sgonfii del bianco accappatojo teneva stretto sotto il braccio un violino, chiuso nella fodera di panno verde, logora, sudicia, stinta, e se n'andava inarcocchiato e tenebroso, come assorto a guardarsi i peli spioventi delle foltissime sopracciglia aggrottate.

– Amico! amico! – lo chiamò Simone Pau. Quegli si fece avanti, tenendo il capo chino e sospeso, come se gli pesasse enormemente il naso rosso e carnuto; e pareva dicesse, avanzandosi:

«Fate largo! fate largo! Vedete come la vita può ridurre il naso d'un uomo?».

Simone Pau gli s'accostò; amorevolmente con una mano gli sollevò il mento; gli batté l'altra su la spalla, per rinfrancarlo, e ripeté:

– Amico mio!

Poi, rivolgendosi a me:

– Serafino, – disse, – ti presento un grande artista. Gli hanno appiccicato un nomignolo schifoso; ma non importa: è un grande artista. Ammìralo: qua, col suo Dio sotto il braccio! Potrebbe essere una scopa: è un violino.

Mi voltai a osservar l'effetto delle parole di Simone Pau sul viso dello sconosciuto. Impassibile. E Simone Pau seguitò:

– Un violino, per davvero. E non lo lascia mai. Anche i custodi qua gli concedono di portarselo a letto, a patto che non suoni di notte e non disturbi gli altri ricoverati. Ma non c'è pericolo. Càvalo fuori, amico mio, e mostralo a questo signore, che ti saprà compatire.

Quegli mi spiò prima con diffidenza; poi, a un nuovo invito di Simone Pau, trasse dalla custodia il vecchio violino, un violino veramente prezioso, e lo mostrò, come un monco vergognoso può mostrare il suo moncherino.

Simone Pau riprese, rivolto a me:

– Vedi? Te lo mostra. Grande concessione, di cui devi ringraziarlo! Suo padre, molti anni or sono, lo lasciò padrone a Perugia di una tipografia ricca di macchine e di caratteri e bene avviata. Dì tu, amico mio, che ne facesti, per consacrarti al culto del tuo Dio?

L'uomo rimase a guardare Simone Pau, come se non avesse compreso la domanda.

Simone Pau gliela chiarì:

– Che ne facesti, della tua tipografia?

Quegli allora scattò in un gesto di noncuranza sdegnosa.

– La trascurò, – disse, per spiegare quel gesto, Simone Pau. – La trascurò fino al punto di ridursi al lastrico. E allora, col suo violino sotto il braccio, se ne venne a Roma. Ora non suona più da un pezzo, perché crede di non poter più sonare, dopo quanto gli è accaduto. Ma fino a qualche tempo fa, sonava nelle osterie. Nelle osterie si beve; e lui prima sonava, poi beveva. Sonava divinamente; più divinamente sonava, e più beveva; così che spesso era costretto a mettere in pegno il suo Dio, il suo violino. E allora si presentava in qualche tipografia per trovar lavoro: metteva insieme a poco a poco quel tanto che gli bisognava per spegnare il violino, e ritornava a sonare nelle osterie. Ma senti che cosa gli capitò una volta, per cui... capisci? gli si è un po' alterata la... la... non diciamo ragione, per carità, diciamo concezione della vita.

Insacca, insacca, amico mio, il tuo strumento: so che ti fa male, se io lo dico, mentre tu hai il tuo violino scoperto.

L'uomo accennò più volte di sì, gravemente, col capo arruffato, e rinfoderò il violino.

– Gli capitò questo, – seguitò Simone Pau. – Si presenta in una grande officina tipografica, nella quale è proto uno che, da ragazzotto, lavorava nella sua tipografia a Perugia. «Non c'è posto; mi dispiace», gli dice costui. E l'amico mio fa per andarsene, avvilito, quando si sente richiamare. «Aspetta», dice. «Se ti adatti, ci sarebbe da fare un servizio... Non sarebbe per te; ma, se tu hai bisogno...» Il mio amico si stringe nelle spalle, e segue il proto. È introdotto in un reparto speciale, silenzioso; e lì il proto gli mostra una macchina nuova: un pachiderma piatto, nero, basso; una bestiaccia mostruosa, che mangia piombo e caca libri. È una *monotype* perfezionata, senza complicazioni d'assi, di ruote, di pulegge, senza il ballo strepitoso della *matrice*. Ti dico una vera bestia, un pachiderma, che si rùguma quieto quieto il suo lungo nastro di carta traforata. «Fa tutto da sé», dice il proto al mio amico. «Tu non hai che a darle da mangiare di tanto in tanto i suoi pani di piombo, e starla a guardare.» Il mio amico si sente cascare il fiato e le braccia. Ridursi a un tale ufficio, un uomo, un artista! Peggio d'un mozzo di stalla... Stare a guardia di quella bestiaccia nera, che fa tutto da sé, e che non vuol da lui altro servizio, che d'aver messo in bocca, di tanto in tanto, il suo cibo, quei pani di piombo! Ma questo è niente, Serafino! Avvilito, mortificato, oppresso di vergogna e avvelenato di bile, il mio amico dura una settimana in quella servitù indegna e, porgendo alla bestia quei pani di piombo, sogna la sua liberazione il suo violino, la sua arte; giura e promette di non ritornare più a sonare nelle osterie, dov'è forte, veramente forte per lui la tentazione di bere, e vuol trovare altri luoghi più degni per l'esercizio della sua arte, per il culto della sua divinità. Sissignori! Appena spegnato il violino, legge negli avvisi d'un giornale, tra le offerte d'impiego, quella d'un cinematografo, in via tale, numero tale, che ha bisogno d'un violino e d'un clarinetto per la sua orchestrina esterna. Subito il mio amico accorre; si presenta, felice, esultante, col suo violino sotto il braccio. Ebbene: si trova davanti un'altra macchina, un pianoforte automatico, un cosidetto piano-melodico. Gli dicono: «Tu col tuo violino devi accompagnare quello strumento lì!». Capisci? Un violino, nelle mani d'un uomo, accompagnare un rotolo di carta traforata introdotto nella pancia di quell'altra macchina lì! L'anima, che muove e guida le mani di quest'uomo, e che or s'abbandona nelle cavate dell'archetto, or freme nelle dita che premono le corde, costretta a seguire il registro di quello strumento automatico! Il mio amico diede in tali escandescenze, che dovettero accorrere le guardie, e fu tratto in arresto e condannato per oltraggio alla forza pubblica a quindici giorni di carcere.

Ne è uscito, come lo vedi.

Beve, e non suona più.

VI.

Tutte le considerazioni da me fatte in principio sulla mia sorte miserabile e su quella di tanti altri condannati come me a non esser altro che una mano che gira una manovella, hanno per punto di partenza quest'uomo, incontrato la prima sera del mio arrivo a Roma. Certamente ho potuto farle, perché anch'io mi sono ridotto a quest'ufficio di servitore d'una macchina; ma son venute dopo.

Lo dico, perché quest'uomo, presentato qui, dopo quelle considerazioni, potrebbe parere a qualcuno una mia grottesca invenzione. Ma si badi ch'io forse non avrei mai pensato di fare quelle considerazioni, se in parte non me le avesse suggerite Simone Pau nel presentarmi quel disgraziato; e che, del resto, grottesca è tutta la mia prima avventura, e tale perché grottesco è, e vuol essere, quasi per professione, Simone Pau, il quale, per darmene un saggio fin dalla prima sera, volle condurmi a dormire in un ospizio di mendicità.

Io non feci allora nessunissima considerazione; prima, perché non potevo pensare neppur lontanamente che mi sarei ridotto a quest'ufficio; poi, perché me l'avrebbe impedito un gran tramestìo sù per la scala del dormitorio e un irrompere confuso e festante di tutti quei ricoverati già scesi allo spogliatojo per ritirare i loro panni.

Che era accaduto?

Ritornavano sù, insaccati di nuovo nei bianchi accappatoj, e con le pantofole ai piedi.

Tra loro, e insieme coi custodi e le suore di carità addette al ricovero e alla cucina economica, eran parecchi signori e qualche signora, tutti ben vestiti e sorridenti, con un'aria curiosa e nuova. Due di quei signori avevano in mano una macchinetta, che ora conosco bene, avvolta in una coperta nera, e sotto il braccio il treppiedi a gambe rientranti. Erano attori e operatori d'una Casa cinematografica, e venivano per un *film* a cogliere dal vero una scena d'asilo notturno.

La Casa cinematografica, che mandava quegli attori, era la *Kosmograph*, nella quale io da otto mesi ho il posto d'operatore; e il direttore di scena, che li guidava, era Nicola Polacco, o, come tutti lo chiamano, Cocò Polacco, mio amico d'infanzia e compagno di studii a Napoli nella prima giovinezza. Debbo a lui il posto e alla fortunata congiuntura d'essermi trovato quella notte con Simone Pau in quell'asilo notturno.

Ma né a me, ripeto, venne in mente, quella mattina, che mi sarei ridotto a collocar sul treppiedi una macchina di presa, come vedevo fare a quei due signori, né a Cocò Polacco di propormi un tale ufficio. Egli, da quel buon figliuolo che è, non stentò molto a riconoscermi, quantunque io – riconosciutolo subito – facessi di tutto per non essere scorto da lui in quel luogo miserabile, vedendolo raggiante d'eleganza parigina e con un'aria e un'impostatura di condottiero invincibile, tra quegli attori, quelle attrici e tutte quelle reclute della miseria, che non capivano più nei loro bianchi càmici dalla gioja d'un guadagno insperato. Si mostrò sorpreso di trovarmi là, ma soltanto *per l'ora mattutina*, e mi domandò come avessi saputo ch'egli con la sua compagnia dovesse venire quella mattina nell'asilo per *un interno dal vero*. Lo lasciai nell'inganno, che mi trovassi lì per caso, come un curioso; gli presentai Simone Pau (l'uomo dal violino, nella confusione, era sgattajolato via); e rimasi ad assistere disgustato alla sconcia contaminazione di quella triste realtà, di cui avevo nella notte assaporato l'orrore, con la stupida finzione che il Polacco era venuto a iscenarvi.

Ma il disgusto, forse, lo sento adesso. Quella mattina, dovevo avere più che altro curiosità d'assistere per la prima volta all'iscenatura d'una cinematografia. Pure la curiosità, a un certo punto, mi fu distratta da una di quelle attrici, la quale, appena intravista, me ne suscitò un'altra assai più viva.

La Nestoroff... Possibile? Mi pareva lei e non mi pareva. Quei capelli d'uno strano color fulvo, quasi cupreo, il modo di vestire, sobrio, quasi rigido, non erano suoi. Ma l'incesso dell'esile elegantissima persona, con un che di felino nella mossa dei fianchi; il capo alto, un po' inclinato da una parte, e quel sorriso dolcissimo su le labbra fresche come due foglie di rosa, appena qualcuno le rivolgeva la parola; quegli occhi stranamente aperti, glauchi, fissi e vani a un tempo, e freddi nell'ombra delle lunghissime ciglia, erano suoi, ben suoi, con quella sicurezza tutta sua, che ciascuno, qualunque cosa ella fosse per dire o per chiedere, le avrebbe risposto di sì.

Varia Nestoroff... Possibile? Attrice d'una Casa di cinematografia?

Mi balenarono in mente Capri, la Colonia russa, Napoli, tanti rumorosi convegni di giovani artisti, pittori, scultori, in strani ridotti eccentrici, pieni di sole e di colore, e una casa, una dolce casa di campagna, presso Sorrento, dove quella donna aveva portato lo scompiglio e la morte.

Quando, ripetuta per due volte la scena per cui la compagnia era venuta in quell'asilo, Cocò Polacco m'invitò ad andarlo a trovare alla *Kosmograph*, io, ancora in dubbio, gli domandai se quell'attrice fosse proprio la Nestoroff.

– Sì, caro, – mi rispose, sbuffando. – Ne sai forse la storia?

Gli accennai di sì col capo.

– Ah, ma non puoi saperne il seguito! – riprese il Polacco. – Vieni, vieni a trovarmi alla *Kosmograph*; te ne dirò di belle. Gubbio, pagherei non so che cosa per levarmi dai piedi questa donna. Ma, guarda, è più facile che...

– Polacco! Polacco! – chiamò a questo punto colei.

E dalla premura con cui Cocò Polacco accorse alla chiamata, compresi bene qual potere ella avesse nella Casa, ov'era scritturata quale prima attrice con uno dei più lauti stipendii.

Alcuni giorni dopo mi recai alla *Kosmograph*, non per altro, per conoscere il seguito della storia, purtroppo a me nota, di quella donna.

Quaderno secondo

I.

Dolce casa di campagna, *Casa dei nonni*, piena del sapore ineffabile dei più antichi ricordi familiari, ove tutti i mobili di vecchio stile, animati da questi ricordi, non erano più cose, ma quasi intime parti di coloro che v'abitavano, perché in essi toccavano e sentivano la realtà cara, tranquilla, sicura della loro esistenza.

Covava davvero in quelle stanze un alito particolare, che a me pare di sentire ancora, mentre scrivo: alito d'antica vita, che aveva dato un odore a tutte le cose che vi erano custodite.

Rivedo la sala, un po' tetra veramente, dalle pareti stuccate, a riquadri che volevan sembrare di marmo antico: uno rosso, uno verde; e ogni riquadro aveva la sua brava cornice, anch'essa di stucco, a fogliami; se non che, col tempo, quei finti marmi antichi s'erano stancati della loro ingenua finzione, s'erano un po' gonfiati qua e là, e si vedeva qualche piccola crepacchiatura. La quale mi diceva benignamente:

– Tu sei povero; hai l'abito sdrucito; ma vedi bene che pure nelle case dei signori...

Eh sì! Bastava mi voltassi a guardare quelle mensole curiose, che pareva avessero schifo di toccare la terra con le loro zampe dorate, di ragno... Il piano di marmo era un po' ingiallito, e nello specchio inclinato si rivedevano precisi nell'immobilità i due cestelli posati sul piano: cestelli di frutta, anch'esse di marmo, colorate: fichi, pesche, cedri, a riscontro, di qua e di là, proprio precise, nel riflesso, come se fossero quattro e non due.

In quella immobilità di lucido riflesso era tutta la calma limpida, che regnava in quella casa. Pareva che nulla vi potesse accadere. E lo diceva anche l'orologetto di bronzo, tra i due cestelli, di cui nello specchio si vedeva il dietro soltanto. Figurava una fontanella, e aveva un cristallo di rocca a spirale, che girava e girava col moto della macchina. Quant'acqua aveva versato quella fontanella? Ma la conchetta non s'era riempita mai.

Ed ecco la sala, da cui si scende nel giardino. (Da una stanza all'altra si passa a traverso uscioli bassi, che pajon compresi del loro ufficio, e ciascuno sappia le cose che ha in custodia nella stanza.) Questa, da cui si scende nel giardino, è la preferita, in tutte le stagioni. Ha il pavimento di mattoni larghi, quadrati, di terracotta, un po' logorati dall'uso. La carta da parato, a roselline, è un po' sbiadita, come le tende di velo, pure a roselline, della finestra e della porta a vetri, da cui si scorge il pianerottolo della breve scala di legno, a collo, e la ringhierina verde e il pergolato del giardinetto incantato di luce e di silenzio.

La luce filtra verde e fervida a traverso le stecche della piccola persiana della finestra, e non si soffonde nella stanza, che rimane in una fresca, deliziosa penombra, imbalsamata dalle fragranze del giardino.

Che felicità, che bagno di purezza per l'anima, a stare un po' distesi su quel divano antico, dalle testate alte, coi rulli di stoffa verde, anch'essa un po' scolorita.

– Giorgio! Giorgio!

Chi chiama dal giardino? È nonna Rosa, che non arriva a cogliere neppure con l'ajuto della sua cannuccia i gelsomini di bella notte, or che la pianta, crescendo, s'è rampicata alta sù sù per il muretto.

Piacciono tanto a nonna Rosa quei gelsomini di bella notte! Ha sù, nell'armadio a muro, una cassettina piena di spighe a ombrello di rizòmolo, seccate; ne prende una ogni mattina, prima di scendere in giardino; e quando ha raccolto i gelsomini con la sua cannuccia, siede all'ombra del pergolato, inforca gli occhiali e infilza a uno a uno quei gelsomini negli esili gambi di quella spiga a ombrello, finché non ne forma una bella rosa bianca, piena, dal profumo intenso e soave, che va a deporre religiosamente in un vasetto sul piano del cassettone nella sua camera, innanzi all'immagine del suo unico figliuolo, morto da tant'anni.

È così intima e raccolta, quella casetta, e paga della vita che racchiude in sé, e senz'alcun desiderio di quella che si svolge rumorosa fuori, lontano! Sta lì, come rannicchiata dietro il poggio verde, e non ha voluto neanche la vista del mare e del golfo meraviglioso. Voleva rimanere appartata, ignorata da tutti, quasi nascosta lì in quel cantuccio verde e solitario, fuori e lontana dalle vicende del mondo.

C'era una volta sul pilastrino del cancello una targhetta di marmo, che recava il nome del proprietario: *Carlo Mirelli*. Nonno Carlo pensò di levarla, quando la morte trovò la via, la prima volta, per entrare in quella schiva casetta perduta in campagna, e si portò via il figliuolo di appena trent'anni, già padre a sua volta di due piccini.

Credette forse nonno Carlo che, tolta dal pilastrino la targhetta, la morte non avrebbe trovato più la via per ritornare?

Nonno Carlo era di quei vecchi, che portavano la papalina di velluto col fiocco di seta, ma sapevano leggere Orazio. Sapeva dunque che la morte, *aequo pede*, picchia a tutte le porte, abbiano o non abbiano il nome inciso su la targhetta.

Se non che, ciascuno, accecato da quelle che stima ingiustizie della sorte, prova il bisogno irragionevole di rovesciar le furie del proprio cordoglio su qualcuno o su qualche cosa. Le furie di nonno Carlo, quella volta, s'abbatterono su l'innocente targhetta del pilastrino.

Se la morte si lasciasse afferrare, io la avrei afferrata per un braccio e condotta davanti a quello specchio, ove con tanta limpida precisione si riflettevano nell'immobilità i due cestelli di frutta e il dietro dell'orologetto di bronzo, e le avrei detto:

– Vedi? Vàttene ora! Qua deve restar tutto così com'è!

Ma la morte non si lascia afferrare.

Abbattendo quella targhetta, forse nonno Carlo volle significare che – morto il figliuolo – lì, di vivi, non restava più nessuno!

La morte ritornò poco dopo.

C'era una viva, che perdutamente ogni notte la invocava: la nuora vedova, che, appena morto il marito, si sentì come staccata dalla famiglia, straniera nella casa.

Così, i due piccini orfani: Lidia, la maggiore di appena cinque anni, e Giorgetto di tre, restarono del tutto affidati ai due nonni non ancora tanto vecchi.

Riprendere daccapo la vita, quando già comincia a mancare, e ritrovare in sé le prime maraviglie dell'infanzia; ricomporre attorno a due rosei bimbi gli affetti più ingenui, i sogni più adatti, e ricacciare come importuna e fastidiosa l'esperienza, che di tratto in tratto sporge il viso di vecchia appassita per dire, ammiccando dietro gli occhiali: *avverrà questo, avverrà quest'altro*, quando ancora non è avvenuto niente, ed è così bello che non sia avvenuto niente; e fare e pensare e dire, come se veramente non si sapesse altro, fuor di quello che per ora sanno i due piccini che non sanno nulla: fare come se le cose non fossero riviste in un ritorno, ma con gli occhi di chi va innanzi per la prima volta e per la prima volta vede e sente: questo miracolo operarono nonno Carlo e nonna Rosa; fecero cioè per i due piccini assai più di quel che avrebbero fatto il padre e la madre, i quali, se fossero vissuti, giovani com'erano entrambi, avrebbero pur voluto godersi la vita ancora un po' per sé. Né il non averne più da godere per loro rese più facile il cómpito ai due vecchi, perché ai vecchi si sa che è grave il peso d'ogni cosa, che non abbia più né senso né valore per essi.

I due nonni accettarono quel senso e quel valore, che i due nipotini a mano a mano, crescendo, cominciarono a dare alle cose, e tutto il mondo si ricolorì di giovinezza per loro e la vita riebbe candore e freschezza d'ingenuità. Ma che potevano sapere del mondo tanto grande, della vita tanto diversa, che s'agi-. tava fuori, lontano, quei due giovinetti nati e cresciuti nella casa di campagna? I vecchi, quel mondo e quella vita, li avevano dimenticati, tutto per essi era ridiventato nuovo, il cielo, la campagna, il canto degli uccelli, il sapor delle vivande. Di là dal cancello, non c'era più vita. La vita partiva di qua e nuova s'irraggiava tutt'intorno; e niente s'immaginavano i vecchi che potesse venirne da fuori; e anche la morte, anche la morte avevano quasi dimenticata, che pure già due volte era venuta.

Ebbene, pazienza, la morte, a cui nessuna casa, per quanto lontana e nascosta, può restare ignota! Ma come mai, partita da mille e mille miglia lontano, sospinta, o trascinata, sbattuta qua e là dal turbine di tante vicende misteriose, poté trovar la via di quella casetta schiva, lì rannicchiata dietro il poggio verde, una donna, a cui la pace e gli affetti, che quivi regnavano, dovevano essere, nonché incomprensibili, ma neppur concepibili?

Io non ho le tracce, né forse le ha nessuno, del cammino seguìto da questa donna per arrivare alla dolce casetta di campagna, presso Sorrento.

Lì, proprio lì, davanti al pilastrino del cancello, da cui nonno Carlo da gran tempo aveva fatto strappare la targhetta, ella non arrivò da sé, veramente; non alzò lei la mano, la prima volta, a sonare la campanella per farsi aprire il cancello. Ma non molto lontano di lì ella si fermò ad aspettare, che un giovanetto, fin allora custodito con l'anima e col fiato da due vecchi nonni, bello, ingenuo, fervido, con l'anima tutta alata di sogni, da quel cancello uscisse fiducioso verso la vita.

O nonna Rosa, e voi lo chiamate ancora dal giardinetto, perché egli vi ajuti a cogliere la cannuccia i vostri gelsomini di bella notte?

– Giorgio! Giorgio!

Ho ancora negli orecchi, nonna Rosa, la vostra voce. E provo una dolcezza accorata, che non so dire, nell'immaginarvi ancora lì, nella vostra casetta, che rivedo come se vi fossi tuttora e tuttora ne respirassi l'alito che vi cova, d'antica vita; nell'immaginarvi ignara di quanto è accaduto, com'eravate prima, quand'io, nelle vacanze estive, venivo da Sorrento ogni mattina a preparare per gli esami d'ottobre il vostro nipote Giorgio, che non voleva sapere né di latino né di greco, e imbrattava invece tutti i pezzi di carta che gli capitavano sotto mano, i margini dei libri, il piano del tavolino da studio, di schizzi a penna e a matita, di caricature. Ci dev'essere anche la mia, ancora, sul piano di quel tavolino tutto scombiccherato.

– Eh, signor Serafino, – sospirate voi, nonna Rosa, porgendomi in una tazza antica il solito caffè con l'essenza di cannella, come quello che offrono le zie monache nelle badìe, – eh, signor Serafino, Giorgio ha comprato i colori; ci vuol lasciare; vuol farsi pittore...

E dietro le vostre spalle sgrana i dolci, limpidi occhi cilestri e si fa rossa rossa Lidiuccia, la vostra nipote; Duccella, come voi la chiamate. Perché?

Ah, perché... È venuto già tre volte da Napoli un signorino, un bel signorino tutto profumato, col panciotto di velluto, i guanti canarini scamosciati, la caramella all'occhio destro e lo stemma baronale nel fazzoletto e nel portafogli. L'ha mandato il nonno, barone Nuti, amico di nonno Carlo, amico da fratello, prima che nonno Carlo, stanco del mondo, si ritirasse da Napoli, qua, nella villetta sorrentina. Voi lo sapete, nonna Rosa. Ma non sapete che il signorino di Napoli incoraggia fervorosamente Giorgio a darsi all'arte e ad andarsene a Napoli con lui. Lo sa Duccella, perché il signorino Aldo Nuti (che stranezza!), parlando con tanto fervore dell'arte, non guarda mica Giorgio, guarda lei, negli occhi, come se dovesse incoraggiare lei e non Giorgio; sì, sì, lei, a venirsene a Napoli per star sempre sempre accanto a lui.

Ecco perché Duccella si fa rossa rossa, dietro le vostre spalle, nonna Rosa, appena vi sente dire che Giorgio vuol fare il pittore.

Anche lui, il signorino di Napoli, se il nonno permettesse... No, pittare no... Vorrebbe darsi al teatro, lui, far l'attore. Quanto gli piacerebbe! Ma il nonno non vuole...

Scommettiamo, nonna Rosa, che non vuole neanche Duccella?

II.

I fatti che seguirono a questa tenue, ingenua vita d'idillio, circa quattr'anni dopo, io li conosco sommariamente.

Facevo a Giorgio Mirelli da ripetitore, ma ero anch'io studente, un povero studente invecchiato nell'attesa di proseguir gli studii, e a cui i sacrifizii durati dai parenti per mantenerlo alle scuole avevano spontaneamente persuaso il massimo zelo, la massima diligenza, una timida umiltà accorata, una suggestione che tuttavia non si stancava, benché quell'attesa si prolungasse ormai da molti e molti anni.

Ma forse non fu tempo perduto. Studiai da me e meditai, in quell'attesa, molto più e con profitto di gran lunga maggiore, che non avessi fatto negli anni di scuola; e da me imparai il latino e il greco, per tentare il passaggio dagli studii tecnici, a cui ero stato avviato, ai classici, con la speranza che mi fosse più facile entrare per questa via all'Università.

Certo, questo genere di studii si confaceva assai più alla mia intelligenza. M'affondai in essi con passione così intensa e viva, che, a ventisei anni, quando per una insperata, modestissima eredità di uno zio prete (morto nelle Puglie e da un pezzo quasi dimenticato dalla mia famiglia) potei finalmente entrare all'Università, rimasi a lungo perplesso, se non mi convenisse lasciar lì nel cassetto, ove da tant'anni dormiva, il diploma di licenza dall'istituto tecnico, e di procurarmi quella dal liceo, per iscrivermi nella facoltà di filosofia e lettere.

Prevalsero i consigli dei parenti, e partii per Liegi, dove, con questo baco in corpo della filosofia, feci intima e tormentosa conoscenza con tutte le macchine inventate dall'uomo per la sua felicità.

Ne ho cavato, come si vede, un gran profitto. Mi sono allontanato con orrore istintivo dalla realtà, quale gli altri la vedono e la toccano, senza tuttavia poterne affermare una mia, dentro e attorno a me, poiché i miei sentimenti distratti e fuorviati non riescono a dare né valore né senso a questa mia vita incerta e senz'amore. Guardo ormai tutto, e anche me stesso, come da lontano; e da nessuna cosa mai mi viene un cenno amoroso ad accostarmi con fiducia o con speranza d'averne qualche conforto. Cenni, sì, pietosi, mi sembra di scorgere negli occhi di tanta gente, negli aspetti di tanti luoghi che mi spingono non a ricevere né a dare conforto, ché non può darne chi non può riceverne; ma pietà. Eh, pietà, sì... Ma so che la pietà, a dare e a ricevere, è così difficile.

Per parecchi anni, ritornato a Napoli, non trovai da far nulla; feci vita da scapigliato con giovani artisti, finché durarono gli ultimi resti di quella piccola eredità.

Devo al caso, com'ho detto, e all'amicizia d'un mio antico compagno di studii il posto che occupo. Lo tengo – diciamolo, sì – con onore, e del mio lavoro sono ben remunerato. Oh, mi stimano tutti, qua, un ottimo operatore: vigile, preciso e d'una *perfetta impassibilità*. Se debbo esser grato al Polacco, anche Polacco dev'esser grato a me della benemerenza che s'è acquistata presso il commendator Borgalli, direttore generale e consigliere delegato della *Kosmograph*, per l'acquisto che la Casa ha fatto d'un operatore come me. Il signor Gubbio non è addetto propriamente a nessuna delle quattro compagnie del reparto artistico, ma è chiamato or qua or là da tutte, per la confezione dei *films* di più lungo metraggio e più difficili. Il signor Gubbio lavora molto di più degli altri cinque operatori della Casa; ma per ogni *film* ben riuscito ha un ricco dono e frequenti gratificazioni. Dovrei esser lieto e soddisfatto. Rimpiango invece il tempo della magrezza e delle follie a Napoli tra i giovani artisti.

Appena ritornato da Liegi, rividi Giorgio Mirelli, già colà da due anni. Aveva di recente esposto in una mostra d'arte due strani quadri, che avevano suscitato nella critica e nel pubblico lunghe e violente discussioni. Conservava l'ingenuità e il fervore dei sedici anni; non aveva occhi per vedere la trascuratezza del suo vestire, i suoi capelli arruffati, i primi peli radi che gli s'arricciavano lunghi sul mento e su le gote magre, come a un malato: e malato era d'una divina malattia; in preda a un'ansia continua, che non gli faceva né scorgere né toccare quella che per gli altri era la realtà della vita; sempre sul punto di lanciarsi con impeto a qualche richiamo misterioso, lontano, che lui solo intendeva.

Gli domandai de' suoi. Mi disse che nonno Carlo era morto da poco. Lo guardai meravigliato del modo con cui mi dava quella notizia; pareva non avesse provato alcuna pena di quella morte. Ma, richiamato da quel mio sguardo al suo dolore, disse: – *Povero nonno...* – con tanto rimpianto e con un tal sorriso, che subito mi ricredetti e compresi ch'egli, nel tumulto di tanta vita che gli ferveva dentro, non aveva né modo né tempo di pensare a' suoi dolori.

E nonna Rosa? Nonna Rosa stava bene... sì, benino... come poteva, povera vecchietta, dopo quella morte. Due spighe di rizòmolo, adesso, da riempir di gelsomini, ogni mattina, una per il morto recente, l'altra per il morto lontano.

E Duccella, Duccella?

Ah come risero gli occhi del fratello alla mia domanda!

– Vermiglia! vermiglia!

E mi disse che già da un anno era fidanzata al baronello Aldo Nuti. Le nozze si sarebbero dovute celebrare tra poco; erano state rimandate per la morte di nonno Carlo.

Ma non si mostrò lieto di quelle nozze; mi disse anzi che Aldo Nuti non gli pareva un compagno adatto per Duccella; e, agitando in aria le dita delle due mani, uscì in quell'esclamazione di nausea, che soleva usare quand'io m'affannavo a fargli capire le regole e le partizioni della seconda declinazione greca:

– Complicato! complicato! complicato!

Non era più possibile tenerlo fermo, dopo questa esclamazione. E come scappava allora dal tavolino da studio, mi scappò davanti quella volta. Lo perdetti di vista per più d'un anno. Seppi da' suoi compagni d'arte, che se n'era andato a Capri, a dipingere.

Trovò lì Varia Nestoroff.

III.

Conosco bene adesso questa donna, o almeno quanto è possibile conoscerla, e mi spiego tante cose rimaste lungo tempo per me incomprensibili. Se non che, la spiegazione ch'io ora me ne faccio, rischierà forse di parere incomprensibile agli altri. Ma io me la faccio per me e non per gli altri; e non intendo minimamente di scusare con essa la Nestoroff.

Scusarla davanti a chi?

Io mi guardo dalla gente di professione perbene, come dalla peste.

Sembra impossibile che non debba godere della propria malvagità chi per calcolo e con freddezza la esercti. Ma se questa infelicità (e dev'esser tremenda) esiste, dico di non poter godere della propria malvagità, lo sprezzo per questi malvagi, come per tanti altri infelici, forse può esser vinto, o almeno attenuato, da una certa pietà. Parlo, per non offendere, quasi come una persona discretamente perbene.

Ma dovremmo, buon Dio, riconoscere questo: che siamo tutti – chi più, chi meno – malvagi; ma che non ne godiamo, e siamo infelici.

È possibile?

Tutti riconosciamo volentieri la nostra infelicità; nessuno, la propria malvagità; e quella vogliamo vedere senz'alcuna ragione o colpa nostra; mentre cento ragioni, cento scuse e giustificazioni ci affanniamo a trovare per ogni piccolo atto malvagio da noi compiuto, che ci sia messo innanzi dagli altri o dalla nostra stessa coscienza.

Volete vedere come subito ci ribelliamo e neghiamo sdegnati un atto di malvagità, pure innegabile, e del quale pure innegabilmente abbiamo goduto?

Sono avvenuti questi due fatti. (Non divago, perché la Nestoroff è stata paragonata da qualcuno alla bella tigre comperata, qualche giorno fa, dalla *Kosmograph.*) Sono avvenuti, dunque, questi due fatti.

Uno stormo d'uccelli di passo – beccacce e beccaccini – sono calati per riposarsi un po' dal lungo volo e rifocillarsi, su la campagna romana. Hanno scelto male il posto. Un beccaccino, più ardito degli altri, dice ai compagni:

– Voi state qua, riparati in questa fratta. Io andrò a esplorare intorno e, se trovo di meglio, vi chiamerò.

Un vostro amico ingegnere, d'animo avventuroso, membro della Società Geografica, ha accettato l'incarico di recarsi in Africa, non so bene (perché bene non lo sapete neppur voi) per quale esplorazione scientifica. Egli è ancora lontano dalla mèta; avete ricevuto da lui qualche notizia; l'ultima v'ha lasciato in una certa costernazione, perché il vostro amico v'esponeva i rischi, a cui sarebbe andato incontro, accingendosi a traversare non so che remote plaghe selvagge e deserte.

Oggi è domenica. Voi vi alzate presto per andare a caccia. Avete fatto i preparativi jeri sera, ripromettendovi un gran piacere. Scendete dal treno, àlacre e lieto; vi allontanate per la campagna fresca, verde, un po' nebbiosa, in cerca d'un buon posto per gli uccelli di passo. State all'aspetto mezz'ora, un'ora; cominciate a stancarvi e togliete di tasca il giornale comperato prima di partire, alla stazione. A un certo punto, avvertite come un frullo d'ali fra l'intrico dei rami nella macchia; lasciate il giornale; vi avvicinate cheto e chinato; prendete la mira; sparate. Oh gioja! Un beccaccino!

Sì, proprio un beccaccino. Proprio quel beccaccino esploratore, che aveva lasciato i compagni nella fratta.

So che voi non mangiate la caccia: la regalate agli amici: per voi tutto è qui, nel piacere d'uccidere quella che chiamate selvaggina.

La giornata non promette bene. Ma voi, come tutti i cacciatori, siete un po' superstizioso: credete che la lettura del giornale vi abbia portato fortuna, e ritornate a leggere il giornale al posto di prima. Nella seconda pagina trovate la notizia, che il vostro amico ingegnere, andato in Africa per conto della Società Geografica, attraversando quelle tali plaghe selvagge e deserte, è morto sciaguratamente: assalito, sbranato e divorato da una belva.

Leggendo con raccapriccio la narrazione del giornale, non vi passa neanche lontanamente per il capo di porre il paragone tra la belva, che ha ucciso il vostro amico, e voi, che avete ucciso il beccaccino, esploratore come lui.

Eppure, starebbe perfettamente nei termini, e temo anzi con qualche vantaggio per la belva, perché voi avete ucciso per piacere e senz'alcun rischio per voi d'essere ucciso; mentre la belva, per fame, cioè per bisogno, e col rischio d'essere uccisa dal vostro amico, che certamente era armato.

Retorica, è vero? Eh sì, caro; non vi sdegnate troppo; lo riconosco anch'io: retorica, perché noi, per grazia di Dio, siamo uomini e non beccaccini.

Il beccaccino, lui, senza timore di far della retorica, potrebbe sì porre il paragone e chiedere che almeno gli uomini che vanno per piacere a caccia, non chiamino feroci le bestie.

Noi, no. Noi non possiamo ammettere il paragone, perché qua abbiamo un uomo che ha ucciso una bestia, e là una bestia che ha ucciso un uomo.

Tutt'al più, caro beccaccino, per farti qualche concessione, possiamo dire, che tu eri una povera bestiolina innocua, ecco! Ti basta? Ma tu da questo non inferire, che la nostra malvagità sia perciò appunto maggiore; e, sopra tutto, non dire che, chiamandoti bestiolina innocua e uccidendoti, non abbiamo più il diritto di chiamar feroce la bestia che ha ucciso per fame e non per piacere un uomo.

Ma quando poi un uomo, tu dici, si riduce peggio d'una bestia?

Ecco, sì; bisogna stare attenti, veramente, alle conseguenze della logica. Tante volte si sdrucciola, e non si sa più dove si vada a parare.

IV.

Il caso di vedere gli uomini ridursi peggio d'una bestia, è dovuto accadere molto di frequente a Varia Nestoroff.

Eppure ella non li ha uccisi. Cacciatrice, come voi siete cacciatore. Il beccaccino voi lo avete ucciso. Ella non ne ha ucciso nessuno. Uno solo, per lei, si è ucciso, con le sue mani: Giorgio Mirelli; ma non per lei solamente.

La belva, intanto, che fa male per un bisogno della sua natura, non è – che si sappia – infelice.

La Nestoroff, come per tanti segni si può argomentare, è infelicissima. Non gode della sua malvagità, pure con tanto calcolo e con tanta freddezza esercitata.

Se dicessi apertamente questo ch'io penso di lei a' miei compagni operatori, agli attori, alle attrici della Casa, tutti sospetterebbero subito che mi sia anch'io innamorato della Nestoroff.

Non mi curo di questo sospetto.

La Nestoroff ha per me, come tutti i suoi compagni d'arte, un'avversione quasi istintiva. Non la ricambio affatto perché con lei io non vivo, se non quando sono a servizio della mia macchinetta, e allora, girando la manovella, io sono quale debbo essere, cioè perfettamente *impassibile*. Non posso né odiare né amare la Nestoroff, come non posso odiare né amare nessuno. Sono *una mano che gira la manovella*. Quando poi, alla fine, sono reintegrato, cioè quando per me il supplizio d'esser *soltanto una mano* finisce, e posso riacquistare tutto il mio corpo, e meravigliarmi d'avere ancora su le spalle una testa, e riabbandonarmi a quello sciagurato *superfluo* che è pure in me e di cui per quasi tutto il giorno la mia professione mi condanna a esser privo; allora... eh, allora gli affetti, i ricordi che mi si ridestano dentro, non sono tali certo, che possano persuadermi ad amare questa donna. Fui amico di Giorgio Mirelli e tra le più care rimembranze della mia vita è la dolce casa di campagna presso Sorrento, ove ancor vivono e soffrono nonna Rosa e la povera Duccella.

Io studio. Séguito a studiare, perché questa è forse la mia più forte passione:

nutrì nella miseria e sostenne i miei sogni, ed è il solo conforto che io mi abbia, ora che essi sono finiti così miseramente.

Studio, dunque, senza passione, ma intentamente questa donna, che se pur mostra di capire quello che fa e il perché lo fa, non ha però in sé affatto quella «sistemazione» tranquilla di concetti, d'affetti, di diritti e di doveri, d'opinioni e d'abitudini ch'io odio negli altri.

Ella non sa di certo, che il male che può fare agli altri; e lo fa, ripeto, per calcolo e con freddezza.

Questo, nella stima degli altri, di tutti i «sistemati», la esclude da ogni scusa. Ma credo che non sappia darsene alcuna, ella medesima, del male che pur sa d'aver fatto.

Ha in sé qualche cosa, questa donna, che gli altri non riescono a comprendere, perché bene non lo comprende neppure lei stessa. Si indovina però dalle violente espressioni che assume, senza volerlo, senza saperlo, nelle parti che le sono assegnate.

Ella sola le prende sul serio, e tanto più quanto più sono illogiche e strampalate, grottescamente eroiche e contraddittorie. E non c'è verso di tenerla in freno, di farle attenuare la violenza di quelle espressioni. Manda a monte ella sola più pellicole, che non tutti gli altri attori delle quattro compagnie presi insieme. Già esce dal *campo* ogni volta; quando per caso non ne esce, è così scomposta la sua azione, così stranamente alterata e contraffatta la sua figura, che nella sala di prova quasi tutte le scene a cui ella ha preso parte, resultano inaccettabili e da rifare.

Qualunque altra attrice, che non avesse goduto e non godesse come lei la benevolenza del magnanimo commendator Borgalli, sarebbe stata già da un pezzo licenziata.

– Là là là... – esclama invece il magnanimo commendatore, senza inquietarsi, vedendo sfilar su lo schermo della sala di prova quelle immagini da ossessa, – là là là... ma via... ma no... ma com'è possibile?... oh Dio, che orrore... via via via...

E se la piglia con Polacco e, in generale, con tutti i direttori di scena, i quali si tengono per sé gli *scenarii*, contentandosi di suggerire volta per volta agli attori l'azione da svolgere in ogni singola scena, spesso saltuariamente, perché non tutte le scene possono eseguirsi con ordine, una dopo l'altra, in un teatro di posa. Ne viene, che quelli spesso non sanno neppure che parte stieno a rappresentare nell'insieme, e che si senta qualche attore domandare a un certo punto:

– Ma scusi, Polacco, io sono il marito o l'amante?

Invano Polacco protesta d'avere spiegato bene alla Nestoroff tutta intera la parte. Il commendator Borgalli sa che la colpa non è del Polacco; tant'è vero, che gli ha dato un'altra prima attrice, la Sgrelli, per non fargli andare a monte tutti i *films* affidati alla sua compagnia. Ma la Nestoroff protesta dal canto suo, se Polacco si serve soltanto della Sgrelli o più della Sgrelli che di lei, vera *prima attrice* della compagnia. I maligni dicono che lo fa per rovinare il Polacco, e il Polacco stesso crede così e lo va dicendo. Non è vero: non c'è altra rovina, qua, che di pellicole; e la Nestoroff è veramente disperata di ciò che le avviene; ripeto, senza volerlo e senza saperlo. Resta ella stessa sbalordita e quasi atterrita delle apparizioni della propria immagine su lo schermo, così alterata e scomposta. Vede lì una, che è lei, ma che ella non conosce. Vorrebbe non riconoscersi in quella; ma almeno conoscerla.

Forse da anni e anni e anni, a traverso tutte le avventure misteriose della sua vita, ella va inseguendo questa ossessa che è in lei e che le sfugge, per trattenerla, per domandarle che cosa voglia, perché soffra, che cosa ella dovrebbe fare per ammansarla, per placarla, per darle pace.

Nessuno, che non abbia gli occhi velati da una passione contraria e l'abbia vista uscire dalla sala di prova dopo l'apparizione di quelle sue immagini, può aver più dubbii su ciò. Ella è veramente tragica: spaventata e rapita, con negli occhi quello stupor tenebroso che si scorge negli agonizzanti, e a stento riesce a frenare il fremito convulso di tutta la persona.

So la risposta che mi si darebbe, se lo facessi notare a qualcuno:

«Ma è la rabbia! freme di rabbia!».

È la rabbia, sì; ma non quella che tutti suppongono, cioè per un *film* andato a male. Una rabbia fredda, più fredda d'una lama, è veramente l'arma di questa donna contro tutti i suoi nemici. Ora, Cocò Polacco non è per lei un nemico. Se fosse, ella non fremerebbe così: freddissimamente si vendicherebbe di lui.

Nemici per lei diventano tutti gli uomini, a cui ella s'accosta, perché la ajutino ad arrestare ciò che di lei le sfugge: lei stessa, sì, ma quale vive e soffre, per così dire, *di là da se stessa*.

Ebbene, nessuno si è mai curato di questo, che a lei più di tutto preme; tutti, invece, rimangono abbagliati dal suo corpo elegantissimo, e non vogliono aver altro, né saper altro di lei. E allora ella li punisce con fredda rabbia, là dove s'appuntano le loro brame; ed esaspera prima queste brame con la più perfida arte, perché più grande sia poi la sua vendetta. Si vendica, facendo getto, improvvisamente e freddamente, del suo corpo a chi meno essi si aspetterebbero: così, là, per mostrar loro in quanto dispregio tenga ciò che essi sopra tutto pregiano di lei.

Non credo che possano spiegarsi in altro modo certi subitanei cangiamenti nelle sue relazioni amorose, che appajono a tutti, a prima giunta, inesplicabili, perché nessuno può negare ch'ella con essi non abbia fatto il suo danno.

Se non che gli altri, ripensandoci e considerando da una parte la qualità di coloro con cui ella prima s'era messa, e dall'altra quella di coloro a cui d'improvviso s'è gettata, dicono che questo dipende perché ella coi primi non poteva stare, *non poteva respirare*; mentre a questi altri si sentiva attratta da un'affinità «canagliesca»; e quel getto di sé improvviso e inopinato lo spiegano come lo sbalzo di chi, a lungo soffocato, voglia prendere alfine, *dove può*, una boccata d'aria.

E se fosse proprio il contrario? Se *per respirare*, per aver quell'ajuto ch'io ho detto più sù, ella si fosse accostata ai primi, e invece d'averne quel *respiro*, quell'ajuto che sperava, nessun respiro e nessun ajuto avesse avuto da loro, ma anzi un dispetto e una nausea più forti, perché accresciuti ed esacerbati dal disinganno, e anche da quel certo sprezzo che sente per i bisogni dell'anima altrui chi non vede e non cura se non la propria ANIMA, così, tutta in lettere majuscole? Nessuno lo sa; ma di queste «canagliate» possono essere ben capaci coloro che più si stimano da sé e son dagli altri stimati *superiori*. E allora... allora meglio la canaglia che si dà per tale, che se ti attrista, non ti delude; e che può avere, come spesso ha, qualche lato buono e, di tratto in tratto, certe ingenuità, che tanto più ti rallegrano e ti rinfrescano, quanto meno in loro te le aspetti.

Il fatto è, che da più d'un anno la Nestoroff è con l'attore siciliano Carlo Ferro, anch'esso qui scritturato alla *Kosmograph*: ne è dominata e innamoratissima. Sa quello che da un tale uomo ella si può aspettare, e non gli chiede altro. Ma pare che abbia da lui assai più di quanto gli altri possano figurarsi.

Ragion per cui, da qualche tempo in qua, mi sono messo a studiare con molto interesse anche lui, Carlo Ferro.

V.

Problema per me assai più difficile da risolvere è questo: come mai Giorgio Mirelli, che rifuggiva con tanta insofferenza da ogni complicazione, si sia perduto appresso a questa donna, fino al punto da lasciarci la vita.

Mi mancano quasi tutti i dati per risolvere questo problema, e ho già detto che del'dramma ho appena una notizia sommaria.

So da varie fonti che la Nestoroff, a Capri, quando Giorgio Mirelli la vide per la prima volta, era assai malvista e trattata con molta diffidenza dalla piccola colonia russa, che da parecchi anni ha preso stanza in quell'isola.

Finanche c'era chi la sospettava spia, forse perché ella, poco accortamente, s'era presentata come vedova d'un vecchio cospiratore, morto alcuni anni prima del suo arrivo a Capri, fuggiasco a Berlino. Pare che qualcuno abbia domandato notizie tanto a Berlino, quanto a Pietroburgo sul conto di lei e di questo vecchio cospiratore sconosciuto, e che si sia venuti a sapere, che un certo Nicola Nestoroff veramente era stato per alcuni anni spatriato a Berlino, e vi era morto, ma senza che a nessuno mai avesse dato a conoscersi come spatriato per compromissioni politiche. Pare anche si sia saputo, che questo Nicola Nestoroff avesse tolto costei, ragazza, dalla strada, in uno dei quartieri più popolari e malfamati di Pietroburgo e, fattala educare, l'avesse sposata; poi, ridotto per i suoi vizii quasi alla miseria, sfruttata, mandandola a cantare in caffè-concerti d'infimo ordine, finché, ricercato dalla polizia, non era scappato via, solo, in Germania. Ma la Nestoroff, per quello che io ne so, nega sdegnosamente tutto questo. Che si sia lagnata con qualcuno in segreto dei maltrattamenti anzi delle sevizie patite fin da ragazza da quel vecchio, è possibile; ma non dice che egli l'abbia sfruttata; dice anzi che lei, spontaneamente, per seguire la sua passione e un po' anche per sopperire ai bisogni della vita, vincendo l'opposizione di lui, s'era data a recitare in provincia, re-ci-ta-re, in teatri di prosa; e che poi, fuggito dalla Russia il marito per compromissioni politiche e riparato a Berlino, ella, sapendolo infermo e bisognoso di cure, impietosita, lo aveva raggiunto colà e assistito fino alla morte. Che cosa poi abbia fatto a Berlino, da vedova, e quindi a Parigi e a Vienna, di cui spesso parla, dimostrando di conoscerne a fondo la vita e i costumi, né ella dice, né alcuno certo s'arrischia a domandarle.

Per certuni, vorrei dire per moltissimi che non sanno vedere se non se stessi, amare l'umanità, spesso, anzi quasi sempre, non significa altro, che esser contenti di sé.

Molto contento di sé, della sua arte, de' suoi studii di paese, dovette essere in quei giorni a Capri, senza dubbio, Giorgio Mirelli.

Veramente – e già mi pare d'averlo detto – il suo stato d'animo abituale era il rapimento e la meraviglia. Dato un tale stato d'animo, è facile immaginare che questa donna egli non vide qual'era, coi bisogni che aveva, offesa, fustigata, invelenita dalla diffidenza e dalle dicerie maligne attorno a lei; ma nella figurazione fantastica, ch'egli subito se ne fece, e illuminata dalla luce che le diede. Per lui i sentimenti dovevano esser colori, e forse, preso tutto dalla sua arte, non aveva più altro sentimento, che dei colori. Tutte le impressioni che ebbe di lei, forse derivarono solamente da quella luce di cui la illuminava: impressioni, dunque, solamente per lui. Ella non dovette – perché non poteva – parteciparne. Ora, nulla irrita più, che il restare esclusi da una gioja, viva e presente davanti a noi, attorno a noi, di cui non si scopra né s'indovini la ragione. Ma se pur Giorgio Mirelli gliel'avesse dichiarata, non avrebbe potuto comunicargliela. Era una gioja soltanto per lui e dimostrava che anch'egli, in fondo, non pregiava e non voleva altro di lei, che il corpo; non come gli altri, è vero, per un basso intento; ma questo anzi, a lungo andare – se ben si consideri – non poteva che irritare di più quella donna. Perché, se il non vedersi ajutata nelle smaniose incertezze dello spirito da quanti non vedevano e non volevano altro di lei che il corpo, per saziar su esso la fame bruta del senso, le faceva dispetto e nausea; il dispetto per uno, che voleva anch'esso il corpo e nient'altro; il corpo, ma solo per trarne una gioja ideale e assolutamente per sé, doveva esser tanto più forte, in quanto mancava appunto ogni motivo di nausea, e più difficile, anzi vana addirittura rendeva quella vendetta, ch'ella almeno soleva prendersi contro gli altri. Un angelo per una donna è sempre più irritante d'una bestia.

So da tutti i compagni d'arte di Giorgio Mirelli a Napoli, ch'egli era castissimo, non perché non sapesse farsi valere su le donne, ché timido non era affatto, ma perché istintivamente rifuggiva da ogni distrazione volgare.

Per spiegarci il suo suicidio, senz'alcun dubbio dipeso in gran parte dalla Nestoroff, dobbiamo supporre ch'ella, non curata, non ajutata e irritatissima, per potersi vendicare, dovette con le arti più fini e più accorte far sì che il suo corpo a mano a mano davanti a lui cominciasse a vivere, non per la delizia degli occhi soltanto; e che, quando lo vide come tant'altri vinto e schiavo, gli vietò, per meglio assaporare la vendetta, che da lei prendesse altra gioja, che non fosse quella di cui finora s'era contentato, come unica ambita, perché unica degna di lui.

Dico *dobbiamo* supporre questo, ma a volere esser maligni. La Nestoroff potrebbe dire, e forse dice, ch'ella non fece nulla per alterare quella relazione di pura amicizia, che s'era stabilita tra lei e il Mirelli: tanto vero che, quand'egli, non più pago di quella pura amicizia, più che mai corrivo per le severe repulse da lei opposte, pur d'ottenere l'intento, le si profferse marito, ella lottò a lungo – e questo è vero; io l'ho saputo – per dissuaderlo, e volle partire da Capri, sparire; e alla fine non si arrese, se non per la violenta disperazione di lui.

Ma è vero che, a volere esser maligni, si può anche pensare, che tanto le repulse, quanto la lotta e la minaccia e il tentativo di partire, di sparire, forse furono tante arti ben meditate e attuate per ridurre alla disperazione quel giovine, dopo averlo sedotto, e ottenerne tante e tante cose, ch'egli altrimenti forse non le avrebbe mai accordate. Prima fra queste, che fosse presentata come promessa sposa nella villetta di Sorrento a quella cara nonna, a quella dolce sorellina, di cui egli le aveva parlato, e al fidanzato di lei.

Pare che questi, Aldo Nuti, più che le due donne, si sia opposto fieramente a tale pretesa. Autorità e potere da contrastargli e impedirgli quelle nozze non aveva, giacché Giorgio era ormai padrone di sé, delle sue azioni e credeva di non doverne più dar conto a nessuno; ma che conducesse lì quella donna e la ponesse a contatto con la sorella e obbligasse questa ad accoglierla e a trattarla da sorella, a questo sì, perdio, poteva e doveva opporsi e s'opponeva con tutte le forze. Ma sapevano esse, nonna Rosa e Duccella, che razza di donna fosse quella che Giorgio voleva condurre lì e sposare? Un'avventuriera russa, un'attrice, se non qualcosa di peggio! Come permetterlo, come non opporsi con tutte le forze?

Ancora con tutte le forze... Eh sì, chi sa quanto dovettero combattere nonna Rosa e Duccella per vincere a poco a poco, con dolce e mesta persuasione, tutte quelle forze di Aldo Nuti. Se avessero potuto immaginare, che cosa dovevano diventare queste forze al cospetto di Varia Nestoroff, appena entrata, timida, aerea e sorridente nella cara villetta di Sorrento!

Forse Giorgio, per scusare l'indugio che nonna Rosa e Duccella mettevano a rispondere, avrà detto alla Nestoroff, che quell'indugio dipendeva dall'opposizione *con tutte le forze* del fidanzato della sorella; dimodoché la Nestoroff si sentì tentata a misurarsi con queste forze, subito, appena entrata nella villetta. Non so nulla! So che Aldo Nuti fu attratto come in un gorgo e subito travolto come un fuscellino di paglia nella passione per questa donna.

Io non lo conosco. Lo vidi da ragazzo una volta sola, quando facevo da ripetitore a Giorgio; e mi parve fatuo. Tale mia impressione non s'accorda con ciò che mi disse di lui, al mio ritorno da Liegi, il Mirelli, ch'egli fosse cioè *complicato*. Ma anche ciò che da altri ho saputo sul suo conto non risponde affatto a quella mia prima impressione, la quale pure irresistibilmente m'ha tratto a parlar di lui, secondo l'idea che per essa me ne sono fatta. Dev'essere, realmente, sbagliata. Duccella poté amarlo! E questo, per me, prova più che altro il mio errore. Ma alle impressioni non si comanda. Sarà, come mi dicono, un giovane serio, per quanto di temperamento ardentissimo; per me, finché non lo rivedo, rimane quel ragazzo fatuo, con lo stemma baronale nei fazzoletti e nel portafogli, il signorino a cui *sarebbe tanto piaciuto di far l'attore drammatico*.

Lo fece, e non per finta, con la Nestoroff, a spese di Giorgio Mirelli. Il dramma si svolse a Napoli, poco dopo la presentazione e il breve soggiorno della Nestoroff là a Sorrento. Pare che il Nuti se ne fosse tornato a Napoli coi due fidanzati, dopo quel breve soggiorno, per ajutar Giorgio inesperto e lei non ancor pratica della città, a metter sù casa, prima delle nozze.

Forse il dramma non sarebbe avvenuto o avrebbe avuto una catastrofe diversa, se non ci fosse stata la complicazione del fidanzamento, o meglio, dell'amore di Duccella per il Nuti. Per questo Giorgio Mirelli dovette ritorcere contro se stesso la violenza dell'orrore insostenibile, che gli s'avventò addosso dall'improvvisa scoperta del tradimento.

Aldo Nuti scappò da Napoli come un forsennato, prima che da Sorrento sopravvenissero alla notizia del suicidio di Giorgio nonna Rosa e Duccella.

Povera Duccella, povera nonna Rosa! La donna, che da mille e mille miglia lontano venne a portare lo scompiglio e la morte nella vostra casetta, ove insieme con quei gelsomini di bella notte sbocciava il più ingenuo degli idillii, io la ho qua, adesso, sotto la mia macchinetta, ogni giorno; e, se sono vere le notizie datemi dal Polacco, avrò tra poco anche lui, qua, Aldo Nuti, il quale pare abbia saputo che la Nestoroff è prima attrice alla *Kosmograph*.

Non so perché, mi dice il cuore che, girando la manovella di questa macchinetta di presa, io sono destinato a fare anche la vostra vendetta e del vostro povero Giorgio, cara Duccella, cara nonna Rosa!

Quaderno terzo

I.

Un lieve sterzo. C'è una carrozzella che corre davanti. – *Pò, pòpòòò, pòòò.*
Che? La tromba dell'automobile la tira indietro? Ma sì! Ecco pare che la faccia proprio andare indietro, comicamente.

Le tre signore dell'automobile ridono, si voltano, alzano le braccia a salutare con molta vivacità, tra un confuso e gajo svolazzìo di veli variopinti; e la povera carrozzella, avvolta in una nuvola alida, nauseante, di fumo e di polvere, per quanto il cavalluccio sfiancato si sforzi di tirarla col suo trotterello stracco, séguita a dare indietro, indietro, con le case, gli alberi, i rari passanti, finché non scompare in fondo al lungo viale fuor di porta. Scompare? No: che! È scomparsa l'automobile. La carrozzella, invece, eccola qua, che va avanti ancora, pian piano, col trotterello stracco, uguale, del suo cavalluccio sfiancato. E tutto il viale par che rivenga avanti, pian piano, con essa.

Avete inventato le macchine? E ora godetevi questa e consimili sensazioni di leggiadra vertigine.

Le tre signore dell'automobile sono tre attrici della *Kosmograph*, e hanno salutato con tanta vivacità la carrozzella strappata indietro dalla loro corsa meccanica non perché nella carrozzella ci sia qualcuno molto caro a loro; ma perché l'automobile, il meccanismo le inebria e suscita in loro una così sfrenata vivacità. La hanno a disposizione: servizio gratis; paga la *Kosmograph*. Nella carrozzella ci sono io. M'han veduto scomparire in un attimo, dando indietro comicamente, in fondo al viale; hanno riso di me; a quest'ora sono già arrivate. Ma ecco che io rivengo avanti, care mie. Pian pianino, sì; ma che avete veduto voi? una carrozzella dare indietro, come tirata da un filo, e tutto il viale assaettarsi avanti in uno striscio lungo confuso violento vertiginoso. Io, invece, ecco qua, posso consolarmi della lentezza ammirando a uno a uno, riposatamente, questi grandi platani verdi del viale, non strappati dalla vostra furia, ma ben piantati qua, che volgono a un soffio d'aria nell'oro del sole tra i bigi rami un fresco d'ombra violacea: giganti della strada, in fila, tanti, aprono e reggono con poderose braccia le immense corone palpitanti al cielo.

Caccia, sì, ma non forte, vetturino! È così stanco codesto tuo vecchio cavalluccio sfiancato. Tutti gli passano avanti: automobili, biciclette, tram elettrici; e la furia di tanto moto per le strade sospinge anche lui, senza ch'esso lo sappia o lo voglia, gli sforza irresistibilmente le povere gambe anchilosate, affaticate nel trasporto, da un punto all'altro della grande città, di tanta gente afflitta, oppressa e smaniosa, per bisogni, miserie, faccende, aspirazioni, ch'esso non può capire! E forse più di tutti lo stancano quei pochi che montano su la carrozzella con la voglia di divertirsi, e non sanno dove né come. Povero cavalluccio, la testa gli s'abbassa di mano in mano, e non la rialza più, neanche se tu lo frusti a sangue, vetturino!

– Ecco, a destra... volta a destra!

La *Kosmograph* è qua, in questa traversa remota, fuor di porta.

II.

Affossata, polverosa, appena tracciata in principio, ha l'aria e la mala grazia di chi, aspettandosi di star tranquillo, si veda, al contrario, seccato di continuo.

Ma se non ha diritto a qualche fresco cespuglietto d'erba, a tutti quei fili di suono sottili vaganti, con cui il silenzio nelle solitudini tesse la pace, al *quacquà* di qualche raganella quando piove e le pozze d'acqua piovana rispecchiano nella notte rasserenata le stelle; insomma a tutte le delizie della natura aperta e deserta, una strada di campagna, parecchi chilometri fuor di porta, non so chi l'abbia, veramente.

Invece: automobili, carrozze, carri, biciclette, e tutto il giorno un trànsito ininterrotto d'attori, d'operatori, di macchinisti, d'operaj, di comparse, di fattorini, e frastuono di martelli, di seghe, di pialle, e polverone e puzzo di benzina.

Gli edificii, alti e bassi, della grande Casa cinematografica si levano in fondo alla strada, da una parte e dall'altra; ne sorgono alcuni più là, senz'ordine, entro il vastissimo recinto, che si estende e spazia nella campagna: uno, più alto di tutti, è sovrastato come da una torre vetrata, di vetri opachi, che sfólgorano al sole; e nel muro in vista dalla strada e dal viale, su la bianchezza abbarbagliante della calce, a lettere nere, cubitali, sta scritto:

LA «KOSMOGRAPH»

L'entrata è a sinistra, da una porticina accanto al cancello, che s'apre di rado. Dirimpetto è un'osteria di campagna, battezzata pomposamente *Trattoria della Kosmograph*, con una bella pergola su l'incannucciata, che ingabbia tutto il così detto giardino e vi fa dentro un'aria verde. Cinque o sei tavole rustiche, dentro, non molto ferme su i quattro piedi, e seggiole e panchette. Parecchi attori, truccati e parati di strani costumi, vi seggono e discutono animatamente; uno grida più forte di tutti, battendosi con furia una mano su la coscia:

– E io vi dico che bisogna prenderla qua, qua, qua!

E le manate, su i calzoni di pelle, pajono spari.

Parlano certo della tigre, comperata or è poco dalla *Kosmograph*; del modo come dev'essere uccisa; del punto preciso in cui dev'essere colpita. Se ne son fatta una fissazione. A sentirli, pare che siano tutti di professione cacciatori di bestie feroci.

Affollati innanzi all'entrata, stanno ad ascoltarli con visi ridenti gli *chauffeurs* delle vetturette automobili, logore, impolverate; i vetturini delle carrozzelle in attesa, là in fondo, ove la traversa è chiusa da una siepe di stecchi e spuntoni; e tant'altra povera gente, la più miserabile ch'io mi conosca, sebbene vestita con una certa decenza. Sono (chiedo scusa, ma qui tutto ha nome francese o inglese) sono i *cachets* avventizii, coloro cioè che vengono a profferirsi, a un bisogno, per comparse. La loro petulanza è insoffribile, peggio di quella dei mendicanti; perché qua si viene a esibire una miseria, che non chiede la carità d'un soldo, ma cinque lire, per mascherarsi spesso grottescamente. Bisogna vedere che ressa, certi giorni, nel magazzino-vestiario per ghermire e indossar subito qualche straccio vistoso, e con quali arie se lo portano a spasso per le piattaforme e gli sterrati, sapendo bene che, quando riescano a *vestirsi*, anche se non *posano*, tiran la mezza paga.

Due, tre attori vengono fuori dalla trattoria, facendosi largo tra la ressa. Sono coperti d'una maglia color zafferano, col viso e le braccia impiastricciati di giallo sporco e una specie di cresta di penne colorate in capo. Indiani. Mi salutano:

– Ciao, Gubbio.

– Ciao, *Si gira...*

Si gira è il mio nomignolo. Già!

Càpita a una pacifica tartaruga d'acquattarsi proprio là, dove un ragazzaccio maleducato si china per fare un suo bisogno. Poco dopo, la povera bestiola ignara riprende pacificamente il suo tardo andare con su la scaglia il bisogno di quel ragazzaccio, torre inopinata.

Intoppi della vita!

Voi ci avete perduto un occhio, e il caso è stato grave. Ma siamo tutti, chi più chi meno, segnati, e non ce n'accorgiamo. La vita ci segna; e a chi attacca un vezzo, a chi una smorfia.

No? Ma scusate, voi, proprio voi che dite di no... ecco, *magnificamente...* non inzeppate di continuo tutti i vostri discorsi di questo avverbio in -*mente*?

«Andai magnificamente dove m'indicarono: lo vidi e gli dissi magnificamente: Ma come, tu, magnificamente...»

Abbiate pazienza! Nessuno ancora vi chiama *Signor Magnificamente...* Serafino Gubbio (*Si gira...*) è stato più disgraziato. Senza accorgermene, mi sarà avvenuto forse qualche volta, o più volte di seguito, di ripetere, dopo il direttore di scena, la frase sacramentale: – *Si gira...* –; l'avrò ripetuta con la faccia composta a quell'aria che mi è propria, di professionale impassibilità, ed è basato questo, perché tutti ora qua, per suggerimento di Fantappiè, mi chiamino *Si gira...*

Tutti i pubblici d'Italia conoscono Fantappiè, l'attore comico della *Kosmograph*, che s'è specializzato nella caricatura della vita militare: *Fantappiè consegnato in caserma* e *Fantappiè al campo di tiro; Fantappiè alle grandi manovre* e *Fantappiè areostiere; Fantappiè di sentinella* e *Fantappiè soldato coloniale...*

Egli se l'è appiccicato da sé, il nomignolo: un nomignolo che quadra bene alla sua specialità. Allo stato civile si chiama Roberto Chismicò.

– Cicchetto, te ne sei avuto a male, che t'ho messo *Si gira*? – mi domandò, tempo fa.

– No, caro – gli risposi sorridendo. – M'hai bollato.

– Mi son bollato anch'io, va' là!

Tutti bollati, sì. E più di tutti, quelli che meno se ne accorgono, caro Fantappiè.

III.

Entro nel vestibolo a sinistra, e riesco nella rampa del cancello, inghiajata e incassata tra i fabbricati del secondo reparto, il *Reparto Fotografico* o *del Positivo*.

In qualità d'operatore ho il privilegio d'aver un piede in questo reparto e l'altro nel *Reparto Artistico* o *del Negativo*. E tutte le meraviglie della complicazione industriale e così detta artistica mi sono familiari.

Qua si compie misteriosamente l'opera delle macchine.

Quanto di vita le macchine han mangiato con la voracità delle bestie afflitte da un verme solitario, si rovescia qua, nelle ampie stanze sotterranee, stenebrate appena da cupe lanterne rosse, che alluciano sinistramente d'una lieve tinta sanguigna le enormi bacinelle preparate per il bagno.

La vita ingojata dalle macchine è lì, in quei vermi solitarii, dico nelle pellicole già avvolte nei telaj.

Bisogna fissare questa vita, che non è più vita, perché un'altra macchina possa ridarle il movimento qui in tanti attimi sospeso.

Siamo come in un ventre, nel quale si stia sviluppando e formando una mostruosa gestazione meccanica.

E quante mani nell'ombra vi lavorano! C'è qui un intero esercito d'uomini e

di donne: operatori, tecnici, custodi, addetti alle dinamo e agli altri macchina-
rii, ai prosciugatoj, all'imbibizione, ai viraggi, alla coloritura, alla perforatura
della pellicola, alla legatura dei pezzi.

Basta ch'io entri qui, in quest'oscurità appestata dal fiato delle macchine,
dalle esalazioni delle sostanze chimiche, perché tutto il mio *superfluo* svapori.

Mani, non vedo altro che mani, in queste camere oscure; mani affaccendate
su le bacinelle; mani, cui il tetro lucore delle lanterne rosse dà un'apparenza
spettrale. Penso che queste mani appartengono ad uomini che non sono più;
che qui sono condannati ad esser mani soltanto: queste mani, strumenti.
Hanno un cuore? A che serve? Qua non serve. Solo come strumento anch'esso di macchina, può servire, per muovere queste mani. E così la testa:
solo per pensare ciò che a queste mani può servire. E a poco a poco m'invade
tutto l'orrore della necessità che mi s'impone, di diventare anch'io una mano
e nient'altro.

Vado dal magazziniere a provvedermi di pellicola vergine, e preparo per il
pasto la mia macchinetta.

Assumo subito, con essa in mano, la mia maschera d'impassibilità. Anzi,
ecco: non sono più. Cammina *lei*, adesso, con le mie gambe. Da capo a piedi,
son cosa sua: faccio parte del suo congegno. La mia testa è qua, nella macchinetta, e me la porto in mano.

Fuori, alla luce, per tutto il vastissimo recinto, è l'animazione gaja delle imprese che prosperano e compensano puntualmente e lautamente ogni lavoro;
quello scorrer facile dell'opera nella sicurezza che non ci saranno intoppi e
che ogni difficoltà, per la gran copia dei mezzi, sarà agevolmente superata;
una febbre anzi di porsi, quasi per sfida, le difficoltà più strane e insolite,
senza badare a spese, con la certezza che il danaro, speso adesso senza con-
tarlo, ritornerà tra poco centuplicato.

Scenografi, macchinisti, apparatori, falegnami, muratori e stuccatori, elettri-
cisti, sarti e sarte, modiste, fioraj, tant'altri operaj addetti alla calzoleria, alla
cappelleria, all'armeria, ai magazzini della mobilia antica e moderna, al guardaroba, son tutti affaccendati, ma non sul serio e neppure per giuoco.

Solo i fanciulli han la divina fortuna di prendere sul serio i loro giuochi. La
meraviglia è in loro; la rovesciano su le cose con cui giuocano, e se ne lasciano ingannare. Non è più un giuoco; è una realtà meravigliosa.

Qui è tutto il contrario.

Non si lavora per giuoco, perché nessuno ha voglia di giocare. Ma come
prendere sul serio un lavoro, che altro scopo non ha, se non d'ingannare – non
se stessi – ma gli altri? E ingannare, mettendo sù le più stupide finzioni, a cui
la macchina è incaricata di dare la realtà meravigliosa?

Ne vien fuori, per forza e senza possibilità d'inganno, un ibrido giuoco.
Ibrido, perché in esso la stupidità della finzione tanto più si scopre e avventa,
in quanto si vede attuata appunto col mezzo che meno si presta all'inganno: la
riproduzione fotografica. Si dovrebbe capire, che il fantastico non può acquistare realtà, se non per mezzo dell'arte, e che quella realtà, che può dargli una
macchina, lo uccide, per il solo fatto che gli è data da una macchina, cioè con
un mezzo che ne scopre e dimostra la finzione per il fatto stesso che lo dà e
presenta come reale. Ma se è meccanismo, come può esser vita, come può
esser arte? È quasi come entrare in uno di quei musei di statue viventi, di cera,
vestite e dipinte. Non si prova altro che la sorpresa (che qui può essere anche
ribrezzo) del movimento, dove non è possibile l'illusione d'una realtà materiale.

E nessuno crede sul serio di poterla creare, quest'illusione. Si fa alla meglio
per dar *roba da prendere* alla macchina, qua nei cantieri, là nei quattro teatri
di posa o nelle piattaforme. Il pubblico, come la macchina, prende tutto. Si
fan denari a palate, e migliaja e migliaja di lire si possono spendere allegra-

mente per la costruzione d'una scena, che su lo schermo non durerà più di due minuti.

Apparatori, macchinisti, attori si dànno tutti l'aria d'ingannare la macchina, che darà apparenza di realtà a tutte le loro finzioni.

Che sono io per essi, io che con molta serietà assisto impassibile, girando la manovella, a quel loro stupido giuoco?

IV.

Permettete un momento. Vado a vedere la tigre. Dirò, seguiterò a dire, riprenderò il filo del discorso più tardi, non dubitate. Bisogna che vada, per ora, a vedere la tigre.

Dacché l'hanno comperata, sono andato ogni giorno a visitarla, prima di mettermi all'opera. Due giorni soli non ho potuto, perché non me n'hanno dato il tempo.

Abbiamo avuto qua altre bestie feroci, sebbene molto immalinconite: due orsi bianchi, che passavano le giornate, ritti su le zampe di dietro, a picchiarsi il petto, come trinitarii in penitenza; tre leoncini freddolosi, ammucchiati sempre in un canto della gabbia, l'uno su l'altro; anche altre bestie, non propriamente feroci: un povero struzzo spaventato d'ogni rumore come un pulcino, e sempre incerto di posare il piede; parecchie scimmie indiavolate. La *Kosmograph* è fornita di tutto, e anche d'un serraglio, per quanto gl'inquilini vi durino poco.

Nessuna bestia *m'ha parlato* come questa tigre.

Quando noi l'abbiamo avuta, era arrivata da poco, dono di non so quale illustre personaggio straniero, al Giardino Zoologico di Roma. Al Giardino Zoologico non han potuto tenerla, perché assolutamente irriducibile, non dico a farle soffiare il naso col fazzoletto, ma neanche a rispettare le regole più elementari della vita sociale. Tre, quattro volte minacciò di saltare il fosso, si provò anzi a saltarlo, per lanciarsi sui visitatori del Giardino, che stavano pacificamente ad ammirarla da lontano.

Ma qual altro pensiero più spontaneo di questo poteva sorgere in mente a una tigre (se non volete in mente, diciamo nelle zampe), che quel fosso cioè fosse fatto appunto perché essa si provasse a saltarlo, e che quei signori si fermassero lì davanti per essere divorati da lei, se riusciva a saltare?

È certo un pregio sapere stare allo scherzo; ma sappiamo che non tutti l'hanno. Parecchi non sanno neppure tollerare che altri pensi di poter scherzare con loro. Parlo di uomini, i quali pure, in astratto, possono riconoscer tutti che talvolta sia cosa lecita scherzare.

La tigre, voi dite, non sta esposta in giardino zoologico per ischerzo. Lo credo. Ma non vi sembra uno scherzo pensare, ch'essa possa supporre che la teniate lì esposta per dare al popolo una «nozione vivente» di storia naturale?

Eccoci al punto di prima. Questa – non essendo noi propriamente tigri ma uomini – è retorica.

Possiamo aver compatimento per un uomo che non sappia stare allo scherzo; non dobbiamo averne per una bestia; tanto più se questo scherzo a cui l'abbiamo esposta, dico della «nozione vivente», può avere conseguenze funeste: cioè per i visitatori del Giardino Zoologico, una nozione troppo sperimentale della ferocia di essa.

Questa tigre fu dunque saggiamente condannata a morte. La Società della *Kosmograph* riuscì a saperlo in tempo e la comperò. Ora è qui, in una gabbia del nostro serraglio. Dacché è qui, è saggissima. Come si spiega? Il nostro trattamento, senza dubbio, le sembra molto più logico. Qui non le è data libertà di provarsi a saltare alcun fosso, nessuna illusione di *color locale*, come nel Giardino Zoologico. Qui ha davanti le sbarre della gabbia, che le dicono di continuo: – *Tu non puoi scappare; sei prigioniera*, – e sta quasi tutto il giorno sdrajata e rassegnata a guardare di tra queste sbarre, in un'attesa tranquilla e attonita.

Ahimè, povera bestia, non sa che qui le toccherà ben altro, che quello scherzo della «nozione vivente»!

Già è pronto lo scenario, di soggetto indiano, nel quale essa è destinata a rappresentare una delle parti principali. Scenario spettacoloso, per cui si spenderà qualche centinaio di migliaia di lire; ma quanto di più stupido e di più volgare si possa immaginare. Basterà darne il titolo: *La donna e la tigre*. La solita donna più tigre della tigre. Mi par d'avere inteso, che sarà una *miss* inglese in viaggio nelle Indie con un codazzo di corteggiatori.

L'India sarà finta, la *jungla* sarà finta, il viaggio sarà finto, finta la *miss* e finti i corteggiatori: solo la morte di questa povera bestia non sarà finta. Ci pensate? E non vi sentite torcer le viscere dall'indignazione?

Ucciderla, per propria difesa o per difesa dell'incolumità altrui, passi! Quantunque non da sé, per suo gusto, la belva sia venuta qua a esporsi in mezzo agli uomini, ma gli uomini stessi, per loro piacere, siano andati a catturarla, a strapparla dal suo covo selvaggio. Ma ucciderla così, in un bosco finto, in una caccia finta, per una stupida finzione, è vera nequizia che passa la parte! Uno dei corteggiatori, a un certo punto, sparerà contro un rivale a bruciapelo. Voi vedrete questo rivale traboccar giù, morto. Sissignori. Finita la scena, eccolo qua che si rialza, scotendosi dall'abito la polvere della piattaforma. Ma non si rialzerà più questa povera bestia, quando le avranno sparato. Porteranno via il bosco finto e anche, come un ingombro, il cadavere di lei. In mezzo a una finzione generale soltanto la sua morte sarà vera.

E fosse almeno una finzione che con la sua bellezza e la sua nobiltà potesse in qualche modo compensare il sacrifizio di questa bestia. No. Stupidissima. L'attore che la ucciderà, non saprà forse nemmeno perché l'avrà uccisa. La scena durerà un minuto, due minuti su lo schermo in projezione, e passerà senza lasciare un ricordo duraturo negli spettatori, che usciranno dalla sala sbadigliando:

– Oh Dio, che stupidaggine!

Questo, o bella belva, t'aspetta. Tu non lo sai, e guardi di tra le sbarre della gabbia con codesti occhi spaventevoli, ove la pupilla a spicchio or si restringe or si dilata. Vedo quasi vaporare da tutto il tuo corpo, com'alito di bragia, la tua ferinità, e segnato nelle nere striature del tùo pelame l'impeto elastico degli slanci irrefrenabili. Chiunque t'osservi da vicino, gode della gabbia che t'imprigiona e che arresta anche in lui l'istinto feroce, che la tua vista gli rimuove irresistibilmente nel sangue.

Tu qua non puoi stare altrimenti. O così imprigionata, o bisogna che tu sia uccisa; perché la tua ferocia – lo intendiamo – è innocente: la natura l'ha messa in te, e tu, adoprandola, ubbidisci a lei e non puoi aver rimorsi. Noi non possiamo tollerare che tu, dopo un pasto sanguinoso, possa dormir tranquillamente. La tua stessa innocenza fa innocenti noi della tua uccisione, quand'è per nostra difesa. Possiamo ucciderti, e poi, come te, dormir tranquillamente. Ma là, nelle terre selvagge, ove tu non ammetti che altri passi; non qua, non qua, ove tu non sei venuta da te, per tuo piacere. La bella innocenza ingenua della tua ferocia rende qua nauseosa l'iniquità della nostra. Vogliamo difenderci da te, dopo averti portata qua, per nostro piacere, e ti teniamo in prigione: questa non è più la tua ferocia; quest'è ferocia perfida! Ma sappiamo, non dubitare, sappiamo anche andare più in là, far di meglio: t'uccideremo per giuoco, stupidamente. Un cacciatore finto, in una caccia finta, tra alberi finti... Saremo degni in tutto, veramente, dello scenario inventato. Tigri, più tigri d'una tigre. E dire che il sentimento che questo *film* in preparazione vorrà destare negli spettatori, è il disprezzo della ferocia umana. Noi la metteremo in opra, questa ferocia per giuoco, e contiamo anche di guadagnarci, se ci riesce bene, una bella somma.

Guardi? Che guardi, bella belva innocente? È proprio così. Non sei qua per altro. E io, che t'amo e t'ammiro, quando t'uccideranno, girerò *impassibile* la manovella di questa graziosa macchinetta qua, la vedi? L'hanno inventata. Bisogna che agisca; bisogna che mangi. Mangia tutto, qualunque stupidità le mettano davanti. Mangerà anche te; mangia tutto, ti dico! E io la servo. Verrò a collocartela più da presso, quando tu, colpita a morte, darai gli ultimi tratti. Ah, non dubitare, ricaverà dalla tua morte tutto il profitto possibile! Non le accade mica di gustar tutti i giorni un pasto simile. Puoi aver questa consolazione. E, se vuoi, anche un'altra.

Viene ogni giorno, come me, qua davanti alla tua gabbia, una donna a studiare come tu ti muovi, come volti la testa, come guardi. La Nestoroff. Ti par poco? T'ha eletto a sua maestra. Fortune come questa, non càpitano a tutte le tigri.

Al solito, ella prende sul serio la sua parte. Ma ho sentito dire, che la parte della *miss* «più tigre della tigre» non sarà assegnata a lei. Forse ella ancora non lo sa: crede che le spetti; e viene qui a studiare.

Me l'hanno detto, ridendone. Ma io stesso l'altro giorno l'ho sorpresa, mentre veniva, e ho parlato con lei un buon pezzo.

V.

Non si sta invano, capirete, per una mezz'ora a guardare e a considerare una tigre, a vedere in essa un'espressione della terra, ingenua, di là dal bene e dal male, incomparabilmente bella e innocente nella sua potenza feroce. Prima che da questa «originarietà» si scenda e s'arrivi a poter vedere innanzi a noi uno, o una che sia, dei giorni nostri, e a poter riconoscerla e considerarla come un'abitante della stessa terra – almeno per me; non so se anche per voi – ci vuole un bel po'.

Rimasi dunque per un pezzo a guardare la signora Nestoroff senza riuscire a intendere ciò che mi diceva.

Ma la colpa, in verità, non era soltanto mia e della tigre. Il fatto ch'ella mi rivolgesse la parola, era insolito; e facilmente, se ci parli di sorpresa qualcuno con cui non abbiamo avuto relazioni di sorta, stentiamo in prima a cogliere il senso, talvolta anche il suono delle parole più comuni e domandiamo:

– Scusi, com'ha detto?

In poco più d'otto mesi, che son qui, tra me e lei, oltre i saluti, ci sarà stato lo scambio d'appena una ventina di parole.

Poi, ella – sì, ci fu anche questo – appressandosi, cominciò a parlarmi con molta volubilità, come si suol fare quando vogliamo distrarre l'attenzione di qualcuno che ci sorprenda in qualche atto o pensiero che vorremmo tener nascosto. (La Nestoroff parla con meravigliosa facilità e con perfetto accento la nostra lingua, come se fosse in Italia da molti anni: ma salta subito a parlar francese, appena appena, anche momentaneamente, si alteri o si riscaldi.) Voleva saper da me, se mi paresse che la professione dell'attore fosse tale, che una qualsiasi bestia (anche non metaforicamente) si potesse credere atta, senz'altro, a esercitarla.

– Dove? – le domandai.

Non intese la domanda.

– Ecco, – le spiegai, – se si tratta d'esercitarla qui, dove non c'è bisogno della parola, forse anche una bestia, perché no?, può esser capace.

La vidi infoscarsi in volto.

– Sarà per questo, – disse misteriosamente.

Mi parve dapprima d'indovinare, ch'ella (come tutti gli attori di professione, scritturati qui) parlasse per dispetto di certuni, i quali, senz'averne bisogno, ma pur non sdegnando un guadagno facile, o per vanità, o per diletto, o per altro, trovano modo di farsi accettare dalla Casa e di prender posto tra gli attori, senza molta difficoltà, tolta di mezzo quella, che sarebbe più arduo per loro e forse impossibile superare senza un lungo tirocinio e una vera attitudine, voglio dire la recitazione. Ne abbiamo alla *Kosmograph* parecchi, che sono veri signori, tutti giovani tra i venti e i trent'anni, o amici di qualche forte caratista nell'Amministrazione della Casa, o caratisti essi stessi, che si dan l'aria d'assumere in qualche film questa o quella parte, che loro piaccia, solo per diporto; e la disimpegnano molto signorilmente, e qualcuno anche in maniera da far invidia a un vero attore.

Ma, riflettendo poi sul tono misterioso con cui ella, infoscata all'improvviso, proferì quelle parole: – *Sarà per questo*, – il dubbio mi sorse, che forse le fosse arrivata la notizia che Aldo Nuti, non so ancora da qual parte, stia cercando la via per entrar qui.

Questo dubbio mi turbò non poco.

Perché veniva ella a domandare proprio a me, avendo in mente Aldo Nuti, se la professione dell'attore mi paresse tale, che ogni bestia potesse senz'altro credersi atta a esercitarla? Sapeva dunque della mia amicizia per Giorgio Mirelli?

Non avevo ancora, e non ho tuttora, alcun motivo di crederlo. Dalle domande che accortamente le rivolsi per chiarirmene, non ho potuto almeno acquistarne la certezza.

Non so perché, mi dispiacerebbe molto se ella sapesse che fui amico di Giorgio Mirelli, nella prima giovinezza di lui, e che mi fu familiare la villetta di Sorrento, ov'ella portò lo scompiglio e la morte.

Non so perché – ho detto: ma non è vero; il perché lo so, e n'ho già fatto anche cenno altrove. Non ho amore, ripeto qua, né potrei averne, per questa donna; ma odio, neppure. Qua tutti la odiano; e già questa per me sarebbe ragione fortissima di non odiarla io. Sempre, nel giudicare gli altri, mi sono sforzato di superare il cerchio de' miei affetti, di cogliere nel frastuono della vita, fatto più di pianti che di risa, quante più note mi sia stato possibile fuori dell'accordo de' miei sentimenti. Ho conosciuto Giorgio Mirelli, ma come? ma quale? Qual egli era nelle relazioni che aveva con me. Tale, per me, ch'io l'amavo. Ma chi era egli e com'era nelle relazioni con questa donna? Tale, ch'ella potesse amarlo? Io non lo so! Certo, non era, non poteva essere uno – lo stesso – per me e per lei. E come potrei io dunque giudicare da lui questa donna? Abbiamo tutti un falso concetto dell'unità individuale. Ogni unità è nelle relazioni degli elementi tra loro; il che significa che, variando anche minimamente le relazioni, varia per forza l'unità. Si spiega così, come uno, che a ragione sia amato da me, possa con ragione essere odiato da un altro. Io che amo e quell'altro che odia, siamo due: non solo; ma l'uno, ch'io amo, e l'uno che quell'altro odia, non son punto gli stessi; sono uno e uno: sono anche due. E noi stessi non possiamo mai sapere, quale realtà ci sia data dagli altri; chi siamo per questo e per quello.

Ora, se la Nestoroff venisse a sapere ch'io fui molto amico di Giorgio Mirelli, forse sospetterebbe in me un odio per lei ch'io non sento: e basterebbe questo sospetto a farla diventare subito un'altra per me, pur rimanendo io nella medesima disposizione d'animo per lei; si vestirebbe per me d'una parte che me ne nasconderebbe tante altre; e non potrei più studiarla, com'ora la studio, intera.

Le parlai della tigre, dei sentimenti che la presenza di essa in questo luogo e la sua sorte destano in me; ma mi accorsi subito ch'ella non era in grado d'intenderli, non forse per incapacità, ma perché le relazioni, che tra lei e la belva si sono stabilite, non le consentono né pietà per essa, né sdegno per l'azione che qui sarà compiuta.

Mi disse, acutamente:

– Finzione, sì; anche stupida, se volete; ma quando sarà sollevato lo sportello della gabbia e questa bestia sarà fatta entrare nell'altra gabbia più grande che figurerà un pezzo di bosco, con le sbarre nascoste da fronde, il cacciatore, per quanto finto come il bosco, avrà pur diritto di difendersi da essa, appunto perché essa, come voi dite, non è una bestia finta, ma una bestia vera.

– Ma il male è appunto questo, – esclamai: – servirsi d'una bestia vera dove tutto sarà finto.

– Chi ve lo dice? – rimbeccò pronta. – Sarà finta la parte del cacciatore; ma di fronte a questa bestia *vera* sarà pure un uomo *vero*! E v'assicuro che se egli non la ucciderà al primo colpo, o non la ferirà in modo d'atterrarla, essa, senza tener conto che il cacciatore sarà finto e finta la caccia, gli salterà addosso e sbranerà *per davvero* un uomo *vero*.

Sorrisi dell'arguzia della sua logica e dissi:

– Ma chi l'avrà voluto? Guardatela com'essa è qua! Non sa nulla, questa bella bestia, senza colpa della sua ferocia.

Mi guardò con occhi strani, come in sospetto che volessi burlarmi di lei; ma poi sorrise anch'ella, alzò appena appena le spalle e soggiunse:

– Vi sta tanto a cuore? Ammaestratela! Fatene una tigre attrice, che sappia fingere di cader morta al finto sparo d'un cacciatore finto, e tutto allora sarà accomodato.

A seguitare, non ci saremmo mai intesi; perché se a me stava a cuore la tigre, a lei il cacciatore.

Difatti il cacciatore designato a ucciderla è Carlo Ferro. La Nestoroff ne dev'essere molto costernata; e forse non viene qua, come vogliono i maligni, per studiare la sua parte, ma per misurare il pericolo che il suo amante affronterà.

Il quale, anche lui, per quanto ostenti una sprezzante indifferenza, dev'esserne, in fondo, in apprensione. So che, parlando col direttore generale, commendator Borgalli, e anche sù negli uffici d'amministrazione, ha messo avanti molte pretese: un'assicurazione su la vita di almeno centomila lire, da dare a' suoi parenti che vivono in Sicilia, in caso di morte, che non sia mai; un'altra assicurazione, più modesta, nel caso d'inabilità al lavoro per qualche eventuale ferita, che non sia mai neppure questa; una grossa gratificazione, se tutto, com'è da augurarsi, andrà bene, e poi – pretesa curiosa, non suggerita certo, come le precedenti, da un avvocato – la pelle della tigre uccisa.

La pelle della tigre sarà senza dubbio per la Nestoroff; per i piedini di lei; tappeto prezioso. Oh, ella avrà certo sconsigliato all'amante, pregando, scongiurando, d'assumere quella parte così pericolosa; ma poi, vedendolo deciso e impegnato, avrà suggerito lei, proprio lei, al Ferro, di pretendere *almeno* la pelle della tigre. Come «almeno»? Ma sì! Ch'ella gli abbia detto «almeno», mi sembra proprio indubitabile. *Almeno*, cioè in compenso dell'ansia angosciosa che le costerà la prova, a cui egli s'esporrà. Non è possibile che sia venuta in mente a lui, a Carlo Ferro, l'idea d'aver la pelle della belva uccisa per metterla sotto i piedini della sua amante. Non è capace, Carlo Ferro, di tali idee. Basta guardarlo per convincersene: guardare quel suo nero testone villoso e burbanzoso di caprone.

Egli sopravvenne, l'altro giorno, a interrompere la mia conversazione con la Nestoroff innanzi alla gabbia. Non si curò nemmeno di sapere di che cosa noi stessimo a parlare, come se per lui non potesse avere alcuna importanza una conversazione con me. Mi guardò appena, accostò appena la cannuccia di bambù al cappello per un cenno di saluto, guardò con la solita sprezzante indifferenza la tigre nella gabbia, dicendo all'amante:

– Andiamo: Polacco è pronto; ci aspetta.

E voltò le spalle, sicuro d'esser seguito dalla Nestoroff, come un tiranno dalla sua schiava.

Nessuno più di lui sente e dimostra quell'istintiva antipatia, ch'io ho detto comune a quasi tutti gli attori per me, e che si spiega, o almeno, io mi spiego come un effetto, a loro stessi non chiaro, della mia professione.

Carlo Ferro la sente più di tutti, perché, tra tante altre fortune, ha quella di credersi sul serio un grande attore.

VI.

Non è tanto per me – Gubbio – l'antipatia, quanto per la mia macchinetta. Si ritorce su me, perché io sono quello che la gira.

Essi non se ne rendono conto chiaramente, ma io, con la manovella in mano, sono in realtà per loro una specie d'esecutore.

Ciascun d'essi – parlo, s'intende, dei veri attori, cioè di quelli che amano veramente la loro arte, qualunque sia il loro valore – è qui di mala voglia, è qui perché pagato meglio, e per un lavoro che, se pur gli costa qualche fatica, non gli richiede sforzi d'intelligenza. Spesso, ripeto, non sanno neppure che parte stiano a rappresentare.

La macchina, con gli enormi guadagni che produce, se li assolda, può compensarli molto meglio che qualunque impresario o direttore proprietario di compagnia drammatica. Non solo; ma essa, con le sue riproduzioni meccaniche, potendo offrire a buon mercato al gran pubblico uno spettacolo sempre nuovo, riempie le sale dei cinematografi e lascia vuoti i teatri, sicché tutte, o quasi, le compagnie drammatiche fanno ormai meschini affari; e gli attori, per non languire, si vedono costretti a picchiare alle porte delle Case di cinematografia. Ma non odiano la macchina soltanto per l'avvilimento del lavoro stupido e muto a cui essa li condanna; la odiano sopra tutto perché si vedono allontanati, si sentono strappati dalla comunione diretta col pubblico, da cui prima traevano il miglior compenso e la maggior soddisfazione: quella di vedere, di sentire dal palcoscenico, in un teatro, una moltitudine intenta e sospesa seguire la loro azione *viva*, commuoversi, fremere, ridere, accendersi, prorompere in applausi.

Qua si sentono come in esilio. In esilio, non soltanto dal palcoscenico, ma quasi anche da se stessi. Perché la loro azione, l'azione *viva* del loro corpo *vivo*, là, su la tela dei cinematografi, non c'è più: c'è *la loro immagine* soltanto, colta in un momento, in un gesto, in una espressione, che guizza e scompare. Avvertono confusamente, con un senso smanioso, indefinibile di vuoto, anzi di vôtamento, che il loro corpo è quasi sottratto, soppresso, privato della sua realtà, del suo respiro, della sua voce, del rumore ch'esso produce movendosi, per diventare soltanto un'immagine muta, che trèmola per un momento su lo schermo e scompare in silenzio, d'un tratto, come un'ombra inconsistente, giuoco d'illusione su uno squallido pezzo di tela.

Si sentono schiavi anch'essi di questa macchinetta stridula, che pare sul treppiedi a gambe rientranti un grosso ragno in agguato, un ragno che succhia e assorbe la loro realtà viva per renderla parvenza evanescente, momentanea, giuoco d'illusione meccanica davanti al pubblico. E colui che li spoglia della loro realtà e la dà a mangiare alla macchinetta; che riduce ombra il loro corpo, chi è? Sono io, Gubbio.

Essi restano qua, come su un palcoscenico di giorno, quando provano. La sera della rappresentazione per essi non viene mai. Il pubblico non lo vedono più. Pensa la macchinetta alla rappresentazione davanti al pubblico, con le loro ombre; ed essi debbono contentarsi di rappresentare solo davanti a lei. Quando hanno rappresentato, la loro rappresentazione è pellicola.

Mi possono voler bene?

Un certo rinfranco all'avvilimento lo hanno nel non vedersi essi soli mortificati al servizio di questa macchinetta, che muove, agita, attrae tanto mondo attorno a sé. Scrittori illustri, commediografi, poeti, romanzieri, vengono qua, tutti al solito dignitosamente proponendo la «rigenerazione artistica» dell'industria. E a tutti il commendator Borgalli parla d'un modo, e Cocò Polacco d'un altro: quello, coi guanti da direttore generale; questo, sbottonato, da direttore di scena. Ascolta paziente tutte le proposte di scenarii, Cocò Polacco; ma a un certo punto alza una mano, dice:

– Oh no, quest'è un po' crudo. Dobbiamo sempre aver l'occhio agl'Inglesi, caro mio!

Trovata genialissima, questa degli Inglesi. Veramente la maggior parte delle pellicole prodotte dalla *Kosmograph* va in Inghilterra. Bisogna dunque per la scelta degli argomenti adattarsi al gusto inglese. E quante cose allora non vogliono gl'Inglesi nelle pellicole, secondo Cocò Polacco!

– La *pruderie* inglese, tu capisci! Basta che dicano *shocking*, e addio ogni cosa!

Se le pellicole andassero direttamente al giudizio del pubblico, forse forse tante cose passerebbero; ma no: per l'importazione delle pellicole in Inghilterra ci sono gli agenti, c'è lo scoglio, c'è la piaga degli agenti. Decidono loro, gli agenti, inappellabilmente: questo va, questo non va. E per ogni *film* che non vada, sono centinaja di migliaja di lire perdute o che vengono meno.

Oppure Cocò Polacco esclama:

– Bellissimo! Ma questo, caro mio, è un dramma, un dramma perfetto! Successone sicuro! Vuoi farne una pellicola? Non te lo permetterò mai! Come pellicola non va: te l'ho detto? caro, troppo fino, troppo fino. Qua ci vuol altro! Tu sei troppo intelligente, e lo intendi.

In fondo, Cocò Polacco, se rifiuta loro i soggetti, fa pure un elogio: dice loro che non sono stupidi abbastanza per scrivere per il cinematografo. Da un canto, perciò, essi vorrebbero capire, si rassegnerebbero a capire; ma, dall'altro, vorrebbero anche accettati i soggetti. Cento, duecento cinquanta, trecento lire, in certi momenti... Il dubbio, che l'elogio della loro intelligenza e il disprezzo del cinematografo quale strumento d'arte siano messi avanti per rifiutare con un certo garbo i soggetti balena a qualcuno di loro; ma la dignità è salva e se ne possono andar via a testa alta. Da lontano gli attori li salutano come compagni di sventura.

– Tutti bisogna che passino di qua! – pensano tra loro con gioja maligna. – Anche le teste coronate! Tutti di qua, stampati per un momento su un lenzuolo!

Giorni sono, ero con Fantappiè nel cortile ov'è la *Sala di prova* e l'ufficio della *Direzione artistica*, quando scorgemmo un vecchietto zazzeruto, in cappello a stajo, dal naso enorme, dagli occhi loschi dietro gli occhiali d'oro, la barbetta a collana, che pareva tutto ristretto in sé per paura dei grandi manifesti illustrati incollati al muro, rossi, gialli, azzurri, sgargianti, terribili, dei *films* che più hanno fatto onore alla Casa.

– Illustre senatore! – esclamò Fantappiè con un balzo, accorrendo e poi piantandosi su l'attenti con la mano levata comicamente al saluto militare. – È venuto per la prova?

– Già... sì... mi avevano detto per le dieci, – rispose l'illustre senatore, sforzandosi di discernere con chi parlava.

– Per le dieci? Chi gliel'ha detto? Polacco?

– Non capisco...

– Il direttore Polacco?

– No, un italiano... uno che chiamano l'ingegnere...

– Ah, capito: Bertini! Le aveva detto per le dieci? Non dubiti. Sono le dieci e mezzo. Per le undici certo sarà qui.

Era il venerando Professor Zeme, l'insigne astronomo, direttore dell'Osservatorio e senatore del Regno, accademico dei Lincei, insignito di non so quante onorificenze italiane e straniere, invitato a tutti i pranzi di Corte.

– E... scusi, senatore, – riprese quel burlone di Fantappiè. – Una domanda: non potrebbe farmi andare nella Luna?

– Io? nella Luna?

– Sì, dico... cinematograficamente, si capisce... *Fantappiè nella Luna*: sarebbe delizioso! In ricognizione, con otto soldati. Ci pensi un po', senatore. Concerterei la scenetta... No? Dice di no?

Il senator Zeme disse di no, con la mano, se non proprio sdegnosamente, certo con molta austerità. Uno scienziato pari suo non poteva prestarsi a mettere a servizio d'una buffonata la sua scienza. Si è prestato, sì, a farsi *prendere* in tutti gli atteggiamenti nel suo Osservatorio; ha voluto anche projettato su lo schermo il registro delle firme dei più illustri visitatori dell'Osservatorio, perché il pubblico vi leggesse le firme delle LL.MM il Re e la Regina e delle LL.AA.RR. il Principe Ereditario e le Principessine e di S. M. il Re di Spagna e di altri re e ministri di Stato e ambasciatori; ma tutto questo a maggior gloria della sua scienza e per dare al popolo una qualche immagine delle *Meraviglie dei cieli* (titolo della pellicola) e delle formidabili grandezze, in mezzo alle quali lui, il senator Zeme, pur così piccoletto com'è, vive e lavora.

– *Martuf!* – esclamò sotto sotto Fantappiè, da buon piemontese, con una delle sue solite smorfie, andando via con me.

Ma ritornammo indietro, poco dopo, attirati da un gran clamore di voci, che s'era levato nel cortile.

Attori, attrici, operatori, direttori di scena, macchinisti erano usciti dai camerini e dalla *Sala di prova* e stavano attorno al senator Zeme alle prese con Simone Pau, che suol venire di tanto in tanto a trovarmi alla *Kosmograph*.

– Ma che educazione del popolo! – urlava Simone Pau. – Mi faccia il piacere! Mandi Fantappiè nella Luna! Lo faccia giocare alle bocce con le stelle! O crede forse che siano sue, le stelle? Qua, le consegni qua alla divina Sciocchezza degli uomini, che ha tutto il diritto d'appropriarsene e di giocarci alle bocce! Del resto... del resto, scusi, che fa lei? che crede d'esser lei? Lei non vede che l'oggetto! Lei non ha coscienza che dell'oggetto! Dunque, religione. E il suo Dio è il cannocchiale! Lei crede che sia il suo strumento? Non è vero! Quello è il suo Dio, e lei lo venera! Lei è come Gubbio, qua, con la sua macchinetta! Il servitore... non voglio offenderla, dirò il sacerdote, il pontefice massimo, le basta? di quel suo Dio, e giura nel domma della sua infallibilità. Dov'è Gubbio? Viva Gubbio! viva Gubbio! Aspetti, non se ne vada, Senatore! Io sono venuto qua, questa mattina, per consolare un infelice. Gli ho dato convegno qua: già dovrebbe esser qua! Un infelice, mio compagno avventore dell'albergo del Falco... Non c'è miglior mezzo per consolare un infelice, che mostrargli e fargli toccar con mano, che non è solo. E l'ho invitato qua, tra questi bravi amici artisti. È un artista anche lui! Eccolo qua! eccolo qua!

E l'uomo dal violino, lungo lungo, inarcocchiato e tenebroso, ch'io vidi or è più di un anno nell'ospizio di mendicità, si fece avanti, come assorto, al solito, a guardarsi i peli spioventi delle foltissime sopracciglia aggrottate.

Tutti fecero largo. Nel silenzio sopravvenuto, crepitò qualche scoppio di risa, qua e là. Ma lo stupore e un certo senso di ribrezzo teneva la maggior parte nel vedere quell'uomo avanzarsi a capo chino con gli occhi a quel modo assorti ai peli delle sopracciglia, quasi non volesse vedersi il naso carnuto e rosso, peso enorme e castigo della sua intemperanza. Più che mai, adesso, avanzandosi, pareva dicesse: «Silenzio! Fate largo! Vedete come la vita può ridurre il naso d'un uomo?».

Simone Pau lo presentò al senator Zeme, che scappò via, indignato; risero tutti; ma Simone Pau, serio, riprese a far la presentazione alle attrici, agli attori, ai direttori di scena, narrando a scatti un po' all'uno un po' all'altro, la storia del suo amico, e come e perché dopo quell'ultimo famoso intoppo non avesse più sonato. Alla fine, tutto acceso, gridò:

– Ma egli oggi sonerà, signori! Sonerà! Romperà l'incanto malefico! Mi ha promesso che sonerà! Ma non a voi, signori! Voi vi terrete discosti. M'ha promesso che sonerà alla tigre! Sì, sì, alla tigre! alla tigre! Bisogna rispettare questa sua idea! Certo avrà le sue buone ragioni! Andiamo, sù, andiamo tutti... Ci terremo discosti... Egli si farà, solo, innanzi alla gabbia, e sonerà!

Tra gridi, risa, applausi, sospinti tutti da una vivissima curiosità per la bizzarra avventura, seguimmo Simone Pau, che aveva preso sotto braccio il suo uomo, e lo spingeva avanti seguendo le indicazioni che gli si gridavano dietro, su la via da tenere per andare al serraglio. In vista delle gabbie, ci arrestò tutti, raccomandando silenzio, e mandò avanti, solo, quell'uomo col suo violino.

Al rumore, dai cantieri, dai magazzini, operaj, macchinisti, apparatori, accorsero in gran numero per assistere dietro di noi alla scena: una folla.

La belva s'era ritratta d'un balzo in fondo alla gabbia; inarcata, a testa bassa, i denti digrignanti, le zampe artigliate, pronta all'assalto: terribile!

L'uomo la guatò, sbigottito; si voltò perplesso a cercare con gli occhi tra noi Simone Pau.

– Suona! – gli gridò questi. – Non temere! Suona! Ti comprenderà!

E allora quello, come liberandosi con un tremendo sforzo da un incubo, levò finalmente la testa, scrollandola, buttò a terra il cappellaccio sformato, si passò una mano sui lunghi capelli arruffati, trasse il violino dalla vecchia fodera di panno verde, e buttò via anche questa, sul cappello.

Qualche lazzo partì dagli operaj affollati dietro a noi, seguito da risa e da commenti, mentr'egli accordava il violino; ma un gran silenzio si fece subito appena egli prese a sonare, dapprima un po' incerto, esitante, come se si sentisse ferire dal suono del suo strumento non più udito da gran tempo; poi, d'un tratto, vincendo l'incertezza, e forse i fremiti dolorosi, con alcuni strappi energici. Seguì a questi strappi come un affanno a mano a mano crescente, incalzante, di strane note aspre e sorde, un groviglio fitto, da cui ogni tanto una nota accennava ad allungarsi, come chi tenti di trarre un sospiro tra i singhiozzi. Alla fine questa nota si distese, si sviluppò, s'abbandonò, liberata dall'affanno, in una linea melodica, limpida, dolcissima e intensa, vibrante d'infinito spasimo: e una profonda commozione allora invase noi tutti, che in Simone Pau si rigò di lagrime. Con le braccia levate egli faceva cenno di star zitti, di non manifestare in alcun modo la nostra ammirazione, perché nel silenzio quel bislacco straccione meraviglioso potesse ascoltare la sua anima.

Non durò a lungo. Abbassò le mani, come esausto, col violino e l'archetto, e si rivolse a noi col volto trasfigurato, bagnato di pianto, dicendo:

– Ecco...

Scoppiarono applausi fragorosi. Fu preso, portato in trionfo. Poi, condotto alla prossima trattoria, non ostanti le preghiere e le minacce di Simone Pau, bevve e s'ubriacò.

Polacco s'è morso un dito dalla rabbia, per non aver pensato di mandarmi subito a prendere la macchinetta per fissare quella scena della sonata alla tigre.

Come capisce bene tutto, sempre, Cocò Polacco! Io non potei rispondergli perché pensavo agli occhi della signora Nestoroff, che aveva assistito alla scena, come in un'estasi piena di sgomento.

Quaderno quarto

I.

Non ho più il minimo dubbio: ella sa della mia amicizia per Giorgio Mirelli, e sa che Aldo Nuti tra poco sarà qui.

Le due notizie le sono venute, certamente, da Carlo Ferro.

Ma come avviene, che qua non si voglia ricordare ciò ch'è accaduto tra i due, e non si siano troncate subito le pratiche col Nuti? A favorire queste pratiche s'è adoperato con molto impegno, sotto mano, il Polacco, amico del Nuti, e a cui il Nuti fin da principio s'è rivolto. Pare che il Polacco abbia ottenuto da uno dei giovanotti che sono qua «dilettanti», il Fleccia, la vendita a ottime condizioni dei dieci carati che costui possedeva. Da alcuni giorni, infatti, il Fleccia va dicendo che s'è annojato di stare a Roma e che andrà a Parigi.

Si sa che, di questi giovanotti, i più, oltre che per tutto il resto, bazzicano qui per l'amicizia contratta, o che vorrebbero contrarre, con qualche giovane attrice; e che tanti se ne vanno, quando non sono riusciti a contrarla, o se ne sono stancati. Diciamo amicizia: per fortuna, le parole non arrossiscono.

Ecco qua: una giovane attrice, in costume di «divette» o di ballerina, va correndo col torso ignudo per le piattaforme e gli sterrati; si ferma qua e là a conversare, col seno imbandito sotto gli occhi di tutti; ebbene, il giovanotto suo amico le vien dietro con la scatola e il piumino della cipria in mano, e ogni tanto glielo ripassa su la pelle, su le braccia, su la nuca, sotto la gola, orgoglioso che un siffatto ufficio spetti a lui. Quante volte, dacché sono entrato alla *Kosmograph*, non ho visto Gigetto Fleccia correr così dietro alla piccola Sgrelli? Ma ora egli, da circa un mese, s'è guastato con lei. Il tirocinio è fatto: andrà a Parigi.

Nulla di straordinario, dunque, per nessuno, che il Nuti, ricco signore anche lui e dilettante attore, venga a prenderne il posto. Non è forse noto abbastanza, o è già dimenticato il dramma della sua prima avventura con la Nestoroff.

Io sono pur ingenuo talvolta! Chi si ricorda di qualche cosa a distanza d'un anno? C'è più tempo da stimare in città, fra tanto turbinìo di vita, che qualche cosa – uomo, opera, fatto – meriti il ricordo d'un anno? Voi, nella solitudine della campagna, Duccella e nonna Rosa, potete ricordare! Qua, se pure qualcuno ricorda, ebbene, c'è stato un dramma? tanti ne avvengono, e per nessuno questo turbinìo di vita s'arresta un momento. Non sembrerà cosa in cui gli altri, da estranei, debbano immischiarsi, per impedir le conseguenze di una ripresa. Che conseguenze? Un urto con Carlo Ferro? Ma è così inviso a tutti, costui, non solo per la sua burbanza, ma appunto perché amante della Nestoroff! Se quest'urto avverrà e nascerà qualche disordine, sarà per gli estranei uno spettacolo di più da godere: e quanto a coloro cui deve premere che nessun disordine nasca, sperano forse di trovarvi un pretesto per licenziare con Carlo Ferro la Nestoroff, la quale, se è ben protetta dal commendator Borgalli, è qua di peso a tutti gli altri. O forse si spera che la Nestoroff stessa, per sfuggire al Nuti, si licenzii da sé?

Certo il Polacco s'è adoperato con tanto impegno alla venuta del Nuti unicamente per questo; e fin da principio, nascostamente, ha voluto che il Nuti, contro la protezione che il commendator Borgalli potrebbe far valere, fosse premunito con l'acquisto a caro prezzo dei carati di Gigetto Fleccia e col diritto di surrogar costui anche nelle parti di attore.

Che ragione, poi, hanno tutti costoro di costernarsi dell'animo con cui il Nuti verrà? Prevedono, se mai, solamente l'urto con Carlo Ferro, perché Carlo Ferro è qui, davanti a loro; lo vedono, lo toccano; e non immaginano che tra la Nestoroff e il Nuti ci possa esser di mezzo qualche altro.

«Tu?», mi domanderebbero, se io mi mettessi a parlare con loro di queste cose.

Io, cari? Eh, voi avete voglia di scherzare. Uno, che voi non vedete; uno, che non potete toccare. Uno spettro, come nelle favole.

Appena l'uno tenterà di riaccostarsi all'altra, per forza questo spettro sorgerà tra loro. Subito dopo il suicidio, sorse; e li fece fuggire, inorriditi, l'uno dall'altra. Bellissimo effetto cinematografico, per voi! Ma non per Aldo Nuti. Come mai può egli, adesso, pensare e tentare di riaccostarsi a questa donna? Non è possibile che – lui almeno – abbia dimenticato lo spettro. Ma avrà saputo che la Nestoroff è qua con un altr'uomo. E quest'uomo gli dà certo, ora, il coraggio di riaccostarsi a lei. Forse spera che quest'uomo, con la solidità del suo corpo, gli nasconderà quello spettro, gl'impedirà di scorgerlo, impegnandolo in una lotta *tangibile*, in una lotta, cioè, non contro uno spettro, ma di corpo a corpo. E fors'anche fingerà di credere che verrà a impegnarsi in questa lotta per *lui*, a vendetta di *lui*. Perché certo la Nestoroff, ponendosi quest'altro uomo accanto ha mostrato d'essersi dimenticata del «povero morto».

Non è vero. La Nestoroff non l'ha dimenticato. Me l'han detto chiaramente i suoi occhi, il modo com'ella mi guarda da due giorni, cioè da quando Carlo Ferro, per informazioni avute, le deve aver fatto conoscere che fui amico di Giorgio Mirelli.

Sdegno, anzi sprezzo, evidentissima avversione: ecco quello che noto da due giorni negli occhi della Nestoroff, appena per qualche attimo si posano su me. E ne son lieto, perché sono certo ormai, che quanto ho immaginato e supposto di lei, studiandola, è giusto e risponde alla realtà, come se ella medesima, in una sincera effusione di tutti i suoi più segreti sentimenti, m'avesse aperto la sua anima offesa e tormentata.

Da due giorni ostenta innanzi a me devota e sommessa affezione per il Ferro: si stringe a lui, pende da lui, pur lasciando intendere a chi ben la osservi, ch'ella come tutti gli altri, più di tutti gli altri, sa e vede l'angustia mentale, la rozzezza delle maniere, insomma la bestialità di quest'uomo. La sa e la vede. Ma gli altri – intelligenti e garbati – lo disprezzano e lo sfuggono? Ebbene, ella lo pregia e s'attacca a lui appunto per questo; appunto perché egli non è né intelligente, né garbato.

Miglior prova di questa non potrei avere. Eppure, oltre questo fierissimo sdegno, qualcos'altro deve agitarsi in questo momento nel cuore di lei! Certo, ella medita qualche cosa. Certo, Carlo Ferro per lei non è altro che un aspro, amarissimo rimedio, a cui, stringendo i denti, facendo un'enorme violenza a se stessa, s'è sottoposta per curare in sé un male disperato. E ora, più che mai, si tiene stretta a questo rimedio, balenandole la minaccia, con la venuta del Nuti, di ricadere nel suo male. Non perché, io credo, Aldo Nuti abbia su lei un tal potere. Subito, come un fantoccio, allora, ella lo prese, lo spezzò, lo buttò via. Ma la venuta di lui, ora, non ha certo altro scopo che di toglierla, strapparla al suo rimedio, riponendole davanti lo spettro di Giorgio Mirelli, in cui ella forse vede il suo male: lo smanioso tormento del suo spirito strano, del quale nessuno tra gli uomini, a cui s'è accostata, ha saputo e voluto prendersi cura.

Ella non vuole più il suo male; ne vuole a ogni costo guarire. Sa che, se

Carlo Ferro la stringe tra le braccia, può temere d'esserne spezzata. E questo timore le piace.

«Ma che ti vale», vorrei gridarle, «che ti vale che Aldo Nuti non venga a riportelo davanti, il tuo male, se tu lo hai ancora in te, soffocato a forza e non vinto? Tu non vuoi vedere la tua anima: è possibile? T'insegue, t'insegue sempre, t'insegue come una pazza! Per sfuggirle, t'aggrappi, ti ripari tra le braccia d'un uomo, che sai senz'anima e capace d'ucciderti, se la tua, per caso, oggi o domani, s'impadronirà novamente di te per ridarti l'antico tormento! Ah, meglio essere uccisa? meglio essere uccisa, che ricadere in questo tormento, di risentirsi un'anima dentro, un'anima che soffre e non sa di che?»

Ebbene, questa mattina, mentre giravo la macchinetta, ho avuto tutt'a un tratto il terribile sospetto, ch'ella – rappresentando, al solito, come una forsennata, la sua parte – volesse uccidersi: sì, sì, proprio uccidersi, davanti a me. Non so com'io abbia fatto a conservare la mia impassibilità; a dire a me stesso:

«Tu sei una mano, gira! Ella ti guarda, ti guarda fiso, non guarda che te, per farti intendere qualche cosa; ma tu non sai nulla, tu non devi intender nulla; gira!».

S'è cominciato a iscenare il *film* della tigre, che sarà lunghissimo e a cui prenderanno parte tutt'e quattro le compagnie. Non mi curerò minimamente di cercare il bandolo di quest'arruffata matassa di volgari, stupidissime scene. So che la Nestoroff non vi prenderà parte, non avendo ottenuto che le fosse assegnata quella della protagonista. Solo questa mattina, per una particolare concessione al Bertini, ha *posato* per una breve scena di «colore», in una particina secondaria, ma non facile, di giovane indiana, selvaggia e fanatica che s'uccide eseguendo «la danza dei pugnali».

Segnato il campo nello sterrato, Bertini ha disposto in semicerchio una ventina di comparse, camuffate da selvaggi indiani. S'è fatta avanti la Nestoroff quasi tutta nuda, con una sola fascia sui fianchi a righe gialle verdi rosse turchine. Ma la nudità meravigliosa del saldo corpo esile e pieno era quasi coperta dalla sdegnosa noncuranza di esso, con cui ella si è presentata in mezzo a tutti quegli uomini, a testa alta, giù le braccia coi due pugnali affilatissimi, uno per pugno.

Bertini ha spiegato brevemente l'azione:

– Ella danza. È come un rito. Tutti stanno ad assistere religiosamente. A un tratto, a un mio grido, in mezzo alla danza, ella si trafigge il seno coi due pugnali e stramazza. Tutti accorrono e le si fanno sopra, stupiti e sgomenti. Sù, sù, attenti, attenti al campo! Voi di là, avete capito? state prima, serii, a guardare; appena la signora stramazza, accorrete tutti! Attenti, attenti al campo per ora!

La Nestoroff, facendosi in mezzo al semicerchio coi due pugnali branditi, ha preso a guardarmi con una così acuta e dura fissità, ch'io, dietro al mio grosso ragno nero in agguato sul treppiedi, mi sono sentito vagellar gli occhi e intorbidare la vista. Per miracolo ho potuto obbedire al comando di Bertini:

– Si gira!

E mi son messo, come un automa, a girar la manovella.

Tra i penosi contorcimenti di quella sua strana danza màcabra, tra il lucichìo sinistro dei due pugnali, ella non staccò un minuto gli occhi da' miei, che la seguivano, affascinati. Le vidi sul seno anelante il sudore rigar di solchi la manteca giallastra, di cui era tutto impiastricciato. Senza darsi alcun pensiero della sua nudità, ella si dimenava come frenetica, ansava, e pian piano, con voce affannosa, sempre con gli occhi fissi ne' miei, domandava ogni tanto:

– *Bien comme ça? bien comme ça?*

Come se volesse saperlo da me; e gli occhi erano quelli d'una pazza. Certo, ne' miei leggevano, oltre la maraviglia, uno sgomento prossimo a cangiarsi in terrore nell'attesa trepidante del grido del Bertini. Quando il grido uscì ed ella si ritorse contro il seno la punta de' due pugnali e stramazzò a terra, io ebbi veramente per un attimo l'impressione che si fosse trafitta, e fui per accorrere anch'io, lasciando la manovella, allorché Bertini su le furie incitò le comparse.

– A vojaltri, perdio! accorrete! fatemi la controparte!... Così... così... basta!

Ero sfinito; la mano m'era diventata come di piombo, seguitando da sé, meccanicamente, a girar la manovella.

Ho visto Carlo Ferro accorrer fosco, pieno di collera e di tenerezza, con un lungo mantello violaceo, ajutar la donna a rialzarsi, avvolgerla in quel mantello e portarsela via, quasi di peso, nel camerino.

Ho guardato nella macchinetta, e mi sono trovata in gola una curiosa voce sonnolenta per annunziare al Bertini:

– Ventidue metri.

II.

Aspettavamo, oggi, sotto il pergolato dell'osteria, che arrivasse una certa «signorina di buona famiglia», raccomandata dal Bertini, la quale doveva sostenere una particina in un *film* rimasto da qualche mese in tronco e che ora si vuol terminare.

Da più d'un'ora un ragazzo era stato spedito in bicicletta alla casa di questa signorina, e ancora non si vedeva nessuno, neppure il ragazzo di ritorno.

Polacco stava seduto con me a un tavolino, la Nestoroff e Carlo Ferro sedevano a un altro. Tutt'e quattro, insieme con quell'avventizia, si doveva andare in automobile, per un *esterno dal vero* al Bosco Sacro.

L'afa del pomeriggio, il fastidio delle mosche innumerevoli dell'osteria, il silenzio forzato fra noi quattro, costretti a stare insieme non ostante l'avversione dichiarata, e del resto patente, di quei due per Polacco e anche per me, accrescevano e rendevano a mano a mano insopportabile la noja dell'attesa.

Ostinatamente la Nestoroff si vietava di volger gli occhi verso di noi. Ma certo sentiva ch'io la guardavo, così, apparentemente senza attenzione; e più d'una volta aveva dato segno d'esserne seccata. Carlo Ferro se n'era accorto e aveva aggrottato le ciglia, guatandola; e allora ella aveva finto davanti a lui di provar fastidio, non già di me che la guardavo, ma del sole che, di tra i pampini del pergolato, la feriva in viso. Era vero; e mirabile su quel viso era il gioco dell'ombra violacea, vaga e rigata da fili d'oro di sole, che or le accendevano una pinna del naso e un po' del labbro superiore, ora il lobo dell'orecchio e un tratto del collo.

Mi vedo talvolta assaltato con tanta violenza dagli aspetti esterni, che la nitidezza precisa, spiccata, delle mie percezioni mi fa quasi sgomento. Diventa talmente mio quello che vedo con così nitida percezione, che mi sgomenta il pensare, come mai un dato aspetto – cosa o persona – possa non essere qual io lo vorrei. L'avversione della Nestoroff in quel momento di così intensa lucidità percettiva mi era intollerabile. Come mai non intendeva, ch'io non le ero nemico?

A un tratto, dopo avere spiato un pezzo di tra l'incannicciata, ella s'alzò e la vedemmo avviarsi fuori, a una carrozza d'affitto, anch'essa da un'ora lì ferma davanti l'entrata della *Kosmograph* ad aspettare sotto il sole cocente. Avevo veduto anch'io quella carrozza; ma il fogliame della vite m'impediva di scorgere chi vi fosse ad aspettare. Aspettava da tanto tempo, che non potevo credere vi fosse sù qualcuno. Polacco s'alzò; m'alzai anch'io, e guardammo.

Una giovinetta, vestita d'un abitino azzurro, di tela svizzera, lieve lieve, sotto un cappellone di paglia, guarnito di nastri di velluto nero, stava in quella carrozza ad aspettare. Con in grembo una vecchia cagnetta pelosa, bianca e nera, guardava timida e afflitta il tassametro della vettura, che di tratto in tratto scattava e già doveva segnare una cifra non lieve. La Nestoroff le s'accostò con molta grazia e la invitò a smontare per togliersi dalla sferza del sole. Non era meglio aspettare sotto la pergola dell'osteria?

– Molte mosche, sa? ma almeno si sta all'ombra.

La cagnetta pelosa aveva preso a ringhiare contro la Nestoroff, digrignando i denti in difesa della padroncina. Questa, improvvisamente invermigliata in volto, forse per il piacere inopinato di vedere quella bella signora prendersi cura di lei con tanta grazia; fors'anche per la stizza, che la sua vecchia, stupida bestiola le cagionava, rispondendo così male alla premura gentile di quella, ringraziò e, confusa, accetto l'invito e smontò con la cagnetta in braccio. Ebbi l'impressione che smontasse sopra tutto per riparare alla cattiva accoglienza della vecchia cagnetta alla signora. Difatti, le diede forte con la mano sul muso, sgridando:

– Zitta, *Piccinì*!

E poi, volgendosi alla Nestoroff:

– Scusi, non capisce nulla...

Ed entrò con lei sotto il pergolato. Guardai la vecchia cagnetta, che spiava corrucciata la padroncina da sotto in sù, con occhi umani. Pareva le domandasse: «E che capisci tu?».

Il Polacco, intanto, le si era fatto avanti, con galanteria.

– La signorina Luisetta?

Ella tornò a invermigliarsi tutta, come sospesa in una penosa meraviglia, d'esser conosciuta da uno a lei sconosciuto; sorrise; disse di sì col capo, e tutti i nastri di velluto nero del cappellone di paglia dissero di sì con lei.

Polacco tornò a domandarle:

– Papà è qua?

Sì, di nuovo, col capo, come se tra il rossore e la confusione non trovasse la voce per rispondere. Infine, con uno sforzo, la trovò, timida:

– È entrato da un pezzo: disse che si sarebbe sbrigato subito, e intanto...

Alzò gli occhi a guardare la Nestoroff e le sorrise, come se le dispiacesse che quel signore con le sue domande la avesse distratta da lei, che le si era mostrata così gentile pur senza conoscerla. Polacco allora fece la presentazione:

– La signorina Luisetta Cavalena; la signora Nestoroff.

Poi si volse ad accennare Carlo Ferro, che subito sorse in piedi e s'inchinò rudemente.

– L'attore Carlo Ferro.

Infine, presentò me:

– Gubbio.

Mi parve che, tra tutti, io fossi quello che meno la impacciasse.

Conoscevo per fama Cavalena, suo padre, notissimo alla *Kosmograph* sotto il nomignolo di *Suicida*. Pare che il pover'uomo sia terribilmente oppresso da una moglie gelosa. Per la gelosia della moglie, a quanto si dice, dovette prima lasciar la milizia, da tenente medico, e non so quante condotte vantaggiose; poi anche l'esercizio della professione libera, e il giornalismo, in cui aveva trovato modo d'entrare, e alla fine anche l'insegnamento, a cui per disperazione s'era appigliato, nei licei, come incaricato di fisica e storia naturale. Ora, non potendo (sempre a causa della moglie) dedicarsi al teatro, per il quale crede da un pezzo d'avere spiccatissime attitudini, s'è acconciato alla confezione di scenarii cinematografici, con molto sdegno, *obtorto collo*, per sopperire ai bisogni della famiglia, non bastando al mantenimento di essa la sola dote della moglie e quel che ricava dall'affitto di due stanze mobigliate. Se non che, nell'inferno della sua casa, abituato ormai a vedere il mondo come una galera, pare che, per quanto si sforzi, non riesca a comporre una trama *di film*, senza che a un certo punto non ci scappi un suicidio. Ragion per cui finora Polacco gli ha sempre rifiutato tutti gli scenarii, visto e considerato che gli Inglesi – assolutamente – non vogliono nelle pellicole il suicidio.

– Che sia venuto a cercar me? – domandò il Polacco alla signorina Luisetta. La signorina Luisetta balbettò, confusa:

– No... disse... non so... mi sembra, Bertini...

– Ah, birbante! S'è rivolto al Bertini? E, dica, signorina... è entrato solo? Nuova e più viva confusione della signorina Luisetta.

– Con la mamma...

Polacco alzò le mani, aperte, e le agitò un po' in aria, allungando il viso e ammiccando.

– Speriamo che non avvengano guaj!

La signorina Luisetta si sforzò di sorridere; ripeté:

– Speriamo...

E mi fece tanta pena vederla sorridere a quel modo, col visino in fiamme! Avrei voluto gridare al Polacco:

«E smetti di tormentarla con codesto interrogatorio! Non vedi che è sulle spine?».

Ma Polacco, all'improvviso, ebbe un'idea; batté le mani:

– E se ci portassimo la signorina Luisetta? Ma sì, perbacco; siamo qui da un'ora ad aspettare! Sì, sì; senz'altro... Signorina cara, lei ci leverà d'impaccio, e vedrà che la faremo divertire. In mezz'oretta sarà tutto fatto... Avvertirò l'usciere, che, appena verranno fuori il papà e la mamma, dica loro che lei è venuta per una mezz'oretta con me e con questi signori. Sono tanto amico di suo papà, che posso prendermi questa licenza. Le farò rappresentare una particina, è contenta?

La signorina Luisetta ha avuto certo una gran paura di parer timida, impacciata, sciocchina; e, quanto a venire con noi, ha detto, perché no?, ma che, quanto a recitare, non poteva, non sapeva... e poi, così?... ma che!... non s'era mai provata... si vergognava... e poi...

Polacco le spiegò che non ci voleva nulla: non doveva aprir bocca, né salire su un palcoscenico, né presentarsi al pubblico. Nulla. In campagna. Davanti agli alberi. Senza parlare.

– Starà su un sedile, accanto a questo signore, – e indicò il Ferro. – Questo signore fingerà di parlarle d'amore. Lei, naturalmente, non ci crede, e ne ride... Ecco... così, benissimo! Ride e scrolla la testolina, sfogliando un fiore. Sopravviene di furia un'automobile. Questo signore si scuote, aggrotta le ciglia, guarda, presentendo una minaccia, un pericolo. Lei smette di sfogliare il fiore e resta come sospesa in un dubbio, smarrita. Subito questa signora – (e indicò la Nestoroff) – balza giù dall'automobile, cava dal manicotto una rivoltella e le spara...

La signorina Luisetta spalancò tanto d'occhi in faccia alla Nestoroff, sbigottita.

– Per finta! Non abbia paura! – seguitò Polacco, sorridendo. – Il signore s'avventa, disarma la signora; intanto lei s'è abbandonata prima sul sedile, ferita a morte; dal sedile trabocca giù a terra – senza farsi male, per carità! – e tutto è finito... Sù, sù, non perdiamo altro tempo! Faremo una prova sul posto; vedrà che andrà bene... e che bel regalino le farà poi la *Kosmograph*!

– Ma se papà...

– Lo avvertiremo!

– E *Piccinì*?

– La porteremo con noi; la terrò in braccio io... Vedrà che la *Kosmograph* farà un bel regalino anche a *Piccinì*... Sù, sù, via!

Salendo in automobile (ancora, certo, per non parer timida e sciocchina), ella che non aveva più badato a me, mi guardò, incerta.

Perché andavo anch'io? che rappresentavo io?

Nessuno mi aveva rivolto la parola; ero stato appena appena presentato, come si farebbe d'un cane; non avevo aperto bocca; seguitavo a star muto...

M'accorsi che questa mia presenza muta, di cui ella non vedeva la necessità, ma che pur le s'imponeva come misteriosamente necessaria, cominciava a turbarla. Nessuno si curava di dargliene la spiegazione; non potevo dargliela io. Le ero sembrato *uno come gli altri*; anzi forse, a prima giunta, uno *più vicino* a lei degli altri. Ora cominciava ad avvertire che per questi altri ed anche per lei (in confuso) non ero propriamente *uno*. Cominciava ad avvertire, che la mia persona non era necessaria; ma che la mia presenza lì aveva la necessità d'una *cosa*, ch'ella ancora non comprendeva; e che stavo così muto per questo. Potevano parlare – sì, essi, tutt'e quattro – perché erano persone, rappresentavano ciascuno una persona, la propria; io, no: ero una cosa: ecco, forse quella che mi stava su le ginocchia, avviluppata in una tela nera.

Eppure, avevo anch'io una bocca per parlare, occhi per guardare; e questi occhi, ecco, mi brillavano contemplandola; e certo entro di me sentivo...

Oh signorina Luisetta, se sapeste che gioja ritraeva dal proprio sentimento la persona – *non necessaria* come tale, ma come cosa – che vi stava davanti! Pensaste voi, che io – pur standovi così davanti come una cosa – potessi entro di me sentire? Forse sì. Ma che cosa sentissi, sotto la mia maschera d'impassibilità, non poteste certo immaginare.

Sentimenti *non necessarii*, signorina Luisetta! Voi non sapete che cosa siano e quali inebrianti gioje possano dare! Questa macchinetta qua, ecco: vi sembra che abbia necessità di sentire? Non può averne! Se potesse sentire, che sentimenti sarebbero? Non necessarii, certo. Un lusso per lei. Cose inverosimili...

Ebbene, fra voi quattro, quest'oggi, io – due gambe, un busto e, sopra, una macchinetta – ho sentito *inverosimilmente*.

Voi, signorina Luisetta, eravate con tutte le cose che v'erano attorno, dentro il sentimento mio, il quale godeva della vostra ingenuità, del piacere che vi cagionava il vento della corsa, la vista dell'aperta campagna, la vicinanza della bella signora. Vi sembra strano, che foste così, con tutte le cose attorno, dentro il sentimento mio? Ma anche un mendico a un canto di strada non vede forse la strada e tutta la gente che vi passa, dentro a quel sentimento di pietà, ch'egli vorrebbe destare? Voi, più sensibile degli altri, passando, avvertite d'entrare in questo suo sentimento e vi fermate a fargli la carità d'un soldo. Molti altri non c'entrano, e il mendico non pensa ch'essi siano fuori dal suo sentimento, dentro un altro lor proprio, in cui anch'egli è incluso come un'ombra molesta; il mendico pensa che sono spietati. Che cosa ero io per voi, nel vostro sentimento, signorina Luisetta? Un uomo misterioso? Sì, avete ragione. Misterioso. Se sapeste come sento, in certi momenti, *il mio silenzio di cosa*! E mi compiaccio del mistero che spira da questo silenzio a chi sia capace d'avvertirlo. Vorrei non parlar mai; accoglier tutto e tutti in questo mio silenzio, ogni pianto, ogni sorriso; non per fare, io, eco al sorriso; non potrei; non per consolare, io, il pianto; non saprei; ma perché tutti dentro di me trovassero, non solo dei loro dolori, ma anche e più delle loro gioje, una tenera pietà che li affratellasse almeno per un momento.

Ho tanto goduto del bene che avete fatto con la freschezza della vostra ingenuità timida sorridente alla signora che vi stava accanto! Hanno talvolta, quando la pioggia manca, le piante arse ristoro da un'auretta leggera. E quest'auretta siete stata voi, per un momento, nell'arsura dei sentimenti di colei che vi stava accanto; arsura che non conosce il refrigerio delle lagrime.

A un certo punto ella, guardandovi quasi con trepida ammirazione, vi ha preso una mano e ve l'ha carezzata. Chi sa che invidia accorata di voi le angosciava il cuore in quell'istante!

Avete veduto come, subito dopo, s'è tutta scurita in viso?

Una nuvola è passata... Che nuvola?

III.

Parentesi. Un'altra, sì. Quello che mi tocca fare tutto il giorno, non lo dico; le bestialità che mi tocca dare da mangiare, tutto il giorno, a questo ragno nero sul treppiedi, che non si sazia mai, non le dico; bestialità incarnata da questi attori, da queste attrici, da tanta gente che per bisogno si presta a dare in pasto a questa macchinetta il proprio pudore, la propria dignità; non le dico; ma bisogna pure ch'io mi prenda un po' di respiro, di tanto in tanto, assolutamente, una boccata d'aria per il mio *superfluo*; o muojo. Mi interesso alla storia di questa donna, dico della Nestoroff; riempio di lei molte di queste mie note; ma non voglio infine lasciarmi prendere la mano da questa storia; voglio che lei, questa donna, mi resti davanti la macchinetta, o, meglio, ch'io resti davanti a lei quello che per lei sono, operatore, e basta.

Quando il mio amico Simone Pau trascura per parecchi giorni di venire a trovarmi alla *Kosmograph*, vado io la sera a trovarlo a Borgo Pio, nel suo Albergo del Falco.

La ragione per cui di questi giorni non è venuto, è quanto mai triste. Muore l'uomo del violino.

Ho trovato a veglia nella cameretta riservata al Pau nell'ospizio, lui Pau, il vecchietto suo collega pensionato dal governo pontificio e le tre maestre zitellone, amiche delle suore di carità. Sul letto di Simone Pau, con una compressa di ghiaccio sul capo, giaceva l'uomo del violino, colpito tre sere fa da apoplessia.

– Si libera, – mi ha detto Simone Pau, con un gesto della mano, consolante.

– Siedi qua, Serafino. La scienza gli ha messo in capo quel berretto là di ghiaccio, che non serve a nulla. Noi lo facciamo passare tra sereni discorsi filosofici, in compenso del dono prezioso ch'egli ci lascia in eredità: il suo violino. Siedi, siedi qua. Lo hanno lavato bene, tutto; lo hanno messo in regola coi sagramenti; lo hanno unto. Ora aspettiamo la sua fine, che non può tardare. Ti ricordi quando sonò davanti alla tigre? Gli fece male. Ma forse, meglio così: si libera!

Come sorrideva benigno, a queste parole, il vecchietto tutto raso, fino fino, pulito pulito, con la papalina in capo e in mano la tabacchiera d'osso col ritratto del Santo Padre sul coperchio!

– Prosegua, – riprese Simone Pau, rivolto al vecchietto, – prosegua, signor Cesarino, il suo elogio dei lumi a olio a tre beccucci, la prego.

– Ma che elogio! – esclamò il signor Cesarino. – S'ostina lei a ripetere che ne faccio l'elogio! Io dico che sono di quella generazione là, e addio.

– E non è un elogio questo?

– Ma no, dico che tutto si compensa alla fine: è una mia idea: tante cose nel bujo vedevo io con quei lumi là, che loro forse non vedono più con la lampadina elettrica, ora; ma in compenso, ecco, con queste lampadine qua altre ne vedono loro, che non riesco a vedere io; perché quattro generazioni di lumi, quattro, caro professore, olio, petrolio, gas e luce elettrica, nel giro di sessant'anni, eh... eh... eh... sono troppe, sa? e ci si guasta la vista, e anche la testa; eh, anche la testa, un poco.

Le tre zitellone, che si tenevano in grembo tutte e tre quietamente le mani coi mezzi guanti di filo, approvarono in silenzio, col capo: sì, sì, sì.

– Luce, bella luce, non dico di no! Eh, lo so io, – sospirò il vecchietto, – che mi ricordo s'andava nelle tenebre con un lanternino in mano per non rompersi l'osso del collo! Ma luce per fuori, ecco... Che ci ajuti a veder dentro, no.

Le tre zitellone quiete, sempre con in grembo le mani coi mezzi guanti di filo tutt'e tre, dissero in silenzio col capo: no, no, no.

Il vecchietto si alzò e andò a offrire in premio a quelle mani quiete e pure, un pizzichetto di tabacco.

Simone Pau tese due dita.

– Anche lei? – domandò il vecchietto.

– Anche io, anche io, – rispose, un po' irritato della domanda, Simone Pau. – E anche tu, Serafino. Ti dico, prendi! Non vedi che è come un rito?

Il vecchietto, con la presina tra le dita, strizzò un occhio maliziosamente:

– Tabacco proibito, – disse piano. – Viene di là...

E col pollice dell'altra mano fece, come di nascosto, un cenno per dire: San Pietro, Vaticano.

– Capisci? – disse allora Simone Pau, rivolto a me, mettendomi sotto gli occhi la sua presa. – Ti libera dell'Italia! Ti pare niente? La fiuti, e non ci senti puzza di regno!

– Via, non dica così... – pregò il vecchietto afflitto, che voleva godersi in pace i benefizii della tolleranza, tollerando.

– Lo dico io, non lo dice lei, – gli rispose Simone Pau. – Lo dico io che posso dirlo. Se lo dicesse lei, la pregherei di non dirlo in mia presenza, va bene? Ma lei è saggio, signor Cesarino! Séguiti, séguiti, la prego, a commemorarci col suo buon garbo antico i buoni lumi a olio, a tre beccucci, di tanti anni fa... Ne vidi uno, sa? nella casa di Beethoven, a Bonn sul Reno, al tempo del mio viaggio in Germania. Ecco: bisogna questa sera richiamare la memoria di tutte le buone cose antiche attorno a questo povero violino, che si spezzò davanti a un pianoforte automatico. Confesso che vedo male qua dentro, in questo momento, il mio amico. Sì, te, Serafino. Il mio amico, signori – ve lo presento: Serafino Gubbio – è operatore: gira, disgraziato, la macchinetta d'un cinematografo.

– Ah, – fece il vecchietto, con piacere.

E le tre zitellone mi guardarono ammirate.

– Vedi? – mi disse Simone Pau. – Tu guasti tutto, qua dentro. Scommetto che lei adesso, signor Cesarino, e anche loro, signorine, hanno una gran voglia di sapere dal mio amico come gira la macchinetta e come si mette sù una cinematografia. Per carità!

E con la mano indicò il morente, che ronfava nel coma profondo, sotto la compressa di ghiaccio.

– Tu sai che io... – mi provai a dire, piano.

– Lo so! – m'interruppe. – Tu non sei nella tua professione, ma ciò non vuol dire, caro mio, che la tua professione non sia in te! Leva dal capo a questi miei signori colleghi ch'io non sia professore. Sono il professore, per loro: un po' strambo, ma professore! Noi possiamo benissimo non ritrovarci in quello che facciamo; ma quello che facciamo, caro mio, è, resta fatto: fatto che ti circoscrive, ti dà comunque una forma e t'imprigiona in essa. Vuoi ribellarti? Non puoi. Prima di tutto, non siamo liberi di fare quello che vorremmo: il tempo, il costume degli altri, la fortuna, le condizioni dell'esistenza, tant'altre ragioni fuori e dentro di noi, ci costringono spesso a fare quello che non vorremmo; e poi lo spirito non è senza carne; e la carne, hai un bel sorvegliarla, vuole la sua parte. E a che si riduce l'intelligenza, se non compatisce la bestia che è in noi? Non dico scusarla. L'intelligenza che scusi la bestia, s'imbestialisce anch'essa. Ma averne pietà è un'altra cosa! Lo predicò Gesù, dico bene, signor Cesarino? Dunque tu sei prigioniero di quello che hai fatto, della forma che quel fatto ti ha dato. Doveri, responsabilità, una sequela di conseguenze, spire, tentacoli che t'avviluppano e non ti lasciano più respirare. Non far più niente, o il meno possibile, come me, per restar liberi il più possibile? Eh sì! La vita stessa è un fatto! Quando tuo padre t'ha messo al mondo, caro, il fatto è fatto. Non te ne liberi più finché non finisci di morire. E anche dopo morto, qua c'è il signor Cesarino che dice di no, è vero? Non se ne libera più, è vero?

neanche dopo morto. Stai fresco, caro mio. Andrai a girare la macchinetta anche di là! Ma sì, ma sì, perché non dell'essere, di cui non hai colpa, ma dei fatti e delle conseguenze dei fatti tu devi rispondere, è vero, sì o no, signor Cesarino?

– Verissimo, sì; ma non è mica peccato, professore, girare una macchinetta di cinematografo! – osservò il signor Cesarino.

– Non è peccato? Lo domandi a lui! – disse Pau.

Il vecchietto e le tre zitellone mi guardarono stupiti e afflitti ch'io approvassi col capo, sorridendo, il giudizio di Simone Pau.

Sorridevo perché m'immaginavo al cospetto di Dio Creatore, al cospetto degli Angeli e delle anime sante del Paradiso, dietro il mio grosso ragno nero sul treppiedi a gambe rientranti, condannato a girar la manovella, anche lassù, dopo morto.

– Eh, certo, – sospirò il vecchietto, – quando il cinematografo mette sù certe sconcezze, certe stupidaggini...

Le tre zitellone, con gli occhi bassi, fecero con le mani un atto di schifiltà.

– Ma non ne sarà responsabile il signore, – aggiunse subito il signor Cesarino, garbato e sempre benigno.

S'udì per la scala uno sbattimento di panni grevi e di grossi grani di rosario col crocifisso ciondolante. Apparve sotto le ampie ali bianche della cornetta una suora di carità. Chi l'aveva chiamata? Il fatto è che, appena ella si presentò su la soglia, l'agonizzante finì di rantolare. Ed ella si trovò pronta a compiere il suo ultimo ufficio. Gli levò dal capo la compressa di ghiaccio; si volse a guardarci, muta, con un semplice, rapidissimo cenno degli occhi al cielo; poi si chinò a comporre sul letto il cadavere e s'inginocchiò. Le tre zitellone e il signor Cesarino seguirono l'esempio. Simone Pau mi chiamò fuori della cameretta.

– Conta, – mi ordinò, cominciando a scendere la scala, indicandomi gli scalini. – Uno, due, tre, quattro, cinque, sei, sette, otto e nove. Scalini di una scala; di questa scala, che dà su questo corridojo tetro... Mani che li intagliarono e li disposero qua in sesto... Morte. Mani che levarono questo casamento... Morte. Come altre mani, che levarono tant'altre case di questo borgo... Roma; che ne pensi? Grande... Pensa nei cieli questa terra piccola... Vedi? che è?... Un uomo è morto... io, tu... non importa: un uomo... E cinque, di là, gli si sono inginocchiati intorno a pregare qualcuno, qualche cosa, che credono fuori e sopra di tutto e di tutti, e non in loro stessi, un sentimento loro che si libera del giudizio e invoca quella stessa pietà che sperano per loro, e n'hanno conforto e pace. Ebbene, bisogna fare così. Io e tu, che non possiamo farlo, siamo due scemi. Perché, dicendo queste bestialità che sto dicendo io, lo stiamo facendo lo stesso, in piedi, scomodi, con questo bel guadagno, che non ne abbiamo né conforto né pace. E scemi come noi sono tutti coloro che cercano Dio dentro e lo sdegnano fuori, che non sanno cioè vedere il valore degli atti, di tutti gli atti, anche i più meschini, che l'uomo compie da che mondo è mondo, sempre gli stessi, per quanto ci pajano diversi. Ma che diversi? Diversi perché attribuiamo loro un altro valore che, comunque, è arbitrario. Di certo, non sappiamo niente. E non c'è niente da sapere fuori di quello che, comunque, si rappresenta fuori, in atti. Il dentro è tormento e seccatura. Va', va' a girar la macchinetta, Serafino! Credi che la tua è una professione invidiabile! E non stimare più stupidi degli altri gli atti che ti combinano davanti, da prendere con la tua macchinetta. Sono tutti stupidi allo stesso modo, sempre: la vita è tutta una stupidaggine, sempre, perché non conclude mai e non può concludere. Va', caro, va' a girare la tua macchinetta e lasciami andare a dormire con la sapienza che, dormendo sempre, dimostrano i cani. Buona notte.

Uscii dall'ospizio, confortato. La filosofia è come la religione: conforta sempre, anche quando è disperata, perché nasce dal bisogno di superare un tormento, e anche quando non lo superi, il pòrselo davanti, questo tormento, è già un sollievo per il fatto che, almeno per un poco, non ce lo sentiamo più dentro. Il conforto dalle parole di Simone Pau m'era venuto però sopra tutto per ciò che si riferiva alla mia professione.

Invidiabile, sì, forse; ma se fosse applicata solamente a cogliere, senz'alcuna stupida invenzione o costruzione immaginaria di scene e di fatti, la vita, così come vien viene, senza scelta e senz'alcun proposito; gli atti della vita come si fanno impensatamente quando si vive e non si sa che una macchinetta di nascosto li stia a sorprendere. Chi sa come ci sembrerebbero buffi! più di tutti, i nostri stessi. Non ci riconosceremmo, in prima; esclameremmo, stupiti, mortificati, offesi: «Ma come? Io, così? io, questo? cammino così? rido così? io, quest'atto? io, questa faccia?». Eh no, caro, non tu: la tua fretta, la tua voglia di fare questa o quella cosa, la tua impazienza, la tua smania, la tua ira, la tua gioja, il tuo dolore... Come puoi saper tu, che le hai dentro, in qual maniera tutte queste cose si rappresentano fuori! Chi vive, quando vive, non si vede: vive... Veder come si vive sarebbe uno spettacolo ben buffo!

Ah se fosse destinata a questo solamente la mia professione! Al solo intento di presentare agli uomini il buffo spettacolo dei loro atti impensati, la vista immediata delle loro passioni, della loro vita così com'è. Di questa vita, senza requie, che non conclude.

IV.

– Signor Gubbio, scusi: voglio dirle una cosa.

Era già bujo: andavo di fretta sotto i grandi platani del viale. Sapevo che egli – Carlo Ferro – mi veniva dietro, affannato, per sorpassarmi e poi forse volgersi, fingendo di ricordarsi tutt'a un tratto, che aveva da dirmi qualche cosa. Volevo levargli il piacere di questa finzione, e acceleravo sempre più il passo, aspettandomi di mano in mano, che – stanco alla fine – si desse per vinto e mi chiamasse. Difatti... Mi voltai, come sorpreso. Egli mi raggiunse e con mal dissimulato dispetto mi domandò:

– Permette?

– Dica pure.

– Va a casa?

– Sì.

– Abita lontano?

– Parecchio.

– Voglio dirle una cosa, – ripeté, e si fermò a guardarmi con un bieco lustro negli occhi. – Lei dovrebbe sapere che, grazie a Dio, posso sputare su la scrittura che ho qua con la *Kosmograph*. Un'altra, come questa, meglio di questa, la trovo subito, appena voglio, dovunque, per me e per la mia signora. Lo sa, o non lo sa?

Sorrisi; mi strinsi nelle spalle:

– Posso crederlo, se le fa piacere.

– Può crederlo, perché è così! – ribatté forte, in tono di provocazione e di sfida.

Tornai a sorridere; dissi:

– Sarà pure così; ma non vedo perché venga a dirlo a me, e con codesto tono.

– Ecco perché, – riprese. – Io rimango, caro signore, alla *Kosmograph*.

– Rimane? Guardi: non sapevo nemmeno che avesse in animo di andarsene.

– Altri lo aveva in animo, – ripigliò Carlo Ferro, pigiando con la voce su *altri*. – Ma io le dico che rimango: ha capito?

– Ho capito.

– E rimango, non perché m'importi della scrittura, che non me n'importa un corno; ma perché io non sono mai fuggito di fronte a nessuno!

Così dicendo, mi prese la giacca sul petto, con due dita, e me la scosse un po'.

– Permette? – dissi io, a mia volta, con calma, levandogli quella mano; e presi dalla tasca una scatola di fiammiferi: ne accesi uno per la sigaretta che avevo già cavato dall'astuccio e tenevo in bocca; trassi due boccate di fumo; rimasi ancora un po' col fiammifero acceso tra le dita, per fargli vedere che le sue parole, il tono minaccioso, il fare aggressivo non mi cagionavano il minimo turbamento; poi risposi, piano: – Potrei anche aver capito a che cosa ella voglia alludere; ma, ripeto, non intendo perché viene a dire proprio a me codeste cose.

– Non è vero! – gridò allora Carlo Ferro. – Lei finge di non intendere!

Pacatamente, ma con voce ferma, risposi:

– Non ne vedo la ragione. Se lei, caro signore, vuol provocarmi, sbaglia; non solo perché senza motivo, ma anche perché, precisamente come lei, io non soglio fuggire di fronte a nessuno.

– Come no? – sghignò egli allora. – Ho dovuto correr tanto per raggiungerla!

Scoppiai in una franca risata:

– Oh, ma guarda! ha creduto davvero ch'io fuggissi? S'inganna, caro signore, e gliene do subito la prova. Lei forse sospetta ch'io abbia avuto qualche parte nella prossima venuta di qualcuno che le dà ombra?

– Nessuna ombra!

– Tanto meglio. Per codesto sospetto, ha potuto credere ch'io fuggissi?

– So che lei è stato amico d'un certo pittore che s'uccise a Napoli.

– Sì. Ebbene?

– Ebbene, lei che s'è trovato in mezzo a questa faccenda...

– Io? Ma nient'affatto! chi gliel'ha detto? io ne so quanto lei; forse meno di lei.

– Ma conoscerà questo signor Nuti!

– Nient'affatto! Lo vidi, parecchi anni fa, giovanotto, una o due volte, non più. Non ho mai parlato con lui.

– Cosicché...

– Cosicché, caro signore, non conoscendo questo signor Nuti, e seccato di vedermi da alcuni giorni guardato male da lei per il sospetto ch'io mi sia immischiato o voglia immischiarmi in codesta faccenda; poco fa, non volevo che lei mi raggiungesse e ho accelerato il passo. Eccole spiegata «la mia fuga». È contento?

Con subitaneo cangiamento Carlo Ferro mi tese la mano, commosso:

– Posso aver l'onore e il piacere d'essere suo amico?

Gli strinsi la mano e risposi:

– Lei sa bene, che sono di fronte a lei così poca cosa, che l'onore sarà mio.

Carlo Ferro si scrollò come un orso:

– Non dica! Non dica! Lei è uno che sa il fatto suo, a preferenza di tutti gli altri; sa, vede e non parla... Che mondaccio, signor Gubbio, che mondaccio è questo! che schifo! Ma pajono tutti... che so! Ma perché si dev'essere così? Mascherati! Mascherati! Mascherati! Me lo dica lei! Perché, appena insieme, l'uno di fronte all'altro, diventiamo tutti tanti pagliacci? Scusi, no, anch'io, anch'io; mi ci metto anch'io; tutti! Mascherati! Questo, un'aria così; quello, un'aria cosà... E dentro siamo diversi! Abbiamo il cuore, dentro, come... come un bambino rincantucciato, offeso, che piange e si vergogna! Sissignore, creda: il cuore si vergogna! Io smanio, smanio, signor Gubbio, per un poco di sincerità... d'essere con gli altri come sono tante volte con me stesso, dentro di me; una creatura, glielo giuro, una creaturina che piagnucola perché la mamma santa, sgridandola, le ha detto che non le vuole più bene! Sempre io,

sempre, quando mi sento salire il sangue agli occhi, penso a quella mia vecchierella, laggiù in Sicilia, sa? Ma guaj se mi metto a piangere! Quelle che
sono lagrime per i miei occhi, se qualcuno non le capisce e crede che siano
per paura, possono diventar subito sangue nelle mie mani; io lo so, e perciò ho
una gran paura, quando mi sento pungere il pianto negli occhi! Le dita, guardi,
mi diventano così!

Nell'oscurità del grande viale deserto, mi vidi porre davanti agli occhi due
manacce poderose, ferocemente contratte e artigliate.

Dissimulando con molto sforzo il turbamento che questa inattesa effusione di
sincerità mi suscitava, per non esacerbargli il dolore segreto al quale senza
dubbio era in preda e che, certamente suo malgrado, aveva trovato in quell'effusione uno sfogo di cui già si pentiva; trattenni la voce, finché non mi parve
di poter parlare in modo ch'egli, pur intendendo la mia simpatia per la sua
sincerità, fosse tratto più a pensare che a sentire: e dissi:

– Ha ragione; è proprio così, signor Ferro! Ma inevitabilmente, veda, noi *ci
costruiamo*, vivendo in società... Già, la società per se stessa non è più il
mondo naturale. È mondo costruito, anche materialmente! La natura non ha
altra casa, che la tana o la grotta.

– Allude a me?

– Come, a lei? No.

– Sono della tana o della grotta?

– Ma no! Volevo spiegarle perché, a mio modo di vedere, si mentisce inevitabilmente. E dico che mentre la natura non conosce altra casa che la tana o la
grotta, la società *costruisce* le case; e l'uomo, quando esce da una casa *co-
struita*, dove già non vive più naturalmente, entrando in relazione co' suoi simili, *si costruisce* anch'esso, ecco; si presenta, non qual è, ma come crede di
dover essere o di poter essere, cioè in una costruzione adatta ai rapporti, che
ciascuno crede di poter contrarre con l'altro. In fondo, poi, cioè dentro queste
nostre costruzioni, messe così di fronte, restano ben nascosti, dietro le gelosie
e le imposte, i nostri pensieri più intimi, i nostri più segreti sentimenti. Ma
ogni tanto, ecco, ci sentiamo soffocare; ci vince il bisogno prepotente di spalancare gelosie e imposte per gridar fuori, in faccia a tutti, i nostri pensieri, i
nostri sentimenti tenuti per tanto tempo nascosti e segreti.

– Già... già... già... – approvò parecchie volte Carlo Ferro, ridivenuto fosco.
– Ma c'è chi s'apposta anche, e si tiene in agguato dietro codeste costruzioni
che dice lei, come un vigliacco manigoldo a un canto di strada, per assalire
alle spalle, per aggredire a tradimento. Io ne conosco uno, qua alla *Kosmograph*, e lo conosce anche lei.

Alludeva sicuramente al Polacco. Compresi subito, ch'egli in quel momento
non poteva esser tratto a pensare: sentiva troppo.

– Signor Gubbio, – riprese risolutamente, – vedo che lei è un uomo, e sento
che con lei posso parlare aperto. A questo signore *costruito*, che tutti e due
conosciamo, dica lei una parolina come va detta. Io non posso parlare con lui;
conosco la mia naturaccia: se mi metto a parlare con lui, so come comincio,
non so dove vado a finire. Perché i pensieri coperti, e tutti coloro che agiscono
copertamente, che si *costruiscono* come dice lei, io non li posso soffrire. Mi
pajono serpi, a cui schiaccerei la testa, guardi, così... così...

E due volte pestò il calcagno in terra, con rabbia. Riprese:

– Che gli ho fatto io? che gli ha fatto la mia signora, perché egli con tanto
accanimento ci avversi di nascosto? Non dica di no, la prego... la prego... lei
dev'essere sincero, perdio, con me!... Non vuole?

– Ma sì...

– Vede che io le parlo sincero? La prego, dunque! Guardi: è stato lui, sapendo che io per puntiglio non mi sarei mai tirato indietro, è stato lui a desi-
gnare me, presso il signor commendatore Borgalli, per l'uccisione della tigre...

Fino a tal punto, capisce? Fino alla perfidia di pigliarmi per puntiglio e sop-primermi! Dice di no? Ma questa è l'idea! l'intenzione è questa, questa: glielo dico io, e lei deve credermi! Perché non ci vuol mica coraggio, lei lo capisce, per sparare a una tigre dentro una gabbia: ci vuole calma, freddezza ci vuole: braccio fermo, occhio sicuro. Ebbene, designa me! mette avanti me, perché sa che io posso, se mai, essere una belva di fronte a un uomo; ma come uomo di fronte a una belva non valgo niente! Io ho l'impeto, non ho la calma! Veden-domi una belva davanti, io ho l'istinto di lanciarmi; non ho la freddezza di star lì fermo a prender bene la mira per colpirla dove va colpita. Non so spa-rare; non so imbracciare il fucile; sono capace di gettarlo via, di sentirmene ingombre le mani, capisce? E questo, lui, lo sa! lo sa bene! Dunque ha voluto proprio espormi al pericolo d'essere sbranato da quella belva. E con qual fine? Ma guardi, guardi fin dove arriva la perfidia di quest'uomo! Fa venire il Nuti; gli fa da mezzano; gli sgombra la via, togliendomi di mezzo! «Sì, caro, vieni!», gli avrà scritto, «ti servo io! te lo levo io dai piedi! vieni pure tran-quillo!» Lei dice di no?

Era così aggressiva e perentoria, la domanda, che ad oppormi recisamente, avrei acceso ancor più le sue furie. Tornai a stringermi nelle spalle, risposi:

– Che vuole che le dica? Lei, in questo momento, lo riconoscerà, è molto ec-citato.

– Ma posso esser calmo?

– Ah, capisco...

– Ne ho ragione, mi sembra!

– Sì, senza dubbio! Ma in tale stato, caro Ferro, è anche molto facile esage-rare.

– Ah, io esagero? Già, già, sì... perché quelli che sono freddi, quelli che ra-gionano, quando commettono sotto sotto un delitto, lo *costruiscono* in modo, che per forza, se uno lo scopra, deve parere esagerato. Sfido! Lo hanno co-struito in silenzio con tanta sapienza, piano piano, coi guanti, già... per non sporcarsi le mani! Di nascosto, sì, proprio, di nascosto anche a loro stessi! Ah, lui non lo sa mica, che sta commettendo un delitto! Che! Inorridirebbe, se qualcuno glielo facesse notare. «Io, un delitto? Eh via! Che esagerazione!» Ma come esagerazione, perdio! Ragioni anche lei, come ragiono io! Si piglia un uomo e si fa entrare in una gabbia, dove sarà introdotta una tigre, e gli si dice: «Stai calmo, sai? prendi bene la mira e spara. Bada oh, d'atterrarla al primo colpo, colpendola al punto giusto; se no, anche ferita, ti salta addosso e ti sbrana!». Tutto questo, lo so, se si sceglie un uomo calmo, freddo, esperto tiratore, non è niente, non è delitto. Ma se si sceglie apposta uno come me? Badi, uno come me! Vada a dirglielo: casca dalle nuvole: «Ma come: il Ferro? Ma se io l'ho scelto apposta perché lo so tanto coraggioso!». Ecco la perfidia! ecco dove s'annida il delitto: in questo *sapermi coraggioso*! nell'approfittare del mio coraggio, del mio puntiglio, capisce! Lui lo sa bene, che lì non ci vuole coraggio! Finge di crederlo! Ecco il delitto! E vada a domandargli per-ché contemporaneamente si muova sotto mano per facilitare l'entrata a un amico che vorrebbe riprendersi la donna, la donna che ora sta proprio con quell'uomo da lui designato a entrare nella gabbia. Cascherà dalle nuvole una seconda volta! Come, che nesso tra le due cose? Oh, ma guarda! anche questo sospetto? Che e-sa-ge-ra-zio-ne! – Ecco, ha detto anche lei ch'io esagero... Ma rifletta bene; penetri fino in fondo; scopra ciò ch'egli stesso non vuol ve-dere e nasconde sotto una così composta apparenza di ragione; gli strappi i guanti, a questo signore, e vedrà che ha le mani sporche di sangue!

Tante volte avevo pensato anch'io, che ognuno – per quanto probo e onesto si tenga, considerando le proprie azioni astrattamente, cioè fuori delle inci-denze e coincidenze che dànno ad esse peso e valore – può commettere un de-litto *di nascosto anche a se stesso*; che stupii nel sentirmelo dire con tanta chiarezza e tanta efficacia dialettica e, per giunta, da uno, cui finora avevo ritenuto di mente angusta e di animo volgare.

Ero, non per tanto, sicurissimo che il Polacco non agiva *realmente* con la coscienza di commettere un delitto, e non favoriva il Nuti per il fine sospettato da Carlo Ferro. Ma poteva anche, questo fine, essere incluso *a insaputa di lui*, tanto nella designazione del Ferro per l'uccisione della tigre, quanto nel facilitare la venuta del Nuti: azioni solo apparentemente per lui senza nesso. Certo, non potendo *in altro modo* levarsi dai piedi la Nestoroff, che costei divenisse di nuovo amante del Nuti, suo amico, poteva essere una sua segreta aspirazione, un desiderio non peranco palese. Amante d'un suo amico, la Nestoroff non gli sarebbe stata più così nemica; non solo, ma fors'anche il Nuti, ottenuto l'intento, ricco com'era, non avrebbe più permesso che la Nestoroff seguitasse a far l'attrice, e se la sarebbe portata via con sé.

— Ma lei, — dissi, — è ancora in tempo, caro Ferro, se crede...

— Nossignore! — m'interruppe aspramente. — Già codesto signor Nuti, per opera del Polacco, s'è comperato il diritto d'entrare alla *Kosmograph*.

— No, scusi, io dico, ancora in tempo di rifiutare la parte, che le è stata assegnata. Nessuno, conoscendola, può credere che lei lo faccia per paura.

— Tutti lo crederebbero! — gridò Carlo Ferro. — E io per il primo! Sissignore... Perché il coraggio posso averlo, e l'ho, di fronte a un uomo, ma di fronte a una belva, se non ho la calma, non posso aver coraggio; chi non ha calma deve aver paura. E io avrei paura, sissignore! Paura, non per me, m'intenda bene! Paura per chi mi vuol bene... Ho voluto che mia madre fosse assicurata; ma se domani le daranno un danaro macchiato di sangue, mia madre ne morrà! che vuole che se ne faccia del danaro? Veda in quale vergogna m'ha messo quel cagliostro! nella vergogna di dire queste cose, che pajono suggerite da una tremenda, e-sa-ge-ra-tis-si-ma paura! Già, perché tutto ciò che faccio, sento e dico, è condannato a parere a tutti esagerato! S'uccidono, Dio mio, tante bestie feroci in tutte le case cinematografiche, e mai nessun attore ne è morto, mai nessuno ha dato tanto peso alla cosa. Ma io glielo do, perché qua, adesso, mi vedo giocato, mi vedo insidiato, designato apposta con l'unico intento di farmi perdere la calma! Sono sicuro che non accadrà nulla; che sarà affare d'un minuto e ucciderò la tigre senza nessun pericolo. Ma è la rabbia per l'insidia che m'è stata tesa, con la speranza che m'accada qualche guajo, per cui il signor Nuti, ecco qua, si troverà pronto, con la via aperta e libera. Ecco, questo, questo... mi... mi...

S'interruppe bruscamente; aggrovigliò le mani e se le storse, digrignando i denti. Fu per me un lampo: sentii d'un subito in quell'uomo tutte le furie della gelosia. Ecco perché m'aveva chiamato! ecco perché aveva tanto parlato! ecco perché era così!

Dunque Carlo Ferro non è sicuro della Nestoroff. Lo guatai al lume d'uno dei rari fanali del viale: aveva il volto scontraffatto, gli occhi feroci.

— Caro Ferro, — gli dissi premurosamente, — se lei crede ch'io possa in qualche modo esserle utile, per tutto quello che posso...

— Grazie! — mi rispose con durezza. — Non... non può... lei non può...

Forse in prima voleva dire: «Non mi serve nulla!» – poté contenersi; seguitò:

— Non può essermi utile, se non in questo, ecco: di dire a codesto signor Polacco, che con me si scherza male, perché la vita o la donna, io non son uomo da farmele strappare così facilmente come lui crede! Questo gli dica! E che se qui accadrà qualche cosa – che accadrà di certo – guaj a lui: parola di Carlo Ferro! Gli dica questo, e la riverisco.

Accennando appena con la mano un saluto sprezzante, allungò il passo, scappò via.

E la profferta d'amicizia?

Quanto mi piacque quest'improvviso ritorno allo sprezzo! Carlo Ferro può per un momento pensare d'essermi amico; non può sentire amicizia per me. E certo, domani, m'odierà di più, per avermi questa sera trattato da amico.

V.

Penso che mi farebbe comodo avere un'altra mente e un altro cuore. Chi me li cambia?

Data l'intenzione, in cui mi vado sempre più raffermando, di rimanere uno spettatore impassibile, questa mente, questo cuore mi servono male. Ho ragione di credere (e già più d'una volta me ne sono compiaciuto) che la realtà ch'io do agli altri corrisponda perfettamente a quella che questi altri dànno a se medesimi, perché m'industrio di sentirli in me come essi in sé si sentono, di volerli per me com'essi per sé si vogliono: una realtà, dunque, al tutto «disinteressata». Ma vedo intanto che, senza volerlo, mi lascio prendere da questa realtà, la quale, così com'è, mi dovrebbe restar fuori: materia, a cui do forma, non per me, ma per se stessa; da contemplare.

Senza dubbio, c'è un inganno sotto, un beffardo inganno in tutto questo. Mi vedo preso. Tanto che non riesco più neanche a sorridere, se accanto o sotto a una complicazione di casi o di passioni, che si fa a mano a mano più aspra e forte, vedo scappar fuori qualche altro caso o qualche altra passione, che mi potrebbero esilarar lo spirito. Il caso della signorina Luisetta Cavalena, per esempio.

L'altro giorno Polacco ebbe l'ispirazione di far venire questa signorina al Bosco Sacro e di farle rappresentare una particina. So che per impegnarla a prender parte alle altre scene del *film*, ha mandato al padre un biglietto da cinquecento lire e, secondo la promessa, il regalo d'un grazioso ombrellino a lei e un collarino con molti sonaglioli d'argento per la vecchia cagnetta *Piccinì*.

Non l'avesse mai fatto!

A quanto pare, Cavalena aveva dato a intendere alla moglie, che – venendo a portare i suoi scenarii alla *Kosmograph* tutti col loro bravo suicidio immancabile e tutti perciò costantemente rifiutati – non vedesse nessuno, tranne Cocò Polacco: Cocò Polacco e basta. E chi sa come le aveva descritto l'interno della *Kosmograph*: forse un austero romitorio, da cui tutte le donne fossero tenute lontane, come demonii. Se non che, l'altro giorno, la moglie feroce, venuta in sospetto, volle accompagnare il marito. Non so che cos'abbia veduto; ma me l'immagino facilmente. Il fatto è, che questa mattina, mentre stavo per entrare alla *Kosmograph*, ho veduto arrivare in una carrozzella tutt'e quattro i Cavalena: marito, moglie, figliuola e cagnolina: la signorina Luisetta, pallida e convulsa; *Piccinì*, più che mai rabbuffata; Cavalena, con la solita faccia di limone ammuffito, tra i riccioli della parrucca sotto il cappellaccio a larghe tese; la moglie, come una bufera a stento contenuta, col cappellino andatole di traverso nello smontare dalla vettura.

Sotto il braccio, Cavalena aveva il lungo pacco dell'ombrellino regalato da Polacco alla figliuola e in mano la scatola del collarino di *Piccinì*. Veniva a restituirli.

La signorina Luisetta m'ha subito riconosciuto. Mi sono affrettato ad avvicinarmi per salutarla; ella ha voluto presentarmi alla mamma e al babbo; ma non ricordava più il mio nome. L'ho tratta d'impaccio, presentandomi da me.

– Operatore, quello che gira, capisci, Nene? – ha spiegato subito, con timida premura, Cavalena alla moglie, sorridendo, come per implorare un po' di degnazione.

Dio, che faccia la signora Nene! Faccia di vecchia bambola scolorita. Un casco compatto di capelli già quasi tutti grigi le opprime la fronte bassa e dura, in cui le sopracciglia giunte, corte, ispide e dritte, sembrano una sbarra fortemente segnata a dar carattere di stupida tenacia agli occhi chiari e lucenti d'una rigidezza di vetro. Sembra apatica; ma, a guardarla attentamente, le si scorgono a fior di pelle certi strani formicolìi nervosi, certe repentine alterazioni di colore, a chiazze, che subito scompajono. Ha poi, di tratto in tratto, rapidi gesti inaspettati, curiosissimi. L'ho sorpresa, per esempio, a un certo punto, che rispondeva a un supplice sguardo della figliuola, accomodando la bocca ad O e ponendovi in mezzo il dito. Evidentemente, questo gesto significava:

«Sciocca! perché mi guardi così?».

Ma la guardano sempre, almeno di sfuggita, il marito e la figliuola, perplessi e ansiosi nella paura, che da un momento all'altro non dia in qualche furiosa escandescenza. E certo, guardandola così, la irritano di più. Ma chi sa che vita è la loro, poveretti!

Già Polacco me n'ha dato qualche ragguaglio. Non ha forse pensato mai d'esser madre, quella donna! Ha trovato quel pover'uomo, il quale, tra le grinfie, dopo tant'anni, le si è ridotto come peggio non si potrebbe; non importa: se lo difende; séguita a difenderselo ferocemente. Polacco m'ha detto che, assalita dalle furie della gelosia, perde ogni ritegno di pudore; e innanzi a tutti, senza badar più neanche alla figliuola che sta a sentire, a guardare, sculaccia nude (nude, come in quelle furie le balenano davanti agli occhi) le pretese colpe del marito: colpe inverosimili. Certo, in questo laido svergognamento, la signorina Luisetta non può non vedere ridicolo il padre, che pure, come si nota dagli sguardi che gli rivolge, deve farle tanta pietà! Ridicolo, per il modo con cui, denudato, sculacciato, il pover'uomo cerca di tirar sù da ogni parte, per ricoprirsi frettolosamente alla meglio, la sua dignità ridotta a brani. Me n'ha dette parecchie Cocò Polacco delle frasi che, sbalordito dagli assalti selvaggi improvvisi, rivolge alla moglie, in quei momenti: più sciocche, più ingenue, più puerili, non si potrebbero immaginare! E per ciò solo credo, che Cocò Polacco non se le sia inventate lui.

– Nene, per carità, ho compito quarantacinque anni...

– Nene, sono stato ufficiale...

– Nene, santo Dio, quand'uno è stato ufficiale e dà la sua parola d'onore...

Ma pure, ogni tanto – oh, alla fin fine, la pazienza ha un limite! – ferito con raffinata crudeltà nei più gelosi sentimenti, barbaramente fustigato dove più la piaga duole – ogni tanto, dice, pare che Cavalena scappi di casa, evada dall'ergastolo. Come un pazzo, da un momento all'altro, si ritrova in mezzo alla strada, senza un soldo in tasca, deciso a riprendere comunque «la sua vita»; va di qua, di là, in cerca degli amici; e gli amici, in prima, lo accolgono festosamente nei caffè, nelle redazioni dei giornali, perché se lo pigliano a godere; ma la festa subito s'intepidisce, appena egli manifesta il bisogno urgente di trovar posto di nuovo in mezzo a loro, di darsi attorno per provvedere a se stesso, in qualche modo, al più presto. Eh sì! perché non ha nemmeno da pagarsi il caffè, un boccone di cena, l'alloggio in un albergo per la notte. Chi gli presta, per il momento, una ventina di lire? Fa appello, coi giornalisti, allo spirito d'antica collega. Porterà domani un articolo al suo antico giornale. Che? Sì, di letteratura o di varietà scientifica. Ha tanta materia accumulata dentro... cose nuove, sì... Per esempio? Oh Dio, per esempio, questa...

Non ha finito d'enunziarla, che tutti quei buoni amici gli sbruffano a ridere in faccia. Cose nuove? Nell'arca, Noè, ai suoi figliuoli, per ingannare gli ozii della navigazione su le onde del diluvio universale...

Ah, li conosco bene anch'io, questi buoni amici del caffè! Parlano tutti così, con uno stile burlesco sforzato, e ciascuno s'eccita alle altrui esagerazioni verbali e prende coraggio a dirne qualcuna più grossa, che non passi però la misura, non esca di tono, per non essere accolta da un'urlata generale; si deridono a vicenda, fanno strazio delle loro vanità più carezzate, se le buttano in faccia con gaja ferocia, e nessuno in apparenza se n'offende; ma la stizza, dentro, s'accende, la bile fermenta; lo sforzo per tenere ancora la conversazione su quel tono burlesco, che suscita le risa, perché nelle risa comuni l'ingiuria si stemperi e perda il fiele, diviene a mano a mano più penoso e difficile; poi, del lungo sforzo durato resta in ciascuno una stanchezza di noja e di nausea; ciascuno sente con aspro rammarico d'aver fatto violenza ai proprii pensieri, ai proprii sentimenti; più che rimorso, fastidio della sincerità offesa; disagio interno, quasi che l'animo gonfiato e illividito non aderisca più al proprio intimo essere; e tutti sbuffano per cacciarsi via d'attorno l'afa del proprio disgusto; ma, il giorno appresso, tutti ricascano in quell'afa e daccapo ci si scaldano, cicale tristi, condannate a segar frenetiche la loro noja.

Guaj a chi càpita nuovo, o dopo qualche tempo, in mezzo a loro! Ma Cavalena forse non s'offende, non si lagna dello strazio che i suoi buoni amici fanno di lui, crucciato com'è in cuore dal riconoscimento ch'egli ha perduto nella sua reclusione «il contatto con la vita». Dall'ultima sua evasione dall'ergastolo son passati, poniamo, diciotto mesi? bene: come se fossero passati diciotto secoli! Tutti, a risentir da lui certe parole di gergo, vive vive allora, ch'egli ha custodito come gemme preziose nello scrigno della memoria, storcono la bocca e lo guardano, come si guarda in trattoria una pietanza riscaldata, che sappia di strutto ràncido, lontano un miglio! Oh povero Cavalena, ma sentitelo! sentitelo! s'è fermato nell'ammirazione di colui che, diciotto mesi fa, era il più grand'uomo del secolo xx. Ma chi era? Ah, senti... Il Tal dei Tali... quell'imbecille! quel seccatore! quella cariatide! Ma come, è ancora vivo? Oh vah! proprio vivo? Sissignori, Cavalena giura d'averlo visto, ancora vivo, una settimana fa; anzi, ecco... credendo che... – (no, per essere vivo, è vivo) – ma, se non è più un grand'uomo... ecco, voleva fare un articolo su lui... non lo farà più!

Avvilito, con la faccia verde di bile, ma qua e là chiazzata, come se gli amici mortificandolo si fossero divertiti a dargli tanti pizzichi su la fronte, su le guance, sul naso, Cavalena si divora dentro, intanto, la moglie, come un cannibale digiuno da tre giorni: la moglie, che l'ha reso, così, lo zimbello di tutti. Giura a se stesso di non ricadere più tra le grinfie di lei; ma, a poco a poco, ahimè, l'ansia di riprender «la vita» comincia a cangiarglisi in una smania che in prima non sa definire, ma che gli si esaspera dentro sempre più. Da anni e anni ha esercitato tutte le facoltà mentali per difendere contro gl'iniqui sospetti della moglie la propria dignità. Ora esse, distratte improvvisamente da quest'assidua, accanita difesa, non son più atte, stentano a volgersi e a dedicarsi ad altri uffici. Ma la dignità, così a lungo e strenuamente difesa, gli s'è ormai imposta addosso, come il calco d'una statua, irremovibile. Cavalena si sente vuoto dentro, ma tutto incrostato di fuori. È diventato il calco ambulante di quella statua. Non se lo può più scrostare d'addosso. Per sempre, ormai, inesorabilmente, egli è l'uomo più dignitoso del mondo. E questa sua dignità ha una sensibilità così squisita, che s'aombra, si turba al più piccolo cenno che le baleni, d'una minima trasgressione ai doveri di cittadino, di marito, di padre di famiglia. Tante volte ha giurato alla moglie di non esser venuto meno, mai, neppure col pensiero, a questi doveri, che veramente ormai non può più neppur pensare di trasgredirli, e soffre, e si fa di mille colori nel veder gli altri, così a cuor leggero, trasgredirli. Gli amici lo deridono e gli dànno dell'ipocrita. Là, in mezzo a loro, così tutto incrostato, tra il fracasso e l'impetuosa volubilità d'una vita senza più ritegni né di fede né d'affetti, Cavalena si sente violentato, comincia a credersi in serio pericolo; ha l'impressione d'avere i piedi di vetro in mezzo a un tumulto di pazzi che s'arrabattino con scarpe di ferro. La vita immaginata nel reclusorio come piena d'attrattive e a lui indispensabile gli si scopre vacua, stupida, insulsa. Com'ha potuto soffrir tanto per la privazione della compagnia di quegli amici? dello spettacolo di tante fatuità, di tanti miserabili disordini?

Povero Cavalena! La verità è forse un'altra! La verità è che nel suo ispido reclusorio, senza volerlo, egli s'è purtroppo abituato a conversar con se stesso, cioè col peggior nemico che ciascuno di noi possa avere; e ha avuto così nette percezioni dell'inutilità di tutto, e s'è visto così perduto, così solo, circondato da tenebre e schiacciato dal mistero suo stesso e di tutte le cose... Illusioni? speranze? A che servono? Vanità... E il suo essere, prosternato, annullato per sé, a poco a poco è risorto come pietosa coscienza degli altri, che non sanno e s'illudono, che non sanno e operano e amano e soffrono. Che colpa ha la moglie, quella sua povera Nene, se è così gelosa? Egli è medico e sa che questa gelosia feroce è una vera e propria malattia mentale, una forma di pazzia ragionante. Tipica, tipica forma di paranoja, anche coi delirii della persecuzione. Lo va dicendo a tutti. Tipica, tipica! Arriva finanche a sospettare, la sua povera Nene, ch'egli voglia ucciderla per appropriarsi, insieme con la figliuola, del denaro di lei! Ah che vita beata, allora, senza di lei... Libertà, libertà: una gamba qua, una gamba là! Dice così, povera Nene, perché lei stessa s'accorge che la vita, così com'ella la fa a se stessa e agli altri, non è possibile; è la soppressione della vita; si sopprime da sé, povera Nene, con la sua follia, e crede naturalmente che vogliano sopprimerla gli altri: col coltello, no, ché si scoprirebbe! a furia di dispetti! E non s'accorge che i dispetti se li fa lei, da sé; se li fa fare da tutte le ombre della sua follia, a cui dà corpo. Ma non è medico lui? E se egli, da medico, capisce tutto questo, non ne segue che dovrebbe trattar la sua povera Nene come un'inferma, irresponsabile del male che gli ha fatto e séguita a fargli? Perché si ribella? contro chi si ribella? Egli deve compatirla e averne pietà, starle attorno amoroso, sopportarne paziente e rassegnato l'inevitabile sevizia. E poi c'è la povera Luisetta, lasciata sola in quell'inferno, a tu per tu con la mamma che non ragiona... Ah, via, via, bisogna subito ritornare a casa! subito. Forse, sotto sotto, mascherato di questa pietà per la moglie e la figliuola, c'è il bisogno di sottrarsi a quella vita precaria e incerta, che non è più per lui. Del resto, non ha pur diritto d'avere anche pietà di sé? Chi l'ha ridotto in quelle condizioni? Può all'età sua riprendere la vita, dopo averne reciso tutte le fila, dopo essersi privato di tutti i mezzi, per contentare la moglie? E, in fin de' conti, va a rinchiudersi in galera!

Ha così dipinta, il pover'uomo, in tutto l'aspetto la grande sciagura ond'è oppresso, la dà tanto a vedere con l'impaccio d'ogni passo, d'ogni sguardo, quand'ha accanto la moglie, per la costernazione assidua, ch'ella in quel passo, in quel gesto, in quello sguardo non abbia a trovar pretesto per una scenata, che non si può fare a meno, pur commiserandolo, di ridere di lui.

E forse ne avrei riso anch'io, questa mattina, se non ci fosse stata lì la signorina Luisetta. Chi sa quanto soffre dell'inevitabile ridicolaggine del padre, quella povera figliuola!

Un uomo di quarantacinque anni, ridotto in quello stato, di cui la moglie sia ancora così ferocemente gelosa, non può non essere enormemente ridicolo! Tanto più poi, in quanto per un'altra sciagura nascosta, un'oscena calvizie precoce, dovuta a un'infezione tifoidea, di cui poté salvarsi per miracolo, il pover'uomo è costretto a portar quella parrucca artistica sotto un cappellaccio capace di sostenerla. La spavalderia di questo cappellaccio e di tutti quei cernecchi arricciolati, contrasta così violentemente con l'aria spaurita, scontrosa e circospetta del viso, che è veramente una rovina per la sua serietà, e anche, certo, un continuo crepacuore per la figliuola.

– No, ecco, veda, caro signor... com'ha detto, scusi?

– Gubbio.

– Gubbio, grazie. Io, Cavalena; a servirla.

– Cavalena, grazie, lo so.

– Fabrizio Cavalena: a Roma sono piuttosto conosciuto...

– Sfido, un buffone!

Cavalena si voltò pallidissimo, a bocca aperta, a guardare la moglie.

– Buffone, buffone, buffone – raffibbiò questa, tre volte.

– Nene, perdio, rispetta... – cominciò minacciosamente Cavalena; ma tutt'a un tratto s'interruppe: strizzò gli occhi, contrasse il volto, strinse le pugna, come assalito da un fitto spasimo di ventre, improvviso... – niente! era lo sforzo tremendo, che ogni volta suol fare su se stesso per contenersi, per spremere dalla sua bestialità adirata la coscienza d'esser medico e di dovere perciò trattare e compatire la moglie come una povera inferma.

– Permette?

E m'introdusse un braccio sotto il braccio, per allontanarsi con me di qualche passo.

– Tipica, sa? Poveretta... Ah, ci vuole un vero eroismo, creda, un grande eroismo da parte mia a sopportarla. Non lo avrei, forse, se non ci fosse quella mia povera piccina. Basta! Le dicevo... questo Polacco, questo Polacco, benedetto Iddio... questo Polacco! Ma scusi, che sono parti da fare a un amico, conoscendo la mia sciagura? Mi conduce la figliuola a *posare*... con una donnaccia... con un attore che, notoriamente... Si figuri quel che è successo a casa mia! E mi manda poi questi regali... anche un collarino per la bestia... e cinquecento lire!

Mi provai a dimostrargli che, almeno quanto ai regali e alle cinquecento lire, non mi pareva ci fosse poi tutto quel male ch'egli voleva vederci. Egli? Ma egli non ce ne vedeva nessuno! che male? egli era contentissimo, felicissimo di quanto era accaduto! gratissimo in cuor suo al Polacco d'aver fatto rappresentare quella particina alla figliuola! Doveva fingersi così indignato per placare la moglie. Me n'accorsi subito, appena mi misi a parlare. Gongolava alla dimostrazione ch'io gli facevo, che in fondo non c'era stato nulla di male. Mi prese per il braccio, mi trascinò impetuosamente davanti alla moglie.

– Senti? senti?... io non so!... questo signore dice... La prego, dica, dica lei... Io non voglio metterci bocca... Sono venuto qua coi regali e le cinquecento lire, va bene? per restituire ogni cosa. Ma se si tratta, come dice questo signore... io non so... di fare un'offesa gratuita... di rispondere con una villania a chi non ha inteso minimamente di offenderci, di farci male, perché crede... io non so, io non so... che non ci sia... La prego, santo Dio, dica lei, caro signore, parli lei... ripeta alla mia signora ciò che ha avuto la bontà di dire a me!

Ma la sua signora non me ne diede il tempo: m'aggredì, con gli occhi vitrei, fosforescenti, di gatta inferocita.

– Non dia ascolto a codesto buffone, ipocrita, commediante! Non è per la figlia, non è per la cattiva figura! Lui, lui vuole bazzicare qua, perché qua si troverebbe come nel suo giardinetto, tra le donnette che gli piacciono, artiste come lui, smorfiose e compiacenti! E non si fa scrupolo, farabutto, di mettere avanti la figliuola, di ripararsi dietro la figliuola, anche a costo di comprometterla e di perderla, assassino! Avrebbe la scusa d'accompagnare qua la figliuola, capisce? Verrebbe per la figliuola...

– Ma verresti anche tu! – gridò, esasperato, Fabrizio Cavalena. – Non sei qua anche tu? con me?

– Io? – ruggì la moglie. – Io, qua?

– Perché? – seguitò senza sbigottirsi Cavalena; e, rivolgendosi a me: – Dica, dica lei, non ci viene anche Zeme qua?

– Zeme? – domandò la moglie stordita, aggrottando le ciglia. – Chi è Zeme?

– Zeme, il senatore! – esclamò Cavalena. – Senatore del Regno, scienziato di fama mondiale!

– Sarà più pulcinella di te!

– Zeme, che va al Quirinale? invitato a tutti i pranzi di Corte? Il venerando senatore Zeme, gloria d'Italia! direttore dell'Osservatorio astronomico! Ma vergógnati, perdio! Rispetta, se non me, un'illustrazione della patria! È venuto qua, è vero? Ma parli, caro signore, dica per carità, la prego! Zeme è venuto qua, s'è prestato a fare *un film* anche lui, è vero? *Le meraviglie dei cieli*, capisci? Lui, il senatore Zeme! E se ci viene Zeme, qua, se si presta Zeme, scienziato mondiale, dico... posso venirci anch'io, posso prestarmi anch'io... Ma non me n'importa niente! Non verrò più! Parlo adesso per dimostrare a costei, che non è luogo d'infamia questo, dove io per sozzi fini voglia condurre alla perdizione la mia figliuola! Lei capirà, caro signore, e perdonerà: parlo per questo! mi brucia sentirmi dire davanti alla mia figliuola, ch'io la voglio compromettere, perdere, conducendola in un luogo d'infamia... Sù, sù, mi faccia il piacere: m'introduca subito da Polacco, perché possa restituirgli questi regali e il danaro, ringraziandolo. Quando uno ha la disgrazia d'avere una moglie come costei, bisogna che si seppellisca, e la faccia finita una volta e per sempre! M'introduca da Polacco!

Non mancò, neanche questa volta, per me; ma, aprendo sbadatamente, senza picchiare, l'uscio della *Direzione artistica*, ov'era il Polacco, intravidi nella stanza tal cosa, per cui d'improvviso mutò la disposizione dell'animo mio e non potei più né pensare ai Cavalena né quasi vedere nulla.

Curvo su la seggiola davanti la scrivania del Polacco, un uomo era lì, che piangeva, con le mani sul volto, perdutamente.

Subito il Polacco, vedendo aprir l'uscio, levò di scatto il viso e mi fe' cenno iroso di richiudere.

Obbedii. Quell'uomo che piangeva di là, era certo Aldo Nuti. Cavalena, la moglie, la figliuola mi guardarono perplessi, stupiti.

– Che c'è? – fece Cavalena.

Trovai appena il fiato per rispondere:

– C'è... c'è gente...

Poco dopo, venne fuori dalla *Direzione artistica* Polacco, sconvolto. Vide Cavalena e gli fece segno d'aspettare:

– Bravo, sì. Ho da parlarti.

E, senza neppur pensare di salutare le signore, prese me per un braccio, mi trasse un po' discosto.

– È venuto! Non bisogna assolutamente lasciarlo solo! Gli ho parlato di te. Si ricorda benissimo. Dov'hai tu alloggio? Aspetta! Mi piacerebbe...

Si voltò a chiamar Cavalena.

– Tu affitti due stanze, è vero? Le hai libere in questo momento?

– Eh sfido! – sospirò Cavalena. – Da più di tre mesi...

– Gubbio, – mi disse Polacco, – bisogna che tu lasci subito il tuo alloggio; paga quel che devi pagare, un mese, due mesi, tre mesi; prendi in affitto una di queste due stanze di Cavalena. L'altra sarà per lui.

– Felicissimo! – esclamò Cavalena raggiante, porgendomi tutt'e due le mani.

– Sù, sù, – seguitò Polacco. – Andate, andate! Tu, a preparare le stanze; tu a prender la tua roba e a trasportarla subito da Cavalena. Poi torna qua! Siamo intesi!

Aprii le braccia, rassegnato.

Polacco rientrò nella sua stanza. E io m'avviai coi Cavalena, storditi e ansiosissimi d'aver da me la spiegazione di tutto quel mistero.

Quaderno quinto

I.

Esco ora dalla stanza di Aldo Nuti. È quasi il tocco.

La casa – dove passo la prima notte – dorme. Ha per me un alito nuovo, non ancor grato al mio respiro; aspetto di cose, sapor di vita, disposizione d'usi particolari, tracce d'abitudini ignote.

Nel corridojo, appena richiuso l'uscio della stanza del Nuti, tenendo un fiammifero acceso tra le dita, ho visto davanti a me, vicinissima, enorme nell'altra parete, la mia ombra. Smarrito nel silenzio della casa, mi sentivo l'anima così piccola, che quella mia ombra al muro, così grande, m'è sembrata l'immagine della paura.

In fondo al corridojo, un uscio; davanti a quell'uscio, su la guida, un pajo di scarpette: quelle della signorina Luisetta. Mi son fermato un momento a guardar la mia ombra mostruosa, che s'allungava verso quell'uscio, e m'è sembrato che quelle scarpette fossero là per tener lontana la mia ombra. A un tratto, dietro quell'uscio, la vecchia cagnetta *Piccinì*, forse già con le orecchie tese, in guardia fin dal primo rumore dell'uscio schiuso, ha emesso due ròchi latrati. Al rumore non ha abbajato; ma ha sentito ch'io mi son fermato un momento; ha sentito arrivare il mio pensiero alla cameretta della sua padroncina, e ha abbajato.

Eccomi nella mia nuova stanza. Ma non doveva esser questa. Quando sono venuto a portare le mie robe, Cavalena, davvero lietissimo d'avermi in casa, non solo per la viva simpatia e la grande confidenza che gli ho subito ispirato, ma forse anche perché spera più facile per mio mezzo l'entratura alla *Kosmograph*, m'aveva assegnato l'altra stanza, più larga, più comoda, meglio addobbata.

Certo, né lui né la signora Nene han voluto e disposto il cambiamento. L'avrà voluto la signorina Luisetta, che con tanta attenzione e tanto sbigottimento questa mattina, andando via dalla *Kosmograph*, ascoltò in vettura il mio sommario ragguaglio sui casi del Nuti. Sì, è stata lei, senza dubbio. Me l'hanno or ora confermato quelle sue scarpette davanti all'uscio, su la guida del corridojo.

Ne provo dispiacere, non per altro, ma per questo: che io stesso, se questa mattina mi avessero fatto vedere tutt'e due le stanze, avrei lasciato quella per il Nuti, e avrei scelta questa per me. La signorina Luisetta l'ha indovinato così bene, che senza dirmene nulla ha tolto di là le mie robe e le ha passate qui. Certamente, se ella non l'avesse fatto, avrei provato dispiacere vedendo alloggiato qui, in questa stanza più piccola e meno comoda, il Nuti. Ma debbo pensare che ella ha voluto risparmiarmi questo dispiacere? Non posso. L'aver fatto lei, senza dirmene nulla, quel che avrei fatto io, m'offende, pur riconoscendo che doveva farsi così, anzi appunto perché riconosco che doveva farsi così.

Ah, che effetto prodigioso fanno alle donne le lagrime negli occhi d'un uomo, massime se lagrime d'amore! Ma voglio esser giusto: l'hanno fatto anche a me.

Mi ha tenuto di là circa quattro ore. Voleva seguitare a dire e a piangere: gliel'ho impedito, per pietà de' suoi occhi specialmente. Non ho mai veduto due occhi ridursi, per il troppo piangere, così.

Dico male. Non per il troppo piangere. Forse poche lagrime (n'ha versate senza fine), ma forse poche soltanto sarebbero bastate a ridurgli ugualmente gli occhi in quello stato.

Eppure, è strano! Pare che non pianga lui. Per quel che dice, per quel che si propone di fare, non ha ragione né, certo, voglia di piangere. Le lagrime gli bruciano gli occhi, le gote, e perciò sa che piange; ma *non sente* il suo pianto. I suoi occhi piangono quasi per un dolore non suo, per un dolore quasi delle lagrime stesse. Il suo dolore è feroce e non vuole e sdegna quelle lagrime.

Ma più strano ancora m'è sembrato questo: che quando invece a un certo punto, parlando, il suo sentimento s'è accostato – per così dire – alle lagrime, queste d'un tratto gli son venute meno. Mentre la voce gli s'inteneriva e gli tremava, gli occhi, al contrario – quegli occhi insanguinati e disfatti poc'anzi dal pianto – gli sono diventati arsi e duri: feroci.

Quel ch'egli dice e i suoi occhi non possono dunque andar d'accordo.

Ma è lì, in quegli occhi, e non in quel che dice, il suo cuore. E perciò di quegli occhi specialmente ho avuto pietà. Non dica e pianga; pianga e senta il suo pianto: è il meglio che possa fare.

Mi giunge, a traverso la parete, il rumore de' suoi passi. Gli ho consigliato d'andare a letto, di provarsi a dormire. Dice che non può; che ha perduto il sonno, da tempo. Chi gliel'ha fatto perdere? Non il rimorso certamente, a stare a quel che dice.

È tra i tanti fenomeni dell'anima umana uno de' più comuni e insieme de' più strani da studiare, questo della lotta accanita, rabbiosa, che ogni uomo, per quanto distrutto dalle sue colpe, vinto e disfatto nel suo cordoglio, s'ostina a durare contro la propria coscienza, per non riconoscere quelle colpe e non farsene un rimorso. Che le riconoscano gli altri e lo puniscano per esse, lo imprigionino, gl'infliggano i più crudeli supplizii e lo uccidano, non gl'importa; purché non le riconosca lui, contro la propria coscienza che pur gliele grida!

Chi è lui? Ah, se ognuno di noi potesse per un momento staccar da sé quella metafora di se stesso, che inevitabilmente dalle nostre finzioni innumerevoli, coscienti e incoscienti, dalle interpretazioni fittizie dei nostri atti e dei nostri sentimenti siamo indotti a formarci; si accorgerebbe subito che questo *lui* è *un altro*, un altro che non ha nulla o ben poco da vedere con lui; e che il vero *lui* è quello che grida, dentro, la colpa: l'intimo essere, condannato spesso per tutta intera la vita a restarci ignoto! Vogliamo a ogni costo salvare, tener ritta in piedi quella metafora di noi stessi, nostro orgoglio e nostro amore. E per questa metafora soffriamo il martirio e ci perdiamo, quando sarebbe così dolce abbandonarci vinti, arrenderci al nostro intimo essere, che è un dio terribile, se ci opponiamo ad esso; ma che diventa subito pietoso d'ogni nostra colpa, appena riconosciuta, e prodigo di tenerezze insperate. Ma questo sembra un *negarsi*, e cosa indegna d'un uomo; e sarà sempre così, finché crederemo che la nostra umanità consista in quella metafora di noi stessi.

La versione che Aldo Nuti dà degli avvenimenti da cui è stato travolto – pare impossibile! – tende sopra tutto a salvare questa metafora, la sua vanità maschile, la quale, pur ridotta davanti a me in quello stato miserando, non vuole tuttavia rassegnarsi a confessare d'essere stata un giocattolo sciocco in mano a una donna: un giocattolo, un pagliaccetto, che la Nestoroff, dopo essersi divertita un po' a fargli aprire e chiudere in atto supplice le braccia, premendo con un dito la troppo appariscente molla a mantice sul petto, buttò via in un canto, fracassandolo.

S'è rimesso sù, il pagliaccetto fracassato; la faccina, le manine di porcellana, ridotte una pietà: le manine senza dita, la faccina senza naso, tutta crepe,

scheggiata; la molla a mantice del petto ha forato il giubbetto di lana rossa ed
è scattata fuori, rotta; eppure, no, ecco: il pagliaccetto grida di no, che non è
vero che quella donna gli ha fatto aprire e chiudere in atto supplice le braccia
per riderne, e che, dopo averne riso, l'ha fracassato così. Non è vero!

D'accordo con Duccella, d'accordo con nonna Rosa egli seguì dalla villetta
di Sorrento a Napoli i due fidanzati, per salvare il povero Giorgio, troppo ingenuo e accecato dal fascino di quella donna. Non ci voleva mica molto a salvarlo! Bastava dimostrargli e fargli toccar con mano, che quella donna ch'egli
voleva far sua sposandola, poteva esser sua, com'era stata d'altri, come sarebbe stata di chiunque, senza bisogno di sposarla. Ed ecco che, sfidato dal
povero Giorgio, s'impegnò di fargli subito questa prova. Il povero Giorgio la
credeva impossibile, perché, al solito, per la tattica comunissima a tutte codeste donne, la Nestoroff a lui non aveva mai voluto concedere neanche il minimo favore, e a Capri la aveva veduta così sdegnosa di tutti, appartata e altera! Fu un tradimento orribile. Non già il suo, ma quello di Giorgio Mirelli!
Aveva promesso che, avuta la prova, si sarebbe allontanato subito da quella
donna: invece, s'uccise.

Questa è la versione che Aldo Nuti vuol dare del dramma.

Ma come, dunque? Il giuoco l'ha fatto lui, il pagliaccetto? e perché s'è fracassato così? se era un giuoco così facile?

Via queste domande, e via ogni meraviglia. Qua bisogna far vista di credere.
Non deve affatto scemare, ma anzi crescere la pietà per il prepotente bisogno
di mentire di questo povero pagliaccetto, che è la vanità di Aldo Nuti: la faccina senza naso, le manine senza dita, la molla del petto rotta, scattata fuori
del giubbetto stracciato, lasciamolo mentire! Tanto, ecco, la menzogna gli
serve per piangere di più.

Non sono lagrime buone, perché egli non vuol sentirvi il suo dolore. Non le
vuole e le sdegna. Vuol far altro che piangere, e bisognerà tenerlo d'occhio.
Perché è venuto qua? Non ha da vendicarsi di nessuno, se il tradimento l'ha
fatto Giorgio Mirelli, uccidendosi e gettando il suo cadavere tra la sorella e il
fidanzato. Così gli ho detto.

– Lo so, – m'ha risposto. – Ma è pur lei, questa donna, la causa di tutto! Se
lei non fosse venuta a turbare la giovinezza di Giorgio, ad adescarlo, a irretirlo
con certe arti che veramente solo per un inesperto possono esser perfide, non
perché non siano perfide in sé, ma perché uno come me, come lei, subito le
riconosce per quel che sono: vipere, che si rendono innocue, strappando i
denti noti del veleno; ora io non mi troverei così: non mi troverei così! Ella
vide subito in me il nemico, capisce? E mi volle mordere di furto. Fin da principio, io, apposta, le lasciai credere che le sarebbe stato facilissimo mordermi.
Volevo che addentasse, appunto per strapparle quei denti. E ci riuscii. Ma
Giorgio, Giorgio, Giorgio era avvelenato per sempre! Avrebbe dovuto farmi
capire ch'era inutile ch'io mi provassi ormai a strappare i denti a quella vipera...

– Ma che vipera, scusi! – non ho potuto tenermi dal fargli notare. – Troppa
ingenuità per una vipera, scusi! Rivolgere a lei i denti così presto, così facilmente... Tranne che non l'abbia fatto per cagionare la morte di Giorgio Mirelli.

– Forse!

– E perché? Se già era riuscita nell'intento di farsi sposare? E non s'è subito
arresa al suo giuoco? non s'è fatti strappare i denti prima d'ottenere lo scopo?

– Ma non lo sospettava!

– E che vipera, allora, via! Vuole che una vipera non sospetti? Avrebbe
morso dopo, una vipera, non prima! Se ha morso prima, vuol dire che... o non
era una vipera, o per Giorgio ha voluto perdere i denti. Scusi... no, aspetti...
per carità, mi stia ad ascoltare... Le dico questo, perché... son d'accordo con

lei, guardi... ella ha voluto vendicarsi, ma prima, soltanto in principio, di Giorgio. Questo lo credo; l'ho pensato sempre.

– Vendicarsi di che?

– Forse d'un affronto, che nessuna donna sopporta facilmente.

– Ma che donna, colei!

– E via, una donna, signor Nuti! Lei che le conosce bene, sa che sono tutte le stesse, specialmente su questo punto.

– Che affronto? Non capisco.

– Guardi: Giorgio era tutto preso dalla sua arte, è vero?

– Sì.

– Trovò a Capri questa donna, che si prestò a essere oggetto di contemplazione per lui, per la sua arte.

– Apposta, sì.

– E non vide, non volle vedere in lei altro che il corpo, ma solo per carezzarlo su una tela co' suoi pennelli, col giuoco delle luci e dei colori. E allora ella, offesa e indispettita, per vendicarsi, lo sedusse: sono d'accordo con lei! e, sedottolo, per vendicarsi ancora, per vendicarsi meglio, gli resistette, è vero? finché Giorgio, accecato, pur d'averla, le propose il matrimonio, la condusse a Sorrento dalla nonna, dalla sorella.

– No! Lo volle lei! lo impose lei!

– Va bene, sì; e potrei dire: affronto per affronto; ma no, io ora voglio stare a ciò che ha detto lei, signor Nuti! E ciò che ha detto lei mi fa pensare, ch'ella abbia imposto a Giorgio d'esser condotta lì in casa della nonna e della sorella, aspettandosi che Giorgio si ribellasse a questa imposizione perché ella vi trovasse il pretesto di sciogliersi dall'impegno di sposarlo.

– Sciogliersi? Perché?

– Ma perché già aveva ottenuto lo scopo! La vendetta era raggiunta: Giorgio, vinto, accecato, preso di lei, del suo corpo, fino a volerla sposare! Questo le bastava, e non voleva più altro! Tutto il resto, le nozze, la convivenza con lui che certamente subito dopo si sarebbe pentito, sarebbero state l'infelicità per lei e per lui, una catena. E forse ella non ha pensato soltanto a sé; ha avuto anche pietà di lui!

– Dunque lei crede?

– Ma me lo fa creder lei, me lo fa pensar lei, che ritiene perfida questa donna! A stare a ciò che dice lei, signor Nuti, per una perfida non è logico ciò che ha fatto. Una perfida che vuole le nozze e prima delle nozze si dà a lei così facilmente...

– Si dà a me? – ha gridato a questo punto, scattando, Aldo Nuti, messo dalla mia logica con le spalle al muro. – Chi le ha detto che si sia data a me? Io non l'ho avuta, non l'ho avuta... Crede ch'io abbia potuto pensare d'averla? Io dovevo avere soltanto la prova, che non sarebbe mancato per lei... una prova da mostrare a Giorgio!

Sono rimasto per un momento sbalordito a mirarlo in bocca.

– E quella vipera gliel'ha data subito? E lei ha potuto averla facilmente, questa prova? Ma dunque, ma dunque, scusi...

Ho creduto che finalmente la mia logica avesse in pugno la vittoria così, che non sarebbe stato più possibile strappargliela. Devo ancora imparare, che proprio nel momento in cui la logica, combattendo con la passione, crede d'avere acciuffata la vittoria, la passione con una manata improvvisa gliela ristrappa, e poi a urtoni, a pedate, la caccia via con tutta la scorta delle sue codate conseguenze.

Se quest'infelice, evidentissimamente raggirato da quella donna, per un fine che mi par d'aver indovinato, non poté neanche farla sua, e gli è rimasta perciò anche questa rabbia in corpo, dopo tutto quello che gli è toccato soffrire, perché quel pagliaccetto sciocco della sua vanità credette forse davvero in principio di poter facilmente giocare con una donna come la Nestoroff; che volete più ragionare? possibile indurlo ad andarsene? costringerlo a riconoscere che non avrebbe nessun motivo di cimentare un altr'uomo, di aggredire una donna che non vuol saperne di lui?

Eppure... eppure ho cercato d'indurlo a partire, e gli ho domandato che voleva, infine, e che sperava da quella donna.

– Non lo so, non lo so, – m'ha gridato. – Deve stare con me, deve soffrire con me. Io non posso più farne a meno, io non posso più star solo, così. Ho cercato finora, ho fatto di tutto per vincere Duccella; ho messo tanti amici di mezzo; ma capisco che non è possibile. Non credono al mio strazio, alla mia disperazione. E ora io ho bisogno, bisogno d'aggrapparmi a qualcuno, di non essere più così solo. Lei lo capisce: impazzisco! impazzisco! So che non val nulla quella donna; ma le dà prezzo ora tutto quello che ho sofferto e soffro per lei! Non è amore, è odio, è il sangue che s'è versato per lei! E poiché s'è voluto affogare in questo sangue per sempre la mia vita, bisogna ora che vi stiamo tuffati tutti e due insieme, aggrappati, io e lei, non io solo! Non posso più star solo così!

Sono uscito dalla sua stanza, senza neanche il piacere d'avergli offerto uno sfogo che potesse alleggerirgli un po' il cuore. Ed ecco che io ora posso aprire la finestra e mettermi a contemplare il cielo, mentr'egli di là si strazia le mani e piange, divorato dalla rabbia e dal cordoglio. Se rientrassi di là, nella sua stanza, e gli dicessi con gioia: «Signor Nuti, sa? ci sono le stelle! Lei certo se n'è dimenticato; ma ci sono le stelle!», che avverrebbe? A quanti uomini, presi nel gorgo d'una passione, oppure oppressi, schiacciati dalla tristezza, dalla miseria, farebbe bene pensare che c'è, sopra il soffitto, il cielo, e che nel cielo ci sono le stelle. Anche se l'esserci delle stelle non ispirasse loro un conforto religioso. Contemplandole, s'inabissa la nostra inferma piccolezza, sparisce nella vacuità degli spazii, e non può non sembrarci misera e vana ogni ragione di tormento. Ma bisognerebbe avere in sé, nel momento della passione, la possibilità di pensare alle stelle. Può averla uno come me, che da un pezzo guarda tutto e anche se stesso come da lontano. Se entrassi di là a dire al signor Nuti che nel cielo ci sono le stelle, mi griderebbe forse di salutargliele cacciandomi via, a modo di un cane.

Ma posso io ora, come vorrebbe Polacco, costituirmi suo guardiano? M'immagino come tra poco mi guarderà Carlo Ferro, vedendomi alla *Kosmograph* con lui accanto. E Dio sa, che non ho alcuna ragione d'esser più amico dell'uno che dell'altro.

Io vorrei seguitare a fare, con la consueta impassibilità, l'operatore. Non m'affaccerò alla finestra. Ahimè, da che è venuto alla *Kosmograph* quel maledetto Zeme, vedo anche nel cielo una *meraviglia* da cinematografo.

II.

– È dunque un affar serio? – è venuto a chiedermi in camera Cavalena, misteriosamente, questa mattina.

Il pover'uomo teneva in mano tre fazzoletti. A un certo punto, dopo molte commiserazioni per quel caro «barone» (cioè il Nuti) e molte considerazioni su le innumerevoli infelicità umane, come in prova di queste infelicità, mi ha sciorinato davanti quei tre fazzoletti, prima uno, poi l'altro e poi l'altro, esclamando:

– Guardi!

Erano tutti e tre sforacchiati, come rosicchiati dai topi.

Li ho guardati con pietà e con meraviglia; poi ho guardato lui, mostrando chiaramente che non capivo nulla. Cavalena starnutì, o piuttosto, mi parve che starnutisse. No. Aveva detto:

– *Piccinì*.

Vedendosi guardato da me con quell'aria stordita, mi mostrò di nuovo i fazzoletti e ripeté:

– *Piccinì*.

– La cagnetta?

Socchiuse gli occhi e tentennò il capo con tragica solennità.

– Lavora bene, a quanto pare, – dissi io.

– E non posso dirle niente! – esclamò Cavalena. – Perché è l'unico essere, qua, in casa mia, da cui mia moglie si senta amata e da cui non tema inimicizie. Ah, signor Gubbio, creda, la natura è infame assai. Nessuna disgrazia può essere maggiore e peggiore della mia. Avere una moglie che si sente amata soltanto da una cagna! E non è vero, sa? Quella bestiaccia non ama nessuno! La ama lei, mia moglie, e sa perché? perché con quella bestia solamente ella può sperimentare d'avere un cuore riboccante di carità. E vedesse come se ne consola! Tiranna con tutti, questa donna diventa la schiava d'una vecchia, brutta bestia, che... l'ha veduta?... brutta, le zampe a róncolo, gli occhi cisposi... E tanto più la ama, quanto più s'accorge che tra essa e me s'è stabilita ormai da un pezzo un'antipatia, signor Gubbio, invincibile! invincibile! Questa brutta bestia, sicura che io, sapendola così protetta dalla padrona, non le allungherò mai quel calcio che la sventrerebbe, che la ridurrebbe – le giuro, signor Gubbio – una poltiglia, mi fa con la più irritante placidità tutti i dispetti possibili e immaginabili, veri soprusi: mi sporca costantemente il tappeto dello studio; si trattiene apposta di far per istrada i suoi bisogni, per venirmeli a fare sul tappeto dello studio, e mica piccoli, sa? grandi e piccoli; si sdraja su le poltrone, sul canapè dello studio; rifiuta i cibi e mi rosicchia tutti i panni sporchi: ecco qua, tre fazzoletti, jeri, e poi camìce, tovaglioli, asciugamani, foderette; e bisogna ammirarla e ringraziarla, perché questo rosicchiamento sa che significa per mia moglie? Affezione! Sicuro. Significa che la cagnetta sente l'odore dei padroni. – Ma come? E se lo mangia? – Non sa quello che fa: così le risponderebbe mia moglie. S'è rosicchiato più di mezzo corredo. Devo star zitto, abbozzare, abbozzare, perché subito altrimenti mia moglie troverebbe l'appiglio per dimostrarmi ancora una volta, quattro e quattr'otto, la mia brutalità. Proprio così! Fortuna, signor Gubbio, sempre dico, fortuna che son medico! Ho l'obbligo da medico, di capire che questo svisceratò amore per una bestia è anch'esso un sintomo del male! Tipico, sa?

Stette a guardarmi un po', indeciso, perplesso: poi, indicandomi una sedia, domandò:

– Permette?

– Ma si figuri! – gli dissi.

Sedette; riguardò uno dei fazzoletti, scrollando il capo; poi, con un sorriso squallido, quasi supplice:

– Non l'annojo, è vero? non la disturbo?

Lo assicurai calorosamente che non mi disturbava affatto.

– So, vedo che lei è un uomo di cuore... mi lasci dire! un uomo tranquillo, ma che sa comprendere e compatire. E io...

S'interruppe, turbato in volto, tese l'orecchio, s'alzò precipitosamente:

– Mi pare che Luisetta m'abbia chiamato...

Tesi anch'io l'orecchio, dissi:

– No, non mi pare.

Dolorosamente si portò le mani su la parrucca e se la calcò sul capo.

– Sa che m'ha detto jersera Luisetta? «*Babbo, non ricominciare.*» Io sono, signor Gubbio, un uomo esasperato! Per forza. Imprigionato qua in casa, dalla mattina alla sera, senza veder mai nessuno, escluso dalla vita, non posso sfogare la rabbia per l'iniquità della mia sorte! E Luisetta dice che faccio scappare tutti gl'inquilini!

– Oh, ma io... – feci per protestare.

– No, è vero, sa? è vero! – m'interruppe Cavalena. – E lei, che è così buono, mi deve promettere fin d'ora che, appena io la stanco, appena io l'annojo, mi prenderà per le spalle e mi butterà fuori dell'uscio! Me lo prometta, per carità. Qua, qua: mi deve dar la mano, che farà così.

Gli diedi la mano, sorridendo:

– Ecco... come vuol lei... per contentarla.

– Grazie! Così sono più tranquillo. Io sono cosciente, signor Gubbio, non creda! Ma cosciente, sa di che? Di non essere più io! Quando s'arriva a toccare questo fondo, cioè a perdere il pudore della propria sciagura, l'uomo è finito! Ma io non l'avrei perduto, questo pudore! Ero così geloso della mia dignità! Me l'ha fatto perdere questa donna, gridando la sua follia. La mia sciagura è nota a tutti, oramai! Ed è oscena, oscena, oscena.

– Ma no... perché?

– Oscena! – gridò Cavalena. – Vuol vederla? Guardi! Eccola qua!

E, in così dire, s'acciuffò con due dita la parrucca e se la tirò sù dal capo. Restai, quasi atterrito, a mirare quel cranio nudo, pallido, di capro scorticato, mentre Cavalena, con le lagrime agli occhi, seguitava:

– Può non essere oscena, dica lei, la sciagura d'un uomo ridotto così e di cui la moglie sia ancora gelosa?

– Ma se lei è medico! se lei sa che è una malattia! – m'affrettai a dirgli, afflitto, alzando le mani quasi per ajutarlo subito a ricalcarsi sul capo quella parrucca.

Se la ricalcò, e disse:

– Ma appunto perché sono medico e so che è una malattia, signor Gubbio! Questa è la sciagura! che sono medico! Se potessi non sapere ch'ella lo fa per pazzia, io la caccerei fuori di casa, vede? mi separerei da lei, difenderei ad ogni costo la mia dignità. Ma sono medico! so che è pazza! e so dunque che tocca a me d'aver ragione per due, per me e per lei che non l'ha più! Ma avere ragione, per una pazza, quando la pazzia è così supremamente ridicola, signor Gubbio, che significa? significa coprirsi di ridicolo, per forza! significa rassegnarsi a sopportare lo strazio che questa pazza fa della mia dignità, davanti alla figlia, davanti alle serve, davanti a tutti, pubblicamente; ed ecco perduto il pudore della propria sciagura!

– Papà!

Ah, questa volta sì, chiamò davvero la signorina Luisetta.

Cavalena subito si ricompose, si rassettò bene la parrucca sul capo, si raschiò la gola per cangiar voce, e ne trovò una fina fina, carezzevole e sorridente, per rispondere:

– Eccomi, Sesè.

E accorse, facendomi segno, con un dito, di tacere.

Uscii anch'io, poco dopo, dalla mia stanza per vedere il Nuti. Origliai un po' dietro l'uscio della stanza. Silenzio. Forse dormiva. Restai un po' perplesso, guardai l'orologio: era già l'ora di recarmi alla *Kosmograph*; solo non avrei voluto lasciarlo, tanto più che Polacco mi aveva raccomandato espressamente di condurlo con me. A un tratto, mi parve di sentire come un sospiro forte, d'angoscia. Picchiai all'uscio. Il Nuti, dal letto, rispose:

– Avanti.

Entrai. La camera era al bujo. M'accostai al letto. Il Nuti disse:

– Credo... credo d'aver la febbre...

Mi chinai su lui; gli toccai una mano. Scottava.

– Ma sì! – esclamai. – Ha la febbre, e forte. Aspetti. Chiamo il signor Cavalena. Il nostro padrone di casa è medico.

– No, lasci... passerà! – diss'egli. – È lo strapazzo.

– Certo, – risposi. – Ma perché non vuole che chiami Cavalena? Le passerà più presto. Permette che apra un po' gli scuri?

Lo guardai alla luce: mi fece spavento. La faccia color mattone, dura, tetra, stirata; il bianco degli occhi, jeri insanguato, divenuto quasi nero, tra le borse orribilmente enfiate; i baffi scomposti, appiccicati su le labbra arse, tumide, aperte.

– Lei deve star male davvero.

– Sì, male... – disse. – La testa...

E levò una mano dalle coperte per posarsela a pugno chiuso su la fronte.

Andai a chiamar Cavalena che parlava ancora con la figliuola in fondo al corridojo. La signorina Luisetta, vedendomi appressare, mi guardò con accigliata freddezza.

Certo ha supposto che il padre m'ha già fatto un primo sfogo. Ahimè, mi vedo condannato ingiustamente a scontare così la troppa confidenza che il padre m'accorda.

La signorina Luisetta m'è già nemica. Ma non solo per la troppa confidenza del padre, bensì anche per la presenza dell'altro ospite in casa. Il sentimento destato in lei da quest'altro ospite fin dal primo istante, esclude l'amicizia per me. L'ho subito avvertito. È vano ragionarci sopra. Sono quei moti segreti, istintivi, onde si determinano le disposizioni dell'animo e per cui da un momento all'altro, senza un perché apparente, si àlterano i rapporti tra due persone. Certo, ora, la nimicizia sarà cresciuta per il tono di voce e la maniera con cui io – avendo avvertito questo – quasi senza volerlo, annunziai che Aldo Nuti stava a letto, in camera sua, con la febbre. Si fece pallida pallida, in prima; poi, rossa rossa. Forse in quel punto stesso ella assunse coscienza del sentimento ancora indeterminato d'avversione per me.

Cavalena accorse subito alla camera del Nuti; ella s'arrestò davanti all'uscio, quasi non volesse farmi entrare; tanto che fui costretto a dirle:

– Scusi, permette?

Ma, poco dopo, cioè quando il padre le ordinò d'andare a prendere il termometro per misurare la febbre, entrò nella camera anche lei. Non le staccai un momento gli occhi dal viso, e vidi che ella, sentendosi guardata da me, si sforzava violentemente di dissimulare la pietà e insieme lo sgomento che la vista del Nuti le cagionavano.

L'esame è durato a lungo. Ma, tranne la febbre altissima e il male alla testa, Cavalena non ha potuto accertar altro. Usciti però dalla camera, dopo aver richiuso gli scuri della finestra, perché l'infermo non può soffrire la luce, Cavalena s'è mostrato costernatissimo. Teme che sia un'infiammazione cerebrale.

– Bisogna chiamar subito un altro medico, signor Gubbio! Io, anche perché padrone di casa, capirà, non posso assumermi la responsabilità d'un male che stimo grave.

M'ha dato un biglietto per quest'altro medico suo amico, che ha recàpito alla prossima farmacia, e io sono andato a lasciare il biglietto, e poi, già in ritardo, sono corso alla *Kosmograph*.

Ho trovato il Polacco su le spine, pentitissimo d'avere agevolato il Nuti in questa folle impresa. Dice che non si sarebbe mai e poi mai immaginato di vederlo nello stato in cui gli è apparso d'improvviso, inopinatamente, perché dalle lettere di lui, prima dalla Russia, poi dalla Germania, poi dalla Svizzera, non c'era da argomentarlo. Voleva mostrarmele, per sua giustificazione; ma poi, tutt'a un tratto se n'è dimenticato. L'annunzio della malattia l'ha quasi rallegrato o, per lo meno, sollevato da un gran peso, per il momento.

– Infiammazione cerebrale? Oh senti, Gubbio, se morisse... Perdio, quando un uomo si riduce a questi estremi, quando diventa pericoloso a sé e agli altri, la morte... quasi quasi... Ma speriamo di no; speriamo che invece sia una crisi salutare. Tante volte, chi sa! Mi dispiace tanto per te, povero Gubbio, e anche per quel povero Cavalena... Questa tegola... Verrò; verrò stasera a trovarvi. Ma è provvidenziale, sai? Qua finora, tranne te, non lo ha veduto nessuno; nessuno sa che è arrivato. Silenzio con tutti, eh? M'hai detto che sarebbe prudente togliere al Ferro la parte nel *film* della tigre.

– Ma senza fargli capire...

– Bambino! Parli con me. Ho pensato a tutto. Guarda: jersera, poco dopo che siete andati via vojaltri, è venuta da me la Nestoroff.

– Ah sì? Qua?

– Deve aver fiutato in aria che il Nuti è arrivato. Caro mio, ha una gran paura! Paura del Ferro, non del Nuti. È venuta a domandarmi... così, come se nulla fosse, se era proprio necessario che ella seguitasse a venire alla *Kosmograph*, e anche a stare a Roma, dal momento che, tra poco, tutt'e quattro le compagnie saranno impegnate nel *film* della tigre, a cui ella non prenderà parte. Capisci? Io ho colto la palla al balzo. Le ho risposto che il commendator Borgalli ha ordinato che, prima che tutt'e quattro le compagnie siano impegnate, si finisca d'iscenare quei tre o quattro *films* rimasti in sospeso per alcuni esterni dal vero, per cui bisognerà andar lontano. C'è quello dei marinaj d'Otranto, di cui ha dato il soggetto Bertini. «Ma io non ci ho parte», ha detto la Nestoroff. «Lo so», le ho risposto, «ma ci ha parte il Ferro, la parte principale, e forse sarebbe meglio, più conveniente per noi, disimpegnarlo da quella che si è assunta nel *film* della tigre, e mandarlo laggiù col Bertini. Ma forse non vorrà accettare. Ecco, se lo persuadesse lei, signora Nestoroff.» Mi guardò negli occhi un pezzo... sai, come suol fare... poi disse: «Potrei...». E infine, dopo aver pensato un po': «In questo caso, andrebbe lui solo laggiù; io resterei qua, in sua vece, per qualche parte, anche secondaria, nel *film* della tigre...».

– Ah, e allora no! – non ho potuto tenermi di dire a questo punto al Polacco. – Solo, laggiù, Carlo Ferro non andrà, puoi esserne sicuro!

Polacco s'è messo a ridere.

– Bambino! Se colei vuole davvero, sta' certo che andrà! Anche all'inferno andrà!

– Non capisco. E perché lei vuol rimanere qua?

– Ma non è vero! Lo dice... Non capisci che finge, per non darmi a vedere che teme del Nuti? Andrà anche lei, vedrai. O forse... o forse... chi sa! Vorrà davvero rimanere per incontrarsi qua, da sola, liberamente, col Nuti e fargli passar la voglia di tutto. È capace di questo e d'altro; capace di tutto. Ah, che guaio! Andiamo, andiamo intanto a lavorare. Oh, dimmi un po': la signorina Luisetta? Bisogna che venga assolutamente per gli altri quadri del *film*.

Gli dissi delle furie della signora Nene, e che Cavalena il giorno avanti era venuto per restituire (sebbene a malincuore, dal canto suo) il danaro e i regalucci. Polacco ripeté che sarebbe venuto, la sera, in casa del Cavalena per indurlo insieme con la signora Nene a far tornare la signorina Luisetta alla *Kosmograph*. Eravamo già all'entrata del reparto del *Positivo*: finii d'esser Gubbio e diventai una mano.

III.

Ho interrotto per parecchi giorni queste mie note.

Sono stati giorni d'angoscia e di trepidazione. Non sono ancora del tutto passati; ma ormai la tempesta, scoppiata terribile nell'anima di quest'infelice che tutti qua a gara abbiamo assistito pietosamente e con tanta maggior sollecitudine, in quanto che a tutti era poco meno che ignoto e quel che di lui si sapeva e il suo aspetto e l'aria che recava con sé del suo destino persuadevano alla commiserazione e a un vivo interessamento al suo tristissimo caso; questa tempesta, dico, par che accenni di calmarsi a poco a poco. Se pure non è una breve tregua. Lo temo. Spesso, nel forte d'un uragano, lo scoppio formidabile d'un tuono riesce ad allargare un po' il cielo; ma, poco dopo, la nuvolaglia, squarciata per un momento, torna a ragglomerarsi lenta lenta e più fosca, e l'uragano ingrossato si scatena di nuovo, più furioso di prima. La calma, infatti, in cui pare si raccolga a poco a poco l'anima del Nuti, dopo le furie deliranti e l'orribile frenesia di tanti giorni, è tremendamente cupa, proprio come quella di un cielo che si rincaverni.

Nessuno se n'accorge, o mostra d'accorgersene, forse per il bisogno che è in tutti di trarre momentaneamente un respiro di sollievo dicendo che, a ogni modo, il forte è passato. Dobbiamo, vogliamo rassettare un po', alla meglio, noi stessi, e anche tutte le cose che ci stanno attorno, investite dal turbine della pazzia; perché è rimasto non solo in tutti noi, ma pur nella stanza, negli oggetti stessi della stanza, quasi un attonimento di stupore, un'incertezza strana nell'apparenza delle cose, come un'aria di alienazione, sospesa e diffusa.

Invano non s'assiste allo scoppio di un'anima che dal più profondo scagli sfranti e scompigliati i pensieri più reconditi, non confessati mai neppure a se stessa, i sentimenti più segreti e spaventosi, le sensazioni più strane che vôtano d'ogni senso consueto le cose, per darne loro subito un altro impensato, con una verità che avventa e si impone, sconcerta e atterrisce. Il terrore sorge dal riconoscere con un'evidenza spasimosa, che la pazzia s'annida e cova dentro a ciascuno di noi e che un nonnulla potrebbe scatenarla: l'allentarsi per poco di questa maglia elastica della coscienza presente: ed ecco che tutte le immagini in tanti anni accumulate e ora vaganti sconnesse; i frammenti d'una vita rimasta occulta, perché non potemmo o non volemmo rifletterla in noi al lume della ragione; atti ambigui, menzogne vergognose, cupi livori, delitti meditati all'ombra di noi stessi fino agli ultimi particolari, e ricordi obliati e desiderii inconfessati, irrompono in tumulto, con furia diabolica, ruggendo come belve. Più d'una volta noi tutti ci guardammo con la pazzia negli occhi, bastando il terrore dello spettacolo di quel pazzo, perché anche in noi si allentasse un poco questa maglia elastica della coscienza. E anche ora guatiamo obliquamente e andiamo a toccare con un senso di sgomento qualche oggetto della stanza, che fu per poco illuminato sinistramente d'un aspetto nuovo, pauroso, dall'allucinazione dell'infermo; e, andando nella nostra stanza, ci accorgiamo con stupore e con raccapriccio che... sì, veramente, anche noi siamo stati sopraffatti dalla pazzia, anche da lontano, anche soli: troviamo qua e là, segni evidenti, tanti oggetti, tante cose stranamente fuor di posto.

Dobbiamo, vogliamo rassettarci, abbiamo bisogno di credere che l'infermo ora stia così, in questa calma cupa, perché ancora stordito dalla violenza degli ultimi accessi e ormai spossato, sfinito.

Basta a sostenere quest'inganno un lievissimo sorriso di gratitudine ch'egli accenni appena appena con le labbra o con gli occhi alla signorina Luisetta: fiato, larva di luce impercettibile, che non spira, a mio credere, dall'infermo, ma è piuttosto soffuso sul volto di lui dalla dolce infermiera, appena s'accosti e si chini sul letto.

Ahimè, com'è ridotta anche lei, la dolce infermiera! Ma nessuno se ne dà pensiero; meno di tutti, lei stessa. Eppure la medesima tempesta ha schiantato e travolto quest'innocente!

È stato uno strazio, di cui ancora forse neppur lei sa rendersi conto, perché ancora forse ella non ha con sé, dentro di sé la propria anima. L'ha data a lui, come cosa non sua, come una cosa ch'egli nel delirio si potesse appropriare per averne refrigerio e conforto.

Io ho assistito a questo strazio. Non ho fatto nulla, né forse avrei potuto far nulla per impedirlo. Ma vedo e confesso che ne sono rivoltato. Il che vuol dire che il mio sentimento è compromesso. Temo infatti che, presto, dovrò fare a me stesso un'altra confessione dolorosa.

È avvenuto questo: che il Nuti, nel delirio, ha scambiato la signorina Luisetta per Duccella, e, dapprima, ha inveito furibondo contro di lei, gridandole in faccia ch'era iniqua la sua durezza, la sua crudeltà per lui, non avendo egli nessuna colpa nell'uccisione del fratello, il quale da sé, come uno stupido, come un pazzo, s'era ucciso per quella donna; poi, appena ella, vinto il primo terrore, intendendo a volo l'allucinazione dell'infermo, gli s'è accostata pietosa, non ha più voluto lasciarla un momento, se l'è tenuta stretta a sé, singhiozzandole perdutamente e mormorandole le parole più cocenti e più tènere d'amore, e carezzandola o baciandole le mani, i capelli, la fronte.

Ed ella ha lasciato fare. E tutti gli altri han lasciato fare. Perché quelle parole, quelle carezze, quegli abbracci, quei baci, non erano mica per lei: erano per un'allucinazione, nella quale il delirio di lui si placava. E dunque bisognava lasciarlo fare. Ella, la signorina Luisetta, faceva pietosa e amorosa la sua anima per conto d'un'altra; e quest'anima, fatta così pietosa e amorosa, la dava a lui, come cosa non sua, ma di quell'altra, di Duccella. E mentr'egli s'appropriava quest'anima, ella non poteva, non doveva appropriarsi quelle parole, quelle carezze, quei baci... Ma ne ha tremato in tutte le fibre del corpo, la povera piccina, già disposta fin dal primo momento ad avere tanta pietà per quest'uomo che tanto soffriva a causa dell'altra donna! E non già per sé, che ne aveva veramente pietà, le è toccato d'esser pietosa, ma per quell'altra, ch'ella naturalmente ritiene dura e crudele. Ebbene, ha dato a costei la sua pietà, perché la rivolgesse a lui e da lui – attraverso il corpo di lei – si facesse amare e carezzare. Ma l'amore, l'amore, chi lo dava? Doveva darlo lei, l'amore, per forza, insieme con quella pietà. E la povera piccina l'ha dato. Sa, sente d'averlo dato lei, con tutta l'anima, con tutto il cuore, e invece deve credere d'averlo dato per quell'altra.

N'è seguito questo: che mentr'egli, ora, rientra a poco a poco in sé e si riprende e si richiude fosco nella sua sciagura; ella resta come vuota e smarrita, come sospesa, senza più sguardo, quasi alienata d'ogni senso, una larva, quella larva che è stata nell'allucinazione di lui. Per lui la larva è scomparsa, e con la larva, l'amore. Ma questa povera piccina, che s'è vôtata per riempire quella larva di sé, del suo amore, della sua pietà, è rimasta lei, ora, una larva; e lui non se n'accorge! Le sorride appena, per gratitudine. Il rimedio ha giovato: l'allucinazione è svanita: basta, ora, eh?

Non me ne dorrei tanto, se per tutti questi giorni non mi fossi veduto costretto a dare anch'io la mia pietà, a spendermi, a correre di qua e di là, a vegliare parecchie notti di seguito, non per un sentimento mio vero e proprio, che mi fosse cioè ispirato dal Nuti, come avrei voluto; ma per un altro sentimento, pure di pietà, ma di pietà interessata, tanto interessata, che mi faceva e mi fa tuttora apparire falsa e odiosa quella che dimostravo e dimostro tuttora al Nuti.

Sento che, assistendo allo strazio, certo involontario, ch'egli ha fatto del cuore della signorina Luisetta, io, volendo obbedire al vero sentimento mio, avrei dovuto ritrarre la mia pietà da lui. L'ho ritratta veramente, dentro di me, per rivolgerla tutta a quel povero coricino straziato, ma ho seguitato a dimostrarla a lui perché non potevo farne a meno, obbligato dal sacrifizio di lei, ch'era il maggiore. Se ella infatti si prestava a soffrire quello strazio *per pietà* di lui, potevo io, potevano gli altri tirarsi indietro da premure, da fatiche, da attestazioni di carità molto minori? Tirarmi indietro voleva dire riconoscere e dare a vedere ch'ella non soffriva quello strazio *per pietà* soltanto, ma anche *per amore* di lui, anzi sopra tutto *per amore*. E questo non si poteva, non si doveva. Io ho dovuto fingere, perché ella doveva credere di dare a lui il suo amore per quell'altra. E ho finto, pur disprezzandomi, meravigliosamente.

Così soltanto ho potuto modificare le sue disposizioni d'animo per me; rifarmela amica. Ma pure, mostrandomi per lei così pietoso verso il Nuti, ho perduto forse l'unico mezzo che mi restasse per richiamarla in sé: dimostrarle, cioè, che Duccella, per conto della quale ella crede d'amarlo, non ha nessuna ragione d'esser pietosa per lui. Dando a Duccella la sua realtà vera, la larva di lei, quella larva amorosa e pietosa, in cui ella, la signorina Luisetta, s'è tramutata, dovrebbe scomparire, e restar lei, la signorina Luisetta, col suo amore *ingiustificato* e non richiesto da lui: perché egli da quella, e non da lei, l'ha richiesto, e lei per quella e non per sé gliel'ha dato, così, davanti a tutti.

Sì, ma se io so ch'ella veramente gliel'ha dato, sotto questa pietosa finzione, che vado adesso sofisticando?

Come Aldo Nuti crede dura e crudele Duccella, ella crederebbe duro e crudele me, se le strappassi questa finzione pietosa. Ella è una Duccella finta, appunto perché ama; e sa che la Duccella vera non ha nessuna ragione d'amare; lo sa per il fatto stesso che Aldo Nuti, ora che l'allucinazione gli è svanita, non vede più in lei l'amore, e squallidamente la ringrazia appena appena della pietà.

Forse, a costo di soffrire un po' più, ella potrebbe riaversi, solo a patto che Duccella diventasse lei, veramente, pietosa, sapendo in quali condizioni s'è ridotto l'antico fidanzato, e si presentasse qua, davanti al letto ov'egli giace, per ridargli il suo amore e salvarlo.

Ma Duccella non verrà. E la signorina Luisetta seguiterà a credere davanti a tutti e anche davanti a se stessa, in buona fede, di amare per conto di lei Aldo Nuti.

IV.

Come sono sciocchi tutti coloro che dichiarano la vita un mistero, infelici che vogliono con la ragione spiegarsi quello che con la ragione non si spiega!

Porsi davanti la vita come un oggetto da studiare, è assurdo, perché la vita, posta davanti così, perde per forza ogni consistenza reale e diventa un'astrazione vuota di senso e di valore. E com'è più possibile spiegarsela? L'avete uccisa. Potete, tutt'al più, farne l'anatomia.

La vita non si spiega; si vive.

La ragione è nella vita; non può esserne fuori. E la vita non bisogna porsela davanti, ma sentirsela dentro, e viverla. Quanti, usciti da una passione, come si esce da un sogno, non si domandano:

«Io? com'ho potuto esser così? far questo?».

Non se lo sanno più spiegare; come non sanno spiegarsi che altri possa dare senso e valore a certe cose che per essi non ne hanno più nessuno o non ne hanno ancora. La ragione, che è in quelle cose, la cercano fuori. Possono trovarla? Fuori della vita non c'è nulla. Avvertire questo nulla, con la ragione che si astrae dalla vita, è ancora vivere, è ancora *un nulla* nella vita: un sentimento di mistero: la religione. Può essere disperato, se senza illusioni; può placarsi rituffandosi nella vita, non più di qua, ma di là, in quel *nulla*, che diventa subito *tutto*.

Com'ho capito bene queste cose in pochi giorni, da che sento veramente! Dico, da che sento *anche me*, perché gli altri li ho sentiti sempre in me, e m'è stato facile perciò spiegarmeli e compatirli.

Ma il sentimento che ho di me, in questo momento, è amarissimo.

Per causa vostra, signorina Luisetta, che pur siete tanto pietosa! Ma appunto perché siete così pietosa. Non ve lo posso dire, non ve lo posso far capire. Non vorrei dirmelo, non vorrei capirlo neanche io. Ma no, io non sono più *una cosa*, e questo mio silenzio non è più *silenzio di cosa*. Volevo farlo avvertire agli altri, questo silenzio, ma ora *lo soffro* io, tanto!

Séguito, pur non di meno, ad accogliervi dentro tutti. Sento però che ora mi fanno male tutti quelli che vi entrano, come in un luogo di sicura ospitalità. Il mio silenzio vorrebbe chiudersi sempre di più attorno a me.

Ecco qua, intanto, Cavalena che ci s'è allogato, pover'uomo, come a casa sua. Viene, appena può, a riparlarmi con sempre nuovi argomenti, o per futilissimi pretesti, della sua sciagura. Mi dice che non è possibile, a causa della moglie, tenere ancora alloggiato qua il Nuti, e che bisognerà trovargli posto altrove, appena rimesso. Due drammi, uno accanto all'altro, non è possibile tenerli. Specialmente perché il dramma del Nuti è un dramma di passione, di donne... Cavalena ha bisogno d'inquilini giudiziosi e composti. Pagherebbe, perché tutti gli uomini fossero serii, dignitosi, intemerati e godessero un'incontrastata fama d'illibatezza, sotto cui schiacciare il mal'animo della moglie accanito contro tutto il genere mascolino. Gli tocca ogni sera pagar la pena – il fio, dice lui – di tutte le malefatte degli uomini, registrate nella cronaca dei giornali, come se fosse lui l'autore o il complice necessario d'ogni seduzione, d'ogni adulterio.

– Vedi? – gli grida la moglie, con l'indice appuntato sul fatto di cronaca: – Vedi di che cosa siete capaci *vojaltri*?

E invano il poveretto si prova a farle osservare che, in ogni caso d'adulterio, per ogni uomo malvagio che tradisca la moglie, bisogna pure che ci sia una donna malvagia complice del tradimento. Crede d'aver trovato un argomento vittorioso, Cavalena, e invece si vede davanti la bocca della signora Nene accomodata ad O col dito dentro, nel solito gesto che significa:

«Sciocco!».

Bella logica! Si sa! E non odia difatti la signora Nene anche tutto il genere femminino?

Trascinato dalle argomentazioni fitte, incalzanti di quella terribile pazzia ragionante che non s'arresta di fronte ad alcuna deduzione, egli si trova sempre, alla fine, smarrito o sbalordito, in una situazione falsa, da cui non sa più come uscire. Ma per forza! Se è costretto ad alterare, a complicare le cose più ovvie e naturali, a nascondere gli atti più semplici e più comuni: una conoscenza, una presentazione, un incontro fortuito, uno sguardo, un sorriso, una parola, nei quali la moglie sospetterebbe chi sa quali segrete intese e tranelli; per forza, anche discutendo con lei astrattamente, debbono venir fuori incidenti, contraddizioni, che a un tratto, inopinatamente, lo scoprono e lo rappresentano, con tutta l'apparenza della verità, bugiardo e impostore. Scoperto, preso nel suo stesso inganno innocente, ma che egli medesimo ormai vede che non può parer più tale agli occhi della moglie; esasperato, con le spalle al muro, contro l'evidenza stessa, s'ostina tuttavia a negare, ed ecco che, tante volte, per nulla, avvengono liti, scenate, e Cavalena scappa di casa e sta fuori quindici o venti giorni, finché non gli ritorna la coscienza d'esser medico e il pensiero della figliuola abbandonata, «povera cara animuccia bella», com'egli la chiama.

È per me un gran piacere, quand'egli si mette a parlarmi di lei; ma appunto per questo non faccio mai nulla per provocarne il discorso: mi parrebbe d'approfittare vilmente della debolezza del padre, per penetrare, attraverso le confidenze di lui, nell'intimità di quella «povera cara animuccia bella». No, no! Tante volte sono anche sul punto d'impedirgli di seguitare.

Pare mill'anni a Cavalena che la sua *Sesè* sposi, abbia la sua vita fuori dell'inferno di questa casa! La mamma, invece, non fa altro che gridarle tutti i giorni:

– Non sposare, bada! Non sposare, sciocca! Non commettere questa pazzia!

«E Sesè? Sesè?», mi vien voglia di domandargli; ma, al solito, mi sto zitto.

La povera Sesè, forse, non sa neppur lei che cosa vorrebbe. Forse, certi giorni, insieme col padre, vorrebbe che fosse domani; cert'altri giorni proverà il più acerbo dispetto nel sentirne fare qualche accenno velato ai genitori. Perché certo questi, con le loro indegne scenate, debbono averle strappate tutte le illusioni, tutte, tutte, a una a una, mostrandole attraverso gli strappi le crudezze più nauseose della vita coniugale.

Le hanno impedito, intanto, di procurarsi altrimenti la libertà, i mezzi di bastare fin da ora a se stessa, da potersene andare lontano da questa casa, per conto suo. Le avranno detto che, grazie a Dio, non ne ha bisogno, lei: figlia unica, avrà per sé domani la dote della mamma. Perché avvilirsi a far la maestra o attendere a qualche altro ufficio? Può leggere, studiare quel che le piace, sonare il pianoforte, ricamare, libera in casa sua.

Bella libertà!

L'altra sera, sul tardi, quando tutti abbiamo lasciato la camera del Nuti già addormentato, l'ho vista seduta nel balconcino. Stiamo nell'ultima casa di via Veneto, e abbiamo davanti l'aperto di Villa Borghese. Quattro balconcini all'ultimo piano, sul cornicione della casa. Cavalena stava seduto a un altro balconcino, e pareva assorto a guardare le stelle.

A un tratto, con una voce che arrivò come da lontano, quasi dal cielo, soffusa d'un accoramento infinito, gli ho sentito dire:

– Sesè, vedi le Plejadi?

Ella ha finto di guardare: forse aveva gli occhi pieni di lagrime.

E il padre:

– Eccole là... sul tuo capo... quel gruppetto di stelle... le vedi?

Gli fe' cenno di sì, che le vedeva.

– Belle, no, Sesè? E vedi là Capella, come arde?

Le stelle... Povero papà! bella distrazione... E con una mano s'aggiustava, si carezzava su le tempie i cernecchi arricciolati della parrucca artistica, mentre con l'altra mano... che? ma sì... aveva sulle ginocchia *Piccinì*, la sua nemica, e le carezzava la testina... Povero papà! Doveva essere in uno dei suoi momenti più tragici e patetici!

Veniva dalla Villa un fruscìo di foglie lungo lento lieve; dalla via deserta qualche suono di passi e il rapido fragorìo scalpitante di qualche vettura frettolosa. Il tintinnìo del campanello e il protratto ronzìo della carrùcola scorrente lungo il filo elettrico delle linee tramviarie pareva strappasse e si strascinasse dietro con violenza la via, con le case e gli alberi. Poi taceva tutto, e nella calma stanca riassommava un suono remoto di pianoforte chi sa da quale casa. Era un suono lene, come velato, malinconico, che attirava l'anima, la fissava in un punto, quasi per darle modo d'avvertire quanto fosse grave la tristezza sospesa da per tutto.

Ah, sì – forse pensava la signorina Luisetta – sposare... S'immaginava, forse, che sonava lei, in una casa ignota, remota, quel pianoforte, per addormentar la pena dei tristi ricordi lontani, che le hanno avvelenato per sempre la vita.

Le sarà possibile illudersi? potrà far che non cadano avvizzite, come fiori, all'aria muta, diaccia d'una sconfidenza ormai forse invincibile tutte le grazie ingenue, che di tanto in tanto le sorgono dall'anima?

Noto ch'ella si guasta, volontariamente; si fa talvolta dura, ispida, per non parer tenera e credula. Forse vorrebbe esser gaja, vispa, come più d'una volta, in qualche momento lieto d'oblio, appena levata di letto, le suggeriscono gli occhi, dallo specchio: quei suoi occhi, che riderebbero tanto volentieri, brillanti e acuti, e che ella condanna a parere invece assenti, o schivi e scontrosi. Poveri occhi belli! Quante volte sotto le ciglia aggrottate non li fissa nel vuoto, mentre per le nari trae un lungo sospiro silenzioso, quasi non volesse farlo sentire a se stessa! E come le si velano e le cangiano di colore, ogni qual volta trae uno di questi sospiri silenziosi!

Certo, deve avere imparato da un pezzo a diffidare delle sue impressioni, per il timore forse non le si attacchi a poco a poco la stessa malattia della madre.

Lo dimostra chiaramente l'improvviso scomporsi delle espressioni in lei, certi subitanei pallori dopo un subitaneo invermigliarsi di tutto il viso, un sorridente rasserenarsi del volto dopo un atteggiamento fosco repentino. Chi sa quante volte, andando per via col padre e la madre, non si sentirà ferire d'ogni suono di risa, e quante volte non proverà la strana impressione che pur quell'abitino azzurro, di seta svizzera, lieve lieve, le pesi addosso come una casacca di reclusa e che il cappello di paglia le schiacci la testa; e la tentazione di stracciare quella seta azzurra, di strapparsi dal capo quella paglia e sbertucciarla con ambo le mani furiosamente e scaraventarla... in faccia alla mamma? no... in faccia al babbo, allora? no..., per terra, per terra, pestando i piedi. Perché sì, le parrà una buffonata, una farsa sconcia, andare così parata, da personcina per bene, da signorina che s'illuda di far la sua figura, o che magari dia a vedere d'aver qualche bel sogno per la mente, quando poi in casa e anche per via, quanto c'è di più làido, di più brutale, di più selvaggio nella vita debba scoprirsi e saltar fuori, in quelle scenate quasi cotidiane tra i suoi genitori, ad affogarla di tristezza e d'onta e di schifo.

Di questo, sopra tutto, mi pare che sia ormai profondamente compenetrata: che nel mondo, così come se lo creano e gliélo creano attorno i suoi genitori col loro comico aspetto, con la grottesca ridicolaggine di quella furiosa gelosia, col disordine della loro vita, non ci può esser posto, aria e luce per la sua grazia. Come potrebbe la grazia farsi avanti, respirare, avvivarsi di un qualche tenue color gajo e arioso, in mezzo a quel ridicolo che la trattiene e la soffoca e l'oscura?

È come una farfalla fissata crudelmente con uno spillo, ancora viva. Non osa batter le ali, non solo perché non spera di liberarsi, ma anche e più per non farsi scorgere troppo.

V.

Sono capitato proprio in un terreno vulcanico. Eruzioni e terremoti senza fine. Vulcano grosso, in apparenza vestito di neve, ma dentro in perfetta ebullizione, la signora Nene. Si sapeva. Ma si è scoperto ora, inaspettatamente, e ha avuto la prima eruzione, un vulcanino, nel cui grembo il fuoco covava nascosto e minaccioso, per quanto acceso da pochi giorni soltanto.

Ha suscitato il cataclisma una visita di Polacco, questa mattina. Venuto per insistere nella sua opera di persuasione sul Nuti, perché vada via da Roma e se ne ritorni a Napoli a raffermare la convalescenza e perché poi magari riprenda a viaggiare per distrarsi e guarire del tutto; ha avuto l'ingrata sorpresa di trovare il Nuti in piedi, cadaverico, coi baffi già rasi a dimostrare la ferma intenzione di mettersi subito, fin da oggi, a far l'attore alla *Kosmograph*.

Se li è rasi da sé, appena levato di letto. È stata anche per tutti noi una sorpresa, perché fino a jersera il medico gli ha raccomandato calma assoluta, riposo, e di non lasciare il letto, se non per qualche oretta, la mattina; e jersera egli aveva risposto di sì, che avrebbe obbedito a queste prescrizioni.

Siamo rimasti a bocca aperta nel vedercelo davanti così raso, svisato, con quella faccia da morto, non ben sicuro ancora su le gambe, elegantissimamente vestito.

S'era ferito un po', radendosi, all'angolo sinistro della bocca; e i grumetti di sangue, nerastri su la ferita, spiccavano nel torbido pallore del volto. Gli occhi, ch'ora sembravano enormi, con le pàlpebre inferiori quasi stirate dalla magrezza, così che mostrano il bianco del globo sotto il cerchio della cornea, avevano di fronte al nostro stupore doloroso un'espressione atroce, quasi malvagia, di dispetto cupo, d'odio.

– Ma come! – esclamò Polacco.

Contrasse il volto, quasi digrignando, e alzò le mani, con un fremito nervoso in tutte le dita; poi, a bassissima voce, anzi quasi senza voce, disse:

– Lasciami, lasciami fare!

– Ma se non ti reggi in piedi! – gli gridò Polacco.

Si voltò a guardarlo biecamente:

– Posso. Non mi seccare. Ho bisogno... bisogno d'uscire... d'un po' d'aria.

– Forse è un po' troppo presto, ecco... – si provò a fargli notare Cavalena – se... se mi permette di...

– Ma se dico che mi sento d'uscire! – lo interruppe il Nuti, attenuando appena con una smorfia di sorriso l'irritazione che traspariva dalla voce.

Questa irritazione nasce in lui dalla volontà di staccarsi dalle cure che finora ci siamo prese di lui e che ci han potuto dare (non a me, veramente) l'illusione ch'egli in certo qual modo ormai ci appartenga, sia un po' nostro. Avverte che questa volontà è trattenuta dai riguardi per il debito di gratitudine contratto con noi, e non vede altro mezzo di spezzar questo legame di riguardi, che mostrando dispetto e disprezzo per la sua salute e la sua salvezza, di modo che sorga in noi lo sdegno per le cure che ce ne siamo date, e questo sdegno, allontanandolo subito da noi, lo assolva da quel debito di gratitudine. Chi sia in quest'animo, non ardisce di guardare in faccia. E difatti egli, questa mattina, non ha potuto guardar bene in faccia nessuno di noi.

Polacco, di fronte a una così decisa risoluzione, non ha più veduto altro scampo che mettergli attorno a custodirlo e, occorrendo, a pararlo, quanti più di noi era possibile, e segnatamente una che più di tutti gli s'è mostrata pietosa e a cui egli perciò deve un maggior riguardo; e, prima d'andar via con lui, pregò insistentemente Cavalena di raggiungerlo subito alla *Kosmograph* con la signorina Luisetta e con me. Disse che la signorina Luisetta non poteva più lasciare a mezzo quel *film*, a cui per combinazione s'era trovata a prender parte, e che del resto sarebbe stato un vero peccato, perché a giudizio di tutti in quella breve e non facile particina aveva dimostrato una meravigliosa attitudine che poteva fruttarle, per suo mezzo, una scrittura alla *Kosmograph*, un guadagno facile, sicuro, dignitosissimo, sotto la scorta del padre.

Vedendo Cavalena approvare con entusiasmo la proposta, fui più volte sul punto d'accostarmigli per tirargli sotto sotto la giacca.

Quel che temevo, difatti, è avvenuto.

La signora Nene ha creduto che fosse tutta una combinazione del marito la visita mattutina di Polacco, la risoluzione improvvisa del Nuti, la proposta di scrittura alla figliuola, per andare a coccolarsi in mezzo alle giovani attrici della *Kosmograph*. E appena andato via il Polacco col Nuti, il vulcano ha avuto una tremenda eruzione.

Cavalena, dapprima, s'è provato a tenerle testa, mettendo avanti la costernazione per il Nuti che evidentemente – come non capirlo, Dio mio? – aveva suggerito a Polacco quella proposta di scrittura. Che? non le importava un corno del Nuti? Ma non glien'importava un corno neanche a lui! Andasse pure a rompersi il collo il Nuti cento volte, se una non bastava! Bisognava acciuffar la fortuna di quella proposta di scrittura per Luisetta! Compromissione? Che compromissione, sotto gli occhi del padre?

Ma presto, da parte della signora Nene, finirono le ragioni e cominciarono le ingiurie, i vituperii, con tale violenza, che Cavalena, alla fine, indignato, esasperato, furibondo, è scappato via di casa.

Gli son corso dietro per le scale, per via, cercando in tutti i modi d'arrestarlo, ripetendogli non so più quante volte:

– Ma lei è medico! ma lei è medico!

Che medico e medico! In questo momento era una bestia che fuggiva infuriata. E ho dovuto lasciarlo fuggire, perché non seguitasse a gridare per istrada.

Ritornerà quando si sarà stancato di correre, quando di nuovo l'ombra del suo tragicomico destino, o piuttosto della coscienza, gli si parerà davanti con la pergamena scartocciata della vecchia laurea di medicina.

Intanto, respirerà un poco, fuori.

Rientrando in casa, vi ho trovato, con mia grande e dolorosa sorpresa, in eruzione il vulcanino; in un'eruzione così violenta, che il vulcano grosso n'era quasi sbigottito.

Non pareva più lei, la signorina Luisetta! Tutto lo sdegno accumulato in tanti anni, fin dall'infanzia trascorsa senza mai un sorriso in mezzo alle liti e allo scandalo; tutte le vergogne, a cui l'avevano fatta assistere, buttava in faccia alla madre e alle spalle del padre che fuggiva. Ah, si dava pensiero adesso la madre della compromissione di lei? Quando per tanti anni con quella stupida, vergognosa pazzia, le aveva distrutto l'esistenza, irreparabilmente! Affogata nella nausea, nello schifo d'una famiglia, a cui nessuno poteva accostarsi senza scherno! Non era compromissione forse, tenerla legata a quella vergogna? Non udiva le risa che tutti facevano di lei e di quel padre? Basta! basta! basta! Non voleva più lo strazio di quelle risa; voleva sciogliersi da quella vergogna, e scapparsene per la via che le s'apriva davanti, non cercata, dove nulla le sarebbe potuto capitare di peggio! Via, via! via!

Si volse a me, tutta accesa e vibrante:

– M'accompagni lei, signor Gubbio! Vado di là a mettermi il cappello, e andiamo, andiamo via subito!

Corse alla sua stanza. Io mi voltai a guardare la madre. Rimasta come basita davanti alla figliuola che insorgeva alla fine a schiacciarla con una condanna che all'improvviso ella sentiva tanto più meritata, in quanto sapeva che il pensiero della compromissione della figlia non era altro, in fondo, che una scusa messa avanti per impedire al marito di accompagnarla alla *Kosmograph*; ora, davanti a me, col capo abbandonato, le mani sul seno, si provava con affanno mugolante a sciogliere il pianto dalle viscere sospese e contratte.

Mi fece pena.

A un tratto, prima che la figliuola sopravvenisse, si tolse quelle mani dal seno e le congiunse in preghiera, senza poter parlare, con tutto il volto contratto in attesa del pianto che ancora non riusciva a tirar sù. Così, con quelle mani mi disse ciò che con la bocca, certo, non mi avrebbe detto. Poi se le portò al volto e si mosse al sopravvenire della figliuola.

Io indicai a questa, pietosamente, la mamma che s'avviava singhiozzando alla sua stanza.

– Vuole che vada via sola? – minacciò con rabbia la signorina Luisetta.

– Vorrei, – le risposi, dolente, – che almeno si calmasse, prima, un poco.

– Mi calmerò per via, – disse. – Andiamo, andiamo!

E, poco dopo, montati in vettura in capo a via Veneto, soggiunse:

– Vedrà, del resto, che troveremo certamente papà alla *Kosmograph*.

Perché volle aggiungere questa considerazione? Per liberarmi del pensiero della responsabilità che mi faceva assumere, obbligandomi ad accompagnarla? Dunque non è ben sicura d'esser libera d'agire a suo talento. Difatti, subito riprese:

– Le pare una vita possibile?

– Ma se è una manìa! – le feci notare. – Se è, come dice suo papà, una forma tipica di paranoja?

– Va bene, sì, ma appunto per questo! È possibile vivere così? Quando si hanno di queste disgrazie, non ci può esser più casa; non c'è più famiglia; più nulla. È una continua violenza, una disperazione, creda! Non se ne può più! Che c'è da fare? che c'è da impedire? Chi scappa di qua, chi di là. Tutti vedono, tutti sanno. La nostra casa è aperta. Non c'è più nulla da custodire! Siamo come in piazza. È una vergogna! una vergogna! Del resto, chi sa! forse così, opponendo violenza a violenza, ella si scoterà da questa manìa che sta facendo impazzire tutti! Per lo meno, farò qualche cosa... vedrò, mi muoverò... mi scoterò anch'io da quest'avvilimento, da questa disperazione!

Ma se per tanti anni l'ha sopportata, questa disperazione, come mai, ora tutt'a un tratto, – mi veniva di domandarle, – una così fiera ribellione?

Se subito dopo quella particina rappresentata al Bosco Sacro, Polacco le avesse proposto di scritturarla alla *Kosmograph*, non si sarebbe tirata indietro, quasi con orrore? Ma sì, certo! Pur essendo la sua famiglia nelle medesime condizioni.

Ora, invece, eccola qua che corre con me alla *Kosmograph*! Per disperazione? Sì, ma non a causa di quella sua mamma senza pace.

Come s'è fatta pallida, come s'è sentita mancar tutta, appena il babbo, il povero Cavalena, come uno spiritato ci s'è fatto innanzi su l'entrata della *Kosmograph* ad annunziarci che «lui», Aldo Nuti, non c'era, e che Polacco aveva telefonato alla Direzione, che per quel giorno non sarebbe venuto, dimodoché non restava più da far altro che tornare indietro.

– Io, no, purtroppo, – dissi a Cavalena. – Bisogna che resti, io; sono già in gran ritardo. Accompagnerà lei a casa la signorina.

– No no no no, – gridò precipitosamente Cavalena. – La terrò con me tutto il giorno; ma poi la riporterò qua, e mi farà il piacere di riaccompagnarla lei a casa, signor Gubbio, o andrà sola. Io, niente; io non metterò più piede a casa mia! Basta ormai! basta! basta!

E se n'andò, accompagnando la protesta con un gesto espressivo del capo e delle mani. La signorina Luisetta seguì il padre, mostrando chiaramente negli occhi di non vedere più la ragione di quanto aveva fatto. Com'era fredda la manina che mi porse, e come assente lo sguardo e vuota la voce, quando si volse per salutarmi e per dirmi:

– A più tardi...

Quaderno sesto

I.

Dolce e fredda, la polpa delle pere d'inverno, ma spesso, qua e là, s'induri-
sce in qualche nodo aspro. I denti van per mordere, trovano quel duro e alle-
gano. Così è della situazione nostra, che potrebbe esser dolce e fredda, almeno
per due di noi, se non ci sentissimo l'intoppo d'un che di aspro e duro.

Andiamo insieme, da tre giorni, ogni mattina, la signorina Luisetta, Aldo
Nuti e io, alla *Kosmograph*.

Tra me e il Nuti, la signora Nene, affida a me, non certo al Nuti, la figliuola.
Ma questa, tra il Nuti e me, ha certo più l'aria di andare col Nuti, che di venire con me.

Intanto:

io vedo la signorina Luisetta, e non vedo il Nuti;

la signorina Luisetta vede il Nuti e non vede me;

il Nuti non vede né me, né la signorina Luisetta.

Così andiamo, tutti e tre accanto, ma senza vederci l'uno con l'altro.

La fiducia della signora Nene dovrebbe irritarmi, dovrebbe... – che altro?
Niente. Dovrebbe irritarmi, dovrebbe avvilirmi: invece, non mi irrita, non mi
avvilisce. Mi commuove, invece. Quasi per farmi maggior dispetto.

Ecco, la ragiono questa fiducia, per cercare di vincere la dispettosa commozione.

È certo uno straordinario attestato d'incapacità, per un verso; di capacità, per
un altro. Questo – dico l'attestato di capacità – potrebbe, in certo qual modo,
lusingarmi; ma quello è sicuro che dalla stessa signora Nene non mi è dato
senza una lieve punta di commiserazione derisoria.

Un uomo, incapace di far male, per lei, non può essere un uomo. Non sarà
dunque neppure da uomo quell'altra mia capacità.

Pare che non si possa fare a meno di commettere il male, per essere stimati
uomini. Per conto mio, io so bene, benissimo, d'essere uomo: male, n'ho
commesso, e tanto! Ma sembra che gli altri non se ne vogliano accorgere. E
questo mi fa rabbia. Mi fa rabbia perché, costretto a prendermi quella patente
d'incapacità – che è, che non è – mi trovo addosso talvolta, imposta dalla soperchieria altrui, una bellissima cappa d'ipocrisia. E quante volte sbuffo sotto
questa cappa! Non mai tante volte, certo, come di questi giorni. Quasi quasi
mi verrebbe voglia di mettermi a guardare la signora Nene negli occhi in un
certo modo, che... No, no, via, povera donna! S'è così ammansita, tutt'a un
tratto, così imbalordita anzi, dopo quella sfuriata della figliuola e questa risoluzione improvvisa di mettersi a far l'attrice di cinematografia! Bisogna vederla quando, poco prima d'andar via, ogni mattina, mi s'accosta e, dietro le
spalle della figliuola, levando appena appena le mani, furtivamente, con occhi
pietosi:

– Gliela raccomando, – mi bisbiglia.

La situazione, appena arrivati alla *Kosmograph*, cangia e si fa molto seria,
non ostante che su l'entrata, ogni mattina, troviamo – puntualissimo e tutto
sospeso in un'ansia trepida – Cavalena. Gli ho già detto, l'altro jeri e anche

jeri, del cambiamento della moglie; ma Cavalena non accenna ancora di ridiventar medico. Che! che! L'altro jeri e jeri, m'è quasi svanito davanti in un'aria distratta, come per non lasciarsi prendere da quel che gli dicevo:

– Ah, sì? Bene, bene... – ha detto. – Ma io, per ora... Come dice? No, scusi, credevo... Contento, sa? Ma se torno, è tutto finito. Dio liberi! Qua ora bisogna assodare, assodare la posizione di Luisetta e la mia.

Eh sì, assodare: sono come per aria il papà e la figliuola. Penso che la loro vita potrebbe esser facile e comoda e svolgersi in una dolce pace serena. C'è la dote della mamma; Cavalena, brav'uomo, potrebbe attendere tranquillamente alla sua professione; non avrebbero bisogno d'estranei per casa, e la signorina Luisetta sul davanzale della finestra d'una quieta casetta al sole potrebbe graziosamente coltivare come fiori i più bei sogni di giovinetta. Nossignori! Questa che dovrebbe essere la realtà, come tutti la vedono, perché tutti riconoscono che la signora Nene non ha proprio nessunissima ragione di tormentare il marito, questa che dovrebbe essere la realtà, dicevo, è un sogno. La realtà, invece, deve essere un'altra, lontanissima da questo sogno. La realtà è la follia della signora Nene. E nella realtà di questa follia – che è per forza disordine angoscioso, esasperato – ecco qua sbalzati fuor di casa, smarriti, incerti, questo pover'uomo e questa povera figliuola. Si vogliono assodare, l'uno e l'altra, in questa realtà di follia, ed eccoli, vagano da due giorni qua, l'uno accanto all'altra, muti e tristi, per le piattaforme e gli sterrati.

Cocò Polacco, a cui insieme col Nuti si rivolgono appena entrati, dice loro che non c'è niente da fare per il momento. Ma la scrittura è in corso; la paga corre. Da avventizia, per ora, perché la signorina Luisetta s'incomoda a venire; se non *posa*, non manca per lei.

Ma questa mattina, finalmente, l'hanno fatta *posare*. Polacco l'ha affidata al suo collega direttore di scena Bongarzoni per una particina in un *film* a colori, di costume settecentesco.

Lavoro, di questi giorni, col Bongarzoni. Appena arrivato alla *Kosmograph* consegno la signorina Luisetta al padre, entro nel reparto del *Positivo* a prender la mia macchina e spesso m'avviene di non veder più per ore e ore né la signorina Luisetta, né il Nuti, né il Polacco, né il Cavalena. Non sapevo dunque che il Polacco avesse data al Bongarzoni la signorina Luisetta per quella particina. Sono rimasto, quando me la son veduta comparire davanti come staccata da un quadretto del Watteau.

Era con la Sgrelli, che aveva finito or ora d'acconciarla con cura e con amore nella guardaroba dei costumi antichi, e le premeva con un dito sulla guancia un neo di seta che non le si voleva ancor bene attaccare. Il Bongarzoni le ha fatto molti complimenti e la povera piccina si sforzava di sorridere senza scuoter troppo la testa, per timore non le crollasse l'enorme acconciatura. Non sapeva più muovere le gambe entro quell'abito di seta a sbuffi.

Ecco concertata la scenetta. Una gradinata esterna, che discende a un angolo di parco. La damina esce da una loggia chiusa da vetri: scende due gradini; si sporge dalla ringhiera a pilastrini a spiar lontano, nel parco, timida, perplessa, in un'ansia paurosa: poi scende in fretta gli altri gradini e nasconde un biglietto, che ha in mano, sotto la pianta d'alloro, nel vaso in capo alla ringhiera.

– Attenti, si gira!

Non ho mai girato con tanta delicatezza la manovella della mia macchinetta. Questo grosso ragno nero sul treppiedi già l'ha avuta in pasto due volte. Ma la prima volta, là al Bosco Sacro, la mia mano, nel girare per dargliela a mangiare, ancora *non sentiva*. Questa volta, invece...

Eh, son rovinato, se la mia mano si mette a sentire! No, signorina Luisetta, no: bisogna che voi non facciate più codesto mestieraccio. Tanto, so perché lo fate! Vi dicono tutti, anche il Bongarzoni questa mattina, che avete una non comune disposizione naturale all'arte scenica; e ve lo dico anch'io, sì; non per la prova di stamani, però. Oh, la avete disimpegnata come meglio non si poteva; ma io so bene, so bene perché avete saputo così meravigliosamente fingere l'ansia paurosa, allorché, scesi i due primi gradini, vi siete sporta dalla ringhiera a guardar lontano. Tanto bene lo so, che quasi quasi, a momenti, mi voltavo anch'io a guardare dove voi guardavate, per vedere se non fosse per caso arrivata in quel momento la Nestoroff.

Da tre giorni, qua, voi vivete in quest'ansia paurosa. Non voi sola; sebbene, forse, nessuno più di voi. Da un momento all'altro, veramente, la Nestoroff può arrivare. Non si vede da nove giorni. Ma è a Roma; non è partita. È partito solo Carlo Ferro, con altri cinque o sei attori e il Bertini, per Taranto.

Il giorno che Carlo Ferro partì (son già quasi due settimane), Polacco venne a trovarmi raggiante e come se si fosse levato un macigno dal petto.

– Te l'avevo detto, bambino? Anche all'inferno va, se lei vuole!

– Purché, – gli risposi, – non ce lo vediamo arrivare all'improvviso, come una bomba.

Ma è già un gran fatto, veramente, e per me ancora inesplicabile, ch'egli sia partito. Mi risuonano ancora nell'orecchio le sue parole:

– Posso essere una belva di fronte a un uomo, ma come uomo di fronte a una belva non valgo nulla!

Eppure, con la coscienza di non valer nulla, per puntiglio, non s'è tirato indietro, non s'è rifiutato d'affrontare la belva; ora, di fronte a un uomo è fuggito. Perché è certo che la sua partenza, il giorno dopo l'arrivo del Nuti, ha tutta l'aria d'una fuga.

Non voglio negare che la Nestoroff abbia su lui il potere di costringerlo a fare ciò ch'ella vuole. Ma io ho sentito ruggire in lui, e proprio per questa venuta del Nuti, le furie della gelosia. La rabbia, che il Polacco lo abbia designato per l'uccisione della tigre, non gli è sorta per il solo sospetto che egli, il Polacco, si volesse con questo mezzo sbarazzare di lui, ma anche e più per il sospetto che abbia fatto venire apposta nello stesso tempo il Nuti perché costui si potesse liberamente ripigliare la Nestoroff. E m'è apparso manifesto che non è sicuro di lei. Come dunque è partito?

No, no: c'è qui sotto, senza dubbio, un accordo; questa partenza deve nascondere un'insidia. La Nestoroff non avrebbe potuto indurlo a partire, mostrando d'aver paura di perderlo, comunque, lasciandolo qui ad aspettare uno, che certamente veniva col deliberato proposito di cimentarlo. Per questa paura egli non sarebbe partito. O, se mai, ella lo avrebbe accompagnato. Se ella è rimasta qui ed egli è partito, lasciando libero il campo al Nuti, vuol dire che un accordo dev'essersi stabilito tra loro, ordita una rete così saldamente e sicuramente ch'egli stesso ha potuto comprimere sott'essa e tenere in freno la gelosia. Nessuna paura ella ha dovuto mettere avanti; e, stabilito l'accordo, avrà preteso da lui questa prova di fiducia, che fosse lasciata qui sola di fronte al Nuti. Difatti, per parecchi giorni dopo la partenza di Carlo Ferro, ella venne alla *Kosmograph*, preparata evidentemente a incontrarsi con lui. Non poteva venire per altro, libera com'è adesso d'ogni impegno professionale. Non venne più, quando seppe che il Nuti era gravemente infermo.

Ma ora, da un momento all'altro, può tornare.

Che avverrà?

Polacco è di nuovo su le spine. Non si stacca dal fianco il Nuti; se per poco deve lasciarlo, volge prima di nascosto un'occhiata d'intelligenza a Cavalena. Ma il Nuti, quantunque di tanto in tanto per qualche lieve contrarietà abbia certi scatti che dànno a vedere in lui un'esasperazione violentemente compressa, è piuttosto calmo; sembra anche uscito da quella cupezza dei primi giorni della convalescenza; si lascia condurre qua e là da Polacco e da Cavalena; mostra una certa curiosità di conoscere da vicino questo mondo del cinematografo e ha visitato attentamente, con l'aria d'un severo ispettore, i due reparti.

Polacco, per distrarlo, gli ha proposto due volte di provarsi a sostenere qualche parte. S'è ricusato, dicendo che prima vuole abituarsi un po' a vedere come fanno gli altri.

– È una pena, – ha osservato jeri davanti a me, dopo avere assistito alla iscenatura d'un quadro, – e dev'essere anche uno sforzo che guasta, altera ed esagera le espressioni, la mimica senza la parola. Parlando, il gesto sorge spontaneo; ma senza parlare...

– Si parla dentro, – gli ha risposto con una serietà meravigliosa la piccola Sgrelli (la Sgrellina, come qua la chiamano tutti). – Si parla dentro, per non sforzare il gesto...

– Ecco, – ha fatto il Nuti, come prevenuto in ciò che stava per dire.

La Sgrellina allora s'è appuntato l'indice su la fronte e ha guardato tutti in giro con una finta aria di scema, che chiedeva con graziosissima malizia:

«Sono intelligente, sì o no?».

Abbiamo riso tutti e anche il Nuti. Polacco per poco non se l'è baciata. Forse spera che ella, essendo qua il Nuti al posto di Gigetto Fleccia, pensi ch'egli debba sostituire costui anche nell'amore di lei e riesca a fare il miracolo di distorlo dalla Nestoroff. Per abbondare e dar largo pascolo a questa speranza lo ha presentato anche a tutte le giovani attrici delle quattro compagnie; ma pare che il Nuti, pur mostrandosi garbato con tutte, non dia il minimo segno di volersi distrarre. Del resto, tutte le altre, anche se non fossero già, più o meno, impegnate per conto loro, si guarderebbero bene dal fare un torto alla Sgrellina. E quanto alla Sgrellina scommetto che s'è già accorta che farebbe ingiuria, a sua volta, a una certa signorina, che viene da tre giorni alla *Kosmograph* col Nuti e con *Si gira*.

Chi non se n'accorge? Il Nuti solo! Eppure ho il sospetto che anche lui se ne sia accorto. Ma strano è questo, e vorrei trovar modo di farlo notare alla signorina Luisetta: che l'accorgersi del sentimento di lei provochi in lui un effetto contrario a quello cui ella aspira: lo respinge da lei e lo fa tendere con maggiore spasimo verso la Nestoroff. Perché certo ora il Nuti ricorda d'aver veduto in lei, nel delirio, Duccella; e siccome sa che questa non può e non vuole più amarlo, l'amore che scorge in lei gli deve sembrare per forza una finzione, ormai non più pietosa, passato com'è il delirio; ma anzi spietata: un ricordo bruciante, che gl'inasprisce la piaga.

È impossibile far capire questo alla signorina Luisetta.

Attaccato col sangue tenace d'una vittima all'amore per due donne diverse, che lo respingono entrambe, il Nuti non può avere occhi per lei; può vedere in lei l'inganno, quella Duccella finta, che per un momento gli apparve nel delirio; ma ora il delirio è passato, quel che fu inganno pietoso è divenuto per lui ricordo crudele, tanto più, quanto più vede sussistere in lei l'ombra di quell'inganno.

E così, invece di trattenerlo, la signorina Luisetta con quest'ombra di Duccella lo caccia, lo spinge più cieco verso la Nestoroff.

Per lei, prima di tutto; poi per lui, e infine – perché no? – anche per me, non vedo altro rimedio, che in un tentativo estremo, quasi disperato: partire per Sorrento, riapparire dopo tanti anni nella casa antica dei nonni, per ridestare in Duccella il primo ricordo del suo amore e, se è possibile, rimuoverla e far che venga lei a dar corpo a quest'ombra, che un'altra qua per conto di lei disperatamente sostiene con la sua pietà e col suo amore.

II.

Un biglietto della Nestoroff, questa mattina alle otto (inatteso e misterioso invito a recarmi da lei insieme con la signorina Luisetta prima d'andare alla *Kosmograph)* m'ha fatto rimandare la partenza.

Sono rimasto un pezzo col biglietto in mano, non sapendo che pensarne. La signorina Luisetta, già pronta per uscire, è passata per il corridojo davanti all'uscio della mia camera; l'ho chiamata.

– Guardi. Legga.

Corse con gli occhi alla firma; si fece, al solito, rossa rossa, poi pallida pallida; finito di leggere, fissò gli occhi con uno sguardo ostile e una contrazione di dubbio e di timore nella fronte, e domandò con voce smorta:

– Che vorrà?

Aprii le mani, non tanto per non saper che rispondere, quanto per conoscere prima che cosa ne pensasse lei.

– Io non vado, – disse, scombujandosi. – Che può volere da me?

– Avrà saputo, – le risposi, – che egli... il signor Nuti è alloggiato qui, e...

– E...?

– Vorrà forse dire qualcosa, non so... per lui...

– A me?

– M'immagino... anche a lei, se la prega d'accompagnarsi con me...

Represse un fremito nella persona; non riuscì a reprimerlo nella voce:

– E che c'entro io?

– Non so; non c'entro neanche io, – le feci notare. – Ci vuole tutti e due...

– E che può avere da dire a me... per il signor Nuti?

Mi strinsi nelle spalle e la guardai con fredda fermezza per richiamarla in sé e significarle che lei, per quanto si riferiva propriamente alla sua persona – lei come signorina Luisetta – non avrebbe dovuto aver nessuna ragione di sentire quell'avversione, quel ribrezzo per una signora, della cui simpatia s'era prima tanto compiaciuta.

Comprese; si turbò maggiormente.

– Suppongo, – soggiunsi, – che se vuol parlare anche con lei, sarà a fin di bene; anzi certamente sarà così. Lei s'aombra...

– Perché... perché non riesco a... a immaginare... – si buttò a dire, prima esitante, poi con impeto, facendosi in volto di bragia, – che cosa possa avere da dire a me, anche così, come lei suppone, a fin di bene. Io...

– Estranea, come me, al caso, è vero? – attaccai subito, ostentando una maggiore freddezza. – Ebbene, forse ella crede, che lei possa giovare in qualche modo...

– No, no; estranea, va bene, – s'affrettò a rispondere, urtata. – Voglio restare estranea e non aver nessuna relazione, per ciò che si riferisce al signor Nuti, con codesta signora.

– Faccia come crede – dissi. – Andrò io solo. Non c'è bisogno che la avverta, che sarà prudente non far parola al Nuti di questo invito.

– Oh, certo! – fece.

E si ritirò.

Sono rimasto a lungo a riflettere, col biglietto in mano, su l'atteggiamento da me preso, senza volerlo, in questo breve dialogo con la signorina Luisetta. Le benigne intenzioni da me attribuite alla Nestoroff non avevano altra ragione, che il reciso rifiuto della signorina Luisetta d'accompagnarsi con me in una manovra segreta, ch'ella istintivamente ha sentito diretta contro il Nuti. Io ho difeso la Nestoroff per il solo fatto che questa, invitando la signorina Luisetta ad andare in casa sua insieme con me, mi è parso intendesse staccarla dal Nuti, e farla compagna a me, supponendola mia amica.

Ora ecco, invece di staccarsi dal Nuti, la signorina Luisetta si staccava da me e mi faceva andar solo dalla Nestoroff. Neanche per un momento s'era fermata a considerare ch'era stata invitata insieme con me; l'idea d'essermi compagna non le era apparsa affatto; non aveva visto che il Nuti, non aveva pensato che a lui; e le mie parole certamente non le avevano prodotto altro effetto che quello di mettermi dalla parte della Nestoroff contro il Nuti e, per conseguenza, anche contro lei.

Se non che, mancato adesso lo scopo per cui avevo attribuito a quella le intenzioni benigne, ecco, ricadevo nella perplessità di prima e per giunta in preda a una sorda irritazione e mi sentivo diffidentissimo anch'io contro la Nestoroff. L'irritazione era per la signorina Luisetta, perché, mancato lo scopo, mi vedevo costretto a riconoscere ch'ella in fondo aveva ragione di diffidare. Insomma, m'appariva a un tratto evidente, che mi bastava aver compagna la signorina Luisetta per vincere ogni diffidenza. Senza di lei, la diffidenza ora riprendeva anche me, ed era quella di chi sa di potere da un passo all'altro esser colto a un laccio preparato con sottilissima astuzia.

Con quest'animo sono andato dalla Nestoroff, io solo. Ma pur mi spingeva una curiosità ansiosa di ciò che m'avrebbe detto e il desiderio di vederla da vicino, in casa, benché non m'aspettassi né da lei né dalla casa alcuna rivelazione d'intimità.

Sono entrato in molte case, dacché ho perduto la mia, e in quasi tutte, aspettando che si presentasse il padrone o la padrona di casa, ho provato uno strano senso di fastidio e di pena insieme, alla vista dei mobili più o meno ricchi, disposti con arte, come in attesa d'una rappresentazione. Questa pena, questo fastidio io li sento più degli altri, forse, perché m'è rimasto inconsolabile in fondo all'anima il rimpianto della mia casetta all'antica, dove tutto spirava l'intimità, dove i mobilucci vecchi, amorosamente curati, invitavano alla schietta confidenza familiare e parevano contenti di serbar le impronte dell'uso che ne avevamo fatto, perché in quelle impronte, se pure li avevano un po' logorati, un po' gualciti, erano i ricordi della vita vissuta con essi, a cui essi avevano partecipato. Ma veramente non riesco a comprendere come non debbano dare, se non proprio pena, fastidio certi mobili coi quali non osiamo prenderci nessuna confidenza, perché ci sembra stieno lì ad ammonire con la loro rigida gracilità elegante, che la nostra noja, il nostro dolore, la nostra gioja non debbano né lasciarsi andare, né smaniare o dibattersi, né sussultare, ma esser contenuti nelle regole della buona creanza. Case fatte per gli altri, in vista della parte che vogliamo rappresentare in società; case d'apparenza, dove i mobili attorno possono anche farci vergognare, se per caso in un momento ci sorprendiamo in costume o in atteggiamento non confacenti a quest'apparenza e fuori della parte che dobbiamo rappresentare.

Sapevo che la Nestoroff abitava in un ricco quartierino ammobiliato in via Mecenate. Fui introdotto dalla cameriera (senza dubbio preavvisata della mia visita) nel salotto; ma il preavviso aveva un po' sconcertato la cameriera, che s'aspettava di vedermi insieme con una signorina. Voi, per la gente che non vi conosce, che è tanta, non avete altra realtà che quella dei vostri calzoni chiari o del vostro soprabito marrone o dei vostri baffi all'inglese. Io per la cameriera ero uno che doveva venire insieme con una signorina. Senza la signorina potevo essere un altro. Ragion per cui dapprima fui lasciato davanti alla porta.

– Solo? E la vostra amicuccia? – domandò la Nestoroff poco dopo nel salotto. Ma la domanda, arrivata a metà, tra *vostra* e *amicuccia* cadde, o piuttosto, smorì in una impreveduta alterazione di sentimento. *L'amicuccia* non fu quasi proferita.

Quest'impreveduta alterazione di sentimento le fu cagionata dal pallore del mio volto sbalordito, dallo sguardo de' miei occhi sbarrati in uno stupore quasi truce.

Guardandomi, ella comprese subito il perché del mio pallore e del mio sbalordimento, e subito diventò pallidissima anche lei; gli occhi le s'intorbidarono stranamente, le mancò la voce e tutto il suo corpo mi tremolò davanti quasi una larva.

L'assunzione di quel suo corpo a una vita prodigiosa, in una luce da cui ella neppure in sogno avrebbe potuto immaginare di essere illuminata e riscaldata, in un trasparente, trionfale accordo con una natura attorno, di cui certo gli occhi suoi non avevano mai veduto il tripudio dei colori, era sei volte ripetuta, per miracolo d'arte e d'amore, in quel salotto, in sei tele di Giorgio Mirelli.

Fissata lì per sempre, in quella realtà divina ch'egli le aveva data, in quella divina luce, in quella divina fusione di colori, la donna che mi stava davanti che cos'era più ormai? in che laido smortume, in che miseria di realtà era ormai caduta? E aveva potuto osare di tingersi di quello strano color cùpreo i capelli, che lì nelle sei tele davano col loro colore naturale tanta schiettezza d'espressione al suo volto intento, dal sorriso vago, dallo sguardo perduto nella malìa d'un sogno triste lontano?

Ella si fece umile, si restrinse come per vergogna in sé, sotto il mio sguardo che certo esprimeva uno sdegno penoso. Dal modo con cui mi guardò, dalla contrazione dolorosa delle ciglia e delle labbra, da tutto l'atteggiamento della persona compresi ch'ella non solo sentiva di meritarsi il mio sdegno, ma lo accettava e me n'era grata, perché in questo sdegno, da lei condiviso, assaporava il castigo del suo delitto e della sua caduta. S'era guastata, s'era ritinti i capelli, s'era ridotta in quella realtà miserabile, conviveva con un uomo grossolano e violento, per fare strazio di sé: ecco, era chiaro; e voleva che nessuno ormai le s'accostasse per rimuoverla da quel disprezzo di sé, a cui s'era condannata, in cui riponeva il suo orgoglio, perché solo in questa ferma e fiera intenzione di disprezzarsi si sentiva ancor degna del sogno luminoso, nel quale per un momento aveva respirato e di cui le restava la testimonianza viva e perenne nel prodigio di quelle sei tele.

Non gli altri, non il Nuti, ma lei, lei sola, da sé, facendo una disumana violenza a se stessa, s'era strappata da quel sogno, n'era precipitata. Perché? Ah, la ragione, forse, era da cercare lontano, altrove. Chi sa le vie dell'anima? I tormenti, gli oscuramenti, le improvvise, funeste risoluzioni? La ragione, forse, si doveva cercare nel male che gli uomini le avevano fatto fin da bambina, nei vizii in cui s'era perduta durante la prima giovinezza randagia, e che nel suo stesso concetto le avevano offeso il cuore fino a non sentirselo più degno che un giovinetto col suo amore lo riscattasse e lo nobilitasse.

Di fronte a questa donna così caduta, certo infelicissima e dalla infelicità sua resa nemica a tutti, e, più, a se medesima, che avvilimento, che nausea m'assalì d'improvviso della volgare meschinità dei casi in cui mi vedevo mescolato, della gente con cui m'ero messo a trattare, dell'importanza che avevo data e davo a loro, alle loro azioni, ai loro sentimenti! Come m'apparve stupido quel Nuti e grottesco nella sua tragica fatuità di figurino di moda tutto gualcito e brancicato nell'inamidatura imbrattata di sangue! Stupidi e grotteschi quei due Cavalena, marito e moglie! Stupido il Polacco, con quelle arie di condottiero invincibile! E stupida sopra tutto la parte mia, la parte che m'ero assunta di consolatore da un canto, di guardiano dall'altro e, in fondo all'anima, di salvatore per forza d'una povera piccina, a cui il triste e buffo disordine della sua famiglia aveva anche fatto assumere una parte quasi identica alla mia: cioè di salvatrice in ombra d'un giovine che non voleva esser salvato!

Mi sentii d'un tratto da questa nausea alienato da tutti, da tutto, anche da me stesso, liberato e come vôtato d'ogni interessamento per tutto e per tutti, ricomposto nel mio ufficio di manovratore impassibile d'una macchinetta di presa, ridominato soltanto dal mio primo sentimento, che cioè tutto questo fragoroso e vertjginoso meccanismo della vita, non può produrre ormai altro che stupidità. Stupidità affannose e grottesche! Che uomini, che intrecci, che passioni, che vita, in un tempo come questo? La follia, il delitto, o la stupidità. Vita da cinematografo! Ecco qua: questa donna che mi stava davanti, coi capelli di rame. Là, nelle sei tele, l'arte, il sogno luminoso d'un giovinetto che non poteva vivere in un tempo come questo. E qua, la donna, caduta da quel sogno; caduta dall'arte nel cinematografo. Sù, dunque, una macchinetta da girare! Ci sarà un dramma qui? Ecco la protagonista.

– Attenti, si gira!

III.

La donna, come aveva compreso in prima dall'espressione del mio volto lo sdegno, comprese l'avvilimento, la nausea in me, e il moto dell'animo che n'era seguito.

Quello – lo sdegno – le era piaciuto, forse perché intendeva valersene per il suo fine segreto, soggiacendo ad esso sotto i miei occhi con aria d'accorata umiltà. L'avvilimento, la nausea non le erano dispiaciuti, ché forse e più di me li provava anche lei. Le dispiacque la mia freddezza improvvisa, il vedermi d'un tratto ricomposto nell'abito della mia professionale impassibilità. E anche lei s'interì; mi guardò freddamente; disse:

– Speravo di vedervi insieme con la signorina Cavalena.

– Le ho dato da leggere il biglietto, – risposi. – Era già pronta per recarsi alla *Kosmograph*. L'ho pregata di venire...

– Non ha voluto?

– Non ha creduto. Forse per la sua qualità di ospite...

– Ah, – fece, buttando indietro il capo. – Ma anzi, – soggiunse, – io l'avevo invitata appunto per questo, per la sua qualità di ospite.

– Gliel'ho fatto notare, – dissi.

– E non ha creduto che le convenisse venire?

Aprii le braccia.

Ella rimase un po' assorta a pensare; poi, quasi in un sospiro, disse:

– Ho sbagliato. Quel giorno, ricordate? che andammo insieme al Bosco Sacro, mi parve gentile, e anche contenta di stare accanto a me... Capisco che non era ancora ospite. Ma scusate, non siete ospite anche voi?

Sorrise, per ferirmi, rivolgendomi quasi a tradimento questa domanda. E in verità, non ostante il mio proponimento di rimanere estraneo a tutto e a tutti, mi sentii ferire. Tanto che risposi:

– Ma tra due ospiti, lei sa bene, si può fare più conto dell'uno che dell'altro.

– Credevo il contrario, – disse. – Non vi fa piacere?

– Né piacere, né dispiacere, signora.

– Proprio vero? Scusate, non ho diritto di pretendere alla vostra sincerità. Ma io mi proponevo d'esser sincera con voi, oggi.

– E io sono venuto...

– Perché la signorina Cavalena, come voi dite, ha voluto dimostrare di far più conto dell'altro ospite?

– No, signora. La signorina Cavalena ha detto di voler restare estranea.

– E anche voi?

– Io sono venuto.

– E io vi ringrazio moltissimo. Ma solo siete venuto! E questo – forse sbaglio ancora – non m'affida, non perché ritenga, badate, che anche voi, come la signorina Cavalena, facciate più conto dell'altro ospite; anzi, al contrario...

– Come sarebbe?

– Che di quell'altro ospite non v'importi niente: non solo, ma che vi farebbe anzi piacere che gli accadesse qualche male, anche per il fatto che la signorina

Cavalena, non volendo venire con voi, ha dimostrato di tenere più a lui che a voi. Mi spiego?

– Ah, no, signora! S'inganna! – esclamai recisamente.

– Non vi contraria?

– Per nulla. Cioè... ecco, sinceramente... mi contraria, ma non più per me, ormai. Io veramente mi sento estraneo.

– Ecco, vedete? – esclamò ella a questo punto, interrompendomi. – Questo ho temuto, vedendovi entrar solo. Confessate che voi non vi sentireste ora così estraneo, se la signorina fosse venuta con voi...

– Ma se io sono venuto lo stesso!

– Da estraneo.

– No, signora. Guardi, io ho fatto più di quanto ella non creda. Ho parlato a lungo con quel disgraziato e ho cercato di dimostrargli in tutti i modi che non ha nulla da pretendere, dopo quanto è accaduto, almeno secondo quello ch'egli stesso dice.

– Che v'ha detto? – domandò la Nestoroff, impuntandosi e infoscandosi.

– Molte stupidaggini, signora, – risposi. – Farnetica. Ed è da temere, creda, tanto più, in quanto è incapace, secondo me, di qualunque sentimento veramente serio e profondo. Lo dimostra, già, il fatto che sia venuto qua con certi propositi...

– Di vendetta?

– Non propriamente di vendetta. Non lo sa neppur lui! È un po' il rimorso... un rimorso che non vorrebbe avere; di cui avverte solo superficialmente il pungolo irritante, perché, ripeto, è incapace anche d'un pentimento vero, d'un pentimento sincero, che potrebbe maturarlo, farlo rinsavire. È dunque un po' l'irritazione di questo rimorso, intollerabile; un po' la rabbia, o piuttosto (la rabbia sarebbe troppo forte per lui) diciamo la stizza, una stizza acerba, non confessata, di essere stato abbindolato...

– Da me?

– No. Non vuole confessarlo!

– Ma voi lo credete?

– Io credo, signora, che ella non lo abbia mai preso sul serio e si sia servita di lui per staccarsi da...

Non volli proferire il nome: alzai la mano verso le sei tele. La Nestoroff corrugò le ciglia, abbassò il capo. Stetti un po' a mirarla e, deciso d'andare fino in fondo, insistetti:

– Egli parla di tradimento. Del tradimento del Mirelli, che s'uccise per la prova che lui volle fargli d'esser facile ottenere da lei (scusi) ciò che il Mirelli non aveva potuto ottenere.

– Ah, dice così? – domandò, scattando, la Nestoroff.

– Dice così, ma confessa di non avere ottenuto nulla da lei. Farnetica. Vuole aggrapparsi a lei, perché a star così – dice – impazzirebbe.

La Nestoroff mi guardò quasi con sgomento.

– Voi lo disprezzate? – mi domandò.

Risposi:

– Non lo pregio di certo. Può farmi sdegno; può farmi anche compassione.

Balzò in piedi, come sospinta da un impeto irrefrenabile:

– Io sdegno, – disse, – quelli che sentono compassione.

Risposi con calma:

– Comprendo benissimo in lei codesto sentimento.

– E mi disprezzate?

– No, signora, tutt'altro!

Si voltò a guardarmi; sorrise con amaro dispetto:

– Mi ammirate, allora?

– Ammiro in lei, – risposi, – ciò che in altri forse provoca lo sdegno; quello sdegno, del resto, che lei stessa vuole suscitare negli altri, per non provocarne la compassione.

Tornò a guardarmi più fissamente; mi s'appressò quasi a petto e mi domandò:

– E non volete dire con questo, in un certo senso, che avete anche compassione di me?

– No, signora. Ammirazione. Perché lei sa punirsi.

– Ah sì? Voi comprendete questo? – disse, alterandosi in volto e con un fremito, come se l'avesse colta un brivido improvviso.

– Da un pezzo, signora.

– Contro il disprezzo di tutti?

– Forse appunto a causa del disprezzo di tutti.

– Me ne sono accorta anch'io da un pezzo, – disse, tendendomi la mano e stringendo forte la mia. – Grazie. Ma so anche punire, credete! – soggiunse subito, minacciosa, ritraendo la mano e levandola in aria con l'indice teso. – So anche punire, senza compassione, perché non ne ho voluta mai per me e non ne voglio!

Si mise a passeggiare per la stanza, ripetendo:

– Senza compassione... senza compassione...

Poi, fermandosi:

– Vedete? – mi disse con occhi cattivi. – Io non ammiro voi, per esempio, che sapete vincere lo sdegno con la compassione.

– In questo caso, non dovrebbe ammirare neanche se stessa, – dissi sorridendo. – Pensi un po' e dica perché mi ha invitato a venire da lei questa mattina?

– Credete per compassione di quel... disgraziato, come voi avete detto?

– O di lui, o di qualche altro, o di lei stessa.

– Nient'affatto! – negò con impeto. – No! No! Voi v'ingannate! Nessuna compassione, per nessuno! Io voglio esser questa; io voglio restare così. Io v'ho invitato a venire perché gli facciate intendere che non ho compassione di lui e non ne avrò mai!

– Ma, intanto, non vuole fargli del male.

– Voglio fargli del male, appunto, lasciandolo dov'è e com'è.

– Ma se lei è così senza compassione, non gli farebbe maggior male, accostandolo a sé? Lei vuole invece allontanarlo...

– Ma perché voglio io, io, restare così! Farei maggior male a lui, sì; ma farei un bene a me, perché mi vendicherei sopra di lui, anziché sopra di me. E che male credete che potrebbe venirmi da uno come lui? Non lo voglio io, capite? Non perché abbia compassione di lui, ma perché mi piace di non averne di me. Non m'importa del suo male, né m'importa di dargliene uno maggiore. Gli basta quello che ha. Vada a piangere lontano! Io non voglio piangere.

– Temo, – dissi, – che non abbia più voglia di piangere neanche lui.

– E che vuol fare?

– Mah! Non essendo, come le ho detto, capace di nulla; nell'animo in cui si trova, potrebbe essere purtroppo capace di tutto.

– Non lo temo, non lo temo! Vedete? è questo! Vi ho invitato a venire da me per dirvi questo, per farvi intender questo e perché voi, a vostra volta, glielo facciate intendere. Non temo mi possa venire da lui nessun male, neppure se m'uccidesse, neppure se, per causa sua, dovessi andare a finire in prigione! Corro anche questo rischio, sapete! Deliberatamente, mi sono esposta anche a questo rischio. Perché so con chi ho da fare. E non temo. Mi sono illusa di sentire un po' di timore: mi sono adoperata, in questa illusione, ad allontanare di qua uno che minacciava violenze su me, su tutti. Non è vero. Ho agito freddamente, non per timore! Qualunque male, anche questo, sarebbe minore per me. Un altro delitto, la prigione, la morte stessa, sarebbero per me mali minori di quello che soffro adesso e nel quale voglio restare. Guaj a lui se tenta di suscitarmi un po' di compassione per me stessa o per lui. Non ne ho! Se voi ne avete per lui, voi che ne avete tanta per tutti, fate, fate che se ne vada! Ecco quello che desidero da voi, appunto perché io non temo di nulla!

Questo mi disse, mostrando in tutta la persona la smania disperata di non sentire veramente ciò che avrebbe voluto sentire.

Restai un tratto in una perplessità piena di sgomento, d'angoscia e d'ammirazione anche; poi tornai ad aprir le braccia e, per non promettere invano, le dissi del mio proposito di recarmi alla villetta di Sorrento.

Ella stette ad ascoltarmi, ristretta in sé, forse per attutire il bruciore che il ricordo di quella villetta e delle due donne sconsolate le cagionava; chiuse gli occhi dolorosamente; negò col capo; disse:

– Non otterrete nulla.

– Chi sa! – sospirai. – Almeno per provare.

Mi strinse forte la mano:

– Forse, – disse, – farò anch'io qualche cosa per voi.

La guardai negli occhi, più costernato che curioso:

– Per me? E che cosa?

Alzò le spalle; sorrise con pena.

– Dico, forse... Qualche cosa. Vedrete.

– Io la ringrazio, – soggiunsi. – Ma non vedo proprio che cosa ella possa fare per me. Ho chiesto sempre così poco alla vita, e meno che mai intendo di chiederle ora. Non le chiedo anzi, proprio, più nulla, signora.

La salutai e andai via con l'animo sospeso da questa promessa misteriosa.

Che vorrà fare? Freddamente, come avevo supposto, ella ha fatto andar via Carlo Ferro, pur prevedendo senz'alcun timore, né per sé né per lui né per gli altri, ch'egli da un momento all'altro possa piombar qui a commettere anche un delitto. E può, in questa previsione, pensar di fare qualche cosa per me? Che cosa? Come c'entro io in tutto questo tristo groviglio? Intende d'avvilupparmi in qualche modo in esso? e per che modo? Di me non ha potuto scorger altro, che l'amicizia lontana per Giorgio Mirelli e ora un sentimento vano per la signorina Luisetta. Non può prendermi né per quell'amicizia con uno già morto, né per questo sentimento che ora muore in me.

Eppure, chi sa? Non riesco a tranquillarmi.

IV.

La villetta.

Era quella? Possibile che fosse quella?

Eppure, di mutato, non c'era nulla, o ben poco. Solo quel cancello un po' più alto, quei due pilastri un po' più alti, in luogo dei pilastrini d'un tempo, da uno dei quali nonno Carlo aveva fatto strappare la targhetta di marmo col suo nome.

Ma poteva quel cancello nuovo aver mutato così tutta l'aria della villetta antica?

Riconoscevo ch'era quella, e mi pareva impossibile che fosse; riconoscevo ch'era rimasta tal quale, e perché dunque mi sembrava un'altra?

Che tristezza! Il ricordo che cerca di rifarsi vita e non si ritrova più nei luoghi che sembrano cangiati, che sembrano altri, perché il sentimento è cangiato, il sentimento è un altro. Eppure credevo d'essere accorso a quella villetta col mio sentimento d'allora, col mio cuore d'un tempo!

Ecco. Sapendo bene che i luoghi non hanno altra vita, altra realtà fuori di quella che noi diamo a loro, io mi vedevo costretto a riconoscere con sgomento; con accoramento infinito: «Come sono cangiato!». La realtà ora è questa. Un'altra.

Sonai il campanello. Un altro suono. Ma ormai non sapevo più se dipendesse da me o perché il campanello era un altro. Che tristezza!

Si presentò un vecchio giardiniere, senza giacca, le maniche rimboccate fino al gomito, con l'annaffiatojo in mano e in capo un cappelluccio senza falde, calcato sul cocuzzolo come uno zucchetto da prete.

– Donna Rosa Mirelli?

– Chi?

– È morta?

– Ma chi dite?

– Donna Rosa...

– Ah, se è morta? E chi lo sa?

– Non sta più qui?

– Ma io non so di che donna Rosa mi andate parlando. Qui non ci sta. Qui ci sta Pèrsico, don Filippo, il cavaliere.

– Ha moglie? Donna Duccella?

– Nossignore. È vedovo. Sta in città.

– Qui allora non c'è nessuno?

– Ci sono io, Nicola Tavuso, il giardiniere.

I fiori delle due siepi lungo il vialetto d'entrata, rossi, gialli, bianchi, erano immobili e come smaltati nell'aria limpida silenziosa, stillanti ancora della recente annaffiatura. Fiori nati jeri, ma su quelle siepi antiche. Li guardai: mi sconfortarono; dicevano che veramente c'era Tavuso lì adesso, per loro, che li annaffiava bene ogni mattina, e glien'erano grati: freschi, senza odore, ridenti di tutte quelle stille d'acqua.

Per fortuna, sopravvenne una vecchia contadina, popputa ventruta fiancuta, enorme sotto una grossa cesta d'erbaggi, con un occhio chiuso gravato dalla pàlpebra gonfia e rossa, e l'altro vivo vivo, limpido, cilestre, invetrato di lagrime.

– Donna Rosa? Vih! la padrona antica... Tant'anni che non ci sta più... Viva, sissignore, poverella, come no? Vecchierella... con la nipote, sissignore... donna Duccella, sissignore... Buona gente! tutta di Dio... Non ha voluto mondo, niente... Qui la casa l'hanno venduta, sissignore, da tant'anni a don Filippo 'u sùrice...

– Pèrsico, il cavaliere.

– Andate, don Nicò, che don Filippo è conosciuto! Ne', signo', voi venite con me, che vi ci porto io da donna Rosa, accosto alla Chiesa Nuova.

Prima d'andare, guardai un'ultima volta la villetta. Non era più niente; d'un tratto più niente; come se la vista mi si fosse all'improvviso snebbiata. Eccola là: meschina meschina, vecchia, vuota... più niente! E allora, forse... nonna Rosa, Duccella... Niente più, neppur esse? ombre di sogno, ombre mie dolci, ombre mie care, e niente altro?

Sentii freddo. Una durezza nuda, sorda, gelida. Le parole di quella contadina grassa: – *Buona gente! Tutta di Dio... Non ha voluto mondo... –.* Ci sentii la chiesa: dura nuda gelida. Tra quel verde che non rideva più... Ma dunque?

Mi lasciai guidare. Non so che discorso lungo su quel don Filippo, a cui stava bene *sùrice,* perché... – un perché che non finiva mai... il governo passato... lui no, suo padre... uomo di Dio anche lui, ma... il suo, almeno per quello che si diceva... –. E con la stanchezza, nella stanchezza, andando, tante impressioni di realtà sgradevole, dura, nuda, gelida..., un asino pieno di mosche che non voleva andare, la strada sudicia, un muro screpolato, il sudor fetido di quella donna grassa... Ah, che tentazione di svoltare per la stazione e riprendere il treno! Due, tre volte fui lì lì; mi trattenni; dissi: – Vediamo!

Una scaletta angusta, lercia, umida, quasi buja; e la vecchia che mi gridava da sotto:

– Diritto, andate diritto... Sù, al secondo piano... Il campanello è rotto, signo'... Picchiate forte; è sorda; picchiate forte.

Come se fossi sordo io... «Qua?», dicevo tra me, salendo. «Come si sono ridotte qua? Cadute in miseria? Forse, due donne sole... Quel don Filippo...»

Al pianerottolo del secondo piano, due vecchie porte, basse, ritinte di fresco. Da una pendeva il cordoncino frusto del campanello. L'altra non ne aveva. Questa o quella? Picchiai prima a questa, forte, con la mano, una, due, tre volte. Mi provai a tirare il campanello dell'altra: non sonava. Qua, allora? E picchiai qua, forte, tre volte, quattro volte... Niente! Ma come? sorda anche Duccella? o non era in casa con la nonna? Ripicchiai più forte. Stavo per andarmene, quando sentii per la scala le pedate grevi e l'ànsito di qualcuno che saliva faticosamente. Una donna tozza, vestita d'uno di quegli abiti che si portano per voto, col cordoncino della penitenza: abito color caffè, voto alla Madonna del Carmelo. In capo e su le spalle, la *spagnoletta* di merletto nero; in mano, un grosso libro di preghiere e la chiave di casa.

S'arrestò sul pianerottolo e mi guardò con gli occhi chiari, spenti nella faccia bianca, grassa, dalla bazza floscia: sul labbro, di qua e di là, agli angoli della bocca, alcuni peluzzi. Duccella.

Mi bastava; avrei voluto scapparmene! Ah, fosse almeno rimasta con quell'aria apatica, da ebete, con cui mi si piantò davanti, ancora un po' ansimante, sul pianerottolo! Ma no: volle farmi festa, volle esser graziosa, – lei, ora, così – con quegli occhi che non erano più i suoi, con quella faccia grassa e smorta di monaca, con quel corpo tozzo, obeso, e una voce, una voce e certi sorrisi che non riconoscevo più: festa, complimenti, cerimonie, come per una gran degnazione ch'io le facessi; e volle a ogni costo ch'entrassi a vedere la nonna che avrebbe avuto tanto piacere dell'onore... ma sì, ma sì...

– *Trasite*, prego, *trasite*...

Per levarmela davanti le avrei dato uno spintone, anche a rischio di farle ruzzolare la scala! Che strazio molle! che cosa! Quella vecchia sorda, istolidita, senza più un dente in bocca, col mento aguzzo che le sbalzava orribilmente fin sotto il naso, biasciando a vuoto, e la lingua pallida che spuntava tra le labbra flaccide grinzose, e quegli occhiali grandi, che le ingrandivano mostruosamente gli occhi vani, operati di cateratta, tra le rade ciglia lunghe come antenne d'insetto!

– Vi siete fatta la posizione (*con la zeta dolce napoletana*) – la posi-zzi-o-ne. Non mi seppe dir altro.

Scappai via, senza che mi passasse neppur per ombra, un momento, il pensiero di muovere il discorso per cui ero venuto. Che dire? che fare? perché chieder notizie del loro stato? se erano davvero cadute in miseria, come dall'aspetto della casa si poteva argomentare? Consolatissime di tutto, stolide e beate con Dio! Ah! che orrore, la fede! Duccella, il fiore vermiglio... nonna Rosa, il giardino della villetta coi gelsomini di bella notte...

In treno, mi parve di correre verso la follia, nella notte. In che mondo ero? Quel mio compagno di viaggio, uomo di mezza età, nero, con gli occhi ovati, come di smalto, i capelli lucidi di pomata, era sì lui di questo mondo; fermo e ben posato nel sentimento della sua tranquilla e ben curata bestialità, ci capiva tutto a meraviglia, senza inquietarsi di nulla; sapeva bene tutto ciò che gli importava di sapere, dove andava, perché viaggiava, la casa ove sarebbe sceso, la cena che lo aspettava. Ma io? Dello stesso mondo? Il viaggio suo e il mio... la sua notte e la mia... No, io non avevo tempo, né mondo, né nulla. Il treno era suo; ci viaggiava lui. Come mai ci viaggiavo anch'io? com'ero anch'io nel mondo dove stava lui? Come, in che era mia quella notte, se non avevo come viverla, nulla da farci? La sua notte e tutto il tempo l'aveva lui, quell'uomo di mezza età, che ora rigirava un po' infastidito il collo nel bianchissimo solino inamidato. No, né mondo, né tempo, né nulla: io ero fuori di tutto, assente da me stesso e dalla vita; e non sapevo più dove fossi né perché ci fossi. Immagini avevo dentro di me, non mie, di cose, di persone; immagini, aspetti, figure, ricordi di persone, di cose che non erano mai state nella realtà, fuori di me, nel mondo che quel signore si vedeva attorno e toccava. Avevo creduto di vederle anch'io, di toccarle anch'io, ma che! non era vero niente! Non le avevo trovate più, perché non c'erano state mai: ombre, sogno... Ma come avevano potuto venirmi in mente? donde? perché? C'ero anch'io, forse, allora? c'era un io che ora non c'era più? Ma no: quel signore di mezza età mi diceva di no: che c'erano gli altri, ciascuno a suo modo e col suo mondo e col suo tempo: io no, non c'ero; sebbene, non essendoci, non avrei saputo dire dove fossi veramente e che cosa fossi, così senza tempo e senza mondo.

Non capivo più nulla. E nulla capii, quando, arrivato a Roma e giunto a casa, verso le dieci della sera, trovai nella sala da pranzo, lieti, come se nulla fosse stato, come se una nuova vita fosse incominciata durante la mia assenza, Fabrizio Cavalena, ritornato medico e rientrato in famiglia, Aldo Nuti, la signorina Luisetta e la signora Nene, raccolti a cena.

Come? perché? Che era avvenuto?

Non potei vincere l'impressione, che fossero così lieti e riconciliati tra loro per farmi dileggio, per ricompensarmi con lo spettacolo di quella loro letizia della pena che m'ero dato per essi; non solo, ma che, sapendo in quale animo dovessi trovarmi al ritorno di quella gita, si fossero accordati per finire di sconvolgermi totalmente, facendomi trovare anche qua una realtà quale non mi sarei mai aspettata.

Più di tutti lei, la signorina Luisetta, mi faceva dispetto, la signorina Luisetta che faceva la Duccella amorosa, quella Duccella, fiore vermiglio, di cui le avevo tanto parlato! Avrei voluto gridarle in faccia come l'avevo ora ritrovata laggiù, quella Duccella, e che smettesse, perdio, quella commedia, ch'era un'indegna e grottesca contaminazione! E anche a lui, al signorino, che pareva per prodigio ritornato quello di tant'anni fa, avrei voluto gridare in faccia, come e dove avevo ritrovate Duccella e nonna Rosa.

Ma bravi tutti! Laggiù, quelle due poverette, beate con Dio, e beati voi qua col diavolo! Caro Cavalena, ma sì, ritornato non solo medico, ma anche bambino, sposino, accanto alla sposina! No, tante grazie: non c'è posto per me, tra voi: state comodi; non vi disturbate: non ho voglia né di mangiare, né di bere! Posso fare a meno di tutto, io. Ho sprecato per voi un po' di quello che non mi serve affatto; voi lo sapete; un po' di quel cuore che non mi serve affatto; perché a me serve soltanto la mano: nessun obbligo dunque di ringraziarmi! Anzi, scusate se vi ho disturbato. Il torto è mio, che ho voluto immischiarmi. State comodi, state comodi, e buona notte.

Quaderno settimo

I.

Ho capito, ora.

Turbarsi? Ma no, via, perché? Tanta vita è passata; e morto è là, lontano, il passato. Ora la vita è qua, questa: un'altra. Sterrati, attorno, e piattaforme; gli edificii fuorimano, quasi in campagna, tra il verde e l'azzurro, d'una Casa di cinematografia. E lei, qua, attrice ora... Attore anche lui? oh guarda! dunque colleghi? Ma bene; piacere...

Tutto bene, tutto liscio come l'olio. La vita. Questo fruscìo della gonna di seta turchina, ora, con questa bizzarra tunica di merletto bianco, e questo cappellino alato, come il casco del dio del commercio, sui capelli color di rame... già! La vita. Un po' di ghiaja rimossa con la punta dell'ombrellino; e un breve silenzio, con gli occhi invagati, fissi alla punta di quell'ombrellino che rimuove quel po' di ghiaja là.

– Come? Ah, sì, caro: una gran noja.

Sarà, senza dubbio, avvenuto questo, jeri, durante la mia assenza. La Nestoroff, con quegli occhi invagati, stranamente aperti, sarà andata alla *Kosmograph* apposta, per incontrarsi con lui; gli si sarà fatta innanzi con l'aria di niente, come si va innanzi a un amico, a un conoscente che si ritrovi per caso dopo tant'anni; e il farfallino, senza sospetto della ragna, s'è messo a battervi le ali sù, tutto esultante.

Ma come mai la signorina Luisetta non s'è accorta di nulla?

Ecco: questa soddisfazione alla signora Nestoroff sarà mancata. Jeri, la signorina Luisetta, per festeggiare il ritorno in casa del babbo non è andata col signor Nuti alla *Kosmograph*. E la signora Nestoroff, così, non ha potuto avere il piacere di mostrare a quella signorina sdegnosetta che il giorno avanti non aveva voluto accettare l'invito, come subito ella, appena voglia, può staccare dal fianco di qualunque signorina sdegnosetta e riprendersi tutti i signorini matti che minacciano tragedie, pst! così, con un cenno del dito, e ammansarli subito subito, ubriacarli col solo fruscìo d'una gonna di seta e un po' di ghiaja rimossa con la punta dell'ombrellino. Noja, sì, una gran noja, certo, perché a questo piacere che le è mancato, ci teneva molto la signora Nestoroff.

La sera, ignara di tutto, la signorina Luisetta ha veduto rientrare in casa il signorino con un'altr'aria, trasfigurato, festoso. Come avrebbe pensato che quella trasfigurazione, quella festosità potessero derivargli dall'incontro con la Nestoroff, se ogni qual volta con terrore ella pensa a quest'incontro, vede rosso, nero, uno scompiglio, la follìa, la tragedia? Dunque, così cangiato, così festoso, per il ritorno di papà in casa, anche lui? Ecco: che glien'importi poi molto, a lui, del ritorno di papà in casa, la signorina Luisetta non può credere, no; ma che ne provi piacere e voglia accordarsi alla festa degli altri, via, perché no? Come si spiegherebbe allora quella festosità? E c'è da essergliene grati; c'è da esserne lieti, perché questa festosità dimostra a ogni modo che l'animo di lui s'è fatto più lieve, più aperto, tanto da potervi accogliere facilmente la gioja degli altri.

Certo avrà pensato così la signorina Luisetta. Jeri; non oggi.

Oggi è venuta alla *Kosmograph* con me, tutta scurita in viso. S'è trovato, con molta sorpresa, che il signor Nuti era già uscito di casa pertempissimo, ancora a bujo. Non voleva mostrarmi, cammin facendo, il malumore e la costernazione, dopo lo spettacolo offertomi jersera della sua letizia; e m'ha domandato dov'ero stato io jeri e che avevo fatto. – Io? Mah! Una piccola gita di piacere... – E m'ero divertito? – Oh, molto! Almeno in principio. Poi... – cose che succedono! Disponiamo tutto bene per una gita di piacere; crediamo d'aver pensato a tutto, provveduto a tutto perché riesca serena, senza incidenti che ce la guastino; ma purtroppo c'è sempre qualche cosa, tra tante, a cui non pensiamo; una cosa ci sfugge... – ecco, per esempio, se è una famigliuola con molti bambini che voglia andare a merendare in campagna con la bella giornata, il pajo di scarpette del secondo bambino, dove c'è un chiodo, una cosa da niente, un chiodino, dentro, spuntato sul calcagno, che bisognerebbe ribattere. La mammina ci ha pensato, appena levata di letto; ma poi, come si fa? tra tante cose da preparare per la scampagnata, non ci ha pensato più. E quel pajo di scarpette, con le due linguette sù, come le orecchie tese d'un coniglietto arguto, allineato in mezzo alle altre paja, lustrate tutte a dovere e pronte per essere calzate dai bimbi, resta là e par che goda in silenzio del dispetto che farà alla mammina che se n'è dimenticata e che ora, all'ultimo momento, ecco, s'affaccenda più che mai, in gran confusione, perché il babbo è giù a piè della scala e grida di far presto e anche tutti i bimbi le gridano attorno di far presto, impazienti. Quel pajo di scarpette, mentre la mammina lo piglia per calzarlo in fretta e in furia al bambino, sogghigna:

«Eh sì, cara mammina; ma a me, vedi? non hai pensato; e vedrai che io ti guasterò tutto: a mezza strada comincerò a pungere col chiodino il piede del tuo piccolo e lo farò piangere e zoppicare».

Ebbene, anche a me era accaduto qualcosa di simile. No, nessun chiodino nelle scarpe da ribattere. Un'altra cosa m'era sfuggita... – Che cosa? – Niente: un'altra cosa... Non glielo volli dire. Un'altra cosa, signorina Luisetta, che forse da un gran pezzo dentro di me s'è guastata.

Che la signorina Luisetta mi prestasse molta attenzione, non potrei dire. E, cammin facendo, mentre lasciavo parlar le labbra, pensavo: «Ah, tu non ti curi, cara piccina, di ciò che ti sto dicendo? La disavventura mia ti lascia indifferente? E tu vedrai con quale aria d'indifferenza io, a mia volta, per ripagarti con la stessa moneta, accoglierò il dispiacere che t'aspetta or ora, entrando alla *Kosmograph* con me: vedrai».

Difatti, dopo neanche cinque passi su lo spiazzo alberato davanti al primo edificio della *Kosmograph*, ecco là accanto, come due dolcissimi amici, il signor Nuti e la signora Nestoroff: questa, con l'ombrellino aperto, appoggiato e girante su una spalla.

Con che occhi si voltò a guardarmi la signorina Luisetta! E allora io:

– Vede? Passeggiano tranquilli. Fa girar l'ombrellino, lei.

Così pallida, però, così pallida era diventata la povera piccina, che temetti non mi cadesse a terra, svenuta: istintivamente protesi una mano a sorreggerla per un braccio; con ira ritrasse quel braccio e mi fissò gli occhi negli occhi. Certo le balenò il sospetto fosse opera mia, mia manovra (chi sa? d'accordo forse col Polacco), quella tranquilla e dolce riconciliazione del Nuti con la signora Nestoroff frutto della visita da me fatta a questa signora due giorni avanti e forse anche del mio misterioso allontanamento di jeri. Scherno vigliacco dovette sembrarle tutta questa macchinazione segreta, da lei immaginata in un lampo. Farle temere come imminente per tanti e tanti giorni una tragedia, se quei due si fossero incontrati; fargliene concepire tanto terrore; farle soffrire tanto strazio per placare le furie di colui con un inganno pietoso, che tanto le era costato, perché? per offrirle in premio alla fine quel delizioso quadretto della placida passeggiatina mattinale di quei due sotto gli alberi dello spiazzo? Oh vigliaccheria! per questo? per il gusto di deridere una povera piccina che aveva preso tutto sul serio, cacciata in mezzo a quell'intrigo laido e volgare? Non s'aspettava nulla di bene, lei, nelle buffe e tristi condizioni della sua vita; ma perché questo poi? perché anche lo scherno? Era vile!

Così mi dissero gli occhi della povera piccina. Potevo io lì per lì dimostrarle che il sospetto era ingiusto, che la vita è questa, oggi più che mai, fatta per offrire di questi spettacoli; e che io non ci avevo nessuna colpa?

M'ero indurito; mi piaceva che l'ingiustizia del sospetto ella scontasse soffrendo per quello spettacolo là, per quella gente là, a cui tanto io che lei, non richiesti, avevamo dato qualche cosa di noi, che ora dentro ci doleva, offesa, ferita. Ma ce lo meritavamo! E ora, averla in questo compagna mi piaceva, mentre quei due passeggiavano di là, senza neppur vederci. «Indifferenza, indifferenza, signorina Luisetta, sù! Con permesso», mi veniva di dirle, «scappo a prendere la mia macchinetta per impostarmi subito qua com'è mio obbligo, impassibile.»

E avevo su le labbra un sorriso strano, ch'era quasi il verso d'un cane, quando tra sé pensando digrigna. Guardavo intanto verso il portone dell'edificio in fondo, da cui venivano fuori, incontro a noi, Polacco, il Bertini e Fantappiè. Improvvisamente avvenne quello che in verità era da aspettarsi, e che dava ragione alla signorina Luisetta di tremare così, e torto a me di volermi serbare indifferente. La mia maschera d'indifferenza fu costretta a scomporsi d'un tratto, alla minaccia d'un pericolo che parve a tutti davvero imminente e terribile. Lo vidi dapprima balenare nell'aspetto del Polacco, che ci si era fatto vicino col Bertini e Fantappiè. Parlavano tra loro, certo di quei due che seguitavano a passeggiare sotto gli alberi, e tutti e tre ridevano per qualche frizzo scappato di bocca a Fantappiè, quando d'improvviso ci s'arrestarono davanti coi visi sbiancati, gli occhi sbarrati, tutti e tre. Ma sopra tutto nell'aspetto del Polacco vidi il terrore. Mi voltai a guardare indietro: – Carlo Ferro!

Sopravveniva alle nostre spalle, ancora col berretto da viaggio in capo, com'era sceso or ora dal treno. E quei due, intanto, seguitavano a passeggiare di là, insieme, senz'alcun sospetto, sotto gli alberi. Li vide? Io non so. Fantappiè ebbe la presenza di spirito di gridar forte:

– Oh, Carlo Ferro!

La Nestoroff si voltò, piantò lì il compagno, e allora si vide – gratis – lo spettacolo commovente d'una domatrice che tra il terrore degli spettatori s'avanza incontro a una belva infuriata. Placida s'avanzò, senza fretta, ancora con l'ombrellino aperto su la spalla. E un sorriso aveva su le labbra, che diceva a noi, pur senza degnarci d'uno sguardo: «Ma che paura, imbecilli! se ci sono qua io!». E uno sguardo negli occhi, che non potrò mai dimenticare, proprio di chi sa che tutti debbano vedere che nessun timore può albergare in sé chi guardi e si faccia avanti così. L'effetto di quello sguardo su la faccia feroce, sul corpo rabbuffato, sui passi concitati di Carlo Ferro fu mirabile. Non vedemmo la faccia, vedemmo quel corpo quasi afflosciarsi e i passi rallentarsi man mano che il fascino più da vicino operava. Unico segno, che qualche agitazione doveva pur essere in lei, questo: che si mise a parlargli in francese.

Nessuno di noi guardò laggiù, dove Aldo Nuti era rimasto solo, piantato tra gli alberi. Ma a un tratto m'accorsi che una tra noi, lei, la signorina Luisetta, guardava là, guardava lui, e non aveva forse guardato altro, come se per lei il terrore fosse là e non in quei due a cui noi altri guardavamo, sospesi e sgomenti.

Ma non fu nulla, per il momento. A rompere la tempesta, facendo molto strepito, piombò su lo spiazzo, proprio in tempo, come un tuono provvidenziale, il commendator Borgalli insieme con parecchi soci della Casa e impiegati addetti all'amministrazione. Furono investiti il Bertini e il Polacco, ch'eran con noi; ma le fiere riprensioni del direttore generale si riferivano anche agli altri due direttori artistici assenti. – I lavori andavano a rilento! Nessun criterio direttivo; una gran confusione; babilonia, babilonia! Quindici, venti soggetti lasciati in asso: le compagnie sbandate qua e là, mentre già da un pezzo s'era detto che tutte dovevano trovarsi raccolte e pronte per il *film* della tigre, per cui migliaja e migliaja di lire erano state spese! Chi in montagna, chi al mare; una cuccagna! Perché tenere ancora lì quella tigre? Mancava ancora tutta la parte dell'attore che doveva ucciderla? E dov'era quest'attore? Ah, arrivato adesso? E come? dov'era stato?

Attori, comparse, attrezzisti, una folla era sbucata fuori da ogni parte alle grida del commendator Borgalli, ch'ebbe la soddisfazione di misurar così, quanto grande fosse la sua autorità e quanto temuta e rispettata, dal silenzio in cui tutta quella gente si tenne e poi si sparpagliò, quand'egli concluse la sua concione ordinando:

– Al lavoro! sù, al lavoro!

Sparì dallo spiazzo, come sommerso prima da quell'affluire di gente, poi portato via dal rifluire di essa, ogni vestigio della – diciamo – drammatica situazione di poc'anzi; là, della Nestoroff e di Carlo Ferro; più là, del Nuti, solo, discosto, sotto gli alberi. Lo spiazzo ci restò davanti vuoto. Sentii la signorina Luisetta che mi gemeva accanto:

– Oh Dio, oh Dio, – e si storceva le manine. – Oh Dio, e adesso? che avverrà adesso?

La guardai con stizza, ma pure mi provai a confortarla:

– Ma che vuole che avvenga? stia tranquilla! Non ha veduto? Tutto combinato... Io ho almeno questa impressione. Ma sì, stia tranquilla! Questo ritorno di sorpresa del Ferro... Scommetto che lei lo sapeva; se pure lei stessa jeri non gli ha telegrafato di venire; sì, apposta, per farsi trovare lì in amichevole colloquio con lui, col signor Nuti. Creda pure che è così.

– Ma lui? lui?

– Chi lui? il Nuti?

– Se è tutto un giuoco di quei due...

– Teme che se n'accorga?

– Ma sì! ma sì!

E la povera piccina tornò a storcersi le manine.

– Ebbene? e se se n'accorge? – dissi io. – Stia tranquilla, che non farà nulla. Creda che anche questo è calcolato.

– Da chi? da lei? da quella donna?

– Da quella donna. Si sarà prima accertata bene, parlando con lui, che quell'altro poteva sopravvenire a tempo, senza pericolo per nessuno; stia tranquilla! Se no, il Ferro non sarebbe sopravvenuto.

Ricatto. Questa mia asserzione racchiudeva una profonda disistima del Nuti; se la signorina Luisetta voleva tranquillarsi, doveva accettarla. Avrebbe tanto desiderato di tranquillarsi la signorina Luisetta; ma a questo patto no, non volle. Scosse il capo violentemente: no, no.

E allora, niente! Ma in verità, per quanta fiducia avessi nell'accortezza fredda, nel potere della Nestoroff, ricordandomi ora delle furie disperate del Nuti, non mi sentivo neanch'io ben sicuro, che non ci fosse proprio da stare in pensiero per lui. Ma questo pensiero mi faceva crescer la stizza, già mossa per lo spettacolo di quella povera piccina spaventata. Contro la risoluzione di porre e tenere tutta quella gente là davanti alla mia macchinetta come pasto da darle a mangiare girando impassibile la manovella, mi vedevo anche io costretto a interessarmi ad essa ancora, a darmi ancora pensiero de' loro casi. Anche mi sovvennero le minacce, le fiere proteste della Nestoroff, che niente ella temeva da nessuno, perché qualunque altro male – un nuovo delitto, la prigione, la morte stessa – stimava per sé mali minori di quello che soffriva in segreto e nel quale voleva durare. S'era forse tutt'a un tratto stancata di durarvi? Si doveva a questo la risoluzione da lei presa ieri, durante la mia assenza, d'andare verso il Nuti, contrariamente a quanto il giorno avanti mi aveva detto?

– Nessuna compassione, – mi aveva detto, – né per me né per lui!

Ha avuto improvvisamente compassione di sé? Di lui, no, certo! Ma compassione di sé, per lei vuol dire levarsi comunque, anche a costo d'un delitto, dalla punizione che si è data convivendo con Carlo Ferro. Risolutamente, all'improvviso, è andata verso il Nuti e ha fatto venire Carlo Ferro.

Che vuole? Che avverrà?

È avvenuto questo, intanto, a mezzogiorno sotto il pergolato dell'osteria, dove – parte camuffati da indiani e parte da *turisti* inglesi – s'erano affollati moltissimi attori e attrici delle quattro compagnie. Erano tutti, o fingevano di essere adirati e in subbuglio per la sfuriata della mattina del commendator Borgalli, e cimentavano da un pezzo Carlo Ferro, facendogli intendere chiaramente che quella sfuriata la dovevano a lui, per aver egli messo avanti dapprima tante sciocche pretese e cercato poi di sottrarsi alla parte assegnatagli nel *film* della tigre, partendo, come se davvero ci fosse un gran rischio a uccidere una bestia mortificata da tanti mesi di prigionia: assicurazione di cento mila lire, patti, condizioni, ecc. Carlo Ferro se ne stava seduto a un tavolino, in disparte, con la Nestoroff. Era giallo; appariva chiaramente che faceva sforzi enormi per contenersi; ci aspettavamo tutti che da un momento all'altro scattasse, insorgesse. Restammo perciò in prima sbalorditi, quando, invece di lui, un altro, a cui nessuno badava, scattò d'improvviso e insorse, facendosi innanzi al tavolino, a cui stavano il Ferro e la Nestoroff. Lui, il Nuti, pallidissimo. Nel silenzio pieno d'attesa violenta, un piccolo grido di spavento s'udì, a cui subito rispose un gesto di là, imperioso, della mano di Varia Nestoroff sul braccio di Carlo Ferro.

Il Nuti disse, guardando il Ferro fermamente negli occhi:

– Vuol cedere a me il suo posto e la sua parte? M'impegno davanti a tutti d'assumerla senza patti e senza condizioni.

Non balzò in piedi Carlo Ferro né s'avventò contro il provocatore. Con stupore di tutti s'abbassò invece, si distese sguajatamente su la seggiola; piegò il capo da una parte, come a guardare da sotto in sù, e prima alzò un poco il braccio su cui quella mano premeva, dicendo alla Nestoroff:

– La prego...

Poi, rivolgendosi al Nuti:

– Lei? la mia parte? Ma felicissimo, caro signore! Perché io sono un gran vigliacco... ho una paura, io, che lei non si può credere. Felicissimo, felicissimo, caro signore!

E rise, come non ho veduto mai ridere nessuno.

Provocò un brivido in tutti quella risata, e tra questo brivido generale e sotto la sferza di quella risata restò il Nuti come smarrito, certo con l'animo vacillante nell'impeto che lo aveva spinto contro il rivale e che ora cadeva così, di fronte a quell'accoglienza sguajata e beffardamente remissiva. Si guardò attorno, e allora, all'improvviso, nel vedergli quella faccia pallida smarrita, tutti scoppiarono a ridere forte, a ridere forte di lui, irrefrenabilmente. La tensione angosciosa si scioglieva così, in quest'enorme risata di sollievo, alle spalle del provocatore. Esclamazioni di dileggio scattavano qua e là, come zampilli in mezzo al fragore della risata: – Ci ha fatto questa bella figura! – Preso in trappola! – Sorcetto!

Avrebbe fatto meglio il Nuti a mettersi a ridere anche lui con gli altri; ma, infelicissimamente, volle sostenersi in quella parte ridicola, cercando con gli occhi qualcuno a cui afferrarsi per tenersi ancora a galla in mezzo a quella tempesta d'ilarità, e balbettava:

– Dunque... dunque, accettato?... Farò io... Accettato!

Ma anch'io, quantunque mi facesse pena, distolsi subito lo sguardo da lui per volgermi a guardare la Nestoroff che aveva negli occhi dilatati un riso di luce malvagio.

II.

Preso in trappola. Ecco tutto. Ha voluto questo e nient'altro la Nestoroff – che nella gabbia c'entrasse lui.

Per qual fine? Mi sembra facile intenderlo, dal modo con cui ha disposto le cose: che cioè tutti, prima, disprezzando Carlo Ferro ch'ella aveva persuaso o costretto ad allontanarsi, dicessero che nessun rischio si correva a entrare in quella gabbia, così che più ridicola poi, da parte del Nuti, apparisse la bravata d'entrarci, e dalle risa con cui questa bravata è stata accolta uscisse, se non proprio salvo, quanto meno mortificato fosse possibile, l'amor proprio di quello; e no, niente anzi mortificato, giacché per la soddisfazione maligna che si suol provare nel veder cadere un povero uccello nella pània, che quella pània non fosse una cosa gradevole ora tutti riconoscono; e bravo dunque il Ferro che se n'è saputo, a spese di quel passerotto, disimpacciare. Insomma, questo ha voluto, mi par chiaro: gabbare il Nuti, dimostrandogli che a lei stava a cuore di risparmiare al Ferro anche un fastidio da nulla e fin l'ombra d'un pericolo lontanissimo, com'è quello d'entrare in una gabbia a sparare a una bestia che tutti hanno detto mortificata da tanti mesi di prigionia. Ecco: lo ha preso pulitamente per il naso e tra le risa di tutti lo ha introdotto in quella gabbia.

Anche i più morali moralisti, senza volerlo, tra le righe delle loro favole lasciano scorgere un vivo compiacimento per le astuzie della volpe a danno del lupo o del coniglio o della gallina: e Dio sa che cosa rappresenta la volpe in quelle favole! La morale da cavarne è sempre questa: che il danno e le beffe restano agli sciocchi, ai timidi, ai semplici, e che sopra tutto da pregiare è dunque l'astuzia, anche quando non arriva all'uva e dice che ancora non è matura. Bella morale! Ma questo tiro giuoca sempre la volpe ai moralisti, che, per far che facciano, non riescono mai a farle fare una cattiva figura. Avete voi riso della favola della volpe e dell'uva? Io no, mai. Perché nessuna saggezza m'è apparsa più saggia di questa, che insegna a guarir d'ogni voglia, disprezzandola.

Questo ora – beninteso – lo dico per me, che vorrei esser volpe e non sono. Non so dire uva acerba, io, alla signorina Luisetta. E questa povera piccina, al cui cuore non son potuto arrivare, ecco, fa di tutto perché io perda appresso a lei la ragione, la calma impassibile, la bella saggezza che mi sono più volte proposto di seguire, insomma quel mio tanto vantato *silenzio di cosa*. Vorrei disprezzarla, io, la signorina Luisetta, nel vederla così perduta dietro a quello sciocco; non posso. La povera piccina non dorme più, e me lo viene a dire in camera ogni mattina, con certi occhi che le cangiano di colore, ora azzurri intensi, ora verdi pallidi, con la pupilla che or si dilata per lo sgomento, or si restringe in un puntino in cui pare infitto lo spasimo più acuto.

Le domando: – Non dorme? Perché? –, spinto da una voglia cattiva, che vorrei e non so ricacciare indietro, di farla stizzire. La sua bella età, la stagione dovrebbero pure invitarla a dormire. No? Perché? Un bel gusto provo a costringerla a dirmelo, che non dorme per lui, perché teme che lui... Ah sì? E allora: – Ma no, dorma pure, che tutto va bene, benissimo. Vedesse con che impegno lui s'è messo a rappresentare la parte nel *film* della tigre! Proprio bene, perché da giovanotto, lui, lo diceva, che se il nonno glielo avesse permesso, attore drammatico si sarebbe fatto; e non avrebbe mica sbagliato! Ottima disposizione naturale; vera eleganza signorile; perfetta compostezza da *gentle-*

man inglese al seguito della perfida *Miss* in viaggio nelle Indie! E bisogna vedere con quale garbata arrendevolezza accetta i consigli degli attori di professione, dei direttori Bertini e Polacco, e come si compiace delle loro lodi! Niente paura, dunque, signorina. Tranquillissimo... – Come si spiega? – Ma si spiega forse così, che non avendo fatto mai nulla, beato lui, in vita sua, ora che, per combinazione, s'è messo a fare una cosa e proprio quella che un tempo gli sarebbe piaciuto di fare, ecco, ci ha preso gusto, ci si distrae, invanito.

No? La signorina Luisetta dice di no, s'ostina a dire di no, di no, di no, che non le pare possibile; che non ci sa credere; che qualche violento proposito egli stia a covare, senza darlo a vedere.

Nulla di più facile, quando un sospetto di questo genere si sia fissato, che scorgere in ogni minimo atto un segno rivelatore. E ne scorge tanti la signorina Luisetta! E me li viene a dire in camera ogni mattina: – scrive – è accigliato – non guarda – s'è scordato di salutare...

– Sì, signorina: e guardi, oggi s'è soffiato il naso con la mano sinistra, invece che con la mano destra!

Non ride la signorina Luisetta: mi guarda accigliata, per vedere s'io dico sul serio: poi se ne va sdegnata e mi manda in camera Cavalena suo padre, il quale – lo vedo – fa di tutto, pover'uomo, per superare in mia presenza la costernazione che la figliuola è riuscita a comunicargli fortissima, tentando d'assorgere a considerazioni astratte.

– La donna! – mi dice, scotendo le mani. – Lei, per sua fortuna (e così sempre sia, gliel'auguro di tutto cuore, signor Gubbio!) non l'ha incontrata, lei, su la sua via, la Nemica. Ma guardi me! Che sciocchi tutti coloro che, sentendo definir la donna «la nemica», vi rinfacciano subito: «Ma vostra madre? le vostre sorelle? le vostre figliuole?», come se per l'uomo, che in questo caso è figlio, fratello, padre, quelle fossero donne! Che donne? Nostra madre? Bisogna che mettiamo nostra madre di fronte a nostro padre, come le nostre sorelle o le nostre figliuole di fronte ai loro mariti; allora sì la donna, la nemica verrà fuori! C'è più per me di quella mia cara povera piccina? Ma io non ho la minima difficoltà ad ammettere, signor Gubbio, che anche lei, sicuro, la mia Sesè possa diventare, come tutte le altre donne di fronte all'uomo, la nemica. E non c'è bontà, non c'è remissione che tenga, creda! Quando, a uno svolto di strada, lei incontra proprio quella, quella che dico io, la nemica: ecco qua, tra due sta: o lei la ammazza, o lei si riduce come me! Ma quanti sono capaci di ridursi come me? Mi lasci almeno questa magra soddisfazione di dire pochissimi, signor Gubbio, pochissimi!

Io gli rispondo che sono pienamente d'accordo.

– D'accordo? – mi domanda allora Cavalena, con sorpresa che s'affretta a dissimulare, per il timore ch'io possa per questa sorpresa indovinare il suo giuoco. – D'accordo?

E mi guarda timidamente negli occhi, come a sorprendere il momento di scivolare, senza guastar quest'accordo, dalla considerazione astratta al caso concreto. Ma qua l'arresto subito.

– Oh Dio, ma perché, – gli domando, – vuol credere per forza in un così fiero impegno della signora Nestoroff d'essere la nemica del signor Nuti?

– Come come? scusi? non le sembra? ma è! è la nemica! – esclama Cavalena. – Questo mi sembra indubitabile!

– E perché? – torno a domandargli. – Indubitabile a me sembra invece ch'ella non voglia essere per lui né amica, né nemica, né niente.

– Ma appunto per questo! – incalza Cavalena. – Scusi, o che forse la donna bisogna considerarla in sé e per sé? Sempre di fronte a un uomo, signor Gubbio! Tanto più nemica, in certi casi, quanto più indifferente! E in questo caso poi, l'indifferenza, scusi, adesso? dopo tutto il male che gli ha fatto? E non basta; anche il dileggio? Ma scusi!

Sto a guardarlo un poco e mi rifaccio con un sospiro a domandargli daccapo:

– Benissimo. Ma perché ora vuol credere per forza che al signor Nuti l'indifferenza e il dileggio della signora Nestoroff abbiano provocato, non so, ira, sdegno, propositi violenti di vendetta? Da che cosa l'argomenta? Non li dà affatto a vedere! Si mostra calmissimo, attende con piacere evidente alla sua parte di *gentleman* inglese...

– Non è naturale! non è naturale! – protesta Cavalena, scrollando le spalle. – Creda, signor Gubbio, non è naturale! Mia figlia ha ragione. Lo vedessi piangere d'ira o di dolore, smaniare, torcersi, macerarsi, *amen*, direi: «Ecco, pende verso l'uno o verso l'altro dei due partiti».

– Cioè?

– Dei due partiti che si possono prendere quando si ha di fronte la nemica. Mi spiego? Ma questa calma, no, non è naturale! L'abbiamo veduto pazzo qua, per questa donna, pazzo da catena; e ora... ma che! non è naturale! non è naturale!

Io faccio allora un segno con un dito, che il povero Cavalena in prima non intende.

– Che vuol dire? – mi domanda.

Gli rifaccio il segno; poi, placido placido:

– Più sù, ecco, più sù...

– Più sù... che cosa?

– Un gradino più sù, signor Fabrizio; salga un gradino più sù di codeste considerazioni astratte, di cui ha voluto darmi un saggio in principio. Creda che, se vuol confortarsi, è l'unica. Ed è anche di moda, oggi.

– Come sarebbe? – mi domanda, stordito, Cavalena.

E io:

– Evadere, signor Fabrizio, evadere; sfuggire al dramma! È una bella cosa, e anche di moda, le ripeto. E-va-po-rar-si in dilatazioni, diciamo così, liriche, sopra le necessità brutali della vita, a contrattempo e fuori di luogo e senza logica; sù, un gradino più sù di ogni realtà che accenni a precisarcisi piccola e cruda davanti agli occhi. Imitare, insomma, gli uccellini in gabbia, signor Fabrizio, che fanno sì, qua e là, saltellando, le loro porcheriole, ma poi ci svolazzano sopra: ecco, prosa e poesia; è di moda. Appena le cose si mettono male, appena due, poniamo, vengono alle mani o ai coltelli, via, sù, guardare in sù, che tempo fa, le rondini che volano, o magari i pipistrelli, se qualche nuvola passa; in che fase è la luna e se le stelle pajono d'oro o d'argento. Si passa per originali e si fa la figura di comprendere più vastamente la vita.

Cavalena mi guarda con tanto d'occhi: forse gli sembro impazzito.

– Eh, – poi dice. – Poterlo fare!

– Facilissimo, signor Fabrizio! Che ci vuole? Appena un dramma le si delinea davanti, appena le cose accennano di prendere un po' di consistenza e stanno per balzarle davanti solide, concrete, minacciose, cavi fuori da lei il pazzo, il poeta crucciato, armato di una pompettina aspirante; si metta a pompare dalla prosa di quella realtà meschina, volgare, un po' d'amara poesia, ed ecco fatto!

– Ma il cuore? – mi domanda Cavalena.

– Che cuore?

– Perdio, il cuore! Non bisognerebbe averne!

– Ma che cuore, signor Fabrizio! Niente. Sciocchezze. Che vuole che importi al mio cuore se Tizio piange o se Cajo si sposa, se Sempronio ammazza Filano, e via dicendo? Io evado, sfuggo al dramma, mi dilato, ecco, mi dilato!

Dilata invece sempre più gli occhi il povero Cavalena. Io sorgo in piedi e gli dico per concludere:

– Insomma, alla sua costernazione e a quella della sua figliuola, signor Fabrizio, io rispondo così: che non voglio più saperne di nulla; mi sono seccato di tutto, e vorrei mandare a gambe in aria ogni cosa. Signor Fabrizio, lo dica alla sua figliuola: io faccio l'operatore, ecco!

E me ne vado alla *Kosmograph*.

III.

Siamo, se Dio vuole, alla fine. Non manca più, ormai, che l'ultimo quadro dell'uccisione della tigre.

La tigre: ecco, preferisco, se mai, costernarmi di lei; e vado a farle una visita, l'ultima, dinanzi alla gabbia.

S'è abituata a vedermi, la bella belva, e non si smuove. Solo aggrotta un po' le ciglia, per fastidio; ma sopporta la mia vista insieme col peso di questo silenzio di sole, grave, attorno, che qua nella gabbia s'impregna di forte lezzo ferino. Il sole entra nella gabbia ed essa socchiude gli occhi forse per sognare, forse per non vedersi addosso le liste d'ombra projettate dalle sbarre di ferro. Ah, dev'essere tremendamente seccata anche lei; seccata anche di questa mia pietà; e credo che, per farla cessare con un giusto compenso, volentieri mi divorerebbe. Questo desiderio, ch'essa riconosce per via di quelle sbarre inattuabile, la fa sospirare profondamente; e poiché se ne sta lunga sdrajata, col capo languido abbandonato su una zampa, vedo al sospiro levarsi una nuvoletta di polvere dal tavolato della gabbia. Mi fa proprio pena questo sospiro, pure intendendo perché essa lo ha emesso: c'è il riconoscimento doloroso della privazione a cui l'hanno condannata del suo diritto naturale di divorarsi l'uomo, ch'essa ha tutta la ragione di considerare suo nemico.

– Domani, – le dico. – Domattina, cara, codesto supplizio finirà. È vero che codesto supplizio è ancora una cosa per te, e che, quando sarà finito, per te non sarà più niente. Ma tra codesto supplizio e niente, forse meglio niente! Così, lontana dai tuoi selvaggi luoghi, senza poter sbranare né far più paura a nessuno, che tigre sei tu? Senti, senti... Preparano di là la gabbia grande... Tu sei già avvezza a sentire queste martellate, e non ci fai più caso. Vedi, in questo sei più fortunata dell'uomo: l'uomo può pensare, udendo le martellate: «Ecco sono per me; sono quelle del fabbro che mi sta apparecchiando la cassa». Tu già ci sei, nella cassa, e non lo sai: sarà una gabbia molto più grande di questa; e avrai la consolazione d'un po' di colore locale anche qui: figurerà un pezzo di bosco. La gabbia, ove ora stai, sarà trasportata di là e accostata fino a farla combaciare con quella. Un macchinista salirà qua, sul cielo di questa, e ne tirerà sù lo sportello, mentre un altro macchinista tirerà lo sportello dell'altra; e tu allora di fra i tronchi degli alberi t'introdurrai guardinga e meravigliata. Ma avvertirai subito un ticchettìo curioso. Niente! Sarò io, che girerò sul treppiedi la macchinetta; sì, dentro la gabbia anch'io, con te; ma tu non badare a me! vedi? appostato un po' innanzi a me c'è un altro, un altro che prende la mira e ti spara, ah! eccoti giù, pesante, fulminata nello slancio... Mi accosterò; farò cogliere senza più pericolo alla macchinetta i tuoi ultimi tratti, e addio!

Se finirà così...

Questa sera, uscendo dal *Reparto del Positivo*, ove, per la premura che fa il Borgalli, ho dato una mano anch'io per lo sviluppo e la legatura dei pezzi di questo *film* mostruoso, mi son veduto venire incontro Aldo Nuti per accompagnarsi insolitamente con me fino a casa. Ho notato subito che si studiava, o meglio, si sforzava di non dare a vedere che aveva qualche cosa da dirmi.

– Va a casa?

– Sì.

– Anch'io.

A un certo punto mi domandò:

– È stato oggi alla *Sala di prova*?

– No. Ho lavorato giù, al Reparto.

Silenzio per un tratto. Poi ha tentato con pena un sorriso, che voleva parere di compiacimento:

– Si sono provati i miei pezzi. Hanno fatto buona impressione a tutti. Non avrei immaginato che potessero riuscire così bene. Uno specialmente. Avrei voluto che lei lo vedesse.

– Quale?

– Quello che mi presenta solo, per un tratto, staccato dal quadro, ingrandito, con un dito così su la bocca, in atto di pensare. Forse dura un po' troppo... viene troppo avanti la figura... con quegli occhi... Si possono contare i peli delle ciglia. Non mi pareva l'ora che sparisse dallo schermo.

Mi voltai a guardarlo; ma mi sfuggì subito in un'ovvia considerazione:

– Già! – disse. – È curioso l'effetto che ci fa la nostra immagine riprodotta fotograficamente, anche in un semplice ritratto, quando ci facciamo a guardarla la prima volta. Perché?

– Forse, – gli risposi, – perché ci sentiamo lì fissati in un momento, che già non è più in noi; che resterà, e che si farà man mano sempre più lontano.

– Forse! – sospirò. – Sempre più lontano per noi...

– No, – soggiunsi, – anche per l'immagine. L'immagine invecchia anch'essa, tal quale come invecchiamo noi a mano a mano. Invecchia, pure fissata lì sempre in quel momento; invecchia giovane, se siamo giovani, perché quel giovane lì diviene d'anno in anno sempre più vecchio con noi, in noi.

– Non capisco.

– È facile intenderlo, se ci pensa un poco. Guardi: il tempo, da lì, da quel ritratto, non procede più innanzi, non s'allontana sempre più d'ora in ora con noi verso l'avvenire; pare che resti lì fissato, ma s'allontana anch'esso, in senso inverso; si sprofonda sempre più nel passato, il tempo. Per conseguenza l'immagine, lì, è una cosa morta che col tempo s'allontana man mano anch'essa sempre più nel passato: e più è giovane e più diviene vecchia e lontana.

– Ah già, così... Sì, sì, – disse. – Ma c'è qualche cosa di più triste. Un'immagine invecchiata giovane a vuoto.

– Come, a vuoto?

– L'immagine di qualcuno morto giovane.

Mi voltai di nuovo a guardarlo; ma egli soggiunse subito:

– Ho un ritratto di mio padre, morto giovanissimo, circa all'età mia; tanto che io non l'ho conosciuto. L'ho custodita con reverenza, quest'immagine, benché non mi dica nulla. S'è invecchiata anch'essa, sì, profondandosi, come lei dice, nel passato. Ma il tempo che ha invecchiato l'immagine, non ha invecchiato mio padre; mio padre non l'ha vissuto questo tempo. E si presenta a me, a vuoto, dal vuoto di tutta questa vita che per lui non è stata; si presenta a me con la sua vecchia immagine di giovane che non mi dice nulla, che non può dirmi nulla, perché non sa neppure ch'io ci sia. E difatti è un ritratto ch'egli si fece prima di sposare; ritratto, dunque, di quando non era mio padre. Io in lui, lì, non ci sono, come tutta la mia vita è stata senza di lui.

– È triste...

– Triste, sì. Ma in ogni famiglia, nei vecchi album di fotografie, sui tavolinetti davanti al canapè dei salotti provinciali, pensi quante immagini ingiallite di gente che non dice più nulla, che non si sa più chi sia stata, che abbia fatto, come sia morta...

D'improvviso cambiò discorso per domandarmi, accigliato:

– Quanto può durare una pellicola?

Non si rivolgeva più a me, come a uno con cui avesse piacere di conversare;

ma a me come operatore. E il tono della voce era così diverso, così cangiata l'espressione del volto, ch'io sentii di nuovo, a un tratto, sommuoversi dentro di me il dispetto che covo in fondo da un pezzo contro tutto e contro tutti. Perché voleva sapere quanto può durare una pellicola? S'era accompagnato con me per informarsi di questo? o per il gusto di farmi spavento, lasciandomi trapelare che intendeva di compiere qualche sproposito il giorno appresso, così che di quella passeggiata dovesse restarmi un tragico ricordo o un rimorso?

Mi sorse la tentazione di piantarmi su due piedi e di gridargli in faccia:

«Oh sai, caro? Con me la puoi smettere, perché di te non me n'importa proprio nulla! Tu puoi far tutte le pazzie che ti parrà e piacerà, questa sera, domani: io non mi commuovo! Mi domandi forse quanto può durare una pellicola per farmi pensare che tu lasci di te quella tua immagine col dito su la bocca? E credi forse di dòver riempire e spaventare tutto il mondo con quella tua immagine ingrandita nella quale *si possono contare i peli delle ciglia*? Ma che vuoi che duri una pellicola?».

Scrollai le spalle e gli risposi:

— Secondo l'uso che se ne fa.

Anche lui dal tono della mia voce, cangiato, comprese certo cangiata la disposizione del mio animo verso di lui, e mi guardò allora in un modo che mi fece pena.

Ecco: egli era qua ancora su la terra un piccolo essere. Inutile, quasi nullo; ma era, e m'era accanto, e soffriva. Pure lui soffriva, come tutti gli altri, della vita che è il vero male di tutti. Per non degne ragioni ne soffriva sì lui; ma di chi la colpa se così piccolo era nato? Anche così piccolo soffriva e la sua sofferenza era grande per lui, comunque indegna... Era della vita! per uno dei tanti casi della vita, che s'era abbattuto su lui per togliergli tutto quel poco che aveva in sé e schiantarlo e distruggerlo! Ora era qua, ancora accanto a me, in una sera di giugno, di cui non poteva respirare la dolcezza; domani forse, poiché la vita gli s'era così voltata dentro, non sarebbe stato più: quelle sue gambe non le avrebbe più mosse per camminare; non lo avrebbe più veduto quel viale per cui andavamo; e non se le sarebbe più calzate al piede da sé quelle belle scarpette verniciate e quei calzini di seta, e né più si sarebbe, anche in mezzo alla disperazione, compiaciuto ogni mattina, davanti allo specchio dell'armadio, dell'eleganza del suo abito inappuntabile su la bella persona svelta ch'io potevo toccare, ecco, ancora viva, sensibile, accanto a me.

«Fratello...»

No: non gli dissi questa parola. Si sentono certe parole, in un momento fuggevole: non si dicono. Gesù poté dirle, che non vestiva come me e non faceva come me l'operatore. In una umanità che prende diletto d'uno spettacolo cinematografico e ammette in sé un mestiere come il mio, certe parole, certi moti dell'animo diventano ridicoli.

«Se dicessi fratello a questo signor Nuti», pensai, «egli se n'offenderebbe; perché... sì, avrò potuto fargli un po' di filosofia su le immagini che invecchiano, ma che sono io per lui? Un operatore: una mano che gira una manovella.»

Egli è un «signore», con la follia forse già dentro la scatoletta del cranio, con la disperazione in cuore, ma un ricco «signore titolato» che si ricorda bene d'avermi conosciuto studentello povero, umile ripetitore di Giorgio Mirelli nella villetta di Sorrento. Vuol tenere la distanza tra me e lui, e mi obbliga a tenerla anch'io, ora, tra lui e me: quella che il tempo e la professione mia hanno stabilito. Tra lui e me, la macchinetta.

— Scusi, — mi domandò, poco prima d'arrivare a casa, — domani come farà lei a prendere la scena dell'uccisione della tigre?

– È facile, – risposi. – Starò dietro di lei.
– Ma non ci saranno i ferri della gabbia? l'ingombro delle piante?
– Per me, no. Starò dentro la gabbia con lei.
Si fermò a guardarmi, sorpreso:
– Dentro la gabbia anche lei?
– Certo, – risposi placidamente.
– E se... se io fallissi il colpo?
– So che lei è un tiratore provetto. Ma, del resto, poco male! Tutti gli attori, domani, staranno attorno alla gabbia ad assistere alla scena. Parecchi saranno armati e pronti a sparare anch'essi.
Stette un po' aggrondato a pensare, come se questa notizia lo contrariasse.
– Non spareranno mica prima di me, – poi disse.
– No, certo. Spareranno, se ce ne sarà bisogno.
– Ma allora, – domandò, – perché quel signore là... quel signor Ferro aveva messo avanti tutte quelle pretese, se non c'è veramente nessun pericolo?
– Perché col Ferro questi altri, fuori della gabbia, armati, forse non ci sarebbero stati.
– Ah, dunque ci sono per me? Hanno preso questa misura di precauzione per me? È ridicolo! Chi l'ha presa? L'ha forse presa lei?
– Io no. Che c'entro io?
– Come lo sa, allora?
– L'ha detto Polacco.
– L'ha detto a lei? Dunque, l'ha presa Polacco? Ah, domani mattina mi sentirà! Io non voglio, ha capito? io non voglio!
– Lo dice a me?
– Anche a lei!
– Caro signore, creda pure che a me non fa né caldo né freddo: colpisca o fallisca il colpo; faccia dentro la gabbia tutte le pazzie che vuole: io non mi commuovo, stia sicuro. Qualunque cosa accada, seguiterò impassibile a girar la macchinetta. Se lo tenga bene in mente!

IV.

Girare, ho girato. Ho mantenuto la parola: fino all'ultimo. Ma la vendetta che ho voluto compiere dell'obbligo che m'è fatto, come servitore d'una macchina, di dare in pasto a questa macchina la vita, sul più bello la vita ha voluto ritorcerla contro me. Sta bene. Nessuno intanto potrà negare ch'io non abbia ora raggiunto la mia perfezione.
Come operatore, io sono ora, veramente, perfetto.
Dopo circa un mese dal fatto atrocissimo, di cui ancora si parla da per tutto, conchiudo queste mie note.
Una penna e un pezzo di carta: non mi resta più altro mezzo per comunicare con gli uomini. Ho perduto la voce; sono rimasto muto per sempre. In una parte di queste mie note sta scritto: «Soffro di questo mio silenzio, in cui tutti entrano come in un luogo di sicura ospitalità. *Vorrei ora che il mio silenzio si chiudesse del tutto intorno a me*». Ecco, s'è chiuso. Non potrei meglio di così impostarmi servitore d'una macchina.
Ma ecco tutta la scena, come s'è svolta.
Quello sciagurato, la mattina appresso, si recò dal Borgalli a protestare fieramente contro il Polacco per la figura ridicola a cui questi a suo credere intendeva esporlo con quella misura di precauzione. Pretese a ogni costo che fosse revocata, dando un saggio a tutti, se occorreva, della sua ben nota valentia di tiratore. Il Polacco si scusò davanti al Borgalli dicendo d'aver preso quella misura non per poca fiducia nel coraggio o nell'occhio del Nuti, ma per prudenza, conoscendo il Nuti molto nervoso, come del resto ne dava or ora la

prova con quella protesta così concitata, in luogo del doveroso, amichevole ringraziamento ch'egli s'aspettava.

– Poi, – soggiunse infelicemente, indicando me, – ecco, commendatore, c'è anche Gubbio qua, che deve entrar nella gabbia...

Mi guardò con tale disprezzo quel disgraziato, che subito io scattai, rivolto a Polacco:

– Ma no, caro! Non dire per me, ti prego! Tu sai bene ch'io starò a girare tranquillo, anche se vedo questo signore in bocca e tra le zampe della bestia!

Risero gli attori accorsi ad assistere alla scena; e allora Polacco si strinse nelle spalle e si rimise, o piuttosto, finse di rimettersi. Per mia fortuna, com'ho saputo dopo, pregò segretamente Fantappiè e un altro di tenersi di nascosto armati e pronti al bisogno. Il Nuti andò nel suo camerino a vestirsi da cacciatore; io andai nel *Reparto del Negativo* a preparare per il pasto la macchinetta. Per fortuna della Casa, tolsi là di pellicola vergine molto più che non bisognasse, a giudicare approssimativamente della durata della scena. Quando ritornai su lo spiazzo ingombro, in mezzo del gabbione enorme iscenato da bosco, l'altra gabbia, con la tigre dentro, era già stata trasportata e accostata per modo che le due gabbie s'inserivano l'una nell'altra. Non c'era che da tirar sù lo sportello della gabbia più piccola.

Moltissimi attori delle quattro compagnie s'erano disposti di qua e di là, da presso, per poter vedere dentro la gabbia di fra i tronchi e le fronde che nascondevano le sbarre. Sperai per un momento che la Nestoroff, ottenuto l'intento che s'era proposto, avesse avuto almeno la prudenza di non venire. Ma eccola là, purtroppo.

Si teneva fuori della ressa, discosta, in disparte, con Carlo Ferro, vestita di verde gajo, e sorrideva chinando frequentemente il capo alle parole che il Ferro le diceva, benché dall'atteggiamento fosco con cui il Ferro le stava accanto apparisse chiaro che a quelle parole ella non avrebbe dovuto rispondere con quel sorriso. Ma era per gli altri, quel sorriso, per tutti coloro che stavano a guardarla, e fu anche per me, più vivo, quando la fissai; e mi disse ancora una volta che non temeva di nulla, perché quale fosse per lei il maggior male io lo sapevo: ella lo aveva accanto – eccolo là – il Ferro; era la sua condanna, e fino all'ultimo con quel sorriso voleva assaporarlo nelle parole villane, ch'egli forse in quel punto le diceva.

Distogliendo gli occhi da lei, cercai quelli del Nuti. Erano torbidi. Evidentemente anche lui aveva scorto la Nestoroff là in distanza; ma volle finger di no. Tutto il viso gli s'era come stirato. Si sforzava di sorridere, ma sorrideva con le sole labbra, appena, nervosamente, alle parole che qualcuno gli rivolgeva. Il berretto di velluto nero in capo, dalla lunga visiera, la giubba rossa, una tromba da caccia, d'ottone, a tracolla, i calzoni bianchi, di pelle, aderenti alle cosce, gli stivali con gli sproni, il fucile in mano: ecco, era pronto.

Fu sollevato di qua lo sportello del gabbione, per cui dovevamo introdurci io e lui; a facilitarci la salita, due apparatori accostarono uno sgabello a due gradi. S'introdusse prima lui, poi io. Mentre disponevo la macchina sul treppiedi, che m'era stato porto attraverso lo sportello, notai che il Nuti prima s'inginocchiò nel punto segnato per il suo appostamento, poi si alzò e andò a scostare un po' in una parte del gabbione le fronde, come per aprirvi uno spiraglio. Io solo avrei potuto domandargli:

«Perché?».

Ma la disposizione d'animo stabilitasi tra noi non ammetteva che ci scambiassimo in quel punto neppure una parola. Quell'atto poi poteva essere da me interpretato in più modi, che m'avrebbero tenuto incerto in un momento che la certezza più sicura e precisa m'era necessaria. E allora fu per me come se il Nuti non si fosse proprio mosso; non solo non pensai più a quel suo atto, ma fu proprio come se io non lo avessi affatto notato.

Egli si riappostò al punto segnato, imbracciando il fucile; io dissi:
– Pronti.
S'udì dall'altra gabbia il rumore dello sportello che s'alzava. Polacco, forse vedendo la belva muoversi per entrare attraverso lo sportello alzato, gridò nel silenzio:
– Attenti, si gira!
E io mi misi a girare la manovella, con gli occhi ai tronchi in fondo, da cui già spuntava la testa della belva, bassa, come protesa a spiare in agguato; vidi quella testa piano ritrarsi indietro, le due zampe davanti restar ferme, unite, e quelle di dietro a poco a poco silenziosamente raccogliersi e la schiena tendersi ad arco per spiccare il salto. La mia mano obbediva impassibile alla misura che io imponevo al movimento, più presto, più piano, pianissimo, come se la volontà mi fosse scesa – ferma, lucida, inflessibile – nel polso, e da qui governasse lei sola, lasciandomi libero il cervello di pensare, il cuore di sentire; così che seguitò la mano a obbedire anche quando con terrore io vidi il Nuti distrarre dalla belva la mira e volgere lentamente la punta del fucile là dove poc'anzi aveva aperto tra le frondi lo spiraglio, e sparare, e la tigre subito dopo lanciarsi su lui e con lui mescolarsi, sotto gli occhi miei, in un orribile groviglio. Più forti delle grida altissime levate da tutti gli attori fuori della gabbia accorrenti istintivamente verso la Nestoroff caduta al colpo, più forti degli urli di Carlo Ferro, io udivo qua nella gabbia il sordo ruglio della belva e l'affanno orrendo dell'uomo che s'era abbandonato alle zanne, agli artigli di quella, che gli squarciavano la gola e il petto; udivo, udivo, seguitavo a udire su quel ruglio, su quell'affanno là, il ticchettìo continuo della macchinetta, di cui la mia mano, sola, da sé, ancora, seguitava a girare la manovella; e m'aspettavo che la belva ora si sarebbe lanciata addosso a me, atterrato quello; e gli attimi di quell'attesa mi parevano eterni e mi pareva che per l'eternità io li scandissi girando, girando ancora la manovella, senza poterne fare a meno, quando un braccio alla fine s'introdusse tra le sbarre armato di rivoltella e tirò un colpo a bruciapelo in un'orecchia della tigre sul Nuti già sbranato; e io fui tratto indietro, strappato dalla gabbia con la manovella della macchinetta così serrata nel pugno, che non fu possibile in prima strapparmela. Non gemevo, non gridavo: la voce, dal terrore, mi s'era spenta in gola, per sempre.
Ecco. Ho reso alla Casa un servizio che frutterà tesori. Appena ho potuto, alla gente che mi stava attorno atterrita, ho prima significato con cenni, poi per iscritto, che fosse ben custodita la macchina, che a stento m'era stata strappata dalla mano: aveva in corpo quella macchina la vita d'un uomo; gliel'avevo data da mangiare fino all'ultimo, fino al punto che quel braccio s'era proteso a uccidere la tigre. Tesori si sarebbero cavati da quel *film*, col chiasso enorme e la curiosità morbosa, che la volgare atrocità del dramma di quei due uccisi avrebbe suscitato da per tutto.
Ah, che dovesse toccarmi di dare in pasto anche materialmente la vita d'un uomo a una delle tante macchine dall'uomo inventate per sua delizia, non avrei supposto. La vita, che questa macchina s'è divorata, era naturalmente quale poteva essere in un tempo come questo, tempo di macchine; produzione stupida da un canto, pazza dall'altro, per forza, e quella più e questa un po' meno bollate da un marchio di volgarità.
Io mi salvo, io solo, nel mio silenzio, col mio silenzio, che m'ha reso così – come il tempo vuole – perfetto. Non vuole intenderlo il mio amico Simone Pau, che sempre più s'ostina ad annegarsi nel *superfluo*, inquilino perpetuo d'un ospizio di mendicità. Io ho già conquistato l'agiatezza con la retribuzione che la Casa m'ha dato per il servizio che le ho reso, e sarò ricco domani con le percentuali che mi sono state assegnate sui noli del *film* mostruoso. È vero che non saprò che farmi di questa ricchezza; ma non lo darò a vedere a nessuno; meno che a tutti, a Simone Pau che viene ogni giorno a scrollarmi, a in-

giuriarmi per smuovermi da questo mio silenzio di cosa, ormai assoluto, che lo rende furente. Vorrebbe ch'io ne piangessi, ch'io almeno con gli occhi me ne mostrassi afflitto o adirato; che gli facessi capire per segni che sono con lui, che credo anch'io che la vita è là, in quel suo *superfluo*. Non batto ciglio; resto a guardarlo rigido, immobile, e lo faccio scappare via su le furie. Il povero Cavalena da un altro canto studia per me trattati di patologia nervosa, mi propone punture e scosse elettriche, mi sta attorno per persuadermi a un'operazione chirurgica sulle corde vocali; e la signorina Luisetta, pentita, addolorata per la mia sciagura, nella quale vuol sentire per forza un sapore d'eroismo, timidamente mi dà ora a vedere che avrebbe caro m'uscisse, se non più dalle labbra, almeno dal cuore un sì per lei.

No, grazie. Grazie a tutti. Ora basta. Voglio restare così. Il tempo è questo; la vita è questa; e nel senso che do alla mia professione, voglio seguitare così – solo, muto e impassibile – a far l'operatore.

La scena è pronta?

– Attenti, si gira...

UNO, NESSUNO E CENTOMILA

Invito alla lettura

Il romanzo ebbe una gestazione lunga e difficile. Pirandello incominciò a scriverlo nel 1909; in una lettera autobiografica del 1912, pubblicata nel '24, l'autore parla di questo romanzo come del «...più amaro di tutti, profondamente umoristico, di scomposizione della vita: Moscarda uno, nessuno e centomila». Le pagine del romanzo incompiuto rimasero a lungo sulla scrivania di Pirandello che ne prendeva brani e li inseriva in altre opere per ritornare, poi, al romanzo in una sorta di ininterrotto circolo compositivo. Finalmente ultimato, Uno, nessuno e centomila *uscì a puntate tra il dicembre del '25 e il giugno del '26 su* La Fiera letteraria. *Le lunghe fasi dell'iter compositivo, tuttavia, non devono far pensare ad un'opera disorganica e frammentaria, una sorta di centone di situazioni da cui lo scrittore attingeva e che poi ha voluto costringere nell'ambito di un romanzo. È vero, invece, il contrario; questo romanzo che accompagnò gli anni più significativi della produzione pirandelliana segna l'altissimo epilogo della tensione narrativa dello scrittore. E non certo casualmente, la ricerca dell'autenticità, grande tema della narrativa pirandelliana, culmina proprio nell'avventura di Vitangelo Moscarda, il protagonista di questo romanzo. È vero che Vitangelo presta i suoi connotati a personaggi di novelle e di commedie* (Stefano Giogli, uno e due; Canta l'epistola; La mano del malato povero; Il dovere del medico), *ma è anche vero che si serve delle loro esperienze, per intraprendere fin dall'inizio senza slittamenti né deviazioni la via dell'autenticità. Si accorge da un'irrilevante domanda della moglie che ognuno si è costruito un Vitangelo a suo modo, il quale non coincide con il Vitangelo che lui stesso crede di essere. Si tratta di un gioco crudele di proiezioni falsificanti che dettano, però, imperiosamente le loro regole. La prima, ironica, coscienza di Vitangelo è, dunque, quella di sapere ciò che di certo egli non è; la preliminare operazione consiste, allora, nell'infrangere dispettosamente le fittizie maschere, distrutte le quali, Vitangelo si mette finalmente sulle tracce del vero se stesso. Si accorge, però, che se il corpo può essere uno, una non è certo l'anima. E la duplicità faustiana gli si complica in una sconcertante molteplicità. Come conoscere il fondo più vero, il «sottosuolo» del sé? Vitangelo cerca di sorprenderlo mentre si affaccia in un lampo alla superficie della coscienza, ma lo snidamento dell'io segreto, incalzato come un nemico da costringere alla resa, non dà gli esiti desiderati. Appena balenato, lo sconosciuto svapora e si ricompone negli atteggiamenti già noti dell'io di superficie. In questo modernissimo* Secretum *dove non c'è nessun Sant'Agostino ad indicare, con la voce più profonda della coscienza, la verità assoluta da desiderare, dove la disperazione è affidata ad un amaro umorismo, corrosivo e salvifico nello stesso tempo, l'unità dell'io si sfoglia in diverse stratificazioni. Vitangelo fa parte di quelle «...anime particolarmente intelligenti [...] che infrangono l'illusione dell'unità personale e sentono di essere pluriformi, un fascio di molti ii...», come annota H. Hesse nella* Dissertazione *inserita nel* Lupo della steppa. *Le lucidissime riflessioni di Vitangelo inseguono le possibili obiezioni, le serrano in uno spazio sempre più ristretto e, infine, le uccidono con le armi delle loro stringenti argomentazioni. Gli immaginari interlocutori (signori miei, scusate... Siate sinceri... Vi meravigliate? Oh Dio, voi impallidite...), che incarnano queste obiezioni più che aprire il monologo di Vitangelo in dialogo lo frangono in due livelli: uno esterno e falsamente rassicurante, l'altro interno e inquietante, ma sicuramente più vero. Il voi che puntella come un ritornante controcanto tutta la parte iniziale del romanzo non è certo come il tu montaliano, quasi sempre carico di disperate attese o di improbabili alternative all'esistenza; rappresenta, invece, la barriera delle concezioni conformistiche che il raziocinare stringato di Vitangelo vanifica con l'evidenza incalzante di implacabili riflessioni.*

Il «parlare pensato» di Vitangelo, certo intenzionale e rigoroso, è però strumentalmente proiettato verso un epilogo del tutto diverso in cui la spirale raziocinante s'infrange in un liberatorio irrazionalismo. La liberazione per Vitangelo non può avvenire tramite l'istinto e l'eros, come succede ad Harry Haller, il già ricordato lupo della steppa, che attraverso l'incontro con Erminia, piena di trasgressiva vitalità, attua la metamorfosi. Anna Rosa la donna per la quale Vitangelo avverte una particolare attrazione, è una borghese triste e inquieta, che non vuole o non sa portare questa inquietudine alle estreme conseguenze. La liberazione di Vitangelo dovrà seguire altri percorsi; e come colui che per ritrovare l'innocenza non nega la memoria, Vitangelo attua la salvezza dalla ragione proprio attraverso un eccesso di ragione. Sembra dirci: «Anche la ragione, cari signori, se la si scardina dal ruolo di facoltà del buon senso che consiglia l'adattamento alla "realtà" storica, sociale, esistenziale, può diventare prezioso strumento di liberazione». Questo non certo perché frugata e tentata fino ai suoi limiti la ragione possa aprire a prospettive metafisiche, ma perché giunta ai suoi esiti estremi delira in cerebrali labirinti e, in un'atmosfera satura di veleni, muore trafitta dai suoi stessi aculei. Il distacco totale di Vitangelo dalle false certezze si attua durante una convalescenza. D'altronde non solo in Pirandello e non solo in questo romanzo (si pensi alla convalescenza di Marta Ajala nell'Esclusa o alla malattia di Adriana Braggi nella novella Il viaggio) la malattia è sentita come una situazione in cui, sospesi i comportamenti automatici, la facoltà percettiva, fuori dalle regole consuete, sembra dilatarsi e vedere «con altri occhi». In questo momento l'inettitudine che Vitangelo condivide con Mattia Pascal e con altri personaggi della narrativa non solo italiana dei primi del '900, mostra la sua potenzialità positiva e diventa cosciente rifiuto di ogni ruolo, di ogni funzione, di ogni prospettiva basata su una visione utilitaristica. L'episodio della coperta di lana verde segna l'incolmabile distanza che separa ormai Vitangelo dalle regole «della realtà», in cui appare completamente inserito, invece, il giudice che è venuto ad interrogarlo. Mentre lo scrupoloso funzionario dagli «occhi plumbei», tutto compreso nella sua funzione, raccoglie gli elementi utili per la sua sentenza, Vitangelo contempla con «ineffabile delizia» la coperta di lana verde che ha sulle gambe: «Ci vedevo la campagna: come se fosse tutta una sterminata distesa di grano; e, carezzandola, me ne beavo, sentendomici davvero, in mezzo a tutto quel grano, con un senso di smemorata lontananza, che quasi ne avevo angoscia, una dolcissima angoscia. Ah, perdersi là, distendersi e abbandònarsi, così tra l'erba, al silenzio dei cieli; empirsi l'anima di tutta quella vana azzurrità, facendovi naufragare ogni pensiero, ogni memoria!». E in questo suggestivo brano Pirandello ha forse risentito di un'indicazione di Tieck circa la poesia delle sensazioni colorate: «Che cosa meravigliosa è l'immergersi veramente nella contemplazione di un colore, considerato soltanto come colore! Come avviene che il lontano azzurro del cielo desti la nostra nostalgia, che la porpora della sera ci commuova [...] E donde viene l'inesauribile piacere che si prova vedendo una fresca verzura, in cui l'occhio non riesce ad appagare la sua sete?».

Una volta guarito, Vitangelo è in una prospettiva completamente «altra»;

non vuole avere più nulla e cerca di seguire attimo per attimo l'evolversi della vita in lui e in ciò che gli sta intorno. L'equivoco di Mattia Pascal, persuaso di poter usufruire di una liberazione solo cambiando nome e affidandosi al caso, è ormai molto lontano. Vitangelo, alla mercé dell'essere, *è una pura disponibilità che si rinnova attimo per attimo; non ha più storia né passato, non è più in sé ma in ogni cosa fuori di sé; è un indeterminato pronto a determinarsi nell'esperienza, che, passato l'attimo della corrispondenza, non lascia traccia né scalfittura. E la virtualità potenziale si ricostituisce superbamente intatta. Questa soluzione irrazionalistica lascia certamente intravedere il disagio storico, il fallimento di miti, la mancanza di prospettive che segnarono il difficile dopoguerra. E non è certo senza significato che proprio negli anni in cui chiedeva pubblicamente l'iscrizione al partito fascista, Pirandello terminava e dava alle stampe questo romanzo intessuto di un irrazionalismo che, non certo ebbro e trionfante, appare come il dolente distillato di sconfitte storiche ed esistenziali.*

M.A.

Libro primo

I. *Mia moglie e il mio naso*

– Che fai? – mia moglie mi domandò, vedendomi insolitamente indugiare davanti allo specchio.

– Niente, – le risposi, – mi guardo qua, dentro il naso, in questa narice. Premendo, avverto un certo dolorino.

Mia moglie sorrise e disse:

– Credevo ti guardassi da che parte ti pende.

Mi voltai come un cane a cui qualcuno avesse pestato la coda:

– Mi pende? A me? Il naso?

E mia moglie, placidamente:

– Ma sì, caro. Guàrdatelo bene: ti pende verso destra.

Avevo ventotto anni e sempre fin allora ritenuto il mio naso, se non proprio bello, almeno molto decente, come insieme tutte le altre parti della mia persona. Per cui m'era stato facile ammettere e sostenere quel che di solito ammettono e sostengono tutti coloro che non hanno avuto la sciagura di sortire un corpo deforme: che cioè sia da sciocchi invanire per le proprie fattezze. La scoperta improvvisa e inattesa di quel difetto perciò mi stizzì come un immeritato castigo.

Vide forse mia moglie molto più addentro di me in quella mia stizza e aggiunse subito che, se riposavo nella certezza d'essere in tutto senza mende, me ne levassi pure, perché, come il naso mi pendeva verso destra, così...

– Che altro?

Eh, altro! altro! Le mie sopracciglia parevano sugli occhi due accenti circonflessi, le mie orecchie erano attaccate male, una più sporgente dell'altra; e altri difetti...

– Ancora?

Eh sì, ancora: nelle mani, al dito mignolo; e nelle gambe (no, storte no!), la destra, un pochino più arcuata dell'altra: verso il ginocchio, un pochino.

Dopo un attento esame dovetti riconoscere veri tutti questi difetti. E solo allora, scambiando certo per dolore e avvilimento la maraviglia che ne provai subito dopo la stizza, mia moglie per consolarmi m'esortò a non affliggermene poi tanto, ché anche con essi, tutto sommato, rimanevo un bell'uomo.

Sfido a non irritarsi, ricevendo come generosa concessione ciò che come diritto ci è stato prima negato. Schizzai un velenosissimo «grazie» e, sicuro di non aver motivo né d'addolorarmi né d'avvilirmi, non diedi alcuna importanza a quei lievi difetti, ma una grandissima e straordinaria al fatto che tant'anni ero vissuto senza mai cambiar di naso, sempre con quello, e con quelle sopracciglia e quelle orecchie, quelle mani e quelle gambe; e dovevo aspettare di prender moglie per aver conto che li avevo difettosi.

– Uh che maraviglia! E non si sa, le mogli? Fatte apposta per scoprire i difetti del marito.

Ecco, già – le mogli, non nego. Ma anch'io, se permettete, di quei tempi ero fatto per sprofondare, a ogni parola che mi fosse detta, o mosca che vedessi volare, in abissi di riflessioni e considerazioni che mi scavavano dentro e bucheravano giù per torto e sù per traverso lo spirito, come una tana di talpa; senza che di fuori ne paresse nulla.

– Si vede, – voi dite, – che avevate molto tempo da perdere.

No, ecco. Per l'animo in cui mi trovavo. Ma del resto sì, anche per l'ozio, non nego. Ricco, due fidati amici, Sebastiano Quantorzo e Stefano Firbo, badavano ai miei affari dopo la morte di mio padre; il quale, per quanto ci si fosse adoperato con le buone e con le cattive, non era riuscito a farmi concludere mai nulla; tranne di prender moglie, questo sì, giovanissimo; forse con la speranza che almeno avessi presto un figliuolo che non mi somigliasse punto; e, pover'uomo, neppur questo aveva potuto ottenere da me.

Non già, badiamo, ch'io opponessi volontà a prendere la via per cui mio padre m'incamminava. Tutte le prendevo. Ma camminarci, non ci camminavo. Mi fermavo a ogni passo; mi mettevo prima alla lontana, poi sempre più da vicino a girare attorno a ogni sassolino che incontravo, e mi maravigliavo assai che gli altri potessero passarmi avanti senza fare alcun caso di quel sassolino che per me intanto aveva assunto le proporzioni d'una montagna insormontabile, anzi d'un mondo in cui avrei potuto senz'altro domiciliarmi.

Ero rimasto così, fermo ai primi passi di tante vie, con lo spirito pieno di mondi, o di sassolini, che fa lo stesso. Ma non mi pareva affatto che quelli che m'erano passati avanti e avevano percorso tutta la via, ne sapessero in sostanza più di me. M'erano passati avanti, non si mette in dubbio, e tutti braveggiando come tanti cavallini; ma poi, in fondo alla via, avevano trovato un carro: il loro carro; vi erano stati attaccati con molta pazienza, e ora se lo tiravano dietro. Non tiravo nessun carro, io; e non avevo perciò né briglie né paraocchi; vedevo certamente più di loro; ma andare, non sapevo dove andare.

Ora, ritornando alla scoperta di quei lievi difetti, sprofondai tutto, subito, nella riflessione che dunque – possibile? – non conoscevo bene neppure il mio stesso corpo, le cose mie che più intimamente m'appartenevano: il naso, le orecchie, le mani, le gambe. E tornavo a guardarmele per rifarne l'esame.

Cominciò da questo il mio male. Quel male che doveva ridurmi in breve in condizioni di spirito e di corpo così misere e disperate che certo ne sarei morto o impazzito, ove in esso medesimo non avessi trovato (come dirò) il rimedio che doveva guarirmene.

II. *E il vostro naso?*

Già subito mi figurai che tutti, avendone fatta mia moglie la scoperta, dovessero accorgersi di quei miei difetti corporali e altro non notare in me.

– Mi guardi il naso? – domandai tutt'a un tratto quel giorno stesso a un amico che mi s'era accostato per parlarmi di non so che affare che forse gli stava a cuore.

– No, perché? – mi disse quello.

E io, sorridendo nervosamente:

– Mi pende verso destra, non vedi?

E glielo imposi a una ferma e attenta osservazione, come se quel difetto del mio naso fosse un irreparabile guasto sopravvenuto al congegno dell'universo.

L'amico mi guardò in prima un po' stordito; poi, certo sospettando che avessi così all'improvviso e fuor di luogo cacciato fuori il discorso del mio naso perché non stimavo degno né d'attenzione né di risposta l'affare di cui mi parlava, diede una spallata e si mosse per lasciarmi in asso. Lo acchiappai per un braccio, e:

– No, sai, – gli dissi, – sono disposto a trattare con te codest'affare. Ma in questo momento tu devi scusarmi.

– Pensi al tuo naso?

– Non m'ero mai accorto che mi pendesse verso destra. Me n'ha fatto accorgere, questa mattina, mia moglie.

– Ah, davvero? – mi domandò allora l'amico; e gli occhi gli risero d'una incredulità ch'era anche derisione.

Restai a guardarlo come già mia moglie la mattina, cioè con un misto d'avvilimento, di stizza e di maraviglia. Anche lui dunque da un pezzo se n'era accorto? E chi sa quant'altri con lui! E io non lo sapevo e, non sapendolo, credevo d'essere per tutti un Moscarda col naso dritto, mentr'ero invece per tutti un Moscarda col naso storto; e chi sa quante volte m'era avvenuto di parlare, senz'alcun sospetto, del naso difettoso di Tizio o di Cajo e quante volte perciò non avevo fatto ridere di me e pensare:

«Ma guarda un po' questo pover'uomo che parla dei difetti del naso altrui!».

Avrei potuto, è vero, consolarmi con la riflessione che, alla fin fine, era ovvio e comune il mio caso, il quale provava ancora una volta un fatto risaputissimo, cioè che notiamo facilmente i difetti altrui e non ci accorgiamo dei nostri. Ma il primo germe del male aveva cominciato a metter radice nel mio spirito e non potei consolarmi con questa riflessione.

Mi si fissò invece il pensiero ch'io non ero per gli altri quel che finora, dentro di me, m'ero figurato d'essere.

Per il momento pensai al corpo soltanto e, siccome quel mio amico seguitava a starmi davanti con quell'aria d'incredulità derisoria, per vendicarmi gli domandai se egli, dal canto suo, sapesse d'aver nel mento una fossetta che glielo divideva in due parti non del tutto eguali: una più rilevata di qua, una più scempia di là.

– Io? Ma che! – esclamò l'amico. – Ci ho la fossetta, lo so, ma non come tu dici.

– Entriamo là da quel barbiere, e vedrai, – gli proposi subito.

Quando l'amico, entrato dal barbiere, s'accorse con maraviglia del difetto e riconobbe ch'era vero, non volle mostrarne stizza; disse che, in fin dei conti, era una piccolezza.

Eh sì, senza dubbio, una piccolezza; vidi però, seguendolo da lontano, che si fermò una prima volta a una vetrina di bottega, e poi una seconda volta, più là, davanti a un'altra; e più là ancora e più a lungo, una terza volta, allo specchio d'uno sporto per osservarsi il mento; e son sicuro che, appena rincasato, sarà corso all'armadio per far con più agio a quell'altro specchio la nuova conoscenza di sé con quel difetto. E non ho il minimo dubbio che, per vendicarsi a sua volta, o per seguitare uno scherzo che gli parve meritasse una larga diffusione in paese, dopo aver domandato a qualche suo amico (come già io a lui) se mai avesse notato quel suo difetto al mento, qualche altro difetto avrà scoperto lui o nella fronte o nella bocca di questo suo amico, il quale, a sua volta... – ma sì! ma sì! – potrei giurare che per parecchi giorni di fila nella nobile città di Richieri io vidi (se non fu proprio tutta mia immaginazione) un numero considerevolissimo di miei concittadini passare da una vetrina di bottega all'altra e fermarsi davanti a ciascuna a osservarsi nella faccia chi uno zigomo e chi la coda d'un occhio, chi un lobo d'orecchio e chi una pinna di naso. E ancora dopo una settimana un certo tale mi s'accostò con aria smarrita per domandarmi se era vero che, ogni qual volta si metteva a parlare, contraeva inavvertitamente la pàlpebra dell'occhio sinistro.

– Sì, caro, – gli dissi a precipizio. – E io, vedi? il naso mi pende verso destra; ma lo so da me; non c'è bisogno che me lo dica tu; e le sopracciglia? ad accento circonflesso! le orecchie, qua, guarda, una più sporgente dell'altra; e qua, le mani: piatte, eh? e la giuntura storpia di questo mignolo; e le gambe? qua, questa qua, ti pare che sia come quest'altra? no, eh? Ma lo so da me e non c'è bisogno che me lo dica tu. Statti bene.

Lo piantai lì, e via. Fatti pochi passi, mi sentii richiamare.
– Ps!
Placido placido, col dito, colui m'attirava a sé per domandarmi:
– Scusa, dopo di te, tua madre non partorì altri figliuoli?
– No: né prima né dopo, – gli risposi. – Figlio unico. Perché?
– Perché, – mi disse, – se tua madre avesse partorito un'altra volta, avrebbe avuto di certo un altro maschio.
– Ah sì? Come lo sai?
– Ecco: dicono le donne del popolo che quando a un nato i capelli terminano sulla nuca in un codiniccio come codesto che tu hai costì, sarà maschio il nato appresso.
Mi portai una mano alla nuca e con un sogghignetto frigido gli domandai:
– Ah, ci ho un... com'hai detto?
E lui:
– Codiniccio, caro, lo chiamano a Richieri.
– Oh, ma quest'è niente! – esclamai. – Me lo posso far tagliare.
Negò prima col dito, poi disse:
– Ti resta sempre il segno, caro, anche se te lo fai radere.
E questa volta mi piantò lui.

III. *Bel modo d'esser soli!*

Desiderai da quel giorno ardentissimamente d'esser solo, almeno per un'ora. Ma veramente, più che desiderio, era bisogno: bisogno acuto urgente smanioso, che la presenza o la vicinanza di mia moglie esasperavano fino alla rabbia.
– Hai sentito, Gengè[1], che ha detto jeri Michelina? Quantorzo ha da parlarti d'urgenza.
– Guarda, Gengè, se a tenermi così la veste mi pajono le gambe.
– S'è fermata la pèndola, Gengè.
– Gengè, e la cagnolina non la porti più fuori? Poi ti sporca i tappeti e la sgridi. Ma dovrà pure, povera bestiolina... dico... non pretenderai che... Non esce da jersera.
– Non temi, Gengè, che Anna Rosa possa esser malata? Non si fa più vedere da tre giorni, e l'ultima volta le faceva male la gola.
– È venuto il signor Firbo, Gengè. Dice che ritornerà più tardi. Non potresti vederlo fuori? Dio, che nojoso!
Oppure la sentivo cantare:

> E se mi dici di no,
> caro il mio bene, doman non verrò;
> doman non verrò...
> doman non verrò...

Ma perché non vi chiudevate in camera, magari con due turaccioli negli orecchi?
Signori, vuol dire che non capite come volevo esser solo.
Chiudermi potevo soltanto nel mio scrittojo, ma anche lì senza poterci mettere il paletto, per non far nascere tristi sospetti in mia moglie ch'era, non dirò trista, ma sospettosissima. E se, aprendo l'uscio all'improvviso, m'avesse scoperto?
No. E poi, sarebbe stato inutile. Nel mio scrittojo non c'erano specchi. Io avevo bisogno d'uno specchio. D'altra parte, il solo pensiero che mia moglie

---

[1] Mia moglie, da Vitangelo che purtroppo è il mio nome, aveva tratto questo nomignolo, e mi chiamava così; non senza ragione, come si vedrà.

era in casa bastava a tenermi presente a me stesso, e proprio questo io non volevo.

Per voi, esser soli, che vuol dire?

Restare in compagnia di voi stessi, senza alcun estraneo attorno.

Ah sì, v'assicuro ch'è un bel modo, codesto, d'esser soli. Vi s'apre nella memoria una cara finestretta, da cui s'affaccia sorridente, tra un vaso di garofani e un altro di gelsomini, la Titti che lavora all'uncinetto una fascia rossa di lana, oh Dio, come quella che ha al collo quel vecchio insopportabile signor Giacomino, a cui ancora non avete fatto il biglietto di raccomandazione per il presidente della Congregazione di carità, vostro buon amico, ma seccantissimo anche lui, specie se si mette a parlare delle marachelle del suo segretario particolare, il quale jeri... no, quando fu? l'altro jeri che pioveva e pareva un lago la piazza con tutto quel brillìo di stille a un allegro sprazzo di sole, e nella corsa, Dio che guazzabuglio di cose, la vasca, quel chiosco da giornali, il tram che infilava lo scambio e strideva spietatamente alla girata, quel cane che scappava: basta, vi ficcaste in una sala di bigliardo, dove c'era lui, il segretario del presidente della Congregazione di carità; e che risatine si faceva sotto i baffoni peposi per la vostra disdetta allorché vi siete messo a giocare con l'amico Carlino detto *Quintadecima*. E poi? Che avvenne poi, uscendo dalla sala del bigliardo? Sotto un languido fanale, nella via umida deserta, un povero ubriaco malinconico tentava di cantare una vecchia canzonetta di Napoli, che tant'anni fa, quasi tutte le sere udivate cantare in quel borgo montano tra i castagni, ov'eravate andato a villeggiare per star vicino a quella cara Mimì, che poi sposò il vecchio commendator Della Venera, e morì un anno dopo. Oh, cara Mimì! Eccola, eccola a un'altra finestra che vi s'apre nella memoria...

Sì, sì, cari miei, v'assicuro che è un bel modo d'esser soli, codesto!

IV. *Com'io volevo esser solo*

Io volevo esser solo in un modo affatto insolito, nuovo. Tutt'al contrario di quel che pensate voi: cioè *senza me* e appunto *con un estraneo attorno.*

Vi sembra già questo un primo segno di pazzia?

Forse perché non riflettete bene.

Poteva già essere in me la pazzia, non nego; ma vi prego di credere che l'unico modo d'esser soli veramente è questo che vi dico io.

La solitudine non è mai con voi; è sempre senza di voi, e soltanto possibile con un estraneo attorno: luogo o persona che sia, che del tutto vi ignorino, che del tutto voi ignoriate, così che la vostra volontà e il vostro sentimento restino sospesi e smarriti in un'incertezza angosciosa e, cessando ogni affermazione di voi, cessi l'intimità stessa della vostra coscienza. La vera solitudine è in un luogo che vive per sé e che per voi non ha traccia né voce, e dove dunque l'estraneo siete voi.

Così volevo io esser solo. Senza me. Voglio dire senza quel me ch'io già conoscevo, o che credevo di conoscere. Solo con un certo estraneo, che già sentivo oscuramente di non poter più levarmi di torno e ch'ero io stesso: *l'estraneo inseparabile da me.*

Ne avvertivo uno solo, allora! E già quest'uno, o il bisogno che sentivo di restar solo con esso, di mettermelo davanti per conoscerlo bene e conversare un po' con lui, mi turbava tanto, con un senso tra di ribrezzo e di sgomento.

Se per gli altri non ero quel che finora avevo creduto d'essere per me, chi ero io?

Vivendo, non avevo mai pensato alla forma del mio naso; al taglio, se piccolo o grande, o al colore dei miei occhi; all'angustia o all'ampiezza della mia fronte, e via dicendo. Quello era il mio naso, quelli i miei occhi, quella la mia fronte: cose inseparabili da me, a cui, dedito ai miei affari, preso dalle mie idee, abbandonato ai miei sentimenti, non potevo pensare.

Ma ora pensavo:

«E gli altri? Gli altri non sono mica dentro di me. Per gli altri che guardano da fuori, le mie idee, i miei sentimenti hanno un naso. Il mio naso. E hanno un pajo d'occhi, i miei occhi, ch'io non vedo e ch'essi vedono. Che relazione c'è tra le mie idee e il mio naso? Per me, nessuna. Io non penso col naso, né bado al mio naso, pensando. Ma gli altri? gli altri che non possono vedere dentro di me le mie idee e vedono da fuori il mio naso? Per gli altri le mie idee e il mio naso hanno tanta relazione, che se quelle, poniamo, fossero molto serie e questo per la sua forma molto buffo, si metterebbero a ridere».

Così, seguitando, sprofondai in quest'altra ambascia: che non potevo, vivendo, rappresentarmi a me stesso negli atti della mia vita; vedermi come gli altri mi vedevano; pormi davanti il mio corpo e vederlo vivere come quello d'un altro. Quando mi ponevo davanti a uno specchio, avveniva come un arresto in me; ogni spontaneità era finita, ogni mio gesto appariva a me stesso fittizio o rifatto.

Io non potevo vedermi vivere.

Potei averne la prova nell'impressione dalla quale fui per così dire assaltato, allorché, alcuni giorni dopo, camminando e parlando col mio amico Stefano Firbo, mi accadde di sorprendermi all'improvviso in uno specchio per via, di cui non m'ero prima accorto. Non poté durare più d'un attimo quell'impressione, ché subito seguì quel tale arresto e finì la spontaneità e cominciò lo studio. Non riconobbi in prima me stesso. Ebbi l'impressione d'un estraneo che passasse per via conversando. Mi fermai. Dovevo esser molto pallido. Firbo mi domandò:

– Che hai?

– Niente, – dissi. E tra me, invaso da uno strano sgomento ch'era insieme ribrezzo, pensavo:

«Era proprio la mia quell'immagine intravista in un lampo? Sono proprio così, io, di fuori, quando – vivendo – non mi penso? Dunque per gli altri sono quell'estraneo sorpreso nello specchio: quello, e non già io quale mi conosco: quell'uno lì che io stesso in prima, scorgendolo, non ho riconosciuto. Sono quell'estraneo che non posso veder vivere se non così, in un attimo impensato. Un estraneo che possono vedere e conoscere solamente gli altri, e io no».

E mi fissai d'allora in poi in questo proposito disperato: d'andare inseguendo quell'estraneo ch'era in me e che mi sfuggiva; che non potevo fermare davanti a uno specchio perché subito diventava me quale io mi conoscevo; quell'uno che viveva per gli altri e che io non potevo conoscere; che gli altri vedevano vivere e io no. Lo volevo vedere e conoscere anch'io così come gli altri lo vedevano e conoscevano.

Ripeto, credevo ancora che fosse uno solo questo estraneo: uno solo per tutti, come uno solo credevo d'esser io per me. Ma presto l'atroce mio dramma si complicò: con la scoperta dei centomila Moscarda ch'io ero non solo per gli altri ma anche per me, tutti con questo solo nome di Moscarda, brutto fino alla crudeltà, tutti dentro questo mio povero corpo ch'era uno anch'esso, uno e nessuno ahimè, se me lo mettevo davanti allo specchio e me lo guardavo fisso e immobile negli occhi, abolendo in esso ogni sentimento e ogni volontà.

Quando così il mio dramma si complicò, cominciarono le mie incredibili pazzie.

V. *Inseguimento dell'estraneo*

Dirò per ora di quelle piccole che cominciai a fare in forma di pantomime, nella vispa infanzia della mia follia, davanti a tutti gli specchi di casa, guardandomi davanti e dietro per non essere scorto da mia moglie, nell'attesa smaniosa ch'ella, uscendo per qualche visita o compera, mi lasciasse solo finalmente per un buon pezzo.

Non volevo già come un commediante studiar le mie mosse, compormi la faccia all'espressione dei varii sentimenti e moti dell'animo; al contrario: volevo sorprendermi nella naturalezza dei miei atti, nelle subitanee alterazioni del volto, per ogni moto dell'animo; per un'improvvisa maraviglia, ad esempio (e sbalzavo per ogni nonnulla le sopracciglia fino all'attaccatura dei capelli e spalancavo gli occhi e la bocca, allungando il volto come se un filo interno me lo tirasse); per un profondo cordoglio (e aggrottavo la fronte, immaginando la morte di mia moglie, e socchiudevo cupamente le pàlpebre quasi a covar quel cordoglio); per una rabbia feroce (e digrignavo i denti, pensando che qualcuno m'avesse schiaffeggiato, e arricciavo il naso, stirando la mandibola e fulminando con lo sguardo).

Ma, prima di tutto, quella maraviglia, quel cordoglio, quella rabbia erano finte, e non potevano esser vere, perché, se vere, non avrei potuto vederle, ché subito sarebbero cessate per il solo fatto ch'io le vedevo; in secondo luogo, le maraviglie da cui potevo esser preso erano tante e diversissime, e imprevedibili anche le espressioni, senza fine variabili anche secondo i momenti e le condizioni del mio animo; e così per tutti i cordogli e così per tutte le rabbie. E infine, anche ammesso che per una sola e determinata maraviglia, per un solo e determinato cordoglio, per una sola e determinata rabbia io avessi veramente assunto quelle espressioni, esse erano come le vedevo io, non già come le avrebbero vedute gli altri. L'espressione di quella mia rabbia, ad esempio, non sarebbe stata la stessa per uno che l'avesse temuta, per un altro disposto a scusarla, per un terzo disposto a riderne, e così via.

Ah! tanto bel senno avevo ancora per intendere tutto questo, e non poté servirmi a tirare dalla riconosciuta inattuabilità di quel mio folle proposito la conseguenza naturale di rinunciare all'impresa disperata e starmi contento a vivere per me, senza vedermi e senza darmi pensiero degli altri.

L'idea che gli altri vedevano in me uno che non ero io quale mi conoscevo; uno che essi soltanto potevano conoscere guardandomi da fuori con occhi che non erano i miei e che mi davano un aspetto destinato a restarmi sempre estraneo, pur essendo in me, pur essendo il mio per loro (un «mio» dunque che non era per me!); una vita nella quale, pur essendo la mia per loro, io non potevo penetrare, quest'idea non mi diede più requie.

Come sopportare in me quest'estraneo? quest'estraneo che ero io stesso per me? come non vederlo? come non conoscerlo? come restare per sempre condannato a portarmelo con me, in me, alla vista degli altri e fuori intanto della mia?

VI. *Finalmente!*

– Sai che ti dico, Gengè? Sono passati altri quattro giorni. Non c'è più dubbio: Anna Rosa dev'esser malata. Andrò io a vederla.

– Dida mia, che fai? Ma ti pare! Con questo tempaccio? Manda Diego; manda Nina a domandar notizie. Vuoi rischiare di prendere un malanno? Non voglio, non voglio assolutamente.

Quando voi non volete assolutamente una cosa, che fa vostra moglie?

Dida, mia moglie, si piantò il cappellino in capo. Poi mi porse la pelliccia perché gliela reggessi.

Gongolai. Ma Dida scorse nello specchio il mio sorriso.

– Ah, ridi?

– Cara, mi vedo obbedito così...

E allora la pregai che, almeno, non si trattenesse tanto dalla sua amichetta, se davvero era ammalata di gola:

– Un quarto d'ora, non più. Te ne scongiuro.

M'assicurai così che fino a sera non sarebbe rincasata.

Appena uscita, mi girai dalla gioja su un calcagno, stropicciandomi le mani. «Finalmente!»

VII. *Filo d'aria*

Prima volli ricompormi, aspettare che mi scomparisse dal volto ogni traccia d'ansia e di gioja e che, dentro, mi s'arrestasse ogni moto di sentimento e di pensiero, così che potessi condurre davanti allo specchio il mio corpo come estraneo a me e, come tale, pormelo davanti.

– Sù, – dissi, – andiamo!

Andai, con gli occhi chiusi, le mani avanti, a tentoni. Quando toccai la lastra dell'armadio, ristetti ad aspettare, ancora con gli occhi chiusi, la più assoluta calma interiore, la più assoluta indifferenza.

Ma una maledetta voce mi diceva dentro, che era là anche lui, *l'estraneo*, di fronte a me, nello specchio. In attesa come me, con gli occhi chiusi.

C'era, e io non lo vedevo.

Non mi vedeva neanche lui, perché aveva, come me, gli occhi chiusi. Ma in attesa di che, lui? Di vedermi? No. *Egli poteva esser veduto, non vedermi.* Era per me quel che io ero per gli altri, che potevo esser veduto e non vedermi. Aprendo gli occhi però, *lo* avrei veduto così come un altro?

Qui era il punto.

M'era accaduto tante volte d'infrontar gli occhi per caso nello specchio con qualcuno che stava a guardarmi nello specchio stesso. Io nello specchio non mi vedevo ed ero veduto; così l'altro, non si vedeva, ma vedeva il mio viso e si vedeva guardato da me. Se mi fossi sporto a vedermi anch'io nello specchio, avrei forse potuto esser visto ancora dall'altro, ma io no, non avrei più potuto vederlo. Non si può a un tempo vedersi e vedere che un altro sta a guardarci nello stesso specchio.

Stando a pensare così, sempre con gli occhi chiusi, mi domandai:

«È diverso ora il mio caso, o è lo stesso? Finché tengo gli occhi chiusi, siamo due: io qua e lui nello specchio. Debbo impedire che, aprendo gli occhi, egli diventi me e io lui. Io debbo vederlo e non essere veduto. È possibile? Subito com'io lo vedrò, egli mi vedrà, e ci riconosceremo. Ma grazie tante! Io non voglio riconoscermi; io voglio conoscere lui fuori di me. È possibile? Il mio sforzo supremo deve consistere in questo: di non vedermi *in me*, ma d'essere veduto *da me*, con gli occhi miei stessi ma come se fossi un altro: quell'altro che tutti vedono e io no. Sù, dunque, calma, arresto d'ogni vita e attenzione!».

Aprii gli occhi. Che vidi?

Niente. *Mi* vidi. Ero io, là, aggrondato, carico del mio stesso pensiero, con un viso molto disgustato.

M'assalì una fierissima stizza e mi sorse la tentazione di tirarmi uno sputo in faccia. Mi trattenni. Spianai le rughe; cercai di smorzare l'acume dello sguardo; ed ecco, a mano a mano che lo smorzavo, la mia immagine smoriva e quasi s'allontanava da me; ma smorivo anch'io di qua e quasi cascavo; e sentii che, seguitando, mi sarei addormentato. Mi tenni con gli occhi. Cercai d'impedire che mi sentissi anch'io tenuto da quegli occhi che mi stavano di fronte; che quegli occhi, cioè, entrassero nei miei. Non vi riuscii. Io *mi sentivo* quegli occhi. Me li vedevo di fronte, ma li sentivo anche di qua, in me; li sentivo miei; non già fissi su me, ma in se stessi. E se per poco riuscivo a non sentirmeli, non li vedevo più. Ahimè, era proprio così: io potevo vedermeli, non già vederli.

Ed ecco: come compreso di questa verità che riduceva a un giuoco il mio esperimento, a un tratto il mio volto tentò nello specchio uno squallido sorriso.

– Sta' serio, imbecille! – gli gridai allora. – Non c'è niente da ridere!

Fu così istantaneo, per la spontaneità della stizza, il cangiamento dell'espressione nella mia immagine, e così subito seguì a questo cambiamento un'attonita apatia in essa, ch'io riuscii a vedere staccato dal mio spirito imperioso il mio corpo, là, davanti a me, nello specchio.

Ah, finalmente! Eccolo là!

Chi era?

Niente era. Nessuno. Un povero corpo mortificato, in attesa che qualcuno se lo prendesse.

– *Moscarda...* – mormorai, dopo un lungo silenzio.

Non si mosse; rimase a guardarmi attonito.

Poteva anche chiamarsi altrimenti.

Era là, come un cane sperduto, senza padrone e senza nome, che uno poteva chiamar *Flik*, e un altro *Flok*, a piacere. Non conosceva nulla, né si conosceva; viveva per vivere, e non sapeva di vivere; gli batteva il cuore, e non lo sapeva; respirava, e non lo sapeva; moveva le pàlpebre, e non se n'accorgeva.

Gli guardai i capelli rossigni; la fronte immobile, dura, pallida; quelle sopracciglia ad accento circonflesso; gli occhi verdastri, quasi forati qua e là nella còrnea da macchioline giallognole; attoniti, senza sguardo; quel naso che pendeva verso destra, ma di bel taglio aquilino; i baffi rossicci che nascondevano la bocca; il mento solido, un po' rilevato.

Ecco: era così: lo avevano fatto così, di quel pelame; non dipendeva da lui essere altrimenti, avere un'altra statura; poteva sì alterare in parte il suo aspetto: radersi quei baffi, per esempio; ma adesso era così; col tempo sarebbe stato calvo o canuto, rugoso e floscio, sdentato; qualche sciagura avrebbe potuto anche svisarlo, fargli un occhio di vetro o una gamba di legno; ma adesso era così.

Chi era? Ero io? Ma poteva anche essere un altro! Chiunque poteva essere, quello lì. Poteva avere quei capelli rossigni, quelle sopracciglia ad accento circonflesso e quel naso che pendeva verso destra, non soltanto per me, ma anche per un altro che non fossi io. Perché dovevo esser io, questo, così?

Vivendo, io non rappresentavo a me stesso nessuna immagine di me. Perché dovevo dunque vedermi in quel corpo lì come in un'immagine di me necessaria?

Mi stava lì davanti, quasi inesistente, come un'apparizione di sogno, quell'immagine. E io potevo benissimo non conoscermi così. Se non mi fossi mai veduto in uno specchio, per esempio? Non avrei forse per questo seguitato ad avere dentro quella testa lì sconosciuta i miei stessi pensieri? Ma sì, e tant'altri. Che avevano da vedere i miei pensieri con quei capelli, di quel colore, i quali avrebbero potuto non esserci più o essere bianchi o neri o biondi; e con quegli occhi lì verdastri, che avrebbero potuto anche essere neri o azzurri; e con quel naso che avrebbe potuto essere diritto o camuso? Potevo benissimo sentire anche una profonda antipatia per quel corpo lì; e la sentivo.

Eppure, io ero per tutti, sommariamente, quei capelli rossigni, quegli occhi verdastri e quel naso; tutto quel corpo lì che per me era niente; eccolo: niente!

Ciascuno se lo poteva prendere, quel corpo lì, per farsene quel Moscarda che gli pareva e piaceva, oggi in un modo e domani in un altro, secondo i casi e gli umori. E anch'io... Ma sì! Lo conoscevo io forse? Che potevo conoscere di lui? Il momento in cui lo fissavo, e basta. Se non mi volevo o non mi sentivo così come mi vedevo, colui era anche per me un estraneo, che aveva quelle fattezze, ma avrebbe potuto averne anche altre. Passato il momento in cui lo fissavo, egli era già un altro; tanto vero che non era più qual era stato da ragazzo, e non era ancora quale sarebbe stato da vecchio; e io oggi cercavo di riconoscerlo in quello di jeri, e così via. E in quella testa lì, immobile e dura, potevo mettere tutti i pensieri che volevo, accendere le più svariate visioni: ecco: d'un bosco che nereggiava placido e misterioso sotto il lume delle stelle; di una rada solitaria, malata di nebbia, da cui salpava lenta spettrale una nave all'alba; d'una via cittadina brulicante di vita sotto un nembo sfolgorante di sole che accendeva di riflessi purpurei i volti e faceva guizzar di luci variopinte i vetri delle finestre, gli specchi, i cristalli delle botteghe. Spengevo a un tratto la visione, e quella testa restava lì di nuovo immobile e dura, nell'apatico attonimento.

Chi era colui? Nessuno. Un povero corpo, senza nome, in attesa che qualcuno se lo prendesse.

Ma, all'improvviso, mentre così pensavo, avvenne tal cosa che mi riempì di spavento più che di stupore.

Vidi davanti a me, non per mia volontà, l'apatica attonita faccia di quel povero corpo mortificato scomporsi pietosamente, arricciare il naso, arrovesciare gli occhi all'indietro, contrarre le labbra in sù e provarsi ad aggrottar le ciglia, come per piangere; restare così un attimo sospeso e poi crollar due volte a scatto per lo scoppio d'una coppia di sternuti.

S'era commosso da sé, per conto suo, a un filo d'aria entrato chi sa donde, quel povero corpo mortificato, senza dirmene nulla e fuori della mia volontà.

– Salute! – gli dissi.

E guardai nello specchio il mio primo riso da matto.

VIII. *E dunque?*

Dunque, niente: questo. Se vi par poco! Ecco una prima lista delle riflessioni rovinose e delle terribili conclusioni derivate dall'innocente momentaneo piacere che Dida mia moglie aveva voluto prendersi. Dico, di farmi notare che il naso mi pendeva verso destra.

RIFLESSIONI:

1ª – *che io non ero per gli altri quel che finora avevo creduto d'essere per me;*

2ª – *che non potevo vedermi vivere;*

3ª – *che non potendo vedermi vivere, restavo estraneo a me stesso, cioè uno che gli altri potevano vedere e conoscere; ciascuno a suo modo; e io no;*

4ª – *che era impossibile pormi davanti questo estraneo per vederlo e conoscerlo; io potevo vedermi, non già vederlo;*

5ª – *che il mio corpo, se lo consideravo da fuori, era per me come un'apparizione di sogno; una cosa che non sapeva di vivere e che restava lì, in attesa che qualcuno se la prendesse;*

6ª – *che, come me lo prendevo io, questo mio corpo, per essere a volta a volta quale mi volevo e mi sentivo, così se lo poteva prendere qualunque altro per dargli una realtà a modo suo;*

7ª – *che infine quel corpo per se stesso era tanto niente e tanto nessuno, che un filo d'aria poteva farlo starnutire, oggi, e domani portarselo via.*

CONCLUSIONI:

Queste due per il momento:

1ª – *che cominciai finalmente a capire perché Dida mia moglie mi chiamava Gengè;*
2ª – *che mi proposi di scoprire chi ero io almeno per quelli che mi stavano più vicini, così detti conoscenti, e di spassarmi a scomporre dispettosamente quell'io che ero per loro.*

Libro secondo

I. *Ci sono io e ci siete voi*

Mi si può opporre:

«Ma come mai non ti venne in mente, povero Moscarda, che a tutti gli altri avveniva come a te, di non vedersi vivere; e che se tu non eri per gli altri quale finora t'eri creduto, allo stesso modo gli altri potevano non essere quali tu li vedevi, ecc. ecc.?».

Rispondo:

Mi venne in mente. Ma scusate, è proprio vero che sia venuto in mente anche a voi?

Ho voluto supporlo, ma non ci credo. Io credo anzi che se in realtà un tal pensiero vi venisse in mente e vi si radicasse come si radicò in me, ciascuno di voi commetterebbe le stesse pazzie che commisi io.

Siate sinceri: a voi non è mai passato per il capo di volervi veder vivere. Attendete a vivere per voi, e fate bene, senza darvi pensiero di ciò che intanto possiate essere per gli altri; non già perché dell'altrui giudizio non v'importi nulla, ché anzi ve ne importa moltissimo; ma perché siete nella beata illusione che gli altri, da fuori, vi debbano rappresentare in sé come voi a voi stessi vi rappresentate.

Che se poi qualcuno vi fa notare che il naso vi pende un pochino verso destra... no? che jeri avete detto una bugia... nemmeno? piccola piccola, via, senza conseguenze... Insomma, se qualche volta appena appena avvertite di non essere per gli altri quello stesso che per voi; che fate? (Siate sinceri.) Nulla fate, o ben poco. Ritenete al più al più, con bella e intera sicurezza di voi stessi, che gli altri vi hanno mal compreso, mal giudicato; e basta. Se vi preme, cercherete magari di raddrizzare quel giudizio, dando schiarimenti, spiegazioni; se non vi preme, lascerete correre; scrollerete le spalle esclamando: «Oh infine, ho la mia coscienza e mi basta».

Non è così?

Signori miei, scusate. Poiché vi è venuta in bocca una così grossa parola, permettete ch'io vi faccia entrare in mente un magro magro pensiero. Questo: che la vostra coscienza, qua, non ci ha che vedere. Non dirò che non val nulla, se per voi è proprio tutto; dirò, per farvi piacere, che allo stesso modo ho anch'io la mia e so che non val nulla. Sapete perché? Perché so che c'è anche la vostra. Ma sì. Tanto diversa dalla mia.

Scusatemi se parlo un momento a modo dei filosofi. Ma è forse la coscienza qualcosa d'assoluto che possa bastare a se stessa? Se fossimo soli, forse sì. Ma allora, belli miei, non ci sarebbe coscienza. Purtroppo, ci sono io, e ci siete voi. Purtroppo.

E che vuol dunque dire che avete la vostra coscienza e che vi basta? Che gli altri possono pensare di voi e giudicarvi come piace a loro, cioè ingiustamente, ché voi siete intanto sicuro e confortato di non aver fatto male?

Oh di grazia, e se non sono gli altri, chi ve la dà codesta sicurezza? codesto conforto chi ve lo dà?

Voi stesso? E come?

Ah, io lo so, come: ostinandovi a credere che se gli altri fossero stati al vostro posto e fosse loro capitato il vostro stesso caso, tutti avrebbero agito come voi, né più né meno.

Bravo! Ma su che lo affermate?

Eh, so anche questo: su certi principii astratti e generali, in cui, astrattamente e generalmente, vuol dire fuori dei casi concreti e particolari della vita, si può essere tutti d'accordo (costa poco).

Ma come va che tutti intanto vi condannano o non vi approvano o anche vi deridono? È chiaro che non sanno riconoscere, come voi, quei principii generali nel caso particolare che v'è capitato, e se stessi nell'azione che avete commessa.

O a che vi basta dunque la coscienza? A sentirvi solo? No, perdio. La solitudine vi spaventa. E che fate allora? V'immaginate tante teste. Tutte come la vostra. Tante teste che sono anzi la vostra stessa. Le quali a un dato cenno, tirate da voi come per un filo invisibile, vi dicono sì e no, e no e sì; come volete voi. E questo vi conforta e vi fa sicuri.

Andate là che è un giuoco magnifico, codesto della vostra coscienza che vi basta.

II. *E allora?*

Sapete invece su che poggia tutto? Ve lo dico io. Su una presunzione che Dio vi conservi sempre. La presunzione che la realtà, qual'è per voi, debba essere e sia ugualmente per tutti gli altri.

Ci vivete dentro; ci camminate fuori, sicuri. La vedete, la toccate; e dentro anche, se vi piace, ci fumate un sigaro (la pipa? la pipa), e beatamente state a guardare le spire di fumo a poco a poco vanire nell'aria. Senza il minimo sospetto che tutta la realtà che vi sta attorno non ha per gli altri maggiore consistenza di quel fumo.

Dite di no? Guardate. Io abitavo con mia moglie la casa che mio padre s'era fatta costruire dopo la morte immatura di mia madre, per levarsi da quella dov'era vissuto con lei, piena di cocentissimi ricordi. Ero allora ragazzo, e soltanto più tardi potei rendermi conto che proprio all'ultimo quella casa era stata lasciata da mio padre non finita e quasi aperta a chiunque volesse entrarvi.

Quell'arco di porta senza la porta che supera di tutta la cèntina da una parte e dall'altra i muri di cinta della vasta corte davanti, non finiti; con la soglia sotto distrutta e scortecciati agli spigoli i pilastri; mi fa ora pensare che mio padre lo lasciò così quasi in aria e vuoto, forse perché pensò che la casa, dopo la sua morte, doveva restare a me, vale a dire a tutti e a nessuno; e che le fosse inutile perciò il riparo d'una porta.

Finché visse mio padre, nessuno s'attentò a entrare in quella corte. Erano rimaste per terra tante pietre intagliate; e chi passava, vedendole, poté dapprima pensare che la fabbrica, per poco interrotta, sarebbe stata presto ripresa. Ma appena l'erba cominciò a crescere tra i ciottoli e lungo i muri, quelle pietre inutili sembrarono subito come crollate e vecchie. Col tempo, morto mio padre, divennero i sedili delle comari del vicinato, le quali, titubanti in principio, ora l'una ora l'altra, s'arrischiarono a varcare la soglia, come in cerca d'un posto riparato dove ci si potesse mettere seduti bene all'ombra e in silenzio; e poi, visto che nessuno diceva nulla, lasciarono alle loro galline la titubanza ancora per poco, e presero a considerare quella corte come loro, come loro l'acqua della cisterna che vi sorgeva in mezzo; e vi lavavano e vi stendevano i panni ad asciugare; e infine, col sole che abbarbagliava allegro da tutto quel bianco di lenzuoli e di camìce svolazzanti dai cordini tesi, si scioglievano sulle spalle i capelli lustri d'olio per «cercarsi» in capo, come fanno le scimmie tra loro.

Non diedi mai a divedere né fastidio né piacere di quella loro invasione, benché m'irritasse specialmente la vista d'una vecchina sempre pigolante, dagli occhi risecchi e la gobba dietro ben segnata da un giubbino verde scolorito, e mi désse allo stomaco una lezzona grassa squarciata, con un'orrenda cioccia sempre fuori del busto e in grembo un bimbo sudicio dalla testa grossa schifosamente piena di croste di lattime tra la peluria rossiccia. Mia moglie aveva forse il suo tornaconto a lasciarle lì, perché se ne serviva a un bisogno, dando poi loro in compenso o gli avanzi di cucina o qualche abito smesso.

Acciottolata come la strada, questa corte è tutta in pendìo. Mi rivedo ragazzo, uscito per le vacanze dal collegio, affacciato di sera tardi a uno dei balconi della casa allora nuova. Che pena infinita mi dava il vasto biancore illividito di tutti quei ciottoli in pendìo con quella grande cisterna in mezzo, misteriosamente sonora! La ruggine s'era quasi mangiata fin d'allora la vernice rossigna del gambo di ferro che in cima regge la carrucola dove scorre la fune della secchia; e come mi sembrava triste quello sbiadito color di vernice su quel gambo di ferro che ne pareva malato! Malato fors'anche per la malinconia dei cigolìi della carrucola quando il vento, di notte, moveva la fune; e su la corte deserta era la chiarità del cielo stellato ma velato, che in quella chiarità vana, di polvere, sembrava fissato là sopra, per sempre.

Dopo la morte di mio padre, Quantorzo, incaricato di badare ai miei affari, pensò di chiudere con un tramezzo le stanze che mio padre s'era riservate per sua abitazione e di farne un quartierino da affittare. Mia moglie non s'era opposta. E in quel quartierino era venuto, poco dopo, ad abitare un vecchio silenziosissimo pensionato, sempre vestito bene, di pulita semplicità, piccolino ma con un che di marziale nell'esile personcina impettorita e anche nella faccina energica, sebbene un po' sciupata, da colonnello a riposo. Di qua e di là, come scritti calligraficamente, aveva due esemplari occhi di pesce, e tutte segnate le guance d'una fitta trama di venuzze violette.

Non avevo mai badato a lui, né m'ero curato di sapere chi fosse, come vivesse. Parecchie volte lo avevo incontrato per le scale, e sentendomi dire con molto garbo: «Buon giorno» o «Buona sera», senz'altro m'ero fatta l'idea che quel mio vicino di casa fosse molto garbato.

Nessun sospetto mi aveva destato un suo lamento per le zanzare che lo molestavano la notte e che, a suo credere, provenivano dai grandi magazzini a destra della casa ridotti da Quantorzo, sempre dopo la morte di mio padre, a sudice rimesse d'affitto.

– Ah, già! – avevo esclamato, quella volta, in risposta al suo lamento.

Ma ricordo perfettamente che in quella mia esclamazione c'era il dispiacere, non già delle zanzare che molestavano il mio inquilino, ma di quegli ariosi puliti magazzini che da ragazzo avevo veduto costruire e dove correvo, stranamente esaltato dalla bianchezza abbarbagliante dell'intonaco e come ubriacato dall'umido della fabbrica fresca, sul mattonato rintronante, ancora tutto spruzzato di calce. Al sole ch'entrava dalle grandi finestre ferrate, bisognava chiudere gli occhi da come quei muri accecavano.

Tuttavia, quelle rimesse con quei vecchi landò d'affitto, con l'attacco a tre, per quanto impregnati di tutto il lezzo delle lettiere marcite e del nero delle risciacquature che stagnava lì davanti, mi facevano anche pensare all'allegria delle corse in carrozza, da ragazzo, quando si andava in villeggiatura, per lo stradone, tra le campagne aperte che mi parevano fatte per accogliere e diffondere la festività delle sonagliere. E in grazia di quel ricordo mi pareva si potesse sopportare la vicinanza delle rimesse; tanto più che, anche senza questa vicinanza, era noto a tutti che a Richieri si soffriva il fastidio delle zanzare, da cui comunemente in ogni casa ci si difendeva con l'uso delle zanzariere.

Chi sa che impressione dovette fare al mio vicino di casa la vista d'un sorriso sulle mie labbra, quando egli con la faccina fiera mi gridò che non aveva mai potuto sopportare le zanzariere, perché se ne sentiva soffocare. Quel mio sorriso esprimeva di certo maraviglia e compatimento. Non poter sopportare la zanzariera, ch'io avrei seguitato sempre a usare anche se tutte le zanzare fossero sparite da Richieri, per la delizia che mi dava, tenuta alta di cielo com'io la tenevo e drizzata tutt'intorno al letto senza una piega. La camera che si vede e non si vede traverso a quella miriade di forellini del tulle lieve; il letto isolato; l'impressione d'esser come avvolto in una bianca nuvola.

Non mi feci caso di ciò che egli potesse pensare di me dopo quell'incontro. Seguitai a vederlo per le scale, e sentendomi dire come prima – Buon giorno – o – Buona sera –, rimasi con l'idea ch'egli fosse molto garbato.

Vi assicuro invece ch'egli, nello stesso momento che fuori garbatamente mi diceva per le scale – Buon giorno – o – Buona sera –, dentro di sé mi faceva vivere come un perfetto imbecille perché là nella corte tolleravo quell'invasione di comari e quel puzzo ardente di lavatojo e le zanzare.

Chiaro che non avrei più pensato: «Oh Dio com'è garbato il mio vicino di casa», se avessi potuto vedermi dentro di lui che, viceversa, mi vedeva com'io non avrei potuto vedermi mai, voglio dire da fuori, per me, ma dentro la visione che anche lui aveva poi per suo conto delle cose e degli uomini, e nella quale mi faceva vivere a suo modo: da perfetto imbecille. Non lo sapevo e seguitavo a pensare: «Oh Dio com'è garbato il mio vicino di casa».

III. *Con permesso*

Picchio all'uscio della vostra stanza.

State, state pure sdrajato comodamente su la vostra greppina. Io seggo qua. Dite di no?

– Perché?

Ah, è la poltrona su cui, tant'anni or sono, morì la vostra povera mamma. Scusate, non avrei dato un soldo per essa, mentre voi non la vendereste per tutto l'oro del mondo; lo credo bene. Chi la vede, intanto, nella vostra stanza così ben mobigliata, certo, non sapendo, si domanda con maraviglia come la possiate tenere qua, vecchia scolorita e strappata com'è.

Queste sono le vostre seggiole. E questo è un tavolino, che più tavolino di così non potrebbe essere. Quella è una finestra che dà sul giardino. E là fuori, quei pini, quei cipressi.

Lo so. Ore deliziose passate in questa stanza che vi par tanto bella, con quei cipressi che si vedono là. Ma per essa intanto vi siete guastato con l'amico che prima veniva a visitarvi quasi ogni giorno e ora non solo non viene più ma va dicendo a tutti che siete pazzo, proprio pazzo ad abitare in una casa come questa.

– Con tutti quei cipressi lì davanti in fila, – va dicendo. – Signori miei, più di venti cipressi, che pare un camposanto.

Non se ne sa dar pace.

· Voi socchiudete gli occhi; vi stringete nelle spalle; sospirate:

– Gusti!

Perché vi pare che sia propriamente questione di gusti, o d'opinioni, o d'abitudine; e non dubitate minimamente della realtà delle care cose, quale con piacere ora la vedete e la toccate.

Andate via da codesta casa; ripassate fra tre o quattr'anni a rivederla con un altro animo da questo d'oggi; vedrete che ne sarà più di codesta cara realtà.

– Uh guarda, questa la stanza? questo il giardino?

E speriamo per amor di Dio, che non vi sia morto qualche altro parente prossimo, perché vediate anche voi come un camposanto tutti quei cari cipressi là.
Ora dite che questo si sa, che l'animo muta e che ciascuno può sbagliare.
Già storia vecchia, difatti.
Ma io non ho la pretesa di dirvi niente di nuovo. Solo vi domando:
– E perché allora, santo Dio, fate come se non si sapesse? Perché seguitate a credere che la sola realtà sia la vostra, questa d'oggi, e vi maravigliate, vi stizzite, gridate che sbaglia il vostro amico, il quale, per quanto faccia, non potrà mai avere in sé, poverino, lo stesso animo vostro?

IV. *Scusate ancora*

Lasciatemi dire un'altra cosa, e poi basta.
Non voglio offendervi. La vostra coscienza, voi dite. Non volete che sia messa in dubbio. Me n'ero scordato, scusate. Ma riconosco, riconosco che per voi stesso, dentro di voi, non siete quale io, di fuori, vi vedo. Non per cattiva volontà. Vorrei che foste almeno persuaso di questo. Voi vi conoscete, vi sentite, vi volete in un modo che non è il mio, ma il vostro; e credete ancora una volta che il vostro sia giusto e il mio sbagliato. Sarà, non nego. Ma può il vostro modo essere il mio e viceversa?
Ecco che torniamo daccapo!
Io posso credere a tutto ciò che voi mi dite. Ci credo. Vi offro una sedia: sedete; e vediamo di metterci d'accordo.
Dopo una buona oretta di conversazione, ci siamo intesi perfettamente.
Domani mi venite con le mani in faccia, gridando:
– Ma come? Che avete inteso? Non mi avevate detto così e così?
Così e così, perfettamente. Ma il guajo è che voi, caro, non saprete mai, né io vi potrò mai comunicare come si traduca in me quello che voi mi dite. Non avete parlato turco, no. Abbiamo usato, io e voi la stessa lingua, le stesse parole. Ma che colpa abbiamo, io e voi, se le parole, per sé, sono vuote? Vuote, caro mio. E voi le riempite del senso vostro, nel dirmele; e io nell'accoglierle, inevitabilmente, le riempio del senso mio. Abbiamo creduto d'intenderci; non ci siamo intesi affatto.
Eh, storia vecchia anche questa, si sa. E io non pretendo dir niente di nuovo. Solo torno a domandarvi:
– Ma perché allora, santo Dio, seguitate a fare come se non si sapesse? A parlarmi di voi, se sapete che per essere per me quale siete per voi stesso, e io per voi quale sono per me, ci vorrebbe che io, dentro di me, vi déssi quella stessa realtà che voi vi date, e viceversa; e questo non è possibile?
Ahimè, caro, per quanto facciate, voi mi darete sempre una realtà a modo vostro, anche credendo in buona fede che sia a modo mio; e sarà, non dico; magari sarà; ma a un «modo mio» che io non so né potrò mai sapere; che saprete soltanto voi che mi vedete da fuori: dunque un «modo mio» per voi, non un «modo mio» per me.
Ci fosse fuori di noi, per voi e per me, ci fosse una signora realtà mia e una signora realtà vostra, dico per se stesse, e uguali, immutabili. Non c'è. C'è in me e per me una realtà mia: quella che io mi dò; una realtà vostra in voi e per voi: quella che voi vi date; le quali non saranno mai le stesse né per voi né per me.
E allora?
Allora, amico mio, bisogna consolarci con questo: che non è più vera la mia che la vostra, e che durano un momento così la vostra come la mia.
Vi gira un po' il capo? Dunque dunque... concludiamo.

V. *Fissazioni*

Ecco, dunque, volevo venire a questo, che non dovete dirlo più, non lo dovete dire che avete la vostra coscienza e che vi basta.

Quando avete agito così? Jeri, oggi, un minuto fa? E ora? Ah, ora voi stesso siete disposto ad ammettere che forse avreste agito altrimenti. E perché? Oh Dio, voi impallidite. Riconoscete forse anche voi ora, che un minuto fa *voi eravate un altro*?

Ma sì, ma sì, mio caro, pensateci bene: un minuto fa, prima che vi capitasse questo caso, voi eravate un altro; non solo, ma voi eravate anche cento altri, centomila altri. E non c'è da farne, credete a me, nessuna maraviglia. Vedete piuttosto se vi sembra di poter essere così sicuro che di qui a domani sarete quel che assumete di essere oggi.

Caro mio, la verità è questa: che sono tutte fissazioni. Oggi vi fissate in un modo e domani in un altro.

Vi dirò poi come e perché.

VI. *Anzi ve lo dico adesso*

Avete mai veduto costruire una casa? Io, tante, qua a Richieri. E ho pensato: «Ma guarda un po' l'uomo, che è capace di fare! Mutila la montagna; ne cava pietre; le squadra; le dispone le une sulle altre e, che è che non è, quello che era un pezzo di montagna è diventato una casa».

– Io – dice la montagna – sono montagna e non mi muovo.

Non ti muovi, cara? E guarda là quei carri tirati da buoi. Sono carichi di te, di pietre tue. Ti portano in carretta, cara mia! Credi di startene costì? E già mezza sei due miglia lontano, nella pianura. Dove? Ma in quelle case là, non ti vedi? una gialla, una rossa, una bianca; a due, a tre, a quattro piani.

E i tuoi faggi, i tuoi noci, i tuoi abeti?

Eccoli qua, a casa mia. Vedi come li abbiamo lavorati bene? Chi li riconoscerebbe più in queste sedie, in questi armadii, in questi scaffali?

Tu montagna, sei tanto più grande dell'uomo; anche tu faggio, e tu noce e tu abete; ma l'uomo è una bestiolina piccola, sì, che ha però in sé qualche cosa che voi non avete.

A star sempre in piedi, vale a dire ritta su due zampe soltanto, si stancava; a sdrajarsi per terra come le altre bestie non stava comoda e si faceva male, anche perché, perduto il pelo, la pelle eh! la pelle le è diventata più fina. Vide allora l'albero e pensò che se ne poteva trar fuori qualche cosa per sedere più comodamente. E poi sentì che non era comodo neppure il legno nudo e lo imbottì; scorticò le bestie soggette, altre ne tosò e vestì il legno di cuojo e tra il cuojo e il legno mise la lana; ci si sdrajò sopra, beato:

– Ah, come si sta bene così!

Il cardellino canta nella gabbietta sospesa tra le tende al palchetto della finestra. Sente forse la primavera che s'approssima? Ahimè, forse la sente anch'esso l'antico ramo del noce da cui fu tratta la mia seggiola, che al canto del cardellino ora scrìcchiola.

Forse s'intendono, con quel canto e con questo scricchiolìo, l'uccello imprigionato e il noce ridotto seggiola.

VII. *Che c'entra la casa?*

Pare a voi che non c'entri questo discorso della casa, perché adesso la vedete come è, la vostra casa, tra le altre che formano la città. Vi vedete attorno i vostri mobili, che sono quali voi secondo il vostro gusto e i vostri mezzi li avete

voluti per i comodi vostri. Ed essi vi spirano attorno il dolce conforto familiare, animati come sono da tutti i vostri ricordi; non più cose, ma quasi intime
parti di voi stessi, nelle quali potete toccarla e sentirla quella che vi sembra la
realtà sicura della vostra esistenza.

Siano di faggio o di noce o d'abete, i vostri mobili sono, come i ricordi della
vostra intimità domestica, insaporati di quel particolare alito che cova in ogni
casa e che dà alla nostra vita quasi un odore che più s'avverte quando ci vien
meno, appena cioè, entrando in un'altra casa, vi avvertiamo un alito diverso.
E vi secca, lo vedo, ch'io v'abbia richiamato ai faggi, ai noci, agli abeti della
montagna.

Come se già cominciaste a compenetrarvi un poco della mia pazzia, subito,
d'ogni cosa che vi dico, vi adombrate; domandate:

– Perché? Che c'entra questo?

VIII. *Fuori all'aperto*

No, via, non abbiate paura che vi guasti i mobili, la pace, l'amore della casa.

Aria! Aria! Lasciamo la casa, lasciamo la città. Non dico che possiate fidarvi
molto di me; ma, via, non temete. Fin dove la strada con quelle case sbocca
nella campagna potete seguirmi.

Sì, strada, questa. Temete sul serio che possa dirvi di no? Strada strada.
Strada brecciata; e attenti alle scaglie. E quelli sono fanali. Venite avanti sicuri.

Ah, quei monti azzurri lontani! Dico «azzurri»; anche voi dite «azzurri», non
è vero? D'accordo. E questo qua vicino, col bosco di castagni: castagni, no?
vedete, vedete come c'intendiamo? della famiglia delle cupulifere, d'alto
fusto. Castagno marrone. Che vasta pianura davanti («verde» eh? per voi e per
me «verde»: diciamo così, che c'intendiamo a maraviglia); e in quei prati là,
guardate guardate che bruciare di rossi papaveri al sole! – Ah, come? cappottini rossi di bimbi? – Già, che cieco! Cappottini di lana rossa, avete ragione.
M'eran sembrati papaveri. E codesta vostra cravatta pure rossa... Che gioja in
questa vana frescura, azzurra e verde, d'aria chiara di sole! Vi levate il cappellaccio grigio di feltro? Siete già sudato? Eh, bello grasso, voi, Dio vi benedica!
Se vedeste i quadratini bianchi e neri dei calzoni sul vostro deretano... Giù,
giù la giacca! Pare troppo.

La campagna! Che altra pace, eh? Vi sentite sciogliere. Sì; ma se mi sapeste
dire dov'è? Dico la pace. No, non temete, non temete! Vi sembra propriamente che ci sia pace qua? Intendiamoci, per carità! Non rompiamo il nostro
perfetto accordo. Io qua vedo soltanto, con licenza vostra, ciò che avverto in
me in questo momento, un'immensa stupidità, che rende la vostra faccia, e
certo anche la mia, di beati idioti; ma che noi pure attribuiamo alla terra e alle
piante, le quali ci sembra che vivano per vivere, così soltanto come in questa
stupidità possono vivere.

Diciamo dunque che è in noi ciò che chiamiamo pace. Non vi pare? E sapete
da che proviene? Dal semplicissimo fatto che siamo usciti or ora dalla città;
cioè, sì, da un mondo *costruito*: case, vie, chiese, piazze; non per questo soltanto, però, *costruito*, ma anche perché non ci si vive più così per vivere,
come queste piante, senza saper di vivere; bensì per qualche cosa che non c'è
e che vi mettiamo noi; per qualche cosa che dia senso e valore alla vita: un
senso, un valore che qua, almeno in parte, riuscite a perdere, o di cui riconoscete l'affliggente vanità. E vi vien languore, ecco, e malinconia. Capisco, capisco. Rilascio di nervi. Accorato bisogno d'abbandonarvi. Vi sentite sciogliere, vi abbandonate.

IX. *Nuvole e vento*

Ah, non aver più coscienza d'essere, come una pietra, come una pianta! Non ricordarsi più neanche del proprio nome! Sdrajati qua sull'erba, con le mani intrecciate alla nuca, guardare nel cielo azzurro le bianche nuvole abbarbaglianti che veleggiano gonfie di sole; udire il vento che fa lassù, tra i castagni del bosco, come un fragor di mare.

Nuvole e vento.

Che avete detto? Ahimè, ahimè. Nuvole? Vento? E non vi sembra già tutto, avvertire e riconoscere che quelle che veleggiano luminose per la sterminata azzurra vacuità sono nuvole? Sa forse d'essere la nuvola? Né sanno di lei l'albero e la pietra, che ignorano anche se stessi; e sono soli.

Avvertendo e riconoscendo la nuvola, voi potete, cari miei, pensare anche alla vicenda dell'acqua (e perché no?) che divien nuvola per divenir poi acqua di nuovo. Bella cosa, sì. E basta a spiegarvi questa vicenda un povero professoruccio di fisica. Ma a spiegarvi il perché del perché?

X. *L'uccellino*

Sentite, sentite: sù nel bosco dei castagni, picchi d'accetta. Giù nella cava, picchi di piccone.

Mutilare la montagna, atterrare alberi per costruire case. Là, nella vecchia città, altre case. Stenti, affanni, fatiche d'ogni sorta; perché? Ma per arrivare a un comignolo, signori miei; e per fare uscir poi da questo comignolo un po' di fumo, subito disperso nella vanità dello spazio.

E come quel fumo, ogni pensiero, ogni memoria degli uomini.

Siamo in campagna qua; il languore ci ha sciolto le membra; è naturale che illusioni e disinganni, dolori e gioje, speranze e desiderii ci appajano vani e transitorii, di fronte al sentimento che spira dalle cose che restano e sopravanzano ad essi, impassibili. Basta guardare là quelle alte montagne oltre valle, lontane lontane, sfumanti all'orizzonte, lievi nel tramonto, entro rosei vapori.

Ecco: sdrajato, voi buttate all'aria il cappellaccio di feltro; diventate quasi tragico; esclamate:

– Oh ambizioni degli uomini!

Già. Per esempio, che grida di vittoria perché l'uomo, come quel vostro cappellaccio, s'è messo a volare, a far l'uccellino! Ecco intanto qua un vero uccellino come vola. L'avete visto? La facilità più schietta e lieve, che s'accompagna spontanea a un trillo di gioja. Pensare adesso al goffo apparecchio rombante e allo sgomento, all'ansia, all'angoscia mortale dell'uomo che vuol fare l'uccellino! Qua un frullo e un trillo; là un motore strepitoso e puzzolente, e la morte davanti. Il motore si guasta; il motore s'arresta; addio uccellino!

– Uomo, – dite voi, sdrajati qua sull'erba, – lascia di volare! Perché vuoi volare? E quando hai volato?

Bravi. Lo dite qua, per ora, questo; perché siete in campagna, sdrajati sull'erba. Alzatevi, rientrate in città e, appena rientrati, lo intenderete subito perché l'uomo voglia volare.

Qua, cari miei, avete veduto l'uccellino vero, che vola davvero, e avete smarrito il senso e il valore delle ali finte e del volo meccanico. Lo riacquisterete subito là, dove tutto è finto e meccanico, riduzione e costruzione: un altro mondo nel mondo: mondo manifatturato, combinato, congegnato; mondo d'artificio, di stortura, d'adattamento, di finzione, di vanità; mondo che ha senso e valore soltanto per l'uomo che ne è l'artefice.

Via, via, aspettate che vi dia una mano per tirarvi sù. Siete grasso, voi. Aspettate: su la schiena v'è rimasto qualche filo d'erba... Ecco, andiamo via.

XI. *Rientrando in città*

Guardatemi ora questi alberi che scortano di qua e di là, in fila lungo i marciapiedi, questo nostro Corso di Porta Vecchia, che aria smarrita, poveri alberi cittadini, tosati e pettinati!

Probabilmente non pensano, gli alberi; le bestie, probabilmente, non ragionano. Ma se gli alberi pensassero, Dio mio, e potessero parlare, chi sa che direbbero questi poverelli che, per farci ombra, facciamo crescere in mezzo alla città! Pare che chiedano, nel vedersi così specchiati in queste vetrine di botteghe, che stiano a farci qua, tra tanta gente affaccendata, in mezzo al fragoroso tramestìo della vita cittadina. Piantati da tanti anni, sono rimasti miseri e squallidi alberelli. Orecchi, non mostrano d'averne. Ma chi sa, forse gli alberi, per crescere, hanno bisogno di silenzio.

Siete mai stati nella piazzetta dell'Olivella, fuori le mura? al conventino antico dei Trinitarii bianchi? Che aria di sogno e d'abbandono, quella piazzetta, e che silenzio strano, quando dalle tegole nere e muschiose di quel convento vecchio, s'affaccia bambino, azzurro azzurro, il riso della mattina!

Ebbene, ogni anno la terra, lì, nella sua stupida materna ingenuità, cerca d'approfittare di quel silenzio. Forse crede che lì non sia più città; che gli uomini abbiano disertato quella piazzetta; e tenta di riprendersela, allungando zitta zitta, pian pianino, di tra il selciato, tanti fili d'erba. Nulla è più fresco e tenero di quegli esili timidi fili d'erba di cui verzica in breve tutta la piazzetta. Ma ahimè non durano più d'un mese. È città lì; e non è permesso ai fili d'erba di spuntare. Vengono ogni anno quattro o cinque spazzini; s'accosciano in terra e con certi loro ferruzzi li strappano via.

Io vidi l'altr'anno, lì, due uccellini che, udendo lo stridore di quei ferruzzi sui grigi scabri quadratini del selciato, volavano dalla siepe alla grondaja del convento, di qua alla siepe di nuovo, e scotevano il capino e guardavano di traverso, quasi chiedessero, angosciati, che cosa stéssero a fare quegli uomini là.

– E non lo vedete, uccellini? – io dissi loro. – Non lo vedete che fanno? Fanno la barba a questo vecchio selciato.

Scapparono via inorriditi quei due uccellini.

Beati loro che hanno le ali e possono scappare! Quant'altre bestie non possono, e sono prese e imprigionate e addomesticate in città e anche nelle campagne; e com'è triste la loro forzata obbedienza agli strani bisogni degli uomini! Che ne capiscono? Tirano il carro, tirano l'aratro.

Ma forse anch'esse, le bestie, le piante e tutte le cose, hanno poi un senso e un valore per sé, che l'uomo non può intendere, chiuso com'è in quelli che egli per conto suo dà alle une e alle altre, e che la natura spesso, dal canto suo, mostra di non riconoscere e d'ignorare.

Ci vorrebbe un po' più d'intesa tra l'uomo e la natura. Troppo spesso la natura si diverte a buttare all'aria tutte le nostre ingegnose costruzioni. Cicloni, terremoti... Ma l'uomo non si dà per vinto. Ricostruisce, ricostruisce, bestiolina pervicace. E tutto è per lui materia di ricostruzione. Perché ha in sé quella tal cosa che non si sa che sia, per cui deve per forza costruire, trasformare a suo modo la materia che gli offre la natura ignara, forse e, almeno quando vuole, paziente. Ma si contentasse soltanto delle cose, di cui, fino a prova contraria, non si conosce che abbiano in sé facoltà di sentire lo strazio a causa dei nostri adattamenti e delle nostre costruzioni! Nossignori. L'uomo piglia a materia anche se stesso, e si costruisce, sissignori, come una casa.

Voi credete di conoscervi se non vi costruite in qualche modo? E ch'io possa conoscervi, se non vi costruisco a modo mio? E voi me, se non mi costruite a modo vostro? Possiamo conoscere soltanto quello a cui riusciamo a dar forma.

Ma che conoscenza può essere? È forse questa forma la cosa stessa? Sì, tanto per me, quanto per voi; ma non così per me come per voi: tanto vero che io non mi riconosco nella forma che mi date voi, né voi in quella che vi do io; e la stessa cosa non è uguale per tutti e anche per ciascuno di noi può di continuo cangiare, e difatti cangia di continuo.

Eppure, non c'è altra realtà fuori di questa, se non cioè nella forma momentanea che riusciamo a dare a noi stessi, agli altri, alle cose. La realtà che ho io per voi è nella forma che voi mi date; ma è realtà per voi e non per me; la realtà che voi avete per me è nella forma che io vi do; ma è realtà per me e non per voi; e per me stesso io non ho altra realtà se non nella forma che riesco a darmi. E come? Ma costruendomi, appunto.

Ah, voi credete che si costruiscano soltanto le case? Io mi costruisco di continuo e vi costruisco, e voi fate altrettanto. E la costruzione dura finché non si sgretoli il materiale dei nostri sentimenti e finché duri il cemento della nostra volontà. E perché credete che vi si raccomandi tanto la fermezza della volontà e la costanza dei sentimenti? Basta che quella vacilli un poco, e che questi si alterino d'un punto o cangino minimamente, e addio realtà nostra! Ci accorgiamo subito che non era altro che una nostra illusione.

Fermezza di volontà, dunque. Costanza nei sentimenti. Tenetevi forte, tenetevi forte per non dare di questi tuffi nel vuoto, per non andare incontro a queste ingrate sorprese.

Ma che belle costruzioni vengono fuori!

XII. *Quel caro Gengè*

– No no, bello mio, statti zitto! Vuoi che non sappia quel che ti piace e quel che non ti piace? Conosco bene i tuoi gusti, io, e come tu la pensi.

Quante volte non m'aveva detto così Dida mia moglie? E io, imbecille, non ci avevo fatto mai caso.

Ma sfido ch'ella conosceva quel suo Gengè più che non lo conoscessi io! Se l'era costruito lei! E non era mica un fantoccio. Se mai, il fantoccio ero io.

Sopraffazione? Sostituzione?

Ma che!

Per sopraffare uno, bisogna che questo uno esista; e per sostituirlo, bisogna che esista ugualmente e che si possa prendere per le spalle e strappare indietro, per mettere un altro al suo posto.

Dida mia moglie non m'aveva né sopraffatto né sostituito. Sarebbe sembrata a lei, al contrario, una sopraffazione e una sostituzione, se io, ribellandomi e affermando comunque una volontà d'essere a mio modo, mi fossi tolto dai piedi quel suo Gengè.

Perché quel suo Gengè esisteva, mentre io per lei non esistevo affatto, non ero mai esistito.

La realtà mia era per lei in quel suo Gengè ch'ella s'era foggiato, che aveva pensieri e sentimenti e gusti che non erano i miei e che io non avrei potuto minimamente alterare, senza correre il rischio di diventar subito un altro ch'ella non avrebbe più riconosciuto, un estraneo che ella non avrebbe più potuto né comprendere né amare.

Purtroppo non avevo mai saputo dare una qualche forma alla mia vita; non mi ero mai voluto fermamente in un modo mio proprio e particolare, sia per non avere mai incontrato ostacoli che suscitassero in me la volontà di resistere e di affermarmi comunque davanti agli altri e a me stesso, sia per questo mio animo disposto a pensare e a sentire anche il contrario di ciò che poc'anzi pensava e sentiva, cioè a scomporre e a disgregare in me con assidue e spesso opposte riflessioni ogni formazione mentale e sentimentale; sia infine per la mia natura così inchinevole a cedere, ad abbandonarsi alla discrezione altrui, non tanto per debolezza, quanto per noncuranza e anticipata rassegnazione ai dispiaceri che me ne potessero venire.

Ed ecco, intanto, che me n'era venuto! Non mi conoscevo affatto, non avevo per me alcuna realtà mia propria, ero in uno stato come di fusione continua, quasi fluido, malleabile; mi conoscevano gli altri, ciascuno a suo modo, secondo la realtà che m'avevano data; cioè vedevano in me ciascuno un Moscarda che non ero io, non essendo io propriamente nessuno per me; tanti Moscarda quanti essi erano, e tutti più reali di me che non avevo per me stesso, ripeto, nessuna realtà.

Gengè, sì, l'aveva, per mia moglie Dida. Ma non potevo in nessun modo consolarmene perché v'assicuro che difficilmente potrebbe immaginarsi una creatura più sciocca di questo caro Gengè di mia moglie Dida.

E il bello, intanto, era questo: che non era mica senza difetti per lei quel suo Gengè. Ma ella glieli compativa tutti! Tante cose di lui non le piacevano, perché non se l'era costruito in tutto a suo modo, secondo il suo gusto e il suo capriccio: no.

Ma a modo di chi allora?

Non certo a modo mio, perché io, ripeto, non riuscivo davvero a riconoscere per miei i pensieri, i sentimenti, i gusti ch'ella attribuiva al suo Gengè. Si vede dunque chiaramente che glieli attribuiva perché, secondo lei, Gengè aveva quei gusti e pensava e sentiva così, a modo *suo*, c'è poco da dire, propriamente *suo*, secondo la *sua* realtà che non era affatto la *mia*.

La vedevo piangere qualche volta per certe amarezze ch'egli, Gengè, le cagionava. Egli, sissignori! E se le domandavo:

– Ma perché, cara?

Mi rispondeva:

– Ah, me lo domandi? Ah, non ti basta quello che m'hai detto or ora?

– Io?

– Tu, tu, sì!

– Ma quando mai? Che cosa?

Trasecolavo.

Era manifesto che il senso che io davo alle mie parole era un senso per me; quello che poi esse assumevano per lei, quali parole di Gengè, era tutt'altro. Certe parole che, dette da me o da un altro, non le avrebbero dato dolore, dette da Gengè, la facevano piangere, perché in bocca di Gengè assumevano chi sa quale altro valore; e la facevano piangere, sissignori.

Io dunque parlavo per me solo. Ella parlava col suo Gengè. E questi le rispondeva per bocca mia in un modo che a me restava al tutto ignoto. E non è credibile, come diventassero sciocche, false, senza costrutto tutte le cose ch'io le dicevo e ch'ella mi ripeteva.

– Ma come? – le domandavo. – Io ho detto così?

– Sì, Gengè mio, proprio così!

Ecco: erano di Gengè suo quelle sciocchezze; ma non erano sciocchezze: tutt'altro! Era il modo di pensare di Gengè, quello.

E io, ah come lo avrei schiaffeggiato, bastonato, sbranato! Ma non lo potevo toccare. Perché, non ostanti i dispiaceri che le cagionava, le sciocchezze che diceva, Gengè era molto amato da mia moglie Dida; rispondeva per lei, così com'era, all'ideale del buon marito, a cui qualche lieve difetto si perdona in grazia di tant'altre buone qualità.

Se io non volevo che Dida mia moglie andasse a cercare in un altro il suo ideale, non dovevo toccare quel suo Gengè.

In principio pensavo che forse i miei sentimenti erano troppo complicati; i miei pensieri, troppo astrusi; i miei gusti, troppo insoliti; e che perciò mia moglie, spesso, non intendendoli, li travisava. Pensavo, insomma, che le mie idee e i miei sentimenti non potessero capire, se non così ridotti e rimpiccoliti, nel cervellino e nel coricino di lei; e che i miei gusti non si potessero accordare con la sua semplicità.

Ma che! ma che! Non li travisava lei, non li rimpiccoliva lei i miei pensieri e i miei sentimenti. No, no. Così travisati, così rimpiccoliti come le arrivavano dalla bocca di Gengè, mia moglie Dida li stimava sciocchi; anche lei, capite?

E chi dunque li travisava e li rimpiccoliva così? Ma la realtà di Gengè, signori miei! Gengè, quale ella se l'era foggiato, non poteva avere se non di quei pensieri, di quei sentimenti, di quei gusti. Sciocchino ma carino. Ah sì, tanto carino per lei! Lo amava così: carino sciocchino. E lo amava davvero.

Potrei recar tante prove. Basterà quest'una: la prima che mi viene a mente.

Dida, da ragazza, si pettinava in un certo modo che piaceva non soltanto a lei, ma anche a me, moltissimo. Appena sposata, cangiò pettinatura. Per lasciarla fare a suo modo io non le dissi che questa nuova pettinatura non mi piaceva affatto. Quand'ecco, una mattina, m'apparve all'improvviso, in accappatojo, col pettine ancora in mano, acconciata al modo antico e tutt'accesa in volto.

– Gengè! – mi gridò, spalancando l'uscio, mostrandosi e rompendo in una risata.

Io restai ammirato, quasi abbagliato.

– Oh, – esclamai, – finalmente!

Ma subito ella si cacciò le mani nei capelli, ne trasse le forcinelle e disfece in un attimo la pettinatura.

– Va' là! – mi disse. – Ho voluto farti uno scherzo. So bene, signorino, che non ti piaccio pettinata così!

Protestai, di scatto:

– Ma chi te l'ha detto, Dida mia? Io ti giuro, anzi, che...

Mi tappò la bocca con la mano.

– Va' là! – ripeté. – Tu me lo dici per farmi piacere. Ma io non debbo piacere a me, caro mio. Vuoi che non sappia come piaccio meglio al mio Gengè?

E scappò via.

Capite? Era certa certissima che al suo Gengè piaceva meglio pettinata in quell'altro modo, e si pettinava in quell'altro modo che non piaceva né a lei né a me. Ma piaceva al suo Gengè; e lei si sacrificava. Vi par poco? Non sono veri e proprii sacrificii, questi, per una donna?

Tanto lo amava!

E io – ora che tutto alla fine mi s'era chiarito – cominciai a divenire terribilmente geloso – non di me stesso, vi prego di credere: voi avete voglia di ridere! – non di me stesso, signori, ma di uno che non ero io, di un imbecille che s'era cacciato tra me e mia moglie; non come un'ombra vana, no, – vi prego di credere – perché egli anzi rendeva me ombra vana, me, me, appropriandosi del mio corpo per farsi amare da lei.

Considerate bene. Non baciava forse mia moglie, su le mie labbra, uno che non ero io? Su le mie labbra? No! Che mie! In quanto erano *mie*, propriamente *mie* le labbra ch'ella baciava? Aveva ella forse tra le braccia il mio corpo? Ma in quanto *realmente* poteva esser mio, quel corpo, in quanto *realmente* appartenere a me, se non ero io colui ch'ella abbracciava e amava?

Considerate bene. Non vi sentireste traditi da vostra moglie con la più raffinata delle perfidie, se poteste conoscere che ella, stringendovi tra le braccia, assapora e si gode per mezzo del vostro corpo l'amplesso d'un altro che lei ha in mente e nel cuore?

Ebbene, in che era diverso dal mio questo caso? Il mio caso era anche peggiore! Perché, in quello, vostra moglie – scusate – nel vostro amplesso si finge soltanto l'amplesso d'un altro; mentre, nel mio caso, mia moglie si stringeva tra le braccia la realtà di uno che non ero io!

Ed era tanto realtà quest'uno, che quando io alla fine, esasperato, lo volli distruggere imponendo, invece della sua, una mia realtà, mia moglie, che non era stata mai mia moglie ma la moglie di colui, si ritrovò subito, inorridita, come in braccio a un estraneo, a uno sconosciuto; e dichiarò di non potermi più amare, di non poter più convivere con me neanche un minuto e scappò via.

Sissignori, come vedrete, scappò via.

Libro terzo

I. *Pazzie per forza*

Ma voglio dirvi prima, almeno in succinto, le pazzie che cominciai a fare per scoprire tutti quegli altri Moscarda che vivevano nei miei più vicini conoscenti, e distruggerli a uno a uno.

Pazzie per forza. Perché, non avendo mai pensato finora a costruire di me stesso un Moscarda che consistesse a' miei occhi e per mio conto in un modo d'essere che mi paresse da distinguere come a me proprio e particolare, s'intende che non mi era possibile agire con una qualche logica coerenza. Dovevo a volta a volta dimostrarmi il contrario di quel che ero o supponevo d'essere in questo e in quello dei miei conoscenti, dopo essermi sforzato di comprendere la realtà che m'avevano data: meschina, per forza, labile, volubile e quasi inconsistente.

Però ecco: un certo aspetto, un certo senso, un certo valore dovevo pur averlo per gli altri, oltre che per le mie fattezze fuori della veduta mia e della mia estimativa, anche per tante cose a cui finora non avevo mai pensato.

Pensarci e sentire un impeto di feroce ribellione fu tutt'uno.

II. *Scoperte*

Il nome, sia: brutto fino alla crudeltà. *Moscarda*. La mosca, e il dispetto del suo aspro fastidio ronzante.

Non aveva mica un nome per sé il mio spirito, né uno stato civile: aveva tutto un suo mondo dentro; e io non bollavo ogni volta di quel mio nome, a cui non pensavo affatto, tutte le cose che mi vedevo dentro e intorno. Ebbene, ma per gli altri io non ero quel mondo che portavo dentro di me senza nome, tutto intero, indiviso e pur vario. Ero invece, fuori, nel loro mondo, *uno* – staccato – che si chiamava Moscarda, un piccolo e determinato aspetto di realtà non mia, incluso fuori di me nella realtà degli altri e chiamato *Moscarda*.

Parlavo con un amico: niente di strano: mi rispondeva; lo vedevo gestire; aveva la sua solita voce, riconoscevo i suoi soliti gesti; e anch'egli, standomi a sentire se gli parlavo, riconosceva la mia voce e i miei gesti. Nulla di strano, sì; ma finché io non pensavo che il tono che aveva per me la voce del mio amico non era affatto lo stesso di quella ch'egli si conosceva, perché forse il tono della sua voce egli non se lo conosceva nemmeno, essendo quella, per lui, la sua voce; e che il suo aspetto era quale io lo vedevo, cioè quello che gli davo io, guardandolo da fuori, mentre lui, parlando, non aveva davanti alla mente, certo, nessuna immagine di se stesso, neppur quella che si dava e si riconosceva guardandosi allo specchio.

Oh Dio, e che avveniva allora di me? avveniva lo stesso della mia voce? del mio aspetto? Io non ero più un indistinto *io* che parlava e guardava gli altri, ma uno che gli altri invece guardavano, fuori di loro, e che aveva un tono di voce e un aspetto ch'io non mi conoscevo. Ero per il mio amico quello che egli era per me: un corpo impenetrabile che gli stava davanti e ch'egli si rappresentava con lineamenti a lui ben noti, i quali per me non significavano nulla; tanto vero che non ci pensavo nemmeno, parlando, né potevo vedermeli né saper come fossero; mentre per lui erano tutto, in quanto gli rappresentavano me quale ero per lui, uno tra tanti: *Moscarda*. Possibile? E *Moscarda* era tutto ciò che esso diceva e faceva in quel mondo a me ignoto; *Moscarda* era anche la mia ombra; *Moscarda*, se lo vedevano mangiare; *Moscarda*, se lo vedevano fumare; *Moscarda*, se andava a spasso; *Moscarda*, se si soffiava il naso.

Non lo sapevo, non ci pensavo, ma nel mio aspetto, cioè in quello che essi mi davano, in ogni mia parola che sonava per loro con una voce ch'io non potevo sapere, in ogni mio atto interpretato da ciascuno a suo modo, sempre c'erano per gli altri impliciti il mio nome e il mio corpo.

Se non che, ormai, per quanto potesse parermi stupido e odioso essere bollato così per sempre e non potermi dare un altro nome, tanti altri a piacere, che s'accordassero a volta a volta col vario atteggiarsi de' miei sentimenti e delle mie azioni; pure ormai, ripeto, abituato com'ero a portar quello fin dalla nascita, potevo non farne gran caso, e pensare che io infine non ero quel nome; che quel nome era per gli altri un modo di chiamarmi, non bello ma che avrebbe potuto tuttavia essere anche più brutto. Non c'era forse un Sardo a Richieri che si chiamava Porcu? Sì.

– Signor Porcu...

E non rispondeva mica con un grugnito.

– Eccomi, a servirla...

Pulito pulito e sorridente rispondeva. Tanto che uno quasi si vergognava di doverlo chiamare così.

Lasciamo dunque il nome, e lasciamo anche le fattezze, benché pure – ora che davanti allo specchio mi s'era duramente chiarita la necessità di non poter dare a me stesso un'immagine di me diversa da quella con cui mi rappresentavo – anche queste fattezze sentivo estranee alla mia volontà e contrarie dispettosamente a qualunque desiderio potesse nascermi d'averne altre, che non fossero queste, cioè questi capelli così, di questo colore, questi occhi così, verdastri, e questo naso e questa bocca; lasciamo, dico, anche le fattezze, perché alla fin fine dovevo riconoscere che avrebbero potuto essere anche mostruose e avrei dovuto tenermele e rassegnarmi a esse, volendo vivere; non erano, e dunque via, dopo tutto, potevo anche accontentarmene.

Ma le condizioni? dico le condizioni mie che non dipendevano da me? le condizioni che mi determinavano, fuori di me, fuori d'ogni mia volontà? le condizioni della mia nascita, della mia famiglia? Non me l'ero mai poste davanti, io, per valutarle come potevano valutarle gli altri, ciascuno a suo modo, s'intende, con una sua particolar bilancia, a peso d'invidia, a peso d'odio o di sdegno o che so io.

M'ero creduto finora un uomo nella vita. Un uomo, così, e basta. Nella vita. Come se in tutto mi fossi fatto da me. Ma come quel corpo non me l'ero fatto io, come non me l'ero dato io quel nome, e nella vita ero stato messo da altri senza mia volontà; così, senza mia volontà, tant'altre cose m'erano venute sopra dentro intorno, da altri; tant'altre cose m'erano state fatte, date da altri, a cui effettivamente io non avevo mai pensato, mai dato immagine, l'immagine strana, nemica, con cui mi s'avventavano adesso.

La storia della mia famiglia! La storia della mia famiglia nel mio paese: non ci pensavo; ma era in me, questa storia, per gli altri; io ero uno, l'ultimo di questa famiglia; e ne avevo in me, nel corpo, lo stampo e chi sa in quante abitudini d'atti e di pensieri, a cui non avevo mai riflettuto, ma che gli altri riconoscevano chiaramente in me, nel mio modo di camminare, di ridere, di salutare. Mi credevo un uomo nella vita, un uomo qualunque, che vivesse così alla giornata una scioperata vita in fondo, benché piena di curiosi pensieri vagabondi; e no, e no: potevo essere per me uno qualunque, ma per gli altri no; per gli altri avevo tante sommarie determinazioni, ch'io non m'ero date né fatte e a cui non avevo mai badato; e quel mio poter credermi un uomo qualunque, voglio dire quel mio stesso ozio, che credevo proprio mio, non era neanche mio per gli altri: m'era stato dato da mio padre, dipendeva dalla ricchezza di mio padre; ed era un ozio feroce, perché mio padre...

Ah, che scoperta! Mio padre... La vita di mio padre...

III. *Le radici*

M'appare. Alto, grasso, calvo. E nei limpidi quasi vitrei occhi azzurrini il solito sorriso gli brillava per me, d'una strana tenerezza, ch'era un po' compatimento, un po' derisione anche, ma affettuosa, come se in fondo gli piacesse ch'io fossi tale da meritarmela, quella sua derisione, considerandomi quasi un lusso di bontà che impunemente egli si potesse permettere.

Se non che, questo sorriso, nella barba folta, così rossa e così fortemente radicata che gli scoloriva le gote, questo sorriso sotto i grossi baffi un po' ingialliti nel mezzo, era a tradimento, ora, una specie di ghigno muto e frigido, lì nascosto; a cui non avevo mai badato. E quella tenerezza per me, affiorando e brillando negli occhi da quel ghigno nascosto, m'appariva ora orribilmente maliziosa: tante cose mi svelava a un tratto che mi fendevano di brividi la schiena. Ed ecco, lo sguardo di quegli occhi vitrei mi teneva, mi teneva affascinato per impedirmi di pensare a queste cose, di cui pure era fatta la sua tenerezza per me, ma che pure erano orribili.

«Ma se tu eri e sei ancora uno sciocco... sì, un povero ingenuo sventato, che te ne vai appresso ai tuoi pensieri, senza mai fermarne uno per fermarti; e mai un proposito non ti sorge, che tu non ti ci metta a girare attorno, e tanto te lo guardi che infine ti ci addormenti, e il giorno appresso apri gli occhi, te lo vedi davanti e non sai più come ti sia potuto sorgere se jeri c'era quest'aria e questo sole; per forza, vedi, io ti dovevo voler bene così. Le mani? che mi guardi? ah, questi peli rossi qua, anche sul dorso delle dita? gli anelli... troppi? e questa grossa spilla alla cravatta, e anche la catena dell'orologio... Troppo oro? che mi guardi?»

Vedevo stranamente la mia angoscia distrarsi con sforzo da quegli occhi, da tutto quell'oro e affiggersi in certe venicciuole azzurrognole che gli trasparivano serpeggianti sù sù per la pallida fronte con pena, sul lucido cranio contornato dai capelli rossi, rossi come i miei – cioè, i miei come i suoi – e che miei dunque, se così chiaramente m'erano venuti da lui? E quel lucido cranio a poco a poco, ecco, mi svaniva davanti come ingoiato nel vano dell'aria.

Mio padre!

Nel vano, ora, un silenzio esterrefatto, grave di tutte le cose insensate e informi, che stanno nell'inerzia mute e impenetrabili allo spirito.

Fu un attimo, ma l'eternità. Vi sentii dentro tutto lo sgomento delle necessità cieche, delle cose che non si possono mutare: la prigione del tempo; il nascere ora, e non prima e non poi; il nome e il corpo che ci è dato; la catena delle cause; il seme gettato da quell'uomo: mio padre senza volerlo; il mio venire al mondo, da quel seme; involontario frutto di quell'uomo; legato a quel ramo; espresso da quelle radici.

IV. *Il seme*

Vidi allora per la prima volta mio padre come non lo avevo mai veduto: fuori, nella sua vita; ma non com'era per sé, come in sé si sentiva, ch'io non potevo saperlo; ma come estraneo a me del tutto, nella realtà che, tal quale egli ora m'appariva, potevo supporre gli dessero gli altri.

A tutti i figli sarà forse avvenuto. Notare com'alcunché d'osceno che ci mortifica, laddove è il padre per noi che si rispetta. Notare, dico, che gli altri non dànno e non possono dare a questo padre quella stessa realtà che noi gli diamo. Scoprire com'egli vive ed è uomo fuori di noi, per sé, nelle sue relazioni con gli altri, se questi altri, parlando con lui o spingendolo a parlare, a ridere, a guardare, per un momento si dimentichino che noi siamo presenti, e così ci lascino intravedere l'uomo ch'essi conoscono in lui, l'uomo ch'egli è per loro. Un altro. E come? Non si può sapere. Subito nostro padre ha fatto un cenno, con la mano o con gli occhi, che ci siamo noi. E quel piccolo cenno furtivo, ecco, ci ha scavato in un attimo un abisso dentro. Quello che ci stava tanto vicino, eccolo balzato lontano e intravisto là come un estraneo. E sentiamo la nostra vita come lacerata tutta, meno che in un punto per cui resta attaccata ancora a quell'uomo. E questo punto è vergognoso. La nostra nascita staccata, recisa da lui, come un caso comune, forse previsto, ma involontario nella vita di quell'estraneo, prova d'un gesto, frutto d'un atto, alcunché insomma che ora, sì, ci fa vergogna, ci suscita sdegno e quasi odio. E se non propriamente odio, un certo acuto dispetto notiamo anche negli occhi di nostro padre, che in quell'attimo si sono scontrati nei nostri. Siamo per lui, lì ritti in piedi, e con due vigili occhi ostili, ciò che egli dallo sfogo d'un suo momentaneo bisogno o piacere, non si aspettava: quel seme gettato ch'egli non sapeva, ritto ora in piedi e con due occhi fuoruscenti di lumaca che guardano a tentoni e giudicano e gl'impediscono d'essere ancora in tutto a piacer suo, libero, *un altro* anche rispetto a noi.

V. *Traduzione d'un titolo*

Non l'avevo mai finora staccato così da me mio padre. Sempre l'avevo pensato, ricordato come padre, qual era per me; ben poco veramente, ché morta giovanissima mia madre, fui messo in un collegio lontano da Richieri, e poi in un altro, e poi in un terzo ove rimasi fino ai diciott'anni, e andai poi all'università e vi passai per sei anni da un ordine di studii all'altro, senza cavare un pratico profitto da nessuno; ragion per cui alla fine fui richiamato a Richieri e subito, non so se in premio o per castigo, ammogliato. Due anni dopo mio padre morì senza lasciarmi di sé, del suo affetto altro ricordo più vivo che quel sorriso di tenerezza, ch'era – com'ho detto – un po' compatimento, un po' derisione.

Ma ciò ch'era stato per sé? Moriva ora, mio padre, del tutto. Ciò ch'era stato per gli altri... E così poco per me! E gli veniva anche dagli altri, certo, dalla realtà che gli altri gli davano e ch'egli sospettava, quel sorriso per me... Ora l'intendevo e ne intendevo il perché, orribilmente.

– Che cos'è tuo padre? – mi avevano tante volte domandato in collegio i miei compagni.

E io:

– Banchiere.

Perché mio padre, *per me*, era banchiere.

Se vostro padre fosse boja, come si tradurrebbe nella vostra famiglia questo titolo per accordarlo con l'amore che voi avete per lui e ch'egli ha per voi? oh, egli tanto tanto buono per voi, oh, io lo so, non c'è bisogno che me lo diciate; me lo immagino perfettamente l'amore d'un tal padre per il suo figliuolo, la tremante delicatezza delle sue grosse mani nell'abbottonargli la camicina bianca attorno al collo. E poi, feroci domani, all'alba, quelle sue mani, sul palco. Perché anche un *banchiere*, me lo immagino perfettamente, passa dal dieci al venti e dal venti al quaranta per cento, man mano che cresce in paese con la disistima altrui la fama della sua usura, la quale peserà domani come un'onta sul suo figliuolo che ora non sa e si svaga dietro a strani pensieri, povero lusso di bontà, che davvero se lo meritava, ve lo dico io, quel sorriso di tenerezza, mezzo compatimento e mezzo derisione.

VI. *Il buon figliuolo feroce*

Con gli occhi pieni dell'orrore di questa scoperta, ma velato l'orrore da un avvilimento, da una tristezza che pur mi atteggiavano le labbra a un sorriso vano, nel sospetto che nessuno potesse crederli e ammetterli in me davvero, io allora mi presentai davanti a Dida mia moglie.

Se ne stava – ricordo – in una stanza luminosa, vestita di bianco e tutta avvolta entro un fulgore di sole, a disporre nel grande armadio laccato bianco e dorato a tre luci i suoi nuovi abiti primaverili.

Facendo uno sforzo, acre d'onta segreta, per trovarmi in gola una voce che non paresse troppo strana, le domandai:

– Tu lo sai, eh Dida, qual'è la mia professione?

Dida, con una gruccia in mano da cui pendeva un abito di velo color isabella, si voltò a guardarmi dapprima, come se non mi riconoscesse. Stordita, ripeté:

– La tua professione?

E dovetti riassaporar l'agro di quell'onta per riprendere, quasi da un dilaceramento del mio spirito, la domanda che ne pendeva. Ma questa volta mi si sfece in bocca:

– Già – dissi – che cosa faccio io?

Dida, allora, stette un poco a mirarmi, poi scoppiò in una gran risata:

– Ma che dici, Gengè?

Si fracassò d'un tratto allo scoppio di quella risata il mio orrore, l'incubo di quelle necessità cieche in cui il mio spirito, nella profondità delle sue indagini, s'era urtato poc'anzi, rabbrividendo.

Ah, ecco – un usurajo, per gli altri; uno stupido qua, per Dida mia moglie. Gengè io ero; uno qua, nell'animo e davanti agli occhi di mia moglie; e chi sa quant'altri Gengè, fuori, nell'animo o solamente negli occhi della gente di Richieri. Non si trattava del mio spirito, che si sentiva dentro di me libero e immune, nella sua intimità originaria, di tutte quelle considerazioni delle cose che m'erano venute, che mi erano state fatte e date dagli altri, e principalmente di questa del denaro e della professione di mio padre.

No? E di chi si trattava dunque? Se potevo non riconoscer mia questa realtà spregevole che mi davano gli altri, ahimè dovevo pur riconoscere che se anche me ne fossi data una, io, per me, questa non sarebbe stata più vera, *come realtà*, di quella che mi davano gli altri, di quella in cui gli altri mi facevano consistere con quel corpo che ora, davanti a mia moglie, non poteva neanch'esso parermi *mio*, giacché se l'era appropriato quel Gengè *suo*, che or ora aveva detto una nuova sciocchezza per cui tanto ella aveva riso. Voler sapere la sua professione! E che non si sapeva?

– Lusso di bontà... – feci, quasi tra me, staccando la voce da un silenzio che mi parve fuori della vita, perché, ombra davanti a mia moglie, non sapevo più donde io – io come io – le parlassi.

– Che dici? – ripeté lei, dalla solidità certa della sua vita, con quell'abito color isabella sul braccio.

E com'io non risposi, mi venne avanti, mi prese per le braccia e mi soffiò sugli occhi, come a cancellarvi uno sguardo che non era più di Gengè, di quel Gengè il quale ella sapeva che al pari di lei doveva fingere di non conoscere come in paese si traducesse il nome della professione di mio padre.

Ma non ero peggio di mio padre, io? Ah! Mio padre almeno *lavorava*... Ma io! Che facevo io? Il buon figliuolo feroce. Il buon figliuolo che parlava di cose aliene (bizzarre anche): della scoperta del naso che mi pendeva verso destra: oppure dell'altra faccia della luna; mentre la così detta banca di mio padre, per opera dei due fidati amici Firbo e Quantorzo, seguitava a *lavorare*, prosperava. C'erano anche socii minori, nella banca, e anche i due fidati amici vi erano – come si dice – cointeressati, e tutto andava a gonfie vele senza ch'io me n'impicciassi punto, voluto bene da tutti quei consocii, da Quantorzo, come un figliuolo, da Firbo come un fratello; i quali tutti sapevano che con me era inutile parlar d'affari e che bastava di tanto in tanto chiamarmi a firmare; firmavo e quest'era tutto. Non tutto, perché anche di tanto in tanto qualcuno veniva a pregarmi d'accompagnarlo a Firbo o a Quantorzo con un bigliettino di raccomandazione; già! e io allora gli scoprivo sul mento una fossetta che glielo divideva in due parti non perfettamente uguali, una più rilevata di qua, una più scempia di là.

Come non m'avevano finora accoppato? Eh, non m'accoppavano, signori, perché, com'io non m'ero finora staccato da me per vedermi, e vivevo come un cieco nelle condizioni in cui ero stato messo, senza considerare quali fossero, perché in esse ero nato e cresciuto e m'erano perciò naturali; così anche per gli altri era naturale ch'io fossi così; mi conoscevano così; non potevano pensarmi altrimenti, e tutti potevano ormai guardarmi quasi senz'odio e anche sorridere a questo *buon figliuolo feroce*.

Tutti?

Mi sentii a un tratto confitti nell'anima due paja d'occhi come quattro pugnali avvelenati: gli occhi di Marco di Dio e di sua moglie Diamante, che incontravo ogni giorno sulla mia strada, rincasando.

VII. *Parentesi necessaria, una per tutti*

Marco di Dio e sua moglie Diamante ebbero la ventura d'essere (se ben ricordo) le prime mie vittime. Voglio dire, le prime designate all'esperimento della distruzione d'un Moscarda.

Ma con qual diritto ne parlo? con qual diritto do qui aspetto e voce ad altri fuori di me? Che ne so io? Come posso parlarne? Li vedo da fuori, e naturalmente quali sono per me, cioè in una forma nella quale certo essi non si riconoscerebbero. E non faccio dunque agli altri lo stesso torto di cui tanto mi lamento io?

Sì, certo; ma con la piccola differenza delle fissazioni, di cui ho già parlato in principio; di quel certo modo in cui ciascuno si vuole, costruendosi così o così, secondo come si vede e sinceramente crede di essere, non solo per sé, ma anche per gli altri. Presunzione, comunque, di cui bisogna pagar la pena.

Ma voi, lo so, non vi volete ancora arrendere ed esclamate:

– E i fatti? Oh, perdio, e non ci sono i dati di fatto?

– Sì, che ci sono.

Nascere è un fatto. Nascere in un tempo anziché in un altro, ve l'ho già detto; e da questo o da quel padre, e in questa o quella condizione; nascere maschio o femmina; in Lapponia o nel centro dell'Africa; e bello o brutto; con la gobba o senza gobba: *fatti*. E anche se perdete un occhio, è un fatto; e potete anche perderli tutti e due, e se siete pittore è il peggior fatto che vi possa capitare.

Tempo, spazio: necessità. Sorte, fortuna, casi: trappole tutte della vita. Volete essere? C'è questo. In astratto non si è. Bisogna che s'intrappoli l'essere in una forma, e per alcun tempo si finisca in essa, qua o là, così o così. E ogni cosa, finché dura, porta con sé la pena della sua forma, la pena d'esser così e di non poter più essere altrimenti. Quello sbiobbo là, pare una burla, uno scherzo compatibile sì e no per un minuto solo e poi basta; poi dritto, sù, svelto, agile, alto..., ma che! sempre così, per tutta la vita che è una sola; e bisogna che si rassegni a passarla tutta tutta così.

E come le forme, gli atti.

Quando un atto è compiuto, è quello; non si cangia più. Quando uno, comunque, abbia agito, anche senza che poi si senta e si ritrovi negli atti compiuti, ciò che ha fatto, resta: come una prigione per lui. Se avete preso moglie, o anche materialmente, se avete rubato e siete stato scoperto; se avete ucciso, come spire e tentacoli vi avviluppano le conseguenze delle vostre azioni; e vi grava sopra, attorno, come un'aria densa, irrespirabile, la responsabilità che per quelle azioni e le conseguenze di esse, non volute o non previste, vi siete assunta. E come potete più liberarvi?

Già. Ma che intendete dire con questo? Che gli atti come le forme determinano la realtà mia o la vostra? E come? perché? Che siano una prigione, nessuno può negare. Ma se volete affermar questo soltanto, state in guardia che non affermate nulla contro di me, perché io dico appunto e sostengo anzi questo, che sono una prigione e la più ingiusta che si possa immaginare.

Mi pareva, santo Dio, d'avervelo dimostrato! Conosco Tizio. Secondo la conoscenza che ne ho, gli do una realtà: per me. Ma Tizio lo conoscete anche voi, e certo quello che conoscete voi non è quello stesso che conosco io, perché ciascuno di noi lo conosce a suo modo e gli dà a suo modo una realtà. Ora anche per se stesso Tizio ha tante realtà per quanti di noi conosce, perché in un modo si conosce con me e in un altro con voi e con un terzo, con un quarto e via dicendo. Il che vuol dire che Tizio è realmente uno con me, uno con voi, un altro con un terzo, un altro con un quarto e via dicendo, pur avendo l'illusione anche lui, anzi lui specialmente, d'esser uno per tutti. Il guajo è questo; o lo scherzo, se vi piace meglio chiamarlo così. Compiamo un atto. Crediamo in buona fede d'esser tutti in quell'atto. Ci accorgiamo purtroppo che non è così, e che l'atto è invece sempre e solamente dell'uno dei tanti che siamo o che possiamo essere, quando, per un caso sciaguratissimo, all'improvviso vi restiamo come agganciati e sospesi: ci accorgiamo, voglio dire, di non essere tutti in quell'atto, e che dunque un'atroce ingiustizia sarebbe giudicarci da quello solo, tenerci agganciati e sospesi a esso, alla gogna, per un'intera esistenza, come se questa fosse tutta assommata in quell'atto solo.

– Ma io sono anche questo, e quest'altro, e poi quest'altro! – ci mettiamo a gridare.

Tanti, eh già; tanti ch'erano fuori dell'atto di quell'uno, e che non avevano nulla o ben poco da vedere con esso. Non solo; ma quell'uno stesso, cioè quella realtà che in un momento ci siamo data e che in quel momento ha compiuto l'atto, spesso poco dopo è sparito del tutto; tanto vero che il ricordo dell'atto resta in noi, se pure resta, come un sogno angoscioso, inesplicabile. Un altro, dieci altri, tutti quegli altri che noi siamo o possiamo essere, sorgono a uno a uno in noi a domandarci come abbiamo potuto far questo; e non ce lo sappiamo più spiegare.

Realtà passate.

Se i fatti non sono tanto gravi, queste realtà passate le chiamiamo disinganni. Sì, va bene; perché veramente ogni realtà è un inganno. Proprio quell'inganno per cui ora dico a voi che n'avete un altro davanti.

– Voi sbagliate!

Siamo molto superficiali, io e voi. Non andiamo ben addentro allo scherzo, che è più profondo e radicale, cari miei. E consiste in questo: che l'essere agisce necessariamente per forme, che sono le apparenze ch'esso si crea, e a cui noi diamo valore di realtà. Un valore che cangia, naturalmente, secondo l'essere in quella forma e in quell'atto ci appare.

E ci deve sembrare per forza che gli altri hanno sbagliato; che una data forma, un dato atto non è questo e non è così. Ma inevitabilmente, poco dopo, se ci spostiamo d'un punto, ci accorgiamo che abbiamo sbagliato anche noi, e che non è questo e non è così; sicché alla fine siamo costretti a riconoscere che non sarà mai né questo né così in nessun modo stabile e sicuro; ma ora in un modo ora in un altro, che tutti a un certo punto ci parranno sbagliati, o tutti veri, che è lo stesso; perché una realtà non ci fu data e non c'è, ma dobbiamo farcela noi, se vogliamo essere: e non sarà mai una per tutti, una per sempre, ma di continuo e infinitamente mutabile. La facoltà d'illuderci che la realtà d'oggi sia la sola vera, se da un canto ci sostiene, dall'altro ci precipita in un vuoto senza fine, perché la realtà d'oggi è destinata a scoprircisi illusione domani. E la vita non conclude. Non può concludere. Se domani conclude, è finita.

VIII. *Caliamo un poco*

Vi pare che l'abbia presa troppo alta? E caliamo un poco. La palla è elastica; ma per rimbalzare bisogna che tocchi terra. Tocchiamo terra e facciamola rivenire alla mano.

Di quali fatti volete parlare? Del fatto ch'io sono nato, anno tale, mese tale, giorno tale, nella nobile città di Richieri, nella casa in via tale, numero tale, dal signor Tal dei Tali e dalla signora Tal dei Tali; battezzato nella chiesa madre di giorni sei; mandato a scuola d'anni sei; ammogliato d'anni ventitré; alto di statura un metro e sessantotto; rosso di pelo, ecc. ecc.?

Sono i miei connotati. Dati di fatto, dite voi. E vorreste desumerne la mia realtà? Ma questi stessi dati che per sé non dicono nulla, credete che importino una valutazione uguale per tutti? E quand'anche mi rappresentassero intero e preciso, dove mi rappresenterebbero? in quale realtà?

Nella vostra, che non è quella d'un altro; e poi d'un altro; e poi d'un altro. C'è forse una realtà sola, una per tutti? Ma se abbiamo visto che non ce n'è una neanche per ciascuno di noi, poiché in noi stessi la nostra cangia di continuo! E allora?

Ecco qua, terra terra. Siete in cinque? Venite con me.

Questa è la casa in cui sono nato, anno tale, mese tale, giorno tale. Ebbene, dal fatto che topograficamente e per l'altezza e la lunghezza e il numero delle finestre poste qua sul davanti questa casa è la stessa per tutti; dal fatto che io per tutti voi cinque vi sono nato, anno tale, mese tale, giorno tale, rosso di pelo e alto ora un metro e sessantotto, segue forse che voi tutti e cinque diate la stessa realtà a questa casa e a me? A voi che abitate una catapecchia, questa casa sembra un bel palazzo; a voi che avete un certo gusto artistico, sembra una volgarissima casa; voi che passate malvolentieri per la via dov'essa sorge perché vi ricorda un triste episodio della vostra vita, la guardate in cagnesco; voi, invece, con occhio affettuoso perché – lo so – qua dirimpetto abitava la vostra povera mamma che fu buona amica della mia.

E io che vi sono nato? Oh Dio! Quand'anche per tutt'e cinque vojaltri in questa casa, che è una e cinque, fosse nato l'anno tale, il mese tale, il giorno tale un imbecille, credete che sia lo stesso imbecille per tutti? Sarò per l'uno imbecille perché lascio Quantorzo direttore della banca e Firbo consulente legale, cioè proprio per la ragione per cui mi stima avvedutissimo l'altro, che crede invece di veder lampante la mia imbecillità nel fatto che conduco a spasso ogni giorno la cagnolina di mia moglie, e così via.

Cinque imbecilli. Uno in ciascuno. Cinque imbecilli che vi stanno davanti, come li vedete da fuori, in me che sono uno e cinque come la casa, tutti con questo nome di Moscarda, niente per sé, neanche uno, se serve a disegnar cinque differenti imbecilli che, sì, tutt'e cinque si volteranno se chiamate: – Mo-

scarda! – ma ciascuno con quell'aspetto che voi gli date; cinque aspetti; se rido, cinque sorrisi, e via dicendo.

E non sarà per voi, ogni atto ch'io compia, l'atto d'uno di questi cinque? E potrà essere lo stesso, quest'atto, se i cinque sono differenti? Ciascuno di voi lo interpreterà, gli darà senso e valore a seconda della realtà che m'ha data.

Uno dirà:

– Moscarda ha fatto questo.

L'altro dirà:

– Ma che questo! Ha fatto ben altro!

E il terzo:

– Per me ha fatto benissimo. Doveva fare così!

Il quarto:

– Ma che così e così! Ha fatto malissimo. Doveva fare invece...

E il quinto:

– Che doveva fare? Ma se non ha fatto niente!

E sarete capaci d'azzuffarvi per ciò che Moscarda ha fatto o non ha fatto, per ciò che doveva o non doveva fare, senza voler capire che il Moscarda dell'uno non è il Moscarda dell'altro; credendo di parlare d'un Moscarda solo, che è proprio uno, sì, quello che vi sta davanti così e così, come voi lo vedete, come voi lo toccate; mentre parlate di cinque Moscarda; perché anche gli altri quattro ne hanno uno davanti, uno per ciascuno, che è quello solo, così e così, come ciascuno lo vede e lo tocca. Cinque; e sei, se il povero Moscarda si vede e si tocca uno anche per sé; uno e nessuno, ahimè, come egli si vede e si tocca, se gli altri cinque lo vedono e lo toccano altrimenti.

IX. *Chiudiamo la parentesi*

Tuttavia mi sforzerò di darvi, non dubitate, quella realtà che voi credete d'avere; cioè a dire, di volervi in me come voi vi volete. Non è possibile, ormai lo sappiamo bene, giacché, per quanti sforzi io faccia di rappresentarvi a modo vostro, sarà sempre «un modo vostro» soltanto per me, non «un modo vostro» per voi e per gli altri.

Ma scusate: se per voi io non ho altra realtà fuori di quella che voi mi date, e sono pronto a riconoscere e ad ammettere ch'essa non è meno vera di quella che potrei darmi io; che essa anzi per voi è la sola vera (e Dio sa che cos'è codesta realtà che voi mi date!); vorreste lamentarvi adesso di quella che vi darò io, con tutta la buona volontà di rappresentarvi quanto più mi sarà possibile a modo vostro?

Non presumo che siate come vi rappresento io. Ho affermato già che non siete neppure quell'uno che vi rappresentate a voi stesso, ma tanti a un tempo, secondo tutte le vostre possibilità d'essere, e i casi, le relazioni e le circostanze. E dunque, che torto vi fo io? Me lo fate voi il torto, credendo ch'io non abbia o non possa avere altra realtà fuori di codesta che mi date voi; la quale è vostra soltanto, credete: una vostra idea, quella che vi siete fatta di me, una possibilità d'essere come voi la sentite, come a voi pare, come la riconoscete in voi possibile; giacché di ciò che possa essere io per me, non solo non potete saper nulla voi, ma nulla neppure io stesso.

X. *Due visite*

E sono contento che or ora, mentre stavate a leggere questo mio libretto col sorriso un po' canzonatorio che fin da principio ha accompagnato la vostra lettura, due visite, una dentro l'altra, siano venute improvvisamente a dimostrarvi quant'era sciocco quel vostro sorriso.

Siete ancora sconcertato – vi vedo – irritato, mortificato della pessima figura che avete fatto col vostro vecchio amico, mandato via poco dopo sopravvenuto il nuovo, con una scusa meschina, perché non resistevate più a vedervelo davanti, a sentirlo parlare e ridere in presenza di quell'altro. Ma come? mandarlo via così, se poco prima che quest'altro arrivasse, vi compiacevate tanto a parlare e ridere con lui?

Mandato via. Chi? Il vostro amico? Credete sul serio d'aver mandato via lui? Rifletteteci un poco.

Il vostro vecchio amico, in sé e per sé, non aveva nessuna ragione d'esser mandato via, sopravvenendo il nuovo. I due, tra loro, non si conoscevano affatto; li avete presentati voi l'uno all'altro; e potevano insieme trattenersi una mezz'oretta nel vostro salotto a chiacchierare del più e del meno. Nessun imbarazzo né per l'uno né per l'altro.

L'imbarazzo l'avete provato voi, e tanto più vivo e intollerabile, quanto più, anzi, vedevate quei due a poco a poco acconciarsi tra loro a fare accordo insieme. L'avete subito rotto, quell'accordo. Perché? Ma perché voi (non volete ancora capirlo?) voi, all'improvviso, cioè all'arrivo del vostro nuovo amico, vi siete scoperto due, uno così dall'altro diverso, che per forza a un certo punto, non resistendo più, avete dovuto mandarne via uno. Non il vostro vecchio amico, no; avete mandato via voi stesso, quell'uno che siete per il vostro vecchio amico, perché lo avete sentito tutt'altro da quello che siete, o volete essere, per il nuovo.

Incompatibili non erano tra loro quei due, estranei l'uno all'altro, garbatissimi entrambi e fatti fors'anche per intendersi a maraviglia; ma i due *voi* che all'improvviso avete scoperto in voi stesso. Non avete potuto tollerare che le cose dell'uno fossero mescolate con quelle dell'altro, non avendo esse propriamente nulla di comune tra loro. Nulla, nulla, giacché voi per il vostro vecchio amico avete una realtà e un'altra per il nuovo, così diverse in tutto da avvertire voi stesso che, rivolgendovi all'uno, l'altro sarebbe rimasto a guardarvi sbalordito; non vi avrebbe più riconosciuto; avrebbe esclamato tra sé:

«Ma come? è questo? è così?».

E nell'imbarazzo insostenibile di trovarvi, così, due, contemporaneamente, avete cercato una scusa meschina per liberarvi, non d'uno di loro, ma d'uno dei due che quei due vi costringevano a essere a un tempo.

Sù sù, tornate a leggere questo mio libretto, senza più sorridere come avete fatto finora.

Credete pure che, se qualche dispiacere ha potuto recarvi l'esperienza or ora fatta, quest'è niente, mio caro, perché voi non siete due soltanto, ma chi sa quanti, senza saperlo, e credendovi sempre uno.

Andiamo avanti.

Libro quarto

I. *Com'erano per me Marco di Dio e sua moglie Diamante*

Dico «erano»; ma forse sono in vita ancora. Dove? Qua ancora, forse, che potrei vederli domani. Ma qua, dove? Non ho più mondo per me; nulla posso sapere del loro, dov'essi si fingono d'essere. So di certo che vanno per via, se domani li incontro per via. Potrei domandare a lui:

– Tu sei Marco di Dio?

E lui mi risponderebbe:

– Sì. Marco di Dio.

– E cammini per questa via?

– Sì. Per questa via.

– E codesta è tua moglie Diamante?

– Sì. Mia moglie Diamante.

– E questa via si chiama così e così?

– Così e così. E ha tante case, tante traverse, tanti lampioni, ecc. ecc.

Come in una grammatica d'Orlendorf.

Ebbene, questo mi bastava allora, come adesso a voi, per stabilire la realtà di Marco di Dio e di sua moglie Diamante e della via per cui potrei ancora incontrarli, come allora li incontravo. Quando? Oh, non molti anni fa. Che bella precisione di spazio e di tempo! La via, cinque anni fa.

L'eternità s'è sprofondata per me, non tra questi cinque anni solamente, ma tra un minuto e l'altro. E il mondo in cui vivevo allora mi pare più lontano della più lontana stella del cielo.

Marco di Dio e sua moglie Diamante mi sembravano due sciagurati, a cui però la miseria, se da un canto pareva avesse persuaso essere inutile ormai che si lavassero la faccia ogni mattina, certo dall'altro poi persuadeva ancora di non lasciare nessun mezzo intentato, non già per guadagnare quel poco ogni giorno che bastasse almeno a sfamarli, ma per diventare dall'oggi al domani milionarii: *mi-lio-na-ri-i* come diceva lui, sillabando, con gli occhi truci, sbarrati.

Ridevo allora, e tutti con me ridevano nel sentirgli dire così. Ora ne provo raccapriccio, considerando che potevo riderne solo perché non m'era ancora avvenuto di dubitare di quella corroborante provvidenzialissima cosa che si chiama la regolarità delle esperienze; per cui potevo stimare un sogno buffo che si potesse diventare milionarii dall'oggi al domani. Ma se questo, ch'è stato già dimostrato un sottilissimo filo, voglio dire della regolarità delle esperienze, si fosse spezzato in me? se per il ripetersi di due o tre volte avesse acquistato invece *regolarità* per me questo sogno buffo? Anche a me allora sarebbe riuscito impossibile dubitare che realmente si possa da un giorno all'altro diventare milionarii. Quanti conservano la beata regolarità delle esperienze non possono immaginare quali cose possono essere reali o verosimili per chi viva fuori d'ogni regola, come appunto quell'uomo lì.

Si credeva inventore.

E un inventore, signori miei, un bel giorno, apre gli occhi, inventa una cosa, e là: diventa milionario!

Tanti ancora lo ricordano come un selvaggio, appena venuto dalla campagna a Richieri. Ricordano che fu accolto allora nello studio d'uno dei nostri più reputati artisti, ora morto; e che in poco tempo vi aveva imparato a lavorare con molta perizia il marmo. Se non che il maestro, un giorno, volle prenderlo a modello per un suo gruppo che, esposto in gesso in una mostra d'arte, divenne famoso sotto il titolo *Satiro e fanciullo*.

Aveva potuto l'artista tradurre senza danno nella creta una visione fantastica, non certo castigata ma bellissima, e compiacersene e averne lode.

Il delitto era nella creta.

Non sospettò il maestro che in quel suo scolaro potesse sorgere la tentazione di tradurre a sua volta quella visione fantastica, dalla creta ov'era lodevolmente fissata per sempre, in un movimento momentaneo e non più lodevole, mentre, oppresso dall'afa d'un pomeriggio estivo, sudava nello studio a sbozzare nel marmo quel gruppo.

Il fanciullo vero non volle avere la sorridente docilità che il finto dava a vedere nella creta; gridò ajuto; accorse gente; e Marco di Dio fu sorpreso in un atto ch'era della bestia sorta in lui d'improvviso in quel momento d'afa.

Ora, siamo giusti: bestia, sì, schifosissima, in quell'atto; ma per tanti altri atti onestamente attestati, non era più forse Marco di Dio anche quel buon giovine che il suo maestro dichiarò d'aver sempre conosciuto nel suo sbozzatore?

So che offendo con questa domanda la vostra moralità. Difatti mi rispondete che se in Marco di Dio poté sorgere una tale tentazione è segno evidente ch'egli non era quel buon giovine che il suo maestro diceva. Potrei farvi osservare intanto, che di simili tentazioni (e anche di più turpi) sono pur piene le vite dei santi. I santi le attribuivano *alle demonia* e, con l'ajuto di Dio, potevano vincerle. Così anche i freni che abitualmente imponete a voi stessi impediscono di solito a quelle tentazioni di nascere in voi, o che in voi scappi fuori all'improvviso il ladro o l'assassino. L'oppressione dell'afa d'un pomeriggio estivo non è mai riuscita a liquefare la crosta della vostra abituale probità né ad accendere in voi momentaneamente la bestia originaria. Potete condannare.

Ma se io ora mi metto a parlarvi di Giulio Cesare, la cui gloria imperiale vi riempie di tanta ammirazione?

– Volgarità! – esclamate. – Non era più, allora, Giulio Cesare. Lo ammiriamo là dove Giulio Cesare era veramente *lui*.

Benissimo. Lui. Ma vedete? Se Giulio Cesare era *lui* soltanto là dove voi l'ammirate, quando non era più là, dov'era? chi era? nessuno? uno qualunque? e chi?

Bisognerà domandarlo a Calpurnia sua moglie, o a Nicomede re di Bitinia.

Batti e batti, alla fine v'è entrato in mente anche questo: che Giulio Cesare, uno, non esisteva. Esisteva, sì, un Giulio Cesare qual egli, in tanta parte della sua vita, si rappresentava; e questo aveva senza dubbio un valore incomparabilmente più grande degli altri; non però quanto a realtà, vi prego di credere, perché non meno reale di questo Giulio Cesare imperiale era quel lezioso fastidioso tutto raso e discinto e infedelissimo di sua moglie Calpurnia: o quello impudicissimo di Nicomede re di Bitinia.

Il guajo è questo, sempre, signori: che dovevano tutti quanti esser chiamati con quel nome solo di Giulio Cesare, e che in un solo corpo di sesso maschile dovevano coabitare tanti e anche una femmina; la quale, volendo esser femmina e non trovandone il modo in quel corpo maschile, dove e come poté, innaturalmente lo fu, e impudicissima e anche più volte recidiva.

Il satiro in quel povero Marco di Dio scappò fuori, a buon conto, una volta sola e tentato da quel gruppo del suo maestro. Sorpreso in quell'atto d'un momento, fu condannato per sempre. Non trovò nessuno che volesse avere considerazione di lui; e, uscito dal carcere, si diede ad almanaccare i più bislacchi disegni per sollevarsi dall'ignominiosa miseria in cui era caduto, a braccetto con una donna, la quale un bel giorno era venuta a lui, nessuno sapeva come né da che parte.

Diceva da una decina d'anni che sarebbe partito per l'Inghilterra la settimana ventura. Ma erano forse passati per lui questi dieci anni? Erano passati per coloro che glielo sentivano dire. Egli era sempre deciso a partire per l'Inghilterra la settimana ventura. E studiava l'inglese. O almeno, da anni teneva sotto il braccio una grammatica inglese, aperta e ripiegata sempre allo stesso punto, sicché quelle due pagine dell'apertura con lo strusciare del braccio e il sudicio della giacca erano ridotte ormai illeggibili, mentre le seguenti erano rimaste incredibilmente pulite. Ma fin dove era il sudicio egli sapeva. E di tratto in tratto, andando per via, rivolgeva di sorpresa, aggrondato, qualche domanda alla moglie, come a saggiarne la prontezza e la maturità:

– Is Jane a happy child?

E la moglie rispondeva pronta e seria:

– Yes, Jane is a happy child.

Perché anche la moglie la settimana ventura sarebbe partita per l'Inghilterra con lui.

Era uno sgomento, e insieme una pietà, questo spettacolo d'una donna, com'egli fosse riuscito ad attirarla, e farla vivere da cagna fedele in quel suo sogno buffo, di diventar milionario dall'oggi al domani con un'invenzione, per esempio, di «cessi inodori per paesi senz'acqua nelle case». Ridete? La loro serietà era così truce per questo; dico, perché tutti ne ridevano. Era anzi feroce. E tanto più feroce diventava quanto più crescevano, attorno ad essa, le risa.

E ormai erano arrivati a tal punto, che se qualcuno per caso si fermava ad ascoltare i loro disegni senza riderne, essi, anziché compiacersene, gli lanciavano oblique occhiatacce, non pur di sospetto, anche d'odio. Perché la derisione degli altri era ormai l'aria in cui quel loro sogno respirava. Tolta la derisione, rischiavano di soffocare.

Mi spiego perciò come per loro il peggior nemico fosse stato mio padre.

Non si permetteva infatti solamente con me mio padre quel lusso di bontà di cui ho parlato più sù. Si compiaceva anche d'agevolare, con munificenza che non si stancava, e ridendo di quel suo particolar sorriso, le stolide illusioni di certuni che, come Marco di Dio, venivano a piangere davanti a lui la loro infelicità di non aver tanto da ridurre a effetto i loro disegni, il loro sogno: la ricchezza!

– Quanto? – domandava mio padre.

Oh, poco. Perché era sempre poco ciò che bastava a costoro per diventar ricchi: mi-lio-na-ri-i. E mio padre dava.

– Ma come! dicevi che ci voleva così poco...

– Già. Non avevo calcolato bene. Ma adesso, proprio...

– Quanto?

– Oh, poco!

E mio padre dava, dava. Ma poi, a un certo punto, basta. E quelli allora, com'è facile intendere, non gli restavano grati del non aver voluto godere beffardamente fin all'ultimo della loro totale disillusione e del potere attribuire a lui invece, senza rimorso, il fallimento, sul meglio, delle loro illusioni. E nessuno con più accanimento di costoro si vendicava chiamando mio padre usurajo.

Il più accanito di tutti era stato questo Marco di Dio. Il quale ora, morto mio padre, rovesciava su me, e non senza ragione, il suo odio feroce. Non senza ragione, perché anch'io, quasi a mia insaputa, seguitavo a beneficarlo. Lo tenevo alloggiato in una catapecchia di mia proprietà, di cui né Firbo né Quantorzo gli avevano mai richiesto la pigione. Ora questa catapecchia appunto mi diede il mezzo di tentare su lui il mio primo esperimento.

II. *Ma fu totale*

Totale, perché bastò muovere in me appena appena, così per giuoco, la volontà di rappresentarmi diverso a uno dei centomila in cui vivevo, perché s'alterassero in centomila modi diversi tutte le altre mie realtà.

E per forza questo giuoco, se considerate bene, doveva fruttarmi la pazzia. O per dir meglio, quest'orrore: la coscienza della pazzia, fresca e chiara, signori, fresca e chiara come una mattinata d'aprile, e lucida e precisa come uno specchio.

Perché, incamminandomi verso quel primo esperimento, andavo a porre graziosamente la mia volontà fuori di me, come un fazzoletto che mi cavassi di tasca. Volevo compiere un atto che non doveva esser mio, ma di quell'ombra di me che viveva realtà in un altro; così solida e vera che avrei potuto togliermi il cappello e salutarla, se per dannata necessità non avessi dovuto incontrarla e salutarla viva, non propriamente in me, ma nel mio stesso corpo, il quale, non essendo per sé nessuno, poteva esser mio ed era mio in quanto rappresentava me a me stesso, ma poteva anche essere ed era di quell'ombra, di quelle centomila ombre che mi rappresentavano in centomila modi vivo e diverso ai centomila altri.

Difatti, non andavo forse incontro al signor Vitangelo Moscarda per giocargli un brutto tiro? Eh! signori, sì, un brutto tiro (scusatemi tutti questi ammiccamenti; ma ho bisogno di ammiccare, d'ammiccare così, perché, non potendo sapere come v'appajo in questo momento, tiro anche, con questi ammiccamenti, a indovinare) cioè, a fargli compiere un atto del tutto contrario a lui e incoerente: un atto che, distruggendo di colpo la logica della sua realtà, lo annientasse così agli occhi di Marco di Dio come di tanti altri?

Senza intendere, sciagurato! che la conseguenza d'un simile atto non poteva esser quella che m'immaginavo: di presentarmi cioè a domandare a tutti, dopo:

– Vedete adesso, signori, che non è vero niente che io sia quell'usurajo che voi volete vedere in me?

Ma quest'altra, invece: che tutti dovessero esclamare, sbigottiti:

– O oh! sapete? l'usurajo Moscarda è impazzito!

Perché l'usurajo Moscarda poteva sì impazzire, ma non si poteva distruggere così d'un colpo, con un atto contrario a lui e incoerente. Non era un'ombra da giocarci e da pigliare a gabbo, l'usurajo Moscarda: un signore era da trattare coi dovuti riguardi, alto un metro e sessantotto, rosso di pelo come papà, il fondatore della banca, con le sopracciglia, sì, ad accento circonflesso e quel naso che gli pendeva verso destra come a quel caro stupido Gengè di mia moglie Dida: un signore, insomma, che Dio liberi, impazzendo, rischiava di trascinarsi al manicomio con sé tutti gli altri Moscarda ch'io ero per gli altri e anche, oh Dio, quel povero innocuo Gengè di mia moglie Dida; e, se permettete, anche me che, leggero e sorridente, ci avevo giocato.

Rischiai, cioè, rischiammo tutti quanti, come vedrete, il manicomio, questa prima volta; e non ci bastò. Dovevamo anche rischiar la vita, perché io mi riprendessi e trovassi alla fine (uno, nessuno e centomila) la via della salute.

Ma non anticipiamo.

III. *Atto notarile*

Mi recai dapprima nello studio del notaro Stampa, in Via del Crocefisso, numero 24. Perché (eh, questi sono sicurissimi dati di fatto) a dì... dell'anno..., regnando Vittorio Emanuele III per grazia di Dio e volontà della nazione re d'Italia, nella nobile città di Richieri, in Via del Crocefisso, al numero civico

24, teneva studio di regio notaro il signor Stampa cav. Elpidio, d'anni 52 o
53.
   – Ci sta ancora? Al numero 24? Lo conoscete tutti il notaro Stampa?
   Oh, e allora possiamo essere sicuri di non sbagliare. Quel notaro Stampa là,
che conosciamo tutti. Va bene? Ma io ero, entrando nello studio, in uno stato
d'animo, che voi non vi potete immaginare. Come potreste immaginarvelo,
scusate, se vi pare ancora la cosa più naturale del mondo entrare nello studio
d'un notaro per stendere un atto qualsiasi, e se dite che lo conoscete tutti questo notaro Stampa?
   Vi dico che io ci andavo, quel giorno, per il mio primo esperimento. E insomma, lo volete fare anche voi, sì o no, questo esperimento con me, una
buona volta? dico, di penetrare lo scherzo spaventoso che sta sotto alla pacifica naturalezza delle relazioni quotidiane, di quelle che vi pajono le più consuete e normali, e sotto la quieta apparenza della così detta realtà delle cose?
Lo scherzo, santo Dio, per cui pure v'accade d'arrabbiarvi ogni cinque minuti
e di gridare all'amico che vi sta accanto:
   – Ma scusa! ma come non vedi questo? sei cieco?
   E quello no, non lo vede, perché vede un'altra cosa lui, quando voi credete
che debba vedere la vostra, come pare a voi. La vede invece come pare a lui,
e per lui dunque il cieco siete voi.
   Questo scherzo, io dico; com'io già lo avevo penetrato.
   Ora entravo in quello studio, carico di tutte le riflessioni e considerazioni co-
vate così lungamente e me le sentivo come friggere dentro, insieme, in gran
subbuglio; e mi volevo intanto tenere così, in una lucida fissità, in una quasi
immobile frigidezza, mentre figuratevi in quale risata fragorosa mi veniva di
prorompere nel vedermelo davanti serio serio, poverino, quel signor notaro
Stampa, senza il minimo sospetto ch'io potessi per me non essere quale mi
vedeva lui, e sicurissimo d'esser lui per me quello stesso che ogni giorno nel-
l'annodarsi la cravattina nera davanti allo specchio si vedeva, con tutte le sue
cose attorno.
   Capite, adesso? Mi veniva d'ammiccare, d'ammiccare anche a lui, per significargli furbescamente «Bada sotto! Bada sotto!». Mi veniva anche, Dio mio,
di cacciar fuori all'improvviso la lingua, di smuovere il naso con una subitanea smusatina per alterargli a un tratto, così per gioco e senza malizia, quel-
l'immagine di me ch'egli credeva vera. Ma serio eh? Serio, sù, serio. Dovevo
far l'esperimento.
   – Dunque, signor notaro, eccomi qua. Ma scusi, lei sta sempre sprofondato
in questo silenzio?
   Si voltò brusco a squadrarmi. Disse:
   – Silenzio? Dove?
   Per Via del Crocefisso era difatti in quel momento un continuo transito di
gente e di vetture.
   – Già; non nella via, certo. Ma ci sono qua tutte queste carte, signor notaro,
dietro i vetri impolverati di questi scaffali. Non sente?
   Tra turbato e stordito, tornò a squadrarmi; poi tese l'orecchio:
   – Che sento?
   – Ma questo raspìo! Ah, le zampine, scusi, le zampine lì del suo canarino;
scusi scusi. Sono unghiute quelle zampine, e raspando su lo zinco della gab-
bia...
   – Già. Sì. Ma che vuol dire?
   – Oh, niente. Non le dà ai nervi, a lei, lo zinco, signor notaro?
   – Lo zinco? Ma chi ci bada? Non l'avverto...
   – Eppure, lo zinco, pensi! in una gabbia, sotto le gracili zampine d'un cana-
rino, nello studio d'un notaro... Ci scommetto che non canta, questo canarino.
   – Nossignore, non canta.

Cominciava a guardarmi in un certo modo il signor notaro, che stimai prudente lasciar lì il canarino per non compromettere l'esperimento; il quale, almeno in principio, e segnatamente lì, alla presenza del notaro, aveva bisogno che nessun dubbio sorgesse sulle mie facoltà mentali. E domandai al signor notaro se sapesse d'una certa casa, sita in via tale, numero tale, di pertinenza d'un certo tale signor Moscarda Vitangelo, figlio del fu Francesco Antonio Moscarda...

– E non è lei?

– Già, io sì. Sarei io...

Era così bello, peccato! in quello studio di notaro, tra tutti quegli incartamenti ingialliti in quei vecchi scaffali polverosi, parlare così, come a una distanza di secoli, d'una certa casa di pertinenza d'un certo tal Moscarda Vitangelo... Tanto più che, sì, ero io lì; presente e stipulante, in quello studio di notaro, ma chi sa come e dove se lo vedeva lui, il signor notaro, quel suo studio; che odore ci sentiva diverso da quello che ci sentivo io; e chi sa come e dov'era, nel mondo del signor notaro, quella certa casa di cui gli parlavo con voce lontana; e io, io, nel mondo del signor notaro, chi sa come curioso...

Ah, il piacere della storia, signori! Nulla più riposante della storia. Tutto nella vita vi cangia continuamente sotto gli occhi; nulla di certo; e quest'ansia senza requie di sapere come si determineranno i casi, di vedere come si stabiliranno i fatti che vi tengono in tanta ambascia e in tanta agitazione! Tutto determinato, tutto stabilito, all'incontro, nella storia: per quanto dolorose le vicende e tristi i casi, eccoli lì, ordinati, almeno, fissati in trenta, quaranta paginette di libro: quelli, e lì; che non cangeranno mai più almeno fino a tanto che un malvagio spirito critico non avrà la mala contentezza di buttare all'aria quella costruzione ideale, ove tutti gli elementi si tenevano a vicenda così bene congegnati, e voi vi riposavate ammirando come ogni effetto seguiva obbediente alla sua causa con perfetta logica e ogni avvenimento si svolgeva preciso e coerente in ogni suo particolare, col signor duca di Nevers, che il giorno tale, anno tale, ecc. ecc.

Per non guastare tutto, dovetti ricondurmi alla sospesa, temporanea e costernata realtà del signor notaro Stampa.

– Io, già, – m'affrettai a dirgli. – Sarei io, signor notaro. E la casa, lei non ha difficoltà, è vero? ad ammettere che è mia, come tutta l'eredità del fu Francesco Antonio Moscarda mio padre. Già! E che è sfitta adesso questa casa, signor notaro. Oh piccola, sa... Saranno cinque o sei stanze, con due corpi bassi – si dice così? – Belli, i corpi bassi... Sfitta dunque, signor notaro; da poterne disporre a piacer mio. Ora dunque, lei...

E qui mi chinai e a bassa voce, con molta serietà, confidai al signor notaro l'atto che intendevo fare e che qui, per ora, non posso riferire, perché – gli dissi:

– Deve restare tra me e lei, signor notaro, sotto il segreto professionale, fintanto che parrà a me. Siamo intesi?

Intesi. Ma il signor notaro mi avvertì che per fare quell'atto gli bisognavano alcuni dati e documenti per cui mi toccava andare al banco, da Quantorzo. Mi sentii contrariato; tuttavia m'alzai. Come mi mossi, una maledetta voglia mi sorse di domandare al signor notaro:

«Come cammino? Scusi: mi sappia dire almeno come mi vede camminare».

Mi trattenni a stento. Ma non potei fare a meno di voltarmi, nell'aprir l'uscio a vetri, e di dirgli con un sorriso di compassione:

– Già, col mio passo, grazie!

– Come dice? – domandò, stordito, il signor notaro.

– Ah, niente, dico che me ne vado col mio passo, signor notaro. Ma sa che una volta io ho veduto ridere un cavallo? Sissignore, mentre il cavallo camminava. Lei ora va a guardare il muso a un cavallo per vederlo ridere, e poi

viene a dirmi che non l'ha visto ridere. Ma che muso! I cavalli non ridono
mica col muso! Sa con che cosa ridono i cavalli, signor notaro? Con le natiche.
Le assicuro che il cavallo camminando ride con le natiche, sì, alle volte, di
certe cose che vede o che gli passano per il capo. Se lei vuol vederlo ridere il
cavallo, gli guardi le natiche e si stia bene!

Capisco che non c'entrava dirgli così. Capisco tutto io. Ma se mi rimetto
nelle condizioni d'animo in cui mi trovavo allora, che a vedermi addosso gli
occhi della gente mi pareva di sottostare a un'orribile sopraffazione pensando
che tutti quegli occhi mi davano un'immagine che non era certo quella che io
mi conoscevo ma un'altra ch'io non potevo né conoscere né impedire; altro
che dirle, mi veniva di farle, di farle, le pazzie, come rotolarmi per le strade o
sorvolarle a passo di ballo, ammiccando di qua, cacciando fuori la lingua e facendo sberleffi di là... E invece andavo così serio, così serio, io, per via. E
anche voi, che bellezza, andate tutti così serii...

IV. *La strada maestra*

Mi toccò dunque andare al banco per quelle carte della casa di cui aveva bisogno il signor notaro.

Erano mie quelle carte, senza dubbio, poiché mia era la casa, e potevo di-
sporne. Ma se ci pensate bene, quelle carte, benché mie, non avrei potuto
averle se non di furto o strappandole di mano con violenza pazzesca a un altro
che agli occhi di tutti n'era il legittimo proprietario: voglio dire al signor usurajo Vitangelo Moscarda.

Per me, questo, era evidente, perché io lo vedevo bene fuori, vivo negli altri
e non in me, quel signor usurajo Vitangelo Moscarda. Ma per gli altri che in
me non vedevano invece se non quell'usurajo, per gli altri io, là al banco, andavo a rubarle a me stesso quelle carte o a strapparmele di mano pazzescamente.

Potevo dir forse che non ero io? o che io ero un altro? Né era in nessun
modo da ragionare un atto che agli occhi di tutti voleva appunto apparire contrario a me stesso e incoerente.

Seguitavo a camminare, come vedete, con perfetta coscienza su la strada
maestra della pazzia, ch'era la strada appunto della mia realtà, quale mi s'era
ormai lucidissimamente aperta davanti, con tutte le immagini di me, vive,
specchiate e procedenti meco.

Ma io ero pazzo perché ne avevo appunto questa precisa e specchiante coscienza; voi che pur camminate per questa medesima strada senza volervene
accorgere, voi siete savii, e tanto più quanto più forte gridate a chi vi cammina
accanto:

– Io, questo? io, così? Tu sei cieco! tu sei pazzo!

V. *Sopraffazione*

Il furto, intanto, non era possibile, almeno lì per lì. Non sapevo dove stessero
quelle carte. L'ultimo dei subalterni di Quantorzo o di Firbo era in quella
banca più padrone di me. Quando vi entravo, invitato per la firma, gl'impiegati non alzavano nemmeno gli occhi dai loro registri, e se qualcuno mi guardava, chiarissimamente con lo sguardo dimostrava di non tenermi in nessun
conto.

Eppure lì lavoravano tutti con tanto zelo per me, per ribadire sempre più con
quel loro assiduo lavoro il tristo concetto che in paese si aveva di me, ch'io
fossi un usurajo. E a nessuno passava per il capo ch'io potessi di quel loro

zelo, non che esser grato e disposto a compiacerli della mia lode, sentirmi offeso.

Ah che rigido e attediato squallore in quella banca! Tutti quei tramezzi vetrati che correvano lungo i tre stanzoni in fila, tramezzi di vetro diacciato, con cinque sportellini gialli in ciascuno, come gialla era la cornice e gialla l'intelaiatura delle ampie lastre; e qua e là macchie d'inchiostro; qua e là qualche striscia di carta incollata sulla rottura d'una lastra; e il pavimento di vecchi mattoni di terracotta, strusciato in mezzo, lungo la fila dei tre stanzoni; strusciato davanti a ogni sportellino: triste corridojo, con quei vetri dei tramezzi di qua e i vetri delle due ampie finestre di là, per ogni stanzone, impolverati; e quelle filze di cifre nei muri, a penna, a lapis, sopra i tavolini sporchi d'inchiostro, tra una finestra e l'altra, sotto le cornici scrostate di certe telacce affumicate qua e là gonfie e polverose, appese lì; e un tanfo di vecchio da per tutto, misto con quello acre della carta dei registri e con quell'alido esalante da un forno giù a pianterreno. E la malinconia disperata di quelle poche seggiole d'antica foggia, presso i tavolini, su cui nessuno sedeva, che tutti scostavano e lasciavano lì, fuori di posto, dove e come per quelle povere seggiole inutili era certo un'offesa e una pena esser lasciate.

Tante volte, entrando, m'era venuto di far notare:

«Ma perché queste seggiole? Che condanna è la loro, di stare qua, se nessuno se ne serve?».

Me n'ero trattenuto, non già perché avessi avvertito a tempo che in un luogo come quello la pietà per le seggiole avrebbe fatto strabiliare tutti e rischiato fors'anche d'apparir cinica: me n'ero trattenuto, avvertendo invece che avrei fatto ridere di me per quel badare a una cosa che certamente sarebbe sembrata stravagante a chi sapeva quanto poco badassi agli affari.

Quel giorno, entrando, trovai i commessi affollati nell'ultimo stanzone, che si squaccheravano di tanto in tanto in risate assistendo a un diverbio tra Stefano Firbo e un certo Turolla, burlato da tutti anche per il modo con cui si vestiva.

Una giacca lunga, diceva quel povero Turolla, a lui così corto, lo avrebbe fatto sembrare più corto. E diceva bene. Ma non s'accorgeva intanto, così tracagnotto e serio serio, con quei mustacchioni da brigadiere, come gli stava ridicola di dietro la giacchettina accorciata, che gli scopriva le natiche sode.

Ora lì lì per piangere, avvilito, congestionato, frustato dalle risate dei colleghi, alzava un braccino e badava a dire a Firbo:

– Oh Dio, come le piglia lei le parole!

Firbo gli era sopra e gli gridava in faccia, scrollandolo furiosamente per quel braccio levato:

– Ma che conosci? che conosci? tu neanche l'*o* conosci; eppure ti somiglia!

Come venni a sapere che si trattava di un tale che aveva chiesto un prestito alla banca, presentato appunto dal Turolla che diceva di conoscerlo per un brav'uomo, mentre Firbo sosteneva il contrario, mi sentii stravolgere da un impeto di ribellione.

Ignorando la tortura segreta del mio spirito, nessuno poté intenderne la ragione, e tutti restarono quasi basiti quand'io, strappando indietro due o tre di quei commessi:

– E tu? – gridai a Firbo, – che conosci tu? con qual diritto vuoi importi così a un altro?

Firbo si voltò sbalordito a guardarmi e, quasi non credendo a se stesso nel vedermi così addosso, gridò:

– Sei pazzo?

Mi venne, non so come, di buttargli in faccia una risposta ingiuriosa, che agghiacciò tutti:

– Sì; come tua moglie, che ti conviene tener chiusa al manicomio!

Mi si parò davanti pallido e convulso:

– Com'hai detto? Mi conviene?

Diedi una spallata e seccato dello sgomento che teneva tutti e, nello stesso tempo, entro di me come improvvisamente assordito dalla coscienza dell'inopportunità di quella mia intromissione, gli risposi piano, per troncare:

– Ma sì, lo sai bene.

E non potei udire, come se dopo queste parole fossi diventato subito, non so, di pietra, ciò che Firbo mi gridò tra i denti prima di scappar via sulle furie. So che sorridevo mentre Quantorzo, sopravvenuto all'alterco, mi trascinava via con sé nella stanzetta della direzione. Sorridevo per dimostrare che di quella violenza non c'era più bisogno e che tutto era finito, quantunque sentissi bene in me, che in quel momento, pur mentre sorridevo, avrei potuto uccidere qualcuno, tanto la concitata severità di Quantorzo mi irritava. Nella stanzetta della direzione mi misi a guardare intorno, stupito io stesso che lo strano stordimento in cui ero così di colpo caduto non m'impedisse di percepire lucidamente e precisamente le cose, fin quasi ad avere la tentazione di riderne, uscendo apposta, tra quella fiera riprensione che Quantorzo mi dava, in qualche domanda di curiosità infantile su questo o quell'oggetto della stanza. E intanto, non so, quasi automaticamente pensavo che a Stefano Firbo, da piccolo, avevano dato i bottoni alla schiena e che sebbene la gobba non gli si vedesse, tutta la cassa del corpo era però da gobbo: eh sì, su quelle esili e lunghe zampe da uccello: ma elegante; sì sì: un falso gobbo elegante; ben riuscito.

E, così pensando, mi parve chiaro tutt'a un tratto ch'egli dovesse valersi della sua non comune intelligenza per vendicarsi contro tutti coloro che, da piccoli, non avevano avuto come lui i bottoni alla schiena.

Pensavo queste cose, ripeto, come se le pensasse un altro in me, quello che d'improvviso era diventato così stranamente freddo e svagato, non tanto per opporre a difesa, se occorresse, quella freddezza, quanto per rappresentare una parte, dietro la quale mi conveniva tenere ancora nascosto ciò che della spaventosa verità, che già mi s'era chiarita, m'avveniva sempre più di scoprire:

«Ma sì! è qui tutto», pensavo, «in questa sopraffazione. Ciascuno vuole imporre agli altri quel mondo che ha dentro, come se fosse fuori, e che tutti debbano vederlo a suo modo, e che gli altri non possano esservi se non come li vede lui».

Mi ritornavano davanti agli occhi le stupide facce di tutti quei commessi, e seguitavo a pensare:

«Ma sì! Ma sì! Che realtà può essere quella che la maggioranza degli uomini riesce a costituire in sé? Misera, labile, incerta. E i sopraffattori, ecco, ne approfittano! O piuttosto, s'illudono di poterne profittare, facendo subire o accettare quel senso e quel valore ch'essi dànno a se stessi, agli altri, alle cose, per modo che tutti vedano e sentano, pensino e parlino a modo loro».

Mi levai da sedere; m'avvicinai alla finestra con un gran refrigerio; poi mi voltai verso Quantorzo che, interrotto nel meglio del suo discorso, stava a guardarmi con tanto d'occhi; e, seguitando il pensiero che mi torturava, dissi:

– Ma che! ma che! s'illudono!

– Chi s'illude?

– Quelli che vogliono sopraffare! Il signor Firbo, per esempio! S'illudono perché in verità poi, caro mio, non riescono a imporre altro che parole. Parole, capisci? parole che ciascuno intende e ripete a suo modo. Eh, ma si formano pure così le così dette opinioni correnti! E guaj a chi un bel giorno si trovi bollato da una di queste parole che tutti ripetono. Per esempio: usurajo! Per esempio: pazzo! Ma di' un po': come si può star quieti a pensare che c'è uno che s'affanna a persuadere agli altri che tu sei come ti vede lui, e a fissarti nella stima degli altri secondo il giudizio che ha fatto di te e ad impedire che gli altri ti vedano e ti giudichino altrimenti?

Ebbi appena il tempo di notare lo sbalordimento di Quantorzo, che mi rividi davanti Stefano Firbo. Gli scorsi subito negli occhi che m'era diventato in pochi istanti nemico. E nemico subito anch'io, allora; nemico, perché non capiva che, se crude erano state le mie parole, il sentimento che poc'anzi aveva fatto impeto in me, non era contro di lui direttamente; tanto vero che di quelle parole ero pronto a chiedergli scusa. Già come ubriaco, feci di più. Com'egli, venendomi a petto, torbido e minaccioso, mi disse:

– Voglio che tu mi renda conto di ciò che hai detto per mia moglie!

M'inginocchiai.

– Ma sì! Guarda! – gli gridai, – così!

E toccai con la fronte il pavimento.

Ebbi subito orrore del mio atto, o meglio, ch'egli potesse credere con Quantorzo che mi fossi inginocchiato per lui. Li guardai ridendo, e tónfete, tónfete, ancora due volte a terra, la fronte.

– Tu, non io, capisci? davanti a tua moglie, capisci? dovresti star così! E io, e lui, e tutti quanti, davanti ai così detti pazzi, così!

Balzai in piedi, friggendo. I due si guardarono negli occhi, spaventati. L'uno domandò all'altro:

– Ma che dice?

– Parole nuove! – gridai. – Volete ascoltarle? Andate, andate là, dove li tenete chiusi: andate, andate a sentirli parlare! Li tenete chiusi perché così vi conviene!

Afferrai Firbo per il bavero della giacca e lo scrollai, ridendo:

– Capisci, Stefano? Non ce l'ho mica soltanto con te! Tu ti sei offeso. No, caro mio! Che diceva di te tua moglie? Che sei un libertino, un ladro, un falsario, un impostore, e che non fai altro che dire bugie! Non è vero. Nessuno può crederlo. Ma prima che tu la chiudessi, eh? stavamo tutti ad ascoltarla, spaventati. Vorrei sapere perché!

Firbo mi guardò appena, si voltò a Quantorzo come a chiedergli consiglio con scimunita angustia e disse:

– Oh bella! Ma appunto perché nessuno poteva crederlo!

– Ah no, caro! – gli gridai. – Guardami bene negli occhi!

– Che intendi dire?

– Guardami negli occhi! – gli ripetei. – Non dico che sia vero! Stai tranquillo.

Si sforzò a guardarmi, smorendo.

– Lo vedi? – gli gridai allora, – lo vedi? tu stesso! lo hai anche tu, ora, lo spavento negli occhi!

– Ma perché mi stai sembrando pazzo! – mi urlò in faccia, esasperato.

Scoppiai a ridere, e risi a lungo, a lungo, senza potermi frenare, notando la paura, lo scompiglio che quella mia risata cagionava a tutt'e due.

M'arrestai d'un tratto, spaventato a mia volta dagli occhi con cui mi guardavano. Quel che avevo fatto, quel che dicevo non aveva certo né ragione né senso per loro. Per ripigliarmi, dissi bruscamente:

– Alle corte. Ero venuto qua, oggi, per domandarvi conto d'un certo Marco di Dio. Vorrei sapere com'è che costui da anni non paga più la pigione, e ancora non gli si fanno gli atti per cacciarlo via.

Non m'aspettavo di vederli cascare, a questa domanda, in un più grande stupore. Si guardarono come per trovare ciascuno nella vista dell'altro un sostegno che li ajutasse a sorreggere l'impressione che ricevevano di me, o piuttosto, d'un essere sconosciuto che insospettatamente scoprivano in me all'improvviso.

– Ma che dici? che discorsi fai? – domandò Quantorzo.

– Non vi raccapezzate? Marco di Dio. Paga o non paga la pigione?

Seguitarono a guardarsi a bocca aperta. Scoppiai di nuovo a ridere; poi d'un tratto mi feci serio e dissi come a un altro che mi stésse di fronte, spuntato lì per lì davanti a loro:

– Quando mai tu ti sei occupato di codeste cose?

Più che mai stupiti, quasi atterriti, rivolsero gli occhi a cercare in me chi aveva proferito le parole ch'essi avevano pensato e che stavano per dirmi. Ma come! Le avevo dette io?

– Sì – seguitai, serio. – Tu sai bene che tuo padre lo lasciò lì per tanti anni senza molestarlo, questo Marco di Dio. Come t'è venuto in mente, adesso?

Posai una mano su la spalla di Quantorzo e con un'altr'aria, non meno seria, ma gravata d'un'angosciosa stanchezza, soggiunsi:

– T'avverto, caro mio, che non sono mio padre.

Poi mi voltai a Firbo e, posandogli l'altra mano su la spalla:

– Voglio che tu gli faccia subito gli atti. Lo sfratto immediato. Il padrone sono io, e comando io. Voglio poi l'elenco delle mie case con gl'incartamenti di ciascuna. Dove sono?

Parole chiare. Domande precise. Marco di Dio. Lo sfratto. L'elenco delle case. Gl'incartamenti. Ebbene, non mi capivano. Mi guardavano come due insensati. E dovetti ripetere più volte quel che volevo e farmi condurre allo scaffale dove si trovava l'incartamento di quella casa che bisognava al notaro Stampa. Quando fui nello stanzino ov'era quello scaffale, presi per le braccia Firbo e Quantorzo, che mi avevano condotto lì come due automi, e li misi fuori, richiudendo l'uscio alle loro spalle.

Sono sicuro che dietro quell'uscio rimasero ancora un pezzo a guardarsi negli occhi, istupiditi, e che poi uno disse all'altro:

– Dev'essersi impazzito!

VI. *Il furto*

Quello scaffale, appena fui solo, mi occupò subito, come un incubo. Proprio come viva per sé ne avvertii la presenza ingombrante, d'antico inviolato custode di tutti gli incartamenti di cui era gravido, così vecchio, pesante e tarlato.

Lo guardai, e subito mi guardai attorno, con gli occhi bassi.

La finestra; una vecchia seggiola impagliata; un tavolino ancora più vecchio, nudo, nero e coperto di polvere; non c'era altro lì dentro.

E la luce filtrava squallida dai vetri così intonacati di ruggine e polverosi, che lasciavano trasparire appena le sbarre dell'inferriata e i primi tegoli sanguigni d'un tetto, su cui la finestra guardava.

I tegoli di quel tetto, il legno verniciato di quelle imposte di finestra, quei vetri per quanto sudici: immobile calma delle cose inanimate.

E pensai all'improvviso che le mani di mio padre s'erano levate cariche d'anelli lì dentro a prendere gl'incartamenti dai palchetti di quello scaffale; e le vidi, come di cera, bianche, grasse, con tutti quegli anelli e i peli rossi sul dorso delle dita; e vidi gli occhi di lui, come di vetro, azzurri e maliziosi, intenti a cercare in quei fascicoli.

Allora, con raccapriccio, a cancellare lo spettro di quelle mani, emerse ai miei occhi e s'impose lì, solido, il volume del mio corpo vestito di nero; sentii il respiro affrettato di questo corpo entrato lì per rubare; e la vista delle mie mani che aprivano gli sportelli di quello scaffale mi diede un brivido alla schiena. Serrai i denti; mi scrollai; pensai con rabbia:

«Dove sarà, tra tanti incartamenti, quello che mi serve?».

E tanto per far subito qualche cosa, cominciai a tirar giù a bracciate i fascicoli e a buttarli sul tavolino. A un certo punto le braccia mi s'indolenzirono, e non seppi se dovessi piangerne o riderne. Non era uno scherzo quel rubare a me stesso?

Tornai a guardarmi intorno, perché improvvisamente non mi sentii più, là dentro, sicuro di me. Stavo per compiere un atto. Ma ero io? Mi riassalì l'idea che fossero entrati lì tutti gli *estranei* inseparabili da me, e che stéssi a commettere quel furto con mani non mie.

Me le guardai.

Sì: erano quelle che io mi conoscevo. Ma appartenevano forse soltanto a me?

Me le nascosi subito dietro la schiena; e poi, come se non bastasse, serrai gli occhi.

Mi sentii in quel bujo una volontà che si smarriva fuori d'ogni precisa consistenza; e n'ebbi un tale orrore, che fui per venir meno anche col corpo; protesi istintivamente una mano per sorreggermi al tavolino; sbarrai gli occhi:

– Ma sì! ma sì! – dissi. – Senza nessuna logica! senza nessuna logica! così!

E mi diedi a cercare tra quelle carte.

Quanto cercai? Non so. So che quella rabbia di nuovo cedette a un certo punto, e che una più disperata stanchezza mi vinse, ritrovandomi seduto sulla seggiola davanti a quel tavolino, tutto ormai ingombro di carte ammonticchiate, e con un'altra pila di carte io stesso qua sulle ginocchia, che mi schiacciava. Vi abbandonai la testa e desiderai, desiderai proprio di morire, se questa disperazione era entrata in me di non poter più lasciare di condurre a fine quell'impresa inaudita.

E ricordo che lì, con la testa appoggiata sulle carte, tenendo gli occhi chiusi forse a frenar le lagrime, udivo come da una infinita lontananza, nel vento che doveva essersi levato fuori, il lamentoso chioccolare d'una gallina che aveva fatto l'uovo, e che quel chiocolìo mi richiamò a una mia campagna, dove non ero più stato fin dall'infanzia; se non che, vicino, di tratto in tratto, m'irritava lo scricchiolìo dell'imposta della finestra urtata dal vento. Finché due picchi all'uscio, inattesi, non mi fecero sobbalzare. Gridai con furore:

– Non mi seccate!

E subito mi ridiedi a cercare accanitamente.

Quando alla fine trovai il fascicolo con tutti gl'incartamenti di quella casa, mi sentii come liberato; balzai in piedi esultante, ma subito dopo mi voltai a guardar l'uscio. Fu così rapido questo cangiamento dall'esultanza al sospetto, che *mi vidi* – e n'ebbi un brivido. Ladro! Rubavo. Rubavo *veramente*. Andavo a mettermi con le spalle contro quell'uscio; mi sbottonavo il panciotto; mi sbottonavo il petto della camicia e vi cacciavo dentro quel fascicolo ch'era abbastanza voluminoso.

Uno scarafaggio non ben sicuro sulle zampe sbucò in quel punto di sotto lo scaffale, diretto verso la finestra. Gli fui subito sopra col piede e lo schiacciai.

Col volto strizzato dallo schifo, rimisi alla rinfusa tutti gli altri incartamenti dentro lo scaffale, e uscii dallo stanzino.

Per fortuna Quantorzo, Firbo e tutti i commessi erano già andati via; c'era solo il vecchio custode, che non poteva sospettare di nulla.

Provai nondimeno il bisogno di dirgli qualche cosa:

– Pulite per terra là dentro: ho schiacciato uno scarafaggio.

E corsi in Via del Crocefisso, allo studio del notaro Stampa.

VII. *Lo scoppio*

Ho ancora negli orecchi lo scroscio dell'acqua che cade da una grondaja presso il fanale non ancora acceso, davanti alla catapecchia di Marco di Dio, nel vicolo già bujo prima del tramonto; e vedo lì ferma lungo i muri, per ripararsi dalla pioggia, la gente che assiste allo sfratto e altra gente che, sotto gli ombrelli, s'arresta per curiosità vedendo quella ressa e il mucchio delle misere suppellettili sgomberate a forza ed esposte alla pioggia lì davanti alla porta, tra le strida della signora Diamante che, di tratto in tratto, scarmigliata, viene anche alla finestra a scagliare certe sue strane imprecazioni accolte con fischi e altri rumori sguaiati dai monellacci scalzi i quali, senza curarsi della pioggia, ballano attorno a quel mucchio di miseria, facendo schizzar l'acqua delle pozze addosso ai più curiosi, che ne bestemmiano. E i commenti:

– Più schifoso del padre!

– Sotto la pioggia, signori miei! Non ha voluto aspettare neanche domani!

– Accanirsi così contro un povero pazzo!

– Usurajo! usurajo!

Perché io sono lì, presente, apposta, allo sfratto, protetto da un delegato e da due guardie.

– Usurajo! usurajo!

E ne sorrido. Forse, sì, un po' pallido. Ma pure con una voluttà che mi tiene sospese le viscere e mi solletica l'ugola e mi fa inghiottire. Solo che, di tanto in tanto, sento il bisogno d'attaccarmi con gli occhi a qualche cosa, e guardo quasi con indolenza smemorata l'architrave della porta di quella catapecchia, per isolarmi un po' in quella vista, sicuro che a nessuno, in un momento come quello, potrebbe venire in mente d'alzar gli occhi per il piacere d'accertarsi che quello è un malinconico architrave, a cui non importa proprio nulla dei rumori della strada: grigio intonaco scrostato, con qualche sforacchiatura qua e là, che non prova come me il bisogno d'arrossire quasi per un'offesa al pudore per conto d'un vecchio orinale sgomberato con gli altri oggetti dalla catapecchia ed esposto lì alla vista di tutti, su un comodino, in mezzo alla via.

Ma per poco non mi costò caro questo piacere di alienarmi. Finito lo sgombero forzato, Marco di Dio, uscendo con sua moglie Diamante dalla catapecchia e scorgendomi nel vicolo tra il delegato e le due guardie, non poté tenersi, e mentre stavo a fissar quell'architrave, mi scagliò contro il suo vecchio mazzuolo di sbozzatore. M'avrebbe certo accoppato, se il delegato non fosse stato pronto a tirarmi a sé. Tra le grida e la confusione, le due guardie si lanciarono per trarre in arresto quello sciagurato messo in furore dalla mia vista; ma la folla cresciuta lo proteggeva e stava per rivoltarsi contro me, allorché un nero omiciattolo, malandato ma d'aspetto feroce, giovine di studio del notaro Stampa, montato su di un tavolino là tra il mucchio delle suppellettili sgomberate in mezzo al vicolo, quasi saltando e con furiosi gesticolamenti, si mise a urlare:

– Fermi! Fermi! State a sentire! Vengo a nome del notaro Stampa! State a sentire! Marco di Dio! Dov'è Marco di Dio? Vengo a nome del notaro Stampa ad avvertirlo che c'è una donazione per lui! Quest'usurajo Moscarda...

Ero, non saprei dir come, tutto un fremito, in attesa del miracolo: la mia trasfigurazione, da un istante all'altro, agli occhi di tutti. Ma all'improvviso quel mio fremito fu come tagliuzzato in mille parti e tutto il mio essere come scaraventato e disperso di qua e di là a un'esplosione di fischi acutissimi, misti a urla incomposte e a ingiurie di tutta quella folla al mio nome, non potendosi capire che la donazione l'avessi fatta io, dopo la feroce crudeltà dello sgombero forzato.

– Morte! Abbasso! – urlava la folla. – Usurajo! Usurajo!

Istintivamente, avevo alzato le braccia per far segno d'aspettare; ma mi vidi come in un atto d'implorazione e le riabbassai subito, mentre quel giovine di studio sul tavolino, sbracciandosi per imporre silenzio, seguitava a gridare:

– No! No! State a sentire! L'ha fatta lui, l'ha fatta lui, presso il notaro Stampa, la donazione! La donazione d'una casa a Marco di Dio!

Tutta la folla, allora, trasecolò. Ma io ero quasi lontano, disilluso, avvilito. Quel silenzio della folla, nondimeno, m'attrasse. Come quando s'appicca il fuoco a un mucchio di legna, che per un momento non si vede e non si ode nulla, e poi qua un tùtolo, là una stipa scattano, schizzano, e infine tutta la fascina crèpita lingueggiando di fiamme tra il fumo:

– Lui? – Una casa? – Come? – Che casa? – Silenzio! – Che dice? – Queste e altrettali domande cominciarono a scattar dalla folla, propagando rapidamente un vocìo sempre più fitto e confuso, mentre quel giovane di studio confermava:

– Sì, sì, una casa! la sua casa in Via dei Santi 15. E non basta! Anche la donazione di diecimila lire per l'impianto e gli attrezzi d'un laboratorio!

Non potei vedere quel che seguì; mi tolsi di goderne, perché mi premeva in quel momento di correre altrove. Ma seppi di lì a poco qual godimento avrei avuto, se fossi rimasto.

M'ero nascosto nell'àndito di quella casa in Via dei Santi, in attesa che Marco di Dio venisse a pigliarne possesso. Arrivava appena, in quell'àndito, il lume della scala. Quando, seguìto ancora da tutta la folla, egli aprì la porta di strada con la chiave consegnatagli dal notaro, e mi scorse lì addossato al muro come uno spettro, per un attimo si scontraffece, arretrando; mi lanciò con gli occhi atroci uno sguardo, che non dimenticherò mai più; poi, con un arrangolìo da bestia, che pareva fatto insieme di singhiozzi e di risa, mi saltò addosso, frenetico, e prese a gridarmi, non so se per esaltarmi o per uccidermi, sbattendomi contro al muro:

– Pazzo! Pazzo! Pazzo!

Era lo stesso grido di tutta la folla lì davanti la porta:

– Pazzo! Pazzo! Pazzo!

Perché avevo voluto dimostrare, che potevo, anche per gli altri, non essere quello che mi si credeva.

Libro quinto

I. *Con la coda fra le gambe*

Mi valse, per fortuna, almeno lì per lì, la considerazione di Quantorzo, che anche mio padre ai suoi tempi s'era dati «lussi di bontà» come questo mio, commisti d'una certa allegra ferocia; e che, a lui Quantorzo, non era mai passato per il capo di poter proporre che mio padre fosse da chiudere in un manicomio o almeno almeno da interdire come ora Firbo sosteneva a spada tratta si dovesse fare per me, se si voleva salvare il credito della banca, seriamente compromesso da quel mio atto pazzesco.

Oh mio Dio, ma non sapevano tutti in paese che negli affari della banca io non m'ero mai immischiato né punto né poco? Come e perché la minaccia di quel discredito ora? Che aveva da vedere con quel mio atto la banca?

Già. Ma allora cadeva la considerazione di Quantorzo, intesa a ripararmi dietro le spalle di mio padre. Che se pur di tanto in tanto aveva avuto di quegli estri, mio padre; poi nella trattazione degli affari aveva saputo dimostrare così bene d'aver la testa a segno, che certo a nessuno poteva venire in mente di chiuderlo in un manicomio o d'interdirlo; mentre la mia dichiarata insipienza e quel mio disinteressamento mi scoprivano invece pazzo da legare e nient'altro, buono soltanto a distruggere scandalosamente ciò che mio padre aveva con nascosta accortezza edificato.

Ah, non c'è che dire, stava tutta dalla parte di Firbo, la logica. Ma non stava meno, se vogliamo, dalla parte di Quantorzo, allorché questi (non ne ho il minimo dubbio) gli dovette far notare a quattr'occhi che, essendo io il padrone della banca, quel mio disinteressamento dagli affari e la mia insipienza non erano da assumere come armi contro di me, perché, grazie ad essi appunto, i veri padroni là dentro erano divenuti loro due; e che dunque, via, era meglio non toccare questo tasto e star zitti, almeno fin tanto ch'io non déssi altro segno di voler commettere nuove pazzie.

Altro, segretamente, dal canto mio, avrei potuto far notare a Firbo, se – schiacciato com'ero in quel momento dalla prova or ora fatta – non mi fosse convenuto di starmi con la coda tra le gambe, mentre tra lui e Quantorzo pendeva quella lite, o meglio, mentre ancora rimaneva incerto se ai miei danni dovesse prevalere la brama dell'uno di vendicarsi dell'affronto che gli avevo fatto davanti ai commessi, o non piuttosto l'interessata indulgenza dell'altro.

II. *Il riso di Dida*

M'ero, mogio mogio, rinchioccito tra le gonnelle di Dida, dentro la sorda tranquilla e oziosa stupidità del suo Gengè, perché apparisse chiaro non pure a lei ma a tutti che, se si voleva proprio tenere in conto di pazzia l'atto da me commesso, fosse ritenuto come una pazzia di quel Gengè là, vale a dire piuttosto un vaporoso e momentaneo capriccio da innocuo sciocco.

E intanto alle sgridate ch'ella gli dava, a quel suo Gengè, io mi sentivo ora finir lo stomaco da un avvilimento che non so ridire, ora crepare in corpo da certe risate che non sapevo come trattenere, per l'aspetto che pur dovevo conservare a lui, non già compunto, Dio liberi! ma anzi da cocciuto che non si voleva dare al tutto per vinto, anche riconoscendo che, sì, l'aveva fatta un po' troppo grossa. E la paura, nello stesso tempo, che all'improvviso, non più contenuta, s'affacciasse da quegli occhi a spiarla di traverso, o prorompesse da quella bocca in qualche orribile grido l'atroce disperazione della mia angoscia segreta e inconfessabile.

Ah, inconfessabile, inconfessabile, perché solo del mio spirito, quell'angoscia, fuori d'ogni forma che potessi fingermi e riconoscere per mia oltre questa qua, per esempio, che mia moglie dava, vera e tangibile in me, a quel suo Gengè che le stava davanti e che non ero io; anche se non potevo più dire chi fossi io allora, e di chi e dove, fuori di lui, quell'angoscia atroce che mi soffocava.

E tanto ormai, fisso in questo tormento, m'ero alienato da me stesso, che come un cieco davo il mio corpo in mano agli altri, perché ciascuno si prendesse di tutti quegli estranei inseparabili che portavo in me quell'uno che ero per lui e, se voleva, lo bastonasse; se voleva, se lo baciasse; o anche andasse a chiuderlo in un manicomio.

– Qua, Gengè. Siedi qua. Qua, così. Guardami bene negli occhi. Come no? Non vuoi guardarmi?

Ah che tentazione di prenderle il viso tra le mani per costringerla a guardare nell'abisso di due occhi ben altri da quelli da cui voleva essere guardata!

Era lì davanti a me; m'acciuffava con una mano i capelli; mi si metteva a sedere sulle ginocchia; sentivo il peso del suo corpo.

Chi era?

Nessun dubbio in lei ch'io lo sapessi, chi era.

E io avevo intanto orrore dei suoi occhi che mi guardavano ridenti e sicuri; orrore di quelle sue fresche mani che mi toccavano certe ch'io fossi come quei suoi occhi mi vedevano; orrore di tutto quel suo corpo che mi pesava sulle ginocchia, fiducioso nell'abbandono che mi faceva di sé, senza il più lontano sospetto che non si désse realmente a me, quel suo corpo, e che io, stringendomelo tra le braccia, non mi stringessi con quel suo corpo una che m'apparteneva totalmente, e non un'estranea, alla quale non potevo dire in alcun modo com'era, perché era per me qual'io appunto la vedevo e la toccavo: questa – così – con questi capelli – e questi occhi – e questa bocca, come nel fuoco del mio amore gliela baciavo; mentre lei la mia, nel suo fuoco così diverso dal mio e incommensurabilmente lontano, se tutto per lei, sesso, natura, immagine e senso delle cose, pensieri e affetti che le componevano lo spirito, ricordi, gusti e il contatto stesso della mia ruvida guancia sulla sua delicata, tutto, tutto era diverso; due estranei, stretti così – orrore – estranei, non solo l'uno per l'altra, ma ciascuno a se stesso, in quel corpo che l'altro si stringeva.

Voi non lo avete mai provato, quest'orrore, lo so; perché avete sempre e soltanto stretto fra le braccia tutto il vostro mondo nella donna vostra, senza il minimo avvertimento ch'ella intanto si stringe in voi il suo, che è un altro, impenetrabile. Eppure basterebbe, per sentirlo, quest'orrore, che voi pensaste un momento, che so! a un'inezia qualunque, a una cosa che a voi piace e a lei no: un colore, un sapore, un giudizio su una tal cosa; che non vi facessero soltanto pensare superficialmente a una diversità di gusti, di sensazioni o d'opinioni; che gli occhi di lei, mentre voi la guardate, non vedono in voi, e come i vostri, le cose quali voi le vedete, e che il mondo, la vita, la realtà delle cose qual'è per voi, come voi la toccate, non sono per lei che vede e tocca un'altra realtà nelle stesse cose e in voi stesso e in sé, senza che vi possa dire come sia, perché per lei è quella e non può figurarsi che possa essere un'altra per voi.

Mi costò molto dissimulare la freddezza d'un rancore che mi s'induriva nell'animo sempre più, vedendo che Dida, in fondo, per quanto si sforzasse di far viso fermo, rideva di quello spasso brutale che il suo Gengè s'era preso, evidentemente senza riflettere che non tutti come lei avrebbero compreso ch'egli aveva voluto fare una burla e niente più.

– Ma guarda un po', se sono scherzi da fare! Lo sfratto sotto la pioggia; e assistervi, provocando l'indignazione di tutti, scioccone! A momenti t'accoppavano!

Così mi diceva, e voltava la faccia per nascondere il riso che intanto le provocava la vista di quel mio rancore, il quale naturalmente nell'aspetto del suo Gengè, come se lo vedeva ora davanti e come s'immaginava che dovesse essere in quel momento dello sfratto tra l'indignazione di tutti, le appariva dispetto, nient'altro che un buffo dispetto di quel suo «scioccone» a causa della burla mancata e mal compresa.

– Ma che ti figuravi? Ti figuravi che dovessero ridere delle furie di quel pazzo mentre tu gli facevi buttare in mezzo alla strada i suoi cenci sotto la pioggia? E intanto lui – guardàtelo là – si teneva in corpo la sorpresa della donazione! Oh bada che ha ragione il signor Firbo, sai! Cosa da manicomio, uno scherzo di così cattivo genere, pagarlo a un così caro prezzo. Va' là, va' là! Pigliati qua Bibì, e pòrtala un po' fuori.

Mi vedevo mettere in mano il laccetto rosso della cagnolina; vedevo ch'ella si chinava, con la facilità con cui sulle loro anche si chinano le donne, per aggiustare al musetto di Bibì la museruola senza farle male, e restavo lì come un insensato.

– Che fai? Non vai?

– Vado...

Chiusa la porta alle mie spalle, m'appoggiavo al muro del pianerottolo con una voglia di mettermi a sedere sul primo scalino, per non rialzarmene mai più.

III. *Parlo con Bibì*

E mi vedo, rasente ai muri, per via, che non so più come né dove guardare, con quella cagnolina dietro, che pare me lo faccia apposta di dare a vedere che, com'io non vorrei andare, così non vorrebbe venire con me neanche lei, e si fa tirare pontando le zampine, finché stizzito non le do uno strattone, a rischio di spezzare quel laccetto rosso.

Vado a nascondermi a pochi passi da casa, dentro il recinto d'un terreno venduto per una casa che vi doveva sorgere, grande e chi sa come brutta, a giudicare dalle altre vicine. Il terreno è scavato in parte per le fondamenta; ma i mucchi di terra non sono stati portati via; e qua e là sono sparse tra l'erba ricresciuta folta, le pietre per la fabbrica, come crollate e vecchie prima d'essere usate.

Seggo su una di queste pietre; guardo il muro che para, alto, bianco, stagliato nell'azzurro, della casa accanto. Rimasto scoperto, senza una finestra, tutto così bianco e liscio, quel muro, col sole che ci batte sopra, acceca. Abbasso gli occhi qua nell'ombra di quest'erba vana, che respira grassa e calda nel silenzio immobile, tra un brusìo d'insetti minuti; c'è un moscone fosco che mi dà addosso, ronzando, irritato dalla mia presenza; vedo Bibì che mi s'è acculata davanti con le orecchie ritte, delusa e sorpresa, come per domandarmi perché siamo venuti qua, in un luogo che non s'aspettava, ove tra l'altro... ma sì, di notte, qualcuno, passando...

– Sì, Bibì, – le dico. – Questo puzzo... Lo sento. Ma mi pare il meno, sai? che possa ormai venirmi dagli uomini. È di corpo. Peggio, quello che esala dai bisogni dell'anima, Bibì. E veramente sei da invidiare, tu che non puoi averne sentore.

La tiro a me per le due zampine davanti, e seguito a parlare così:

– Vuoi sapere perché sia venuto a nascondermi qua? Eh, Bibì, perché la gente mi guarda. Ha questo vizio, la gente, e non se lo può levare. Ci dovremmo allora levare tutti quello di portarci per via, a spasso, un corpo soggetto a essere guardato. Ah, Bibì, Bibì, come faccio? Io non posso più vedermi guardato. Neanche da te. Ho paura anche di come ora mi guardi tu. Nessuno dubita di quel che vede, e va ciascuno tra le cose, sicuro ch'esse appajano agli altri quali sono per lui; figuriamoci poi se c'è chi pensa che ci siete anche voi bestie che guardate uomini e cose con codesti occhi silenziosi, e chi sa come li vedete, e che ve ne pare. Io ho perduto, perduto per sempre la realtà mia e quella di tutte le cose negli occhi degli altri, Bibì! Appena mi tocco, mi manco. Perché sotto il mio stesso tatto suppongo la realtà che gli altri mi dànno e ch'io non so né potrò mai sapere. Cosicché, vedi? io – questo che ora ti parla – questo che ora ti tiene così sollevate da terra queste due zampine – le parole che ti dico, non so, non so proprio, Bibì, chi te le dica.

Ebbe a questo punto un soprassalto improvviso, la povera bestiolina, e volle sguizzarmi dalle mani che le reggevano le due zampine. Senza indugiarmi a riflettere se quel soprassalto fosse per lo spavento di quel che le avevo detto, per non spezzargliele, gliele lasciai, e subito allora essa si sfogò abbajando contro un gatto bianco intravisto tra l'erba in fondo al recinto: se non che il laccetto rosso trascinato tra i piedi in corsa a un tratto le s'impigliò in uno sterpo e le diede un tale strappo, che la fece arrovesciare all'indietro e rotolare come un batuffolo. Friggendo di rabbia si raddrizzò, ma restò lì, puntata su le quattro zampe, non sapendo più dove avventare la sua furia interrotta: guardò di qua, di là: il gatto non c'era più.

Starnutò.

Io potei ridere di quella sua corsa, prima, poi di quel capitombolo all'indietro, e ora di vederla restar così; tentennai il capo e la richiamai a me. Se ne venne leggera leggera, quasi ballando sulle esili zampine; quando mi fu davanti, levò da sé le due anteriori per appoggiarsi a un mio ginocchio, quasi volesse seguitare il discorso rimasto a mezzo, che invece le piaceva. Eh sì, perché, parlando, io le grattavo la testa dietro le orecchie.

– No no, basta, Bibì – le dissi. – Chiudiamo gli occhi piuttosto.

E le presi tra le mani la testina. Ma la bestiola si scrollò, per liberarsi; e la lasciai.

Poco dopo, sdrajata ai miei piedi, col musino allungato sulle due zampette davanti, la udii sospirare forte, come se non ne potesse più dalla stanchezza e dalla noja, che pesavano tanto anche sulla sua vita di povera cagnetta bellina e vezzeggiata.

IV. *La vista degli altri*

Perché, quand'uno pensa d'uccidersi, s'immagina morto, non più per sé, ma per gli altri?

Tumido e livido, come il cadavere d'un annegato, rivenne a galla il mio tormento con questa domanda, dopo essermi sprofondato per più d'un'ora nella meditazione, là in quel recinto, se non sarebbe stato quello il momento di farla finita, non tanto per liberarmi di esso tormento, quanto per fare una bella sorpresa all'invidia che molti mi portavano o anche per dare una prova dell'imbecillità che molti altri m'attribuivano.

E allora, tra le diverse immagini della mia morte violenta, come potevo supporre balzassero improvvise, tra la costernazione e lo sbalordimento, in mia moglie, in Quantorzo, in Firbo, in tanti e tanti altri miei conoscenti; costringendomi a rispondere a quella domanda, mi sentii più che mai mancare, per-

ché dovetti riconoscere che nei miei occhi non c'era veramente una vista per
me, da poter dire in qualche modo come mi vedevo senza la vista degli altri,
per il mio stesso corpo e per ogni altra cosa come potevo figurarmi che dovessero vederli; e che dunque i miei occhi, per sé, fuori di questa vista degli altri,
non avrebbero più saputo veramente quello che vedevano.

Mi corse per la schiena il brivido d'un ricordo lontano: di quand'ero ragazzo,
che andando sopra pensiero per la campagna m'ero visto a un tratto smarrito,
fuori di ogni traccia, in una remota solitudine tetra di sole e attonita; lo sgomento che ne avevo avuto e che allora non avevo saputo chiarirmi. Era questo:
l'orrore di qualche cosa che da un momento all'altro potesse scoprirsi a me
solo, fuori della vista degli altri.

Sempre che ci avvenga di scoprire qualcosa che gli altri supponiamo non abbiano mai veduta, non corriamo a chiamare qualcuno perché subito la veda
con noi?

– Oh Dio, che è?

Ove la vista degli altri non ci soccorra a costituire comunque in noi la realtà
di ciò che vediamo, i nostri occhi non sanno più quello che vedono; la nostra
coscienza si smarrisce; perché questa che crediamo la cosa più intima nostra,
la coscienza, vuol dire *gli altri in noi*; e non possiamo sentirci soli.

Balzai in piedi, esterrefatto. Sapevo, sapevo la mia solitudine; ma ora soltanto ne sentivo e toccavo veramente l'orrore, davanti a me stesso, per ogni
cosa che vedevo; se alzavo una mano e me la guardavo. Perché la vista degli
altri non è e non può essere nei nostri occhi se non per un'illusione a cui non
potevo più credere; e, in un totale smarrimento, parendomi di vedere quel mio
stesso orrore negli occhi della cagnetta che s'era levata anche lei di scatto e
mi guardava, per togliermelo davanti, quell'orrore, le allungai un calcio; ma
subito ai guàiti laceranti della bestiola, mi presi disperatamente la testa tra le
mani, gridando:

– Impazzisco! impazzisco!

Se non che, non so come, in quel gesto di disperazione tornai a vedermi, e
allora il pianto che stava per prorompermi dal petto mi si mutò d'improvviso
in uno scoppio di riso, e chiamai quella povera Bibì ch'era mezza azzoppata, e
mi misi a zoppicare anch'io per burla, e tutto in preda a una gaja smania feroce, le dissi che avevo giocato, giocato, e che volevo seguitare a giocare. La
bestiolina starnutiva, come per dirmi:

«Rifiuto! rifiuto!».

– Ah sì? Rifiuti, Bibì, rifiuti?

E allora mi misi a starnutire anch'io per rifarle il verso, ripetendo a ogni
starnuto:

– Rifiuto! rifiuto!

V. *Il bel giuoco*

Un calcio? io? a quella povera bestiolina?

Ma no! Che io! Gliel'aveva appioppato in campagna un certo ragazzaccio
smarrito, per non so che strano sgomento da cui era stato invaso, di tutto e di
niente: d'un niente che poteva d'improvviso diventare *qualche cosa* che sarebbe toccato allora di vedere a lui solo.

Qua in città, ora, per via, non c'era più questo pericolo. Diamine! Ognuno,
bello, dentro l'illusione dell'altro; da poter essere sicuri che tutti gli altri sba-
gliavano se dicevano di no, che cioè ciascuno non era come l'altro lo vedeva.

E mi veniva di gridarlo a tutti quanti:

– Ma sì! Eh eh! Giochiamo, giochiamo!

E anche di farne segno a chi stava per caso a guardare dai vetri di qualche finestra. Ma sì! Eh eh! Anche aprendo quella finestra per buttarsi di sotto.

– Bel giuoco! E chi sa poi che graziose sorprese, caro signore, cara signora, se, dopo esservi buttati fuori così d'ogni illusione per voi, poteste ritornare per un momentino, da morti, a vedere nell'illusione degli altri ancora vivi quel mondo in cui vi figuraste di vivere! Eh eh!

Il guajo era che ancora da vivo stavo a vederlo io, questo giuoco, tra gli altri ancora vivi: benché non lo potessi penetrare. E quest'impossibilità di penetrarlo, pur sapendo ch'era lì negli occhi di tutti, esasperava fino alla ferocia quella mia smania gaja.

Il calcio poc'anzi sparato alla povera bestiolina perché mi guardava, Dio me lo perdoni, mi veniva di sparlo a tutti quanti.

VI. *Moltiplicazione e sottrazione*

Rientrando in casa, vi trovai Quantorzo in seria confabulazione con mia moglie Dida.

Com'erano a posto, sicuri, seduti tutt'e due nel salottino chiaro in penombra; l'uno grasso e nero, affondato nel divano verde; l'altra esile e bianca nella sua veste tutta a falbalà, in punta in punta e di tre quarti sulla poltrona accanto, con una freccia di sole sulla nuca. Parlavano certo di me, perché, come mi videro entrare, esclamarono a un tempo:

– Oh, eccolo qua!

E poiché erano due a vedermi entrare, mi venne la tentazione di voltarmi a cercare *l'altro* che entrava con me, pur sapendo bene che il «caro Vitangelo» del mio paterno Quantorzo non solo era anch'esso in me come il «Gengè» di mia moglie Dida, ma che io tutto quanto, per Quantorzo, altri non ero che il suo «caro Vitangelo», proprio come per Dida altri che il suo «Gengè». Due, dunque, non agli occhi loro, ma soltanto per me che mi sapevo per quei due *uno* e *uno*; il che per me, non faceva un *più* ma un *meno*, in quanto voleva dire che ai loro occhi, io come io, non ero nessuno.

Ai loro occhi soltanto? Anche per me, anche per la solitudine del mio spirito che, in quel momento, fuori d'ogni consistenza apparente, concepiva l'orrore di vedere il proprio corpo per sé come quello di nessuno nella diversa incoercibile realtà che intanto gli davano quei due.

Mia moglie, nel vedermi voltare, domandò:

– Chi cerchi?

M'affrettai a risponderle, sorridendo:

– Ah, nessuno, cara, nessuno. Eccoci qua!

Non compresero, naturalmente, che cosa intendessi dire con quel «nessuno» cercato accanto a me; e credettero che con quell'«eccoci» mi riferissi anche a loro due, sicurissimi che lì dentro quel salotto fossimo ora in tre e non in nove; o piuttosto, in otto, visto che io – per me stesso – ormai non contavo più.

Voglio dire:

1. Dida, com'era per sé;
2. Dida, com'era per me;
3. Dida, com'era per Quantorzo;
4. Quantorzo, com'era per sé;
5. Quantorzo, com'era per Dida;
6. Quantorzo, com'era per me;
7. il caro Gengè di Dida;
8. il caro Vitangelo di Quantorzo.

S'apparecchiava in quel salotto, fra quegli otto che si credevano tre, una bella conversazione.

VII. *Ma io intanto dicevo tra me:*

(Oh Dio mio, e non sentiranno ora venir meno a un tratto la loro bella sicurezza, vedendosi guardati da questi miei occhi che *non sanno quello che vedono*?

Fermarsi per un poco a guardare uno che stia facendo anche la cosa più ovvia e consueta della vita; guardarlo in modo da fargli sorgere il dubbio che a noi non sia chiaro ciò che egli stia facendo e che possa anche non esser chiaro a lui stesso: basta questo perché quella sicurezza s'aombri e vacilli. Nulla turba e sconcerta più di due occhi vani che dimostrino di non vederci, o di non vedere ciò che noi vediamo.

– Perché guardi così?

E nessuno pensa che tutti dovremmo guardare sempre così, ciascuno con gli occhi pieni dell'orrore della propria solitudine senza scampo).

VIII. *Il punto vivo*

Quantorzo, difatti, cominciò presto a turbarsi, non appena i suoi occhi s'infrontarono coi miei; a smarrirsi, parlando; tanto che senza volerlo accennava di tratto in tratto di levare una mano, come per dire: «No, aspetta».

Ma non tardai a scoprire l'inganno.

Si smarriva così, non già perché il mio sguardo gli facesse vacillare la sicurezza di sé, ma perché gli era parso di leggermi negli occhi che io avessi già compreso la ragione riposta per cui era venuto a farmi quella visita: che era di legarmi mani e piedi, d'intesa con Firbo, protestando che non avrebbe potuto più fare il direttore della banca, se io intendevo d'arrogarmi il diritto di compiere altri atti improvvisi e arbitrarii, di cui né lui né Firbo avrebbero potuto assumersi la responsabilità.

Allora, certo di questo, mi proposi di sconcertarlo, non però subitaneamente come avevo fatto l'altra volta parlando e gestendo come un pazzo davanti a lui e a Firbo, ma al contrario; per il gusto di vedere come se ne sarebbe andato via, dopo essere venuto così fermo in quel proposito; il gusto, dico, che poteva darmi quella sua guerriera fermezza di dimostrarmi ancora una volta, senza che n'avessi più bisogno, come un nonnulla sarebbe bastato a fargliela crollare: una parola che avrei detta, il tono con cui l'avrei detta; tale da frastornarlo e da fargli cangiar l'animo, e con l'animo, per forza, tutta quella sua solidissima realtà, come ora dentro di sé se la sentiva, e fuori se la vedeva e se la toccava.

Appena mi disse che Firbo specialmente non si poteva dar pace di quanto avevo fatto, gli domandai con un sorriso fatuo, per farlo stizzire:

– Ancora?

Difatti si stizzì:

– Ancora? Eh, caro mio! Gli hai fatto trovare tutti gl'incartamenti dello scaffale in tale scompiglio, che gli ci vorranno a dir poco due mesi per rimetterli in ordine.

Mi feci allora molto serio e, rivolto a Dida:

– Vedi, cara, tu che credevi una burla?

Dida mi guardò subito incerta; poi guardò Quantorzo; poi di nuovo me; e infine domandò, con apprensione:

– Ma insomma, che hai fatto?

Con la mano le feci segno d'aspettare. Ancora più serio, mi rivolsi a Quantorzo e gli dissi:

– Ha trovato lo scompiglio nello scaffale il signor Firbo? E perché non ti provi ora a domandare, tu a me, che cosa vi ho trovato io?

Ed ecco che Quantorzo s'agitò sul divano e una ventina di volte batté le pàlpebre come per richiamarsi istintivamente all'attenzione dallo sbalordimento in cui cadeva, più che per la domanda, per il tono di sfida con cui l'avevo proferita.

– Che... che vi hai trovato? – balbettò.

Risposi subito, accompagnando le parole col gesto:

– Un palmo di polvere: così!

Si guardarono negli occhi, storditi; perché quel tono escludeva che per sciocchezza avessi detto quella cosa in sé sciocca; e nello stordimento Quantorzo ripeté:

– Un palmo di polvere? che significa?

– Significa, oh bella, che dormivano tutti quegli incartamenti. Da anni! Un palmo, dico un palmo di polvere. E difatti, una casa sfitta; e di quell'altra là, chi sa da quanto tempo non si riscoteva più la pigione!

Quantorzo – non me l'aspettavo – finse lui questa volta di trasecolare più che mai:

– Ah, – fece, – e tu allora le svegli così, le case: regalandole?

– No, caro mio, – gli gridai subito, riscaldandomi, un po', sì, ad arte, ma anche sul serio un po'. – No, caro mio! per dimostrarvi che v'ingannate di molto, ma di molto sul conto mio, tu e Firbo e tutti quanti siete! Parlo, parlo, dico sciocchezze, faccio lo svagato; ma non è vero, sai? perché osservo tutto io, invece; osservo tutto!

Quantorzo – questa volta sì, come m'aspettavo – tentò di reagire ed esclamò:

– Ma che osservi? Ma fa' il piacere! La polvere dello scaffale osservi!

– E le mie mani, – mi venne d'aggiungere subito, non so perché, presentandole: con un tal tono di voce che destò all'improvviso in me stesso un brivido, rivedendomi col pensiero in quello stanzino dello scaffale nell'atto di sollevar le mani per rubare a me stesso l'incartamento, dopo avere immaginato là dentro quelle di mio padre, bianche, grasse, piene di anelli e coi peli rossi sul dorso delle dita.

– Vengo alla banca, – seguitai, stanco tutt'a un tratto e nauseato, tra il crescente sbalordimento dell'una e dell'altro, – vengo alla banca solo quando mi chiamate a firmare; ma state attenti che non ho neanche bisogno di venirci, io, alla banca, per sapere tutto ciò che vi si fa.

Guardai di traverso Quantorzo; mi parve pallidissimo. (Ma oh, badiamo, dico sempre quello mio; perché forse il Quantorzo di Dida, no; che seppure anche a Dida sarà parso che il suo impallidisse, avrà forse creduto per isdegno e non per paura, com'io del mio avrei potuto giurare.) A ogni modo, le mani se le portò subito al petto per davvero; e gli occhi, tanto d'occhi sgranò nel domandarmi:

– Ah, ci tieni dunque le spie? Ah dunque tu diffidi di noi?

– Non diffido, non diffido; non tengo spie, – m'affrettai a rassicurarlo. – Osservo, fuori, gli effetti delle vostre operazioni; e mi basta. Rispondi a me: tu e Firbo, è vero? seguite nel trattare gli affari le norme di mio padre?

– Punto per punto!

– Non ne dubito. Ma siete riparati, voi, dico per la vostra parte, dall'ufficio che tenete: l'uno di direttore, l'altro di consulente legale. Mio padre, per disgrazia, non c'è più. Vorrei sapere chi risponde degli atti della banca davanti al paese.

– Come, chi risponde? – fece Quantorzo. – Ma noi, noi! E appunto perché ne rispondiamo noi, vorremmo essere sicuri che tu non abbia ancora a immischiartene, intervenendo con certi atti; senti, dico inconsulti per non dire altro!

Negai prima col dito; poi dissi, placido:

– Non è vero. Voi no; se seguite punto per punto le norme di mio padre. Davanti a me, tutt'al più, potreste risponderne voi, se non le seguiste e io ve ne domandassi conto e ragione. Ora dico davanti al paese: chi ne risponde? Ne rispondo io che firmo i vostri atti: io! io! E mi devo veder questa: che voi la mia firma sì, la volete sotto tutti gli atti che fate voi; e mi negate poi la vostra per quell'uno che faccio io.

Doveva essersi impaurito ben bene, perché a questo punto gli vidi dare tre allegri balzi sul divano, esclamando:

– Oh bella! oh bella! oh bella! Ma perché noi; i nostri, sono quelli normali della banca! Mentre il tuo, scusa, me lo fai dire tu, è stato proprio da pazzo! da pazzo!

Scattai in piedi; gli appuntai l'indice d'una mano contro il petto, come un'arma.

– E tu mi credi pazzo?

– Ma no! – fece, smorendo subito sotto la minaccia di quel dito.

– No, eh? – gli gridai tenendolo fermo con gli occhi. – Resta intanto assodato questo tra noi, bada!

Quantorzo, allora, rimasto come a mezz'aria, vagellò; non già perché gli nascesse lì per lì di nuovo il dubbio ch'io potessi anche esser pazzo per davvero, no; ma perché, non comprendendo la ragione per cui mi premeva d'assodare ch'egli non m'aveva per tale, nell'incertezza, temendo un'insidia da parte mia, quasi quasi si pentiva d'aver detto di no così in prima, e tentò di disdirsi con un mezzo sorriso.

– No, aspetta... ma devi convenire...

Che bella cosa! ah che bella cosa! Ora Dida, seguitando a guardare accigliata un po' me e un po' Quantorzo, dava a vedere chiaramente che non sapeva più che pensare così di lui come di me. Quel mio scatto, quella mia domanda a bruciapelo, che per lei – s'intende – erano stati uno scatto e una domanda del suo Gengè; e del tutto incomprensibili come di lui, se non a patto che Quantorzo lì presente e il signor Firbo avessero commesso qualche mancanza così enorme da renderlo ora, Dio mio, proprio irriconoscibile il suo Gengè, di fronte al momentaneo smarrimento di Quantorzo; quello scatto, dico, e quella domanda avevano avuto l'effetto di farla dubitare più che mai della posata assennatezza di quel suo rispettabile Quantorzo. E così palesemente esprimeva con gli occhi questo dubbio, che Quantorzo, appena pensò di rivolgersi anche a lei, in quel tentativo di disdirsi col suo mezzo sorriso, più che più si smarrì, avvertendo subito che gli mancava accanto una certezza di consenso, su cui finora aveva creduto di potersi fidare.

Scoppiai a ridere; ma né l'uno né l'altra ne indovinarono la ragione; fui tentato di gridargliela in faccia, scrollandoli: «Ma vedete? vedete? E come potete essere allora così sicuri se da un minuto all'altro una minima impressione basta a farvi dubitare di voi stessi e degli altri?».

– Lascia andare! – troncai con un atto di sdegno, per significargli che la stima che poteva essersi fatta di me, della mia sanità mentale, non aveva più, almeno per il momento, alcuna importanza. – Rispondi a me. Ho visto alla banca bilance e bilancine. Vi servono per pesare i pegni, è vero? Ma tu, dimmi un po': tu, tu, sulla tua coscienza, li hai mai pesati, tu, col peso che possono avere per gli altri, codesti che chiami gli atti normali della banca?

A questa domanda Quantorzo si guardò di nuovo attorno, quasi che da altri, oltre che da me, si sentisse ancora, proditoriamente, tirare fuor di strada.

– Come, sulla mia coscienza?

– Credi che non c'entri? – ribattei subito. – Eh, lo so! E forse credi che non c'entri neppure la mia, perché ve l'ho lasciata per tanti anni alla banca, con tutto l'altro patrimonio, ad amministrare secondo le norme di mio padre.

– Ma la banca... – si provò a obiettare Quantorzo.

Scattai di nuovo:

– La banca... la banca... Non sai veder altro che la banca, tu. Ma tocca a me poi, fuori, a sentirmi dare dell'usurajo!

A questa uscita inattesa Quantorzo balzò in piedi a sua volta, come se avessi detto la più fiera delle bestemmie o la più madornale delle bestialità; e, fingendo di scapparsene: – Uh, Dio benedetto! – esclamò con le braccia levate; e, di nuovo: – Uh, Dio benedetto! – ritornando indietro, con la testa tra le mani e guardando mia moglie, come per dirle: «Ma sente, ma sente che bambinate? E io che supponevo che avesse da dirmi una cosa seria!». M'afferrò per le braccia, forse per scuotermi dallo sbalordimento che a mia volta m'aveva cagionato istintivamente quella sua mimica furiosa e mi gridò:

– Ma ti dài sul serio pensiero di questo? Eh via! eh via!

E per prendersi la rivincita m'additò in prova a mia moglie che rideva, ah rideva, si buttava via dalle risa, certo per quello che avevo detto, ma fors'anche per l'effetto di quelle mie parole su Quantorzo, nonché per lo sbalordimento che n'era seguito in me e che senza dubbio ridestava in lei finalmente la più lampante immagine della nota e cara sciocchezza del suo Gengè.

Ebbene, da quella risata mi sentii ferire all'improvviso come non mi sarei mai aspettato che potesse accadermi in quel momento, nell'animo con cui un po' m'ero messo e un po' lasciato andare a quella discussione: ferire addentro in un punto vivo di me che non avrei saputo dire né che né dove fosse; tanto finora m'era apparso chiaro ch'io alla presenza di quei due, io come io, non ci fossi e ci fossero invece il «Gengè» dell'una e il «caro Vitangelo» dell'altro; nei quali non potevo sentirmi vivo.

Fuori d'ogni immagine in cui potessi rappresentarmi vivo a me stesso, come qualcuno anche per me, fuori d'ogni immagine di me quale mi figuravo potesse essere per gli altri; un «punto vivo» in me s'era sentito ferire così addentro, che perdetti il lume degli occhi.

– Finiscila di ridere! – gridai, ma con tal voce, a mia moglie, che questa, guardandomi (e chi sa che viso dovette vedermi) d'un tratto ammutolì, scontraffacendosi tutta.

– E tu stai bene attento a quello che ti dico, – soggiunsi subito, rivolto a Quantorzo. – Voglio che la banca sia chiusa questa sera stessa.

– Chiusa? Che dici?

– Chiusa! chiusa! – ribattei, facendomegli addosso. – Voglio che sia chiusa! Sono il padrone, sì o no?

– No, caro! Che padrone! – insorse. – Non sei mica tu solo il padrone!

– E chi altri? tu? il signor Firbo?

– Ma tuo suocero! ma tanti altri!

– Però la banca porta soltanto il mio nome!

– No, di tuo padre che la fondò!

– Ebbene, voglio che sia levato!

– Ma che levato! Non è possibile!

– Oh guarda un po'! Non sono padrone del mio nome? del nome di mio padre?

– No, perché è negli atti di costituzione della banca, quel nome; è il nome della banca: creatura di tuo padre, tal quale come te! E ne porta il nome con lo stesso stessissimo tuo diritto!

– Ah è così?

– Così, così!

– E il danaro? Quello che mio padre ci mise, di suo? Lo lasciò alla banca o a me, il danaro, mio padre?

– A te, ma investito nelle operazioni della banca.

– E se io non voglio più? Se voglio ritirarlo per investirlo altrimenti, a piacer mio, non sono padrone?

– Ma tu così butti all'aria la banca!

– E che vuoi che me n'importi? Non voglio più saperne, ti dico!

– Ma importa agli altri, se permetti! Tu rovini gli interessi degli altri, i tuoi stessi, quelli di tua moglie, di tuo suocero!

– Nient'affatto! Gli altri facciano quello che vogliono: séguitino a tenerci il loro: io ritiro il mio.

– Vorresti mettere dunque in liquidazione la banca?

– So un corno io di queste cose! So che voglio, «voglio» capisci? voglio ritirare i miei denari, e basta così!

Vedo bene adesso che questi violenti diverbii, così a botta e risposta, sono veri e proprii pugilati tra due avverse volontà che cercano d'accopparsi a vicenda, colpendo, parando, ribattendo, sicura ciascuna che il colpo assestato debba atterrare l'altra; fin tanto che all'una e all'altra non venga dalla resistente durezza d'ogni ribattuta avversaria la prova sempre più convincente che inutile è insistere poiché l'altra non cede. E la più ridicola figura l'hanno fatta intanto i pugni veri levandosi istintivamente ad accompagnare irosi quelli parlati, o meglio, urlati, proprio fino all'altezza del grugno avversario ma senza toccarlo, e i denti che si serrano e i nasi che s'arricciano e le ciglia che s'aggrottano e tutta la persona che freme.

Con l'ultima scarica di quei tre «voglio», «voglio», «voglio» dovevo aver bene ammaccata la resistenza di Quantorzo. Gli vidi congiungere le mani in atto di preghiera:

– Ma si può sapere almeno perché? Così da un momento all'altro?

Ebbi, vedendolo in quell'atto, come una vertigine. D'improvviso avvertii che spiegare lì per lì a lui e a mia moglie che pendevano da me, l'uno supplichevole e l'altra ansiosa e spaventata, i motivi di quella mia testarda risoluzione, di tanta gravità per tutti, non mi sarebbe stato possibile. Quei motivi, che pur sentivo in me aggrovigliati in quel momento e sottili e contorti dai lunghi spasimi delle mie tante meditazioni, non erano più chiari del resto neanche a me stesso, strappato dalla concitazione dell'ira a quella terribile fissità di luce che folgorava tetra da quanto avevo così solitariamente scoperto: tenebra per tutti gli altri che vivevano ciechi e sicuri nella pienezza abituale dei loro sentimenti. Avvertii subito che, a svelarne appena appena uno solo, sarei parso irremissibilmente pazzo all'uno e all'altra: che, per esempio, *non m'ero mai veduto* fino a poco tempo addietro com'essi mi avevano sempre veduto, cioè uno che vivesse tranquillo e svagato sull'usura di quella banca, pur senza doverla riconoscere apertamente. L'avevo appena appena riconosciuto in loro presenza, ed ecco che all'uno e all'altra era sembrata un'ingenuità così inverosimile da suscitare nell'uno quella comica furiosa mimica e nell'altra quell'interminabile risata. E come dunque dir loro che su questa «ingenuità» appunto, ai loro occhi quasi incredibile, io fondavo tutto il peso di quella risoluzione? Ma se usurajo ero sempre stato, sempre, da prima ancora che nascessi? Non m'ero visto io stesso sulla strada maestra della pazzia incamminato a compiere un atto che agli occhi di tutti doveva apparire appunto contrario a me stesso e incoerente, ponendo fuori di me la mia volontà, come un fazzoletto che mi cavassi di tasca? Non avevo io stesso riconosciuto che il signor usurajo Vitangelo Moscarda poteva sì impazzire, ma non si poteva in alcun modo distruggere?

Ebbene, ma questo, proprio questo, era il «punto vivo» ferito in me, che m'accecava e mi toglieva in quel momento la comprensione di tutto: che usurajo no, quell'usurajo che non ero mai stato per me, ora non volevo più essere neanche per gli altri e non sarei più stato, anche a costo della rovina di tutte le condizioni della mia vita. Ed era finalmente in me un sentimento, questo, ben cementato dalla volontà che mi dava (benché lo avvertissi fin d'allora con una certa apprensione e diffidenza) la stessa consistente solidità degli altri, sorda e chiusa in sé come una pietra. Sicché bastò che mia moglie, approfittando del mio improvviso smarrimento, scattasse, imponendo al suo Gengè di finirla una buona volta con quella ridicola aria di comando che voleva darsi, e mi venisse, così dicendo, quasi con le mani in faccia, bastò questo perché io perdessi di nuovo il lume degli occhi e le afferrassi i polsi e scrollandola e respingendola indietro la ributtassi a sedere sulla poltrona:

– Finiscila tu, col tuo Gengè che non sono io, non sono io, non sono io! Basta con codesta marionetta! Voglio quello che voglio; e come voglio sarà fatto!

Mi voltai a Quantorzo.

– Hai capito?

E uscii, furioso, dal salotto.

Libro sesto

I. *A tu per tu*

Poco dopo, chiuso in camera come una bestia in gabbia, sbuffavo per quella violenza su mia moglie (la prima) senza potermela levare dagli occhi, nel bianco vagellare della lieve persona che pareva si sfaldasse tutta agli scrolli con cui la respingevo indietro, afferrata per i polsi, e la ributtavo a sedere sulla poltrona.

Ah come lieve, con tutti quei falbalà intorno all'abito di neve, all'urto brutale della mia violenza!

Rotta ormai, come una fragile bambola, là ributtata con tanta furia sulla poltrona, non l'avrei di certo raccapezzata più. E tutta la mia vita, qual'era stata finora con lei, il giuoco di quella bambola: spezzato, finito, forse per sempre.

L'orrore della mia violenza mi fremeva vivo nelle mani ancora tremanti. Ma avvertivo che non era tanto della violenza quell'orrore, quanto del cieco insorgere in me d'un sentimento e d'una volontà che alla fine mi avevano *dato corpo*: un bestiale corpo che aveva incusso spavento e rese violente le mie mani.

Diventavo «uno».

Io.

Io che ora mi volevo così.

Io che ora mi sentivo così.

Finalmente!

Non più usurajo (basta con quella banca!): e non più Gengè (basta con quella marionetta!).

Ma il cuore seguitava a tumultuarmi in petto. Mi toglieva il respiro. Aprivo e chiudevo le mani, affondandomi le unghie nella carne. E appena, senza saperlo, mi grattavo con una mano il palmo dell'altra, raggirandomi ancora per la stanza, gangheggiavo come un cavallo che non soffra il morso. Farneticavo.

«Ma io, uno, chi? chi?»

Se non avevo più occhi per vedermi da me come uno anche per me? Gli occhi, gli occhi di tutti gli altri seguitavo a vedermeli addosso, ma ugualmente senza poter sapere come ora m'avrebbero veduto in questa mia neonata volontà, se io stesso non sapevo ancora come sarei consistito per me.

Non più Gengè.

Un altro.

Avevo proprio voluto questo.

Ma che altro avevo io dentro, se non questo tormento che mi scopriva nessuno e centomila?

Questa mia nuova volontà, questo mio nuovo sentimento potevano insorgere ciechi per la ferita in un punto vivo di me che non sapevo; ma subito cadevano, cadevano sotto la terribile fissità di quella luce che folgorava tetra da quanto avevo scoperto.

Volevo tuttavia intravedere, per raccapezzarmi, che cosa avrei potuto mettere sù col po' di sangue di quella ferita, con quel po' di sentimento, lacerato, macerato, su lo sgangherato scheletro di quel po' di volontà: oh, un povero omicello sparuto, sempre spaventato dagli occhi degli altri; col sacchetto in pugno dei danari ricavati dalla liquidazione della banca. E come avrei potuto tenermeli più ormai, quei danari?

Li avevo forse guadagnati io col mio lavoro? Averli ora ritirati dalla banca perché non fruttassero altra usura, bastava forse a mondarli di quella da cui erano venuti? E allora, che? buttarli via? E come avrei vissuto? Di che lavoro ero capace? E Dida?

Era anche lei – lo sentivo bene, ora che non la avevo più in casa – era anche lei un *punto vivo* in me. Io l'amavo, non ostante lo strazio che mi veniva dalla perfetta coscienza di non appartenermi nel mio stesso corpo come oggetto del suo amore. Ma pur la dolcezza che a questo corpo veniva dal suo amore, la assaporavo io, cieco nella voluttà dell'abbraccio; anche se talvolta ero quasi tentato di strozzarla vedendole, tra le umide labbra convulse, come una smania di sorriso o di sospiro, tremare uno stupido nome: *Gengè*.

II. *Nel vuoto*

L'immobilità sospesa di tutti gli oggetti del salotto, in cui rientrai come attratto dal silenzio che vi si era fatto: quella poltrona dov'ella dianzi stava seduta; quel canapè dove dianzi stava affondato Quantorzo; quel tavolinetto di lacca chiara filettato d'oro e le altre seggiole e le tende, mi diedero una così orribile impressione di vuoto che mi voltai a guardare i servi, Diego e Nina, i quali mi avevano annunziato che la padrona era andata via col signor Quantorzo lasciando l'ordine che tutte le sue robe fossero raccolte, chiuse nei bauli e mandate a casa del padre; e ora stavano a mirarmi con lo sbalordimento nelle bocche aperte e negli occhi vani.

La loro vista m'irritò. Gridai:
– E sta bene, eseguite l'ordine.

Un ordine da eseguire era già, in quel vuoto, qualche cosa almeno per gli altri. E anche per me, se mi levava dai piedi quei due per il momento.

Come fui solo, stranamente quasi ilare d'improvviso, pensai: «Sono libero! Se n'è andata via!». Ma non mi pareva vero. Avevo l'impressione curiosissima che se ne fosse andata via per farmi la prova della giustezza della mia scoperta, la quale assumeva per me un'importanza così grande e assoluta, che a confronto ogni altra cosa non poteva averne se non una molto minore e relativa: anche se mi faceva perdere la moglie; anzi proprio per questo.

«Ecco se è vero!»

Nient'altro che la prova era terribile. Tutto il resto – ma sì, via! – poteva parere anche ridicolo: quell'andarsene così su due piedi con Quantorzo, come quel mio insorgere per quella stupidaggine là, della gente che mi credeva usurajo.

Ma come, allora? ero già ridotto a questo? di non poter più prendere nulla sul serio? E la mia ferita di poc'anzi, per cui avevo avuto quello scatto violento?

Già. Ma dove la ferita? In me?

A toccarmi, a strizzarmi le mani, sì, dicevo «io»; ma a chi lo dicevo? e per chi? Ero solo. In tutto il mondo, solo. Per me stesso, solo. E nell'attimo del brivido, che ora mi faceva fremere alle radici i capelli, sentivo l'eternità e il gelo di questa infinita solitudine.

A chi dire «io»? Che valeva dire «io», se per gli altri aveva un senso e un valore che non potevano mai essere i miei; e per me, così fuori degli altri, l'assumerne uno diventa subito l'orrore di questo vuoto e di questa solitudine?

III. *Seguito a compromettermi*

Venne a trovarmi, la mattina dopo, mio suocero.

Dovrei dir prima (ma non dirò) fin dov'ero arrivato con l'immaginazione, farneticando per gran parte della notte, a furia di trar conseguenze dalle condizioni in cui m'ero messo di fronte agli altri, non solo, ma anche rispetto a me stesso.

M'ero sottratto affannato a un breve sonno di piombo, con la sensazione dell'ostile gravezza di tutte le cose, anche dell'acqua raccolta nel cavo delle mani, per lavarmi, anche dell'asciugamani di cui dopo m'ero servito; quando, all'annunzio della visita, improvvisamente mi sentii tutto alleggerire da un pronto risveglio di quell'estro gajo che per fortuna come un benefico vento m'arieggia ancora a tratti lo spirito.

Feci volar l'asciugamani e dissi a Nina:

– Bene bene. Fallo accomodare nel salotto, e digli che vengo subito.

Mi guardai allo specchio dell'armadio con irresistibile confidenza, fino a strizzare un occhio per significare a quel Moscarda là che noi due intanto c'intendevamo a maraviglia. E anche lui, per dire la verità, subito mi strizzò l'occhio, a confermare l'intesa.

(Voi mi direte, lo so, che questo dipendeva perché quel Moscarda là nello specchio ero io; e ancora una volta dimostrerete di non aver capito niente. Non ero io, ve lo posso assicurare. Tant'è vero che, un istante dopo, prima d'uscire, appena voltai un po' la testa per riguardarlo in quello specchio, era già un altro, anche per me, con un sorriso diabolico negli occhi aguzzi e lucidissimi. Voi ve ne sareste spaventati; io no; perché già lo sapevo; e lo salutai con la mano. Mi salutò con la mano anche lui, per dire la verità.)

Tutto questo, per cominciare. La commedia seguitò poi nel salotto con mio suocero.

In quattro?

No.

Vedrete in quanti svariati Moscarda, dacché c'ero, mi spassai a produrmi quella mattina.

IV. *Medico? Avvocato? Professore? Deputato?*

Senza dubbio era mio suocero la cagione dell'insperato risveglio del mio estro, per quella (sì, Dio mio) forse irrispettosa realtà che io finora gli avevo dato, di stupidissimo uomo sempre soddisfatto di sé.

Molto curato, non pur nei panni, anche nell'acconciatura dei capelli e dei baffi fino all'ultimo pelo; biondo biondo, e d'aspetto, non dirò volgare, ma comune a ogni modo; tutte quelle cure avrebbe potuto risparmiarsele, perché gli abiti addosso a lui, di fattura inappuntabile, restavano come non suoi, del sarto che glieli aveva cuciti; e anche quella sua testa così ben ravviata e quelle sue mani così tornite e levigate, anziché attaccate vive e di carne al suo solino e alle sue maniche, potevano figurare senza alcuno scàpito esposte mozze e di cera nelle vetrine d'un parrucchiere e d'un guantajo. Sentirlo parlare, vedergli socchiudere gli occhi cilestri smaltati nella beatitudine d'un perenne sorriso per tutto ciò che gli usciva dalle labbra coralline; vedergli poi riaprire quegli occhi e la pàlpebra del destro restargli un po' tirata e appiccicata, quasi non riuscisse a distaccarsi così presto dal prelibato sapore di un'intima soddisfazione che nessuno avrebbe mai supposto in lui; non poteva non fare una stranissima impressione, tanto pareva finto, ripeto: fantoccio da sarto e testa da vetrina di barbiere.

Ora, mentre me l'aspettavo così, la sorpresa di trovarmelo davanti tutto scomposto e agitato servì soltanto a stuzzicare in me d'improvviso il desiderio di provare quel rischio squisito con cui uno muove inerme e sorridente contro un nemico che lo minacci armato, dopo avergli intimato di non muoversi d'un passo.

L'estro riacceso in me m'imponeva difatti sulle labbra un sorriso di sfida e sulla fronte un'aria di smemorataggine per il giuoco che voleva seguitare, pericolosissimo, mentre erano in ballo così gravi interessi e per quell'uomo là e per tanti altri: le sorti della banca; le sorti della mia famiglia: avere altre prove di quella terribile cosa che già sapevo: cioè, che sarei inevitabilmente sembrato pazzo, ancora e più di prima, coi discorsi che mi disponevo a fare, giù a rotta di collo per la china di quell'incredibile e inverosimile *ingenuità* che aveva fatto strabiliare Quantorzo e buttar via dalle risa mia moglie.

Difatti, anche per me ormai, se consideravo bene a fondo le cose, non poteva esser valida scusa la coscienza a cui volevo appigliarmi. Potevo sentirmi rimordere sul serio di quell'usura che non m'ero mai inteso di esercitare? Avevo sì firmato per formalità gli atti di quella banca; ero vissuto fino a quel momento dei guadagni di essa, senza mai pensarci; ma ora che finalmente me ne rendevo conto, avrei ritirato i danari dalla banca, e presto, per mettermi del tutto a posto, me ne sarei liberato come che fosse, istituendo o un'opera di carità o qualcosa di simile.

– Come! E ti par niente tutto questo? Ma Dio mio, ma dunque è vero?

– Vero, che cosa?

– Che ti sei impazzito! E di mia figlia, che vorresti farne? Come vorresti vivere? di che?

– Ecco, questo sì: questo mi pare importante. Da studiare.

– Rovinare per sempre la tua posizione? Ciascuno ha sempre fatto i suoi affari, da che mondo è mondo.

– Benissimo. E dunque, d'ora in poi, anch'io i miei.

– Ma come, i tuoi, se butti via i danari guadagnati da tuo padre in tanti anni di lavoro?

– Ho sei anni d'Università.

– Ah! Vorresti tornare all'Università?

– Potrei.

Accennò d'alzarsi. Lo trattenni, domandandogli:

– Scusi: prima di venire alla liquidazione della banca, ci sarà tempo, non è vero?

S'alzò furente, con le braccia per aria.

– Ma che liquidazione! che liquidazione! che liquidazione!

– Se non vuol lasciarmi dire...

Si voltò di scatto.

– Ma che vuoi dire! Tu farnetichi!

– Sono calmissimo, – gli feci notare. – Le volevo dire che ho tante materie di studio già a buon punto e lasciate lì.

Mi guardò stordito.

– Materie di studio? Che significa?

– Che potrei, anche presto, prendere una laurea di medico, per esempio, o di dottore in lettere e filosofia.

– Tu?

– Non crede? Sì. M'ero messo anche per medico. Tre anni. E mi piaceva. Domandi, domandi a Dida come vedrebbe meglio il suo Gengè. Se medico o professore. Ho la parola facile: potrei anche, volendo, far l'avvocato.

Si scrollò violentemente.

– Ma se non hai voluto fare mai niente!

– Già. Ma non per leggerezza, veda. Anzi, al contrario! Mi ci affondavo troppo. E non si riesce a nulla, creda, affondandosi troppo in qualsiasi cosa. Si vengono a fare certe scoperte! Leggermente però, le assicuro che il medico, l'avvocato, o, se Dida preferisce, il professore, potrei farlo benissimo. Basta che mi ci metta.

Paonazzo dalla violenza che faceva su se stesso per starmi a sentire, a questo punto scappò via. O schiattava. Gli corsi dietro, gridando:

– Ma no, ma senta, ma dando via i danari di mio padre, ma sa che popolarità! Mi potrebbero anche eleggere deputato: ci pensi! Se a Dida piacesse, e anche a lei: il genero deputato... Non mi ci vede? non mi ci vede?

Se n'era già scappato via, urlando a ogni mia parola:

– Pazzo! Pazzo! Pazzo!

V. *Io dico, poi perché?*

Il tono era di scherzo, non nego, per via di quel maledetto estro. E poteva anche parere ch'io parlassi con molta fatuità: lo riconosco. Ma le proposte di un Gengè medico o avvocato o professore e perfino deputato, se potevano far ridere me, avrebbero potuto imporre a lui, io dico, almeno quella considerazione e quel rispetto che di solito si hanno in provincia per queste nobili professioni così comunemente esercitate anche da tanti mediocri coi quali, poi poi, non mi sarebbe stato difficile competere.

La ragione era un'altra, lo so bene. *Non mi ci vedeva* neanche lui, mio suocero. Per motivi ben altri dai miei.

Non poteva ammettere, lui, ch'io gli levassi il genero (quel suo Gengè ch'egli vedeva in me, chi sa come) dalle condizioni in cui se n'era stato finora, cioè da quella comoda consistenza di marionetta che lui da un canto e la figlia dall'altro, e dal canto loro tutti i socii della banca gli avevano dato.

Dovevo lasciarlo così com'era, quel buon figliuolo feroce di Gengè, a vivere senza pensarci dell'usura di quella banca non amministrata da lui.

E io vi giuro che l'avrei lasciato lì, per non turbare quella mia povera bambola, il cui amore mi era pur così caro, e per non cagionare un così grave scompiglio a tanta brava gente che mi voleva bene, se, lasciandolo lì per gli altri, io poi per mio conto me ne fossi potuto andare altrove con un altro corpo e un altro nome.

VI. *Vincendo il riso*

Sapevo altresì che a mettermi in nuove condizioni di vita, a rappresentarmi agli altri domani da medico, poniamo, o da avvocato o da professore, non mi sarei ugualmente ritrovato né uno per tutti né io stesso mai nella veste e negli atti di nessuna di quelle professioni.

Troppo ero già compreso dall'orrore di chiudermi nella prigione d'una forma qualunque.

Pur non di meno quelle stesse proposte, fatte per ridere a mio suocero, io le avevo fatte sul serio a me stesso durante la notte, vincendo il riso che mi provocavano le immagini di me avvocato o medico o professore. Avevo insomma pensato che una di quelle professioni, o un'altra qual si fosse, avrei dovuto prenderla e accettarla come una necessità se Dida, ritornando a me com'io volevo, me n'avesse fatto l'obbligo per provvedere del mio meglio alla sua nuova vita con un nuovo Gengè.

Ma dalla furia con cui mio suocero se n'era scappato potevo argomentare che, anche per Dida, nessun nuovo Gengè poteva nascere dal vecchio. Tanto questo vecchio le dava a vedere d'essersi impazzito senza rimedio, se così *per niente* voleva togliersi da un momento all'altro dalle condizioni di vita in cui era vissuto finora felicemente.

E davvero pazzo volevo esser io a pretendere che una bambola come quella impazzisse insieme con me, così *per niente*.

Libro settimo

I. *Complicazione*

Fui invitato la mattina dopo con un bigliettino recato a mano ad andar subito in casa di Anna Rosa, l'amichetta di mia moglie che ho nominato una o due volte in principio, così di passata.

M'aspettavo che qualcuno cercasse di mettersi di mezzo per tentare la riconciliazione tra me e Dida; ma questo qualcuno nelle mie supposizioni doveva venire da parte di mio suocero e degli altri socii della banca, non direttamente da parte di mia moglie; già che l'unico ostacolo da rimuovere era la mia intenzione di liquidare la banca. Tra me e mia moglie non era avvenuto quasi nulla. Bastava ch'io dicessi ad Anna Rosa d'esser pentito sinceramente dello sgarbo fatto a Dida scrollandola e buttandola a sedere sulla poltrona del salotto, e la riconciliazione sarebbe avvenuta senz'altro.

Che Anna Rosa si fosse preso l'incarico di farmi recedere da quella intenzione, ponendolo come patto per il ritorno di mia moglie in casa, non mi parve in alcun modo ammissibile.

Sapevo da Dida che la sua amichetta aveva rifiutato parecchi matrimonii così detti vantaggiosi per disprezzo del danaro, attirandosi la riprovazione della gente assennata e anche di Dida che certo, sposando me (voglio dire il figlio d'un usurajo), aveva dovuto lasciare intendere alle sue amiche che lo faceva perché alla fin fine era un matrimonio «vantaggioso».

Per questo «vantaggio» da salvare Anna Rosa non poteva esser dunque l'avvocato più adatto.

Era da ammettere piuttosto il contrario: che Dida avesse ricorso a lei per ajuto, cioè per farmi sapere che il padre, d'accordo con gli altri socii, la tratteneva in casa e le impediva di ritornare a me se io non recedevo dall'intenzione di liquidare la banca. Ma conoscendo bene mia moglie, non mi parve ammissibile neppur questo.

Andai pertanto a quell'invito con una grande curiosità. Non riuscivo a indovinarne la ragione.

II. *Primo avvertimento*

Conoscevo poco Anna Rosa. L'avevo veduta parecchie volte in casa mia, ma essendomi sempre tenuto lontano, più per istinto che di proposito, dalle amiche di mia moglie, avevo scambiato con lei pochissime parole. Certi mezzi sorrisi, per caso sorpresi sulle sue labbra mentre mi guardava di sfuggita, mi erano sembrati così chiaramente rivolti a quella sciocca immagine di me che il Gengè di mia moglie Dida le aveva dovuto far nascere nella mente, che nessun desiderio m'era mai sorto d'intrattenermi a parlare con lei.

Non ero mai stato a casa sua.

Orfana di padre e di madre, abitava con una vecchia zia in quella casa che pare schiacciata dalle mura altissime della Badìa Grande: mura d'antico castello, dalle finestre con le grate inginocchiate da cui sul tramonto s'affacciano ancora le poche vecchie suore che vi sono rimaste. Una di quelle suore, la meno vecchia, era zia anch'essa di Anna Rosa, sorella del padre; ed era, dicono, mezza matta. Ma ci vuol poco a fare ammattire una donna, chiudendola in un monastero. Da mia moglie, che fu per tre anni educanda nel convento di San Vincenzo, so che tutte le suore, così le vecchie come le giovani, erano, chi per un verso e chi per un altro, mezze matte.

Non trovai in casa Anna Rosa. La vecchia serva che m'aveva recato il biglietino, parlandomi misteriosamente dalla spia della porta senza aprirla, mi disse che la padroncina era sù alla Badìa, dalla zia monaca, e che andassi pure a trovarla là, chiedendo alla suora portinaja d'essere introdotto nel parlatorietto di Suor Celestina.

Tutto questo mistero mi stupì. E sul principio, anziché accrescere la mia curiosità, mi trattenne d'andare. Per quanto mi fosse possibile in quello stupore, avvertii il bisogno di riflettere prima sulla stranezza di quel convegno lassù alla Badìa in un parlatorietto di suora.

Ogni nesso tra la mia futile disavventura coniugale e quell'invito mi parve rotto, e subito rimasi apprensionito come per un'imprevista complicazione che avrebbe recato chi sa quali conseguenze alla mia vita.

Come tutti sanno a Richieri, poco mancò non mi recasse la morte. Ma qui mi piace ripetere ciò che già dissi davanti ai giudici, perché per sempre sia cancellato dall'animo di tutti il sospetto che allora la mia deposizione fosse fatta per salvare e mandare assolta d'ogni colpa Anna Rosa. Nessuna colpa da parte sua. Fui io, o piuttosto ciò che finora è stato materia di queste mie tormentose considerazioni, se l'improvvisa e inopinata avventura a cui quasi senza volerlo mi lasciai andare per un ultimo disperatissimo esperimento, rischiò d'avere una tal fine.

III. *La rivoltella tra i fiori*

Per una delle straducole a sdrucciolo della vecchia Richieri durante il giorno appestate dal lezzo della spazzatura marcita, andai sù alla Badìa.

Quando si sia fatta l'abitudine di vivere in un certo modo, andare in qualche luogo insolito e nel silenzio avvertire come un sospetto che ci sia qualcosa di misterioso a noi, da cui, pur lì presente, il nostro spirito è condannato a restar lontano, è un'angoscia indefinita, perché si pensa che, se potessimo entrarci, forse la nostra vita si aprirebbe in chi sa quali sensazioni nuove, tanto da parerci di vivere in un altro mondo.

Quella Badìa, già castello feudale dei Chiaramonte, con quel portone basso tutto tarlato, e la vasta corte con la cisterna in mezzo, e quello scalone consunto, cupo e rintronante, che aveva il rigido delle grotte, e quel largo e lungo corridojo con tanti usci da una parte e dall'altra e i mattoni rosi del pavimento avvallato che lustravano alla luce del finestrone in fondo aperto al silenzio del cielo, tante vicende di casi e aspetti di vita aveva accolto in sé e veduto passare, che ora, nella lenta agonia di quelle poche suore che vi vagavano dentro sperdute, pareva non sapesse più nulla di sé. Tutto là dentro pareva ormai smemorato, nella lunghissima attesa della morte di quelle ultime suore, a una a una; perduta da gran tempo la ragione per cui, castello baronale, era stato dapprima costruito, divenuto poi per tanti secoli badìa.

La suora portinaja aprì uno di quegli usci nel corridojo e m'introdusse nel parlatorietto. Una campanella malinconica già era stata sonata da basso, forse per chiamare Suor Celestina.

Il parlatorietto era bujo, tanto che in prima non potei discernervi altro che la grata in fondo, appena intravista alla poca luce entrata dall'uscio nell'aprirlo. Rimasi in piedi, in attesa; e chi sa quanto ci sarei rimasto se alla fine una fievole voce dalla grata non m'avesse invitato ad accomodarmi, ché presto Anna Rosa sarebbe venuta sù dall'orto.

Non mi proverò a esprimere l'impressione che mi fece quella voce inattesa nel bujo, di là dalla grata. Mi folgorò in quel bujo il sole che doveva esserci in quell'orto della badìa, che non sapevo dove fosse, ma che certo doveva essere verdissimo; e d'improvviso mi s'illuminò in mezzo a quel verde la figura d'Anna Rosa come non l'avevo mai veduta, tutta un fremito di grazia e di malizia. Fu un baleno. Ritornò il bujo. O piuttosto, non il bujo, perché ora potevo discernere la grata, e davanti a quella grata un tavolino e due seggiole. In quella grata, il silenzio. Vi cercai la voce che mi aveva parlato, fievole ma fresca, quasi giovanile. Non c'era più nessuno. Eppure doveva essere stata la voce d'una vecchia.

Anna Rosa, quella voce, quel parlatorietto, il sole in quel bujo, il verde dell'orto: mi prese come una vertigine.

Poco dopo, Anna Rosa aprì di furia l'uscio e mi chiamò fuori del parlatorietto nel corridojo. Era tutta accesa in volto, coi capelli in disordine, gli occhi sfavillanti, la camicetta bianca di lana a maglia sbottonata sul petto come per caldo, e aveva tra le braccia tanti fiori e un tralcio d'edera che le passava sopra una spalla e le tentennava lungo, dietro. Corse, invitandomi a seguirla, in fondo al corridojo, salì sullo scalino sotto al finestrone, ma nel salire, forse per riparare con una mano una parte dei fiori che stava per sfuggirle, si lasciò invece cadere dall'altra la borsetta, e subito il fragore d'una detonazione seguito da un altissimo grido fece rintronare tutto il corridojo.

Feci appena in tempo a sorreggere Anna Rosa che mi s'abbatteva addosso. Nello sbalordimento, prima che riuscissi a rendermi conto di ciò che era avvenuto, mi vidi attorno sette vecchie suore pigolanti spaventate, le quali, pur essendo accorse per quello sparo nel corridojo e pur vedendomi tra le braccia Anna Rosa ferita, erano tuttavia in preda a un'altra costernazione ch'io in prima non potei intendere, tanto mi pareva impossibile che non si dovesse aver quella per cui a gran voce io chiedevo loro un letto, dove adagiare la ferita; mi rispondevano – Monsignore –; che stava per arrivare Monsignore. A sua volta, Anna Rosa mi gridava tra le braccia: – La rivoltella! la rivoltella! – cioè che rivoleva da me la rivoltella ch'era dentro la borsetta, perché era un ricordo del padre.

Che in quella borsetta caduta dovesse esserci una rivoltella la quale, esplodendo, l'aveva ferita a un piede, m'era apparso subito evidente; ma non così la ragione per cui la portava con sé, e proprio quella mattina che mi aveva dato convegno alla Badìa. Mi parve stranissimo; ma non mi passò neppur lontanamente per il capo in quel momento che l'avesse portata per me.

Più che mai stordito, vedendo che nessuno mi dava ajuto per soccorrere la ferita, me la tolsi di peso sulle braccia e la portai fuori della Badìa, giù per la straducola, a casa.

Mi toccò, poco dopo, risalire alla Badìa per riprendere dal corridojo sotto al finestrone quella rivoltella, che doveva poi servire per me.

IV. *La spiegazione*

La notizia di quello strano accidente alla Badìa Grande e di me che ne uscivo a precipizio reggendo sulle braccia Anna Rosa ferita, si propagò per Richieri in un baleno, dando subito pretesto a malignazioni che per la loro assurdità mi parvero in prima perfino ridicole. Tanto ero lontano dal supporre che potessero non solo parer verosimili, ma addirittura essere tenute per vere; e non già da coloro a cui tornava conto metterle in giro e fomentarle, ma finanche da colei che reggevo ferita sulle braccia.

Proprio così.

Perché Gengè, signori miei, quello stupidissimo Gengè di mia moglie Dida, covava, senza ch'io ne sapessi nulla, una bruciante simpatia per Anna Rosa. Se l'era messo in testa Dida; Dida che se n'era accorta. Non ne aveva detto mai nulla a Gengè; ma lo aveva confidato, sorridendone, alla sua amichetta, per farle piacere e fors'anche per spiegarle che c'era il suo motivo, se Gengè la schivava, quand'ella veniva in visita; la paura d'innamorarsene.

Non mi riconosco nessun diritto di smentire codesta simpatia di Gengè per Anna Rosa. Potrei al più sostenere che non era vera per me; ma non sarebbe giusto neppure questo, perché effettivamente non m'ero mai curato di sapere se sentissi antipatia o simpatia per quell'amichetta di mia moglie.

Mi pare d'aver dimostrato a sufficienza che la realtà di Gengè non apparteneva a me, ma a mia moglie Dida che gliel'aveva data.

Se Dida dunque attribuiva quella segreta simpatia al suo Gengè, importa poco ch'essa non fosse vera per me: era tanto vera per Dida, che vi trovava la ragione per cui mi tenevo lontano da Anna Rosa; e tanto vera anche per Anna, che le occhiate che qualche volta io le avevo rivolte di sfuggita erano state anzi interpretate da lei come qualche cosa di più, per cui io non ero quel carino sciocchino Gengè che mia moglie Dida si figurava, ma un infelicissimo Signor Gengè che doveva soffrire chi sa che strazii in corpo a essere stimato e amato così dalla propria moglie.

Perché, se ci pensate bene, questo è il meno che possa seguire dalle tante realtà insospettate che gli altri ci dànno. Superficialmente, noi sogliamo chiamarle false supposizioni, erronei giudizii, gratuite attribuzioni. Ma tutto ciò che di noi si può immaginare è realmente possibile, ancorché non sia vero per noi. Che per noi non sia vero, gli altri se ne ridono. È vero per loro. Tanto vero, che può anche capitare che gli altri, se non vi tenete forte alla realtà che per vostro conto vi siete data, possono indurvi a riconoscere che più vera della vostra stessa realtà è quella che vi dànno loro. Nessuno più di me ha potuto farne esperienza.

Io mi trovai dunque, senza che ne sapessi nulla, innamoratissimo di Anna Rosa, e per questa ragione impigliato nell'accidente di quello sparo nella Badìa come non mi sarei mai e poi mai immaginato.

Assistendo Anna Rosa, dopo averla trasportata a casa sulle braccia e adagiata sul suo letto, corso per un medico, per un'infermiera, e prestato le prime cure del caso, sentii subito anch'io più che possibile, vero, ciò che ella aveva immaginato di me in seguito alle confidenze di Dida; la mia simpatia per lei. E potei avere dalla sua bocca, stando a sedere a piè del letto nell'intimità color di rosa della sua cameretta offesa dal cattivo odore dei medicinali, tutte le spiegazioni. E, prima, quella della rivoltella nella borsetta, causa dell'accidente.

Come rise di cuore immaginando che qualcuno potesse supporre ch'ella l'avesse portata per me nel darmi convegno alla Badìa!

La portava sempre con sé, nella borsetta, quella rivoltella, dacché l'aveva trovata nel taschino d'un panciotto del padre, morto improvvisamente da sei anni. Piccolissima, con l'impugnatura di madreperla e tutta lucida e viva, le era parsa un gingillo, tanto più carino in quanto nel suo grazioso congegno racchiudeva il potere di dare la morte. E più d'una volta, mi confidò, in qualche non raro momento che il mondo tutt'intorno, per certi strani sgomenti dell'anima, le si faceva come attonito e vano, aveva avuto la tentazione di farne la prova, giocando con essa, provando nelle dita sul liscio lucido dell'acciajo e della madreperla la delizia del tatto. Ora, che essa, invece che alla tempia o nel cuore per volontà di lei, avesse potuto per caso *morderla* a un piede, e anche col rischio – come si temeva – di farla restar zoppa, le cagionava uno stranissimo dispiacere. Credeva d'essersela appropriata tanto, che non dovesse avere più per sé quel potere. La vedeva *cattiva*, adesso. La traeva dal cassetto del comodino accanto al letto, la mirava e le diceva:

– Cattiva!

Ma quel convegno sù alla Badìa, nel parlatorietto della zia monaca, perché? E quelle sette suore che, invece di darsi pensiero di lei ferita, mi parlavano, quasi oppresse, della visita di non so qual Monsignore?

Ebbi la spiegazione anche di questo mistero.

Ella sapeva che quella mattina monsignor Partanna, vescovo di Richieri, sarebbe andato a far visita alle vecchie suore della Badìa Grande, come soleva ogni mese. Per quelle vecchie suore quella visita era come un'anticipazione della beatitudine celeste: rischiare d'averla guastata da quell'accidente era stato perciò per loro la costernazione più grave. Mi aveva fatto venire sù alla Badìa perché voleva ch'io parlassi subito, quella mattina stessa, col vescovo.

– Io, col vescovo? E perché?

Per ovviare a tempo ciò che si stava tramando contro di me.

Mi volevano proprio interdire, denunziandomi come alterato di mente. Dida le aveva annunziato che già erano state raccolte e ordinate tutte le prove, da Firbo, da Quantorzo, da suo padre e da lei stessa, per dimostrare la mia lampante alterazione mentale. Tanti erano pronti a farne testimonianza; finanche quel Turolla che avevo difeso contro Firbo e tutti i commessi della banca; finanche Marco di Dio a cui avevo fatto donazione d'una casa.

– Ma la perderà, – non potei tenermi dal fare osservare ad Anna Rosa. – Se sono dichiarato alterato di mente, l'atto della donazione diventerà nullo!

Anna Rosa scoppiò a ridermi in faccia per la mia ingenuità. A Marco di Dio dovevano aver promesso che, se testimoniava come volevano loro, non avrebbe perduto la casa. E del resto, poteva, anche secondo coscienza, testimoniarlo.

Guardai sospeso Anna Rosa che rideva. Ella se n'accorse e si mise a gridare:

– Ma sì, pazzie! tutte pazzie! tutte pazzie!

Se non che, lei ne godeva, le approvava, e più che più se con esse volevo arrivare veramente a quella più grande di tutte: cioè di buttare all'aria la banca e d'allontanare da me una donna che m'era stata sempre nemica.

– Dida?

– Non crede?

– Nemica, sì, adesso.

– No, sempre! sempre!

E m'informò che da tempo cercava di fare intendere a mia moglie ch'io non ero quello sciocco che lei s'immaginava, in lunghe discussioni che le erano costate una fatica infinita per frenare il dispetto che le cagionava l'ostinazione di quella donna a voler vedere in tanti miei atti o parole una sciocchezza che non c'era o un male che soltanto un animo deliberatamente nemico vi poteva vedere.

Strabiliai. D'un tratto, per quelle confidenze d'Anna Rosa, vidi una Dida così diversa dalla mia e pur così ugualmente vera, che provai – in quel punto, più che mai – tutto l'orrore della mia scoperta. Una Dida che parlava di me come assolutamente non mi sarei mai immaginato ch'ella ne potesse parlare, nemica anche della mia carne. Tutti i ricordi della nostra intimità comune, separati e traditi così indegnamente che, per riconoscerli, dovevo superarne con dispetto il ridicolo che prima non avevo avvertito, riparare una vergogna che prima, in segreto, non m'era parso di dover sentire. Come se a tradimento, dopo avermi indotto confidente a denudarmi, spalancata la porta, m'avesse esposto alla derisione di chiunque avesse voluto entrare a vedermi così nudo e senza riparo. E apprezzamenti sulla mia famiglia e giudizii sulle mie più naturali abitudini, che non mi sarei mai aspettati da lei. Insomma, un'altra Dida; una Dida veramente nemica.

Eppure, sono certo certissimo che col suo Gengè ella non fingeva: era col suo Gengè quale poteva essere per lui, perfettamente intera e sincera. Fuori poi della vita che poteva avere con lui, diventava un'altra: quell'altra che ora le conveniva o le piaceva o veramente sentiva di essere per Anna Rosa.

Ma di che mi maravigliavo? Non potevo io lasciarle intero il suo Gengè, così com'ella se l'era foggiato, ed essere poi un altro per conto mio?

Così era di me, come di tutti.

Non dovevo rivelare il segreto della mia scoperta ad Anna Rosa. Fui tentato da lei stessa, per ciò che ella mi fece sapere, così improvvisamente, di mia moglie. E non mi sarei mai immaginato che la rivelazione le avrebbe prodotto nello spirito il turbamento che le produsse, fino a farle commettere la follia che commise.

Ma dirò prima della mia visita a Monsignore, a cui ella stessa mi spinse con gran premura, come a cosa che non comportasse più altro indugio.

V. *Il Dio di dentro e il Dio di fuori*

Al tempo che conducevo a spasso Bibì, la cagnolina di mia moglie, le chiese di Richieri erano la mia disperazione.

Bibì a tutti i costi ci voleva entrare.

Alle mie sgridate, s'acculava, alzava e scoteva una delle due zampine davanti, sternutiva, poi con una orecchia sù e l'altra giù stava a guardarmi, proprio con l'aria di credere che non era possibile, non era possibile che a una cagnolina bellina come lei non fosse lecito entrare in una chiesa. Se non ci stava nessuno!

– Nessuno? Ma come nessuno, Bibì? – le dicevo io. – Ci sta il più rispettabile dei sentimenti umani. Tu non puoi intendere queste cose, perché sei per tua fortuna una cagnolina e non un uomo. Gli uomini, vedi? hanno bisogno di fabbricare una casa anche ai loro sentimenti. Non basta loro averli dentro, nel cuore, i sentimenti: se li vogliono vedere anche fuori, toccarli; e costruiscono loro una casa.

A me era sempre bastato finora averlo dentro, a mio modo, il sentimento di Dio. Per rispetto a quello che ne avevano gli altri, avevo sempre impedito a Bibì di entrare in una chiesa; ma non c'entravo nemmeno io. Mi tenevo il mio sentimento e cercavo di seguirlo stando in piedi, anziché andarmi a inginocchiare nella casa che gli altri gli avevano costruito.

Quel *punto vivo* che s'era sentito ferire in me quando mia moglie aveva riso nel sentirmi dire che non volevo più mi si tenesse in conto d'usurajo a Richieri, era Dio senza alcun dubbio: Dio che s'era sentito ferire in me, Dio che in me non poteva più tollerare che gli altri a Richieri mi tenessero in conto d'usurajo.

Ma se fossi andato a dire così a Quantorzo o a Firbo e agli altri socii della banca, avrei dato loro certamente un'altra prova della mia pazzia.

Bisognava invece che il Dio di dentro, questo Dio che in me sarebbe a tutti ormai apparso pazzo, andasse quanto più contritamente gli fosse possibile a far visita e a chiedere ajuto e protezione al saggissimo Dio di fuori, a quello che aveva la casa e i suoi fedelissimi e zelantissimi servitori e tutti i suoi poteri sapientemente e magnificamente costituiti nel mondo per farsi amare e temere.

A questo Dio non c'era pericolo che Firbo o Quantorzo s'attentassero a dare del pazzo.

VI. *Un vescovo non comodo*

Andai dunque a trovare al Vescovado monsignor Partanna.

Dicevano a Richieri che era stato eletto vescovo per istanze e mali ufficii di potenti prelati a Roma. Il fatto è che, pur essendo da alcuni anni a capo della diocesi, non era ancora riuscito a cattivarsi la simpatia, a conciliarsi la confidenza di nessuno.

A Richieri si era avvezzi al fasto, alle maniere gioconde e cordiali, alla copiosa munificenza del suo predecessore, il defunto Eccell.mo Monsignor Vivaldi; e tutti perciò si erano sentiti stringere il cuore allorché avevano veduto per la prima volta scendere a piedi dal Palazzo Vescovile lo scheletro intabarrato di questo vescovo nuovo, tra i due segretarii che lo accompagnavano.

Un vescovo a piedi?

Dacché il Vescovado sedeva come una tetra fortezza in cima alla città, tutti i vescovi erano sempre scesi in una bella carrozza con l'attacco a due, gale rosse e pennacchi.

Ma all'atto stesso della sua insediatura monsignor Partanna aveva detto che vescovado è nome d'opera e non d'onore. E aveva licenziato servi e cuoco, cocchiere e famigli, smesso la carrozza e inaugurato la più stretta economia, con tutto che la diocesi di Richieri fosse tra le più ricche d'Italia. Per le visite pastorali nella diocesi, molto trascurate dal suo predecessore e da lui invece osservate con la massima vigilanza ai tempi voluti dai Canoni, non ostanti le gravi difficoltà delle vie e la mancanza di comunicazioni, si serviva di carrozze d'affitto o anche d'asini o di muli.

Sapevo poi da Anna Rosa che tutte le suore dei cinque monasteri della città, tranne quelle ormai decrepite della Badìa Grande, lo odiavano per le crudeli disposizioni emanate contro di loro appena insediatosi vescovo, cioè che non dovessero più né preparare né vendere dolci o rosolii, quei buoni dolci di miele e di pasta reale infiocchettati e avvolti in fili d'argento, quei buoni rosolii che sapevano d'anice e di cannella! e non più ricamare, neanche arredi e paramenti sacri, ma far soltanto la calza; e infine che non dovessero più avere un confessore particolare, ma servirsi tutte, senza distinzione, del Padre della comunità. Disposizioni anche più gravi aveva poi dato per i canonici e beneficiali di tutte le chiese, e insomma per la più rigida osservanza d'ogni dovere da parte di tutti gli ecclesiastici.

Un vescovo così non è comodo per tutti coloro che han voluto mettere fuori di sé il sentimento di Dio costruendogli una casa fuori, tanto più bella quanto maggiore il bisogno di farsi perdonare. Ma era per me il meglio che mi potessi augurare. Il suo predecessore, l'Eccell.mo Monsignor Vivaldi, benviso a tutti, con tutti alla mano, avrebbe senza dubbio cercato il modo e la maniera d'accomodare ogni cosa, salvando banca e coscienza, per accontentare me, ma anche Firbo e Quantorzo e tutti gli altri.

Ora io sentivo che non potevo più accomodarmi né con me né con nessuno.

VII. *Un colloquio con Monsignore*

Monsignor Partanna mi ricevette nella vasta sala dell'antica cancelleria nel Palazzo Vescovile.

Sento ancora nelle narici l'odore di quella sala dal tetro soffitto affrescato, ma così coperto di polvere che quasi non vi si scorgeva più nulla. Le alte pareti dall'intonaco ingiallito erano ingombre di vecchi ritratti di prelati, anch'essi bruttati dalla polvere e qualcuno anche dalla muffa, appesi qua e là senz'ordine, sopra armadii e scansìe stinte e tarlate.

In fondo alla sala s'aprivano due finestroni, i cui vetri, d'una tristezza infinita sulla vanità del cielo velato, erano scossi continuamente dal vento che s'era levato d'improvviso, fortissimo: il terribile vento di Richieri che mette l'angoscia in tutte le case.

Pareva a momenti che quei vetri dovessero cedere alla furia urlante del libeccio. Tutto il colloquio tra me e Monsignore ebbe l'accompagnamento sinistro di sibili acuti e veementi, di cupi, lunghi mugolìi che, distraendomi spesso dalle parole di Monsignore, mi fecero sentire con un indefinibile sbigottimento, come non l'avevo sentito mai, il rammarico della vanità del tempo e della vita.

Ricordo che da uno di quei finestroni si scorgeva il terrazzino d'una vecchia casa dirimpetto. Su quel terrazzino apparve a un tratto un uomo, che doveva essere scappato dal letto con la folle idea di provare la voluttà del volo.

Esposto lì al vento furioso, si faceva svolazzare attorno al corpo magro, d'una magrezza che incuteva ribrezzo, la coperta del letto: una coperta di lana rossa, appesa e sorretta con le due braccia in croce, su le spalle. E rideva, rideva con un lustro di lagrime negli occhi spiritati, mentre gli volavano di qua e di là, lingueggiando come fiamme, le lunghe ciocche dei capelli rossicci.

Quell'apparizione mi stupì tanto, che a un certo punto non potei più tenermi di farne cenno a Monsignore, interrompendo un discorso molto serio sugli scrupoli della coscienza a cui egli da un pezzo s'era lasciato andare con evidente compiacimento del suo eloquio.

Monsignore si voltò appena a guardare; e, con uno di quei sorrisi che fanno benissimo le veci d'un sospiro, disse:

– Ah, sì: è un povero pazzo che sta lì.

Con tal tono d'indifferenza lo disse, come per cosa da tanto tempo divenuta ai suoi occhi abituale, che mi sorse lì per lì la tentazione di farlo sobbalzare, annunziandogli:

«No, sa: non sta lì. Sta qui, Monsignore. Quel pazzo che vuol volare sono io».

Mi contenni, e non lo dissi. Anzi, con la stess'aria d'indifferenza gli domandai:

– E non c'è pericolo che si butti giù dal terrazzino?

– No, è così, da tant'anni, – mi rispose Monsignore. – Innocuo, innocuo.

Spontaneamente, proprio senza volerlo, mi scappò detto allora:

– Come me.

E Monsignore non poté fare a meno di sobbalzare. Ma io gli mostrai subito una faccia così placida e sorridente, che d'un tratto lo rimise a posto. M'affrettai a spiegargli che intendevo innocuo anch'io nel concetto del signor Firbo e del signor Quantorzo, di mio suocero e di mia moglie, e insomma di tutti coloro che mi volevano interdire.

Monsignore, rasserenato, riprese il discorso sugli scrupoli della coscienza, che a lui pareva il più proprio al mio caso, e l'unico a ogni modo da far valere con l'autorità e il prestigio del suo potere spirituale sulle intenzioni e le mene di quei miei nemici.

Potevo fargli intendere che il mio non era propriamente un caso di coscienza com'egli s'immaginava?

Se mi fossi arrischiato a farglielo intendere, sarei d'un tratto diventato pazzo anche ai suoi occhi.

Il Dio che in me voleva riavere il danaro della banca perché io non fossi più chiamato usurajo, era un Dio nemico di tutte le costruzioni.

Il Dio, invece, a cui ero venuto a ricorrere per ajuto e protezione, era appunto quello che costruiva. Mi avrebbe dato, sì, una mano per farmi riavere il danaro, ma a patto ch'esso servisse alla costruzione di almeno una casa a un altro dei più rispettabili sentimenti umani: voglio dire, la carità.

Monsignore, al termine del nostro colloquio, mi domandò con aria solenne se non volevo questo.

Dovetti rispondergli che volevo questo.

E allora egli sonò un vecchio annerito e insordito campanellino d'argento che stava timido timido sulla tavola. Apparve un giovane chierico biondo e molto pallido. Monsignore gli ordinò di far venire Don Antonio Sclepis, canonico della Cattedrale e direttore del Collegio degli Oblati, ch'era in anticamera. L'uomo che ci voleva per me.

Conoscevo più di fama che di persona questo prete. Ero andato una volta per incarico di mio padre a consegnargli una lettera sù al Collegio degli Oblati, che sorge non lontano dal Palazzo Vescovile, nel punto più alto della città, ed è un vasto, antichissimo edificio quadrato e fosco esternamente, roso tutto dal tempo e dalle intemperie, ma tutto bianco, arioso e luminoso, dentro. Vi sono accolti i poveri orfani e i bastardelli di tutta la provincia, dai sei ai diciannove anni, i quali vi imparano le varie arti e i varii mestieri. La disciplina vi è così dura, che quando quei poveri Oblati alla mattina e al vespro cantano al suono dell'organo nella chiesa del Collegio le loro preghiere, a udirle da giù, quelle preghiere accorano come un lamento di carcerati.

A giudicarne dall'aspetto, non pareva che il canonico Sclepis dovesse avere in sé tanta forza di dominio e così dura energia. Era un prete lungo e magro, quasi diafano, come se tutta l'aria e la luce dell'altura dove viveva lo avessero non solo scolorito ma anche rarefatto, e gli avessero reso le mani d'una gracilità tremula quasi trasparenti e su gli occhi chiari ovati le pàlpebre più esili d'un velo di cipolla. Tremula e scolorita aveva anche la voce e vani i sorrisi su le lunghe labbra bianche, tra le quali spesso filava qualche grumetto di biascia.

Appena entrato e informato da Monsignore dei miei scrupoli di coscienza e delle mie intenzioni, si mise a parlare con me in gran fretta, con grande confidenza, battendomi una mano su la spalla e dandomi del tu:

– Bene bene, figliuolo! Un gran dolore, mi piace. Ringraziane Dio. Il dolore ti salva, figliuolo. Bisogna esser duri con tutti gli sciocchi che non vogliono soffrire. Ma tu per tua ventura hai molto, molto da soffrire, pensando a tuo padre che, poveretto, eh... fece tanto tanto male! Sia il tuo cilizio il pensiero di tuo padre! il tuo cilizio! E lascia combattere a me col signor Firbo e il signor Quantorzo! Ti vogliono interdire? Te li accomodo io, non dubitare!

Uscii dal Palazzo Vescovile con la certezza che l'avrei avuta vinta su coloro che mi volevano interdire; ma questa certezza e gl'impegni che ne derivavano, contratti ora col vescovo e con lo Sclepis, mi gettavano in un mare d'incertezze senza fine su ciò che sarebbe stato di me, spogliato di tutto, senza più né stato, né famiglia.

VIII. *Aspettando*

Non mi restava per il momento che Anna Rosa, la compagnia ch'ella voleva le tenessi durante la sua infermità.

Se ne stava a letto, col piede fasciato; e diceva che non se ne sarebbe alzata più, se, come ancora i medici temevano, fosse rimasta zoppa.

Il pallore e il languore della lunga degenza le avevano conferito una grazia nuova, in contrasto con quella di prima. La luce degli occhi le si era fatta più intensa, quasi cupa. Diceva di non poter dormire. L'odore dei suoi capelli densi, neri, un po' ricciuti e aridi, quando la mattina se li trovava sciolti e arruffati sul guanciale, la soffocava. Se non era per il ribrezzo delle mani d'un parrucchiere sul suo capo, se li sarebbe fatti tagliare. Mi domandò, una mattina, se io non avrei saputo tagliarglieli. Rise del mio imbarazzo nel rispondere, poi si tirò sul viso la rimboccatura del lenzuolo e rimase così un gran pezzo col viso nascosto, in silenzio.

Sotto le coperte s'indovinavano procaci le formosità del suo corpo di vergine matura. Sapevo da Dida che ella aveva già venticinque anni. Certo, standosene così col viso nascosto, pensava ch'io non avrei potuto fare a meno di guardare il suo corpo come si disegnava sotto le coperte. Mi tentava.

Nella penombra della cameretta rosea in disordine, il silenzio pareva consapevole dell'attesa vana d'una vita che i desiderii momentanei di quella bizzarra creatura non avrebbero potuto mai far nascere né consistere in qualche modo.

Avevo indovinato in lei l'insofferenza assoluta d'ogni cosa che accennasse a durare e stabilirsi. Tutto ciò che faceva, ogni desiderio o pensiero che le sorgevano per un momento, un momento dopo erano già come lontanissimi da lei; e se le avveniva di sentirsene ancora trattenuta, erano smanie rabbiose, scatti d'ira e perfino scomposte escandescenze.

Solo del suo corpo pareva si compiacesse sempre, per quanto a volte non se ne mostrasse per nulla contenta, anzi dicesse di odiarselo. Ma se lo stava a mirare continuamente allo specchio, in ogni parte o tratto; a provarne tutti gli atteggiamenti, tutte le espressioni di cui i suoi occhi così intensi lucidi e vivaci, le sue narici frementi, la sua bocca rossa sdegnosa, la mandibola mobilissima, potevano essere capaci. Così, come per un gusto d'attrice; non perché pensasse che per sé, nella vita, potessero servirle se non per giuoco: per un giuoco momentaneo di civetteria o provocazione.

Una mattina le vidi provare e studiare a lungo nello specchietto a mano che teneva con sé sul letto un sorriso pietoso e tenero, pur con un brillìo negli occhi di malizia quasi puerile. Vedermelo poi rifare tal quale, quel sorriso, vivo, proprio come se le nascesse or ora spontaneo per me, mi provocò un moto di ribellione.

Le dissi che non ero il suo specchio.

Ma non s'offese. Mi domandò se quel sorriso, come ora gliel'avevo visto, era quello stesso che lei s'era veduto e studiato nello specchio dianzi.

Le risposi, seccato di quell'insistenza:

– Che vuole che ne sappia io? Non posso mica sapere come lei se l'è veduto. Si faccia fare una fotografia con quel sorriso.

– Ce l'ho, – mi disse. – Una, grande. Là nel cassetto di sotto dell'armadio. Me la prenda, per favore.

Quel cassetto era pieno di sue fotografie. Me ne mostrò tante, di antiche e di recenti.

– Tutte morte, – le dissi.

Si voltò di scatto a guardarmi.

– Morte?

– Per quanto vogliano parer vive.

– Anche questa col sorriso?

– E codesta, pensierosa; e codesta, con gli occhi bassi.

– Ma come morta, se sono qua viva?

– Ah, lei sì; perché ora non si vede. Ma quando sta davanti allo specchio, nell'attimo che si rimira, lei non è più viva.

– E perché?

– Perché bisogna che lei fermi un attimo in sé la vita, per vedersi. Come davanti a una macchina fotografica. Lei s'atteggia. E atteggiarsi è come diventare statua per un momento. La vita si muove di continuo, e non può mai veramente vedere se stessa.

– E allora io, viva, non mi sono mai veduta?

– Mai, come posso vederla io. Ma io vedo un'immagine di lei che è mia soltanto; non è certo la sua. Lei la sua, viva, avrà forse potuto intravederla appena in qualche fotografia istantanea che le avranno fatta. Ma ne avrà certo provato un'ingrata sorpresa. Avrà fors'anche stentato a riconoscersi, lì scomposta, in movimento.

– È vero.

– Lei non può conoscersi che atteggiata: statua: non viva. Quando uno vive, vive e non si vede. Conoscersi è morire. Lei sta tanto a mirarsi in codesto specchio, in tutti gli specchi, perché non vive; non sa, non può o non vuol vivere. Vuole troppo conoscersi, e non vive.

– Ma nient'affatto! Non riesco anzi a tenermi mai ferma un momento, io.

– Ma vuole vedersi sempre. In ogni atto della sua vita. È come se avesse davanti, sempre, l'immagine di sé, in ogni atto, in ogni mossa. E la sua insofferenza proviene forse da questo. Lei non vuole che il suo sentimento sia cieco. Lo obbliga ad aprir gli occhi e a vedersi in uno specchio che gli mette sempre davanti. E il sentimento, subito come si vede, le si gela. Non si può vivere davanti a uno specchio. Procuri di non vedersi mai. Perché, tanto, non riuscirà mai a conoscersi per come la vedono gli altri. E allora che vale che si conosca solo per sé? Le può avvenire di non comprendere più perché lei debba avere quell'immagine che lo specchio le ridà.

Rimase a lungo con gli occhi fissi a pensare.

Sono certo che anche a lei, come a me, dopo quel discorso e dopo quanto le avevo già detto di tutto il tormento del mio spirito, s'aprì davanti in quel momento sconfinata, e tanto più spaventosa quanto più lucida, la visione dell'irrimediabile nostra solitudine. L'apparenza d'ogni oggetto vi s'isolava paurosamente. E forse ella non vide più la ragione di portare la sua faccia, se in quella solitudine neanche lei avrebbe potuto vedersela viva, mentre gli altri da fuori, isolandola, chi sa come gliela vedevano.

Cadeva ogni orgoglio.

Vedere le cose con occhi che non potevano sapere come gli altri occhi intanto le vedevano.

Parlare per non intendersi.

Non valeva più nulla essere per sé qualche cosa.

E nulla più era vero, se nessuna cosa per sé era vera. Ciascuno per suo conto l'assumeva come tale e se ne appropriava per riempire comunque la sua solitudine e far consistere in qualche modo, giorno per giorno, la sua vita.

Ai piedi del suo letto, con un aspetto a me ignoto, e a lei impenetrabile, io stavo lì, naufrago nella sua solitudine; e lei nella mia, là davanti a me, sul suo letto, con quegli occhi immobili e lontanissimi, pallida, un gomito puntato sul guanciale e il capo arruffato sorretto dalla mano.

Sentiva verso tutto ciò ch'io le dicevo un'invincibile attrazione e insieme una specie di ribrezzo; a volte, quasi odio: glielo vedevo lampeggiare negli occhi, mentre con la più avida attenzione ascoltava le mie parole.

Voleva tuttavia che seguitassi a parlare, a dirle tutto quello che mi passava per la mente: immagini, pensieri. E io parlavo quasi senza pensare; o piuttosto, il mio pensiero parlava da sé, come per un bisogno di rilasciare la sua spasimosa tensione.

– Lei s'affaccia a una finestra; guarda il mondo; crede che sia come le sembra. Vede giù per via passare la gente, piccola nella sua visione ch'è grande, così dall'alto della finestra a cui è affacciata. Non può non sentirla in sé questa grandezza, perché se un amico ora passa giù per la via e lei lo riconosce, guardato così dall'alto, non le sembra più grande d'un suo dito. Ah, se le venisse in mente di chiamarlo e di domandargli: «Mi dica un po', come le sembro io, affacciata qua a questa finestra?». Non le viene in mente, perché non pensa all'immagine che quelli che passano per via hanno intanto della finestra e di lei che vi sta affacciata a guardare. Dovrebbe fare lo sforzo di staccare da sé le condizioni che pone alla realtà degli altri che passano giù e che vivono per un momento nella sua vasta visione, piccoli transitanti per una via. Non lo fa questo sforzo, perché non le sorge nessun sospetto dell'immagine che essi hanno di lei e della sua finestra, una tra tante, piccola, così alta, e di lei piccola piccola là affacciata con quel braccino che si muove in aria.

Si vedeva nella mia descrizione, piccola piccola a una finestra alta, col braccino che si moveva in aria, e rideva.

Erano lampi, guizzi; poi nella cameretta si rifaceva il silenzio. Ogni tanto compariva, come un'ombra, la vecchia zia con cui Anna Rosa abitava: grassa, apatica, con gli enormi occhi biavi orribilmente strabi. Stava un po' sulla soglia, nella penombra liquida della cameretta, con le mani gonfie e pallide sul ventre; pareva un mostro d'acquario; non diceva nulla e se n'andava.

Con quella zia ella non scambiava che pochissime parole durante tutto il giorno. Viveva con sé, di sé; leggeva, fantasticava, ma sempre insofferente, così delle letture come delle sue stesse fantasticherie; usciva a far compere, a trovar questa o quella amica; ma le sembravano tutte sciocche e vane; provava piacere a sbalordirle; poi, rincasando, si sentiva stanca e seccata di tutto. Certi invincibili disgusti, che si potevano indovinare in lei da uno scatto o da un verso improvviso per qualche allusione, forse li doveva alla lettura di libri di medicina trovati nella biblioteca del padre, ch'era stato medico. Diceva che non avrebbe mai preso marito.

Io non posso sapere che idea si fosse fatta di me. Mi considerava certo con uno straordinario interesse, smarrito come in quei giorni le apparivo nei miei stessi pensieri e nell'incertezza di tutto.

Quest'incertezza che in me rifuggiva da ogni limite, da ogni sostegno, e ormai quasi istintivamente si ritraeva da ogni forma consistente come il mare si ritrae dalla riva; quest'incertezza, vaneggiandomi negli occhi, senza dubbio la attraeva, ma a volte, guardandola, avevo pure la strana impressione che le paresse un po' divertente; una cosa infine un po' anche da ridere, avere lì ai piedi del letto un uomo in quelle incredibili condizioni di spirito, così tutto scisso e che non sapeva come avrebbe fatto a vivere domani, quando, riavuto per mezzo dello Sclepis il danaro della banca, si sarebbe spogliato e liberato di tutto.

Perché ella era certa che io sarei ormai arrivato alle ultime conseguenze, come un perfettissimo pazzo. E questo la divertiva enormemente, con un certo orgoglio, anche, d'avere indovinato, nelle discussioni con mia moglie, non propriamente questo, ma ch'io fossi ad ogni modo un uomo non comune, singolare dall'altra gente; da cui ci si poteva aspettare, un giorno o l'altro, qualcosa di straordinario. Come per dare subito agli altri, e specialmente a mia moglie, la prova ch'ella aveva avuto ragione nel pensare così di me, s'era affrettata a chiamarmi, a informarmi delle intenzioni che si avevano contro di me, a spingermi ad andare da Monsignore; e adesso era di me contentissima, vedendomi là ai piedi del suo letto, come mi vedeva, fermo e placido in attesa di quanto doveva necessariamente avvenire, senza più cura di nulla né di nessuno.

Eppure fu proprio lei a volermi uccidere, e proprio quando da questa soddisfazione ch'io le davo, e che la faceva un po' ridere, passò a una grande pietà di me, per rispondere, come affascinata, a quella che, certo, io dovevo avere negli occhi, mentre la guardavo come dall'infinita lontananza d'un tempo che avesse perduto ogni età.

Non so precisamente come avvenne. Quand'io, guardandola da quella lontananza, le dissi parole che più non ricordo, parole in cui ella dovette sentire la brama che mi struggeva di donare tutta la vita ch'era in me, tutto quello che io potevo essere, per diventare uno come lei avrebbe potuto volermi e per me veramente nessuno, nessuno. So che dal letto mi tese le braccia; so che m'attrasse a sé.

Da quel letto poco dopo rotolai, cieco, ferito al petto mortalmente dalla piccola rivoltella ch'ella teneva sotto il guanciale.

Devono esser vere le ragioni ch'ella poi disse in sua discolpa: cioè che fu spinta ad uccidermi dall'orrore istintivo, improvviso, dell'atto a cui stava per sentirsi trascinata dal fascino strano di tutto quanto in quei giorni io le avevo detto.

Libro ottavo

I. *Il giudice vuole il suo tempo*

Di solito, alle normali operazioni della giustizia non è da rimproverare la fretta.

Il giudice incaricato d'istruire il processo contro Anna Rosa, onesto per natura e per principio, volle essere scrupolosissimo e perdere mesi e mesi di tempo prima di venire al così detto accertamento dei fatti, dopo aver raccolto, s'intende, dati e testimonianze.

Ma non era stato possibile avere da me una qualunque risposta al primo interrogatorio che avrebbero voluto farmi, subito dopo trasportato dalla cameretta d'Anna Rosa all'ospedale. Quando poi i medici mi permisero d'aprir bocca, la prima risposta che diedi, anziché mettere nell'imbarazzo chi m'interrogava, mise nell'imbarazzo me.

Ecco: così fulmineo era stato in Anna Rosa il trapasso da quella pietà, per cui mi aveva teso le braccia dal letto, all'impulso istintivo che l'aveva spinta a compiere su me quell'atto violento, ch'io, già cieco nel sentirmi accosto il calore della sua procacissima persona, veramente non avevo avuto né il tempo né il modo d'accorgermi di come avesse fatto a cavare improvvisamente la rivoltella di sotto al guanciale per tirarmi. Cosicché, non parendomi allora ammissibile ch'ella, dopo avermi attratto a sé, avesse poi voluto uccidermi, con la più schietta sincerità diedi, a chi m'interrogava, quella spiegazione del caso che mi sembrava più probabile, cioè che il ferimento, anche quel mio ferimento come già il suo al piede, fosse stato accidentale, dovuto al fatto, certo riprovevole, di quella rivoltella che si trovava sotto il guanciale e che certo io stesso dovevo avere urtato e fatto esplodere nello sforzo di sollevare l'inferma che m'aveva domandato d'essere messa a sedere sul letto.

Per me la bugia (bugia doverosa) era soltanto in quest'ultima parte della risposta; a chi m'interrogava apparve invece tutta quanta così sfacciata, che ne fui aspramente rimbrottato. Mi si fece sapere che la giustizia si trovava già, per fortuna, in possesso della confessione esplicita della feritrice. Io allora, per un bisogno irresistibile di dimostrare la mia sincerità, fui così ingenuo da dare a vedere, nello sbalordimento, la più viva curiosità di conoscere qual mai ragione avesse potuto dare la feritrice del suo atto violento contro di me.

La risposta a questa domanda fu una fragorosissima sbruffata che quasi mi lavò la faccia.

– Ah, lei voleva soltanto metterla a sedere sul letto?

Restai basito.

La giustizia doveva già anche trovarsi in possesso d'una prima deposizione di mia moglie, la quale, ora più che mai con quella prova di fatto, aveva certo potuto testimoniare in perfettissima coscienza dell'antica data del mio innamoramento per Anna Rosa.

Così sarebbe rimasto, senza dubbio, acquisito alla giustizia che Anna Rosa aveva tentato d'uccidermi per difendersi da una mia brutale aggressione, se Anna Rosa stessa non avesse assicurato con giuramento il giudice che non c'era stata veramente nessuna aggressione da parte mia, ma solo quel tale fascino involontariamente esercitato su lei con le mie curiosissime considerazioni sulla vita: fascino da cui ella s'era lasciata prendere così fortemente, da ridursi a commettere quella pazzia.

Il giudice scrupoloso, non soddisfatto del sommario ragguaglio che Anna Rosa aveva potuto dargli di quelle mie considerazioni, stimò suo dovere averne una più precisa e particolare informazione, e volle venire di persona a parlare con me.

II. *La coperta di lana verde*

Ero stato ricondotto dall'ospedale a casa in barella; e, già entrato in convalescenza, avevo lasciato il letto e me ne stavo in quei giorni adagiato beatamente su una poltrona vicino alla finestra, con una coperta di lana verde sulle gambe.

Mi sentivo come inebriato vaneggiare in un vuoto tranquillo, soave, di sogno. Era ritornata la primavera, e i primi tepori del sole mi davano un languore d'ineffabile delizia. Avevo quasi timore di sentirmi ferire dalla tenerezza dell'aria limpida e nuova ch'entrava dalla finestra semichiusa, e me ne tenevo riparato; ma alzavo di tanto in tanto gli occhi a mirare quell'azzurro vivace di marzo corso da allegre nuvole luminose. Poi mi guardavo le mani che ancora mi tremavano esangui; le abbassavo sulle gambe e con la punta delle dita carezzavo lievemente la peluria verde di quella coperta di lana. Ci vedevo la campagna: come se fosse tutta una sterminata distesa di grano; e, carezzandola, me ne beavo, sentendomici davvero, in mezzo a tutto quel grano, con un senso di così smemorata lontananza, che quasi ne avevo angoscia, una dolcissima angoscia.

Ah, perdersi là, distendersi e abbandonarsi, così tra l'erba, al silenzio dei cieli; empirsi l'anima di tutta quella vana azzurrità, facendovi naufragare ogni pensiero, ogni memoria!

Poteva, domando io, capitare più inopportuno quel giudice?

Mi duole, a ripensarci, se egli quel giorno se n'andò da casa mia con l'impressione ch'io volessi burlarmi di lui. Aveva della talpa, con quelle due manine sempre alzate vicino alla bocca, e i piccoli occhi plumbei quasi senza vista, socchiusi; scontorto in tutta la magra personcina mal vestita, con una spalla più alta dell'altra. Per via, andava di traverso, come i cani; benché poi tutti dicessero che, moralmente, nessuno sapeva rigare più diritto di lui.

Le mie considerazioni sulla vita?

– Ah signor giudice, – gli dissi, – non è possibile, creda, ch'io gliele ripeta. Guardi qua! Guardi qua!

E gli mostrai la coperta di lana verde, passandoci sopra delicatamente la mano.

– Lei ha l'ufficio di raccogliere e preparare gli elementi di cui la giustizia domani si servirà per emanare le sue sentenze? E viene a domandare a me le mie considerazioni sulla vita, quelle che per l'imputata sono state la cagione d'uccidermi? Ma se io gliele ripetessi, signor giudice, ho gran paura che lei non ucciderebbe più me, ma se stesso, per il rimorso d'avere per tanti anni esercitato codesto suo ufficio. No, no: io non gliele dirò, signor giudice! È bene che lei anzi si turi gli orecchi per non udire il terribile fragore d'una certa rapina sotto gli argini, oltre i limiti che lei, da buon giudice, s'è tracciati e imposti per comporre la sua scrupolosissima coscienza. Possono crollare, sa? in un momento di tempesta come quello che ha avuto la signorina Anna Rosa. Che rapina? Eh, quella della gran fiumana, signor giudice! Lei l'ha incanalata bene nei suoi affetti, nei doveri che s'è imposti, nelle abitudini che s'è tracciate; ma poi vengono i momenti di piena, signor giudice, e la fiumana straripa, straripa e sconvolge tutto. Io lo so. Tutto sommerso, per me, signor giudice! Mi ci sono buttato e ora ci nuoto, ci nuoto. E sono, se sapesse, già tanto lontano! Quasi non la vedo più. Si stia bene, signor giudice, si stia bene!

Restò lì, stordito, a guardarmi come si guarda un malato incurabile. Sperando di scomporlo da quel penoso atteggiamento, gli sorrisi; sollevai dalle gambe con tutt'e due le mani la coperta e gliela mostrai ancora una volta, domandandogli con grazia:

– Ma davvero, scusi, non le sembra bella, così verde, questa coperta di lana?

III. *Remissione*

Mi consolavo con la riflessione che tutto questo avrebbe facilitato l'assoluzione d'Anna Rosa. Ma d'altra parte c'era lo Sclepis che più volte con un gran tremore di tutte le sue cartilagini era accorso a dirmi ch'io gli avevo reso e seguitavo a rendergli più che mai difficile il cómpito della mia salvazione.

Possibile che non mi rendessi conto dello scandalo enorme suscitato con quella mia avventura, proprio nel momento che avrei dovuto dar prova d'avere più di tutti la testa a segno? E non avevo, invece, dimostrato che aveva avuto ragione mia moglie a scapparsene in casa del padre per l'indegnità del mio comportamento verso di lei? Io la tradivo; e solo per farmi bello agli occhi di quella ragazza esaltata avevo protestato di non volere più che in paese mi si chiamasse usurajo! E tanto era il mio accecamento per quella passione colpevole, che avevo voluto e m'ostinavo a voler rovinare me e gli altri, con tutto che per poco non m'era costata la vita, questa colpevole passione!

Ormai allo Sclepis, di fronte alla sollevazione di tutti, non restava che riconoscere le mie deplorevoli colpe, e per salvarmi non vedeva più altro scampo che nella confessione aperta di esse da parte mia. Bisognava però, perché questa confessione non fosse pericolosa, che io dimostrassi nello stesso tempo così viva e urgente per la mia anima la necessità d'un eroico ravvedimento, da ridare a lui l'animo e la forza di chiedere agli altri il sagrifizio dei proprii interessi.

Io non facevo che dir di sì col capo a tutto quello che lui mi diceva, senza forzarmi a scrutare quanto e fin dove quella che era soltanto argomentazione dialettica, prendendo a mano a mano calore, diventasse in lui realmente sincera convinzione. Certo appariva sempre più soddisfatto; ma dentro di sé, forse, un po' perplesso, se quella sua soddisfazione fosse per vero sentimento di carità o per l'accorgimento del suo intelletto.

Si venne alla decisione che io avrei dato un esemplare e solennissimo esempio di pentimento e d'abnegazione, facendo dono di tutto, anche della casa e d'ogni altro mio avere, per fondare con quanto mi sarebbe toccato dalla liquidazione della banca un ospizio di mendicità con annessa cucina economica aperta tutto l'anno, non solo a beneficio dei ricoverati, ma anche di tutti i poveri che potessero averne bisogno; e annesso anche un vestiario per ambo i sessi e per ogni età, di tanti capi all'anno; e che io stesso vi avrei preso stanza, dormendo senz'alcuna distinzione, come ogni altro mendico, in una branda, mangiando come tutti gli altri la minestra in una ciotola di legno, e indossando l'abito della comunità destinato a uno della mia età e del mio sesso.

Quel che più mi coceva era che questa mia totale remissione fosse interpretata come vero pentimento, mentre io davo tutto, non m'opponevo a nulla, perché remotissimo ormai da ogni cosa che potesse avere un qualche senso o valore per gli altri, e non solo alienato assolutamente da me stesso e da ogni cosa mia, ma con l'orrore di rimanere comunque *qualcuno*, in possesso di qualche cosa.

Non volendo più nulla, sapevo di non poter più parlare. E stavo zitto, guardando e ammirando quel vecchio diafano prelato che sapeva voler tanto e la volontà esercitare con arte così fina, e non per un utile suo particolare, né tanto forse per fare un bene agli altri, quanto per il merito che ne sarebbe venuto a quella casa di Dio, di cui era fedelissimo e zelantissimo servitore.

Ecco: per sé, nessuno.

Era questa, forse, la via che conduceva a diventare uno per tutti.

Ma c'era in quel prete troppo orgoglio del suo potere e del suo sapere. Pur vivendo per gli altri, voleva ancora essere uno per sé, da distinguere bene dagli altri per la sua sapienza e la sua potenza, e anche per la più provata fedeltà e il maggior zelo.

Ragion per cui, guardandolo – sì, seguitavo ad ammirarlo – ma mi faceva anche pena.

IV. *Non conclude*

Anna Rosa doveva essere assolta; ma io credo che in parte la sua assoluzione fu anche dovuta all'ilarità che si diffuse in tutta la sala del tribunale, allorché, chiamato a fare la mia deposizione, mi videro comparire col berretto, gli zoccoli e il camiciotto turchino dell'ospizio.

Non mi sono più guardato in uno specchio, e non mi passa neppure per il capo di voler sapere che cosa sia avvenuto della mia faccia e di tutto il mio aspetto. Quello che avevo per gli altri dovette apparir molto mutato e in un modo assai buffo, a giudicare dalla maraviglia e dalle risate con cui fui accolto. Eppure mi vollero tutti chiamare ancora Moscarda, benché il dire Moscarda avesse ormai certo per ciascuno un significato così diverso da quello di prima, che avrebbero potuto risparmiare a quel povero svanito là, barbuto e sorridente, con gli zoccoli e il camiciotto turchino, la pena d'obbligarlo a voltarsi ancora a quel nome, come se realmente gli appartenesse.

Nessun nome. Nessun ricordo oggi del nome di ieri; del nome d'oggi, domani. Se il nome è la cosa; se un nome è in noi il concetto d'ogni cosa posta fuori di noi; e senza nome non si ha il concetto, e la cosa resta in noi come cieca, non distinta e non definita; ebbene, questo che portai tra gli uomini ciascuno lo incida, epigrafe funeraria, sulla fronte di quella immagine con cui gli apparvi, e la lasci in pace e non ne parli più. Non è altro che questo, epigrafe funeraria, un nome. Conviene ai morti. A chi ha concluso. Io sono vivo e non concludo. La vita non conclude. E non sa di nomi, la vita. Quest'albero, respiro trèmulo di foglie nuove. Sono quest'albero. Albero, nuvola; domani libro o vento: il libro che leggo, il vento che bevo. Tutto fuori, vagabondo.

L'ospizio sorge in campagna, in un luogo amenissimo. Io esco ogni mattina, all'alba, perché ora voglio serbare lo spirito così, fresco d'alba, con tutte le cose come appena si scoprono, che sanno ancora del crudo della notte, prima che il sole ne secchi il respiro umido e le abbagli. Quelle nubi d'acqua là pese plumbee ammassate sui monti lividi, che fanno parere più larga e chiara, nella grana d'ombra ancora notturna, quella verde plaga di cielo. E qua questi fili d'erba, teneri d'acqua anch'essi, freschezza viva delle prode. E quell'asinello rimasto al sereno tutta la notte, che ora guarda con occhi appannati e sbruffa in questo silenzio che gli è tanto vicino e a mano a mano pare gli s'allontani cominciando, ma senza stupore, a schiarirglisi attorno, con la luce che dilaga appena sulle campagne deserte e attonite. E queste carraje qua, tra siepi nere e muricce screpolate, che su lo strazio dei loro solchi ancora stanno e non vanno. E l'aria è nuova. E tutto, attimo per attimo, è com'è, che s'avviva per apparire. Volto subito gli occhi per non vedere più nulla fermarsi nella sua apparenza e morire. Così soltanto io posso vivere, ormai. Rinascere attimo per attimo. Impedire che il pensiero si metta in me di nuovo a lavorare, e dentro mi rifaccia il vuoto delle vane costruzioni.

La città è lontana. Me ne giunge, a volte, nella calma del vespro, il suono delle campane. Ma ora quelle campane le odo non più dentro di me, ma fuori, per sé sonare, che forse ne fremono di gioja nella loro cavità ronzante, in un bel cielo azzurro pieno di sole caldo tra lo stridìo delle rondini o nel vento nuvoloso, pesanti e così alte sui campanili aerei. Pensare alla morte, pregare. C'e pure chi ha ancora questo bisogno, e se ne fanno voce le campane. Io non l'ho più questo bisogno, perché muojo ogni attimo, io, e rinasco nuovo e senza ricordi: vivo e intero, non più in me, ma in ogni cosa fuori.

Indice

Grandi Tascabili Economici, sezione dei Paperbacks
Pubblicazione settimanale, 29 settembre 1994
Direttore responsabile: G.A. Cibotto
Registrazione del Tribunale di Roma n. 16024 del 27 agosto 1975
Fotocomposizione: Primaprint s.n.c., Terni
Stampato per conto della Newton Compton editori s.r.l., Roma
presso la Rotolito Lombarda S.p.A., Pioltello (MI)
Distribuzione nazionale per le edicole: A. Pieroni s.r.l.
Viale Vittorio Veneto 28 - 20124 Milano - telefono 02-29000221
telex 332379 PIERON I - telefax 02-6597865
Consulenza diffusionale: Eagle Press s.r.l., Roma

PIRANDELLO
Tutti i romanzi, le novelle e il teatro

A cura di Italo Borzi e Maria Argenziano
Edizione integrale

I
Tutti i romanzi

*L'esclusa, Il turno, Il fu Mattia Pascal, Suo marito,
I vecchi e i giovani, Quaderni di Serafino Gubbio operatore,
Uno, nessuno e centomila*

II
Novelle per un anno

*Scialle nero, La vita nuda, La rallegrata, L'uomo solo,
La mosca, In silenzio, Tutt'e tre, Dal naso al cielo, Donna
Mimma, Il vecchio Dio, La giara, Il viaggio, Candelora,
Berecche e la guerra, Una giornata, Appendice*

III
Maschere nude

*Sei personaggi in cerca d'autore, Ciascuno a suo modo,
Questa sera si recita a soggetto, Enrico IV, Diana e la Tuda,
La vita che ti diedi, L'uomo dal fiore in bocca, Il giuoco
delle parti, Il piacere dell'onestà, L'imbecille, L'uomo,
la bestia e la virtù, Come prima, meglio di prima, Vestire gli
ignudi, Come tu mi vuoi, Così è (se vi pare), Tutto per bene,
La ragione degli altri, L'innesto, Sogno (ma forse no),
L'amica delle mogli, La morsa, La signora Morli, una e due,
Pensaci, Giacomino!, Lumìe di Sicilia, Il berretto a sonagli,
La giara, Cecè, Il dovere del medico, Sagra del Signore
della Nave, Ma non è una cosa seria, Bellavita, La patente,
L'altro figlio, Liolà, O di uno o di nessuno, Non si sa come,
Trovarsi, Quando si è qualcuno, All'uscita,
La nuova colonia, Lazzaro, La favola del figlio cambiato,
I giganti della montagna*